# DICTIONNAIRE
## DE
# SPIRITUALITÉ
### ASCÉTIQUE ET MYSTIQUE
### DOCTRINE ET HISTOIRE

FONDÉ PAR M. VILLER, F. CAVALLERA, J. DE GUIBERT, S. J.

CONTINUÉ PAR A. RAYEZ, A. DERVILLE ET A. SOLIGNAC, S. J.

AVEC LE CONCOURS D'UN GRAND NOMBRE

DE COLLABORATEURS

*FASCICULES LXXVI-LXXVII*

*Pacaud - Pawlowski*

*BEAUCHESNE*
PARIS
1983

NIHIL OBSTAT
Paris, le 8 avril 1983
H. MADELIN, *S.J.*

IMPRIMATUR
Paris, le 18 avril 1983
P. FAYNEL, *vic. ép.*

# LISTE DES COLLABORATEURS DES FASCICULES LXXVI-LXXVII

MM.      PP.

ACEBAL LUJÁN (M.), O.F.M., Grottaferrata (Quaracchi), Italie.

ANDREU (Fr.), Théatin, Rome.

ANDRIESSEN (J.), S.J., *Ruusbroecgenootschap,* Antwerpen, Belgique.

ANSALDI (J.), Institut protestant de théologie, Montpellier.

ANTONAZZI (G.), Mgr., Morlupo, Italie.

APARICIO LÓPEZ (T.), O.S.A., Valladolid, Espagne.

BACHT (H.), S.J., Prof., Francfort/Main, Allemagne Fédérale.

BADALIĆ (J.), S.J., Opatija, Yougoslavie.

BARRAU (P.), Institut catholique, Paris.

BECKER (C.), S.J., Coblenz, Allemagne Fédérale.

BESUTTI (G.M.), Servite, *Marianum,* Rome.

BEYLARD (H.), S.J., Archiviste, Cormontreuil.

BLOMMESTIJN (H.), O.C., Nimègue, Pays-Bas.

BOLAND (A.), S.J., Chantilly.

BONHOME (A. de), S.J., Prof., Institut d'Études Théologiques, Bruxelles-Namur, Belgique.

CAPPELLUTI (G.), O.P., Rome.

CARDONA (D.), Chartreux, Montalegre, Espagne.

CARGNONI (C.), O.F.M. Cap., *Istituto storico,* Rome.

CERDAN (Fr.), Prof., Université, Toulouse-Le Mirail.

COLOSIO (I.), O.P., San Domenico di Fiesole, Italie.

COLPO (M.), S.J., *Institutum historicum,* Rome.

COSTE (R.), P.S.S., Institut catholique, Toulouse.

DALMAIS (I.-H.), O.P., Paris.

DARRICAU (R.), Prof., Université, Bordeaux.

DERVILLE (A.), S.J., Chantilly.

DEVAUX (A.), Chartreux, Sélignac.

DI BERNARDO (F.), C.P., Rome.

DUPUY (M.), P.S.S., Séminaire Jean XXIII, Kinshasa, Zaïre.

ERBA (A.M.), Barnabite, Rome.

ÉVAIN (Fr.), S.J., Prof., Université Grégorienne, Rome.

FLUSIN (B.), Inst. de Recherche et d'Histoire des textes, Paris.

GAIFFIER (B. de), S.J., Société des Bollandistes, Bruxelles.

GARRIDO (P.M.), O.C., *Institutum Carmelitanum,* Rome.

GENSAC (H. de), S.J., Archiviste, Toulouse.

GIORGINI (F.), C.P., Rome.

GRÉGOIRE (R.), O.S.B., Abbaye Saint-Jérôme, Rome.

GRELOT (P.), Prof., Institut catholique, Paris.

GROSSI (J.P.), O.P., Florence.

GUENNOU (J.), Missions Étrangères, Paris.

GUILLET (J.), S.J., Centre d'études et de recherches, Paris.

GUTIÉRREZ (D.), O.S.A., Rome.

HERNÁNDEZ (R.), O.P., Salamanque, Espagne.

HONEMANN (V.), Pr. Dr., Université libre de Berlin.

HOURLIER (J.), O.S.B., Abbaye de Solesmes.

HUERGA (A.), O.P., Prof., *Angelicum,* Rome.

JACQUES (X.), S.J., Prof., Institut d'Études Théologiques, Bruxelles-Namur.

LADARIA (L.), S.J., Prof., Université Comillas, Madrid.

LÉGASSE (S.), O.F.M. Cap., Prof., Institut catholique, Toulouse.

LIENHARD (J.), S.J., Prof., Marquette University, U.S.A.

LÓPEZ SANTIDRIÁN (S.), Prof., Facultad de Teología del Norte, Burgos, Espagne.

LOUIS-MARIE DU CHRIST, O.C.D., Avon.

MAJKOWSKI (J.), S.J., Varsovie.

MARCHEL (W.), Lucerne, Suisse.

MARTINAIS (C.-M.), Frère des Écoles Chrétiennes, Paris.

MARTY (Fr.), S.J., Centre d'études et de recherches, Paris.

MÉHAT (A.), Prof., Université, Nancy.

MELLINATO (G.), S.J., *Civiltà Cattolica,* Rome.

MESNARD (J.), Prof., Université de Paris-Sorbonne.

MEYENDORFF (J.), Prof., St. Vladimir's Orthodox Theological Seminary, Crestwood, U.S.A.

MIQUEL (P.), O.S.B., Abbaye Saint-Martin, Ligugé.

MOLLAT (M.), Académie des Inscriptions et Belles-Lettres, Paris.

MORIONES (I.), O.C.D., *Teresianum,* Rome.

NASELLI (C.A.), C.P., Rome.

NIERO (A.), Mgr., *Seminario Patriarchale,* Venise.

NOYE (I.), P.S.S., Archiviste, Paris.

O'CARROLL (M.), Spiritain, Blackrock, Dublin, Irlande.

PACHO (E.), O.C.D., *Teresianum,* Rome.

PACIK (R.), Prof., Université, Innsbruck, Autriche.

PÉANO (P.), O.F.M., Grottaferrata (Quaracchi), Italie.

PIERONI (P.), Clerc rég. de la Mère de Dieu, Rome.

PORRES ALONSO (B.), O.S.T., Cordoue, Espagne.

POULENC (J.), O.F.M., Grottaferrata (Quaracchi), Italie.

RAFFIN (P.), O.P., Paris.

RAVIER (A.), S.J., Chantilly.

REPETTO (Fr.), Mgr, Gênes, Italie.

RODRÍGUEZ (O.), O.C.D., *Teresianum,* Rome.

ROTUREAU (G.), Oratorien, Paris.

SAGNE (J.-Cl.), O.P., Lyon.

SAINSAULIEU (J.), Reims.

SAMPERS (A.), Rédemptoriste, Rome.

SÁNCHEZ (V.), O.F.M., *Archivo ibero-americano,* Madrid.

SANNAZZARO (P.), Camillien, Rome.

SCADUTO (M.), S.J., *Institutum historicum,* Rome.

SCHMITT (C.), O.F.M., Grottaferrata (Quaracchi), Italie.

SCHRAMA (M.), O.S.A., Eindhoven, Pays-Bas.

SCHULZ (F.), Dr, Université, Heidelberg, Allemagne Fédérale.

SIEBEN (H.J.), S.J., Prof., Francfort/Main, Allemagne Féd.

SOLIGNAC (A.), S.J., Chantilly.

SPANNEUT (M.), Prof., Facultés catholiques, Lille.

STANDAERT (M.), O.C.R., Abbaye d'Achel, Belgique.

STARING (A.), O.C., *Institutum Carmelitanum,* Rome.

TILLARD (J.-M.-R.), O.P., Prof., Faculté de Théologie, Ottawa, Canada.

VALABEK (R.M.), O.C., *Institutum Carmelitanum,* Rome.

VALVEKENS (J.-B.), Prémontré, Abbaye d'Averbode, Belgique.

VAN DIJK (W.-Chr.), O.F.M. Cap., Paris.

VIARD (P.), Chanoine, Langres.

WICKS (J.), S.J., Prof., Université Grégorienne, Rome.

ZARAGOZA PASCUAL (E.), O.S.B., Abbaye Santa Cruz del Valle de los Caídos, Espagne.

ZOVATTO (P.), Prof., Université, Trieste.

ZUMKELLER (A.), O.S.A., Wurtzbourg, Allemagne Fédérale.

# DICTIONNAIRE
## DE
# SPIRITUALITÉ
## ASCÉTIQUE ET MYSTIQUE
### DOCTRINE ET HISTOIRE

FONDÉ PAR M. VILLER, F. CAVALLERA, J. DE GUIBERT, S. J.

CONTINUÉ PAR A. RAYEZ, A. DERVILLE ET A. SOLIGNAC, S. J.

AVEC LE CONCOURS D'UN GRAND NOMBRE

DE COLLABORATEURS

---

TOME XII

PREMIÈRE PARTIE

*Pacaud - Photius*

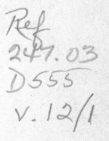

**BEAUCHESNE**
PARIS

1984

# DICTIONNAIRE
## DE
# SPIRITUALITÉ

NIHIL OBSTAT
Paris, 8 avril 1983 et 13 avril 1984
H. MADELIN, *S.J.*

IMPRIMATUR
Paris, 18 avril 1983 et 24 avril 1984
P. FAYNEL, *vic. ép.*
Mgr E. BERRAR, *vic. ép.*

# P

**PACAUD** (Pierre), oratorien, 1682-1760. — Né, dit-on, à Pornic (Bretagne) en 1682, fils d'un maître chirurgien, Pierre Pacaud, après ses études d'humanités et de philosophie à Nantes, entra à l'Oratoire, à Paris, le 6 octobre 1701. Ordonné prêtre le 16 mars 1709, zélé, charitable, modeste, fervent, il mena une activité de prédicateur estimé, non sans attirer sur lui l'attention de l'archevêque de Paris, Ch. de Vintimille, qui, à deux reprises, l'interdit de prédication à cause de ses tendances jansénisantes (ainsi pour l'Avent de 1729). En raison de ces mêmes tendances, Pacaud fut éloigné de la maison de Paris et envoyé à celle de Dijon en 1746 ; il ne fut pas, comme on l'a dit, expulsé de l'Oratoire. Pacaud mourut le 3 ou le 9 mai 1760.

Son seul ouvrage publie des *Discours de piété sur les plus importants objets de la religion* (3 vol., Paris, 1745 ; rééd. en 1751 et en 1757 ; un tome 2 daté de 1763 à la Bibl. des jésuites de Chantilly). La 1e éd., anonyme comme les deux suivantes, semble due à l'initiative d'un ami (capucin si l'on en croit Colonia). Sur représentation de docteurs de Sorbonne, le livre fut saisi et son débit ne fut autorisé qu'après introduction de trente-cinq cartons correcteurs. Migne en a donné une édition abrégée (coll. *Orateurs sacrés*, t. 45, Paris, 1854, col. 1157-1366).

Selon le nécrologe oratorien, ces « *Discours de piété*, tendres, insinuants, venaient du cœur et allaient au cœur ». Le ton des sermons imprimés est plus simple, plus chaleureux que celui de beaucoup de ses contemporains. Quant au contenu, il est difficile d'y trouver des positions nettement jansénistes ; les ennuis de Pacaud semblent être dus plutôt à ses sympathies pour les « appelants » et au climat de querelle chicaneuse de l'époque. L'ouvrage ne suit pas l'ordre de l'année liturgique, mais un ordre qui se veut logique. On n'y remarque pas un enseignement spirituel personnel, mais pas davantage de controverse ou d'apologétique : Pacaud expose la foi chrétienne à ses contemporains pour qu'ils en vivent.

*Nouvelles ecclésiastiques,* 5 novembre 1729, p. 4 ; 26 juin 1745, p. 101-103 (sur les 35 cartons) ; 20 novembre 1746, p. 186. — D. de Colonia, *Dictionnaire des livres jansénistes,* t. 1, Anvers, 1755, p. 450-455. — (Ch.-Y. Cousin), *Dictionnaire biographique et bibliographique des prédicateurs... français,* Lyon, 1824, p. 193. — J.-M. Quérard, *La France littéraire,* t. 6, Paris, 1834, p. 541. — P. Levot, *Biographie bretonne,* t. 2, Vannes, 1857, p. 561-562. — A. Bernard, *Le sermon au 18e siècle,* Paris, 1901, p. 59 svv.

Gaston ROTUREAU.

**PACCORY** (Ambroise), diacre (1650-1730). — Né au bourg de Ceaucé (Orne), dépendant alors du diocèse du Mans, Ambroise Paccory poursuit ses études à Angers. Il y est le disciple d'un ami de Bourdoise, Jean Gallard qui, soupçonné de jansénisme, mourra exilé à Brive-la-Gaillarde en 1686. A partir de 1672, Paccory exerce la fonction de principal dans le collège récemment établi à Ceaucé. Trop rigoureusement attaché à l'observation du règlement, il est victime, en 1684, d'une tentative d'empoisonnement qui ruine sa santé. Le retentissement de cette affaire contraint le principal à démissionner. L'évêque d'Orléans, Pierre de Coislin, l'accueille dans son diocèse, lui confiant la direction du petit séminaire de Meung-sur-Loire ; tel sera, de 1686 à 1706, le cadre principal des activités de Paccory.

Très peu de ses élèves accèderont au sacerdoce ; comme leur maître, ils éprouvaient une « sainte frayeur » du ministère sacré. Le diacre orientait alors ces séminaristes instruits et pieux vers les « écoles de charité » : c'est le secteur de l'Église orléanaise qui bénéficia le plus des activités du diacre pédagogue. Plusieurs témoins contemporains parlent de ces « excellentes écoles » dont la renommée s'étendit à Paris, à Lyon et jusque dans les Flandres.

La préparation de maîtres « sans latin », tout appliqués à leur modeste emploi, est une des préoccupations majeures du diacre. Il s'en explique longuement, dans une lettre de 1702, en réponse à une consultation de M. Esparon, successeur de C. Démia (DS, t. 3, col. 139-141) à la direction des petites écoles lyonnaises. Autre forme de l'apostolat exercé par Paccory : les instructions matinales dispensées, le dimanche, à un auditoire de gens de la campagne qui affluent, en toutes saisons, au séminaire de Meung avant de retourner aux offices célébrés dans leurs paroisses respectives.

A ces occupations, Paccory ajoute la composition des bons livres. Des ecclésiastiques, des personnes de piété entretiennent avec le diacre une correspondance spirituelle : relations orléanaises, mais plus encore amis parisiens parmi lesquels on rencontre Mlle de Joncoux, si liée à Port-Royal-des-Champs ; Jean Louail, familier de l'abbé de Louvois ; Michel Tronchay qui éditera les derniers travaux de l'historien Le Nain de Tillemont.

Ces diverses activités, Paccory les déploie aussi longtemps qu'il bénéficie de l'amitié protectrice de Pierre de Coislin. A la mort de celui-ci, en 1706, le diacre doit quitter le diocèse d'Orléans. Jusqu'en 1730, il poursuit à Paris ses travaux de composition. Un attachement foncier à des positions doctrinales de plus en plus discutées se traduit par une nette opposition à la bulle *Unigenitus* (1713), avant même l'Appel public des quatre évêques ; appelant, réappelant, adhérent à Soanen, le diacre tient, de plus, à rétracter, par un acte officiel, sa signature pure et simple du Formulaire. La profondeur de ses convictions jansénistes est réaffirmée dans un *Testament spirituel* rédigé plusieurs années avant sa mort survenue le 12 février 1730, sur la paroisse parisienne de Saint-Jacques-du-Haut-Pas.

Pendant son séjour orléanais, il avait déjà publié *La vie, mort, passion et résurrection de Jésus-Christ Notre-Seigneur* (Orléans, 1688), des *Avis salutaires à une mère chrétienne pour se sanctifier dans l'éducation de ses enfants* (1691), des *Entretiens sur la sanctification des dimanches et des fêtes* (1692, 4e éd.), des *Règles chrétiennes pour faire saintement toutes ses actions, dressées en faveur des enfants qui se font instruire dans les Écoles chrétiennes* (1700).

Au cours de sa retraite parisienne, Paccory reprit ces thèmes fondamentaux en vue de donner aux maîtres et aux maîtresses, aux parents et aux enfants une plus claire connaissance de leurs devoirs et le désir de les mieux remplir. La longue réponse à M. Esparon (1702) devint une *Instruction pour les Maîtres des Écoles chrétiennes* (1708) suivie, en 1709, d'un *Règlement et Méthode pour les Écoles* (deux brochures imprimées à Paris sous l'anonymat). – *Avis salutaire aux pères et aux mères qui veulent se sauver par l'éducation chrétienne qu'ils doivent à leurs enfants* (Paris, 1719). – *Journée chrétienne où l'on trouvera des règles pour vivre saintement dans tous les états et toutes les conditions* (1721). – *Règles pour travailler utilement à l'éducation chrétienne des enfants* (1726). – *Règles pour vivre chrétiennement dans l'engagement du mariage et la conduite d'une famille* (1726).

Maintes fois rééditées (22 réimpressions, de 1701 à 1833, des *Règles chrétiennes pour faire saintement toutes ses actions*), la plupart de ces œuvres moralisatrices furent utilisées dans les écoles comme livres de lecture ou distribuées en récompense. En 1807, un *Manuel du catéchiste et du Maître d'École* reprendra la substance des deux brochures parues un siècle auparavant, en 1708 et 1709.

Paccory atteignit donc de nombreux lecteurs : parents, éducateurs, écoliers... Ses ouvrages principaux ne visent aucunement à dispenser une spiritualité originale, mais une constatation ressort de la seule lecture des titres : l'auteur insiste sur la grandeur de la condition chrétienne et le sérieux des exigences qui en découlent. Il enseigne un christocentrisme pratique à la fois solidement enraciné dans le dogme et clairement mis à la portée de son public. Ce christocentrisme est imprégné des enseignements de saint Paul et de saint Augustin ; surtout, il se caractérise par le sens de la charité envers Dieu et le prochain, celui-ci devant être aimé et servi avec une « tendresse » qui n'exclut pas la lucidité. Le rôle capital du Christ est développé dans les vingt-huit pages servant de *Préambule* à la *Journée chrétienne*. Connu de Quesnel, le diacre pédagogue pratiquait les œuvres de piété de celui qu'il faut bien reconnaître comme un éminent vulgarisateur de l'essentiel des enseignements bérulliens. Le début du *Préambule* place le lecteur face au mystère central de l'Incarnation dont il rappelle les fruits et la fin :

« Le Fils de Dieu, consubstantiel et égal à son Père dans sa nature divine, ne s'est anéanti dans le tems, en prenant la nature humaine, que pour nous instruire et nous former à son modèle par ses exemples et par sa grâce ; pour nous délivrer de la servitude du péché, nous sanctifier, nous rapprocher de Dieu dont nous étions eloignez par la corruption où toute la nature étoit plongée et nous réunir à ce Bien souverain qui doit faire notre bonheur dans l'Éternité.

« Dieu de toute éternité et homme dans le tems par son Incarnation, il s'appelle Jésus-Christ ; Jésus (qui veut dire Sauveur) parce qu'il nous a mérité le salut éternel par sa mort, et qu'il l'opere par une grace qui nous purifie de toutes nos taches, nous rétablit dans la liberté des enfans de Dieu, nous fait faire le bien avec amour, et nous y fait persévérer jusqu'à la fin avec une constance et une fidélité inviolable » (*Journée chrétienne*, éd. 1721, p. 1-2).

Le Sauveur est aussi « Roi » et « souverain Prêtre » et « tous les fidèles participent à cette onction de

Jésus-Christ leur chef... » (p. 3). Ce riche enseignement, Paccory l'assortit des distinctions qui s'imposent, mais il insiste sur une obligation commune à tous les baptisés : « Être à Jésus-Christ » et, dans ce but, travailler à le connaître et à l'imiter. Le diacre, après avoir montré la « Sagesse de Dieu dans le mystère de l'Incarnation » (p. 10-16), étudie la « Conduite admirable du Verbe incarné vivant sur la terre ». Des exemples et des enseignements du Christ, il découle que « l'amour de Dieu est l'âme du Christianisme » (p. 16). Cet amour s'obtient et s'accroît par la prière, une prière dans et par l'Esprit du Christ. Membres de Jésus-Christ, les fidèles vivent de son Esprit. Paccory est pénétré de cet enseignement paulinien si cher à l'École de Bérulle ; la conclusion de ses lettres (par exemple pour la période 1697-1702) est éclairante à ce sujet : elle témoigne de la volonté du diacre d'enraciner ses sentiments et ses activités « dans l'Esprit de Jésus-Christ ». La prière est définie par référence aux écrits de saint Augustin, ce qui conduit l'auteur à rappeler le fameux *Fecisti nos ad Te...* » (p. 23-25). Et comme la prière doit être continuelle, Paccory, après avoir marqué la valeur de la prière publique instituée par l'Église, souligne la nécessité de la prière personnelle « fréquente et réglée » (p. 27-28).

Le déroulement de la *Journée chrétienne* est jalonné de règles pour vivre saintement dans tous les états et toutes les conditions. En trois cent cinquante pages, Paccory rappelle cette idée maîtresse – reçue, elle aussi, de saint Paul – que toutes les activités peuvent et même doivent être exercées en esprit de prière, dans une disposition de « consécration » à Dieu et de « conformité » à Jésus-Christ. Telle est la sainteté que l'Évangile compris et vécu sans illusoires ménagements exige de tous les baptisés.

Ainsi se présente – tirée de Paccory lui-même la formulant neuf ans avant sa mort – la synthèse pratique de son enseignement spirituel. Il le communiquait à Meung et à Orléans ; il en souhaitait la transmission surtout par ces « maîtres sans latin », ces « Anges Gardiens visibles » destinés aux écoles de charité et dont il attendait, comme Jean-Baptiste de La Salle, son exact contemporain, qu'ils fussent d'abord et chaque jour des catéchistes.

En plus des ouvrages ci-dessus mentionnés, Paccory a encore composé :

*Pensées chrétiennes tirées de l'Écriture et des Pères*, Paris, 1713. – *Suite de l'Abrégé de la Loi nouvelle* (en collaboration avec Vernage), Paris, 1714. – *Instructions chrétiennes sur... les désordres du carnaval*, Paris, 1722. – *Instructions chrétiennes sur les représentations deshonnêtes*, Paris, 1726. – *De l'honneur qui est dû à Dieu dans ses Mystères et dans les Saints*, Paris, 1726. – *Devoirs des Vierges chrétiennes tirés de l'Écriture et des Pères*, Paris, 1727.

Paccory a édité avec dès augmentations : *Histoires choisies ou Livre d'exemples tirés de l'Écriture* (de M. Genevaux), Paris, 1720. – *Explication des Épîtres et des Évangiles par demandes et par réponses* (en 4 vol., à partir des 2 vol. de M. Perdoulx), Paris, 1727.

Selon le *Nécrologe* de l'oratorien P.-F. Labelle, Paccory avait laissé deux ouvrages manuscrits. Le premier, fort considérable : *Traité des devoirs des Ecclésiastiques*, approuvé par M. d'Arnaudin, a été égaré après la mort de ce docteur ; une *Instruction sur le chapelet* se trouvait, en 1755, entre les mains d'un libraire de Paris.

Lettres : voir *Inventaire des pièces d'Archives françaises se rapportant à l'abbaye de Port-Royal..., conservées à Utrecht*, La Haye, 1972 (signale de nombreuses lettres inédites) ; – important recueil de copies : *Lettres de Mr. P.* (à la Bibl. de la Société de Port-Royal, Paris, LET. 364 bis).

*Nouvelles ecclésiastiques*, 1729, 25 juin ; 1730, 11 mars, p. 6-7. – P. Barral, *Appelans célèbres*, s 1, 1753, p. 29-32. – P.-F. Labelle, *Nécrologe des Appelans et Opposans...*, s 1, 1755, p. 434-445 (vie, œuvres, *Testament*). – L.-E. Rondet, *Abrégé de la Vie de M. Paccory*, en tête de l'éd. de 1760 de la *Journée chrétienne*. – L. Moréri, *Le grand dictionnaire historique*, t. 8, Paris, 1759, P, p. 2-3. – DTC, t. 11/2, 1932, col. 1711-1712 (bibl.). – C.-M. Martinais, *Un pédagogue méconnu. Le diacre A. Paccory*, coll. Lassallianum 18, Rome, 1976.

DS, t. 4, col. 769-70 ; t. 7, col. 717 ; t. 8, col. 1462.

Clément-M. Martinais.

**PACHECO** (Balthasar), frère mineur, † 1613. – Né à Ledesma (province et diocèse de Salamanque), Balthasar Pacheco entra dans la province franciscaine de l'observance de San Miguel. Il fut un excellent prédicateur du Siècle d'Or ; son style est élégant et plein d'onction. Il fut gardien des couvents de Cáceres (San Francisco) et de Ciudad Rodrigo (San Francisco), définiteur provincial. Le 22 mai 1600, il était au couvent romain de l'Aracoeli pour le Chapitre général et y prêcha. En 1603, il présida le Chapitre provincial d'Andalousie. En 1610, il est à Rome comme commissaire général ultramontain. Il mourut en 1613.

L'œuvre imprimée de Pacheco consiste essentiellement en sermonnaires ; elle n'a pas encore été étudiée : *Meditaciones sobre el amor de Dios* (Salamanque, 1582). – *Catorce discursos sobre la oración sacrosancta del Pater noster* (1585, 1596, 1603 ; exemplaire de 1603 à la B.N. de Madrid, 3/71045 ; avec quatre index : scripturaire, droit civil, droit canonique, alphabétique). – *De los Juramentos : Declaración del Segundo mandamiento* (1595 ; éd. augmentée, 1600). – *Concio... Romae habita... ad Capitulum generale...* (Rome, 1600). – *Sobre el Símbolo de los Apóstoles* (Salamanque, 1603). – *Santoral* (2 vol. de 46 et 45 sermons, Salamanque, 1605, avec 5 index : scripturaire, droits canonique et civil, matières et auteurs cités ; exemplaire à la B.N. de Madrid, 3/50850) ; s'inspire souvent de Luis de Granada. – *Dominical* (54 sermons pour les dimanches, du premier de l'Avent à la Quinquagésime, 1605, 760 p.).

*Compendio de servir al altar el ministro de la Misa rezada* (Madrid, 1611). – *Espejo de sacerdotes y de todos los ministros de la Hierarchia ecclesiástica* (Madrid, 1611, 206 f.). – *Ad theologos exhortatio ad studium Juris canonici, et methodus cognoscendi rubricas* (Salamanque, 1614).

A propos de la mariologie, Pacheco considère la fête de l'Immaculée Conception comme la principale fête mariale ; il le prouve par la liturgie et l'ordre naturel de ces fêtes : sans l'Immaculée Conception, il n'y aurait ni la Nativité, ni la Présentation et la Purification, ni l'Assomption. Pacheco défend ce qu'on a appelé l'Immaculée Conception passive et seconde (lors de l'infusion de l'âme intellective) et non la primaire (lors de la formation de l'embryon).

L. Wadding, *Annales Minorum*, t. 23, Quaracchi, 1934, p. 422 ; t. 24, 1934, p. 171. – Wadding-Sbaralea, p. 35 ; *Supplementum*, t. 1, p. 112. – Juan de San Antonio, *Bibliotheca universa Franciscana*, t. 1, Madrid, 1732, p. 177-178. – N. Antonio, *Bibliotheca Hispana nova*, t. 1, Madrid, 1783, p. 183-184. – S. de Venezia, *Biografia Serafica*, Venise, 1846, p. 491. – DTC, t. 11/2, 1932, col. 1713. – *Archivo Ibero Americano*, t. 7, 1917, p. 170 ; t. 27, 1927, p. 83-86 ; t. 34, 1931, p. 293 ; nouv. série, t. 2, 1942, p. 231-232 ; t. 15, 1955, p. 165-166. – *The Franciscan Educational Conference*, t. 9, Brookland, 1927, p. 486. – DS, t. 4, col. 1132.

Mariano Acebal Luján.

**PACHEU** (Jules), prêtre, 1860-après 1922. – Né le 28 avril 1860 dans le diocèse de Rennes, Jules Pacheu entra dans la Compagnie de Jésus le 8 mai 1881 à Aberdovey (noviciat de la province de France) et y fit son juvénat ; au cours de sa théologie faite à Jersey, il fut ordonné prêtre (1893). En 1897, il est à la résidence de la rue de Sèvres à Paris. Après son troisième an de noviciat (1899), il émet ses derniers vœux (2 février 1900). Pacheu commence des conférences apologétiques, ainsi à Poitiers, qui l'amènent à enseigner à l'Institut catholique de Paris. Il quitte la Compagnie en 1903 ou 1904.

On retrouve son nom parmi le clergé diocésain de Rennes (annuaire de 1908), d'abord attaché à la paroisse de la Toussaint à Rennes, puis détaché à Paris (1909 svv), à Saint-Servan (1920), à Paris (1921), de nouveau à Saint-Servan (1922). L'annuaire de 1923 ne le mentionne plus et l'on perd sa trace.

Pacheu intéresse l'étude de la spiritualité par les cours qu'il donna à l'Institut catholique de Paris (1909?-1912) et par les ouvrages qui en sont issus. Voici les principaux : *Mystiques et Mystique*. Leçons d'introduction à un cours de critique religieuse (Paris, 1901), développé dans *Introduction à la psychologie des mystiques* (1901) ; – *Du positivisme au mysticisme*. Étude sur l'inquiétude religieuse contemporaine (Paris, 1906 ; cf. *Revue de néo-scolastique*, t. 14, 1907, p. 128-130) ; – *Psychologie des mystiques chrétiens*. Les Faits... (Paris, 1909) et... Critique des faits : L'expérience mystique et l'activité subconsciente (1911).

Autres œuvres : *De Dante à Verlaine* (Paris, 1897, 1912) ; – *L'ascétisme des mystiques et l'harmonieux développement de la vie* (Bruxelles, 1911) ; – *Alceste au couvent* (roman ; Paris, 1912) ; – *Jacopone de Todi* (étude, éd. et trad. de diverses *Laude* ; 1914) ; – *Le bon catholique à l'école de Jésus-Christ* (1916) ; – *Les Béatitudes* (1916). – Pacheu a encore publié, outre des discours et diverses brochures, des articles dans les *Études* et la *Revue de Philosophie* (en particulier *Les mystiques interprétés par les mystiques*, t. 22/2, 1913, p. 616-660).

Les Archives de l'Institut catholique de Paris conservent des lettres autographes de Pacheu et diverses pièces le concernant.

Les études de Pacheu confrontent l'expérience des principaux mystiques chrétiens avec les diverses approches et explications qu'en donnent ses contemporains ; d'autre part il dénonce une « mysticité contemporaine », humanitaire avec Auguste Comte, naturiste, panthéiste, pessimiste avec Schopenhauer, athée avec F. Nietzsche, etc., en en soulignant les limites. Combien plus haute, plus profondément humaine lui apparaît la vraie mystique chrétienne ! Il y a chez Pacheu un côté apologiste chrétien.

Il est attentif aux travaux de H. Delacroix (DS, t. 3, col. 117-19), J. Grasset, H. Höffding, W. James, P. Janet, J. Leuba, Th. Ribot, etc., et tente pour sa part d'expliquer « le mécanisme psychologique des faits mystiques », qui sont

« complexes comme tous nos actes vitaux ». « La vie affective constitue le fond même de notre être ».

Pacheu a étudié Denys l'Aréopagite, Augustin, Bernard, Thomas d'Aquin, les Catherine de Sienne et de Gênes, Ignace de Loyola, Thérèse d'Avila et Jean de la Croix, Alvarez de Paz. Parmi ses contemporains, il se réfère de préférence à J. Maréchal et R. de Maumigny, son directeur du troisième an ; il manifeste parfois son désaccord avec A. Poulain.

·L'élément fondamental de la mystique vécue est l'amour de Dieu, l'union avec lui, qui entraînent vers la perfection, l'achèvement de la vie chrétienne. Les états mystiques, au sens strict de l'expression, sont des « communications que Dieu fait de lui-même » ; ils sont produits « directement par une opération divine » indépendante du vouloir humain et élèvent l'âme consciente à de hauts degrés de connaissance et d'amour. Pacheu examine les relations de ces expériences en utilisant « les lumières de la raison et de la foi », contrôlant « leur véracité, leur exactitude descriptive » et opérant une sorte de critique à la fois théologique et scientifique de la « psychologie des mystiques ».

La contemplation est « un regard simple et amoureux sur Dieu » qui relève de l'expérience et dont seuls les bénéficiaires peuvent témoigner ; elle fixe les puissances psychologiques, parfois au point de provoquer l'aliénation des sens. Parfaite, elle a trois degrés : l'union simple, l'union extatique, l'union consommée ou transformante ; elle comporte une intuition intellectuelle pure (sans image), d'ordre « pratique », mais obscure et cependant sans illusion. Même au degré le plus élevé, au stade de l'union transformante, elle n'empêche pas les occupations ordinaires, alors qu'elle le fait au degré extatique. L'authentique mystique vit, parallèlement à ces états, le progrès moral, une ascèse génératrice d'énergie et une vraie sainteté : maîtrise de soi, sens d'autrui, tendresse de l'âme, sensibilité affinée, vaillance et constance dans l'action, sagesse supérieure montrent bien chez le mystique un « mouvement qui le dépasse ».

Pour Pacheu, l'étude sérieuse des « données mystiques » exige que l'on prenne conscience de l'objet, du but et des méthodes propres à chaque discipline, particulièrement la philosophie, la psychologie et la théologie.

DTC, t. 10, col. 2649, 2653, 2656-57 ; Tables, col. 3405. – Bremond, *Histoire littéraire...,* t. 2, p. 585, 589 ; t. 6, p. 9, 138. – DS, t. 3, col. 118 ; t. 7, col. 1490 ; t. 8, col. 25.

Paul VIARD.

**PACHÔME** (SAINT), moine égyptien et fondateur, † 346. – 1. *Vie et personnalité.* – 2. *Action.* – 3. *Règle et spiritualité.*

1. VIE ET PERSONNALITÉ. – 1° *Jeunesse.* – Le lieu d'origine de Pachôme (« Faucon du roi », nom fréquent en Égypte ; cf. Leipoldt, *Pachom...,* p. 193) était la ville de Šnêh (en grec Latopolis), sur la rive gauche du Nil, au sud de Thèbes. Il naquit dans une famille de paysans, assez fortunée pour employer quelques ouvriers. Il avait un frère aîné nommé Jean, et une sœur nommée Marie, qui le rejoignirent plus tard. Ses parents ne purent lui faire donner une grande instruction (il n'apprit le grec qu'à l'âge adulte) ; il savait cependant lire, peut-être écrire. La date de sa naissance, comme la chronologie de sa vie ultérieure, est encore sujette à discussion ; les spécialistes tendent pourtant à la situer dans la dernière décennie du 3ᵉ siècle, en 292/294. Vers les années 312/313 (Chitty, *A Note...,* p. 379-380), il fut engagé par force dans l'armée impériale et placé, avec de nombreux compagnons d'infortune, sur un bateau qui descendait le cours du Nil. A Thèbes (Nê en copte), des chrétiens compatissants prirent soin des jeunes recrues. Ce premier contact avec des chrétiens fit sur lui une si grande impression qu'il fit le vœu, après sa libération, de s'engager au service des hommes. Les *Vies* grecques et coptes s'accordent pour dire qu'il promit « d'accomplir en tout temps la volonté de Dieu et de servir les hommes ».

A Antinoé, les recrues furent relâchées. Mais, au lieu de retourner dans sa patrie, Pachôme s'établit à Šenesêt (en grec Chenoboskeion, « le pré aux oies »), dans un temple désaffecté de Sérapis, où il se mit au service des nécessiteux. Après un bref catéchuménat, il fut baptisé et admis au mystère eucharistique. Dans la nuit qui suivit son baptême, il eut une vision : une rosée du ciel descendait sur lui, dans sa main elle se transformait en rayon de miel qui se répandait sur la terre. « L'intime relation entre ce rêve de Pachôme et son baptême laisse entrevoir comment se vivait ce sacrement en sa dimension ecclésiale : le baptême de Pachôme deviendrait source de bienfaits abondants pour un grand nombre » (Van Cranenburgh, *Étude...,* p. 283). Dans les mois qui suivirent, Pachôme se dépensa en œuvres de charité, spécialement auprès des pestiférés.

2° *Vocation monastique.* – Mais bien vite Pachôme entendit l'appel qui avait saisi tant de ses compatriotes : il voulut devenir moine. Il hésita un certain temps, songeant à s'adjoindre au groupe alors important des Méletiens (Heussi, *Ursprung...,* p. 129-131). Une vision en rêve lui prescrivit d'entendre le message du Christ tel qu'il était annoncé par l'Église dans laquelle il avait été baptisé : « le Christ qui appelle est dans Alexandre, évêque de l'Église des Alexandrins » (*Epistula Ammonis* 12, éd. Halkin, *Vitae...,* p. 103). Alexandre étant devenu évêque en 313, nous avons là un appui important pour notre chronologie, en même temps qu'un témoignage des premiers temps en faveur de l'attitude positive de Pachôme vis-à-vis de l'Église hiérarchique (cf. Bacht, *Mönchtum und Kirche,* p. 118-122).

Pour trouver un père spirituel qui l'initierait à la vie monastique Pachôme s'adressa au célèbre ermite Palamon (G¹ 6, Halkin, p. 4-5 ; sur la situation géographique, cf. Lefort, *Les premiers monastères,* p. 383-387). Malgré la description des austérités qui l'attendaient, Pachôme maintint sa demande. Il fut admis, reçut l'habit monastique et persévéra ; s'établirent même entre les deux moines des relations de confiance émouvantes. Dans les sept années qui suivirent, Pachôme se familiarisa avec les difficiles exigences de l'anachorèse ; fait important à noter, car il devait plus tard introduire des éléments essentiels de la vie érémitique dans son programme cénobitique (cf. Vogüé, *Comment dormiront les moines,* p. 39-41). Le récit du séjour auprès de Palamon nous apprend encore comment l'idéal de vie érémitique alliait étroitement le travail manuel et l'oraison continuelle.

Ce genre de vie était compris comme une imitation du Christ, ainsi que nous l'apprend le récit du « repas de fête » préparé par Pachôme pour son abbé un jour de Pâques. Alors que Palamon voulait seulement marquer la fête en avançant à midi l'heure du repas, Pachôme avait ajouté des assaisonnements à la nourriture ; Palamon refusa cette « gourmandise » : « Mon Maître fut attaché à la croix, et moi je devrais goûter quelque chose qui donne force à la chair ». Cette évocation de la Passion reparaît en G¹ 11 = Bo 15 : comme Pachôme, en ramassant du bois à brûler dans la « vallée des acacias », s'était blessé aux pieds avec les épines, il supporta cette souffrance en pensant « aux clous dans les pieds et les mains du Sauveur en croix ». Peu à peu, il acquit une telle endurance qu'il osait passer les nuits en prière dans les tombeaux (Bo 12) : il pensait ainsi lutter contre les puissances démoniaques dans leur propre domaine.

3° *Fondations*. – Au bout de sept années, Pachôme connut la grande heure de sa mission (S³, trad. Lefort, *Vies coptes*, p. 60 ; cf. G¹ 23 = Bo 17). Près de Šenesêt, se trouvait dans le diocèse de Tentyra (Dendéra) un village abandonné nommé Tabennesi (cf. Lefort, *Les premiers monastères*, p. 393-397). Après une prière de nuit, Pachôme eut une vision et entendit une voix lui demander la cause de sa tristesse. Il répondit : « C'est la volonté de Dieu que je cherche ». Il reçut alors cet avis : « La volonté de Dieu est que tu serves les hommes pour les réconcilier avec lui ». Cette parole lui fut répétée trois fois, comme preuve de son origine surnaturelle. A la lumière de cet avertissement, Pachôme se mit sur la voie qui devait le conduire à la fondation de la « koinônia ». D'après la première *Vie grecque* (G¹ 12), il reçut aussi l'avis de s'établir à Tabennesi et d'y bâtir un monastère pour de nombreux moines. Palamon, à qui il fit part de sa vision, confirma avec peine l'authenticité du message et l'accompagna généreusement pour l'aider à se bâtir une cellule. Le vieillard tomba bientôt gravement malade dans son ermitage ; Pachôme revint auprès de lui et le soigna jusqu'à sa mort. Ensuite, il retourna à Tabennesi.

Bien que, durant toutes ces années, Pachôme ne fût pas revenu dans sa patrie, la nouvelle de ses desseins y était parvenue. C'est ainsi que son frère Jean le rejoignit, pour s'établir avec lui. Lorsque, pour répondre à la mission divine, vint le moment d'élargir l'habitation afin d'accueillir les candidats attendus, les deux frères entrèrent en conflit. Jean tenait à une vie de solitude contemplative et soupçonnait son frère d'être trop ambitieux. Bientôt il se mit résolument à détruire ce que Pachôme avait construit. Celui-ci s'irrita vivement mais fut ensuite effrayé de sa réaction excessive. L'opposition de Jean avait-elle ébranlé son assurance intérieure ? Assurément, l'aventure dont il avait fait le projet n'était pas sans danger. De fait, un premier essai de fonder une communauté semble avoir échoué. Selon S¹ (cf. Draguet, *Les Pères du désert*, p. 91-97), un groupe de « gens intéressés » se rassembla sans doute bien vite autour de Pachôme, et il leur donna un règlement qui restait encore bien loin de l'idéal cénobitique. Mais l'égoïsme incorrigible de ces gens le contraignit bientôt à interrompre l'expérience (cf. art. *Koinônia*, DS, t. 8, col. 1754-55).

Lorsque de nouveaux candidats se présentèrent, Pachôme fut plus prudent. Il les soumit à une épreuve décisive : voulaient-ils renoncer à leur famille et à leurs biens pour suivre le Sauveur ? (Bo 23 = G¹ 24). Le but qu'il proposait se résume en une formule : « mener une vie commune » ; ici apparaît pour la première fois le mot « koinobion » (G¹ 25, p. 16). A cette fin et en s'inspirant de l'Écriture, il établit des règles et des traditions qui devaient assurer

l'égalité dans le vêtement, la nourriture et le sommeil (cf. G¹ 25 = Bo 23). La renommée de la nouvelle fondation se répandit rapidement « dans toute l'Égypte ». Tous les postulants ne furent pas à la hauteur ; d'après Bo 24, Pachôme dut renvoyer un groupe de cinquante moines, originaires d'un village nommé Thbakat, en aval du Nil, en raison de leurs « sentiments charnels ». Mais ce départ fut vite compensé. La population de Tabennesi augmenta elle aussi. Comme ces gens étaient pauvres, Pachôme leur fit construire une église et prit à sa charge les frais du culte ; lui-même faisait office de lecteur (Bo 25). Au début, il se rendait avec les moines à l'église du village, tous les samedis ; lorsque leur nombre devint trop élevé, il fit venir le clergé dans l'église du couvent, construite entre temps.

La fondation de Tabennesi peut se situer vers 323/325. Vers 330, Athanase, depuis deux ans archevêque d'Alexandrie, entreprit une visite épiscopale qui le conduisit jusqu'à Syènè (Assouan). Avec ses moines Pachôme vint le saluer. L'évêque du lieu, Sérapion de Dendéra (en copte Nikentori), invita l'archevêque à consacrer prêtre Pachôme, afin de le mettre à la tête de tous les moines du diocèse parce qu'il voyait en lui « un homme de Dieu » (G¹ 30 = Bo 28). Mais Pachôme se déroba, et Athanase respecta son refus.

L'arrivée de nouveaux postulants rendait nécessaire la fondation d'autres monastères. Ainsi fut bâti, au nord de Tabennesi et toujours sur la rive droite du Nil, celui de Pbow (cf. Lefort, *Les premiers monastères*, p. 387-393 ; G¹ 54 = Bo 49), de dimensions plus vastes, avec l'autorisation de l'évêque de Diospolis parva (en copte Hou). Comme Pachôme assurait depuis Pbow la direction de toute la « koinônia », il mit Théodore, un de ses premiers disciples, à la tête de Tabennesi et nomma un « économe » pour Pbow. On peut considérer le couvent de Senesêt-Chenoboskeion comme la troisième fondation : la communauté qui y existait déjà s'adjoignit à Pachôme et accepta sa règle (Bo 50 = G¹ 54). Il en fut de même pour le couvent de Tmuschons (Monchosis ; Lefort, *Les premiers monastères*, p. 399-404) ; il était situé dans le voisinage de Nag-Hammadi, devenu célèbre par les découvertes de documents gnostiques (cf. DS, t. 3, col. 2269).

La fondation de Tbêwê (Thbeou ; Lefort, p. 402-403) mérite une mention particulière : c'est là que Petronius offrit à Pachôme ses riches possessions familiales et devint moine avec son père et ses frères. Il n'est donc pas surprenant que Pachôme mourant ait désigné Petronius comme son successeur. Deux autres monastères : Tsê ou Tase, Tesmîne, et un troisième dont on ignore le nom (cf. Lefort, p. 403-404) étaient situés dans le diocèse de l'évêque Areios de Panopolis. Le neuvième monastère fut celui de Šnêh-Latopolis, patrie de Pachôme. Un « patriotisme local » explique peut-être pourquoi il donna de vastes dimensions à ce monastère, et mit à sa tête Apa Sourous, un compagnon des premiers temps (Bo 58 ; cf. Lefort, p. 404-407).

Il n'est pas possible de fixer la chronologie des fondations ; ce qui vaut aussi pour les deux couvents de moniales, dont le premier était dirigé par la sœur de Pachôme, Marie. De toute façon, la période de fondation était terminée au temps du synode de Latopolis (cf. *infra*).

Comme on le voit, le domaine d'extension des pachômiens de la première génération est assez réduit : entre Panopolis au nord et Latopolis au sud. C'est seulement à la fin du 4e siècle, à l'instigation de l'archevêque Théophile (385-412), qu'eut lieu la seule fondation en dehors de la Thébaïde, Canope, à l'est d'Alexandrie (Favale, *Teofilo...*, p. 70). On doit tenir compte de cet enracinement du monachisme pachômien dans le peuple copte de Haute Égypte, surtout si l'on veut comprendre, dans l'histoire postérieure de l'Église, l'option des pachômiens dans le conflit autour du dogme de Chalcédoine (450).

Il est indéniable que Pachôme fut, dès l'origine, en bons rapports avec la hiérarchie. Tout comme il respectait lui-même les représentants de l'autorité, il exigeait aussi de ses moines l'obéissance à l'égard « de nos Pères les évêques » (G¹ 22). Ce fait rend d'autant plus surprenant le récit conservé dans les *Vies* grecques et arabes (vg G¹ 112) : en 345, deux évêques, qui de surcroît avaient été au nombre de ses moines, citèrent Pachôme devant « l'Église de Latopolis » ; il dut s'y expliquer sur ses charismes. L'affaire se termina sur une scène de violence, si bien que les compagnons de Pachôme ne réussirent que difficilement à le mettre en sécurité : les circonstances demeurent obscures.

Au début de l'année 346, la peste se répandit dans les couvents de la Thébaïde. De nombreux moines moururent et Pachôme lui-même fut atteint. Il avait en vain demandé aux frères de proposer un successeur ; il désigna donc Petronius, mais celui-ci était déjà atteint de la même maladie mortelle. Sa dernière demande fut adressée à son disciple Théodore pour que sa tombe demeurât inconnue ; Pachôme se signa une dernière fois et mourut le 14 Pasons (9 mai) 346.

**Sources :** coptes. – *S. Pachomii vita bohairice scripta,* éd. L.-Th. Lefort, CSCO 89, Louvain, 1925 ; réimpr. 1953 ; trad. latine, CSCO 107, 1925 ; *S. P. vitae sahidice scriptae,* CSCO 99-100, 1933-1934, réimpr. 1952 ; *Les vies coptes de S. P. et ses premiers successeurs,* trad. L.-Th. Lefort, Louvain, 1943, réimpr. 1966. – L.-Th Lefort, *Fragments coptes,* dans *Le Muséon* = Mus., t. 58, 1945, p. 97-120.

Sources grecques. – *S. P. vitae graecae,* éd. Fr. Halkin, Bruxelles, 1932 (Subsidia hagiographica 19). – *La première Vie grecque de S. P.,* introd. critique et trad. par A.-J. Festugière (= *Moines d'Orient,* t. 4/2), Paris, 1965 ; trad. anglaise de la même *Vita* par A.N. Athanakassis, Missoula, 1975. – R. Draguet, *Un morceau grec inédit des Vies de S.P.,* Mus., t. 70, 1957, p. 267-306. – Fr. Halkin, *Une vie inédite de S. P.,* AB, t. 97, 1979, p. 5-55, 241-287.

Les *Vies* sont citées d'après les sigles traditionnels : G¹ = *Vita graeca prima.* – Bo = version bohaïrique. – S¹, S², S³ = versions sahidiques.

Sources arabes. – *Vie de S. P.,* texte arabe et trad. par É. Amélineau, *Monuments pour servir à l'histoire de l'Égypte chrétienne au 4e siècle* (= *Annales du Musée Guimet,* t. 17), vol. 2, Paris, 1889, p. 337-711. D'autres *Vies* restent inédites.

Source latine. – *La Vie latine de S. P. traduite du grec par Denys le Petit,* éd. crit. H. van Cranenburgh, Bruxelles, 1969 (Subsidia hagiogr. 46).

Le rapport entre ces diverses sources est malaisé à élucider ; voir sur ce sujet : A. Veilleux, *La liturgie dans le cénobitisme pachômien au 4e siècle* = *Studia anselmiana* 57, Rome, 1968, 1re partie, *Le dossier pachômien,* p. 9-114. – H. van Cranenburgh, *Étude comparative des récits de la vocation de S. P.,* Rbén., t. 82, 1972, p. 280-308. – J. Vergote, *La valeur des Vies grecques et coptes de S. P.,* dans *Orientalia Lovaniensia Periodica,* t. 8, 1977, p. 175-186.

**Études.** – K. Heussi, *Der Ursprung des Mönchtums,* Tübingen, 1936. – L.-Th. Lefort, *Les premiers monastères pachômiens,* Mus., t. 52, 1939, p. 379-408. – R. Draguet, *Les Pères du désert,* Paris, 1949. – D.J. Chitty, *A Note on the Chronology of the Pachomian Foundations,* dans *Studia Patristica* II = TU 64, 1957, p. 379-385. – A. Favale, *Teofilo*

*d'Alessandria (345-412). Scritti, Vita e Dottrina,* Turin, 1958. – J. Leipoldt, *Pachom,* dans *Bulletin de la Société Archéologique Copte,* t. 16, 1962, p. 191-229. – A. de Vogüé, « *Comment les moines dormiront* ». *Commentaire d'un chapitre de la règle de S. Benoît,* dans *Studia monastica,* t. 7, 1965, p. 25-62. – Fr. Halkin, *Le corpus athénien de S.P.,* Genève, 1982.

2. L'ACTION. – Le titre de la Règle de Pachôme (ajouté après sa mort) célèbre celui-ci comme « l'homme de Dieu qui a fondé la vie cénobitique (conversationem coenobiorum) à l'origine par ordre de Dieu » (*Pachomiana latina,* éd. Boon, p. 13). Ce titre implique une double affirmation : Pachôme a fondé le premier monastère et en outre créé le premier ordre monastique.

1º *Le premier monastère.* – A la différence des laures et autres installations anachorétiques analogues, le monastère pachômien se présente comme un « corps » unifié, dont l'unité intérieure se manifeste également en dehors. Le symbole visible en est le *mur,* qui enclôt l'ensemble du domaine, avec aussi l'unique *porte,* par laquelle se fait toute communication avec le monde extérieur. Sans doute, ce monastère ne correspond guère à l'image à laquelle nous sommes habitués. Il ressemble plutôt à un village enclos de murs. Au centre, l'église, la cuisine et le réfectoire, l'infirmerie. Tout autour, un grand nombre de « maisons » ; dans chacune d'elles résident trente à quarante moines, répartis selon leurs fonctions. Plusieurs maisons forment une « famille ». Chaque maison a son supérieur, avec son suppléant (« le second ») ; à la tête du monastère est placé le « Père » (Abbé) ; cf. Ruppert, *Pachom. Mönchtum,* p. 282-327.

Deux traits frappent surtout. D'abord, *l'importance du travail* dans l'organisation de la communauté. Les sources mentionnent les différentes fonctions : boulangers, tisserands, foulons, cordonniers, jardiniers et bergers, mais aussi bateliers et pêcheurs, car le monastère est proche du Nil. Prescrit par la règle et contrôlé, le travail est en même temps un principe constitutif de l'organisation monastique. Même si l'on ne va pas jusqu'à considérer le monastère comme une exploitation de haut rendement économique, il reste évident que le travail y est compris d'une manière différente de celle des anachorètes et des ensembles anachorétiques (cf. Dörries, *Mönchtum und Arbeit,* p. 277-301). Que l'idéal monastique de la pauvreté soit par là dès l'origine menacé de crises et d'ambiguïté, c'est une chose indiscutable.

La seconde caractéristique est *le grand nombre de moines* dans chaque monastère. Bien qu'on puisse mettre en doute les chiffres élevés dont parle Jérôme dans sa préface à la traduction de la Règle (50.000 moines seraient venus tous les ans au Chapitre : éd. Boon, p. 8), on doit cependant maintenir que chaque monastère comptait plusieurs centaines d'habitants. Cette multitude devait rendre malaisée l'atteinte du but proposé : le recueillement et le calme de la contemplation. De même, une authentique « vie commune » ne pouvait que difficilement se développer.

2º *Le premier ordre monastique.* – Les neuf monastères (onze en comptant ceux des moniales) fondés par Pachôme constituaient une unité effective et organisée, et formaient ainsi un « Ordre », comme celui qui apparaît pour la première fois en Occident avec les Clunisiens. Les monastères formaient ensemble une grande « famille ». Tous les moines portaient, d'après la première fondation, le nom de « Tabennèsiotes » bien que la direction soit passée très vite au second monastère de Pbow. Pachôme tenait solidement en mains la direction de cet ensemble, et l'exerçait par des visites fréquentes et des interventions directes, par exemple en nommant ou destituant les supérieurs. Les contacts personnels entre tous les moines étaient favorisés par le double Chapitre annuel, à Pâques et en août. Le monastère de Pbow était aussi le « centre économique » de l'ordre tout entier : c'est là qu'on devait adresser les comptes concernant les produits du travail, et de là qu'on recevait les matières premières ; la centrale s'occupait aussi de l'achat des marchandises. C'est précisément en raison de son unité interne que l'ordre à certaines époques, notamment à l'occasion des décisions doctrinales de Chalcédoine, fut en mesure de jouer un rôle important (cf. H. Bacht, *Die Rolle...*).

3. RÈGLE ET SPIRITUALITÉ. – Ce qui spécifie la vie cénobitique, ce n'est pas seulement la *vita communis* en général, mais encore la vie *sub regula et abbate*. Pachôme a laissé à la postérité la première règle monastique (Ruppert, *Pachom. Mönchtum*, p. 232-281). C'est par là qu'il est devenu vraiment un personnage historique. « En effet, dans cette ' Règle ' se trouve l'apport significatif de Pachôme pour toute la postérité ; et ce n'est pas sans fondement que s'est créée quelques générations plus tard la légende selon laquelle le saint aurait reçu sa règle des mains d'un ange » (H. Lietzmann, *Geschichte...*, t. 4, p. 133). On voulait ainsi assimiler le fondateur du cénobitisme aux prophètes et législateurs de l'ancien Testament. Avec une intuition perspicace, Pachôme avait saisi que la durée d'une vie commune bien ordonnée ne dépend pas seulement de la bonne volonté des inférieurs et de l'autorité des supérieurs, mais bien plus d'une règle obligatoire à laquelle les uns et les autres sont soumis. Malgré la simplicité de sa forme littéraire, la Règle de Pachôme n'a pas seulement marqué un commencement ; elle a été de surcroît un noyau vivant dont le dynamisme puissant s'est communiqué aux projets ultérieurs (cf. de Clercq, *L'influence...*). Cependant, plusieurs éléments que Pachôme avait déjà formulés furent éliminés à tort par ses épigones.

A vrai dire, Pachôme n'était nullement un esprit systématique ; il était tout entier orienté vers la pratique. La formulation de la Règle, qui a été transmise en quatre parties (*Praecepta* ; *Instituta* ; *Iudicia* ; *Leges*), n'offre pas un système complet de la vie monastique. Elle ne donne jamais un principe général d'organisation, parce que ses éléments ont été rassemblés peu à peu, et dans des contextes nouveaux, par ses différents successeurs.

Même si, dans l'esprit des premiers disciples, la mission et l'assistance divines données à Pachôme accréditent la formulation de la Règle, celle-ci ne prétend nullement remplacer ou réduire les enseignements de l'Écriture, mais bien plutôt les « actualiser ». Cette intention est évidente dans l'*Asceticon* de Basile, comme en témoignent au premier regard les multiples citations scripturaires ; elle l'est également pour Pachôme et ses collaborateurs. Malgré les préjugés qui ont longtemps dominé et que l'on récuse de plus en plus aujourd'hui, il faut affirmer que Pachôme et les Pères fondateurs du monachisme ne visaient pas autre chose que de traduire dans l'action l'idéal de la Sainte Écriture. La Règle doit uniquement aider les moines à vivre « selon les préceptes des anciens (*maiores*) et l'enseignement de la Sainte Écriture » ; il s'agit en effet de s'établir « dans la norme de la vérité et dans les traditions des apôtres et des prophètes » (*Pachomiana latina*, Boon, p. 53).

La référence à la Bible est le premier facteur qui caractérise la spiritualité de la Règle pachômienne : le second est la *mesure* (*sobrietas*), pour ainsi dire « bénédictine ». Cette sage et prudente réserve dans les préceptes et les sanctions frappe d'autant plus que ces caractéristiques ne représentent nullement pour Pachôme les dons naturels de sa race et ne vont pas de soi chez les premiers moines : que l'on pense à la sévérité démesurée de Schenoute d'Atripè ou aux rigueurs bien connues dans les milieux anachorétiques (cf. *Direction spirituelle*, DS, t. 3, col. 1030-1032).

C. Butler a écrit (*Benedictine Monachism*, Londres, 1919, p. 15) que l'idée fondamentale de la Règle pachômienne est de maintenir fortement un niveau moyen de vie monastique, en permettant à tel ou tel de s'élever au-dessus de cette moyenne selon la mesure de ses capacités. Cette remarque peut s'appuyer sur quelques points de la Règle : mitigation du renoncement à la famille, prudence dans l'obligation des exercices ascétiques, dans la prescription d'un travail mesuré, par-dessus tout dans le code des sanctions. Néanmoins, Pachôme ne veut pas ouvrir la voie à un « embourgeoisement » de la vie monastique, mais bien éviter d'écraser les plus faibles sous le fardeau d'exigences insupportables.

Pour conclure, cherchons à définir *le secret de Pachôme*. Il fut bien plus qu'un prudent fondateur, un génial organisateur et un chef imposant. Les racines de son dynamisme et les raisons de son succès ne relèvent pas non plus seulement de ses grandes qualités humaines, unies à une sévérité sans ménagements pour lui-même. Il faut les chercher plutôt dans ses dons charismatiques. Pachôme fut gratifié de hautes grâces mystiques, et ces expériences allaient de pair avec la discrétion réaliste de l'organisateur. Les biographies parlent en maints passages de son pouvoir de lire dans les cœurs, de ses visions, de son habileté à discerner les esprits, de ses dons de prophétie, de la sagesse éclairée qui lui permit de suivre sans erreurs la voie de l'orthodoxie dans les conflits théologiques de l'époque.

Malgré l'importance de ce facteur charismatique, il faut éviter de voir en Pachôme un esprit exalté qui, au-delà de l'Église hiérarchique et sacramentelle, aurait prôné un idéal individualiste de vie spirituelle. On a prétendu sans doute déceler chez lui les premières traces d'une tension entre le clergé et le monachisme, mais cette opinion relève de l'idée trop souvent répétée selon laquelle le monachisme se serait développé en opposition à l'Église hiérarchique. Pachôme n'a pas établi son institut en marge ou en contestation critique par rapport à cette Église, mais bien dans une soumission consciente et voulue « à nos Pères les évêques ».

**Sources.** – *Pachomiana latina. Règle et Épîtres de S. P. Épître de S. Théodore et « Liber » de Horsiesus.* Texte latin de S. Jérôme (traduit d'un exemplaire grec en 404, pour les moines latins résidant à Canope), éd. A. Boon, Louvain, 1932 ; trad. franç. par les moines de Solesmes, dans P. Deseille, *L'Esprit du monachisme pachômien* (= introd., p. V-LXI), coll. Spiritualité orientale 2, Bellefontaine, 1968, p. 1-120. – *Œuvres de S. Pachôme et de ses disciples*, éd. L.-Th. Lefort, CSCO 159 (texte copte) et 160 (trad. franç.),

Louvain, 1956. – *Pachomian Koinonia, Life, Rules and other Writings of St. Pachomius and His Disciples*, trad. angl. par A. Veilleux, Kalamazoo, Michigan, 3 vol. à paraître (préface de A. de Vogüé, texte français : *Les écrits pachômiens*, dans *Collectanea Cisterciensia* = ColCist., t. 43, 1981, p. 20-33). – K. Samir, *Témoins arabes de la catéchèse de Pachôme. A propos d'un moine rancunier*, OCP, t. 42, 1976, p. 494-508. – Cf. CPG 2, 1974, n. 2353-2356.

**Authenticité de la Règle** (éléments originaux et adaptations possibles des disciples). – A. Veilleux, *La liturgie...*, cité supra, p. 115-158. – M.M. Van Molle, *Essai de classement des premières règles de vie commune en chrétienté*, VSS, t. 21, 1968, p. 108-127 ; *Confrontation entre les Règles et la littérature pachômienne postérieure*, p. 394-424 ; *Aux origines de la vie communautaire chrétienne...*, t. 22, 1969, p. 101-122 ; *Vie commune et obéissance d'après les institutions premières de Pachôme et Basile*, t. 23, 1970, p. 196-225. – A. de Vogüé, *Les pièces latines du dossier pachômien. Remarques sur quelques publications récentes*, RHE, t. 67, 1972, p. 26-67 (critique de Veilleux et Van Molle) ; *S. P. et son œuvre d'après plusieurs études récentes*, t. 69, 1974, p. 425-452.

*Die Briefe Pachoms*, éd. H. Quecke, Ratisbonne, 1975 (introd. ; texte grec du ms Chester Beatty W. 145 ; fragments coptes) ; cette correspondance utilise un code formé des lettres de l'alphabet copte dont la signification n'est pas élucidée.

**Études.** – H. Lietzmann, *Geschichte der alten Kirche*, t. 4, Berlin, 1944. – Ch. de Clercq, *L'influence de la Règle de S. P. en Occident*, dans *Mélanges L. Halphen*, Paris, 1951, p. 169-176. – H. Bacht, *Die Rolle des orientalischen Mönchtums in den kirchenpolitischen Auseinandersetzungen um Chalkedon*, dans *Das Konzil von Chalkedon*, éd. A. Grillmeier et H. Bacht, t. 2, Wurtzbourg, 1953, p. 193-314 (voir p. 259-265, 278-279, 297-307) ; *Mönchtum und Kirche. Eine Studie zur Spiritualität des Pachomius*, dans *Sentire Ecclesiam* (Mélanges H. Rahner), éd. J. Daniélou et H. Vorgrimler, Fribourg-en-Brisgau, 1961, p. 113-133 ; *Das Vermächtnis des Ursprungs*, Wurtzbourg, 1973, p. 225-243 : *Das Armutsverständnis des Pachomius und seiner Jünger*. – H. Dörries, *Wort und Stunde*, t. 1, Göttingen, 1966, p. 277-301 : *Mönchtum und Arbeit*.

H. van Cranenburgh, *La Regula Angeli dans la vie latine de S. P.*, Mus., t. 76, 1963, p. 165-194 ; *Les noms de Dieu dans la prière de P. et de ses disciples*, RHS, t. 52, 1976, p. 193-212. – F. Ruppert, *Das pachomianische Mönchtum und die Anfänge des klösterlichen Gehorsams*, Münsterschwarzach, 1971 ; *Arbeit und geistliches Leben im pachomianischen Mönchtum*, dans *Ostkirchliche Studien*, t. 24, 1975, p. 3-14. – A. Veilleux, *La liturgie dans le cénobitisme pachômien...*, cité supra, 2ᵉ partie, p. 159-384 ; *Le renoncement aux biens matériels dans le cénobitisme pachômien*, ColCist., t. 43, 1981, p. 56-74.

EC, t. 9, 1952, col. 511-514 (V. Monachino). – LTK, t. 7, 1962, col. 1330-1331 (J. Gribomont). – BS, t. 10, 1968, col. 10-21 (A. Veilleux, C. Colafranceschi). – NCE, t. 10, 1968, p. 853-854 (M.C. Mc Carthy). – DES, t. 2, 1976, p. 1354-1357 (P. Tamburino). – DIP, t. 6, 1980, col. 1067-1073 (J. Gribomont, bibliographie).

De nombreux articles du DS traitent divers aspects de la spiritualité de Pachôme : – t. 1, col. 52 (*abbé*) ; 121-122 (*abstinence*) ; 970-972 (*ascèse*) ; – t. 2, col. 405 (*cénobitisme*) ; 980-984 (*clôture*) ; 1444 (volonté de Dieu) ; 1764, 1867 (*contemplation*) ; 2617 (*croix*) ; 2657 (silence) ; – t. 3, col. 90-91 (*défi spirituel*) ; 192-196 (*démon*), 767 (*dévotion à la Passion*) ; 1011, 1019-1020, 1055-1056 (*direction spirituelle*) ; 1296, 1303 (*disciplina*) 1562 (*domus Dei*) ; – t. 4, col. 160-161 (*Écriture*) ; 535, 541-542, 546 (*Égypte*) ; 938, 950 (*érémitisme*) ; 1805 (*examen de conscience*) ; 1862 (*examinatio*) ; 2104-2105 (*extase*) ; – t. 5, col. 79 (*famille*) ; – t. 6, col. 103 (*garde du cœur*) ; – t. 7, col. 763 (*Horsièse*) ; 817 (*hospitalité*), 1998 (comparaison avec Isaac patriarche) ; – t. 8, 1578 (*Jugement*) ; 1754-1758 (*koinônia*) ; – t. 9, col. 475-476 (*lectio divina*) ; – t. 10, col. 909-910 (*méditation*) ; 1467 (*Moïse*) ; 1541, 1551, 1604 (*monachisme*).

Sur l'influence : t. 1, col. 1261 (*Barsanuphe*) ; 1279 (*Basile*) ; 1385 (*Benoît*) ; – t. 4, 1099 (monachisme wisigothique) ; 1471 (monachisme éthiopien) ; – t. 5, col. 505-508 (*Florilèges*) ; 1563-1565 (*Fructueux de Braga*) ; – t. 8, col. 364 (*Pères du Jura*) ; – t. 10, col. 294 (*Marcella*) ; 691 (*Martin de Tours*).

Heinrich Bacht.

**PACHYMÈRE** (Georges), écrivain byzantin, 1242- vers 1310.

Pour la vie, la carrière ecclésiastique et politique, les œuvres de Georges Pachymère, on se reportera à la notice de V. Laurent, DTC, t. 11, 1932, col. 1715-1718. Sur les diverses charges qu'il a remplies, voir J. Darrouzès, *Recherches sur les ὀφφίκια de l'Église byzantine*, Paris, 1970 (tables).

L'édition critique de son *Histoire* (2 vol., Bonn, 1835 ; éd. reprise en PG 143, 443-995) a d'abord été préparée par V. Laurent (voir ses études préparatoires sur les mss dans *Byzantion*, t. 5, 1929, p. 129-205 ; t. 6, 1931, p. 355-364 ; t. 11, 1936, p. 43-57) et sera publiée prochainement par A. Failler (cf., de ce dernier, *La tradition manuscrite de l'Histoire de G.P.*, dans *Revue des études byzantines*, t. 37, 1979, p. 123-220 ; *Chronologie et composition dans l'Histoire...*, t. 38, 1980, p. 5-104). Le *Quadrivium*, ou *Syntagma tôn Tessarôn Mathematôn*, a été édité par P. Tannery et É. Stéphanou, coll. Studi e Testi 94, Rome, 1940.

L'ouvrage qui intéresse particulièrement la spiritualité est la *Paraphrasis* des œuvres du Pseudo-Denys ; 1ᵉ éd. intégrale, avec trad. latine, par le jésuite Balthazar Cordier (1582-1650 ; DS, t. 3, col. 2322-2323), chez Plantin, Anvers, 1634, jointe au *Corpus dionysien* et aux *Scholia*, traduits aussi par Cordier. La *Paraphrasis* et sa traduction latine sont reprises dans les éd. de Lyon, 1644 ; Venise, 1750 ; enfin dans PG 3.

La *Paraphrasis* a été brièvement présentée par A. Rayez (DS, t. 3, col. 290) ; le *Georges Hiéromnèmon* mentionné col. 289 n'est autre que Georges Pachymère qui exerça la fonction de « hiéromnèmon » en 1285 (cf. M. Aubineau, *Journal of theological Studies*, t. 22, 1971, p. 541-544 ; il signa à ce titre les actes du second synode des Blachernes, cf. Darrouzès, *Recherches...*, p. 533). Il faut préciser cependant que Pachymère ne s'inspire pas de Maxime le Confesseur, mais bien de Jean de Scythopolis, auquel on attribue actuellement les *Scholia* sur les écrits dionysiens (cf. DS, t. 3, col. 295). Plus philosophe que théologien ou mystique, Pachymère, dans cette paraphrase, cherche à rendre accessibles pour un large public (*Prooemium*, PG 3, 109bc) les doctrines subtiles du Pseudo-Denys ; il avoue utiliser des commentateurs plus anciens qu'il ne nomme pas (112c). Il ne suit pas les *Scholia* d'aussi près que le dit V. Laurent (DTC, col. 1716). Une étude détaillée de la *Paraphrasis* pour elle-même n'a jamais été entreprise, du moins à notre connaissance. Elle montrerait cependant comment Pachymère, tout en reprenant parfois les formules mêmes de son auteur, s'ingénie à les « traduire » par des incises et des propositions explicatives. On peut donner comme exemple la paraphrase de la prière à la Trinité, qui ouvre le premier chapitre de la *Mystica theologia* ; nous mettons en italique les formules du texte dionysien (997ab), et entre guillemets celles des *Scholia* (PG 4, 417a), qui n'apparaissent que dans les dernières phrases :

« Toi donc, bienheureuse Trinité, *éphore de la sagesse*

supérieure accordée *aux chrétiens,* qui gouvernes l'intelligence (νοῦν) afin qu'elle comprenne (νοῇ) comme il convient les choses divines et n'excède pas en sophismes, *dirige-nous vers le Sommet suprême,* et au-delà duquel il n'y a rien de plus élevé à comprendre, *superinconnaissable* et *superévident,* qui surpasse toute négation de connaissance et toute affirmation d'évidence. En effet, si un tel sommet est inconnaissable, ce n'est point parce qu'il n'existe en aucune manière, mais parce que à la fois il existe et dépasse toute évidence, et donc toute connaissance et toute inconnaissance. Il est en effet le superévident, et aussi le superinconnaissable. Là, les *réalités simples,* uniformes et *absolues,* sont saisies ouvertement non par des symboles, mais telles qu'elles sont ; là, les *mystères* ne sont pas dévoilés en paraboles, mais selon *la ténèbre superlumineuse du silence caché* et mystique : dans *cette ténèbre très obscure,* les réalités superévidentes resplendissent par leur caractère mystique et *indicible,* et cela par l'infinité des dons, providences et bienfaits de Dieu, grâce auxquels surresplendit l'aspect le plus caché de Dieu. Dans l'inévidence et l'invisibilité, ces réalités *font surabonder de rayons au-delà de toute beauté et de toute lumière* les *intelligences sans yeux,* celles qui, en un autre sens, ont « *des yeux multiples* » : je veux dire les puissances angéliques et divines. Celles-ci en effet « *ne sont pas remplies d'yeux sensibles, mais leur essence est en fait une intelligence vivante, c'est-à-dire un œil tout à fait pénétrant* » ; on les appelle donc sans yeux, en raison de la ténèbre secrète du silence divin. De même en effet que le divin est invisible, de même ces intelligences sont-elles sans yeux. Car comme le divin est invisible, de la même manière il est au-delà de toute beauté et de tout désir ; et ce n'est pas parce qu'on ne le voit pas qu'on le néglige, mais c'est parce qu'on le désire qu'il remplit de toute beauté » (PG 3, 1016bd).

Comme on le voit, Pachymère tend à réduire la distinction dionysienne entre connaissance intellectuelle et connaissance mystique à une distinction entre connaissance sensible et connaissance intellectuelle, celle-ci devenant ensuite inconnaissance mystique par l'effet des « grâces et dons » divins.

EC, t. 9, 1962, col. 504 (G. Hofmann). – LTK, t. 7, 1962, col. 1332 (F. Dölger). – NCE, t. 10, 1967, p. 854 (G.T. Dennis). – Beck, *Kirche..,* p. 679. – V. Laurent et J. Darrouzès, *Dossier grec de l'Union de Lyon (1273-1277),* Paris, 1976 (*passim,* cf. tables : récit des événements par Pachymère dans son histoire ; rôle qu'il a joué parfois dans cette union éphémère entre Église orientale et Église romaine). – DS, t. 10, col. 7, 972.

Aimé SOLIGNAC.

**PACIEN DE BARCELONE** (SAINT), évêque, † avant 392. – 1. *Vie.* – 2. *Œuvre.* – 3. *Doctrine.*

1. VIE. – Une brève notice de Jérôme (*De viris illustribus* 106, éd. E.C. Richardson, TU 14, 1, Leipzig, 1896, p. 49) nous apprend que « Pacien, évêque de Barcelone aux confins des Pyrénées, homme d'une éloquence châtiée, célèbre par sa vie autant que par ses discours, écrivit divers opuscules, entre autres un *Cervulus,* sur les calendes de janvier et les jeux païens (cette précision donnée par deux mss semble une glose postérieure), et contre les Novatiens ; il mourut sous l'empire de Théodose, déjà dans une extrême vieillesse ». Plus loin (ch. 132, p. 55), Jérôme dit que Pacien avait un fils nommé Dexter, auteur d'une *Historia omnimoda.* Ce Dexter est sans doute le préfet du prétoire auquel Jérôme dédie le *De viris illustribus,* puis l'*Apologie contre Rufin.*

Pacien mourut donc après 379 (avènement de Théodose) et avant 392 (date du *De viris* de Jérôme). D'autres indications permettent de préciser ces dates : Pacien devint évêque après 343, date à laquelle Prétextat siège comme évêque de Barcelone au concile de Sardique. Il compte Apollinaire au nombre des hérétiques (*Epist.* 1, 3, 2), ce qui situe ses écrits après la condamnation de celui-ci par le pape Damase en 377 (*Epist.* 2, PL 13, 352-353) ; en outre l'insistance sur la catholicité de son Église suppose l'antériorité du décret de Théodose (29 mars 380) qui refuse ce titre aux diverses Églises hérétiques.

De l'œuvre de Pacien, on peut conclure qu'il avait bénéficié de l'éducation classique commune à l'époque, puisqu'il dit avoir étudié Virgile (*Epist.* 2, 4 ; *De bapt.* 1, 3-4). Il n'est pas impossible que, avant son fils Dexter, Pacien ait d'abord fait carrière dans l'administration impériale avant d'être appelé à l'épiscopat, tout comme son contemporain Ambroise de Milan.

2. ŒUVRE. – 1° Le *Cervulus,* mentionné par Jérôme, est aujourd'hui perdu (Pacien y fait allusion au début de sa *Paraenesis* 1, 3). Ce traité mettait en garde les chrétiens contre les célébrations païennes à l'occasion du 1er janvier ; celles-ci sont décrites dans les sermons pseudo-augustiniens 129-130 (PL 39, 2001-2005), qui sont en fait de Césaire d'Arles (*Sermones* 192-193, éd. G. Morin, CCL 104, 1953, p. 779-786) ; des éléments pourraient être empruntés au traité de Pacien. Il s'agissait d'une sorte de carnaval où les hommes se déguisaient soit en femmes, soit en animaux (spécialement en génisses ou en cerfs, d'où les formules *facere vetulam, facere cervulum*), et qui donnait lieu à un certain libertinage.

2° *Œuvres conservées* : 1) Trois *Lettres à Simpronianus,* membre de l'Église novatienne (cf. art. *Novatien,* DS, t. 11, col. 480), qui semble avoir à l'époque une assez large extension en Espagne. La troisième de ces lettres est un véritable traité, où Pacien répond point par point aux objections de son adversaire ; elle peut correspondre au *contra Novatianos* de Jérôme, bien que cette appellation convienne aussi aux trois lettres ; – 2) une *Paraenesis ad poenitentiam* ; – 3) un traité *De Baptismo,* qui est plutôt une homélie « ad competentes », c'est-à-dire aux adultes qui se préparaient au baptême.

Éd. princeps par Jean du Tillet (Tilius), évêque de Meaux, Paris, 1538. Parmi les éd. postérieures, notons celle de A. Gallandi, *Bibliotheca veterum Patrum,* t. 7, Venise, 1770, p. 255-276 ; éd. reprise en PG 13, 1051-1094. Une éd. critique, qui n'est pourtant pas définitive, a été procurée par L. Rubio Fernández, (S. Paciano, *Obras,* Barcelone, 1958, avec trad. espagnole) ; c'est celle que nous citons. Une éd. antérieure de Ph. H. Peyrot, Zwolle, 1896, est basée sur un ms défectueux, mais elle donne de bonnes indications sur les sources. Trad. en catalan par L. Riber, Barcelone, 1931.
Sur les mss et les éd. antérieures, cf. L. Rubio Fernández, introd., p. 37-43 ; l'éditeur étudie aussi les sources classiques (Virgile, Ovide, Horace, Lucrèce, Cicéron) et chrétiennes (Tertullien, *De paenitentia, De pudicitia* ; Cyprien, *De lapsis, De unitate, Epist.*), p. 30-34.

3. DOCTRINE. – 1° L'ecclésiologie de Pacien apparaît surtout dans les lettres. On cite souvent une formule lapidaire de la première : « *Christianus mihi nomen est ; catholicus vero cognomen. Illud me nuncupat, istud ostendit ; hoc probor, inde significor* ». Autrement dit, c'est la qualité de catholique qui fait

*discerner* le vrai chrétien de l'hérétique. Pacien rapporte une double définition de *catholicus* : « ubique unum », « obedientia omnium..., mandatorum scilicet Dei » (I, 4, 1, p. 54). La catholicité désigne donc l'unité de la foi et l'intégralité de l'obéissance en tous lieux. Par suite, l'Église catholique est « la colombe unique » dont parle le *Cantique des Cantiques* (6, 8 ; I, 4, 4, p. 54). Dans la troisième lettre, s'appuyant sur de nombreux textes de l'Écriture et corrigeant parfois le sens que leur donne Simpronianus, Pacien affirme le droit de l'Église à pardonner, au nom de Dieu, les péchés graves commis après le baptême. L'Église n'est donc pas en ce monde une assemblée d'hommes purs : l'humble peuple, la drachme, la brebis, le fils perdus sont aussi des « images de l'Église » (14, 1, p. 108). Celle-ci est « une grande maison, où on trouve or, argent, vases de bois et vases modelés » (26, 2, p. 132). La doctrine de Pacien est sur ce point identique à celle d'Optat de Milève (cf. DS, t. 11, col. 827), son contemporain ; elle annonce d'autre part celle de la « societas permixta », qu'Augustin développera dans sa controverse contre les Donatistes.

2° *La pénitence.* – La *Paraenesis,* ou exhortation à la pénitence, s'adresse surtout aux chrétiens qui refusent soit de reconnaître leurs fautes graves, soit de se soumettre aux exigences de la pénitence publique. A ce propos, Pacien distingue nettement les *peccata* (fautes ordinaires) et les *crimina.* Partant d'*Actes* 15, 28-29 (lettre du synode de Jérusalem), il énumère les trois *crimina* qui relèvent de la pénitence publique, idolâtrie, meurtre, fornication : « contemptor Dei, sanguinarius, fornicator... Ista sunt capitalia, fratres, ista mortalia » (4, 4, p. 142). Ces fautes en effet font plus que « vicier » l'âme ; elles la tuent (4, 3). Pacien ne dit pas s'il s'agit de fautes publiques ou secrètes ; mais il affirme qu'elles relèvent de la pénitence publique et qu'elles excluent de la communion eucharistique (7, 1-4, p. 146-148, citant 1 *Cor.* 11, 27-32). Il ne décrit pas les *rites* de cette pénitence de façon précise ; il en énonce seulement les exigences : confession (il faut découvrir ses fautes aux *prêtres,* – le mot *sacerdotes* semble désigner plus que l'évêque ; dans le *De Baptismo* en effet, il désigne celui-ci par le nom d'*antistes,* et lui réserve l'imposition du *chrisma,* cf. *infra* –, tout comme le malade doit découvrir son corps au médecin ; 8, 2-3, p. 148) ; pratiques afflictives rassemblées sous le terme d'*exomologesis* (plus large que celui de *confessio*) : « se recouvrir d'un sac, s'asperger de cendres, se macérer par le jeûne, se laisser aider par les prières des fidèles » (12, 2, p. 158).

Pacien note d'autre part l'incidence des *crimina* sur l'Église entière ; c'est même pour lui un motif important d'accepter la pénitence : « Quod si uestra uobis uilis est anima, parcite populo, parcite sacerdotibus... Quid facies tu propter quem omnis massa corrumpitur ? Viues, tot animarum reus ? » (8, 1, p. 148). Réciproquement les membres saints de l'Église souffrent et prient pour les membres pécheurs : « Nullum corpus membrorum suorum uexatione laetatur : immo pariter dolet, et ad remedium conlaborat. In uno et altero Ecclesia est ; Ecclesia uero Christus. Atque ideo qui fratribus suis peccata non tacet, Ecclesiae lacrimis adiutur, Christi precibus absoluitur » (8, 5, p. 150). L'Église entière participe donc à la réconciliation des pénitents.

3° *Le baptême.* – L'homélie sur ce sacrement part du fait que tout homme à sa naissance est en état de mort spirituelle par suite du péché d'Adam. Pacien s'appuie sur *Rom.* 5, 12, qu'il lit ainsi : « Quia per unum hominem in mundum peccatum introiuit, et per delictum mors ; et sic in omnes homines deuenit, in quo omnes peccauerunt » (2, 1, p. 164). Il atteste ainsi l'antiquité de la doctrine du péché originel, bien avant Augustin. Pacien recourt encore à Paul pour montrer ce qui nous libère de ce « corps de mort » : « Gratia Dei... per Dominum nostrum Iesum Christum » (1, 4, citant *Rom.* 7, 24-25). Le Christ a triomphé du diable par sa mort innocente et, par son union nuptiale avec l'Église, il donne à l'homme de naître à une vie nouvelle (6, 1-3, p. 168-170). Ainsi, purifié de ses péchés, l'homme reçoit « pouvoir de devenir fils de Dieu » (*Jean* 1, 12). Au « bain » du baptême s'ajoute en effet l'onction de l'Esprit Saint : « Lauacro enim peccata purgantur ; chrismate Sanctus Spiritus superfunditur ; utraque uero ista manu et ore antistitis impetrantur ». Ainsi « l'homme tout entier renaît et il est renouvelé dans le Christ » ; il devient capable « par l'Esprit de suivre le Christ avec des mœurs nouvelles » (6, 4-5, p. 170). L'homélie se termine par une invitation à ne plus retomber dans les péchés d'autrefois : « Tenez avec force ce que vous avez reçu ; gardez-le pour votre bonheur ; ne péchez plus désormais ; gardez-vous purs et sans tache pour le jour du Seigneur » (7, 6, p. 174).

Malgré les dimensions réduites de son œuvre, Pacien est un excellent témoin de la doctrine théologique et spirituelle qui était déjà commune dans l'Église d'Occident, avant l'entrée en scène d'Ambroise, Jérôme et Augustin.

Pour le cadre historique et religieux, voir C. Baraut, art. *Espagne,* DS, t. 4, col. 1089-1091 (notons que l'œuvre de Pacien ne trahit aucune influence priscillienne).

Bibliographie ancienne dans U. Chevallier, *Bio-bibliographie,* t. 2, Paris, 1907, col. 3470-3471, et dans l'éd. citée de L. Rubio, p. 44-45.

J. Villar, *Les citaciones bibliques de Sant Pacia,* dans *Estudis Universitaris catalans,* t. 17, 1932, p. 1-49. – S. Gonzáles Rivas, *La penitencia en la primitiva Iglesia española,* Salamanque, 1950, p. 73-79. – U. Domínguez del Val, *La teología de S. P. de B.,* dans *Ciudad de Dios,* t. 171, 1958, p. 5-28 ; *Paciano de B., escritor, teólogo y exégeta,* dans *Salmanticensis,* t. 9, 1962, p. 53-85 ; *Herencia literaria de padres y escritores españoles...,* dans *Repertorio de Historia de las Ciencias eclesiásticas en España,* t. 1, Salamanque, 1967, p. 20-22. – A. Anglada, « *Christiano mihi nomen est, Catholico vero cognomen* » *à la luz de la doctrina gramatical,* dans *Emerita,* t. 32, 1964, p. 253-266 ; *La fuente del catálogo heresiológico de Paciano,* ibidem, t. 33, 1965, p. 321-346 ; *La punctuación del ms Reginensis 331 en el texto de P. de B.,* dans *Vetera christianorum,* t. 12, 1975, p. 269-326 ; cf. ibidem, t. 14, 1977, p. 253-272 (correction textuelle sur *Paraen.* 11, 5). – A. Martínez Sierra, *Teología penitencial de S. P. de B.,* dans *Miscellanea Comillas,* t. 47-48, 1967, p. 75-94 ; *S. P. teólogo del peccado original,* ibidem, t. 49, 1968, p. 279-284.

DTC, t. 11, 1932, col. 1718-1721 (É. Amann). – Pauly-Wissowa, t. 18, 1942, col. 2077-2079 (sur Dexter, cf. *Der Kleine Pauly,* t. 1, Stuttgart, 1964, col. 1503). – EC, t. 9, 1952, col. 504-505 (J. Madoz). – LTK, t. 11, 1962, col. 1332-1333 (K. Baus). – NCE, t. 10, 1967, p. 854 (S.J. Mc Kenna). – BS, t. 10, 1968, col. 3-4 (J. Fernández Alonso). – Dicc. de España, t. 3, 1973, p. 1857 (U. Domínguez del Val).

DS, t. 3, col. 1068 ; t. 4, col. 1091, 1094-1095, 1099 ; t. 5, col. 519 ; t. 7, col. 474.

Aimé SOLIGNAC.

**1. PACIFIQUE DE CERANO** (de Novare ; BIEN-HEUREUX), frère mineur, vers 1420-1482. – Issu d'une famille estimée dans le pays, Pacifique Ramati se trouva orphelin assez jeune ; en 1445, il entra chez les franciscains de l'Observance à Novare. Devenu prêtre, il s'adonna à la prédication et, continuant l'œuvre de saint Bernardin de Sienne, il se dévoua pleinement à la réforme de son Ordre et à la restauration de la vie religieuse dans l'Italie septentrionale. Ses supérieurs le chargèrent même de promouvoir la croisade contre les Turcs en ces régions. Le 13 mai 1481, la congrégation générale des Mineurs cismontains, tenue à Ferrare, le désigna comme commissaire en Sardaigne, où il mourut, à Sassari, avant le 14 juin de l'année suivante. Sa dépouille mortelle fut ramenée peu après en sa ville natale. Benoît XIV approuva son culte le 7 juillet 1745.

Mettant à profit son expérience pastorale et à la demande de plusieurs, Pacifique écrivit en 1473 un manuel de confession, en italien, qui fut appelé *Somma pacifica*. La première édition vit le jour à Milan en 1479 (in-8° de 242 p.) sous le titre : *Opereta dicta Sumula ho vero Sumeta de pacifica conscientia*. L'ouvrage trouva une large audience, puisqu'il fut imprimé encore 2 fois au 15e siècle et au moins 7 autres fois avant le concile de Trente. Puis en 1579 parut à Venise une refonte du texte en conformité avec les décisions conciliaires, surtout en ce qui concerne le mariage, œuvre du carme François de Trévise (réimprimée en 1581) : *Somma Pacifica composta più di cent'anni dal R.P.F. Pacifico da Novara...*

En un style simple, l'auteur s'adresse au confesseur pour lui enseigner la manière de recevoir le pénitent et de l'interroger sur les articles de la foi, les sacrements, les commandements de la Loi, et surtout les devoirs à remplir pour chacune des catégories socioculturelles : mariés ou célibataires, notables, juges, médecins, maîtres et étudiants, marchands, banquiers, artisans, hospitaliers, clercs, bénéficiers et curés, religieux, évêques, prélats réguliers et assimilés ; puis il présente des interrogations sommaires pour chaque cas. Il traite ensuite du pouvoir et de la science du confesseur, rappelle enfin les canons pénitentiels, les excommunications papales et épiscopales, etc. Pacifique cite en marge ses sources, qui sont en général les décrets canoniques et bon nombre de théologiens du moyen âge.

AS, *juin*, t. 1, Anvers, 1695, p. 414-415, 802-803. – Wadding-Sbaralea, *Supplementum...*, t. 2, 1921, p. 302. – *Vita del B. Pacifico da Cerano*, Novare, 1831. – *Vita del B. Pacifico di Cerano..., protettore di Cerano*, Novare, 1878. – M. Cazzola, *Il B. Pacifico Ramati e la sua Cerano. Note storiche-statistiche*, Novare, 1882. – Basile de Nevione, *Sul B. Pacifico da Cerano nella sua 4a festività centenaria panegerico*, Gênes, 1882. – Léon de Clary, *L'Auréole séraphique*, t. 2, Paris, 1887, p. 411-415. – M. Bihl, *Pacificus of Ceredano (Cerano)*, dans *The catholic encyclopedia*, t. 11, New York, 1911, p. 382. – DTC, t. 11, 1932, col. 1721-1723. – A. Bosio, *Breve vita del B. Pacifico Ramati da Cerano*, Novare, 1932. – *Vie des Saints...*, t. 6, Paris, 1948, p. 152-153. – EC, t. 9, 1952, col. 506. – LTK, t. 7, 1962, col. 1333. – A.L. Stoppa, *Il V. B. Pacifico da Cerano alla luce della storia*, Novare, 1966, 1974. – BS, t. 10, 1968, col. 4-5. – *New Catholic Encyclopedia*, t. 10, 1967, p. 854.

DS, t. 3, col. 1104 ; t. 6, col. 4.

Pierre PÉANO.

**2. PACIFIQUE DE LA CROIX,** carme, † avant 1719. – On sait très peu de choses de la vie de Pacifique de la Croix. Né, probablement vers 1650, dans un village du diocèse de Trèves voisin de l'actuelle frontière belge, il étudia d'abord avec le curé de son village, puis au collège des Jésuites de Luxembourg. Il entra vers 1670 au couvent des Carmes d'Arlon, appartenant au vicariat belgo-wallon de son ordre. Ayant reçu les 23 et 24 décembre 1673 la tonsure, les ordres mineurs, le sous-diaconat et le diaconat, il fut ordonné prêtre le 17 février 1674. Après ses études théologiques, vers 1676, Pacifique commença ses prédications à travers les campagnes, tâche qu'il poursuivit une quarantaine d'années.

Vers 1688, il fut économe de son couvent et, vers 1700-1703, prieur. Le 5 mai 1703, il fut élu deuxième définiteur du vicariat. Le 30 avril 1706, il assiste au chapitre provincial comme délégué du couvent d'Arlon et y est élu premier définiteur (Rome, Archives des Carmes, II, *Wallo-Belgica, Commune* 1). On ignore quelle fut la suite de sa vie, comme aussi la date de sa mort. On ne le trouve pas mentionné dans la liste des religieux des divers couvents établie en 1719.

Pacifique a laissé des sermons qui remplissent deux gros volumes ; on ne sait s'ils furent imprimés de son vivant ou après sa mort : *Sylva spiritualis morum oder Geistlicher Sitten-Wald. Das ist : Hundert und neun Moral- und Sittliche Sontags-Predigen durch das gantze Jahr...* (Augsbourg-Graz, Veith, 1719) ; – *Sylva spiritualis florum oder Geistlicher Blumen-Wald. Das ist Hundert und viertzig Moral- und Sittliche Feyertagspredigen...* (*ibidem,* 1720). Ces deux ouvrages, d'un millier de pages chacun, furent réédités en 1727 et 1741 ; ils offrent deux caractéristiques principales, leur fond traditionnel et leur simplicité populaire.

Pacifique n'hésite pas devant les citations latines de ses autorités tirées des grands auteurs, Pères (Augustin, Ambroise, Jean Chrysostome, Tertullien, Origène, Jérôme, Athanase, Grégoire de Nysse, etc.), médiévaux (Anselme, Bernard, Thomas d'Aquin, Bonaventure, Richard de Saint-Victor, Gerson, Lansperge, Brigitte de Suède, etc.), et modernes (L. Surius, Vincent Ferrier, L. de La Puente, Thérèse d'Avila, Jean d'Avila, Lippomano, Nieremberg, J. Drexelius ; parmi les carmes : J.-B. Spagnoli, J.-B. Lezana, surtout Étienne de Saint-Paul, carme flamand de Boxmeer). Sa connaissance de la Bible est vaste et il la cite très souvent. Il recourt aussi aux auteurs de l'Antiquité (Sénèque, Ovide). Toutes ces citations sont plutôt d'ordre pratique qu'intellectuel ; Pacifique leur demande de renforcer sa pensée, laquelle est plus orientée vers la vie morale que vers la doctrine et la spiritualité.

La meilleure contribution de Pacifique est à chercher dans sa manière de prêcher aux populations rurales du Luxembourg ; il puise ses comparaisons et ses enseignements dans la vie campagnarde, chez les bêtes, dans les champs. Il souligne le culte des saints protecteurs et les pèlerinages ; il fait ériger des chapelles, des autels, des croix, il fonde des confréries. Utilisant le microcosme rural, il rénove la piété populaire et la marque des caractères de l'époque baroque. Ses sermons portent encore les traces de la tradition, avec leurs citations latines et le système fixé par la prédication baroque, évitant cependant ses effets de contraste et ses recherches dramatiques. Pacifique parle simplement, voire rudement, mais il est plein de vie, concret, proche de l'imaginaire paysan, utilisant les expressions régionales, très observateur des choses et des gens. Il vise essentiellement à aider les fidèles dans leur vie chrétienne.

I. Rosier, *Biographisch en Bibliographisch Overzicht van de Vroomheid in de Nederlandse Carmel*, Tielt, 1950, p. 156. – E. Donckel, *P. Pacificus a Cruce... Sein Leben, sein Predigtwerk*, dans *Festschrift für Alois Thomas*, Trèves, 1969, p. 99-107.

Hein BLOMMESTIJN.

**PACIUCHELLI** (ANGE), dominicain, 1594-1660. – 1. *Vie.* – 2. *Ouvrages.* – 3. *Doctrine.*

1. VIE. – On peut fixer la date de naissance d'Angelo Paciuchelli à l'année 1594 : dans ses *Excitationes* (cf. *infra*), il indique qu'il les écrit en 1657 (p. 485) et qu'il a 63 ans (p. 408) ; dans une note autographe à l'un de ses ouvrages, la date est confirmée par P. Th. Masetti (cf. bibliog.). Angelo entra jeune encore, chez les frères prêcheurs à Montepulciano, sa ville natale. Il rejoignit ensuite le couvent de Pérouse, étudia à Bologne et y fut approuvé comme lecteur en 1625. Il dirigea les études au couvent romain de la Minerve et y fut supérieur, confesseur, prédicateur et écrivain. Prieur à deux reprises au couvent de Prato, en 1646 et 1649 (cf. P. Orsi, *S. Domenico di Prato*, Prato, 1977, p. 158), et à celui de Pérouse, en 1633 et 1653, il fut élu d'un commun accord à la tête de la province romaine en 1649 ; il s'en fallut de peu qu'il ne fût nommé Maître général en 1650. Confesseur dans de nombreux monastères, son activité principale fut celle de prédicateur dans beaucoup de villes d'Italie. Au cours de son troisième Carême à la Minerve, alors qu'il préparait le panégyrique de saint Thomas, il fut, le 7 mars 1660, frappé d'une attaque d'apoplexie qui, en cinq jours, le mena à la tombe. Homme mortifié, adonné à l'étude, « Verbi Dei praeco facundissimus et ardentissimus », ces témoignages de ses contemporains sont confirmés par ses ouvrages.

2. OUVRAGES. – Paciuchelli a publié quatre ouvrages d'ordre ascético-parénétique tirés de sa prédication.

1° Le plus considérable, le plus important aussi et le plus diffusé contient les *Lezioni morali sopra Giona profeta* (3 vol. in-fol.) ; on en connaît sept éditions italiennes, depuis la première à Florence (1646) jusqu'à celle de Venise en 1720, et deux trad. latines (Munich, 1672-1685 ; Anvers, 1680-1683). Le texte de Jonas n'est qu'une occasion pour l'auteur d'exposer sa doctrine morale et spirituelle.

2° Très dévot à la Vierge Marie, Paciuchelli publia une sorte d'encyclopédie mariale : *Excitationes dormitantis animae circa Ps. 86, Canticum Magnificat, Salutationem Angelicam et antiphonam Salve Regina* (Venise, 1659, 1671, 1680, 1720 ; Munich, 1677 ; trad. ital. par Michele Gentile, 3 vol., Naples, 1849 : *Sorgimenti di un'anima del sonno...*).

3° *Trattato della pazienza necessaria ad ogni stato di persone* (Pérouse, 1657 ; Venise, 1661, 1679, 1704, 1721 ; trad. latines, Munich, 1677 ; Cologne, 1693) ; l'ouvrage, fort bien composé, est unifié par cette idée que toutes les vertus se rattachent à la patience ; il est très marqué par l'expérience de la vie selon les âges, les circonstances, le rang social, etc. Voir art. *Patience, infra*.

4° *Discorsi morali sopra la Passione di N.S.G. Cristo* ; on en connaît les éd. suivantes : Venise, 1664, 1672, 1679, 1721 ; nous ignorons la date de la première éd. L'ouvrage commence par enseigner la manière de contempler la passion du Christ (comme si on en ignorait tout, avec admiration, comme si elle se déroulait sous nos yeux, comme si le Christ y souffrait pour moi seul, pleurant avec lui, nous laissant pénétrer par la douceur et la joie spirituelle). Le deuxième livre traite de la passion intérieure, des douleurs de l'âme du Christ ; le troisième, des souffrances corporelles ; le dernier livre s'arrête aux sept paroles rapportées par les évangiles.

D'autre part, pendant qu'il était confesseur au monastère dominicain de S. Maria dell'Umiltà à Rome (1632), Paciuchelli rédigea la vie, restée manuscrite, de la fondatrice, Francesca Baglioni, veuve Orsini † 1626, « qui assura l'éducation de la future reine de France Marie de Médicis » (cf. A. Zucchi, *Roma domenicana, Note storiche*, Rome, 1938, p. 167).

Enfin, au cours de son provincialat (cf. Prologue), il composa une ample *Expositio in epistolam ad Romanos* (Pérouse, 1656 ; Munich, 1677) ; il s'agit en fait d'une *catena* formée d'explications tirées des Pères (Jean Chrysostome, Ambroise, etc.) et d'auteurs du moyen âge (Hugues de Saint-Cher, Rupert, etc.) ; il met en premier lieu le commentaire de Thomas d'Aquin. Sont aussi rapportés l'exégèse de Thomas de Vio Cajetan et des commentaires d'auteurs des 15e et 16e siècles. A la fin, sous le nom de *collector*, Paciuchelli propose ses interprétations personnelles ; il a choisi de commenter cette épître parce que « coeterarum omnium est argumentum, et reliquis altior sicut et obscurior ».

3. DOCTRINE. – Tout en reconnaissant que « la théologie scolastique est extrêmement utile », Paciuchelli évite délibérément les questions subtiles qui « dessèchent (le cœur) sans l'amender ». Sa façon de procéder est solide et méthodique ; il légitime ses affirmations par l'autorité des saints Pères, qu'il cite abondamment en latin, mais toujours accompagnés d'une traduction ou d'une paraphrase en langue italienne. Il illustre la doctrine morale par nombre d'anecdotes tirées de l'histoire, par des comparaisons suggestives prises au domaine de la nature, mais sans les exagérations et les saillies du style baroque (qu'il n'ignore cependant pas : il n'est que de lire les dédicaces de ses ouvrages). Il a un grand respect de la parole de Dieu et consacre toute une leçon à montrer que « la prédication qui opère un grand fruit est celle qui est simple, prudente, sincère et exigeante » (*Lezioni sopra Giona*, t. 2, leçon 50), programme auquel il reste fidèle.

Quant à ses sources, nombreuses et variées, saint Thomas et, parmi les thomistes, Cajetan, y occupent une place de choix. Aucun auteur spirituel dominicain, croyons-nous, n'a utilisé aussi souvent et de manière aussi juste ce célèbre commentateur de la *Somme* et de la Bible. Parmi les classiques profanes, il met au premier rang Sénèque : « J'éprouve, je l'avoue, un plaisir tout particulier à la lecture des ouvrages et enseignements de Sénèque ; j'ai l'impression d'y voir la nature humaine telle que Dieu l'a faite » (*Trattato della pazienza*, livre 4, ch. 20, n. 6). Il est en cela un bon représentant du « sénéquisme » en vogue dans l'Italie des 16e et 17e siècles.

Quand l'occasion s'en présente, il réfute avec compétence l'hérésie de Luther, qu'il connaît et cite dans ses textes latins originaux ; il mentionne certains passages des *Propos de table* et formule au sujet de l'auteur un jugement fort exact : « semper in extremis est versatus ; prius nimis pusil-lanimis, postea nimis presumptuosus fuit » (*Expositio ad Rom.*, ch. 1, v. 17, n. 6).

Il est curieux de noter que le point de vue de Paciuchelli se limite toujours au domaine de la simple ascèse. Jamais il ne se risque à parler de l'expérience mystique ; pas même lorsqu'il consacre l'avant-dernier chapitre du *Trattato della pazienza* aux « désolations et aridités spirituelles », où il eût été si normal de parler des purifications passives. Vers la fin des *Lezioni sopra Giona*, il met les prêtres en garde pour qu'ils ne croient pas facilement aux visions et aux révélations, notamment des femmes. A l'instar de la majorité des auteurs spirituels de son temps, il est nettement antiféministe : « Il y a plus à craindre d'une femme que de tous les démons » (t. 3, leçon 64). Dans l'*Expositio in ep. ad Romanos*, il renchérit encore, soutenant par exemple que « nulla pene fuit haeresis quae non habuerit feminam vel auctricem vel adjutricem » (ch. 1, v. 26, n. 7). Il sait toutefois reconnaître (ch. 16, v. 3) que les femmes ont été formées à l'image de Dieu et qu'elles sont de plus « ad misericordiam promptiores et in laboribus constantiores et aliquando pro Christo fortiores quam viri ».

Sans avoir une doctrine originale dans sa structure, Paciuchelli s'intéresse beaucoup à scruter les sentiments humains, à les évaluer au niveau spirituel. Malgré sa sympathie prononcée pour Sénèque, il déclare maintes fois et nettement ne vouloir point être stoïcien. C'est en bon thomiste qu'il explique comment les passions et les sentiments peuvent être utilisés, bien ou mal : « Je ne suis pas philosophe stoïcien, mais péripatéticien et par grâce chrétien. Quelle engeance que ces philosophes qui veulent les hommes de marbre et qu'ils n'aient ni à se réjouir pour ce qui est objet de joie, ni à s'attrister, comme on y est porté, dans les circonstances funestes et pénibles ! Dieu nous a faits de chair, de sang et d'os ; il nous a dotés de passions qui, en fonction d'objets divers, doivent réagir différemment, mais toujours selon ce que réclame la raison » (*Lezioni morali sopra Giona*, t. 1, leçon 15).

Pour donner une idée concrète de la manière de Paciuchelli, résumons deux de ses sermons donnés au *Duomo* de Pérouse en 1635 et 1636 : les leçons 15 et 60 des *Lezioni morali sopra Giona* (cf. Prologue).

La 15e leçon traite de la mélancolie et de la tristesse. Contraire à la foi, à l'espérance et à la charité, la mélancolie n'aide pas au service de Dieu et ne convient pas à qui se nourrit de l'Eucharistie. Elle est également nuisible à l'âme et au corps ; tandis que la joie allonge la vie, la tristesse l'abrège. Le démon tire parti de la mélancolie pour faire tomber dans la recherche du plaisir charnel. Un regret normal de ses péchés n'empêche pas la vraie joie spirituelle. Le fait de ne pas connaître notre progrès spirituel n'est pas une raison valable pour être triste ; ce progrès, en effet, n'est pas sensible, il est secret et non pas perçu, afin de nous maintenir en humilité. On peut combattre la mélancolie en usant avec discernement de la nourriture et de la boisson, du sommeil, de détentes honnêtes, du chant et de la musique, comme fit David (1 *Rois* 16, 23) et selon le conseil de Cajetan : « Primus musicae effectus erat dilatatio cordis, directe contraria melancholico motui ». Autres remèdes : pleurer au besoin, se confier à des amis, s'absorber dans la contemplation du vrai (la suprême joie !), songer à l'alternance inévitable de la souffrance et de

la joie, penser aux malheurs des autres ; le grand remède est la prière, selon ce qu'enseigne saint Jacques : « Tristatur aliquis vestrum, oret » (5, 13).

La 60e leçon traite des larmes. Prier avec larmes est souverainement efficace : « Il ne sait pas bien prier celui qui ne sait pas pleurer ». Une oraison froide, sans larmes, ne blesse pas le cœur de Dieu ; pleurer, même sans paroles, comme Marie-Madeleine, arrache à Dieu la grâce du pardon. L'Esprit saint est le maître des saintes larmes ; elles purifient comme une sorte de baptême. Tandis que les martyrs versent leur sang, le pécheur répand ses pleurs, le sang de son cœur. Paciuchelli note qu'il ne faut pas craindre que les larmes nuisent à la santé : « Par elles la tête se dégage, comme l'atmosphère s'éclaircit quand les nuages se changent en pluie » ; elles dissipent la tristesse et montent vers Dieu comme un sacrifice d'agréable odeur. « Qui est plus saint verse plus de larmes, et qui pleure davantage est plus heureux ». Le Christ a pleuré plus que tous. Les larmes sont un don de Dieu ; il faut les lui demander dans la prière.

Ces deux exemples montrent la manière dont Paciuchelli traite habituellement ses thèmes spirituels. Nous sommes portés à croire que l'influence des ouvrages de Paciuchelli fut notable, étant donné le nombre de leurs éditions et aussi parce qu'on trouve encore facilement des exemplaires dans les couvents italiens en dépit des confiscations du 19e siècle. D'autre part, les auteurs, O. Gregorio, G. Cacciatore et D. Capone, de l'*Introduzione generale alle Opere ascetiche di S. Alfonso M. De Liguori* (Rome, 1960) notent à plusieurs reprises l'influence de Paciuchelli, surtout en ce qui regarde la passion du Christ et la doctrine mariale : « Saint Alphonse (lui) a beaucoup pris » (p. 320). On pourrait publier une anthologie des meilleurs passages de Paciuchelli ; même son style a une réelle valeur.

*Necrologio della Provincia Romana* (O.P.), 1656-1694, aux Archives de S. Maria Novella. – Quétif-Échard, t. 2, p. 592. – P. Th. Masetti, *Monumenta et Antiquitates veteris disciplinae O.P.*, t. 2, Rome, 1864, p. 147-149, 183. – V. Zanotto, *Storia della predicazione*, Modène, 1899. – DS, t. 5, col. 1456, 1459 ; t. 12, art. *Patience, infra.*

Innocenzo COLOSIO.

**1. PADILLA** (JEAN DE ; EL CARTUJANO), chartreux, 1467-1520. – Né à Séville en 1467, Juan de Padilla était fils naturel de Sanche de Padilla, gouverneur héréditaire de Castille. Il avait sous presse son poème *El Labirinto del Duque de Cadix* quand il prit l'habit à la chartreuse de Séville en 1493. Le chapitre général de l'ordre (1500) le dispensa de l'irrégularité *de defectu natalium* pour qu'il puisse accéder aux charges. Dès 1502, Padilla fut élu prieur de sa maison de profession, mais le chapitre général de 1503 ne ratifia pas cette élection ; il le nomma prieur d'Aniago (Valladolid). En 1508, Padilla, toujours prieur, passe à la très importante chartreuse de El Paular (Ségovie), revient à Séville (1512), va à la petite fondation voisine de Cazalla (1514), revient encore, toujours prieur, à Séville (1519) ; il y meurt le 1er juillet 1520. Depuis 1507 Padilla joignait à ces charges celle de visiteur de la province cartusienne de Castille ; à ce titre il dirigea la fondation de la chartreuse de Grenade.

Outre le poème profane dont nous avons déjà parlé et qui est aujourd'hui introuvable, Padilla a laissé trois poèmes d'inspiration religieuse : 1) *Retablo del*

*Cartuxo sobre la Vida de Cristo*, Séville, 1505, in-8°, 1513, 1516, 1518, 1528, 1530, etc.; Alcalá de Henares, 1529, 1577, 1586, 1593, 1605; Tolède, 1565, 1570, 1583, 1585, 1593; Valladolid, 1582, 1805. – 2) *Los doze triunfos de los doze Apóstolos*, Séville, 1517, in-fol., 1529; Florence, 1979 (importante introd. de E. Norti). – 3) *La Institución de la muy estrecha y ... observante orden de la Cartuxa y la Vida del ... Sant Bruno*, Séville, 1520, 1569.

M. del Riego, dans sa *Colección de obras poeticas españoles* (t. 1, Londres, 1841), a publié partiellement le *Retablo* et entièrement les *Doze triunfos*. La coll. BAE 19 (Madrid, 1912) offre les *Doze triunfos* et l'*Institución*.

Le dernier ouvrage de Padilla n'est qu'une adaptation versifiée, faite à la demande du chapitre général, de la *Vita S. Brunonis* de François Dupuy (Bâle, sd = vers 1515); la valeur poétique est faible. Les deux autres poèmes, au contraire, sont des œuvres originales et puissantes. Le *Retablo* raconte en quatre chants la vie du Christ à partir de prophéties messianiques et en s'inspirant de la disposition du grand retable de la cathédrale de Séville. Les *Doze triunfos* racontent un voyage outre-tombe : sous la conduite de saint Paul, le poète parcourt successivement les douze signes du zodiaque, trouvant en chacun d'eux un apôtre et les saints fêtés dans le mois correspondant ; de là il domine une région de la terre (souvent trop longuement décrite) ainsi qu'un cercle du purgatoire et un de l'enfer.

Le *Retablo*, quoique très étroitement inspiré de la *Vita Christi* de Ludolphe le Chartreux (DS, t. 9, col. 1130-1138), évite soigneusement tout recours aux apocryphes, s'en tient à l'Écriture et, sous le foisonnement des images, s'adresse aux simples pour leur transmettre l'ensemble des grandes vérités chrétiennes. Très allégoriques au contraire et non sans obscurités, les *Doze triunfos* sont écrits pour les doctes ; si Jacques de Voragine (DS, t. 8, col. 62-64) est largement utilisé, cosmographes et astronomes (ou mieux : astrologues) anciens et modernes fournissent un fatras parfois accablant. Mais une même démarche spirituelle anime les deux poèmes : la montée vers Dieu par la contemplation augustinienne (et platonicienne) des degrés d'être, le but demeurant la réintégration de la création entière dans l'ordre divin. Le poète cependant, même là où il aborde la question de la contemplation, s'en tient au plan spéculatif en exposant la théorie thomiste : aucune allusion à la mystique psychologique des *recogidos* ou des *alumbrados* contemporains ; par ailleurs, tout en parcourant le cycle des commandements de Dieu, l'enseignement reste essentiellement ascétique et moralisant.

Le succès du *Retablo* s'affirma triomphal durant tout le 16e siècle ; ce fut alors le livre le plus lu en Espagne après les *Flores Sanctorum*. Relevons qu'il fut lu par Ignace de Loyola et qu'il a pu lui donner des exemples admirables de « compositions de lieu », là ou Ludolphe n'offrait que de maigres indications.

Littérairement, Padilla se trouve au confluent de deux courants, celui des poètes de la cour de Jean ii de Castille, italianisants pénétrés d'influences dantesques (Jean de Mena surtout), et celui des humanistes espagnols de la génération suivante, soucieux de retour à la Bible, fervents admirateurs des classiques latins tout en répudiant leur paganisme.

J. de Vallés, *Primer Instituto de la sagrada religión... de la Cartuxa*, Madrid, 1663, p. 439-441. – C.G. Morozzo, *Theatrum Chronologicum S. Ord. Cartusiensis*, Turin, 1681, p. 117.

J. Amador de los Rios, *Historia crítica de la Literatura española*, t. 7, Madrid, 1865, p. 264-275. – M. Menéndez y Pelayo, *Antología de los Poetos líricos castellanos*, t. 2, Madrid, 1891, p. 77-101. – A. Aragón Fernández, *S. Bruno et la Cartuja*, Barcelone, 1899, p. 131-148.

B. Sanvisenti, *I primi influssi di Dante, del Petrarca... sulla letteratura spagnola*, Milan, 1902, p. 224-247. – C.P. Post, *Medieval spanish Allegory*, Cambridge, 1912. – M. Herrero Garcia, *Nota al Cartujano*, dans *Revue des études basques*, t. 15, 1924, p. 589-591. – D. Alonso, *Poesía de la Edad Media*, Buenos Aires, 1942, p. 301-311. – A. Carballo Picazo, *Para la historia de « Retablo »*, dans *Revista di Filología Española*, t. 34, 1950, p. 268-278. – B. Cuartero y Huerta, *Historia de la Cartuja de S. Maria de las Cuevas de Sevilla*, t. 1, Madrid, 1950, p. 315-323.

J. Scudieri, *Poeti del tempo di Re catolici*, dans *Atti della Academia dei Lincei*, t. 8, 1955, p. 36-64. – J. Tarré, *El Retablo de la Vida del Cristo compuesto por el Cartujo*, AHSI, t. 25, 1956, p. 243-253. – M. Darbord, *La poésie religieuse espagnole des Rois Catholiques à Philippe ii*, Paris, 1965, p. 107-141. – E. Norti Gualdani, *Per un Commento ai Doze Triunfos del Cartujano*, dans *Lavori della Sezione florentina del gruppo hispanistico*, Florence, 1967, p. 165-280. – J.O. Puig et I.M. Gómez, *Escritores Cartujanos españoles*, Montserrat, 1970, p. 147. – A. Gruys, *Cartusiana*, t. 1, Paris, 1976, p. 146.

DTC, t. 11, 1932, col. 1725-1726. – Dicc. de España, t. 3, 1973, p. 1860. – DS, t. 2, col. 764 ; t. 9, col. 1136.

Augustin Devaux.

**2. PADILLA** (Pierre de), carme, 1543 – vers 1600. – Pedro de Padilla, né à Linares (Jaén) en 1543, est en 1564 inscrit à l'université nouvellement fondée de Grenade. Admiré par des contemporains comme Cervantes et Lope de Vega, il consacra ses talents à la poésie jusqu'à son entrée dans l'ordre des carmes (1584) : poésie historique, chevaleresque, romantique, épique. Il faisait partie du groupe remarquable d'écrivains réunis auprès de la Cour de Castille, les plus connus de la seconde moitié du 16e siècle. Ses liens d'amitié avec Cervantes amenèrent celui-ci – chose qu'il n'aimait guère – à composer plusieurs sonnets de recommandation à lui dédiés. Padilla, en plus d'une large formation classique, était versé en italien, en portugais, en français, en flamand et en latin. On a admiré et apprécié son castillan pour sa pureté et son exactitude, ce qui lui a valu d'être mis au rang des autorités en langue espagnole dans le catalogue publié par l'Académie d'Histoire en Espagne. Lope de Vega l'appelle « la merveille de ce siècle ».

A l'âge de 42 ans, Padilla demanda à être admis dans l'Ordre du Carmel à Madrid. Il y passa le reste de ses jours. On a dit qu'il entra chez les Carmes à cause de leur grande dévotion envers la Vierge Marie. En fait, sa piété profonde, son attachement aux mystères de la vie du Christ, et son amour exceptionnel pour Notre Dame qui transparaissent dans sa poésie pourraient avoir joué leur rôle dans sa vocation tardive à la vie religieuse. Les quinze années qu'il vécut au Carmel furent consacrées à la prédication et à la censure de livres ; le dernier renseignement que nous ayons à son sujet est son approbation en 1600 d'un ouvrage d'Alonso de Ledesma. Ses talents littéraires ne furent pas négligés, mais désormais ses poèmes sont tous consacrés à des sujets spirituels et religieux, marials en particulier.

Ses deux principaux recueils de poèmes sont : *Jardín espiritual* (Madrid, Querino Gerardo, 1585) et *Grandezas y Excelencias de la Virgen Señora nuestra* (Madrid, Pedro Madrigal, 1587 ; Madrid, Vega, 1806) ; un troisième volume, *Ramillete de Flores*, fut confisqué par l'Inquisition espagnole et a disparu. *Jardín espiritual* montre un Padilla pénitent. Le recueil est profondément marial ; on y trouve un commentaire du *Salve Regina*, antienne chère au Carmel, qui vaut d'être lu ; mais aussi beaucoup d'autres vers sur les mystères de la vie du Christ et sur des vies de saints. Dans *Grandezas* Padilla cherche, au moyen de « vers héroïques », à éveiller la dévotion des fidèles envers Marie ; le recueil est divisé en neuf *Cantos*, consacrés chacun à une fête particulière : Immaculée Conception, Nativité, Présentation de Marie au temple, Annonciation, Visitation, Attente de la Vierge, Purification, Assomption, Notre Dame des Neiges.

Bien que de vocation tardive, Padilla fit une bonne théologie. En ses milliers de vers sur des thèmes marials, rares sont les inexactitudes ; d'ordinaire sa théologie mariale est excellente. Son souci de précision théologique affaiblit parfois son inspiration poétique. Ici et là, il semble guidé par un souci apologétique, s'arrêtant aux objections de la Réforme protestante. De temps à autre, il appelle Marie sans égale, mais toujours la maintenant en son rôle subordonné. C'est spécialement à cause de l'Incarnation que Marie a un rapport unique avec chacune des Personnes de la Trinité. L'Incarnation étant essentiellement ordonnée à la Rédemption, Marie est aussi engagée dans l'œuvre rédemptrice dès son premier début. Elle est la terre pure que l'homme n'a point souillée, comme si elle était venue des mains même de Dieu. Padilla voit Marie spontanément comme Vierge plus que comme Mère. Sa virginité est plénitude de richesse, tout entière œuvre de Dieu, lequel revêt Marie de bonté, de sainteté : en ce sens, nul autant qu'elle n'a été racheté par le Christ et n'est plus dépendant de lui dès sa conception immaculée. Mais cette virginité est motivée par la maternité divine.

Poète, Padilla exalte la beauté de Marie, notamment dans son intégrité morale et spirituelle. Trésor et arche du Don parfait reçu de Dieu par les hommes, Marie est comme le miroir des mystères qu'elle sert. Bien que son assomption ne fût pas alors un dogme défini, Padilla la soutient avec ferveur : tout comme Marie a passé par la mort avec son Fils, de même elle est en gloire avec lui. Cette condition présente de Marie ne la sépare pas de l'humanité, au contraire elle lui permet d'être son avocate médiatrice. Malgré les positions protestantes à ce sujet, Padilla y insiste : *Medianera*, *Medio*, Marie est en ce sens l'espérance des chrétiens. Cette dimension mariale de la vie chrétienne implique le recours à Marie, son imitation, l'hommage rendu et l'offrande de soi :

« Y come a tal es justo que acudamos
Y sus heroicas obras imitemos
Y que a Dios por su mano le ofrezcamos
Las que con el favor suyo hacemos,
Para que por su ruego merezcamos
El soberano bien que pretendemos,
Y su alabanza tenga muy de asiento
En nuestras lenguas e almas aposento »

                   (*Grandezas*, éd. 1806, p. 306).

Padilla entrevoit que la rencontre initiale et fondamentale entre Marie et le Verbe Sauveur se perpétue dans la liturgie.

Aussi convient-il qu'elle l'honore. A propos de la fête de Notre Dame des Neiges, où l'on commémore le 5 août la dédicace à Rome de Sainte-Marie-Majeure, Padilla montre combien il est normal d'imposer aux églises le nom de Marie et ceux des saints. Marie en particulier mérite cet honneur puisqu'elle est le temple vivant de Dieu. Le poète ne cherche pas à légitimer les titres variés conférés à Notre Dame par l'Église : il y voit un reflet de la simplicité de richesse de Marie, belle entre toutes les femmes.

La dévotion à Marie implique l'*imitation* et l'*invocation*. Si Marie plus que toute autre créature a établi le pont entre le ciel et la terre, c'est signe que ses attitudes et ses vertus sont exemples à suivre par qui désire servir son Bien-Aimé ; autrement dit, qu'il leur faut l'imiter (*Grandezas*, éd. 1806, p. 281). Poète intuitif, Padilla ne reste pas dans les abstractions ; il propose des modes très concrets pour cette imitation. Pureté et virginité, comme on les trouve en Marie, disposent plus que tout à réaliser constamment la volonté divine ; ce sont ces vertus, en effet, qui l'ont rendue pleinement dépendante de Dieu. Son humilité la porte à s'abaisser, à ne s'arrêter sur rien, mais à proclamer la magnificence du pouvoir de Dieu et de sa miséricorde. Sa charité n'attendait pas qu'on y fît appel pour porter aide (ainsi à Élisabeth). Sa foi et ses souffrances sont aussi en elle composantes essentielles : plus que d'autres, elle eut à souffrir de duplicités, de médiocrités, d'incompréhensions dans son entourage ; elle qui avait en elle tant de bien fut aussi davantage éprouvée par tant de mal autour d'elle.

Pour ce qui est de l'invocation de Marie, Padilla rappelle, avec presque trop d'insistance, qu'elle n'accomplit aucun miracle par elle-même ; son pouvoir vient uniquement de son union spéciale au Christ et, par Lui, à la Trinité : instrument souple aux mains de Dieu, on peut l'appeler, avec les nuances qui s'imposent, Réparatrice universelle (éd. citée, p. 155). Mère comme elle l'est, elle ne peut que se pencher pour aider ses enfants éprouvés, les faibles et les découragés, les égarés et les rebelles. Le recours à son intercession est permis pour des fins temporelles, mais doit se faire avant tout en vue des biens spirituels, qui mèneront ses dévots dans la compagnie des saints (p. 293).

Autres œuvres : *Tesoro de varias Poesías* (Madrid, Querino Gerardo, 1577 et 1580) ; – *Eglogas Pastorales y de algunos Sanctos* (Séville, Andrea Pescioni, 1582) ; – *Romancero en que se contienen algunos successos de los Españoles en la Jornada de Flandres* (Séville, Fr. Sánchez, 1583 ; Madrid, 1880).

Padilla a traduit de l'italien un ouvrage de Giovanni Antonio Pantera (*Monarquia de Christo*, Valladolid, 1590) et du poète portugais Jeronymo Corte Real + 1588 *Cerco de Diu* (Alcalá de Henares, 1597).

Cosme de Villiers, *Bibl. Carmelitana*, t. 2, Orléans, 1752, col. 593-594. – J. Moelter, *Pedro de Padilla : a Carmelite Mariological Study*, Rome, 1952. – Ignacio Bajona Oliveras, *La amistad de Cervantes con P. de Padilla*, dans *Anales Cervantinos*, t. 5, 1955/56, (13 p.). – Joachim Smet, *The Carmelites : A History of the Brothers of Our Lady of Mt. Carmel*, t. 2, Darien (Illinois), 1976, p. 251. – L.M. Herrán, *S. María en las literaturas hispánicas*, Pampelune, 1979.

R.M. Valabek, *The Excellence of Dependence and Dependability : The Person and the Role of Our Lady in the Poetry of P. de Padilla*, dans *Carmelus*, t. 27, 1980, p. 26-66 ; *P. de Padilla : Poetry's Contribution to Marian Devotion* (à paraître dans les Actes du Congrès marial international de Saragosse de 1979).

F. Vegara Peñas, *Fr. P. de P., uno de los primeros alumnos de la Univ. granadina,* dans *Boletín de la Univ. de Granada,* t. 5, 1933, p. 42-64.

Redemptus Maria VALABEK.

**PAEPS** (JEAN-BAPTISTE), prêtre, 1801-1874. – Né à Neerijse (près de Louvain) le 29 mars 1801, J.-B. Paeps fut ordonné prêtre à Malines le 28 mai 1825. En raison de sa santé ébranlée, il résida quelques années à Nossegem, où son frère était curé. Il y trouva l'occasion de s'adonner aux études et de s'initier aussi à l'instruction des enfants de la paroisse. Le 12 décembre 1839, il est nommé directeur des religieuses ursulines à Zaventem où il meurt le 20 avril 1874.

A partir de 1834, il a publié une série impressionnante de livres. Vouloir donner une liste complète de ses ouvrages paraît bien audacieux, voire impossible. Il suffit d'ailleurs de renvoyer à la notice qui lui est consacrée dans la *Biographie Nationale* (de Belgique) : elle n'énumère pas moins de cinquante-cinq titres dont plusieurs ont connu des rééditions. A l'exception de quatre ou cinq ouvrages destinés à l'enseignement de la langue néerlandaise, la presque totalité de son œuvre consiste en livres de piété, écrits dans sa langue maternelle, parfois aussi traduits en français, tous édités en petit format, destinés à l'instruction chrétienne et à l'édification de la jeunesse et des fidèles. « Nous nous sommes proposé avant tout de donner à notre langage toute la clarté, toute la simplicité possible ; être utile à tous, aux savants comme aux illettrés, tel est notre but », écrit-il dans la préface d'un de ses livres.

Parmi ces ouvrages plusieurs sont consacrés à un sujet particulier de la doctrine : commandements, sacrements, vertus, devoirs d'état différenciés d'après les personnes, grandes vérités pour les missions populaires, etc. D'autres ont pour but de nourrir la piété : des lectures pour tous les dimanches de l'année, des considérations sur les principales fêtes, des méditations sur la passion de Jésus, des modèles de chemins de croix, un manuel de prières (*Het paradys der geloovigen,* Louvain, vers 1840, édité ensuite sous le titre *De voorplein des hemels*), et des « mois » : du Sacré-Cœur, de Marie, de saint Joseph, des âmes du Purgatoire, de la Sainte-Enfance. Une attention spéciale doit être donnée à un livre qui est sans doute la répercussion et le reflet de sa tâche de directeur : *De ware kloosterstaet voor de religieuzen gelast met het onderwys der jeugd* (Bruxelles, 1864, 375 p.). Parmi les publications occasionnelles, on rencontre quelques biographies (vg de François Xavier, François de Hiéronymo) et l'histoire d'une confrérie du scapulaire. Un grand nombre de ces ouvrages ont été rassemblés ou regroupés dans une collection de 8 volumes, parus à Bruxelles entre 1857 et 1867 : *Verzameling der werken uitgegeven door J.B. Paeps, Priester.*

Il serait vain de rechercher les sources et les lignes de force de sa doctrine spirituelle. Pour un certain nombre d'ouvrages qui se présentent comme une traduction ou une adaptation, on trouve mentionnés des noms aussi variés que Claude Arvisenet (DS, t. 1, col. 934-935), Alphonse de Liguori (DS, t. 1, col. 357-389), Jean-Baptiste Manni (DS, t. 10, col. 221-222), Maximien de Bernezay (DS, t. 10, col. 856-858), Martin de Noirlieu, Alphonse Muzzarelli (DS, t. 10, col. 1858-1860), Nicolas Zucchi, Jean-Baptiste Roberti, Barthélemy Guidetti, le cardinal Jean Bona (DS, t. 1, col. 1762-1766), Richard Challoner (DS, t. 2, col. 449-451), Pour beaucoup d'autres, Paeps a puisé sans doute en grande partie dans l'expérience de son enseignement personnel. Préoccupé de persuader ses lecteurs, de capter leur attention, de stimuler leur dévotion, il introduit dans ses livres quantité de récits et d'exemples, et souvent il y ajoute des prières, des litanies, des chants. L'importance de cette prodigieuse production se situe au niveau du témoignage : elle fait saisir de quelle manière curés et vicaires des paroisses de l'époque ont proposé et recommandé la doctrine et la vie chrétiennes aux fidèles. Par ses livres Paeps a contribué à leur faciliter la tâche en mettant à leur disposition des méthodes et du matériel : c'est incontestablement un des grands mérites de ses nombreux écrits. En ce sens il se rapproche de Josse Hillegeer (DS, t. 7, col. 522-524), sans en avoir toutefois l'envergure.

Fr. de Potter, *Vlaamsche Bibliographie,* Gand, 1893, p. 873. – L. Goemans, dans la *Biographie Nationale* (de Belgique), t. 16, Bruxelles, 1901, col. 453-457.

Jos ANDRIESSEN.

**PAES** (BALTHASAR), trinitaire, 1570-1638. – 1. *Vie.* – 2. *Ouvrages.* – 3. *Doctrine spirituelle.*

1. VIE. – Balthasar Paes naquit à Lisbonne, prit l'habit religieux en 1589 et fit profession le 20 mai 1590, également à Lisbonne. Il étudia la théologie à l'université de Coïmbre, où il obtint le doctorat. D'un esprit clair et pénétrant, il apprit les langues bibliques, le grec et l'hébreu, et explora les Pères avec ardeur, devenant si versé dans l'Écriture qu'on l'estima l'un des biblistes les plus réputés de son temps. Philippe III le nomma lecteur d'Écriture sainte à l'université de Coïmbre et il expliquera la même matière dans son couvent de Lisbonne. Il se distingua aussi dans la chaire, prêchant durant plus de quarante ans à la Chapelle royale de Lisbonne, au cours des règnes de Philippe III et Philippe IV.

Recteur du Collège de Coïmbre, ministre (= supérieur) du couvent de Santarén, élu provincial en 1620, examinateur du Patronat Royal, il montra en ces offices une prudence égale à sa sagesse, donnant le pas à la clémence sur la sévérité. En 1636, Philippe III lui offrit le siège épiscopal de Ceuta, qu'il refusa, tout comme celui de Viseu. Il mourut à Lisbonne le 23 mars 1638.

2. OUVRAGES. – 1) *Commentarii in Epist. B. Iacobi* (Lisbonne, 1613 ; Lyon, 1617, 1620, 1624 ; Anvers, 1617, 1623 : éd. revue et augmentée d'une 3e partie ; Paris, 1631). – 2) *Ad canticum Moysis, Exodi 15, commentarii cum adnotationibus moralibus* (Lisbonne, 1618 ; Anvers, 1619 ; Paris, 1621 ; Lyon, 1622 et 1631).

3) *Commentarii in canticum magnum Moysis « Audite coeli quae loquor » (Deut. 32)* (Lisbonne, 1620-1628 ; Paris, 1621, t. 1 seul ; Anvers, 1622 et 1623, t. 1 seul ; t. 3 resté inédit). – 4) *Commentarii in canticum Ezechiae, Isaiae 38* (Lisbonne, 1622 ; Lyon, 1623 ; Paris, 1631 : 2 parties avec paginations distinctes).

5) *Sermao que fez o Doutor Fr. ... de Todos Santos* (Lisbonne, 1621). – 6) *Sermao das excellentes virtudes do V. P. Fr. Simao de Roxas* (Lisbonne, 1625). – 7) *Sermoens de Semana Santa* (Lisbonne, 1630 et

1634 ; trad. espagnole par le dominicain V. Gómez, Valence, 1633 ; trad. franç. par le trinitaire Cl. Ralle, Paris, 1635).

8) *Sermoens da Quaresma* (2 vol., Lisbonne, 1631-1633). – 9) *Marial de sermoens que nas festas da Virgen... pregou o P. Fr. Paes* (Lisbonne, 1649).

Tous les commentaires bibliques de Paes comportent trois index développés : textes cités de la Bible, sujets répartis selon l'ordre liturgique des dimanches et des fêtes, matières selon l'ordre alphabétique. La doctrine est sûre, basée sur un exposé littéral de l'Écriture et un tissu serré d'autorités patristiques largement citées.

3. DOCTRINE SPIRITUELLE. – Paes est d'abord un exégète qui commente l'Écriture à partir d'une édition polyglotte, en s'aidant des Pères, des scolastiques, sans négliger des auteurs profanes, comme Virgile, Sénèque, etc. Son érudition est très étendue. Le contexte social de son temps n'apparaît guère en ses écrits.

Prédicateur à la Cour, il s'adresse à un milieu chrétien dans le cadre de l'alliance du Trône et de l'Autel. Les rois doivent veiller avant tout au « culte de Dieu et, ce faisant, s'attirent facilement l'amour de leurs sujets... ; par leur exemple ils garderont ceux-ci dans la religion et le culte de Dieu ». Tous les supérieurs doivent rendre compte à Dieu de leurs inférieurs et les conduire avant tout avec bonté et douceur. Quant aux prélats, il leur faut s'appliquer sans relâche à l'enseignement oral et écrit de la doctrine religieuse et spirituelle.

Le Christ est le maître et le guide qu'il faut suivre sur le chemin de la vie. Comme il a lui-même pris notre nature humaine, il nous donne le ferme espoir d'avoir aussi part à la divinisation. Les justes placent en Dieu tout leur appui ; il est la Vérité et c'est de lui qu'ils obtiennent fermeté et constance ; puisqu'il est Vérité, tout chrétien doit fuir l'hypocrisie, la duplicité et la tromperie. Enfants de Dieu à un double titre – il nous a créés et rachetés –, nous devons tendrement l'aimer de tout notre être, vivre effectivement comme ses vrais enfants. D'où viennent l'humilité qui voit en Dieu la source de tout bien et de toute vertu, la confiance sans limite en sa bonté infinie. L'occupation, le devoir primordial du chrétien est le culte, la louange, l'action de grâces au Dieu-Trinité. Ce dernier devoir incombe en priorité aux clercs et aux religieux, qui sont consacrés à Dieu ; et c'est pourquoi eux-mêmes méritent le respect des fidèles et doivent leur servir de modèle dans la vie chrétienne.

Puisque tous les hommes sont fils d'un même Père, Dieu, nous devons les aimer comme des frères ; dès lors, ce qui soutient et manifeste le mieux la religion chrétienne et la vertu d'une personne, c'est sa charité envers les pauvres, c'est le souci qu'elle a de leurs besoins.

L'office des ministres de la Parole de Dieu est de la plus haute importance : ils doivent instruire, nourrir, exhorter à la vie et au culte chrétiens. Cette Parole doit être accueillie dans la paix, avec attention et respect ; on doit s'efforcer de la mettre en pratique et de se comporter ainsi comme des enfants de Dieu, afin de devenir cohéritiers avec le Christ du bonheur sans fin : à son plus haut degré, ce bonheur consiste dans la connaissance de Dieu tel qu'il est. Ce bref résumé de l'enseignement de Paes laisse entrevoir son

esprit serein, équilibré, et aussi son goût de la louange de Dieu, de sa miséricorde et de sa bonté, ce qui explique qu'il se soit appliqué à commenter les cantiques de l'Écriture.

D. Barbosa Machado, *Bibliotheca Lusitana,* t. 1, Lisbonne, 1736, p. 458-459. – N. Antonio, *Bibliotheca Hispana nova,* t. 1, Madrid, 1783, p. 184. – Jeronimo de San Jose, *Historia chronologica da ... Ordem da SS. Trindade da provincia do Portugal,* t. 2, Lisbonne, 1794, p. 83. – Antonino de la Asunción, *Diccionario de escritores trinitarios,* t. 2, Rome, 1899, p. 185-189.

Bonifacio PORRES ALONSO.

1. **PAGANI** (ANTOINE), frère mineur, 1526-1589. – Né à Venise, Pagani reçut au baptême le nom de Marc. Tout jeune, il se rendit à Padoue pour y étudier la jurisprudence et à 18 ans, le 20 janvier 1543, il fut promu au doctorat en droit civil. De retour dans sa patrie, il remplit la charge d'avocat auprès du Nonce apostolique. Mais aspirant à la vie religieuse, il postula son admission chez les Clercs réguliers de la congrégation fondée par saint Antoine-Marie Zaccaria, dite des Barnabites. Après son noviciat, il se livra aux études théologiques et fut ordonné prêtre le 10 décembre 1550. Ses supérieurs lui confièrent la direction des Sœurs Angéliques, instituées par le même Zaccaria ; ce fut pour lui une source de difficultés et de controverses, en raison de Paola Antonia de'Negri, religieuse à qui l'on attribuait les dons des miracles et de prophétie (DS, t. 11, col. 87-89).

Avec l'autorisation des autorités ecclésiastiques, il quitta les Barnabites et vécut quelque temps chez des amis à Vicence, à Vérone et à Mantoue. En 1557, il demanda son entrée chez les Mineurs de l'Observance dans la province de Saint-Antoine, à Udine, et prit alors le nom du saint de Padoue. Après son année de probation, il enseigna comme lecteur à Venise le droit canon et se livra à la prédication ; il devint membre de l'Académie vénitienne « della Fama », où en 1570 il prononça un « Discorso universale della sacra legge canonica ».

Le ministre général, François Zamora de Cuenca, lui donna l'ordre de se rendre au concile de Trente et, entre octobre et novembre 1562, il tint aux Pères un sermon : « Pro Ecclesiae reformatione » (publié dans son *Tractatus de Ordine, de iurisdictione et residentia episcoporum,* Venise, 1570). L'année suivante, le même supérieur l'envoya à Venise pour travailler à l'édition des opuscules de saint Bonaventure (édités en 1564 sous le nom de ce ministre général). Comme la peste sévissait dans la cité, Pagani se dévoua au service des victimes du fléau. Peu après, il se rendit à Innsbruck pour y combattre l'hérésie luthérienne, puis retourna à Vicence en qualité de confesseur de l'évêque, théologien et consulteur du Saint-Office pour le diocèse. Il reprit ses prédications, réformant de surcroît l'Oratoire de Saint-Jérôme, dont les membres s'adonnaient à l'enseignement du catéchisme aux enfants comme aux gens simples et aux œuvres de charité ; il fonda encore la Société des Frères de la Sainte-Croix et celle des Sœurs dites « delle Dimesse », existantes encore de nos jours. Pour les uns comme pour les autres, il écrivit des ordonnances, publiées en 1587 et approuvées par le cardinal A. Valerio, évêque de Vérone et visiteur apostolique du diocèse de Vicence. Par la suite, il remplit encore diverses charges dans son ordre, comme celles de secrétaire de la province, visiteur de celles des Marches et d'Ombrie. Revenu à Vicence, Pagani sollicita et obtint de mener la vie érémitique, composant des écrits spirituels et se livrant à la direction des âmes. Il mourut au couvent de cette ville le 4 janvier 1589 en grande vénération. Sa cause fut introduite le 21 juin 1670 et ses écrits furent examinés favorablement par la Congrégation en août 1904.

A. Pagani laisse une abondante littérature et la liste de ses œuvres publiées ou manuscrites ne comporte pas moins de 70 numéros. Parmi les écrits spirituels, tous imprimés à Venise, il faut signaler : 1) *Il Thesoro dell'humane salute e perfezione*, 1570 (rééd. Vicence, 1613) ; – 2) *Specchio de' fedeli nel quale si rappresentano tutte quelle cose che ad ogni condizione d'huomini sono necessarie per sapere per la salute et perfettione loro*, 1579 ; – 3) *La tromba della militia christiana e la somma delle osservazione*, 1585 ; – 4) *La pratica degli uomini spirituali*, 1585 ; – 5) *Le sponsalitie dell'anime con Christo*, 1587 ; – 6) *La breve somma dei trionfi dei combattenti per la perfetta riforma dell'uomo interiore*, 1587 ; – 7) *La breve somma delli esercitii dei penitenti per la profittevole riforma dell'uomo interiore*, s d.

En plus de ces publications, Pagani composa des traités d'ascétique pour la vie spirituelle, l'usage de la prédication, des sermons en latin sur la Transfiguration, des poésies, un *Opusculum continens disquisitionem latine scriptam de vita eremitica a servo Dei amplectenda*, des ordonnances pour les confrères de la Compagnie de la Miséricorde, ainsi que pour les Sœurs du Tiers-Ordre franciscain, enfin une *Historia Martyrum Ordinis sancti Francisci de Observantia*. Tous ces derniers écrits demeurèrent inédits. Par contre son *Opusculum apologeticum de Immaculata Conceptione* a été publié en 1940 (cf. *infra*) ; Pagani y traite de la dévotion à ce privilège marial avec beaucoup d'onction.

L'œuvre du franciscain est abondante mais sans grande originalité ; « il s'en dégage, a noté le censeur de la Congrégation, une forte piété et dévotion ; ces écrits attirent et stimulent l'esprit du lecteur à s'abstenir des frivolités de la terre pour s'acheminer vers la voie de la perfection ».

*Acta Ordinis Minorum*, t. 26, 1907, p. 158-159 ; t. 28, 1909, p. 380 ; t. 29, 1910, p. 238 ; t. 35, 1916, p. 155-159, 189-195 ; t. 50, 1931, p. 43. – Wadding-Sbaralea, *Supplementum...*, t. 1, Rome, 1908, p. 91. – H. Frison, *Il V. A. Pagani*, Turin, 1937. – C. Romeri, *V. Antonius Pagani... eiusque Corollarium de Immaculata Conceptione Beatae Mariae Virginis*, dans *Antonianum*, t. 15, 1940, p. 323-348 ; *Un francescano apostolo di Vicenza nel sec. 16*, Vicence, 1958. – J. Goyens, DTC, t. 11, 1932, col. 1727-1728. – BS, t. 10, 1968, col. 38. – L. Giacomuzzi, *Vita cristiana e pensiero spirituale a Vicenza del 1400 al 1600 dallo studio di statuti di Ordini regolari, Terz'Ordini e confraternite religiose popolari*, Rome-Vicence, 1972. – G. Mantese, *Memorie storiche della Chiesa vicentina*, t. 4, Vicence, 1974. – DIP, t. 6, 1980, col. 1080-1081. – B. Brogliato, *750 Anni di presenza nel Vicentino*, Vicence, 1982, *passim*.

Pierre PÉANO.

**2. PAGANI** (JEAN-BAPTISTE), de l'Institut de la Charité, 1806-1860. – Né le 14 mai 1806 à Borgomanero, Giovanni Battista Pagani est ordonné prêtre le 20 décembre 1828. Directeur spirituel au grand séminaire de Novare, il y enseigne également la théologie dogmatique et le droit canon. Entré en 1836 dans l'Institut de la Charité, fondé en 1828 par Antonio Rosmini, il est envoyé par ce dernier en Angleterre (1839), où les « rosminiens » avaient fondé une mission. Il y séjournera seize ans, comme supérieur de communauté puis comme provincial. Ami de N.P. Wiseman et de H.E. Manning, il joue avec son confrère L. Gentili un rôle important dans le dialogue avec l'Anglicanisme et la naissance du Mouvement d'Oxford. Au service du Saint-Siège, il coopère à la restauration de la hiérarchie catholique dans les Îles Britanniques (1850). En dépit d'une santé précaire, il déploie une intense activité apostolique, fondant notamment un noviciat et une demi-douzaine de maisons d'où une soixantaine de religieux de son ordre exercent, en Angleterre et en Irlande, le ministère des missionnaires itinérants.

A la mort de Rosmini (1er juillet 1855), Pagani est élu pour lui succéder à la tête de l'Institut de la Charité. Il s'établit à Rome, est nommé consulteur de la Congrégation de l'Index, implante son Institut en France (un orphelinat à Anzin qui subsistera jusqu'aux expulsions de 1903). Après une visite en Angleterre, Pagani meurt à Rome le 26 décembre 1860.

Il ne faut pas le confondre avec son confrère homonyme G.B. Pagani (1844-1926), auteur d'une *Vita di A. Rosmini* (2 vol., Turin, 1897) qui fait encore autorité aujourd'hui.

L'œuvre de notre Pagani comporte une vingtaine de titres d'ouvrages spirituels écrits soit en italien soit en anglais. Certains sont mineurs et classiques ; ainsi les conférences sur la perfection chrétienne (1839) et sur la vie religieuse (1848), la biographie de L. Gentili (1801-1848), parue en 1851, et celle d'un jeune scolastique rosminien, A. Kidgell (1828-1848), parue en 1853 ; ou encore les trois volumes sur la « science des saints » qui illustrent les vertus de chaque jour du mois à l'aide de textes de la Bible, des Pères et des saints. On lui doit encore un commentaire de l'évangile de Matthieu en forme de méditations (1853) et, dans le contexte œcuménique anglais, une justification de la véritable Église du Christ (1840).

Les œuvres plus originales peuvent être regroupées sous deux thèmes : l'Eucharistie et la spiritualité rosminienne. Pagani a attaché la plus grande importance à la dévotion eucharistique. Son œuvre la plus célèbre est assurément *L'anima divota della SS. Eucaristia* (1835). Dans l'esprit de l'Institut de la Charité, l'auteur met en lumière l'amour dont le Christ nous donne la preuve dans ce sacrement et la force que son exemple inspire. Ce thème est repris d'abord dans les *Considerazioni sulla SS. Eucaristia* (1836), puis en 1845 dans *La divozione al SS. Sacramento esposta in Visite per ciascun giorno del mese*.

Mais l'intérêt de l'œuvre de Pagani se trouve surtout dans l'illustration et l'application à la vie ascétique qu'il propose de la spiritualité de Rosmini. On peut dégager deux thèmes majeurs : la priorité de l'amour divin, caractéristique de son Institut, et l'héritage reconnu de l'esprit d'Ignace de Loyola.

Rosmini avait publié en 1834 une *Histoire de l'Amour divin, tirée des Livres Saints* (trad. franç., Nevers, 1838). Pagani s'en inspire dans *L'anima amante di Dio* (1845). Après un rappel de « l'histoire du divin Amour » (ch. 1) qui reprend en l'abrégeant l'œuvre de Rosmini, il consacre neuf chapitres au commentaire du « précepte évangélique du divin Amour ». L'esprit ignatien s'y devine déjà dans un double souci : celui d'un discernement des signes et des motifs de cet Amour en nous et celui d'un « désir de l'accroissement de l'Église » qu'il doit susciter.

Ce sont surtout les *Exercices* de saint Ignace qui inspirent cette spiritualité. Dans la tradition des *Directoires* pour donner ces Exercices, Rosmini avait édité en 1840 un *Manuel des directeurs de retraites* (trad. franç., Paris, 1855) contenant un « art de donner les Exercices » et un plan de grande retraite de trente-cinq jours. A son exemple, Pagani publie en 1855 ses *Exercitia spiritualia omnium christianorum, ac potissimum ecclesiasticorum et religiosorum usui accomodata* ; il s'agit de deux séries (une troisième sera ajoutée en 1857) de retraites de huit jours, comprenant quatre méditations quotidiennes et une lecture. On y trouve notamment des présentations de textes ignatiens : Préambules, Deux Étendards, Trois classes d'hommes, contemplation pour obtenir l'Amour, etc. Le texte guide la prière du retraitant, lui permettant de faire seul le cheminement des Exercices. On n'y trouve pas de commentaire destiné au directeur.

Pagani s'est aussi soucié de défendre et de diffuser la doctrine de Rosmini ; en 1842 il intervint dans la polémique suscitée par un jésuite anonyme concernant la doctrine rosminienne du péché originel ; enfin, en 1857, il préfaça et publia la correspondance du fondateur.

*Œuvres (ordre chronologique).* – *L'anima divota della SS. Eucaristia,* Vigevano, 1835 ; Milan, 1840, 1845, 1848 ; Rome, 1842 ; 25ᵉ éd., Casale, 1908. – trad. anglaise, Prior Park, 1844 ; Londres, 1847, 1848, 1850 ; – allemande, Munich, 1875.

*Considerazioni sulla SS. Eucaristia e pratiche divote per vivere cristianamente,* Novare, 1836 ; – trad. franç., Paris, 1858.

*Scuola della Christiana* (sic) *perfezione,* Milan, 1839 ; *Scuola della cristiana perfezione,* Novare, 1843 ; 6ᵉ éd., Milan, 1875 ; – trad. franç., Paris-Leipzig, 1865.

*The Pillar and Foundation of Truth,* Prior Park, 1840. – *The Church of the living God, The Pillar of the Truth,* Londres, 1849. – *Doctrina peccati originalis destructiva in ficto Eusebio christiano contenta,* Milan, 1842.

*La divozione al SS. Sacramento esposta in Visite per ciascun giorno del mese,* Milan, 1845, 1854 ; – trad. franç., *Nouveau mois eucharistique,* Tournai, 1863 ; – anglaise, Londres, 1892.

*L'anima amante di Dio,* Rome, 1845 ; Novare, 1847 ; – trad. anglaise, Londres, 1848 ; – franç. : *L'âme devant la Sainte Eucharistie...* par F. Dubettier, Paris, 1854 ; *L'âme amante de Dieu...,* Paris, 1857.

*Instructions on the religious State,* Derby, 1848. – *Life of the Rev. A. Gentili...,* Londres, 1851. – *Il Santo Vangelo del N. Signore e Salvatore Gesù Cristo secondo S. Matteo...,* Milan, 1853. – *The edifying Life of A. Kidgell...,* Dublin, 1853.

*The Science of the Saints in practice,* 4 vol., Londres, 1853-1860 ; 3 vol., 1891 ; – trad. italienne, 3 vol., Casale, 1895.

*Exercitia spiritualia omnium christianorum... ecclesiasticorum et religiosorum usui accomadata,* 2 séries, Dublin, 1855-1856 ; – *Exercitiorum... series tres per octiduum ordinatae omnium christianorum,* Milan, 1856 ; – *Exercitiorum... series tres... omnium christianorum ac... ecclesiasticorum et religiosorum usui accomodatae,* Milan, 1857 ; – trad. ital. de cette dernière éd. par G. M. Toscani, Turin, 1858 ; – franç. par Ch. Sainte-Foi, Tournai, 1864.

A. Rosmini : *Epistolario. Lettere religioso-famigliari,* Turin, 1857. – *The Manna of the New Covenant,* Londres, 1869. – *A Book of Novenas in Honour of God and his Blessed Saints,* Londres, 1892.

Voir : *Il P. G. B. Pagani,* dans *Bolletino « Charitas »* (Centro internazionale di studi rosminiani, Stresa), 1935,

12 p. – EC, t. 9, 1952, col. 554. – DS, t. 7, col. 1250, 2276, 2281, 2289 ; t. 8, col. 1418.

François ÉVAIN.

**PAGNINI** (SANTE), dominicain, 1470-1536. – Sante Pagnini naquit en 1470 à Lucques d'une famille nombreuse, pieuse et distinguée. A onze ans, le 17 mars 1481, il reçut de l'évêque du lieu les premiers ordres mineurs et le 17 février 1487 il entra chez les Frères Prêcheurs au couvent S. Domenico de Fiesole. Ayant terminé ses études à Bologne, il alla à Florence et, sous l'influence du mouvement savonarolien, se livra corps et âme aux études bibliques, y compris celle des langues anciennes. Il fut choisi comme supérieur en divers couvents, ceux notamment de la Congrégation de San Marco, dont il faisait partie et dont il fut aussi Vicaire général. Léon x lui conféra le titre de prédicateur apostolique, lui confia à Rome la chaire d'hébreu et de grec et se disposait à assurer les frais d'impression de sa version de la Bible à partir des textes originaux ; mais la mort l'en empêcha. En quête de moyens financiers pour l'édition de ses ouvrages, Pagnini se rendit en France, d'abord à Avignon, trois années plus tard à Lyon, qui deviendra pour lui une seconde patrie. Rappelé à Rome par Clément VII et nommé prédicateur officiel pour la conversion des Juifs, il fut peu après renvoyé en France « pour affaires très graves concernant le Saint-Siège » (G. Pagnini, *Vita di Santi Pagnino,* Rome, 1653, p. 38). A Lyon, il exerça une triple activité : d'auteur, de prédicateur, de bienfaiteur des pauvres et des malades atteints de la peste. Il mourut le 24 août 1536 à Lyon, qui lui avait décerné le titre de citoyen d'honneur.

Parmi ses nombreux ouvrages philologiques (grammaires hébraïque et grecque, dictionnaires, dont le volumineux *Thesaurus linguae sanctae,* Lyon, 1529, etc.), il faut au moins signaler sa version littérale de l'Écriture à partir de l'hébreu, à laquelle il travailla durant vingt-cinq ans et qui eut une vingtaine d'éditions (cf. J. Lelong, *Biblioteca sacra,* t. 1, Paris, 1709, p. 573-584) : loué par beaucoup, l'ouvrage fut critiqué par quelques-uns, dont Richard Simon.

Du point de vue spirituel, du fait que ses nombreux sermons sont perdus, on ne peut relever que sa *Solida et absoluta Isagoges, seu Introductio in Sacras Litteras et mysticos Sacrae Scripturae intellectus* en 19 livres (près de mille pages).

Première éd., Lyon, 1536 (P. Centi a montré qu'il n'y a pas eu d'éd. du premier livre en 1528) ; nous utilisons l'éd. de Cologne, 1563. En tête, se trouve la notice bio-bibliographique de Pagnini par son ami et médecin Symphorien Champier (1472-1539).

Dans cet ouvrage, le philologue cède la place au théologien qui, par-delà l'expression littéraire, cherche à atteindre le sens et la moelle spirituelle. Le premier livre est une sorte d'herméneutique générale qui s'inspire de saint Augustin, avec de larges extraits de son *De doctrina christiana.* Les dix-huit autres livres offrent un recueil, par ordre alphabétique, de tous les termes bibliques d'ordre sensible (comme *aqua, ala,* etc.) interprétés de façon symbolique. Les divers sens d'un même terme sont expliqués par de nombreuses citations scripturaires, patristiques (surtout Grégoire le Grand, Cassiodore) et de spirituels du moyen âge (saint Bernard, Rupert, etc.).

C'est ainsi que *montes* peut signifier ceux qui sont fermes dans la foi (p. 708), les impies orgueilleux (*ibidem*), les saints prédicateurs (p. 254) ou les apôtres (p. 679). Les quelque cent mots-clés retenus permettent de commenter une bonne partie de la Bible selon le sens spirituel, notamment les livres les plus riches en images sensibles, comme *Job,* le *Cantique des cantiques,* l'*Apocalypse.* Mais Pagnini juxtapose les divers sens sans faire œuvre personnelle.

Soucieux de combattre Luther, Pagnini insère au mot *manna* une longue digression défendant le sens eucharistique traditionnel de *Jean 6* (livre 10, ch. 5-40, p. 596-670) ; de même, l'expression *fructus centesimus,* apanage des vierges, donne lieu à la citation de multiples autorités pour exalter la valeur de la virginité dans la ligne de 1 *Cor.* 7 (livre 4, ch. 25 à livre 5, ch. 9, p. 281-322). Pagnini aurait voulu écrire un livre contre le mariage des prêtres et des religieuses, que favorisait la doctrine luthérienne (p. 322) ; nous ignorons s'il a pu le faire. Cette *Isagoges,* ouvrage encyclopédique, couronne dignement une vie employée à se nourrir et à nourrir autrui de la parole de Dieu.

G. Pagnini, *Vita di S. Pagnini,* Rome, 1653. – Quétif-Échard, t. 2, p. 114-118. – Hurter, *Nomenclator,* 2ᵉ éd., t. 2, 1906, col. 1515-1518. – DB, t. 4, 1908, col. 1949-1950. – T. Centi, *Sante Pagnini nella storia delle scienze bibliche. Saggi di introduzione,* thèse dactylographiée, 1938, aux Archives du couvent San Domenico di Fiesole ; en partie publiée dans AFP, t. 15, 1945, p. 5-51. – EC, t. 9, 1952, col. 557. – LTK, t. 7, 1962, col. 1349. – AFP, t. 40, 1970 (table, p. 414). – DS, t. 4, col. 217, 221 ; t. 9, col. 948.

Innocenzo COLOSIO.

**PAGNONE** (ALPHONSE), barnabite, 1830-1900. – Né à Pancalieri (Turin) le 25 mai 1830, Alfonso Pagnone entra chez les Barnabites et fit profession au noviciat de Gênes le 21 janvier 1850. Après ses études de théologie à Rome (ordonné prêtre en 1853), il enseigna les lettres en divers collèges : Parme (1855), Teramo (1858), de nouveau Parme, puis Moncalieri (1866), Bologne (1875), enfin Turin (1887). En 1890, en raison de la maladie d'un de ses frères, il fut autorisé à demeurer dans sa famille. Il mourut au pays natal le 28 décembre 1900.

Plutôt professeur et publiciste que proprement auteur spirituel, Pagnone fut un bon divulgateur d'ouvrages religieux, littéraires, poétiques et biographiques, avec toujours la préoccupation de faire rayonner le bien. Relevons à ce propos son anthologie *Fiori di eloquenza e di virtù raccolti dalle lettere di S. Caterina da Siena* (Turin, 1870) : l'ouvrage est divisé logiquement en 40 chapitres, dont chacun constitue « un petit traité presque complet » ; il fut réédité sous divers titres, par exemple *Breviario di perfezione,* par M. Cordovani (Florence, 1943), *Teologia dell'Amore,* par L. Ciappi (Rome, 1962).

Pagnone écrivit aussi *Maria, modello delle giovani* (Bologne, 1877) : 31 considérations inspirées du *De Virginibus* de saint Ambroise, avec des *exempla* et prières adaptés pour le mois de mai. Pour les femmes mariées, il publia deux biographies : *Virginia Anselmi o il modello delle vedove cristiane* (Turin, 1870), et *Livia Ortalli ossia l'amante del S. Cuore di Gesù* (Turin, 1871), deux mères de famille, dont le barnabite G. B. Genasi de Parme assura la direction spirituelle.

Il traduisit du français : du mariste J.-M.-J. Huguet (DS, t. 7, col. 940), *L'anima levata alla considerazione dell' Eucaristia* (Turin, 1869, 1888) ; – des extraits de Fénelon, *Quanto è buono Iddio ! Pensieri consolanti...* (Turin, 1873, 1877) ; – de G. Lefebvre, *Vita, estasi e stimate di Luigia Lateau* (Bologne, 1872 ; Turin, 1876) ; – de H. Séguin, *Storia del P. Claudio de la Colombière* (Bologne, 1877 ; DS,

t. 2, col. 939-943) ; – de E. Lasserre, *Bernardina o Suor Maria Bernardo* (Turin, 1880) ; – de Charles-Louis Gay (DS, t. 6, col. 159-171), *Della vita e delle virtù cristiane considerate nello stato religioso* (Sampierdarena, 1887) ; – et, tiré de saint Jean Eudes (DS, t. 8, col. 488-501), *Libro d'oro, ossia meditazioni sull' umiltà...* (Turin, 1887).

Comme on le voit, peu ou rien d'original, mais un grand souci d'apostolat par la plume marque la vie du professeur que fut Pagnone.

Mss aux Archives générales des Barnabites, Rome. – G. Boffito, *Scrittori barnabiti,* t. 3, Florence, 1934, p. 86-91.

Andrea M. ERBA.

**PAILLETTES D'OR :** publication périodique anonyme assurée de 1868 à la fin de 1912 par Adrien Sylvain, prêtre (1826-1914). Voir *Sylvain* (Adrien), et DS, t. 5, col. 974.

**PAISSY VELICHKOWSKY,** moine russe, 1722-1794. – Pour la vie et l'œuvre, notamment la traduction russe de la *Philocalie* (*Dobrotoloubié,* Moscou, 1793), voir l'art. *Monachisme...* russe, DS, t. 10, col. 1598-1599 ; bibliographie, col. 1602-1603 ; voir aussi Prière à *Jésus,* t. 8, col. 1142, et t. 11, col. 366.

L'ouvrage de S. Tchetverikov (ou Četverikov), *Moldavskij starec Païsij Veličkovskij,* a été publié intégralement en russe, Paris, Ymca-Press, 1976 (résumé dans *Irénikon,* t. 53, 1980, p. 113-114). – I. Smolitsch, *Russisches Mönchtum,* Wurtzbourg, 1953, p. 482-495 ; *Leben und Lehren der Starzen,* Cologne, 1952 ; adaptation française, *Moines de la sainte Russie,* Paris, 1967, p. 80-104 (avec une lettre de Paissy sur la vie monastique). – S. Bolshakoff, *I mistici russi,* Rome, 1962, p. 80-100. – Th. Špidlík, *La spiritualité de l'Orient chrétien. Manuel systématique,* OCA 206, Rome, 1978 (table). – C. D. Hainsworth, *Staretz Paisy... Doctrine of spiritual Guidance,* extrait de thèse, Rome, Institut Oriental, 1976 (résumé dans *Irénikon,* 1980, p. 114-115).

Aimé SOLIGNAC.

**PAIX.** – I. *La paix entre les hommes.* – II. *La paix intérieure.*

## I. LA PAIX ENTRE LES HOMMES

Multiples sont les domaines où s'affrontent les hommes, où ces mêmes hommes aspirent à la paix : domaines économique (depuis la concurrence commerciale jusqu'à la guerre économique), technologique et scientifique, social (conflits sociaux, lutte des classes), familial aussi, etc. Faute de pouvoir aborder tous ces niveaux, on a préféré privilégier ici la question de la guerre et de la paix entre les nations. – 1. *Repères bibliques.* – 2. *Éthique pour la détresse du monde.* – 3. *Construction de la paix.* – 4. *Mission des Églises.*

1. REPÈRES BIBLIQUES. – 1° *La paix messianique.* – Le vieil Israël était convaincu que les guerres qu'il entreprenait pour conquérir ou conserver la terre de Canaan étaient voulues par son Dieu, le « Dieu des Pères ». Il était persuadé que Yahvé combattait lui-même à la tête de l'armée de son peuple choisi, déchaînant les forces de la nature contre ses ennemis, et que c'était lui, en définitive, et non pas ses instruments humains, qui remportait la victoire.

L'un des plus anciens recueils poétiques, dont il ne reste malheureusement que quelques fragments, ne s'intitulait-il pas fièrement le *Livre des guerres de Yahvé* (*Nombr.* 21, 14) ? La bataille commençait par le cri de guerre et se terminait, au moins aux plus anciennes époques et dans certaines circonstances, par l'*anathème* : hommes et bêtes étaient tués et les métaux précieux déposés dans le trésor du culte, parce qu'on estimait que Yahvé avait un droit absolu sur les dépouilles de l'ennemi. Cet usage barbare doit être situé dans son contexte historique. L'archéologie a révélé qu'il était pratiqué par d'autres peuples du Proche-Orient.

Souvent, le recours aux armes était pour Israël une question de vie ou de mort, non seulement en ce qui concernait l'existence physique de ses membres, mais surtout en ce qui concernait leur liberté et plus particulièrement leur liberté religieuse. Et les prophètes étaient loin de justifier toute guerre entreprise par les chefs politiques. C'est ainsi qu'ils ont blâmé très sévèrement la lutte fratricide entre le Royaume du Nord et le Royaume du Sud et ils ne sont jamais allés jusqu'à une apologie de la violence guerrière. Même lorsqu'ils l'estimaient voulue par Dieu, ils y voyaient une dure nécessité, conséquence et signe de l'emprise du péché sur le monde, alors que le Plan divin visait à établir l'harmonie et la paix, *shalom*.

Il faudrait analyser avec patience les nuances particulières de ce dernier concept dans chaque document de l'ancien Testament. Tout en évitant d'additionner les différences, il est possible d'en dégager la tonalité fondamentale, qui se révèle d'une prodigieuse richesse, bien au-delà de la simple notion de sécurité politique à laquelle les Occidentaux pensent tout naturellement. Léon-Dufour écrit avec raison qu'« elle désigne le bien-être de l'existence quotidienne, l'état de l'homme qui vit en harmonie avec la nature, avec lui-même, avec Dieu ; concrètement, elle est bénédiction, repos, gloire, richesse, salut, vie » (VTB, col. 879).

« Être en bonne santé » ou « être en paix » : les deux expressions peuvent se révéler synonymes. Pour demander des nouvelles de la santé de quelqu'un, on dira couramment : « Est-il en paix ? » (*Gen.* 43, 27 ; 2 *Sam.* 18, 32). Au lieu de nos banales salutations « bonjour » ou « au revoir », c'est la paix qu'on souhaite aussi bien dans la correspondance que dans la conversation. On serait dans le vrai en disant que la paix biblique évoque, en définitive, la plénitude de réussite de la vie. Ce que nous mettons habituellement sous le mot de « bonheur », avec cette précision capitale que la référence à Dieu y est décisive. Aux yeux du croyant de l'ancien Testament, elle est fondamentalement un don de sa main.

C'est toute cette richesse de signification qu'il faut avoir dans l'esprit, lorsqu'on aborde le terrain des textes messianiques, où la prophétie, en certains de ses sommets, a exprimé, au nom même de Dieu, ses plus saisissantes perspectives concernant l'avenir absolu du peuple juif et de l'humanité. On ne sera pas étonné que la paix y soit présentée comme *le don messianique par excellence* : le bien essentiel se répercutant dans toutes les dimensions de l'existence et non pas une simple disposition intérieure (*Is.* 2, 4 ; 9, 5-6 ; *Michée* 5, 4 ; *Éz.* 34, 25 ; *Zach.* 9, 9-10). La composante de non-violence y est essentielle – et au sens le plus fort, notamment chez Isaïe et dans les

Poèmes du Serviteur – et la perspective peut s'y révéler franchement universelle.

Au niveau de l'ancien Testament, le concept de *justice* (*tsedaqah* ; cf. DS, t. 8, col. 1622-1625) est encore plus fondamental et il est, lui aussi, d'une étonnante profondeur. On le retrouve pratiquement à toutes les époques et dans tous les écrits. Sa dominante sociale est incontestablement le souci de la protection des pauvres et de la promotion de leurs droits. La notion de partage y est prépondérante et elle est souvent poussée très loin. Il est capital de remarquer que les deux concepts de justice et de paix peuvent être imbriqués au point de ne s'interpréter que l'un par l'autre, comme chez le prophète Isaïe, par exemple. Pour lui, la paix ne pouvait être qu'une paix dans la justice : « dans le droit et la justice » (*Is.* 6). Le roi messianique « ne juge pas sur l'apparence, ne se prononce pas d'après ce qu'il entend dire, mais il fait droit aux miséreux en toute justice, et rend une sentence équitable en faveur des pauvres. Sa parole est le bâton qui frappe le violent, le souffle de ses lèvres fait mourir le méchant. Justice est le pagne de ses reins » (11, 3-7).

La conception de la paix qui était celle d'Isaïe ne se comprend bien que si elle est située en plein cœur de sa conception globale du « salut », vécu comme une tension entre un avenir absolu qui ne dépend que de Dieu, et un présent à assumer et à passer au crible au nom de ce même Dieu.

Comme le remarque G. von Rad, il « est tourné entièrement vers l'avenir : Yahvé sauvera Sion, Yahvé suscitera l'Oint, le nouveau David. C'est là que se trouve le salut de Jérusalem, dans cet événement futur, et non dans le fait historique. C'est à ce salut futur qu'il faut croire ; il n'y a pas d'autre salut » (*Théologie de l'A.T.*, trad. franç., t. 2, Genève, 1967, p. 149-150). S'il est critique du présent, c'est justement en raison de cet avenir absolu et de son contenu d'interpellation pour la foi. « Quiconque, remarque encore von Rad, voit dans l'Oint futur l'incarnation du salut affirme par là même que les Davidides contemporains ont perdu leur fonction de sauveurs que les psaumes royaux leur attribuaient avec tant d'insistance » (*ibidem*, p. 146). Du point de vue prophétique, la construction de la paix est avant tout une entreprise divine. Ce qui ne veut pas dire que l'homme n'ait qu'à rester passif à son égard. Il est, au contraire, appelé à y adhérer activement par sa réponse positive à l'interpellation divine, qui lui parvient notamment par la parole prophétique.

*2o La paix du Christ.* – La profondeur et la richesse de la conception de la paix dans le nouveau Testament sont étonnantes. « La paix de Dieu, qui surpasse toute intelligence, assure saint Paul, gardera vos cœurs et vos pensées en Jésus-Christ » (*Phil.* 4, 7). Il ajoute : « Le Dieu de la paix sera avec vous » (4, 9). Comment interpréter ces promesses de l'Apôtre à ses chrétiens sans penser à sa foi au mystère trinitaire, ainsi qu'à sa doctrine de la présence divine au plus intime de l'être du baptisé et à celle de notre incorporation au Christ ? Dieu est Paix, comme il est Amour. La Paix est l'autre nom de l'Amour qui unit le Père, le Fils et l'Esprit dans la Communion absolue : Source et Modèle inépuisable de tous nos efforts, de tous nos balbutiements d'amour et de paix.

Dans le Quatrième Évangile, la paix est toujours présentée en relation avec la personne du Christ et le rayonnement de sa présence. « Je vous laisse ma paix, je vous donne ma paix. Ce n'est pas à la manière du monde que je vous donne » (*Jean* 14,

27). Ces confidences, mises par l'évangéliste sur les lèvres du Jésus de la dernière Cène, ne sauraient mieux affirmer, d'un même mouvement, la valeur inestimable de la paix qu'il donne à ses disciples et sa différence d'essence par rapport à la paix humaine.

Sa valeur inestimable est remarquablement orchestrée par saint Paul. Par exemple, *Rom.* 14, 17 : « le Règne de Dieu... est justice, paix et joie dans l'Esprit saint » ; *Col.* 3, 15 : « Que règne en vos cœurs la paix du Christ ». Mieux encore, le texte suivant de l'Épître aux Galates montre d'une façon saisissante à la fois que la paix est constitutive de l'essence de la charité évangélique et qu'elle est dans la mouvance de la souveraine créativité de l'Esprit : « Voici le fruit de l'Esprit : amour, joie, paix, patience, bonté, bienveillance, foi, douceur, maîtrise de soi ; contre de telles choses, il n'y a pas de loi. Ceux qui sont au Christ ont crucifié leur chair avec ses passions et ses désirs. Si nous vivons par l'Esprit, marchons aussi sous l'impulsion de l'Esprit » (5, 22-25).

1) *La différence d'essence de la paix du Christ* par rapport à la paix humaine est exprimée jusqu'au paradoxe dans une confidence déconcertante du Jésus des synoptiques : « Pensez-vous que ce soit la paix que je suis venu mettre sur la terre ? Non, je vous dis, mais plutôt la division » (*Luc* 12, 51). La formule matthéenne (10, 34) est encore plus incisive, puisqu'on y lit le mot « glaive » au lieu du mot « division ». Cette parole appellerait à elle seule de longs commentaires. De toute manière, elle indique que la paix promise par Jésus à ses disciples n'a rien à voir avec les rêves idylliques dont se bercent les utopies et que nous ne sommes que trop portés à ressasser.

Le texte le plus dense théologiquement se trouve dans l'Épître aux Éphésiens (2, 13-17). Sa densité est telle qu'on n'est jamais sûr de réussir à percevoir toute la puissance de pensée de son auteur. Jésus-Christ y est non seulement audacieusement identifié à la paix. Il est même présenté comme « notre paix ». Grâce à lui – « dans sa chair », « au moyen de la croix », comme il est dit dans un langage volontairement réaliste –, il devient la réconciliation fondamentale et définitive entre Dieu et l'humanité. De là découle la conséquence qu'à la division apparemment irrémédiable d'une humanité jusqu'alors dévorée par la « haine » va se substituer une unité nouvelle et inouïe, tout entière fondée sur l'événement rédempteur : « un seul homme nouveau », « un seul corps ». L'Apôtre pense explicitement à l'Église, mais il n'est pas douteux qu'à ses yeux le rassemblement dans son sein est proposé à l'humanité entière et que la paix dont il parle contient un dynamisme capable de se répercuter sur la vie du monde.

2) Paix humaine et paix du Christ, ce sont *deux problématiques, deux visées, deux langages différents*.

La première concerne les rapports entre les individus et les groupes humains dans le maintenant de l'histoire. Sa visée est l'aménagement dans la justice et dans la concorde de la cité et de la planète-terre. Elle est l'œuvre des hommes eux-mêmes. Face à des situations de domination, d'aliénation et d'exploitation, elle se formule en termes de libération socio-politique.

La seconde se situe sur le plan des rapports entre les hommes et Dieu. Proposée à une humanité pécheresse, elle est fondamentalement réconciliation,

puis amitié avec lui, comme l'expose magistralement l'Épître aux Romains. Elle est, d'abord, l'œuvre de Dieu, accompli et signifiée tout particulièrement en Jésus-Christ, le « Centre » de tout, bien que les hommes soient appelés à devenir ses coopérateurs. Son orientation axiale est tournée vers l'avenir absolu du Royaume, qui se situe dans l'au-delà de l'histoire. Certes, celui-ci commence à exister ici et maintenant (et c'est essentiel), mais il ne prend son sens véritable que par cette orientation vers son avenir absolu et il ne peut être appréhendé pleinement que par la foi. La paix du Christ est ainsi modulée sur le registre du salut.

Serions-nous donc sur deux lignes parallèles destinées à ne jamais se rencontrer ? Nullement. Comment celui qui vit intensément la paix du Christ – c'est-à-dire, la dynamique de la charité, puisée à la Source de l'Amour trinitaire – ne se sentirait-il pas porté à œuvrer de toutes ses forces pour qu'il y ait un peu plus de paix sur la terre, c'est-à-dire un peu plus d'authentique fraternité ? Mais il était capital de mettre fortement en relief *la saisissante nouveauté de la paix que Jésus-Christ nous propose,* si nous voulons bien l'accueillir, et dont il confie à ses disciples d'être les témoins et les acteurs tout au long des siècles.

Ce n'est pas à une évasion dans les profondeurs de l'intériorité que nous entraîne le nouveau Testament. Le disciple va, bien au contraire, y puiser un ressourcement puissant qui engagera sa pensée et son énergie dans l'action pour la construction de la paix humaine : notamment, la paix politique.

Voici la béatitude matthéenne de « *ceux qui font œuvre de paix* » (*Mt.* 5, 9). Il serait plus évocateur de traduire : « bâtisseurs de paix ». Le terme grec est unique dans le nouveau Testament : *eirênopoios,* qui amalgame le mot « paix » (*eirènè*) et le verbe « faire » (*poieîn*). Il ne s'agit pas de rêver à un monde féérique, mais de « faire » quelque chose de concret, dans le monde tel qu'il est, avec ses antagonismes redoutables, ses égoïsmes, ses duretés et ses contradictions. On doit « faire » la paix, dans le même sens où l'on « fait » un pont ou une maison : c'est-à-dire, qu'on doit la construire par son propre effort.

Il s'agit désormais de se mettre au service de la paix, de la création d'une société et d'un monde plus fraternels. Peut-on imaginer une motivation plus puissante que celle qui se dégage de toute part de l'Évangile et du comportement de Jésus-Christ ? La référence explicite à l'Esprit saint formulée par Paul est d'elle-même une invitation à la créativité : à l'inventivité de l'énergie d'une action infatigable, avide de saisir toutes les occasions de rendre le monde plus juste et plus fraternel, car c'est seulement ainsi qu'il pourra être plus pacifique.

3) La *dynamique néo-testamentaire de la paix* n'est autre, en définitive, que celle de la charité, dont elle constitue une composante essentielle, à partir de la praxis même de Jésus. Après avoir surmonté les tentations et refusé à jamais la violence destructrice impliquée dans l'idéologie politico-messianique de l'immense majorité de ses compatriotes, il a, pendant trois ans environ, parcouru les chemins de la Palestine, apprenant aux hommes que Dieu est Amour, par ses actes autant que par ses paroles. Avec lui, l'amour du prochain de l'ancien Testament allait acquérir une portée universelle : si je veux être son

disciple, c'est tout être humain que je suis appelé à aimer comme un frère, quelles que soient sa race, sa nation, sa classe sociale ou sa religion, et même s'il se comporte comme un ennemi, tout simplement parce qu'il est comme moi fils du même Père. Jésus a montré par sa propre vie d'une façon incontestable qu'il était possible d'aimer ainsi, au point que, même si beaucoup ne voient pas en lui le Fils de Dieu, bien peu récusent la qualité de son amour.

Voici la prodigieuse nouveauté par rapport à la vis sans fin de l'agressivité qui débouche en violence destructrice, et sa thérapie radicale : non pas par extinction du désir et de l'action, mais, au contraire, par la dynamisation de toutes nos capacités en vue de construire un monde fraternel. L'amour chrétien en effet – plus généralement l'amour digne de ce nom – ne se résout aucunement en pure sentimentalité. Il est suprêmement énergétique et mobilisateur. Il s'agit de tout mettre en œuvre pour rendre au prochain le service concret dont il a besoin. Il ne s'accomplit que dans un « faire » (ainsi que la construction de la paix ). « Va et, toi aussi, fais de même » (*Luc* 10, 37), dit Jésus au légiste, après lui avoir raconté la parabole du bon Samaritain. Et, dans la scène du Jugement dernier, c'est le Fils de l'homme lui-même qui dira à ceux qui auront pratiqué la charité : « Chaque fois que vous l'avez fait à l'un de ces plus petits, qui sont mes frères, c'est à moi que vous l'avez fait » (*Mt.* 25, 40).

C'est cet amour – en sa source, en son Archétype suprêmement réel, Jésus-Christ – qui transforme de l'intérieur la sexualité de la vie conjugale, les relations entre parents et enfants, celles aussi entre membres de la communauté ecclésiale, ainsi que les relations interpersonnelles avec les non-chrétiens, comme les lettres des Apôtres l'ont si bien montré et comme, de tout temps, de nombreux chrétiens l'ont compris. Ce qu'il importe de comprendre de nos jours, c'est que l'amour évangélique, sans négliger quoi que ce soit de son héritage traditionnel, doit être vécu aussi dans le domaine des relations collectives et qu'il est une force capable de transformer le monde : la suprême énergie, la suprême puissance des relations interhumaines, celle dont nous avons le plus besoin dans un monde où un fantastique arsenal risque de provoquer des dévastations d'une ampleur inouïe. Les critiques marxistes, les sarcasmes mêmes de Marx, contre l'inefficacité de la charité évangélique, tout en trahissant une radicale incompréhension de son essence, ont, du moins, l'avantage de stimuler les chrétiens à la découvrir dans sa vérité, qui est de transformer l'homme égoïste et violent en homme réellement fraternel et de contribuer à changer le monde de l'agressivité destructrice en un monde fraternel.

C'est ainsi que l'interpellation de la Parole de Dieu concernant la paix ouvre des horizons éclatants. En même temps, elle procure la motivation la plus haute pour un engagement que, déjà en tant qu'hommes, nous devrions de toute manière assumer. Plus encore, elle est puissance de guérison. Comme le dit Olivier Clément, « ce que le christianisme doit faire jaillir dans les violences de l'histoire, c'est la puissance proprement christique de l'amour des ennemis. Seul l'amour des ennemis, pratiqué jusque dans les tensions les plus dures, peut guérir, et d'abord en moi, la névrose politique, qui consiste à fuir sa propre mort en la projetant sur l'ennemi. Par là seulement la vie est féconde, la force créatrice est libérée » (*Questions sur l'homme,* Paris, 1972, p. 139 ; cf. DS, art. Amour des *Ennemis,* t. 4, col. 751-762).

2. Une éthique pour la détresse du monde. – Les chrétiens des *trois premiers siècles* ont eu à se poser la question de la légitimité du service militaire en ce qui les concernait, dans le cadre de l'Empire païen. La solution qu'ils lui ont donnée n'a pas été uniforme. Certains se croyaient obligés de quitter l'armée ou de ne pas y entrer, mais il y en avait un assez grand nombre qui pensaient que la vie militaire ne leur était pas interdite et quelques-uns atteignaient même les degrés les plus élevés du commandement. En dépit de certaines interprétations actuelles, leur refus était loin de tenir le plus souvent à des motivations de non-violence, mais surtout au fait qu'ils estimaient que les pratiques idolâtriques en usage dans l'armée étaient incompatibles avec leur foi.

De tous les Pères de l'Église, c'est *Augustin* + 430 qui a réfléchi le plus intensément sur les problèmes de la guerre et de la paix. Sa problématique a été décisive. Les grands noms de la tradition théologique à ce sujet ont été les suivants (voir bibliographie, *infra*) : saint Thomas d'Aquin + 1274, François de Vitoria + 1546, François Suarez + 1617, Louis Taparelli d'Azeglio + 1862, sans oublier Erasme + 1536, dont les vigoureuses dénonciations des politiques guerrières de son temps sont marquées d'un remarquable souffle évangélique.

Depuis Benoît xv (*Exhortation apostolique aux bélligérants,* 28 juillet 1915, AAS, t. 7, 1915, p. 365-368), les papes contemporains se sont fréquemment prononcés en faveur de la promotion de la paix. L'encyclique *Pacem in terris* de Jean xxiii (1963) a éveillé un écho considérable dans le monde entier. Les prises de position de la constitution *Gaudium et spes* = GS (7 décembre 1965) du concile Vatican ii concernant les problèmes de la guerre et de la paix constituent la synthèse la plus récente de la doctrine officielle de l'Église catholique à leur sujet (ch. v, n. 77-82).

1° S'il y a une conviction profonde dans la tradition théologique, c'est bien celle que *la guerre est en soi irrationnelle* et que le principe éthique du règlement pacifique obligatoire des conflits est la seule voie digne de l'homme. Cependant, tout en étant fermement opposée à la guerre et en préconisant sa disparition totale, elle s'est toujours refusée à la condamner d'une façon absolue. La contradiction n'est qu'apparente. La raison de ce refus réside dans la prise en considération de la présence massive de la violence dans les rapports inter-humains. Le concept-clef qui permet l'articulation entre l'analyse du réel et la décision éthique est celui de *légitime défense*. Ce qui entraîne la conséquence que la véritable appellation de la doctrine serait la suivante : doctrine traditionnelle en milieu théologique de la résistance collective contre l'agression.

En dépit de sa volonté de proposer une vigoureuse et urgente dynamique de la paix et sur le plan de la raison et sur celui de la foi, le concile Vatican ii n'a pas cru devoir abandonner cette problématique, qui lui a paru imposée par la conjoncture contemporaine : « aussi longtemps que le risque de guerre subsistera, qu'il n'y aura pas d'autorité internationale compétente et disposant de forces suffisantes, on ne saurait dénier aux gouvernements, une fois épuisées toutes les possibilités de règlement pacifique, le droit de légitime défense » (GS, n. 79 § 4). C'est une éthique de détresse pour des situations de détresse : *une éthique pour la détresse du monde.*

2º Sous l'influence notamment de Gandhi et du pasteur Martin-Luther King, on commence à mieux découvrir les potentialités de la *non-violence* sur le plan collectif. Il est à remarquer que le concile Vatican II a voulu lui donner droit de cité dans la pensée officielle de l'Église catholique, ainsi qu'à l'objection de conscience. En ce qui concerne la première : « Poussés par le même esprit, nous ne pouvons pas ne pas louer ceux qui, renonçant à l'action violente pour la sauvegarde des droits, recourent à des moyens de défense qui, par ailleurs, sont à la portée des plus faibles, pourvu que cela puisse se faire sans nuire aux droits et aux devoirs des autres ou de la communauté » (GS, n. 78 § 5). En ce qui concerne la seconde : « Il semble équitable que des lois pourvoient avec humanité au cas de ceux qui, pour des motifs de conscience, refusent l'emploi des armes, pourvu qu'ils acceptent cependant de servir sous une autre forme la communauté humaine » (GS, n. 79 § 3).

Toutefois, le concile Vatican II a souligné avec netteté la légitimité de la fonction militaire au regard de la foi, dans un monde qui reste profondément marqué par la violence : « Quant à ceux qui se vouent au service de la patrie dans la vie militaire, qu'ils se considèrent eux aussi comme les serviteurs de la sécurité et de la liberté des peuples ; s'ils s'acquittent correctement de cette tâche, ils concourent vraiment au maintien de la paix » (GS, n. 79 § 5). Il n'y a pas de contradiction dans ces prises de position, mais simplement le respect de la liberté de la démarche du chrétien dans son appréciation des exigences concrètes de l'Évangile.

3º L'existence des *armes nucléaires* pose actuellement les plus graves problèmes éthiques, en raison de leur énorme puissance destructrice : que ce soit dans l'hypothèse de leur emploi ou dans celle de leur menace à travers la dissuasion nucléaire.

1) Leur *emploi* pourrait conduire à une guerre proprement démentielle : en 1963, Robert McNamara, alors Secrétaire américain à la défense, déclarait qu'une guerre nucléaire mondiale provoquerait trois cents millions de morts, dès sa phase initiale. Face à une telle hypothèse, Jean XXIII affirmait qu'« il devient humainement impossible de penser que la guerre soit, en notre ère atomique, le moyen adéquat pour obtenir justice d'une violation de droits » (*Pacem in terris*, n. 127).

La célèbre objurgation de Paul VI, devant l'Assemblée générale des Nations Unies, était un solennel avertissement à la conscience humaine avant qu'il ne fût trop tard : « Il suffit de rappeler que le sang de millions d'hommes, que les souffrances inouïes et innombrables, que d'inutiles massacres et d'épouvantables ruines sanctionnent le pacte qui nous unit en un serment qui doit changer l'histoire future du monde : jamais plus la guerre, jamais plus la guerre ! C'est la paix, la paix qui doit guider le destin des peuples et de toute l'humanité » (*Documentation catholique* = DC, t. 62, 1965, col. 1734).

Face en effet à l'hypothèse envisagée par R. McNamara, on ne voit pas quel enjeu – serait-ce même la défense de l'indépendance nationale ou de l'intégrité du territoire d'une grande puissance – pourrait être proportionné à un tel cataclysme collectif. On pourrait, certes, envisager, théoriquement des cas où l'emploi d'armes atomiques (armes nucléaires tactiques ? bombes à neutrons ?) permettrait de respecter suffisamment le principe de l'immunité de la population

civile, mais en procédant ainsi on s'engagerait sur un chemin extrêmement périlleux. On courrait le risque d'ascension aux extrêmes : c'est-à-dire, d'être entraîné dans une guerre démentielle.

2) La stratégie de la *dissuasion nucléaire* vise à détourner l'agresseur éventuel en le menaçant de représailles calculées de telle façon qu'elles constituent, à ses yeux, un risque inacceptable. Le paradoxe de notre âge est qu'en dépit des risques effroyables qu'elle représente – et précisément à cause d'eux – elle a pu contribuer au maintien de la paix, du moins en évitant jusqu'ici les affrontements extrêmes.

Le concile Vatican II n'a pas voulu formuler à son sujet une condamnation intemporelle, précisément pour tenir compte de ce « paradoxe de notre âge » et parce qu'on ne doit rien dédaigner de ce qui peut servir concrètement au maintien de la paix. Mais sa critique n'en est pas moins très ferme. C'est, à ses yeux, un « scandale » qu'il faut faire disparaître, même si on ne peut y parvenir que progressivement et s'il faut tenir compte de la réalité concrète dans cette nécessaire mutation. « Avertis des catastrophes que le genre humain a rendues possibles, mettons à profit, conclut-il, le délai dont nous jouissons et qui nous est concédé d'en-haut pour que, plus conscients de nos responsabilités personnelles, nous trouvions les méthodes qui nous permettront de régler nos différends d'une manière digne de l'homme » (GS, n. 81 § 4).

3. LA CONSTRUCTION DE LA PAIX. – C'est une constatation de bon sens, qu'il serait extrêmement dangereux de ne pas prendre en considération : la construction de la paix ne peut être assurée qu'en tenant compte de la situation concrète de l'humanité à chaque époque de son histoire. C'est pour cela que, dans un monde profondément marqué par la violence, la mise en pratique de l'éthique de détresse qui vient d'être précisée en reste une condition indispensable.

Il est, toutefois, essentiel de vouloir dépasser une telle situation et de s'efforcer de construire la paix positivement par des moyens pacifiques. Au vieil adage *Si vis pacem, para bellum* – et sans négliger sa part de vérité dans un monde de violence –, il faut de plus en plus substituer dans les faits un nouvel axiome : *Si vis pacem, para pacem* : c'est-à-dire substituer des comportements pacifiques à la violence antérieure.

A l'époque planétaire qui est désormais la nôtre, où l'humanité entière est devenue concrètement interdépendante, c'est à l'échelle mondiale que la construction de la paix doit être envisagée. Les documents officiels de l'Église catholique – relayés par ceux d'autres Églises et notamment du Conseil œcuménique des Églises – ne cessent de le répéter.

Trois lignes complémentaires d'action sont particulièrement importantes : la catharsis de l'hostilité, l'éveil d'une conscience mondiale, le désarmement. Les deux premières conditionnent la troisième.

1º *La catharsis de l'hostilité.* – Ainsi que le fait remarquer Gaston Bouthoul, « C'est l'homme qui tue, non l'épée ou le canon. Il est temps de s'occuper des éléments constitutifs de l'agressivité plus que des instruments qu'elle emploie » (journal *Le Monde*, 7 janvier 1965). Aussi les recherches entreprises de divers côtés sur l'instinct d'agressivité sont-elles de la plus haute importance. La page suivante de G.

Bouthoul éclaire si remarquablement les profondeurs de la vie en société qu'elle mérite d'être citée intégralement :

« La crainte commune est le ciment des sociétés. La méfiance envers des rivaux et des voisins, la peur de leur attaque, en un mot la menace de la guerre la polarise et l'organise. En prenant les devants, l'agressivité commune rassure ; elle joue le rôle psychologique d'une assurance contre la peur. La crainte de l'ennemi commun fortifie mieux que toutes les contraintes la cohésion de l'État, la concorde du peuple, la discipline, la ferveur et le loyalisme envers les dirigeants. On peut même se demander comment les États supporteraient sans se désagréger... la certitude d'une paix éternelle ou simplement celle d'une très longue paix. La quiétude externe déchaîne les discordes internes.

Les trois complexes de l'agressivité serviront toujours de base à la mise en condition des populations pour maintenir leur subordination et leur loyalisme vis-à-vis de l'État et des hiérarchies existantes. Ils permettent de réaliser, grâce à une action portant sur les profondeurs mêmes de la psychologie de chacun des citoyens, cette cohésion menaçante. Le complexe de Damoclès, c'est la culture du sentiment de l'insécurité, de la menace toujours présente. Exacerbé, il suscite la panique et la fuite en avant. Celui du bouc émissaire, c'est la fixation sur un ennemi désigné : ennemi intérieur ou extérieur sur lequel sont transférés notre culpabilité et nos démons intérieurs. Le complexe d'Abraham représente le conflit des générations et surtout la conscience obscure de la structure explosive, c'est-à-dire de l'existence d'un surplus de jeunes hommes dépassant les besoins de l'économie et créant un tonus virulent dans les sociétés, propre à développer l'agressivité collective. Ces complexes toujours latents en nous contribuent à la maturation des situations belligènes. Ils sont les cadres psychologiques où s'installe l'agressivité et où elle se coule. La conjoncture leur fournit leur aliment. Elle désigne leurs points d'application » (*Avoir la paix*, p. 181-182). A part la désignation du troisième complexe (celui d'Abraham), hautement discutable, les exemples historiques abondent, même dans le présent, pour appuyer la pertinence de cette analyse.

Si, après les combats, les adversaires veulent établir une paix durable, il est indispensable qu'ils se délivrent de leurs pulsions d'hostilité. Ils doivent prendre conscience du mal psychique qui les ronge – et qui s'appelle haine, défiance, égoïsme – ainsi que de leur devoir de le maîtriser. Dans son *Message de Noël* de 1940 (24 décembre), Pie XII énumérait déjà les conditions d'un « ordre nouveau » :

« La victoire sur la haine qui aujourd'hui divise les peuples, partant, la renonciation à des systèmes et pratiques que la haine ne cesse d'entretenir. A l'heure actuelle, dans certains pays, une propagande effrénée, et qui ne recule point devant des altérations manifestes de la vérité, montre jour par jour, et quasi heure par heure, à l'opinion publique, les nations adverses sous un jour faux et outrageant... La victoire sur la défiance, qui pèse comme une masse déprimante sur le droit international et rend irréalisable toute entente véritable... La victoire sur l'esprit de froid égoïsme qui, s'enivrant de sa force, aboutit finalement à violer la liberté juste, saine et disciplinée des citoyens, aussi bien que l'honneur et la souveraineté des États » (*Documents pontificaux de... Pie XII*, t. 2, Saint-Maurice, 1961, p. 384-385). La comparaison entre la psychologie collective franco-allemande, après 1870 et 1918, d'une part, et après 1945, de l'autre, est significative. La catharsis qu'elle a subie a transformé de fond en comble les relations entre les deux pays, engagés désormais dans une étroite collaboration, d'ennemis irréductibles qu'ils semblaient auparavant.

2° *L'éveil d'une conscience mondiale*. – Désormais, l'interdépendance est devenue un fait universel. Tout

événement de quelque importance se répercute sur l'humanité entière. Nation, classe sociale, race et même continent géographique ne sont plus que des fragments d'un ensemble plus vaste. Ce qui s'impose maintenant à tout être humain – et, a fortiori, aux responsables politiques –, c'est, comme le réclame Aurelio Peccei avec le Club de Rome, *la conscience de l'espèce* : « La conscience de l'espèce doit avoir priorité sur la conscience de classe et la conscience nationale » (*100 pages pour l'avenir*, Paris, 1981, p. 170). Une telle conscience, indispensable pour la survie de l'humanité, explique le suggestif appel de François Perroux : « *Prolétaires de tous les pays, unissez-vous*, ce cri porte la date de 1848. *Vivants de toute la terre, nouez alliance*, conviendrait à notre temps. Quel État, pourtant, oserait lancer cet appel, acceptant d'être le héraut sans réserve de la préférence pour la vie » (*L'économie de la ressource humaine*, s d, p. 47 ) ? C'est ainsi l'instauration d'un *dialogue* au niveau mondial qui s'impose, comme le demande H.G. Gadamer : « Je vois bien que le monde d'aujourd'hui n'a pas fait de progrès dans la voie du dialogue, mais la dure réalité du futur nous oblige au dialogue » (cité dans *Le Monde*, 19 avril 1981).

Un dialogue qui conduise évidemment à la coopération, et une coopération qui ne se laisse pas accaparer par le court terme, mais qui ait le souci primordial du long terme. Le deuxième Rapport du Club de Rome s'exprime très heureusement : « Pour assurer la survie de l'espèce humaine, nous devons apprendre à nous identifier aux générations futures, et à prendre en considération leurs intérêts au même titre que les nôtres. Si chaque génération ne songe qu'à son maximum de bien-être, c'en est fini de l'*homo sapiens* » (M. Mesavoric, E. Pestel, *Stratégie pour demain*, Paris, 1974, p. 154).

Le maître-mot sera celui de *solidarité* et c'est l'*éveil d'une conscience mondiale* qui s'impose, en tant que prise en compte librement consenti de cette solidarité de l'humanité entière. Comme le dit encore le deuxième Rapport au Club de Rome : « Nous avons tous à nous éveiller à une conscience du monde telle que chacun s'y considère comme membre de la communauté mondiale. Un citoyen allemand devrait se sentir aussi concerné par la famine qui sévit dans le Sahel que si elle menaçait en Bavière » (*ibidem*).

Comment l'Église et ses membres, éclairés par leur foi en la fraternité universelle de tous les hommes en Dieu, ne contribueraient-ils pas joyeusement à l'éveil de cette conscience mondiale ? La constitution *Gaudium et spes* s'est voulue le porte-parole chaleureux d'une telle exigence : « Parmi les principaux aspects du monde d'aujourd'hui, il faut compter la multiplication des relations entre les hommes que les progrès techniques actuels contribuent largement à développer. Toutefois le dialogue fraternel des hommes ne trouve pas son achèvement à ce niveau, mais plus profondément dans la communauté des personnes et celle-ci exige le respect réciproque de leur pleine dignité spirituelle. La Révélation chrétienne a favorisé puissamment l'essor de cette communion des personnes entre elles ; en même temps elle nous conduit à une intelligence plus pénétrante des lois de la vie sociale, que le Créateur a inscrites dans la nature spirituelle et morale de l'homme » (n. 23, § 1). La première partie de ce document ecclésial, ainsi que des encycliques comme *Populorum progressio* de Paul VI (1967) et *Redemptor hominis* de Jean-Paul II

(1979) pourraient être lues dans ce sens de l'éducation de la conscience chrétienne à la solidarité universelle en raison de la foi en la fraternité de tous les hommes en Dieu.

De toute évidence, la mise en œuvre d'une telle solidarité suppose des *institutions internationales* et même *supra-nationales*. Les documents ecclésiaux contemporains ne cessent de le répéter avec insistance. « Au moment où se développent les liens d'une étroite dépendance entre tous les citoyens et tous les peuples de la terre, une recherche adéquate et une réalisation plus efficace du bien commun universel exigent dès maintenant que la communauté des nations s'organise selon un ordre qui corresponde aux tâches actuelles – principalement en ce qui concerne ces nombreuses régions souffrant encore d'une disette intolérable » (GS, n. 84 § 1).

Les institutions internationales que nous connaissons déjà (O.N.U., U.N.E.S.C.O., F.A.O., etc.) ont, au moins, le mérite d'exister. Mais il faut aller de l'avant, comme le demande encore la constitution *Gaudium et spes* : « Les institutions internationales déjà existantes, tant mondiales que régionales, ont certes bien mérité du genre humain. Elles apparaissent comme les premières esquisses des bases internationales de la communauté humaine tout entière pour résoudre les questions les plus importantes de notre époque : promouvoir le progrès en tout lieu de la terre et prévenir la guerre sous toutes ses formes. Dans tous ces domaines, l'Église se réjouit de l'esprit de fraternité véritable qui est en train de s'épanouir entre chrétiens et non-chrétiens et tend à intensifier sans cesse leurs efforts en vue de soulager l'immense misère » (n. 84 § 3).

Vision optimiste ? Les grandes puissances, sans lesquelles rien ne peut se faire, accepteront-elles jamais les indispensables limitations de souveraineté ? On peut effectivement en douter, en voyant leur comportement actuel. Mais le pire n'est jamais sûr. Il est indispensable qu'elles prennent fortement conscience qu'elles ont besoin, elles aussi, de consentir à la solidarité universelle.

Nous sommes là au cœur même du problème contemporain de la paix. Les grands problèmes auxquels chaque pays est confronté sont désormais des problèmes mondiaux. Ne pas leur trouver de solutions positives, c'est s'acheminer fatalement sur le chemin de la violence et de la guerre. Or, ces solutions ne sont possibles que par la mise en œuvre de la solidarité universelle. L'éveil de la conscience mondiale est ainsi devenu, de nos jours, le facteur décisif de la construction de la paix.

3° *Le désarmement.* – Est-il encore utile de parler de désarmement ? Les réunions internationales se succèdent à son sujet et la course aux armements continue de plus belle, jusqu'à prendre des dimensions démentielles. C'est là, pourtant, une question vitale.

Un texte de 1976 intitulé *Le Saint-Siège et le désarmement général* (DC, t. 68, 1976, p. 604-610) mérite de retenir particulièrement l'attention. Le document commence par une critique incisive de l'actuelle course aux armements. Elle est présentée non seulement comme « un danger », mais aussi comme « une injustice », « une erreur », « une faute » et « une folie ».

Pourquoi une injustice demandera-t-on ? La réponse est péremptoire : « Elle constitue en effet : a) une violation du droit par le primat de la force : l'accumulation des armes devient le prétexte de la course à la puissance ; b) un vol : les budgets fabuleux affectés à la fabrication et au stockage des armes constituent un véritable détournement de fonds de la part des gérants des grandes nations ou des blocs favorisés. La contradiction évidente entre le gaspillage de la surproduction des engins militaires et la somme des besoins vitaux non satisfaits (pays en voie de développement, marginaux et pauvres des sociétés riches) constitue déjà une agression à l'égard de ceux qui en sont victimes. Agression allant jusqu'au crime ; même lorsqu'ils ne sont pas employés, par leur seul coût les armements tuent les pauvres en les faisant mourir de faim ». Le document rappelle la condamnation du Concile, reprise par le Synode des évêques de 1974 : « La course aux armements est une plaie extrêmement grave de l'humanité et lèse les pauvres d'une manière intolérable » ; ainsi que la vigoureuse dénonciation de l'encyclique *Populorum progressio* : « Elle est un scandale ».

Ce réquisitoire débouche sur une *condamnation* : « Aux yeux de l'Église, la situation actuelle de prétendue sécurité est à condamner : 1) au nom de la paix, qu'elle n'assure pas. En particulier en raison des armes atomiques... 2) au nom de la morale naturelle et de l'idéal évangélique : la course aux armements... est contraire à l'homme et contraire à Dieu. Cette course folle est donc à proscrire au niveau de l'éthique ».

La condamnation éthique est ici d'une force extrême, puisque la qualification de « crime » est utilisée et qu'elle est située dans la perspective même de la guerre d'agression, l'un des crimes suprêmes contre la vie de l'humanité. Jamais, l'Église catholique n'était allée aussi loin dans la critique de la course aux armements qui se déroule sous nos yeux. Ne va-t-on pas l'accuser d'angélisme et de démagogie ? Un pays, même pacifique, n'est-il pas obligé d'entrer dans la course et de s'y maintenir, si des adversaires éventuels ne cessent d'améliorer leur armement ? L'Église en est parfaitement consciente. Ce n'est pas un État particulier qui est condamné. C'est le processus lui-même, le fait qu'on s'en contente trop facilement, qu'il paraisse une fatalité, qu'on ne cherche que trop peu les moyens d'en sortir. Tous les États sont concernés, et d'abord les plus puissants. Ce qui leur est demandé, c'est de prendre conscience que le processus actuel est insensé et qu'ils essaient sérieusement de le renverser. Tel est le but de l'Église : contribuer de toutes ses forces à cette prise de conscience, qui est la seule chance sérieuse d'éviter des catastrophes épouvantables.

Que faire concrètement ? Assez souvent, on préconise un désarmement unilatéral. Les directives du Saint-Siège, plus proches de la réalité concrète et nourries de l'expérience de l'histoire, donnent constamment comme orientation générale le principe d'un désarmement progressif, contrôlé, mutuel, simultané, institutionnellement garanti. C'est ensemble que les partenaires ont à s'engager sur le chemin du désarmement, dans l'assurance de leur loyauté réciproque : parce qu'ils auront tous compris que c'est la condition de leur propre salut, alors que la course aux armements est une vis sans fin qui engloutit leurs ressources et qui est incapable de leur assurer une sécurité de longue durée.

La stratégie du désarmement se révèle ainsi, avec l'apport spécifique de l'Église, comme une stratégie de la survie, suivant les perspectives chères au Club de Rome : prenant en compte non seulement l'effroyable menace des armes de destruction massive, mais aussi les problèmes fantastiques que posent l'augmentation galopante de la population mondiale, l'épuisement des ressources en matières premières et la pollution catastrophique engendrée par une industrialisation anarchique. Pour toutes ces raisons, comme le remarque le troisième Rapport au Club de Rome, « l'avenir de l'humanité est indissolublement lié à un changement radical de la gestion du monde » et « le désarmement constitue une partie intégrante essentielle du problème de la survie, c'est-à-dire du nouvel ordre international » (*Nord-Sud. Du défi au dialogue*, éd. J. Tinbergen, Paris, 1978, p. 207).

4. LA MISSION DES ÉGLISES. – Les Églises savent qu'à l'heure actuelle et à l'échelle planétaire leur poids « politique » est limité et que les décisions suprêmes concernant la paix et la guerre sont entre les mains de quelques hommes, au sommet du pouvoir. Mais elles savent aussi que ce n'est pas là, pour elles, raison suffisante de rester inactives. Elles ont de toute évidence à œuvrer de toutes leurs forces pour le maintien de la paix et, si elles n'y réussissent pas, en vue de l'humanisation et de la cessation de la guerre. Au risque même de braver un pouvoir et une opinion publique bellicistes, comme c'était le cas pendant le premier conflit mondial et à l'époque du nazisme.

Quelles que soient leurs insuffisances, leurs erreurs et même leurs crimes du passé (du moyen âge, par exemple, des guerres de religion ou du nazisme), il y a eu toujours des chrétiens et des communautés chrétiennes qui ont œuvré courageusement et efficacement en faveur de la promotion de la justice et de la paix et qui ont été les témoins d'une charité héroïque pendant le déroulement des hostilités, dans les prisons ou les camps de concentration.

La question qui se pose ici est celle de la *contribution spécifique des Églises*. Un évêque protestant allemand, Werner Krusche, donnait en 1978 la réponse suivante : « La prédication de la paix, avec toutes ses implications dans le domaine de la politique et de l'éthique sociale, et la prière pour la paix sont les deux formes de contribution des Églises à la paix dans le monde qu'elles seules peuvent apporter et pour lesquelles, par conséquent, elles sont irremplaçables » (Conseil des Conférences épiscopales d'Europe, *Travailler pour l'unité et pour la paix*, Paris, 1978, p. 76-77). Cette problématique a le grand mérite de situer les Églises à la place qui leur revient dans la ligne même de la mission que Jésus-Christ a confiée, d'après le nouveau Testament, à la communauté de ses disciples.

1° Le concept de *prédication de la paix* est à entendre dans le sens le plus large et le plus fort. Il ne s'agit pas seulement de l'homélie dominicale, bien qu'elle soit essentielle et au cœur même de la prédication de l'Église, mais aussi de toutes les autres interventions et prises de position des Églises, comme, par exemple, des encycliques ou des déclarations de conférences épiscopales. Il faut préciser qu'on ne peut légitimement parler de « prédication » du point de vue chrétien que si la parole prononcée peut s'appuyer, en définitive, sur la Parole de Dieu en Jésus-Christ, du Dieu de l'Amour et de la Paix ; que si elle en est la proclamation ou l'application non frelatées dans une situation historique particulière. L'Église peut et doit alors parler haut et clair, car sa parole est fondée sur l'autorité suprême pour la conscience humaine. La synthèse théologique qui précède entre d'elle-même dans cette perspective : fondée qu'elle était sur l'interrogation fondamentale de la Parole de Dieu et l'effort de l'interpréter d'une façon responsable pour notre temps, dans le sillage de la tradition et de l'enseignement social de l'Église.

2° Le concept de *prière pour la paix* appelle quelques développements plus étoffés, dans la ligne même des propositions de l'évêque protestant allemand déjà cité.

« La prière de l'Église pour la paix au monde, explique-t-il, n'est pas un ornement (mais au fond superflu) de tout ce qu'elle fait par ailleurs pour la paix, c'est une participation à cette œuvre et rien ne peut la remplacer. Tout ce que l'on fait pour la paix du monde ne vaut rien sans la prière de l'Église. C'est par la prière que l'on doit chasser les résistances réelles et insondables. Il faut prier pour le discernement, la patience, l'établissement de la confiance, pour retrouver la liberté d'action face aux contraintes inhérentes à la technologie et qui poussent à la fabrication d'armements, pour ne citer que quelques thèmes parmi bien d'autres. La prière revêt en quelque sorte une fonction exorcisante dans la lutte pour la paix » (*ibidem*, p. 85-86).

Introduits dans cette Paix qui surpasse toute paix, nous abreuvant à la Source inépuisable, nous entrons par le fait même dans l'Action de Dieu sur l'histoire : « nous travaillons ensemble à l'œuvre de Dieu » (1 *Cor.* 3, 19).

Ces remarques pourront paraître illusion ou même mensonge idéologique à des lecteurs non croyants, et il est vrai qu'elles ne peuvent être pleinement acceptées que par des croyants. Que les premiers veuillent bien reconnaître, du moins, que l'attitude qu'elles explicitent est logique, quand on croit, dans la perspective de la Bible, à la fois que Dieu est le suprême Acteur de l'histoire et qu'il a voulu faire des hommes ses collaborateurs. Dieu a établi la prière « pour communiquer à ses créatures la dignité de la causalité », écrivait B. Pascal avec une grande profondeur (*Pensées*, éd. L. Brunschvicg, n. 513). Quand on l'a compris, que valent les objections courantes de passivité ou d'attitude infantile adressées à la prière ? Elles sont réduites à néant par le témoignage de vie des grands « mystiques » qui, comme H. Bergson l'a remarquablement montré, ont été des géants de l'action tout autant que de la prière (*Les deux sources de la morale et de la religion*, Paris, 1932, 2e partie). Prier, c'est se transformer soi-même, sous l'action de la grâce, à la lumière de l'Évangile. Prier, c'est s'engager à vivre ce que l'on prie. C'est commencer à le vivre. Sinon, notre prière ne serait que mensonge ou inconscience.

C'est en priant ainsi – dans cette ouverture à l'amour de Dieu et à celui du prochain, qui constitue l'essence des exigences évangéliques – qu'on devient, au plus profond de soi-même, un homme ou une femme de paix : vivant la paix, rayonnant la paix, créant la paix autour de soi. Comme saint Benoît et la si justement célèbre *Pax* bénédictine ; comme saint François d'Assise, le troubadour non seulement de la Pauvreté, mais aussi de la Paix, qui est à la fois Charité et Joie de vivre. La prière qui lui est attribuée et qui, en tout cas, reflète merveilleusement son esprit devrait devenir l'une des prières quotidiennes de tous ceux qui veulent être des hommes et des femmes de paix : « Seigneur, fais de moi un instrument de ta Paix. Là où il y a la haine, que je mette l'Amour. Là où il y a l'offense, que je mette le

Pardon. Là où il y a la discorde, que je mette l'Union... » (François d'Assise, *Documents*, éd. Th. Desbonnets et D. Vorreux, Paris, 1968, p. 177).

Aucune autre prière ne montre mieux que le moyen fondamental de la paix du monde, c'est de devenir soi-même, dans toute sa vie, un homme ou une femme de paix. Aucune autre ne montre mieux que la paix, c'est la charité : qu'on ne peut être un homme de paix qu'en étant un homme fraternel. La construction de la paix commence par là : par cette conversion, par cette transformation incessante de soi-même. Dans un mouvement chrétien pour la paix, c'est à cela qu'il faut penser en premier lieu. Si on le fait, on sera étonné du dynamisme qui en résultera. N'était-ce pas saisissant d'entendre Mère Teresa réciter cette célèbre prière « franciscaine » au cours même de la cérémonie qui lui remettait le Prix Nobel ? On peut aussi rappeler l'avant-dernière strophe du *Cantique des Créatures*, composée en juillet 1226 au palais épiscopal d'Assise pour mettre fin à une lutte acharnée entre l'évêque et le podestat de la ville : « Loué sois-tu, mon Seigneur, pour ceux qui pardonnent par amour pour toi ; qui supportent épreuves et maladies ; heureux s'ils conservent la paix, car par toi, Très-Haut, ils seront couronnés » (*Documents*, p. 197). Ces quelques vers de l'apôtre de la paix – il est vrai, prégnants du témoignage de toute sa vie – suffirent à empêcher la guerre civile. La paix bénédictine et la paix franciscaine : deux des plus beaux fleurons de la Paix du Christ tout au long des siècles.

« La puissance déchaînée par l'atome a tout changé, déclarait A. Einstein, sauf nos modes de pensée ». Les Églises doivent contribuer de toutes leurs forces à cette mutation radicale de mentalité : c'est-à-dire, contribuer à faire comprendre aux hommes que la guerre, irrationnelle et inhumaine par essence, perd toute rationalité provisoire dans un monde solidaire (sauf, peut-être, dans le cadre de conflits secondaires), que, menée par des moyens nucléaires, elle serait une réalité démentielle, et qu'il faut donc changer radicalement la politique mondiale pour construire une paix véritable.

La bibliographie sur la paix est très abondante. Pour l'Écriture, on se reportera aux diverses « théologies » de l'ancien et du nouveau Testament (W. Eichrodt, P. van Imschoot, G. von Rad, C. Spicq, etc.) ; pour les problèmes actuels, aux commentaires en diverses langues de *Pacem in terris, Gaudium et spes* (vg. en français, coll. Unam Sanctam, t. 65, 3 vol., Paris, 1967 ; *Église et communauté humaine*, Paris, 1968), *Populorum progressio*, etc. ; voir aussi RIC (Répertoire bibliographique des Institutions Chrétiennes), *Suppléments* par J.L. Hiebel, *Forces armées et Église*, Strasbourg, 1973 ; *Guerre-Paix-Violence*, 1975. Nous donnerons ici seulement un choix d'ouvrages et d'études importants, où l'on trouvera d'ailleurs des bibliographies plus détaillées.

**Écriture.** – Art. Εἰρήνη, dans Kittel, t. 3, 1950, p. 398-418 (W. Foerster ; étude sur *shalôm* par G. von Rad). – VTB, 1970, col. 878-884 (X. Léon-Dufour). – *Theologisches Handwörterbuch zum A. T.*, Munich-Zurich, 1976, t. 2, col. 919-935 (G. Gerleman). – W.S. van Leeuwen, *Eirènè in het Nieuwe Testament*, Leyde, 1940. – J. Scharbert. *SLM im A. T.*, dans *Lex tua veritas*, Trèves, 1961, p. 209-221. – H. Schlier, *Der Friede nach dem Apostel Paulus*, GL, t. 44, 1971, p. 282-296. – H.H. Schmid, *Salôm « Friede » im alten Orient und im Alten Testament*, Stuttgart, 1971.

**Théologiens.** – Augustin, *De civitate Dei*, XIX. – Thomas d'Aquin, *Summa theologica* 2ᵃ 2ᵃᵉ, q. 34-36. – Érasme, *Querela pacis*, dans *Opera omnia*, Lyon, 1704 (réimpr. Londres, 1962), t. 4, p. 625-642 ; *Precatio... pro pace Ecclesiae ; De amabili Ecclesiae concordia*, *Opera*, t. 5, p. 1215-1218 et 469-506, etc. ; cf. J. Margolin, *Guerre et paix dans la pensée d'Érasme* (choix de textes commentés), Paris, 1973. – Fr. de Vitoria, *De Indis posterior et De jure belli* (1539) ; éd. et trad. angl. par E. Nys, Washington, 1917 ; trad. franç. commentée par M. Barbier, Genève, 1966 ; éd. et trad. espagn. avec commentaires, coll. Corpus Hispanorum de Pace = CHP, t. 5, Madrid, 1967. – Fr. Suarez, *De triplici virtute theologali*, *3ᵃ pars*, *De caritate*, disp. 13, *De Bello*, dans *Opera omnia*, éd. Vivès, t. 12, Paris, 1858, p. 737-763 ; *De jure gentium*, éd. et trad. espagn. avec comment., CHP, t. 14, Madrid, 1973.

R. Regout, *La doctrine de la guerre juste de s. Augustin à nos jours, d'après les théologiens et les canonistes catholiques*, Paris, 1934. – F. Wiesenthal, *Die Wandlung des Friedensbegriffes von Augustin zu Thomas von Aquin*, Diss. Munich, 1949. – E. Biser, *Der Sinn des Friedens*, Munich, 1960. – J.-M. Hornus, *Évangile et Labarum*, Genève, 1960. – R. Coste, *Le problème du droit de guerre dans la pensée de Pie XII*, coll. Théologie 51, Paris, 1962. – K. Rahner, *Der Friede Gottes und der Friede der Welt*, dans *Schriften zur Theologie*, t. 8, 1967, p. 689-707 ; trad. franç. dans *Écrits théologiques*, t. 10, p. 140-148 et 168-172 (notes, abondante bibliographie). – A. Portolano, *L'etica della pace nei primi secoli del Cristianesimo*, Naples, 1974. – M. Toschi, *Pace e Vangelo. La tradizione cristiana di fronte alla guerra*, Brescia, 1980.

**Problématique actuelle.** – G. Fessard, *Pax nostra*, Paris, 1936 ; *Paix ou guerre ? Notre paix*, Paris, 1951. – G. Bouthoul, *Les guerres. Éléments de polémologie*, Paris, 1951 ; *Avoir la paix*, Paris, 1967. – P. Duclos, *Le Vatican et la seconde guerre mondiale*, Paris, 1955. – *L'atome pour ou contre l'homme*, coll. Pax Christi, Paris, 1958. – R. Bainton, *Christian Attitudes towards War and Peace*, New York, 1960. – J. Comblin, *Théologie de la paix*, 2 vol., Paris, 1960, 1963 ; *Théologie de la révolution*, 2 vol., Paris, 1970, 1974. – K. Jaspers, *La bombe atomique et l'avenir de l'homme*, trad. franç., Paris, 1960. – R. Aron, *Paix et guerre entre les nations*, Paris, 1962. – D. Dubarle, *La civilisation et l'atome*, Paris, 1962.

R. Coste, *Mars ou Jésus*, Lyon, 1963 ; *Morale internationale*, Paris, 1965 ; *Dynamique de la Paix*, Paris, 1965 ; *L'Église et la Paix*, Paris, 1980 ; *L'amour qui change le monde. Théologie de la charité*, Paris, 1981. – Martin-Luther King, *La force d'aimer*, trad. franç., Paris, 1965. – J. W. Douglass, *The Non-Violent Cross : A Theology of Revolution and Peace*, New York, 1968. – J.-M. Muller, *L'Évangile de la non-violence*, Paris, 1969. – R. Bosc, *Évangile, Violence et Paix*, Paris, 1975. – R. Aron, *Penser la guerre, Clausewitz*, 2 vol., Paris, 1976. – *Christlicher Friedensbegriff und europäische Friedensordnung*, éd. F.M. Schmölz, Munich, 1977.

*Revista de espiritualidad*, t. 39, 1980, n. 154 « Bienaventurados los que buscan la paz » (art. de divers auteurs).

DS, art. *Fraternité*, t. 5, col. 1141-1167 (J. Ratzinger) ; *Homme*, III Réflexions actuelles, t. 7, col. 637-650 (É. Pousset) ; *Justice*, t. 8, col. 1621-1640 (J.-M. Aubert) ; *Liberté-Libération*, t. 9, col. 780-787 (É. Pousset) ; *Paix intérieure*, infra.

René COSTE.

## II. LA PAIX INTÉRIEURE

L'idée biblique de la paix comme don eschatologique, mais possédé en arrhes dès cette vie, a suscité dans la tradition chrétienne un écho diversifié. Nous nous limitons ici, selon l'objectif du DS, à *une* dimension de cette paix, don divin à la réalisation duquel l'homme doit cependant coopérer : il s'agit de ce que la tradition appelle *paix intérieure* (*pax interior, pax cordis, animi, mentis,* etc., et les formules correspondantes dans les diverses langues). Nous traiterons d'abord des fondements de cette idée chez les Pères, ensuite de son développement chez les auteurs médiévaux des 7ᵉ-13ᵉ siècle ; enfin nous nous arrêterons à deux phases essentielles de son évolution ultérieure : les mystiques allemande et espagnole des 14ᵉ-16ᵉ siècles, la spiritualité française des 17ᵉ-19ᵉ siècles.

1. *Fondements dans la période patristique.* – 2. *Développements au moyen âge.* – 3. *Mystiques allemande et espagnole.* – 4. *Spiritualité française.*

1. FONDEMENTS DU THÈME DE LA PAIX INTÉRIEURE CHEZ LES PÈRES. – Les commentaires sur les textes bibliques où apparaît le mot *paix* offrent déjà un apport sur le développement du thème ; par exemple, sur *Ps.* 33, 15 Vulg. : Théodoret, PG 80, 1105d-1108a ; Euthyme Zigabène, PG 128, 388d-389a ; – sur *Mt.* 5, 9 : Jean Chrysostome, PG 57, 228a ; Pseudo-Chrysostome, *Opus imperfectum*, PG 56, 682d-683b ; Euthyme Zigabène, PG 129, 195ab ; Augustin, *De sermone Dom. in monte* I, 2, 9, CCL 35, p. 6 ; – sur *Luc* 2, 14 : Origène, *In Luc. hom.* 13, GCS 9, p. 78-80 ; Théophylacte, PG 123, 724c ; – sur *Jean* 14, 27 : Chrysostome, PG 59, 407c ; Augustin, *In Joan.* tr. 77 et 103, 3, CCL 36, p. 520-521, 600 ; – sur *Jean* 20, 19 : Chrysostome, PG 59, 470c, etc.

Avant d'aborder Augustin et le Pseudo-Denys, témoins-clés de la tradition, signalons brièvement quelques autres auteurs. Pour Origène († vers 254), l'action la plus caractéristique d'un homme dépend de sa paix intérieure : Salomon la possède en plénitude, c'est lui qui construit le temple de Jérusalem, et non le belliqueux David (*In Joan.* VI, prol., SC 157, 1970, p. 129-131). Grégoire de Nysse † 394 définit la paix comme « un commerce amical avec le semblable » (*Or. 7 de Beatitudinibus*, PG 44, 1238b) ; il s'agit donc d'une attitude intérieure de l'homme. Les trois *Discours* de Grégoire de Naziance († vers 390) *sur la paix* (PG 35, 721-722 ; 1132-1168) ne présentent rien d'original. Par contre, Dorothée de Gaza († vers 560/580) souligne les combats nécessaires pour obtenir la paix et le bonheur qu'elle apporte :

« Dans les attaques et contre-attaques de ce pugilat avec l'ennemi, (l'ascète) fait le bien, avec toutefois beaucoup de souffrance et de tourment. Mais, quand lui vient du secours de Dieu et qu'il commence à s'habituer au bien, alors il entrevoit le repos et goûte progressivement la paix ; alors il réalise ce qu'est l'affliction de la guerre, ce qu'est la joie et le bonheur de la paix. Il recherche enfin cette paix, se hâte, court à sa poursuite pour la saisir, pour la posséder en plénitude et la faire demeurer en lui. Et quoi de plus heureux que l'âme arrivée à ce degré ? » (*Instructions* 4, 51, SC 92, 1963, p. 231)

Du côté des Grecs, c'est au Pseudo-Denys (début 6ᵉ s.) que l'on doit l'apport décisif au développement de notre thème, dans le ch. 11 du *De divinis nominibus* (PG 3, 948d-956b). Tandis qu'Augustin, comme on le verra, livre à la postérité une définition de la paix et de ses différentes espèces, l'Aréopagite définit l'Être divin comme « la paix en soi, l'auteur de la paix universelle et de celle de tout être singulier ; elle réunit toutes choses dans une union sans mélange, et, grâce à cette union indissoluble et sans mélange, chacune conserve pourtant l'intégrité de sa forme propre... sans que rien puisse ternir leur parfaite et précise unité » (11, 2, 949c). De cette conception fondamentale, l'auteur tire aussitôt des conclusions importantes pour la vie mystique :

« Contemplons donc cette nature unique et simple de l'Union pacifique, qui lie tous les êtres à elle-même, avec eux-mêmes et entre eux, qui les conserve tous dans une cohésion sans mélange, dans une synthèse sans confusion... C'est grâce à elle que les âmes, en unissant la variété de leurs raisons (*logoi*), en les rassemblant dans la pureté unique de l'intelligence, s'élèvent par une méthode et selon un ordre propre à chacune, à travers une intellection immatérielle et indivisible, jusqu'à cette Union qui dépasse toute intellection... La Paix parfaite répand en effet sa plénitude à travers tous les êtres, grâce à l'immanence parfaitement simple et sans mélange de sa puissance unificatrice. Elle unifie toutes choses en liant des moyens les extrêmes aux extrêmes... Elle fait participer à ses jouissances jusqu'aux limites les plus lointaines de l'univers » (11, 2, 949c-952a ; trad. M. de Gandillac, *Œuvres*, Paris, 1943, p. 165-166, remaniée au début).

Cf. le résumé du chapitre par E. von Ivanka, *Dionysius Areopagita, Von den Namen zum Unnennbaren*, Einsiedeln, 1956, p. 80 ; pour l'arrière-fond philosophique de ce passage, *ibidem*, p. 109-110 ; E. Corsini, *Il trattato De divinis nominibus... e i commenti neoplatonici al Parmenide*, Turin, 1962, p. 56-57.

Voir les *Scolies* attribuées à Maxime le Confesseur † 662, mais qui sont plutôt de Jean de Scythopolis, PG 4, 389-404 (cf. H. U. von Balthasar, *Kosmische Liturgie...*, 2ᵉ éd., Einsiedeln, 1961, p. 354-355). D'importants commentaires, dont plusieurs restent inédits, ont été rédigés au 13ᵉ siècle sur le *De divinis Nominibus* et donc sur ce ch. 11 : Thomas Gallus, Robert Grosseteste, Pierre d'Espagne (le futur pape Jean XXI ; éd. M. Alonso, Lisbonne, 1957), Albert le Grand (éd. P. Simon, *Opera*, t. 37/1, Münster, 1972, p. 410-426) ; Thomas d'Aquin (éd. C. Pera, Marietti, Turin-Rome, 1950, p. 329-347). Cf. H. F. Dondaine, *Le Corpus dionysien de l'Université de Paris au 13ᵉ siècle*, Rome, 1953.

Du côté des Latins, l'apport capital est dû à Augustin dans le livre XIX du *De civitate Dei* (ch. 13-20 ; 24-28) ; cf. H. Fuchs, *Augustinus und der antike Friedensgedanke*, 2ᵉ éd., Berlin, 1965 ; E. Dinkler, etc., RAC, t. 8, col. 477-481.

Certains textes des *Confessions* ont aussi joué un rôle dans le développement ultérieur du thème : « Inquietum est cor nostrum, donec requiescat in te » (I, 1) ; « In bona voluntate tua pax nobis est. Corpus pondere suo nititur ad locum suum » (XIII, 9, 10). Cf. G. P. Lawles, *Interior Peace in the Confessiones...*, dans *Revue des études augustiniennes*, t. 26, 1980, p. 45-61.

Dans le *De civitate*, Augustin n'applique pas seulement sa méthode phénoménologique et inductive à définir la paix en tant que telle : « Pax omnium rerum tranquillitas *ordinis* » ; il présente en outre une table des diverses espèces de paix, avec une série de définitions qui auront une grande importance dans la suite : « Pax animae rationalis *ordinata* cognitionis actionisque consensio. Pax corporis et animae *ordinata* vita et salus animantis. Pax hominis mortalis et Dei *ordinata* in fide sub aeterna lege oboedientia. Pax hominum *ordinata* concordia... Pax civitatis *ordinata* imperandi atque oboediendi concordia cohabitantium. Pax caelestis civitatis *ordinatissima* et concordissima societas fruendi Deo et invicem in Deo » (XIX, 13).

La définition de la paix comme « tranquillité de l'ordre » paraît de nature statique, comme si les bases de la paix étaient simplement un ordre établi. En réalité cependant la conception augustinienne de la paix est de nature fortement dynamique : en effet, l'ordre qui fonde la paix en tous les domaines n'est pas quelque chose qui existe déjà, mais un idéal, une « utopie », un but à réaliser. Ainsi la paix avec Dieu se base sur une soumission des hommes à Dieu à réaliser dans la foi, et la paix intérieure sur une mise en ordre des tendances intérieures de l'homme qui est toujours à effectuer et pas encore donnée (cf. *Enarratio in Ps.* 84, 9, CCL 39, p. 1169-1171).

H. Rondet, *Pax tranquillitas ordinis,* dans *Estudios sobre la Ciudad de Dios,* t. 2, Madrid, 1956, p. 343-365, spécialement p. 348-351 ; B. Florez, *La inquietud religiosa y las condiciones de la paz personal en el pensamiento de S. Agustín,* dans *25ᵉ Congrès eucharistique international,* Barcelone, 1952, p. 274-278.

Cet aspect dynamique, au plan de la paix intérieure, est souligné dans la suite par plusieurs auteurs.

Léon le Grand † 461 : « Qu'est-ce donc que la paix avec Dieu... sinon vouloir ce qu'il veut et ne pas vouloir ce qu'il interdit ? Si en effet les amitiés humaines exigent des esprits accordés et des volontés semblables, et si la diversité des mœurs est incapable de parvenir à une concorde stable, comment aura-t-il part à la paix divine celui qui se plaît en ce qui déplaît à Dieu, et qui cherche sa jouissance dans ce qu'il sait offenser Dieu ? » (*Tract,* 26, 3, CCL 138, p. 128 ; cf. 26, 5, p. 130-131 ; 95, 9, CCL 138A, p. 589-590).

Grégoire le Grand † 604 souligne encore davantage les conditions de la « tranquillitas ordinis » : « Celui qui crée merveilleusement toutes choses les ordonne lui-même afin que ces créatures s'accordent entre elles. Là donc où on résiste au Créateur, l'accord de la paix s'évanouit parce que ne peuvent être *ordonnées* les créatures qui échappent à la loi du gouvernement suprême. Alors que, soumises à Dieu, elles resteraient stables dans la *tranquillité,* laissées à elles-mêmes, elles entrent en confusion ; en effet, elles ne trouvent pas en elles-mêmes la paix, car celle-ci vient d'en-haut et elles s'opposent à leur auteur » (*Moralia in Job* IX, 5, 5, CCL 143, p. 458 ; cf. VI, 33, 51, p. 320-322, où Grégoire comprend la vie du juste comme une « lourde guerre » contre les « mouvements de la chair » ; voir encore *Liber regulae pastoralis,* ch. 23 Quomodo admonendi sunt discordes et pacati, PL 77, 89-92).

Mentionnons encore une homélie de Valérien de Cimiez († vers 460), contemporain et destinataire de deux lettres (65 et 102) de Léon le Grand, *De bono conservandae pacis,* PL 52, 728-735 : « Quid in vita hominis est bonum nisi pax, sub qua omnia quae sunt honesta proficiunt et religiosa nutriuntur ? » (730d). Par sa forme, cette homélie appartient déjà à la catégorie de textes dont nous allons traiter.

2. LA PAIX INTÉRIEURE DANS LES ÉCRITS MÉDIÉVAUX. – L'intérêt des auteurs médiévaux pour le problème de la paix se révèle dès l'abord dans les titres d'écrits, ou du moins de chapitres.

Eugène, évêque de Tolède † 657 (DS, t. 4, col. 1107), chante la paix dans son poème *De bono pacis* ; elle est une victoire sur le serpent du paradis, obtenue de la Trinité sainte :

« Qui cupis infestum semper vitare chelydrum
   Cordis ab affectu pace repelle dolum.
Mens pace rutilat, quae Christum pectore gestat :
   Quae pacem spernit, haec furibunda perit.
Pax animae vita, pax virtus paxque medella,
   Pax ordo rerum, pax bonitatis amor.
Pax fessis requies, pax denique certa laboris,
   Pax blanda sociat, pax bona conciliat.
Pax lites reprimit, pax gaudia tota remulcet,
   Pax pia corda regit, pax mala cuncta fugit.
Pax tria summa deus pacati praemia praestet,
   Iurgantes perimet pax tria summa deus » (*Carmina* 4, MGH *Auctores antiquissimi,* t. 14, Berlin, 1905, p. 234-235).

De la même époque, l'*Homilia de pace servanda* d'Éloi de Noyon († vers 660) fait dériver la paix entre les hommes de la paix donnée par Dieu (PL 87, 593-597). Tajon de Saragosse († avant 683) met en garde contre une surestimation de la paix terrestre (*Sententiarum libri* V, ch. 25 De pace et concordia, PL 80, 882-883) ; là où la *pax externa* ne peut être atteinte, que l'on garde du moins la *pax interna,* c'est-à-dire une attitude d'amour envers le prochain (883c). Mêmes notations dans l'*Admonitio ad filium spiritualem,* ch. 5 De studio pacis (PL 103, 688-689) du Pseudo-Basile (cf. CPL n. 1155a) ; le *Liber de virtutibus et vitiis* d'Alcuin, ch. 6 De pace (PL 101, 617) ; le ch. 12 *De pace* du *Diadema monachorum* (PL 102, 609 ; cf. 710) de Smaragde de Saint-Michel († vers 825).

Anselme de Laon † 1117 distingue quatre catégories d'hommes suivant la manière dont ils réalisent la paix : les *valde mali* ne connaissent aucun conflit entre la chair et l'esprit et ils ne jouissent que d'une paix trompeuse ; les *incipientes* font l'épreuve de ce conflit ; les *proficientes* le vivent au maximum ; les *valde boni* ne connaissent plus de conflit, mais seulement la paix (*De bona voluntate hominum,* extrait du *Liber pancrisis,* éd. Fr. Bliedmetzrieder, RTAM, t. 2, 1930, p. 61-63). Bruno de Segni † 1123 (DS, t. 1, col. 1969) rassemble un bon nombre de textes plus ou moins appropriés dans son sermon *De pace* (Sententiae II, 7, PL 165, 922-926).

Bernard de Clairvaux † 1153, dans un sermon sur *Mt.* 5, 9, distingue *homo pacatus, homo patiens, homo pacificus* : « primus, quantum in ipso est, pacem habet, secundus pacem tenet, tertius pacem facit » (*Opera,* t. 4, Rome, 1966, p. 108 ; cf. P. Lorson, *S. Bernard devant la guerre et la paix,* NRT, t. 75, 1953, p. 785-803, surtout p. 786-89). Un autre texte présente quatre sortes de paix en liaison avec les quatre vertus cardinales : « Pax quadripartita est : erga Deum, erga proximum, in carne, in spiritu. Quae ut firma sit substernendum est unicuique fundamentum : paci carnis temperantia, paci spiritus fortitudo, paci cum proximo prudentia, paci cum Deo justitia » (*Sententia* 29, PL 183, 754a). Hugues de Fouilloy † 1172 (DS, t, 7, col. 880-886) exhorte son lecteur à l'amour de la paix : « Quaere pacem in saeculo, quaere eam in futuro (cf. *Ps.* 33, 15). Et nisi eam in praesenti quaesieris, in futuro procul dubio non habebis » (*De claustro animae* 21, PL 176, 1159d).

Le *De bono pacis libri* II (PL 150, 1593-1638) est attribué, avec de bons arguments, à Rufin décrétiste et évêque d'Assise et peut être daté de 1181/82 (cf. Y. Congar, *Maître Rufin et son De bono pacis,* RSPT, t. 41, 1957, p. 428-44, qui s'appuie sur une étude antérieure de G. Morin). L'auteur distingue huit sortes de paix : de Dieu avec lui-même, de Dieu avec les hommes, du diable avec lui-même, du diable avec les hommes, des anges avec eux-mêmes, des anges avec les hommes, de l'homme avec lui-même, des hommes entre eux. Les six premières espèces sont une construction assez artificielle, mais l'originalité de Rufin apparaît dans les deux dernières.

Des trois formes de paix de l'homme avec lui-même (*pax malorum, bonorum, beatorum*), c'est la seconde qui nous intéresse surtout (1607d-1609d). L'auteur la définit comme « paix de la conscience » et montre combien elle diffère dax malorum : « Illa enim pax tumultuosa est, haec quieta ; illa vanida, haec sincera ; illa tristior, haec jucundior ; illa trepida, haec secura » (1608bc). Il distingue trois manières de paix entre les hommes : des mauvais avec les mauvais (*pax Aegypti*), des bons avec les mauvais (*pax Babyloniae*), des frères dans la communauté ecclésiale (*pax Jerusalem*). L'exposé le plus important concerne la *pax Babyloniae* (1614d-1635a), qui est la paix terrestre en tant que telle. Celle-ci est affaire de justice, d'entraide mutuelle (« humanitas autem, qua haec Babyloniae pax alitur, quaedam humanarum necessitatum collativa subventio est, qua diversa mortalium conditio vel mutuis adjuta suffragiis, vel alterius sustentata commerciis retinetur », 1616cd), de prudence. Elle s'étend aussi « aux étrangers, aux barbares, aux païens » (1618d) ; elle exclut seulement ceux qui la rendraient impossible : les *pestilentes* (dont la fréquentation ferait imiter les mauvaises mœurs), les *persecutores* (criminels), les *rebelles* : « avec ces trois genres d'hommes, il ne faut pas avoir la paix, mais plutôt leur déclarer la guerre » (1620d). On pourrait alléguer mille exemples en faveur de la paix terrestre (1623b). En outre, « cette paix est un chemin et une échelle pour atteindre la paix de Jérusalem ; bien plus, la paix de Jérusalem est contenue et conservée par elle » (1624d).

Cet écrit est assurément un excellent témoin des spéculations médiévales sur la paix. Voir l'analyse détaillée qu'en donne Y. Congar, *art. cité*, p. 431-444 ; cf. aussi H. Fuchs, *Augustin und der antike Friedensgedanke. Untersuchungen zum 19. Buch der Civitas Dei*, Berlin, 1926, (2ᵉ éd., Berlin-Zurich, 1965), Beilage 4, p. 224-248

Pierre le Chantre † 1197 distingue trois sortes de paix : « *pax temporis, pectoris, aeternitatis* ». La première « est nuisible à plusieurs, car à cause d'elle ils se relâchent ; mais elle est utile à beaucoup, par exemple aux faibles. La seconde est la vertu et le mérite ; la troisième est la récompense de la seconde » (*Verbum abbreviatum* 110, PL 205, 293c). Il offre une interprétation originale de *Jean* 14, 17 : « Quasi diceret : *pacem relinquo vobis*, id est quasdam *reliquias* pacis, quia imperfectam, non permansuram pacem. Unde nec addit : meam pacem, sed pectoris in praesenti relinquo vobis ; postquam pacem meam, consummatam scilicet et permansuram do, id est in futuro dabo vobis pacem, scilicet aeternitatis, quia non dabit Deus pacem, nisi super pacem » (293d). Alain de Lille † 1202 (DS, t. 1, col. 270-272) rassemble un certain nombre de sentences sur ces mêmes sortes de paix (*Summa de arte praedicatoria* 22, PL 210, 155-157), par exemple : « Prima pax est pacis umbra, secunda pacis circumstantia, tertia pacis substantia ». Il fait précéder ces sentences des textes scripturaires les plus importants, et termine le chapitre en évoquant les figures de l'ancien Testament qui correspondent aux trois paix.

Le prologue de l'*Itinerarium mentis ad Deum* de Bonaventure † 1274 part de la vision, accordée à saint François sur l'Alverne, d'un Séraphin aux six ailes à l'image du Crucifié ; celles-ci évoquent les « six élévations illuminatives, par lesquelles, comme par certains degrés ou chemins, l'âme est préparée à passer à la paix par les extases mystiques de la sagesse chrétienne. Mais il n'y a pas d'autre voie (pour y parvenir), sinon un très ardent amour du Crucifié » (éd. Quaracchi, t. 5, 1891, p. 295b). Une autre systématisation discerne sept degrés pour parvenir *ad soporem pacis* (*De triplici via* 3, 2, t. 8, 1898, p. 12 ; cf. encore *Sermo 3 in dominicam ɪ post Pascha*, t. 9, 1901, p. 292-293).

Un autre franciscain, Guibert de Tournai (DS, t. 6, col. 1139-1146), compose vers 1276 un *Tractatus de pace* en 29 chapitres (éd. É. Longpré, coll. Bibliotheca franciscana ascetica medii aevi 6, Quaracchi, 1925). Il distingue quatre sortes de paix : *divina, angelica, mundana, humana* ; la dernière est la paix intérieure. La moitié du traité (ch. 15-29) est consacrée aux questions suivantes : quelles sont les conditions naturelles et surnaturelles qu'elle exige ? qu'est-ce qui lui fait obstacle ou la favorise ? où faut-il (25 : « quod in secreto cordis vera pax invenitur ») et ne faut-il pas la chercher ? L'objectif principal de Guibert est donc la paix intérieure. Non moins significatif est l'appel à la fuite du monde qui caractérise sa spiritualité : « Reviens à ton cœur, après avoir fermé la porte de tes sens extérieurs, car c'est porte fermée que le Seigneur dit à ses disciples : *La paix soit avec vous* » (25, p. 134).

La comparaison de ce traité avec la question *De pace* de saint Thomas (*Summa theologica* 2ᵃ 2ᵃᵉ, q. 29) est très instructive. Tandis que le franciscain concentre son intérêt sur la paix intérieure, le dominicain réfléchit sur la paix en tant que telle : « Utrum pax sit idem quod concordia ? Utrum omnia appetant pacem ? Utrum pax sit proprius effectus caritatis ? Utrum pax sit virtus ? » (a. 1-4). Ailleurs, Thomas reprend la tradition augustinienne et médiévale (*Super Evang. S. Joannis Lectura*, lect. 7, sur *Jean* 14, 27, Rome, 1952, p. 368-369, n. 1961-1964) : « Sciendum est quod pax nihil est aliud quam tranquillitas ordinis : tunc enim aliqua dicuntur pacem habere quando eorum ordo imperturbatus manet. In homine autem est triplex ordo : scilicet hominis ad seipsum, hominis ad deum et hominis ad proximum, et sic est triplex pax in homine » (n. 1962).

Le *Paradisus animae*, venu d'une autre école dominicaine, celle d'Albert le Grand (éd. Borgnet, t. 37, p. 447-520 ; cf. P. G. Meersseman, *Introductio in opera omnia...*, Bruges, 1931, p. 124 ; TRE, t. 2, p. 181), reprend à nouveau l'idée de paix intérieure et la définit, dans l'esprit de la tradition patristique, comme la subordination des sens à l'esprit et de l'esprit à la volonté de Dieu :

« Pax vera ad Deum est cum quinque sensus et membrorum omnium usus et omnia interiora et exteriora opera ad nutum rationis disponuntur, cumque omnes cogitationes, affectiones, voluntates, intentiones et omnia exteriora secundum ordinationem rationis fiunt, et illa ratio secundum voluntatem Dei penitus ordinatur. Quotiescumque vero sine consensu rationis bene dispositae quicquam agitur, statim pax pectoris perturbatur ».

Du 13ᵉ siècle date aussi peut-être le *Sermo de pace* contenu dans la collection des *Sermones ad fratres in eremo* (PL 40, 1237-1239 ; cf. CPL, n. 377 ; DS, t. 8, col. 1424), mise sous le nom d'Augustin et pour cette raison fréquemment citée dans la suite ; ce n'est en fait qu'une hymne à la paix, une suite d'effusions rhétoriques sans contenu original.

La paix en général, la paix intérieure en particulier, c'est là un *topos* littéraire médiéval, du 7ᵉ au 13ᵉ siècle. Les auteurs en traitent avec plus ou moins de talent et d'originalité. Celui qui en parle ne la possède pas ou ne la cherche pas forcément ; celui qui la possède n'est pas toujours capable d'écrire à son sujet. Il y a cependant des cas privilégiés où l'expérience et le don d'écrire se rencontrent. Ainsi en Guigues, premier prieur de la Chartreuse † 1136 (DS, t. 6, col. 1169-1175). Dans ses *Meditationes* (éd. A. Wilmart, *Le recueil des pensées du B. Guigues,* Études de philosophie médiévale 22, Paris, 1936 ; cf. G. Misch, *Studien zur Geschichte der Autobiographie,* t. 3/1, Francfort, 1959, p. 398-439 ; DS, t. 6, col. 1170), que l'on a pu comparer aux *Pensées* de Marc Aurèle (DS, t. 10, col. 255-264), il formule en divers endroits des réflexions personnelles sur la paix intérieure qui frappent par leur originalité, leur clarté et leur profondeur.

Une des vues fondamentales du prieur cartusien est qu'il n'y a pas de paix qui ne soit basée sur la vérité, une vérité que nous n'acceptons pas aisément : « Tu fais tout en vue de la paix, et le chemin pour y parvenir est la vérité seule : c'est ton adversaire (avec lequel tu dois t'accorder) en ce chemin (cf. *Mt.* 5, 25). Alors, ou bien soumets-la à toi-même, ou bien soumets-toi à elle. Tu n'as pas d'autre solution » (éd. Wilmart, n. 144, p. 92 ; l'éd. de PL 153, 601-632 est incomplète et distribue autrement les « pensées »). La cause de notre paix est toujours en dehors de nous : « Que le lac ne se glorifie pas de l'abondance des eaux : elle vient de la source. Ainsi en est-il pour toi de la paix. C'est toujours quelque chose d'autre qui est cause de ta paix. Elle sera donc d'autant plus fragile et trompeuse qu'est changeant l'objet dont elle vient. Qu'elle est donc vile, quand elle vient de la beauté d'un visage humain » (n. 113, p. 87).

Paix terrestre et paix éternelle : « Tu désires une paix de trois ans. Pourquoi pas plutôt une paix d'années sans fin et éternelle ? » (n. 40, p. 76). Paix et amour du Christ : « Le Seigneur te prescrit la béatitude, c'est-à-dire son parfait amour ; de là vient qu'il ne laisse pas être troublé ni apeuré (cf. *Jean* 14, 27) : c'est la paix et la sécurité » (75, p. 81). Paix et amour de Dieu : « Tu as vu parfois, quand on détruit un nid de fourmis, comment chacune s'empare de ce qu'elle aimait, c'est-à-dire un œuf, en méprisant son propre salut. Aime ainsi la vérité et la paix, c'est-à-dire Dieu » (221, p. 104). Enfin, la paix est le principe de toute stabilité : « De même que toutes choses restent stables par la ressemblance et la paix, ainsi elles meurent par la dissemblance et la discorde » (421, p. 155 ; cf. encore la table alphabétique fournie par A. Wilmart, p. 229-231). Guigues a centré ses méditations presque entièrement sur la paix intérieure ; il annonce ainsi les auteurs que nous allons étudier.

3. La paix intérieure dans les mystiques allemande et espagnole des 14ᵉ-16ᵉ siècles. — La plupart des témoins mentionnés ci-dessus associent la paix intérieure à d'autres formes de paix. La caractéristique des auteurs mystiques postérieurs est de la dissocier de cet ensemble plus vaste. En ce sens, on peut parler d'une « spécialisation » du thème. Mais il faut auparavant mentionner un précurseur, Richard de Saint-Victor † 1173, dont les écrits donnent à la paix intérieure un rôle important. En effet, le victorin, dans la voie de l'union mystique de l'âme avec Dieu, distingue six degrés d'accroissement de la paix :

« Videamus ergo nunc quibus gradibus haec pax crescat. Prima est desiderii sui longa exspectatio ; exspectationem sequitur circumspectio, circumspectionem contemplatio, contemplationem admiratio, admirationem exultatio, exultationem dulcedo » (*Adnotatio in Ps.* 30, PL 196, 274b ; en fait l'auteur commente *Ps.* 4, 9). Le mystique parvenu à la pleine union avec Dieu jouit d'une paix que Richard décrit ainsi : « Haec est illa pax in qua anima obdormit ; pax quae mentem ad interiora rapit ; pax quae exteriorum omnium memoriam intercipit, quae iniqui acumen exsuperat, quae rationis lumen reverberat, quae desiderium cordis replet, quae omnem intellectum absorbet » (276b). Cet état de l'âme est encore caractérisé par le *silence* et le *sommeil* (276cd).

Dans l'*Adnotatio in Ps.* 28, Richard distingue diverses formes de paix : « Prima igitur pax, quae est ad Deum, adipiscenda est per oboedientiam. Secunda quae est ad mundum, conservanda est per patientiam. Tertia, quae est de carne, acquirenda est per abstinentiam. Quarta, quae est de diabolo, obtinenda est per prudentiam et maxime per orationis instantiam, quae quidem ad omnem pacem necessaria invenitur, sine qua nulla acquiritur, nulla possidetur » (319bc). De la paix que donne l'union mystique, paix « de ceux qui entrent quelque peu » dans la Jérusalem céleste, Richard n'ose parler qu'en termes allusifs : « Experti potius de hujusmodi secreto loquantur » (318a-322a ; cf. *Adnot. in Ps.* 40, 321-322 ; *in Ps.* 84, 327d-330a).

Maître Eckhart † 1328 (DS, t. 4, col. 93-116) apporte, pour la conception spécifiquement mystique de la paix intérieure, une formule qui sera difficilement dépassée dans la suite : « Notre Seigneur dit : ' En moi seul vous avez la paix '. Autant on a pénétré en Dieu, autant on a pénétré dans la paix. Ce qui a son moi en Dieu a la paix ; ce qui a son moi hors de Dieu n'a pas la paix... Ce qui est né de Dieu cherche la paix et court vers la paix... L'homme en train de courir, et courir constamment vers la paix, est un homme céleste. Le ciel poursuit constamment sa course et dans sa course il cherche la paix » (*Predigt* 7, éd. J. Quint, *Deutsche Werke,* t. 1, Stuttgart, 1936, p. 456 ; trad. franç. de J. Ancelet-Hustache, *Sermons,* t. 1, Paris, 1974, p. 89). Voir aussi *Reden der Unterweisung* 2, 23, *Deutsche Werke,* t. 5, p. 538. Dans un autre passage de ce traité, Eckhart enseigne que chacun doit trouver sa propre voie vers la paix, et non se fatiguer à imiter les actions des saints (2, 17, p. 521).

Jean Tauler † 1361 et Henri Suso † 1366 (DS, t. 7, col. 234-257) définissent les conditions de la paix : mortification, abnégation de soi-même, méditation de la vie du Christ (Tauler, *Sermon pour le 1ᵉʳ dimanche après Pâques* : « Comment par l'abnégation de nous-mêmes et de toutes choses nous devrons parvenir, à travers trois degrés, à la vraie paix et à la pureté du cœur » ; trad. franç. E.P. Noël, *Œuvres,* t. 2, Paris, 1911, p. 336-341 ; Suso, « Comment un homme trouve en Dieu la paix du cœur » ; trad. P.G. Thiriot, t. 2, Paris, 1889, p. 315-319). On notera que l'authenticité de ces deux écrits est mal assurée ; ils sont néanmoins des témoins de la même spiritualité. De même Henri Herp † 1478 (DS, t. 7, col. 346-366), dans sa *Theologia mystica* (I, 79, Rome, 1586, p. 348-351 « De tertio gradu patientiae... ducens ad fruitionem pacis et qualiter illam consequi poterimus »), définit la paix comme « le fruit et l'état de l'âme très pure, qui est totalement unie à Dieu par l'amour spirituel (*per affectum mentis*) et ne cherche rien en dehors de lui, mais se repose et se pacifie en lui » (p. 349).

Luther a vu dans la *Theologia deutsch* (2ᵉ moitié du 14ᵉ s. ; éd. critique W. von Hinten, *Der Franck-*

*forter,* Munich, 1982, avec introd.), dont il est un admirateur et le premier éditeur (1516, 1518), un condensé de tout Tauler. L'auteur du traité donne de la paix intérieure une description plutôt classique. En opposition à « la paix extérieure », celle du monde, il la conçoit comme un don immédiat du Christ, qui permet au disciple de trouver la joie, « à l'intérieur », au milieu des « assauts » (*Anfechtung,* un mot-clé de la spiritualité de Luther ; cf. DS, t. 9, col. 1230) et des « contrariétés » :

« En cette parole (*Jean* 14, 27), on doit bien remarquer que le Christ ne pense pas à la paix corporelle et extérieure. Car les disciples aimants et tous les autres amants ou imitateurs du Christ ont dès le début subi des grandes épreuves, des persécutions et des martyres ; et le Christ lui-même a dit : 'En ce temps, vous subirez des persécutions'. Non, le Christ pense à la paix véritable, intérieure, celle du cœur, qui commence ici-bas et dure dans l'éternité. C'est pourquoi il dit : 'non comme le monde la donne', car le monde est menteur et trompe dans ses dons. Il promet beaucoup et tient peu. Personne ne vit sur terre qui connaisse toujours le repos et la paix, sans tribulation et contrariétés, pour qui tout vienne toujours selon sa volonté. Il faut ici souffrir, de quelque côté qu'on se tourne. Et lorsqu'on est délivré d'un assaut, il en vient peut-être deux à sa place. C'est pourquoi accepte cela volontiers, et cherche seulement la vraie paix du cœur, celle que nul ne peut t'enlever, et avec laquelle tu surmonteras tous les assauts » (ch. 12 ; éd. citée, p. 87, variante).

La paix intérieure au milieu des tentations intérieures et extérieures : telle est aussi l'enseignement de l'auteur de l'*Imitatio Christi* (milieu 15ᵉ s. ; cf. DS, t. 7, col. 2338-2368), qui ne relève pas de la mystique allemande au sens strict, mais reste sous son influence : « Sed volo te non talem quaerere pacem quae tentationibus careat aut contraria non sentiat ; sed tunc etiam estima te pacem invenisse, cum fueris variis tribulationibus exercitatus et in multis contrarietatibus probatus » (III, 12, 1). Ces phrases auraient pu trouver place dans le *Theologia deutsch.* Dans un autre passage, l'auteur voit le rapport dialectique de l'épreuve et de la paix dans la lumière de la croix du Christ : « Ecce in cruce totum constat, in moriendo totum iacet, et non est alia via ad vitam et ad veram internam pacem nisi via sanctae crucis et cottidianae mortificationis » (II, 12, 3). Il reste d'autre part dans la tradition augustinienne et ascétique : « Resistendo igitur passionibus invenitur vera pax cordis, non autem eis serviendo. Non est ergo pax in corde hominis carnalis, non in homine exterioribus dedito, sed in fervido et spirituali » (I, 6, 2).

La condition nécessaire de la paix est la conversion intérieure : « Vae nobis, si sic volumus declinare ad quietem, quasi iam pax sit et securitas, cum necdum appareat vestigium verae sanctitatis in conversatione nostra » (I, 22, 7). La condition de la paix envers le prochain est aussi la paix en son propre cœur : « Tene te primo in pace, et tunc poteris alios pacificare » (II, 3, 1).

L'abnégation de soi-même est toujours le chemin de la paix : « Dixi tibi saepissime et nunc iterum dico : relinque te, resigna te, et frueris magna interna pace » (III, 37, 5 ; cf. 53, 3). Et voici l'application concrète de cette abnégation : « Fili, nunc docebo te viam pacis et verae libertatis... Stude, fili, alterius potius facere voluntatem quam tuam. Elige semper minus quam plus habere. Quaere semper inferiorem

locum et omnibus subesse. Opta semper et ora ut voluntas Dei integre in te fiat. Ecce talis homo ingreditur fines pacis et quietis » (III, 23, 1-3). Ce chemin conduit l'homme jusqu'à Dieu, qui est la paix suprême : « Vere tu es pacificus meus, in quo pax summa et requies vera, extra quem labor et dolor et infinita miseria » (IV, 13, 2). Cf. encore I, 11 ; II, 2 et 5 ; III, 44.

Denys le chartreux † 1471 (DS, t. 3, col. 430-449), qui connut une certaine expérience mystique, a écrit un *De gaudio spirituali et pace interna,* dont le second livre concerne notre thème (*Opera omnia,* t. 40, Tournai, 1911, p. 551-581). Sa valeur tient surtout aux citations et commentaires des textes de la tradition antérieure : Chrysostome, Basile, Léon le Grand, Augustin, Pseudo-Denys, Grégoire, Bède, Isidore, Cassiodore, Bernard, Richard de Saint-Victor, Bonaventure, Pseudo-Albert ; son autorité principale est cependant saint Thomas. Il est difficile de dégager ses apports personnels, mais on peut lui attribuer en particulier la distinction de trois degrés de la paix en fonction des trois degrés de la charité :

« Primus gradus est cum homo per caritatem sic quietatur in Deo tanquam in fine summo, ultimato ac optimo, quod nihil eum avellit ab ipso, ita quod nulli rei creatae, caducae aut vitio magis inhaeret quam domino Deo... Secundus gradus est cum homo per speciale pignus... Spiritus sancti uberiore laetitia et confidentia pleniore infunditur atque in Deo sic quietatur ita quod etiam permissas et licitas consolationes respuit et fervente et pie se esse de numero electorum confidit. Tertius gradus est dum homo cum omnium creaturarum fastidio tam suaviter et nonnumquam ecstatice seu per raptum et ecstasim Deo unitur, quod per amorem unus secum spiritus excellenter efficitur » (II, 8, p. 562-563). Denys introduit chaque chapitre par un texte scripturaire approprié.

Les mystiques rhéno-flamands laissent entrevoir qu'ils ne font pas seulement la théorie de la paix intérieure : ils traduisent leur expérience. Cette impression s'accroît avec les mystiques espagnols.

Thérèse d'Avila apprit l'oraison de recueillement dans le *Tercer Abecedario espiritual* du franciscain François d'Osuna † 1540/41 (éd. M. Andrés, BAC, Madrid, 1972), un des grands précurseurs de la mystique espagnole du *Recogimiento.* Cet ouvrage, dont le traité sur « la guerre des pensées », comporte un chapitre sur la paix intérieure (VII, 7, éd. Andrés, p. 269-272 ; trad. franç. dans *Orient. Revue de pénétration franciscaine,* t. 11, 1927, p. 59-66 : « Comment trouver un peu de paix »). Les formules d'Osuna frappent par leur spontanéité et leur originalité :

« Que Dieu débarrasse l'âme de la guerre, c'est beaucoup ; mais que, débordant l'âme, cette paix pénètre jusqu'à ces dernières extrémités cette boue toute inerte que nous portons avec nous dans un corps fait de terre, voilà la merveille... Cette paix, le Seigneur la promet à tout homme qui la cherche (*Jér.* 29, 11-14)... Il en est de fait ainsi : Dieu fera entendre les promesses de paix à son peuple, aux puissances, aux facultés de notre âme » (trad., p. 60-61). Osuna sait que « la paix est en toute vérité un bien si excellent que pour la réaliser il n'y faut pas moins que la main de Dieu » (p. 59) ; il invite cependant ses lecteurs à faire effort pour y parvenir (p. 61).

Pour Thérèse d'Avila + 1582, le critère de la paix intérieure est que le démon ne peut « contrefaire les effets des paroles divines (intérieures), ni laisser dans l'âme la paix et la lumière ; il y laisse au contraire l'inquiétude et le trouble » (*Moradas* VI, 3, 16 ; cf. 6, 6). L'âme qui est parvenue à l'union la plus haute connaît une paix durable, à laquelle ne peut faire obstacle le conflit dans les « demeures » inférieures (VII, 2, 10). Elle éprouve cette paix même dans les désolations : « Croyez-le : quand une âme est véritablement humble, même si Dieu ne lui donne jamais de consolation intérieure, il lui donnera cependant une paix et une soumission qui la rendra plus heureuse que d'autres dans les consolations » (III, 1, 9 ; cf. *Meditaciones sobre los Cantares* 3, 1). Lorsque la grande maîtresse en conduite des âmes décrit les formes de la fausse paix (persistance des péchés véniels, complaisance en soi-même, manque d'abnégation, etc.), il s'agit toujours de la paix que l'on connaît par expérience (*Medit. sobre los Cant.* 2, qui énumère neuf causes de fausse paix).

De même, pour Jean de la Croix † 1591 (DS, t. 8, col. 407-447), la « paix profonde » de l'âme dans la « nuit obscure » des sens (*Noche* I, 9, 7 ; 13, 3 ; II, 9, 6), qui lui est donnée après « une dure guerre » (II, 9, 9), est une paix expérimentée dont l'âme est assurée malgré les tentations de l'ennemi : « Elle sent clairement et se va réjouissant de posséder si sûrement cette tranquille paix et saveur de l'Époux caché, que le monde ni le diable ne peuvent donner ni ôter... Et elle sent cette force et cette paix, encore que souvent elle sente la chair et les os être tourmentés au dehors » (II, 23, 4 ; trad. franç. par Cyprien de la Nativité, *Œuvres*, Paris, 1967, p. 486-487). C'est une paix que l'âme peut éprouver par moments même avant la fin du chemin de purification : « (l'âme) mise en récréation de latitude et de liberté sent et goûte une grande suavité de paix et une amoureuse familiarité avec Dieu » (II, 7, 4 ; trad., p. 437 ; cf. I, 10, 5, p. 408).

Ignace de Loyola † 1556, qui n'appartient pas au cercle de la mystique du *Recogimiento*, mais a vécu une expérience mystique propre, parle de la paix intérieure de la même manière que Thérèse d'Avila et Jean de la Croix. L'expérience de la paix est le critère décisif dans le choix à faire à propos de la pauvreté des maisons professes de son ordre : « A la tombée de la nuit, passé aux élections... avec grande dévotion, paix intérieure et tranquillité d'âme, avec une assurance certaine ou sentiment que l'élection était bonne » (*Diario espiritual*, dans *Obras completas*, BAC, Madrid, 1952, p. 287). Éprouve cette paix celui qui se confie totalement à Dieu (*Lettre à Fr. Talpino*, p. 751), spécialement dans une parfaite obéissance (*Lettre aux Pères et Frères de Gandie*, p. 739) ; elle est par contre inconnue aux tièdes (*Aux Pères et Frères de Coïmbre*, p. 723). La Règle commune 28 (tirée des *Constitutions* III, 1, 4, p. 427-428 : « Se maintenir dans la paix et la vraie humilité de l'âme ») recommande encore la paix intérieure. Celle-ci enveloppe en elle tous les dons du Seigneur : « La paix de Notre Seigneur, qui est intérieure, entraîne avec elle tous les autres dons et grâces nécessaires au salut et à la vie éternelle ; en effet cette paix fait aimer le prochain par amour de son Créateur et Seigneur, et l'aimant ainsi, elle garde tous les commandements de la loi » (*Aux habitants d'Azpeitia*, p. 675).

Les écrivains spirituels espagnols ont été marqués, comme jadis Denys le chartreux, par l'insistance des grands mystiques sur la paix intérieure. En 1580 paraît à Salamanque et Alcala le *Tratado de la paz del alma* du franciscain Juan de Bonilla (DS, t. 1, col. 1859). A la différence du traité de Denys, ce n'est pas un ouvrage théorique et scolastique, mais un guide pratique qui connut dans les siècles suivants un extraordinaire succès (trad. ital. en 1587 ; franç. en 1662 ; anglaise, latine, etc. ; dernière trad. franç. en 1912). Dans une langue simple et avec une psychologie affinée, Bonilla introduit en 15 brefs chapitres à une spiritualité de la paix : « L'expérience vous apprendra qu'il n'y a point de chemin plus découvert ni qui mène plus droit à la vie éternelle que celui de la paix. Vous verrez en effet, sitôt que vous l'aurez pris, la charité, l'amour de Dieu et du prochain s'infiltrer dans votre âme » (trad. franç., Paris, 1912, p. 44).

Luis de León † 1591 (DS, t. 9, col. 634-643) mérite d'être mentionné pour le chapitre « Christ, prince de la paix » de son ouvrage sur *Les noms du Christ* (1583 ; trad. franç. de R. Ricard, Paris, 1978, p. 208-243). Avec des images expressives et dans un style distingué, le poète retrouve les intuitions traditionnelles sur la paix et ses différentes formes. La paix intérieure est la source de l'amour de Dieu et des hommes (trad., p. 218). En un texte de grande beauté, Luis présente la contemplation du ciel étoilé comme modèle et source de la paix :

« Si nous sommes attentifs à ce qui se passe en nous secrètement, nous verrons que cet ordre harmonieux des étoiles, quand nous le regardons, met nos âmes en repos et nous verrons qu'il suffit de le regarder de nos yeux avec attention, sans que nous en ayons conscience, pour que nos désirs et nos affections désordonnées, qui le jour mènent un bruit confus dans nos cœurs, s'apaisent peu à peu, semblent s'assoupir, se calment, prennent chacun une place tranquille, acceptent d'eux-mêmes une harmonieuse sujétion. Et nous verrons que... le principal maître de l'âme, c'est-à-dire la raison, recouvre son droit et sa force et, comme encouragée par ce magnifique spectacle céleste, conçoit des pensées nobles et dignes d'elle-même, paraît se souvenir de sa première origine et, à la fin, met à sa place tout ce qui est vil et bas et le foule aux pieds. Quand elle est ainsi placée sur son trône en impératrice et que toutes les autres parties de l'âme sont remises à leur place, l'homme demeure tout entier dans l'ordre et dans la paix » (p. 209).

Un siècle plus tard, Miguel de Molinos † 1696 (DS, t. 10, col. 1486-1514) écrit longuement sur la paix. Nous devons nous borner à signaler les titres de quelques chapitres de sa *Guia espiritual* (éd. critique J. I. Tellechea, Madrid, 1975) : « Le moyen pour acquérir la paix intérieure n'est pas le goût sensible, ni la consolation spirituelle, mais la négation de l'amour propre » (III, 1) ; « La mortification intérieure et la parfaite résignation sont nécessaires pour acquérir la paix intérieure » (5-6) ; « Il est nécessaire que l'âme connaisse sa misère » (8) ; « La solitude intérieure est ce qui conduit par-dessus tout à l'obtention de la paix intérieure » (11) ; « Comment le rien est le chemin pour obtenir la pureté de l'âme, la parfaite contemplation et le riche trésor de la paix intérieure » (18) ; « De la souveraine félicité de la paix intérieure et de ses merveilleux effets » (20).

4. SPIRITUALITÉ FRANÇAISE DES 17ᵉ-19ᵉ SIÈCLES. – C'est surtout dans la grande tradition de la spiritualité française que le thème de la paix intérieure reçoit son plein développement. Pour certains auteurs, on peut même parler d'une *spiritualité de la paix intérieure*. Il semble qu'on puisse les distinguer en deux groupes. Le premier reste plus ou moins dans la ligne de l'an-

cienne tradition et conçoit la paix avant tout comme la subordination des puissances de l'âme à la raison, de celle-ci à la loi divine. Le deuxième groupe, formé principalement d'auteurs spirituels jésuites, comprend la paix comme un état de l'âme, une étape sur le chemin de la perfection ; des moyens bien définis aident à réaliser cet état ; des obstacles bien définis s'y opposent.

1° *Dans la ligne de l'ancienne tradition* se situe explicitement François de Sales † 1622 avec son *Sermon pour le mardi de Pâques* (*Œuvres*, t. 9, Annecy, 1897, p. 286-307). D'abord, une note originale : « En somme, le saint Évangile ne traite presque partout que de la paix, et comme il commence par la paix, de même il finit par la paix pour nous enseigner que c'est l'héritage que le Seigneur Dieu notre maître a laissé à ses enfants qui sont en la sujétion de la très sainte Église » (p. 291-292). François distingue ensuite, en se référant explicitement à la tradition (« la paix des saints Pères »), la paix avec Dieu, la paix entre les hommes, la paix avec nous-mêmes, pour développer finalement le dernier aspect, celui de la paix intérieure. Celle-ci n'est pas autre chose qu'une victoire de l'esprit sur la chair. Et l'esprit ne l'obtient, c'est ici encore un trait personnel, qu'en gardant fidèlement à ses côtés ses « trois soldats », c'est-à-dire l'entendement, la mémoire et la volonté (psychologie augustinienne), dans son combat contre la chair.

Blaise Pascal † 1662 est plus sceptique en ce qui concerne l'expérience de la paix intérieure : « Il n'y a point ici de paix » (Lettre du 24 septembre 1656 aux Roannez ; *Œuvres complètes*, éd. L. Lafuma, Paris, 1963, p. 266). Le combat entre la concupiscence, qui nous attire vers le bas, et Dieu qui nous attire vers le haut, ne finira qu'avec la séparation de l'âme et du corps. Cependant, « on peut dire que cette guerre qui paraît dure aux hommes, est une paix devant Dieu ; car c'est cette paix que Jésus-Christ a aussi apportée » (p. 266).

Fénelon est tout à fait dans la tradition : « La vraie paix n'est que dans la possession de Dieu et la possession de Dieu ne se trouve que dans la soumission à la foi et l'obéissance à la loi... Ne cherchez que Dieu et vous goûterez la paix » (*Réflexions pour tous les jours du mois*, 17ᵉ jour, « Sur la paix de l'âme » ; *Œuvres*, t. 18, Paris, 1823, p. 52-53). De même Jean-Baptiste de la Salle + 1719 (*Méditations*, pour le mardi de Pâques, éd. de Rouen, 1730, réimpr. anastatique dans *Cahiers lassaliens* 12, 1962, p. 97-99) : « Comme la véritable Paix intérieure procède de la Charité, rien n'est plus capable de la détruire que ce qui fait perdre la Charité et l'amour de Dieu... Qui nous séparera, dit Saint Paul, de la Charité de Jésus-Christ ?... La raison que Saint Paul apporte pour laquelle tous ces maux dont il a parlé (cf. *Rom*. 8, 35-39)... ne peuvent vous faire perdre la Charité, ni la Paix intérieure, c'est que vous devez être disposés à vous mortifier vous-mêmes ».

Jean-Jacques Olier † 1657, dans une lettre à Marie-Madeleine de la Trinité, recommande pour garder la paix intérieure « de laisser la possession de votre cœur anéanti à Jésus, roi de la paix et à Marie, mère de la suavité » (*Lettres*, Paris, 1935, p. 600). – Jean Eudes † 1680 (DS, t. 8, col. 488-501) rattache explicitement la paix au Cœur de Marie : « Que le cœur de la Mère de Dieu porte en soi une excellente ressemblance de la Paix de Dieu » (*Œuvres complètes*, t. 7, Paris, 1908, p. 72-76). Marie est le modèle de la Paix divine parce qu'elle met « tous les sens et toutes les facultés du cœur et de l'âme... sous l'emprise de la raison et sous les lois de l'Esprit de Dieu » (p. 73).

2° *École ignatienne*. – Jean-Baptiste Saint-Jure † 1657 traite de la « paix de l'âme » comme du huitième et dernier des « principes généraux de la vie spirituelle » (*L'homme spirituel ou la vie spirituelle traitée par ses principes*, 2ᵉ partie, Paris, 1646). Ces principes, ou « vérités fondamentales du Christianisme », doivent être connus et étudiés afin de triompher « du démon, du monde et de la chair », avec l'aide du Christ. Le premier est justement « qu'il faut avoir quelques principes » (ch. 1) ; viennent ensuite : considération des choses de notre état, fin de l'homme, union avec Jésus-Christ, pureté d'intention, exercice de la foi en toutes choses, prière continuelle (2-7). Quant à la paix intérieure (8), elle est, non pas *un* moyen, mais *le* moyen du progrès spirituel : « le chemin le plus court et le plus assuré pour arriver à la perfection » (éd. de Paris, 1889, p. 350). Les autres exercices et moyens spirituels tendent à ce but ultime : « Je dirai plus, la paix n'est pas seulement le chemin de la perfection, mais la perfection se trouve dans la paix » (p. 354).

Saint-Jure montre ensuite « en quoi nous devons pratiquer la paix » (p. 362-392) : dans nos actions particulières, avec notre prochain, dans nos désirs, nos pertes, nos imperfections, nos péchés, nos scrupules ; puis il traite des *moyens* pour l'acquérir (p. 392-456) : juste appréciation des choses, patience, humilité, modération des désirs, enfin « le plus efficace..., la conformité de notre volonté avec celle de Dieu ». Ce n'est pas un hasard si, à côté des nombreux auteurs spirituels que cite Saint-Jure, il allègue également l'autorité de Sénèque et d'Épictète (p. 355, 393, 399, etc.). La paix de l'âme dont il traite n'est pas sans analogies avec l'*apathie* stoïcienne, et elle ne coïncide pas tout à fait avec ce que les mystiques ont mis sous ce nom (cf. DS, t. 1, col. 727-746 ; Julien-Eymard d'Angers, *Étude sur les citations empruntées à Sénèque par J.-B. Saint-Jure dans son traité « De la connaissance et de l'amour du Fils de Dieu »...*, dans *Euntes docete*, t. 10, 1957, p. 122-143).

Jean-Joseph Surin † 1665 rejoint Saint-Jure, au plan formel, en ce sens qu'il conçoit lui aussi la paix de l'âme comme un chemin vers la perfection, conjointement avec la connaissance de soi-même, la pénitence, la récollection, la vigilance et l'assiduité dans les saints exercices (Lettre de 1661 à Louis Tillac sj, éd. M. de Certeau, *Correspondance*, Bruges-Paris, 1966, p. 1218-1221 ; sur la dépendance par rapport à L. Lallemant, cf. introd., p. 1209-1210) : « La paix de l'âme est encore une disposition d'où notre avancement spirituel dépend absolument » (p. 1218). Surin donne encore des conseils pratiques pour la réalisation de cette paix (p. 1220-1221). Mais, du moins dans les *Fondements de la vie spirituelle* (II, 8 commentant *Imitatio Christi* II, 3, 3 : « qui melius scit pati, maiorem tenebit pacem », éd. de Paris, 1879, p. 130-138), il se distingue de son confrère au plan du *contenu* : il décrit en effet la paix intérieure comme une expérience et même une jouissance de la souffrance et de la croix. Le premier degré consiste dans « la douceur que l'homme trouve dans la volonté de souffrir » (p. 132) ; le second, dans une « force grande, agréable au cœur et d'un sentiment très exquis, qui... fait désirer les tribulations » (p. 135). Le troisième « est une haute, surabondante et tranquille décharge de l'esprit en Dieu avec un goût de lui imperturbable...

Cette paix est causée par les extrêmes souffrances qui touchent le plus intérieur de l'âme » (p. 136). Voir encore *Catéchisme spirituel* I, 8, 4 « De la paix du cœur » (éd. Lyon-Paris, 1835, p. 478-484).

Chez Antoine Civoré † 1668 (DS, t. 2, col. 920-922), la paix n'est pas seulement une exigence nécessaire pour le progrès dans la perfection, mais encore une condition spécifique de « l'oraison par repos ». Parmi les « conditions de la paix nécessaires », il range la pureté de conscience, le retranchement des soins superflus, la modération de l'imagination et l'intention droite (*Les secrets de la science des saints...* III, 4, 1, Lille, 1651, p. 303-311).

Quant à lui, Louis Bourdaloue † 1703, dans son Sermon pour le dimanche de Quasimodo sur la paix chrétienne (*Œuvres complètes*, éd. Vivès, t. 1, Paris, 1876, p. 592-603), distingue une double paix donnée par le Christ ressuscité à ses disciples (*Jean* 20, 21) : celle de l'esprit qui vient de la foi, et celle du cœur qui vient de l'obéissance à Dieu ; cette double paix fait que le chrétien est intérieurement pacifié, sans conflit avec son prochain et surtout « content de Dieu ».

Jean-Nicolas Grou † 1803 (DS, t. 6, col. 1059-1083), dans son *Manuel des âmes intérieures* (Paris, 1889, p. 250-254 De la paix de l'âme), énonce cette affirmation : « Dès qu'une âme, par un généreux effort d'avancer... s'est déterminée à ne rien refuser à Dieu..., dès ce moment Dieu verse en elle une paix ineffable, une paix qu'elle n'avait jamais goûtée jusqu'alors » (p. 251). Comme pour Saint-Jure, cette paix est « le principe de notre avancement. Plus elle devient intime, inébranlable, inaccessible à tout ce qui peut la troubler, plus nous croissons en perfection, en sorte que le comble de cette paix et le comble de la perfection, c'est la même chose » (p. 251). Tout revient donc à conserver cette paix et à l'accroître. Grou donne quelques « règles » pour atteindre ce but (p. 252-254). Dans son traité *De la paix de l'âme* (éd. A. Rayez, RAM, t. 44, 1968, p. 183-215, 425-442 ; t. 45, 1969, p. 263-281), il offre le même enseignement (surtout ch. 16-20) ; les derniers chapitres (27-32) réfléchissent sur la paix avec le prochain et en montrent le secret : « Voulez-vous avoir part à la paix divine qui régnait dans le cœur de Jésus-Christ ? Aimez vos frères comme lui-même vous a aimés, aimez-les comme ses membres et ses images vivantes » (ch. 31).

Édouard Brignon de Lehen † 1867 (DS, t. 9, col. 544-545) va encore plus loin : il comprend toute la vie spirituelle comme *La voie de la Paix intérieure*, titre de son ouvrage (Paris, 1867) divisé en quatre parties : I. De la soumission aux ordres de la divine providence ; II. De la solide piété nécessaire pour la paix intérieure, et de la voie par laquelle Dieu conduit les âmes à la perfection et les établit dans cette paix ; III. Des moyens de conserver la paix au milieu de nos tentations et de nos infirmités spirituelles ; IV. Des scrupules. L'*avertissement* donne comme but de cette introduction à la vie spirituelle « d'aider les âmes à conserver le calme de la paix intérieure ou à le recouvrer si elles avaient eu le malheur de perdre un trésor si précieux » (p. 1). Avec ses multiples conseils pratiques et ses fines remarques, l'ouvrage peut atteindre ce but ; cependant les pages qui traitent au sens strict de la paix (III, 1-4, p. 209-219) comptent parmi les plus faibles que l'on a écrites sur ce sujet.

Les jésuites n'ont évidemment pas été les seuls à traiter ce thème. Le *Traité de la paix intérieure* (1e éd., Paris, 1757), du capucin Ambroise de Lombez † 1778 (DS, t. 1, col. 430-432), offre toute une spiritualité basée sur ce thème, qui se compare parfois avec avantage aux traités des jésuites. Il a connu un énorme succès attesté par les nombreuses éditions et traductions (dernière éd. franç., Blois, 1962). Voir DS, t. 1, col. 431, avec la description des quatre parties.

Mentionnons pour finir deux auteurs, de tendance d'ailleurs contraire. Mme Guyon † 1717 (DS, t. 6, col. 1306-1336), que l'on a taxée de quiétisme, décrit ainsi sa propre expérience : « O que cette profonde résignation donne de paix à l'âme !... Il est impossible de comprendre ce que c'est cette paix par tout le raisonnement humain : il n'y a que l'expérience qui le puisse faire comprendre... Cette paix... immerge et submerge toutes les puissances dans une abondance de paix..., un fleuve de paix. C'est dans cette paix que les puissances se noient et meurent pour ainsi dire à toute opération active » (*La sainte Bible*, Ép. de S. Paul aux Phil. avec des Explications et Réflexions qui regardent la vie intérieure, *Œuvres*, t. 18, Paris, 1790, p. 624-625 ; cf. t. 16, p. 418-419, 453-454, 522-523). François Guilloré sj † 1684 (DS, t. 6, col. 1278-1294), par contre, met en garde contre les « illusions de la paix de l'âme » (*Les secrets de la vie spirituelle qui en découvrent les illusions* III, 7, Paris, 1922, p. 517-538). Même là où la paix semble assurée, dans les communications divines, les adversités, les tentations et la privation de tous les biens intérieurs, peuvent se glisser la tromperie et l'illusion. Seule est soustraite à l'illusion la « paix nue », qui ne repose sur rien de créé (p. 538).

*Conclusion.* – De nos jours, la paix intérieure reste encore un problème de vie spirituelle, comme l'atteste par exemple le succès de l'opuscule *Paix et Joie* de Germain Foch sj † 1929 (Toulouse, 1923, etc. ; cf. DS, t. 5, col. 526). Cependant, l'intérêt s'est déplacé, et cela pour deux raisons. D'abord, les recherches exégétiques ont révélé la richesse de l'idée de paix telle qu'elle apparaît dans l'ancien et le nouveau Testament, avec ses exigences au plan personnel et au plan interpersonnel. Le chrétien d'aujourd'hui a pris conscience que la paix est un fruit de l'Esprit (*Gal.* 5, 22) et un don de Dieu, mais aussi qu'il doit réaliser la béatitude des pacifiques (*Mt.* 5, 9), et donc travailler à la paix entre les hommes. Ensuite, depuis les guerres mondiales, la paix intérieure n'est concevable qu'en relation avec la paix universelle ; pour les obtenir l'une et l'autre, la lutte n'est plus à mener seulement contre soi-même et contre les tentations mais encore contre les situations d'injustice et de violence. Cette perspective rejoint d'ailleurs la « paix biblique » et l'ordre diversifié de la paix tel que le présentait déjà Augustin. Cf. R. Coste, *Paix messianique et paix humaine*, NTR, t. 95, 1963, p. 622-634.

Dans la tradition orientale, surtout dans le monachisme, la notion de paix intérieure s'est développée dans une tout autre perspective, plus mystique qu'ascétique ; elle s'est identifiée plus ou moins avec la notion d'*hèsychia* (DS, t. 7, col. 381-399). Les auteurs orientaux affirment eux aussi que l'*hèsychia* est un but à atteindre, et qu'elle présuppose comme conditions la « garde du cœur » (DS, t. 6, col. 101-108), la *nèpsis* (DS, t. 11, col. 110-118), la prière continuelle (cf. art. *Mnèmè Theou*, DS, t. 10, col. 1407-1414). Ainsi, quoique divergentes dans leur développement, les deux traditions se rejoignent-elles dans leur fondement et leur visée.

*Autres ouvrages sur la paix au 17e siècle.* – Jacques Vignier sj, *La paix de l'âme*, Reims (?) ; Lyon, 1635, 1637 ; Autun, 1642. – Pierre Nicole (DS, t. 11, col. 309-318, surtout col. 312-313) critique, dans *Les visionnaires* (Liège, 1667), J. Desmarets de Saint-Sorlin (DS, t. 3, col. 624-629) et son *chemin de la paix et celui de l'inquiétude*, 2 vol., Paris, 1665-1666.

Il y aurait lieu d'étudier aussi les relations entre la spiritualité de la paix et la « spiritualité de l'abandon », qui apparaît à une époque quelque peu antérieure (cf. DS, t. 1, col. 13-25 et 42-48 ; on décrirait aujourd'hui avec plus de nuances l'histoire du « faux abandon », mais la documentation reste valable). Il semble que les traités sur la paix intérieure visent à corriger discrètement les excès possibles de la spiritualité d'abandon.

*Ouvrages et articles récents.* – G. Foch, cité *supra*. – H. Riondel, *Pax vobis. Aux âmes inquiètes*, Paris, 1934. – Th. Merton (DS, t. 10, col. 1060-1065), *Monastic Peace*, Gethsemani, 1958 ; trad. franç. par Marie Tadié, Paris, 1961. – J. Comblin, *Théologie de la paix*, Paris, 1960. – J. Folliet, *Ainsi vous trouverez la paix du cœur*, Paris, 1970.

E. Biser, *Der Sinn des Friedens. Ein theologischer Entwurf*, Munich, 1960, p. 167-207. – P. Wolff, *Die christliche Friedensidee. Ein Beitrag zu ihrer Theologie und ihrer geschichtliche Wirkung*, dans *Perennitas*, Beiträge... Th. Michels, Münster, 1963, p. 521-537. – D. López Tejada, *La paz interior y el buscar Dios en todas las cosas ; La paz interior, criterio de espíritus*, dans *Revista de Espiritualidad*, t. 24, 1965, p. 475-504 ; 551-562. – A. Portolano, *L'etica della pace nei primi secoli del Cristianesimo*, Naples, 1974. – P. Casella, *La pace in S. Tommaso* (extrait de thèse, Univ. du Latran), Rome, 1978, 124 p. – T. Renna, *The idea of Peace in the West 500-1500*, dans *Journal of Medieval History*, t. 6, 1980, p. 143-167. – *Revista de Espiritualidad*, t. 39, n. 154, 1980. – *The Way*, t. 22, n. 2, 1982.

EC, t. 9, 1952, col. 495-499 (A. Messineo). – RGG, t. 2, 1958, col. 1133-1141 (H.H. Schrey, W. Dignath). – LTK, t. 5, 1960, col. 366-371 (E. Schick, E. Biser, K. Mayr). – *Encyclopédie de la foi* (éd. allem. *Handbuch Theol. Grundbegriffe*), t. 3, 1966, p. 236-241 (E. Biser). – NCE, t. 11, 1967, p. 37-45 (P.C. Curran, M. Rodriguez, C.G. Fenwick, J.J. Wright). – *Sacramentum mundi*, t. 2, 1968, col. 110-118 (J. Terán-Dutari). – DTC, *Tables*, 1972, col. 3407-3409 (A. Michel). – DES, t. 2, 1975, p. 1353-1354 (C. Gennaro).

Hermann Josef SIEBEN.

**PALAFOX Y MENDOZA** (JEAN), évêque, 1600-1659. – 1. *Sources historiques.* – 2. *L'homme.* – 3. *Les écrits.* – 4. *Doctrine spirituelle.*

1. Les SOURCES HISTORIQUES qui permettent d'aborder les aspects multiples de la physionomie controversée de Palafox doivent être réparties en trois catégories : celles d'ordre objectif, qui rapportent des faits, les écrits autobiographiques et enfin ceux qui comportent des jugements de valeur émis par des contemporains.

Le cadre de la vie extérieure de Palafox est aujourd'hui fort bien connu, grâce aux recherches de G. García, C. de Arteaga et F. Sánchez-Castañer (cf. Bibl.). Lui-même fournit nombre de données dans ses divers ouvrages, notamment dans les *Memoriales*. Quant aux documents autobiographiques, on peut dire que presque toute la production littéraire de l'auteur comporte ce caractère.

Ainsi, sans nul doute, son livre *Vida interior*, qui a pour sous-titre *Confesión y confusión de un pobre y miserable*

*pecador* (éd. posthume, Séville, 1691). Palafox justifie ainsi la mise par écrit de ces « souvenirs de misères et de miséricordes » : 1) le premier et principal motif est la gloire de Dieu, dont elles manifestent si bien la bonté à l'égard de ce pauvre pécheur ; 2) puis il y a l'avis de ses confesseurs, qui ont jugé utile et désirable de les voir publiées après sa mort ; 3) il y a aussi son utilité personnelle, ces pages étant un miroir où il voit reflétées les misères de son passé, les miséricordes et grâces par lesquelles Dieu l'en a libéré ; 4) son ardent désir de vivre en crainte et en espérance, appliqué au don total de lui-même, au service de Dieu et du prochain ; 5) et il a la certitude d'avoir entendu au fond de lui-même une voix mystérieuse qui lui disait : « Pourquoi ne pas mettre par écrit mes miséricordes et tes propres misères ? » (*Vida interior*, ch. 1). Un aveu de ce genre, comme du reste presque toutes les actions de l'auteur, reçut l'approbation de ses admirateurs, mais fut aussi désapprouvé par ceux qui le critiquaient.

Les biographies d'allure apologétique apparaissent sans tarder : le bénédictin Gregorio de Argáiz, son confesseur, en écrivit une peu après sa mort ; quelques années plus tard, Antonio González de Rosende publia une *Vida* (Madrid, 1666) qui, malgré son style compliqué et son tour apologétique, contient des données nouvelles utilisées par les biographes modernes ; les in-folios des procès diocésain et apostolique en vue de la béatification constituent aussi une mine importante ; enfin la littérature « négative », qui l'accusait de propager des idées jansénistes et de sympathiser avec les partisans de Molinos, suscita un grand nombre de « défenses » de ses interventions pastorales et de son orthodoxie doctrinale. Les sources historiques sont donc très abondantes, mais à utiliser avec prudence et discernement.

A titre d'exemple, évoquons la controverse suscitée par la parution de la *Vida interior* (Séville, 1691 ; Rome, 1693). Le jésuite Paolo Segneri † 1694 la critique dans un *Parere... sopra la Vita interiore di Mgr G. di Palafox* (dans ses *Opere*, t. 8, Milan, 1855, p. 443-456). Le carme déchaussé Juan de la Anunciación riposte à Segneri dans *La Inocencia vindicada* (Séville, 1694 ; Madrid, 1698 ; cf. DS, t. 8, col. 264). Il est à son tour contré par Bernardino de la Cueva (*Vuelos de las plumas sagradas*, Barcelone, 1695) et par l'*Apología del Lic. Don Matías Marín...* (Valence, 1695), pseudonyme qui cache un jésuite, soit Juan Marín, soit plutôt Antonio Jaramillo (cf. DS, t. 10, col. 601 ; Sommervogel, t. 7, col. 1084-1085).

2. L'HOMME. – « Fils du péché », autrement dit bâtard, encore que de « parents nobles », ainsi commence l'autobiographie de Palafox (*Vida interior*, ch. 2), Juan naquit à Fitero (Navarre) le 24 juin 1600 et fut baptisé le 29 par fray Miguel de Bea ; l'acte de baptême (*Libro de bautismos* 2, f. 66v ; Archivo de Santa Maria la Real) ne porte pas les noms des parents. Palafox insinue quelque chose de plus grave : à peine né, sa mère l'emmaillotta, le mit dans une corbeille et le confia à une servante pour qu'elle le jetât dans le rio Alhama ; ce projet d'infanticide n'était, sans doute, qu'une feinte. Pedro Navarro, chef des gardes des bains et des bois de Fitero, surprit la servante, sauva et éleva l'enfant.

Son père était Jaime Palafox, troisième fils des seigneurs d'Ariza, destiné à la carrière ecclésiastique et qui, pour y réussir, était déjà en emploi de camérier du pape Clément VIII. Sa mère était une veuve de trente ans (née à Tarazona en 1570), elle aussi de noble lignage, Ana de Casanate. Leur amour fut clandestin (et passager) ; Ana enceinte, sa venue aux bains de Fitero, pour remédier à une « obstruction du ventre » (selon les documents de famille), répondait au souci d'éviter le scandale dans son entourage. Dans la suite elle mena une vie pénitente comme religieuse chez les carmélites de Tarazona. Don Jaime reconnut son fils en 1609. Le nom de la mère demeura secret et jusqu'à nos jours les biographes n'avaient pu réussir à percer le mystère.

Don Jaime, ses deux aînés étant morts, devint l'héritier des Ariza. Il abandonna donc la carrière ecclésiastique, se maria en 1606 et, avec le consentement préalable de son épouse, prit en charge à Ariza son fils naturel pour l'élever en vue de l'avenir. Si lui-même venait à disparaître, songeait-il (cf. son testament), ce fils Juan serait l'administrateur de sa maison et le « père de ses frères ». « Aucun père au monde, lui rappellera-t-il, n'a mis plus de soin à élever un fils que moi-même à vous former ».

L'enfant fut confié à l'ancien confesseur de sainte Thérèse, Diego de Yepes, devenu évêque de Tarazona ; auprès de lui il s'initia à la piété et, en 1612, reçut la « couronne », c'est-à-dire la tonsure cléricale. Chez les carmélites de la ville vivait sa mère et on a la certitude qu'il la visitait. En 1615-1616, il étudia la philosophie et le droit canon à l'université de Huesca ; puis en 1617-1620, comme étudiant noble, à celle de Salamanque. En 1625 mourait Don Jaime ; Juan, déjà homme de grande prestance physique et spirituelle (cf. *Vida interior,* ch. 3), prit en charge le patrimoine et la famille du marquisat.

En 1626 les Cortès se tinrent à Calatayud et Juan y vint avec son frère – l'héritier du marquisat – tout jeune encore (né en 1615) et qui devait être *menino* de la Reine ; il demanda pour lui-même et en vue de veiller sur le marquis un poste à la Maison Royale. On lui confia la charge de Fiscal au Conseil de la Guerre.

A Madrid, Juan de Palafox hésita entre deux états de vie : se marier ou devenir prêtre. Il opta pour le sacerdoce, sans pour autant abandonner la carrière politique ; une allusion de son autobiographie (cf. *Vida interior,* ch. 10) montre que sa décision fut influencée par le comte-duc Gaspar de Guzmán y Pimentel, favori de Philippe IV. Don Gaspar, comme Don Jaime, avait passé de troisième fils au rang d'aîné et, comme lui, il était clerc avorté ; au sommet, à présent, de sa carrière politique, cet homme à la robuste personnalité physique et au ferme vouloir, comme le laissent voir les « portraits » de Velásquez, guidait avec autorité le gouvernement de Philippe IV. Juan de Palafox se fit donc ordonner prêtre en 1629. Le favori, sans difficulté, le fit passer du poste de Fiscal au Conseil de la Guerre au même poste au Conseil des Indes ; et adroitement le nomma chapelain et aumônier de l'Infante Doña María, sœur de Philippe IV, mariée par procuration à Ferdinand III, roi de Bohème et de Hongrie. Il le chargea, en outre, de visiter les cours d'Europe et d'y relever les habitudes et manières de gouverner. Ce voyage, sous la conduite du duc d'Albe, fournit à Juan de Palafox une riche expérience. Le nonce Pamphili (futur Innocent x) se joignit au cortège jusqu'à Barcelone.

Les loyaux services de Palafox furent récompensés, – et utilisés par le comte-duc dans son programme de réforme (cf. G. Marañon, *El Conde-Duque de Olivares,* Buenos Aires, 1946, p. 51-53). Le 3 octobre 1639, Palafox fut préconisé évêque de Puebla de los Angeles (Mexique) et tout ensemble nommé Visiteur et Juge de Résidence. Il arriva à Veracruz le 24 juin 1640.

Dans son rôle actif au Mexique, il faut distinguer deux phases. Durant la première, c'est le succès : ce qui le montre de façon nette, c'est que la Cour (le comte-duc) le nomme Vice-Roi et lui offre l'archevêché alors vacant de la capitale, Mexico. Pendant la seconde, c'est l'opposition : tous les corps importants du pays, civils et ecclésiastiques, Inquisition incluse, le combattent. D'où vient ce changement radical ? Tout simplement de la chute du favori (1643). Palafox lutta avec un sentiment élevé de loyauté et de responsabilité. Comme évêque, il acheva la cathédrale, fonda le séminaire, créa une bibliothèque renommée, évangélisa les indiens, s'appliqua à élever le niveau économique, intellectuel et moral du clergé ; comme vice-roi et juge, il remplit son office avec une énergie soutenue et une droiture incontestable. Le cas particulier de son conflit avec les religieux, notamment les jésuites, doit être interprété en fonction du contexte. Le roi, dominé par d'autres favoris, lui ordonna en 1648 de retourner à Madrid ; il l'informait qu'à son arrivée il lui offrirait un des diocèses vacants.

Le 10 juin 1649, Palafox s'embarqua à Veracruz. A Madrid on le soumit au « jugement de résidence », sans relever en lui aucune faute. Sur le plan politique, Palafox avait cependant commis l'erreur de faire appel à Innocent x pour résoudre ses « litiges juridiques » avec les jésuites ; car l'organisation du *Patronato* royal des Indes interdisait ce recours au pape. Par ailleurs, les forces politiques du Mexique lui étaient hostiles. Palafox commença par lutter pour garder son diocèse de Mexico, mais bien vite il se rendit compte que, en politique, il avait choisi une mauvaise route : châtier les coupables, favoriser les pauvres, employer à défendre la vérité et la justice un temps qu'avec moins de scrupules les ambitieux employaient à faire fortune (cf. *Tratados mexicanos,* t. 2, p. 13). On ne lui permit même pas de retourner au Conseil des Indes. Il s'occupa au Conseil d'Aragon, fidèle à lui-même et à ses exercices spirituels (fréquentant la *Escuela de Cristo* et d'autres confréries).

Le 23 novembre 1653, il fut préconisé évêque d'Osma (Soria), un humble diocèse qu'il accepta. Chose plus admirable, il s'adonna sans réserve au service de sa « nouvelle épouse ». Cela jusqu'à sa mort, le 1er octobre 1659.

Le procès de Palafox est un « cas rare » dans l'histoire des causes de béatification et canonisation ; c'est une « cause politique ». L'enthousiasme de ses fidèles soutiens se heurta à des difficultés au moment d' « introduire » le procès, patronné par le cardinal Jerónimo Casanate † 1700, parent de Palafox, comme on le sait aujourd'hui. En 1726, on parvint à l'introduire ; puis on réussit à faire reconnaître la *fama sanctitatis* (1767), à faire approuver l'orthodoxie de ses écrits (1760 ; 1766). Mais le procès s'enlisa lorsqu'on en vint à la question des « vertus héroïques » (1777).

Il est certain que la Compagnie de Jésus (et déjà son Général Tirso González † 1705) fit opposition de toutes ses forces. Il est tout aussi certain que le roi d'Espagne, Charles III, insista tant qu'il put pour obtenir la béatification ; et il l'est encore davantage que les responsables du gouvernement de Charles III prétendaient, en l'obtenant, justifier l'expulsion des jésuites. Les documents, à cet égard, soulignent péniblement l'utilisation « janséniste » et politique de la cause (cf. Pedro Rodríguez de Campomanes, *Dictamen fiscal de expulsión de los jesuitas de España (1766-1767),* éd., introd. et notes de J. Cejudo et T. Egido, Madrid, 1977) : Campomanes tira parti, les « exploitant au maximum », du nom et des textes de Palafox contre la Compagnie de Jésus (cf. p. 202).

Le procès se trouva donc paralysé, tout en restant ouvert. La « sainteté » de Palafox n'en est pas ternie. En cette affaire, la prudence du Saint-Siège fut manifeste, tandis que les partis en cause, les uns plus, les autres moins, se montrèrent influencés par la passion.

Du berceau à la tombe, Palafox est une figure dramatique, aux faces multiples, et suggestive. Chose étrange, son nom n'est pas mentionné dans l'*Historia de la Espiritualidad* (t. 2, Barcelone, 1969), lorsqu'on y analyse les courants et la production du Baroque et des Lumières. Il est pourtant – on va le voir – un type exemplaire d'une rare vigueur, peut-être le « spirituel » espagnol à la personnalité la plus accusée, à la fécondité littéraire la plus grande, au cours du 17ᵉ siècle.

3. LES ÉCRITS. – Palafox fut un écrivain extraordinairement fécond, surtout compte tenu du fait que sa vie, pas très longue, fut surchargée d'activités et remplie de tensions. Sa plume (son premier écrit, une lettre, date du 25 décembre 1609) fut un instrument de travail qu'il n'abandonna presque jamais. Il acquit, dit-il, grande facilité à s'en servir, « parvenant en deux heures à écrire cinq ou six feuilles » (*Vida interior,* ch. 24), sans pauses pour réfléchir ou consulter des livres. Il cultiva divers genres littéraires : de la traduction à la poésie, de la biographie à l'autobiographie, des instruments juridiques à l'exhortation pastorale. A partir surtout de sa consécration épiscopale, il intensifia l'apostolat par la plume, fidèle en cela à son principe : « le prélat doit aider les âmes à lui confiées par la voix, par la plume et par l'exemple » (*ibidem*).

Écrivant avec aisance et spontanéité, il cherche à « garder clarté et concision » (*Varón de deseos,* prologue). Son style souffre cependant de l'abus des allégories recherchées du baroque, fort goûtées de son temps. Il fut un auteur à succès : les bibliographes relèvent quelques centaines d'éditions de ses livres, qui recouvrent les 17ᵉ et 18ᵉ siècles. Sont particulièrement belles les éditions romaines du 18ᵉ, alors qu'on travaillait à sa béatification et que la Cause était soutenue par les fonds royaux. L'importante étape de la dite Cause qui consistait dans l'examen et l'approbation des écrits permit de rassembler 565 textes publiés ou manuscrits, de longueur et d'importance variées. Un des ouvrages les plus répandus fut l'édition annotée des *Cartas de... S. Teresa de Jesús* (2 vol., Saragosse, D. Dormer, 1658 ; trad. franç. par Fr. Pellicot, Paris, G. Josse, 1660) : 27 éditions au total (cf. *Positio. Doctorado de S. Teresa,* Rome, 1969, p. 195).

Il y eut deux éditions des *Obras completas* : celle, en 8 vol., de José de Palafox et Benito de Orozco (Madrid, 1660-1671), et celle dite *Carolina* parce que réalisée aux frais de Charles III (12 t. en 14 vol., Madrid, 1762) ; à quoi il faut ajouter le volume contenant la rééd. de la *Vida* de Palafox par A. González de Rosende. Aucune des deux n'est complète.

Pour les éd. anciennes, voir A. Palau y Dulcet, *Manual del librero hispanoamericano,* t. 12, Barcelone, 1959, p. 186-199.

Ont été édités récemment : *Diario del viaje a Alemania,* éd. C. Arteaga, Madrid, 1935 ; – *Ideas políticas,* sélection de textes éd. par J. Rojas, Mexico, 1946 ; – *El pastor de nochebuena,* Madrid, Rialp, 1959 ; – *Varón de deseos,* 2 vol., Madrid, Rialp, 1964 ; – *De las virtudes y naturaleza del indio,* éd. F. Sánchez-Castañer, Saragosse, 1964 ; – *Tratados*

*mexicanos,* éd. F. Sánchez-Castañer, coll. Biblioteca de autores españoles 217-218, Madrid, 1968.

Les traductions en français et en italien ont été nombreuses. Parmi les premières : *De la connaissance de la Bonté et de la Miséricorde de Dieu...* (trad. par Du Perron Le Hayer, Paris, 1660, 1661) ; – *Remarques sur les advis les plus importants... de Sainte Thérèse... avec la Vie de ce grand prélat* (trad. Fr. Pellicot, Paris, 1662) ; – *L'année spirituelle et le Manuel des estats* (trad. Du Perron Le Hayer, Paris, 1663) ; – *Directions pastorales pour les Evesques* (Paris, 1671) ; – *Homélies théologiques et morales... sur la Passion* (trad. Amelot de la Houssaye, Paris, 1691) ; – *Voyage spirituel...* (Paris, 1692). – Une série de traductions sous le titre général d'Œuvres spirituelles parut à Lille, Paris, Rouen et Marseille de la fin du 17ᵉ siècle à la fin du 18ᵉ.

Parmi les trad. italiennes : *Lume a' vivi dall' esempio de' morti* (Naples, 1673 ; Forli, 1677) ; – *Vita interiore* (Rome, 1693 ; Venise, 1769) ; – *La Filotea nella notte buona* (2ᵉ éd., Parme, 1783) ; – *Dell' Eccellenze di S. Pietro* (3 vol., Rome, 1788). – Pour les éd. espagnoles et les trad. dans les Pays-Bas, voir *Bibliotheca catholica neerlandica impressa,* La Haye, 1954, table.

4. DOCTRINE SPIRITUELLE. – Il est extrêmement difficile d'offrir une synthèse de la pensée spirituelle de Palafox à cause de l'étendue de sa production et du caractère diffus de son style. A première vue, elle ne brille pas par l'originalité. Ce qui la caractérise, c'est la préoccupation moralisante et réformiste, sa phrase coulante (« J'ai laissé courir la plume en effusions réitérées, qui donnent à la prose une sorte de rythme », *Varón de deseos,* prologue), l'attestation qu'il donne de vivre ce qu'il dit. Qu'il suffise de noter quelques lignes maîtresses plus typiques.

1° *Amour des pauvres.* – Une des constantes de la vie et de la doctrine de Palafox est son amour des pauvres, et donc des indiens. Sa condition économique personnelle était excellente, du fait de son rang de fils du marquis d'Ariza et des hautes fonctions politiques et ecclésiastiques qu'il exerçait. Néanmoins, la pauvreté restera compagne de sa vie, et les pauvres ses amis. A sa table d'évêque prenait toujours place quelque pauvre ; avant de mourir, il prescrivit qu'on l'enterrât en un lieu humble, « comme un pauvre parmi les autres pauvres » (*Testamento,* dans A.G. de Rosende, *Vida,* Madrid, 1671, p. 252). Son confesseur et biographe Argáiz souligne chez lui cet amour des pauvres et de la pauvreté.

Peut-être est-ce dans son *Memorial sobre las virtudes y naturaleza del indio* que nous trouvons le plus beau témoignage de ce trait marquant de sa physionomie ; cet écrit fait songer aux ardentes apologies indiennes de Bartolomé de las Casas. Palafox, évêque de Puebla, se sentait « père des pauvres » indiens ; éloigné de son troupeau par Philippe IV, il lui écrivait dans un *Mémoire* : les indiens sont « les humbles et pauvres de cœur » ; et pourtant, « si pauvres qu'ils soient en avoir et sympathie, ce sont eux qui habillent et enrichissent tout le clergé et le laïcat dans les Indes et dans le monde » ; « eux, seigneur, et moi-même... implorons aide en leur faveur », car « ils méritent grand amour et très grande compassion » (éd. F. Sánchez-Castañer, Saragosse, 1964, p. 197-199).

2° *Vision providentialiste de l'histoire humaine.* – Politique actif et homme d'Église, Palafox se dépensait pour réanimer la vie sociale qui se dégradait et se corrompait, en lui infusant des idées politiques chrétiennes. Dans cette ligne, il rejoint le comte-duc, son protecteur, et Francisco de Quevedo, son contemporain. Mais son caractère sacerdotal lui permit, mieux qu'au favori de Philippe IV et à l'agressif Quevedo, d'approfondir la vision providentialiste de l'histoire humaine. Comme eux, il souffre de la décadence de l'empire espagnol et se sent responsable de son redressement. Mais, sans aucun doute, sa vue est plus nette, comme l'attestent ses nombreux écrits historiques et singulièrement son *Historia Real Sagrada,* où son regard ne dévie jamais de ce but : être « lumière pour les princes et pour leurs sujets ».

3° *Itinéraire de la perfection personnelle.* – Les idées spirituelles de Palafox se trouvent dans l'un de ses meilleurs livres, *Varón de deseos,* qu'il publia en 1642 à Mexico (2 vol., Madrid, 1964-1965). L'auteur le destine à ceux qui « suivent le chemin intérieur ». Il reprend le schème et la doctrine traditionnels « des trois voies de la vie spirituelle ».

*Varón de deseos,* autobiographique et de ton baroque, comme tous ses ouvrages, est néanmoins d'une doctrine claire et stimulante : « la division... est celle admise dans la vie mystique par tous les spirituels. Le chemin par où l'on va de la cité du monde à la cité de Dieu, tout en étant le même en substance, ... offre à l'âme trois étapes pour parvenir au but de façon plus sûre, avec plus de mérites : la première est la voie purgative ; la seconde, la voie illuminative ; la troisième, la voie unitive ; l'âme pénitente fait sienne la première ; l'âme dévote, la seconde ; l'âme éprise d'amour, la troisième ». Et l'auteur demande à ses lecteurs de rétribuer le service qu'il leur rend, en priant pour que « celui qui a écrit ce *Varón de deseos* soit lui-même homme de désirs et pratique effective ».

4° *Les états de vie.* – Pasteur chargé d'âmes, Palafox utilise la plume pour faire rayonner son action pastorale, auprès des simples fidèles, plus spécialement du clergé et des religieux. La publication de ses livres étendit son enseignement bien au-delà de ses diocèses (Puebla et Osma) ; néanmoins, dans la plupart des cas, ses destinataires immédiats étaient ses propres diocésains. Pour les fidèles, il écrivit l'*Año espiritual,* livre de lectures et méditations réparties selon les mois et les semaines. On y relève une démarche ascendante : de la « conversion à Dieu » à l'amour fervent, en passant par l'« imitation du Christ ». Pour les prêtres, dont il désirait vivement élever le niveau intellectuel et spirituel, il publia de très nombreuses lettres pastorales et pour les religieuses, un livre allégorique, le *Pastor de Nochebuena* (Mexico, 1644), rempli de symboles, de « personnifications » des vertus et des vices.

La clef, pour interpréter aujourd'hui ce voyage littéraire à travers les régions du bien et du mal sous la conduite d'un « pasteur », doit être cherchée dans les genres littéraires du baroque, qui atteignent une merveilleuse souplesse théologique dans les *autos sacramentales* de Calderón de la Barca. « La vie est un songe » : ce symbole de base, typiquement caldéronien, trouve dans le *Pastor de Nochebuena* des échos expressifs de tonalité baroque, comme par exemple en ce passage : « ces ménines [= petites filles] vives, courtes et petites, sont les heures dont se forment les jours ». La fugacité du temps et de la vie humaine est l'un des motifs les plus soulignés dans la spiritualité du 17e siècle. Palafox ne l'oublie pas, il exploite le thème et en tire diverses leçons : « *desengaño* », mise en garde et stimulant pour l'âme *religieuse.*

5° *La vie chrétienne comme « pèlerinage ».* – Ce sentiment de la caducité ou brièveté de la vie, Palafox en tire aussi parti pour exposer, à la manière baroque, son enseignement spirituel dans une trilo-gie : *Peregrinación de Philotea al santo templo y monte de la Cruz* (Madrid, 1659), *Trompeta de Ezequiel* (s 1, 1658), *Guía y aliento del alma viadora para guiarla y alentarla a que camine a la ciudad de Dios y patria celestial por el camino real de la oración y perfección cristiana* (Bruxelles, 1682).

La *Trompeta,* de ton apocalyptique, utilise le vieux thème de « l'horloge de la vie » et de l'avance inéluctable du temps ; dans la *Peregrinación,* la protagoniste Filotea, sœur de Honoria et Hilaria (trois personnages allégoriques), a décidé de « sortir d'elle-même » pour entrer en la voie étroite de la Croix. Par cette voie avancent « hommes, femmes, jeunes gens, jeunes filles, évêques, prêtres, religieux vierges, continents, rois, princes, seigneurs et toutes sortes de gens », mais seuls les courageux parviennent au sommet.

6° *Les saints, modèles d'incarnation chrétienne.* – Dans l'œuvre spirituelle volumineuse de Palafox, il y a aussi nombre de livres hagiographiques. Les saints sont des incarnations vivantes, des idées, des modèles proches de nous et imitables. Encore jeune homme, Palafox traduisit la *Vida* du bienheureux Henri Suso, qui l'attirait par sa richesse doctrinale et son ascétisme foncier. Plus tard, dans l'exercice dramatique de son rôle d'évêque à Puebla et de celui plus serein à Burgo de Osma, il écrivit trois livres hagiographiques : *La vida de San Juan el limosmero,* « comme un exemple à suivre pour moi-même » ; celle, plus prégnante et plus étendue, de saint Pierre, *De las excelencias de San Pedro,* en laquelle manifestement il expose ce que nous pourrions appeler son *ecclésiologie* ; et enfin, pour montrer son loyalisme envers le roi, la *Vida de la... Infanta sor Margarita de la Cruz.*

7° *Mystique expansive.* – La spiritualité de Palafox – doctrine et vie – apparaît dans sa profondeur comme dans son expression avec une caractéristique dominante : elle est expansive. Son ouvrage autobiographique (*Vida interior*) montre bien cette tendance à l'extériorisation. A côté de ce livre, qui donna sujet à bien des réserves, les autres ouvrages, de caractère plus objectif et doctrinal, sont eux aussi pleins d'exclamations. Un phénomène aussi persistant ne saurait être attribué uniquement à des procédés de style. A notre avis, il s'agit là d'une pente naturelle de son tempérament. Ceci est confirmé par deux autres opuscules pleins d'accents affectifs personnels : *Gemidos del corazón, tiernos afectos, amorosos suspiros y vivos sentimientos de un alma contrita y arrepentida de sus pecados,* et *Memorial a mi dulcísimo Jesús.* Palafox l'écrivit devant le Christ mutilé qu'il avait apporté d'Allemagne (cf. *Vida interior,* ch. 19) : l'image de ce Christ fut le modèle de sa vie. Mais le *Memorial* surtout reste la profession expansive, émotive, de son amour du Christ.

**Biographie.** – Gregorio de Argáiz, dans ses *Memorias ilustres de la santa iglesia y obispado de Osma...* (ms, Burgo de Osma, Archivo catedral, f. 424-481). – A. González de Rosende, *Vida de... Juan de P. y M.,* Madrid, 1666, 1671, 1762. – Guillermo Bartoli, dominicain, *Historia de la vida del V... P. y M.* (Madrid, BN, ms 19633). – Antoine Arnauld, *Histoire de D. J. de P...,* s 1, 1690 (= t. 4 de *La morale pratique des Jésuites* ; polémique). – J.A.T. Dinouart, *Vie du V. D. J. de P...,* 2 vol., Cologne, 1767.
F. Jardiel, *El V. Palafox,* Madrid, 1892. – F.A. Lorenzana, *Biografía de J. de P.,* dans *Documentos inéditos... para la historia de México,* t. 7, Mexico, 1906, p. 1-25. – Genaro García, *D. J. de P. y M., obispo de Puebla y Osma...,* Mexico, 1918. – Cristina de la Cruz Arteaga, *El*

*obispo Palafox,* Madrid, 1960. – Fr. Sánchez-Castañer, *D. J. de Palafox, Virrey de Nueva España,* Saragosse, 1964. – Javier Samitier, *Fitero y el V. Palafox,* Pampelune, 1977.

**Sources et Études.** – Les procès de béatification (Vatican, Congrégation des Rites 2097-2129 ; *Miscellanea* x, 188 ; – Paris, BN, série H, mss 4367-4398). – Ont été édités en particulier (à Rome) : *Positio super introductione Causae* (1697) ; *Summarium super dubio* (1770) ; *Restrictus responsionis ad animadversiones... una cum Summario additionali super dubio* (1771) ; *Positio super dubio* (1775) ; *Novum Summarium objectionale super dubio* (8 vol., 1788) ; *Elenchus actuum heroicorum* (1792).

Antonio de los Reyes, *Apéndice a la historia del V... J. de P.* (ms, propriété de F. Sánchez-Castañer). – Trad. italienne de l'ouvrage de Palafox : *Vita interiore... colla sua difesa sotto il titolo d'Innocenza vendicata* (2 vol., Rome, « presso Natale Barbiellini », 1772). – Alethinus Philareta (pseudonyme), *Epistolarum de V. Johannis Palafoxii... orthodoxia* (3 vol., s 1, 1772-1773). – Anonyme, *Janseniani erroris calumnia a V. episcopo J. de P. sublata* (Mantoue, 1773). – F. J. Alegre, *Historia de la provincia de la Compañia de Jesús de Nueva España* (éd. E.J. Burrus et F. Zubillaga, t. 3, Rome, 1959).

A. Méndez Plancarte, *Poetas novohispanos (1611-1721),* Mexico, 1943. – A. M. Carreño, *Cedulario de los siglos* xvi *y* xvii. *El obispo D. J. de P. y M.,* Mexico, 1947. – J. Malagón-Barceló, *La literatura jurídica española del Siglo de Oro en la Nueva España,* Mexico, 1959. – C. de la Cruz Arteaga, *Ante el tercer centenario del V.J. de P.,* Séville, 1959. – V. Rodríguez Casado, *La política y los políticos en el reinado de Carlos* iii, Madrid, 1962.

A.M. Rodríguez, *D. J. de P. y M.,* escolar salmantino, dans *Revista del seminario de estudios americanistas de la Univ. de Madrid,* 1960 (et à part) ; *En el centenario de D. J. de P.,* dans *Revista de Indias,* t. 20, 1960, p. 177-184. – F. Sánchez-Castañer, *Estudio preliminar,* en tête de son éd. des *Tratados mexicanos* de Palafox, citée *supra,* p. vii-clxxxiv ; *El embajador Azara y el proceso de beatificación del V. Palafox,* dans *Revista de Indias,* 1971. – M. Andrés, *Los recogidos,* Madrid, 1976, p. 693-703. – A. Puebla, *El V. Palafox y su camino de oración,* dans *El Monte Carmelo,* t. 85, 1977, p. 123-207. – *El V. obispo J. de P. y M. Semana de estudios histórico-pastorales y de espiritualidad (1654-1659),* Madrid, 1977.

DS, t. 1, col. 1702 ; – t. 4, col. 1168, 1180, 2222 ; – t. 5, col. 1127 ; – t. 8, col. 581, 598, 1002 ; – t. 10, col. 601.

Alvaro HUERGA.

**PALAMAS** (Grégoire), théologien byzantin, auteur spirituel, archevêque de Thessalonique, 1296-1359 (canonisé dans l'Église orthodoxe). – L'œuvre très abondante de Grégoire Palamas est, dans son ensemble, centrée sur l'idée de « déification », considérée comme le contenu même de la foi chrétienne. Accordant d'autre part une importance capitale à la théologie apophatique des Pères et maintenant en conséquence la notion d'une transcendance absolue de l'essence divine, Palamas est amené à insister sur la distinction en Dieu entre l'essence inaccessible et les « énergies incréées » auxquelles participent les créatures. Cette distinction essence-énergies constitue ce qu'on appelle généralement « palamisme ». Elle a donné lieu à des controverses de son vivant aussi bien qu'après sa mort et jusqu'à notre époque.

1. *Données biographiques.* – 2. *Œuvres.* – 3. *Doctrine.* – 4. *Le palamisme à Byzance et dans l'Orient orthodoxe.*

1. **Données biographiques.** – Les coordonnées chronologiques de la vie de Grégoire sont fournies par ses lettres et autres écrits, mais aussi par l'*Enco-*

*mion* composé peu après sa mort par son disciple et ami Philothée Kokkinos, patriarche de Constantinople (PG 151, 551-656). Celui-ci rapporte que Palamas est mort dans sa soixante-treizième année, après douze ans et demi d'épiscopat (635d) ; la date du sacre épiscopal étant bien connue par ailleurs (mai 1347), les autres dates ne font guère difficulté.

Né en 1296 à Constantinople dans la nombreuse famille du sénateur Constantin Palamas, élevé aux frais de l'empereur Andronic ii, Grégoire étudia « la physique, la logique et toute la science d'Aristote ». À Byzance, où les études de philosophie et de rhétorique n'étaient pas réservées aux clercs, comme c'était normalement le cas en Occident, la formation du jeune homme semblait le destiner au service de l'État. D'après Philothée, Théodore Métochite, le grand humaniste de l'époque, le félicita un jour pour ses prouesses intellectuelles. De fait, dans ses écrits, Palamas cite à l'occasion des auteurs antiques ; il connaît bien les *Topiques* d'Aristote. Toutefois, en recevant la tonsure dès qu'il devint adulte, Grégoire renonça aux études profanes : les milieux monastiques considéraient les sciences « helléniques » comme incompatibles avec leur genre de vie. Le platonisme était jugé comme tout particulièrement dangereux : les écoles ne l'enseignaient qu'à l'issue du cycle d'études générales (*enkyklios paideusis*) et Palamas, devenu moine, ne poussa pas jusque-là. Quand il se réfère à Platon ou aux néoplatoniciens dans ses écrits théologiques, c'est surtout pour les condamner ou ironiser sur leur compte.

Ayant subi l'influence de moines athonites en séjour à Constantinople et bénéficié de la direction spirituelle de Théolepte, métropolite de Philadelphie et maître fameux de la « prière intellectuelle », Grégoire se retira à l'Athos vers 1316. Deux de ses frères l'y suivirent. Durant près de vingt ans, il vécut à l'Athos, mais aussi à Berrhée et à Thessalonique. À l'Athos, il se plaça trois années durant sous la direction de l'hésychaste Nicodème, ermite près de Vatopédi, puis entra, pour une autre période de trois ans, dans la communauté cénobitique de la « Grande Lavra ». Plus tard, il choisit la vie solitaire des hésychastes de Glossia, non loin de la skite de Magoula, où résidait un des maîtres de l'hésychasme contemporain, Grégoire le Sinaïte (DS, t. 6, col. 1011-14). Il en fut chassé vers 1325 par des incursions de pirates turcs.

Durant un court séjour à Thessalonique, où s'étaient réunis les anciens disciples du Sinaïte, notamment Isidore et Calliste, futurs patriarches, et où l'hésychasme se répandait aussi dans un cercle actif de laïcs, Palamas fut ordonné prêtre, puis se retira dans un ermitage à Berrhée. Il y suivit un style de vie recommandé dans la tradition hésychaste dès ses origines : solitude dans la « prière pure » durant cinq jours de la semaine, puis participation à la vie commune des frères de l'ermitage le samedi et le dimanche.

Vers 1331, Palamas retourne à l'Athos et reprend le même rythme de vie spirituelle à Saint-Sabbas, tout près de sa communauté d'origine, la Grande Lavra, où, comme hiéromoine, il prend son tour dans la célébration des offices. C'est là que, vers 1334, il commence à écrire. Sa première œuvre est la *Vie de saint Pierre l'athonite,* ermite à l'Athos avant l'introduction de la règle cénobitique par Athanase (10e s. ; DS, t. 1, col. 1052-54) et considéré comme un modèle de vie hésychaste. Toutefois, Palamas n'est pas hostile au cénobitisme. Il accepte, pour une brève période, la charge d'higoumène au monastère d'Esphigménou et accorde une attention particulière à la vie liturgique.

Dans son *Encomion,* décrivant la période proprement monastique de Palamas, Philothée mentionne plusieurs rencontres de celui-ci avec des groupes de Messaliens ou « Bogomils ». Ces épisodes trouvent quelques confirmations dans d'autres sources contemporaines. Ils illustrent les relations qui existaient, surtout au niveau populaire, entre les moines hésychastes et le messalianisme, mouvement aux racines anciennes et aux ramifications spirituelles profondes mais condamné à plusieurs reprises par l'Église (cf. DS, t. 10, col. 1074-1083). Dans les deux groupes, on insistait en effet sur la prière individuelle constante et sur l'expérience personnelle de Dieu comme bases de la foi. Ici et là se posait le problème d'une spiritualité personnelle et « charismatique » dans ses rapports avec l'Église hiérarchique et sacramentelle. Philothée décrit longuement une rencontre entre Palamas et des Messaliens au Mont Papikion ; elle prend la forme d'une controverse théologique et se termine par la conversion d'un chef messalien à l'Orthodoxie sous l'effet des arguments présentés par Palamas (PG 151, 562d-565d).

Il est évident que le biographe entend laver le saint de tout soupçon d'hérésie « bogomile », dont ses adversaires l'accusaient à l'occasion. En effet, Barlaam traitera formellement les moines de « messaliens ». D'autres antipalamites, notamment Akindynos (DS, t. 1, col. 263-268) et Nicéphore Grégoras (DS, t. 6, col. 1027-1028), l'impliqueront à Thessalonique dans un complot de prosélytisme messalien, dont l'initiateur principal aurait été le futur patriarche Isidore Boukharis. Ce dernier, encore laïc, fut pendant dix ans (1325-1335) le chef d'un cercle spirituel et, d'après la version des ennemis de Palamas, pratiqua une sorte d'anarchisme charismatique (cf. J. Meyendorff, *Introduction à l'étude de Grégoire Palamas,* p. 53-63).

Ces allusions malveillantes d'adversaires ne sauraient ébranler la réputation d'orthodoxie de Palamas. En 1335-1341, il apparaît à ses contemporains comme une des personnalités les plus respectées du monachisme orthodoxe. Son futur adversaire, Akindynos, déconseille à Barlaam de s'attaquer à lui : « On ne te croira pas (quand tu dis) que cet homme est un hérétique » (*Scorial. gr.* III 11, f. 234).

A partir de 1335, de retour à Saint-Sabbas, Palamas entre en confrontation avec les idées et la personnalité d'un « moine philosophe », Barlaam le Calabrais.

Auteur d'une série d'ouvrages antilatins contre le *Filioque* et la primauté romaine, plus tard ambassadeur impérial auprès du pape Benoît XII, Barlaam pensait trouver une solution au problème de l'unité de l'Église en se référant à la transcendance de Dieu : aucun raisonnement sur « le divin » ne saurait, disait-il, être « apodictique », et les débats sur la procession du Saint-Esprit ne dépassent pas le niveau de la « dialectique ». Nous reviendrons plus loin sur ces idées de Barlaam ; dès le début, en tout cas, elles donnèrent à Palamas l'occasion de soulever le problème de la connaissance de Dieu, celui de la « communion » à la vie divine, dépassant le cadre du rationnel, et finalement celui de la déification (θέωσις). Devant cette opposition décidée du moine hésychaste, Barlaam entreprit d'attaquer la spiritualité même dont Palamas était le représentant. S'étant renseigné sur les méthodes psycho-somatiques employées par les hésychastes, il traite d'*omphalopsyques* (cf. DS, t. 8, col. 1138-1139). Finalement, dans un traité intitulé *Contre les Messaliens,* il identifiait indûment les hésychastes et les messaliens condamnés par l'Église.

Palamas publie alors, sans nommer son adversaire, ses *Traités apodictiques* sur la procession de l'Esprit saint. Il écrit aussi une série de lettres, d'abord à un ami commun, Akindynos, puis à Barlaam lui-même. Il publie ensuite trois séries de trois traités (les *Triades*) pour la défense des saints hésychastes. En 1340, il rédige un manifeste public, qu'il fit signer par un ensemble très représentatif d'higoumènes et moines éminents de l'Athos, le *Tome hagiorétique* où ses thèses antibarlaamites étaient confirmées. Finalement le débat fit l'objet d'un concile présidé par l'empereur Andronic III et le patriarche de Constantinople Jean Calécas (10 juin 1341). Barlaam y fut condamné, fit amende honorable et quitta Byzance pour retourner en Italie.

Des circonstances politiques imprévues compliquèrent alors la situation. Andronic III mourut subitement (15 juin) avant d'avoir pu signer formellement le document conciliaire. Son fils Jean V était mineur. Le Grand Domestique Jean Cantacuzène, ayant assumé un pouvoir de fait, convoqua un second concile (août 1341) où le document fut officiellement publié. Le patriarche contestait cependant le pouvoir de Cantacuzène ; tout en acceptant de signer lui-même le document, il empêcha Cantacuzène et le jeune empereur d'en faire autant. De plus, il fit introduire une clause interdisant de poursuivre les discussions doctrinales. Ce premier *Tome synodal* (PG 151, 679-692) restera donc entaché d'une certaine ambiguïté.

Le conflit politique à propos de la régence entraîna une longue guerre civile (1341-1347) qui opposa Cantacuzène à un gouvernement nominalement présidé par Anne de Savoie, veuve d'Andronic III. Le patriarche Calécas, farouche adversaire de Cantacuzène, persécuta Palamas et les moines en raison de leurs sympathies cantacuzénistes. Grégoire Akindynos qui, en 1340, avait critiqué Barlaam pour ses attaques contre les hésychastes mais refusait d'accepter la distinction palamite entre l'essence divine et les énergies (il avait été condamné pour cela en août 1341), reçut le soutien du patriarcat et commença de publier ses volumineuses réfutations de la théologie de Palamas. Celui-ci, arrêté à titre politique en 1342 et excommunié pour ses idées théologiques en 1344, dut attendre les derniers jours de la guerre civile (janvier 1347) pour voir l'impératrice Anne désavouer et déposer le patriarche Jean.

A la suite de l'entrée de Cantacuzène dans la capitale (8 février 1347), comme co-empereur avec Jean V, les hésychastes reçurent à nouveau le plein soutien de l'Église (*Tome synodal* de 1347, éd. J. Meyendorff, dans *Zbornik Radova,* t. 8/1, 1963, p. 209-227). Isidore Boukharis devint patriarche et Grégoire Palamas fut lui-même consacré métropolite de Thessalonique (mai 1347). Toutefois, il ne put entrer dans sa ville épiscopale, occupée par les « zélotes » qui refusaient de reconnaître le pouvoir impérial de Cantacuzène. De retour à l'Athos, il y eut une entrevue avec Étienne Dušan, « empereur des Serbes et des Grecs » ; en effet, depuis 1345, la Sainte Montagne était soumise à l'autorité politique et ecclésiastique serbe. Palamas demeura cependant fidèle à l'autorité de Constantinople, tout en acceptant une mission diplomatique dans la capitale au nom de Dušan. Finalement accepté à Thessalonique au début de 1350, Palamas y prêcha la réconciliation politique et la justice sociale.

Les neuf dernières années de sa vie furent mar-

quées par la continuation des controverses théologiques, cette fois avec le philosophe Nicéphore Grégoras qui, à partir de 1347, prit le relais d'Akindynos
comme porte-parole de l'opposition antipalamite. Un
troisième concile, réuni à Constantinople (1351),
approuva de nouveau l'ensemble de la théologie de
Palamas, en particulier la distinction entre l'essence
divine et les énergies incréées (*Tome synodal*, PG
151, 717-763). A partir de 1352, chaque « Dimanche de l'orthodoxie » (premier de Carême dans
l'année liturgique byzantine), les anathématismes et
les proclamations d'« éternelle mémoire » du *Synodikon* (éd. J. Gouillard, *Travaux et mémoires* = TM, t.
2, 1967, p. 80-91) sanctionnèrent les positions de
Palamas.

En 1354, alors qu'il se rendait par mer de Ténédos
à Constantinople, Grégoire fut fait prisonnier par les
Turcs et resta une année en Asie mineure occupée
(cf. A. Philippidis-Braat, *La captivité de Palamas
chez les Turcs: Dossier et commentaire*, TM, t. 7,
1979, p. 109-222). Il y eut l'occasion de visiter les
communautés chrétiennes et d'engager divers débats
théologiques aussi bien avec les Musulmans qu'avec
les « Chionai », apostats chrétiens convertis au
Judaïsme (ou plutôt juifs convertis à l'Islam ;
cf. M. Balivet, dans *Byzantion*, t. 52, 1982,
p. 24-33). Sa rançon ayant été versée aux Turcs (probablement par le serbe Dušan), Palamas revint à
Constantinople où il rencontra le légat du pape, Paul
Tagaris. En présence de ce dernier et de l'empereur
Jean v, un débat public eut lieu entre Palamas et
Grégoras. Il semble que les autorités byzantines aient
pris soin de montrer au légat que le triomphe du
palamisme ne constituait pas, en tant que tel, un obstacle aux pourparlers d'union alors en cours (cf.
*infra*).

De retour à Thessalonique (été 1355), Grégoire s'adonna
surtout à la prédication. Ses derniers sermons mentionnent
fréquemment le thème de la mort, qu'il savait proche, car
depuis 1352 les symptômes d'une grave maladie s'étaient
manifestés. Il mourut le 14 novembre 1359. D'après Philothée, une vénération populaire s'institua presque immédiatement à Thessalonique, à Constantinople et à l'Athos.
Celle-ci fut sanctionnée par un acte synodal de canonisation, publié par Philothée en 1368 (*Tome synodal*, PG 151,
693-715). Le culte des reliques s'est perpétué à Thessalonique jusqu'à nos jours.

2. **Œuvres.** — L'œuvre abondante de Palamas, dont
le grand nombre de mss atteste la popularité en
Orient orthodoxe, a fait l'objet de nombreuses publications au cours des dernières décennies. L'édition
intégrale de l'original grec est actuellement en cours,
sous la direction du professeur P. Chrèstou, de Thessalonique. Trois volumes ont paru : Γρηγορίου τοῦ
Παλαμᾶ Συγγράμματα, Thessalonique, 1962, 1966,
1970 ; cités S 1, S 2, S 3 ; deux autres volumes sont
annoncés. Nous nous référons à cette édition ou à
d'autres, et aux mss si nécessaire. Consulter la liste
analytique des écrits, avec indication des éditions
et mss, dans notre *Introduction...*, citée *supra*,
p. 331-399.

1° SPIRITUALITÉ. – Si Palamas n'avait pas été impliqué dans la controverse avec Barlaam, il aurait
acquis certainement une réputation d'écrivain spirituel. Sa théologie s'éclaire particulièrement dans le
cadre fourni par ses traités, peu nombreux, mais très
révélateurs de la spiritualité athonite à son époque.

1) *Vie de s. Pierre l'athonite* (PG 150, 996-1040),
rédigée à l'Athos vers 1334 (cf. Philothée, *Encomion*,
PG 151, 580a). Ermite célèbre ayant vécu à l'Athos
probablement au 9ᵉ siècle, Pierre symbolisait l'antiquité et la légitimité de la tradition hésychaste. En
rédigeant cette *Vie*, Palamas utilisait une tradition
hagiographique remontant au 11ᵉ siècle (cf. BHG,
n. 1505-1506e).

2) *Chapitres sur la prière et la pureté de cœur* (PG
150, 1117-1121). – De date inconnue, ce bref opuscule se situe dans la tradition classique de l'hésychasme. Certains mss attribuent à Palamas d'*Autres
chapitres* ; en fait ce sont des extraits des *Catéchèses*
de Syméon le Nouveau Théologien (cf. B. Krivochéine, Ἕτερα κεφάλαια..., dans Messager de l'exarchat
du patriarche russe..., t. 11, 1963, p. 205-210).

3) *Lettre à Paul Asen sur le grand schème* (*Paris,
gr.* 1239, f. 285v-287), adressée à un membre de la
famille bulgare régnante apparentée aux Cantacuzènes et aux Paléologues ; elle démontre l'unité fondamentale de l'état monacal et critique la tradition
byzantine du « grand schème » (seconde tonsuration
de certains moines pour leur imposer une ascèse plus
sévère et conférer une plus grande autorité spirituelle). Palamas se réfère à l'autorité de Théodore Studite. La pratique du grand schème s'est néanmoins
maintenue.

4) *Discours à Xénè* sur les passions, les vertus et
les fruits de la pratique spirituelle (PG 150,
1044-1088) ; rédigé vers 1345-1346, il mentionne les
persécutions dont Palamas est l'objet. Adressé à une
moniale chargée de l'éducation des enfants d'Andronic III (1045d-1048a), ce traité contient en résumé
l'ensemble des conceptions anthropologiques et théologiques de Grégoire.

5) *Discours à Jean et Théodore, philosophes* (éd. S.
Oikonomos, « Homélies de G. P. », en grec, Athènes,
1961, p. 290-308 ; éd. archimandrite Arsenij, Novgorod, 1895, avec trad. russe) ; même époque et même
sujet, mais dans un langage plus académique.

6) *Décalogue de la législation du Christ* (PG 150,
1089-1101) ; du temps de l'épiscopat, ce résumé
d'éthique chrétienne montre comment les dix commandements mosaïques sont transformés par l'Incarnation et la vie ecclésiale ; adressé aux laïcs, il
illustre l'aspect pastoral de la spiritualité palamite,
clairement opposée à l'élitisme charismatique des
Messaliens.

7) *Prières* en diverses occasions : audience impériale
après le sacre en 1347 (éd. S. Oikonomos, *ibidem*,
p. 313-316) ; entrée à Thessalonique (p. 308-311) ; pour
écarter une attaque ennemie (serbe ? ; p. 311-312) ; pour la
pluie, en 1355 (cf. *Encomion*, PG 151, 627d).

2° THÉOLOGIE ET APOLOGÉTIQUE PERSONNELLE. – Depuis
1335 jusqu'à sa mort, Palamas fut impliqué dans la
polémique avec ses adversaires successifs (Barlaam,
Akindynos, Grégoras) ; d'où un grand nombre de
traités ou lettres adressés à des contemporains ; les
arguments théologiques s'y trouvent mêlés à des
informations autobiographiques ou historiques. Le
contenu des écrits, et aussi leur disposition dans la
tradition manuscrite, permettent d'en établir la chronologie.

1) Deux *Traités apodictiques* sur la Procession du
Saint-Esprit (1335), dirigés contre la doctrine latine
du *Filioque* (éd. B. Bobrinskoy, S 1, p. 23-153). Leur

but principal est de contrecarrer le point de vue de Barlaam, qui se trouvait alors au centre des négociations gréco-latines à Constantinople.

Contre Barlaam, qui récusait l'existence d'arguments « apodictiques » en théologie, Palamas maintient la vision traditionnelle des théologiens orthodoxes byzantins qui considère le *Filioque* comme une atteinte aux caractères propres des hypostases divines. Du fait de la « double procession » de l'Esprit à partir du Père *et du Fils*, les Latins « ne peuvent échapper à ceux qui leur reprochent d'introduire deux principes de l'Esprit ». En effet, écrit Palamas, « Dieu est un non seulement parce que sa nature est une, mais aussi parce que les Personnes qui procèdent remontent à une Personne unique » (S 1, p. 68). Cependant, tout en insistant sur la fonction unique de la Personne du Père comme origine des hypostases du Fils et de l'Esprit, Palamas affirme fortement la théologie de Grégoire de Chypre (DS, t. 6, col. 922-923) et du concile de 1285, suivant laquelle le Fils est la source d'un « épanchement éternel » de l'Esprit, autrement dit de son « énergie » (S 1, p. 121). C'est là le sens des textes bibliques et patristiques affirmant que l'Esprit provient « du Fils ».

2) *Réfutation des « Titres » de Beccos* (cf. PG 161, 243-288), court traité de polémique antilatine ; le patriarche unioniste Jean Beccos (1275-1282) avait composé un florilège scripturaire favorable au *Filioque* et muni de « titres » explicatifs (PG 141, 613-724).

3) *Lettres à Akindynos et à Barlaam*, en 1336-1341 (éd. J. Meyendorff, S 1, p. 203-312) ; elles permettent de suivre l'évolution logique des débuts de la controverse. Trois lettres à Akindynos et deux à Barlaam ont été conservées, ainsi que deux réponses de Barlaam (éd. G. Schirò, *Barlaam Calabro epistole greche*, Palerme, 1954, p. 229-330 ; éd. A. Fyrigos, Rome, 1975, qui ajoute une lettre de Barlaam à Nil Triclinios) et une réponse d'Akindynos à la première lettre de Palamas (*Ambros. gr.* 290, f. 75v-76v).

Ces lettres montrent comment le débat sur la « démonstration » en théologie reflétait une opposition plus profonde sur le problème de la connaissance de Dieu et de la déification. Tout en poursuivant cette correspondance, dont le ton devient de plus en plus violent des deux côtés, Palamas rédige les *Triades* et le *Tome hagiorétique*.

4) *Triades pour la Défense des saints hésychastes* (éd. et trad. franç. J. Meyendorff, 2 vol., Louvain, 1959 ; 2e éd. revue et corrigée, 1974 ; éd. P. Chrèstou, S 1, p. 358-694), probablement le témoignage le plus important sur la théologie de Palamas comme fondement de sa spiritualité. Il s'agit de trois séries de trois traités, auxquelles Philothée applique le nom de *Triades* (*Encomion*, 588d). Les auteurs modernes ont eux aussi adopté ce titre, plus commode que ceux des mss. En effet, seules les deux premières séries portent le titre commun : *Pour la défense des saints hésychastes*, avec aussi un titre plus long pour chaque traité, reflétant son contenu. Les deux premières *Triades* se recouvrent quant à leur plan et leur structure et datent respectivement de 1337 et 1339.

Barlaam ayant critiqué des hésychastes de Thessalonique, ceux-ci demandèrent à Palamas de prendre leur défense sur trois points soulevés par le calabrais : problème de la « science profane » comme condition de la connaissance de Dieu ; rôle du corps dans la prière ; question de la communion à la lumière divine incréée. La première *Triade* ne mentionne pas encore le nom de Barlaam ; la seconde est

basée sur les écrits de celui-ci parvenus à la connaissance de Palamas. La troisième, plus tardive (début 1341), est dirigée contre l'écrit de Barlaam *Contre les Messaliens*, publié après son retour d'une mission secrète en Avignon. Palamas y récuse l'accusation selon laquelle les moines hésychastes prétendraient, comme les Messaliens, contempler l'essence divine avec leurs yeux corporels ; la réponse est évidemment basée sur la doctrine des énergies, distinguées de l'essence.

5) *Tome hagiorétique* (Τόμος ἁγιωρειτικός), légèrement antérieur à la troisième *Triade* et à la troisième Lettre à Akindynos (cf. notre *Introduction...*, p. 351). Il contient six « chapitres », où les positions essentielles de Palamas dans la controverse avec Barlaam sont formellement confirmées par les autorités monastiques de l'Athos (PG 150, 1225-1236 ; éd. critique B. Pseutogkas, S 2, p. 567-578). Le paragraphe d'introduction affirme le rôle prophétique des saints du nouveau Testament : comme les anciens prophètes ont révélé et maintenu le monothéisme, ainsi le mystère eschatologique de la communion avec Dieu dans l'Esprit se révèle par l'intermédiaire des saints qui y participent par anticipation.

6) Quatre traités *Contre Akindynos* (éd. G. Mantzaridès, S 2, p. 69-163, 263-277), composés, comme les deux dialogues suivants, peu après le concile de 1341.

Leur groupement dans les mss suggère que trois de ces traités ont fait l'objet d'une « triade » contre Akindynos, alors que Palamas résidait à Saint-Michel de Sosthenion sur le Bosphore. Le patriarche Calécas accordait déjà un certain soutien moral à Akindynos. Le but des traités est de montrer que la distinction essence-énergies, critiquée par son adversaire, est inséparable de la spiritualité hésychaste ; la position théologique d'Akindynos est en conséquence barlaamite.

7) *Dialogue d'un orthodoxe et d'un barlaamite* (même éditeur, S 2, p. 164-218) ; il développe le même sujet sous une forme littéraire bien connue en patristique (cf. le *Dialogue avec Pyrrhus* de saint Maxime) et en littérature byzantine. Le dialogue se termine par une « conversion » du barlaamite ; Akindynos n'est pas mentionné.

8) *Théophanès* (PG 150, 909-960 ; éd. crit. Mantzaridès, S 2, p. 219-261), cite le dialogue précédent et traite encore du même sujet. Le pseudonyme Théophanès, adopté par Palamas, est peut-être une manière de se protéger contre l'interdiction patriarcale du débat sur les énergies.

9) *Sept Antirrhétiques contre Akindynos* (éd. V.D. Fanourgakis, S 3, p. 39-506), ensemble le plus complet des arguments contre l'adversaire ; ils datent de la période qui précéda la condamnation synodale de Palamas (1344).

10) *Description des impiétés* de Barlaam et Akindynos (éd. Pseutogkas, S 2, p. 579-586), résumé des arguments contre Akindynos en 41 courts paragraphes.

11) *Lettres* ; adressées durant la guerre civile à divers contemporains, elles contiennent des renseignements historiques et des arguments théologiques et constituent une source biographique essentielle. Antérieurs ou postérieurs à la condamnation de 1344, ces écrits comprennent :

Lettres à Arsène Studite (éd. N.A. Matsoukas, S 2, p. 315-324) ; à Jean Gabras (p. 325-362) ; au hiéromoine Paul Asen (p. 363-374) ; au métropolite d'Ainos Daniel

(p. 375-394) ; au nomophylax (juge suprême) Syméon (p. 395-410) ; à Athanase, métropolite de Cyzique (p. 411-454) ; au moine Damien « le philosophe » (p. 455-477) ; au moine Denys (p. 479-499) : cette lettre se termine par une *Confession de foi*, dont le texte existe aussi séparément (PG 151, 763-768), et qui fut utilisée par Palamas lors de sa consécration épiscopale en 1347 ; au moine Bessarion (p. 501-504) ; deux lettres à son frère le moine Macaire (p. 505-543) ; aux moines athonites (p. 509-515) ; à Philothée Kokkinos, higoumène de Lavra (p. 517-538) ; à Anne de Savoie (p. 545-547). Cette dernière lettre fut écrite au début de 1346, au moment où les revers subis dans la lutte contre Cantacuzène ébranlaient l'autorité du patriarche Jean, l'impératrice ayant sollicité l'opinion de plusieurs intéressés. Palamas lui répond habilement en invoquant la mémoire de son mari Andronic III, qui avait présidé le concile antibarlaamite de 1341.

12) *Réfutation du Tome de Calécas* (éd. Pseutogkas, S 2, p. 587-623) ; conteste la légitimité de la condamnation portée par le synode de 1344.

13) *Réfutation du patriarche d'Antioche* (*ibidem*, p. 625-647) ; contre le patriarche Ignace d'Antioche qui, pour obtenir la reconnaissance de son élection à Constantinople, avait publié une « Lettre » se solidarisant avec l'excommunication de Palamas.

14) *Réfutation de « l'exégèse du Tome »* par Calécas (*ibidem*, p. 649-670), légèrement postérieur à la *Lettre à Anne* (cf. *supra*) ; devant les hésitations de l'impératrice en 1346, le patriarche lui avait adressé un dossier détaillé justifiant son interprétation antipalamite du *Tome* de 1341. Palamas réfute ses arguments.

15) *Chapitres physiques, théologiques, moraux et pratiques*, publiés dans la *Philocalie* de Nicodème (Venise, 1782). Ils ont servi, avant la publication récente des autres œuvres, de source à peu près unique de références à la théologie de Palamas.

Il s'agit d'une sorte de somme systématique, sous une forme littéraire traditionnelle (cf. E. von Ivanka, Κεφάλαια. *Eine byzantinische Literaturform und ihre antiken Wurzeln*, dans *Byzantinische Zeitschrift*, t. 47, 1954, p. 285-291). On a pensé que cette synthèse datait des dernières années de Palamas (M. Jugie, DTC, t. 11, col. 1746) ; ce malentendu est dû au fait que l'édition de la *Philocalie*, reprise en PG 150, 1121-1226, a supprimé les références historiques fournies par les mss et qui ne laissent aucun doute sur la rédaction en 1344-1347 (cf. notre *Introduction...*, p. 373-374).

16) *Défense du tropaire d'Isidore* (inédite, Athos, *Dionys*. 194, f. 1-12, daté de 1363), traité datant de fin 1347 qui polémise avec une *Apologie* d'Akindynos où celui-ci avait pris à partie une hymne trinitaire composée par le patriarche Isidore Boukharis, intronisé en mai 1347 (cf. *Introduction*, p. 375-376).

17) *Réponse sur saint Cyrille* (inédite, même ms, f. 13v-16v) ; court opuscule contemporain du précédent où Palamas corrige l'interprétation akindyniste d'un passage du *Thesaurus* de Cyrille d'Alexandrie (PG 75, 244b).

18) Deux *Lettres de captivité*, écrites en Asie mineure en fin 1354 et adressées à l'Église de Thessalonique et à un correspondant non identifié. Prisonnier des Turcs, Palamas décrit ses contacts avec les communautés chrétiennes et ses débats avec les « Chionai » (éd. crit. et trad. franç. par A. Philippidis-Braat, *La captivité...*, TM 7, 1979, p. 136-165 ; 185-190).

19) *Réponse sur saint Basile* (inédite, *Coisl.* 100,

f. 287v-289v) ; sur un texte du *Contre Eunome* II, 23 (PG 29, 624a), souvent cité par Palamas (*Triade* III, 2, 18) et les palamites (*Tome synodal* de 1351, PG 151, 744b) pour montrer que Dieu pouvait être l'*hypostatès* (source de la substance) des énergies sans en être le Créateur ; en effet Basile avait écrit que le Père « a établi » (ὑπεστήσατο) le Fils incréé ; Nicéphore Grégoras alléguait pourtant des mss de Basile avec la variante ἐτεχνώσατο (« a engendré » ; leçon retenue en PG 29). Écrit en 1356-1357.

20) *Quatre traités contre Grégoras* (inédits, *Coisl.* 100, f. 237-287), datent de 1356-1358 et continuent le débat sur les énergies incréées ; les deux premiers traités furent publiés sous le pseudonyme de « Constance ».

3º HOMÉLIES. – Comme beaucoup d'évêques byzantins, Palamas a laissé un homéliaire compilé par ses disciples ; conservé dans de nombreux mss, il constitue un élément important de son héritage du point de vue historique et théologique. Sa personnalité y apparaît comme celle d'un pasteur directement intéressé à la vie quotidienne du peuple de Dieu, à la justice sociale et à la paix civile, très différente de la mentalité plus académique et intellectualiste de ses adversaires. Les références à l'hésychasme y sont rares, la polémique presque inexistante. Il n'y a pas cependant contradiction entre cette activité pastorale et ses œuvres théologiques, car c'est bien son expérience ecclésiale qu'il entendait défendre dans ses divers écrits.

Les homélies 1-41 furent publiées à Jérusalem en 1857 : éd. reprise en PG 151, 13-550, complétée par deux homélies (42-43) tirées de l'éd. plus ancienne de C.F. Matthaei, Moscou, 1776. En 1861, S. Oikonomos édita à Athènes les hom. 42-63, complétant ainsi l'éd. de Jérusalem.

La plupart des homélies ont été prononcées à Thessalonique à l'occasion des liturgies dominicales et festives ou à propos d'événements divers (épidémie de peste de 1347, hom. 39 ; la moisson, hom. 26-27, etc.). L'hom. 1 est une sorte de discours d'intronisation prononcé « le troisième jour après l'entrée à Thessalonique » (1350) ; l'hom. 63 reflète les conflits entre Jean V Paléologue et Jean VI Cantacuzène en 1351 ; les hom. 16 et 53 portent le titre de traité (*logos*) et constituent en effet des dissertations plus élaborées sur « l'économie du Christ » et « l'entrée de la Mère de Dieu dans le Saint des Saints » (elles apparaissent souvent dans les mss en dehors de l'homéliaire).

**3. Doctrine.** – La fécondité littéraire de Palamas et l'abondance des écrits consacrés à ses vues théologiques, aussi bien dans les controverses du 14e siècle que durant les siècles suivants et à l'époque moderne, rendent aléatoire toute tentative de présenter ici la pensée palamite d'une manière exhaustive. Nous nous limiterons aux étapes de sa pensée telle qu'elle s'est développée au cours des débats. Ces étapes sont déjà discernables dans les écrits contre Barlaam (1336-1341) qui mettait en doute l'essentiel de la spiritualité hésychaste. Les écrits ultérieurs ne font que réaffirmer sa position initiale, tout en élaborant une terminologie plus figée. Pourtant sa vision théologique et spirituelle garde toute sa fraîcheur dans son activité de prédicateur.

1º PHILOSOPHIE ET THÉOLOGIE. – A ses origines, le débat entre Barlaam et Palamas fut une discussion très technique sur le sens du mot « apodictique » : les arguments théologiques peuvent-ils parvenir à une

« démonstration » à propos des réalités divines, ou la théologie se réduit-elle à une « dialectique » rationnelle ? Le prétexte de la discussion était la polémique antilatine sur le *Filioque*. Barlaam en affirmait la futilité, puisqu'on ne peut rien « prouver » ; il fallait donc se référer à l'autorité des conciles et des Pères qui, selon lui, excluaient l'interpolation. Palamas, au contraire, faisait sienne la théologie de Grégoire de Chypre et du concile de 1285 sur « la manifestation éternelle » de l'Esprit par le Fils, rendant ainsi possible une confrontation des deux positions sur la « procession ».

Le débat sur la « démonstration » théologique était un problème de méthode, impliquant la logique aristotélicienne. Puisque, selon Aristote, toute connaissance présuppose l'expérience des sens, et puisque la Divinité n'est pas susceptible d'une telle expérience, les deux protagonistes furent amenés à comparer leurs vues sur la connaissance spirituelle et mystique. Tous deux étaient familiers avec la tradition des Pères grecs, mais ils avaient une attitude de principe nettement différente à l'égard du néoplatonisme. Barlaam admettait une influence néoplatonicienne directe sur les Pères, particulièrement sur le Pseudo-Denys. Il en concluait que les philosophes néoplatoniciens eux-mêmes avaient été « illuminés » par Dieu, puisque leur pensée n'était pas, sur certains points, différente de celle des Pères. Palamas, au contraire, cherchait à éliminer l'autorité des philosophes grecs : Aristote ne pouvait être l'autorité ultime dans la définition de ce qu'était une « preuve », et les néoplatoniciens ne pouvaient avoir l'expérience de l'illumination, puisque c'est en Christ seulement que l'homme acquiert la vraie connaissance de Dieu.

Cette discussion initiale n'était pas tellement nouvelle dans le contexte byzantin. En effet, la société intellectuelle de Byzance n'avait jamais complètement résolu l'inévitable tension entre l'Académie et l'Évangile. Les Byzantins, à la différence du monde intellectuel latin de la même époque, n'avaient pas eu à découvrir la philosophie grecque : les écrits de l'antiquité leur étaient toujours accessibles dans les bibliothèques, mais ils y trouvaient aussi les écrits des Pères qui dénonçaient cette pensée comme païenne. Le milieu monastique y était traditionnellement très hostile. L'Église elle-même, dans ses documents officiels, condamnait le platonisme en tant que système : tel était le sens des anathèmes antiorigénistes du 5e concile (Constantinople, 553) : « Que faisait-il d'autre que de présenter la doctrine de Platon ? », demandait l'empereur Justinien à propos d'Origène (*Lettre à Ménas*, éd. E. Schwartz, *Acta conciliorum oecumenicorum*, t. 3, p. 391) ; de même, celui des condamnations de Jean Italos (11e s.), contenues dans le *Synodikon* de l'Orthodoxie (éd. J. Gouillard, TM 2, p. 59).

Ces condamnations n'ont pas mis fin aux études philosophiques. Bien plus, ceux que l'on appelle « humanistes byzantins » (Photius, Psellos, Théodore Métochite, Nicéphore Grégoras, etc.), s'adonnaient volontiers aux études platoniciennes, tout en s'abstenant de toute synthèse avec la théologie. Quant à Barlaam, Palamas lui reprochait précisément de ne pas s'en tenir à cette réserve traditionnelle et de justifier ses positions par des arguments tirés de la philosophie. Selon Barlaam en effet, c'est la logique aristotélicienne qui interdisait le concept de « définition » en théologie ; d'autre part, « l'illumination de l'intelligence », autre moyen de connaître Dieu, présupposait une certaine « connaissance des créatures » (γνῶσις τῶν ὄντων). Pour Palamas, une telle attitude allait à l'encontre de l'Évangile qui affirme que la vérité est « cachée aux sages et aux habiles » et « révélée aux tout petits » (*Mt.* 11, 25). Dans les *Triades*, il ne cesse de se référer aux textes de *Rom.* 1 et 1 *Cor.* 1-2 sur la sagesse païenne « rendue folle ». Pour lui, la philosophie grecque reste inutile tant qu'elle refuse une « nouvelle naissance » baptismale ; il illustre sa pensée par l'image des serpents venimeux, dont on peut sans doute tirer des remèdes utiles, à condition toutefois qu'ils soient tués et disséqués au préalable (*Triade* I, 1, 20, éd. Meyendorff, p. 56-57).

Palamas et Barlaam sont tous deux familiers avec la notion de « contemplation naturelle » (φυσικὴ θεωρία ; cf. DS, t. 2, col. 1806-27) qui, pour Maxime le Confesseur, décrivait les nouvelles relations cosmiques de l'homme en Christ, sa capacité de contempler la création et d'y découvrir le Créateur. Pour Barlaam, cette contemplation était une condition préalable de l'illumination, un *habitus* créé pouvant conduire à une vison symbolique ou intentionnelle de l'Incréé. Pour Palamas, nature et grâce ne s'opposent pas ; il ne saurait donc y avoir de préalable à la connaissance vraie et directe, qui est don de l'Esprit en Christ. Le salut baptismal restaure la nature dans son état à la fois premier et eschatologique, et lui ouvre aussi l'accès à la vraie connaissance des créatures.

2° LA THÉOLOGIE APOPHATIQUE. — Palamas décrit la connaissance de Dieu accessible en Christ comme « surnaturelle » (ὑπερφυής) ; cette expression n'implique pas une opposition entre nature et grâce, en un sens augustinien ; elle définit seulement cette connaissance comme une participation réelle à la présence divine. Barlaam, au contraire, tout en admettant une illumination qui dépasse la perception sensible, l'envisage comme adéquate « à la nature de l'intellect », comme une relation sujet-objet. Certes, il connaît bien les écrits du Pseudo-Denys, mais il interprète l'apophase dionysienne comme un rappel du caractère symbolique, ou relatif, de la connaissance accessible à l'intellect (νοῦς), c'est-à-dire de toute connaissance humaine de Dieu. La théologie apophatique consiste précisément à dire « ce que Dieu n'est pas », parce que l'intellect créé, même avec la connaissance analogique ou symbolique qui lui est « naturelle », ne peut jamais concevoir directement ce que Dieu est. Palamas, lui, cherche à montrer que « Dieu n'est pas seulement au-dessus de la connaissance, mais au-dessus de l'inconnaissance » (*Triade* I, 3, 4, p. 114-115).

En effet, il a hérité des Cappadociens une conception absolue de la transcendance divine : l'essence divine est totalement différente des créatures, totalement *autre* par rapport au monde. Néanmoins, l'argument principal des *Triades* est que l'expérience de cette transcendance n'est pas celle d'un vide, ou d'une « nuit » totalement obscure. La théologie négative comme telle peut en effet rester au niveau de l'intellection et de la logique ; elle consiste alors à reconnaître que la transcendance divine dépasse toutes les possibilités de l'intellect créé. Mais l'expérience mystique, héritée de Grégoire de Nysse et du Pseudo-Denys, apporte une dimension nouvelle :

« A côté de cette incompréhension (de Dieu par l'intellect), voici le plus divin et le plus extraordinaire : si (les saints) possèdent une compréhension, ils la possèdent d'une façon incompréhensible ; ceux qui voient, en effet, ne savent pas alors ce qui leur permet de voir, d'entendre et de s'initier..., car l'Esprit, par lequel ils voient, est incompréhensible. Comme le dit le grand Denys : 'Une telle union des divinisés avec la lumière qui vient d'en haut se produit lorsqu'il y a arrêt de toute activité intellectuelle ' (*Noms divins* 1, 5 ; PG 3, 593c). Elle n'est pas le produit d'une cause ou d'une analogie, qui dépendraient de l'activité intellectuelle, mais elle se produit par le dépouillement, sans être pour cela elle-même le dépouillement » (*Triade* i, 3, 17, p. 145-147).

La « nuée » où Moïse entra sur le Sinaï ne fut pas une expérience seulement négative, mais une *vision* qui présupposait une « purification de l'intelligence ». En libérant celle-ci de tout concept qui identifierait Dieu avec les créatures, le voyant acquiert des « sens spirituels » qui lui permettent de percevoir l'Incréé. Citant le commentaire d'*Actes* 7, 55-56 par Grégoire de Nysse dans son *Éloge d'Étienne* (PG 46, 701-721), Palamas écrit :

« De quelle façon le Protomartyr a-t-il eu cette vision (du Fils de l'homme à la droite de Dieu), s'il ne voyait ni intelligiblement ni sensiblement, ni par négation, s'il ne concevait les choses divines ni par déduction, ni par analogie ? J'oserai te le dire : spirituellement, comme je l'ai dit à propos de ceux qui voient la pure lumière par révélation » (*Triade* i, 3, 30, p. 177).

Cette doctrine des sens spirituels présuppose le « dépouillement », c'est-à-dire aussi l'ascèse et la « pratique des commandements ». Elle implique dans l'homme une capacité de *se dépasser*, de dépasser sa propre nature. Ce dépassement ne peut se produire que par grâce : il présuppose une *synergie* entre la grâce divine et l'effort humain. C'est un *acte personnel*, puisque seule une personne peut être sujet de cet effort. Ce dépassement est *amour*, et seule une personne, et non la nature, peut aimer. C'est une *rencontre* avec un Dieu vivant et personnel, qui, dans la mesure où il aime, peut sortir de sa transcendance pour s'unir à l'homme.

Pour décrire la *rencontre*, Palamas suit encore Grégoire de Nysse et sa doctrine de l'*épectase* : la communion à la vie divine est une expérience de l'Insondable. Jamais elle n'atteint un point de saturation, puisqu'il n'y a pas de terme dans l'Être divin, ni de limite dans son Amour. La connaissance de Dieu est donc une montée sans fin « de gloire en gloire », comme dans l'amour humain la vraie joie présuppose à la fois une expérience immédiate et l'attente d'une joie encore plus grande. Transposés par Palamas en termes techniques, cette expérience prendra la forme d'une doctrine de l'*essence transcendante*, distincte de la révélation des Personnes divines dans les *énergies incréées*.

3° LE CORPS TRANSFIGURÉ. — Comme on l'a vu, Barlaam s'était attaqué aux méthodes psycho-somatiques de la prière hésychaste. Il semble viser plus particulièrement le court traité *Sur la vigilance et la garde du cœur* de Nicéphore l'hésychaste (PG 147, 945-966 ; cf. DS, t. 11, col. 199-201). Ces méthodes pouvaient en effet difficilement se concilier avec l'intellectualisme de ses vues théologiques. Telle est l'occasion de la « défense des hésychastes » par Palamas.

En ce qui concerne l'attitude envers le corps, la spiritualité monastique de l'Orient chrétien, particulièrement dans la tradition hésychaste, n'était pas exempte d'une certaine ambiguïté. Les origénistes, et surtout le grand initiateur de « la prière intellectuelle », Évagre le Pontique (4e s. ; DS, t. 4, col. 1731-1744), comprenaient l'ascétisme chrétien dans le cadre d'une anthropologie platonicienne. Pour Évagre, l'un des buts de la prière était de rendre l'esprit « libre de toute matière » (*Traité de l'oraison* 119 ; trad. I. Hausherr, *Les leçons d'un contemplatif...*, Paris, 1960, p. 154). Pour Barlaam, la tradition évagrienne, dans son interprétation néoplatonicienne, constituait une justification acceptable de la spiritualité monastique, alors que l'orientation spirituelle issue des écrits du Pseudo-Macaire (leur mystique du « cœur » et leur conception de l'homme comme une entité psycho-somatique indivisible) lui paraissait teintée de Messalianisme. Or, c'est évidemment cette tradition qui était à l'origine des méthodes psycho-somatiques de prière et qui inspire aussi la défense de l'hésychasme par Palamas.

En fait, l'apologie des méthodes ne tient pas une place importante dans son œuvre ; il admet même la possibilité d'excès ou de malentendus (cf. notre *Introduction*, p. 210). Ce qui lui tient à cœur, c'est le principe même de la participation du corps à la prière, principe fondé sur la pratique sacramentelle et une idée du salut en Christ qui concerne l'homme en sa totalité, âme et corps. Au Baptême et à l'Eucharistie « se rattache notre salut tout entier, car en eux deux se trouve récapitulée toute l'économie divino-humaine » (*hom.* 62, éd. Oikonomos, p. 250). Cet accent décisif sur la vie sacramentelle, qui distingue nettement l'hésychaste orthodoxe du Messalianisme, a évidemment un fondement christologique : l'assomption de la nature humaine, âme et corps, par le Verbe, et aussi la doctrine de la « communication des idiômes », suivant laquelle, dans l'union hypostatique, l'humanité du Christ est *déifiée*, devenant ainsi source de communion à la vie divine.

La vie en Christ ne peut donc signifier une désincarnation. Tout au contraire, le Verbe s'est incarné « pour faire communier (l'homme) à la divine immortalité..., pour honorer la chair, cette chair mortelle même, afin que les esprits orgueilleux ne se considèrent pas et ne soient pas considérés comme dignes d'honneurs plus grands que l'homme et ne soient pas déifiés en raison de leur incorporalité et de leur immortalité apparente » (*hom.* 16, PG 151, 204a). L'assomption par le Verbe de la nature corporelle implique donc pour l'homme une destinée supérieure à celle des esprits incorporels. La participation du corps à la prière, de même que l'aspect corporel des actes sacramentaux, est ainsi à la fois une nécessité et le signe d'une transfiguration eschatologique devenue accessible en Christ. Palamas admet évidemment l'idée patristique de la primauté de l'esprit dans le composé humain, mais cette primauté ne détruit pas le corps ; elle le transfigure :

« Quelle est la douleur, quelle est la joie, quel est le mouvement du corps qui ne soient une activité commune à l'âme et au corps ?... Il existe des passions bienheureuses, des activités communes à l'âme et au corps qui n'attachent pas l'esprit à la chair, mais qui attirent la chair jusqu'à une dignité proche de celle de l'Esprit et l'obligent, elle aussi, à se tourner vers le haut... De même, en effet, que la Divinité du Verbe est commune au corps et à l'âme (du Christ), de même, chez les hommes spirituels, la grâce de l'Esprit, transmise au corps par l'intermédiaire de l'âme, lui donne à lui aussi l'expérience des choses divines » (*Triade* II, 2, 12, p. 342).

Le débat entre Barlaam et Palamas, on le voit, ne concernait pas seulement deux approches logiques différentes ; il s'agissait aussi d'une opposition entre deux anthropologies : l'une de tendance intellectualiste et platonicienne, l'autre inspirée par une expérience de l'Incarnation, manifestée dans les sacrements (mais aussi dans l'iconographie) et incompatible avec le dualisme platonicien de l'esprit et de la matière.

4° DÉIFICATION: COMMUNION À L'INCRÉÉ DU CHRIST. – En refusant l'opposition ontologique entre l'intellect et la matière dans l'homme, Palamas présuppose cependant la différence fondamentale entre le Créateur et les créatures. Dans son interprétation de l'expérience chrétienne, il considère comme dangereuse toute réduction de la « vision de Dieu » à une fonction créée ou naturelle, qu'elle soit intellectuelle, physique ou mystique. Il ne nie pas le rôle préparatoire de la philosophie grecque, ni la synergie nécessaire des fonctions naturelles (l'intellect, le cœur, le corps lui-même), mais la communion à Dieu ne s'explique que par sa Présence, qui n'est jamais le résultat d'efforts seulement naturels.

C'est dans ce contexte que Palamas, dans le débat avec Barlaam, illustre sa pensée par des références fréquentes à la Transfiguration (*Mt.* 18, 1-9 et paral. ; 2 *Pierre* 1, 17-21). En cela, il ne fait que suivre l'exemple des Pères, particulièrement Maxime et Jean Damascène. La doctrine patristique de la déification a été le plus souvent définie en termes de vision lumineuse, en accord non seulement avec le thème johannique de la lumière opposée aux ténèbres, mais aussi avec des thèmes empruntés au néoplatonisme. Mais la doctrine palamite de la déification est, toujours et sans ambiguïté, fondée sur des données christologiques : avec l'Incarnation, il y a eu changement radical des relations entre Dieu et l'homme. Les manifestations antérieures de la lumière divine, soit dans la philosophie grecque, soit dans l'ancien Testament, ne furent que des « ombres » anticipatrices :

« Si la déification ne fait que perfectionner la nature raisonnable, sans élever au-dessus de cette dernière ceux qui ont l'aspect de Dieu (θεοειδεῖς), si elle n'est qu'un état de la nature raisonnable, puisqu'elle ne se met en activité que par une puissance naturelle..., elle aurait appartenu à tous les peuples, même avant la venue du Christ et... même à ceux qui aujourd'hui n'ont ni foi ni piété » (*Triade* III, 1, 30, p. 613-615).

Ce n'est pas cependant en un sens augustinien que Palamas emploie les concepts de nature et de grâce, mais dans le sens dynamique caractéristique de la pensée des Pères grecs. En effet, le concept de nature présuppose déjà une communion à Dieu. C'est dans ce sens en effet que l'on comprend en Orient la doctrine de l'image divine dans l'homme (cf. DS, t. 6, col. 817-819 ; la pensée d'Augustin offre d'ailleurs des ouvertures dans cette direction, cf. DS, t. 7, col. 1419-1422). Déjà saint Irénée comprenait « l'esprit » de l'homme en l'identifiant en fait au Saint-Esprit (vg. *Adversus haereses* V, 6, 1), et pour Maxime l'image de Dieu implique *être* et *éternité*, c'est-à-dire des caractéristiques qui, par nature, appartiennent à Dieu seul mais que l'homme reçoit aussi dans l'acte créateur (*De caritate* 3, 25, PG 90, 1024bc).

Par conséquent, l'homme n'est pas pleinement lui-même sans communier à Dieu, sans réaliser en lui-même l'image et la ressemblance divines. Néanmoins, dans la mesure où Dieu demeure pleinement transcendant en tant que Créateur, l'homme ne peut jamais s'identifier à son essence, ni atteindre un terme ultime dans la participation à la vie divine. L'homme est donc un être « ouvert à Dieu » et destiné par nature à la communion divine : par la victoire sur le péché et sur la mort (qui avaient supprimé cette ouverture), le Christ a restauré cette communion, – et donc aussi la nature –, en rendant à nouveau l'homme capable d'atteindre, non le « Dieu des philosophes et des savants », mais Celui que le Pseudo-Denys appelait « plus-que-Dieu » (*Triade* III, 1, 31, p. 617-619).

La théophanie apparue lors de la Transfiguration était la manifestation d'une humanité déifiée et pénétrée de lumière divine *incréée*. En effet, cette lumière n'avait pas pour origine l'intellect humain ; elle n'était pas un symbole créé « accessible aux sens » (cf. surtout *Triade* III, 1, 10-12, p. 575-581), mais la gloire du siècle à venir, « en-hypostasiée » dans la Personne du Verbe incarné, et à laquelle ceux qui sont « en Christ » sont appelés à participer dès maintenant.

Le schéma théologique qui sert de base à la théologie palamite de la déification est celui des conciles de Chalcédoine (451) et de Constantinople III (680-681). En effet, le concile palamite de 1351 interprète ses décisions comme un « développement » (ἀνάπτυξις) des décrets sur les « deux volontés » et les « deux énergies » du Christ publiés par le 6e concile œcuménique (*Tome synodal*, PG 151, 722b). L'humanité du Christ, assumée par le Verbe, est « hypostatiquement » unie à la Divinité, sans qu'il y ait confusion des essences ou natures, des volontés ou énergies. Il y a toutefois « communication des idiômes » : le Logos « souffre dans la chair », tandis que la chair est pénétrée de la présence ou énergie divine. Citant l'homélie de Jean Damascène sur la Transfiguration : « la gloire de la Divinité devient aussi gloire du corps » (12, PG 96, 564b ; cf. *Triade* III, 1, 19, p. 595), Palamas récuse toute interprétation symbolique de la déification :

« Cette lumière mystérieuse, inaccessible, immatérielle, incréée, déifiante, éternelle, cet éclat de la nature divine, cette gloire de la Divinité, cette beauté du Royaume céleste est accessible aux sens, tout en les dépassant » (III, 1, 22, p. 599). Toutefois, dans le Christ, la nature et l'énergie humaines créées gardent aussi leur intégrité : si la « gloire » n'était que symbolique et créée, il n'y aurait plus, dans le Christ, deux « énergies » ou volontés, comme le veut le 6e concile, mais une seule énergie, « théandrique » mais créée, hérésie pire que le monothélisme condamné en 680/681.

L'humanité du Christ, son « corps », précisément parce qu'elle est devenue humanité propre du Logos et qu'elle est, en tant que telle, pénétrée de l'énergie divine, devient source de déification pour ceux qui y participent. C'est dans l'Eucharistie, conçue comme communion non pas à l'essence divine, mais au Corps déifié du Christ, que cette participation se réalise le plus pleinement. Toutefois, toute la vie spirituelle du chrétien consiste à entrer en synergie avec la grâce conférée par le mystère du Christ pour acquérir ainsi un « état divin » (θεία ἕξις) : « C'est lorsque tu auras dans ton âme l'état divin que tu possèderas réellement Dieu à l'intérieur de toi-même ; et le vrai état divin, c'est l'amour envers Dieu, et il ne survient que par la pratique des divins commandements » (II, 3, 77, p. 549). Il y a donc, en Christ, vraie communion à la vie divine incréée, sans que, ni dans le Christ lui-même ni dans ceux qui sont « en lui », il y ait confusion des natures. Dieu en effet demeure transcendant et infini, comme Source unique et personnelle de vie divine. La grâce reste « grâce » et n'appartient jamais en propre aux êtres créés.

« Tout ce qui s'écoule de l'Esprit vers ceux qui ont été baptisés en lui selon l'Évangile de la grâce et qui sont devenus hommes spirituels, reste attaché à la Source, en provient et demeure éternellement en elle » (*Lettre à Athanase* 26 ; S 2, p. 437).

Toutefois, pour affirmer aussi nettement que possible que la vie divine devenue accessible en Christ est bien incréée, et que la déification est bien une participation à Dieu lui-même (mais non à son essence), Palamas en vient à parler des saints comme « incréés par la grâce » : « Ceux qui participent aux énergies et qui agissent en communion avec elles, Dieu en fait des dieux sans commencement ni fin, par la grâce » (*Apologie* 37 ; S 2, p. 122). « Les dons qui nous conduisent à être un seul corps – le Corps du Christ – et un seul Esprit avec le Seigneur (cf. 1 *Cor.* 6, 15-17) ne sont pas créés » (*Contre Akindynos* V, 24 ; S 3, p. 363).

Il faut noter que Palamas comprend toujours la déification dans un contexte *synergiste* ; les saints « agissent en communion » avec la grâce, qui ne supprime pas leur énergie créée, mais la restaure dans la conformité avec la volonté divine. C'est dans ce sens que l'on doit aussi comprendre telles paraphrases palamites de Maxime :

« Toute vertu et l'imitation de Dieu qui est à notre portée mettent celui dans les pratique dans des dispositions favorables pour l'union divine, mais la grâce accomplit l'union mystérieuse elle-même ; par elle 'Dieu tout entier vient habiter dans l'être tout entier de ceux qui en sont dignes' (Maxime, *Ambigua* ; PG 91, 1240a) et les saints tout entiers habitent avec leur être tout entier en Dieu tout entier, en se saisissant de Dieu tout entier et en ne recevant pas d'autre récompense pour l'ascension qu'ils ont accomplie pour monter vers lui que Dieu seul » (*Triade* III, 1, 27, p. 609).

La distinction entre Créateur et créatures est pleinement maintenue au niveau de l'essence et au niveau des énergies. Mais en Christ il y a union hypostatique : dans la Personne du Verbe, l'Incréé et le créé s'unissent, tout en gardant leurs caractéristiques propres. C'est donc Dieu dans son être personnel qui se révèle dans l'Incarnation, et c'est lui aussi qui est l'objet de l'union dont bénéficient les saints. Dans les sacrements, cette union est accordée à tous les baptisés, et pas seulement à une élite charismatique (comme chez les Messaliens), tout en présupposant leur effort personnel pour l'atteindre (cf. *De la participation* 7 ; S 2, p. 142). L'union est de nature eschatologique, bien que l'expérience des saints puisse l'anticiper dès maintenant ; elle est une rencontre personnelle avec un Dieu également personnel et trinitaire.

Le caractère eschatologique de l'expérience déificatrice est illustrée par les références fréquentes à la 2e Épître de *Pierre*, où la Transfiguration est interprétée comme confirmation « de la parole prophétique » (1, 18-19 ; cf. *Triade* II, 3, 18, p. 425). Le contexte place toute la spiritualité hésychaste, et la vocation monastique en général, dans la perspective du prophétisme au sens biblique du mot. Le moine est présenté comme ayant embrassé un ministère semblable à celui des prophètes. Toutefois, ceux de l'ancienne Alliance ne pouvaient qu'anticiper symboliquement le Royaume à venir, tandis que, dans l'Église, la « vie en Christ » révèle la réalité même de la Divinité (cf. *Tome hagiorétique*, S 2, p. 567-578). Accordée à tous les baptisés, cette grâce se révèle aux saints d'une manière personnelle et consciente, parce que, ayant pratiqué les commandements, c'est-à-dire ayant pleinement et volontairement exercé leur potentiel créé à la gloire de Dieu, ils se sont rendus dignes de l'amour divin.

5° ESSENCE ET ÉNERGIE. – Loin de supprimer la transcendance divine, la déification de l'homme « en Esprit » la rend plus évidente encore :

« Personne, homme ou ange, n'a vu Dieu (*Jean* 1, 18), et ne le verra jamais, parce qu'il ne voit que par ses sens ou son intelligence... Au contraire, celui qui est devenu Esprit et qui voit en Esprit, comment ne contemplerait-il pas ce qui est semblable à son mode de contemplation... ? Cependant, dans la vision spirituelle elle-même, la lumière transcendante de Dieu n'en apparaît que plus complètement cachée » (*Triade* II, 3, 31, p. 449).

C'est cette constatation qui rend nécessaire la distinction réelle entre l'essence divine, toujours transcendante, et les énergies, communicatrices de la vie divine aux créatures. D'autre part, pour répondre à l'affirmation palamite d'une vraie communion à la vie divine elle-même, Barlaam en était venu à taxer les hésychastes de Messalianisme, en leur attribuant la doctrine selon laquelle « l'essence divine devient visible aux yeux corporels ». Palamas lui opposa donc cette distinction qui, pour lui, n'était qu'une reprise de la théologie anti-eunomienne des Cappadociens et de la doctrine des deux énergies du Christ affirmée par Maxime le Confesseur.

Il est impossible de comprendre la pensée palamite sur les énergies sans admettre tout d'abord, avec lui, que toute manifestation de Dieu *ad extra*, c'est-à-dire en dehors de son essence transcendante, est une manifestation *personnelle*. Ainsi, Dieu crée le monde non pas en vertu d'une nécessité naturelle, mais de par sa libre volonté. Il agit dans le monde comme Père, Fils et Esprit. Et, finalement, l'union des natures incréée et créée se produit dans l'hypostase ou personne du Fils. Le caractère nécessairement personnel de l'*ekstasis*, ou existence divine *ad extra*, reflète l'existence trinitaire elle-même : c'est en effet l'hypostase du Père qui, pour Palamas (comme d'ailleurs pour la pensée grecque tout entière, comme l'a bien vu Th. de Régnon, *Études sur la Trinité*, t. 1, Paris, 1892, p. 337-339), est l'origine personnelle de l'être divin lui-même :

« Dieu est un non seulement parce que sa nature est une, mais aussi parce que les Personnes qui procèdent, le Fils et l'Esprit, remontent à la Personne unique du Père » (*Traité apodictique* I, 37 ; S 1, p. 68). En effet, en Dieu « l'origine est hypostatique » (*ibidem* II, 36, p. 110). « Dieu, lorsqu'il s'entretenait avec Moïse, n'a pas dit : 'Je suis l'essence', mais 'Je suis celui qui est' (*Ex.* 3, 14). Ce n'est donc pas Celui qui est qui provient de l'essence, mais l'essence provient de Celui qui est, car Celui qui est embrasse en lui-même l'Être tout entier » (*Triade* III, 2, 12, p. 665).

L'énergie est le mode par lequel la nature divine

extériorise son existence, tout en demeurant transcendante ; mais cet acte d'extériorisation est personnel et trinitaire. L'essence divine est désignée par Palamas comme « cause » ou « origine » des énergies, qui lui sont, en un sens, inférieures (ὑφειμέναι) parce que Dieu demeure transcendant à sa propre révélation ; mais cette « supériorité » ne rompt pas l'unité simple et absolue de Dieu : le fait que « le Père est plus grand que le Fils » (*Jean* 14, 28) ne contredit pas l'affirmation : « le Père et moi nous sommes un » (*Jean* 10, 30) (cf. *Théophanès* 5, PG 150, 917bd = S 2, p. 225-226). La causalité de l'essence par rapport aux énergies n'exclut pas non plus le caractère personnel de celles-ci : les énergies en effet, sans révéler l'essence en tant que telle, manifestent cependant la compénétration (*périchorèse*) des hypostases divines :

« Dieu est le même en lui-même parce que les trois hypostases se possèdent l'une l'autre naturellement, totalement, éternellement et indivisiblement, mais aussi sans mélange ni confusion, et qu'elles se compénètrent naturellement de façon à ne posséder qu'une seule énergie » (*Chapitres...* 112, PG 150, 1197b).

L'énergie divine est donc une parce que tout acte divin *ad extra* est toujours un acte trinitaire : en effet, la création tout entière fut produite par « l'énergie de Dieu, une, incréée, coéternelle » (*Chapitres* 140, 1220a). Cependant, il y a en outre un mode personnel suivant lequel chaque hypostase divine exerce l'énergie commune, ce qui permet de parler de manifestations (ou énergies) du Fils et de l'Esprit : « le mouvement de la volonté divine est initié par le Principe primordial, le Père, il procède par le Fils et se manifeste dans le Saint-Esprit » (112, 1197c).

En effet, l'énergie n'est jamais une « chose », mais toujours un acte personnel et personnalisé de Dieu, qui va à la rencontre d'une *ekstasis* de la personne humaine, car toute vraie connaissance de Dieu suppose une « sortie de soi » de la personne humaine, qui lui permet d'accéder à la vie divine trinitaire, elle aussi interpersonnelle. La déification, on l'a vu, présuppose toujours une telle rencontre. C'est ainsi que Palamas parle aussi d'énergies « en-hypostasiées » :

« La vie divine et céleste... existe dans la nature même de l'Esprit... Elle est hypostasiée, non parce qu'elle possède une hypostase propre, mais dans la mesure où l'Esprit l'envoie dans l'hypostase d'un autre : c'est dans cette dernière qu'elle peut être contemplée » (*Triade* III, 1, 9, p. 573).

L'hypostase, ou personne, d'un saint, – ou même son icône qui, dans la tradition iconodule remontant à Théodore Studite, est « hypostatiquement une » avec son modèle (cf. DS, t. 7, col. 1514) –, manifeste l'énergie divine reçue par elle dans le Christ et l'Esprit. Cette multiplication existentielle des énergies ne porte pas atteinte, dans la pensée de Palamas, à l'unité et la simplicité de l'Unique Acteur : « Dieu est Dieu, et à lui appartiennent la divine essence et la divine énergie » (*Contre Grégoras* II, *Coisl.* 100, f. 254). Les Pères « ne disent pas que tout cela (l'essence et les énergies) est une seule chose, mais que cela appartient à un seul Dieu » (*Contre Akindynos* V, 13 ; S 3, p. 326), qui est « présent et actif dans chaque énergie, d'une façon unifiée, simple et indivisible » (*Apologie* 13 ; S 2, p. 106).

Cette idée, centrale chez Palamas et reprise constamment dans ses écrits, de la présence totale, personnelle et indivisible de Dieu dans chaque énergie

exclut une conception néoplatonicienne des énergies comme émanations ou intermédiaires entre le Créateur et les créatures : le caractère immédiat de l'expérience chrétienne de Dieu est l'une des affirmations essentielles de la théologie palamite. A cet égard, les écrits du Pseudo-Denys – cité constamment comme une autorité quasi-scripturaire par Palamas aussi bien que par ses adversaires – présentaient une certaine difficulté. Tout en s'appuyant sur la conception dionysienne de l'union à Dieu telle qu'elle se présente dans la *Théologie mystique* et les *Noms divins*, Palamas est moins à l'aise avec la doctrine des hiérarchies comme intermédiaires de la grâce. Il interprète donc la *Hiérarchie céleste* comme se référant à l'ancienne Alliance. En effet, la communion au Christ ne se produit pas par l'intermédiaire des anges, mais directement :

« Avant l'apparition de Dieu dans la chair, rien de tel ne nous a été enseigné par les anges, ni par les prophètes... Maintenant que (la grâce) est apparue, il n'est plus besoin que tout s'accomplisse par les intermédiaires » ; les anges eux-mêmes sont initiés par le Christ, puisqu'ils « désirent plonger leurs regards » dans le mystère de l'Évangile (*Triade* II, 3, 29, p. 445-447, citant 1 *Pierre*, 1, 12).

La distinction palamite entre l'essence transcendante de Dieu et ses énergies incréées fut donc avant tout la formulation d'une expérience : celle de la communion à la vie divine, rendue accessible dans le Christ par l'Esprit. Palamas avait conscience de rompre avec les impératifs rationnels du platonisme et de l'aristotélisme ; il continuait cependant, comme les Pères l'avaient fait avant lui, à utiliser des termes empruntés à la philosophie grecque, même si les catégories de celle-ci n'étaient pas adéquates pour exprimer l'expérience de la rencontre entre l'amour d'un Dieu personnel pour ses créatures et la réponse « extatique » de l'homme à cet amour divin.

4. **Le palamisme à Byzance et dans l'Orient orthodoxe.** – 1° Effets de la victoire du palamisme. – L'Orient orthodoxe a reconnu dans le palamisme un cadre naturel et une expression adéquate de sa spiritualité traditionnelle. Les conciles palamites de Constantinople eurent pour conséquence l'accession au patriarcat d'une série de prélats, tous anciens moines athonites, zélateurs de l'hésychasme et de la théologie palamite.

On a parfois exagéré le caractère novateur de cette victoire du palamisme en 1347-1351. En fait, l'influence rigoriste du monachisme avait déjà triomphé sous Athanase I (1289-1293 et 1303-1310), que les hésychastes du 14e siècle considéraient comme un de leurs pères spirituels (cf. *Triade* I, 2, 12, p. 99). Ce sont pourtant les fortes personnalités des patriarches Isidore (1347-1350), Calliste (1350-1353, 1355-1363) et surtout Philothée (1350-1354, 1364-1376), tous anciens disciples et amis de Palamas, qui ont donné des assises solides au contrôle monastique de l'institution ecclésiale. Ce contrôle n'avait rien de révolutionnaire. Il conduisit au contraire à instaurer un système administratif plus centralisé, une réforme liturgique (adoption du *Typikon* de Saint-Sabbas), surtout une certaine priorité du spirituel. L'Église devint ainsi, à la veille de la chute de Byzance, une organisation puissante et stable, largement indépendante des tergiversations politiques de la monarchie décadente sous les derniers Paléologues. Cette remarquable activité institutionnelle montre bien que les disciples de Palamas n'étaient pas seulement des contemplatifs, mais aussi des zélateurs religieux, intéressés par-dessus tout au maintien de la foi orthodoxe dans sa forme traditionnelle et ecclésiale. Malgré les différences historiques évidentes, on peut établir un parallèle entre la victoire des hésychastes à Byzance au 14e siècle et la réforme de Cluny en Occident au 10e siècle : dans les deux cas, les institutions ecclésiastiques, rénovées et prises en main par les moines, remplirent le vide créé par un système impérial en voie de disparition.

L'approbation officielle des positions palamites par l'Église byzantine devait inévitablement influencer les courants théologiques et spirituels. La spiritualité hésychaste, un vocabulaire théologique marqué par les thèmes de la déification et de la lumière « thaborique », la popularité croissante de la fête de la Transfiguration (6 août), et aussi un développement de la piété mariale, devinrent caractéristiques pour l'ensemble du monde byzantin. A une époque où les traditions politiques et sociales héritées de la grande époque byzantine s'écroulaient les unes après les autres, et à la veille de la conquête turque, cette orientation spirituelle et eschatologique prépara la survie des communautés chrétiennes au sein du monde musulman, en leur donnant un point de repère permanent, plus détaché des circonstances historiques.

Ce ne sont pas d'ailleurs les aspects plus techniques de la théologie palamite, mais plutôt ses implications sacramentelles et spirituelles, dont l'influence débordait les milieux monastiques, qui jouiront d'une popularité durable. Les œuvres de Nicolas Cabasilas (DS, t. 2, col. 1-9), son *Explication de la divine liturgie* (SC 4 bis, 1967) et surtout sa *Vie en Christ,* traité de théologie sacramentaire (trad. J. Broussaleux, Amay, 1934), affirment une présence immédiate de la vie divine telle que Palamas l'enseignait dans les *Triades.*

On a voulu parfois opposer le palamisme comme système conceptuel et polémique à l'hésychasme comme mouvement spirituel, en se référant à Cabasilas, qui ignorerait la distinction essence-énergies. Incorrecte de fait (Cabasilas est l'auteur d'un opuscule polémique contre Grégoras), cette opinion méconnaît le message commun à Palamas et Cabasilas : l'homme comme destiné à la communion avec Dieu.

Un malentendu semblable concerne le rapport entre la victoire du palamisme et l'art religieux. Beaucoup d'historiens constatent au milieu du 14e siècle un certain appauvrissement et durcissement du style, succédant à la « Renaissance des Paléologues » au 13e. Certains (A. Grabar, V. Lazareff, etc.) attribuent ce changement à l'influence du rigorisme des moines opposés aux traditions hellénistiques rénovées dans la « Renaissance ». D'autres (tel H.G. Beck, *Von der Fragwürdigkeit der Ikone,* Bayerische Akademie der Wissenschaften, Philos.-hist. Klasse, Heft 7., Munich, 1975, p. 40-44) interprètent la théologie palamite et le mouvement hésychaste dans un sens iconoclaste : la vision directe de la lumière divine incréée rendrait inutile la médiation de l'icône et supprimerait l'argument principal des iconodules des 8e-9e siècles sur le fondement « incarnationnel » de l'art chrétien (cf. DS, t. 7, col. 1515).

Sans contester la possibilité d'un appauvrissement esthétique au 14e siècle, ni la réaction des moines contre une décoration trop riche des églises, il ne semble pas que la spiritualité hésychaste soit responsable de ces phénomènes qui s'expliquent plutôt par des facteurs économiques. Dans la seconde moitié du siècle, la cour et la noblesse byzantines n'étaient plus en état de jouer leur rôle traditionnel de mécènes. Par contre, dans les pays slaves (Serbie, Bulgarie, surtout Russie moscovite), cette époque vit un épanouissement remarquable de l'iconographie. L'influence byzantine connut alors un accroissement considérable dans ces pays. Dans le domaine littéraire, elle eut pour effet de nouvelles traductions des textes grecs en slavon, parmi lesquelles les écrits de spiritualité monastique figurent en première place. En Russie, les génies artistiques de Théophane le Grec et André Rublev sont inséparables du renouveau monastique. Celui-ci, par l'intermédiaire de personnalités telles que le patriarche Philothée, le métropolite Cyprien et le grand Serge de Radonège (cf. DS, t. 10, col. 1594-1596), fut incontestablement marqué par l'influence hésychaste.

Assurément, les Slaves n'étaient pas au niveau des raffinements de la théologie byzantine contemporaine. Les décisions dogmatiques des différents conciles tenus à Constantinople furent acceptées passivement, notamment par l'intermédiaire du *Synodikon de l'Orthodoxie,* mis à jour en 1351 par l'inclusion d'anathèmes antibarlaamites. Mais les dimensions spirituelles et expérientielles de l'hésychasme palamite prirent rapidement racine dans les monastères slaves, sans qu'il y ait eu débat théologique ni contestation (cf. art. *Nil Sorskij,* DS, t. 11, col. 360-365).

2° RÉACTIONS ANTIPALAMITES. – A Byzance, il y eut un débat acharné du vivant de Palamas et après sa mort. Que représentait cet antipalamisme ?

Barlaam le calabrais ne semble pas avoir joué un grand rôle dans le mouvement spirituel proprement byzantin. Après son retour en Italie en 1341, personne ne fit appel à ses arguments contre les méthodes hésychastes de prière. Paradoxalement, seuls ses arguments antilatins, – auxquels il renonça, puisqu'il passa à l'Église romaine et devint évêque de Gérace dès 1342 (cf. *Catholicisme,* t. 1, 1948, col. 1254) – firent école, par exemple chez Nil Cabasilas, archevêque de Thessalonique (1361-1363) et quelques autres.

Par contre, d'autres adversaires, particulièrement Akindynos et Nicéphore Grégoras, s'opposèrent à Palamas au nom de ce qu'ils considéraient comme l'authentique tradition orthodoxe byzantine. Sans pouvoir ici discuter leurs arguments, nous constaterons simplement le fait de leur situation minoritaire, sinon complètement isolée. C'est seulement durant la guerre civile de 1341-1347 qu'Akindynos reçut l'appui officiel des autorités ecclésiastiques. Il fut, durant cette période, pratiquement le seul à publier des traités antipalamites, tandis que Palamas et ses disciples persécutés (Jean Calothetos, David Dishypathos, Philothée Kokkinos) étaient déjà une pléiade.

Après 1347, Nicéphore Grégoras rejoignit ouvertement le camp antipalamite, qui comprenait aussi quelques évêques et reçut bientôt l'appui d'un groupe de thomistes grecs (les frères Démétrios et Prochoros Cydonès, Jean Cyparissiotès). Jamais ils n'obtinrent un appui notable au sein de l'opinion publique, bien que leur influence personnelle fût loin d'être négligeable : Démétrios Cydonès occupa longtemps un poste équivalent à celui de premier ministre auprès de Jean v Paléologue, sans avoir à renoncer à ses opinions.

Le fait que des thomistes byzantins aient été adversaires du palamisme soulève nécessairement le problème des relations entre la pensée de Palamas et l'Occident latin. En abordant ce sujet, qui n'est pas sans intérêt pour l'œcuménisme moderne, il convient de noter que les partis théologiques byzantins n'étaient pas divisés en « antilatins » et « latinophrones ». Les premiers antipalamistes étaient, eux aussi, farouchement antilatins. Tel fut le cas, assez ambigu, il est vrai, de Barlaam, puis d'Akindynos et de Grégoras. Akindynos accusait notamment Grégoire de Chypre, qui défendait la notion d'une « illumination éternelle » de l'Esprit à partir du Fils, de « favoriser les Latins » (*Contre Palamas* v, *Monac. gr.* 223, f. 229v-230) et, durant la guerre civile, reprochait à Palamas de maintenir des contacts théologiques avec les Gênois de Galata et le Grand Maître des Hospitaliers de Rhodes (*Lettre à Grégoras, Marc. gr.* 155, f. 79) ; Palamas n'interrompit pas ces contacts après sa victoire. En 1355, déjà archevêque, il participa à des dialogues théologiques avec le légat Paul. Ce dernier, durant ses négociations avec les Byzantins (1355-1367), eut de nombreuses occasions de se faire expliquer le palamisme, notamment par l'ex-empereur Jean Cantacuzène et par le métropolite palamite Théophane de Nicée.

En 1367, le patriarche palamite Philothée coopéra pleinement aux projets de concile œcuménique pour réaliser l'union des Églises, projets qui n'eurent pas de suite avant 1438-1439. Il est important de noter qu'au concile de Ferrare-Florence, qui se réunit alors, le problème des énergies incréées ne fut pas soulevé parmi les points de désaccord ; les milieux monastiques nettement palamistes, représentés par Marc d'Éphèse (DS, t. 10, col. 267-272), faisaient partie de la délégation byzantine, même s'ils s'opposèrent plus tard à l'union telle qu'elle fut formulée à Florence. L'approbation formelle donnée au palamisme par l'Église byzantine et qui fut incluse non seulement dans le *Synodikon* mais aussi dans la Confession de foi des évêques au moment de leur consécration, exigeait sans doute que l'on accordât une priorité absolue aux problèmes de doctrine dans les négociations d'union, cependant elle n'excluait pas le dialogue.

Il reste vrai néanmoins que l'opposition au palamisme à Byzance, dans la seconde moitié du 14e siècle, s'identifia pratiquement avec les positions thomistes défendues par les frères Cydonès et Jean Cyparissiotès, ainsi que par un groupe de Grecs, Manuel Calécas (DS, t. 10, col. 231-233), Maxime et André Chrysobergès. Toutefois, cette polarisation entre palamisme et thomisme ne semble pas avoir été acceptée par le dernier grand théologien de Byzance, Georges-Gennadios Scholarios (DS, t. 6, col. 209-211), premier patriarche élu après la chute de la ville (1453), qui tout en défendant la doctrine des énergies fut un grand admirateur de l'Aquinate.

L'attraction exercée par la pensée thomiste sur certains intellectuels byzantins n'était d'ailleurs pas seulement liée aux controverses sur les énergies incréées ; elle s'explique aussi en partie par la découverte du thomisme comme *philosophie*. Démétrius Cydonès, par exemple, avoue sa surprise lorsque, s'étant mis à l'étude du latin avec un dominicain de Galata, il constata l'influence de la philosophie grecque sur la pensée de Thomas d'Aquin : « (Les Latins) manifestent une soif immense à marcher dans les labyrinthes d'Aristote et de Platon, alors que nous autres n'y montrons aucun intérêt » (*Apologia,* cité

dans G. Mercati, *Notizie di Procoro e Demetrio Cidone...,* Rome, 1931, p. 366). En effet, la victoire du parti monastique qui avec Palamas s'opposait à « la philosophie profane » apparut à certains comme la fin de l'héllénisme à Constantinople, alors que l'Occident, et particulièrement l'Italie, offrait aux intellectuels grecs un milieu accueillant, soit comme artistes et littérateurs, soit comme théologiens thomistes ; ils y étaient reconnus et applaudis comme héritiers authentiques de la culture grecque.

Il serait inexact toutefois de juger le palamisme à travers le prisme de cette mentalité humaniste. Tout en accordant une priorité absolue à l'expérience sacramentelle et mystique de la foi, Palamas et ses disciples reconnaissaient pourtant une valeur relative aux beautés de la langue grecque, à la logique d'Aristote et à l'héritage platonicien. Le contrôle palamite de l'Église après 1347 n'empêcha pas la continuation d'une tradition humaniste dont un philosophe comme Gemistos Pléthon et des évêques comme Bessarion furent d'éminents représentants.

3° Après la chute de Byzance, la spiritualité monastique renforcée par l'héritage palamite servit pratiquement de cadre unique à la théologie orthodoxe. Les œuvres de Palamas furent souvent recopiées dans les *scriptoria* de l'Athos et partiellement traduites en slavon. Sa mémoire, rappelée le 14 novembre, anniversaire de sa mort, fut aussi célébrée le second dimanche de Carême, dans l'hymnographie de ce jour (éd. critique et commentée de l'*akolouthia* et des hymnes composées par le patriarche Philothée, par V.E. Voloudakis, Ἀκολουθία τοῦ ... Γρηγορίου τοῦ Παλαμᾶ, Pirée, 1979), et dans le *Synodikon de l'Orthodoxie*.

Ce conservatisme liturgique et spirituel, dont la tradition hésychaste et palamite fait partie intégrante, est certainement plus caractéristique de l'Orthodoxie que la théologie « scolaire » apparue aux 17e-18e siècles, où se manifeste un certain oubli du palamisme ; celle-ci est représentée soit par les rares orientaux qui, comme Cyrille Loucaris, avaient étudié en Occident sans initiation patristique préalable, soit par l'Académie de Kiev, où la contre-réforme tridentine fut artificiellement greffée sur un milieu orthodoxe et produisit un amalgame hybride, tout le contraire d'une synthèse créatrice.

Pendant ce temps, les milieux traditionalistes maintenaient la fidélité au palamisme. En 1693, le patriarche Dosithée de Jérusalem envoyait les mss de Palamas à Moscou en vue de leur publication. En 1782, Nicodème l'Hagiorite publiait à Venise sa fameuse *Philocalie des saints neptiques* qui contenait plusieurs œuvres de Palamas ; cependant son projet d'une édition complète, à Vienne, devait échouer tout comme celle de Dosithée (cf. DS, t. 11, col. 242). Au 19e siècle, en Grèce et en Russie, parurent plusieurs éditions et traductions partielles, et des études historiques, comme celles de l'évêque Porphyre Uspensky.

Le renouveau des études palamites dans le monde orthodoxe date du début du 20e siècle, avec les recherches de l'évêque Alexis (Kazan, 1906) et de G. Papamikhail (Alexandrie, 1911). Plus récemment, les thèses de D. Staniloae (Sibiu, 1938), B. Krivochéine (Prague, 1936), C. Kern (Paris, 1950) et les travaux de Vl. Losky (DS, t. 10, col. 1018-1019), définissent la place centrale occupée par Palamas dans la théologie et la spiritualité orthodoxes modernes.

La mise à jour de l'ensemble du dossier palamite, à laquelle nous avons contribué, et la publication en cours de l'ensemble des œuvres (cf. *supra*) ont attiré l'attention d'un cercle plus large de théologiens occidentaux et approfondi le débat sur l'œuvre palamite.

*Conclusion*. – Comme au 14e siècle déjà, la critique la plus substantielle du palamisme, particulièrement de la distinction réelle en Dieu entre l'essence transcendante et les énergies incréées, a trouvé son fondement dans la conception thomiste de la simplicité divine et de la notion de Dieu comme « acte pur ». Cette critique a été menée, sous forme assez abrupte et peu nuancée par S. Guichardan (*Le problème de la simplicité divine en Orient et en Occident aux 14e et 15e siècles...*, Lyon, 1933) et M. Jugie (DTC, t. 11 ; cf *infra*). Plus récemment, la critique a été reprise sur la base d'une analyse plus approfondie de la pensée des Pères grecs, tout particulièrement dans la polémique des Cappadociens contre Eunome (où ils affirmèrent l'incognoscibilité de l'essence divine) et dans la théologie de Maxime le Confesseur. Il est incontestable en effet que les citations patristiques les plus fréquentes et les plus décisives dans l'œuvre de Palamas sont celles qui se réfèrent aux Cappadociens et à Maxime.

En fait, le problème semble se ramener au sens de la doctrine patristique de la déification, qui elle-même n'est qu'une expression de ce que Paul appelait « communion » et vie « en Christ » et que la seconde lettre de Pierre interprète comme « participation à la nature divine » (1, 4). Cette participation est-elle seulement *analogique* ou *intentionnelle*, comme le voudraient les scolastiques latins, en conformité avec leur philosophe de l'*habitus* créé et de la simplicité divine ? Ou serait-elle une communion *entitative* et immédiate à la vie divine elle-même ? Dans ce dernier cas, la distinction essence-énergies est nécessaire pour éviter le panthéisme et préserver l'entière liberté de Dieu quand il accorde sa grâce aux créatures. De plus, cette distinction exprimerait le caractère *personnel* de l'expérience chrétienne : une rencontre entre l'*ekstasis* des Personnes divines (et non de la nature) et l'*ekstasis* de la personne humaine, sans suppression de la différence insurmontable de la nature incréée et de la nature créée.

Il est évident que la communion véritable à Dieu, telle que les saints d'Orient et d'Occident en font l'expérience, représente la même réalité spirituelle, bien que les formulations théologiques qui l'expriment divergent entre elles. L'heure n'est-elle pas venue, pour les théologiens et les spirituels des deux Églises, d'étudier et de mettre en commun leurs traditions respectives, pour ensuite réfléchir à la légitimité de leurs divergences ?

**Orientations bibliographiques.** – Les études philologiques, historiques et théologiques sur Palamas et le palamisme sont si nombreuses qu'il est impossible de les énumérer ici. On peut se reporter à la bibliographie assez complète fournie par H.G. Beck, *Kirche und theologische Literatur...*, Munich, 1959, p. 322-323, 712-716, et à deux inventaires intelligemment analytiques : J. Gouillard, *Autour du Palamisme*, dans *Échos d'Orient*, t. 37, 1938, p. 424-464 (principales publications entre les deux guerres mondiales) ; D. Stiernon, *Bulletin sur le Palamisme*, dans *Revue des Études Byzantines*, t. 30, 1972, p. 231-341 (303 titres de 1959 à 1970, qui témoignent de l'intérêt des spécialistes durant ces décennies).

L'ouvrage le plus complet sur la personne et l'œuvre reste notre *Introduction à l'étude de G. P.*, coll. Patristica Sorbonensis 3, Paris, 1959 (avec bibliographie, liste des écrits et des sources contemporaines ; trad. angl. par G. Lawrence, Londres, 1964) ; plus simple, notre *G.P. et la mystique orthodoxe*, coll. Maîtres spirituels 20, Paris, 1959 (trad. angl., Crestwood, 1974) replace l'œuvre dans le cadre de la spiritualité de l'Orient chrétien ; un ensemble de nos articles est réédité dans J. Meyendorff, *Byzantine Hesychasm. Historical, cultural and theological Problems*, coll. Variorum Reprints, Londres, 1974.

**Études d'ensemble.** – M. Jugie, art. *Palamas* ; *Controverse palamite*, DTC, t. 11, 1932, col. 1735-1818 (interprétation trop critique, mais bonne documentation). – D. Staniloae, « Vie et enseignement de S. G. P. », en roumain, Sibiu, 1938. – B. Krivochéine, « La doctrine ascétique et théologique de S. G. P. », en russe, avec résumé en français, dans *Seminarium Kondakovianum*, t. 8, Prague, 1936, p. 99-154 ; trad. allem., Wurtzbourg, 1939 ; trad. angl. dans *Eastern Churches Quarterly*, t. 3, 1938 et à part, Londres, 1955. – Archimandrite C. Kern, « L'anthropologie de S. G. P. », en russe, Paris, 1950. – P. Scazzoso, *La teologia di S. G. P.* », Rome. 1970.

**Écrits palamites et antipalamites.** – Depuis le *Bulletin* de Stiernon, les œuvres des palamites David Dishypathos et Jean Calothetos ont été publiées par D. Tsamès, Thessalonique, 1973 et 1980. – De l'antipalamite Nicéphore Grégoras, éd. du *Florentios*, par L.M. Leone, Naples, 1975 ; de l'*Antirrheticos* I, par H.V. Beyer, Vienne, 1976 (avec trad. allem.) ; celle de l'*Antirrheticos* II est préparée par M. Paparozzi, Rome ; en préparation aussi l'éd. des *Lettres* d'Akindynos par Angela Hero (Washington) et de ses traités par J.S. Nadal (Rome).

**Débats actuels.** – Parmi les théologiens catholiques, certains discutent le caractère traditionnel et patristique du palamisme. Voir surtout dans *Istina*, 1974, n. 3 : J.-Ph. Houdret, *Palamas et les Cappadociens*, p. 260-271 ; J.-M. Garrigues, *L'énergie divine et la grâce chez Maxime le C.*, p. 272-296 ; J.-S. Nadal, *La critique par Akindynos de l'herméneutique patristique de P.*, p. 297-328 ; M.-J. Le Guillou, *Lumière et charité dans la doctrine palamite de la divinisation*, p. 329-338.

D'autres admettent la continuité entre la théologie de P. et celle des Cappadociens et de Maxime : A. de Halleux, *Palamisme et scolastique*, dans *Revue théol. de Louvain*, t. 4, 1973, p. 479-493 ; *Palamisme et tradition*, dans *Irénikon*, 1975/4, p. 479-493. – M. Edmund Hussey, *The Person-energy structure in the theology of St. G.P.*, dans *St Vladimir's Theological Quarterly* = SVTQ, t. 18, 1974, p. 22-43.

Du côté orthodoxe, on souligne le caractère traditionnel du palamisme et ses aspects christocentriques et personnalistes : G. Barrois, *Palamism revisited*, SVTQ, t. 19, 1975, p. 211-231 ; – Chr. Yannaras, *The distinction between essence and energies and its importance for theology*, ibidem, p. 232-245 ; – J. Meyendorff, *The Holy Trinity in Palamite Theology*, Patriarch Athenagoras Lectures, Brooklin, Mass., 1977, p. 25-43.

Le débat se poursuit aussi dans des études plus générales, spécialement à propos de saint Maxime. – J. Meyendorff, *Le Christ dans la théologie byzantine*, Paris, 1969 ; *Byzantine Theology*, New York, 1974 ; trad. franç., *Initiation à la théologie byzantine*, Paris, 1975. – Chr. von Schönborn, *Sophrone de Jérusalem*, Paris, 1972. – A. Riou, *Le monde et l'Église chez Maxime le C.*, Paris, 1976. – D. Wendebourg, *Geist oder Energie. Zur Frage der innergöttlichen Verankerung des christlichen Lebens in der byzantinischen Theologie*, Munich, 1980. – F. Heinzer, *Gottes Sohn als Mensch. Die Struktur des Menschseins Christi bei Maximus C.*, Fribourg/Suisse, 1980. – G. Podskalsky, *Theologie und Philosophie in Byzanz*, Munich, 1977.

Sur le plan historique, la connaissance des circonstances de la controverse a sensiblement avancé avec la publication du *Prosopographisches Lexikon der Palaiologenzeit*, par E. Trapp, R. Walter, H.V. Beyer (1er fascicule, Vienne, 1976), et diverses monographies ou études : S.I. Kourousès, « Manuel Gabalas, ou Matthieu métropolite d'Éphèse », en grec, Athènes, 1972 (cf. DS, t. 10, col. 808-813). – A. Fyrigos, *La produzione letteraria antilatina di Barlaam Calabro*, OCP, t. 14, 1979, p. 114-144 (et son éd. des *Epistole a Palamas*, Rome, 1975).– H.V. Beyer, *Eine Chronologie der Lebensgeschichte des Nikephoros Gregoras*, dans *Jahrbuch der österreichischen Byzantinistik*, t. 27, 1978, p. 127-155. – R.E. Sinkewicz, *A new Interpretation of the first Episode in the Controversy betwenn Barlaam the Calabrian and Gregory Palamas*, dans *Journal of Theological Studies*, t. 31, 1980, p. 489-500. – La correspondance d'Irène-Eulogie Choumnos, personnalité antipalamite, avec son directeur spirituel, sera publiée par A. Hero.

Pour l'expansion et l'influence de l'hésychasme byzantin dans les pays slaves (DS, t. 10, col. 1593-1603), voir J. Meyendorff, *Byzantium and the Rise of Russia. A study of Byzantino-Russian relations in the fourtheenth Century*, Cambridge, 1981 (où l'on trouvera des références aux nombreux travaux récents en langues slaves sur l'hésychasme).

DS, t. 1, 1637, 1644 ; – t. 2, col. 1798-1801, 1853-1854 (Contemplation) ; – t. 3, col. 311-312 (Denys), 1388 (Divinisation) ; – t. 10, col. 1412 (Mnèmè Theou).

Jean MEYENDORFF.

**PALAU Y QUER** (FRANÇOIS), carme déchaux exclaustré, prêtre, 1811-1872. – 1. *Vie.* – 2. *Écrits.* – 3. *Doctrine.*

Francisco Palau y Quer est une figure qui devient fort actuelle, en particulier à cause du renouveau religieux suscité par Vatican II, et de l'harmonie profonde de sa doctrine ecclésiale avec celle de ces derniers temps.

1. VIE. – Francisco Palau naquit à Aytona (Lérida) le 29 décembre 1811, septième de neuf frères, dans une famille de condition humble, traditionnellement chrétienne. Il connut dans son enfance les privations économiques, accrues par les destructions des guerres napoléoniennes. A l'âge de 17 ans, il entra au séminaire de Lérida ; de 1828 à 1832 il y fit trois années de philosophie et une de théologie, recevant la tonsure en 1829. Le 14 novembre 1832, il entra au noviciat des carmes thérésiens à Barcelone, et il y fit profession le 15 novembre de l'année suivante. Il y continua sa formation religieuse et ses études en vue du sacerdoce jusqu'au 25 juillet 1835 ; la révolution le contraignit alors à abandonner son couvent ; il ne put y retourner, car il ne fut pas rétabli de son vivant. Il resta donc désormais exclaustré, assimilant toutefois avec une profondeur étonnante la doctrine du Carmel thérésien.

Il fut ordonné prêtre à Barbastro le 2 avril 1836. Durant les cinq premières années de son exclaustration il se livra au ministère sacerdotal. Avec les temps de retraite et de solitude, il faisait alterner l'activité pastorale et se distinguait comme prédicateur et « missionnaire apostolique », parcourant les provinces catalanes. Au terme de la guerre carliste avec la chute de Berga (21 juin 1840), par crainte de persécutions possibles, il se réfugia en France et, après un long séjour dans le diocèse de Perpignan, s'établit au voisinage de Caylus (Montauban). Là, il mena une vie de pénitence, de retraite et de solitude avec une certaine activité pastorale et la direction de groupes religieux réfugiés autour de lui.

Les difficultés croissantes de ce genre de vie le déterminèrent à retourner en Espagne de façon définitive, au printemps de 1851, et à s'y faire incardiner dans le diocèse de Barcelone. Il y organisa, sous le nom de *Escuela de la virtud*, une œuvre pastorale de

grande influence. Ses cours, inaugurés en novembre 1851, durèrent jusqu'en mars 1854 ; ils furent alors brutalement supprimés par les autorités civiles et militaires, qui accusaient Palau d'immixtions sociales et politiques. En tant que directeur de l'œuvre, il fut exilé et confiné dans l'île d'Ibiza, aux Baléares, où il resta, mis à part quelques courts voyages, jusqu'en mai 1860 : années décisives, où il acquit sa maturité spirituelle, entrecoupant son action apostolique de périodes de stricte solitude (notamment ses fréquentes retraites dans la petite île de Vedrá). Ayant recouvré la liberté, il regagna la péninsule et s'adonna avec zèle à la prédication dans les grandes villes (Barcelone, Madrid, Palma, etc.), reprenant aussi en mains des œuvres qu'il avait fondées.

Pendant les années 1863-1867, il passa de la prédication de type traditionnel à l'activité des missions populaires (en Catalogne et aux Baléares). Au cours des mêmes années, il parvint à consolider sa fondation de Tertiaires du Carmel (à double branche masculine et féminine) qui s'étendit de son vivant aux Baléares, à la Catalogne et au Haut-Aragon. A partir de 1864, il s'adonna aussi beaucoup à l'apostolat d'exorciste, organisant un centre d'aide aux malades sur les pentes du Tibidabo (Barcelone). Pour se défendre sur ce point, il eut recours à Pie IX (1866) et dans la suite écrivit un opuscule présenté à Vatican I, où il suggérait l'établissement permanent de l'ordre d'exorciste. Il rédigea avant de mourir les *Constituciones* définitives des Tertiaires (1872). La peste ayant éclaté en Aragon aux premiers mois de 1872, ses collaborateurs accoururent pour prêter assistance aux malades. Il s'unit à eux à Calasanz (Huesca) où, semble-t-il, il tomba malade ; il gagna Barcelone et de là Tarragone, où il mourut, entouré de ses fils et filles spirituelles, le 20 mars 1872. Bien qu'il eût en de nombreux milieux renom de sainteté, son procès de béatification ne fut commencé qu'à une date tardive (1949-1951). Il est à présent fort avancé.

2. ÉCRITS. – Il est facile, parmi les écrits de Palau, de distinguer deux groupes : d'une part, ceux d'ordre pastoral et pédagogique, tous de caractère spirituel dans leur but et leur contenu ; d'autre part, ceux d'ordre personnel, autobiographiques.

1° Parmi les premiers, réclamés par les besoins de son apostolat, il convient de souligner, par ordre de composition et de publication :

1) *Lucha del alma con Dios* (Montauban, 1843 ; nouvelle éd. Barcelone, 1869), rédigé durant l'exil en France pour promouvoir chez ses compatriotes la prière pour l'Église persécutée, notamment en Espagne. C'était la réponse à l'appel en ce sens du pape Grégoire XVI. L'ouvrage vise à enseigner comment prier à cette fin de façon adaptée et avec fruit ; beaucoup, en effet, ne savent pas comment le faire. Il ne s'agit pas uniquement d'oraison mentale ; l'auteur suggère des pratiques fort variées pour diverses sortes de personnes, afin que le livre puisse servir de guide à qui cherche une orientation précise. Sa réimpression dans la célèbre collection « Libreria religiosa » de Barcelone en 1869 est un indice de son influence (nouvelle éd. récente, Rome, 1981).

2) *La vida solitaria*, opuscule composé également au cours du séjour en France, défend son genre de vie et montre qu'il n'est pas en conflit avec les devoirs du prêtre. Palau ne parvint pas à le faire éditer et ce n'est que récemment qu'il a été publié (Rome, 1976). Bien qu'il poursuive

surtout un but apologétique, il donne des motivations très solides de la vie de solitude, exposant aussi avec vigueur la situation alors faite à l'Église (1848).

3) *Catecismo de las virtudes*, excellent manuel écrit à l'usage des élèves de la *Escuela de la virtud* (Barcelone, 1852), est rédigé à la manière typique d'un cathéchisme, avec demandes et réponses ; il traite des vertus chrétiennes, en substance dans la ligne thomiste (*Summa* 1ᵃ et 2ᵃ 2ᵃᵉ). L'exposé comprend 52 leçons, en rapport avec les divers dimanches de l'année, les réunions à la *Escuela* se tenant ce jour-là (nouvelle éd., Rome, 1977).

4) *La Escuela de la virtud vindicada* (Madrid, 1859) : en faveur des résultats obtenus par l'*Escuela de la virtud*, en réponse aux accusations des autorités catalanes et aux allégations de la presse de Barcelone et Madrid. C'est la meilleure histoire de l'œuvre et tout ensemble sa défense. Sa valeur est aussi notable du point de vue doctrinal, la défense prenant appui sur des principes fort bien élaborés, encore que souvent répétés. Ils concernent la mission de l'Église, qui est d'évangéliser ; la nécessité d'adapter cette mission aux changements de temps et de lieux ; la liberté dont doit jouir l'Église pour l'accomplir ; l'indépendance de ses ministres à l'égard de toute option politique concrète ; l'admission du fait que la prédication authentique de l'Évangile tourne nécessairement au bien même de la société civile, étant donné la morale supérieure enseignée et inculquée. On a récemment réédité ce livre, devenu très rare (Rome, 1979).

5) *Mes de María o Flores del mes de mayo* (Barcelone, 1862) : livre de dévotion mariale qui fournit une méthode pour célébrer avec fruit le mois de Marie. Ce qui le distingue, c'est la sobriété, la simplicité et le sérieux de l'ensemble ; pour chaque jour du mois, il offre : une vertu symbolisée par une fleur reproduite en gravure sur une page entière ; une application du symbole à la dite vertu ; comment Marie l'a vécue ; la manière de la pratiquer. La forme graphique de la présentation a une portée pédagogique manifeste ; quant aux réflexions sur les vertus, elles complètent ou appliquent le *Catecismo de las virtudes* (nouvelle éd., Rome, 1981).

6) *La Iglesia de Dios figurada por el Espíritu Santo en los Libros Sagrados* (Barcelone, 1865) : album de 21 estampes sur l'Église, avec explications correspondantes. Les gravures, œuvres d'artistes connus de l'auteur, s'inspirent de textes de la Bible, en particulier de l'Apocalypse. Les commentaires ou explications sont de Palau et traduisent des idées chères, que l'on retrouve en partie en d'autres écrits. Dédié à Pie ix, l'auteur devait le lui remettre, à l'occasion de son voyage à Rome en 1866. Il a été imprimé récemment (Rome, 1976 ; reproduction photostatique, Burgos, 1980).

On pourrait inclure dans le premier groupe des écrits succincts sur l'exorcistat (1870), quelques articles dans l'hebdomadaire *El ermitaño* (1868-1870) et les divers textes juridiques concernant ses fondations, comme les *Constituciones* de 1872.

2° *Écrits de caractère personnel.* – 1) Les *lettres,* la plupart de direction spirituelle, de 1846 à 1872, représentent une des sources les plus nettes de sa spiritualité ; leur publication vient d'être terminée (Rome-Burgos, 1982). – 2) D'un point de vue plus intime elles trouvent leur complément dans un écrit connu sous le titre *Mis relaciones con la Iglesia.* La première partie a disparu ; un second cahier nous est parvenu, avec des méditations qui vont de 1864 à 1867. Il s'agit d'un écrit très particulier dans son contenu et dans sa rédaction : ce sont des motivations intimes que Palau garda avec soin jusqu'à sa mort. On les a récemment publiées, avec une longue introduction où sont étudiés à loisir les problèmes textuels, doctrinaux et spirituels qui s'y trouvent (Rome, 1977). Ces pages contiennent ce qu'il y a de plus particulier dans la spiritualité de Palau. Il s'agit moins d'une autobiographie ou d'un journal spirituel que de méditations, colloques et fervents dialogues de l'auteur au sujet de ce qui est au centre de son expérience spirituelle, l'Église. On y trouve insérée la prière de colloque intime que suggère sainte Thérèse.

3. DOCTRINE. – Palau réalise admirablement l'esprit et la tradition du Carmel thérésien. Pour comprendre son message spirituel, il n'est que de regarder de près sa vie : on y retrouve l'harmonie que sainte Thérèse désirait entre l'oraison et l'activité apostolique, la prière personnelle et celle de l'Église. Il se meut dans un climat carmélitain et thérésien, dont il a assimilé les valeurs fondamentales, le style et le vocabulaire. Son apport nouveau consiste dans des éléments dérivés d'une profonde expérience de l'Église. C'est sur ce mystère de l'Église que, de façon très claire, sa vie et sa doctrine spirituelle apparaissent centrées ; toute son œuvre et son horizon spirituel s'organisent autour de cette réalité du mystère du salut. Nous avons là un cas presque unique dans l'histoire de la spiritualité ; il est difficile, en tout cas, d'en trouver d'autres analogues. Il parvient, dans son expérience intime, à dépasser les catégories conceptuelles et à vivre l'Église comme une réalité unique et personnelle, qui polarise tous les autres aspects et tous les autres éléments du mystère de la communication que Dieu fait à l'homme. C'est bien le cas typique d'une spiritualité ou expérience « ecclésiocentrique ». Après de longues années de réflexion et de recherche, dans une nuit obscure, l'Église se manifeste à lui de façon très claire comme le terme concret et final de son amour. A partir de 1860 (autour de la cinquantaine), il voit l'Église, la contemple et l'approche comme la réalité aimée, celle qui donne à sa vie un sens. Dans un processus continu d'intériorisation, il parvient à vivre l'Église et à la décrire exactement dans la perspective d'aujourd'hui, comme « une Personne mystique » (H. Mühlen), c'est-à-dire comme le mystère d'unité et identité du Christ et des chrétiens dans l'Esprit saint. Et précisément parce que « personne mystique » – plutôt que « corps mystique » – elle est terme des relations interpersonnelles, Épouse, terme d'Amour pour chaque chrétien.

Cette vue quasi personnifiée est décisive dans la vie et la spiritualité de Palau. Il la tient impliquée dans la profession même de la foi en « l'Église une ». Écarter ce fondement serait laisser sans base sa spiritualité entière. L'unité d'être et de vie dans l'Église persiste malgré les multiples éléments et membres qui l'intègrent. Aussi faut-il toujours envisager et faire prévaloir sur toute théorie ou catégorie théologiques son caractère essentiel de « mystère ». Quelque formulation que l'on emploie pour la décrire, il faut garder intacte sa constitution foncièrement mystérieuse, intraduisible en concepts humains, tout comme le sont les autres mystères de la foi.

Dès lors, l'Église ne peut être réalisée et vécue au plan de l'expérience qu'à la lumière de la foi et de la vie théologale, autres soutiens de la spiritualité de Palau. Vie théologale et vie contemplative sont des présupposés nécessaires pour découvrir la réalité mystérieuse de l'Église. Sans s'écarter de la tradition carmélitaine thérésienne, Palau reporte sur l'Église le centre de la contemplation et de la vie théologale, réalisant ainsi un apport original qui enrichit le patrimoine de sa tradition religieuse. Il donne un nouvel éclairage de ses données traditionnelles : avant tout, un accord marqué entre la vie active et la vie contemplative, comme dimensions conjointes de la vie ecclésiale ; en même temps, une unification de la prière personnelle et de la prière de l'Église, de la contemplation intime et de l'action liturgique. Il ne s'agit pas seulement de programmes ou de suggestions : c'est une conséquence de son expérience spirituelle.

En complément de l'idée dominante de l'Église « personne mystique », vient celle du « Christ total », étant donné que le Christ est toujours présent (Tête et Corps) dans l'Église. Dès lors, pour Palau, l'incorporation à l'Église (inaugurée au baptême) se réalise pleinement avec l'union la plus intime au Christ ; elle s'opère dans l'Eucharistie, où il distingue nettement l'union sacramentelle au Seigneur et l'union spirituelle à son corps mystique, l'union au Christ Chef uni à son corps. D'où la grande importance de l'Eucharistie dans sa spiritualité. Dans le même contexte, la doctrine mariale de Palau se présente aussi sous un nouvel éclairage : La Vierge Marie s'insère de façon harmonieuse dans sa vision ecclésiale. A l'Église, qui pour lui est la réalisation historique du plan divin du salut, correspond en Dieu une représentation corrélative : Marie était prédestinée à être la Mère de Dieu et tout ensemble, ou par le fait, à être le type achevé et parfait de l'Église ; c'est bien ainsi que tout chrétien doit la considérer ; ainsi que Palau s'est accoutumé à l'envisager : non comme un élément à part de l'Église, mais comme intégrée en elle et comme le modèle accompli de sa perfection et sainteté. D'où le rappel insistant que pour lui Marie est le terme ultime de son amour, non comme personne individuelle, mais comme unie à l'Église et la représentant. La Trinité en elle-même, chaque Personne en elle, l'Esprit saint, l'Eucharistie, Marie, entrent dans la vie spirituelle et y prennent place en fonction de leurs relations avec l'Église.

Telle est la vision de Palau, traditionnelle dans ses éléments, neuve et personnelle de par cet éclairage foncièrement ecclésial.

Bibliographie complète jusqu'en 1973 par Juana Casanova et Maria Josefa Lara, dans *Una figura carismática del siglo 19: El P. Fr. Palau y Quer...*, éd. par E. Pacho, Burgos, 1973, p. 645-659 ; compléments jusqu'en 1978 dans *Positio super introductione causae et virtutibus...* (Congrégation pour la cause des saints, section historique, vol 82, Rome, 1979, p. 993-1046). – De l'abondante bibliographie, nous retenons les titres suivants à cause de leur valeur scientifique.

1. **Biographie.** – R. Guillamet y Coma, *Noticias biográficas del R.P. Fr. Palau...*, Tarragone, 1909. – Alejo de la Virgen del Carmen, *Vida del R.P. Fr. Palau...*, Barcelone, 1931 (réimpr. anastatique 1980). – Silverio de S. Teresa, *Historia del Carmen Descalzo en España...*, t. 13, Burgos, 1946, p. 187-217. – Crisógono de Jesús, *Vida del P. Fr. Palau, fundador de las Carmelitas Descalzas Misioneras*, Madrid, 1944, 1955. – Gregorio de Jesús Crucificado, *Brasa entre cenizas. Biografía del R.P. Fr. Palau...*, Bilbao, 1956. – A. Pacho, *El P. Palau y su momento histórico*, dans *Una figura carismática...*, p. 17-77. – O. Rodríguez, *El P. Fr. Palau, Carmelita Teresiano, ibidem*, p. 125-134.

2. **Études.** – Dans *Una figura carismática*: E. Pacho, *Los escritos del P. Fr. Palau*, p. 137-254 ; Ildefonso de la Inmaculada, *Pensamiento eclesiológico del P. Fr. P.*, p. 263-280 ; A. Huerga, *El P. Fr. P. y la eclesiología de su tiempo*, p. 281-322 ; O. Domínguez, *La doctrina de la Iglesia como Cuerpo Místico*, p. 323-372 ; I. Bengoechea, *Mariología y*

espiritualidad mariana del P. Fr. P.*, p. 373-412 ; R. Ruiz, *Perfección y virtudes según el P. Fr. P.*, p. 413-426 ; E. Renedo, *La vida religiosa según el P. Fr. P.*, p. 427-454.

I. Bengoechea, *María y el misterio de la Iglesia en la espiritualidad del P. Fr. P.*, dans *Estudios Marianos*, t. 37, 1973, p. 147-167. – J. Pastor Miralles, *Tras las huellas del P. Fr. P. Su vida como fundador*, Barcelone, 1975 ; *María tipo perfecto y acabado de la Iglesia en... P. Fr. P.*, Madrid, 1978.

En ce qui concerne les fondations religieuses de Palau, voir DIP, t. 6, 1980, col. 1083-1086. – DS, t. 4, col. 1186, 1188 (sous le nom de François de Jésus-Marie, nom de religion de Palau).

Eulogio PACHO.

**PALAZZI** (JEAN), prêtre, 1632-1712. – Né à Venise, prêtre à S. Paternian, Giovanni Palazzi fut en 1664 nommé curé de S. Maria Mater Domini, puis en 1684 archiprêtre de la Congrégation vénitienne du clergé de la même église. Il devint chanoine de l'église ducale et examinateur au synode de 1686. Outre les charges de Conservateur de la Bulle Clémentine et de conseiller de l'empereur Léopold I, il enseigna la jurisprudence à Venise et fut professeur de Droit canon à l'université de Padoue.

Le 8 juillet 1692 fut mis à l'*Index*, comme quiétiste, son ouvrage spirituel : *Armonia contemplativa delli santi Filippo Neri, Ignatio Loiola, Gaietano di Tieni e Teresa di Giesù, disposta secondo l'ordine delli Vangeli non solo per tutti li giorni dell'anno, mesi e settimane, ma ancora per tutte le feste principali...*, Anvers (= Venise), 1690.

Il s'agit d'une rééd. notablement augmentée de l'anonyme *Armonia contemplativa delli santi Filippo Neri, Ignatio Loiola, Caietano di Tieni e Teresa di Giesù...*, Anvers (= Venise), 1675. L'éd. de 1690 fut reprise en 1693 sous un autre titre, peut-être pour éviter une nouvelle mise à l'Index : *Vita, Morte, Resurrezione di Giesù Cristo... colle feste principali de' santi...*, Anvers (= Venise) ; cette rééd. ne se distingue de celle de 1690 que par des différences bibliographiques. Elles ont été analysées par A. Niero (*Alcuni aspetti...*, cité *infra*). Celle de 1690 dispose les méditations selon le temps liturgique. Les thèmes « quiétistes » se réduisent à des expressions métaphoriques (surtout la « supposition impossible »), à l'amour pur et à la vision béatifique *in statu viae* (à propos de Philippe Neri et de Thérèse d'Avila). Par contre, il faut relever l'insistance de Palazzi sur la dimension fraternelle et sociale de la vie chrétienne : selon lui, une vie spirituelle qui ne se traduirait pas par des bonnes œuvres en faveur du prochain et de son propre pays ne serait pas authentique.

Palazzi a beaucoup publié sur l'histoire de Venise (vg *La virtù in giocco, overo Dame patritie di Venezia famose per nascità, per lettere...*, Venise, 1681, qui présente quelque intérêt hagiographique ; goût baroque) et sur celle des empereurs du Saint Empire. En ce qui concerne l'Histoire ecclésiastique, on lui doit : *Monarchia ecclesiastica, hoc est gesta Romanorum Pontificum a S. Petro usque ad Innocentium XI* (Venise, 1678), – *Aristocratica Ecclesia sive fasti omnium cardinalium* (1701) ; – *Vita di San Pietro, principe degli apostoli* (1687) est du genre hagiographique.

Palazzi a publié aussi dans les domaines du droit et de la littérature (sur Dante ; trad. en prose des *Métamorphoses* d'Ovide sous le pseudonyme de Francesco Bardi). – Pour défendre son œuvre historique : *Contra folium quod a vento rapitur. Apologia J. Palatii in Anonimum* (Venise, 1675),

*Aquila inter lilia* et *Testamento e codicillo del R. canonico G. Palazzi* (1712) où l'on relève des motifs quiétistes.

A. Tassi, *Oratio habita in funere J. Palatii...*, Venise, 1713. – M. Petrocchi, *Il quietismo italiano del Seicento*, Rome, 1948, p. 74, 115, 116. – S. Tramontin, *S. Maria Mater Domini. Storia e arte*, Venise, 1962, p. 57-62, 64-70 et bibl. – A. Niero, *Alcuni aspetti del quietismo veneziano*, dans *Problemi di storia della Chiesa nei Secoli* XVII-XVIII, Naples, 1982, p. 223-249.

Antonio Niero.

**PALLADE D'HÉLÉNOPOLIS**, évêque, vers 364-420/430. – 1. *Biographie.* – 2. *Œuvres.* – 3. *Doctrine.*

1. **Biographie.** – Les renseignements sur la vie de Pallade sont tirés pour l'essentiel de ses œuvres : l'*Histoire Lausiaque* (= HL) et le *Dialogue sur la vie de S. Jean Chrysostome*. Ils sont abondants, ne contredisent pas le peu que nous savons par ailleurs ; mais il est difficile de les organiser en un ensemble cohérent et beaucoup d'incertitudes demeurent. Nous ne savons pas comment Pallade compte les années ; il ne faut donc pas, la plupart du temps, espérer dater les événements de sa vie à l'année près.

La chronologie de sa vie se construit, dans son ensemble, autour d'un passage du Prologue de HL où l'auteur dit écrire en la 20e année de son épiscopat, la 33e de sa vie monastique et la 56e de son âge. L'accession à l'épiscopat peut être datée avec une certaine précision : vers mai 400, Pallade se trouve comme évêque à Constantinople dans un synode réuni autour de Jean Chrysostome ; en 399, il accompagne Silvia et Mélanie l'Ancienne en Égypte et, très vraisemblablement, n'est pas encore évêque. Il faut donc penser qu'il devient évêque à la fin de 399 ou en 400. On retient en général cette dernière date ; déjà Butler l'avait proposée, en s'appuyant comme *terminus post quem* sur la mort d'Évagre (Épiphanie 399), à laquelle Pallade aurait assisté. Dès lors la chronologie de sa vie s'établit ainsi : il naît vers 364, devient moine en 386, évêque en 400, et compose HL en 419-420. Ces points fixés, nous suivrons maintenant le système construit par Butler (*The Lausiac History...*, t. 1, p. 179-83, 293-7 et surtout t. 2, p. 237-47), quitte à le préciser d'après des études plus récentes. Nous examinerons ensuite un système sensiblement différent, élaboré par D. F. Buck.

Pallade naît donc en Galatie en 363 ou 364. A en juger d'après son œuvre, et spécialement d'après le *Dialogue*, où Coleman-Norton a relevé l'utilisation de plusieurs auteurs profanes, il dut recevoir une bonne formation. En 386 environ, il devient moine et quitte sans doute très vite la Galatie pour la Palestine : peut-être est-ce à cette époque qu'il fait la connaissance d'Elpidius le Cappadocien à la laure de Douka (HL 48). La plupart des auteurs placent alors le séjour de trois ans qu'il fit au Mont des Oliviers auprès du prêtre Innocent (HL 44). Peut-être entret-il alors en relations avec Mélanie l'Ancienne (DS, t. 10, col. 959-960) et Rufin d'Aquilée ; on peut supposer que c'est à leur instigation qu'il quitte la Palestine pour l'Égypte.

Pallade arrive à Alexandrie « pour la première fois lors du second consulat de l'empereur Théodose le Grand » (HL 1), c'est-à-dire en 388. Il y devient le disciple d'Isidore le Prêtre, hospitalier de l'Église d'Alexandrie, qui, pour l'exercer à l'ascèse, le confie pour trois ans à un ermite des environs d'Alexandrie, Dorothée le Thébain (HL 2). Pallade

ne peut supporter la rude vie de Dorothée ; malade, il doit quitter celui-ci avant la fin des trois années ; il serait resté trois ans à Alexandrie et dans les environs (HL 7).

Vers 390 ou 391 donc, Pallade gagne le désert de Nitrie où il passe un an en compagnie d'Arsisios le Grand, Poutoubastès, Asion, Kronios et Sérapion (HL 7). Il s'enfonce ensuite dans le désert et s'établit aux Cellules où il demeure neuf années (HL 18). C'est là qu'il fait la connaissance de Macaire l'Alexandrin (DS, t. 10, col. 4-5 ; HL 18) et surtout qu'il devient un disciple d'Évagre le Pontique (DS, t. 4, col. 1731-1744). Cette relation est de première importance : on sait les opinions hétérodoxes d'Évagre et nous reviendrons sur les liens de Pallade avec les origénistes et l'origénisme. Au cours de son séjour aux Cellules, il visite de nombreux ascètes, en particulier Jean de Lycopolis (HL 35), sans doute en 394. Celui-ci lui apprend que son père est toujours vivant, que son frère, Brisson, et sa sœur ont choisi la vie monastique (Brisson, devenu sans doute évêque, quitte son Église après l'exil de Chrysostome et se retire dans un domaine rural qu'il cultive de ses mains ; cf. *Dial.* 20, éd. Coleman-Norton, p. 127).

Il n'est pas impossible que Pallade ait fait d'autres voyages. Nous savons en effet qu'il se lie d'amitié avec Lausus sous le consulat de Tatianus (391) : Butler doute que la rencontre ait eu lieu en Égypte. Surtout, une lettre d'Épiphane de Salamine à Jean de Jérusalem (traduite par Jérôme, *Epist.* 51, PL 22, 527) mettait ce dernier en garde contre l'origéniste Pallade de Galatie, « qui jadis nous fut cher » : elle semble bien impliquer que celui-ci se trouvait en Palestine en 393-394. Il est probable, étant donné les relations qui unissent le cercle d'Évagre et le monastère de Mélanie, que Pallade a fait de brefs séjours à Jérusalem. Une lettre d'Évagre (51, éd. W. Frankenberg, *Evagrius Ponticus*, Berlin, 1912, p. 598) le montre portant le courrier.

Trois ans après sa visite à Jean de Lycopolis, Pallade tombe malade. Les médecins qu'il consulte à Alexandrie lui conseillent de quitter l'Égypte pour le climat plus sain de la Palestine. On peut hésiter sur la date du départ : trois ans après la visite à Jean nous mettent en 397 ; mais comme Pallade prétend être resté trois ans à Alexandrie, un an à Nitrie et neuf aux Cellules, Butler opte pour la date plus tardive de 399.

Vers 399, Pallade revient donc en Palestine : c'est à cette occasion qu'il séjourne (un an, dit-il) auprès de Posidonios le Thébain à Bethléem, un ascète qui semble avoir été en mauvais termes avec son voisin Jérôme. En la même année 399, il accompagne Silvia en Égypte, puis nous perdons sa trace. Peut-être s'est-il rendu en Galatie (HL 35) ; c'est alors en tout cas qu'il devient évêque d'Hélénopolis en Bithynie. Il avait été ordonné prêtre en Égypte par Dioscore le Long, évêque d'Hermopolis Parva, comme nous l'apprend le texte syriaque de HL (éd. Butler, p. 29, apparat critique).

En 400 (printemps ou été), Pallade siège aux côtés de Jean Chrysostome à Constantinople dans un synode chargé d'examiner les accusations portées par Eusèbe de Valentinopolis contre Antonin d'Éphèse (*Dial.*, p. 83-87).

Membre de la commission envoyée en Asie pour enquêter sur l'affaire, il séjourne d'abord à Smyrne avec Synclétios de Trajanopolis, l'autre évêque chargé de l'enquête, puis à Hypaipa où, au cœur de l'été, comparaissent Eusèbe et Antonin. A la suite de manœuvres dilatoires, Pallade doit rester plus de deux mois à Hypaipa, puis revient à Constantinople. La mort d'Antonin ne réglant pas l'affaire d'Éphèse, Jean Chrysostome décide d'aller lui-même sur place. Au début de 401, il rejoint Pallade à Apamée (peut-être celui-ci avait-il passé l'hiver à Hélénopolis), puis tous deux se rendent à Éphèse, où l'on procède au sacre du nouvel évêque. Il semble que, tandis que Jean rentrait à Constantinople, Pallade soit resté à Éphèse quelque temps encore.

Au printemps 403, il est à Constantinople, aux côtés de Jean Chrysostome sommé de comparaître devant le synode du Chêne, réuni à l'instigation des ennemis de Jean, principalement de Théophile d'Alexandrie. Pallade aura lui-même à se défendre devant le synode, sans que l'on connaisse le chef d'accusation. Il reste à Constantinople jusqu'à la déposition de Jean et sa condamnation à l'exil, et même, semble-t-il, quelque temps encore après. Au début de 405, il se réfugie à Rome où il plaide, avec d'autres, la cause de Jean Chrysostome devant le pape Innocent I (on a voulu, sans preuves, identifier ce dernier avec Innocent le Prêtre auprès duquel Pallade avait séjourné). Ayant obtenu l'appui du Pape, Pallade quitte Rome, la même année 405, avec trois autres évêques orientaux et plusieurs occidentaux. La délégation ainsi constituée, portant des lettres du pape, de l'empereur Honorius et d'évêques occidentaux, n'atteint pas Constantinople : elle est interceptée et Pallade incarcéré à Athyras de Thrace. Sans doute est-ce alors qu'il passe onze mois dans une prison obscure (HL 35), à moins qu'il ne faille rapporter cet épisode à la période précédant le départ pour Rome. L'empereur Arcadius l'exile ensuite à Syène, en Haute Égypte, où il passe deux ans.

Peut-être est-ce peu après 408 que Pallade écrit le *Dialogue*. Puis il passe 4 ans à Antinoé en Thébaïde, sans que l'on sache pour quelles raisons son lieu d'exil a ainsi changé. Après la mort de Théophile et la réhabilitation posthume de Jean Chrysostome, donc vers 413, il est rappelé d'exil. Il ne réintègre pas son siège d'Hélénopolis, mais séjourne alors, semble-t-il, en Galatie, peut-être avec le prêtre Philoromos, avec lequel il dit avoir vécu longtemps (HL 45). Nous savons encore que, en 417 ou peu avant (Socrate, *Histoire ecclésiastique* VII, 36), Pallade fut transféré au siège d'Aspona en Galatie Première. C'est là qu'il écrit HL, vers 419, et la dédie à Lausus, chambellan de Théodose II, un ami de longue date. Nous perdons ensuite sa trace. En 431, au concile d'Éphèse, c'est un certain Eusèbe qui signe comme évêque d'Aspona. Pallade a donc dû mourir entre 420 et 430.

La chronologie proposée par D.F. Buck (*The Structure of the Lausiac History*) diffère de celle que nous venons d'exposer sur un point essentiel : Pallade n'aurait pas séjourné en Palestine avant de se rendre en Égypte. C'est en 388, à Alexandrie, sous la direction d'Isidore, qu'il s'initie à la vie monastique. Le séjour avec Innocent devrait être placé après le départ d'Égypte, que Buck date de 397. D'autre part, la seconde partie d'HL (ch. 39-71) suivrait assez fidèlement la vie de Pallade (cf. *infra*). Le système ainsi modifié pose encore de nombreux problèmes, mais il a un avantage : montrer ce que la construction de Butler a d'hypothétique et souligner que nous ne savons pas dater les épisodes palestiniens de la vie de Pallade (à l'exception du séjour avec Posidonios de Bethléem, qu'il faut nécessairement situer entre 392 et 404).

Notons enfin que le dernier chapitre de HL (ch. 71) est autobiographique : prétendant parler d'un « frère », Pallade raconte quelques traits édifiants de sa propre vie monastique. Il affirme être entré dans cent six villes et avoir séjourné dans la plupart. L'un des traits les plus nets, en effet, de cette vie, est que nous avons affaire à un grand voyageur, et le détail de ses pérégrinations (son voyage avec Moïse d'Adoulis jusqu'aux confins de l'Inde, par exemple) est loin d'être connu.

C. Butler, *The Lausiac History of Palladius*, t. 1, *Prolegomena* ; t. 2, *Introduction and Text*, coll. Texts and Studies VI, 1-2, Cambridge, 1898, 1904 ; *Palladiana I, II et III*, dans *Journal of Theological Studies* = JTS, t. 22, 1921, p. 21-35, 138-155, 222-238. – E. Schwartz, *Palladiana*, dans *Zeitschrift für neutestamentliche Wissenschaft* = ZNTW, t. 36, 1937, p. 161-204. – A. Guillaumont, *Les « Kephalaia Gnostica » d'Évagre le Pontique et l'histoire de l'Origénisme chez les Grecs et chez les Syriens*, coll. Patristica Sorbonensia 5, Paris, 1962, p. 47-123. – E.D. Hunt, *Palladius of Helenopolis. A Party and its Supporters in the Church of the Late Fourth Century*, JTS, n. s., t. 24, 1973, p. 456-480. – D.F. Buck, *The Structure of the Lausiac History*, dans *Byzantion*, t. 46, 1976, p. 292-307. – N. Moine, *Melaniana*, dans *Recherches augustiniennes*, t. 15, 1980, p. 3-79 (souligne les problèmes que pose la chronologie de HL).

2. **Œuvres**. – 1° L'HISTOIRE LAUSIAQUE, œuvre importante, a contribué à faire connaître et diffuser l'idéal monastique. Son succès immense, dont témoignent les traductions anciennes en diverses langues (latin, syriaque, arménien, copte, géorgien, arabe, éthiopien, slavon ; les fragments sogdiens signalés en CPG 3, n. 6036 n'appartiennent pas à HL), lui a nui dans une certaine mesure : remaniée, interpolée, mêlée à d'autres œuvres, elle a fini par perdre son aspect original et les mutilations qu'elle a subies ont, pendant fort longtemps, masqué le vrai visage de Pallade. Nous examinerons donc l'histoire fort complexe de ce texte avant de décrire son contenu et son intérêt historique.

1) *Histoire du texte*. – C. Butler (*The Lausiac History of Palladius*), auquel nous devons la principale étude sur Pallade, distingue, dans la tradition grecque de HL, trois recensions : G, B, A. La première (G), peu répandue, plus proche de l'original, a cependant déjà subi des modifications, puisque les mss grecs qui l'attestent ne connaissent plus certains chapitres, transmis par ailleurs, et que l'ordre des trente-deux derniers chapitres est modifié. – B est une réécriture dont un style plus fleuri a fait qualifier de recension « métaphrastique » ; fort ancienne, puisqu'elle date du 5ᵉ siècle, elle serait, d'après E. Honigmann, l'œuvre d'Héraclide de Nysse, auteur connu pour avoir composé une *Vie d'Olympias*. – A est complexe. Elle mêle à HL une autre œuvre de sujet analogue : l'*Historia Monachorum in Aegypto* (Enquête sur les moines d'Égypte), éd. critique A.-J. Festugière, avec traduction annotée, coll. Subsidia hagiographica 53, Bruxelles, 1971 (cf. CPG 3, 1973, n. 5620).

Cet ouvrage (= HM) est le récit du voyage effectué en Égypte, en 394-395, par sept moines du Mont des Oliviers. Comme HL, HM est une suite de récits consacrés à des ascètes égyptiens ; longtemps attribuée à Rufin d'Aquilée, il ne fait plus de doute maintenant qu'elle a été traduite du grec par Rufin. On comprend qu'il ait été tentant de réunir en un seul ouvrage deux récits de teneur si voisine, d'autant plus que plusieurs personnages y sont également mentionnés. Pour les parties de la recension A qui appartiennent strictement à HL, le texte est une contamination de B et G.

Les traductions anciennes se rattachent à ces trois recensions : c'est ainsi que la plus ancienne version latine, due au diacre romain Paschase (5ᵉ s.), s'appuie sur un texte G, ainsi qu'une autre version latine elle aussi fort ancienne (6ᵉ-7ᵉ s.). L'étude des versions syriaques a été renouvelée par R. Draguet (*Les formes syriaques...*, cité *infra*).

L'intérêt de ces versions vient de l'ancienneté des témoins qui les conservent : plusieurs mss sont en effet datés ou datables du 6ᵉ siècle. R. Draguet distingue deux types de témoins syriaques : les uns représentent une tradition antérieure au *Paradis* d'Enanisho, les autres sont les témoins de ce *Paradis,* compilé par Enanisho à la fin du 7ᵉ s. Parmi les diverses recensions syriaques, quatre méritent de retenir l'attention : R3, qui traduit un grec G et que les plus anciens témoins datent du 6ᵉ siècle ; R4, reflétant un grec B, se trouve dans les mss du *Paradis* ; R1 et R2, quant à elles, posent un problème intéressant. Ces deux recensions, très liées l'une à l'autre, attestées par des manuscrits fort anciens (6ᵉ s. pour R1 ; année 534 pour R2), refléteraient en effet un état du texte fort ancien. Il s'agirait, d'après Draguet, d'un document antérieur à HL, en fait de la source qu'aurait employée Pallade sans la nommer pour rédiger une large part de HL. Ce document ancien, adressé non pas à Lausus mais, semble-t-il, à une femme, aurait été traduit en syriaque d'un grec dérivant lui-même d'un original copte. Il est peu probable que les conclusions de Draguet soient acceptées ; mais il reste que le témoignage de R1-R2 demande une attention particulière.

2) *Les éditions.* – HL a été d'abord éditée en *latin,* et cela sous trois formes. Tout d'abord, la version de Paschase (traduisant un grec G) fut publiée par Lefèvre d'Étaples (Paris, 1504), mais avec des lacunes que A. Lipomano (*Sanctorum Patrum vitae,* t. 3, Venise, 1554) combla en traduisant lui-même les passages correspondant d'un mss grec. L'édition de Lipomano fut reprise par Rosweyde dans ses *Vitae Patrum* (Anvers, 1615, 1628) ; de là, elle passa en PL 74, 243-342. Une seconde version latine (6ᵉ-7ᵉ), représentant un grec G raccourci et interpolé, éditée aussi par Rosweyde, fut reprise dans PL 74, 343-382. Surtout, G. Hervet fit paraître à Paris en 1555 une édition de la version latine correspondant au grec A. Cette édition (reprise également par Rosweyde) exerça une influence profonde sur les éditions du texte grec.

En 1616, I. Meursius fit paraître à Leyde l'*editio princeps* du texte *grec* (recension B) ; Fronton du Duc (Paris, 1624, 1644 et 1654) reprend le grec de Meursius, qu'il corrige d'après de nouveaux mss et complète en lui adjoignant, sous l'influence du latin d'Hervet, plusieurs chapitres de HM. En 1686, Cotelier édite le grec correspondant aux passages de l'édition Hervet sans équivalents dans l'éd. de Fronton du Duc. Enfin, J.-P. Migne (PG 34, 995-1260) insère à leur place les compléments de Cotelier et reproduit le travail de Fronton du Duc ainsi modifié, avec en regard la traduction latine de G. Hervet.

On notera donc que, jusqu'à l'édition de Butler, seul le grec B était connu : PG offre en effet la structure de la recension A (HL + HM), mais son texte, pour les passages de HL, est purement B. La recension A n'était représentée que par le latin de Hervet ; le texte G était connu également par

le latin. Les versions orientales, quant à elles, étaient encore insuffisamment éditées.

L'immense mérite de C. Butler est d'avoir apporté la clarté dans un dossier si confus. Retraçant tout d'abord l'histoire du texte, il distingue, comme nous l'avons vu, les trois recensions A, B et G. En fait, la critique de la recension A avait déjà été faite par Lenain de Tillemont. L'apport personnel de Butler est d'avoir dégagé la recension G et montré qu'elle était fort proche de l'original. La tâche, dès lors, était fixée : il s'agissait d'éditer le grec G, ce que fait Butler dans la seconde partie de son monumental ouvrage.

Les résultats obtenus par Butler pour l'histoire du texte de HL n'ont guère été remis en cause, son édition continue à faire référence, et l'ensemble de la construction a résisté au temps. L'édition, cependant, a subi des critiques assez vives. Ainsi, on a pu reprocher à Butler d'avoir mal utilisé le manuscrit W (Oxford, *Christ Church. Wake gr.* 67, 10ᵉ s., alors que P. Paris, *BN gr.* 1638, qui sert de base à Butler, est du 14ᵉ s.). Surtout, le texte de Butler est composite : à partir du ch. 39, Butler ne suit pas l'ordre des mss grecs G mais celui de la très ancienne version latine de Paschase et du grec B ; il a pour cela d'excellentes raisons ; de plus, les ch. 45, 49 et 52, et des parties d'autres chapitres que les mss G ne conservent pas, sont édités dans la recension B. L'éd. de Butler peut donc être améliorée, en fonction surtout des nouvelles découvertes (apport des versions syriaques ; deux mss nouveaux de G retrouvés par R. Draguet, cf. AB, t. 67, 1949, p. 300-308 ; RSR, t. 40, 1951-1952, p. 107-115). Enfin, on notera que les recensions A et B n'ont encore fait l'objet d'aucune édition critique.

3) *Contenu.* – Dans le Prologue adressé au « praepositus sacri cubiculi » de Théodose II, Lausus (d'où le nom d'Histoire *Lausiaque*), Pallade expose son propos : lui faire connaître « la vie des Pères, hommes ou femmes, que j'ai vus ou dont j'ai entendu parler, avec qui j'ai séjourné, dans le désert égyptien, en Lybie, en Thébaïde, à Syène (près de laquelle se trouvent ceux qu'on nomme Tabennésiotes), ensuite en Mésopotamie, en Palestine, en Syrie, dans la partie occidentale de l'Empire, à Rome et en Campanie et dans les régions avoisinantes ». HL se présente alors, après quelques pièces liminaires (*prooemium* inauthentique ; lettre à Lausus apparemment authentique ; prologue authentique), comme une suite de récits édifiants relatifs, pour la plupart, à de saints ascètes ou saintes femmes antérieurs à Pallade ou contemporains. Butler distingue 71 chapitres, auxquels il faut peut-être ajouter un demi-chapitre 41B et deux chapitres conservés seulement en syriaque.

La composition de l'œuvre est peu claire. On y distingue deux parties. La première (ch. 1-38 : ordre identique dans les mss G et B) a sa cohérence propre : consacrée essentiellement à l'Égypte, elle suit, au départ, un ordre autobiographique et s'achève de façon satisfaisante sur le chapitre consacré au maître de Pallade, Évagre le Pontique (ch. 38). La seconde partie (ch. 39-71), dont l'ordre a été reconstruit par Butler (cf. *supra*), n'a pas de logique apparente. On repère bien quelques blocs géographiques : Palestine (ch. 43-52 ; le cas du ch. 46 faisant problème) ; Haute-Égypte (ch. 58-59) ; la Galatie (ch. 66-68) ; et le tout s'achève logiquement par le chapitre que Pallade se consacre à lui-même (ch. 71). Mais l'ensemble est assez chaotique et l'on comprend les tentatives faites pour rétablir un ordre plus satisfaisant ;

ainsi, les mss grecs G regroupent les chapitres consacrés aux saintes femmes.

Pour D. Buck, cette seconde partie, comme la première, suit l'ordre de la vie de Pallade : après l'Égypte (première partie), il vient en Palestine (ch. 43-52), où il fait la connaissance de Mélanie l'Ancienne (ch. 46) et peut-être de Philoromos (ch. 47) ; les ch. 54-55 sont datables de 399 ; nous aurions, avec le ch. 56 (Olympias), la trace du séjour que fit ensuite Pallade à Constantinople, avec les ch. 58-59 des souvenirs d'exil, avec 66-68 des récits datant de l'époque où il fut évêque d'Aspona. A condition d'admettre de nombreuses exceptions et sous réserve que l'on accepte l'hypothèse selon laquelle Pallade ne serait venu à Jérusalem qu'après son séjour en Égypte, cette analyse est séduisante. Elle est la seule, en tout cas, qui rétablisse une logique au moins globale dans l'ordre des chapitres de l'ouvrage.

4) *Importance historique*. – Bien que son but soit l'édification et non la vérité historique, HL est l'une de nos sources essentielles pour l'histoire du monachisme ancien (4e-début 5e s.). Nous devons à Pallade un témoignage précieux sur maint personnage dont il est parfois seul à conserver le souvenir ou sur des personnalités de premier plan (Didyme l'Aveugle, Évagre le Pontique, les Macaire, les deux Mélanie) pour lesquelles il complète utilement notre information.

Pour l'Égypte, il s'est trouvé en relation directe ou indirecte avec les institutions et les cercles monastiques les plus importants, à une période où ils étaient à la fois proches de leurs origines et déjà en plein développement. On remarquera particulièrement les chapitres qui dépeignent la vie des colonies anachorétiques de Nitrie, de Scété, des Cellules (ch. 7, *Les moines de Nitrie* ; ch. 8, *Amoun le Nitriote*, initiateur de l'anachorèse en Nitrie ; ch. 17, *Macaire l'Égyptien*, un des fondateurs de Scété). La Haute Égypte est, elle aussi, fort bien représentée avec le ch. 35 sur *Jean de Lycopolis* ; les ch. 58-59 pour la région d'Antinoé ; surtout les ch. 32-33 sur les monastères pachômiens, où Pallade rapporte l'histoire et le contenu de la fameuse *Règle de l'Ange* (cf. art. *Pachôme, supra*), selon laquelle Pachôme aurait organisé ses fondations, et maint détail à vrai dire d'exploitation difficile et controversée. Nous mentionnerons plus loin les renseignements sur les moines origénistes.

Avec les chapitres sur les saintes femmes, nous touchons un autre aspect important du monachisme ancien : le monachisme aristocratique des nobles dames qui renoncent au monde, visitent les lieux saints et les ascètes égyptiens, fondent des monastères, et dont la vie intéresse non seulement l'histoire de l'Église, mais aussi celle des classes dirigeantes de l'Empire Romain.

Il ne faut pas négliger non plus, outre ces grands ensembles, de nombreux détails – sur la Palestine ou la Galatie – qui font entrevoir des aspects pauvrement documentés de l'histoire monastique. Enfin, l'intérêt porté par Pallade à la spiritualité des saints moines qu'il visite et à leurs pieux exercices, mais aussi aux aspects matériels, à la vie quotidienne, à certaines faces moins glorieuses de la vie au désert contribue à faire de HL un document de première importance.

5) *Valeur du témoignage*. – Contre l'hypercritique de certains savants allemands (Weingarten, Lucius), pour qui HL était totalement dénuée de valeur historique, Butler affirme au contraire que l'œuvre est souvent un témoignage de première main, sincère et sûr, entaché seulement çà et là d'inexactitudes ou d'erreurs dues aux longues années qui séparent la rédaction (vers 420) des premiers événements dont Pallade se présente comme le témoin visuel (vers 388). L'opinion de Butler semble avoir prévalu, mais des études postérieures montrent que la question reste fort complexe.

Ainsi, des savants allemands (Reitzenstein, Bousset) ont soupçonné que des chapitres entiers, voire une grande partie de la section égyptienne, dérivaient en fait de documents écrits antérieurs, que Pallade aurait utilisés en taisant sa source et en se faisant passer, grâce à quelques retouches, pour le témoin direct d'événements auxquels il n'avait jamais assisté. R. Draguet, qui avait soupçonné pour certains chapitres (sur les Tabennésiotes ; sur Amoun le Nitriote) l'utilisation d'une source copte, pense avoir trouvé avec les recensions R1 et R2 du syriaque la trace du document utilisé. En fait, il est peu probable que la théorie extrême (Reitzenstein, Draguet), qui suppose une supercherie littéraire de Pallade, soit jamais acceptée. Par contre, on peut légitimement penser que, pour tel ou tel chapitre, il a tacitement mêlé à ses propres souvenirs ou aux récits entendus des éléments puisés à des sources écrites. Il l'a fait explicitement à plusieurs reprises : il cite, à propos d'Amoun, la *Vie d'Antoine* ; le ch. 65 est un récit tiré d'Hippolyte ; le ch. 64 a pour source une note de la main d'Origène en marge d'un exemplaire de Symmaque.

Mais il reste que le témoignage de Pallade ne saurait être globalement récusé sous le prétexte qu'il utilise, fût-ce tacitement, des documents antérieurs. Rien en tout cas, à ce jour, n'a prouvé que l'on pouvait le prendre en flagrant délit de mensonge. Fort souvent, le recoupement des témoignages a permis de montrer que, là où l'on pouvait la soupçonner d'erreur, HL était une source véridique : ainsi, F. X. Murphy s'est rallié, pour Mélanie d'Ancienne, à la chronologie de Pallade. L'*Histoire Lausiaque* semble donc, en général, un document sincère et digne de confiance, mais elle est d'un emploi difficile : l'histoire mouvementée du texte, ses fluctuations, les distinctions que Pallade fait lui-même entre ce qu'il a vu et ce qu'il a entendu dire, le genre littéraire aussi, hagiographique et édifiant, non pas historique, imposent au critique une constante vigilance.

**Éditions et traductions modernes**. – Cf. BHG 1435-1438v ; CPG 3, n. 6036. – C. Butler, *The Lausiac History*, cité *supra*, t. 2 (introd., texte grec critique, notes). – A. Lucot, *P., Histoire lausiaque*, texte grec (de Butler), trad. franç., notes, Paris, 1912. – S. Krottenhaler, coll. Bibliothek der Kirchenväter 5, trad. allem., Kempten-Munich, 1912. – A. Ramaon i Arrufat, texte grec et trad. en catalan, Barcelone, 1927. – R.T. Meyer, trad. angl. et notes, coll. Ancien Christian Writers 34, Westminster Maryl., Londres, 1965. – N.Th. Bougastou, D.M. Batistatou, introd., texte, trad. en grec moderne, Athènes, 1970. – L.E. Sansegundo Vall, trad. esp., introd. et notes, Madrid, 1970. – *Palladio. La Storia lausiaca*, introd. de Chr. Mohrmann, texte grec de G.J.M. Bartelink (Butler amélioré), trad. ital. de M. Barchiesi, coll. Vite dei Santi 2, Milan, 1975. – Palladius, *Les moines du désert. Histoire lausiaque*, introd. par L. Leloir, trad. par les carmélites de Mazille, coll. Les Pères dans la foi, Paris, 1981.

**Versions anciennes**. – Latin : PL 74, 243-342 (*Paradisus Heraclidis*) ; 343-382 (cf. BHL 6532 ; CPG 3, 6036). – Langues orientales : voir CPG 3, 6036 ; ajouter : R. Draguet, *Les formes syriaques de la matière de l'Histoire lausiaque*, CSCO 389-390 ; 398-399, Louvain, 1978 (texte syriaque et trad. franç.).

**Études.** – Voir les bibliographies des *Patrologies* de J. Quasten ou Altaner-Stuiber; on retiendra les études plus importantes ou récentes. – R. Reitzenstein, *Historia monachorum und Historia lausiaca...*, Göttingen, 1916. – W. Bousset, *Zur Komposition der Historia lausiaca*, ZNTW, t. 21, 1922, p. 81-98. – Fr. Halkin, *L'HL et les Vies grecques de Pachôme*, AB, t. 48, 1930, p. 257-301. – P. Peters, *Une vie copte de S. Jean de Lycopolis*, AB, t. 54, 1936, p. 359-381.

R. Draguet, *Le chapitre de l'HL sur les Tabennésiotes dérive-t-il d'une source copte?*, dans *Le Muséon* = Mus., t. 57, 1944, p. 53-146; t. 58, 1945, p. 15-96; *L'HL, une œuvre écrite dans l'esprit d'Évagre*, RHE, t. 41, 1946, p. 321-364; t. 42, 1947, p. 5-49; *L'inauthenticité du Prooemium de l'HL*, Mus., t. 59, 1946, p. 529-534; *Une nouvelle source copte de P., le ch.* VIII (*Amoun*), Mus., t. 60, 1947, p. 227-235; *Butler et la Lausiac History face à un Ms de l'éd., le Wake 67*, Mus., t. 63, 1950, p. 205-230; *Butleriana: une mauvaise cause et son malchanceux avocat*, Mus., t. 68, 1955, p. 238-258.

F.X. Murphy, *Melania the Elder: a biographical Note*, dans *Traditio*, t. 5, 1947, p. 59-77. – E. Honigmann, *Patristic Studies*, Rome, 1953, p. 104-122: Heraclidus of Nyssa (about 440 A.D.). – D.J. Chitty, *Dom C. Butler, Prof. Draguet and the Lausiac History*, JTS, n.s., t. 6, 1955, p. 102-110. – P. Devos, *La « servante de Dieu » Poemenia d'après Pallade, la tradition copte et Jean Rufus*, AB, t. 87, 1969, p. 189-212; *Sylvie la sainte pèlerine*, AB, t. 91, 1973, p. 105-120; t. 92, 1974, p. 321-343. – R.T. Meyer, *Palladius and early Christian Spirituality*, dans *Studia Patristica* X = TU 107, 1970, p. 379-390; *P. and the Study of Scripture*, dans *St. Patr.* XIII = TU 116, 1975, p. 487-490; *Lectio divina in P.*, dans *Kyriakon*, Festschrift J. Quasten, t. 2, Münster, 1970, p. 580-584. – A. de Vogüé, *Points de contacts du ch.* XXXII *de l'HL avec les écrits d'Horsièse*, dans *Studia monastica*, t. 13, 1971, p. 291-294. – E.D. Hunt, *St Silvia of Aquitaine, The Role of Theodosian Pilgrim in the society of East and West*, JTS, t. 23, 1972, p. 351-373.

2° DE GENTIBUS INDIAE ET BRAGMANIBUS. – Ce curieux petit traité fut d'abord connu en Occident, sous le titre *De moribus Brachmanorum*, comme une œuvre de saint Ambroise (attribution aujourd'hui abandonnée). Le texte grec parut en 1668; puis K. Müller, en 1846, édita le *Roman d'Alexandre* du Pseudo-Callisthène, dont l'auteur recopie en entier notre opuscule.

L'ouvrage se divise en deux parties. Dans la première (un mémoire, sous la forme d'une lettre adressée à un destinataire inconnu), Pallade raconte d'abord qu'il n'a pas visité l'Inde: il s'est rendu, accompagné de Moïse d'Adoulis (ville au sud-ouest de la Mer Rouge), jusqu'aux confins de ce pays mais, arrêté par la chaleur, n'a pu aller plus loin. La substance de cette première partie est le récit (recueilli par Pallade de la bouche même du voyageur) du périple effectué par un *scholastikos* (avocat) de Thèbes, qui se serait rendu d'Adoulis à Axoum, puis à Taprobane (Ceylan), île dans laquelle il ne put pénétrer. Prisonnier chez les Bisades (côte des Malabars?, golfe du Bengale?), le *scholastikos*, au cours de ses six années de captivité, a pu se renseigner sur les mœurs des indigènes, et spécialement sur le peuple voisin des Brahmanes.

Pour la seconde partie, Pallade fait œuvre d'éditeur: il joint à son mémoire la copie (remaniée) d'un ouvrage d'Arrien, attesté par ailleurs dans un papyrus du 2ᵉ s. ap. J.-C., relatant les entretiens d'Alexandre le Grand avec de sages Brahmanes.

La première partie, qui nous est parvenue en plusieurs recensions distinctes, nous intéresse seule ici. Son attribution à Pallade n'est pas prouvée, mais la majorité des critiques semble s'y rallier en se fondant sur le témoignage de la tradition manuscrite et sur le fait que la date du voyage du *scholastikos* n'est pas incompatible en ce que nous savons de Pallade. Peut-être ce traité servait-il d'appendice à HL. L'intérêt de l'ouvrage est plus qu'anecdotique. Il témoigne des relations entre l'Empire Romain (donc le monde chrétien) et l'Orient lointain. Les quelques renseignements ethnologiques que nous livre l'œuvre sont passablement légendaires, mais méritent examen. Intéresse la doctrine de Pallade et la mentalité du monachisme ancien le curieux tableau qui nous est fait de la société des Brahmanes, assimilée à une communauté d'anachorètes vivant naturellement, sous l'inspiration directe de la grâce, comme le font les ascètes chrétiens.

**Éditions.** – Cf. CPG 3, n. 6038. – J.D.M. Derrett, *The History of Palladius on the Races of India and the Brahmans*, dans *Classica et Mediaevalia*, t. 21, 1960, p. 21-135. – W. Berghoff, *Palladius De gentibus Indiae et Bragmanibus*, coll. Beiträge zur klassischen Philologie 24, Meisenheim/Glan, 1967.

Version latine (sous le nom d'Ambroise): PL 17, éd. 1845, 1131-1146; éd. 1866, 1167-1184.

**Études.** – P.R. Coleman-Norton, *The autorship of the epistula de Indicis gentibus...*, dans *Classical Philology*, t. 21, 1926, p. 154-160. – A. Wilmart, *Les textes latins de la lettre de Palladius*, RBén., t. 45, 1933, p. 29-42. – J.D.M. Derrett, *The Theban Scholasticus and Malabar in c. 355-360*, dans *Journal of American Oriental Society*, t. 82, 1962, p. 21-31. – A. Claus, ῾Ο Σχολαστικός, Cologne, 1965. – J. Desanges, *Le voyage du Scholastique de Thèbes*, dans *Historia*, t. 18, 1969, p. 627-639. – B. Berg, *The letter of Palladius on India*, dans *Byzantion*, t. 44, 1974, p. 5-16. – Ph. Brunel, *Le « De Moribus Brachmanorum ». Histoire du texte et problèmes d'attribution*, dans *Mémoires* (du Centre Jean Palerne, Saint-Étienne), t. 1, 1978.

3° DIALOGUE SUR LA VIE DE S. JEAN CHRYSOSTOME. – 1) *Contenu*. – Comme son titre l'indique, l'œuvre se présente sous la forme assez rare d'un dialogue entre l'Évêque, un oriental âgé dont ni le nom ni le siège ne sont mentionnés, et le Diacre, un clerc de l'église de Rome nommé Théodore. L'action est située à Rome, peu après la mort de Jean Chrysostome († 14 septembre 407); le dialogue, qui dure plusieurs jours, se déroule devant d'autres personnes dont l'une intervient.

Le dernier éditeur de l'œuvre (P.R. Coleman-Norton, édition que nous citons) y distingue quatre parties: une introduction, où le Diacre fait le bilan de ce qu'il sait sur Jean Chrysostome et ses démêlés avec Théophile d'Alexandrie (ch. 1-4); une vie de Jean Chrysostome (5-11); une apologie et un éloge du saint (12-19); une conclusion (20). L'argument est le suivant: le diacre Théodore, qui a suivi la lutte entre partisans et adversaires de Jean, adjure l'Évêque de lui dire tout ce qu'il sait sur celui-ci et spécialement sur les accusations qu'a portées Théophile d'Alexandrie et qui ont entraîné la déposition, l'exil et indirectement la mort de l'évêque de Constantinople; l'Évêque, qui a fait partie du synode de Jean Chrysostome, ami de ce dernier et fort lié avec son entourage, répond en détaillant la vie de Jean, avec une insistance sur la période qui va de 400 à 404, et en faisant une vigoureuse apologie du saint, qui convainc son interlocuteur.

2) *Valeur historique*. – Il s'agit du récit attentif et bien documenté d'un ami de Jean Chrysostome, très proche de lui pendant les années 400-404 et fort mêlé aux événements qui précédèrent l'exil du saint. Pour beaucoup des faits rapportés, l'auteur peut être considéré comme un témoin visuel. Pour d'autres (la

vie de Jean avant 400, par exemple), il a eu tout loisir d'interroger soit Jean lui-même, soit ses amis, eux aussi impliqués dans la lutte contre Théophile et victimes de ce dernier. En outre, l'auteur utilise abondamment des documents écrits qu'il cite, parfois largement, résume ou mentionne : lettre de Jean Chrysostome, de Théophile, d'Innocent, d'Arcadius, du synode du Chêne, etc... La liste de ces documents a été établie par Coleman-Norton (p. LXXII-LXXVI).

L'emploi de ses sources écrites, l'excellence des témoignages donnent au *Dialogue*, malgré son caractère partisan, une grande valeur historique, d'autant que l'auteur sait résister à la plupart des tentations auxquelles succombent habituellement les hagiographes. Il s'agit donc d'un document de grande importance et de première main, une des meilleures sources sur la vie de Jean Chrysostome, pour les années surtout où celui-ci siégea à Constantinople et pour les événements qui précèdent et qui suivent sa déposition. Cependant, il est évident que le témoignage de Pallade doit être soigneusement confronté avec ce que nous savons par ailleurs. F. Van Ommeslaeghe a bien montré que la comparaison du *Dialogue* avec la très importante *Vie* de Jean Chrysostome par « Martyrius d'Antioche » laisse voir que Pallade a parfois faussé une réalité complexe.

3) *La question de l'auteur.* – Depuis la parution en 1533 de la traduction latine du *Dialogue* par Ambrosio Traversari jusqu'à une époque très récente, les critiques se sont interrogés sur l'identité de l'auteur. Diverses solutions ont été adoptées, dont on trouvera le détail dans Coleman-Norton (p. XXXVII-LVIII). Signalons comme une curiosité l'attribution, très répandue en Occident, à Pallade évêque d'Irlande. La question de l'auteur a été obscurcie par deux faits : l'anonymat du *Dialogue* dans les manuscrits ; l'impossibilité de faire coïncider parfaitement le personnage de l'Évêque avec ce que nous savons par ailleurs de Pallade.

Dans le seul ms qui conserve l'œuvre en entier (*Laurentianus* IX, 14 = M ; un autre ms, *Athos* Lavra Γ 60, inconnu de Coleman-Norton, conserve les ch. 4-20 mais ne comporte plus de titre), on relève le titre suivant : *Dialogue historique de Pallade l'évêque d'Hélénopolis* (en marge : « dans d'autres exemplaires, il est écrit 'évêque d'Aspona' »), *qui eut lieu avec Théodore le diacre de Rome, sur la vie et la conduite du bienheureux Jean, évêque de Constantinople, le Chrysostome.* Il semble donc bien que Pallade ne soit pas ici présenté comme l'auteur du *Dialogue*, mais comme l'interlocuteur de Théodore. Or il est impossible de soutenir cette identification : le *Dialogue* parle de Pallade à plusieurs reprises à la troisième personne ; en 408, celui-ci n'est pas très âgé ; surtout il est alors en exil en Haute Egypte et s'est déjà rendu à Rome en 405. Mais on ne saurait en conclure que Pallade ne peut être l'auteur du *Dialogue*.

C'est C. Butler (*Palladiana* II) qui a développé avec le plus de force les arguments en faveur de l'attribution à Pallade. Tout d'abord, le titre de M et des témoignages anciens (Georges d'Alexandrie et Théodore de Trimithonte) montrent bien que son nom est associé au *Dialogue*. Photius (*Bibliothèque*, cod. 96), le Pseudo-Anastase un anonyme du 10ᵉ siècle attribuent l'œuvre à Pallade. Surtout, la critique interne montre que l'attribution est raisonnable. L'Évêque, simple personnage littéraire, et Pallade ont en effet de nombreux points communs : ils connaissent Isidore l'Hospitalier, Ammonius le Long, la diaconesse Olympias, ou encore Chronios, Dioscore, Hiérax, Macaire, et l'on trouve sur plusieurs de ces personnages des renseignements

concordants dans HL et dans le *Dialogue*. Les liens qui unissent l'Évêque à Jean Chrysostome concordent avec ce que nous savons de Pallade ; l'auteur est fort bien renseigné sur Pallade et sur son frère Brisson ; enfin, comme Pallade, l'Évêque a vécu en Égypte et, comme l'Évêque, Pallade est venu à Rome plaider la cause de Jean. De plus, malgré une différence de style qui peut être attribuée à la différence des genres littéraires, il y a dans le *Dialogue* et dans HL des expressions semblables, un vocabulaire commun et la même utilisation assez particulière de citations de l'Écriture. Aucun de ces arguments n'est contraignant, mais l'ensemble est convaincant, et la critique contemporaine juge avec une raisonnable certitude qu'il faut bien attribuer l'œuvre à Pallade.

4) *Date de rédaction.* – On peut fixer un *terminus a quo* grâce à deux éléments : Jean Chrysostome est mort, sans doute depuis peu de temps, puisque Théodore n'est pas sûr du fait ; Héraclide d'Éphèse a vécu en exil « les quatre années qui viennent de s'écouler ». Les deux renseignements concordent : le *Dialogue* est situé en 408. Mais on ne peut conclure de là que la rédaction de l'œuvre soit de la même date et rien ne permet de fixer un *terminus ad quem*. On admet en général que la date de composition correspond avec la date fictive : Pallade aurait donc écrit cette œuvre peu après 408, alors qu'il est en exil en Haute Égypte, sans doute à Syène. Mais d'autres supposent que Pallade a écrit le *Dialogue* après HL, donc après 420.

**Éditions.** – Cf. Coleman-Norton, p. LXXXIII-LXXXIX ; BHG 870, 870e, 870f ; CPG, n. 6037. Le *Dialogue* a d'abord été connu en Occident par la traduction latine d'Ambrosio Traversari (1386-1439) faite d'après le ms M et publiée à Venise en 1533. La première édition du texte grec (avec une nouvelle trad. latine) est d'Émeric Bigot (Paris, 1680), qui recopie le texte de M et porte en marge les *variae lectiones* tirées de Georges d'Alexandrie. Montfaucon, en 1738 (*Chrysostomi Opera Omnia*, t. 13, 1-89) reprend avec quelques corrections le texte de Bigot, et A. Galland, en 1772 (*Bibliotheca Veterum Patrum*, t. 8, 257-330) reproduit le texte de Montfaucon. Le texte de Migne (PG 47, 5-82) est celui de Montfaucon révisé. Enfin, Coleman-Norton (*Palladii Dialogus de Vita S. Joannis Chrysostimi*, Cambridge, 1928 ; 2ᵉ éd. 1958) réédite le texte de façon critique en utilisant, outre M, sept manuscrits qui conservent une partie du *Dialogue*, ainsi que la tradition indirecte. Une nouvelle édition est préparée par A.-M. Malingrey pour la coll. SC.
C. Butler, *Autorship or the « Dialogus de Vita Chrysostomi »*, dans *Chrysostomica*, Rome, 1908, p. 35-46 (repris dans *Palladiana* II, cité *supra*). – J. Dumortier, *La valeur historique du Dialogue de Palladius et la chronologie de S. Jean Chrysostome*, dans *Mélanges de science religieuse*, t. 7, 1951, p. 51-56. – F. Van Ommeslaeghe, *Que vaut le témoignage de Pallade sur le procès de s. Jean Chr.?*, AB, t. 95, 1977, p. 389-413 ; *J. Chr. en conflit avec l'impératrice Eudoxie*, AB, t. 97, 1979, p. 131-159 ; *J. Chr. et le peuple de Constantinople*, AB, t. 99, 1981, p. 329-349. – G.-M. de Durand, *Évagre le Pontique et le « Dialogue sur la vie de s. J. Chr. »*, dans *Bulletin de littérature ecclésiastique*, t. 77, 1976, p. 191-206.

3. **Doctrine.** – On a accusé Pallade à la fois d'origénisme et de pélagianisme et, pour cette raison, son œuvre fut mise à l'Index (cf. Coleman-Norton, *Dialogus*, introd. p. XX-XXIX). Le reproche de pélagianisme, né d'une mauvaise lecture de Jérôme (*Dialogus adv. Pelagianos*, prol. ; PL 23, 497), est sans fondement, comme le montre bien Coleman-Norton (p. XXI, n. 2, p. XXV, n. 2). Le premier est d'une tout autre importance et appuyé par des faits. Pallade, en effet, se

trouve étroitement mêlé à la crise origéniste qui éclate à la fin du 4ᵉ siècle (cf. DS, t. 11, col. 956-957) et, très évidemment, il est dans le camp des « hérétiques ». Il suffit pour s'en rendre compte de reprendre quelques chapitres de HL consacrés aux plus importants des origénistes.

Pallade, à son arrivée à Alexandrie en 388, est accueilli par Isidore l'Hospitalier : c'est précisément ce personnage, grand lecteur d'Origène, qui est à l'origine du revirement de Théophile d'Alexandrie ; celui-ci, jusqu'alors favorable aux origénistes contre les anthropomorphites et fort lié à Isidore, se brouille avec son ancien ami et déclenche en 399 une véritable persécution contre les partisans d'Origène. Isidore, fuyant la colère de Théophile, se réfugie au désert de Nitrie : il est accueilli par Ammonios, l'un des quatre « Longs Frères », tout acquis eux aussi aux doctrines d'Origène. Ammonios, fort de ses anciennes relations avec le patriarche d'Alexandrie, croit pouvoir intervenir en faveur d'Isidore : Théophile s'en prend alors à Ammonios lui-même et à ses frères, personnages que Pallade mentionne avec honneur et qu'il a intimement connus. Davantage, outre Isidore et les Longs Frères, outre Didyme l'Aveugle, dont la doctrine sera plus tard condamnée en même temps que l'évagrianisme, Pallade est très lié avec le plus éminent des origénistes, Évagre le Pontique. Il appelle Évagre son « maître » (HL 23) et déclare faire partie de « l'entourage de saint Ammonios et d'Évagre » (25) ou de « l'entourage du bienheureux Évagre », de la « communauté d'Évagre », de la « fraternité d'Évagre » (35). Jamais dans son œuvre Pallade ne marque la plus légère réserve vis-à-vis de son maître, auquel il consacre tout un chapitre (38).

De plus, Pallade est lié à l'autre foyer origéniste, le monastère de Mélanie l'Ancienne au Mont des Oliviers : il parle de celle-ci à plusieurs reprises, toujours de façon louangeuse, et fait également un bref mais bel éloge de Rufin d'Aquilée. On ne s'étonnera donc pas que Pallade, qui semble avoir assuré plusieurs fois la liaison entre les origénistes d'Égypte et ceux de Palestine, ait été pris à partie nommément par saint Épiphane, celui-là même qui, le premier, au 4ᵉ siècle, signala les dangers de l'origénisme (cf. Lettre à Jean de Jérusalem, traduite par Jérôme, Ep. 51). Notons que Pallade ne répond pas aux attaques d'Épiphane, qu'il appelle même « bienheureux » (Dial., p. 99). Son attitude vis-à-vis d'un autre adversaire des origénistes, Jérôme, est moins sereine : par deux fois dans HL (36 et 41), il s'en prend assez vivement à lui.

Isidore et les Longs Frères, fuyant la persécution de Théophile, se réfugient à Constantinople auprès de Jean Chrysostome : là encore, nous retrouvons Pallade qui, aux côtés de l'évêque de Constantinople, accueille ses anciens amis. Dans le Dialogue, l'apologie de Jean se double d'attaques violentes contre Théophile et l'un des aspects secondaires de l'œuvre consiste à montrer dans les moines origénistes les victimes d'une injuste persécution. Tous ces faits concordent : Pallade est l'un des membres actifs du parti origéniste et jamais il ne cherche à se démarquer de ses amis, ni à masquer les sympathies de ceux-ci et de lui-même pour Origène (on notera comme intéressant l'histoire des textes le fait que Pallade prétend avoir eu entre les mains un volume qui portait, de la main même d'Origène, une note de possession).

Ce lien fortement assuré entre Pallade et les origénistes explique plusieurs particularités de la transmission de HL, et d'abord le fait que le chapitre consacré à Évagre ait disparu d'une partie des témoins. Plusieurs critiques ont cherché dans l'œuvre de Pallade des traces de l'enseignement évagrien. On a pu relever quelques emprunts à Évagre, et il est clair que HL et l'enseignement pratique d'Évagre ont en commun de nombreux termes, de nombreux points de contact : une commune attention, par exemple, à l'apathéia et à la gnose. On note aussi, dans la Lettre à Lausus, un intéressant développement sur la manière dont la connaissance passe de la Sainte Trinité aux hommes, qui semble bien venir d'Évagre et annonce de façon curieuse le Pseudo-Denys.

Mais on peut se demander si, parmi les traits notés comme révélant une influence d'Évagre, beaucoup n'appartiennent pas en fait à la spiritualité commune des Pères du Désert. Surtout, depuis que la doctrine d'Évagre est mieux connue et que le système original et puissant de cet auteur a été mieux dégagé, la question de l'évagrianisme de Pallade prend un autre tour : il ne s'agit plus seulement de montrer que Pallade a connu et utilisé l'œuvre d'Évagre, ni qu'il a en commun avec cet auteur tel terme technique (apathéia par exemple), mais de relever dans ses écrits au moins un écho de propositions spécifiquement évagriennes ou origénistes, telles qu'elles ont été condamnées à plusieurs reprises dans l'Église d'Orient, telles aussi qu'A. Guillaumont (Les « Kephalaia gnostica »...) a su les mettre en lumière. Or il semble que ces propositions n'ont pas laissé de trace dans l'œuvre de Pallade. On peut expliquer le fait de plusieurs façons : ou bien il n'a pas adhéré au « système » d'Évagre ; ou bien le genre littéraire de ses œuvres, tout « pratique », ne se prêtait pas à l'exposé de doctrines dont on sait par ailleurs que les origénistes n'aimaient pas les divulguer.

D'autre part, la question de l'évagrianisme de Pallade ne suffit pas à rendre compte de tout ce que son œuvre apporte à l'histoire de la spiritualité. Il ne semble pas que l'on puisse dégager un système de pensée qui lui soit propre : tout au plus, outre un évagrianisme au moins fort discret, peut-on relever certaines questions qui semblent l'avoir particulièrement intéressé, comme la chute catastrophique de certains ascètes pourtant avancés, ou les maladies et les malheurs qui accablent des personnages pourtant fort saints. L'intérêt de l'œuvre de Pallade ne réside pas essentiellement dans des développements qui lui soient propres : l'Histoire Lausiaque vaut surtout par ce qu'elle nous apprend des pratiques ou des enseignements des ascètes égyptiens (Pior, par ex., au ch. 39) ; le Dialogue, par ce qu'il nous enseigne sur la spiritualité de Jean Chrysostome.

DTC, t. 11, 1932, col. 1823-30 (É. Amann). – DACL, t. 13, 1937, col. 912-30 (H. Leclercq). – Pauly-Wissowa, t. 18/2, 1949, col. 203-207 (K. Heussi, A. Kurfess). – EC, t. 9, 1952, col. 641 (E. Peterson). – LTK, t. 8, 1963, col. 6 (H. Rahner). – NCE, t. 10, 1967, p. 927-28 (R.T. Meyer). – Fréquentes références dans le DS ; en particulier t. 1, col. 733-734 (Apathéia), 1630-31 ; t. 2, col. 987 et 995 (Clôture), 1242-44 (Communion) ; t. 3, col. 205-208 (Démon) ; t. 4, col. 1731-35 (Évagre) ; t. 7, col. 817 (Hospitalité) ; t. 8, col. 334-354 passim (Jean Chrysostome), 485 (Jean d'Éphèse), 619 (Jean de Lycopolis) ; t. 10, col. 4-5 (Macaire d'Alexandrie), 11-12 (Macaire l'Égyptien), 956-960 (Mélanie l'Ancienne), 1410 (Mnèmè Theou).

Bernard FLUSIN.

**PALLARÉS** (Joseph Simon), frère mineur, 17e siècle. – José Simón Pallarés fut prêtre dans l'Observance franciscaine (province d'Aragon). Il naquit à une date inconnue dans le royaume de Valence. On le signale comme secrétaire provincial, gardien, et vicaire au monastère royal des clarisses de Valence. On ignore la date de sa mort. Il mérite une place dans l'histoire spirituelle espagnole par son ouvrage : *Guía espiritual* (Valence, 1630, 1634), qu'il importerait de retrouver et d'étudier. Pallarés a encore publié un *Tratado del Anticristo y de sus tempestuosas tribulaciones* (Valence, 1634).

Wadding-Sbaralea, p. 156 ; *Supplementum*, t. 2, p. 153. – Juan de San Antonio, *Bibliotheca universa Franciscana*, t. 2, Madrid, 1732, p. 255. – N. Antonio, *Bibliotheca Hispana nova*, t. 1, Madrid, 1783, p. 819.

Mariano ACEBAL LUJÁN.

**PALLAVICINO** (Charles-Emmanuel), jésuite, 1719-1785. – Né à Ceva (Cuneo) le 27 septembre 1719, Carlo Emanuele Pallavicino entra dans la Compagnie de Jésus au noviciat de Chieri le 3 novembre 1734. Il fit ses études de philosophie à Milan et celles de théologie à Turin. Il enseigna la philosophie à Pavie et à Milan (chaque fois deux ans), puis la théologie à Turin. Il fut aussi recteur du collège des Nobles de cette ville (1762-1767) et préfet des missions. Après la suppression de la Compagnie, il vécut auprès de G.F. Porporato, évêque de Saluces, pour qui il avait déjà rédigé une lettre pastorale sur le ministère de la confession (Turin, 1773). Il mourut à Turin le 19 mars 1785.

Les écrits publiés par Pallavicino traitent de spiritualité sacerdotale : 1) *Lettera al Sacerdote novello sul grande mezzo di santificarsi nel suo stato... la divota celebrazione del divino Sacrifizio* (anonyme ; Pignerol, 1781 ; Pignerol-Turin, 1782) ; 2) *Il Sacerdote santificato dall'attenta recitazione del divino offizio...* (anonyme ; donne aussi le n. 1 avec quelques variantes ; Turin, 1773 ? plutôt 1783) ; – 3) *Lettere* (2) *sulla pratica maniera di amministrare il santo Sagramento della Penitenza con suo ed altrui profitto* (Venise, Zatta, 1785, publié sans qu'on en connaisse l'auteur « décédé depuis peu » ; cf. Avis au lecteur). – Le même éditeur vénitien, Zatta, donna en 1786 une nouvelle édition de ces deux lettres avec les deux premières : *Il Sacerdote Santificato*. L'ouvrage fut très estimé, surtout en Lombardie et Vénétie. Les deux lettres sur la confession, qui combattent le rigorisme janséniste, ont été souvent republiées ; elles ont été contestées par un curé de Ravenne en 1788.

Sommervogel ne mentionne pas toutes les éd. Y ajouter : Venise, 1818 ; Bergame, 1828 ; Nice, 1844. Nombreuses trad. de lettre séparée ou de l'ensemble : espagnole, Madrid, 1788-1789, etc. ; latine, Vienne, 1800 ; franç., Turin, 1826, etc. ; allemande, Ratisbonne, 1836.
A. Ighina († 1889 ; DS, t. 7 col. 1249-1250 ; I. Colosio, dans *Rassegna di Ascetica e Mistica*, t. 22, 1971, p. 265-285) a constitué le second volume de son manuel de théologie ascétique et mystique avec la réimpression du *Sacerdote Santificato* de Pallavicino ; mais dans les deux éditions suivantes Ighina se contenta de son premier volume en l'enrichissant de l'enseignement de Pallavicino, du moins dans la 4e partie consacrée au sacerdoce.
On a longtemps attribué la paternité des lettres à Federico Maria Pallavicino, jésuite de Crémone. La bibl. de

Sommervogel a rétabli l'exacte paternité (t. 6, col. 112-114 ; t. 4, col. 1623-24, n. 7 et 9 : trad. franç. ; t. 9, col. 748 : trad. allemande). – J. E. Uriarte, *Catálogo razonado de obras anónimas y seudónimas...*, t. 3, Madrid, 1906, p. 178-180. – J. Guerber, *Le ralliement du clergé français à la morale liguorienne*, coll. Analecta Gregoriana 193, Rome 1973 (table). – DS, t. 6, col. 147.

D'autres jésuites du nom de Pallavicino ont laissé des ouvrages intéressant l'histoire de la spiritualité : Giulio † 1657 (*Il Cittadino cristiano...*, 3 vol., Gênes, 1653) ; – le cardinal polygraphe Sforza † 1667 (*Arte della perfezion cristiana*, Rome, 1665 ; etc.) ; – Ortensio † 1691 (*Magnae Deiparae vita*, 2 vol., Milan, 1659 ; etc.) ; – Nicola Maria † 1692, apologète (*Considerazioni sopra l'eccelenze di Dio*, Rome, 1693 ; etc.). – Voir Sommervogel, t. 6, col. 115-143.

Mario COLPO.

**PALLOTTI** (Vincent ; saint), fondateur des Pallotins, 1795-1850. Voir VINCENT PALLOTTI.

**1. PALLU** (François), évêque, 1626-1684. – 1. *Vie.* – 2. *Spiritualité*.
1. VIE. – François Pallu a été baptisé à Saint-Saturnin de Tours le 31 août 1626. Il était le 10e des 18 enfants d'Étienne Pallu, juriste et maire de Tours, lui-même fils de noble Étienne Pallu, ancien maire de Tours. François succéda jeune encore à un de ses oncles, chanoine prébendé de la collégiale Saint-Martin ; il fit ses études théologiques au collège de Clermont à Paris. Prêtre en 1650, il s'adonna aux missions diocésaines de la capitale, tout en continuant des études de droit. Il faisait partie de plusieurs associations dont l'Aa (cf. DS, t. 1, col. 1-2 ; t. 2, col. 1471-1507) et la Compagnie du Saint-Sacrement, associations qu'un jésuite expulsé de Cochinchine, Alexandre de Rhodes, gagna en 1653 à la cause d'un clergé autochtone à instituer en Asie sud-orientale, et qui s'employèrent dès lors à obtenir du Saint-Siège l'envoi d'évêques pour ces contrées, la puissante Compagnie surtout.

Ces démarches aboutirent en 1658. Pallu fut nommé administrateur de plusieurs provinces de Chine, mais principalement vicaire apostolique du Tonkin, pays pour lequel il s'embarqua deux fois, sans jamais l'atteindre. Le premier voyage, commencé à Marseille en 1662, le mena en 1664, avec ses compagnons à Ayuthia, alors capitale du Siam, où Mgr Lambert de la Motte, arrivé deux ans plus tôt, avait établi la base avancée de la nouvelle mission. L'arrivée de ces nouveaux missionnaires permit de tenir un synode, qui décida de soumettre ses travaux à Rome et désigna Pallu pour cette mission. Son voyage de retour dura deux ans : son séjour à Rome et Paris, trois ans.

Le second voyage, commencé à Lorient en avril 1670, comporta un arrêt à Ayuthia (1673-1674), puis une malheureuse escale à Manille, par suite d'un typhon. Les Espagnols, en guerre contre la France, mirent l'évêque en état d'arrestation, lui firent traverser le Pacifique, le Mexique puis l'Atlantique, pour être jugé à Madrid, d'où il se rendit directement à Rome dès sa libération, en avril 1677.

En 1680, Pallu fut nommé administrateur général des missions de Chine et déchargé du Tonkin. Il s'embarqua pour la troisième fois le 25 mars 1681, parvint à Ayuthia en juillet 1682, à Formose en août 1683, en Chine continentale le 27 janvier 1684. Mais il mourut à Moyang le 29 octobre de la même année, ayant passé les vingt-six années de son épiscopat à organiser, d'une part, les vicariats apostoliques du sud-est asiatique, en dépendance de la *De Propaganda Fide*, d'autre part la société des Missions Étrangères de Paris, dont il est le principal cofondateur.

2. SPIRITUALITÉ. – Pallu n'a jamais songé à élaborer une spiritualité personnelle ; il a vécu celle des milieux qu'il a fréquentés au temps de sa formation.

Tout d'abord, la congrégation mariale du collège de Clermont. Après un temps d'épreuve, le congréganiste se consacrait à la Vierge Marie, en la choisissant pour patronne et avocate, en s'offrant à elle comme serviteur perpétuel. Le texte latin *servus perpetuus* peut aussi se traduire par esclave. L'oblation de servitude, propagée tant par les Oratoriens que par les Jésuites, était une dévotion courante dans la France de 1650, en particulier dans l'Aa ecclésiastique de Paris, dont un membre, H. Boudon, publia en 1668 *Le saint esclavage de la Mère de Dieu* (cf. DS, t. 1, col. 1887-93). Cet ouvrage fut condamné en Cour de Rome alors que le vicaire apostolique se trouvait de retour en Europe. Par fidélité à son ami, par fidélité à la dévotion mariale qu'il pratiquait depuis son admission dans la congrégation de Clermont et dans l'Aa, il prit l'affaire en main et obtint un décret d'interprétation déclarant que la condamnation visait seulement certains abus, non l'oblation de servitude elle-même. Ainsi Pallu a rendu libre la voie où s'est engagé plus tard saint Louis-Marie Grignion de Montfort (DS, t. 9, col. 1073-81).

Le directeur de l'Aa parisienne, du temps de Pallu et Boudon, était le jésuite Jean Bagot, fils de saint Ignace avant tout, mais aussi disciple de Louis Lallemant, dont la doctrine a d'abord été connue du public par les ouvrages de Joseph Surin, entre autres. Vincent de Meur (DS, t. 10, col. 1029-31), principal apôtre de l'Aa et premier supérieur du séminaire des Missions Étrangères, a édité le *Catéchisme spirituel* de Surin en 1661, puis ses *Fondements de la vie spirituelle* en 1667. Mais Surin lui-même a déclaré que, s'il eût connu *L'intérieur chrétien* de Bernières (DS, t. 1, col. 1522-27), il n'aurait pas jugé utile de donner le *Catéchisme spirituel* au public (Lettres 432 et 522, dans *Correspondance*, éd. M. de Certeau, Paris, 1966). Or l'ouvrage de Jean de Bernières était considéré comme fondamental par les dirigeants de la Compagnie du Saint-Sacrement. Pallu l'a souvent recommandé sous sa nouvelle présentation : *Le chrétien intérieur*. On comprend que lui-même et ses premiers collaborateurs se soient trouvés à l'aise dans les deux associations à la fois : l'Aa et la Compagnie du Saint-Sacrement.

Le principal de ces collaborateurs, Pierre Lambert de la Motte (DS, t. 9, col. 140-142), appartenait lui aussi à la Compagnie du Saint-Sacrement. Ancien dirigé de Julien Hayneufve (t. 7, col. 97-107), ami de nombreux spirituels notoires, Jean Eudes (t. 8, col. 488-501), Bernières, etc., ayant bénéficié lui-même de faveurs mystiques dès son jeune âge, Lambert exerça une influence profonde sur ses compagnons, Pallu y compris, spécialement lors du synode d'Ayuthia. Il les amena à adopter un projet de *congrégation apostolique,* ne comportant pas de vœux canoniques. Sur un rapport du futur cardinal Jean Bona (DS, t. 1, col. 1762-66), ce projet fut désavoué à Rome, et dès lors

abandonné. Par contre, Bona cautionna un autre texte, fruit du synode, qui fut publié à Rome par les soins de la *De Propaganda Fide* en 1669 sous la signature de Pallu (qui l'a traduit en latin) et de Lambert, pour servir d'instructions aux missionnaires. Cet ouvrage, souvent réédité, déclare que c'est à chacun d'examiner quelle voie d'oraison lui convient le mieux, mais présente l'oraison de simple regard comme idéale pour le missionnaire.

Après ces contacts avec Bona, de l'ordre cistercien, Pallu cite plusieurs fois saint Bernard ; mais son orientation spirituelle n'a pas changé. Il recommande le renoncement total (ou pureté du cœur) et la docilité au Saint-Esprit, les deux pôles de la vie spirituelle selon Bernières et la Compagnie du Saint-Sacrement, comme aussi selon Surin et l'Aa. Les expressions qui reviennent le plus souvent sous sa plume sont encore : l'imitation de Jésus Christ, le bon plaisir ou la volonté de Dieu, les voies de la Providence, etc.

Durant une escale à Madagascar, Pallu y découvrit un traité de l'oraison rédigé en portugais qu'il apprécia au point d'en commencer la traduction en français. Achevée par Claude Gayme, cette traduction fut envoyée en Europe en 1672, en vue d'une publication qui n'eut jamais lieu. Elle aurait assurément enrichi notre connaissance de la spiritualité de Pallu.

*Textes de Pallu* : 1) *Lettres,* 2 vol., Paris, s d (1904). – 2) *Relation abrégée des Missions et voyages des Evesques François envoyez aux Royaumes de la Chine, Cochinchine, Tonkin et Siam,* Paris, 1668. – 3) *Instructiones ad munera obeunda apostolica perutiles,* Rome, 1669 ; 4ᵉ éd., *Monita ad missionarios,* Rome, 1840, etc. – 4) A. Launay, *Documents historiques relatifs à la Société des Missions-Étrangères,* Paris, s d (1904).

A. Launay, *Histoire générale de la Société des Missions-Étrangères,* Paris, 1894 ; *Mémorial de la Soc. des M.É.,* 2ᵉ partie, Paris, 1916. – G. Goyau, *Les prêtres des Missions Étrangères,* Paris, 1932. – L. Baudiment, *François Pallu,* Paris, 1934 (thèse) ; *Un mémoire anonyme sur François Pallu,* Tours, 1934. – H. Chappoulie, *Aux origines d'une Église. Rome et les missions d'Indochine au* XVIIᵉ *siècle,* Paris, 1943 (thèse). – É. Villaret, *Les congrégations mariales,* t. 1, Paris, 1947. – J. Guennou, *Les Missions Étrangères,* Paris, 1963 ; *La fondation de la Soc. des M.É. de Paris,* dans *S. Congr. de Propaganda Fide memoria rerum,* t. 1/1, Rome, 1971 ; *Mgr Pallu et la Sainte Vierge,* dans *Bulletin de la Soc. des M.É.,* n. 80, Hong-Kong, 1955, p. 433-438 ; *Tours et les Missions Étrangères,* dans *Histoire religieuse de la Touraine,* Tours, 1975.

DS, t. 2, col. 1492, 1506-07 ; – t. 3, col. 1456 ; – t. 5, col. 931 ; – t. 9, col. 141-2 ; – t. 10, col. 1130, 1387, 1692.

Jean GUENNOU.

**2. PALLU** (MARTIN), jésuite, 1661-1742. – Né à Tours le 7 décembre 1661, d'une famille qui a donné plusieurs de ses membres à la Compagnie de Jésus, Martin Pallu entra au noviciat parisien des Jésuites le 7 septembre 1678. Entre ses premiers vœux (1680) et ses vœux solennels (1696), Pallu fit sept années d'études philosophiques et théologiques et sept années d'enseignement dans les collèges. Il fut ensuite affecté à la prédication.

Il appartient à la maison professe de Paris en 1703-1705 ; il prêche l'Avent à la Cour en 1706. En 1708, il est à Orléans, mais l'année suivante et, semble-t-il, jusqu'à sa mort il est affecté à la maison professe de Paris. En 1711, il doit abandonner la prédication pour raisons de santé ; il donne alors des retraites, dirige des consciences. Succédant à J. Crasset et à L. Jobert † 1719, il est (durant 24 ans ?) le directeur de la Congrégation mariale de la maison professe. Affligé d'un asthme violent durant ses six dernières années, il les mit à profit pour rédiger ses ouvrages. Pallu mourut le 21 mai 1742 et fut enseveli dans l'église Saint-Paul-Saint-Louis.

Mis à part une tragédie (*Celsus Martyr,* Paris, 1687), les publications de Pallu, qu'il s'agisse des traités spirituels ou des sermons, ont en commun un style élégant et simple, une pensée claire, sans originalité profonde, mais solidement traditionnelle, qui en rendent la lecture facile. On y perçoit le ton du prédicateur, y compris dans les traités ; mais l'intention constante est d'éclairer et de faire réfléchir plus que d'enflammer. Pallu s'inspire évidemment de l'Écriture, qu'il commente parfois longuement, de saint Thomas d'Aquin et du concile de Trente pour la doctrine théologique, des saints Augustin, Bernard, François de Sales et Thérèse d'Avila pour la spiritualité. Il fut beaucoup lu jusqu'à la Révolution française, beaucoup plus que son contemporain J.-P. Caussade qui est d'une autre envergure spirituelle. Pallu cherche à former ses contemporains à une vie chrétienne éclairée et sérieuse.

Œuvres. – *La solide et véritable dévotion envers la sainte Vierge* (Paris, 1736, 1745, 1778). – *De l'Amour de Dieu* (1737, 1747, 1778). – *De la connaissance et de l'Amour de N.S. Jésus-Christ* (1738 ; il ne s'agit pas d'une trad. du *De imitatione Christi,* comme le disent certains bibliographes) : c'est peut-être le meilleur ouvrage de Pallu. – *Du saint et fréquent usage des Sacrements de Pénitence et d'Eucharistie* (1739, 1744, 1751, 1770, 1778 ; Lyon, 1826) ; le 4e livre, « De la fréquente communion », prend des positions un peu en retrait par rapport à celles de son confrère Jean Pichon † 1751 (cf. sa notice *infra*).

*Les Fins dernières de l'Homme* (Paris, 1739, 1742, 1753, 1778, 1825). – *Réflexions sur la Religion chrétienne* (1e partie : démonstration apologétique ; 2e partie : réformation des chrétiens), 1741. – *Retraite spirituelle à l'usage des communautés religieuses* (1741, 1765), pour dix jours ; Pallu y fait place aux méditations spécifiquement ignatiennes de la 2e semaine des Exercices, mais en édulcore la vigueur. – *De la Charité envers le Prochain* (1742, 1778 ; Gand, 1850) : commente l'hymne à la charité de 1 *Cor.* 13 ; insiste sur l'aumône, l'amour des ennemis et la restitution.

Les *Sermons* groupent six volumes : *Avent, Carême* (3 vol.), *Mystères* et *Panégyriques,* Paris, 1744-1745, 1754-1759 ; Gand, 1849-1850 ; dans la coll. *Orateurs sacrés* de Migne, t. 46, 1854.

Les œuvres de Pallu ont été traduites en allemand par le jésuite Ant. Jaeger † 1786 et publiées à Augsbourg entre 1760 et 1767 (Sommervogel, t. 4, col. 721-724).

*Mémoires de Trévoux,* mai 1738, p. 953-955 ; juin 1741, p. 1136-1138 ; février 1742, p. 354-355. – G. de Segaud, *Notice biographique* de Pallu (dans l'éd. de l'*Avent,* 1759). – Les *Biographies* de Feller, Michaud, Hoefer. – Sommervogel, t. 6, col. 144-147. – DTC, t. 11/2, 1932, col. 1835 (bibl.). – J. de Guibert, *La spiritualité de la Compagnie de Jésus,* Rome, 1953, p. 376 et 429. – *Les établissements des Jésuites en France,* t. 3, 1955, col. 1169 et 1219.

DS, t. 2, col. 610, 1282 ; t. 5, col. 373 ; t. 7, col. 1583 ; t. 8, col. 1228 ; t. 10, col. 1346.

André DERVILLE.

**1. PALMA** (BARNABÉ DE), franciscain, 1469-1532. – 1. *Vie et expérience.* – 2. *Écrits.* – 3. *Doctrine.* – 4. *Sources et influence.*

1. VIE ET EXPÉRIENCE. – Il n'existe pas de biographie critique de Bernabé de Palma ; ce que nous savons de lui vient surtout de fr. Andrés de Guadalupe.

Bernabé naquit à Palma del Río (Cordoue) en 1469, d'une famille originaire de Sicile. Tout jeune encore, il aidait son père comme jardinier. En 1491 il prit l'habit franciscain dans la province observante de Los Angeles et passa ses premières années comme ermite dans les montagnes de la Sierra Morena. Sa vie intérieure intense fut remarquée ; on dut l'avertir de modérer ses transports à l'élévation de la Messe. Le même chroniqueur rapporte ses extases et ses ravissements à Belalcázar, et aussi sa charité comme portier du couvent de Belén de Palma : la nourriture qu'il distribuait se multipliait en passant par ses mains. Sa mort, ajoute-t-il, fut « si douce qu'on eût dit qu'il s'endormait d'un paisible et léger sommeil ; c'était le 14 octobre 1532 ».

Ce frère lai si désireux de perfection, faute du guide qu'il lui eût fallu, eut à subir un long et dur contretemps avant d'être favorisé d'un don particulier de sagesse (*Vía Espíritus,* Salamanque, 1541, f. 30r, 34v, Proemio, 4r). Lui-même nous explique en quoi consista l'épreuve : convaincu que « Dieu doit être grandement aimé et révéré », il croyait qu'il lui fallait pour cela s'adonner à beaucoup de prières vocales (f. 27r) ou de considérations basées sur les sens et l'imagination, en sorte que dans sa vive ardeur il se fatiguait la tête, la poitrine et le cœur, au point de « ne pouvoir rester que très peu de temps en prière ; s'il y persévérait plus de deux heures, il en était si épuisé... qu'aujourd'hui il ne peut comprendre comment il ne l'abandonna pas totalement » (f. 30rv).

Après cette pénible période de vingt années, il découvrit une nouvelle méthode : la « vía del recogimiento », une fois la conscience purifiée, vise à contempler Dieu dans une attention simple, tout aimante. « Je ne sais comment j'eus connaissance – car c'était chose assez nouvelle – qu'il n'y avait rien de mieux qu'une oraison mentale continue ». Palma fut convaincu que c'était là la « bonne manière », celle qui en peu de temps lui avait davantage profité (f. 27r). Il chercha à aider autrui jusqu'à prendre la plume : « importuné par la pressante insistance de quelques religieux et sur ordre de mon supérieur, je décidai de laisser voir ma maladresse plutôt que de refuser ce devoir de charité » (Proemio, f. 4v ; cf. f. 23r, 74v). Mais l'humble franciscain n'écrivit que sur ce qu'il avait expérimenté, sur ce que Dieu lui avait communiqué (Proemio, f. 4v).

2. ÉCRITS. – Bien qu'illettré, Palma sait rendre captivantes ses idées ; modestement il les soumet à « la correction de la sainte mère Église et de ceux qui savent » (Proemio, f. 4v). Lui-même, ignorant les sciences théologiques et les règles de l'exégèse, ramène tout à la donnée de base de son expérience : « L'Écriture que je cite, je ne la rapporte que parce qu'elle correspond à mon sentiment » (f. 79r ; cf. 26rv). Malgré ses imperfections, la *Vía Espíritus* possède l'attrait de l'expérience vécue et de l'honnêteté.

L'éditeur signale que le frère lai de Palma était prêt à écrire sur d'autres points, mais qu'il ne put réaliser ce dessein ; y firent d'abord obstacle « quelques oppositions légitimes » (de la part de réviseurs ou des supérieurs en désaccord ?), puis vint la mort qui ne lui laissa pas même le temps de rectifier ou d'améliorer son texte (f. 115rv ; cf. *Proemio,* f. 3v-4r). Quoi qu'il en soit, dès la première série de ses éditions complètes, la *Vía Espíritus* (nous suivons le titre en castillan) reçut un accueil très favorable : Séville, 1532 ; en Flandre, 1533-1534, éd. patronnée par le duc de Béjar sur la demande de Pedro Barrientos, frère de Pierre d'Alcantara ; Salamanque, 1541 ; Barcelone, 1549. Il faut ajouter les éditions abrégées, de petit format, sans doute en vue d'éviter les répétitions et de les rendre plus maniables : Valence, 1546 ; Tolède, 1550, avec le *Soliloquio* de F. Ortiz ; Tolède, 1553, avec le même *Soliloquio,* et abrégée par Juan de Borja, duc de Gandie.

D'après Andrés de Guadalupe, Palma écrivit d'autres traités « doctes et fort utiles, qui sont en ma possession » : *Doctrina cristiana, Vida de Cristo, Declaración de los misterios de la Misa, Grados de la oración y contemplación, Centiloquio del alma, De los cuatro novisimos y postrimerías del hombre.* Chose curieuse, ces traités constituent un parfait parallèle des chapitres d'un ouvrage anonyme, le *Libro llamado fuente de vida, hecho por un fraile de la Orden de nuestro seráfico padre San Francisco,* Valence, 1527 ; Burgos, 1528 ; Medina del Campo, 1542 (Madrid, BN, R-13490). Y a-t-il un rapport ? Cette question demande un examen détaillé. En fait, le dernier des petits traités parut dans la *Segunda parte de las obras del... Francisco de Borja* (Alcalá, 1550) ; Antonio Salcedo l'attribue à Juan de Cazalla (cf. DS, t. 5, col. 1024).

3. DOCTRINE. – La première partie de la *Vía* présente de façon organique et systématique six exposés : la préface et la préparation (18 ch., f. 1r-28r) ; le purement corporel (3 ch., f. 28r-33v) ; le corporel et spirituel (10 ch., f. 33v-52r) ; le purement spirituel (20 ch., f. 52r-92v) ; l'état surnaturel (1 ch., f. 92v-94v) ; des compléments sur la charité (5 ch., f. 94v-104r), l'incarnation (1 ch., f. 104r-105v), la nativité (6 ch., f. 105v-115v). – La seconde partie (f. 115v-159v), formée de petits chapitres, répond à 27 questions, sans ordre particulier, simplement pour tirer au clair divers enseignements et quelques points de vue.

Jean d'Avila fut le premier à résumer de façon très perspicace les caractéristiques de la méthode de Palma, lors d'une exhortation célèbre faite aux jésuites : tandis qu'Osuna procédait « per viam voluntatis », la *Vía Espíritus* le fait « per viam remotionis » : elle insiste sur le dépassement du sensible pour parvenir à la contemplation acquise, en purifiant l'entendement de façon particulière (cf. *Obras,* t. 3, Madrid, 1970, p. 398-399).

1° *Préface.* – Le but de l'auteur est d'aider les hommes à atteindre la fin pour laquelle Dieu les a créés, de les orienter vers la haute contemplation (f. 3v), dont l'objet propre « est l'immensité de Dieu » (f. 4r). Il fait remarquer qu'il écrit pour ceux qui ont commencé à goûter la quiétude ; c'est pourquoi il passe rapidement sur la connaissance de soi et l'imitation du Christ, ce qui ne signifie aucunement qu'il prétende bâtir sans ce fondement (f. 3v-4r). Laissant entrevoir les contradictions qu'il eut à subir, il avertit : Qui enseigne cette « quieta facultad » devra supporter les critiques avec sérénité et ne pas juger qui le juge (f. 4rv).

2° *Préparation.* – Palma compare sa nouvelle expérience avec l'ascèse traditionnelle à propos des actes extérieurs : il « montre à qui s'appliquerait à garder ses yeux, à faire pénitence et semblables choses pour acquérir les vertus et la bonté, que telle n'est pas la voie que j'enseigne ; il s'agit bien davantage de s'appliquer d'abord à recueillir ses pensées à l'intérieur de soi-même ». Il a la conviction d'avoir trouvé le moyen le plus efficace ; aussi ajoute-t-il : « Là est le vrai chemin pour arracher les vices et enraciner les vertus » (f. 8rv). La nouvelle méthode ne consiste pas à répéter les actes ; elle vise les attitudes, les habitudes, le cœur de la personne. Ramené à l'unité par l'oraison mentale, l'homme vivra dans la paix et fera du progrès, avec plus de savoir-faire et moins de violence. Devenir parfait, ce n'est pas n'avoir plus que la peau et les os, c'est se laisser guider en tout par l'Esprit (f. 2v). Cet exercice intérieur (oraison mentale, contemplation, voie du cœur), qui doit devenir « habitude acquise » (f. 3r), est à même d'élever à l'union, étant donné qu'il engage tout l'homme (f. 4v) ; la lumière qu'il engendre se répercute sur nos offices éventuels, nos occupations quotidiennes (f. 23rv).

Dans son enthousiasme Bernabé ne trouve pas assez de mots pour recommander l'oraison mentale : « En toi nous devenons clairs, honnêtes, vigoureux, assurés, pacifiés » (f. 122r) ; et de même pour mettre en garde contre l'extérieur. La vie active n'est bonne qu'à servir la contemplative, comme les échalas de la vigne à soutenir les grappes (f. 9r). Qui s'affaire du sensible ne peut éviter de se salir de mauvaises pensées : au lieu d'offrir des fleurs à Dieu, ce n'est que chardons piquants (f. 9v) ; l'âme ne peut vivre dans les réalités du dehors ; la nourriture qui lui convient est de regarder Dieu (f. 11r).

Il faut choisir et préférer la vie contemplative ; « on subit la vie active par nécessité, *y no cualquiera, sino muy grande* ». La figure de Rachel symbolise la première ; Lia, Esaü et même Caïn la seconde (f. 18v). Palma va jusqu'à dire que les offices du prédicateur et du confesseur doivent être ainsi réglés qu'ils prennent le moins de temps possible et qu'ainsi ils n'attiédissent pas l'amour (f. 13r) : en effet, le Christ « n'a pas donné à la prédication plus du dixième de sa vie » (f. 14v). Dès lors les occupations extérieures ne doivent être choisies « que par pure nécessité et charité » (f. 84r). Sa façon de s'exprimer est si radicale qu'elle pourrait induire à confondre l'intérieur et le transcendant. Se défendant d'entrer dans les argumentations dialectiques (f. 15rv, 16v-17r), il conclut en exhortant au *recogimiento* : depuis Adam, les hommes de plus en plus extériorisés et vains sont allés de mal en pis (f. 24v-25v).

3° *Les quatre états.* – Dans la *Vía,* le *recogimiento* comporte quatre degrés parfaitement « conjoints et unis l'un à l'autre » : ce sont des états qui coexistent dans l'âme et, même parvenu au plus haut, on ne doit pas oublier les premiers, qui sont fondements ; cependant Dieu peut accorder la perfection de la contemplation sans que l'on ait passé par les deuxième et troisième états (f. 29v-32v).

1) L'état *corporel.* – On y domine les tendances de la chair par les jeûnes, les veilles, le coucher sur la dure, la vigilance par rapport aux paroles inutiles et aux amitiés trop humaines ; on y applique l'esprit aux mystères du Christ pour y apprendre l'obéissance, la pauvreté, le renoncement à la volonté propre (f. 28v-29r). On commence par faire une demi-heure d'oraison mentale, puis on augmente la durée

jusqu'à la pouvoir prolonger deux heures et demie dans un lieu retiré et obscur ; c'est ce que firent à Gandie les jésuites Onfroy et Oviedo.

Pour bien faire cet exercice, nous devons « nous établir dans la vérité », du double point de vue de la méthode et de l'objet considéré. La voie intérieure ne s'apprend pas en regardant avec les yeux du corps, mais « en repassant dans son esprit avec attention et profondeur ». Il faut peu à peu se dégager du sensible. Regarder des images, lire la vie du Christ et des saints, ne peuvent servir que de préparation éloignée (f. 29r). L'auteur insiste sur le caractère « abstrait » de ce mode d'oraison, qui n'est point effort de volonté ou de tête (f. 29v). Cela pour la méthode. Quant à l'objet considéré, c'est la connaissance de ce que nous sommes et, par rapport à Dieu, celle de sa bonté et de sa grandeur. Ce premier exercice – d'abaissement ou anéantissement – a pour effet de rendre à Dieu la seigneurie qui est sienne et de ne mettre qu'en lui notre espérance (f. 29v-30v).

2) *État à la fois corporel et spirituel.* – On ne voit pas de façon bien nette ce qu'en pense l'auteur ; bien plus, lui-même le dit, il ne cherche pas tant à comprendre ce qu'on doit penser ou faire en chaque état (souvent c'est lorsqu'on est dans le troisième que l'on tire parti du premier), qu'à faire connaître la *manière* d'agir propre à chacun d'eux. Ainsi dans le premier cette manière ressemble à celle des pieds, qui sont fermes et soutiennent le corps mais n'ont pas d'habileté pour faire des choses délicates ; dans le deuxième, elle ressemble à celle des mains qui, encore qu'elles façonnent un objet matériel, semblent œuvrer avec sagesse ; la troisième manière ressemble à celle des yeux : elle s'exerce de près comme de loin, sans difficulté, avec joie (f. 33v-34r).

Les contemplatifs irréfléchis croient que toute consolation et toute délectation sont surnaturelles ; entendant des chants ou des instruments, ils disent qu'ils élèvent l'esprit, alors que c'est peut-être leur sensibilité qui jouit. Ce comportement recèle une part d'humain ; pour être profitable, la considération doit s'élever vers les sphères supérieures. Même alors subsiste le danger de confondre sensible et spirituel ; Palma y trouve un appui pour insister sur le fait qu'on n'obtiendra pas la parfaite pureté sans s'être dégagé de tout ce qui est extérieur et corporel. Les deux premiers états, en raison de leur imperfection, doivent être tenus pour simples voies de passage (f. 34r-35v).

Pour qu'on ne s'arrête pas à un appui matériel, qui suscite « un orgueil secret » (f. 35r), il faut toujours revenir à la considération de son propre néant et des bienfaits de Dieu (f. 34v-52r). Le thème est longuement développé : la propre bassesse (f. 44v-45v), les bienfaits de la création (f. 38r-40v), de l'âme (f. 41r-44v), de l'amour de Dieu, un et trine, créateur et provident (f. 49v-52r).

3) *État purement spirituel,* qui devrait être celui des religieux (Palma critique à ce sujet l'insouciance des supérieurs, f. 52v-54v) ; on y passe au-delà du sensible pour considérer la vertu qu'il recèle et la force qui le soutient ; on passe aux vérités les plus hautes de la foi. L'âme découvre peu à peu ce qui ne se voit pas. Alors que la considération sensible tend à obscurcir l'entendement, la considération spirituelle accroît la lumière et son rayonnement (f. 55v-62v). Quand nous voulons considérer quelque chose de Dieu, il faut élargir l'horizon dans les quatre dimensions qu'indique saint Paul (*Éph.* 3, 17-19), la longueur, la largeur, la hauteur et la profondeur ; sinon ce serait comme contempler quelque chose « par le trou d'une aiguille » (f. 62v). L'attention et la chaleur

qu'apporte l'auteur à traiter ce point montrent qu'on se trouve là au cœur de son enseignement. Dans l'immersion en profondeur dans le mystère, là est la connaissance exacte et « sans tache ». Dieu étant en toutes les directions, si l'on fixe son intelligence sur une seule, on ne se conforme pas au vrai. De même que le corps, s'il était tout yeux, verrait de partout et dans toute direction, de même l'âme nette et disposée à percevoir. Il n'y a pas à fixer l'imagination sur un point déterminé, ce qui gêne et fatigue, mais « à attendre en tout repos et calme apaisement les visites d'en-haut » (f. 63r-64v).

Une telle contemplation de Dieu est encore signifiée chez Palma par une autre expression typique : contempler « en cuadrada manera » (f. 63v ; 78v), image qui renvoie à divers passages de l'Écriture (3 *Rois* 5, 17 ; *Éz.* 40, 47 ; surtout *Apoc.* 21, 12-13) ; dans ce dernier passage, la Jérusalem céleste avec ses douze portes, trois de chaque côté, offre accès de n'importe où (f. 80r ; 96r).

Dieu n'est ni en haut, ni en bas ; il est une substance souveraine qui englobe tout en elle (65r). Il anime les virtualités de tout le créé (force, légèreté, justice, sagesse), réalités que nous ne voyons pas, mais dont nous percevons les effets. La façon de procéder est de passer du visible à l'invisible et de là au transcendant (f. 72r ; 77v). Cette méthode comporte notamment quatre avantages : on s'habitue à se dégager du domaine des images ; on découvre la spiritualité que recèle toute chose ; on commence à aimer de façon bien ordonnée et on reçoit bientôt les dons de Dieu ; et on arrive, pour bien agir, à une grande confiance née d'une gratitude imprégnée d'amour (f. 73r). Pour obtenir ces fruits, l'auteur invite à une contemplation paisible et très prolongée (f. 75r), soulignant la différence qu'il y a entre discourir et comprendre (f. 90r ; 78r). La contemplation doit procéder, non par voie de saisie, mais par voie d'accueil ; on perçoit ainsi mieux l'amour de Dieu, excluant en même temps toute possibilité d'orgueil (f. 90v ; 94v).

4) *État surnaturel.* – Ici « toute l'activité » de l'âme « se ramène à accueillir ce qui lui est donné ». L'intervention de Dieu, « unie à sa lumière, amène une transformation de l'homme intérieur savoureuse, attrayante et qui rectifie l'amour », pour faire persévérer en tout bien et éviter tout mal (f. 92v). C'est ce que Francisco de Osuna appellera union parfaite, *abrazo,* etc., et que Jean de la Croix nommera touches substantielles. Le Seigneur, d'ordinaire, accorde ses visites si l'on a été fidèle aux directives indiquées et que l'on écarte toute tache de péché véniel (f. 92v-93r) ; alors « la douceur que ressent le cœur, le rassasiement de l'intelligence, la satisfaction des goûts » nous entraînent de manière inexplicable (f. 93r). Le regard divin console et tout ensemble blesse ; seul reste amer et haïssable ce qui écarte de ce visage : le fait de demeurer encore en exil. En cette jouissance très savoureuse, le plus parfait pour l'âme n'est pas d'agir, si ce n'est à la manière de qui tend l'oreille et écoute (f. 93v-94r ; cf. *Ps.* 44, 11 : « audi, filia, et vide »).

4° *La dernière partie* (f. 115v-159), sous forme de questions et de réponses, offre (notamment en ce qu'il appelle *adiciones*) une série d'éclaircissements nuancés au sujet de l'humanité du Christ (f. 123v-124v), du rôle de l'amour dans le *recogimiento* (f. 133v-134r), sur le rejet des larmes (f. 127rv) et du contact humain (f. 128r), sur l'exaltation de la vie contemplative comme moyen presque unique de plaire à Dieu (ajoutant cependant : « sans préjudice pour la foi simple et les bonnes œuvres courantes de ceux qui, sans contempler, parviennent au salut », f. 130v).

Sans nul doute, les observations faites à Bernabé, en un temps où l'on était en garde contre le protestantisme et les *alumbrados*, l'auront aidé à préciser ses idées ; malgré tout, son ouvrage n'échappa pas à l'Index de 1559. Les inquisiteurs auront jugé trop audacieuse l'invitation à consacrer son temps à la contemplation, avec le danger de laisser de côté d'autres devoirs d'état. M. Cano n'aimera guère les critiques de ce qui est extérieur, ni l'exaltation de l'expérience, ni le rejet, comme œuvre servile, de tout ce qui ne serait point orienté vers le pur amour contemplatif.

4. Sources et influence. — Bernabé de Palma accorde grande autorité à un religieux qu'il a entendu traiter de questions comme le mépris des choses corporelles (f. 70v), la possibilité pour l'âme de recevoir de n'importe où la lumière (f. 80r) et la convenance de l'Incarnation dans le sens scotiste (f. 104rv) ; il ne fait pas de doute que c'est là le maître qui l'orienta vers un nouveau mode d'oraison.

Une bonne partie de la *Vía* commente l'Écriture, avec nombre de symboles et d'étymologies empruntés aux *Glosas*. Notre frère est plus homme de grands désirs de perfection qu'homme de lectures, au point de se faire un problème de conscience de mêler science humaine et vie intérieure (f. 79r) ; il vit de son expérience et dans l'ambiance directe de son couvent. Il cite quatre fois saint Bonaventure en matière spirituelle (f. 9v, 102v, 126v, 151r) et saint Grégoire le Grand apparaît en deux autres occasions (f. 22r, 119v).

Sa tendance à dépasser le cadre de l'imagination au profit de l'« abstraction » rappelle les degrés progressifs du *Benjamin Major* (I, 6 ; PL 196, 70-72) probablement connu par le maître qui l'aida. Le rappel de Richard de Saint-Victor lorsqu'il s'agit des expressions significatives comme « cuadrar el entendimiento », etc., est à ce sujet suffisamment convaincant. Le mystique victorin parle aussi de « dilatation » et « sublimation », ce qui fait songer à l'élargissement d'horizon et à la visite de Dieu visée par Palma (v, 2-3, PL 196, 169-172). L'idée de « mentis dilatatio » (le « ne pas contempler par un trou » d'aiguille de la *Vía Espíritus*) avait été reprise en 1500 dans le *Carro de las dos vidas* (1, 17) de García Gómez et dans l'*Ejercitatorio* de García de Cisneros (DS, t. 2, col. 910-921), qui la décrit au ch. 48 : « Quand le contemplatif étend et élargit son horizon sur ce qu'il considère ». Bernabé a l'avantage de simplifier en formules heureuses cet enseignement, dont il fit le centre de sa vie spirituelle (cf. *supra*, 3e, 2).

Ne pourrait-on supposer que la littérature cartusienne était lue au couvent de Belén ? Guigues I, dans ses *Coûtumes* (31, PL 153, 703-704), souligne l'importance de la retraite en cellule, qui serait pour le contemplatif ce qu'est l'eau pour le poisson, l'herbe pour la brebis, image dont notre auteur a tiré parti un peu dans le même sens (f. 11v). Il écrit, par ailleurs, dans la *Vía* (f. 35v) que l'exercice intérieur réclame trois choses : « avoir le mets voulu bien préparé, le mâcher et le transmettre à l'estomac », formule qui rappelle une autre semblable de la *Scala claustralium* de Guigues II (PL 40, 998 = PL 184, 476).

La formule « cuadrar el pensamiento» dut se propager assez vite dans la province de los Angeles ; on la trouve dans un vers du ch. 21 de la 3e partie de la *Subida del Monte Sión* de Bernardin de Laredo (DS, t. 9, col. 277-281) dans sa première rédaction publiée en 1535 mais probablement achevée six ans plus tôt. Quand et comment cette formule parvintelle à Bernardin ? La seconde rédaction en 1538, qui donne une longue explication de la formule en question, s'accorde déjà mieux avec une lecture possible de l'ouvrage de Bernabé.

Le premier qui le nomme est Luis de Alarcón, en 1547 dans son *Camino del cielo* (éd. Barcelone, 1956, p. 219).

Jean d'Avila, on l'a dit, fait référence à sa méthode. Juan de los Angeles fait une fois allusion à « un livre très ancien d'un religieux de notre Ordre » (*Manual de vida perfecta*, 1608, Dial. IV, 3 ; dans *Obras místicas*, éd. J. Sala et G. Fuentes, t. 1, coll. Nueva biblioteca de autores españoles 20, Madrid, 1912, p. 211 ; cf. DS, t. 8, col. 259-264) ; il tait le nom de l'auteur, le livre étant à l'Index, mais lui accorde assez d'importance pour reprendre son schéma des quatre états de l'esprit.

Juan Falconi (DS, t. 5, col. 35-43), dans son *Camino derecho para el cielo...* (éd. Barcelone, 1960, p. 190 et 218), cite deux fois l'ouvrage de Bernabé sous le titre de *Vía de perfección* (cf. Proemio, f. 4v) pour expliquer ce que signifie l'expression : « L'âme est à l'intérieur d'elle-même » (cf. *Vía*, f. 11r) et combien il est important de s'abandonner et de s'en remettre à Dieu (cf. f. 94r).

Le souvenir de Bernabé de Palma reste surtout lié à celui de Thérèse d'Avila ; c'est de lui qu'elle reçoit des formules comme œuvre surnaturelle, « cuadrada manera », le corporel et le spirituel (cf. *Vida*, ch. 22 ; *Moradas* VI, ch. 7, n. 6). La sainte a lu la *Vía* : à preuve, elle expose d'une manière parallèle à celle de Bernabé les faux ravissements (*Vía*, f. 56v et *Moradas* IV, ch. 3, n. 11 ; cf. notre article, à la bibl.). Une certaine influence a peut-être aussi joué à propos de la mise en garde contre le zèle apostolique prématuré (*Vía*, f. 16v-17r ; *Vida*, ch. 13, n. 8-10 ; *Fundaciones*, ch. 5, n. 5-9). Nous savons aussi que le livre de Bernabé, puis celui de Laredo furent la cause principale de son embarras, durant quelques mois, à propos de la contemplation de l'humanité du Christ (*Vida*, ch. 22, n. 3-4).

Enfin, la vie très retirée qu'inculque la *Vía*, conjointement avec l'influence d'Harphius, attirera un groupe de jésuites de Gandie au point qu'Ignace de Loyola devra intervenir par sa lettre de juin 1549 pour rétablir un plus juste équilibre entre ce désir et la vocation apostolique de la Compagnie. Nous trouvons un écho très net de l'influence de Bernabé dans l'*Itinerario de la perfección* d'Antonio Cordeses (DS, t. 2, col. 2310-2322).

F. Gonzaga, *De origine seraphicae religionis*, Rome, 1587, p. 936. – Andrés de Guadalupe, *Historia de la provincia de los Angeles*, Madrid, 1642, p. 313-322. – Juan de San Antonio, *Bibl. universa franciscana*, t. 1, Madrid, 1732, p. 181. – N. Antonio, *Bibl. hispana nova*, t. 1, Madrid, 1783, p. 187.

Fidèle de Ros, *Le P. François d'Osuna*, Paris, 1936, p. 147, 656 ; *Le Fr. Bernardin de Laredo*, Paris, 1948, p. 153. – E. Asensio, *El erasmismo y las corrientes afines*, dans *Revista de Filología española*, t. 36, 1952, p. 73, 81-83. – P. de Leturia, *Cordeses, Mercuriano... y lecturas espirituales de los jesuitas...*, AHSI, t. 23, 1954, p. 78-87. – B. Bravo, *La « Vía spiritus » de Fr. Bernabé de Palma*, dans *Manresa*, t. 31, 1959, p. 35-74 ; *Teorías contemplativas cordesiano-palmianas del « Itinerario de la perfección »*, ibidem, p. 235-260.

P. Sáinz Rodríguez, *Espiritualidad española*, Madrid, 1961, p. 143-186. – V. Beltrán de Heredia, *Introducción* al

*Diálogo sobre la necesidad de la oración vocal,* dans *Tratados espirituales* de Juan de la Cruz, dominicain, coll. BAC, Madrid, 1962, p. 201-202. – J.M. Madurell y Marimón, *La edición de la « Via spiritus » de 1549,* dans *Analecta Sacra Tarraconensia,* t. 35, 1962, p. 283-285. – I. Rodríguez, *Espirituales españoles (1500-1570),* dans *Repertorio de la historia de las ciencias eclesiásticas en España,* t. 3, Salamanque, 1971, p. 554-555.

M. Ruiz Jurado, *Un caso de profetismo reformista en la Compañia de Jesús, Gandía 1547-1549,* AHSI, t. 43, 1974, p. 217-266. – M. Andrés Martín, *Los recogidos,* Madrid, 1975, p. 176-192. – S. López Santidrián, *El consuelo espiritual y la humanidad de Cristo en un maestro de Santa Teresa : Fr. Francisco de Osuna,* dans *Ephemerides Carmeliticae,* t. 31, 1980, p. 183-190.

La présente notice remplace celle, trop courte, donnée en DS, t. 1, col. 1247 ; – DS, t. 4, col. 1141, 1152, 1165, 1173 ; t. 5, col. 1216, 1363 ; t. 6, col. 591 ; t. 9, col. 1037.

Saturnino LÓPEZ SANTIDRIÁN.

**2. PALMA** (BIAGIO), barnabite, 1577-1635. – Giovanni Battista Palma, né à Fara Sabina (Rieti) en 1577, entra à 21 ans chez les Barnabites et fit profession le 26 avril 1600 au noviciat de Monza (Milan), changeant alors son nom de baptême en celui de Biagio. Après ses études théologiques à Milan, Rome et San Severino (Marches), ordonné prêtre en 1604 au sanctuaire de Lorette, il accomplit là son premier ministère. En 1608 il est transféré à Rome, où il restera presque toute sa vie, comme guide spirituel éclairé, promoteur de l'association de l'« Umiltà di san Carlo » (pour le service des pauvres malades dans les hôpitaux), prédicateur de missions populaires dans la campagne romaine et en Italie centrale. C'est spécialement grâce à lui que furent repris les travaux pour la construction de l'église de San Carlo ai Catinari, qui deviendra le centre de la dévotion à Marie, mère de la divine Providence : la « Madonna dei Barnabiti ». Homme actif, pieux et cultivé, Palma se distingua parmi ses confrères comme auteur spirituel et biographe érudit. Il mourut à Rome le 13 janvier 1635.

Parmi ses ouvrages spirituels, un opuscule obtint grand succès : *Atti virtuosi interni dell'anima cristiana, con i quali facilmente si puo conseguire la perfezione...* (Rome, 1616, 1623). Imprimé avec ou sans nom de l'auteur, il a aussi reçu des titres variés : *Thesaurus indeficiens..., Actus interni virtutum..., Palma spirituale fruttifera..., Actions intérieures...*

Il eut de nombreuses éditions (au moins 14) et fut traduit en latin : Lublin, 1626 et 1646 ; Douai, 1628 et Paris, 1632 par le jésuite Ch. Musart (DS, t. 10, col. 1852) ; Cologne, 1635 ; Munich, 1645 et 1660 ; en français par le jésuite Antoine Balinghem, Douai et Paris, 1632 ; – en espagnol, Pavie, 1664.

Publié « à la demande des Sœurs de la congrégation de l'Umiltà » comme vademecum pour leur vie spirituelle, cet opuscule a été comparé à l'*Imitation de Jésus-Christ,* à l'*Introduction à la vie dévote* et au *Combattimento spirituale.* Animées d'un souffle mystique, ces pages sont pleines d'un esprit de foi fondée sur l'Écriture, Paul en particulier. Elles exhortent à la vie intérieure, à l'union de l'âme avec Dieu par des actes d'amour, des ' colloques ', des aspirations et élans du cœur. Palma propose, sous forme de prières et d'invocations et divisés en points de méditation, les actes et les attitudes fondamentales de l'esprit qui veut librement se donner à Dieu : pureté d'intention dans le comportement, adoration et louange, action de grâces, espérance, joie et confiance, zèle et humilité, haine du péché, esprit d'abnégation selon les conseils de l'évangile, etc.

Dans une seconde partie, plus théologique, sont médités les principaux attributs de Dieu, « dont la connaissance constitue une règle tout à fait adaptée pour l'acquisition de toutes les vertus et de tous biens spirituels » : son essence, sa puissance, sagesse, bonté, providence, miséricorde... Pour terminer, sont suggérées, en huit paragraphes, « des affections à l'égard de la Personne de Jésus-Christ, Notre Seigneur » dans la même ligne, empruntées aux ouvrages de Fr. Bourgoing, de l'Oratoire de France (DS, t. 1, col. 1910-1915).

*Metodo e regola della vita spirituale, nella quale s'insegna come tutte le attioni piu proprie del Christiano devono farsi...* (Rome, 1620) est un manuel de piété qui s'inspire également des caractéristiques de la spiritualité française : il contient divers actes de piété, prières, considérations et exercices spirituels, à accomplir le matin, durant le jour et le soir ; des méditations sur la confession sacramentelle, la communion, la messe, le rosaire et l'office de la Sainte Vierge ; des instructions sur les Quarante heures, la visite aux sept églises, les fêtes des anges et des saints ; beaucoup d'autres « avis » pratiques sur le comportement du bon chrétien dans les circonstances les plus diverses de la vie : étude, travail, prospérité, adversité, etc. Le moralisme pédagogique de Palma semble résumé en ces mots de la préface : « Pour plaire à Dieu, rien de mieux qu'une vie bien ordonnée ».

Palma a encore publié, toujours en vue d'aider à la vie spirituelle et toujours dans le même sens pratique, psychologisant, didactique, des *Essercitii e meditationi spirituali, per tutto... Avvento...* (Rome, 1625 ; Bologne, 1627) et... *per la Quadragesima et altri tempi...* (éd. par G.B. Gerunzio, Macerata, 1668). A côté de ces deux ouvrages, il publia des livrets de mince apparence : *Liber vitae, ovvero modo compendioso e grato per fare memoria della Passione* (Milan, 1612 ; Rome, 1625 ; trad. franç. par Balinghem, Paris, 1632), remarquable exercice spirituel en dix étapes, et *Core sacrato a Giesù* (Rome, 1626) dans lequel vingt gravures en forme de cœur sont précédées par une explication en prose et suivies d'un dialogue versifié entre Jésus et l'âme.

Les *Regole della Congregatione dell'Humiltà di S. Carlo* (Rome, 1629) sont suivies d'un *Trattato in forma di Dialogo... per eccitare e istruire le Sorelle e metter in prattica quest'istesse Regole.* Il y a, en fait, deux dialogues : l'un « entre le Père Directeur de la Congrégation et la Sœur », l'autre « entre la Sœur de la Congrégation et le malade ». Le premier montre pourquoi il faut aider et consoler le prochain en cas de maladies : l'exemple du Christ venu guérir toutes les infirmités, l'action charitable d'un grand nombre de saints et de fondateurs, les avantages moraux et spirituels que l'on retire de l'assistance des malades dans les hôpitaux. Le second enseigne de façon concrète comment parler aux malades, compte tenu de leur état psychologique respectif.

Enfin, la *Vita di S. Francesca Romana...* (Rome, 1626), écrite à la demande des Oblates olivétaines dont il était confesseur, fait un choix critique dans les documents originaux, tout en gardant le ton de l'hagiographie traditionnelle.

Parmi les manuscrits de Palma, on conserve un *Diario* intéressant de Maria Vittoria Angelini, mystique romaine, du tiers ordre des Servites de Marie, disciple des Barnabites et ensevelie dans leur église San Carlo ai Catinari à Rome.

L. Ungarelli, *Bibliotheca scriptorum e Congr. Cler. Reg. S. Pauli,* Rome, 1836, p. 272-276. – L. Cacciari, *Memorie intorno alla chiesa de' SS. Biagio e Carlo a' Catinari in Roma*, Rome, 1861, p. 24 svv. – L. Levati et I. Clerici, *Menologio dei Barnabiti*, t. 1 (Janvier), Gênes, 1932, p. 158-161. – G. Boffito, *Scrittori barnabiti*, t. 3, Florence, 1934, p. 93-97.

EC, t. 9, 1952, col. 650-651. – DS, t. 1, col. 1250 ; t. 4, col. 1539 ; t. 10, col. 603.

Andrea M. ERBA.

**3. PALMA** (JEAN DE), franciscain, † 1638. Voir JEAN DE LA PALMA, DS, t. 8, col. 597-598.

**4. PALMA** (JEAN-FERRANTE), camillien, † 1649. – Giovanni Ferrante Palma, né à Conca della Campania, au royaume de Naples, entra dans l'ordre des ministres des infirmes le 12 janvier 1595, y fit profession deux années plus tard et fut ordonné prêtre le 3 mars 1600. Il fut presque constamment supérieur en diverses maisons, provincial de la province de Bologne (1631-1634) et de celle de Milan (1646-1648), et maître des novices à plusieurs reprises. Fervent disciple du fondateur, Camille de Lellis, il s'attacha fidèlement à ses enseignements et se conforma à son exemple. Le saint lui adressa plusieurs lettres, dont certaines nous sont parvenues. Palma mourut à Gênes le 15 mars 1649, « servant à l'hôpital, selon un chroniqueur contemporain, après s'être dépensé louablement comme religieux durant cinquante ans ».

Poète sans prétention, il a chanté la charité envers les malades ; trois livres rassemblent ses vers, simples et pieux : « Vous ne trouverez pas ici un style recherché. Mon but a été de réjouir le cœur par la piété... et j'y suis parvenu, comme j'en ai eu la preuve au temps où, tout indigne, j'ai assuré la conduite des novices de mon Ordre ».

1. *Risvegliamento amoroso per destar l'Anima dal sonno della tiepidezza ed accenderla del divino Amore* (Bologne, F. Catanio, 1633). L'ouvrage est divisé en quatre parties. La dernière contient des « louanges spirituelles pour stimuler à la charité envers les pauvres malades et les agonisants ». Le livre fut écrit pendant que l'auteur se trouvait à Palerme, comme en témoigne une courte poésie de Giovanni Battista Gianotti : « À la ville de Palerme, où l'ouvrage fut rédigé ».
2. *Sacra Miniera onde l'anima divota può cavar l'oro infocato di carità verso il prossimo* (Naples, Roberto Molla, 1642). Le recueil est divisé en trois parties, avec une dédicace de style ampoulé, « à Jésus-Christ très bon et très aimant », implorant de la plaie de son Saint Côté un peu de cet « or enflammé », qui « in ricca e luminosa fucina fa di sè miracolosa mostra ».
3. *Affettuosi colloqui dell'Anima amante col suo celeste Sposo...* (Gênes, Calenzani, 1648). Ce livre est divisé en trois parties, avec dédicace « à Marie, Trésorière céleste et Dispensatrice bienveillante des joies de l'Empirée ».

Les trois ouvrages ont le même style simple ; mais l'âme y vibre avec douceur, délicatesse de sentiments. La poésie de Palma n'arrive pas à l'art ; mais, fraîche et naïve, elle est en même temps profonde et méditative.

Parmi ses poèmes, une soixantaine traitent de la charité envers les malades et de l'exemple donné par Camille de Lellis. Dans ses vers, Palma a su transfigurer la souffrance : celle-ci, en tous ordres, suscite en lui une émotion intime, une piété aimante et profonde, qui contemple et qui soulage. En lui, l'ordre camillien a son chantre le plus authentique – ses vers sans apprêt recueillent les maximes et les paroles du

fondateur ; seize courtes poésies exaltent, avant même qu'il soit canonisé, l'admirable figure de charité compatissante de celui qui fut « Duce invitto, possente e glorioso », « Padre nostro amorosissimo », et qui « vécut sur terre comme un pur Séraphin ».

D. Regi, *Memorie historiche del V.P. Camillo de Lellis* (Naples, 1676, p. 324, 370, 373-374). – C. Solfi, *Compendio historico della Religione dei Chierici regolari ministri degli infirmi* (Mondovi, 1689, index). – G. Mohr, *Catalogus Religionis CC.RR. ministrantium infirmis* (dactylographié, n. 138). – M. Endrizzi, *Bibliografia Camilliana* (Vérone, 1910, p. 107-109). – G. Sommaruga, *P. Ferrante Palma, e la sua poesia in genere*, dans *Domesticum* (bollettino storico dei CC.RR., t. 41, 1944, p. 209-226) : étude principale. – M. Vanti, *Storia dell'Ordine dei CC.RR....*, t. 2, Rome, 1944, p. 544-545, 606-610 ; *Scritti di S. Camillo de Lellis* (Rome, 1954, index).

Pietro SANNAZZARO.

**5. PALMA** (LOUIS DE LA), jésuite, 1560-1641. Voir LA PALMA, DS, t. 9, col. 244-251.

**PALMIO** (BENOIT), jésuite, 1523-1598. – Né à Parme le 11 juillet 1523, Benedetto était le quatrième des six enfants d'Antonio Palmia (*sic*) et de Chiara Botini. Sa vocation à la Compagnie se manifesta en 1540, lors de la prédication à Parme de Diego Laínez et de Pierre Favre, mais il retarda son entrée pour achever à Bologne ses études littéraires. Durant les six années qui suivirent, il eut pour guide le jésuite Jérôme Domènech, qui n'eut aucun doute au sujet de sa vocation : « Je n'ai rencontré aucun jeune homme qui lui fût comparable » (Quadr. I, 12). Il fit ses premiers vœux le 24 juillet 1546 et fut aussitôt envoyé à Rome sous la direction d'Ignace de Loyola, qui le soumit à un noviciat sévère (cf. *Écrits, infra*).

Après vingt mois, Ignace l'adjoignit au groupe des jésuites envoyés à Messine (18 mars 1548) pour y fonder le premier collège de la Compagnie. Il resta là quatre années (1548-1553), puis en passa quatre autres à Rome (1553-1557), où il fut ordonné prêtre (8 décembre 1553), fit sa philosophie jusqu'à l'obtention de la maîtrise ès arts, le 5 juin 1556, ensuite étudia quelque temps la théologie. Ses études ne l'empêchèrent pas de se livrer à la prédication (à relever, en particulier, vers cette période, celle qu'il assura à la cour du cardinal Hippolyte d'Este, les sermons à la chapelle papale et son homélie aux funérailles d'Ignace, le 1er août 1556). « Concionator vere palmaris » (*Annuae litterae Soc. Jesu, a. 1598*), Palmio eut un rôle marquant dans l'histoire religieuse de l'Italie, de Paul IV à Sixte-Quint.

A partir de septembre 1557, devenu surintendant des collèges de Venise et Padoue, il fit construire une maison pour converties, fonda la congrégation de la Pietà à Padoue, s'employa à extirper l'hérésie de l'université, où elle commençait à s'infiltrer, établit à la Giudecca (Venise) l'asile des filles de S. Martial et défendit à Ferrare, auprès d'Alphonse II, la cause des prisonniers. Admis à la profession solennelle (Padoue, 15 août 1559), il fut nommé pour six ans (1559-1566) provincial de Lombardie. Dès alors, il s'occupa à la fois du gouvernement des collèges du Nord de l'Italie et de prédication, notamment à Milan, sous la protection de Charles Borromée, qui lui fut très attaché et favorisa sa fondation du collège. A la 2e congrégation générale, qui élut François de

Borgia (1565-1572), il fut nommé assistant d'Italie ; la 3e Congrégation le confirma dans cette charge durant le gouvernement de Mercurian (1573-1580). Acquaviva le fit visiteur de la Vénétie (juillet 1581-octobre 1583) et continua pendant de longues années à recourir à lui.

D'après le *Narré* d'Auger (MHSJ, *Fontes narr.*, t. 3, p. 255-320), Palmio est l'une des figures éminentes du premier demi-siècle de la Compagnie. Il prit part à quatre Congrégations générales (1565, 1573, 1581, 1593), y laissant sa marque sur des problèmes de gouvernement et de discipline religieuse. Partisan convaincu de la suppression des petits collèges, étant provincial de Lombardie, il transforma en maison de communauté celui de Venise. Pour sauvegarder la pauvreté du Collège Romain, où affluaient les héritages de scolastiques d'autres provinces, il suggéra à la 3e congrégation générale d'avoir recours au Pape et fut autorisé à agir. Grégoire XIII, qui l'avait désigné pour accompagner le cardinal Morone dans sa mission à Gênes (1575), offrit 2000 écus et dans la suite assigna au Collège les revenus de l'abbaye de Fiastra. Palmio intervint de nouveau dans le sens de la pauvreté à la 5e Congrégation, qui interdit aux profès de convertir à leur propre usage des biens assignés aux collèges.

Austère, sans rien de sec, Palmio insistait sur la paix et l'union dans la communauté, ce qui suppose nécessairement un gouvernement paternel ; lui-même fit preuve d'une lucidité rare. Certains jugements anticipés au sujet de scolastiques et ses exigences strictes concernant le choix des vocations montrent en lui un recruteur sagace, comme en témoigne le groupe padovan (A. Possevino, A. Gagliardi, etc.).

L'envoi de Palmio à Milan (juillet 1563) devait, selon Borromée, aider au nouvel élan de la vie chrétienne milanaise. Durant quatre années, il s'adressa au public nombreux du *Duomo*, avec clarté, chaleur, profondeur. Borromée eut aussi recours à lui pour préparer le premier synode de Milan (1564) ; Palmio donna le discours d'ouverture (rédigé par la suite, il a été publié récemment).

Palmio a exposé ses idées sur la prédication dans un petit traité en latin retrouvé parmi les papiers de Borromée : *De praedicatione evangelica*. Il souligne son excellence et ses exigences (vie sans reproche du prédicateur). Son but est de répandre la grâce de Dieu et de favoriser le salut du prochain.

Palmio fut en rapport avec bien des personnages de son temps ; il fut en conflit avec certains, tel César Cremonino en 1591 à propos de la fermeture du *Collegio massimo* de Padoue. Parmi les apologies rédigées alors par divers jésuites, celle de Palmio est la plus importante et la plus longue (cf. AHSI, t. 28, 1959, p. 266-267 ; t. 51, 1982, p. 63-65). Lié d'amitié avec Alphonse II, duc de Modène et de Ferrare, Palmio s'employa à obtenir de son successeur César d'Este la cession de Ferrare au Saint-Siège, qui fut réalisée le 3 janvier 1598, après bien des difficultés. L'action pacificatrice de Palmio est rappelée par Marc'Antonio Guarino (*Diario di tutte le cose accadute nella... città di Ferrara*, ms, Modène, Bibl. Estense H. 2. 16, p. 325).

*Écrits.* – Aux Archives romaines S.J., *Vitae 164*, 175 f., contenant : 1) un traité inachevé sur les difficultés de la Compagnie (en italien, f. 1-51v) ; – 2) des mémoires autobiographiques et apologétiques (en ital., f. 66-117v) ; – l'autobiographie en latin (67 ch., f. 118-163v), que P. Tacchi Venturi a fait connaître

(*Storia della Compagnia di Gesù in Italia*, t. 1/2, Rome, 1951, p. 16) et dont il a publié des extraits (*ibidem*, p. 242-256 = ch. 11-19 ; t. 2/1, p. 362-369 = ch. 1-10) ; d'autres ch. dans MHSI, *Fontes Narrativi*, t. 3, p. 152-174.

Autres inédits : *Discorso del P. B. P...., del modo che si deve tenere nel governare i collegi nostri...* (ARSI *Instit. 196*, f. 3-83) ; – *Descrittione d'alcune cause dalle quali sono procedute le discordie* (f. 92r-132r) ; – un sermon (*Missus...*) donné à Rome, 25 octobre 1578 (Vatican, *Urb. lat. 465*, f. 1-12).

C. Marcora a édité : *In synodo dioecesana mediolanensi... sermo habitus anno 1565*, et *De excellentia praedicationis evangelicae*, dans *Memorie storiche della diocesi di Milano*, t. 16, 1969, p. 17-33 et 34-53.

Voir *Annuae litterae S.I. anni 1598*, Lyon, 1607, p. 88-89. – I. Iparraguirre, *Répertoire de spiritualité ignatienne*, Rome, 1961 (cf. table, p. 201). – J.-F. Gilmont, *Les écrits spirituels des premiers jésuites*, Rome, 1961 (cf. table, p. 346). – P. Tacchi Venturi, *Storia della Compagnia di Gesù in Italia*, t. 2/1, p. 231-234 ; t. 2/2, p. 41-45. – M. Scaduto, *Storia della C. di G. in Italia. L'epoca di Giacomo Laínez*, t. 3, Rome, 1964, p. 316-325, 442-457 et *passim* ; t. 4, Rome, 1974, p. 513-521, 577-581, 646-647 et *passim*. – C. Marcora, *S. Carlo e il gesuita B. P.*, dans *Memorie storiche...*, cité *supra*, p. 7-16 (documents). – B. Pullan, *Rich and Poor in Renaissance Venice*, Oxford, 1971 (table). – DS, t. 6, col. 53 ; t. 8, col. 972, 974.

Mario SCADUTO.

**PALOMINO** (PIERRE), bénédictin, † 1686. – Pedro Palomino, né à Torrubia del Campo (Cuenca), prit l'habit chez les bénédictins au monastère de S. Julián de Samos (Lugo), où il reçut une excellente formation spirituelle. Il fut abbé de S. Isidro de Dueñas (1665), de Samos (1669-1673), et de S. Esteban de Ribas de Sil (1681-1685). Il exerça aussi les fonctions de définiteur général (1673-1677) de la congrégation de Saint-Benoît de Valladolid et de prédicateur royal de Philippe IV et Charles II.

Maître en théologie, il publia : *Sermones varios para diferentes festividades* (2 vol., Madrid 1679-1680) et *Sermones para domingos y ferias mayores de cuaresma* (2 vol., Madrid, 1678 et 1684). Chaque sermon comprend un exorde et divers points. Ce sont d'ordinaire des commentaires de textes de l'Écriture, fort bien écrits, – encore qu'en un style à notre goût quelque peu recherché –, et de doctrine saine. Palomino se distingue par sa finesse, sa clarté et sa bonne humeur ; lorsqu'il fait intervenir les considérations morales, il fustige abus et fautes, ayant souvent recours au procédé des questions et réponses. Sa doctrine et son exposé montrent chez lui une connaissance approfondie de l'Écriture et des Pères et il apparaît bon théologien, excellent prédicateur. Il mourut au monastère de San Martín en août 1686.

*Monasticon Hispanicum*, B.N. de Paris, *mss espagnols 321*, f. 289v. – N. Antonio, *Bibliotheca Hispana nova*, t. 2, Madrid, 1788, p. 226. – M. del Alamo, art. *Valladolid* (Congregación de S. Benito), dans *Enciclopedia Universal d'Espasa*, t. 66, Barcelone, 1929, p. 970. – P. Arias, *Historia del real monasterio de Samos*, Santiago, 1950, p. 231. – J. Pérez de Urbel, *Varones insignes de la Cong. de Valladolid*, Madrid, 1967, p. 179.

M. Arias, *Un abadologio inédito del monasterio de Samos*, dans *Archivos Leoneses*, n. 44, 1968, p. 65. – D.M.

Yáñez, *Historia del real monasterio de S. Isidro de Dueñas*, Palencia, 1969, p. 473. – E. Duro, *El monasterio de S. Esteban de Ribas de Sil*, Orense, 1977, p. 111. – E. Zaragoza Pascual, *Un abadologio inédito de Samos, del siglo 18*, dans *Studia Monastica*, t. 22, 1980, p. 336, n. 87 ; *Los Generales de la Cong. de S. Benito de Valladolid*, t. 4, Silos, 1982.

Ernesto ZARAGOZA PASCUAL.

**PALTZ** (JEAN JEUSER DE), ermite de Saint-Augustin, vers 1445-1511. – 1. *Vie*. – 2. *Œuvres*. – 3. *Doctrine*.

1. VIE. – Johannes de Paltz, originaire d'une localité du même nom (aujourd'hui Pfalzel), près de Trèves, était fils de l'armurier Henri de Heilbronn surnommé Jeuser. A partir de 1462, il étudia à Erfurt et y devient maître ès arts en 1467. Après son entrée au couvent des augustins de cette ville, il eut pour maître Jean de Dorsten († 1481 ; DS, t. 8, col. 480-481) et fut ordonné prêtre vers 1470.

En 1474-75, il fut prieur à Neustadt sur l'Orla. En 1482 il fait cours sur les *Sentences* ; maître en théologie l'année suivante, il enseigna jusqu'en 1495 (avec quelques interruptions) à la faculté de théologie d'Erfurt. Il est attesté qu'en 1485, il est de plus visiteur des couvents de femmes d'Erfurt et en 1488 inquisiteur de Thuringe.

Paltz fut un prédicateur apprécié, au langage expressif et vigoureux ; par délégation du légat du pape Raymond Peraudi, il prêcha la croisade contre les Turcs (1488-1490) ; à partir de 1490, il prêche les indulgences en Thuringe, Meissen, Marche, Saxe, Mecklembourg et Souabe ; il doit aussi avoir prêché alors en Bohème contre les Hussites. A partir de 1501, de nouveau sur la demande de Peraudi, il prêche les indulgences dans diverses villes.

Paltz s'occupa aussi de la réforme des couvents : chez les augustins de Herzberg sur l'Elster Noire (1490-1492) ; dans son diocèse d'origine, Trèves (1493-1500 ; il fonde le couvent réformé de Mülheim, aujourd'hui Ehrenbreitstein) ; de 1501 à 1503, il s'emploie à la fondation d'un couvent à Sternberg (Mecklembourg).

A la fin de 1503 et en août 1505 sa présence est attestée dans son couvent d'Erfurt. L'affirmation de Weijenborg, selon laquelle il aurait été maître des novices de Luther, n'est pas prouvée. A partir de 1507, Paltz passa les dernières années de sa vie comme prieur du couvent de Mülheim ; il y mourut le 13 mars 1511.

2. *Œuvres*. – Pour les manuscrits et les éditions, voir A. Zumkeller, *Manuskripte von Werken der Autoren des Augustiner-Eremitenordens...* (Wurtzbourg, 1966, p. 255-260 et 604, n. 551-561) et M. Ferdigg, dans *Analecta Augustiniana*, t. 30, 1967, p. 256-286.

1° *Imprimés*. – 1) *Sermo coram universitate Erfordensi recitatus* (éd. par Th. Kolde, *Das religiöse Leben in Erfurt*, Halle, 1898, p. 54-68) ; prononcé en 1482, ce sermon décrit l'université sous l'image du paradis. – 2) *De cautelis servandis in absolutione sacramentali*, anonyme, slnd (Hain, n. 13630 ; *Gesamtkatalog der Wiegendrucke*, n. 6397) : opuscule de théologie pastorale, en dépendance du *Tractatus de forma absolutionis*, inédit de Jean de Dorsten.

3) *Quaestio determinata... contra triplicem errorem* (anonyme, Erfurt et Memmingen, après 1486 ; Hain, n. 1154f) : présentée au *Quodlibet* d'Erfurt en 1486, c'est une prise de position contre diverses conceptions des fins dernières. – 4) *Sermo de adventu Domini ad iudicium* (éd. par M. Ferdigg, cité *supra*, p. 303-319) : sermon sur le jugement dernier, de 1487.

5) *Die hymelische Fundgrube* (Leipzig, 1490, etc. Cf. Hain, n. 9418-9422 ; en bas saxon : *De hemmelsche funtgrove*, Magdebourg, vers 1490) : sermons en allemand en faveur de la croisade, remarquables par leur caractère expressif et leur ferveur religieuse. La première partie traite des souffrances du Christ et des diverses manières de les méditer ; la 2ᵉ parle des péchés en pensée, surtout des pensées blasphématoires ; la 3ᵉ de la bonne manière de mourir, et la 4ᵉ de l'Onction des malades et des autres secours spirituels à assurer aux mourants.

6) *De septem foribus sive portis beatae Virginis, qualiter in quolibet sit honoranda* (Leipzig, 1491, etc.) ; sur les sept grandes fêtes mariales de l'année liturgique (Conception, Nativité, Présentation, Annonciation, Visitation, Purification, Assomption) ; les considérations sur l'Immaculée Conception occupent plus de la moitié du texte.

7) *Celifodina* (Erfurt, 1502, etc.) : refonte latine du n. 5, qui y ajoute des considérations sur l'utilité et le juste usage des indulgences, sur l'origine et le sens de l'année jubilaire. – 8) *Supplementum Celifodine* (Erfurt, 1504, etc.) : reprend le thème des indulgences et du jubilé ; Paltz les défend contre les attaques dont ils sont l'objet, et s'efforce de maintenir la ferveur soulevée par la prédication du jubilé et de dissiper de malsaines craintes apocalyptiques.

2° *Autres œuvres*. – Le ms Oct. 106 (f. 62r-67v et 55v-62r) de la Bibl. d'Augsbourg contient 2 sermons prononcés à la cathédrale d'Erfurt pour les funérailles de deux docteurs, Dietrich Fabri (en 1486) et Ulrich Rispach (en 1488). – Le ms 177 de la Bibl. Univ. de Leipzig garde un *De conceptione sive praeservatione a peccato originali sanctissimae Dei genetricis virginis Mariae*, écrit en 1488 ; il n'est pas identique à celui contenu dans le n. 6.

Dans le *De septem foribus*, Paltz fait occasionnellement mention de quatre écrits sur Marie, qui ne nous sont pas parvenus : *Hortulus aromaticus B. Virginis, De decem hastis... defensantibus praeservationem Virginis gloriosae a peccato originali, Liber vitae vel fasciculus myrrhae B. Virginis* et *De decem gladiis Dei Genetricis* ; il en est de même d'une *Summa divinorum beneficiorum*, sur les sacrements, mentionnée dans le *Supplementum Celifodine*.

3. DOCTRINE. – Les titres de ces ouvrages manifestent à eux seuls l'ouverture d'esprit de Paltz aux requêtes et aux problèmes de son temps ; le nombre d'éditions des principaux montre l'accueil qu'ils ont trouvé. Bien que leur écriture soit pour un large public, on y reconnaît aisément la position théologique de l'auteur ; il est un fidèle disciple de Jean de Dorsten et, comme lui, fermement attaché aux maîtres de la grande scolastique. Même si, à l'égard de la *via moderna*, Paltz n'est pas figé dans le refus, on constate nulle part chez lui une influence de Guillaume d'Ockham ou de Gabriel Biel. Comme Jean de Dorsten, il soutient la doctrine typiquement augustinienne sur l'état primitif de l'homme, sa chute et le péché originel ; il soutient aussi la doctrine selon laquelle l'attrition est une disposition suffisante pour recevoir le sacrement de pénitence : la force du sacrement la change en contrition ; R. Weijenborg a

cru pouvoir accuser Paltz de laxisme à cette occasion (*De immaculata conceptione apud Joannem de Paltz*, dans *Acta Congressus Mariani, 1954*, t. 14, Rome, 1957, p. 178-179) ; à tort selon nous.

Les écrits de Paltz, surtout la *Celifodina* et son *Supplementum* (éd. Leipzig, 1504 et 1514), veulent avant tout contribuer à une juste formation à la vie chrétienne ; B. Hamm y voit une *Frömmigkeitstheologie* (*Frömmigkeit als Gegenstand theologiegeschichtlicher Forschung*, ZTK, t. 74, 1977, p. 464-497 ; ici, p. 487-488). En tout cas, les exposés sont riches d'enseignements et de directives spirituelles : Paltz est un maître sage et expérimenté dans ce domaine. Notons qu'il cite souvent le *De gestis Salvatoris* de Simon de Cascia † 1348 ; avec Jean de Dorsten il le loue comme « profundissimus mysteriorum Christi contemplator » (*Celifodina*, f. D Vrb).

Au centre des exposés de Paltz, on trouve la croix et les souffrances du Christ, avec les sacrements de Baptême, d'Eucharistie, de Pénitence et d'Extrême-Onction. Il veut attirer les fidèles à méditer la Passion, leur montrant le fruit qu'ils en tireront et leur donnant plusieurs méditations rédigées sur ce sujet (f. G IIra- J Vra). De nombreuses prières sont insérées dans ses exposés. Il traite aussi de l'exacte connaissance de soi-même et propose une méthode originale pour l'examen de conscience ; celui-ci doit inclure le repentir, l'aveu (au moins devant Dieu), la réparation et la disposition à pardonner (*Supplementum*, f. G IVv-VIr). Il insiste souvent sur la communion fréquente, exhorte à ne pas s'en laisser détourner par respect humain devant les moqueries ou l'incompréhension des clercs (*Celidofina*, f. S Vvb), Il recommande la lecture de la Bible, « ars mineralis caelestis » pour qui a la foi, et juge nécessaires l'aide d'un directeur spirituel pour la bien comprendre, et la prière pour obtenir de Dieu la lumière (*Suppl.*, f. L Vv).

Devant la brièveté de la vie et l'incertitude de l'heure de la mort, Paltz conseille aux chrétiens, non pas d'en écarter la pensée, mais d'apprendre l'« ars bene moriendi ». Avec saint Augustin, il conseille de fuir le Dieu irrité pour se réfugier auprès du Dieu pardonnant (fugere... a Deo irato ad ipsum placatum) ; où trouver ce Dieu qui pardonne ? « Tu seras réconcilié avec lui si tu espères en sa miséricorde » (*Celif.*, f. O IIIva). Paltz traite abondamment des « confortativa peccatoris » que sont l'insondable *bonitas* de Dieu, l'indicible *pietas* du Christ, la maternelle *caritas* de Marie, la fraternelle *amicabilitas* des saints et la *fructuositas* des sacrements.

« Demandez et vous recevrez la grâce. Si vous recevez la grâce, soyez reconnaissant envers Dieu et utilisez-la bien... Ayez confiance en sa bonté qui lui fait préférer pardonner plutôt que condamner, libérer plutôt que punir. Aimons l'amour par lequel il a voulu satisfaire lui-même pour nous. Soumettons-nous à sa justice en supportant volontiers la souffrance de la mort et en lui rendant grâce de bon cœur au moment de mourir » (*Celif.*, O VIra).

Nous n'insisterons pas ici sur la dévotion de Paltz envers Marie et les saints, sinon pour dire qu'il défend fermement leur intercession (*Celif.*, f. Q IIvb-IIIvb). Quant à la vie religieuse, de nombreux sermons montrent comment Paltz promouvait la réforme des monastères (*Suppl.*, f. J IIIv- N IIr). Le sermon sur l'utilité et la valeur de la vie monastique évoque les difficultés en mentionnant divers groupes de religieux : à ceux qui, ayant prononcé leurs vœux avec idéal, se trouvent aujourd'hui dans une telle froideur qu'ils pensent qu'ils auraient mieux servi Dieu hors de la vie religieuse, il demande d'examiner si cette froideur est épreuve de Dieu (le sert-on pour ses douceurs ou pour lui-même ?) ou si elle vient de la négligence et de l'orgueil. A qui la pratique du vœu de chasteté paraît impossible, Paltz affirme le contraire si du moins on le désire en toute sincérité, si on le demande du fond du cœur, si on lutte pour maîtriser les pensées et pour éviter les occasions dangereuses. A ceux enfin qui sont entrés en religion non par libre choix mais par contrainte ou par la décision des familles, il fait remarquer qu'au moins ils ont pris une libre décision lorsqu'ils ont prononcé leurs vœux et qu'il faut la tenir.

Paltz s'insurge avec véhémence contre la désastreuse coutume qui fait entrer en religion des garçons insuffisamment éduqués et instruits. Il s'en rapporte à Andreas Proles † 1503, supérieur de la congrégation réformée des Augustins allemands, qui avait interdit d'admettre des mineurs pour cette raison que « est enim eorum instructio laboriosa, profectus rarus et defectus periculosus ». Parfois il oppose le tableau offert par un couvent réformé à celui d'un couvent relâché : ici, règne la *cupiditas*, l'avidité pour les biens et les propriétés terrestres ; là, c'est la charité. En général, une préoccupation excessive des biens de ce monde marque un grave manque de confiance en Dieu. Il critique sévèrement les supérieurs qui se préoccupent trop du matériel et négligent pour cette raison le spirituel, ou encore ceux qui ne veillent pas assez à la formation des novices par la parole et par l'exemple.

J.J. Wagner, *Das ehemalige Kloster der Augustiner-Eremiten in Ehrenbreitstein*, Coblence, 1932 (surtout p. 46 svv et 81 svv). – W. Krogmann, *Johann von Paltz*, dans Stammler-Langosch, *Verfasserlexikon*, t. 3, Berlin, 1943, col. 620-622. – H.H. Wolf, *Die « himmlische Fundgrube » und die Anfänge der deutschen Bergmannspredigt*, dans *Hessische Blätter für Volkskunde*, t. 49-50, 1958, p. 347-354. – A. Zumkeller, dans *S. Augustinus vitae spiritualis magister*, t. 2, Rome, 1959, p. 239-338 (surtout 314-323 ; bibl. ancienne) ; notice *Paltz*, RGG, t. 5, 1961, col. 34-35 ; *Der religiös-sittliche Stand des Erfurter Säkularklerus am Vorabend der Glaubensspaltung*, dans *Augustinianum*, t. 2, 1962, p. 267-284 (surtout 273-278), 471-506 ; *Die Augustinerschule des Mittelalters*, dans *Analecta augustiniana*, t. 27, 1964, p. 167-262 (voir p. 252-253).

M. Ferdigg, notice *Paltz*, LTK, t. 8, 1963, col. 15 ; *De vita, operibus et doctrina Joannis de Paltz*, dans *Analecta augustiniana*, t. 30, 1967, p. 210-321 ; t. 31, 1968, p. 155-318. – E. Kleineidam, *Universitas Studii Erffordensis*, 3 vol., Leipzig, 1964-1980 (surtout t. 2, p. 91-93 et 284-285). – G. Brach, *Die Kunst zu sterben des J. von P. Zusammenstellung der Ausgaben der Himmlischen Fundgrube und deren Uebersetzungen*, dans *Kurtrierisches Jahrbuch*, t. 10, 1970, p. 74-85.

R.H. Fischer, *Paltz und Luther*, dans *Luther-Jahrbuch*, t. 37, 1970, p. 9-36. – F. Juntke, *Ueber die im 15. Jahrhundert in Leipzig gedruckten Ablasspredigten des J. von P.*, dans *Gutenberg-Jahrbuch 1973*, p. 203-212. – A. Kunzelmann, *Geschichte der deutschen Augustiner-Eremiten*, t. 5, Wurtzbourg, 1974, surtout p. 437-443. – H. Wolf, notice *Paltz*, dans *Neue Deutsche Biographie*, t. 10, Berlin, 1974, p. 565-566. – A. Zumkeller, *Erbsünde, Gnade und Rechtfertigung im Verständnis der Erfurter Augustinertheologen des Spätmittelalters*, dans *Zeitschrift für Kirchengeschichte*, t. 92, 1981, p. 39-59. – B. Hamm, *Frömmigkeitstheologie am Anfang des 16. Jahrhunderts. Studien zu J. von Paltz und seinem Umkreis*, Tübingen, 1982 (ouvrage dont nous avons eu connaissance après la rédaction de cet article).

Adolar ZUMKELLER.

**PALUZZI** (Catherine), dominicaine, 1573-1645. – Francesca Paluzzi naquit à Morlupo, près de Rome, le 7 mars 1573. Après la mort de ses parents, vers sa vingtième année, elle servit de mère à ses six frères plus jeunes et assura leur subsistance par un dur labeur. Elle devint tertiaire dominicaine en 1592 sous le nom de Caterina. Dix ans plus tard, libérée de ses tâches familiales, elle commença à mener chez elle la vie commune avec quelques compagnes ; elle fit alors de fréquents voyages à Rome où, bien que d'humble condition, elle s'acquit l'estime et l'amitié de personnalités du monde ecclésiastique et de l'aristocratie. Malgré des difficultés en apparence insurmontables, elle fonda en 1620 à Morlupo un monastère de dominicaines cloîtrées qui dura jusqu'en 1810, date de sa suppression au temps de l'occupation française. Caterina mourut le 19 octobre 1645.

Sur l'ordre de son confesseur, Caterina Paluzzi écrivit une relation, sorte d'autobiographie, de ses expériences mystiques et de sa vie spirituelle. Diverses sources apportent leur témoignage sur ces sujets : ainsi, parmi d'autres, les lettres d'Alessandro Migliacci, son directeur spirituel, à son frère Domenico Migliacci ; celles qu'écrivit à Caterina le cardinal Federico Borromeo (les lettres de Caterina à Borromeo sont perdues) ; la relation sur les dernières années de Caterina par son confesseur Francesco Farronio.

Sa physionomie spirituelle, tout en offrant les traits propres à la spiritualité dominicaine du 17ᵉ siècle, a aussi des caractéristiques personnelles d'un relief accusé.

L'influence dominante est celle de Catherine de Sienne, dont Caterina Paluzzi sentait la présence quasi physique à ses côtés, qui l'inspire, la guide, lui sert de modèle. Il serait aisé d'établir un parallèle entre les faits les plus saillants de leur expérience mystique, entre leur doctrine, la fréquence de leurs visions et de leurs extases, certains phénomènes extraordinaires (contact avec le côté du Christ, échange des cœurs, stigmatisation). Le Christ est constamment au centre des vues de Caterina ; elle a aussi une dévotion particulière à l'enfance de Jésus, à sa passion (le côté ouvert révélant le cœur du Christ), à l'eucharistie.

Thérèse d'Avila, qui lui apparut à diverses reprises, lui fut connue grâce à des guides carmes remarquables, comme Pietro della Madre di Dio et Giovanni di Gesù Maria († 1615 ; DS, t. 8, col. 576-581). Tommaso di Gesù Maria, neveu de Caterina qui recueillit ses souvenirs, et son premier biographe Filippo Maria di San Paolo furent aussi des carmes. Néanmoins, il ne semble pas qu'on puisse parler d'une influence directe de la doctrine thérésienne.

Par contre, la formation spirituelle de Caterina a été profondément marquée par saint Philippe Néri (DS, t. 11, col. 853-862), qui la dirigeait de loin et contrôlait ses expériences mystiques par l'intermédiaire de l'archiprêtre de Morlupo, Alessandro Migliacci, un de ses disciples. Selon son habitude, Philippe dirigea Caterina en mariant harmonieusement une conduite attentive jusqu'à la minutie du détail et la discrétion, respect de l'action de Dieu dans l'âme. L'autobiographie comme les autres sources montrent combien fut féconde cette direction acceptée librement. Autre aspect de la spiritualité philippine vécu par Caterina, la joie, l'allégresse intérieure, qui est don de l'Esprit. Sa sérénité inaltérable au sein de croix persistantes, son abandon confiant à la conduite de Néri, témoignent d'une joie intérieure, signe et fruit tout ensemble de l'intimité divine. Les divers événements racontés dans l'autobiographie s'achèvent toujours par ce refrain : « avec la paix du cœur ». Enfin, on remarque que Caterina, comme Philippe, retrouvait au sortir de ses ravissements toutes ses capacités d'agir dans les besognes les plus quotidiennes. Le style même de ses écrits, pleins de fautes d'orthographe et d'expressions dialectales, sans aucune exubérance lyrique, manifeste une personne robuste, pleine de bon sens, dont les expériences mystiques ne tournent pas la tête.

Ces écrits, au ton direct, sans recherche littéraire (Caterina n'eut guère de culture), font aussi connaître la formation courante et la vie chrétienne du peuple ; on y trouve des références à la prédication, aux diverses dévotions et manifestations de la piété populaire dans ce petit centre rural aux portes de Rome qu'était Morlupo.

On ne décèle dans ces écrits aucune trace des mouvements et des conflits doctrinaux qui ont animé l'époque de Caterina. On peut appliquer à sa vie spirituelle l'image de Manzoni : « un ruisseau jailli limpide du rocher qui, sans jamais stagner ni s'embourber, coule rapide vers le fleuve ». La relation de ses expériences raconte simplement, sans se soucier de systématiser ni d'enseigner quelque doctrine spirituelle – à la différence de celles laissées par Catherine de Sienne, Thérèse d'Avila et Carlo da Sezze († 1670 ; DS, t. 2, col. 701-703) qui passa environ deux années au couvent des franciscains de Morlupo alors que Caterina habitait le village. Ce n'est pas à dire qu'on ne trouve aucun enseignement spirituel dans les écrits de C. Paluzzi, mais il s'agit plutôt d'échos des grands thèmes ascétiques et mystiques courants de cette époque. Ce n'est, en tout cas, pas sans raison que Federico Borromeo témoigna d'un grand intérêt pour Caterina, lui faisant part de ses peines personnelles et lui demandant ce qu'elle pensait de ses sermons.

Filippo Maria di San Paolo, *Vita e virtù della V. Serva di Dio la Madre Sor C. Paluzzi Fondatrice delle Monache Domenicane in Morlupo*, Rome, 1667. – A.A. Tosi, *Compendio della Vita, Virtù e Miracoli della V... C. P...*, Rome, 1731. – V.L. Nardelli, *La V. Serva di Dio S. C. P... Cenni biografici*, Florence, 1909 ; Rome, 1945. – G. Antonazzi, *Una popolana tra santi principi e cardinali*, Morlupo, 1974.

Voir surtout G. Antonazzi, *Caterina Paluzzi e la sua autobiografia... Una mistica popolana tra san Filippo Neri e Federico Borromeo* (Archivio Italiano per la Storia della Pietà, t. 8), Rome, 1980 : biographie, profil spirituel, éd. de l'autobiographie et des diverses sources.

DS, t. 5, col. 1453, 1455, 1458.

Giovanni ANTONAZZI.

**PAMPHILE DE CÉSARÉE** (saint), prêtre et martyr, † 310. – 1. *Vie*. – 2. *Œuvre*.

1. VIE. – Un éloge de Pamphile avait été rédigé par son maître Piérios d'Alexandrie (cf. Philippe de Sidè, *Histoire chrétienne*, fragm. 7, éd. C. de Boor, TU 5/2, Leipzig, 1888, p. 171). Son disciple Eusèbe de Césarée (DS, t. 4, col. 1687-90) avait écrit sur lui trois livres de *Mémoires* (cf. *Histoire ecclésiastique* = HE VI, 32, 3 ; *Martyrs de Palestine* = MP 11, 1-3 ; Jérôme, *De viris illustribus* 81). Ces deux écrits sont perdus, mais les témoignages d'Eusèbe permettent de retracer pour l'essentiel la carrière de Pamphile.

Né vers 250 à Béryte de Phénicie (Beyrouth), de parents nobles, il parcourut dans cette ville le cycle traditionnel d'enseignement profane et se distingua « dans les affaires publiques de sa patrie » (MP 11, 1d – recension longue –, SC 55, 1958, p. 154). Il vint ensuite étudier l'Écriture à Alexandrie, sous la direction de Piérios, maître du didascalée, surnommé « le nouvel Origène » (Photius, *Bibliothèque,* cod. 119, éd. R. Henry, t. 2, Paris, 1960, p. 94). Il s'établit enfin à Césarée de Palestine ; là il fut ordonné prêtre, dirigea l'école fondée par Origène et contribua au développement de la bibliothèque constituée par ce dernier (HE VI, 32, 3, SC 41, 1955, p. 135). Mis en prison pour sa foi en 307 sous Maximin Daia avec onze compagnons, il subit le martyre le 16 février 310 (plutôt que 309 ; cf. BS, t. 10, col. 98). Eusèbe a laissé de lui ce portrait :

« Pamphile..., pendant sa vie entière, s'était distingué en toute vertu, par la fuite et le mépris du monde, par le partage de sa fortune entre les indigents, par le peu d'estime pour les espérances du monde, par la vie philosophique et l'ascèse. Mais surtout, plus que tous nos contemporains, il se distinguait par son zèle très authentique pour les Écritures divines, par son infatigable amour du travail dans tout ce qu'il entreprenait, par l'assistance à ses parents et à tous ceux qui l'approchaient » (MP 11, 2 – recension brève –, p. 156 ; la rec. longue, également authentique, ajoute quelques détails, en particulier qu'il possédait, comme qualités naturelles, ou plutôt comme dons de Dieu, « l'intelligence et la sagesse », 11, 1e, p. 154).

2. ŒUVRE. – 1º L'*Apologie d'Origène* fut rédigée par Pamphile dans sa prison, avec la collaboration d'Eusèbe, qui pouvait le visiter. L'ouvrage comprenait six livres, le dernier étant l'œuvre du seul Eusèbe, après le martyre de son maître. L'original grec est perdu, sauf de brefs fragments ; la préface et le livre I ont été traduits en latin par Rufin d'Aquilée après son retour d'Orient (printemps 397) ; nous possédons cette traduction (PG 17, 542-615), à laquelle Rufin joignit un petit *Liber de adulteratione librorum Origenis* (PG 17, 615-632 ; éd. M. Simonetti, *Rufini Opera,* CCL 20, 1961, p. 1-17). Photius lisait encore l'original en son entier (*Bibliothèque,* cod. 118, éd. citée, t. 2, p. 90-92).

P. Nautin (*Origène,* p. 99-114) croit pouvoir identifier l'*Apologie* de Pamphile et Eusèbe avec un autre écrit en faveur d'Origène que Photius décrit dans le codex 117 (éd. Henry, p. 88-90). Mais cette opinion ne s'impose pas. Les informations fournies par Photius sont rarement erronées en ce qui concerne les titres et les auteurs ; or, il distingue nettement l'apologie anonyme du codex 117 et celle du codex 118 dont il nomme les deux auteurs ; il déclare en outre que l'anonyme s'appuie sur l'ouvrage de Pamphile et Eusèbe. D'autre part, les quinze chefs d'accusation contre Origène rapportés par l'anonyme (il ne faut pas « invoquer » le Fils ; le Fils n'est pas « simplement » bon ; « il ne connaît pas le Père comme le Père se connaît lui-même » ; les natures raisonnables sont entrées en des corps d'animaux sans raison ; ... « l'âme du Sauveur était celle d'Adam » ; « la magie n'est pas un mal » ; les astres sont causes de nos actions, etc.) représentent un origénisme différent de celui que visaient Pamphile et Eusèbe. Il s'agit ici de l'origénisme de la fin du 4e siècle, celui que décrit Théophile d'Alexandrie dans les lettres pascales de 402-404 (conservées en grande partie par les trad. latines de Jérôme, *Lettres* 87, 92, 98, 100), et qu'il met au compte de moines égyptiens ; c'est une forme plus fruste de l'origénisme savant qu'Évagre systématise à la même époque (cf. A. Guillaumont, *Les « Kephalaia gnostica » d'Évagre...,* coll. Patristica Sorbonensia 5, Paris, 1962, p. 96-123). L'examen que fait P. Nautin des quinze chefs d'accusation et la recherche des textes d'Origène qui permettent de les situer et de les interpréter en un sens orthodoxe gardent cependant leur valeur, ainsi que ses traductions et analyses de l'œuvre transmise par Rufin (*Origène,* p. 114-153), que nous utilisons largement.

Jérôme attribue correctement l'*Apologie* à Pamphile et Eusèbe dans le *De viris illustr.* 75 ; par contre, ce qu'il dit de l'ouvrage dans sa polémique avec Rufin (attribution à Eusèbe seul, ou à Didyme l'aveugle) ne mérite pas créance (*Contra Rufinum* I, 8-11 ; II, 15 ; 22-23 ; 27 ; éd. P. Lardet, CCL 79, 1982, p. 7-11, 48-49, 57-59, 64 ; *Epist. adv. Ruf.* 12 ; 15 ; 24 ; *ibidem,* p. 84-85, 87, 96).

Limitons-nous à quelques passages de la traduction de Rufin. La préface est adressée « aux confesseurs condamnés aux mines de Palestine », qui étaient pour la plupart des chrétiens d'Égypte, prévenus contre Origène. Pamphile tente habilement de réduire leurs préventions. Ces chrétiens sont dépassés par la pensée d'Origène (*vos Origenis subterfugit intellectus*) ; ils partagent en effet sans discussion les idées d'hommes qui ne la comprennent pas non plus par incompétence (*per imperitiam sui*), ou qui, par mauvaise foi (*pravitate mentis*), attaquent ses opinions et taxent d'hérésie quiconque veut lire ses ouvrages (PG 17, 541d-543b). Pamphile au contraire se sait autorisé à présenter une autre figure d'Origène comme interprète des Écritures (543b-544b) :

Celui-ci fait preuve de crainte de Dieu et d'humilité dans ses interprétations ; il n'affirme pas de façon dogmatique, mais « cherche selon ses forces », sans prétendre atteindre intégralement le sens du texte sacré ; il avoue souvent ses hésitations et ses incertitudes ; il déclare qu'on doit préférer une autre interprétation à la sienne si elle s'avère meilleure ; enfin, il propose plusieurs fois des explications différentes d'un même texte, laissant le « lecteur prudent » juger par lui-même ; il sait bien en effet que l'Écriture recèle des sens mystérieux et cachés (*multa mystica... et in secreto recondita*). Comme preuve, Pamphile cite un long extrait de la préface des *Commentaires sur la Genèse* (544b-545c) que nous ne connaissons pas par ailleurs.

Après avoir posé qu'on doit lire un auteur chrétien avec un présupposé de sympathie et de charité, l'*Apologie* distingue trois catégories de « détracteurs d'Origène » : ceux qui ne l'ont pas lu ; ceux qui n'ont retenu que les passages pouvant servir à le combattre ; ceux qui, après s'en être nourris, l'ont ensuite anathématisé (546b-548a ; cf. Nautin, p. 140-144, qui identifie les principaux adversaires : Pierre d'Alexandrie et Méthode d'Olympe).

La suite du livre examine des points litigieux, spécialement d'après le *Peri Archôn* : la prédication chrétienne sur la Trinité (ch. 1), Dieu le Père (2), la divinité du Fils (3), l'égalité en dignité de l'Esprit avec le Père et le Fils (4), l'Incarnation (5), le sens spirituel de l'Écriture, qui n'exclut pas le sens historique (6), la résurrection des corps (7), le châtiment éternel du péché (8), l'âme (9), la transmigration des âmes (10).

Du livre II, nous savons par Eusèbe (HE VI, 23, 4, SC 41, p. 124) qu'il traitait « des mouvements provoqués autour de l'ordination d'Origène, des décisions prises par les chefs d'Église au sujet de ces mouvements, et de tous les autres travaux qu'en sa maturité il accomplit pour la parole divine ». C'était, en somme, un exposé sur la carrière et les écrits d'Origène. Le contenu des livres suivants est incertain.

« Soit par son texte original, soit par l'adaptation de Rufin, l'*Apologie...* est sans doute l'ouvrage qui a le mieux servi la cause d'Origène dans les siècles suivants et jusqu'à nous. Elle a d'abord contribué à le faire lire, car elle le présentait sous le meilleur jour... Ensuite, elle a été la voie par laquelle un grand nombre d'extraits d'œuvres perdues sont venus jusqu'à nous : extraits des œuvres propres d'Origène, dont quelques-uns sont précieux pour la connaissance de sa vie et de sa pensée ; extraits aussi d'autres écrivains, puisque Pamphile et Eusèbe en citaient » (P. Nautin, *Origène*, p. 152-153).

2º Le rôle de Pamphile en ce qui concerne *la bibliothèque de Césarée* est plus difficile à déterminer. Ce fut d'abord un travail d'organisation et d'enrichissement : Eusèbe assure avoir, dans la vie de Pamphile, montré « son zèle à l'égard des choses divines » et transcrit « les listes des livres d'Origène et d'autres écrivains rassemblés par lui » (HE VI, 32, 4, SC 41, p. 135). Parmi les écrits conservés à Césarée figuraient ceux de Philon le Juif. Pamphile s'occupa aussi de la mise au point du texte grec des Septante, comme l'attestent deux notes marginales d'un ancien correcteur du *Sinaiticus* (finales de 2 *Esdras* et d'*Esther* ; textes cités en DTC, t. 11, col. 1840). Constantin fit commander cinquante copies de cette recension de la Bible pour les églises de sa nouvelle capitale (Eusèbe, *Vita Constantini* IV, 36, GCS 1, p. 131-132) et Jérôme assure qu'elle était seule utilisée dans les églises de Palestine et ailleurs (*Praefatio in libros Paralipomenon*, PL 28, 1325 ; texte repris dans *Contra Rufinum* II, 27, CCL 79, p. 64). C'est de cette bibliothèque de Césarée, mise en ordre par Pamphile et ses successeurs, que dérivent les documents transmis par Eusèbe dans ses divers ouvrages, ainsi que de nombreux mss de la Bible, de Philon et des premiers auteurs chrétiens.

Prêtre intelligent, d'esprit large, en qui s'alliaient la sagesse chrétienne et le savoir, Pamphile a joué un rôle important dans la chrétienté de la fin du 3e siècle ; il a scellé par son martyre l'authenticité de sa vie et de son zèle pour la Parole de Dieu.

F.X. Murphy, *Rufinus of Aquileia... His Life and Works*, Washington, 1945, p. 82-86. – H. Crouzel, *Qu'a voulu faire Origène en composant le Traité des Principes ?*, dans *Bulletin de littérature ecclésiastique*, t. 76, 1975, p. 161-186, 241-260, spécialement p. 246-256 ; commentaire au *Traité des Principes*, SC 253, 1978, p. 64-90. – P. Nautin, *Origène. Sa vie et son œuvre*, Paris, 1977, p. 99-153. – D. Barthélemy, *Études d'Histoire du texte de l'Ancien Testament*, Fribourg/Suisse-Göttingen, 1978, p. 161, 211-212, 248, 251.

DTC, t. 11/2, 1932, col. 1839-41 (G. Bardy). – EC, t. 9, 1952, col. 676-77 (E. Peterson). – LTK, t. 8, 1963, col. 17 (H. Crouzel). – NCE, t. 10, 1967, p. 937-38 (H. Crouzel). – BS, t. 10, 1968, col. 94-101 (J.-M. Sauget).

DS, art. *Origène*, t. 11, col. 956-57, 961 (bibliographie).

Aimé Solignac.

**PANCRATIUS** (Pangratius ; André), luthérien, 1529-1576. – Né en 1529 (ou 1531) à Wunsiedel (principauté de Bayreuth), Andreas Pancratius, après ses études à Wittenberg, devint diacre (2e pasteur) à Pressath (Oberpfalz), puis prédicateur à Amberg. Lors de l'introduction de la confession calviniste dans le Haut-Palatinat par le prince-électeur Frédéric III, il défendit dans plusieurs débats à Heidelberg la confession luthérienne et perdit finalement son poste. Par la suite et jusqu'à sa mort, le 27 septembre 1576, il fut prédicateur, superintendant et inspecteur du lycée de Hof, dans la principauté de Bayreuth.

Pancratius a édité de nombreux recueils de sermons et aussi un traité d'homilétique : *Methodus*

*concionandi, monstrans veram et necessariam artis rhetoricae in ecclesia usum...* (Wittenberg, 1571). Son *Haus- und Kirchenbuch... sowohl für christliche Hausväter als für Geistliche...* (Hof, 1572 ; 7 éd. jusqu'en 1771) resta en usage jusqu'au cours du 18e siècle comme manuel non officiel de piété, à la fois liturgique, homilétique et catéchistique.

L'ouvrage contient l'ensemble des épîtres et des évangiles des dimanches et des jours de fête avec des explications sommaires, des collectes sur ces textes (provenant pour la plupart du disciple de Luther, Veit Dietrich, 1506-1549) et enfin un choix abondant de prières à des intentions générales. Comme l'indique l'avant-propos, Pancratius souhaitait que les pères lisent le samedi à leurs enfants les textes bibliques du dimanche, que la famille apprenne par cœur les courtes prières et les versets importants de la Bible, pour pouvoir assimiler plus aisément le prêche dominical. Durant la semaine qui suivait, on devait répéter après le repas les prières et ces versets, afin de garder en mémoire l'essentiel du sermon et d'en imprégner la vie quotidienne. Cet ouvrage est un exemple typique de la piété biblique luthérienne s'appuyant sur l'année liturgique et cherchant une solide cohésion entre la prière familiale et le culte dominical. Nombre de prières ont été intégrées jusqu'à l'époque actuelle dans les livres de prières à l'usage des pasteurs.

Voici l'une de ces prières : « Veni Sancte Spiritus. Veni Dator munerum. Dona mihi os et sapientiam ad annunciandum laudem tuam ; effice, ne quod verbum mihi imprudenter excidat, sed ut cum fructu doceam. Da successum, accende corda auditorum, ut attente et magna cum reverentia verbum tuum audiant, atque inde emendentur. Cor, mentem, linguam tu rege, Christe, meam. Amen ».

ADB, t. 25, 1887, p. 119-121 (bibl.). – Chr. G. Jöcher, *Allgemeines Gelehrten-Lexikon*, t. 3, Leipzig, 1751, col. 1220 ; t. 5, par J. Chr. Adelung et H.W. Rotermund, Brême, 1816, col. 1483-1484 (bibl. des écrits). – E.F.H. Medicus, *Geschichte der evang. Kirche im Königreich Bayern diesseits des Rheins*, Erlangen, 1863, p. 127 svv. – H. Beck, *Die Erbauungsliteratur der evangelischen Kirche Deutschlands*, Erlangen, 1883, p. 327-329. – P. Althaus d. Ae., *Forschungen zur evangelischen Gebetsliteratur*, Gütersloh, 1927 (reprint : Hildesheim, 1966), p. 127-128.

Frieder Schulz.

**PANES** (Antoine), frère mineur, † 1676. – Antonio Panes naquit, semble-t-il, à Grenade. Il entra chez les franciscains déchaux de la province de San Juan Bautista de Valence. Ordonné prêtre, supérieur du couvent de Torrente (Santa María), en résidence en 1640 au couvent de Priego (San Miguel) à Cuenca où il composa devant une image de la Vierge son dizain *Bendita* (cité *infra*), il était en 1656 maître des novices à Valence (San Juan de la Ribera). Poète, érudit, penseur profond, prédicateur, il se distingua dans la direction spirituelle. Il appartient, comme Andrés de Guadalupe (DS, t. 6, col. 1090-1092) et Gaspar de Viana (t. 6, col. 137) à la troisième période (1670-1690) du *recogimiento* espagnol. Il mourut en 1676.

Le dernier ouvrage publié par Panes est celui qui est le plus intéressant. L'*Escala mística y estímulo de amor divino* (Valence, 1675 ; la même année paraît à Rome la *Guía* de M. de Molinos ; DS, t. 10, col. 1486-1514) est composée de deux parties nettement distinctes.

L'*Escala mística*, première partie rédigée en prose, présente sans grande nouveauté la mystique du *reco-*

*gimiento* ; sans s'attarder à la prière vocale et à la méditation, à l'acquisition des vertus, etc., « pour quoi il existe nombre de livres » (Prólogo), elle aborde directement la contemplation de quiétude et la perfection, dans la perspective du dénuement total de l'âme ou de la pauvreté spirituelle ; c'est là une doctrine devenue traditionnelle depuis le Siècle d'Or en Espagne. Panes invoque les Victorins, Thomas d'Aquin et Bonaventure, Tauler, Ruusbroec, Herp, etc., plutôt que les mystiques espagnols. Sans trop se préoccuper d'insérer son enseignement dans des structures bien réfléchies, il traite de l'amour pur, de la charité violente, de la connaissance positive et négative de Dieu, de l'humanité du Christ fondement de la vie spirituelle, des aspirations affectives, de la fruition, de la quiétude surnaturelle, de la présence de Dieu, de ce total dénuement de toute affection qui permet une remise totale en Dieu, de la communion comme moyen privilégié pour l'union. Le *recogimiento* consiste à passer de « la multiplicidad y variedad de objetos a la unidad y simplicidad » (p. 54). L'*Escala* est l'une des dernières œuvres de la mystique espagnole du Siècle d'Or (voir l'analyse de M. Andrés Martín, *Los Recogidos*, Madrid, 1976, p. 345-348).

La seconde partie, *Estímulo de amor divino*, est composée de poèmes qui font de Panes l'un des grands poètes franciscains ; on y retrouve les thèmes de l'amour pur et du *recogimiento* (vg p. 211-214, 229). Certaines pièces sont devenues très populaires, tel ce dizain propagé par saint Antoine-Marie Claret :

« Bendita sea tu pureza / Y eternamente lo sea,
Pues todo un Dios se recrea / En tan graciosa belleza.
A ti celestial princesa / Virgen sagrada, María,
Yo te ofrezco en este día / Alma, vida y corazón.
Mírame con compasión / No me dejes, Madre mía. »

Panes a encore publié une *Chrónica de la Provincia de San Juan Bautista de ... menores descalzos de la regular observancia* (2 vol., Valence, 1665-1666) ; l'ouvrage, écrit dans une belle prose, a été poursuivi par Gil Faubel ; exemplaire à la B.N. de Madrid, R/18708. – Une *Vida de San Pascual Baylón* (Valence, 1655 selon Allison Peers ; 1675 : B.N. de Naples, ms 107, en provenance du couvent de L'Aquila) ; jusqu'en 1691, cette biographie a été considérée comme la meilleure. Panes y expose, entre autres, une sorte de dictionnaire de médecine miraculeuse, donnant un catalogue des diverses infirmités guéries par le saint. – Reste manuscrite une *Vida del esclarecido ... sacerdote Francisco Gerónimo Simón.* – On attribue aussi à Panes quelques dizains gravés sous les images qui ornent le cloître du couvent franciscain de Jumilla (Santa Ana).

L. Wadding, *Annales Minorum*, t. 23, Quaracchi, 1934, p. 91. – Juan de San Antonio, *Bibliotheca universa franciscana*, t. 1, Madrid, 1732, p. 121. – N. Antonio, *Bibl. Hispana nova*, t. 1, Madrid, 1783, p. 149. – *Archivo Ibero Americano*, t. 7, 1917, p. 343 ; t. 8, 1917, p. 398 ; t. 14, 1920, p. 156-157, 278 ; t. 37, 1934, p. 60, 73 ; nouv. série, t. 4, 1944, p. 457 ; t. 11, 1951, p. 324 ; t. 15, 1955, p. 87 ; t. 20, 1960, p. 133 ; t. 22, 1962, p. 323. – *Revista de la Juventud Católica*, Buenos Aires, 1926, p. 57-60. – S. Eiján, *Franciscanismo ibero-americano*, Madrid, 1927, p. 137, 189-190. – L. de Iriarte, *Historia Franciscana*, Valence, 1979, p. 405.

Voir surtout : R. Alvarez Molina, *Influencia de Fr. A. P. en el P. Tomás Madalena op.* dans *Verdad y Vida*, t. 1,

Madrid, 1943, p. 193-203, 440. – E. Allison Peers, *Studies of the Spanish Mystics*, t. 3, Londres, 1960, p. 135-137, 315. – R. Robres, *En torno a M. de Molinos y el origen de su doctrina. Aspectos de la piedad barroca en Valencia*, dans *Anthologica Annua*, t. 18, 1971, p. 424-432. – M. Andrés Martín, cité *supra*. – DS, t. 10, col. 543.

Mariano ACEBAL LUJÁN.

**PANETI** (BAPTISTE), carme de l'observance, 1439-1497. – Battista Paneti, né à Ferrare, y entra en 1453 au couvent des carmes de la Congrégation observante de Mantoue. Il étudia à l'université de Bologne, puis à celle de Ferrare où il obtint en 1465 le doctorat en théologie et où il fut, à maintes reprises, doyen de la faculté de théologie. Prieur à Bologne et à Ferrare, il fut, en 1485-1487 et en 1493-1495, vicaire général de la Congrégation de Mantoue. En 1478, dans une dispute publique à Ferrare, il défendit contre le dominicain Vincenzo Bandelli le privilège marial de l'Immaculée Conception. Il acquit à la bibliothèque de son couvent environ 700 volumes et mourut à Ferrare le 27 mars 1497.

Paneti fut un humaniste. Il traduisit divers ouvrages d'historiens et aussi des Pères de l'Église du grec en latin. Ses sermons, édités en 1506, traitent aussi de la vie ascétique et spirituelle (ainsi les sermons 63 *De devotione* et 64 *De perfectione*).

On conserve en particulier : *Historia Comitissae Mathildis* (Modène, Bibl. Estense, ms) ; – *Officium sive collectio psalmorum et precum* (Bologne, Bibl. Univers., incunable 590) ; – *Thesaurus doctrinae concionibus apparendis* (Ferrare, Bibl. Com., ms I, 33) ; – *Sermones declamatoriae* (Bologne, 1506).

Traductions latines de Pères grecs : de Jean Damascène, *De traditione rectae fidei* ; – de Basile, *Libellus de baptismate* ; – de Jean Chrysostome, *Sermo de animae cultu* (tous à Ferrare, Bibl. Com., ms I 432).

Cosme de Villiers, *Bibl. Carmelitana*, t. 1, Orléans, 1752, col. 216-217 (bibl.). – B. Xiberta, *De Mag. Baptista Panetio Immaculatae Conceptionis strenuo propugnatore*, dans *Analecta ordinis carmelitarum*, t. 7, 1930/31, p. 99-103. – L. Saggi, *La Congregazione Mantovana dei carmelitani*, Rome, 1954, p. 109-110. – A. Bargalassi-Severi, *Due Carmelitani a Ferrara nel Rinascimento : B. Panetti e Giovanni M. Verrati*, dans *Carmelus*, t. 8, 1961, p. 63-131. – C. Piana, *Ricerche su le Università di Bologna e di Parma nel secolo* XV, Quaracchi, 1963.

Adrien STARING.

**PANHAUSEN** (PANHUYSEN ; JACQUES), prémontré, vers 1500-1582. – Né à Opoeteren, village du Limbourg belge, vers 1500, Jacques Panhausen entra à l'abbaye prémontrée de Steinfeld, dans l'Eifel. Il fut élu abbé en 1540. A travers les textes qu'il a laissés, il apparaît comme un abbé zélé et instruit, très soucieux de la vie religieuse des siens ; à l'époque de la Réforme, il reste fidèle pleinement à l'enseignement de la tradition catholique. Mais sa doctrine n'a rien de très personnel. Une partie de ses allocutions données au chapitre, parfois très développées, ont été conservées dans des manuscrits, dont le copiste fut Herman de Noervenich, chapelain de l'abbaye de Steinfeld. Panhausen mourut le 22 janvier 1582.

*Commentarii breves atque perutiles in Regulam*

*B. Aurelii Augustini...,* Abbaye d'Averbode, ms IV, 330, daté de 1570 ; VIII + 274 f. ; contient 15 allocutions. – *Opuscula quaedam catholica et christiana, studio singulari atque bona fide, iuxta veteris Ecclesiae consuetudinem... elaborata...,* Trèves, Bibl. municipale, ms 2199-1818, datant de 1572-1580 ; écrit de la même main semble-t-il, que le précédent ; XX + 482 f. Il contient des pièces qui sont absentes dans le premier ms.

L. Goovaerts, *Écrivains, artistes et savants de l'Ordre de Prémontré,* t. 2, Bruxelles, 1902, p. 11-13. – *Biographie nationale* (de Belgique), t. 16, 1931, p. 544. – E.F. Panhuysen, *Leonardi Gisberti Panhuysen van Oeteren...,* dans *Historisch Tijdschrift,* t. 11, 1932, p. 124-136. – T. Gerits, *Jakob Panhausen..., een ascetisch schrijver en humanist,* dans *Album Dr. Bussels,* Hasselt, 1937, p. 241-253. – *National Biographisch Woordenboek,* t. 3, Bruxelles, 1968, col. 639-641. – J.-B. Valvekens, dans *Analecta Praemonstratensia,* t. 54, 1978 : *Iacobus Panhausen,* p. 99-104 ; étude des *Commentarii,* p. 144-165 ; éd. d'une *Exhortatio pia* (p. 166-190) et du *Tractatus de monasticae vitae cultoribus* (p. 191-219).

Jean-Baptiste VALVEKENS.

**PANIGAROLA** (FRANÇOIS, junior), franciscain, 1548-1594. – Jérôme Panigarola naquit à Milan le 5 (et non le 6) janvier 1548. Il entra chez les frères mineurs observants de la province de Toscane en 1567 et y prit le nom de François, comme son oncle qui avait été provincial de Milan (1537-1540). En 1578 il fut incorporé dans la province milanaise. Prêtre en 1570, il se révéla immédiatement un prédicateur de talent et fut envoyé à Paris pour compléter sa formation théologique (1571-1573). De retour en Italie, il mena de front une activité de lecteur en théologie et de prédicateur dans les principales villes de la péninsule. Entre 1582 et 1584, à Milan, il collabora étroitement à l'action pastorale de saint Charles Borromée. Il fut ensuite chargé d'une réorganisation des études et du couvent à l'Aracoeli à Rome. Sixte V le nomma évêque titulaire de Crisopolis (1586), puis auxiliaire de Ferrare, où des intrigues l'empêchèrent de résider. Il reçut enfin l'évêché d'Asti (1587). A l'exception d'une importante mission de légat en France, lors du siège de Paris en 1589, il resta dans son diocèse jusqu'à sa mort, le 31 mai 1594. Il s'employa de toutes ses forces à y promouvoir l'esprit du concile de Trente.

Dans l'autobiographie détaillée qu'il rédigea trois ans avant sa mort, Panigarola a laissé une liste de ses écrits restés manuscrits et de ses publications (cf. AFH, t. 40, 1947, p. 147-52). Plusieurs œuvres furent éditées ou rééditées après sa mort. A. Chiappini a dressé un catalogue contrôlé de l'ensemble des éditions ainsi que des recueils de lettres ou des manuscrits qui se trouvent encore dans diverses bibliothèques (Wadding-Sbaralea, *Supplementum,* t. 3, Rome, 1936, p. 315-319 ; voir, depuis, quelques nouvelles indications dans CF, t. 44, 1974, p. 198 ; t. 48, 1978, p. 455).

La production de Panigarola, une cinquantaine de titres, est l'exact reflet de la variété de ses activités. Dans le domaine des sciences sacrées, on peut signaler : *Riforma degli studi dei frati minori osservanti in Italia... pubblicata l'anno 1584* (Rome, 1584), et un résumé des annales de Baronius *Il compendio degli Annali Ecclesiastici del Padre Cesare Baronio* (Rome, 1590). Pour son action pastorale : *Lettioni XXII sopra il catechismo ad parochos fatte nella cathedrale di Firenze* (Milan, 1582), et un *Specchio di guerra* (Bergame, 1595) pour l'éducation chrétienne des soldats. Comme évêque, il publia régulièrement décrets synodaux et lettres pastorales.

La masse la plus considérable de ses publications touche la théorie et la pratique de la prédication, domaines qui firent sa célébrité. Presque toutes ses œuvres connurent plusieurs éditions et furent traduites en diverses langues. Son traité le plus apprécié, *Il Predicatore* (Venise, 1609), se présente comme un commentaire de Démétrius de Phalère. Il entend que l'éloquence sacrée soit une véritable œuvre d'art, appuyée sur la pureté de la langue, qui pour lui est celle des grands écrivains toscans, spécialement celle de Boccace. Il demande aussi une sérieuse connaissance des auteurs classiques et ecclésiastiques.

Parmi les très nombreux recueils de sermons adaptés pour tous les temps et occasions de l'année liturgique, il faut mentionner les 18 leçons de Carême qui furent prêchées dans la cathédrale de Turin en 1582 et dans lesquelles il fit une réfutation en règle des doctrines calvinistes, *Lettioni sopra i dogmi fatte... l'anno 1582 in Turino* (Milan, 1582). A la demande de Charles Borromée, Panigarola prêcha régulièrement à Milan les jours de fête sur Jérémie (*Dichiarazione delle Lamentazioni di Geremia profeta,* Milan, 1586) et chaque vendredi sur la Passion (*Cento ragionamento sopra la Passione di N.S. Gesù Cristo,* Venise, 1585). Il excella dans le genre des méditations poético-religieuses sur l'Écriture. Il y moule avec habileté le sentiment religieux de la réforme catholique dans les habitudes de l'esthétique italienne. Sa paraphrase des psaumes, *Dichiarazione di i Salmi di David* (Venise, 1586), connut douze éditions, sans compter des éditions partielles des psaumes de la Pénitence. Son commentaire sur le Cantique de Salomon, *Esposizione letterale e mistica della Cantica di Salomone* (Milan, 1621), fut publié par Bonagrazia de Varena avec une biographie, *Vita del R.P. Fr. Franc. Panigarola,* et le *Memoriale e oratorio di medicina spirituale.* Le poème sacré est interprété comme une églogue, dont les six épisodes constituent une voie progressive vers l'oraison.

La personnalité de Panigarola, son œuvre, ses contacts, son influence sur l'éloquence de ses contemporains font de lui comme un sujet type pour l'étude des méthodes concrètes de diffusion en Italie de la spiritualité et de la pastorale proposées par le concile de Trente.

Wadding-Sbaralea, Rome, 1906, p. 88-90 ; *Supplementum,* t. 2, Rome, 1908, p. 292-294, t. 3, 1936, p. 315-319. – F. Barbieri, *La riforma dell'eloquenza sacra operata da S. Carlo in Lombardia,* dans *Archivio storico lombardo,* t. 38, 1911, p. 230-262. – A. Zawart, *The History of Franciscan Preaching and of Franciscan Preachers,* New York, 1927, p. 407-408. – G. Carboni, *S. Carlo e l'eloquenza sacra,* dans *Scuola Cattolica,* t. 57, 1929, p. 270-290. – L. Amato, *P. Fr. Panigarola principe degli oratori sacri del cinquecento,* et *Il protestantesimo in Piemonte e le prediche polemiche di Fr. Panigarola,* dans *Frate Francesco,* t. 11, 1934, p. 89-98, 445-452. – Fr. Francesco, *Un Commissario Generale degli Studi nel'500,* dans *Vita Minorum,* t. 7, 1935, p. 78-79. – M. Neumayr, *Die Schriftpredigt im Barock auf Grund der Theorie der katholischen Barockhomiletik,* Paderborn, 1938. – C. Mesini, *S. Carlo Borromeo e Mons. Fr. P.,* dans *Studi Francescani,* série 3, t. 11, 1939, p. 311-316.

P.M. Sevesi, *S. Carlo Borromeo ed il P. Fr. P.,* AFH, t. 40, 1947, p. 143-207. – M. Petrochi, *L'idea del vescovo nel Panigarola,* dans *Rivista di Storia della Chiesa in Italia,*

t. 8, 1954, p. 93-95. – L. Di Stolfi, *Torquato Tasso e i francescani*, dans *Frate Francesco*, t. 24, 1957, p. 55-61. – G. Pozzi, *Intorno alla predicazione del Panigarola*, dans *Problemi di vita religiosa in Italia nel Cinquecento*, Padoue, 1960, p. 315-318. – G. Mascia, *Due celebri oratori francescani del cinquecento : P. Giovanni Vollaro (?-1584) e P. Fr. P. (1548-1594)*, dans *Cenacolo Francescano*, mai-juin 1965 ; tiré à part, Naples, 1965. – G. Sabatelli, *Scambio epistolare tra Panigarola e Leonardo Salviati*, AFH, t. 65, 1972, p. 475-485. – R. Rusconi, *Predicazione e vita religiosa nella società italiana da Carlo Magno alla controriforma*, Turin, 1981.

EC, t. 9, 1952, col. 680-1. – LTK, t. 8, 1963, col. 22. – NCE, t. 10, 1967, col. 945. – DS, t. 2, col. 694, 699.

Jérôme POULENC.

**PANTÈNE** (SAINT), fin 2ᵉ siècle. – Pantène (Πάνταινος) est le plus ancien nom connu dans la lignée des penseurs chrétiens d'Alexandrie. Les renseignements que nous avons sur lui sont rares et peu sûrs ; les plus nombreux viennent d'une notice d'Eusèbe de Césarée (*Histoire ecclésiastique* = HE v, 10, SC 41, 1955, p. 38-40), mais les termes qu'il emploie (« on raconte », « on dit ») n'inspirent guère confiance. L'« école catéchétique » qu'il aurait fondée, et où il aurait enseigné avant Clément et Origène, pourrait être une invention d'Eusèbe : le rapport de cette « école » avec l'Église d'Alexandrie, et l'existence même d'une pareille institution, sont incertains.

G. Bardy *Aux origines de l'écoles d'Alexandrie*, RSR, t. 27, 1937, p. 65-90 ; *Pour l'histoire de l'École d'Alexandrie*, dans *Vivre et penser* (= *Revue biblique*), 2ᵉ série, Paris, 1942, p. 80-109.

Homme de haute culture, Pantène aurait été d'abord stoïcien : témoignage parmi d'autres de l'influence du stoïcisme, avant celle du platonisme, sur l'ancienne théologie chrétienne. Il aurait prêché l'Évangile en Orient, jusqu'aux Indes. « On dit qu'avant son arrivée, l'Évangile de Matthieu y était parvenu chez certains habitants du pays qui avaient eu connaissance du Christ. Barthélemy, l'un des apôtres, leur aurait prêché l'Évangile et leur aurait laissé l'écrit de Matthieu en caractères hébraïques ; ils l'auraient conservé jusqu'à cette date » (HE, *loc. cit.*). Historiques ou non, ces données ne peuvent provenir uniquement d'une source orale. Elles seraient précieuses si la source première (Clément ? Origène ? Julius Africanus ?) n'était inconnue. S'il s'agit de l'Inde proprement dite (et non de l'Éthiopie ou de l'Arabie du sud), elles appuieraient l'hypothèse d'une influence de la pensée indienne sur certains courants de la philosophie grecque et de la théologie chrétienne. On peut, à partir de là, imaginer en Pantène « un judéo-chrétien apparenté au milieu palestinien. Il connaît l'hébreu, et c'est sans doute par lui que Clément a hérité des traditions judéo-chrétiennes relatives à Jacques et de doctrines apocalyptiques » (J. Daniélou, dans *Nouvelle Histoire de l'Église*, t. 1, Paris, 1963, p. 78-79).

Eusèbe semble identifier Pantène avec un maître que Clément d'Alexandrie « découvrit caché en Égypte » (HE v, 11, 3, p. 41). Bien que cette identification ait été contestée (E. Peterson), il faut sans doute le reconnaître dans cette « abeille de Sicile (expression littéraire qui n'indique pas nécessairement son origine), qui butinait la prairie prophétique et évangélique (= ancien et nouveau Testament) et en faisait naître un pur miel de gnose dans l'âme de ses auditeurs » (Clément, *Stromates* I, 11, 1-2 ; SC 30, 1951. p. 51-52). Pantène a donc donné en Égypte (vers 180?) un enseignement exégétique orienté vers la connaissance spirituelle. La « gnose » qu'il transmettait était certainement très différente de celle des gnostiques hérétiques (cf. DS, t. 6, col. 508-541), bien que la distinction ne fût peut-être pas encore très nette entre orthodoxie et hétérodoxie. Il serait au nombre de ces « presbytres », chaînons d'une tradition secrète remontant aux Apôtres, que Clément se flattait d'avoir reçue et d'avoir le premier mise par écrit dans les *Stromates*, et surtout dans les *Hypotyposes* aujourd'hui perdues. Cf. Eusèbe, HE VI, 13, 2, p. 104 ; Photius, *Bibliotheca*, cod. 109, éd. R. Henry, t. 2, Paris, 1960, p. 81.

Les tentatives pour délimiter la dette de Clément envers Pantène n'ont pas abouti à des conclusions décisives. Clément lui doit certainement des traditions exégétiques. Il le nomme à propos d'une question de méthode en *Eclogae propheticae* 56, 2 (les Prophètes prononcent leurs sentences *aoristôs* ; ils emploient le présent pour le futur ou pour le passé). Les hypothèses audacieuses de W. Bousset à partir de ce texte (*Jüdisch-christlicher Schulbetrieb in Alexandrien*, Göttingen, 1915, p. 155-204 : Clément aurait utilisé Pantène comme source dans les *Eclogae* et certains passages des *Stromates*) ont été réfutées par J. Munck (*Untersuchungen über Klemens von Alexandria*, Stuttgart, 1933, p. 151-204). Il est probable que Clément et Pantène avaient en commun un parti pris de bienveillance à l'égard de la culture et de la philosophie grecques, et pour l'essentiel une même doctrine : distinction, mais non opposition, entre la foi et la « gnose », primat de la contemplation, divinisation de l'homme par l'*apatheia* et la ressemblance avec Dieu (cf. DS, t. 6, col. 513-515). La spiritualité inhérente à la théologie alexandrine aurait donc sa source chez Pantène. Il se pourrait que le portrait du « gnostique » dans les derniers *Stromates* (vg. VII, 11, 60, 1-61, 1 ; texte, trad. franç. et commentaire par J. Moingt, *La gnose de Clément d'A.*, RSR, t. 37, 1950, p. 216-218) soit un portrait idéalisé de Pantène. Il est impossible d'en dire plus.

Eusèbe lui attribue des écrits en même temps qu'un enseignement, mais ne donne aucun titre (HE v, 10, 4, p. 40). Jérôme mentionne aussi des écrits (*De viris illustribus* 36) ; de même. semble-t-il, Maxime le Confesseur (*Prologus in opera S. Dionysii*, PG 4, 20 c ; *Ambigua*, PG 91, 1805a) et Anastase le sinaïte au 6ᵉ-7ᵉ siècles (*In Hexaemeron*, PG 89, 860c), Photius au 9ᵉ (cf. *supra*) ; mais il pourrait s'agir d'allusions aux *Hypotyposes*, où Clément affirmait avoir transmis l'enseignement de Pantène (cf. *Eclogae* 56, 1, GCS 3, p. 152-153). H.-I. Marrou suggérait avec beaucoup de réserves, que Pantène pourrait être l'auteur de l'*A Diognète* (SC 33 bis, 1965, p. 266-267, 294). Mais tout ceci va contre l'affirmation de Clément : « Les presbytres n'écrivaient pas » (*Eclogae* 27, 1), et contre sa prétention à avoir le premier transmis leur enseignement.

Vers 233, Alexandre de Jérusalem et Origène le nomment tous les deux dans un échange de lettres ; le premier joint son nom à celui de Clément comme l'un des « bienheureux pères » qui l'ont précédé ; pour l'autre, il est l'exemple d'un maître chrétien formé à la philosophie (Eusèbe, HE VI, 14, 9 et 19, 13, SC 41, p. 108, 116-117). Dans la suite, le nom de Pantène est toujours mis en relation avec « l'école d'Alexandrie » par Jérôme (*De vir. ill.* 36 ; *Ep.* 70, 4 à

Magnus), Rufin, Philippe de Side (*Historia christiana*, cité en PG 39, 229), etc. Il est inscrit au martyrologe à la date du 7 juillet au même titre et fêté le 22 juin dans l'Église copte. La revue du patriarcat grec orthodoxe d'Alexandrie porte depuis 1908 le titre *Pantainos*. En dehors de ces témoignages, la mémoire de Pantène a laissé peu de traces.

Outre les études citées dans le texte, AS *Julii*, t. 2, Anvers, 1721, p. 457-461. – Th. Zahn, *Forschungen zur Geschichte des Neutestamentlichen Kanons*, Erlangen, 1884, p. 156-176. – A. von Harnack, *Geschichte der altchristlichen Literatur*, t. 1, Leipzig, 1893, p. 291-296. – P. Nautin, *Pantène*, dans *Tome commémoratif du Millénaire de la Bibliothèque d'Alexandrie*, Alexandrie, 1953, p. 145-152 ; *La fin des Stromates et les Hypotyposes de Clément d'A.*, dans *Vigiliae christianae*, t. 30, 1976, p. 268-302 ; *Origène*, Paris, 1977, p. 18, 44, 52-63, 102-103, 168. – M. Hornschuh, *Das Leben des Origenes und die Entstehung des alexandrinischen Schule*, dans *Zeitschrift für Kirchengeschichte*, t. 71, 1960, p. 1-25, 193-214. – M. Roncaglia, *Pantène. Sa théologie judéo-chrétienne et les doctrines du Didascalée*, dans *Al-Machriq* (Beyrouth), t. 60, 1966, p. 239-260.
  Pauly-Wissowa, t. 18, 3, 1949, col. 684-685 (E. Hoffmann-Aleith). – EC, t. 9, 1952, col. 693-694 (E. Peterson). – LTK, t. 8, 1963, col. 24 (J. A. Fischer). – NCE, t. 10, 1967, p. 947 (M. Wittaker). – BS, t. 10, 1968, col. 119-121 (F. Tamburini). – DS, t. 2, col. 950 ; t. 4, col. 533.

André MÉHAT.

**PANZIERA** (HUGUES), franciscain, † 1330. Voir HUGUES PANZIERA, DS, t. 7, col. 892-893.

**PANZUTI** (BLAISE), rédemptoriste, 1773-1846. – Né le 21 octobre 1773 à Aieta en Calabre (Cosenza), Biagio Panzuti entra chez les rédemptoristes le 23 avril 1791, à Pagani (Salerno), où il émit les vœux le 22 avril 1792. Il fut conseiller général de l'institut à plusieurs reprises (1824-1831, 1832-1833, 1836-1842, 1844-1845), vicaire général après l'abdication du supérieur général Célestin Cocle (1831-1832), et procureur général (1845-1846). Il mourut à Naples le 8 mai 1846.

Panzuti est connu surtout comme théologien. Durant son enseignement au scolasticat il composa un manuel de théologie morale selon la doctrine d'Alphonse de Liguori, qui fut très apprécié et eut trois éditions (4 vol., Naples, 1824 ; 1833-1834 ; 1840), et un manuel de théologie dogmatique (6 vol., Naples, 1828-1831) ; plus tard, il publia une collection de cas de conscience (2 vol., Naples, 1842) et une étude sur l'aspect moral du prêt à intérêt, question fort discutée en ce temps-là (Naples, 1843).

Prédicateur de renom, il participa activement aux missions paroissiales et dirigea de nombreuses retraites. Plusieurs de ses sermons et de ses conférences ont été publiés : *Novenario di sermoni ed orazione panegirica in lode di S. Alfonso* (Naples, 1844) et *Serto di lodi... sermoni in lode di Maria* (Naples, 1846). Sa doctrine était commune à l'époque, mais présentée avec beaucoup de verve. Plus importante, sa retraite au clergé (*Esercizi spirituali al clero*, Naples, 1833), vrai résumé de la sainteté sacerdotale avec l'indication des moyens pour l'acquérir. Le prêtre parviendra certainement à la perfection par l'exercice fidèle et assidu de son ministère, qui exige beaucoup de sacrifices ; d'autre part sa sainteté rendra fécond son apostolat. Inutile de dire que l'auteur s'inspire fortement de saint Alphonse, mais les Pères de l'Église et les grands théologiens du moyen âge sont souvent cités.

M. De Meulemeester, *Bibliographie générale des écrivains rédemptoristes*, t. 2, Louvain, 1935, p. 302 (bibl.). – Indications biographiques dans *Spicilegium historicum CSSR*, t. 2, 1954, p. 37-41, 264-265. – La correspondance des années 1831-1832 entre Panzuti et Joseph Passerat est éditée, *ibidem*, t. 15, 1967, p. 21-38. – EC, t. 9, 1952, col. 697 (bibl.).

André SAMPERS.

**PAOLACCI** (MARIE-DOMINIQUE), dominicain, † 1646. – Dominicain de Montefiascone (Viterbe), Maria Domenico Paolacci naquit vers la fin du 16e siècle et fut élève au couvent de S. Maria in grado, à Viterbe. Il enseigna l'hébreu à Bologne (1613). Promu maître en théologie à Rome (1629), il fut un prédicateur remarqué et de grande éloquence, un professeur d'Écriture sainte à l'université de Padoue et le « socius » du maître général Nicola Ridolfi (1629-1644), toujours fidèle dans la bonne comme la mauvaise fortune. A Rome, il remplit la charge de prieur à S. Maria sopra Minerva et auprès du monastère de S. Caterina ; de même à Naples, auprès des dominicaines de S. Sebastiano, où il fit construire la très belle basilique annexe (1640). Il mourut le 3 février 1646.

Il publia : 1) *Pensieri predicabili sopra tutti Gl'Evangelii correnti nella quaresima...* (2 vol., Venise, 1641 ; éd. complète, 3 vol., Venise, 1646). L'ouvrage, tout en formant un ensemble cohérent, est fait de traités distincts imprimés soit conjointement, soit séparément selon les diverses éditions. L'auteur suit plus ou moins l'ordre des évangiles des dimanches et des féries ; plus que proprement homilétique, il est plutôt systématique et traite de théologie et spiritualité. Il ne s'agit donc pas d'une simple transcription de sermons, mais d'un ensemble de petits traités. Certains sont à signaler : le prêtre, vivante image du Christ ; la grâce sanctifiante, sève vitale qui circule entre l'âme et le Christ ; Dieu, son soin jaloux de l'âme, dont Il est Roi, Père et Mère ; la gloire de la croix ; la politique impie (des juifs) et la raison d'état ; le Christ ressuscité donnant par ses plaies glorieuses la paix. Il y a, par ailleurs, les thèmes habituels de la conversion, de la pénitence, de l'aumône, etc. A l'occasion des fêtes occurrentes, sont mis en lumière les traits de la Samaritaine, de Madeleine, de saint Joseph, de saint Thomas d'Aquin, avec des thèmes doctrinaux et pastoraux corrélatifs.

2) *Pensieri predicabili per i sabbati di quaresima in Honore di Maria Vergine, quali sono il compimento...* – *Aggiontóvi l'Ambasciator celeste, predica per la Sanctissima Annunziata* (Venise, 1644). Ce traité de mariologie authentique et original est un classique de la spiritualité mariale en son siècle. Même si la piété y garde sa place, l'exposé se développe constamment dans une ligne doctrinale fondée sur l'Écriture. Le travail, qui se réfère au verset du *Cantique* « Ferculum fecit sibi rex Salomon » (*Cantique* 3, 9) et qui est mené selon la méthode scolastique des quatre causes, expose successivement : les rapports entre la Vierge et la Trinité ; les perfections de Dieu reflétées en Marie ; les excellences de son titre de Mère de Dieu ; son rôle de Mère de l'Église (des fidèles vivants et décédés) ; la virginité de Marie et la divinité du Christ ; la grâce sanctifiante, habituelle, la charité au plus haut degré en Marie ; les

souffrances de Marie, Reine des martyrs, en union avec le Christ.

L'appendice est un bref commentaire de l'évangile de l'Annonciation, intitulé *l'Ambasciator celeste*... En neuf chapitres, l'auteur y montre : le but et la dignité de cette ambassade ; comment Marie y répond et quelles en sont les conséquences pour elle-même et pour nous. Une exhortation finale invite les membres de la confrérie du rosaire à approfondir – selon la tradition dominicaine – les mystères de la vie du Christ et de Marie, tandis que les lèvres prononcent les paroles de l'Ave Maria. Le dominicain A. de Altamura, révisant le texte en vue de son impression, en a fait grand éloge.

Archives gén. de l'ordre des Frères Prêcheurs : Reg. IV, 58, f. 35 et 69 ; Lib. C. *Chronologia Gradensis seu Conventus S.M. ad gradus de Viterbio...*, 1709, p. 252.
I.F. Tomasini, *Gymnasium Patavinum*, Udine, 1654, p. 287. – V.M. Fontana, *De Romana Provincia O.P.*, Rome, 1670, p. 62. – Quétif-Échard, t. 2, p. 548. – J. Facciolati, *Fasta Gymnasii patavini*, Padoue, 1757, p. 269. – A. Mortier, *Histoire des Maîtres généraux O.P.*, Paris, 1903-1920 (t. 4, p. 293). – AFP, t. 39, 1969, p. 354, 356.

Gerardo CAPPELLUTI.

**PAOLETTI** (AUGUSTIN), de l'Ordre de Saint-Augustin, vers 1600-1671. – Né à Buonconvento (Sienne) vers 1600, Agostino Paoletti fit profession dans l'ordre de Saint-Augustin à Montalcino vers 1618. Dans les registres des prieurs généraux, il apparaît comme étudiant la théologie à Florence (1623-1624), à Monte San Savino (1624-1625) et à Sienne (1625-1627). Il mourut en 1671, « a settanta anni » comme l'écrit son ami Aprosio.

Prédicateur renommé en de nombreuses villes d'Italie, Paoletti a publié des sermons : 1) *Discorsi predicabili di tutte le domeniche e feste fra l'anno* (Venise, 1645) ; – 2) *Discorsi... di tutte le domeniche e feste correnti dalla prima domenica dell'Avvento fino a Quaresima* (1646) ; – 3) *Quaresimale* (Milan, 1651) ; – 4) *Santuario* (1659) ; – 5) *Discorsi predicabili dalla domenica in Albis fino all'Avvento* (1665).

Tous ces recueils ont été réédités. Certains ont été traduits en latin : le n. 1 par le carme Gratien de Saint-Élie (Anvers, 1659 ; Cologne, 1662 et 1664) ; – les n. 3 et 4 par le carme Jacques Emans (2 vol., Cologne, 1662 ; rééd. 1664).

Ces prédications ne manquent pas de donner un enseignement doctrinal et parfois spirituel, à propos des épîtres et des évangiles du Missel alors en usage. Mais les commentaires de Paoletti apparaissent sans mise en ordre cohérente, donnés selon l'occasion fournie par un texte ou une fête ; de plus, ils sont comme noyés dans l'érudition profane et ont les défauts habituels de la prédication à cette époque.

Angelico Aprosio, *La biblioteca aprosiana*, Bologne, 1673, p. 304. – Luigi Torelli, *Secoli agostiniani*, t. 5, Bologne, 1678, p. 84. – J.F. Ossinger, *Bibliotheca augustiniana*, Ingolstadt, 1768, p. 662. – D.A. Perini, *Bibliographia augustiniana*, t. 3, Florence, 1935, p. 65.

David GUTIÉRREZ.

**1. PAOLI** (ARCHANGE), carme chaussé, 1564-1635. – Né à Florence le 9 juillet 1564, Arcangelo Paoli entra le 13 mai 1580 au couvent des carmes de sa ville natale. Il étudia la musique. Sa première messe fut célébrée le 15 novembre 1591. Il fut un maître des novices très apprécié en divers couvents : Flo-

rence, Gênes, Asti, Aversa, Caserta, Naples. Il fut ensuite prieur à Florence. Il y mourut le 4 janvier 1635.

A côté d'ouvrages musicaux (vg *Directorium chori una cum processionali iuxta ordinem et ritum... Carmeli*, Naples, 1614 ; Rome, 1668, 1699 ; Venise, 1755), Paoli est l'auteur de quelques œuvres de type spirituel : *Modo, il quale tengono i novizzi del Carmine di Fiorenza nel fare la santa disciplina* (1599 ; Rome, Archives générales de l'ordre des Carmes, ms II Thuscia, Commune 1). – *Tractatulus del modo di fare la disciplina* (Florence, 1607). – *La Scorta spirituale in cui dimostrasi come caminare si possa o vivere cristianamente* (Florence, 1603) ; augmenté sous le titre : *La Scorta... scritta per ammaestramento de' novizzi regolari e di ciascun altro che desideri caminare per la via della cristiana perfezione* (2 vol., Naples, 1613 ; rééd. Florence, 1617). – *La vita del glorioso B. Andrea Corsini...* (Florence, 1616) ; Villiers dit qu'elle est traduite de l'espagnol.

Cosme de Villiers, *Bibliotheca Carmelitana*, t. 1, Orléans, 1752, col. 195. – G.B. Archetti, *Novissima Bibliotheca Carmelitarum Antiquae Observantiae alphabetice disposita*, A-C. (Ferrare, Bibl. Com., ms Classe I 522, p. 249-250). – L. Pérez de Castro, *Miscellanea historica*, f. 119r, 144r (Rome, Archives gén. de l'ordre des Carmes, I. C.O. II. 20).

Adrien STARING.

**2. PAOLI** (SÉBASTIEN), clerc régulier de la Mère de Dieu, 1684-1751. – Né à Villa Basilica en novembre 1684, Sebastiano Paoli y fit ses premières études. Il se rendit ensuite à Lucques toute proche pour l'étude des Lettres, à Pise pour celle de la philosophie : il avait en vue une carrière d'avocat. Mais à 21 ans, il entra dans l'Ordre de la Mère de Dieu. Il y fit son noviciat et émit ses vœux (juin 1707) à Naples dans la maison de S. Maria in Portico, puis fit sa théologie et fut ordonné prêtre à Lucques, où il enseigna quelque temps la rhétorique dans l'école annexe à la maison de S. Maria Corteorlandini. Bien vite cependant il quitta l'enseignement pour la prédication, en raison de ses talents oratoires. Il fut l'un des prédicateurs les plus écoutés de son temps. Il parla dans les principales villes d'Italie, à Malte et, à plusieurs reprises, à la Cour de Vienne. Estimé et honoré du roi Charles VI, celui-ci fit de lui son théologien au concile du Latran de 1725. Lettré, historien, versé en archéologie, Paoli fut associé à nombre d'académies et ami des hommes alors les plus remarquables, tel Muratori (DS, t. 10, col. 1844-1847). Il mourut à Naples dans la maison de S. Brigida le 20 juin 1751.

Les *Opere oratorie* ont été réunies et publiées, posthumes (2 vol., Naples, 1785) ; on y trouve des sermons pour l'Avent, le Carême, divers jours de l'année liturgique, des panégyriques et des oraisons funèbres, des sermons donnés à la cour de Vienne, etc. De son vivant, Paoli avait publié des *Ragionamenti familiari a guisa di meditazioni sopra la SS. Vergine che va al Calvario, che si ferma al Calvario, che ritorna dal Calvario* (triduum ; Venise, 1748).

Intéressent encore le domaine spirituel les biographies de la tertiaire franciscaine Elisabetta Albano (Naples, 1715) et d'Ambrogio Salvio, dominicain et évêque de Nardo (Bénévent, 1716), un *Mese eucaristico cioè preparazioni, aspirazioni e rendimenti di grazia* traduit du jésuite Jacques Alvarez de Paz (Naples, 1742) et enfin la traduction annotée des *Sermones* de saint Pierre Chrysologue (Vienne, 1758).

Parmi ses œuvres de caractère littéraire et historique, on relève : *Della poesia de Santi Padri Greci e Latini ne primi secoli...* (Naples, 1714) ; – *Difesa delle censure del S. Lodovico Antonio Muratori contro l'Eufrasio. Dialogo di due poeti vincentini* (Naples, 1715) ; – *Vita di Filippo Machiavelli eremita camaldolese* (1716) ; – *Dedicatoria alla perfetta poesia del Muratori* (Venise, 1724) ; – *Codice diplomatico del... Militare Ordine Gerosolimitano oggi di Malta* (2 vol., Lucques, 1733-1738). – Paoli a laissé des manuscrits aujourd'hui dispersés.

F. Sarteschi, *De scriptoribus congr. clericorum regularium Matris Dei* (Rome, 1743). – Carlantonio Erra, *Memorie de religiosi per pietà e dottrina insigni della congr. della Madre di Dio* (t. 2, Rome, 1760). – Fr. Ferraironi, *Tre secoli di Storia dell'Ordine della Madre di Dio* (Rome, 1939). – DS, t. 8, col. 613.

Pietro Pieroni.

**PAPCZYNSKI** (Stanislas de Jésus-Marie), fondateur, 1631-1701. – Né le 18 mai 1631 à Podegrodzie, près de Stary Sacz, issu d'une famille d'artisans paysans, Stanislas Papczyński a fait presque toutes ses études secondaires et supérieures (jusqu'au début de sa théologie) dans différents collèges jésuites : Jaroslav, Lwów, Rawa Mazowiecka. Il entra ensuite dans la congrégation des Écoles Pies (Piaristes) et y prononça ses vœux simples en 1656. En 1661, il fut ordonné prêtre. Il enseigna la rhétorique à Podoliniec, puis à Varsovie (1663-1667). De cette époque date son manuel de rhétorique. Il est en même temps prédicateur.

Par suite de mésententes avec ses supérieurs, il vit de pénibles années : départ obligé pour Rome, exil en Moravie, prison. Réhabilité par le tribunal épiscopal de Cracovie et par le Saint-Siège, il profite du Bref de Clément IX adressé à sa congrégation pour ne pas renouveler ses vœux. Il quitte les Piaristes pour fonder une nouvelle congrégation qu'il veut caractériser par le culte de la Vierge Marie Immaculée, par l'aide aux âmes du purgatoire, l'enseignement des pauvres et les ministères sacramentels dans le cadre des paroisses.

Papczyński eut à affronter d'énormes difficultés. Sa congrégation de l'Immaculée Conception de la Bienheureuse Vierge Marie auxiliatrice des âmes (en polonais : *marianie*) fut canoniquement érigée en 1679 et confirmée par Rome comme congrégation le 26 novembre 1699. Papczyński lui donna la règle des observants dite « des dix vertus de la Vierge », agrégeant ainsi sa congrégation à la famille franciscaine. Il mourut le 17 septembre 1701 ; il laissait la mémoire de son apostolat en Mazovie, de sa pensée et de son œuvre sociales chrétiennes (respect de la dignité de tout homme : refus des distinctions d'origines sociales différentes dans sa congrégation, etc.). Son procès de béatification est en cours.

Sa congrégation, qui avait presque disparu au 19e siècle (suppression dans l'empire russe annexant la majeure partie de la Pologne), a connu une renaissance grâce à Jerzy Matulewicz, qui deviendra évêque de Vilna † 1927 (DIP, t. 5, col. 1072-1075). Rome a confirmé la congrégation en 1910, sans aucune mention de la règle des dix vertus.

Outre divers écrits mineurs, Papczyński a laissé quatre ouvrages sur la vie spirituelle : 1) *Orator crucifixus...*, Cracovie, 1670. – 2) *Templum Dei mysticum...*, 1675 (Varsovie, 1741). – 3) *Norma vitae clericorum recollectorum B.M.V. sine labe conceptae*, Varsovie, 1687. – 4) *Christus patiens...*, Varsovie, 1690 (sept méditations sur les paroles du Christ en croix, et un recueil de divers textes sur la Passion).

Le *Templum Dei*, rédigé dans une belle langue, se présente comme une série de conférences et veut être un manuel de formation spirituelle. L'âme de l'homme est le temple de Dieu ; la perfection consiste dans la fidélité aux commandements de Dieu et aux conseils évangéliques. Le Christ est l'archétype de la sainteté pour chaque chrétien, quelles que soient sa voie et son état de vie. Cette perfection est adressée à tous. L'originalité du livre tient plus à sa symbolique qu'à son enseignement. Il s'agit de la symbolique du temple : l'autel est le cœur de l'homme ; l'amour est le prêtre ; la prière est l'encens ; la fidélité aux commandements est la lampe qui brûle sans arrêt ; les dons de l'Esprit sont les sept candélabres ; les vertus sont les ornements du temple, etc. L'examen de conscience quotidien assure la propreté. En conclusion, Papczyński décrit la gloire de ce temple à la résurrection. Il utilise dans cette œuvre les Pères de l'Église et les écrivains classiques de la littérature spirituelle.

Voir surtout : St. Sydry, « P. Stanislas Papczyński et son œuvre » (en polonais), Varsovie, 1937. – J. Navikevicius, *St. di Gesù Maria P.*, Rome, 1960. – K. Krzyzanowski, *Stanislaus a Jesu Maria... magister studii perfectionis*, Rome, 1963. – Br. W. Oskiera et R. Gustaw, art. *Papczyński*, dans *Hagiografia polska*, t. 2, 1972, p. 192-204. – T. Górski, *Marianie 1673-1973*, Rome, 1975 (p. 347-369 : sources et bibliographie). – T. Rogalewski, « La conception de la vie chrétienne dans les écrits du P. St. P. » (en polonais), Varsovie, 1980. – DIP, art. *Mariani* (t. 5, col. 978-981, bibl.) et *Papczyński* (t. 6, col. 1171-1175, bibl.).

Józef Majkowski.

**PAPEBROCH** (Daniel), jésuite, 1628-1714. – La personne de Daniel Papebroch peut être étudiée sous différents aspects : l'historien, le religieux, l'auteur spirituel. C'est ce dernier aspect que nous présenterons ici.

Son grand-père paternel vivait à Hambourg ; au moment des guerres de religion, il quitta cette ville et vint s'établir à Anvers, où Daniel naquit le 17 mars 1628. Après avoir fait ses premières études à Anvers et à Douai, il entra dans la Compagnie de Jésus en 1646. Lorsqu'il eut terminé sa formation religieuse en 1660, il fut appelé à collaborer aux *Acta Sanctorum*, dont les deux volumes de janvier et les trois volumes de février avaient paru. J. Bollandus venait d'être invité par le pape Alexandre VII et le général de la Compagnie de Jésus à se rendre à Rome. Vu son âge et son état de santé, il ne put accepter, mais il y envoya G. Henschenius et Papebroch, qui quittèrent Anvers le 22 juillet 1660 et n'y rentrèrent qu'après plus de deux ans, le 21 décembre 1662. Papebroch a pris part d'une manière importante à la rédaction de 18 volumes des *Acta Sanctorum,* du premier tome de mars jusqu'au cinquième de juin, durant les années 1668 à 1709.

De ces années nous ne rappellerons que deux événements. D'abord celui de ses rapports avec Jean Mabillon (DS, t. 10, col. 1-4). Retenu à Luxembourg en 1668 par un accident arrivé à Henschenius, Papebroch rédigea un travail sur les anciens diplômes monastiques : *Propylaeum antiquarium circa veri ac falsi discrimen in vetustis membranis* (AS *Avril*, t. 2, Anvers, 1675). Dans ses conclusions, il se montrait très sévère pour un bon nombre de ces documents. Cette critique provoqua l'apparition du *De re diplomatica* de Mabillon (1681). Avec une parfaite modestie, Papebroch reconnut la valeur de ce traité et écrivit à l'auteur pour lui manifester son admiration et son accord.

Ayant dû s'occuper de l'origine de l'ordre des Carmes, il le fit avec grande prudence, mais il ne put empêcher certains historiens carmes de l'attaquer et de vouloir le faire condamner par l'Inquisition. Dans tout ce pénible débat, Papebroch se montra un modèle de calme et de courage. Il n'eut qu'une préoccupation : dire la vérité avec le souci constant de ne blesser personne. Comme on le devine, ces difficultés provoquèrent un ralentissement dans la poursuite de l'œuvre bollandienne.

En 1675, en 1678 et en 1701, Papebroch contracta trois graves maladies qui mirent ses jours en danger. En 1697, il devint aveugle et ne fut délivré de cette infirmité qu'en 1702 grâce à l'opération de la cataracte.

Durant les dernières années de sa vie, il composa les *Annales Antverpienses*, c'est-à-dire une histoire de sa ville natale dont l'impression n'était pas terminée à sa mort, le 28 juin 1714 (5 vol., Anvers, 1845-1848).

Dans sa notice sur Papebroch dans la *Biographie nationale* (de Belgique), H. Delehaye écrit : « La bibliographie de Papebroch comprend aussi quelques ouvrages d'édification que nous n'avons pas à énumérer ici » (t. 16, 1901, col. 588). Ce sont ces quelques ouvrages qui nous retiendront.

Le jésuite J.B. Manni (1606-1682) avait composé en 1643 un petit traité souvent traduit en de nombreuses langues : *Quattro massime di cristiana filosofia* (cf. DS, t. 10, col. 221-222). Il fut traduit en néerlandais par Papebroch : *Vier gront-reghels der christelijcke wijsheyt, ghetrocken uyt vier bemerckinghen der eeuwickeyt* (Anvers, 1683).

Le jésuite belge Joseph Diertins (1626-1700 ; DS, t. 3, col. 880-881) publia *Exercitia spiritualia S.P. nostri Ignatii Loyolae cum sensu eorundem explanato*, 1e éd., Ypres, 1687. La 4e édition, qui comprend un appendice : *De ordine in octo dierum Exercitiis servando*, a été faite par Papebroch (Anvers, Henri Thieullier, 1693).

L'année suivante, Papebroch a imprimé (2 volumes, petit in-8°) *Acta sanctorum, pro menstrua Patroni sortitione selectorum, breviter digesta, iconibusque, orationibus, et Scripturis noviter illustrata* (Anvers, Henri Thieullier).

Le titre explique clairement le contenu de cet ouvrage, qui fournissait un « patron du mois », dévotion instituée par François de Borgia, comme le dit Papebroch. Son souci historique apparaît clairement à la fin de la préface : « Nolui etiam eandem (historiam) intricari quaestionibus, inter eruditos controversis, vel definitionibus a vulgi sensu abhorrentibus, licet maxima ratione vel auctoritate fultis. Communia hic sector sensa, talia tamen quibus nihil falsitatis opinor subesse ». Ces deux petits volumes, à pagination continue (385), fournissent un exemple concret de la piété de Papebroch à l'égard des saints.

Durant l'été de 1678, une grave épidémie sévit à Anvers et Papebroch atteint fut transféré à Louvain. S'étant recommandé à François Xavier, il fut guéri et composa en reconnaissance un « Eucharisticon » intitulé : *S. Francisco Xaverio e Societate Iesu Indiarum et Japoniae Apostolo Thaumaturgo* (voir M. Coens,

*Recueil d'Études Bollandiennes,* coll. Subsidia hagiographica 37, Bruxelles, 1963, p. 344-355).

Relatant dans la préface aux *Annales Antverpienses* la guérison de sa vue, il écrit : « hac (la vue) deinde penitus sublata, cessandum mihi per annos quinque fuit a scriptura omni, donec anno MDCCII placuit Deo et quem in simili calamitate multis auxiliatum noveram, B. Aloysio Gonzagae, ut die XX Julii Carolus Caron, ophtalmicae chirurgiae non minus felix quam peritus iam perfectam sinistri oculi, quam vocant, cataractam, levaret » (AS *Juin*, t. 6, 1715, p. 14). Dès 1700, pour témoigner sa confiance en Louis de Gonzague, il avait fait paraître une édition du livre posthume de J. Bidermann (1578-1639) qui relate un miracle de saint Louis (*Aloysius sive Dei beneficia meritis B. Aloysii collata Wolfango ab et in Asch,* Munich, 1640).

Peu avant sa mort, il publiait une édition néerlandaise du livre d'un grand vulgarisateur de la piété populaire, le jésuite J. Coret (1631-1721 ; DS, t. 2, col. 2326-2327), sur l'ange gardien : *Engel bewaerder, beschermer der sterwende door P. Jacobus Coret, uyt het Fransch verduytst* (Anvers, s d).

Avec raison M. Coens remarque : « Papebroch, on le voit, savait employer tous les remèdes humains et même se soumettre aux interventions les plus audacieuses de la chirurgie. Mais sa robuste piété anversoise, qui ne fut jamais ébranlée par la rigueur de son sens critique, savait aussi recourir à l'intercession des saints dont il appréciait le crédit auprès de Dieu » (*op. cit.,* p. 345).

Sur les lettres de Papebroch, voir Sommervogel, t. 6, col. 181, n. 10 ; col. 183-184 ; – AFH, t. 59, 1966, p. 385-455 (lettres au franciscain Fr. Harold).

Notice de P. par J. Pinius, AS *Juin*, t. 6, p. 3-22. – Sommervogel, t. 6, col. 178-185. – H. Delehaye, art. *Papebroch,* dans *Biographie nationale* (de Belgique), t. 16, 1901, col. 581-589 ; *L'œuvre des Bollandistes,* 2e éd., Bruxelles, 1959, *passim.* – R. Aigrain, *L'hagiographie,* Paris, 1953, *passim* (voir table). – P. Peeters, *L'œuvre des Bollandistes,* 2e éd., Bruxelles, 1961, p. 23-33. – H. de Lubac, *La postérité spirituelle de Joachim de Flore,* t. 1, Paris, 1979, p. 210-214 ; – *Zeitschrift für Bayer. Kirchengeschichte,* t. 50, 1981, p. 29-65.

DS, t. 3, col. 19 ; – t. 4, col. 572, 855, 860, 1550 ; – t. 5, col. 1048-49 ; – t. 6, col. 381-2 ; – t. 7, col. 519, 2159 ; – t. 8, col. 191, 574, 1351 ; – t. 9, col. 1062.

Baudouin de GAIFFIER.

**PAPINI** (JEAN), écrivain, 1881-1956. – Issu d'un milieu modeste, Giovanni Papini naquit à Florence le 9 janvier 1881. Il étudia à l'université de sa ville natale, mais resta largement autodidacte. Dès ses 14 ans, il commença à écrire. Il rédigea quelque 65 ouvrages, en majorité profanes. C'est après son retour au catholicisme, en 1921, qu'il écrivit aussi sur des sujets religieux. Il mourut à Florence le 8 juillet 1956.

G. Papini appartient à l'histoire littéraire et religieuse de l'Italie de la première moitié de ce siècle. Il n'a laissé aucun exposé de doctrine spirituelle, mais on peut dégager de son expérience et de ses écrits une certaine conception, non seulement du christianisme, mais aussi de la vie chrétienne.

Après ses jeunes années d'anticléricalisme, de scepticisme et de rationalisme (du positivisme au pragmatisme et au futurisme, avec les revues *Leonardo, Lacerba* et *La Voce*), qui lui avaient laissé un « dégoût amer » et le stimulaient dans sa quête d'« une vérité profonde », il entra vers 1905 dans une sourde crise spirituelle. Les déceptions causées par ses aventures intellectuelles (*Il crepusculo dei filosofi,* 1906), l'influence aussi de sa femme profondément catholique, qui exigea leur mariage religieux (1907 ; ce qui l'amena, la même année, à faire sa première communion), trouvèrent un écho dans l'*Uomo finito* (1912).

Une société entraînée à la dérive par de fausses idéologies et la première guerre mondiale avec son bain de sang le rapprochèrent encore plus du catholicisme : il ne vit plus de salut que dans le Christ. Jamais jusqu'alors il n'avait autant « éprouvé la soif inassouvie d'un salut surnaturel ». Divers ouvrages, *Storia di Cristo* (1921), *Sant' Agostino* (1930) et *I testimoni della passione* (1937), rendirent publique son évolution. En fait, il s'agissait moins de conversion que d'un retour au catholicisme, dans lequel il voyait satisfaites la suprême exigence de l'esprit et la grandeur morale, réalisé aussi l'idéal d'éternelle beauté.

Catholique, Papini souligne avant tout dans le christianisme la morale, la foi et la charité-amour. Pleinement respectueux de l'autorité doctrinale de l'Église, il garda pourtant sa liberté d'esprit. Dans la crise moderniste, alors que divers milieux catholiques cultivés accueillaient « une science néotestamentaire rationaliste et indépendante » (Buonaiuti), il n'eut pour leur mouvement qu'une sympathie passagère. À propos du culte il notait que la liturgie ne consacrait qu'une fête à l'Esprit saint et plus de cinquante à la Madone. Il écrivit des pages admirables sur la Vierge Marie, tout en regrettant que la dévotion catholique ne garde pas toujours une saine mesure à son égard. Parmi les saints, ses préférés furent Paul, l'évangéliste Jean, Augustin et François d'Assise, l'homme qui ressembla le plus au Christ. Plus qu'en formules, litanies, demandes intéressées, la prière est fondamentalement recherche de Dieu ; *Le memorie d'Iddio* (1911) ont des accents savonaroliens pour défendre la prière et l'amour désintéressés : « Quand vous priez, ce n'est pas à moi que vous pensez, mais à vous-mêmes ». C'est dans cet horizon d'un christianisme exigeant qu'il titre un article : *Y a-t-il des chrétiens ?* (dans *Polemiche religiose*, 1913, p. 107-125).

Visions, miracles, apparitions le mettaient en défiance. Selon lui, plus les phénomènes religieux font parler d'eux, moins il est sûr qu'ils viennent de Dieu. La vraie religion est vie profonde, spirituelle et surnaturelle, sans compromission avec les formalismes mondains. Papini s'est senti en harmonie avec des écrivains catholiques comme B. Pascal, Ernest Hello, Georges Bernanos, G. Chesterton, Th. Merton, et aussi avec le radicalisme évangélique de S. Kierkegaard. Il a trouvé dans le classicisme catholique français l'expression la moins inadéquate du Christianisme pour la culture moderne. Il a reproché aux hommes d'Église de n'être pas plus détachés du temporel, plus spirituels ; il les souhaitait moins bureaucrates, plus saints, plus évangéliques. C'est dans cette optique qu'il écrivit les *Lettere agli uomini di Papa Celestino* VI (1946), qui ne furent pas sans influence sur Jean XXIII. Au lendemain de la deuxième guerre mondiale, il estima néfaste pour l'avenir l'appui politique donné par l'Église hiérarchique au parti démocrate chrétien : il voulait que l'Église soit dégagée une fois pour toutes des ingérences temporelles.

Ses derniers ouvrages, *Le schegge* (1954-1957), *Spia del mondo* (1955), *La Felicità dell'infelice* (1956) montrent un homme pleinement détaché des idoles du Monde et attaché au Christ ; il est devenu un écrivain spirituel de grande classe. Le style même est plus simple, sobre ; la pensée est plus riche d'expérience humaine et spirituelle. L'aspiration vers l'Absolu mystérieux de Dieu, constante de sa vie d'homme, s'est comme apaisée dans l'union au Christ, dont il a comme une certitude existentiale : « Il n'est qu'une souffrance qui vaille d'être admirée, celle de l'âme qui retrouve son Dieu et qui languit de

le posséder à jamais » (cf. *Rapporto sugli uomini*, Milan, 1977, p. 24).

La charité, vertu théologale, fonde son humanisme de fraternité et de paix entre les hommes. Il étend la miséricorde et le pardon de Dieu au Démon même lors de la restauration finale de toute la création (*Il Diavolo*, Florence, 1953).

Concluons : dans une ambiance culturelle dominée par l'idéalisme de Benedetto Croce et de Giovanni Gentile, Papini a fait entendre une authentique voix catholique. Tous trois semblent aujourd'hui oubliés par l'évolution de la culture. Le meilleur Papini, le plus authentique aussi, est celui des écrits signalés : les plus porteurs du message chrétien, les meilleurs témoins de son expérience chrétienne au sein d'une vie de luttes et d'épreuves, surtout dans ses dernières années lorsqu'il eut à accepter la souffrance. Il termine ainsi *La spia del mondo* : « Toujours de plus en plus aveugle, de plus en plus immobilisé, de plus en plus silencieux. La mort n'est autre chose qu'immobilité, sans parler, dans les ténèbres... Mais Dieu, je l'espère, m'accordera la grâce, en dépit de toutes mes erreurs, d'atteindre à mon dernier jour avec l'âme intacte ».

La Fondazione Primo Conti gère l'Archivio papiniano à Fiesole. Parmi les *œuvres* de Papini, sont restés en partie manuscrits : *Diari* (11 cahiers, 1921-1953) ; – *Taccuini* (années 1917, 1922-1952, 1954-1956).

La majeure partie des œuvres ont été publiées à partir de 1918 à Florence par l'éditeur Vallecchi. – *Tutte le opere di G.P.* (coll. I classici contemporanei italiani), 10 t. en 11 vol., Milan, éd. Mondadori, 1958-1966. – Mis à part les principaux ouvrages de P. qui nous intéressent ici et qui ont été indiqués en cours de texte, citons encore : les extraits du *Diario* (Florence, 1962), *Io, P.* (anthologie par Carlo Bo, 1967) et le *Diario* de 1900 (1981).

Biographies et études : P. Prezzolini, *Discorso su G.P.*, coll. Quaderni della voce 24, Florence, 1915 (p. 94-139 ; bibl.) ; éd. mise à jour, *G.P.*, Turin, 1925. – A. Capri, « *Un uomo finito* » o « *Storia di Cristo* » ? *Arte e fede di G.P.*, Milan, 1921. – R. Fondi, *Un costruttore : G.P.*, Florence, 1922. – E. Palmieri, *G.P. Bibliografia (1902-1927)*, a cura di T. Casini, Florence, 1927 (fondamental).

P. Pancrazi, *Venti uomini, un satiro e un burattino*, Florence, 1932, p. 13-23. – P. Bargellini, *Poesia e umanità di P.*, dans *Vita e Pensiero*, t. 20, 1934, p. 388-396. – A. Viviani, *Gianfalco. Storia e vita*, Florence, 1934 ; *La maschera dell'orco. L'intima vita di G.P.*, Milan, 1955. – *Frontespizio*, n. 6, Florence, 1937 (numéro spécial sur P.). – E. Fenu, *G.P. e la ricerca dell'Assoluto*, dans *Incontri letterari*, Milan, 1934, p. 203-213. – M. Apollonio, *G.P.*, Padoue, 1944.

G. De Luca, *P. in porto*, dans *Nuova Antologia*, t. 467, 1956, p. 449-458. – V. Franchini, *P. intimo*, Bologne, 1957 (Franchini, comme Viviani, fut secrétaire de P.). – M. Di Franca, *G.P., panorama biografico e critico*, Modène, 1957 ; *Storia dell'anima di P.*, Milan, 1957 (hagiographique). – V. Paszkowski Papini, *La bambina guardava*, Milan, 1957. – R. Ridolfi, *Vita di G.P.*, Milan, 1957 (fondamental). – M. Gozzini, *P. vivo*, Florence, 1959 (bibl. des œuvres).

J. Lovreglio, *P.*, Florence, 1960 ; *Une odyssée intellectuelle entre Dieu et Satan, G.P.*, 3 vol., Paris, 1973-1978. – V. Horia, *G.P.*, Paris, 1963. – V. Vettori, *G.P.*, Turin, 1967. – M. Isnenghi, *G.P.*, Florence, 1972. – L. Del Zama, *Le lettere inedite di G.P. a J. Joergensen*, dans *La Civiltà Cattolica*, n. 3123-24, 1980, p. 252-273. – *Città di Vita*, t. 36, 1981, n. 6 dédié à P. – Voir aussi les histoires de la littérature italienne contemporaine.

DS, t. 2, col. 1106, 1113 ; t. 4, col. 734 ; t. 8, col. 22, 25.

Pietro ZOVATTO.

**PÂQUES** (Résonances spirituelles du Mystère pascal). – « Il y eut une période dans la vie de l'Église où la Pâque était pour ainsi dire tout, non seulement parce qu'elle commémorait, à elle seule et sans concurrence d'aucune autre fête, l'histoire entière du salut, de la création à la parousie, mais encore parce qu'elle était le lieu où s'élaboraient certaines composantes essentielles de la vie de la communauté telles que la liturgie, l'exégèse typologique, la catéchèse, la théologie et même le Canon des Écritures ». Ces lignes de R. Cantalamessa, au début de l'introduction à sa remarquable anthologie de textes sur *La Pâque dans l'Église ancienne* (trad. franç., p. XIII), disent la difficulté et les inévitables limites d'une vue d'ensemble sur les perspectives spirituelles du Mystère pascal. Sans doute faudrait-il précisément mettre l'accent sur le terme de « Mystère » en lui donnant toute l'amplitude que ce mot possède pour saint Paul (DS, t. 10, col. 1861-1869). Mais on ne négligera pas que, lorsque l'expression « Mystère de la Pâque » apparaît chez Méliton de Sardes (*Sur la Pâque*, SC 123, lignes 1, 12, 70, 411-465), elle porte vraisemblablement des résonances qui évoquent les célébrations des « Mystères » païens, si nombreux et florissants en ce 2e siècle (cf. R. Cantalamessa, *L'Omelia « In S. Pascha »...*, p. 449). Il n'en reste pas moins qu'en expliquant le sens caché d'*Ex.* 12, 3-32 il l'entend comme « type » de la Passion du Christ, l'agneau immolé (cf. Justin, *Dialogue* 40, 1 ; 111, 3 ; Irénée, *Adversus Haereses* IV, 10, 1, SC 100, 1965, p. 492-494).

C'est donc à la fois en fonction de la tradition juive sur la célébration de la Pâque et des données néotestamentaires qu'il faut reconnaître l'origine des développements ultérieurs. Les interprétations patristiques mettent l'accent soit sur les souffrances et la mort du Christ ou sur sa résurrection, soit sur le « passage » de ce monde à son Père – tant celui du Christ que celui dans lequel il conduit et entraîne l'humanité – et ainsi sur l'expression privilégiée de toute l'histoire du salut, soit sur la célébration de l'œuvre de création rénovée par l'œuvre salvifique du Christ qui inaugure son ultime accomplissement. Cette dernière perspective prend souvent appui sur le moment où se célèbre la Pâque : au printemps, entre la pleine nuit et l'aurore. Les premières se réfèrent de préférence aux divers sens reconnus au mot : Pâque (*pascha*), soit qu'on fasse appel à l'assonance *pascha/paschein* (*passio*), soit qu'on se réfère à l'interprétation couramment agréée : *pascha/hyperbasis* ou *diabasis* (*transitus* ou *transcensio*).

1. *Héritage de la Pâque juive.* – 2. *Grands thèmes patristiques.* – 3. *Synthèse augustinienne.* – 4. *Évolution dans l'Occident latin.* – 5. *Églises orientales.* – 6. *Dans l'Église de notre temps.*

1. L'héritage de la Pâque juive. – Quoi qu'il en soit des origines complexes et de l'évolution historique de cette fête de printemps (DS, t. 8, col. 1514-1515), elle s'était enrichie, déjà avant l'époque du Christ, d'une large orchestration symbolique et spirituelle. A partir du « Poème des quatre nuits » inséré dans le Targum palestinien (*Ex.* 12, 42, trad. franç. SC 256, 1979, p. 96-98), R. Le Déaut a mis en lumière quelques-unes des composantes les plus caractéristiques de cette théologie pascale dans le judaïsme ancien. Très tôt la célébration de la Pâque avait été mise en relation avec l'expérience salvifique de la libération, notamment lors de l'épisode du passage à travers la Mer des roseaux et de la conclusion de l'Alliance qui sanctionne définitivement le sens de cette expérience. L'attention portée par les prophètes au « Jour de YHWH » a sans doute largement contribué à faire voir dans la célébration pascale le rappel de l'œuvre de création comme origine du dessein salvifique de Dieu (*Is.* 42, 5-6 ; 44, 24-26) et l'annonce de son accomplissement eschatologique, esquissant ainsi une espérance messianique.

Celle-ci se précisera dans un sens sotériologique en conséquence de la relation très anciennement établie entre l'Alliance de l'Horeb et celle conclue avec Abraham : « Dans l'œuvre du Yahviste, *l'alliance avec Abraham et celle de l'Horeb* sont comme les deux points les plus lumineux de sa vision de l'histoire ; toutes deux insistent sur l'aspect de libération et de gratuité de la protection de Yahvé » (R. Le Déaut, *La nuit pascale*, cité Le Déaut, p. 106). Mais c'est plus précisément avec l'immolation d'Isaac (*Aqéda*) que la référence abrahamique viendra s'intégrer aux évocations pascales. Il est probable, comme le souligne Le Déaut (p. 110), que le rappel de l'*Aqéda* se soit explicité lorsque l'immolation de l'agneau pascal fut réservée au seul Temple de Jérusalem (cf. *Deut.* 16, 5-6) dont l'emplacement était identifié avec le Moriyya de *Gen.* 22, 2. « La Pâque célèbre la nuit où Yahvé fit périr les *premiers-nés* de l'Égypte pour sauver Israël, son *premier-né* (*Ex.* 4, 22). Le sang de l'agneau écartait l'ange exterminateur des maisons d'Israël. *Gen.* 22 nous montre aussi Isaac, qui n'est pas proprement le premier-né d'Abraham mais qui en a les prérogatives par disposition divine (« l'unique dépositaire des promesses » ; *Hébr.* 11, 17), sauvé par la substitution d'un bélier pour l'holocauste » (Le Déaut, p. 112).

Toute cette thématique se laisse reconnaître dans les textes néotestamentaires ; elle sera reprise et transfigurée dans une perspective christique au travers de la tradition patristique. Cela vaut avant tout pour l'espérance messianique dont la Communauté chrétienne verra l'accomplissement inauguré en Jésus, reconnu comme Christ au travers de sa Passion et de sa Résurrection dont le rite pascal devient, sous une forme nouvelle, la célébration annuelle.

Mais déjà l'interprétation donnée au rituel juif préparait cette transposition : « Tout le *rituel pascal*, au moins dès le premier siècle, avait reçu une interprétation eschatologique (ainsi des coupes et des pains azymes) et messianique, et servait à raviver chaque année les espérances nationales. Les psaumes du *Hallel*, en particulier, acquirent aussi une interprétation messianique, si bien que, de toutes les fêtes du calendrier israélite, c'est la Pâque qui est incontestablement la plus *messianique*. Si la Pâque de l'ancien Testament est un *zikkarôn*, non au sens d'un simple souvenir mais de représentation « sacramentelle » du passé, elle est devenue, dès les derniers siècles qui précèdent le Christianisme, une célébration tournée vers l'avenir : en elle se concrétiseront, et trouveront leur plus belle expression, tous les espoirs d'Israël et finalement l'espérance du salut définitif de la fin des temps. La célébration rituelle de la Pâque se trouve donc entre le fait commémoré (celui de l'Exode) et la délivrance eschatologique » (Le Déaut, p. 281).

2. Les grands thèmes patristiques. – 1o *Pascha-Passio.* – Jusqu'au 3e siècle – et même, en dehors du milieu alexandrin influencé très tôt par l'interprétation de Philon, jusqu'au milieu du 4e – Pâques est

considéré avant tout comme la célébration de la
Passion du Christ. L'assonance *pascha/paschein*
favorisa assurément cette interprétation et nombreux
sont les auteurs qui s'y réfèrent comme à une étymologie. Ainsi Méliton : « Qu'est-ce que la Pâque ? C'est
en effet de ce qui est survenu que le nom a été tiré :
de *pathein* vient *paschein* » (*Sur la Pâque* 46). O.
Perler, commentant ce texte difficile, explique : « Ici,
il (*paschein*) doit avoir le sens de 'célébrer la
passion', 'faire la mémoire liturgique de la passion',
c'est-à-dire 'célébrer la Pâque chrétienne'. Telle
était en effet la signification de la fête de Pâques chez
les Quartodécimans. Le 'pâtissant' est l'homme soumis à la souffrance depuis le péché d'Adam et avec
lequel le Christ incarné 'compatit' » (SC 123,
n. 326-327, p. 159 ; cf. n. 467, p. 170).

Il conviendrait d'ailleurs, comme l'a fait remarquer Chr.
Mohrmann (*Études sur le latin des chrétiens*, t. 1, p. 210),
de noter que les mots *paschein/passio* « ont développé dans
les cercles chrétiens un sens technique très riche : ils
désignent la passion et la mort, la passion y compris la mort
du Christ et des martyrs. Qui plus est, ces mots suggèrent
forcément l'idée de la victoire et de la gloire céleste qui
succèdent à la passion. Cet enchaînement des idées par
lequel la notion de *passio* s'associait à celle de 'victoire,
gloire céleste' est particulièrement caractéristique pour
l'époque des persécutions ». Par ailleurs, cette interprétation
dépasse largement les milieux attachés à la pratique quarto-
décimane (celle des asiates, qui célébraient la Pâque le 14
nisân, quel que fût le jour de la semaine) ; elle se retrouve
tout au travers du monde chrétien : « Méliton est asiate,
Irénée (*Ad. Haer.* IV, 10, 1) est un asiate établi en Gaule,
Hippolyte (cité par le *Chronicon paschale* ?) est romain,
Tertullien et Lactance africains, Héracléon égyptien, Grégoire d'Elvire espagnol » (B. Botte, *Orient syrien*, 1963,
p. 218).

Quoi qu'il en soit des motifs qui ont conduit à
deux pratiques différentes, provoquant une controverse qui, sous le pape Victor, faillit entraîner un
schisme évité de justesse par l'intervention d'Irénée
(cf. Eusèbe de Césarée, *Histoire ecclésiastique* V,
23-25 ; cité dans R. Cantalamessa, *La Pâque*, n. 37,
p. 9-12), la même interprétation théologique se
retrouve chez les tenants de l'une ou l'autre pratique.
Certes, comme le souligne R. Cantalamessa, « Il est
bien clair qu'à choisir comme date de la fête l'anniversaire de la passion plutôt que celui de la résurrection on en venait à accentuer différemment les deux
événements. Cependant les textes démontrent clairement qu'à cette époque et même en dehors d'Asie
Mineure, en Gaule, en Afrique, à Rome et jusqu'à
Alexandrie, la Pâque en elle-même et en premier
lieu, commémorait la passion du Christ... Qu'on le
considère à partir du vendredi de la passion, comme
le faisaient les Quartodécimans d'Asie Mineure, ou à
partir du dimanche de la résurrection, comme le faisaient les autres, le mystère de la Pâque change de
perspective et de climat spirituel peut-être, mais non
de contenu. Le Christ que le Quartodéciman Méliton
de Sardes contemple dans la nuit de Pâques est 'le
Seigneur qui ayant souffert pour celui qui souffre est
ressuscité des morts et a élevé l'homme avec lui dans
les hauteurs du ciel' ; il est le Christ qui se proclame
personnellement 'Pâque de notre salut et de notre
résurrection'. A l'inverse, Irénée qui célèbre la Pâque
du dimanche affirme : 'le nom de ce mystère est
passion à cause de notre libération' » (*La Pâque*, p.
XIX-XX). Encore dans la seconde moitié du 4ᵉ siècle,

les Églises de Mésopotamie, au témoignage de saint
Éphrem (*Hymnes sur la Pâque*), demeurent fidèles à
cette perspective, devenue archaïque. S'étant depuis
longtemps conformées à l'usage universel, elles continuaient à réserver le nom de Pâque pour la célébration de la Passion du Christ distincte du « Dimanche
de la Résurrection ».

2° *Pascha-Transitus*. – Dans son traité *Sur la
Pâque* (Éd. O. Guéraud et P. Nautin, p. 155),
Origène déclarait :

« La plupart des frères, peut-être même tous, admettent
que la *Pâque* est ainsi nommée à cause de la *Passion* du
Sauveur. Mais, chez les Hébreux, la fête en question a pour
nom propre, non pas *Pascha*, mais *Fas...*, ce qui, en traduction, veut dire *passage*. Puisque lors de cette fête le peuple
sort d'Égypte, il est logique de l'appeler *Fas*, c'est-à-dire
'passage'... Si l'un des nôtres, rencontrant des Hébreux, dit
trop précipitamment que la Pâque est ainsi appelée à cause
de la Passion du Sauveur, ils riront de lui, comme de quelqu'un qui ne sait pas du tout quel est le sens qui découle du
nom ».

Comme le fait remarquer B. Botte (art. cit.,
p. 220) : « il ne paraît pas s'apercevoir que sa traduction s'adapte très mal au texte de l'Exode où il est
question de la *pascha Domini*. C'est néanmoins cette
interprétation boiteuse qui va l'emporter. On la
retrouvera chez saint Grégoire de Nazianze et dans
les catéchèses attribuées à saint Cyrille de Jérusalem
en Orient, chez saint Ambroise en Occident ».

Par ailleurs, Origène ne semble pas remarquer que
la traduction *hyperbasis*, qui est celle de Flavius
Josèphe (*Antiquités Judaïques* II, 14, 6) et d'Aquila,
correspond mieux au sens donné dans l'Exode que le
*diabasis* préféré par l'ensemble des interprètes chrétiens à la suite de Philon (*De Congressu*, 106 ; cf. éd.
M. Alexandre, *Œuvres de Philon*, t. 16, Paris, 1967,
n. XII, p. 244-245). Bien que la distinction ne soit pas
perceptible dans le latin *transitus* qui traduit l'un et
l'autre vocable grec, saint Jérôme avait signalé ces
différences d'interprétation dans son *Commentaire
sur Matthieu* (IV, 26, 2 ; CCL 77, 1969, p. 245).
Après avoir écarté l'assonance *pascha/passio*, il
reconnaît trois sujets possibles pour *pascha/transitus* :
soit l'ange exterminateur qui « passe outre » (*pertran-
sierit*), soit Dieu qui « marche au-dessus » (*desuper
ambularit*) de son peuple, soit « nous » qui passons
(*transitus noster*). Le premier sens ne paraît pas avoir
été retenu. Le deuxième se rencontre parfois pour
expliquer *Ex.* 12, 11b : *C'est la Pâque du Seigneur* ;
ainsi Origène, *Sur la Pâque* (47 et 48, p. 246-249) ;
mais pour lui, le Seigneur est le Christ qui par sa
passion-résurrection « passe au-delà » (*hyperbasis*)
des limites de la mort et ouvre ainsi le ciel à ses
fidèles.

Cette interprétation aura la préférence de saint
Augustin qui la reprend souvent en la reliant à la
troisième, car c'est tout le peuple des baptisés qui, à
la suite du Christ, passe de ce monde au Père (cf. textes cités par Chr. Mohrmann, *op. cit.*, p. 211-213,
218). C'est en effet le passage du peuple de la terre de
servitude vers celle de la liberté qui, en conformité
avec *Ex.* 12, constituera le thème le plus habituellement mis en relief tant par les commentaires et
homélies patristiques que par les liturgies, notamment en liaison avec la célébration du baptême au
cours de la nuit pascale ou du moins en relation avec
cette fête. Mais alors, plutôt que d'*hyperbasis*, il

convient de parler de *diabasis* ou, en latin, de *transitus* au sens le plus habituel de ce vocable.

Alors que l'interprétation *pascha-passio* met l'accent sur l'accomplissement du dessein salvifique de Dieu pleinement et définitivement réalisé par la Passion-Résurrection du Christ à laquelle nous participons dans les sacrements du baptême et du banquet eucharistique (1 *Cor.* 5, 7), *pascha-transitus* souligne ce qui reste à accomplir de notre part. Ce que Philon considérait dans le passage du vice à la vertu s'exprimera désormais comme la conversion du ferment de la malignité en azymes de la pureté.

« On peut définir cette Pâque comme une Pâque anthropologique, en ce sens que le protagoniste de ce passage n'est ni Dieu, ni le Christ, mais l'homme. Dans ce nouveau contexte, le contenu moral et spirituel de l'histoire de l'Exode et de celle du Christ prend un relief extraordinaire, souligné encore avec précision par l'utilisation d'une exégèse, elle aussi spirituelle, fondée sur l'allégorie. Toute la vie du chrétien et de l'Église est une sortie d'Égypte marquée de différents passages, depuis le premier, celui de la conversion à la foi, jusqu'au dernier, celui de la migration hors du corps et du monde. Ainsi se développe une typologie à trois niveaux (ombre-image-vérité) et, avec elle, l'idée d'une 'troisième Pâque', la Pâque céleste, seule vraie et définitive parce que parfaitement spirituelle, dénuée de tous symboles et de toutes figures » (R. Cantalamessa, *La Pâque...*, p. xxi, se référant à Origène, *In Iohan.* x, 110-111, cité n. 38, p. 39).

3° *Les sacrements de la Pâque*. – Dans cette perspective les sacrements qui actualisent au travers des étapes de l'existence chrétienne tant les figures de la Pâque mosaïque que leur réalisation dans la Passion-Résurrection du Christ, passent au premier plan de la célébration pascale et de son interprétation mystagogique. Solidement enracinée dans les textes pauliniens (en particulier *Rom.* 6, 3-5 ; 1 *Cor.* 5, 7 ; 11, 26) elle va se déployer, sans doute, vers le milieu du 4e siècle et d'abord à Jérusalem, au travers du « triduum pascal » qu'inaugure la solennelle commémoraison de la Cène du Seigneur. Dans les Églises d'expression syriaque, c'est même elle qui – immolation mystique où se déclare le caractère sacrificiel de la Passion – constitue proprement la Pâque, sauvegardant ainsi le sens primitif de *pascha/passio*. Ailleurs ce sont les rites complexes de l'initiation baptismale qui tiennent la place privilégiée.

La liturgie romaine est sans doute celle qui maintiendra le plus fidèlement cette perspective. Au cœur de la célébration inaugurale du jeudi, la solennelle consécration des huiles qui sont le symbole et l'instrument de la participation du chrétien à l'onction messianique, exprime le sens mystérique de toute la célébration pascale. À Antioche puis à Constantinople, le rite impressionnant qui entourait la renonciation des futurs baptisés aux séductions sataniques et leur confession de foi au Christ seul sauveur – à l'heure où l'on commémorait le vendredi la mort de Jésus – donnait occasion à la catéchèse de mettre en pleine lumière les conséquences libératrices de cette mort et les engagements qu'elle imposait (cf. A. Wenger, Introd. à Jean Chrysostome, *Huit catéchèses baptismales*, SC. 50, 1957, p. 83-90). Ainsi se trouvait sauvegardé l'essentiel de ce que la ligne *pascha-passio* s'était employée à mettre en lumière.

Par ailleurs la réaction contre la position tenue par les Quartodécimans, trop exclusivement attachés à souligner la continuité entre la Pâque chrétienne et la Pâque mosaïque, contribua sans doute à renforcer le lien entre la célébration pascale annuelle et celle, hebdomadaire, du Jour du Seigneur. La visée eschatologique de cette célébration eucharistique, intégrant le mémorial et l'actualisation de la Résurrection qui ouvre le temps de l'ultime accomplissement et inaugure la création nouvelle, donnait leur pleine signification aux thèmes déjà esquissés dans la Pâque juive, surtout lorsque la destruction du Temple eût rendue impossible la manducation de l'Agneau.

3. LA SYNTHÈSE AUGUSTINIENNE. – Les divers motifs qui affleurent au cours de l'époque patristique, mais qui, le plus souvent, se trouvent dispersés, allaient se trouver admirablement synthétisés par saint Augustin. S'opposant fermement à ceux qui s'obstinaient à l'interprétation *pascha/passio* – et son insistance même dénote combien cette interprétation restait, encore de son temps, la plus habituelle –, il se plaît à fonder l'interprétation *pascha/transitus* sur deux textes johanniques. D'abord et surtout : « Avant la fête de la Pâque, Jésus, sachant que son heure était venue de passer de ce monde à son Père » (13, 1), mais aussi : « Celui qui croit en moi est passé de la mort à la vie » (5, 24). Caractéristique, par exemple, le passage de la deuxième lettre à Januarius (*Ep.* 55, 1, 2) qui cite ces deux textes à l'encontre de *pascha-passio* pour conclure : « C'est donc le passage de cette vie mortelle à une autre vie immortelle (c'est-à-dire de la mort à la vie) dont témoignent la mort et la résurrection du Seigneur ». La typologie de l'agneau pascal et le récit de la Cène s'unissent pour confirmer cette interprétation.

Mais ce que la même lettre à Januarius s'emploie surtout à mettre en lumière c'est le caractère unique et proprement sacramentel que revêt en elle-même la célébration pascale ; elle se différencie radicalement à cet égard de la fête de Noël qui ne fait que commémorer un événement. Et il explique : « Il y a *sacramentum* dans la célébration lorsque la commémoration de ce qui s'est passé se fait de telle sorte que l'on comprenne qu'est aussi signifié quelque chose qui est saintement reçu. Et ainsi nous faisons la Pâque de manière que non seulement nous rappelions la mémoire de ce qui s'est passé, c'est-à-dire que le Christ est mort et ressuscité, mais encore que nous n'omettions pas tout ce qui a ce sujet est attesté pour signifier le *sacramentum* » (*ibidem*). Ainsi Pâque n'est pas seulement une *festivitas* ; elle constitue la *sollemnitas*, au sens fort de ce qui ne peut s'accomplir qu'une seule fois dans l'année ; elle est aussi, par elle-même, *sacramentum* :

« La *sollemnitas* vise les faits et l'enseignement objectif qu'ils comportent, le *sacramentum* introduit les fidèles dans une réalité invisible qui les concerne directement. Que le Christ ressuscité ne meure plus et que la mort n'ait plus d'empire sur lui, voilà l'objet de la *sollemnitas*. Que le Christ ait été livré pour nos péchés, soit ressuscité pour notre justification : voilà le *sacramentum* » (S. Poque, Introd. à Augustin, *Sermons pour la Pâque*, SC 116, 1966, p. 14).

D'où l'importance reconnue au caractère vigilial et nocturne de la célébration au cours de laquelle se signifie et s'opère – notamment par les rites baptismaux – le passage des ténèbres à la lumière, de la mort à la vie : « Cette nuit qui touche au début du jour du Seigneur, nous en célébrons le souvenir, en ce moment, en son anniversaire ; cette nuit où le Seigneur est ressuscité nous la passons à veiller, et cette vie... où il n'est plus ni sommeil, ni mort, il l'a inaugurée pour nous en son corps, ' ressuscité des morts pour ne plus mourir et à jamais soustrait au pouvoir de la mort ' » (*Sermo Guelf.* 5, 4 ; *ibidem*, p. 219 ; cf. *Rom.* 6, 9). Chr. Mohrmann (*op. cit.*, p. 220-222) pense pouvoir détecter dans ce sermon, en le rapprochant de celui qui précède (*Ser. Guelf.* 4, 2, éd. G. Morin, *Miscellanea agostiniana*, t. 1, Rome, 1930, p. 456), comme une hésitation en laquelle s'annonce l'évolution de la Pâque *transitus* vers la conception qui l'emportera, surtout en Occident, de la seule célébration joyeuse de la Résurrection.

Il est indéniable qu'Augustin est le dernier témoin qualifié d'une conception proprement mystérique. Quand un saint Léon lui fait écho et en reprend les expressions, c'est avant tout pour les référer à la lecture des récits évangéliques dont l'audition, si elle est intériorisée, fait pénétrer en nous le mystère de ce qui fut autrefois accompli. Aussi ne voit-il aucune difficulté à parler de Noël comme d'un mystère, bien que dans sa lettre du 16 juin 453 à l'empereur Marcien il déclare que c'est dans la fête de Pâque que le *sacramentum humanae salutis* est le plus excellemment contenu (*Ep.* 121, 1) ; ce que M.B. de Soos interprète : « En résumé, les mystères sacrés autres que Pâques nous procurent pour notre sanctification des secours qui sont différents les uns des autres suivant les mystères eux-mêmes ; la célébration pascale nous offre tous ces secours à la fois, et plus abondamment que durant le reste de l'année » (*Le Mystère liturgique d'après S. Léon*, Münster, 1958, p. 84-85). Nous sommes incontestablement ici dans un tout autre climat que celui dont témoignait saint Augustin. La perception de ce qu'il y a de spécifique et d'unique dans le mystère pascal cède la place à une spiritualité d'intériorisation (cf. DS, t. 9, col. 605-606).

4. L'ÉVOLUTION DANS L'OCCIDENT LATIN. – La mutation qui s'annonçait déjà avec saint Augustin et dont témoigne la prédication de saint Léon va transformer radicalement le sens de la célébration pascale et de son interprétation. Dans le cadre d'une année liturgique qui s'emploie à célébrer *les* « mystères » (DS, t. 10, col. 1874-1886), c'est-à-dire les actes salvifiques les plus caractéristiques de la vie du Christ, de sa Nativité à son Ascension préludant à l'envoi de l'Esprit, le sens plénier *du* « Mystère » contemplé dans sa plénitude s'atténue au point de n'être presque plus perçu. Le fait est particulièrement significatif dans l'Occident latin où cependant la tradition liturgique romaine maintient, par les rites et par les textes, la primauté d'une perspective proprement mystérique. Mais celle-ci s'exprime avant tout dans le complexe ensemble rituel de la « vigile pascale ». Le *praeconium paschale* de l'*Exultet* en dit admirablement la signification dans la ligne traditionnelle de *pascha/transitus* dont la célébration tout entière déploie la réalisation sacramentelle. Mais, de fait, le caractère baptismal de cette célébration se trouve le plus souvent anachronique. Peu à peu, et sans doute assez tôt, la « veille sainte » s'anticipe en une « vigile » au sens courant de ce terme, c'est-à-dire une préparation à la fête.

L'historicisation des événements de la Passion, tels que les transmettait la tradition évangélique – historicisation qui semble avoir commencé à Jérusalem dès le 4e siècle ainsi qu'en témoigne le *Journal de pèlerinage* d'Égérie ( ou Éthérie ; cf. DS, t. 4, col. 1450) – occulte la grandiose célébration du passage du Christ vers le Père faisant passer avec lui l'humanité tout entière des ténèbres à la lumière, de la mort à la vie.

Les réminiscences de l'Exode s'estompent ; la Pâque du Christ n'est plus qu'accessoirement perçue comme l'accomplissement d'une réalité figurée et annoncée par la libération de la servitude d'Égypte et la double intervention salvifique du Seigneur Dieu passant au milieu de son peuple dont il épargne les premiers-nés protégés par le sang de l'agneau de la Pâque et faisant passer ce peuple au travers de la Mer des Roseaux. Tous ces thèmes traditionnels sont, certes, évoqués par les textes liturgiques, notamment par l'hymne ancienne *Ad cenam Agni providi*, mais la spiritualité pascale se centre le plus habituellement sur la Résurrection du Christ sans mettre en relief la concaténation qu'évoquait la thématique primitive *Pascha/Passio*.

Bien plus, si la place primordiale faite à la liturgie et à la fréquentation des textes patristiques dans les mouvements de rénovation monastique carolingiens et post-carolingiens maintient vive chez les auteurs issus de ces milieux la perspective cosmique et eschatologique de la célébration, les courants spirituels nouveaux qui se manifestent à partir de la fin du 11e siècle mettent de plus en plus décidément l'accent sur la contemplation affective et l'intériorisation des « mystères » de la vie du Christ. Le premier grand représentant de cette orientation nouvelle de la spiritualité est incontestablement saint Bernard. Or, il est significatif que, dans sa prédication comme dans celle de ses frères cisterciens du 12e siècle, Noël tient une place beaucoup plus importante que le mystère de Pâques (cf. DS, t. 4, col. 658-659). Les méditations d'une sainte Gertrude, pourtant nourries de la fréquentation des textes liturgiques, témoignent de la perpétuation de telles perspectives (cf. DS, t. 6, col. 335). Elles seront renforcées et vulgarisées par les nouveaux Ordres mendiants – surtout par les Franciscains – et par les dévotions qu'ils propagent pour alimenter la piété du peuple chrétien en marge d'une liturgie dont la signification n'est plus perçue.

Les manifestations populaires qui miment les grands événements des « Jours saints » et qui, à l'origine, ne faisaient que gloser les textes liturgiques en les dramatisant sous forme de « Jeux » se transforment peu à peu en représentations. Et celles-ci, comme les diverses formes de dévotions et la prédication, développent abondamment les scènes émouvantes de la Passion (cf. DS, t. 7, col. 1078-80). Il est remarquable que le « Chemin de la Croix » dont la pratique se développe à partir du 14e siècle s'achève sur la « Mise au tombeau » (cf. DS, t. 2, col. 2581-95). Dès sa reconstruction, au début du 12e siècle, la rotonde constantinienne de la « Résurrection » (*Anastasis*) n'était-elle pas devenue le « Saint Sépulcre » ?

L'iconographie, délaissant les figurations anciennes des saintes femmes devant le tombeau vide ou les évocations eschatologiques de la « Descente aux enfers », tente de plus en plus fréquemment de montrer le Christ bondissant glorieux du sépulcre, renforçant ainsi les fantasmes d'une résurrection-réviviscence. La prédication, l'apologétique et la théologie elle-même ne mettent-elles pas de préférence l'accent sur le « miracle de la Résurrection », lui donnant comme finalité privilégiée de fournir un appui ferme à la foi des Apôtres et en conséquence à la nôtre ? Par ailleurs, la célébration eucharistique, c'est-à-dire le rite fondamental de la Pâque, est le plus souvent interprétée dans la perspective de la Passion et de la Croix aux dépens de références explicites aux repas avec le Ressuscité et à l'anticipation parousiaque qu'ils comportent (cf. DS, t. 10, col. 1083-90).

Cependant l'ancienne tradition de *pascha-transitus* semble s'être maintenue dans les milieux monastiques, où la théologie et la spiritualité se nourrissaient de la *lectio divina*. C'est ce que montre, au moins pour le 12e siècle, une étude récente basée sur des auteurs bénédictins (Bruno de Segni † 1123 ; Rupert de Deutz † 1129 ; Hervé du Bourg-Dieu † 1150 ; Wolbéron de Saint-Pantaléon † 1147 ; Godefroy d'Admont † 1165) et cisterciens (Aelred de Riévaulx † 1166 ; Isaac de l'Étoile † vers 1178). Se basant sur l'unité intime du Corps du Christ avec sa Tête, ces auteurs montrent que la résurrection du Christ annonce le « passage de la mort à la vie » qui s'est déjà accompli dans le baptême et celui qui est espéré à la fin des temps. Il suffit de citer deux passages de Rupert de Deutz (*De Trinitate et operibus eius. In Exodum* 2, 14 et 2, 21 ; éd. R. Haacke, CCM 22, 1971, p. 651, 661) :

« Ce ' passage ' est vraiment celui du Seigneur (l'auteur vient de citer *Jean* 13, 1), mais c'est aussi notre ' passage ' à nous tous ; car, lorsqu'il est passé de ce monde à son Père, nous aussi nous sommes passés par la grâce de ce même Père des liens à la libération, des ténèbres à l'illumination de nos yeux... La première résurrection est la rémission des péchés, que reçoivent en cette veille (*uespera*) pascale ceux qui renaissent de l'eau et de l'Esprit, et ainsi ressuscitent en leur âme. La seconde résurrection est le ' retour à la vie ' (*resuscitatio*) des corps qui, déjà accompli dans le Christ, doit être accompli à la fin en tous » (A. Härdelin, *Pâques et Rédemption*, dans *Collectanea cisterciensia*, t. 43, 1981, p. 3-19 : trad. du ch. 5 d'un ouvrage à paraître en anglais sur la théologie monastique au 12e siècle).

### 5. LE MYSTÈRE PASCAL DANS LES ÉGLISES ORIENTALES. —

L'Orient chrétien, dans ses diverses familles, restera plus fidèle, sur ce point comme sur tant d'autres, aux orientations de l'époque patristique, non sans les enrichir et les colorer de nuances qui ne s'étaient d'abord que peu manifestées.

Les Églises de traditions syriennes le font dans la ligne de la *pascha/passio* qui avait eu leur préférence dès les premiers siècles ; l'héritage de saint Éphrem, orchestré par de nombreux imitateurs, y a sans doute largement contribué. On y met avant tout en relief une attitude « vigiliale » qui fait une large place au thème du *Descensus ad inferos* : Pâques est avant tout la victoire sur les puissances des ténèbres et sur la mort, la libération du premier Adam par le Nouvel Adam, l'aube – encore envahie de pénombre – d'une création renouvelée qui n'apparaîtra en pleine lumière que lors de la dernière Parousie.

La tradition byzantine puise largement aux mêmes sources. Comme en Occident l'antique vigile pascale, essentiellement sacramentelle et donc en continuité immédiate avec les thèmes de la Pâque juive, a été avancée jusqu'à la matinée du samedi. Mais c'est pour être remplacée par une célébration, née vraisemblablement dans les monastères de Palestine ou de Syrie, et dont les tropaires de saint Jean Damascène offrent le témoignage qui s'imposera à travers tout le monde byzantin et les Églises qui en adopteront la liturgie. Le tropaire pascal, incessamment repris, pose la confession de foi pascale : « Le Christ est ressuscité des morts, par sa mort il a vaincu la mort, à ceux qui sont dans les tombeaux il

a donné la vie ». Avec les femmes porteuses d'aromates, l'Église proclame avec émerveillement la victoire de la vie. L'accent mis sur les résonances cosmiques de la Résurrection du Christ imprègne non seulement la célébration liturgique mais se répercute en de multiples usages populaires, surtout parmi les Russes. Pâques est véritablement vécue comme le point germinal d'une création renouvelée en laquelle s'inaugure l'ultime accomplissement du dessein salvifique qui donne son sens mystérique au cycle entier des « Douze fêtes » seigneuriales jalonnant l'année liturgique.

### 6. LE MYSTÈRE PASCAL DANS L'ÉGLISE DE NOTRE TEMPS. —

Le renouveau liturgique qui s'amorce avec l'œuvre de Prosper Guéranger (DS, t. 6, col. 1102-06) et de ses disciples a grandement contribué à faire retrouver la pleine signification des célébrations pascales et de leur caractère mystérique. Parmi les artisans de cette découverte, il faut placer au premier rang les travaux d'Odo Casel, notamment son mémoire de 1934 : *Art und Sinn der ältesten christlichen Osterfeier* (*Jahrbuch für Liturgiewissenschaft*, t. 14, 1934, p. 1-78) : « Pâques est le mystère cultuel de l'œuvre rédemptrice de Dieu dans le Christ en faveur de l'Église » (trad. franç., *La fête de Pâques...*, p. 104). Encore, dans les perspectives propres à sa *Mysterienlehre* (DS, t. 10, col. 1886-89), O. Cassel accorde-t-il trop d'importance aux analogies superficielles que l'on peut reconnaître entre la Pâque chrétienne et les cultes à mystères des dieux morts et ressuscités. Par ailleurs, l'accent mis sur le mystère cultuel comme « épiphanie » et présence laisse insuffisamment en lumière le caractère spécifique de la célébration pascale dans la ligne qui s'est finalement imposée de *pascha/transitus*.

En restaurant dans sa forme traditionnelle et dans son cadre originel la veillée nocturne (Décret de la Congrégation des Rites, 9 février 1951, AAS, t. 43, 1951, p. 128-137), Pie XII amorçait la rénovation liturgique que devait réaliser le nouvel *Ordo* de la Semaine sainte promulgué par le décret *Maxima Redemptionis nostrae mysteria* (16 novembre 1955 ; AAS, t. 47, 1955, p. 838-847). La Constitution de Vatican II sur la Liturgie devait sanctionner la place centrale de la célébration du Mystère pascal dans la vie de l'Église et en expliciter la pleine signification (n. 5-6 et 106), rappelant en outre l'importance du solennel « jeûne pascal » trop souvent oublié (n. 110).

Cette remise en valeur du mystère pascal avait été préparée par d'importants travaux théologiques. Il faut au moins rappeler, pour la France, L. Bouyer, *Le Mystère pascal* qui, dès 1945, faisait œuvre de pionnier (coll. Lex Orandi = LO 4 ; 5e éd., 1955) ; les ouvrages de F.-X. Durrwell, notamment *La Résurrection de Jésus, mystère de salut* (1e éd., Le Puy-Paris, 1950 ; 10e éd. refondue, Paris, 1976) ; la thèse de J.-P. Jossua (*Le salut, Incarnation ou Mystère pascal chez les Pères de l'Église de S. Irénée à S. Léon le Grand*, Paris, 1968). Enfin, il est digne d'attention que dans la Grande Dogmatique *Mysterium salutis*, le traité classique de la Rédemption soit présenté par H. U. von Balthasar et A. Grillmeier sous le titre : *Le Mystère pascal* (éd. franç., t. 12, Paris, 1972 ; éd. originale allem., t. 3/2, Einsiedeln, 1969, p. 133-392).

Bibliographie abondante dans R. Cantalamessa, *La*

*Pasqua nella Chiesa antica*, Turin, 1978 ; trad. franç. par Fr. Morard, *La Pâque dans l'Église ancienne*, coll. Traditio Christiana 4, Berne, 1980, p. xxxiii-xlii.

**Le vocabulaire et sa signification.** – Chr. Mohrmann, *Pascha, Passio, Transitus*, dans *Ephemerides Liturgicae* = EL, t. 66, 1952, p. 37-52 (repris dans *Études sur le latin chrétien*, t. 1, 2e éd., Rome, 1961, p. 205-222). – J. Jeremias, Πάσχα, dans Kittel, t. 5, 1954, p. 895-903. – B. Botte, *Pascha*, dans *L'Orient syrien*, t. 8, 1963, p. 213-226. – R. Le Déaut, *La nuit pascale. Essai sur la signification de la Pâque juive à partir du Targum d'Exode* xii *42*, coll. Analecta Biblica 22, Rome, 1963. – S. Ros Garmendia, *La Pascua en el Antiguo Testamento. Estudio de los textos pascuales del A.T. a la luz... de la Tradición*, coll. Biblica Victoriensia 3, Vitoria, 1978.

**Textes patristiques.** – Méliton de Sardes, *Sur la Pâque*, éd. et trad. C. Perler, SC 123, 1966 ; *On Pascha and Fragments*, éd. St. G. Hall, Oxford, 1979 ; *I più antichi testi pasquali della Chiesa* (Méliton, Anonyme quartodéciman et autres), trad. et comment. par R. Cantalamessa, Rome, 1972. – Origène, *Sur la Pâque*, éd. et trad. P. Nautin et O. Guéraud, Paris, 1979. – *Homélies pascales* i-ii, éd. et trad. P. Nautin, SC 27 et 36, 1950, 1953 ; iii, éd. et trad. F. Floëri et P. Nautin, SC 48, 1957. – *Deux homélies anoméennes pour l'Octave de Pâques*, éd. et trad. J. Liébaert, SC 146, 1969. – Hésychius de Jérusalem, Basile de Séleucie, Jean de Béryte, Pseudo-Chrysostome, Léonce de Constantinople, *Homélies pascales*, éd. et trad. M. Aubineau, SC 187, 1972. – Cyrille de Jérusalem, *Catéchèses mystagogiques*, éd. et trad. A. Piédagnel, SC 126, 1966. – Éphrem, *Des hl. Ephraem des Syrers Paschahymnen*, éd. et trad. allem. E. Beck, CSCO 248-249, 1964. – Jean Chrysostome, *Huit homélies pascales inédites*, éd. et trad. A. Wenger, SC 50, 1957 (réimpression avec supplément SC 50 bis, 1970). – E. Cattaneo, *Trois homélies pseudo-chrysostomiennes comme œuvres d'Apollinaire de Laodicée*, coll. Théologie historique 58, Paris, 1981. – Augustin d'Hippone, *Sermons sur la Pâque*, éd. et trad. S. Poque, SC 116, 1966. – *Le mystère de Pâques*, coll. Lettres chrétiennes (textes patristiques traduits par A. Hamman et Fr. Quéré-Jaulmes), Paris, 1965.

J. Gribomont, *Le triomphe de Pâques d'après S. Éphrem ; La tradition liturgique des hymnes pascales de S. Éphrem*, dans *Parole de l'Orient*, t. 4, 1973, p. 147-189 et 191-246. – Ch. Kannengiesser, *Le mystère pascal... selon Jean Chrysostome*, dans *Jean Chrysostome et Augustin*, Paris, 1975, p. 241-246 ; *Le mystère pascal... selon Athanase d'Alexandrie*, RSR, t. 63, 1975, p. 407-442. – M. Coumeau, *La prédication pascale de S. Augustin*, RSR, t. 23, 1933, p. 257-282. – A. Roth, *Pascha und Hinübergang durch Glaube, Hoffnung und Liebe* (Augustinus Brief 55 an Januarius), dans *Mélanges Chr. Mohrmann. Nouveau Recueil*, Utrecht-Anvers, 1973, p. 96-107. – J.A. Pascual, *El misterio pascual según san León Magno*, dans *Revista española de Teología*, t. 24, 1964, p. 299-319. – J. Gibert y Tarruell, *El significado de la expresión Pascha en la liturgia hispanica*, EL, t. 91, 1977, p. 3-31.

**Études historiques et théologiques.** – *Paschatis Sollemnia. Studien zu Osterfeier und Osterfrömmigkeit* (J.A. Jungmann... dargeboten), éd. B. Fischer et J. Wagner, Fribourg-en-Br., 1959. – H. Haag, *Pâque*, DBS, t. 6, 1960, col. 1120-49 ; *Vom alten zum neuen Pascha. Geschichte und Theologie des Osterfestes*, Stuttgart, 1971. – O. Casel, *La fête de Pâques dans l'Église des Pères*, coll. Lex Orandi 37, Paris, 1963 (trad. de *Art und Sinn...*, cité supra). – R. Cantalamessa, *L'Omelia « In S. Pascha » dello Pseudo-Ippolito di Roma*, Milan, 1967. – W. Huber, *Passa und Ostern. Untersuchungen zur Osterfeier der alten Kirche*, Berlin, 1969. – H. Auf der Maur, *Die Osterhomilien des Asterios Sophistes als Quelle für die Geschichte der Osterfeier*, Trèves, 1967. – A.J. Chupungco, *The cosmic Elements of christian Passover*, coll. Studia Anselmiana 72, Rome, 1977. – Cl. Richard, *Il est notre Pâque. La gratuité du salut en Jésus-Christ*, Paris, 1980.

DTC, *Pâques* (les controverses pascales), t. 12, 2, 1932, col. 1948-70 (G. Fritz) ; *Tables*, col. 3436-38. – DACL,

t. 13, 2, 1937, col. 1521-74. – DES, t. 2, 1976, p. 1401-05 (B. Neunheuser). – *Lexikon der christlichen Ikonographie*, art. *Auferstehung Christi*, t. 1, Rome-Fribourg en Br., 1968, col. 201-218 (P. Wilhelm). – Autres encyclopédies religieuses aux mots *Easter, Ostern, Pasqua*, etc.

DS, art. *Dimanche* ; *Fêtes* ; *Liturgie*.

Irénée-Henri DALMAIS.

**PARACELSE** (Théophraste Bombast von Hohenheim), 1493-1541. – 1. *Vie.* – 2. *Médecine et cosmologie.* – 3. *Thèmes religieux et spirituels.*

1. Vie. – Paracelse naquit en 1493 à Einsiedeln (Suisse). Il était fils d'un médecin qui, à la mort de sa femme, alla enseigner à l'école des mines de Villach (Carinthie) ; jeune encore, Paracelse entra ainsi en contact avec la pensée de Jean Trithème et s'initia à l'alchimie et à l'occultisme : on peut voir là l'inspiration première de sa quête d'une sagesse cosmique universelle dans la tradition de Raymond Lull et de Marsile Ficin (DS, t. 5, col. 295-302).

A partir de 1507, il étudia la médecine et la philosophie dans diverses universités d'Allemagne ; peut-être obtint-il le doctorat à Ferrare en 1516 et ce serait là qu'il aurait pris le nom de Paracelse (en référence au célèbre médecin du siècle d'Auguste, Celse). Tout au long de sa vie, il sera un critique impitoyable de la formation universitaire qu'il a connue : traditionalisme servile à l'égard des textes faisant autorité, primat (même en médecine) de la logique déductive, attachement aux théories des humeurs d'Aristote et de Galien. Devenu médecin militaire, il parcourt de nombreuses régions (1517-1524) et se livre à une vaste observation des phénomènes de la nature.

A Bâle, en 1527, il exerce pendant onze mois la fonction de *Stadtartz,* médecin de la ville, ce qui lui donne le droit d'enseigner à l'université. Il inaugure son cours par un manifeste proclamant le renouveau de la médecine sur la base de l'observation et de l'expérience. Sur bien des points, il tranche avec les manières de faire en usage, faisant ses cours en allemand, brûlant publiquement un exemplaire du *Canon* d'Avicenne, critiquant vivement l'institution médicale et pharmaceutique ; cela lui aliéna jusqu'à ceux qui le soutenaient et il fut obligé de quitter Bâle.

De 1528 à 1536, il se déplace beaucoup, poursuivant ses observations méthodiques (vg sur les maladies des mineurs, la syphilis et son traitement, les vertus des eaux minérales). Un séjour à Nuremberg le mit en rapports amicaux avec les dirigeants luthériens de la ville, mais il se détacha rapidement et de leurs manières trop bourgeoises à ses yeux et de leur doctrine de la grâce et de la foi. Buvant beaucoup, dictant plus encore, il travaille à une foule d'écrits sur la médecine, la cosmologie, les questions sociales, les Écritures. Peu après 1530, il est en Suisse, prédicateur laïc et médecin soignant gratuitement les paysans. *Die grosse Wundarznei* (« La grande chirurgie », 1536) est le seul ouvrage important qui ait été publié de son vivant ; il résume l'expérience acquise par Paracelse sur le soin des blessures et des ulcères, manifeste sa réserve devant les cautérisations, saignées, remèdes à base d'herbes, et souligne les capacités de guérison de la nature elle-même. En 1537-1538, séjournant en Carinthie, il compose *Die Sieben Defensiones*, apologie de ses idées, de ses pratiques et de son genre de vie affranchi des conventions. Enfin il se rendit à Salzbourg. C'est là qu'il mourut en 1541, peu de temps après son arrivée, réconforté par les sacrements de l'Église catholique.

2. MÉDECINE ET COSMOLOGIE. – La diffusion des traités de Paracelse sur la médecine et la philosophie de la nature commença pour de bon aux environs de 1560 et atteignit son sommet avec les grandes éditions de la fin du 16e et du début du 17e siècle. L'auteur inspirait alors d'ardents disciples formant une nouvelle génération de « philosophes-chimistes » ; ils réduisirent en système sa pensée éclectique et le défendirent contre les attaques des partisans de Galien (par exemple de T. Erastus). Pour ces disciples, la cosmologie et la médecine vitalistes de Paracelse donnaient la clé de tous les mystères de la création matérielle et de la vie humaine.

Alors que la pratique médicale du moyen âge s'appliquait à rétablir l'équilibre des humeurs dans l'ensemble du corps, Paracelse voit la maladie comme un empoisonnement causé par un dépôt pathologique en un point de l'organisme. Ses traitements visent à dissoudre et à éliminer le poison au moyen de doses prudentes de quintessences curatives, extraites chimiquement de plantes et de substances minérales. Il exalte le rôle du médecin comme instrument de Dieu (cf. *Eccli.* 38, 1-8) et, dans la ligne de M. Ficin, le dépeint comme le mage qui peut libérer les dons du ciel recélés par la nature. Il détestait la cupidité chez le médecin et voyait dans sa pratique personnelle une forme d'amour de compassion à l'égard du prochain. Les influences astrologiques jouaient selon lui leur rôle dans la détermination des poisons et des substances médicinales ; mais il n'admettait pas que les étoiles déterminent le comportement humain ou rendent inguérissables certaines maladies. Il publia néanmoins des prédictions astrologiques pour certaines années autour de 1530.

Pour Paracelse, le cosmos se développe en un processus vital unique, à partir de l'état originel du grand réservoir de toutes les formes et forces séminales, l'*iliastrum*, jusqu'aux perfections finales propres aux diverses créatures. Il parle rarement de création *ex nihilo* ; sa pensée conçoit un divin travail chimique de séparation, grâce auquel les créatures surgissent de matrices-sources sous l'influence de forces spirituelles-astrales, qui leur donnent leur spécificité en les marquant de leur empreinte. A l'intérieur de chaque créature, un *archeus* particulier, en provenance finale de l'esprit divin, guide le processus individuel du développement. Parfois on voit transparaître une coloration gnostique ; ainsi lorsqu'il présente la séparation cosmique comme une chute de l'homogénéité originelle dans le déplorable isolement d'une existence indépendante.

Paracelse affirme la continuité entre les domaines spirituel et matériel, entre les sphères astrale et sub-lunaire. Correspondances, affinités, analogies foncières relient entre elles les diverses régions du cosmos. L'intelligence humaine du réel s'acquiert à travers la « lumière de la nature », qui habilite à la saisie intuitive de certains aspects de notre propre organisme en harmonie avec les forces naturelles et cosmiques. Raison et logique sont ici impuissantes ; c'est au moyen de l'imagination humaine et d'une grâce de révélation que l'on pénètre les données centrales du réel, que l'on arrive à saisir les affinités qui existent entre les diverses sphères. Mais le foyer de vision pour Paracelse, c'est l'être humain, microcosme et résumé de tout ce qui existe. A par-

tir de ce foyer central, il est possible de connaître le cosmos tout entier.

3. THÈMES RELIGIEUX ET SPIRITUELS. – Paracelse a laissé de nombreux manuscrits d'exposés bibliques, d'instruction religieuse populaire et d'analyse sociale. Mais la publication, jusqu'à nos jours, de ces travaux tarde encore, de sorte que la présentation de sa pensée religieuse reste hasardeuse. Seule une vue d'ensemble de sa pensée permettra un jugement équitable sur les formulations en apparence hétérodoxes ; par exemple, la divergence de vues entre Dieu le Père et Dieu le Fils ; la conception selon laquelle l'expulsion du Paradis signifierait un pas de l'homme vers la maturité, une condition pour lui du progrès du divin dans l'homme. Quoi qu'il en soit, on peut déjà affirmer que Paracelse est à prendre au sérieux, et comme théologien de la vie chrétienne et comme théoricien dans le domaine social ; il a laissé un amalgame très personnel de vues spiritualistes traditionnelles, réformées, et socialement « gauchisantes », sans appartenir à aucune de ces lignes de pensée du 16e siècle.

Il a interprété les *Psaumes* comme une prophétie concernant Jésus, le Dieu bienveillant venu révéler la volonté divine et apporter le bonheur. Sa mort rédemptrice a apaisé la colère de Dieu et nous a ouvert le chemin du retour à la condition d'enfants bien-aimés de Dieu. Le Christ monté au ciel continue à vivre dans l'assemblée de son peuple, seul prêtre et pasteur que nous ayons à adorer, source unique de notre pardon et de notre croissance.

En ceux qui croient en lui, le Christ crée un corps nouveau et spirituel destiné à ressusciter. C'est en ce temple intérieur qu'en fait commence le Royaume. Les précisions diverses de Paracelse ne vont qu'à indiquer la manière de favoriser la croissance de ce corps nouveau. A la lumière de *Job* 19, 26 et 1 *Cor.* 15, 42 svv, il montre le monde à venir, où notre corps mortel sera laissé là pour permettre à celui né du Christ et formé ici-bas d'entrer dans la gloire et la pure lumière du Royaume final.

Le baptême est témoignage d'une foi obéissante au Christ, et appel à la transformation plénière de notre intelligence dans la connaissance de sa révélation. La consécration baptismale est tellement foncière qu'elle exclut toute autre consécration sacerdotale ou royale. De même, les engagements du baptême au repentir et à la lutte contre le péché devraient exclure les vœux d'institution ecclésiastique. Le baptême de pénitence de Jean-Baptiste est absorbé dans la conscience baptismale du chrétien, comme aussi la manière de penser de Jésus qui voit un baptême dans sa passion et sa mort (*Marc* 10, 38) : l'immersion de notre corps est, en effet, condamnation à mort du vieux moi pécheur : « Der tauf ist des tods anfang und eingang, der tod ist des taufs ausgang und ende » (*Von tauf der christen*). Paracelse affirme néanmoins, à l'encontre des Anabaptistes, que le Christ veut le baptême des enfants en bas âge et des handicapés mentaux, pour les garder hors de danger, dans la grâce d'un Père qui les aime.

Le temps de la vie humaine est donné au chrétien pour qu'il fasse mûrir ce qui a commencé de germer en lui ; en particulier, il usera de tout bien créé pour aider généreusement son prochain dans le besoin. Paracelse loue la vie calme et simple du travailleur, la tranquillité de la campagne. Il met en garde contre l'attrait pour le miraculeux et le merveilleux de l'hagiographie populaire qui risquent de fausser l'authentique idéal chrétien, contre l'influence pernicieuse des villes (cupidité des marchands), contre les excès d'un culte trop extérieur et les prestiges du clergé et des moines. Sa préférence va à la vie paisible et simple, la meilleure pour qui veut vivre en disciple du Christ et croître dans la vie intérieure de l'Esprit.

Les vues sociales de Paracelse furent influencées par ses contacts (vers 1525) avec les paysans et par des rapports sporadiques (plus tard) avec les fraternités anabaptistes. Avec la Bible, il condamne la guerre, la peine de mort, les serments. Sa société chrétienne est composée de quatre classes établies par Dieu : les paysans, les artisans, ceux qui s'adonnent aux arts libéraux, ceux qui assument l'autorité civile ; cette dernière, avec l'empereur à son sommet, est responsable d'une juste répartition des terres et de la réglementation des prix.

Paracelse opte résolument en faveur du pauvre ; il insiste sur l'égalité et la solidarité de tous devant Dieu : le peuple du Christ n'est qu'un seul troupeau, sans acception de personnes. Les étalages de supériorités religieuses et sociales sont faux prestiges, contraires au vrai christianisme et dont il faut se dégager : tout don, tout gain n'a d'autre fin que d'aider le prochain. La critique sociale de Paracelse se fait véhémente lorsqu'il dénonce les oisifs qui exploitent les pauvres et les petits, les moines et les prélats qui séduisent les simples et ne font que se servir d'une institution ecclésiastique repliée sur elle-même (*gemaurte Kirche*). Gens de loi et autorités civiles sont trop souvent de connivence avec les riches qui mésusent de leurs biens et laissent les pauvres dans une injuste sujétion. De nouveaux prêcheurs de la Réforme, eux aussi, poursuivent richesses et pouvoir, à l'encontre de la pauvreté des vrais disciples de Jésus. Tous ces oppresseurs vont à leur perte et le jugement de Dieu les traitera comme ils ont traité autrui ici-bas.

La plupart sont appelés au mariage pour assurer la continuation de la race. Dieu lui-même amène les conjoints à s'aimer ; les mariages arrangés par les parents violent la liberté de l'union conjugale. Le divorce était une disposition mosaïque que Jésus a supprimée. Paracelse a une haute conception de la vocation de l'apôtre du Christ : austère vie de pauvreté, célibat, mobilité au service de l'Évangile parmi les incroyants. Les faux apôtres constituent un danger redoutable que l'on peut discerner grâce aux critères néotestamentaires : cupidité et luxe, et tout ce qu'ils surajoutent (serments, cérémonies) aux demandes du Christ. La plus haute forme de sainteté est celle qui est donnée aux martyrs apostoliques : ils confirment leur message en livrant leur corps comme victime des machinations de l'injustice humaine. Quant aux guides des communautés, ils seront choisis dans le peuple, pour être responsables de l'instruction de ceux qui cherchent à croître dans le Christ. Ces pasteurs doivent avoir une sollicitude particulière pour les pécheurs, ce qui les aidera à venir à repentance.

La vie de foi, selon *Jacq.* 5, 16, comporte la confession mutuelle des péchés. Paracelse voudrait la voir pratiquée dans les réunions de chrétiens. Cette confession devrait être motivée par un sentiment de honte et de regret assez vif pour éteindre les désirs de péché. Les psaumes qui commencent par *Confiteri Domino* (Vulgate, *Ps.* 91, 118) orientent le chrétien, non pas vers la confession aux prêtres, mais vers l'aveu fait au Seigneur monté aux cieux, qui accorde son pardon dans le secret au cœur qui s'humilie.

Il y a une donnée centrale dans la vision de Paracelse : manger la chair du Christ et boire son sang pour affirmer dans le croyant la nouvelle création. Comme nous avons été rachetés de façon corporelle, ainsi sommes-nous nourris de même (contre le spiritualisme eucharistique des disciples de Zwingli et des anabaptistes). Ce n'est point là, toutefois, un banquet de réjouissance, puisqu'il commémore la mort violente du Christ et rappelle l'urgence qui nous entraîne à sa suite. Ceux qui participent à la Cène du Seigneur participent au sacrifice du Christ, en faisant de leur propre cœur le temple où ils s'offrent eux-mêmes. La Cène est, dès lors, chez Paracelse, un résumé des motivations de base de sa conception évangélique du combat chrétien.

**Éditions.** – Œuvres médicales et philosophiques, éd. allemande par J. Huser, 11 vol., Bâle, 1589-1591 (*reprint*, Hildesheim-New York, 1971) ; 2 vol. in-fol., Strasbourg, 1603 ; – trad. latine, 10 vol., Strasbourg, 1603-1605 ; 3 vol., Genève, 1658.

*Sämtliche Werke* : 1ᵉ série (*Medizinische, naturwissenschaftliche und philosophische Schriften*), éd. K. Sudhoff, 14 vol., Munich-Berlin, 1922-1933 ; *Register*, Einsiedeln, 1960 ; – 2ᵉ série (*Theologische und religionsphilosophische Schriften*), prévue en 14 vol., éd. K. Goldammer, etc., Wiesbaden, 1955 svv. – D'une précédente entreprise de publication par W. Matthiessen, a paru un vol. d'œuvres théologiques, Munich, 1923, et aussi *Paracelsus, Zehn theologische Abhandlungen*, dans *Archiv für Reformationsgeschichte*, t. 14, 1917, p. 1-48, 81-122 ; t. 15, 1918, p. 1-29, 125-156.

*Das Mahl des Herrn*, éd. en allemand moderne par G.J. Deggeller, Dornach-Bâle, 1950. – *Sozialethische und sozialpolitische Schriften*, éd. par K. Goldammer, Tübingen, 1952 (bonne introduction, p. 1-102).

Étude critique des textes : K. Sudhoff, *Versuch einer Kritik der Echtheit der Paracelsischen Schriften*, 2 vol., Berlin, 1894-1899. – Bibliographie des éd. des œuvres et des études : K. Sudhoff, *Bibliographia Paracelsica*, Graz, 1958 ; suite par K.H. Weimann, *Paracelsus-Bibliographie* (1932-1960), Wiesbaden, 1963.

**Études.** – On consultera les travaux publiés dans les « Salzburger Beiträge zur Paracelsus-Forschung » (Vienne) et la coll. Kosmosophie (éd. K. Goldammer, Wiesbaden).

B. Sartorius von Waltershausen, *Paracelsus am Eingang der deutschen Bildungsgeschichte*, Leipzig, 1935. – K. Sudhoff, *Paracelsus, ein deutsches Lebensbild aus den Tagen der Renaissance*, Leipzig, 1936. – F. Strunz, *Theophrastus Paracelsus*, Salzbourg-Leipzig, 1937. – H. Pachter, *Paracelsus : Magic into Science*, New York, 1951. – K. Goldammer, *Paracelsus, Natur und Offenbarung*, Hanovre, 1953 ; *Paracelsus-Studien*, Klagenfurt, 1954.

A. Vogt, *Theophrastus Paracelsus als Art und Philosoph*, Stuttgart, 1956. – W. Pagel, *Paracelsus, An Introduction to Philosophical Medicine in the Era of the Renaissance*, Bâle-New York, 1958 (trad. franç., Paris, 1963) ; *Paracelsus and the Neoplatonic and Gnostic Tradition*, dans *Ambix*, t. 8, 1960, p. 125-166 ; *Das medizinische Weltbild des Paracelsus*, Wiesbaden, 1962. – B. Whiteside et S. Hutin, *Paracelse, l'homme, le médecin, l'alchimiste*, Paris, 1966.

A.-M. Schmidt, *Paracelse ou la Force qui va*, Paris, 1967. – O. Zekert, *Paracelsus, Europäer im 16. Jahrhundert*, Stuttgart, 1968. – G. Bechtel, *Paracelse*, Paris, 1970. – E.W. Kämmerer, *Das Leib-Seele-Geist-Problem bei Paracelsus und einigen Autoren des 17. Jahrhunderts*, Wiesbaden, 1971 (trad. franç. dans *Paracelse*, cité *infra*, 1980, p. 89-231).

P. Mariel, *Paracelse ou le tourment de savoir*, Paris, 1974. – Allen Debus, *The Chemical Philosophy. Paracelsian Science and Medicine in the Sixteenth and Seventeenth Centuries*, New York, 1977. – L. Braun, K. Goldammer, etc., *Paracelse*, coll. Cahiers d'Hermétisme, Paris, 1980. –

H. Rudolph, *Einige Gesichtspunkte zum Thema 'Paracelsus und Luther'*, dans *Archiv für Reformationsgeschichte*, t. 72, 1981, p. 34-54. – *Scienze, credenze occulte, livelli di cultura*, éd. G. Garfangini, Florence, 1982, p. 6-62. – DS, t. 5, col. 1013.

Jared WICKS.

**PARADIS.** – I. *Dans la tradition chrétienne.* – II. *Le désir du Paradis.*

## I. DANS LA TRADITION CHRÉTIENNE

1. DESCRIPTION DU PARADIS. – Ce mot persan *pairidaêza*, devenu en hébreu *pardès* désigne un verger, un parc, un jardin bien arrosé. Plus ou moins synonyme de l'hébreu *gan* (jardin) et du sumérien *eden*, le paradis est imaginé de diverses façons.

Tantôt comme un enclos, protégé par un cercle de feu, où règnent fraîcheur, lumière et calme (cf. *Memento* des morts du canon romain : « locum refrigerii, lucis et pacis »), c'est l'oasis ombragée au milieu du désert brûlant : là coulent des eaux fraîches et les arbres sont chargés de fruits (*Gen.* 1-2). C'est de ce jardin originel que s'inspirent, plus ou moins directement, les jardins bibliques : *Cant.* 2, 3 ; 4, 12-16 ; 6, 2 et 11 ; *Dan.* 13 ; *Éz.* 47, 7-12 ; *Apoc.* 22, 2.

Tantôt c'est un jardin suspendu, une terrasse où l'on accède par degrés (la *ziggourat* babylonienne) ; d'où le thème de la « scala paradisi » (cf. DS, art. *Échelle*, t. 4, col. 62-86).

Tantôt il s'agit d'une montagne élevée ayant échappé au Déluge et sur laquelle croît une végétation merveilleuse (cf. P. Ortiz de Urbina, *Le paradis eschatologique d'après S. Éphrem*, OCP 21, 1955, p. 467-472).

Le trait commun à ces descriptions est la végétation luxuriante : c'est l'âge d'or, le pays de cocagne, les Champs élyséens ou les Iles Fortunées. Toutes ces descriptions « paradisiaques » hantent l'imagination des hommes depuis les origines ; on les découvre en effet dans la plupart des milieux culturels. Les hommes projettent aux origines et à la fin des temps ce milieu divin dont ils ont la nostalgie et le désir. Ils localisent et « temporalisent » ce qui est un état. Les variations spirituelles seront nombreuses sur ce thème inépuisable.

Cependant, ce que la Genèse nous dit du Paradis terrestre ne comporte pas seulement la description d'un jardin merveilleux, mais quelques traits remarquables : la maîtrise sur les animaux (2, 19), la familiarité avec Dieu (3, 8), l'absence de la mort (3, 3). Ces trois éléments n'étaient que précaires dans le paradis originel, ils deviennent définitifs dans le paradis eschatologique. Dans les livres postérieurs de la Bible, le thème du paradis originel sera d'autre part combiné avec d'autres thèmes annonçant l'avenir : le retour de l'exil (*Éz.* 36 et 40-48), l'ère messianique (*Is.* 7 ; 11 ; 65, 25), la Jérusalem nouvelle (*Is.* 60-62 ; *Éz.* 48, 30-35 ; *Apoc.* 3, 12 ; 21-22, etc. ; cf. DS, t. 8, col. 944-946).

2. INTERPRÉTATIONS ANCIENNES DU PARADIS ORIGINEL. – Dans le *De Genesi ad litteram* (VIII, 1-2, 5, éd. et trad. franç., coll. Bibliothèque Augustinienne = BA, t. 49, Paris, 1972, p. 8-17), Augustin dit connaître trois interprétations du Paradis originel dans la tradition antérieure : les uns l'interprètent *corporaliter*, prenant au sens littéral le récit de *Gen.* 2-3 ; d'autres, *spiritaliter*, donnant au Paradis lui-même et aux réalités qui s'y trouvent un sens allégorique ; d'autres

enfin, *utroque modo* (et ce sera l'opinion d'Augustin), admettant la réalité concrète du lieu et de son contenu mais leur donnant de surcroît une signification spirituelle.

L'interprétation allégorique est celle qu'Épiphane et Jérôme attribuent à Origène. Celui-ci l'enseigne effectivement en divers endroits de son œuvre (*De principiis* IV, 3, 1 ; SC 268, 1980, p. 342-345 ; *Selecta in Genesim*, PG 12, 100a ; etc.), mais avec des nuances qui n'ont pas toujours été comprises (cf. art. *Origène*. Querelles origénistes, DS, t. 11, col. 955-958). L'interprétation littérale est évidemment celle des adversaires d'Origène : Épiphane (*Ancoratus* 58, 6-8, éd. K. Holl, GCS, t. 1, 1915, p. 68-69 ; *Panarion* 64, 42, t. 2, p. 472-473 ; *Lettre à Jean de Jérusalem*, trad. latine de Jérôme, *Epist.* 51, 5, éd. J. Labourt, t. 2, Paris, 1951, p. 163-166) ; de même Jean Chrysostome, *In Gen. hom.* 13, 3 ; PG 53, 107-108. Pour les latins, on la trouve chez Lactance (*Divin. Instit.* II, 13).

Quant à la troisième interprétation, elle est déjà celle de Philon d'Alexandrie (*Legum allegoriae* I, 43 ; *De plantatione* 32 ; *Quaestiones in Genesim* I, 6). On la retrouve chez Théophile d'Antioche (*Ad Autolycum* II, 20-24, SC 20, 1948, p. 148-159). Ambroise de Milan la fera sienne, tout en laissant voir, comme Philon, sa préférence pour une exégèse spirituelle (*De Paradiso* 1, 5-6 ; 11, 51 ; *Epist.* 45, 3). Quant à Augustin, il estime que le « genre littéraire » de la Genèse n'est pas celui des « réalités figurées », comme le *Cantique,* mais bien, à ses yeux, celui des « faits réellement passés », comme les livres historiques (*De Gen. ad litt.* VIII, 1, 2), et répond aux objections des allégorisants, basées sur le caractère merveilleux du récit (1, 2-2, 5). Pour plus de détails, voir A. Solignac, note complémentaire 36, BA, t. 49, p. 497-499.

Anastase le Sinaïte, tout en défendant l'interprétation littérale (*Quaestiones* 23, PG 89, 540bc), rappelle aussi la tradition des trois interprétations (*In Hexaemeron* VII, PG 89, 961-970).

La manière d'interpréter le paradis original a interféré sur les conceptions des Pères à propos du baptême et de la réformation de l'homme, ainsi que sur leur manière de comprendre la résurrection et la béatitude éternelle. Pour certains, Grégoire de Nysse en particulier, il s'agit d'un « retour » au Paradis perdu ; pour d'autres, notamment Augustin (*De Gen. ad litt.* VI, 23, 34-28, 39 ; cf. note complémentaire 30, BA, t. 48, p. 690-695), la restauration de l'homme et son état final comportent un surplus par rapport à la situation d'Adam avant le péché.

Cf. J. Daniélou, *Sacramentum futuri*, Paris, 1950, p. 3-52. – G.B. Ladner, *The Idea of Reform...,* Cambridge Mass. et Oxford, 1959, p. 63-82, 152-167.

3. REPRÉSENTATIONS RÉALISTES DU PARADIS. – 1° Le rêve d'un pays, d'une ère ou d'un enclos sacré où seraient comblés, dès ici-bas, les désirs de bonheur de l'humanité s'est concrétisé en milieu juif et chrétien dans *trois réalisations* : la Terre promise, le millénarisme, l'église de pierres.

1) *La Terre promise,* dont les descriptions des explorateurs-espions envoyés par Moïse avaient vanté les productions fantastiques (la grappe de Canaan, *Nombr.* 13, 21-27), a été imaginée de bonne heure par les Hébreux comme un nouveau Paradis. La formule souvent employée pour en décrire la fécondité, « le pays où coulent le lait et le miel » (*Ex.* 13, 5 ; *Deut.* 6, 3 ; 26, 9 ; 27, 3 ; 31, 20 ; *Jos.* 5, 6), donnait

à ce pays désiré l'attrait d'un retour au paradis perdu.

Syméon le Nouveau Théologien témoigne que cette tradition se maintiendra jusqu'à l'époque patristique (*Éthiques* II, 5 ; SC 122, 1966, p. 354).

2) Déjà les *Apocryphes de l'ancien Testament* avaient décrit un Paradis temporel (*Livre des Jubilés* 22, 27 ; *Hénoch* 61-62 ; IV *Esdras* 7, 28, etc. ; cf. DBS, t. 6, col. 1208-1213). Ils développeront à plaisir cette fécondité merveilleuse et auront une influence sur les descriptions attirantes du ciel de l'Islam (cf. Tor Andrae, *Muhammed, sein Leben und Glaube*, Göttingen, 1932 ; trad. française G. Demombynes, Paris, 1945 ; – M. Asin Palacios, *La escatología musulmana en la Divina Comedia*, 2ᵉ éd., Madrid, 1943, p. 192-227 ; l'influence des *Hymnes du Paradis* d'Éphrem doit être cependant récusée, cf. trad. Fr. Graffin, SC 137, 1968, p. 103-104, n. 1).

Cette tradition passera dans l'*Apocalypse* (20, 2-7) où, le Démon une fois enchaîné, les justes vivent et règnent avec le Christ pendant *mille ans*. Ce « règne indivis de l'Église militante et de l'Église triomphante » (E.-B. Allo, *L'Apocalypse*, coll. Études bibliques, 4ᵉ éd., Paris, 1933, p. 310) est interprété par l'hérétique Cérinthe sous des couleurs assez « charnelles ». Eusèbe écrit : « Voilà la doctrine qu'il enseigne : le règne du Christ sera terrestre ; il consistera, rêvait-il, dans les choses qu'il désirait lui-même, étant ami du corps et tout à fait charnel, dans les satisfactions du ventre et de ce qui est au-dessous du ventre : aliments, boissons et noces » (*Histoire ecclésiastique* VII, 25, 3 ; SC 41, 1955, p. 204-205).

Papias donnera de cette période de mille ans une description fantasmagorique : « Les vignes porteront dix mille ceps, chaque cep dix mille branches, chaque branche dix mille grappes, chaque grappe dix mille grains de raisin » (dans Irénée, *Adversus haereses* V, 33, 3-4 ; SC 153, 1969, p. 414-416).

Sans reprendre l'idée millénariste, certaines *Passions* des martyrs évoquent des perspectives analogues. Ainsi la vision (ou le rêve) de Saturus dans la *Passio Perpetuae* (3ᵉ s. ; 11, éd. C. van Beek, Nimègue, 1936 ; rééd. dans la coll. Florilegium patristicum 43, Bonn, 1938, p. 38-40) et, plus longuement, la *Passio Sebastiani* (récit romancé, fin 5ᵉ s. ; 4, 13, PL 17, 1027), dont la description est reprise avec quelques variantes dans la *Regula Magistri* pour évoquer la récompense promise au moine qui a gravi les douze degrés de « l'échelle de l'humilité » :

« Là sont les parterres des roses rouges qui ne fanent jamais. Là les bosquets en fleurs se parent à jamais de verdure printanière. Les prés toujours frais y sont irrigués de ruisseaux de miel. Les herbes aux fleurs de safran y embaument et les champs exhalent les odeurs exquises dont ils sont remplis. Ici des souffles porteurs de vie éternelle montent dans les narines. Ici la lumière est sans ombres, le ciel bleu sans nuages, et les yeux jouissent d'un jour perpétuel sans les ténèbres de la nuit. Ici aucun dérangement ne vient troubler les jouissances. Aucun souci, absolument, ne vient ici troubler la sécurité » (*Règle du Maître* 10, 94-101 ; éd. et trad. A. de Vogüé, SC 105, 1964, p. 440-441). La description continue dans le même style (102-115) et s'achève par une conclusion qui s'appuie sur des textes néotestamentaires : « Telle est la patrie céleste des saints. Heureux ceux qui pourront s'élever jusqu'à cette région immortelle par l'échelle de l'observance dans le temps présent, en montant les degrés de l'humilité, afin de se réjouir avec Dieu dans cette perpétuelle exultation, que Dieu a préparée pour ceux qui l'aiment (1 *Cor.* 2, 9), qui gardent ses commandements (*Apoc.* 12, 17) et qui ont le cœur pur (*Mt.* 5, 8) » (*ibidem*, 118-122, p. 444-445).

Les monuments figurés des 2ᵉ-5ᵉ siècles représentent aussi le paradis promis aux élus sous la forme symbolique de vergers aux arbres en fleurs ; les monuments épigraphiques évoquent habituellement les thèmes de la lumière, de la paix, du repos (cf. DACL, t. 13, col. 1585-1603).

Saint Irénée voit dans le millénaire de l'Apocalypse un temps d'acclimatation des hommes à la connaissance de Dieu : « Ceux qui en auront été jugés dignes s'accoutumeront peu à peu à saisir Dieu » (*Adv. haer.* V, 31, 2, SC 153, p. 396 ; cf. DS, t. 7, col. 1964-66). C'est au sens millénariste qu'il interprète le centuple promis en *Mt.* 19, 29 (V, 33, 2, p. 408-411) ; et il conclut : « Rien de tout cela ne peut s'entendre allégoriquement, mais au contraire tout est ferme, vrai, possédant une existence authentique, réalisé par Dieu pour la jouissance des hommes justes » (V, 35, 2, p. 450-451).

Origène, par contre, critique une interprétation terre à terre des réalités de l'Au-delà : « (Les millénaristes) veulent que tout ce qu'ils attendent de l'accomplissement des promesses soit exactement semblable à la manière de vivre ici-bas » (*De principiis* II, 11, 2 ; SC 252, 1978, p. 398-399). Mais Origène sera à son tour vivement critiqué. En raison de son interprétation allégorique du Paradis originel, on lui reprochera de compromettre la vérité des Écritures, de lier la corporalité d'Adam à son péché et ainsi d'éliminer pratiquement la foi en la résurrection des corps. Retenons cette critique d'Épiphane :

« Si le Paradis n'est pas sur terre, alors ce qui est écrit dans la Genèse n'est pas vrai, mais allégorique... Si le Paradis n'est pas sensible (*aisthètos*), le reste non plus : il n'y a ni source, ni fleuve, ni figuier, ni arbre... Il n'y a pas d'Ève pour manger le fruit ; s'il n'y a pas d'Ève, il n'y a pas non plus d'Adam. Et s'il n'y a pas d'Adam, les hommes ne sont pas, et la vérité n'est qu'un mythe » (*mythos loipon hè alètheia* ; *Ancoratus* 58, 6-8 ; GCS 1, 1915, p. 68-69).

De même, à la question « Le Paradis est-il sensible ou intelligible (*noètos*) ? », Anastase le Sinaïte (7ᵉ s.) répond : « Comme l'Écriture parle de deux Jérusalem, l'une céleste et l'autre terrestre, ainsi il y a deux paradis, l'un spirituel (*pneumatikon*) et l'autre sensible (*aisthèton*)... Si nous prenons allégoriquement le serpent, les arbres et les fleuves, alors nous interprèterons tout allégoriquement, y compris Adam et Ève et nous rejetterons ainsi toute l'Écriture » (*Quaestiones* 23, PG 89, 540bc ; cf. *In Hexaemeron* VII, 961-964).

Il semble toutefois qu'Origène ait été mal compris. Par exemple, l'identification des « tuniques de peau » (*Gen.* 3, 21) avec la corporalité lui paraît sans doute une opinion « probable et susceptible d'assentiment », mais il en reconnaît les difficultés et ne s'y arrête pas de façon décisive (cf. *Selecta in Genesim*, PG 12, 101ab).

3) Si l'Église comme Corps du Christ est le Paradis où l'on retourne par le Baptême, l'*église de pierres* a été conçue très tôt comme une image du Paradis. La source baptismale, d'où s'écoulent les fleuves de la grâce, et l'Eucharistie, fruit de l'Arbre de Vie, en font le « sacrement » du paradis retrouvé (cf. art. *Domus Dei*, DS, t. 3, col. 1558-1559 ; *Jérusalem céleste*, t. 8, col. 956).

Mais cette image de l'église-édifice comme paradis sur terre doit être, elle aussi, interprétée sur un mode symbolique, sinon elle risque de devenir un thème esthétique vidé de sa substance théologique. L'église de pierres, en rassemblant les chrétiens dans un lieu sacré où, après avoir été plongés dans la fontaine du baptême, ils participent au pain de vie, est bien une image du Paradis, mais ce n'en est qu'une image : la liturgie la plus splendide qui se déroule dans une église chrétienne n'est que le pâle reflet de la liturgie du ciel.

Ainsi nous voyons l'intérêt et les limites de ces trois « réalisations » du paradis sur terre. Interprétées de manière trop stricte, elles amènent vite la déception : la Terre promise, malgré les promesses, ne ruisselait pas de lait et de miel ; le Règne de Mille ans tardait à venir et de toute manière les descriptions qu'on en faisait étaient plutôt des mirages que des réalités futures ; l'église de pierres n'est qu'un « sacrement » : la liturgie de la terre ne peut qu'aviver le désir de participer un jour à la liturgie du Paradis.

2° *En définitive, le paradis est indescriptible*. – Il n'est pas à imaginer comme ce jardin aux fleurs et aux fruits magnifiques, ni comme une vaste salle de concerts et de spectacles où l'on s'ennuie malgré la musique et le ballet des anges.

Kabir, mystique musulman indien † 1518, condamne les descriptions plantureuses du paradis : « Tous ils parlent d'y aller, / Mais je ne sais où est leur paradis ! / Ils ne connaissent pas le mystère de leur propre moi, / Et ils font la description du paradis !... / La compagnie des saints, voilà le paradis ! » (*Au cabaret de l'Amour*, Paris, 1959, p. 76).

Maurice Blondel critique un paradis statique, sans mouvement ni progrès : « La vie trinitaire est une permanente circulation... Même pour les élus, il ne s'agit pas d'une simple vision : rien de plus faux que ces fresques où l'assemblée des élus apparaît comme un amphithéâtre dans lequel chacun demeure immobile, à la place qui lui a été assignée » (*La philosophie et l'esprit chrétien*, t. 2, Paris, 1946, p. 245).

N. Berdiaef remarque qu'il est plus facile à l'homme de décrire l'enfer que le Paradis : « Il était particulièrement difficile à l'homme de se représenter le paradis, car, malgré tout, l'enfer est plus familier, moins relégué dans l'au-delà. Le tableau du paradis provoquait facilement l'ennui..., image peu engageante du paradis que l'homme a meublé des sensualités de ce monde-ci » (*Dialectique existentielle du Divin et de l'Humain*, Paris, 1947, p. 199-200).

Cette impossibilité de décrire le Paradis avait déjà été reconnue par Ambroise de Milan : « En abordant la question du Paradis, il semble que nous allons rencontrer de sérieuses difficultés si nous voulons chercher et expliquer ce qu'est le Paradis, où il est et quelle est sa nature. Et cela surtout quand l'Apôtre, en son corps ou hors de son corps, il ne sait, Dieu le sait, dit pourtant qu'il a été ravi au troisième ciel (2 *Cor.* 12, 2-3)... Si le Paradis est tel que seul Paul, ou un homme semblable à Paul, ait pu le voir durant sa vie, il reste que Paul n'a pu se rappeler s'il était en son corps ou hors de son corps ; il entendit cependant des paroles telles qu'il lui est interdit de les divulguer. Comment donc pourrons-nous résoudre la question du lieu du Paradis, que nous n'avons pu voir ? Et si même nous l'avions vu, il serait interdit de le notifier aux autres. Si Paul, pour sa part, redoute l'orgueil résultant de ses sublimes révélations, combien plus devons-nous craindre une recherche trop intéressée d'un objet dont la divulgation ne va pas sans péril ! Nous ne devons donc pas penser que ce Paradis soit quelque chose de vil ; c'est pourquoi laissons à Paul son secret » (ɪ, 1 ; CSEL 32, 1,

1897, p. 265-266). Cependant, en s'inspirant de ɪᴠ *Esdras*, Ambroise voyait dans le Paradis « le grenier des âmes » (*promptuarium animarum ; De bono mortis* 10, 46 ; *ibidem*, p. 742).

Saint Éphrem, qui a décrit abondamment le Paradis en termes très réalistes, déclare : « Mes frères, voyez le vent : Quand son souffle se meut / Sa couleur ne se voit ; / Tout en se révélant il se garde caché... / Tel est, ainsi caché et révélé, / Tel est le lieu du Paradis : / Saisissable existence, / Essence insaisissable » (*Hymnes sur le Paradis* xv, 1 ; SC 137, p. 187 ; cf. xɪ, 3-8, p. 146-148).

Saint Paul lui-même qui y avait été ravi affirme : « Nous annonçons ce que l'œil n'a pas vu, ce que l'oreille n'a pas entendu, ce à quoi le cœur de l'homme n'a pas songé, tout ce que Dieu a préparé pour ceux qui l'aiment » (1 *Cor.* 2, 9).

4. L'ɪɴᴛÉRɪORɪSATɪON ᴅᴜ PᴀRᴀᴅɪS. – 1° *Le Paradis, c'est le Christ*. – Il faut éviter de localiser le Paradis comme un lieu d'où le Christ serait « descendu » sur terre et où il serait « remonté ». W. Kasper a bien montré que le Paradis s'identifie à la présence du Christ et qu'il ne relève pas de l'espace-temps :

« La nouveauté constituée par l'arrivée de Jésus auprès de Dieu et par sa nouvelle venue près de nous est traditionnellement appelée, sous l'influence du vocabulaire mythologique, le ciel. Le ciel désigne à l'origine le lieu plus élevé, l'étage placé au-dessus de la terre (empyrée). On se représente ordinairement ce ciel comme un espace vide, dans lequel Jésus est reçu et où à la fin les saints entrent aussi en un cortège imposant. Ce sont là plus ou moins des conceptions mythologiques ; théologiquement le ciel est la dimension qui surgit quand la créature arrive définitivement auprès de Dieu. Aller au ciel signifie aller à Dieu, être au ciel c'est être auprès de Dieu. Le ciel est ainsi un phénomène eschatologique : on ne peut pas dire simplement qu'il *est*, mais il surgit au moment où la première créature fait son entrée eschatologique définitive auprès de Dieu. Le ciel commence donc au moment de la Résurrection et de l'Exaltation de Jésus. Jésus n'est pas à proprement parler reçu dans le ciel, mais, quand Jésus est reçu définitivement auprès de Dieu, le ciel commence. Le ciel est le corps spirituel de résurrection du Christ » (*Jesus der Christus*, Mayence, 1974, p. 178-179 ; trad. franç. *Jésus le Christ*, Paris, 1976, p. 228).

Cette conception moderne était déjà celle d'Ambroise (*In Lucam* 10, 121 ; SC 52, 1958, p. 195-196), souvent reprise dans la suite (cf. art. Bon *Larron*. DS, t. 9. col. 308-309).

2° *Le Paradis, c'est l'Église*. – Le premier auteur chrétien à interpréter le Paradis comme l'Église est probablement Hippolyte (début 3ᵉ s. ; sur l'identité du personnage, cf. DS, t. 11, col. 25) dans son *Commentaire de Daniel* :

« Le jardin qui avait été planté en Éden est la figure et, d'une certaine manière, le modèle du jardin véritable... Car du jardin terrestre, nous devons élever nos regards vers le jardin céleste, partir de la figure pour comprendre le spirituel... Éden est à comprendre de la réunion des justes et du lieu saint sur lequel est bâtie l'Église... Voici ce qu'est l'Église, jardin spirituel de Dieu, planté sur le Christ ». Les arbres de ce jardin sont les patriarches, les prophètes, les apôtres, les martyrs, les vierges..., tous les saints qui « fleurissent au milieu de l'Église et ne peuvent se faner... Il coule dans ce jardin une eau intarissable ; quatre fleuves en découlent arrosant toute la terre. Il en est de même dans l'Église, le Christ, qui est le fleuve, est annoncé dans le monde entier par le quadruple évangile » (ɪ, 17 ; SC 14, 1947, p. 103-105). Avant Hippolyte, Irénée avait déjà écrit, sans insister : « Plantata est enim Ecclesia paradisus in hoc mundo » (*Adversus haereses* ᴠ, 20, 2 ; SC 153, p. 258).

Saint Cyprien † 258 affirme aussi que « l'Église est le Paradis planté par le Créateur » (*Epist.* 75, 15 ; CSEL 3, 1871, p. 820 ; cf. *Epist.* 73, 10 ; 74, 11 ; p. 785, 808-809). De même Augustin † 430 : « Le Paradis, c'est l'Église ; les quatre fleuves sont les quatre évangiles ; les arbres fruitiers les saints ; les fruits les œuvres des saints ; l'arbre de vie le Christ » (*Cité de Dieu* XIII, 21). Cf. Paulin de Nole † 431, *Epist.* 32 à Sulpice Sévère, CSEL 28, 1894, p. 275-301 ; trad. partielle par Ch. Piétri, *Paulin de Nole...*, Namur, 1964, p. 56-65. Éphrem compare aussi l'Église pure au Jardin originel : « Dieu planta le jardin splendide... Il bâtit l'Église pure... Image du Paradis est l'assemblée des saints » (*Hymnes* VI, 7-8 ; SC 137, p. 84).

Les catéchèses baptismales des premiers siècles insistent souvent sur ce thème. Cyrille de Jérusalem déclare aux catéchumènes : « Bientôt s'ouvrira pour chacun et chacune de vous la porte du Paradis » (*Procatechesis* 15, PG 33, 357a ; cf. *Catéchèse mystagogique* 1, 9, 1073b, SC 126, 1966, p. 98). Césaire d'Arles † 542/543 affirme : « Notre patrie, c'est le Paradis ; notre cité, la Jérusalem céleste », vers laquelle nous marchons en pèlerins (*Sermo* 151, 2, CCL 104, 1953, p. 618). Syméon le Nouveau Théologien † 1022 voit encore dans l'Église « le nouveau Paradis » (*Éthiques* II, 7 ; SC 122, 1966, p. 366-367).

3° *Le Paradis, c'est la Vierge Marie.* – Ce thème est particulièrement fréquent dans les liturgies orientales dont le lyrisme pare Marie de toutes les grâces du Paradis de délices : en elle a fleuri le Christ (Liturgie byzantine citée par S. Salaville dans *Maria*, t. 1, Paris, 1949, p. 263) ; elle a donné au monde le fruit merveilleux qu'est le Christ (Liturgie chaldéenne citée par A.M. Massonnat, *ibidem*, p. 346). Une hymne éthiopienne salue Marie comme un Paradis terrestre défendu par les anges : « Marie, jardin de délices, jardin de joie, préparé pour Dieu, avant que le monde fût, gardé par les chérubins et les séraphins » (citée par C. Cecchelli, *Mater Christi*, t. 1, Rome, 1946, p. 78-79). La même idée se rencontre dans une homélie de Germain II de Constantinople † 1420 : « Tu es un Paradis planté par Dieu... Dieu a envoyé les chérubins afin qu'ils fassent tourner autour de toi le glaive de feu et te rendent inaccessible aux embûches frauduleuses du serpent » (Sur l'Annonciation 44, PG 140, 728c).

4° *Le Paradis, c'est le monastère.* – Déjà saint Jérôme compare les Livres bibliques dont le moine doit faire sa nourriture aux fruits savoureux qui abondaient au Paradis. « Tant que tu es dans ton pays, tiens ta cellule pour le Paradis, cueille les fruits variés des Écritures ; fais-en tes délices » (*Epist.* 125, 7 ; éd. et trad. J. Labourt, *Lettres*, t. 7, Paris, 1961, p. 119).

Mais c'est surtout au moyen âge que ce thème abonde. Saint Anselme écrit à un jeune moine du Bec : « La divine Clémence vous a mis sur le chemin du Paradis, ou plutôt, elle vous a introduit dans le paradis de la vie présente » (*Epist.* 418, édit. Schmitt, t. 5, Édimbourg, 1951, p. 364). Saint Bernard reviendra avec prédilection sur cette image : « Le cloître est réellement un paradis » (*Sermo de Diversis* 42, 4, PL 183, 663b). « Sans la charité, les monastères sont un enfer et ceux qui les habitent sont des démons ; avec la charité au contraire les monastères sont un paradis et ceux qui y demeurent sont des anges » (*In Cant.* 63, 6, 1083).

Nicolas de Clairvaux, un temps secrétaire de Bernard (cf. DS, t. 11, col. 255-259), développera l'allégorie : « Le cloître est véritablement un paradis. On y trouve les prairies verdoyantes des Écritures et ce fleuve de larmes que l'amour céleste fait jaillir des plus pures affections de l'âme. Là sont, comme des arbres aux cimes élevées, les chœurs des Saints, tout chargés de fruits » (*Sermo in festo S. Nicolai* 5 ; PL 184, 1058b).

Un prédicateur monastique anonyme de la même époque l'amplifiera encore : « Au paradis du cloître on mène une vie plus sûre en présence de Dieu. Là se trouvent l'abondance des Écritures, la pratique des méditations, l'assiduité à prier, la grâce de la componction. Là on reçoit de ses pères spirituels de douces corrections, et de ses frères d'agréables encouragements. Là on lutte continuellement contre les esprits mauvais. Là on passe par les tentations, mais on réprime le bouillonnement des passions : on ressent le désir de la patrie du ciel, on goûte intérieurement la douceur éternelle, on éprouve le sentiment de la piété, l'abondance de la charité, la joie du Saint-Esprit et bien d'autres bienfaits encore. Là pousse l'arbre de la vie, c'est-à-dire l'obéissance, et l'arbre de la connaissance du bien et du mal, c'est-à-dire les indications attentives de l'Abbé. Les frères spirituels sont là comme des arbres plantés près d'un fleuve ; ils reçoivent de la foi leur sève, de l'espérance leurs fleurs et de la charité leurs fruits. Là fleurissent les lys de la chasteté, les herbes de l'humilité, la rose de la patience et la vertu de tempérance. Là mûrissent les pommes, les grenades et toutes sortes de fruits..., la myrrhe et l'aloès avec les plus exquis parfums, c'est-à-dire la mortification de la chair et la contrition du cœur qui sont, par-dessus tout, nécessaires à ceux qui se convertissent au Seigneur. Là sont la source et le puits des eaux vives qui, impétueusement, découlent du Liban, c'est-à-dire du Seigneur Jésus, montagne où Dieu demeure : la fontaine et le puits sont celui-là même qui est la montagne et de qui dérivent les Évangiles comme quatre fleuves qui irriguent la surface entière de la terre. L'Écriture Sainte, parce qu'elle est tantôt ouverte, tantôt obscure, peut aussi être appelée fontaine ou puits... On peut également dire que la fontaine, c'est la charité, dont les vertus dérivent comme quatre fleuves... Enfin, au paradis du cloître, il y a quelques arbres qui ont des épines, mais qui portent du fruit. Le serpent lui-même, parfois, siffle en ce paradis : mais on le capture pour le tuer ou l'expulser » (éd. dans *Revue Mabillon*, t. 33, 1943, p. 72 ; trad. par J. Leclercq, *La vie parfaite*, Turnhout, 1948, p. 167-168).

5° *Le Paradis c'est l'âme.* – Sans qu'il soit fréquemment cité, un verset de Jérémie, décrivant le retour des exilés de Babylone, pourrait être à l'origine de ce thème spirituel : « Ils seront comme un jardin bien arrosé » (3, 12).

S'inspirant du *Cant.* 4, 12-16, le *Banquet* de Méthode d'Olympe compare la vierge au jardin de Dieu : « [La fiancée du Christ] ne doit-elle pas se trouver intacte et immaculée, scellée comme un jardin de Dieu où poussent toutes les plantes embaumées des odorantes délices du ciel, pour que seul le Christ y pénètre afin de cueillir ces fleurs issues de semences incorporelles » (7e discours, n. 152, SC 95, 1963, p. 183).

Origène commente ainsi la parole de Dieu à Jérémie : « Voici que je t'établis en ce jour sur les nations et sur les royaumes, pour arracher, pour abattre et pour ruiner, et ensuite pour bâtir et pour planter » (*Jér.* 1, 10) :

« Il faut les entendre sans doute des actions de Jésus que

rapporte l'Écriture, mais bien davantage de l'action que poursuit actuellement dans notre âme notre Seigneur Jésus... La première opération indispensable du Verbe de Dieu, c'est donc de déraciner les plantes du péché, d'arracher toute plante que n'a pas plantée le Père céleste et de la détruire par le feu. La seconde opération, c'est de planter. Qu'est-ce donc que Dieu plante ? Moïse dit que Dieu a planté le paradis. Mais Dieu plante encore maintenant ; chaque jour il plante dans les âmes des croyants. Il retranche la colère et il plante la douceur, il retranche l'orgueil et il plante l'humilité ; il déracine l'impureté et il plante la pudeur ; il extirpe l'ignorance et il greffe la science. Ne crois-tu pas que ce sont là les plantations qui conviennent à Dieu plutôt que celles des bois de la terre dépourvus de sentiment ? » (*Homélie sur Josué* 13, 3-4 ; SC 71, 1960, p. 311).

Grégoire de Nysse, commentant à son tour le *Cantique*, développe le même thème : « Si quelqu'un prétend être épouse parce qu'il est uni au Seigneur..., qu'il devienne un jardin (Paradis) fertile, ayant en lui la beauté de toutes les plantes : la douceur du figuier, la fécondité de l'olivier » (*In Cantica* IX, PG 44, 961c).

Nicétas Stéthatos († avant 1092 ; DS, t. 11, col. 224-230) cite la parole de Jésus : « Le royaume des cieux est à l'intérieur de vous » (*Luc* 17, 21) et l'interprète comme le Paradis où l'on accède par la porte de l'humilité, puis par la porte de la charité (*Opuscules et lettres, Du Paradis* 59, SC 81, 1961, p. 225). Dans un autre passage, il discerne deux paradis : l'un visible, l'autre qui s'étend à l'intérieur de l'homme :

« Dieu, en créant dès l'origine l'homme double, lui a donné une nature visible et invisible, sensible et intelligible. Il a créé par conséquent de la même façon, en rapport avec la double nature de l'homme, le paradis, la demeure qui lui est clairement destinée, sensible et intelligible, visible et invisible ; il a planté en son milieu l'arbre de la vie et l'arbre de la connaissance du bien et du mal. L'un de ces paradis fut planté dans l'Éden, sur l'étendue de ce monde visible ; il est situé au Levant, plus élevé que toute la terre, destiné à la volupté d'Adam – car Éden signifie volupté – ; il est entouré de l'éclat d'un air léger tempéré et très pur, luxuriant de plantes vivaces, plein de lumière et de parfums indicibles, dépassant tout ce que l'on peut imaginer en fait de grâce physique et de beauté, tel en somme qu'il convenait pour être la demeure de celui qui avait été créé *à l'image de Dieu*. L'autre paradis, dans le monde intelligible et invisible, existe et s'étend à l'intérieur de l'homme, l'homme qui a été créé pour être un grand monde dans le petit, dans le monde visible, et qui a été placé par Dieu sur la terre » (*Du Paradis* 3, p. 157-159).

Notons enfin que la « vision » de saint Paul (2 *Cor.* 12, 1-4) a été souvent commentée par les Pères comme une expérience d'ordre mystique. Ainsi Origène (*De oratione* 1 ; *Ad Martyres* 13) et Augustin (*De Gen. ad litt.* XII, 28, 56 ; 34, 65-67) ; celui-ci pense que Paul à cette occasion a connu Dieu « face à face », comme Prophète de la Nouvelle Alliance. Cf. A. Stolz, *Théologie de la mystique,* 2e éd., Chevetogne, 1947, p. 18-38. – M.E. Korger et H.U. von Balthasar, *Aurelius Augustinus. Psychologie und Mystik* (introd. à la trad. allem. du livre XII *De Genesi*), Einsiedeln, 1950. – A. Solignac, note complémentaire 52, BA, t. 49, p. 581-583.

*Conclusion.* – Le Paradis est le type même de l' « Utopie », c'est-à-dire de ce qui n'est dans aucun lieu, de ce qui est au-delà de l'espace. Chercher à le localiser ne peut combler les désirs de l'homme.

Chercher à le réaliser sur terre soutient le dynamisme de l'existence mais ne peut être qu'une illusion si par-delà ces réalisations précaires on ne met pas son espérance dans un Paradis réel, mais inimaginable : le lieu de Dieu.

**Écriture.** – Kittel, art. Οὐρανός (H. Traub) et Παράδεισος (J. Jeremias), t. 5, 1955, p. 496-536, 763-771. – DBS, t. 6, 1960, col. 1213-19 (É. Cothenet). – P. Humbert, *Études sur le récit du Paradis et de la chute dans la Genèse,* Neuchâtel, 1940. – J. Alonso, *Descripción de los tiempos mesiánicos en la literatura profética como una vuelta al Paraíso,* dans *Estudios eclesiásticos,* t. 24, 1950, p. 459-477. – R. De Langhe, *La terre promise et le paradis d'après l'Apocryphe de la Genèse,* dans *Scrinium Lovaniense* (Mélanges E. Van Cauwenbergh), Louvain, 1961, p. 126-135. – B. Hemelsoet, *De Bijbel over het Paradijs,* Ruremonde, 1961 ; trad. allem., Salzbourg, 1965. – E. Haag, *Der Mensch am Anfang. Die alttestamentliche Paradiesvorstellung nach Gen 2-3,* Trèves, 1970. – S. Dockx, *Le récit du Paradis,* Paris-Gembloux, 1981.

**Période patristique et médiévale.** – *Index de caelo,* PL 220, 213-242 (Pères latins). – Ildefonse Ayer de Vuippens, capucin, *Le paradis terrestre au troisième ciel...,* Paris-Fribourg/Suisse, 1925. – E.F. Sutcliffe, *St. Gregory of Nyssa and Paradise,* dans *The Ecclesiastical Review,* t. 84, 1931, p. 337-350. – C. Morino, *Ritorno al Paradiso in S. Ambrogio...,* Rome, 1952. – J.P. McClain, *The Doctrine of Heaven in the Writings of St. Gregory the Great,* Washington, 1956. – J. Teixidor, *Muerte, Cielo y Seol en S. Efrén,* OCP, t. 27, 1961, p. 82-114. – F.W. Wodtke, *Die Allegorie des « inneren Paradieses » bei Bernhard von Clairvaux, Honorius Augustodunensis, Gottfried von Strassburg und in der deutschen Mystik,* dans *Festschrift J. Quint,* Bonn, 1964, p. 277-290. – J.A. Mazzeo, *Structure and Thought in the Paradiso,* Ithaca, 1958 (sur Dante). – R.R. Grimm, *« Paradisus coelestis, paradisus terrestris ». Zur Auslegungsgeschichte des Paradieses im Abendland bis um 1200,* Munich, 1977. – S. Verhey, *Ursprüngliche Unschuld. Franziskus von Assisi spricht mit den Vögeln und mit anderen Tieren,* dans *Wissenschaft und Wahrheit,* t. 42, 1979, p. 97-106.

J. Leclercq, *La vie parfaite,* Turnhout, 1948, p. 161-169 ; *Le cloître est-il un paradis ?,* dans *Le Message des moines à notre temps* (Mélanges Dom Alexis), Paris, 1958, p. 141-159. – G. Lodolo, *Il tema simbolico del Paradiso nella tradizione monastica dell'Occidente latino,* dans *Aevum,* t. 51, 1977, p. 255-258. – Art. *Monachisme,* DS, t. 10, col. 1553-55, 1557 (Désir du Paradis comme idéal monastique).

**Études diverses.** – D.H. Kromminga, *The Millenium in the Church. Studies in the History of Christian Chiliasm,* Grand Rapids, 1945. – Art. *Chiliasmus,* RAC, t. 2, 1954, col. 1073-1078 (W. Bauer) ; RGG, t. 1, 1957, col. 1651-1653 (H. Kraft) ; *Millénarisme,* dans *Catholicisme,* t. 9, 1980, col. 158-165 (J. Séguy).

L. Kitschelt, *Die frühchristliche Basilika als Bild des himmlischen Jerusalem,* Munich, 1938. – A. Stange, *Die frühchristlichen Kirchengebäude als Bild des Himmels,* Cologne, 1950.

G.M. Colombas, *Paraíso y vida angélica. Sentido escatológico de la vocación cristiana,* Montserrat, 1958 ; trad. franç., Paris, 1961. – G.H. Williams, *Wilderness and Paradise in Christian Thought. The biblical experience of the desert in the History of Christianity,* New York, 1962.

M. Eliade, *Paradis et utopie : géographie mythique et eschatologie,* dans *Eranos Jahrbuch,* t. 32, 1963, p. 211-234. – J. Brun, *A la recherche du paradis perdu,* dans *Demitizzazione e morale,* Padoue, 1965, p. 77-86 (philosophie moderne).

Sur les représentations du Paradis dans les monuments et l'épigraphie : H. Leclercq, DACL, t. 13/2, 1938, col. 1578-1615 ; *Lexikon der allgemeinen Ikonographie,* t. 3, Rome-Fribourg-en-Br., 1971, col. 375-382. – P.-A. Février,

*Les quatre fleuves du paradis*, dans *Rivista di Archeologia cristiana*, t. 32, 1956, p. 177-199. – L.-I. Ringbom, *Paradisus terrestris*, Helsinki, 1958 (avec illustration).

EC, t. 9, 1952, col. 791-95 (A. Romeo, E. Josi, W. Wehr). – LTK, t. 8, 1963, col. 67-72 (J. Haeckel, P. Hoffmann, K. Rahner). – NCE, t. 8, 1967, p. 990-91 (I. Hunt). – *Encyclopaedia Universalis*, art. *Enfers et Paradis*, t. 6, 1970, p. 237-242 (M. Eliade, O. Clément). – RAC, art. *Garten*, t. 8, 1972, col. 1048-61 (C. Scheider). – DES, t. 2, 1975, p. 1395-96 (T. Alvarez).

DS, art. *Ciel, Domus Dei, Eschatologie, Jérusalem céleste,* Bon *Larron.*

**Littérature spirituelle.** – Un certain nombre d'ouvrages sont intitulés *Paradisus* ou *Paradis*. Relevons : *Paradisus animae* (pseudo-Albert le Grand ; voir l'introd. de la traduction franç. par G. Vanhamme, Juvisy, 1921). – *Paradisus animae intelligentis*, collection de sermons (cf. *infra*, col. 203-204). – *Paradisus conscientiae* (Cologne, 1475) du chartreux Werner Rolevinck. – *Der Seelen Paradis* (Strasbourg, 1510) de J. Geiler de Kaisersberg (DS, t. 6, col. 174-179). – *De Paradiso voluptatis* (rééd. Rome, 1605) de Th. Malvenda op. – *Paradiso interiore* (Bologne, 1627) de Paul Manassei de Terni cap. (cf. *infra*, col. 570-575). – *Paradisus animae christianae* (Cologne, 1630) de J. Merlo de Horst (DS, t. 10, col. 1052-53). – *De Paradiso caelesti* (Anvers, 1630) de P. Matthias sj (DS, t. 10, col. 779).

*Paradiso spirituale...* (Milan, 1663) d'Ignace de Carnago cap. (cf. DS, t. 5, col. 1354). – *Le Paradis terrestre, ou les Exercices spirituels par lesquels les hommes s'approchent de... l'innocence originelle...* (Reims, 1670) du jésuite O. Bienville. – *Le Paradis intérieur du cœur de l'homme chrétien* (Caen, 1674), d'après le trinitaire Alexis Berger (DS, t. 1, col. 1453). – *Le Paradis perdu* de John Milton (DS, t. 10, col. 1231-33). – *Il Paradiso in terra* (Palerme, 1699) du jésuite A. Natale (DS, t. 11, col. 41-43).

*Le Paradis des âmes chrétiennes* (Bruxelles, 1728). – *Le Paradis de l'âme chrétienne* (Besançon, 1830). – *Le Paradis du bon religieux* (Aiguebelle, 1862). – Etc.

Voir M. Sandaeus, *Pro theologia mystica clavis*, Cologne, 1640, p. 298-300. – Fr. Pérennès, *Dictionnaire de Bibliographie catholique,* t, 2, Petit-Montrouge, 1859, col. 517-520.

Pierre Miquel.

## II. LE DÉSIR DU PARADIS

L'homme est un *être de désir*. « L'Esprit et l'Épouse disent : viens ! Que celui qui écoute dise : Viens ! Et que l'homme assoiffé s'approche, que l'homme de désir reçoive l'eau de la vie, gratuitement » (*Apoc.* 22, 17). La dernière page du nouveau Testament, avec ce verset de l'*Apocalypse*, nous livre à la fois un enseignement sur le Paradis et sur le désir du Paradis. Le Paradis, c'est vivre en la présence de Celui que nous attendons, le Verbe de Dieu manifesté dans sa gloire de Fils Unique. Le désir du Paradis, c'est le désir de la vie véritable que nous communique ce Fils, Premier-Né d'entre les morts, le Vivant. La soif est la première expression du désir dans sa forme la plus élémentaire, portant sur ce qui est indispensable à notre vie. L'*eau* (DS, t. 4, col. 8-27, surtout col. 13-25) est par elle-même la figure de la pureté, ce qui est simple et sans mélange, ce qui est la « nourriture » la plus indispensable et ce qui est donc la possibilité de la vie. Quand Jésus promet de donner l'« eau vive » lors de sa rencontre avec la Samaritaine (cf. *Jean* 4, 10), il tourne notre espérance non seulement vers le don de l'Esprit saint, mais déjà aussi vers la découverte du Paradis. Il est très étonnant que la figure du Paradis comme réalisation plénière du bonheur soit ici celle de l'eau qui ne cesse de couler.

L'eau vive, l'eau vivante, l'eau qui porte la vie, c'est l'eau pure toujours jaillissant de la source. En somme, le Paradis est présenté comme le lieu où la soif pourra se maintenir sans risquer d'être déçue, du moins la soif de la vie la plus simple et la plus facile à partager. Quant au désir du Paradis, nous en avons ici une expression riche de conséquences. Nous ne pouvons nous passer de boire de l'eau, sauf à encourir rapidement le risque de mourir. Le désir du Paradis, à travers la soif de l'eau vive, nous est révélé comme le désir de ce qui est le plus indispensable à chacun et à tous. La quête de l'eau nous apprend qu'il faut désirer la vie.

Les réflexions qui vont suivre sur le Paradis et le désir du Paradis se veulent surtout l'exposé d'une anthropologie spirituelle ; elles complètent dans cette perspective l'art. Désir du *Ciel*, DS, t. 2, col. 890-897. L'homme chrétien mis en présence de la promesse du Paradis découvre que son désir le plus profond est le désir de la vie et que le Dieu de la révélation est le Dieu de la vie. Certes, entre la promesse de Dieu et les représentations que l'homme en élabore par la compréhension limitée et variable qu'il en a, la distance n'est pas mesurable. Toute la pédagogie actuelle de l'Esprit saint consiste à ouvrir notre désir à la réalisation de la promesse divine. Seul l'Esprit saint est vraiment capable de purifier le tréfonds de notre être au point de nous faire accueillir le don de Dieu. Nous esquisserons en trois temps cette anthropologie spirituelle : 1. *L'amour de Dieu est la source de notre désir.* – 2. *Le désir fondamental est désir de la Vie.* – 3. *L'Esprit saint fait désirer le Père.* L'enjeu de notre étude est simple : c'est l'amour de Dieu qui révèle à l'homme son propre désir et qui éduque ce désir pour le combler.

1. L'AMOUR DE DIEU EST LA SOURCE DE NOTRE DÉSIR. – Le Paradis, c'est le « lieu » spirituel où l'amour de Dieu est manifesté en plénitude et accueilli par tous sans réserve. Le Paradis est aussi le lieu où chacun communie à la même vie, donnée en surabondance par le Vivant pour les siècles, Jésus vainqueur par sa résurrection et Chef de la Vie. C'est dire que le ciel nous offre une double réalisation du désir : l'inscription de chacun dans l'échange d'amour entre le Père et le Fils par le feu de l'Esprit et, d'autre part, le partage de la même vie avec tous les hommes que Dieu a sauvés. Ces deux aspects composent la réalité accomplie de l'Alliance nouvelle et éternelle : l'amour de Dieu est rassembleur. Ceux qui participent à son amour, Dieu les unit entre eux. En somme, le ciel est la communion parfaite de tous ceux que réunit l'amour de Dieu, c'est-à-dire l'amour de Dieu pour eux et leur amour pour Dieu (cf. art. *Koinônia*, DS, t. 8, col. 1745-1769). Trois remarques nous achemineront vers les conséquences de l'amour de Dieu sur notre désir.

1° C'est le propre de l'amour de Dieu que d'être *un point de départ absolu*. Dieu ne nous aime pas à cause de ce qu'il trouve en nous. C'est son amour qui est créateur de tout. Ce qu'il aime en nous, c'est Dieu lui-même qui nous le donne par son amour. L'amour de Dieu suscite donc notre propre vie personnelle et le désir de la vie qui est notre appropriation du don de Dieu.

2° L'amour de Dieu est *infini*. Nous risquons toujours de ne voir dans cet adjectif qu'une qualification abstraite, logiquement associée à un concept. Mais l'amour de Dieu ne se réduit pas au concept qui le désigne et le distingue des autres aspects de la vie divine. L'amour de Dieu est le brasier de feu (cf. DS, t. 5, col. 254-267). C'est dire qu'il envahit tout, embrase tout sans rien détruire.

Il est ce feu qui anime toute chair et illumine toute intelligence. Parler ici d'amour infini, ce n'est pas attribuer vaguement à l'amour de Dieu une sorte d'excellence au regard de ce que nous connaissons dans les affections humaines. L'amour infini, c'est l'amour comme nul n'y parvient ni même ne peut se le représenter. C'est l'amour comme pure générosité, pure source et pur don. L'amour infini est donc le feu qui se répand partout sans s'épuiser et qui ne cesse d'accroître son rayonnement en attirant de nouveaux êtres auxquels il communique le pouvoir de se donner.

3º L'amour de Dieu est *toujours fidèle* (DS, t. 5, col. 310-313). « Les dons de Dieu sont sans repentance », dit saint Paul (*Rom.* 11, 29). Ce que Dieu a donné, Il le maintient. Là encore, l'originalité de l'amour de Dieu éclate. En effet, au lieu d'être tributaire des variations des hommes, l'amour de Dieu reste le point fixe, sorte d'ancrage pour notre espérance. La seule certitude que nous ayons, c'est que Dieu ne cesse de faire reposer sur nous son amour infini. Sa fidélité est la source vive qui peut toujours tout renouveler. Le Paradis, c'est cela, être confirmé en grâce, être inscrit à jamais dans cet amour qui peut tout donner et qui ne manque jamais.

Il en est donc de l'amour de Dieu comme d'une source qui se propose toujours à notre soif, mais il faut encore préciser ici que c'est la connaissance de cette source qui nous révèle notre propre soif. On veut dire par là que l'amour de Dieu suscite en nous le désir le plus profond et fondamental qui est le désir de la vie. Ce n'est pas que notre désir corresponde immédiatement à la proposition de Dieu. Il est plutôt en nous une sorte d'ouverture qui demande à être dégagée encore afin que le don de Dieu soit pleinement accueilli. Tel qu'il est, pourtant, notre désir est déjà la trace que laisse au tréfonds de notre être l'amour de notre Dieu Créateur et Sauveur quand il veut nous attirer vers lui en se manifestant à nous.

2. LE DÉSIR FONDAMENTAL EST DÉSIR DE LA VIE. — Il y a, au fond de l'homme, un mouvement qui lui échappe dans la mesure même où il est absolument identique en pratique à son existence tout entière : ce mouvement est l'orientation constante de notre être vers ce qui peut nous épanouir, nous rendre heureux et nous donner de vivre. Ce mouvement fondamental n'est pas un désir déterminé tourné vers tel ou tel objet particulier et provisoire. Il est pourtant bien un désir, dans la mesure où il met effectivement notre être en rapport avec une réalité souhaitée qui lui échappe. Il est même la source et le dynamisme constant de tous nos désirs particuliers, pour autant qu'il ouvre chacun de ces désirs particuliers à ce qui est leur but dernier et unique : la vie.

1º Il est essentiel d'expliciter *ce qu'est cette Vie* marquant le terme de tous nos désirs. Ce n'est pas seulement la vie du corps, donc le fait d'être là parmi les hommes. C'est surtout la possibilité de partager avec les autres hommes le don qui est fait à tous par le même Dieu et Père, le don de la Vie avec Lui. Il y a ici pratiquement identité entre le désir de la Vie, le désir du bonheur et l'amour de Dieu. En effet, cette Vie avec Dieu est le bonheur réalisé, puisqu'elle comble notre désir de partage. Quant à l'amour de Dieu, il est en nous ce qui sans cesse ranime notre

désir de la Vie. En somme, la Vie, prise au sens de la Vie véritable, c'est partager avec les autres hommes le don que Dieu fait à tous de Le connaître et de L'aimer.

Mais il faut encore préciser trois choses. La première, c'est que la Vie ainsi offerte par Dieu est notre participation à sa propre Vie qui est la communion des Trois Personnes divines. La deuxième, c'est que la Vie avec Dieu demande le don de tout nous-même dans l'amour. La troisième, enfin, est que seul l'amour de Dieu est capable de faire de notre désir de vie une orientation effective vers le don de Dieu. Tout cela va ensemble et peut se ramener au commentaire d'un verset du discours après la Cène : « Si quelqu'un m'aime, il gardera ma parole, et mon Père l'aimera et nous viendrons à lui, et nous ferons chez lui notre demeure » (*Jean* 14, 23 ; cf. art. *Jean l'évangéliste*, DS, t. 8, col. 235-237). Comprenons ce texte dans la perspective ici esquissée.

2º La promesse de Jésus porte sur *l'habitation en nous du Père et du Fils*, du moins à s'en tenir à ce qui est explicite. Il est permis de pressentir une allusion à la Troisième Personne, l'Esprit saint, dans cette relation d'amour entre le disciple qui aime Jésus et le Père qui fait reposer sur lui l'amour dont Il comble son Fils Unique. En plus, le texte de Jean oriente vers ce qui est l'essentiel de la condition filiale, l'accomplissement de la volonté du Père signifiée par ses commandements. Il faut aussi remarquer que la relation d'amour entre le Père et le Fils se laisse deviner par la mention de leur commune présence dans l'âme du disciple. Si le Père et le Fils établissent ensemble leur commune demeure chez celui qui accueille leur Parole, cela veut dire que le Père et le Fils ne se quittent jamais : leur relation mutuelle est leur vie.

L'insistance mise ici sur le mystère des Trois Personnes divines doit permettre de mieux entrevoir la nature de la Vie que Dieu nous offre de partager. Mais elle a aussi pour conséquence de nous éclairer encore une fois sur la nature de notre propre désir. Dans la mesure, en effet, où la Vie partagée entre le Père et le Fils se résume dans la perfection du don mutuel, il est clair que ce désir n'est susceptible d'être goûté que par celui qui se donne. N'accède à l'amour que celui qui sait risquer sa vie pour d'autres. Comment, plus précisément, aimer le Père, sinon en entrant dans le mouvement du Fils qui fait retour vers le Père en lui redonnant par obéissance d'amour la vie qu'il reçoit de lui ?

3º Alors se dévoile à nous le profil spécifique de notre désir le plus profond : le *désir du Père*. Toute notre vie est sous-tendue et aspirée dans un élan de tout notre être à retrouver le visage du Père qui nous a créés et sauvés. Seul l'amour de Dieu agissant souverainement en notre vie peut dégager en nous-mêmes et révéler à nous-mêmes notre désir du Père. Il n'y a, à cet égard, pas de texte plus caractéristique que la lettre d'Ignace d'Antioche confiant aux Romains son désir du martyre : « Il n'y a plus en moi de feu pour aimer la matière, mais en moi une eau vive qui murmure et dit au-dedans de moi : viens vers le Père » (*Aux Romains*, trad. P. Th. Camelot, SC 10, 4ᵉ éd. 1969, p. 116-117). Le désir du Père résulte de la trace que ne cesse de creuser au plus profond de nous-mêmes la présence vivante de notre Dieu Créateur et Sauveur.

Les Trois Personnes divines établissent leur demeure dans le point le plus profond et le plus central de la substance de notre âme. Ce lieu de l'habitation de Dieu en nous est le point de départ de toute notre vie théologale qui est notre communion aux échanges du Père et du Fils dans l'Esprit (cf. art. *Inhabitation*, DS, t. 7, col. 1735-1767). Ce lieu était déjà la source de notre existence personnelle comme ouverture à la grâce et capacité de Dieu. En d'autres termes, c'est la présence même de Dieu en nous qui suscite et développe notre désir de Dieu. La présence de Dieu comme créateur et soutien constant de notre vie éveille le désir de la Vie. Puis la présence de grâce des Trois Personnes divines attire notre désir de la vie en le transformant en amour de Dieu et, plus précisément encore, en désir du Père.

Cette présentation simplifiée de notre participation aujourd'hui à la vie des Trois Personnes divines ne veut nullement signifier que cette participation est un simple prolongement ou l'explicitation de notre vie naturelle de créatures de Dieu. Il est difficile de proposer en quelques mots une théorie satisfaisante des rapports de la nature et de la grâce (cf. art. *Grâce*, DS, t. 6, col. 726-750). Pourtant, le désir du Paradis pose ce problème de la façon la plus existentielle qui soit. Nous avons essayé de cerner l'existence et la nature du désir du Paradis en parlant du désir de la vie que l'Amour de Dieu transforme en désir du Père. C'est indiquer suffisamment que le désir du Père correspond en nous à une possibilité naturelle (ouverture à Dieu, capacité de Dieu), qui, toutefois, ne peut connaître de réalisation adéquate sans une intervention particulière et appropriée de la grâce de Dieu. Toujours est-il que ce problème du statut du désir du Père, au regard de nos possibilités naturelles, recevra ici un commentaire avant toute pratique. Il s'agit en effet de suggérer par quelques remarques, comment l'Esprit saint met en œuvre sa pédagogie parmi nous et au fond de chacun de nous de façon à purifier notre désir et à l'ouvrir à l'accueil effectif du don de Dieu.

3. L'ESPRIT SAINT FAIT DÉSIRER LE PÈRE. — Il est difficile de désigner et de classer tant soit peu les grâces et les purifications par lesquelles l'Esprit saint conduit notre désir de la vie jusqu'à le transformer en désir du Père. Il convient d'adopter une problématique particulière qui permette de choisir et d'organiser entre eux quelques aspects marquants de l'itinéraire vers Dieu. Cette problématique est, encore une fois, la découverte des Trois Personnes divines. Puisque le Paradis est, pour l'essentiel, notre entrée dans la vie intime des Trois Personnes divines, ce qui nous rapproche de tous les hommes appelés effectivement à la communion dans l'amour de Dieu, nous retiendrons seulement comme expériences suscitant ou approfondissant notre désir du Paradis ce qui a un rapport immédiat avec notre relation au Père dans le Fils sous l'action de l'Esprit saint. La perspective ainsi choisie est simple. Notre connaissance et notre amour des Trois Personnes divines ne peuvent résulter concrètement que de notre participation à la vie du Fils qui est tout entière le retour vers le Père dans l'émerveillement et l'action de grâces.

1° Dès lors, *les purifications actives* que l'Esprit saint aide à assumer se ramènent toutes à nous faire adopter l'obéissance et l'humilité du Fils devant le Père. Qu'il s'agisse, en effet, du renoncement aux objets de ce monde ou de la marche dans la foi pure, toute purification active représente un effort soutenu de notre part, sous l'action de l'Esprit saint, pour redonner au Père ce que nous avons reçu de Lui et pour tout vivre sous son regard, en dépendance de Lui.

2° *Les purifications passives* (cf. art. *Mystique*, DS, t. 10, col. 1958-1965) jouent un rôle bien plus important encore dans l'éveil et le progrès de notre désir du Père. Œuvre de pure grâce, réplique par leur gratuité de ce que sont les dons de l'Esprit saint, les purifications passives atteignent la substance de notre âme, avant de rejaillir, par cela même, sur notre mémoire, notre intelligence et notre volonté.

Au fond, toutes les purifications passives se ramènent à une sorte d'expérience profonde et insaisissable de la présence du Père au fond de notre être. Pour la mémoire, elles consistent, avant tout, dans le souvenir des dons incessants de Dieu en sa miséricorde paternelle. Pour l'intelligence, elles sont surtout le rappel de la présence du Père comme source de toute lumière et de toute parole. Pour la volonté, il s'agit d'abord d'une aspiration intérieure à aimer le Père, parce qu'Il est plus grand que tout. En somme, d'une manière ou d'une autre, les purifications passives sont une expérience plus profonde de la présence du Père qui a pour effet d'apaiser le mouvement intérieur de notre esprit et de nous centrer davantage sur le don du Père.

3° A côté des purifications actives et passives, ou plutôt à travers elles et au-delà d'elles, l'Esprit saint donne des *grâces particulières* qui nous rapprochent du Père. Nous ne retiendrons ici que quatre interventions de l'Esprit nous orientant vers la rencontre du Père : le don de piété, la grâce de la présence habituelle de Dieu, la participation à la spiration de l'Esprit par le Fils et, enfin, la totale union à la volonté du Père.

Le don de piété est une action de l'Esprit saint nous donnant le sens de la paternité de Dieu et de la douceur de son amour. Il nous tourne vers la Vierge Marie qui, elle-même, nous apprend l'amour du Père. Le rôle de la mère est bien de rendre l'enfant capable de reconnaître le don du Père. Marie a su, plus que toute autre créature, la gratuité du don du Père et c'est pour cela qu'elle est « la porte du ciel ». Ainsi le don de piété peut-il orienter la vie de foi vers l'action de grâces envers le Père, source de tout don.

La grâce de la présence habituelle de Dieu est une sorte de conviction que toute notre vie se déroule sous le regard de Dieu. Il ne s'agit pas de la grâce de Dieu en nous, mais plutôt d'une forme d'attention soutenue de notre part à la présence de Dieu. Ainsi comprise, cette présence habituelle à Dieu nous rend plus particulièrement attentifs à la générosité du Père, source de tout amour, et à la protection qu'Il ne cesse de nous accorder.

Notre participation à la spiration de l'Esprit (cf. Jean de la Croix, *Llama* IV, 6 ; trad. franç., Bruges-Paris, 1967, p. 811) par le Fils fait le mystère de notre charité comme amour de Dieu lui-même en nous. En Dieu, le Fils et le Père font continuellement jaillir l'Esprit comme fruit de leur élan mutuel. On pourrait dire que l'Esprit saint est le terme et le gage de l'amour que le Père et le Fils se portent l'un à l'autre. L'accomplissement de la charité en nous aboutit à ce que notre amour du Père dans le Fils devient si intense qu'il s'ouvre à l'amour même de Dieu, amour subsistant dans le Saint-Esprit. Seul, en effet, l'Esprit saint en personne est capable d'inspirer un amour du Père aussi grand que celui que nous recevons de Lui. En d'autres termes, l'Esprit nous permet de redonner entièrement au Père l'amour qu'Il nous donne le premier. C'est dire que notre participation à la spiration de l'Esprit par le Fils s'inscrit bien dans notre propre condition filiale. Nous ne sommes capables d'un amour divinisé que pour l'avoir reçu du Père par le Fils. Le mouvement de retour vers le Père par le Fils dans l'Esprit ne représente un don parfait de notre part que dans la mesure où nous sommes et demeurons sous l'influence du don du Père.

La grâce la plus profonde et la plus simple par laquelle l'Esprit saint nous prépare à désirer et rencontrer le Père est l'union entière à sa volonté. Le ciel est le lieu spirituel où la volonté du Père est entièrement accomplie. Le ciel, c'est l'obéissance d'amour à la volonté du Père. Dès lors, l'union entière de notre volonté à la volonté du Père, sous l'effet de l'amour de Dieu aspirant toute notre vie, réalise en vérité un commencement du ciel sur notre terre. L'amour est la réalité de tout. Il anticipe le jugement de Dieu sur nous. Quand nous sommes entièrement disponibles à la volonté du Père, par amour pour Lui, nous sommes déjà dans sa demeure. Ce qui nous permet de désirer le Paradis, c'est d'aimer le Père comme et dans le Fils, sous l'action de l'Esprit.

Jean-Claude SAGNE.

**PARADISUS ANIMAE INTELLIGENTIS.** – Ce recueil de sermons de types mystique et scolastique, rédigés en langue allemande, est transmis dans deux manuscrits apparentés du 14e siècle (Oxford, Bodleiana, Laud misc. 479 ; Hambourg, Staats- und Universitätsbibl., cod. theol. 2057 8° : actuellement à Berlin-est). Ph. Strauch en a donné une édition d'après le ms d'Oxford : *Paradisus anime intelligentis*, coll. Deutsche Texte des Mittelalters 30, Berlin, 1919. Un troisième ms, disparu, est à la base des *sermones* du cistercien Nicolas de Landau (cf. *Verfasserlexikon*, 1e éd., t. 3, Berlin, 1943, col. 612-613 ; t. 5, 1955, col. 733).

Le recueil fut certainement composé au couvent dominicain d'Erfurt, vraisemblablement vers 1340 au plus tôt (cf. Ruh, cité *infra*). Maître Eckhart, auteur de près de la moitié des sermons, est désigné nommément.

Cette collection de sermons est répartie selon le temporal (S. 1-31) et le sanctoral (S. 32-64) ; les textes proviennent de 12 auteurs et d'un anonyme ; un bon nombre nous est connu par ailleurs dans d'autres rédactions. La répartition est purement formelle ; le nom des saints n'apparaît qu'exceptionnellement. Mis à part deux auteurs, le carme Hane et un lecteur déchaux, dont l'index des thèmes précise que l'enseignement s'écarte de celui des Prêcheurs, les auteurs sont dominicains, presque tous lecteurs, et sont en relations avec le couvent d'Erfurt (Eckhart y avait été prieur) : Eckhart (31 S., tous authentiques ; cf. DS, t. 4, col. 93-116) ; – Eckhart Rube (6 S.) ; – Jean Franco (5 S. DS, t. 8, col. 528) ; – Giselher de Slatheim (5 S. DS, t. 6, col. 410) ; – Florent d'Utrecht (3 S.) ; – le carme Hane (3 S.) ; – Hermann von (der) Loveia (3 S.) ; – Albert de Treffurt (2 S.) ; – Helwic de Germar (2 S. DS, t. 7, col. 171) ; – un seul sermon pour Thomas d'Apolda, Bruder Erbe, le lecteur déchaux et l'anonyme. Sur ces auteurs, voir le *Verfasserlexikon*, 1e ou 2e éd., et Th. Kaeppeli, *Scriptores ordinis praedicatorum*, Rome, 1970 svv.

Les sermons de type mystique sont essentiellement tous ceux d'Eckhart ; ceux de type scolastique, forte-

ment inspirés par le thomisme, sont le fait des autres dominicains, collègues plus que disciples d'Eckhart. L'ensemble du recueil est nettement marqué par la pensée dominicaine, comme déjà le titre le note (cf. Ruh, p. 25 svv) : « C'est seulement la *fornu(n)ftige sel* qui peut participer du Paradis » ; ce qui écarte le primat franciscain de l'âme aimante. L'intention qui a présidé au rassemblement de ces textes est peut-être de mettre en évidence les meilleures valeurs du couvent dominicain d'Erfurt et de présenter dans ce cadre une réhabilitation du prieur qui l'avait dirigé, Eckhart.

L. Seppänen, *Studien zur Terminologie des 'Paradisus...'*, Helsinki, 1964. – K. Morvay et D. Grube, *Bibliographie der deutschen Predigt des Mittelalters*, Munich, 1974, p. 102-110. – K. Ruh, *Deutsche Predigtbücher des Mittelalters*, dans *Vestigia Bibliae*, t. 3, 1981, p. 11-30, surtout 23-27.

Volker HONEMANN.

**PARATUS** (SERMONES PARATI). – Sous le titre *Paratus continens sermones de tempore et de sanctis*, ou encore *sermones Parati*, figure un volumineux recueil de schémas de sermons en latin, rédigés sans doute vers la fin du 14e siècle en Allemagne. Le mot *paratus* qui figure dans les titres provient de l'*incipit* des deux parties : « Paratus est iudicare vivos et mortuos » (1 *Pierre* 4) pour la section *de tempore* ; « Paratus sum et non sum turbatus » (*Ps.* 118) pour le sanctoral. Le texte ne fournit aucune indication sur son origine ni sur son auteur. Le ms du couvent franciscain de Wurtzbourg (I. 56) porte une indication qui désigne le franciscain Berthold de Wiesbaden comme auteur (cf. *Verfasserlexikon*, 2e éd., t. 1, 1978, col. 825) ; information qu'il faudrait vérifier.

Ce recueil a connu une grande diffusion ; on a recensé actuellement plus de vingt mss et une vingtaine d'incunables (Hain, n. 12397-12412 ; Copinger, n. 4598-4601 ; Reichling, n. 1019). L'éd. de Hain n. 12405 compte 157 sermons du temporal et 71 du sanctoral (éd. que nous utilisons). Au 16e siècle, l'ouvrage fut encore édité à maintes reprises (vg Haguenau, H. Gran, 1517). Manuscrits et éditions semblent tous provenir des régions de langue allemande.

Le *Paratus* doit sans doute d'abord sa popularité à la simplicité de sa composition et de ses idées. Le plan des sermons renonce le plus souvent aux constructions élaborées. Le point de départ est fourni par un seul verset biblique qui oriente le thème de la prédication. Ainsi, le sermon pour le 22e dimanche après la Pentecôte part de *Phil.* 1, 9 (« charitas Dei magis ac magis abundet in vobis ») et énumère huit signes de la charité « per que probari potest utrum homo diligat Deum an non » ; le premier sermon du recueil traite de la quadruple venue du Seigneur : dans le monde, dans l'âme, dans la mort, dans le jugement.

Il n'est pas rare que les sermons enseignent les notions essentielles de la foi chrétienne : les dix commandements (13e dim. après la Pentecôte), les sacrements (2e sermon pour la Chaire de saint Pierre). Il est rare que les exposés fassent appel aux quatre sens de l'Écriture ; le sermon pour le 2e dim. après l'Épiphanie (« Cum descendit Jhesus de monte », *Mt.* 8, 1) n'expose que les sens mystique (l'humilité de l'incarnation) et littéral (fuir la vaine gloire).

Les sermons du sanctoral sont construits de la même manière, tout en ajoutant souvent la « légende » du saint. Par exemple, le sermon pour la fête de sainte Marguerite traite de sa beauté physique, qui l'a fait aimer d'Olibrius, et de la beauté de son âme qu'aime Dieu, et il raconte ensuite la légende de la sainte en y insérant des réflexions sur ce qui fait la beauté d'une âme.

Comparé à d'autres recueils comme celui de Meffreth (DS, t. 10, col. 934-935), les sermons du *Paratus* sont brefs : une page et demie à trois dans les éditions. Presque chaque prédication présente un ou plusieurs *exempla* (spécialement nombreux dans le sermon du jeudi de la 3e semaine de Carême, sur « Honora patrem et matrem tuam », *Mt.* 15, 4). Personnages et événements de l'ancien Testament illustrent parfois tel ou tel aspect. Symboles et allégories sont assez rares. La Bible exceptée, l'auteur fait un usage modéré des autorités, parmi lesquelles domine saint Bernard.

R. Cruel, *Geschichte der deutschen Predigt im Mittelalter*, Detmold, 1879, p. 474-478. – J.A. Glonar, *« Paratus » und « Meffreth ». Zwei vermeintliche Autoren...*, dans *Zeitschrift für Bücherfreunde*, nouv. série, t. 9, 1917, p. 232 svv. – J.B. Schneyer, *Wegweiser zu lateinischen Predigtreihen des M.A.*, Munich, 1965 (voir table, p. 585) ; *Geschichte der katholischen Predigt*, Fribourg/Brisgau, 1969, p. 179, 230 ; *Repertorium der lateinischen Sermones des MA, 1150-1350*, coll. BGPTM 43/4, Münster, 1972, p. 523-548 (mss et *incipit* des sermons). – A. Zumkeller, *Handschriften von Werken der Autoren des Augustiner-Eremitenordens...*, Wurtzbourg, 1966, p. 235 (Cassiciacum xx ; sur Berthold de Wiesbaden).

Volker HONEMANN.

**PARAVICINO Y ARTEAGA** (HORTENSIO FÉLIX), trinitaire espagnol 1580-1633. – Plus connu aujourd'hui par les deux magnifiques portraits que nous ont laissés de lui les pinceaux du Gréco que par ses sermons, ses poésies ou ses œuvres morales, Fray Hortensio Félix Paravicino y Arteaga fut, en son temps, un personnage de tout premier plan. Prédicateur royal de Philippe III puis de Philippe IV, il vécut de près, pendant plus de trente ans, la vie de la cour, fréquentant les ministres, les grands et les nobles, côtoyant les figures les plus marquantes de son époque et participant activement à la vie littéraire des années majeures du Siècle d'Or,

Il naquit à Madrid, le 12 octobre 1580, d'un père d'origine italienne et d'une mère basque, tous deux de vieille noblesse. Le jeune Hortensio fut un enfant prodige qui, avant l'âge de cinq ans, non seulement savait parfaitement lire, écrire et compter, mais encore dominait déjà la langue latine. Après ses Humanités, chez les jésuites du collège de Ocaña, il s'inscrivit en 1595 à l'université de Salamanque, et à l'âge de dix-neuf ans choisit la vie religieuse en entrant au noviciat de l'ordre des Trinitaires, au couvent de Salamanque. Étudiant brillant, il fut très vite bachelier, licencié puis docteur en théologie. Attiré par la réforme des Trinitaires déchaussés, il prit le nouvel habit des mains de Jean-Baptiste de la Conception (DS, t. 8, col. 795-802), toujours à Salamanque, en 1606, mais revint à son ordre d'origine un mois après. Il fut alors envoyé au chapitre provincial où il fut élu définiteur et n'eut désormais d'autre résidence, en dehors de courts voyages, que le cou-

vent de la Sainte-Trinité de la rue de Atocha à Madrid. Très tôt il commença à prêcher, à Madrid et à Tolède, et sa renommée grandit vite, à mesure qu'il nouait de solides amitiés dans le monde des lettres et à la cour. Le roi Philippe III le distingua en le nommant, en 1617, prédicateur royal, charge qu'il conserva jusqu'à sa mort.

Ses frères d'habit conférèrent plusieurs fois à Paravicino des charges importantes : il fut deux fois ministre du couvent de Madrid (1616-1618 et 1625-1627), deux fois visiteur de la province d'Andalousie (1616 et 1624) et deux fois provincial de Castille et vicaire général de l'ordre (1618-1621 et 1627-1630).

Au faîte de la célébrité, chargé de prêcher les oraisons funèbres les plus marquants de la ville et de la cour, admiré et imité par de nombreux épigones, mais aussi jalousé ou calomnié par ses détracteurs, Paravicino mourut à Madrid le 12 décembre 1633. Il avait réussi à mener de front l'accomplissement des devoirs de son état et des obligations inhérentes à ses charges, une intense activité de prédicateur, la rédaction d'ouvrages historiques ou de spiritualité et, par ailleurs, une participation active à la vie de la cour et du monde des lettres, fréquentant les académies littéraires et intervenant dans les jeux floraux.

Personnalité de l'âge baroque, Paravicino a vécu pleinement les contradictions de son temps : mondain et léger ou même précieux dans sa poésie profane, il reste ingénieux ou « conceptiste » dans sa poésie religieuse. Dans ses sermons, sans négliger le message évangélique et la volonté d'édifier ses auditeurs tout en censurant leurs défauts, Paravicino reste surtout attentif à l'élégance de la forme et vise à produire un effet de nouveauté à l'usage d'un public souvent plus soucieux de divertissement mondain ou de plaisir littéraire que d'austère spiritualité. Aussi la morale qu'il prêche est-elle une morale pour « gens du monde », sans ascèse ni mystique. Très nourri des sources traditionnelles, il fait souvent appel à la Bible, aux grands classiques grecs et latins, aux Pères de l'Église et aux scolastiques. Mais jamais il ne tombe dans l'érudition gratuite ou la frivolité. Son style savant et raffiné, sans être obscur comme on l'a souvent prétendu, est au service d'une pensée et d'une spiritualité qui ne cèdent jamais à la facilité. Marqué dans sa jeunesse par les *Exercices spirituels* de saint Ignace, Paravicino développe souvent dans sa poésie religieuse la « composition de lieu » et nous offre des vers descriptifs et colorés. Mais surtout, lecteur assidu de Sénèque, il a participé au courant du stoïcisme chrétien qui s'est développé alors en Espagne. Déjà perceptibles dans sa poésie, les principes stoïciens affleurent souvent dans ses sermons, pour s'épanouir dans un important traité auquel il apportait les dernières corrections au moment de sa mort et qui est resté malheureusement inédit : *Constancia cristiana o discursos del ánimo y tranquilidad estoica*.

Peu soucieux de faire éditer ses œuvres, Paravicino distribuait généreusement ses manuscrits. De son vivant, neuf seulement de ses sermons furent imprimés, mais il en est parvenu jusqu'à nous une centaine d'autres. Après sa mort, ses amis rassemblèrent ses papiers et publièrent ses poésies : *Obras Postumas, divinas y humanas de Don Félix de Arteaga* (Madrid, 1641 ; rééd. en 1645 et 1650). Par ailleurs, les Trinitaires imprimèrent plusieurs séries de sermons au cours du 17e siècle. L'édition la plus complète et la plus autorisée est celle que réalisa au 18e siècle, en six volumes, le provincial des Trinitaires, Alonso Cano : *Oraciones evan-*

*gélicas o discursos panegyricos y morales del M. Fr. Hortensio Félix Paravicino...* (Madrid, Joachin Ibarra, 1766).

Il n'existe aucune étude d'ensemble sur Paravicino. On se reportera à l'étude de Emilio Alarcos, *Los sermones de Paravicino*, dans *Revista de Filología Española*, t. 24, 1937, p. 162-197 et 249-319. Pour la biographie voir aussi : Francis Cerdan, *Elementos para la biografía de Fray Hortensio Paravicino*, dans *Criticón*, n. 5, Université de Toulouse-Le Mirail, 1978, p. 37-74, et *En el IV centenario de Paravicino : Documentos inéditos para su biografía, ibidem*, n. 13, 1981, p. 86-128. Pour toute information d'ordre bibliographique : Fr. Cerdan, *Bibliografía de Fray Hortensio Paravicino, ibidem*, n. 8, 1979, p. 1-149. – DS, t. 4, col. 1132.

Francis CERDAN.

**PARCEVAL** (JEAN), chartreux, vers 1485-1561. – Originaire de Paris, Jean Parceval était docteur en théologie et avait donc dépassé la trentaine quand il entra à la chartreuse de sa ville natale. Il y fit profession le 10 août 1522 et en devint procureur en 1531. Le chapitre général de 1534 le nomma prieur de l'importante maison de Champmol-lès-Dijon, mais dès février 1535 il fut élu prieur par ses confrères de Paris. En 1546 il joignit à cette charge celle de covisiteur de la province de France, changée en celle de visiteur deux ans plus tard. Il les gérait toujours lors de sa mort survenue le 12 septembre 1561.

Il laissait des sermons capitulaires latins et un livre d'*Epistulae ad Solitarios,* manuscrits aujourd'hui perdus, mais aussi un opuscule imprimé, le *Compendium Divini Amoris* (Paris, Weschel, 1530, in-16°, 51 f.), dont parut une traduction française sous le titre de *Briève Doctrine de l'Amour Divin* (Paris, Prevost et Gautherot, 1545, in-32°, 106 f. ; réimprimée en 1546 et 1586). Une autre édition latine fut publiée en 1583 sous le titre nouveau de *Speculum Divini Amoris* (Paris, Cavellat, qui édita aussi une nouvelle traduction française : *Le Miroir de l'Amour Divin*, 1583).

Docteur, Parceval a coulé son ouvrage dans le plan rigoureux d'une « question » scolastique : après deux courts chapitres situant la charité dans le plan divin et donnant les indications philosophiques indispensables, il établit sa thèse : l'amour de Dieu se prouve par l'accomplissement de ses commandements. Il rejette ensuite deux objections, qui voient dans la consolation sensible et le succès temporel un signe d'amour de Dieu (ch. 4 et 5), et les derniers chapitres s'organisent selon le schéma des quatre causes, la charité ayant la pauvreté, la chasteté et l'humilité comme instruments (ch. 6 et 7) ; la grâce comme forme (ch. 8) ; l'action et la contemplation comme matière (ch. 9) ; la béatitude comme fin (ch. 10).

Il n'y a là aucune recherche d'originalité doctrinale : Parceval s'en tient à un thomisme strict, au point de défendre la supériorité de la vie mixte, attitude fort rare chez les moines théologiens. Pas un mot de controverse, mais chaque chapitre bat en brèche une thèse luthérienne, en montrant l'amissibilité de la charité, la valeur des œuvres et des vœux monastiques, etc. La méthode d'exposition est pourtant entièrement nouvelle et doit retenir l'attention : à la scolastique, qui fut celle de Pierre Couturier en chartreuse dans la décennie précédente, succède un évangélisme inspiré d'Érasme. Le vocabulaire philosophique étant réduit au minimum, l'ouvrage est fait de citations néotestamentaires sobrement commen-

tées à l'aide des Pères, Augustin (dont Érasme publie son édition à Paris cette même année) et Grégoire le Grand surtout, alors qu'Aristote, Gratien, les Décrétales ou la Glose Ordinaire ne sont cités qu'une fois chacun. Sauf en ce qui concerne Marie-Madeleine, les quelques exemples tirés des vies des saints viennent de sources au-dessus de tout soupçon, tels Possidius pour Augustin, Guillaume de Saint-Thierry pour saint Bernard, Bonaventure pour saint François. Cette théologie se veut pratique ; elle demeurerait purement ascétique, si à saint Bernard, récemment réédité par les Victorins, Parceval n'empruntait un vibrant exposé de l'union mystique, récompense de la charité en ce monde comme la béatitude l'est dans l'autre.

Th. Petreius, *Bibliotheca Cartusiana*, Cologne, 1609, p. 212. – J. Pits, *Relationum Historicarum de Rebus Anglicis*, t. 1, Paris, 1619. – J. Morozzo, *Theatrum Chronologicum Ordinis Cartusiensis*, Turin, 1681, p. 125. – L. Le Vasseur, *Ephemerides Ordinis Cartusiensis*, t. 3, Montreuil-sur-Mer, 1891, p. 274. – C. Monget, *La chartreuse de Dijon*, t. 2, Montreuil-sur-Mer, 1901, p. 223 et 398. – DS, t. 2, col. 766 ; t. 5, col. 899.

Augustin DEVAUX.

**PARDON.** – I. *Écriture.* – II. *Problématique contemporaine.*

### I. ÉCRITURE

L'objet de cette étude scripturaire n'est pas de montrer la place que tient le pardon dans la foi et dans la vie chrétienne – sujet immense –, mais seulement d'essayer de préciser ce qu'est l'expérience du pardon, reçu et donné.

1. ANCIEN TESTAMENT. – Un trait caractéristique est le lien étroit entre le pardon de Dieu et le pardon de l'homme. Ce trait prend plusieurs formes.

1) Les *anthropomorphismes*. – De même que Dieu « se repent et s'afflige dans son cœur » parce qu'il a fait sur la terre l'homme et sa méchanceté (*Gen.* 6, 5-6), de même, après la catastrophe qui a englouti presque toute l'humanité, Dieu « se dit en lui-même : Je ne maudirai plus jamais la terre à cause de l'homme » (*Gen.* 8, 21). Ce qui éclate ici, c'est la passion du Créateur pour son œuvre, son indignation à la voir profanée, sa volonté de la sauver. Avant même d'être pitié, le pardon de Dieu est volonté de faire vivre.

Après l'épisode du veau d'or, lorsque Moïse supplie Dieu de pardonner à son peuple, fût-ce au prix de sa propre vie (*Ex.* 32, 32), Dieu répond en apparaissant lui-même et en définissant ce qu'il est : « Dieu de tendresse et de pitié, lent à la colère, riche en grâce et en fidélité, qui garde sa grâce à des milliers, tolère faute, transgression et péché, mais ne laisse rien impuni » (*Ex.* 34, 6-7). Dieu est capable de colère, mais la colère ne dit pas ce qu'il est. Il n'y a pas de proportion entre les trois ou quatre générations qui la subissent, et les milliers sur lesquelles s'étend sa grâce. Saint Paul verra lui aussi « se révéler » sur le monde « la colère de Dieu » (*Rom.* 1, 18) et l'expliquera : c'est le poids du péché, sa capacité de destruction et de mort à l'œuvre dans la création, mais il n'y a pas de proportion entre la puissance de mort du péché, et la force de vie et de salut qui nous vient de Jésus Christ (*Rom.* 5, 15-21).

2) *Les intercessions.* – La grande prière d'Abraham pour Sodome (*Gen.* 18, 22-33), l'intercession d'Amos pour Israël menacé de mort (*Amos* 7, 1-6) expriment assurément une profonde réaction humaine de solidarité chez ces hommes, mais elles sont l'une et l'autre provoquées directement par une intervention divine. Les visions accordées au prophète, la confidence faite à Abraham (« Vais-je cacher à Abraham ce que je vais faire ? », *Gen.* 18, 17) montrent que l'intention de Dieu était précisément de susciter cette réaction. Elle exprime donc quelque chose de lui. L'un et l'autre d'ailleurs en appellent à Dieu lui-même, et Abraham va jusqu'à mettre Dieu en face de ce qu'il est et de son personnage : « Est-ce que le juge de toute la terre ne fera pas justice ? Loin de toi ! » (*Gen.* 18, 25).

3) *L'expérience d'Osée* (*Os.* 1-3) a quelque chose d'extraordinaire. Dieu ordonne au prophète de reprendre sa femme adultère, alors que, selon la loi (*Deut.* 22, 22), elle doit être mise à mort avec son amant (cf. *Jean* 8, 5). Mais surtout, Dieu révèle ce qu'est son pardon en demandant à Osée de pardonner. Il est impossible, à travers une relation qui ne prétend pas sonder la psychologie, de savoir comment est née, au cœur d'Osée, la conscience que ses épreuves conjugales, sa révolte, son amour irrépressible, sa décision de pardonner, étaient non seulement l'effet d'une conduite divine, mais la révélation même de ce qui se passait au cœur de Dieu dans ses relations avec Israël son Épouse. Que l'on imagine Osée découvrant, à partir de son aventure, ce que Dieu peut connaître avec son peuple de souffrance et d'amertume, et jusqu'où il peut aimer, – ou que, plus fidèle à la lettre même du texte, on voie le prophète contraint, par la connaissance que Dieu lui révèle de son être et de son action, de signifier par sa propre conduite l'aventure que Dieu vit avec son peuple –, toujours est-il qu'à travers un comportement exceptionnel, à la fois profondément humain et inexplicable humainement, Dieu fait connaître à un homme ce qu'est pour lui pardonner. Pour le pécheur qui reçoit ce pardon, pour l'infidèle qui retrouve la vie et son rang, c'est une surprise inimaginable ; pour Dieu qui le donne, c'est le tout de son existence.

Ce tout lui-même, Dieu est capable de le faire partager. En entrant dans le thème nuptial, le pardon fait plus qu'abolir la faute, il la transforme en amour. Tout redevient possible, tout est neuf : « Je te fiancerai à moi pour toujours, je te fiancerai dans la tendresse et la miséricorde ; je te fiancerai à moi dans la fidélité, et tu connaîtras le Seigneur » (*Osée* 2, 21-22). Le « dans » dit plus que le climat de cette union nouvelle ; il dit le prix de cette union, la dot que le fiancé apporte à celle qu'il épouse. Elle n'a rien à elle que sa pauvreté, elle ne sait ce qu'est l'amour, tout lui est donné par Dieu. Voir art. *Osée*, DS, t. 11, col. 1026-31.

L'expérience d'Osée a marqué profondément la tradition prophétique. Avec elle, le thème juridique et diplomatique du procès pour rupture du traité d'alliance devient un thème de débat amoureux (*Osée* 4, 1 ; 12, 3 ; *Michée* 6, 2 ; *Jér.* 2, 9), le pardon devient une rencontre et une nouvelle naissance (*Jér.* 31, 31-34).

4) *Les expériences de l'exil.* – Si l'émotion d'Osée garde quelque chose d'unique, le fruit de son expérience demeure. Israël sait maintenant que, lorsque Dieu pardonne, il le fait « à cause de son nom » (*Éz.* 36, 22-23), parce qu'en pardonnant il montre ce qu'il est. C'est le principe qui explique la structure littéraire du second Isaïe. D'un bout à l'autre, Dieu y parle pour dire qui il est : « le premier et le dernier, le seul Dieu qui soit » (*Is.* 44, 6 etc.) ; – ce qu'il a fait, « ton Créateur, ton Rédempteur » (44, 24 etc.), et ce qu'il va faire : « J'ai dissipé tes crimes comme un nuage » (44, 22) –. « Un court instant je t'avais délaissée, dans une immense pitié je vais t'unir à moi... Dans un amour éternel j'ai eu pitié de toi... Ce sera pour moi comme aux temps de Noé, quand j'ai juré que les eaux de Noé ne se répandraient plus sur la terre » (*Is.* 54, 7-9). Le prix de ces textes, qu'on peut trouver faciles et redondants, c'est qu'ils sont entendus et écrits dans la foi. Ils ne sont pas la transcription d'expériences extraordinaires, de mots reçus dans l'extase. Ils sont des confessions de foi, ils disent la foi de ce peuple vaincu, déporté, déshonoré. Il a tout perdu, son roi, son Temple, sa loi, sa patrie, mais il entend son Dieu lui apporter le pardon. Ce qui fixe son attention, c'est moins son propre avenir, qu'il ne cherche pas à imaginer, que la certitude où il est que son Dieu s'y engage.

5) *Les grandes confessions nationales.* – Des expériences de l'exil, des malheurs subis et des prières nées dans ces heures de détresse est sortie une forme typique de la foi d'Israël : la confession nationale (*Esdras* 9, 6-15 ; *Néh.* 9, 5-37 ; *Baruch* 1, 16-3, 8 ; *Dan.* 3, 38-49 ; 9, 4-19). Elles sont toutes bâties sur le même modèle, commençant par opposer longuement les gestes de Dieu et les péchés du peuple au long de son histoire, pour s'achever en supplication : « Et maintenant, pardonne et prends pitié ». Ce qui frappe ici, c'est que, d'un bout à l'autre, le regard demeure fixé sur Dieu, pour le louer de sa grandeur, pour le supplier de révéler sa grâce et son Nom. « Tu es grand, tu es juste. À Toi la justice, à nous la honte. Fais paraître ton amour... ». S'il est un rayon d'espoir au milieu de la catastrophe, il vient de ce Dieu, qui ne peut souffrir le péché mais veut que le pécheur vive (*Éz.* 18, 23.32).

2. L'ACTION DE JÉSUS. – 1) *L'Évangile du pardon.* – L'action type de Jésus, la proclamation de l'Évangile, ne paraît pas avoir commencé avant l'arrestation de Jean-Baptiste (*Marc* 1, 14 ; *Jean* 3, 24). Jusqu'à ce moment, Jésus semble avoir mené une action assez semblable à celle de Jean, baptisant avec ses propres disciples (*Jean* 3, 22), attirant même à lui plus de monde que le grand prophète (3, 26). Un trait essentiel de cette période, c'est que les pécheurs viennent se faire baptiser et recevoir le pardon de leurs péchés (*Marc* 1, 5 ; *Jean* 3, 23). Le mouvement part de l'extérieur et a pour centre le baptême et les baptisés.

Au contraire, après l'arrestation de Jean, Jésus se met en mouvement, et c'est lui qui va proclamer l'Évangile. C'est que l'Évangile est une bonne nouvelle, un message de joie. Celui qui, connaissant une bonne nouvelle, la guérison d'un malade condamné, le retour d'un fils disparu, la garderait pour lui, serait un criminel. La vie sauve, la fin d'un deuil, cela se crie et court s'annoncer. Jean annonçait la venue de Dieu et préparait le peuple à cette venue, qui pouvait être redoutable aux pécheurs (*Mt.* 3, 10). Jésus annonce que cette venue est une joie pour tous (*Luc* 2, 10) ; c'est pourquoi il ne peut se fixer nulle part, et doit toujours « aller ailleurs annoncer l'Évangile » (*Marc* 1, 38).

« Ailleurs », ce sont les endroits qui ne connaissent pas encore la grande nouvelle, mais ce sont surtout les gens qui n'ont pas les moyens de la connaître.

Concrètement, ceux que les évangiles eux-mêmes, suivant le langage de leur temps, appellent « les pécheurs », ceux que les honnêtes gens rejettent et excluent, « pécheurs et publicains », « pécheresses et prostituées » (*Mt.* 9, 10-11 ; 11, 19 ; 21, 31 ; *Luc* 7, 34 ; 15, 1-2), sont justement ceux qu'il vient chercher, ceux qu'il appelle et qu'il accueille. Presque toutes les scènes évangéliques de pardon ont pour personnages ces pécheurs, la Samaritaine et ses cinq « maris » (*Jean* 4, 18), la femme adultère (8, 1-11), les publicains Lévi (*Marc* 2, 13-17) et Zachée (*Luc* 19, 1-10), la pécheresse chez Simon (7, 37) et le brigand du Calvaire (23, 43). Chaque fois, le pardon de Jésus fait de ces êtres méprisés le centre des regards et de l'émerveillement : « Tu vois cette femme » (*Luc* 7, 44). Regarde-la bien, et tu sauras ce qu'est le pardon.

2) *Le pardon, révélation du cœur de Dieu.* — Si Jésus se met ainsi en route vers les pécheurs, s'il accueille avec tant d'empressement ceux qui viennent à lui, c'est pour deux raisons, deux impératifs indiscutables. La première, c'est qu'il est venu pour les malades, pour les infirmes incapables de se lever, de sortir de leur condition (*Marc* 2, 17), pour qui n'a personne qui lui vienne en aide (*Jean* 5, 7). Si lui n'y va pas, ils sont condamnés à périr. Le pardon de Jésus est la révélation du péché, de sa puissance de paralysie et de mort.

Mais la mort est ce que Dieu ne peut supporter, et Jésus est venu pour le prouver, « pour chercher et sauver ce qui était perdu » (*Luc* 19, 10). Car perdre quelque chose, fût-ce d'une valeur encore relative, une brebis sur cent, une pièce d'argent, c'est pour un homme ou une femme un véritable drame, et retrouver ce qu'on avait perdu, une joie et une fête (*Luc* 15, 6.9). N'importe quel homme, n'importe quelle femme peut comprendre cela (15, 4.8). Et Dieu n'est pas, si l'on ose dire, bâti différemment. La différence est que pour lui, quand il voit se perdre son enfant, rien n'existe plus que sa peine et son attente, et quand il le retrouve, il ne peut maîtriser sa joie, et l'on pourrait le prendre pour un fou.

Le prix extraordinaire des trois paraboles perdu-retrouvé, c'est que seules parmi toutes celles des évangiles, celles-ci visent non pas à déterminer une conduite humaine, un choix à poser, une situation à comprendre, mais simplement ce qu'est Dieu, ce qu'est pour lui un pécheur qui se perd, un fils qu'il retrouve. Osée déjà, à travers son épreuve personnelle, avait appris à découvrir ce que Dieu peut éprouver de révolte, de tendresse et d'espoir. Et l'existence d'Osée était comme la parabole du pardon divin, le signe que pour Dieu le péché et le pardon étaient des réalités vécues. Avec Jésus, paradoxalement, on croirait revenir à la pure parabole, à une composition extraordinairement suggestive, mais de simple imagination, à un exemple destiné à provoquer la réflexion.

Il s'agit en réalité de tout autre chose : d'une expérience vécue. L'Évangile souligne à dessein que, si Jésus propose ces trois paraboles, c'est pour répondre aux reproches de ceux qui l'accusent « de faire bon accueil aux pécheurs et de manger avec eux » (*Luc* 15, 2). Jésus doit justifier son comportement, et pour le justifier il fait appel à la fois aux sentiments élémentaires de l'homme et au secret des gestes de Dieu. L'étonnant est qu'il parle aussi naturellement des uns que de l'autre, qu'entre celui-ci et ceux-là il puisse établir tant de ressemblances et une telle distance. L'étonnant est qu'il soit capable lui-même de retrouver ce qui était perdu, d'accueillir ceux qui reviennent. Comme s'il était lui-même celui qui a vu partir son enfant et pleure en le retrouvant.

Il faut en effet, pour que Jésus ait réellement « le pouvoir de remettre les péchés sur la terre » (*Marc* 2, 10), et pour que ce pouvoir ne soit pas une disposition du ciel arbitraire et incompréhensible, que Jésus lui-même soit capable de faire ce que Dieu seul peut faire : d'atteindre le cœur de l'homme en son secret ultime, en son option la plus personnelle et la plus décisive, de la retourner sans le détruire, de le faire revivre sans l'avoir déformé. Il faut encore qu'en pénétrant ainsi dans ce cœur et en transformant cette existence, Jésus soit à la fois totalement lui-même et dans une dépendance immédiate et parfaite vis-à-vis de Dieu. Il faut qu'à travers toute son humanité, à travers des réactions et des réflexes qui soient les nôtres et dans lesquels nous nous retrouvions, il soit simplement et totalement le Fils en face de son Père.

3) *Tes péchés te sont pardonnés.* — Dans deux épisodes, particulièrement typiques parce qu'ils provoquent l'un et l'autre le scandale dans l'assistance, Jésus, pour signifier le pardon, prononce une formule qui a quelque chose de rituel : « Tes péchés te sont pardonnés ». Il s'agit du paralytique introduit dans la maison par le toit (*Marc* 2, 1-12) et de la pécheresse chez Simon (*Luc* 36-50). Formule rituelle, c'est-à-dire susceptible d'être répétée dans des circonstances analogues, sur d'autres pécheurs et même par d'autres « annonciateurs ». Et de fait, selon *Jean* 20, 23, Jésus ressuscité ordonne aux siens de reprendre sa formule : « Les péchés seront pardonnés à ceux à qui vous les pardonnerez » (*Jean* 20, 23). Coïncidence qui pose peut-être une question : le mot de Jésus ne serait-il pas la transposition anticipée de la pratique de l'Église ? Question d'autant plus naturelle qu'on voit mal Jésus, avant d'avoir achevé son œuvre et donné sa vie pour les péchés du monde, pardonner d'avance les péchés.

Il y a pourtant des raisons solides pour tenir à l'authenticité de ces paroles de Jésus. D'une part nous ne possédons aucun témoignage sur une pratique de l'Église primitive utilisant cette formule : il faudrait supposer quelque chose comme notre confession sacramentelle, ce qui paraît bien peu probable, étant donné l'histoire du sacrement de pénitence. D'autre part, cette formule « d'absolution » est liée, dans les deux épisodes, à un mot sur la foi : « Voyant leur foi » (*Marc* 2, 5), « Ta foi t'a sauvée » (*Luc* 7, 50). La situation est assez proche de celle du centurion de Capharnaüm : « Chez personne en Israël je n'ai trouvé une pareille foi » (*Mt.* 8, 10) et de la Cananéenne : « Ta foi est grande. Qu'il t'arrive comme tu le veux » (*Mt.* 15, 28). Envoyé « aux brebis perdues de la maison d'Israël » (*Mt.* 15, 24), Jésus ne venait pas faire de miracles pour ces païens. Mais la foi de l'un et de l'autre a fait d'eux de vrais enfants d'Abraham, et Jésus ne peut les exclure de sa mission. De même, le paralysé et la pécheresse ont su, par avance, se mettre en route vers leur salut. Avec Jésus ils en reçoivent l'accomplissement.

La parole « tes péchés te sont pardonnés » ne nous éclaire pas seulement sur celui qui la prononce ; elle dit aussi ce qu'est recevoir le pardon. C'est, au sens plein du mot, recevoir une parole. La relation à la foi, explicite dans les deux textes, doit être bien comprise. Elle dit qu'au point de départ du mouvement il y a eu la foi, et que la proclamation du pardon – au parfait, « tes péchés ont été pardonnés et le sont » – est la reconnaissance par Jésus de cette foi. Mais elle montre aussi que cette foi n'est pas seulement une conviction intérieure, une certitude reçue d'en haut, née par exemple d'une lecture attentive du texte évangélique. Cette foi est un mouvement, une marche vers la personne de Jésus, et elle s'achève sur une rencontre, un dialogue, une parole reçue d'un autre.

Le pardon des péchés n'est pas simplement l'application que la foi de chaque chrétien se donne de la bonne nouvelle évangélique. Il est la réception personnelle d'une parole personnelle du Seigneur. Pour que le Seigneur reste réellement le Seigneur de tous, pour que sa parole demeure une rencontre vivante, il en a fait un sacrement, le sacrement du pardon. « Tes péchés te sont pardonnés », le prêtre qui prononce l'absolution sacramentelle n'atteint directement ni la conscience du pécheur ni la joie du Père retrouvant son enfant. Il peut cependant, dans la foi, discerner ce qu'est le mouvement du pécheur qui vient à lui, et il est appelé à entrer dans l'élan du Père envoyant son Fils chercher ce qui est perdu.

3. Du pardon reçu au pardon donné. – « Pardonnez pour que votre Père vous pardonne » (*Marc* 11, 25). « Pardonne-nous comme nous pardonnons » (*Mt.* 6, 12). « Ne devais-tu pas avoir pitié de ton compagnon, comme moi-même j'avais eu pitié de toi ? » (*Mt.* 18, 33). Sous une forme ou sous une autre, le commandement du Seigneur est catégorique, et la menace, redoutable : « Si chacun de vous ne pardonne pas à son frère du fond du cœur, c'est ainsi que mon Père vous traitera » (*Mt.* 18, 35). La force de cette parole, c'est de dépasser l'imitation pour établir un lien et une proportion rigoureuse : « La mesure dont vous vous servez sera celle dont on se servira avec vous » (*Mt.* 7, 2). Nous sommes bien là dans l'Évangile : le pardon est plus qu'annoncé, il est donné. Mais ce serait falsifier l'Évangile que de lui prêter nos facilités : entrer dans la sphère du pardon, c'est à la fois être introduit dans un secret divin, et se trouver obligé de le partager.

Parce que ce secret est de Dieu, il est fait pour tous ses enfants, et nul ne peut le garder pour soi seul. Parce qu'en pardonnant Dieu révèle son « humanité », sa parenté profonde et essentielle avec nos attentes et nos réactions d'hommes, il nous appelle à vivre ce pardon au milieu des hommes, au cœur de notre humanité. Pardonner ne peut être une simple décision personnelle, une volonté d'oubli, une indulgence plus ou moins dédaigneuse. Il y faut une démarche sociale, une réconciliation sinon opérée, du moins visiblement offerte et maintenue. Il y faut aussi une volonté d'accueil et de rencontre.

La réalité visible du pardon dans l'Évangile est la création de la communauté rassemblée par le Nom de Jésus. Le ch. 18 de Matthieu groupe, dans un même développement, les paroles de Jésus sur le scandale des frères, sur la correction fraternelle, sur la prière en commun et sur le pardon. Il y a entre tous ces points un lien essentiel : la communauté évangélique est fondée sur le pardon. Il n'y a de communauté que là où tous se veulent frères, c'est-à-dire décident que chacun, quels que soient sa personnalité, ses défauts et ses dons, a sa place et son visage au milieu des autres. Or vouloir que chacun trouve ainsi sa place pour être ce qu'il est, c'est une des formes capitales du pardon. Il est souvent plus facile de pardonner des torts graves, parce qu'ils sont du passé et qu'on n'y peut plus rien, que d'accepter à ses côtés quelqu'un dont on pense qu'il appartient à la catégorie de ces individus qui ne devraient pas exister, parce qu'ils sont la négation de tout ce que nous rêvons d'être. Vouloir qu'ils soient eux-mêmes, accepter qu'ils soient, avec leurs défauts et leurs torts, c'est le pardon.

L'Église à sa naissance a vécu ce pardon, elle a vécu de ce pardon. Le moment décisif fut l'entrée des païens dans la communauté chrétienne. Non pas de païens circoncis et assimilés au peuple juif, mais de païens demeurés des « gentils », des *goyîm*. Les racismes d'aujourd'hui peuvent nous donner à comprendre ce que fut, pour des Juifs habitués à regarder de haut le monde païen, son idolâtrie puérile ou monstrueuse, sa morale cruelle ou dépravée, l'entrée dans l'Église de convertis venus de ce monde méprisé. On sent encore, dans le « comme nous » de Pierre à Césarée retrouvant la Pentecôte chez Corneille et les siens, ce mélange de surprise et d'émerveillement (*Actes* 10, 47 ; 11, 15). Mais l'on suit aussi, à travers le récit des Actes et les lettres de Paul, les difficultés qu'il fallut surmonter pour obtenir que les chrétiens venus de l'un et de l'autre monde se retrouvent à la même table, pour communier au même corps. Après des années, l'Épître aux Éphésiens célèbre cette réconciliation comme l'œuvre suprême du Christ : « Il est notre paix... Dans sa chair, il a détruit le mur de séparation, la haine... Il a voulu, à partir du Juif et du Païen, créer en lui un seul homme nouveau en établissant la paix, et les réconcilier tous les deux avec Dieu en un seul corps, au moyen de la croix ; là, il a tué la haine » (*Éph.* 2, 14-17). Le pardon est la loi de toute communauté chrétienne, l'espérance ouverte à tous les hommes.

Les théologies bibliques et les dictionnaires comportent des chapitres et des articles sur le pardon des péchés. – On ne cite ici que quelques travaux portant sur des épisodes et des expériences de pardon dans la Bible. – Ancien Testament : H.W. Wolff, *Dodekapropheten* 1: *Hosea*, coll. Biblischer Kommentar 14/1, Neukirchen, 1961. – H.J. Stoebe, art. HNN et HSD, dans *Theologisches Handwörterbuch zum A.T.*, t. 1, Munich, 1971, col. 587-597, 600-621 ; t. 2, 1974, col. 761-768. – Dans la coll. Commentaire de l'A.T., E. Jacob, *Osée*, Neuchâtel, 1965, p. 17-38 ; A. Lacocque, *Le Livre de Daniel*, 1976, p. 132-139. – H.U. von Balthasar, *La Gloire et la Croix*, t. 3/1 L'Ancienne Alliance, coll. Théologie 82, Paris, 1974, p. 201-255.
Nouveau Testament : A. Strobel, *Erkenntnis und Bekenntnis der Sünde in neutestamentlicher Zeit*, Stuttgart, 1968. – M. Thyen, *Studien zur Sündenvergebung im N.T. und seinen Alttestamentlichen und Jüdischen Voraussetzungen*, Göttingen, 1970. – Dans *Orientierung an Jesus. Zur Theologie der Synoptiker (Festschrift Josef Schmid)*, Fribourg-en-Brisgau, 1973 : K. Kertelge, *Die Vollmacht des Menschensohnes zur Sündenvergebung (Mk 2, 10)*, p. 205-212, et U. Wilckens, *Vergebung für die Sünderin (Lk 7, 36-50)*, p. 394-423. – P. Fiedler, *Jesus und die Sünder*, Francfort-Berne, 1976 (cf. compte rendu dans RSR, t. 68, 1980, p. 585-586). – R. Meynet, *Deux paraboles parallèles. Analyse rhétorique de Luc 15, 1-32*, dans *Annales de Linguistique*, Université Saint-Joseph, Beyrouth, fasc. 1, 1981, p. 1-17.
Réflexions théologiques dans K. Barth, *Dogmatique* (trad. franç., éd. Labor et Fides, Genève) : 1/2, t. 2 (fasc. 4), 1954, p. 211-213 ; 2/2, t. 2 (fasc. 9), 1959, p. 252-263 ; 4/1, t. 2 (fasc. 18), 1966, p. 251-256 (avec l'explication particulière que donne Barth du transfert sur le Christ de la colère de Dieu). – E. Lévinas, *Quatre lectures talmudiques*, Paris, 1968, p. 27-64.

Jacques Guillet.

## II. PROBLÉMATIQUE CONTEMPORAINE

Le propos de ces lignes est de réfléchir sur ce que dit l'homme quand il parle de pardon. En ce sens, c'est un propos « philosophique », même si celui qui s'interroge ainsi sur une des formes de l'expérience humaine n'a pas à taire la place propre qu'il y occupe, et d'où il la saisit, celle, ici, où Jésus-Christ est confessé comme voie, vérité et vie. Si le parcours ainsi proposé ne prétend pas à être normatif pour qui veut réfléchir sur le pardon, il a cependant le souci de mettre en évidence les lieux que toute réflexion sur ce sujet peut avoir intérêt à prendre en considération.

Le pardon dit *une relation entre des personnes* ; il est essentiel que l'une pardonne, l'autre pouvant, mais pas nécessairement, demander à être pardonnée. Tant du côté de qui pardonne que du côté de qui est pardonné, il peut y avoir plusieurs personnes. Dieu peut être un des membres de cette relation, très habituellement du côté de qui pardonne. Mais c'est alors le considérer comme une personne (le Dieu du « déisme », impersonnel, ne saurait pardonner). L'objet du pardon est une *offense,* subie par un des côtés, faite par l'autre. L'offense est, de façon générale, un tort fait à quelqu'un, « heurté » selon l'image impliquée par le terme, et donc affecté en son intégrité. Même si l'intégrité d'abord affectée est l'intégrité physique, comme il en va dans le cas du vol, des coups, la dignité de l'autre est toujours en même temps atteinte. Il n'est pas traité comme il convient à un homme. Aussi est-il des formes d'offense qui ne comportent que cette dimension, telles les injures. Bafouer la dignité de l'autre est la racine de l'offense. C'est elle qui se vérifie dans l'offense faite à Dieu : dans son rapport à lui, l'homme n'honore pas ce qu'est Dieu, visant en cela à porter atteinte à l'intégrité même de Dieu. L'offense touche donc au plus précieux de la relation, la dignité et la consistance du partenaire. Le pardon apparaît alors comme une relation qui vise à rétablir une relation menacée, sinon rompue.

L'offense volontaire menace ou brise sûrement la relation. L'offense involontaire peut avoir le même effet, ainsi qu'il paraît quand on demande « pardon », pour avoir, par exemple, bousculé quelqu'un par inadvertance, dans la poussée d'une foule. On sera peut-être tenté de dire qu'il n'y a pas de proportion entre le pardon fait à l'offenseur malveillant, et ce qui pourrait sembler n'être que « formule de politesse ». Et pourtant, cet usage presque mécanique, apparemment, du mot « pardon » laisse entendre qu'il peut y avoir lieu à pardon en toute relation, là même où la volonté est bonne. C'est la perspective ainsi ouverte qui va organiser notre réflexion : le pardon n'a-t-il à intervenir que pour faire face à des perturbations de la relation dues à une malveillance, ou bien ne serait-il pas constitutif de toute relation humaine ? Pour affirmer cette dernière conception du pardon, il nous faudra avancer quelque peu vers le fondement de toute relation humaine, qui est de l'ordre de la foi, et réfléchir à ce que peut être le langage où l'on se dit ou se demande pardon.

1. LE PARDON, UNE RÉPONSE À UN ACCIDENT DE LA RELATION. – Le pardon, tel que nous l'avons d'abord approché, vise donc à rétablir la relation menacée ou rompue par l'offense. Mais on ne pourrait parler d'offense si l'intégrité des personnes, physique ou morale, n'était pas définissable, c'est-à-dire si n'était institué un ordre où chacun peut dire et faire valoir ce qui lui revient, un ordre de justice. Toute réflexion sur le pardon doit donc s'interroger sur le couple pardon-justice.

A dire vrai, dans un premier moment, le pardon n'est alors qu'une des réponses possibles à une perturbation de la relation. L'ordre de la justice est en effet celui du droit et de ses lois, réglant les rapports humains. Les lois définissent la part qui revient à chacun dans les biens qui, sous des formes variées, sont à la disposition du groupe. De ce point de vue, il faut dire que la loi ne prescrit rien d'irréalisable. Des manquements sont certes possibles, des « offenses », dérangeant le bon déroulement des relations. Mais la justice a ses propres instruments pour défendre les relations offensées. Toute société a des dépositaires du droit, qui peuvent, et même doivent, user de contrainte pour le faire respecter. Les délinquants sont soumis aux peines prévues par le droit.

Il est légitime, pour l'offensé, de laisser la contrainte agir, avec les peines qu'elle a établies. Il faut que l'offense soit réparée, comme la justice le prévoit. Le pardon peut alors prendre la forme d'une attitude intérieure, que le moraliste, non le législateur, prêche : il demande, par exemple, de se défaire de la rancune, alors même que le droit suit son cours. Même dans ce rapport à la justice, le pardon peut aussi prendre une extériorité sociale, tel le geste magnanime de celui qui renonce à obtenir réparation de son droit lésé. Mais généraliser cette magnanimité serait vite s'exposer à faire tort au droit.

Si l'on passe du cas où les détenteurs du pouvoir cherchent à faire régner la justice à celui où le pouvoir lui-même se fait injuste, le pardon peut aller jusqu'à l'acte héroïque de qui pardonne à l'injuste persécuteur, voire au « bourreau », en sachant bien qu'il ne verra jamais rétabli un juste ordre des choses. Mais là encore, il ne faudrait pas que le pardon prenne la forme de l'acceptation d'un ordre injuste, dispensant de la lutte pour le transformer.

Cette conception du pardon, qui en restreint le champ à quelques circonstances de la relation humaine, ne va donc pas sans embarras. Ils tiennent à ce que pardon et justice sont pensés en forme de concurrence. Ils se font très manifestes dès que le pardon demande à prendre une dimension collective, et quand apparaît la figure de Dieu engagée dans cette forme de justice. S'il est relativement facile, au niveau individuel, sinon de renoncer à la rancune pour l'offense subie, du moins de comprendre que cela conviendrait, la chose est plus complexe quand c'est un groupe qui est offensé.

On peut, certes, s'exhorter mutuellement à déposer la rancune. Mais quelle forme cela peut-il concrètement prendre ? Le renoncement à la rancune peut-il aller jusqu'à rétablir des relations sans ombre avec les offenseurs ? La chose pourrait même paraître tourner à l'impiété, si le groupe offensé est celui dont on hérite. Puis-je laisser sombrer dans l'oubli les souffrances injustes subies par ceux dont je suis la continuation dans l'histoire ? Puis-je tenir des relations « sans ombre » avec ceux qui ont été leurs tortionnaires, ou, si leur génération est disparue, avec leurs descendants ? Les monuments aux morts, les plaques commémoratives, les rues des « martyrs » témoignent que le pardon concurrent de la justice trouve là une limite. Pourrait-il faire que l'offense n'ait pas été ? Au plus, l'usure du temps conduira à l'oubli. Mais n'est-il pas injuste d'oublier l'injustice ?

Et c'est pourquoi la figure de Dieu, dans cet univers où justice et pardon se font concurrence, est d'abord celle de Dieu vengeur des torts, le Dieu de la rétribution. Certes, son aulne n'est pas celle des hommes, mais il a du mal, à travers les peines plus ou moins immanentes aux fautes commises, qui s'imposent en quelque sorte à lui, à se frayer le passage au don gracieux du Père joyeux du retour du prodigue.

2. LES RISQUES DE LA FOI, LA PLACE DU PARDON. – Ces réticences pour laisser Dieu libre de pardonner, aussi bien que cette impossibilité d'une réconciliation sans grief maintenu, obligent à repenser le rapport du pardon et de la justice. Certes, le pardon ne peut faire fi de la justice. L'immédiateté du pardon est une facilité. Qui pardonne sans peser l'injustice pardonne mal, car il renonce à alléger le cœur de l'homme d'un peu de sa méchanceté. Mais la justice qui ménage sa place au pardon s'engage sur une mauvaise pente. La sécurité qui ne voit de meilleur garant que la contrainte légale est dans l'engrenage de la répression, qui accroît la violence qu'elle veut éliminer. Il n'y a pas de justice sans modération. On ne saurait trop méditer le vieil adage : « summum jus, summa injuria ». Le droit ne va pas sans l'interprétation, naviguant difficilement entre un « laxisme » dissolvant les exigences de la justice et, ce qui est pire encore, une justice qui, à force de se vouloir stricte, se ferait injuste.

C'est que la justice stricte organise proprement les rapports humains selon leur face d'extériorité, prévenant les empiètements, assurant les bons enchaînements des rouages du corps social. Or l'acte humain n'a pas seulement une face d'extériorité, mais aussi une face d'intériorité. Plus précisément – et ici nous prenons la position qui commande ces réflexions – l'extériorité se joint à l'intériorité, et prend valeur de signe. Considérer le rapport humain sans faire attention à cette valeur de signe est une abstraction, légitime s'il s'agit de considérer un moment de l'agir humain, illégitime dès lors qu'on s'y arrête. Or le signe est, par sa nature même, ambivalent. Il manifeste et cache à la fois. Pour s'en tenir à l'élémentaire des relations humaines, l'extériorité a de nombreux points communs, quand il s'agit du respect du territoire de l'autre – de son « corps propre » – et quand on a affaire au soupçon, surveillant tout empiètement possible sur mon propre domaine. Il en va de même pour la coopération au service du tout, et l'utilisation des autres comme utiles compléments de moi-même. Dans le signe, opacité et transparence vont ensemble. Si un frère aidé par son frère est comme une place forte (*Prov.* 18, 19), cela ne va pas sans le support mutuel de la convivance fraternelle.

La parole qui m'appelle hors de la solitude est aussi celle que je dois écouter avant de prendre la parole, et il y a toujours là une part de « subi ». Quand on déclare expressément avoir « subi un discours », c'est que cette dimension de la relation langagière est devenue dominante, sinon exclusive : ce discours, soit par son insignifiance, soit par sa volonté de domination, était incapable de donner la parole. Le signe que j'attends est celui d'une liberté. Mais la présence qu'il apporte ne saurait être celle du dispositif technique, assurant d'un effet, le foyer de charbon, par exemple, produisant la chaleur dans la pièce. La présence libre est celle d'une absence possible. Et c'est pourquoi toute relation humaine doit comporter l'ouverture sur la possibilité d'un pardon. J'ai à demander pardon pour cette face d'opacité que présente ma relation – c'est la profondeur du « pardon de politesse » –, où je heurte l'autre. J'ai à demander pardon, parce que je ne puis être libre sans être aussi celui qui peut se dérober.

Il n'y a pas de relation humaine sans risque, ce qui revient à dire qu'il n'y a pas de relation humaine sans *foi*, sans cette attitude où je fais fond sur ce que je ne puis maîtriser. Je fais fond sur l'autre, et en ce sens je suis sûr de lui, mais c'est une sûreté qui a dû renoncer à être celle d'un bon mécanisme. Cette foi concerne proprement la relation humaine. Mais il n'est pas interdit d'y faire paraître une dimension théologique. Foi en Dieu et foi en l'homme ont la même structure, celle du risque où l'on fait fond sur ce dont on ne dispose pas. La seconde est du fondé, la première du fondement. On comprendra aisément, ici, qu'un tel fondement ne s'atteint jamais que dans le fondé, en une sorte de radicalisation du jeu absence et présence. Le fondement de la possibilité de présence, dans ce qui peut se dérober, ne peut être que ce qui se dérobe absolument à notre prise. Pour apprendre à voir l'invisible dans le visible, ce qu'exigent les relations de tous les jours, il faut confesser celui que « nul œil n'a vu ». Aussi l'offense faite à Dieu a-t-elle comme forme propre l'idolâtrie, prolongement de l'avarice, qui retient comme chose ce qui devrait valoir comme signe. Mais cette idolâtrie est aussi objet du pardon, celui qui nous apprend à mettre en œuvre le premier précepte : le « tu n'auras pas d'autres dieux que moi » ne s'entend bien que comme un « tu n'auras plus d'autres dieux que moi ».

3. UNE JUSTICE PLUS ABONDANTE. – Il ne s'agit pas d'abolir la justice, mais il faut la faire passer à cette justice plus abondante que demande le sermon sur la Montagne (*Mt.* 5, 20). Il s'agit de passer à un monde nouveau, celui où les relations, abîmées par les offenses, sont pleinement rétablies, sans aucune réticence, où la foi mutuelle est retrouvée. Sans doute est-ce, pour une part, ce que demandait Nietzsche, quand il dénonçait la morale du ressentiment, et précisément la forme paradoxale qu'elle peut prendre, en se présentant comme pardon des offenses. Le ressentiment consiste à dévaloriser, en l'appelant mauvaise, l'action que l'on n'a pas le courage de faire. « Pardonner l'offense » ne fait alors que redoubler le subterfuge, en manifestant qu'il n'y a pas de capacité de créer d'autre rapport que celui de victime à bourreau (cf. *Généalogie de la morale* I, § 14). Certes, la « santé » nietzschéenne retrouve vite les vieilles ornières, quand elle prend la forme de la suffisance, qui décide des rapports à instaurer, et ne met en place que des images d'elle-même. La « justice plus abondante », dans la ligne suivie jusqu'ici, est celle qui prend soin d'abord de rendre à chacun son dû, d'assurer, de façon réaliste, le bon fonctionnement de la société. Mais il ne s'agit pas seulement d'éviter la rancune. Sans se fermer les yeux sur ce qui est attitude condamnable, il importe de créditer les autres d'une intention droite et bienveillante. Le « préjugé favorable » doit l'emporter, et il aura pour premier effet de diminuer les « offenses malveillantes ».

Il n'y a pas à craindre de faire la part trop belle à l'excuse, avec laquelle il est juste de ne pas vouloir confondre le pardon. L'excuse supprime la faute, et il n'y a, dès lors, plus lieu à pardonner. Mais on voit bien que cette crainte correspond à la première façon de comprendre le pardon, qui ne lui donne d'autre objet que l'offense malveillante et injuste, – quitte à souhaiter l'étrange « grâce » d'avoir nombre d'ennemis injustes, pour mieux exercer les vertus du pardon. Quand le pardon est devenu cette sorte de dimension intérieure de la foi donnée et reçue, où seulement celle-ci prend son assurance, on a quitté le terrain où, pour atténuer la violence, il faut bien recourir, pour soi et pour les autres, aux excuses.

Mais alors il n'est plus possible de voir dans le pardon une attitude principalement individuelle. La foi où l'on se fait mutuellement tenir, n'est pas ce que l'individu isolé peut inventer, c'est ce qu'il reçoit et apprend dès l'accès même à l'humanité, dans le groupe, la famille à l'intérieur de la société, où un nom lui est donné, dans un appel auquel il peut se fier, auquel il doit apprendre à répondre, pour se manifester partenaire fiable. Le pardon a toujours une dimension collective. Tel est sans doute le sens du précepte évangélique : pardonner, pour être pardonné (*Mt.* 6, 14-15). Il ne s'agit pas, en effet, de quelque calcul, où on achèterait son pardon par un pardon donné à l'autre. C'est une question de vérité : si je dois pardonner, c'est que j'ai moi-même besoin de pardon. Je m'avoue offenseur, marqué de la capacité de me dérober, en pardonnant les offenses qui me sont faites.

Il faut aller plus loin encore. Je n'ai pas seulement à tenir ma place, comme un anneau dans une chaîne de pardons. Il faut que le groupe même auquel j'appartiens devienne, comme tel, un groupe qui pardonne. Nous avons dit les impasses où l'on semble entraîné, quand il s'agit de dire au nom d'un autre les paroles du pardon complet, ouvrant sur un rapport non pas à jamais taché, mais plus confiant, à cause de l'épreuve traversée. Ces impasses sont bien sans issue, tant que le pardon est réduit à des rapports individuels. Mais si le pardon est une autre face du lien qui fait tenir ensemble le groupe, il n'est pas suffisant que ses membres, chacun pour soi, pratiquent le pardon. Il faut qu'il soit, d'une façon ou d'une autre, prononcé au nom du groupe, menacé à sa hauteur propre, c'est-à-dire par un autre groupe. Pour le dire en clair, la réconciliation des peuples ennemis, des croyants divisés, est le lieu où seulement peut advenir la vérité du pardon. On oublie trop que la parabole du fils prodigue n'est la plus admirable figure du pardon accordé à un individu que parce qu'elle est en même temps parabole des deux peuples, le peuple élu, et l'Église assemblée à partir des nations, dont la division est insupportable au cœur du Père. Abattre la vieille haine c'est renverser le mur qui sépare deux peuples, annoncer la paix (*Éph.* 2, 14). Il est vrai de dire que la réconciliation ne partira pas du fond du cœur, tant que l'Église qui l'annonce porte la tare de la division. Il est vrai que la confiance ne pourra pas être pleinement rendue, tant que les peuples tiendront à leurs vieilles rancœurs. Tel est l'enjeu du travail œcuménique, de la recherche d'un dialogue entre des nations que la fin de l'ère coloniale a multipliées, en aiguisant leur conscience nationale.

Au même moment sur une terre visitée par trois grandes religions monothéistes, le peuple juif renouait, par un groupe des siens, avec une terre jamais oubliée, mais il s'aveuglait en même temps sur la conscience nationale qu'il suscitait par la résistance de ceux qui étaient venus ensuite, et dont il serait trop simple de dire qu'ils étaient des occupants illégitimes. Le pardon, même entre individus, aura toujours un goût d'amertume, tant que ce que ces trois familles de croyants appellent « Terre sainte » témoignera d'une telle opacité dans les rapports humains que l'on n'ose parler de lueur d'espoir. Il serait naïf d'oublier les prudences à respecter pour que la réconciliation, aussi bien entre Églises qu'entre peuples, ne soit pas plus ou moins ouvertement l'élimination d'un groupe, en sa personnalité propre. Les inerties sont trop grandes pour que la réconciliation ne soit pas un long chemin. Mais l'urgence n'est que plus grande de se mettre en route.

4. LE LANGAGE DU PARDON. – Nous terminerons en évoquant les difficultés et la nécessité d'un langage du pardon, aussi bien au niveau des individus que du rapport entre les groupes. La question est loin d'être aussi secondaire qu'il peut le sembler à qui pense, là encore, le pardon comme une attitude où c'est l'intention intérieure de l'individu qui est déterminante. Le pardon est toujours, en quelque manière, une parole qui pardonne. Il relève même, proprement, de cette catégorie analysée par J.-L. Austin, de l'école d'Oxford, des « performatifs », où la parole fait la réalité qu'elle déclare. Le pardon n'est acquis que dans des paroles de pardon. Il se peut qu'il se signifie, dans certains cas, dans un geste de silencieux. Il est pourtant de sa nature de pouvoir être confirmé par un dire. Mais alors les embarras pour dire le pardon sont loin d'être étrangers aux difficultés pour vivre le pardon. On comprendra, au chemin de réflexion que nous avons suivi, que le pardon emprunte d'abord ses métaphores au domaine qui l'accompagne de plus près, celui du droit. Pardonner est énoncer quelque sentence de pardon, analogue à celle du juge. La proximité des domaines justifie assez la métaphore. Son insuffisance surgit de la juxtaposition qu'elle se contente d'en faire.

Si justice et pardon concernent la relation menacée entre les hommes, il faut aller à ce qui fonde cette relation. Or c'est une histoire, où se mêlent, de façon inextricable, fidélité et infidélité. La langue du pardon est le récit, où l'infidélité témoigne d'une fidélité plus forte. C'est un langage de ce type que rencontre Ignace de Loyola, quand il propose la structure de la journée de première semaine de ses *Exercices spirituels*, structure qui est à répéter, dans les journées qui suivent, jusqu'à ce que soit atteint le fruit de cette première semaine. Le premier exercice, le « triple péché », celui des anges, celui des premiers parents, un péché quelconque, scandent une brève « histoire du monde pécheur ». Le second exercice développe, dans l'attention aux lieux et aux temps, le récit de l'histoire personnelle. Faut-il souligner qu'il n'est pas question, pas plus en ce cas que dans la considération précédente, d'approcher quelque exhaustivité ? Il ne s'agit pas de quelque procès-verbal juridique, comme l'indique assez le tour donné à la méditation. Les situations dont le souvenir est réactivé, ont une fonction typique. Le péché prend en elle la figure de la maladie (n. 58), et c'est finalement, à travers l'admiration pour la présence de la vie, alors que sont à l'œuvre des forces de mort (n. 60), l'action de grâces qui a le dernier mot (n. 61).

Ce langage garde toute son actualité. Il faut souligner d'abord l'importance de la figure de la *maladie*. Elle est évangélique : Jésus est venu pour les pécheurs, non pour les justes, car ce sont les malades qui ont besoin du médecin (*Mt.* 9, 12-13). La voie de guérison choisie par ce médecin a consisté, paradoxalement, à prendre sur lui nos propres maladies (*Mt.* 8, 17), ce en quoi il accomplissait la figure du « serviteur de Yahvé » (*Is.* 53, 4). On pourrait, il est vrai, se demander si cette métaphore n'est pas un moyen d'esquiver la réalité du péché, et de dispenser du pardon. Parler de maladie, n'est-ce pas exclure la culpabilité ? On a à soigner un malade, non à lui pardonner. Mais il est une autre façon d'entendre la parole évangélique du péché-maladie. La maladie est la forme que revêt le péché, quand il devient objet du pardon. Dire du péché qu'il est une maladie est le pardonner. C'est une des formes « performatives » du langage du pardon.

C'est tout au long de l'histoire humaine que l'on trouve cette interrogation : le péché est-il à condamner, le cas échéant à pardonner, ou bien à soigner ? Les sciences humaines lui donnent un tour nouveau. Il n'est pas possible d'expliquer avec quelque peu de détail leur apport. Disons seulement que ce problème du péché-maladie est une des entrées par lesquelles on peut aborder leur confrontation avec la question du pardon. Un de leurs effets est de mieux faire paraître les conditionnements de l'acte humain, par là d'en expliquer les ratés, ce qui n'est jamais loin de les excuser. Ce que nous venons de dire de la métaphore de la maladie fait voir comment elles peuvent finalement donner plus de poids au langage du pardon.

Plus proches encore du pardon sont les sciences humaines qui demandent à leur praticien d'expliciter sa relation à son objet, la psychanalyse, l'ethnologie. Le psychanalyste doit prendre sur lui le processus de cure (dans une analyse « didactique »), pour que le « transfert » ne soit pas bloqué, et que la relation à l'analysant ait chance d'être de guérison. L'ethnologue a à devenir conscient de la particularité qui a déterminé le premier objet de la science, le « primitif » : il était le « primitif » d'un « civilisé », qui était en fait l'homme de la technique et de la science nées en Occident. Cette attention pour lever des obstacles à la relation, dans le rapport de l'analyste à l'analysant, aussi bien que dans ce qu'un groupe dit de son rapport à l'autre, a une forte homologie avec ce que nous avons dit du pardon.

Finalement, dans la brève évocation faite du « langage du pardon » dans les *Exercices spirituels*, c'est le récit de moments typiques de l'histoire qui indique des voies de réconciliation pour aujourd'hui. Dans le rapport que cherchent à instituer deux groupes séparés, les vieux griefs n'ont pas à être masqués. Je n'ai pas, sans doute, à répéter les griefs contre mon groupe, mais j'ai sûrement à les entendre ; ainsi, le contentieux des Réformateurs a-t-il à être entendu par le catholique qui raconte l'événement du Concile de Trente. Quand à ses griefs vis-à-vis de l'autre groupe, ils ne peuvent se séparer de la reconnaissance des grandes valeurs engagées dans cela même qui entraînait la rupture. Les torts de l'autre prennent alors la figure d'embarras, dans lesquels on s'empêtrait, figure proche de celle du péché déclaré maladie. Le dialogue œcuménique demande que soit réécrite en ce sens aussi bien l'histoire de Luther pour les catholiques, que celle de la Contre-Réforme pour les protestants.

Hegel, dans la *Phénoménologie de l'esprit*, a su remarquablement dire la place de ces paroles de pardon. C'est le terme même du parcours, où l'homme parvient à se poser en sa vérité d'être social, dans une histoire qui n'a pas fait l'économie des luttes, des divisions à surmonter, économie que l'immédiateté de l'amour s'imagine pouvoir faire. Ce parcours conduit si bien à la vérité de l'homme, en ce terme du pardon, qu'il mérite d'être intitulé simplement « Esprit » (6ᵉ section). Or, dit Hegel, ce « oui de la réconciliation », existence d'un sujet absous de la division qu'il avoue, « c'est le Dieu apparaissant au milieu de ceux qui se savent comme pur savoir » (éd. Hoffmeister, p. 472 ; trad. Hyppolite, t. 2, p. 200). Qu'il suffise de dire qu'est exposée là la puisance du pardon : en lui, c'est l'Absolu même qui se manifeste, sous la forme de la religion (7ᵉ section), sous la forme d'un savoir (8ᵉ section), tel qu'en lui la vérité de l'homme se déclare, en un éclair où tout se découvre, compréhension d'une histoire qui se constitue avec son épaisseur et ses obscurités.

Max Scheler, *Repentir et renaissance*, dans *Le sens de la souffrance*, trad. P. Klossowski, Paris, 1936, p. 75-135. – A.-M. Goichon, *Le pardon*, Paris, 1946. – Karl Jaspers, *Die Schuldfrage*, Heidelberg, 1946 ; trad. J. Hersch, *La culpabilité allemande*, Paris, 1948. – V. Jankélévitch, *Le pardon*, Paris, 1967 ; *Pardonner ? Avec deux lettres de Pierre Abraham et Jacques Madaule*, Paris, 1971. – A. Gouhier, *Pour une métaphysique du pardon*, Paris, 1969 (bibl. importante). – *Difficultés du pardon*, VS, t. 131, 1977, n. 619 (numéro spécial).

François MARTY.

**PAREA** (CHARLES), barnabite, 1802-1877. – Carlo Parea naquit à Milan le 22 mai 1802. Après ses études au petit et au grand séminaire de Milan et une expérience d'éducation au collège Borromeo à Pavie, il fut ordonné prêtre en 1827. En 1837 il entra chez les Barnabites et fit profession l'année suivante au noviciat de Monza. De 1840 à 1856 il exerça le ministère à Lodi auprès des jeunes gens et des fidèles ; il s'adonna ensuite à la prédication à Milan et fut nommé pénitencier du *Duomo* (1856-1866). Finalement il regagna Monza, où il prêcha au clergé, enseigna la théologie morale et écrivit. Il mourut le 8 décembre 1877.

D'humeur gaie, simple et candide comme un enfant, il garda toujours un esprit de joie et douceur franciscaines, en dépit des épreuves qui affligèrent ses dernières années. On a remarqué sa foi profonde, sa tendre dévotion envers la Vierge Marie, sa fidélité au Saint-Siège et au pape.

Il publia *L'Amico del Clero. Istruzioni opportune pei sacerdoti che amano di fare privatamente il ritiro degli Esercizi Spirituali...* (Monza, 1875), fruit de sa prédication ; la 2ᵉ éd., corrigée et augmentée, au titre un peu modifié (Milan, 1878, 740 p.), est divisée en deux parties. La première comprend 17 « considérations » sur les fins dernières, le péché, la miséricorde de Dieu, le crucifix, les vertus sacerdotales ; la seconde 17 « instructions » sur le zèle, le bréviaire, la Messe, l'imitation du Christ, l'étude de l'Écriture, la dévotion à Marie, à l'Église et au pape. Sujets et style sont tout à fait dans la ligne de la spiritualité du 19ᵉ siècle, d'une allure austère typiquement lombarde, et selon une discipline ecclésiastique qui remonte à Charles Borromée.

Son autre ouvrage s'adresse aux laïcs : *I tre principali misteri della Passione del Salvatore esposti in modo storico e descritivo...* (Milan, 1873, 400 p.) ; il est réinséré dans *I cinque misteri dolorosi di Gesù Cristo... proposti alla pia e studiosa gioventù* (3ᵉ éd., Milan, 1876, 720 p.). La Passion du Christ y est considérée comme « la méditation préférée des âmes attachées au Sauveur ; elle devrait être la nourriture quotidienne de tous les fidèles ». Sont surtout approfondis les divers aspects de l'agonie de Jésus à Gethsémani, la montée au Calvaire ou les quatorze stations du Chemin de croix et la mort sur la croix, avec un commentaire abondant des sept paroles. La seconde partie de l'ouvrage rapporte trente méditations pour chaque jour du mois, de nombreux exercices de piété, prières, neuvaines, oraisons jaculatoires, etc. La doctrine est traditionnelle, présentée avec onction de façon pratique ; le style est prolixe et redondant.

L. Brugnetti, Ms aux Archives générales des barnabites, Rome (1877). – G. Boffito, *Scrittori barnabiti*, t. 3, Florence, 1934, p. 105-106. – L. Levati et I. Clerici, *Menologio dei barnabiti*, t. 12 (décembre), Gênes, 1937, p. 304-306.

Andrea M. ERBA.

**1. PAREDES** (BERNARD DE), carme, † 1661. – Bernardo de Paredes naquit, nous ne savons à quelle date, à Villatobas (Tolède), où son père était médecin. Le 11 mars 1625 il fit profession au Carmel de Madrid (Rome, Arch. Gén. O. Carm., II Castella 4 : *Miscellanea de viris illustribus et conventibus Castellae*, f. 13v-14r, 64r). Aucun renseignement sur ses études, qu'il dut faire aux couvents de Tolède et d'Alcalá de Henares. « Vir pius et solitudinis coelestis cellae amator », dit de lui son contemporain, L. Pérez de Castro (Rome, Arch. Gén. O. Carm., I. C.O. II 20 : *Miscellanea L. Pérez de Castro*, f. 58r). Il semble n'avoir jamais exercé aucune charge dans l'ordre et s'être uniquement employé à la direction spirituelle et à la prédication, en laquelle il eut une réputation fondée.

Sa piété lui fut sans doute un héritage de famille ; sa sœur fut la béate du Carmel de Tolède, Mariana de Antequera, qui vécut et mourut saintement, après avoir donné au Carmel trois de ses enfants : Manuel de Paredes, qui fit profession au carmel de Tolède et écrira plus tard la vie de sa mère (cf. DS, *infra*), Eugenia et Jerómina, qui prirent l'habit et firent profession au carmel de Loeches le 22 février 1658, et reçurent le voile des mains de leur oncle, notre Bernardo de Paredes, la même année en la fête de saint Joseph. Paredes mourut « cum bono odore » au couvent de Valdeolivas (Cuenca), vers la fin de juillet ou au début d'août 1661.

On lui doit les ouvrages suivants : 1. *Campaña espiritual ordenada con plumas de santos y de intérpretes sagrados para conquistar el alma* (Madrid, 1647 ; Barcelone, 1649 ; Lisbone, 1655). – 2. *Harmonía mística y moral para divertir del vicio y aficionar a la virtud* (2 vol., Madrid, 1649-1652). – 3. *Sermón en la solemnidad de la B. Virgen María del Monte Carmelo* (Madrid, 1659).

Dans le prologue du second de ces ouvrages, l'auteur parle expressément d'un *Marial*, qu'il était en train de composer et qu'il comptait publier. Son neveu, Manuel de Paredes, dans une lettre à Pérez de Castro (23 juillet 1668), écrit que l'ouvrage avait été remis à Tomás Alfay pour être publié chez lui, à Madrid (*Miscellanea de viris illustribus*, f. 63 ter et 64 bis). La publication n'eut pas lieu ; pour quel motif, nous ne savons.

La *Campaña espiritual* contient les sermons pour le temps de l'Avent, de Noël et depuis cette fête jusqu'à la Quinquagésime. La *Harmonía mística y moral*, ceux de Carême, de la Semaine Sainte et de Pâques. Le titre des deux ouvrages n'est pas à négliger ; il indique en fait l'orientation générale qui a guidé leur auteur en les rédigeant, qu'on y trouve

toujours présente et qui leur confère, en leur diversité inévitable, une certaine unité. A travers ces sermons, Paredes se révèle moins un exégète qu'un homme profondément spirituel, qui prend appui sur les lectures liturgiques pour exposer de façon claire et simple, et aussi avec quelque subtilité, les thèmes les plus variés de la vie chrétienne.

Le prédicateur carme, d'accord en cela avec la mentalité de son temps, était persuadé « qu'en chaire, château de l'Église militante, agrément et finesse sont les traits les plus efficaces pour atteindre les âmes », donnant « d'enseigner avec fruit l'idée bien ajustée et le raisonnement bien conduit ; car ce qui est bien dit rend pour le moins l'auditeur attentif, avec l'attention la doctrine se fixe en la mémoire, et pour autant devient plus facile à mettre en pratique » (*Campaña espiritual*, Madrid, 1647, p. 306). Par contre, « si l'agrément fait défaut en la parole de Dieu, le goût aussi fera défaut dans l'Église ; et s'il n'est personne pour scruter avec finesse cette parole, elle ne pourra non plus élever à la contemplation des sublimes mystères. Que soient donc unis, en vue de leur but, chez les prédicateurs de l'Évangile, agrément et finesse, pour qu'ils puissent à l'aide de cet art, non seulement atteindre les fidèles enfants de l'Église, mais qu'en outre, goûtés, ils puissent les élever à la contemplation des mystères de Dieu » (*ibidem*, p. 309). « Dans la prédication de l'Évangile, appliquez-vous à unir ensemble clarté, agrément et finesse... En combattant ainsi, vous accomplirez votre devoir qui est de gagner les âmes à Dieu, les fixant sur la voie de la grâce pour qu'elles y marchent en sécurité vers la gloire » (p. 310).

On trouve en ces ouvrages des pages bien venues, aptes à nourrir la vie spirituelle. Il reste qu'à céder ainsi à la recherche du style qui est propre à son temps, l'auteur n'accorde pas une place suffisante à l'affectivité et devient par le fait quelque peu cérébral. Les sources dont il dépend sont presque uniquement la sainte Écriture, les Pères et les écrivains classiques. Le recours à la littérature profane est rare, mis à part Sénèque cité assez fréquemment.

Archives gén. de l'ordre des Carmes : II Castella 4, *Miscellanea de viris illustribus et conventibus Castellae*, f. 13v-14r, 63 ter et 64 bis ; I C.O. II 20 : *Miscellanea historica L. Pérez de Castro*, f. 58r. – Madrid, Bibl. Nac., ms 10520 : Manuel de Paredes, *Vida de la V. M. Mariana de Antequera*.
C. de Villiers, *Bibl. Carmelitana*, t. 1, Orléans, 1752, col. 282-283. – N. Antonio, *Bibl. hispana nova*, t. 1, Madrid, 1783, p. 226.

Pablo M. GARRIDO.

**2. PAREDES** (MANUEL DE), carme, 17ᵉ siècle. – Manuel de Paredes naquit à Tolède vers 1635, fils de Justo Paredes et de Mariana de Antequera, *beata* ou tertiaire du Carmel, dont il devait plus tard écrire la vie exemplaire. Comme nous l'avons dit, en parlant de Bernardo de Paredes (cf. *supra*, col. 223), deux au moins de ses sœurs entrèrent chez les carmélites déchaussées de Loeches (Madrid). Lui-même fit profession au carmel de Tolède le 16 avril 1651 (Rome, Arch. Gén. O. Carm. II C.O. II 4 [1] : *Scriptorum Ord. Carm. codex 4*, f. 323) et sans doute fit-il ses études dans le même couvent. Ordonné prêtre, il célébra sa première messe au monastère de Loeches, peu après que ses sœurs y eurent fait profession, le 22 février 1658.

Nous ne savons rien de ses premières activités sacerdotales ; comme son oncle Bernardo, il dut probablement commencer à prêcher sans tarder ; on le voit, en effet, dans la suite avec le titre de prédicateur général de sa province. Mais il eut aussi une grande autorité comme confesseur et directeur spirituel. Déjà avant la mort de sa mère (2 octobre 1673) qu'il assista à sa dernière maladie, il avait été nommé maître des novices dans son couvent de Tolède. Il garda cet office pendant de longues années jusqu'à ce que, vers la fin d'août 1687, en compagnie de divers autres religieux de sa province, il commençât une vie de « strictior observantia » dans le couvent fondé en un lieu écarté, appelé couramment *Deserto del Piélago*, dans la Sierra de San Vicente (Tolède).

Il y fut choisi comme premier prieur ; nous ne savons combien de temps il gouverna. Il avait été condisciple de Luis Pérez de Castro, avec qui il maintint une étroite amitié et entretint, durant le séjour de celui-ci à Rome, une fréquente correspondance, lui communiquant de précieux renseignements sur l'histoire et les hommes les plus connus de la province de Castille. Cette correspondance se trouve encore, au moins en partie, aux Archives générales de l'ordre à Rome. Nous ignorons la date de la mort de Paredes. Il vivait encore en 1708-1711 pendant son procès et sa condamnation par l'Inquisition de Tolède.

Il écrivit trois ouvrages, dont deux restent manuscrits à la Bibliothèque Nationale de Madrid : 1. *Vida de la V. M. Dª María del Aguila y Canales, Beata y Religiosa de la tercera Orden de N. S. del Carmen de Antigua Observancia de esta ciudad de Toledo* (ms 11099, 139f). Pour l'écrire, Paredes se servit de renseignements fournis par le milieu familial de María, de ses lettres à son confesseur López Terán et à d'autres personnes, notamment à son frère Fernando, et aussi de ses relations autobiographiques faites sur ordre du même confesseur. Les sources ainsi utilisées donnent un intérêt spécial à cet ouvrage, qui complète abondamment celui qu'avait écrit Francisco López Terán (*Sermón en que se contiene la vida de Doña María del Aguila y Canales*, Madrid, 1634).

C'est à cette biographie, qu'il était en train de rédiger, que Paredes fait allusion dans une lettre à Pérez de Castro du 20 février 1681 ; il lui dit que les lettres qu'il avait pu recueillir et transcrire étaient au nombre de 95, la plupart adressées par la *beata* à son confesseur qui n'avait pas pu ou su dûment s'en servir ; il ajoutait en même temps vouloir l'intention d'écrire aussi la vie de la beata Inés de Jesús qui, comme María del Aguila, avait eu comme guide spirituel Miguel de la Fuente (Rome, Arch. Gen. O. carm., II Castella 4 : *Miscellanea de viris illustribus et conventibus Castellae*, f. 73 et 74 ter ; il faisait part de la même intention dans une autre lettre du 28 novembre 1683 : II C.O. II 1 : *Scriptorum Ord. Carm. codex 1*, f. 410). En fait, il ne semble pas avoir pu écrire la biographie en question,

2. *Vida de la V. M. Mariana de Antequera, Congreganta Profesa del Orden de N. S. del Carmen de antigua observancia de Toledo* (ms 10520, 79f.). Il s'agit de la vie de sa mère, décédée en 1673.

Un aspect intéressant de l'ouvrage, écrit avec simplicité, est de faire connaître l'ambiance spirituelle du couvent de Tolède, prolongeant celle créée aux débuts du siècle par la forte personnalité de Miguel de la Fuente ( cf. DS, t. 9, col. 66-72). L'auteur y parle également des rapports de Mariana de Antequera avec María de Encinas, autre *beata* ou tertiaire, morte en renom de sainteté et dont la vie avait été écrite par son fils carme, Gabriel de Cabrera, *Vida y virtudes de la V. M. D. María de Encinas, natural de Toledo y*

*beata de Nuestra Señora del Carmen* (Madrid, 1680) : elle renseigne sur les religieux modèles de la même période.

3. Mais Manuel de Paredes est surtout connu pour avoir en 1685 publié à Madrid l'autobiographie considérable de sa dirigée, la *beata* Isabel de Jesús Díaz Ortega : *Tesoro del Carmelo, escondido en el campo de la Iglesia...*

L'autobiographie est précédée par 50 pages de préliminaires : dédicace, *juicio y parecer*, introduction rapportant quelques données sur la vie de la *beata* ; Paredes la fait suivre de deux chapitres sur sa dernière maladie, sa mort et les événements qui suivirent ; vient enfin le sermon prononcé par le carme Francisco Clarise lors des honneurs funèbres rendus à la *beata* deux ans après sa mort.

Nous complétons ici la notice d'Isabel de Jesús Díaz Ortega (DS, t. 3, col. 858-859).

Le *Tesoro* parut avec de multiples approbations : les censeurs sont des théologiens et des professeurs d'université connus, carmes ou non, des qualificateurs de l'inquisition, et de ses confesseurs. A la demande de Paredes et des supérieurs de l'ordre, le carme Francisco García de Castilla rédigea des *Anotaciones de algunos reparos que se pueden ofrecer en lo que la V. M. Isabel... escribió por especial luz y por obediencia...* (30 f. dans les préliminaires). Peu d'ouvrages ont présenté autant de garanties, pas même la *Guía espiritual* de Miguel de Molinos parue dix ans plus tôt ! C'est que le *Tesoro* paraît au moment de la réaction antiquiétiste (cf. DS, t. 10, col. 1489).

Dans sa lettre du 28 novembre 1683 à Pérez de Castro, Paredes l'informe de ses démarches pour obtenir toutes ces approbations et donne des détails surprenants sur l'estime dans laquelle Isabel de Jesús est tenue : le franciscain Francisco Jiménez de Mayorga, qualificateur de l'Inquisition, la met au-dessus de Thérèse d'Avila et de Marie-Madeleine de Pazzi ; le carme déchaux Gabriel de Saint-Joseph (DS, t. 6, col. 7-8), un des censeurs, juge qu'il n'y a rien de plus relevé en matière d'union, d'extase et de rapt, et que les cantiques surpassent ceux de Jean de la Croix. Paredes n'est pas loin de penser de même (Archives gén. de l'ordre des Carmes, II C.O. II 1 : *Scriptorum Ord. Carm. Codex 1*, fol. 410).

En net contraste avec ces éloges sans nuances, le jugement sommaire de Manuel Serrano y Sanz au début de ce siècle : après avoir cité quelques textes de l'autobiographie, il conclut : « Il n'est pas facile de dire si cette sainte femme fut seulement dans l'illusion ou si elle chercha aussi à duper, à en juger par les mille choses extravagantes qu'elle raconte et l'attribution qu'elle se fait de poésies nullement siennes » (*Apuntes para una biblioteca de escritoras españolas*, t. 1 Madrid, 1903, p. 556-557). En parlant de poésies, l'auteur se réfère aux « Chants par lesquels Dieu manifeste le chemin aux âmes pour qu'elles aillent à lui par l'échelle secrète de l'oraison », chants qu'Isabel de Jesús s'attribue expressément (*Tesoro*, p. 630) alors que ce texte « apparaît déjà transcrit dans un manuscrit de 1603, et que la béate ne naquit qu'en 1611 » (*Apuntes*, p. 558).

Il s'agit, en réalité, de deux poésies distinctes, comme l'a établi dix années plus tard Gerardo ; elles ont été composées par deux carmélites déchaussées, sœurs consanguines, qui avaient fait profession en 1589 au monastère de la Concepción à Valladolid, María de San Alberto et Cecilia del Nacimiento (cf. *Obras del místico Doctor*, t. 3, Tolède, 1914, p. 152 ; les œuvres de la dernière, déjà publiées en partie par le même Gerardo, ont paru récemment dans une édition critique de José M. Díaz Cerón, Madrid, 1971).

Il existe d'autres poèmes publiés par Paredes comme œuvres de la *beata* après les avoir trouvés dans ses papiers (il note dans le prologue qu'il n'est pas certain de leur authenticité). Nous avons pu établir qu'en majorité ils sont tirés de la *Luz del alma* (Valence, 1634, etc.) du carme Ambrosio Roca de la Serna.

Plus encore, la *beata* a aussi plagié pour la plus grande partie du contenu doctrinal de son œuvre. On arrive difficilement à comprendre comment son confesseur et les nombreux censeurs n'ont pas découvert la vraie source : les sermons de Jean d'Avila (DS, t. 8, col. 269-283). La *beata* se les approprie habilement, les présentant, au moins implicitement, comme ses lumières surnaturelles, fruit de son expérience. Une rapide analyse comparative nous a permis d'identifier des pages entières de Jean d'Avila qu'Isabel fait siennes avec de légères retouches pour les accommoder à sa propre situation. Belles pages sans doute sur la vie trinitaire, l'action de l'Esprit saint dans l'âme et surtout l'influence de Jésus sur notre vie spirituelle, en particulier dans l'eucharistie.

Ces constatations justifient-elles le jugement de Serrano y Sanz ? Mis à part le fait qu'à l'époque les plagiats étaient monnaie courante, il faut reconnaître à Isabel un sain discernement dans le choix des textes doctrinaux qui lui servirent de nourriture spirituelle et un vrai talent pour rapporter ses expériences authentiques ou prétendues, sans tomber dans des déviations, quiétistes par exemple. Par ailleurs, ce qu'elle rapporte n'est pas aussi extravagant que semble le croire Serrano y Sanz : la description des grâces mystiques remplit les autobiographies de cette époque. Isabel est un exemple parmi d'autres de ce curieux phénomène de mimétisme. Il reste qu'elle a su apprécier la valeur et la richesse des sermons de Jean d'Avila, contribuant ainsi à leur divulgation.

Par ailleurs, même si elle n'a pas été une femme très cultivée, il est certain qu'Isabel a lu nombre d'auteurs spirituels (*Tesoro*, p. 3, 6, 42), dont l'autobiographie de Thérèse d'Avila (p. 46-47) qui lui a servi de modèle ; elle a dû lire aussi les œuvres de Jean de la Croix et de Miguel de la Fuente. Elle y a puisé une doctrine solide, y compris dans les difficiles questions concernant la théologie mystique. C'est un fait qui demeure, même si nombre de faits extraordinaires qu'elle attribue à des causes surnaturelles peuvent trouver facilement une explication dans l'état habituellement maladif de la *beata*.

Madrid, Arch. Histórico Nacional, *Clero,* leg. 7210 ; *Inquisición,* leg. 104, n. 19.
Archives gén. de l'ordre des Carmes : ii Castella 4 : *Miscellanea de viris illustribus et conventibus Castellae,* f. 64r-66v, 72r-75v ; ii C.O. ii 1 : *Scriptorum ord. Carm. Codex 1,* f. 410 (ancienne numérotation) ; ii C.O. ii 4 [1] : *Scriptorum ord. Carm. Codex 4,* f. 323. – Cosme de Villiers, *Bibl. Carmelitana,* t. 1, Orléans, 1752, col. 447.
Sur Isabel de Jesús : Archives gén. des Carmes, Post. iv, 5, f. 413r-420v (ms, peut-être autographe, d'une petite partie de l'autobiographie) ; Post. iv, 49, p. 68-70. – C. de Villiers, cité *supra*, col. 435-436. – R.A. Faci, *Carmelo esmaltado,* Saragosse, 1743, p. 411-471. – AS, *Juin,* t. 5, Anvers, 1709, p. 397-398. – M. Serrano y Sanz, *Apuntes para una biblioteca de escritoras españolas,* t. 1, Madrid, 1905, p. 556-559.

Pablo M. GARRIDO.

**3. PAREDES** (Marie-Anne de Jésus, sainte), † 1645. Voir DS, t. 1, col. 1702 ; t. 4, col. 1198.

**PARENT** (Nicolas), cistercien, † 1663. – Né à Lille ou dans les environs, Nicolas Parent fut cistercien à l'abbaye de Loos (alors diocèse de Tournai, aujourd'hui de Lille). Il devint confesseur des cisterciennes de Wevelghem (dioc. de Tournai, aujourd'hui de Bruges) et fut prieur à Loos. Il mourut le 22 février 1663.

Il publia trois ouvrages devenus rares : 1) *L'esperon de l'amour divin*, anonyme, Lille, P. de Rache, 1625 ; – 2) *Considerationes piae ad devotam receptionem S. Eucharistiae ex variis sanctis et doctoribus collectae*, Lille, P. de Rache, 1626 ; – 3) *L'abeille mystique ou fleurons odoriferans et discours emmiellez du tres-devot Pere Sainct Bernard : pour les trois voyes de la perfection religieuse, purgative, illuminative, unitive*, Tournai, Quinqué, 1639 (à la Bibl. munic. de Lille, cote 95602 ; 68 + 642 + 15 p.) ; chacune des trois parties est dédiée à une abbesse cistercienne et à sa communauté (Jossine Coninck, de Wevelghem ; Jeanne de Coupigny, du Saulchoir ; Jeanne Bouflers, du Vivier). Ces parties comportent 13, 12 et 10 « distinctions », chacune de ces distinctions étant divisée en plusieurs chapitres. L'œuvre n'est pas personnelle : c'est une sorte d'anthologie de textes de saint Bernard enchâssés dans une structure très ferme, mais pas originale.

Reste encore un autre travail de Parent : *L'alliance sacrée de Dieu avec l'âme humaine, effleurée des parfaits amours et sainctes jalousies du tres devot et melliflue Pere Sainct Bernard* (Lille, Bibl. munic., ms 454 = ancienne cote 134, 17e siècle, 236 f. ; peut-être autographe) ; ici encore, on trouve surtout des textes de l'abbé de Claivaux que Parent connaît fort bien ; il les introduit et les commente, les groupe quelquefois sous divers titres, mais sans articulation notable. L'œuvre ne présente guère d'intérêt. En somme, Parent n'est qu'un témoin de l'influence de saint Bernard.

C. de Visch, *Bibliotheca scriptorum... ordinis cisterciensis*, 2e éd., Cologne, 1656, p. 250. – J. F. Foppens, *Bibliotheca Belgica*, t. 2, Bruxelles, 1739, p. 917-918. – *Auteurs de Lille (Scriptores insulenses)*, Lille, Bibl. munic., ms 381 (= 469 ancienne cote), p. 362. – A. Le Glay, *Mémoires sur les archives de l'abbaye de Loos*, Lille, 1867, p. 45. – J. Houdoy, *Les imprimeurs lillois...*, Paris, 1879, n. 65 et 71. – *Biographie nationale...* (de Belgique), t. 16, 1901, col. 626-627. – F. Danchin, *Les imprimés lillois*, t. 1, Lille, 1926, n. 159 et 163. – *Dictionnaire des auteurs cisterciens*, Rochefort, 1978, col. 546.

Maur STANDAERT.

**PARET** (Marie), du Tiers-Ordre de saint Dominique, 1636-1674. – Née à Clermont-Ferrand le 5 janvier 1636, Marie Paret fut très jeune dotée de grâces mystiques ; notamment, un jour qu'elle priait dans l'église des Frères Prêcheurs après la communion, saisie d'un ravissement, elle entendit ces paroles : « Ma fille, je veux que tu ne penses plus qu'à moi et que tu t'attaches à ma seule présence ». Cette expérience marqua l'orientation de sa vie et elle se fit dès lors diriger par les dominicains. Elle demanda bientôt son admission dans le Tiers-Ordre, qu'elle attendit près de dix ans. Elle en suivit la règle avec une grande austérité. Elle fut très vite éprouvée de souf-frances physiques et spirituelles qu'elle accepta par amour de la croix, dans un esprit d'obéissance à l'égard de ses directeurs.

Les grâces qu'elle recevait excitèrent en elle le désir de faire les trois vœux de religion. Son confesseur s'y prêta volontiers et l'autorisa à un quatrième : celui de faire en toutes choses ce qu'elle jugerait le plus parfait. A l'imitation de saint Dominique, elle consacrait le jour au prochain et la nuit à Dieu. Elle avait une grande sollicitude à l'égard des pauvres pour qui elle n'hésitait pas à faire la quête. On attribue à sa prière et à son intercession plusieurs guérisons miraculeuses. Elle mourut saintement le 25 juillet 1674. Ses funérailles furent célébrées en présence d'un grand concours de peuple : toute la ville accourut rendre un dernier hommage à celle qu'on appelait la « sainte de Clermont ».

Son dernier directeur, le dominicain Richard Guil-louzou, publia à Clermont en 1678, *La vie de Sœur Marie Paret, du Tiers-Ordre de saint-Dominique* : l'ouvrage contient en appendice les écrits de Marie Paret, quelques billets de dévotion et des lettres à ses confesseurs, que Bremond (*Histoire littéraire...*, t. 6, p. 416-417) juge de meilleur aloi que bien des prati-ques rapportées par la *Vie*.

Pierre RAFFIN.

**PARFAIT** (VŒU DU PLUS PARFAIT). – 1. *Histoire*. – 2. *Objet*. – 3. *Opinions théologiques*.

1. HISTOIRE. – Le vœu du plus parfait, qu'il s'expri-me en ces termes ou sous des formulations analogues (de perfection, du bon plaisir de Dieu, de parfaite abnégation, etc.), semble avoir été surtout prononcé à l'époque moderne. Il est possible que l'exemple de Thérèse d'Avila ait été en cela déterminant. Cepen-dant, sans prononcer un vœu au sens canonique du terme, Grégoire de Nazianze exprimait déjà l'équiva-lent dans l'un de ses *Carmina de seipso* (II, sect. 1, n. 2, PG 37, 1017-1019). Nous donnons ici une liste certainement très incomplète de personnes ayant fait ce vœu, avec référence au texte ou aux particularités de leur engagement.

Thérèse d'Avila † 1583, témoignages de Pierre d'Alcantara (*Œuvres complètes de S. Thérèse*, éd. des Carmélites de Paris, t. 1, Paris, 1907, document 8, n. 21, p. 446 ; cf. doc. 9, p. 448-449), de Fr. de Ribera (*Vida...*, livre 4, ch. 5, AS *Octobre*, t. 7/1, Bruxelles, 1845, p. 675, n. 106-107) et de la *Relatio altera* des *Acta canonisationis* (art. 2, ad 4, *ibidem*, p. 386B). Cf. NRT, t. 60, 1933, p. 621-632.

Gérard Rogers sj † 1613 (H. Morus, *Historia pro-vinciae anglicanae S.J.*, Saint-Omer, 1660, p. 409-410). – Ste Jeanne-Françoise Frémyot de Chan-tal † 1641 (DS, t. 8, col. 859-869), *Fragments du petit livret*, n. 52 (dans *S. J.-Fr...., sa vie et ses œuvres*, éd. de la Visitation d'Annecy, t. 2, Paris, 1875, p. 22). – Gaspard Druzbicki sj † 1662 (DS, t. 3, col. 1723-1736) : *Opera ascetica*, t. 1, Ingol-stadt, 1732, p. 30-33. – Marie Paret, tertiaire domini-caine † 1674 (*supra*, col. 228). – Brigida Morello, ursuline, † 1679 (DS, t. 10, col. 1737-1739) : *Positio super introductione causae...*, Vatican, 1964, p. 441.

Bx Claude La Colombière sj † 1682 (DS, t. 2, col. 939-943), *Retraite spirituelle de 1674* (*Écrits spiri-tuels*, éd. A. Ravier, coll. Christus, Paris, 1962, p. 101-108). – Bx Julien Maunoir sj † 1683 (DS, t. 8, col. 1592-1594) et Jean-Nicolas de Beauregard sj †

1804 : cf. RAM, t. 27, 1951, p. 260-267. – Ste Marguerite-Marie Alacoque, visitandine, † 1690 (DS, t. 10, col. 349-355) : vœu de perfection du 31 octobre 1686 (L. Gauthey, *Vie et Œuvres de la Bse M.-M. A.*, 3e éd., t. 2, Paris, 1915, p. 197-201). – Pierre Chau-monot sj † 1693, *Autobiographie*, éd. F. Martin, Paris, 1885, p. 37-39.

Madeleine-Marie Morice, laïque, † 1769 (DS, t. 10, col. 1742-1743). – Jean Lyonnard sj † 1887 (DS, t. 9, col. 1271-1272) : R. Plus, *Le P. L.*, Tou-louse, 1936, p. 128. – Antoine Sengler sj † 1887 : L. Baunard, *Le R.P. A.S....*, Lille, 1887, p. 44-56. – Louis-E. Rabussier sj † 1897 : (M.-I. Melin), *L.-E. R.*, Paris, 1913, p. 25.

Jean Pioche sj † 1917 : G. Ranson, *L'âme d'une vie*, Paris, 1923, p. 61-63, 112. – Riccardo Friedl sj † 1917 : G. Cassiani Ingoni, *Vita del P...*, Vicence, 1927, p. 112. – William Doyle sj † 1917 (DS, t. 3, col. 1702-1703 ; cf. A. O'Rahilly, *Father W.D.*, Lon-dres, 1925, p. 282-298). – Alexis Hanrion sj † 1920 (DS, t. 7, col. 73) : *Journal spirituel*, Toulouse, 1928, p. 27-29. – Wilhelm Eberschweiler sj † 1921 : W. Sierp, *W.E.*, Fribourg/Brisgau, 1928, p. 40-45.

Arthur Vermeersch sj † 1936 (cf. *Gregorianum*, t. 21, 1940, p. 609-612). – Madeleine de Sales Pupey-Girard, oblate de S. François de Sales † 1939 : *La R. M. Madeleine...*, Troyes, 1947, p. 229-230. – Joseph de Guibert sj † 1942 (DS, t. 6, col. 1147-1154) : voir RAM, t. 26, 1950, p. 108. – Gustave Desbuquois sj † 1959 (*Vivre le bon plaisir de Dieu*, éd. A. Rayez, Paris, 1964, p. 255-257 : à propos d'une religieuse anonyme).

Voir la liste de 36 jésuites ayant fait ce vœu dans RAM, t. 26, 1950, p. 282-283. – A.M. Martins, *De voto perfec-tionis in historia spiritualitatis*, thèse de l'Univ. Grégorienne (à paraître) : se préoccupe en particulier des formulations du vœu.

2. OBJET. – Selon l'ancien code de Droit Canon (c. 1307/1), le vœu est une promesse délibérée et libre faite à Dieu d'accomplir un bien possible et meilleur par l'effet de la vertu de religion. Le vœu du plus parfait engage à faire ce qu'on juge être meilleur, plus agréable à Dieu dans la situation présente concrète. La perfection consiste principalement dans la cha-rité : concrètement, l'acte plus parfait ici et mainte-nant est celui que l'Esprit saint inspire à la liberté de l'homme. Plus on est uni à Dieu par la grâce, par la charité, plus on est apte à discerner comment accom-plir un tel vœu.

Le but visé est de progresser par un dépouillement progressif de l'amour propre vers une liberté crois-sante d'aimer et un don aussi total que possible.

L'objet du vœu peut être limité dans son amplitude comme dans le temps (ainsi Thérèse d'Avila, selon Ribera, *Vida*, livre 4, ch. 5, éd. citée, p. 675, n. 106).

Un tel vœu peut toujours être annulé, commué, et prévoir lui-même cette possibilité. C'est ainsi qu'un des confesseurs de Thérèse d'Avila, estimant que son vœu donnait prise à de graves scrupules, rédigea une nouvelle formule selon laquelle la sainte devait demander à son confesseur en confession si telle chose était plus parfaite ou non (cf. *Œuvres*, éd. citée *supra*, t. 1, Document 9, p. 449).

La pureté d'intention peut, dans une certaine mesure, rentrer dans l'objet même du vœu. Par contre, il ne peut porter sur l'intensité psychologiquement ressentie de l'amour avec lequel on accomplira l'action la plus parfaite : cette intensité psychique est souvent hors de notre pouvoir et, d'autre part, polariser l'attention sur elle engendrerait des préoccupations et des recherches égocentriques qui sont aux antipodes d'un progrès dans la pureté et la ferveur de la charité. Il est évidemment nécessaire que le sujet garde sa liberté de jugement et de choix, qu'il évite l'inquiétude et plus encore le scrupule.

Notons que le vœu du plus parfait a un sens et un rôle plus évidents dans le cadre d'une théologie qui estime que l'imperfection n'est pas péché.

3. OPINIONS THÉOLOGIQUES. – Le premier à avoir traité dans un ouvrage particulier de la question du vœu du plus parfait semble être le carme déchaussé Hermann de Saint-Norbert † 1686 (DS, t. 7, col. 298-300) : *Cibus solidus perfectorum sive de proposito et voto seraphico... Teresiae faciendi semper quidquid intelligeret esse perfectius libri duo* (Anvers, 1670).

Avant même sa parution, le livre était attaqué par un licencié en théologie demeuré inconnu, à qui Hermann répond à la fin de son propre ouvrage (p. 313-333). – Le franciscain Boniface Maes † 1706 (DS, t. 10, col. 67-68) discute les positions d'Hermann : *Consolatorium piorum...* (Gand, 1672). – Hermann riposte par une *Responsio brevis* (Anvers, 1672). – Maes lui répond dans son *Confirmatorium Consolatorii...* (Gand, 1673). – Par la suite, le carme déchaussé Joseph du Saint-Esprit l'andalou † 1736 revient sur ces questions dans les *Disputationes* 27-28 de son *Cursus theologiae mystico-scholasticae* (DS, t. 8, col. 1397-1402 ; nous citons l'éd. d'Anastase de Saint-Paul, inachevée, 5 vol., Bruges, 1924-1934).

Selon Hermann, dont le *Cibus* a été analysé par J. Creusen (cf. bibl.), le vœu du plus parfait porte sur ce que nous présente comme tel l'Écriture, la Tradition et les avis des saints. Une circonstance particulière peut toutefois y opposer un obstacle certain, qu'il faut apprécier à son tour selon la doctrine des saints. Prudence et discrétion sont donc indispensables. La possibilité d'erreur ou d'incertitude peut être considérablement réduite, si on limite la portée du vœu aux cas moralement certains ou aux décisions du supérieur ou d'un directeur éclairé et prudent. En ce sens, la règle la plus sûre pour réaliser en tout ce qui est meilleur est encore l'obéissance ; Hermann propose d'ailleurs une explicitation du vœu qui va dans cette direction. Selon lui, il faut insister avant tout sur le progrès de la pureté d'intention et sur le soin que l'on apporte à accomplir ce qui nous apparaît être le meilleur : l'action la meilleure est d'abord celle qu'anime la meilleure intention et qu'on exécute avec le plus grand soin.

Y a-t-il toujours péché à ne pas se conformer au vœu du plus parfait ? Hermann répond affirmativement de façon nette. Joseph du Saint-Esprit nie résolument. La réponse, pensons-nous, ne peut être que théorique.

Qui peut émettre un tel vœu ? Selon Hermann, il est nécessaire d'avoir assez progressé pour être devenu capable de discerner où est le plus parfait et d'appartenir à la « catégorie des parfaits » (cf. NRT, t. 60, 1933, p. 638). Nécessaire aussi l'approbation du supérieur ou du directeur spirituel, à qui revient de préciser les modalités. Quant à lui, Joseph du Saint-Esprit est plus exigeant ; le vœu en effet va plus loin encore que le refus de tout péché véniel délibéré.

« Seul celui qui est parfait et même très parfait peut émettre le vœu thérésien » (*Disp.* 28, q. 5, n. 54, éd. citée, t. 4, 1931, p. 478a ; cf. *Disp.* 27, q. 4, n. 60-65 ; 28, q. 6, n. 74-76).

Plus près de nous, d'autres auteurs ont été moins exigeants. B. Valuy écrit que, pour faire ce vœu, « il faut y être poussé par l'Esprit de Dieu, être autorisé par le supérieur, avoir une conscience droite et un jugement sain, remplir exactement les devoirs de la vie religieuse, s'être fortifié dans la pratique de toutes les vertus » (*Du gouvernement des communautés religieuses*, Lyon-Paris, 1866 ; 8e éd., Paris, 1925, p. 633). Ch. De Smedt (DS, t. 3, col. 629-630), tout en admettant l'héroïcité d'un tel vœu, pense pouvoir le permettre et même le conseiller aux fervents, s'il n'y a pas lieu de craindre une difficulté sérieuse à y être habituellement fidèle (*Notre vie surnaturelle*, 2 vol., Bruxelles, 1910-1911 ; 3e éd., t. 2, 1920, p. 109). – Voir aussi J. Pergmayr † 1765, *Maximes spirituelles*, ch. 15, exercice 1 (trad. franç., Tournai, 1893, p. 282-293) ; – A. Saudreau, *Les degrés de la vie spirituelle*, 3e éd., t. 2, Paris, 1905, n. 153-156, p. 275-278.

Quoi qu'il en soit des opinions émises, il est sûr qu'un tel vœu, pour signifier quelque chose, exige le discernement habituel de ce qui est selon l'esprit du Christ et la capacité de surmonter les passions égocentriques.

Il faut remarquer que les théologiens traitent de ce vœu essentiellement dans le contexte de la vie religieuse, même si des exceptions sont envisageables. On peut se demander ce qu'un tel vœu ajoute aux vœux de religion, lesquels orientent celui qui les émet vers un holocauste de tout lui-même. On dira que les exigences précises de ces vœux permettent bien des libertés et qu'il y a là un champ d'application pour le vœu du plus parfait. D'autres observeront que les vœux de religion expriment une consécration faite à Dieu et qu'il n'y a rien au-delà : le vœu du plus parfait ne peut que la mécaniser et la morceler en orientant l'esprit vers les aléas du quotidien... Cependant, des spirituels authentiques, à l'âme haute, large et aux grands desseins, ont émis ce vœu. Ceux qui l'ont fait n'ont pas nécessairement fixé leur attention sur les petites choses ; ils ont pu chercher et trouver là un soutien pour leur volonté d'accomplir en tout et au mieux le bon plaisir de Dieu à la suite du Christ.

*Conclusion.* – Si l'on s'en tient aux personnalités spirituelles les plus reconnues, on relève un certain nombre de traits communs. Elles émettent le vœu sous une inspiration assez manifeste et durable : elles s'y sentent appelées. Toutes procèdent avec grande prudence, s'entourent de conseils éclairés, s'en remettent à leur supérieur ou directeur, pour en fin de compte obéir. La formulation du vœu prend des précautions pour éviter dangers, scrupules et troubles, pour préciser ses limites matérielles, dans le temps, etc. Beaucoup ont choisi d'émettre ce vœu pour remédier à leur inquiétude ou à leur doute : quitte à limiter la portée de leur engagement au plus parfait, elles ont conscience de s'en remettre plus entièrement à la confiance en Dieu, qui seul leur donnera d'être fidèles. Une douce paix intérieure, une nouvelle liberté marquent souvent ceux qui marchent fidèlement dans l'exécution de ce vœu. On trouve des illustrations de tout cela dans les textes laissés par Claude La Colombière et Marguerite-Marie.

Notre époque parle beaucoup moins de perfection,

peut-être parce que ce mot a pris une signification trop moralisante ; peut-être aussi parce que la psychologie contemporaine nous rend plus prudents en tout ce qui concerne le comportement humain (pureté d'intention, amour pur, charité, etc.). Cela ne signifie pas qu'il y ait moins de chrétiens soucieux de marcher à la suite du Christ jusqu'au bout de leur amour.

Cet article suit de près les études de J. Creusen sj et les notes inédites qu'il a laissées : *Le vœu du plus parfait d'après Herman* (sic) *de Saint-Norbert* (RAM, t. 12, 1931, p. 153-161) ; – *Le vœu du plus parfait. Aperçu historique* (NRT, t. 60, 1933, p. 621-643) ; – *Vie religieuse et vœu du plus parfait* (dans *Revue des communautés religieuses*, t. 14, 1938, p. 69-78, 107-113, 145-153) ; – *Introduction historique* (ms de 41 p., Bibl. des jésuites à Namur, Belgique). – DS, art. *Perfection, infra.*

Alfred de BONHOME.

**PARFAITS.** Voir PERFECTION.

**1. PARIS** (FRANÇOIS), prêtre, † 1718. – François Paris est né à Châtillon-sur-Seine, à une date que l'on ne peut encore préciser, sans doute autour des années 1640-1650, d'une famille modeste. Les qualités dont il était doué attirèrent l'attention des frères Varet, chez lesquels il avait été placé jeune. L'un d'eux, Alexandre-Louis, qui fut grand-vicaire de L.H. de Gondrin, archevêque de Sens, est bien connu pour ses prises de position jansénistes. Ils lui facilitèrent les études en vue du sacerdoce. Les sympathies qu'il avait dans le milieu janséniste, ses relations avec Nicole et Arnauld, le firent nommer, après son ordination, curé de Saint-Lambert-des-Bois, dans le voisinage du monastère de Port-Royal-des-Champs. Il dirigea cette paroisse pendant quelques années, puis il passa dans le Maine, où il fut le chapelain de M. Le Vayer, dans son domaine de La Chevalerie, tout en exerçant son ministère parmi les populations de la région. Enfin, il se retira sur la paroisse parisienne de Saint-Étienne-du-Mont, dont il devint sous-vicaire. La paroisse était alors un des foyers les plus actifs du jansénisme parisien. Il y mourut le 17 octobre 1718, à un âge avancé.

François Paris – qu'il ne faut pas confondre avec le célèbre diacre François de Paris – est peu connu. Il est généralement passé sous silence. Cependant, sa vie et son œuvre doctrinale mériteraient une recherche attentive. Il paraît représenter une vision modérée du jansénisme. L'étude de sa vie donnerait des lumières nouvelles sur le milieu. Son œuvre doctrinale est complexe et, dans certaines de ses parties, ne manque pas de souffle. Elle comprend des études sur l'Évangile ; des prières ; une contribution à l'hagiographie ; une édition de l'*Imitation* ; des instructions sur les sacrements.

Un de ses ouvrages, que l'on peut considérer aujourd'hui comme assez remarquable, est un commentaire de l'Évangile : *L'Évangile expliqué selon les Saints Pères, les auteurs ecclésiastiques et la concorde des quatre évangélistes en faveur de ceux qui désirent avoir une parfaite intelligence littérale et morale de tout le Nouveau Testament* (Paris, J. Villette et E. Courterot, 4 vol., 1693-1698 ; éd. abrégée en 1706). L'auteur veut introduire l'âme dans l'intérieur de Jésus-Christ, car l'Évangile est la Parole de

Dieu, l'excès de l'amour de Dieu pour les hommes, l'expression de l'amour parfait, la voie de tout cheminement vers Dieu. Dans la ligne de cet amour du Christ, on peut placer son *Plan ou Idée générale d'explication morale des Évangiles de toutes les fêtes et dimanches de l'année, et des principaux points de la doctrine chrétienne, des mystères et des vertus principales* (Paris, D. Horthemels, 1699), comme aussi son *Explication des commandements de Dieu* (Paris, P. Le Petit et J. Villette, 2 vol., 1693).

L'autre partie de son œuvre spirituelle est constituée de recueils de prières ou d'élévations, qui eurent plusieurs éditions : *Les Pseaumes en forme de prières, paraphrase* (Paris, D. Hortemels, 1690 ; encore édité en 1788 ; autre version : *Les Pseaumes en forme de prières, ou les Effusions d'un cœur attendri...* (Paris, Lottin le Jeune, 1765) ; – *Prières formées sur tout ce qu'il y a de moral dans l'Ancien et le Nouveau Testament* (Paris, Hortemels, 1691) ; – *Prières et élévations à Dieu extraites des... Confessions de S. Augustin* (Paris, E. Couterot, 1698).

Relevons encore : *Règles chrétiennes pour la conduite de la vie, tirées de l'Écriture sainte* (Paris, 1673), que nous n'avons pas vues ; – *Traité de l'usage des sacrements de pénitence et d'eucharistie, selon les sentiments des Pères...*, anonyme (Sens, 1673, 1674, 1678, etc.) ; rédigé à la demande de Gondrin, l'ouvrage a vraisemblablement été revu par P. Nicole et A. Arnauld ; Paris y reprend les thèses rigoristes en utilisant l'autorité de saint Charles Borromée ; – *Martyrologe ou Idée générale de la vie des saints...* (Paris, Hortemels, 1691) ; – une traduction de l'*Imitation de Jésus-Christ* (Paris, 1705, etc.), qui utilise celle de Roland Bonhomme de 1554 (cf. *Mémoires de Trévoux*, juillet, 1706, p. 1265).

Dans l'état actuel de notre information, l'article essentiel sur Paris reste celui de Moreri, *Le grand dictionnaire*, t. 8/2, 1759, p. 84-95. – *Biographie universelle* de Feller, éd. de 1849, t. 4, p. 372. – *Catalogue général des... imprimés de la B.N.*, t. 130, Paris, 1935, col. 362-364.

Raymond DARRICAU.

**2. PARIS** (PIERRE), sulpicien, 1884-1939. – Né à Villedieu-les-Poëles (Manche) le 17 novembre 1884, Pierre Paris fut ordonné prêtre en 1908 et fut d'abord professeur de lettres dans deux collèges diocésains. Sa santé délicate le força à interrompre l'enseignement ; après une année d'études théologiques et archéologiques à Rome (1912-1913), il fut reçu dans la Compagnie de Saint-Sulpice, mais contraint de rester à Villedieu comme vicaire auxiliaire pendant toute la guerre. En octobre 1919 il fut envoyé au grand séminaire de Bordeaux pour enseigner la théologie fondamentale, la liturgie et la patristique. Il y aida aussi les groupes d'étudiants ou de professeurs catholiques, si bien qu'après 1926, quand la maladie l'obligea à se fixer définitivement à Villedieu, il devint tout naturellement le « curé » de la « paroisse universitaire » dont il avait encouragé les premières réalisations animées par Joseph Lotte † 1914. Le *Bulletin Joseph Lotte* et les Journées universitaires, de 1929 à sa mort (31 mai 1939), firent apprécier l'enseignement doctrinal et spirituel qu'il dispensait dans les retraites et dans les réunions de son ministère itinérant auprès des groupes catholiques de professeurs de l'enseignement public. Une connaissance approfondie des premiers siècles chrétiens (attestée par 76 articles qu'il rédigea pour le *Dictionnaire pratique des connaissances religieuses* entre 1925 et 1927) fit de lui un pionnier de la renaissance liturgique et du ressourcement dans la tradition des Pères ; il proposait ainsi une vie chrétienne centrée sur le mystère pascal, par rapport auquel le baptême, l'eucharistie, l'apostolat ou la souffrance prennent leur juste place.

Lui-même n'avait rien publié en volume, si ce n'est un *Manuel des Journées universitaires* (Issoudun, 1937) ; *Pâques et la semaine des vêtements blancs, Paroissien des Journées Universitaires* (Villedieu, 1938), et deux témoignages d'amitié : *Un compagnon de Péguy : Joseph Lotte* (sous le pseudonyme de Pierre Pacary, Paris, 1917) et *L'Abbé Charles Amet* (Saint-Lô, 1919). Après sa mort, la plupart de ses articles et conférences ont été réunis : *L'initiation chrétienne, leçons sur le baptême*, Paris, 1944 ; – *Œuvres*, t. 1 (seul paru) : *Liturgie et messe. Nous souvenant donc, Seigneur*, Paris, 1946 ; – *Les hymnes de la liturgie romaine*, Paris, 1954 ; – *Écrits spirituels*, Paris, 1961. – On a repris également sa traduction des *Catéchèses mystagogiques* de Cyrille de Jérusalem (SC 126, Paris, 1966). – Quelques pages de son Journal et de ses méditations (manuscrits, conservés dans sa famille) sont reproduites dans M. Leherpeur, *L'apôtre de l'Université, Monsieur Paris*, Paris, 1941.

Sur Paris, voir, dans les *Écrits spirituels,* la préface de Roger Pons, p. 7-23 ; – dans *La Vie Intellectuelle* du 25 juin 1939, p. 322-349, les articles de Christianus (Ét. Borne), de Jacques Madaule et de Daniel Villey ; – A. Etcheverry, *Un apôtre de l'Université, M. Paris*, Toulouse, 1943.

DS, t. 2, col. 1223 ; t. 3, col. 966.

Irénée Noye.

**PARISI** (François), barnabite, 1844-1926. – Francesco Parisi, né à Bari le 13 avril 1844, entra chez les Barnabites en 1861, fit profession le 1er mars 1862 et fut ordonné prêtre à Naples en 1867. Il devint aussitôt professeur, avec la charge des jeunes gens, à Gênes, où il fonda et dirigea le cercle « Alessandro Sauli » (1875-1895) ; ensuite supérieur et directeur du collège « Bianchi », à Naples (1895-1919), exerçant en même temps la fonction de provincial (1904-1912, 1915-1922). Éducateur prudent, orateur admiré, il fit d'innombrables conférences et sermons, en partie publiés et largement répandus dans la classe moyenne et les milieux intellectuels.

Son volume *Discorsi Morali* (Naples, 1901 et 1906) en contient 26 ; une cinquantaine d'autres sont recueillis en trois volumes de *Discorsi Sacri* (Sampierdarena, 1903-1904-1906) : le premier, *La Madonna*, en contient 14 sur les vertus, les prérogatives de la Vierge et la dévotion à Marie ; le deuxième, *I Santi,* 15 panégyriques prononcés en diverses circonstances ; le troisième, *Discorsi vari,* des conférences socio-religieuses faites par occasion. Toutes manifestent une sérieuse préparation historique et littéraire, une éloquence de type moralisant et rhétorique. On retrouve le même style dans *Gesù Cristo, Discorsi* (Naples, 1906) et *Lourdes : 1858-1908, Discorsi* (Naples, 1909), avec beaucoup d'applications d'ordre spirituel. L'abondante production de Parisi répond à des préoccupations apologétiques et apostoliques ; souvent fonction de l'actualité et de la vie de l'Église, elle se situe dans le cadre de la piété traditionnelle et de la plus pure orthodoxie.

N. Giannuzzi, *P. Francesco Parisi barnabita : lettera necrologica,* Naples, 1927. – G. Semeria, *P. Francesco Parisi,* dans *Mater divinae Providentiae,* juin 1926, p. 14-17. – G. Boffito, *Scrittori barnabiti,* t. 3, Florence, 1934, p. 109-118 (avec 76 indications bibliographiques).

Andrea M. Erba.

**PARISIS** (Pierre-Louis), évêque, 1795-1866. – Pierre-Louis Parisis naquit à Orléans, le 12 août 1795, d'une famille de commerçants plutôt modestes. Les circonstances difficiles de sa jeunesse ne facilitèrent pas ses études théologiques, qui sont marquées par les lacunes incontestables d'un autodidacte, d'ailleurs travailleur acharné. Ordonné prêtre le 18 septembre 1819, il est d'abord professeur, puis vicaire à Orléans, où déjà son talent oratoire est remarqué. En 1828, devenu curé de Gien, il rénove la paroisse au spirituel et au temporel. Le 24 août 1834, il est nommé évêque de Langres, et le 12 août 1851, évêque d'Arras. En 1848, le Morbihan l'envoie à l'Assemblée constituante, où il s'occupe des questions sociales, puis à l'Assemblée législative. Il mourut le 5 mars 1866.

Pasteur avant tout, une foi totale gouverna ses dispositions, ses décisions, son action. Son âme religieuse, nourrie d'oraison, faisait de la liturgie une prédication. Très attentif aux voies de la Providence, il se montra très attaché à l'Église et à son chef. Caractère grand et austère, dévoué et désintéressé, il savait reconnaître ses « inadvertances ». Intelligence lucide et logique, « volonté peu commune », tempérament de lutteur, autorité consciente, il mena de front une activité considérable de pasteur, d'administrateur, d'orateur, d'écrivain, et même de parlementaire pendant quelques années, sans se préoccuper du surmenage. Au terme, Arras ressentait quelque peu le poids de son autorité.

Chez lui, le sens apostolique commanda tout. Il entendit christianiser son peuple, dont la conduite devait répondre à la foi. Dans ce but, il mit en œuvre une célébration soignée de la liturgie romaine et la rénovation du chant, la formation continue du clergé, dans un cadre spécial au séminaire et par les retraites sacerdotales, les synodes, statuts, rencontres diverses indispensables à l'effort pastoral ; il attira nombre de congrégations religieuses, en créa même de nouvelles, promut l'engagement des laïcs (particulièrement en faveur de la liberté d'enseignement), s'attacha aux visites pastorales ; il mit en relief le rôle éducateur de la femme, l'importance de l'éducation chrétienne des enfants. Cette action considérable alliait l'effort de réflexion aux réalisations matérielles.

Parisis favorisa les dévotions majeures, ainsi celle à l'Eucharistie (préconisant même la communion fréquente), les pèlerinages, le culte des saints, les confréries, les conférences de Saint-Vincent de Paul, les cercles Saint-Joseph. Il assura la rédaction de catéchismes longtemps en usage, la publication de livres liturgiques. Il accrut les institutions scolaires libres, facteurs d'éducation chrétienne.

Il avait le souci des pauvres et des églises pauvres. Il prit conscience de la condition inhumaine que l'essor industriel infligeait aux ouvriers ; il lutta pour l'abolition du travail le dimanche et contre le travail des femmes et des enfants dans les mines, institua des aumôniers de mineurs. La formation profonde des prêtres, l'évangélisation des classes dirigeantes devaient selon lui éveiller les consciences aux problèmes sociaux et préparer leur solution ; il dépassait ainsi la mentalité alors prédominante chez les catholiques selon laquelle la charité suffisait à ces questions.

Il exerça une profonde influence sur les deux diocèses dont il fut l'évêque, mais son attention ne se limita pas à leur horizon. Il invitait ses fidèles aux largesses en faveur des détresses matérielles, à la prière même publique en faveur des grandes causes spirituelles. Il s'intéressa vivement au Denier de Saint-Pierre, aux Œuvres missionnaires, à la Propagation de la Foi, proposant déjà l'apostolat missionnaire de prêtres diocésains (actuellement au titre de *Fidei donum*), et à la « Sainte Enfance » dont il présida le Conseil central. Sa lutte pour la liberté d'enseignement se menait à l'échelle nationale, d'où son élection par le Morbihan.

Il n'existe pas, semble-t-il, de bibliographie adéquate de Parisis ; il n'a pas publié d'ouvrages de spiritualité proprement dit : celle-ci se dégage principalement de son action pastorale, de ses allocutions, mandements et circulaires (3 vol., Arras, 1858-1867), lettres pastorales (ensemble considérable). Ses « papiers personnels » et ses « précieux cahiers », ainsi que les notes et papiers de son biographe Ch. Guillemant ont été détruits par le bombardement d'Arras du 24 mai 1940 (L. Berthe, *Les papiers de Monseigneur Parisis*, dans *Mélanges de science religieuse*, t. 36, 1979, p. 97-98).

On se reportera à deux ouvrages : Ch. Guillemant, *Pierre-Louis Parisis*, 3 vol., Paris, 1916-1925, la biographie la plus complète qui mentionne les sources utilisées (vg t. 1, p. 2 : les mémoires intitulés *Soixante ans d'expérience* ; p. 11, notes personnelles ; *Consolations*, sous-titrées « La Providence sur moi » de la p. 25 à la p. 49). – et Y.-M. Hilaire, *La vie religieuse des populations du diocèse d'Arras, 1840-1914*, 3 vol., Lille (service de reproduction des thèses), 1976.

Pour la bibliographie des œuvres, voir Guillemant, t. 2, p. 464-469 ; t. 3, p. 753-755 ; – *Catalogue des livres imprimés... de la B.N. de Paris*, t. 130, 1935, col. 477-486 ; – Hilaire, p. 915-981.

Voir aussi : *La Société, journal religieux, politique...* (organe officieux de l'évêché d'Arras), 2 août 1853-31 décembre 1855. – L. Baunard, *L'épiscopat français (1802-1905)*, Paris, 1907, p. 71-73, 282-283. – DTC, t. 11, 1932, col. 2039-2040. – J.-B. Duroselle, *Les débuts du catholicisme social en France*, Paris, 1951, table. – NCE, t. 10, 1967, p. 1022-1023.

DS, t. 3, col. 7 ; t. 4, col. 904 ; t. 5, col. 31 ; t. 9, col. 101 ; t. 10, col. 529.

Paul VIARD.

**PARISOT** (JOSEPH), oratorien, 1600-1678. Voir DS, t. 1, col. 1159 ; t. 4, col. 663-680 *passim*, surtout 669-670.

**PAROLE DE DIEU.** – On centrera cet article sur la Parole de Dieu. Le DS comporte un article développé sur la lecture de l'Écriture à travers les âges (t. 4, col. 128-278). On voudrait voir ce que signifie, pour la foi et la pratique chrétienne, l'affirmation fondamentale que Dieu a parlé et qu'il continue de parler. Il a parlé par les prophètes, il nous a parlé en son Fils, il ne cesse de nous parler et d'attendre notre réponse. Qu'est-ce que cela veut dire, pour Dieu et pour l'homme ? – I. *Du Dieu qui parle aux Écritures*. – II. *La Parole faite chair*. – III. *Entendre Dieu nous parler dans les Écritures*.

**I. DU DIEU QUI PARLE AUX ÉCRITURES.** – Dieu parle, c'est une affirmation cent fois répétée à travers l'ancien Testament. Toutefois, elle ne prend pas la même forme dans le Pentateuque et chez les prophètes. Elle est d'ailleurs absente de plusieurs des livres de sagesse, et exceptionnelle dans les psaumes. Pourtant la foi juive, après quelques hésitations, reçoit toutes les Écritures canoniques comme Parole de Dieu. Et la foi chrétienne n'a rien innové sur ce point ; elle a seulement adopté le canon le plus étendu, celui du judaïsme alexandrin et de sa version grecque, la Septante. C'est dire que le rapport entre la Parole de Dieu et l'Écriture n'est pas le même dans tous les écrits, ou encore, que Dieu n'y parle pas de la même façon. Aussi faut-il d'abord essayer de voir comment se présente, selon les différents écrits, l'affirmation : Dieu a parlé.

1. MILIEUX ET MODES DE LA PAROLE DE DIEU. – Dieu dit : « Que la lumière soit » (*Gen*. 1, 3) ; – Dieu dit : « Il n'est pas bon que l'homme soit seul » (2, 18) ; – Dieu dit à Abram : « Quitte ton pays, ta parenté et la maison de ton père » (12, 1) ; – « Le Seigneur apparut à Abram et dit : A ta descendance je donnerai ce pays » (12, 7). Bien qu'elles figurent toutes les quatre dans la Loi, et se trouvent rassemblées dans les douze premiers chapitres de la *Genèse*, ces quatre interventions « parlées » de Dieu ne se recouvrent pas. La parole du Dieu qui suscite la lumière est celle du Créateur, du Dieu sans égal, à qui il suffit d'énoncer une volonté pour qu'elle se réalise. Le Dieu qui s'apprête à tirer la femme du flanc du premier homme est un personnage de mythes. Tout aussi réel et agissant que le Dieu du chapitre précédent, aussi décidé dans son action, mais plus proche, plus immédiatement présent, et agissant à travers le mystère des choses et du monde. Le Dieu qui fait sortir Abram de son pays n'a point de figure, pas de personnalité propre, et l'on n'entend pas même sa parole. On ne connaît d'elle que sa substance : « Pars, je ferai de toi un grand peuple ». Le Dieu qui apparaît à Abram à Sichem, au Chêne de Moré pour lui promettre la terre où le patriarche vient d'arriver est lui-même comme enraciné en ce lieu où l'on vient l'adorer. Mais de ces racines et de l'expérience singulière visée par le mot vague « apparaître » le récit ne nous dit rien. Tout ce que nous savons, c'est qu'à l'origine de l'aventure d'Abraham, le Livre de la Genèse place une parole de Dieu, d'un Dieu qui est aussi le Dieu créateur de l'univers de *Gen*. 1 et le Dieu du monde proche et mystérieux de *Gen*. 2. Si le livre rassemble ces quatre scènes, ce n'est pas seulement pour mettre en valeur, sous des physionomies diverses, le même Dieu unique ; c'est aussi que, sous des formes très différentes, ce Dieu a un trait caractéristique : il parle.

L'histoire des traditions à travers la littérature biblique, l'identification des théologies parallèles ou successives permet souvent de classer, au long du développement de la foi d'Israël, les différents textes dans lesquels Dieu parle. A cette méthode longue et complexe on préférera une vue plus simple et moins précise : tenter de voir quelles expériences supposent les différents langages dans lesquels l'ancien Testament fait parler Dieu.

1º *L'expérience de la vocation*. – « Pars, dit Dieu à Abram, je ferai de toi un grand peuple ». Sous une forme ou sous une autre, les récits de vocation comprennent toujours deux parties : un ordre à exécuter par l'homme, un résultat que Dieu s'engage à réaliser avec son élu. Ainsi, plus tard, « Venez à ma suite, je ferai de vous des pêcheurs d'hommes » (*Marc* 1, 17). Ce qui donne à ces récits de pouvoir relater une parole de Dieu, ce n'est pas la nature de la rencontre entre l'homme et Dieu. Ils ne disent rien de ce qu'a pu éprouver le personnage appelé, des signes auxquels il a pu reconnaître la voix qui lui parlait. Les prophètes, plus tard, recevront des signes, destinés d'abord à leurs auditeurs. Mais les récits des patriarches ne connaissent pas de signes, et les lecteurs n'en ont pas besoin. La parole de Dieu se laisse identifier par ce qu'elle demande et par ce qu'elle promet.

L'histoire d'Abraham est celle d'un homme, chargé de responsabilités sérieuses, d'un groupe important d'hommes, de femmes, de troupeaux, qui dépendent de lui, et qui choisit un jour de partir en quittant tous les appuis sur lesquels il pouvait compter. Partir, ce nomade en avait l'habitude ; partir en disant adieu à tout milieu naturel, partir sans rien laisser tomber de ses responsabilités, telle est la « légende » que la Genèse nous donne d'Abraham. Puisqu'il n'est pas fou et reste jusqu'au bout le chef incontesté, puisqu'il n'obéit ni à ses rêves ni à ses passions, il faut que l'appel soit venu de Dieu.

Cet appel, la Bible le nomme une parole. Non qu'elle ait perçu le moindre écho d'un dialogue quelconque, mais parce que, lorsqu'un homme conscient risque son destin et celui des siens pour obéir à la volonté de Dieu, il faut supposer qu'entre cet homme et Dieu quelque chose s'est passé, une communication entre des personnes. Or, entre des personnes, la communication est forcément, tôt ou tard, de l'ordre de la parole. Sur la forme qu'a pu prendre cette communication, le récit n'apporte aucune précision ; sur le fait d'une communication, la tradition biblique ne laisse aucun doute.

Cette parole a quelque chose d'unique, un trait que la composition de la Genèse met bien en relief : elle n'a pas d'antécédent. Quand Dieu parle à Isaac, Jacob ou Moïse, il se présente comme un personnage connu : « Je suis le Dieu d'Abraham, ton père » (*Gen.* 26, 24 ; cf. 28, 13 ; *Ex.* 3, 6). Et pour appuyer ses volontés, Dieu peut faire valoir les réalisations qu'il a déjà accomplies. La foi d'Abraham ne suppose pas de signes antérieurs. Inutile de vouloir reconstituer le chemin par lequel Abraham a été conduit à reconnaître le vrai Dieu. La foi juive a suscité en ce domaine beaucoup de légendes, parfois pénétrantes. Le texte biblique est d'un dépouillement total, ce qui donne à la foi du patriarche sa figure la plus accomplie ; le seul point de départ de son aventure, le seul ressort de son existence est la parole de Dieu : Dieu dit, son serviteur obéit.

2° *L'expérience de l'élection.* – La vocation vise toujours une personne déterminée, et demande une réponse personnelle. L'élection, dans le langage courant, a un aspect plutôt collectif, et presque toujours permanent. L'exemple type de l'élection est le peuple d'Israël, qui porte à travers les âges les signes de son élection. Le point de départ et le lieu de son élection sont l'Alliance. Dans l'élection, la parole n'intervient pas de la même façon que dans la vocation. Elle n'atteint pas directement chaque israélite, et doit passer par un médiateur, qui reçoit de Dieu les indications à transmettre au peuple et lui rapporte la réponse. Néanmoins, tout le processus est de l'ordre de la parole, et le récit biblique met fortement en valeur ce trait essentiel : « Dieu dit à Moïse... Tu diras aux enfants d'Israël... Si vous écoutez ma voix... Le peuple répondit unanimement... Tout ce qu'a dit le Seigneur nous le pratiquerons... Moïse annonça au Seigneur les paroles du peuple » (*Ex.* 19, 3-9).

Il y a plus significatif encore que ce langage facile à reproduire. Le texte même de la proposition d'Alliance, moins stéréotypé, est tout entier construit sur deux paroles : « Vous avez vu vous-mêmes ce que j'ai fait aux Égyptiens, comment je vous ai portés sur des ailes d'aigle et amenés jusqu'à moi. – Et maintenant, si vous écoutez vraiment ma voix et si vous observez mon alliance, vous serez mon bien particulier parmi tous les peuples » (*Ex.* 19, 4-5). Une parole comme celle-là ne peut surgir toute faite, elle suppose un passé, et ce passé est aussi de l'ordre de la parole. Pour qu'Israël ait pu « voir ce que Dieu a fait », il faut qu'à travers les aventures vécues, la délivrance d'Égypte, la traversée de la mer, la marche au désert, le peuple ait reconnu autre chose qu'une série d'événements extraordinaires : une action décidée et exécutée, un auteur responsable.

Pour dire « Dieu est l'auteur de ce geste », il faut l'avoir déjà connu et pouvoir le reconnaître, soit à sa façon d'agir, soit surtout parce qu'il a d'avance annoncé ce qu'il ferait. C'est pourquoi *Ex.* 19 et la proposition d'alliance supposent *Ex.* 3 et la parole de l'Horeb : « Ceci te sera le signe que c'est moi qui t'ai envoyé : quand tu auras fait sortir le peuple d'Égypte, vous servirez Dieu sur cette montagne » (*Ex.* 3, 12). Il y a le signe et la parole. Qu'Israël se retrouve au lieu même de la promesse est la preuve que Dieu lui a réellement parlé par la bouche de Moïse et que sa parole s'accomplit.

Mais cette parole accomplie n'est qu'un premier temps ; elle en prépare une seconde où les rôles, si l'on peut dire, sont inversés. Du buisson ardent de l'Horeb à l'alliance du Sinaï, Dieu est l'acteur principal et mène l'action ; Israël n'a qu'à se laisser « porter sur ces ailes d'aigle » et tout ce que Dieu lui demande, au terme de ce vol extraordinaire, est d'en reconnaître l'initiateur et l'auteur. D'un mot qui ne figure pas dans ce récit, mais qui en dit bien la substance : de croire. Mais *maintenant* (*Ex.* 19, 5 ; cf. *Josué* 24, 14 ; *Deut.* 4, 1 ; 10, 12 ; 26, 10) il faut que l'homme agisse, et la phrase change de sujet : « si vous écoutez... » (*Ex.* 19, 5). C'est le temps de la loi et des commandements, le temps de l'obéissance. La parole globale de l'Alliance se diffracte en deux moments : celui des « dix paroles » (*Ex.* 20, 1-17 ; *Deut.* 5, 6-22), et celui des codes successifs, où les impératifs de la conscience morale, condensés dans le décalogue, se traduisent en prescriptions légales, adaptées aux conditions sociales nouvelles : code de l'Alliance (*Ex.* 20, 22-23, 32), code deutéronomique (*Deut.* 12-26), loi de sainteté (*Lév.* 17-26).

Mais l'alliance est tout autre chose qu'une simple répartition des gestes, un échange de paroles et d'actions. Elle n'est complète qu'avec un troisième temps, où Dieu reprend sa position de sujet : « Je ferai de vous (litt. : vous serez pour moi) une nation sainte... » (*Ex.* 19, 6). Il ne s'agit pas d'une promesse particulière, d'une récompense promise à l'obéissance. Il s'agit d'un lien permanent, d'un rapport entre Dieu et son peuple qui marque Israël à jamais et détermine pour toujours la conduite de Dieu. La parole de Dieu achève ici son œuvre : elle ne se contente pas de susciter dans le monde des événements extraordinaires et des gestes d'hommes significatifs : elle crée entre Dieu et son peuple une relation unique. On ne peut dire encore, à partir de ces textes, qu'elle soit indestructible ; il est clair en tout cas qu'elle marque désormais les deux partenaires, qui ne peuvent plus se situer l'un sans l'autre : « Au Seigneur, tu as fait dire aujourd'hui qu'il serait ton Dieu... Et le Seigneur t'a fait dire aujourd'hui que tu serais son peuple particulier » (*Deut.* 26, 16-18).

Avec l'Alliance, la parole de Dieu enveloppe toute l'existence d'Israël. Ce peuple est né du choix de Dieu et de son action permanente à travers les temps et les lieux. Il a été mis en possession de sa terre pour témoigner devant toutes les nations de la qualité incomparable de la loi de son Dieu et pour révéler le visage du vrai Dieu : « Quelle est la grande nation qui ait des dieux aussi proches d'elle qu'est Yahvé notre Dieu... Et quelle est la grande nation qui ait des décrets et des règles aussi justes que toute cette loi ? » (*Deut.* 4, 7-8).

3° *L'expérience des prophètes.* – Les traditions patriarcales et le souvenir qu'Israël entretient de sa naissance au désert imposent la figure d'un Dieu qui parle, et la réalité en lui et à partir de lui d'un ensemble de décisions et d'actions personnelles qui s'apparentent manifestement à la parole. Parole de Dieu n'est pas ici une métaphore ou une façon de dire. Néanmoins, cette parole n'est pas perçue, dans ces expériences, comme une réalité concrète ; elle est le nom donné à un type de communication et d'action. Et si le nom est celui de la parole, c'est sans doute qu'à ces expériences, fondamentales mais difficiles à isoler, sont venues se joindre d'autres types de communication, des expériences où réellement, pour employer notre langage d'hommes, la parole entre directement en jeu. Il s'agit des expériences prophétiques.

Ces expériences ne sont pas faciles à définir. Les noms les plus anciens, voyant (*roéh*), inspiré (*nabi*), ne comportent pas d'allusion directe à la parole (cf. 1 *Sam.* 9, 9) : le voyant est qualifié par son pouvoir divinatoire, le *nabi* par sa sensibilité à la transe extatique. Néanmoins, les plus anciens que connaisse la Bible apparaissent déjà porteurs d'une parole reçue de Dieu. Le prophète est, depuis les origines, l'homme qui se présente porteur d'une parole : « Ainsi parle le Seigneur » (cf. *Juges* 4, 8 ; 1 *Sam.* 3, 18 ; 2 *Sam.* 7, 5 ; 12, 7.11 ; 1 *Rois* 21, 19). La parole tient un tel rôle dans l'expérience prophétique que souvent on la désigne d'un mot : « La parole du Seigneur fut adressée à... (*Gen.* 15, 1 texte élohiste ; *Osée* 1, 1 ; *Jér.* 1, 2 ; *Joël* 1, 1...). Même ici d'ailleurs, il faut se garder d'interprétations trop littérales, et, quand les prophètes décrivent leurs expériences concrètes, dans les récits de vocation par exemple, ils disent souvent d'abord ce qu'ils ont vu (*Amos* 1, 1 ; 7, 1.4.7 ; 8, 1 ; 9, 1 ; *Is.* 1, 1 ; 6, 1).

Il reste que le prophète biblique, qui est toujours un homme de la parole, – que sa parole s'adresse à un personnage particulier, le plus souvent le roi, ou à une communauté plus ou moins large, habitants de Jérusalem, foules qui montent au Temple, hommes d'Israël, – présente toujours sa parole comme n'étant pas la sienne, mais comme la « parole de Dieu ». Les exemples sont innombrables, au point de donner l'impression de pur remplissage. En réalité, la mention « parole de Dieu » est rarement arbitraire ou indifférente. Très souvent, il s'agit bien de mettre en valeur un oracle précis. Le cas est particulièrement net pour les « oracles de condamnation » étudiés par Cl. Westermann : « Parole du Seigneur » figure régu-

lièrement avant la conclusion du réquisitoire : « Tu as tué, tu as volé... » et avant le prononcé du verdict : « C'est pourquoi tu périras... ».

C'est dire que, même chez le prophète, l'expérience immédiate de la « parole divine » est exceptionnelle. A lire Amos ou Jérémie, on penserait plutôt à un choc initial très profond, à la perception irrésistible d'un événement dans lequel Dieu va se révéler : « Yahvé rugit de Sion » (*Amos* 1, 2) ; « Je vois une branche d'amandier » (= le veilleur ; *Jér.* 1, 11). A partir de cette certitude qui s'impose à lui, le prophète va recourir aux ressources de son esprit pour construire son discours : la lucidité pour comprendre la situation et en prévoir les suites, alors que tout le monde se bouche les yeux, l'art du discours pour construire une intervention convaincante, le courage pour l'imposer aux responsables. Tout dans ce discours est parole de Dieu authentique. Non pas en reproduisant à la lettre une parole intérieure, – encore qu'il ne faille certainement pas exclure ce type d'expérience, – mais en développant sous le mode d'un discours d'homme une communication indubitable de Dieu à son peuple.

On voit que si l'on doit certainement compter avec un certain nombre d'expériences très personnellement vécues par les prophètes et qui relèvent de la parole, on ne peut séparer ces expériences personnelles des deux premières séries : la vocation personnelle sur le modèle d'Abraham et l'expérience de l'Alliance dans la foi d'Israël. Par son expérience prophétique et sa relation personnelle à Dieu, le prophète est renvoyé, comme Moïse, à l'Alliance dans laquelle Dieu a engagé son peuple, et comme Abraham, à son destin personnel et familial (cf. *Is.* 8, 18).

4° *L'expérience de la prière.* – La Bible contient une part importante de prières. Il y en a de toutes sortes, individuelles ou collectives, louanges ou supplications, personnelles ou d'intercession, gratuites ou insistantes, triomphantes ou désespérées. Il est peu de livres qui n'en contiennent pas, bien que le Livre des Psaumes ait été composé spécialement pour recueillir les formes les plus diverses de la prière d'Israël. Les livres où le récit tient une place importante, Genèse, Deutéronome, Juges, livres de Samuel et des Rois, outre les prières formulées par les personnages de ces histoires, comportent presque tous un cantique. Pour la tradition biblique, cet ensemble considérable est parole de Dieu, au même titre que la Loi et les Prophètes. Quand *Luc* 24, 44 montre Jésus ressuscité expliquant aux siens « tout ce qui a été écrit de moi dans la Loi, les Prophètes et les Psaumes », s'il mentionne expressément les psaumes, c'est sans doute pour la place qu'ils tenaient dans la méditation chrétienne de la Passion, mais il ne s'écarte pas de la foi commune. La prière dans la Bible est une forme de la parole de Dieu.

Il n'est pas besoin, pour expliquer ce fait, de supposer, chez les auteurs de ces prières, la conscience d'une inspiration particulière, la volonté d'exprimer une parole reçue de Dieu. La prière est parole de Dieu parce qu'elle naît de cette parole, parce qu'elle en est l'écho, parce qu'elle l'appelle ou lui répond. Pas de vraie prière si le Seigneur n'ouvre les lèvres pour que la bouche puisse publier la louange (*Ps.* 51, 17).

« Créer le fruit des lèvres » (*Is.* 57, 19), c'est une création, un geste dont Dieu seul est capable. Et cette création n'est pas une intervention arbitraire, sans suite et sans précédent. Elle appartient à la série des gestes créateurs par lesquels Dieu a suscité Israël, et qui viennent de sa parole. Elle est elle-même le fruit de cette parole qui ne sort jamais de la bouche divine sans avoir produit son effet et exécuté ce qu'il a décidé (*Is.* 55, 11). La parole n'est vraie, n'est réellement parole, que si elle trouve une oreille et un cœur pour l'entendre, « comme la pluie et la neige descendent du ciel et n'y retournent pas sans avoir abreuvé la terre, sans l'avoir fécondée et fait germer » (*Is.* 55, 10). La prière est le signe et le fruit de la parole de Dieu, la preuve qu'il parle réellement, puisqu'il a produit cette réponse. Sans la prière biblique nous ne saurions pas ce qu'est la parole de Dieu, ce qu'il voulait dire à son peuple. Il faut la rencontre des deux interlocuteurs pour que la Bible soit pour nous la parole de Dieu.

5° *L'expérience de la prière exaucée.* – Le signe décisif que la prière biblique est parole de Dieu, c'est qu'elle se sent capable de faire parler Dieu. C'est l'un des thèmes essentiels du Deutéro-Isaïe, et c'est sans doute la raison profonde qui explique la place de ces poèmes à la suite des recueils du grand prophète. Sans doute y a-t-il, dans *Is.* ii, l'écho de l'expérience prophétique : le dialogue d'*Is.* 40, 6 rappelle à sa manière les scènes de vocation d'Isaïe et Jérémie. Et deux des « chants du serviteur » évoquent assez naturellement les « confessions » de Jérémie (cf. *Is.* 49, 5-9 ; 50, 4-9). Mais la parole de Dieu dans ces chapitres, même s'il est clair qu'elle est confiée à un homme et donc fait de lui un prophète, même si elle apporte un événement totalement neuf et sans précédent, est néanmoins constamment formulée dans le langage même de la prière d'Israël.

P. Beauchamp a montré à quel point le formulaire si caractéristique d'*Is.* ii est la transposition, dans la bouche de Dieu, des expressions classiques de la prière dans les psaumes. A la demande répétée « viens à mon aide » (*Ps.* 30, 11 ; 109, 26 ; 119, 86...) correspond l'assurance : « Je t'aide » (*Is.* 41, 10.13.14...). A *Ps.* 19, 15 : « Yahvé, mon Rocher, mon Rédempteur », répond *Is.* 43, 1 : « Je suis ton rédempteur ». A *Ps.* 119, 94 : « Je suis à toi », répond *Is.* 43, 1 : « Tu es à moi ».

L'explication est simple : c'est le cas de la prière parfaite, telle que la définit Jésus : « Tout ce que vous demandez dans la prière, croyez que vous l'avez reçu » (*Marc* 11, 24). Du fond de son exil, au plus noir de sa nuit, Israël proclame que Dieu a entendu sa prière et ses larmes et qu'il lui répond. L'événement nouveau est à la fois inimaginable et en parfaite concordance avec l'attente des déportés. Car c'est le même Dieu, celui qui était au commencement et qui sera avec les derniers (*Is.* 41, 4 ; 44, 6 ; 48, 12). Ainsi se referme et s'accomplit le cycle de la parole divine. Dieu se choisit un peuple et lui promet son appui et sa présence. Cette promesse suscite l'appel au secours du peuple coupable et malheureux, et l'appel retrouve la promesse initiale. Entre ces deux moments, il y a toute l'histoire d'Israël.

6° *La Sagesse et la Parole : l'expérience du monde.* – Avec les livres de sagesse, la parole de Dieu prend une nouvelle extension. Par ses origines, la sagesse déborde largement Israël : elle est universelle et internationale. Assurément, les tribus d'Israël, dans la mesure où elles possèdent leur propre culture, ont aussi une forme de sagesse qui leur est propre. Mais les textes sapientiaux eux-mêmes n'élèvent sur ce

point aucune revendication particulière. Ils paraissent beaucoup plus préoccupés de montrer la place que tient Israël dans le concert des nations (cf. *Deut.* 4, 6). Surtout, ils s'attachent à montrer qu'à l'origine de la sagesse il y a Dieu et ses dons. Or ces dons sont des dons de parole. La sagesse parle et fait parler (*Prov.* 8, 1.15.34).

On a souvent du mal à accepter la présence en Israël d'une figure comme la Sagesse personnifiée, qui paraît pourtant dans cinq livres de l'ancien Testament : *Job* 28, *Prov.* 8, 22-31 ; *Bar.* 3, 9-4, 4 ; *Sir.* 24 et *Sag.* 6-9. Il est vrai que ces textes appartiennent à des couches récentes de la littérature d'Israël. Mais c'est aller un peu vite que de conclure, comme Bultmann, que « la spéculation sapientielle n'est pas d'origine juive. La figure et son mythe ne peuvent pas être expliquées à partir de prémisses israélo-juives ». A quoi P. Beauchamp objecte que « l'opinion voulant que ce qui survient du dehors chez un peuple ne survient pas *en lui* », encore qu'elle soit fréquente, est « parfaitement extraordinaire... Elle cause l'exclusion péremptoire de nombreux faits qui ne sont pas jugés pertinents pour le message biblique. Pour garder pur le concept d'élection d'Israël, et sans alliage la notion de Parole divine, on réduit l'élection à un purisme culturel, et l'on enferme la Parole en des limites que le commentateur décide, trace, protège » (P. Beauchamp, *L'un et l'autre Testament*, Paris, 1976, p. 114-115).

« La figure de la Sagesse assistant ou concourant à la création peut surgir, sans qu'elle exige aucune rupture, au contraire, avec les traditions plus anciennes d'Israël. En même temps, elle s'engage plus directement que ces traditions dans le domaine des représentations païennes universelles... Ce fait majeur peut être considéré, hors de tout présupposé, comme un risque majeur pris par la pensée des Sages. Il n'est de désaccord possible qu'entre ceux qui parlent le même langage. Israël a accepté ici pour sa pensée le même terrain que celui où lèvent les idolâtries, a regardé en face avec l'idée du Dieu unique l'idée du divin dans le monde... Ce qui se construit dans de telles conditions de proximité avec la pensée étrangère n'est pas l'effet d'une tactique, ni d'harmonisation, ni inversement de polémique... Ce qui concerne la Sagesse dans la Bible a la fraîcheur d'une source et sa continuité » (p. 116-117).

Il y a de fait un effet de surprise quand le Siracide, après avoir décrit les jeux de la Sagesse enveloppant la création de Dieu avant de venir se poser en Israël pour y faire sa demeure, ajoute sans transition : « Tout cela, c'est le livre de l'Alliance du Dieu Très-Haut, la Loi que Moïse nous a prescrite » (*Sir.* 24, 23). C'est que, pour ce sage, le passage est naturel. La parole qui a appelé Abraham et suscité Israël est aussi celle qui a créé l'univers et travaille l'histoire des hommes. Nulle part elle n'est étrangère ou absente, mais c'est à Israël qu'elle découvre son visage.

2. DE LA PAROLE AUX ÉCRITURES. – Que des paroles où l'on entendait la voix de Dieu aient été mises par écrit, c'est un processus naturel et bien connu.

La stèle du roi Hammourabi, au Louvre, montre Shamash, le dieu-soleil, inspirant au souverain de Babylone le texte de son code. Les archives de l'ancienne Mari, près de l'Euphrate, ont livré la correspondance adressée par un prophète du sanctuaire à son souverain : le prophète y parle au nom de son dieu avec une vraie liberté, même si son message, à l'inverse d'un Amos ou d'un Isaïe, attribue les revers du roi à l'insuffisance de ses offrandes. Une parole confiée à l'écriture, c'est une donnée de tous les temps. Message, archive ou monument, l'écrit est fait pour assurer la permanence de la parole. Quelle parole a plus de droit à la permanence que celle des dieux ?

L'écriture biblique est née d'un besoin de ce genre. Mais elle manifeste son originalité par plus d'un trait. Il est commode de les répartir selon les trois grandes catégories des écritures d'Israël, la Loi, les Prophètes et les Écrits.

1° *La Loi.* – La constitution des écrits qui ont abouti aux cinq livres du Pentateuque fait apparaître l'homogénéité de la parole divine à travers le déroulement des siècles et la diversité des situations. Les couches successives, les traditions diverses se superposent et se mêlent, provoquant et désespérant les exégètes. Elles attestent, par cette complexité précisément, qu'elles ont toutes leur place dans un ensemble unique. Toutes ces paroles n'ont de sens que comme des aspects et des moments d'une parole qui les rassemble, la *Torah* de Dieu, sa Parole.

Cette unité de la parole divine, capable de rassembler tant de paroles diverses, apparaît également dans les constructions d'ensemble.

La structure « trinaire » de l'alliance, telle qu'on l'a identifiée plus haut à partir d'*Ex.* 19, 4-5, se retrouve, sous forme d'agrandissements de plus en plus vastes, à l'intérieur d'autres livres et jusque dans l'architecture finale de la Torah. Le chapitre 24 du livre de Josué reproduit, en plus élargi, le schéma d'*Ex.* 19. Avec d'autres dimensions, ce schéma commande l'ensemble du Deutéronome : le moment du passé avec les discours de Moïse (*Deut.* 1-11), le temps de la loi avec le code (12-26), le temps de l'avenir, redoutable ou exaltant, avec les promesses et les menaces des derniers chapitres. Le cadre s'élargit au maximum avec l'ensemble du Pentateuque. Même s'il est impossible de délimiter rigoureusement les trois moments, justement parce que ces trois moments reparaissent souvent à l'intérieur d'un seul livre, on reconnaît facilement, dans l'ensemble *Gen.* 12 – *Ex.* 18, le moment du passé et de l'histoire, dans les chapitres qui vont de *Ex.* 19 à *Deut.* 26, le moment de la Loi et de la volonté divine, enfin, dans la finale du Deutéronome et le livre de Josué, la promesse d'autrefois enfin accomplie avec l'entrée en Palestine et le don de la terre. Dans cette perspective, le livre de Josué, classé par la tradition juive en tête des « Premiers Prophètes », occupe une position de charnière, clôturant le Pentateuque et ouvrant ce que nous appelons les « livres historiques », l'histoire du peuple sur la terre.

Cette perspective, qui peut sembler sommaire, nous permet de mieux comprendre pourquoi la Torah dans sa totalité, quelle que soit l'origine ou le genre des morceaux qui la composent, peut être reçue comme parole de Dieu. Dieu en effet y parle d'un bout à l'autre. L'histoire qui s'y trouve relatée, quels que soient l'âge des documents et le mérite des narrateurs, y est toujours reçue comme l'histoire d'Israël, telle que Dieu l'a faite et la voit. Démarche très semblable au regard que le croyant projette sur son existence, à l'heure où il découvre, ou retrouve, ou simplement approfondit sa foi. Ce regard est fait d'un certain nombre de souvenirs qui peuvent, selon les tempéraments et les situations, être extrêmement fidèles ou largement déformés. Mais ces limites humaines – et il y en a toujours – sont parfaitement compatibles avec la vérité de la foi et la justesse de son regard.

De même l'espérance du code le plus ancien peut sembler à la fois bien mince et très intéressée : « Vous servirez le Seigneur votre Dieu ; il bénira ton pain et ton eau, et j'écarterai la maladie du milieu de toi » (*Ex.* 23,25). Quel prisonnier accepterait aujourd'hui un régime aussi rude ? Les contemporains du Deutéronome ne s'en seraient pas satisfaits davantage : « Béni sera le fruit de ton ventre, et le fruit de ton sol, et le fruit de ton bétail ! Bénies seront ta corbeille et ta huche ! Béni seras-tu dans la ville, et béni seras-tu dans les champs ! » (*Deut.* 28, 3-5). Mais si, à travers les siècles et les progrès de la culture, les ambitions d'Israël ont pris d'autres couleurs qu'à l'époque du désert, l'expérience de fond n'a pas changé. C'est le même Dieu qui s'engage, la même parole qui retentit.

Cette identité de la parole à travers les âges, c'est l'identité du même Dieu et de la même foi. Mais le lieu où elle s'inscrit de la façon la plus visible est « l'Écriture ». C'est l'écriture qui permet de combiner les documents et les traditions, de constituer des ensembles, de construire un tout, un livre unique, une Bible. La constitution du canon scripturaire est l'achèvement de ce mouvement. Le processus est complexe et n'est pas linéaire. Le canon grec des Juifs d'Alexandrie, adopté par les chrétiens, est bien antérieur au canon palestinien de Jamnia, réduit aux livres hébraïques, et devenu, depuis la chute de Jérusalem, la règle de toutes les communautés juives. Quelles que soient les différences, le fait même du canon des Écritures juives, et de la place centrale qu'y occupe la Torah, atteste la conscience d'appartenir à un seul Dieu, et de recevoir, à travers bien des écrits et bien des livres, une seule Écriture, une seule Parole.

2° *Les Prophètes.* – L'apport de l'écriture à la tradition prophétique a ses traits propres. Comme pour la Loi, l'écriture fixe la parole des prophètes pour la maintenir au long des temps. Mais il y a plus, et paradoxal : sans l'écriture, il ne resterait quasi rien des prophètes. Bien avant que la Loi fût mise par écrit, elle existait déjà, sous forme de coutumes, de traditions religieuses et culturelles, et sans doute aurait-elle subsisté longtemps, aussi longtemps du moins que se serait maintenu son milieu d'origine. Avec les prophètes en tout cas, l'écriture joue un rôle irremplaçable et immédiat.

Ce fait apparaît avec ceux qu'on nomme les « prophètes-écrivains ». Titre peu exact car il laisse croire qu'Amos ou Osée, à la différence de leurs prédécesseurs, ont choisi d'atteindre le public en publiant des écrits. Alors qu'Amos va s'installer à Béthel (*Amos* 7, 10-13), qu'Isaïe va trouver Achaz sur le chemin du champ du Foulon (*Is.* 7, 3), que Jérémie va crier à la porte du Temple (*Jér.* 7, 2). Titre justifié cependant, non seulement parce que de fait leur parole a été consignée par écrit, mais parce que la consignation semble bien faire partie de leur message. L'écriture intervient en effet lorsque la parole énoncée par le prophète n'a pas reçu son accomplissement. Il y a, dans les écrits que la tradition juive nomme « prophétiques », deux catégories d'écrits, ceux qui relatent à la fois les prophéties et leur accomplissement, et ceux qui se bornent aux seules prophéties. A parler en gros, la première catégorie est celle des « Premiers Prophètes », l'autre, celle des « Seconds Prophètes ». La différence n'est pas seulement dans le temps ; elle ne recouvre qu'en partie la succession chronologique. Les « Premiers

Prophètes » racontent la chute de Jérusalem, après l'avoir annoncée. Et le même Isaïe se trouve à la fois chez les « Premiers Prophètes » (1 *Rois* 19, 5-20, 11) pour ses deux prophéties en faveur d'Ézéchias, et parmi les « Seconds Prophètes » pour l'ensemble de son message, dont l'essentiel était encore en attente d'accomplissement au moment de sa mort. Lui-même en avait conscience, et c'est dans le langage de l'écriture qu'il exprime son assurance et les mesures qu'il prend pour que survive son message, et qu'il puisse être reconnu le jour de son accomplissement : « J'enferme cette attestation, je scelle cette instruction parmi mes disciples. J'attends le Seigneur qui cache sa face à la maison de Jacob, en lui j'espère » (*Is.* 8, 16-17).

Il est probable que l'ensemble de la littérature prophétique a ainsi été transcrite puis publiée par des disciples. Leur tâche est essentiellement celle d'un fidèle secrétaire ; le modèle en est Baruch, le secrétaire qui, deux fois de suite, transcrivit les paroles de Jérémie (*Jér.* 36, 4-8.32). La finale de l'*Apocalypse* de Jean garde le souvenir de ce lien entre la prophétie et l'écriture : « Je l'atteste à quiconque entend les paroles de la prophétie de ce livre : Si quelqu'un y ajoute, Dieu lui ajoutera des plaies qui sont décrites dans ce livre ; et si quelqu'un retranche quelque chose des paroles du livre de cette prophétie, Dieu lui retranchera sa part de l'arbre de vie » (*Apoc.* 21, 18-19).

**II. LA PAROLE FAITE CHAIR.** — Lorsque *Jean* 1, 14 formule : « Et la Parole s'est faite chair », il vise d'abord le *Logos*, le Fils unique qui était auprès du Père, tourné vers le Père et par qui toutes choses ont été créées. Mais comme, en lui donnant le nom de *Logos*, il évoque l'action menée par la parole de Dieu depuis la création du monde et poursuivie à travers la naissance et l'existence d'Israël, ce n'est pas fausser la parole johannique, mais au contraire lui donner tout son sens que de l'interpréter : « La parole (écrite) s'est faite chair ». En Jésus, l'Écriture tout entière est devenue chair, réalité humaine : la parole sous toutes ses formes, la Parole qui parlait en créant l'univers, la Parole entendue par Abraham, par les croyants et les prophètes, la Parole fixée dans les Écritures d'Israël.

1. LA PAROLE REÇUE. — Jésus n'est pas seulement l'homme qui parle avec l'accent de Dieu, qui parle de Dieu comme quelqu'un qui sait ce qu'est Dieu (*Jean* 8, 14 ; 7, 29), qui n'a rien d'autre à dire que ce qu'il entend du Père (5, 19-23 ; 7, 16-17 ; 12, 49-50). Jésus est aussi l'homme qui reçoit la parole de Dieu sous le même mode que tous les hommes. A Nazareth, comme il a appris ses lettres à la manière de ses camarades, il apprend, sans doute dans le même livre, comment Dieu a parlé à ses ancêtres et à son peuple, il l'entend parler à travers les prophètes, il apprend à le louer et à le supplier dans les psaumes. L'épisode du Temple à douze ans laisse soupçonner son émerveillement passionné lorsqu'à Jérusalem il découvre les scribes, ces hommes dont la vie se passe à « scruter les Écritures » (*Jean* 5, 39). En même temps qu'au Temple, à l'ombre de la *Shekinah*, il découvre sa vraie place, « chez mon Père » (*Luc* 2, 49), il ne peut s'arracher au monde des Écritures : c'est le sien.

Comment coexistent, dans cet enfant qui grandit, dans cet homme qui mûrit, la réalité humaine d'un développement authentique qui passe de l'ignorance au savoir, et la certitude immédiate d'être toujours avec le Père, de tenir de lui tout ce qu'il sait, d'être la vérité ? C'est le mystère de l'Incarnation. Mais cette coexistence n'est pas sans analogies dans notre expérience. Pour nous aussi, pour l'enfant qui explore le monde et apprend de ceux qui l'entoure ce qu'est la vie et ce que sont les hommes, la découverte du monde et des hommes est inséparable de la conscience qu'il prend de sa personne. Jésus n'a pas à apprendre, par une démarche artificielle et fausse-ment humble, ce qu'il savait déjà en naissant. Il se retrouve, si l'on ose dire, en plénitude, dans tout ce qu'il reçoit de l'expérience des hommes, telle qu'on la vit à Nazareth, de la foi de son peuple, telle qu'il la voit vivre en Marie et Joseph, de l'action de Dieu, telle qu'il la lit, d'un regard infaillible, dans les Écri-tures d'Israël.

Pas un instant de sa vie d'homme, Jésus n'a cessé d'être la Parole de Dieu. Mais il est toujours la Parole reçue. Reçue du Père dans le secret de sa filia-tion, reçue des hommes dans la tradition de son peu-ple, reçue des événements à travers lesquels il recon-naît et accomplit la volonté du Père. Les événements, les Écritures, le Père, ces trois données se conjuguent constamment en Jésus : elles commandent son des-tin et orientent son action. La Passion, l'heure qui est la sienne, fait apparaître à quel point ces données se rejoignent. Au moment où il est arrêté à Gethsé-mani, il est dit en *Luc* 22, 53 : « C'est maintenant votre heure, c'est le pouvoir des ténèbres » ; – en *Mt.* 26, 56 : « Tout cela est arrivé pour que s'accomplis-sent les écrits des prophètes » ; – et en *Jean* 18, 11 : « Ne boirais-je pas la coupe que le Père m'a donnée ? ». Il ne serait pas le Fils s'il ne recevait toute son existence des mains du Père, il ne serait pas le Messie et le Germe d'Israël si son destin s'accom-plissait en dehors des Écritures, il ne serait pas un homme authentique s'il ne connaissait le plus noir de notre nuit.

2. IL DIT ET IL FAIT. — La parole créatrice est celle qui fait ce qu'elle dit. La parole de Dieu est dite pour être faite (cf. *Mt.* 7, 21). Jésus vient faire tout ce que Dieu a dit, accomplir la Loi et les Prophètes. Les évangiles et la première théologie chrétienne, celle dont témoignent par exemple les discours missionnai-res des *Actes*, sont construits sur cette conviction fon-damentale. Mais derrière les procédés littéraires qui peuvent varier (citations explicites chez Matthieu, allusions claires ou voilées chez Luc, développement de thèmes chez Jean), il faut saisir la portée de cet accomplissement. Il comporte des signes et des coïn-cidences voulues, le recensement à Bethléem, l'ânon des Rameaux, le côté ouvert du Crucifié. Il est for-mulé par Jésus d'une façon expresse : « Je ne suis pas venu abroger, mais accomplir... Vous avez appris qu'il a été dit... Et moi, je vous dis... » (*Mt.* 5, 17-48) ; « Il faut que s'accomplisse tout ce qui a été écrit de moi dans la Loi de Moïse, les Prophètes et les Psaumes » (*Luc* 24, 44). En réalité, l'accomplisse-ment commande toute l'existence de Jésus.

Il porte à la fois sur la Loi, les Prophètes et les Psaumes (*Luc* 24, 44). Sur la Loi en premier lieu. Car, pour que Dieu puisse accomplir les promesses de l'Alliance, il faut que son peuple accueille et exécute ses volontés (*Ex.* 19, 5). Or Israël en est incapable, et aucun homme au monde n'en est capable. Comment Dieu l'ignorerait-il ? Pourquoi donc a-t-il créé l'homme sur la terre ? Pourquoi a-t-il fait choix d'Israël ? Se peut-il que sa volonté soit sans effet, que sa parole soit vaine ? Impossible, impensable ! Pourtant les faits sont là, et Dieu lui-même l'atteste : « Il n'y a pas de juste, pas même un seul. Il n'y a pas d'homme sensé, pas un qui cherche Dieu. Ils sont tous dévoyés, ensemble pervertis » (*Ps.* 14, 1-3 = *Rom.* 3, 10-12). Seul en effet Jésus peut se dire sûr de son innocence : « Qui de vous me convaincra de péché ? » (*Jean* 8, 46).

Mais son innocence accomplit justement la Loi et les Prophètes. Non seulement parce que Jésus observe jusqu'au bout les volontés de Dieu formulées dans la Loi et répond ainsi aux avertissements des prophètes. Mais parce que cet unique Innocent est celui pour qui Dieu a donné sa foi et conclu son Alliance. Un seul innocent parmi des milliards de coupables, que vaudrait pour Dieu cette réussite ridicule ? C'est pourtant cela qu'il voulait et attendait. Tel est le sens de la grande prophétie du « Serviteur de Dieu », celui que Dieu lui-même présente au monde en le nommant : « Voici mon Serviteur » (*Is.* 42, 1 ; 52, 13 ; 53, 11). Il y a, dans ce titre, quelque chose d'unique. Dans la tradition prophétique et l'espérance d'Israël, la promesse de Dieu avait pris comme centre la figure du Messie, le fils de David qui viendrait restaurer le royaume d'Israël et inaugurer une ère de justice. Le Serviteur, lui, n'a pas la figure d'une promesse ; il ne vient pas, dirait-on, pour répondre aux espérances du peuple, mais pour combler celles de Dieu. D'où le cri de triomphe de Dieu, une première fois, lorsqu'il le présente aux nations : « Voici mon Serviteur que je soutiens... » (*Is.* 42, 1), repris lorsque tout est fini et que le Serviteur a été jusqu'au bout de sa tâche. Alors Dieu est comblé, et il convoque les hommes pour leur dévoiler le secret de ce destin incompréhensible, de cette mort infâme et horrible : c'était pour eux, pour eux tous, et c'était pour lui, pour que sa parole ne demeurât pas vaine et pût porter son fruit. Si les « poèmes du Serviteur » évoquent la Passion du Christ avec une justesse et une profondeur étonnantes, ce n'est pas tant par la correspondance rigoureuse des détails, c'est par la vérité profonde des personnages et des situations : une aventure scandaleuse qui va jusqu'au bout de l'horreur et s'achève sur un échec apparemment total, des témoins incapables de comprendre le sens de l'événement, alors qu'il s'agit précisément d'eux-mêmes et de leur salut, une parole divine, qui est à la fois explication du mystère et cri de triomphe de Dieu qui a enfin réussi son œuvre. La seule différence est que Dieu, en ressuscitant son Fils, n'a pas besoin de prendre la parole. Il lui suffit de laisser Jésus apparaître et renvoyer aux Écritures.

Cela explique sans doute pourquoi, contrairement à ce qu'on attendrait, Jésus semble si peu utiliser, pour annoncer sa mort, les chants du Serviteur. Et pourquoi, au contraire, ils tiennent tant de place dans l'annonce de la résurrection par l'Église naissante. C'est que leur vraie place est après la mort, quand tout est achevé et que personne n'avait compris : « Qui a cru ce qu'on nous a fait entendre, et le bras de Yahvé, sur qui s'est-il manifesté ? » (*Is.* 53, 1).

3. La Parole et l'Esprit. – Selon l'évangile de Jean, aussitôt après avoir dit son dernier mot, « Tout est achevé », Jésus, « inclinant la tête, remit l'esprit » (19, 30). Dans le même évangile, quand Jésus ressuscité retrouve les siens, il souffle sur eux et leur dit : « Recevez l'Esprit saint » (20, 22). La dernière parole du mourant et la première parole du ressuscité se rejoignent. Les deux verbes, celui de l'expiration (*paredôken*) et celui de l'insufflation (*enephusèsen*) ont une portée symbolique profonde. Le dernier soupir de Jésus mourant, le premier souffle de Jésus ressuscitant a pour contenu un don, un don vivant qui pénètre et fait vivre : l'Esprit saint. Entre les deux, l'épisode du côté ouvert qui laisse échapper le sang et l'eau (*Jean* 19, 33-35) met à nu la source de ce don, le cœur transpercé, et évoque le lieu où il est offert : l'eau du baptême et le sang de la Nouvelle Alliance. En quelques mots, Jean met en valeur le lien étroit qui unit la Parole, l'Esprit et les gestes de l'Église.

Quel est donc le rapport entre la Parole et l'Esprit ? Plus précisément quel est le lien entre la Parole accomplie jusqu'au bout, sans que manque un détail, et le don de l'Esprit ? Sur ce mystère l'évangéliste demeure discret ; il se borne à confirmer son existence, au moment où il rapporte le mot de Jésus lors de la fête des tentes : « Si quelqu'un a soif, qu'il vienne à moi, et qu'il boive, celui qui croit en moi ». Jean commente : « Il dit cela de l'Esprit que devaient recevoir ceux qui croiraient en lui ; car il n'y avait pas encore d'Esprit, parce que Jésus n'avait pas encore été glorifié » (*Jean* 7, 37-39). Si la réalité du lien est hors de doute, il est plus difficile de rendre compte de ce mystère. On peut seulement tenter une approche.

La parole n'est totalement parole que lorsqu'elle établit entre celui qui parle et celui à qui il parle une communication profonde et transparente. Cette transparence entre les personnes est de l'ordre de l'esprit. Deux êtres ne se rencontrent vraiment, ne se comprennent en profondeur que dans l'amour qui est l'un des noms de l'esprit. Le « Papa, Maman » de l'enfant qui voit approcher ses parents est de cet ordre, il atteste que cet enfant n'est pas un animal, que leur présence éveille en lui à la fois la parole et l'élan de joie. La scène évangélique du baptême de Jésus montre qu'entre le Père et le Fils il n'y a pas seulement la parole reçue et entendue, « Tu es mon Fils », mais l'assurance bienheureuse apportée par l'Esprit, la rencontre immédiate vécue dans un amour totalement réciproque.

Dans la lumière bienheureuse et la force de l'Esprit, Jésus entreprend sa mission parmi les hommes. Il leur apporte la force de Dieu et de son action, sa puissance de vie, sa générosité, sa tendresse paternelle. Il annonce, il guérit, il enseigne, il pardonne. À travers tous ses gestes, à travers tout ce qu'il dit, il donne déjà l'Esprit, la vérité de sa parole, l'amour de ses gestes, la source de son être. Dans l'Esprit, il reçoit les paroles des Écritures et les comprend jusqu'au fond ; dans l'Esprit il va jusqu'au bout des exigences de Dieu et révèle leur poids et leur vérité : « Vous avez entendu qu'il a été dit... Et moi, je vous dis ». Toutefois, tant que Jésus n'est pas allé jusqu'au bout de ces exigences, il ne peut dire encore tout ce qu'il est et tout ce qu'il fait. La parole qu'il dit, le commandement du Père qu'il exécute n'est encore qu'une parole incomplète, une parabole, une annonce, une prophétie. A la Cène seulement, quand tout est disposé pour sa mort, Jésus peut enfin faire de sa mort un don total : il donne aux hommes son corps et son sang, il ne garde plus rien pour lui, il est tout entier don aux siens et obéissance au Père. Alors aussi, en même temps que son corps offert, il peut donner son Esprit, l'Esprit de Dieu, la source de sa vie, la présence immédiate du Père. Il a dit tout ce qu'il avait à dire, il a achevé l'œuvre que le Père lui avait confiée (*Jean* 17, 4). Il n'a plus qu'à se consacrer lui-même pour que, de son cœur ouvert, jaillisse l'Esprit.

**III. ENTENDRE DIEU PARLER DANS LES ÉCRITURES.** – Le lien entre la Parole et l'Esprit en Jésus-Christ peut donner à comprendre ce qu'est pour un chrétien l'écoute de la parole dans l'Esprit.

La parole de Dieu, c'est son Fils Jésus-Christ. Jésus est la parole de l'ancien Testament reçue, vécue et accomplie, à partir des événements, des Écritures et de l'Esprit. Il est la Parole faite chair, faite corps et nourriture dans l'Eucharistie, faite lumière et vérité dans le témoignage des apôtres et dans la parole de l'Église, faite Esprit et vie dans le corps ressuscité et donné, dans les Écritures de l'ancien et du nouveau Testament.

Il existe un parallèle entre le corps livré à la Cène et le corps des Écritures. L'un et l'autre sont l'œuvre de l'Esprit et ne se livrent que dans l'Esprit. L'un et l'autre fournissent à l'Esprit son corps, et au croyant une réalité saisissable. Le corps eucharistique est nécessaire à la foi : il est le corps authentique de Jésus, et il empêche le croyant de se faire du Christ une image à sa fantaisie. Il est Jésus lui-même, tel que l'a fait sa formation à Nazareth, son existence parmi les hommes, sa mission en Palestine, sa mort par Judas, Caïphe et Ponce-Pilate, et sa résurrection. Mais ce corps que le croyant reçoit entre ses mains n'a pas de visage ni de consistance. Il est absolument réel, mais sa réalité ne prend de figure et de vérité que dans les Écritures. Le corps eucharistique nous donne la réalité de Jésus, de sa vie et de sa mort. Le corps des Écritures nous en donne le sens et l'intelligence. Le même Esprit saint qui a fait le corps du Christ et qui a fait les Écritures, nous est donné par le corps ressuscité et dans les Écritures. Par l'Esprit saint reçu du Christ ressuscité, nous retrouvons dans les Écritures la Parole incarnée, toujours présente au milieu de nous jusqu'à la fin des siècles.

Entendre la parole de Dieu, pour nous comme pour Jésus, c'est à la fois être attentifs aux Écritures, à leur figure exacte, à leur sens vrai, recevoir les événements du monde dans lequel Dieu nous place, laisser l'Esprit faire retentir en nous la voix du Père et faire naître en notre cœur notre voix d'enfant : Abba, Père !

Dans la vaste bibliographie, nous retenons : H. de Lubac, *Histoire et Esprit. L'intelligence de l'Écriture d'après Origène*, coll. Théologie 16, Paris, 1950. – E. Kamenicky, *Vom Wort Gottes. Grundlagen spiritueller Schriftauflegung*, dans *Mystiche Theologie*, t. 5/1, 1959, p. 9-118. – G. Auzou, *La Parole de Dieu. Approches du mystère des saintes Écritures*, Paris, 1960. – G. Ebeling, *Wort und Glaube*, Tübingen, 1960 ; *Theologie und Verkündigung, Ein Gespräch mit Rudolf Bultmann*, 3e éd., Tübingen, 1963. H. Urs von Balthasar, *La gloire et la croix*, I Apparition, coll. Théologie 61, Paris, 1965. – P. Grelot, *La Bible, Parole de Dieu. Introduction à l'étude de l'Écriture sainte*, coll. Bibl. de théologie, série 1/5, Paris-Tournai, 1965. – H. de Lubac, *L'Écriture dans la Tradition*, Paris, 1966 ; *Commentaire de la Constitution dogmatique Dei Verbum* (Vatican II), coll. Unam Sanctam 70, Paris, 1968. – R. Marlé, *Le problème théologique de l'herméneutique*, 2e éd., Paris, 1968. I. Berten, *Histoire, révélation et foi. Dialogue avec Wolfhart Pannenberg*, Bruxelles, 1969. – L. Alonso-Schökel, *La Parole inspirée*, coll. Lectio divina 64, Paris, 1970. – J. Audinet, H. Bouillard, etc., *Révélation de Dieu et langage des hommes*, coll. Cogitatio fidei 63, Paris, 1972. – P. Fruchon, *Existence humaine et Révélation. Essais d'herméneutique*, coll. Cogitatio fidei 86, Paris, 1976. – P. Beauchamp, *L'un et l'autre Testament*, Paris, 1976. – J. Guillet, *Un Dieu qui parle*, Paris, 1977. – S. Breton, *Révélation et Écriture*, coll. Cogitatio fidei 97, Paris, 1979.

Jacques GUILLET.

**PAROLES INTÉRIEURES.** – La vie du chrétien est sous l'action des « esprits » bons ou mauvais, singulièrement de l'Esprit saint, de qui lui proviennent des « inspirations » plus ou moins consciemment perçues (art. *Inspirations*, DS, t. 7, col. 1791-1803). Les paroles intérieures sont un type très particulier de ces inspirations (col. 1797) : cette expression en est venue à spécifier l'un des phénomènes « extraordinaires », de type intellectuel, comme sont aussi les visions et les touches, de la vie mystique. De telles « paroles » sont rapportées dans les écrits mystiques, surtout, peut-être, depuis Thérèse d'Avila et Jean de la Croix. Les théologiens de la vie mystique se sont attachés à fonder leur nature, leurs effets, leur discernement, les englobant parfois sous la rubrique générale de « révélations privées ».

Il s'agit donc d'autre chose que des fictions littéraires qui font dialoguer à longueur de pages l'âme et Dieu (ainsi Henri Suso dans son *Livre de la Sagesse éternelle* ; DS, t. 7, col. 234-257), ou des explicitations et des applications de visions intellectuelles indicibles (ainsi Hildegarde de Bingen, DS, t. 7, col. 505-521).

1. THÉRÈSE D'AVILA † 1582, dans les descriptions de ses grâces extraordinaires, se sert, qu'elle le sache ou non, du schéma augustinien *corpus, spiritus, intellectus* utilisé dans son enseignement sur les visions (*De Genesi ad litteram* XII, ch. 6-12 et 28-31). Dans ce contexte, Augustin désigne par *spiritus* non pas l'esprit, mais soit l'incorporel, soit cette partie de l'âme qui correspond à l'imagination (cf. art. *Noûs*, t. 11, col. 460) ; c'est pourquoi la postérité d'Augustin trouvera plus clair d'utiliser le terme *imagination, vision imaginaire*. Ainsi Thérèse d'Avila, en 1577, est-elle amenée à distinguer *imaginación* et *entendimiento* (*Moradas* IV, ch. 1, n. 8). Quand elle en vient à traiter les diverses manières dont le Seigneur vient « réveiller l'âme » établie dans l'union (*Moradas* VI), comme sont le ravissement, le rapt, l'extase, les visions, elle consacre un chapitre entier à la « manière dont Dieu parle à l'âme » (ch. 3).

Elle distingue d'abord les paroles qui « semblent venir du dehors, les autres du plus intime de l'âme ; tantôt elles se font entendre à la partie supérieure, tantôt elles sont tellement extérieures qu'on les entend par les oreilles » (n. 1 ; trad. p. 944). Plus loin (n. 10), elle distingue les paroles perçues par l'imagination, celles qui viennent du démon (n. 11) et enfin celles qui viennent de Dieu lorsqu'il « parle dans une certaine vision intellectuelle... Sa parole se fait (alors) si bien sentir au plus intime de l'âme, en termes si clairs pour son ouïe et d'une façon si secrète »... qu'on a « l'assurance qu'elles ne procèdent pas de l'imagination » (n. 12 ; trad. p. 951).

A l'analyse, il apparaît comme plus probable qu'à travers le décours de ce chapitre Thérèse n'envisage en fait que deux sortes de paroles intérieures, celles qui se forment dans l'imagination (qu'elles viennent de l'illusion, du démon ou de Dieu) et celles qui se font entendre au plus intime de l'âme ; elles viennent alors de Dieu. Quant aux paroles perçues par l'ouïe naturelle, elle note dans la *Relation* de 1576 adressée à Rodrigue Alvarez : « Jamais elle (Thérèse) n'a rien entendu... des oreilles du corps, si ce n'est deux fois ; et encore elle ne comprit rien de ce qu'on lui disait, ni qui c'était » (*Cuentas de conciencia* 53, n. 21-22 ; trad. p. 516).

Thérèse s'emploie surtout à relativiser l'importance des paroles imaginatives (n. 4), même si elles viennent du bon esprit, et à établir les critères qui permettent de discerner leur origine. Par contre, si les paroles intérieures sont perçues au plus intime de l'âme, leur effet est subit et puissant ; la paix profonde suit immédiatement ; la mémoire en est durablement marquée (n. 5-7) ; elles surviennent d'une manière imprévisible et avec une clarté totale ; elles sont courtes : en peu de mots, elles embrassent cependant une grande fécondité de sens et d'applications possibles (n. 12-16). Autant de signes qui sont la marque de l'Esprit de Dieu. Ne pas les écouter est impossible (n. 18), au contraire de celles qui viennent dans l'imagination.

Le critère ultime, comme aussi la principale recommandation donnée par Thérèse, est celui-ci : l'âme qui reçoit ce genre de faveur « doit considérer avec soin si elle se croit meilleure pour cela... Quand ces paroles viennent de Dieu, l'âme conçoit d'autant moins d'estime d'elle-même que ces faveurs se multiplient ; elle se souvient davantage de ses péchés... Plus aussi elle applique sa volonté et sa mémoire à poursuivre uniquement la gloire de Dieu..., plus elle craint de s'éloigner tant soit peu de la volonté divine » (n. 17 ; trad. p. 953).
Autre passage important traitant des paroles intérieures : *Vida,* ch. 25 et 30 (n. 14). – *Obras completas,* éd. Efren de la Madre de Dios et O. Steggink, 2ᵉ éd., Madrid, BAC, 1967 ; trad. par Grégoire de Saint-Joseph, Paris, 1948.

2. JEAN DE LA CROIX † 1591 offre un enseignement plus clair et plus structuré que Thérèse, mais son expérience personnelle y est peut-être moins perceptible. Il traite des paroles intérieures dans la *Subida del Monte Carmelo* (livre II, ch. 28-31), dans le cadre de la nuit active de l'esprit, plus précisément de l'*entendimiento,* intelligence (le livre III traitera de celle de la mémoire et de la volonté), qui prépare à l'union avec Dieu dans la foi nue. Il prend soin de donner un tableau général des différentes *aprehensiones* et *inteligencias* qui peuvent survenir à l'intelligence sur ce chemin spirituel (ch. 10 ; cf. trad. citée, p. 1056-1057).
Il distingue ainsi les « appréhensions » qui viennent par la voie normale (naturelle) des sens et de l'intelligence, et celles qui proviennent d'une manière « surnaturelle » (qui dépassent la capacité naturelle). Parmi cette seconde sorte, il y a les « corporelles » qui parviennent soit aux cinq sens extérieurs soit à l'imagination (sens corporel intérieur), et les « spirituelles ». Parmi ces dernières, les plus hautes sont les appréhensions confuses, obscures et générales qui font la contemplation de foi ; à des degrés moindres, il y a les appréhensions spirituelles distinctes et particulières, comme les visions, révélations, paroles intérieures et sentiments.
Il y a trois sortes de paroles intérieures « par voie surnaturelle » (perçues sans l'entremise des sens corporels) : les paroles *successives* (par « discours »), *formelles* et *substantielles* (ch. 28).
1° Les premières (ch. 29) se produisent dans l'esprit recueilli et actif, par exemple dans l'oraison, et n'ont aucun caractère extraordinaire : « Encore que l'esprit lui-même fasse cela comme instrument, néanmoins le Saint-Esprit l'aide souvent à produire et à former ces conceptions, paroles, vraies raisons » (trad. p. 237) ; l'intelligence énonce ces sortes d'appréhensions comme discutant avec elle-même, « comme si c'était une tierce personne ». « Cette façon est une de celles par lesquelles le Saint-Esprit enseigne » (p. 237). Il s'agit en somme des inspirations de l'Esprit saint qui s'insèrent dans le cours d'une oraison ou même de la vie ordinaire.
De soi, ces inspirations ne trompent pas, s'il est vrai qu'elles viennent du Saint-Esprit, car elles peuvent venir aussi du démon. Mais elles sont données d'une manière « parfois si subtile et si spirituelle que l'entendement n'arrive pas à s'en bien informer, et c'est lui... qui forme les raisons de soi-même », qui les explicite ; « de là vient que souvent il les forme fausses, d'autres fois vraisemblables ou défectueuses... Il ajoute de son propre... petit entendement » (n. 3 ; trad. p. 238).

Ce travers est assez répandu : « L'envie que les âmes ont (des communications spirituelles), et l'affection qu'elles en ont dans leur esprit, est cause qu'elles-mêmes se répondent et elles pensent que c'est Dieu qui leur répond et leur parle. Ce qui les fait tomber en de grandes rêveries, si elles ne tiennent la bride haute et si celui qui les gouverne ne leur défend très expressément ces manières de discours... Cela détourne beaucoup du chemin de l'union divine », parce que « cela l'écarte fort de l'abîme de la foi, dans lequel l'entendement doit être obscur et doit marcher avec obscurité par amour en foi, et non avec beaucoup de raison » (n. 5 ; trad. p. 238-239).

Même s'il ne tombe pas dans ce travers, l'entendement ne doit pas s'arrêter à ce genre de paroles ni en faire grand cas, même si c'est l'Esprit de Dieu qui l'illumine : en effet, celui qui cherche l'union à Dieu dans la foi y trouvera infiniment plus et mieux : « parce que en l'une (les paroles successives) on lui communique la sagesse d'une ou deux ou trois vérités, et en l'autre (l'union dans la foi) toute la Sagesse de Dieu généralement, qui est le Fils de Dieu » (n. 6 ; trad. p. 239).

Le fait que l'intelligence naturelle puisse aisément et quasi spontanément détourner et fausser de telles inspirations explique aussi que le démon puisse le faire par ses suggestions (n. 10). « Il est parfois difficile de connaître la différence qu'il y a des unes aux autres (divines, naturelles ou démoniaques), pour les divers effets qu'elles opèrent de fois à autres », mais d'ordinaire les divines font que « l'âme va aimant et sentant l'amour avec humilité et révérence de Dieu », tandis que les naturelles laissent la volonté sèche (n. 11 ; trad. p. 241).

2° *Les paroles formelles* (« Je les appelle formelles parce que formellement une tierce personne les dit à l'esprit », ch. 30, n. 1, trad. p. 242) sont fort différentes des précédentes : l'esprit n'y est pour rien (« Cela vient d'autre part », n. 4, p. 244) et elles surviennent n'importe quand. Tantôt nettes, tantôt vagues, elles sont généralement courtes : un ou deux mots, parfois plus. Elles peuvent provenir soit de Dieu, soit du démon. Leur origine « extérieure » et leur irruption subite frappent l'âme, mais leur contenu intelligible est souvent moindre que celui des paroles successives (n. 4). Des unes comme des autres, on ne doit pas faire grand cas, car elles n'ont qu'un lointain rapport avec l'union à Dieu dans la foi, et l'âme se laisse aisément tromper par le démon ou s'enfonce dans l'illusion. De plus, il n'est pas facile de connaître si ces paroles formelles viennent du bon ou du mauvais esprit « parce que, ne faisant pas grand effet, il est difficile de les distinguer par les effets... Il ne faut pas faire ce qu'elles diront ni leur attacher d'importance... Mais il faut les découvrir à un confesseur mûr... » (n. 6, trad. p. 244).

3° *Les paroles substantielles* ressemblent aux formelles quant à la manière dont elles surviennent (de l'extérieur, à l'improviste, brèves), mais elles en diffèrent radicalement en ce qu'elles s'impriment dans la substance de l'âme et y produisent ce qu'elles signifient.

« Comme si Notre Seigneur disait formellement à l'âme : ' Sois bonne ', aussitôt substantiellement elle serait bonne ; ou s'il lui disait : ' Aime-moi ', aussitôt elle aurait et sentirait en elle la substance de l'amour de Dieu... Parce que le dire de Dieu et sa parole, comme dit le Sage, sont remplis de pouvoir (*Eccl.* 8, 4) ». De telles paroles substantielles « sont à l'âme vie et vertu et bien incomparable, attendu qu'une seule de ces paroles fait davantage que ce que l'âme a fait en toute sa vie » (n. 1, trad. p. 245-246).

Lorsqu'une telle parole lui survient, l'âme n'a ni à vouloir ni à ne pas vouloir, ni à rejeter ni à craindre ; elle n'a qu'à suivre ce que Dieu opère en elle sans elle ; le démon n'a pas le pouvoir d'une telle action à l'intime de l'âme (hormis peut-être le cas d'une possession diabolique) et l'effet de sa parole n'a rien de comparable à celui de la parole de Dieu. « Ces paroles substantielles servent beaucoup pour l'union de l'âme avec Dieu » (n. 2, trad. p. 247).

*Vida y Obras completas,* par Crisogono de Jesús, etc., 5ᵉ éd., Madrid, BAC, 1964 ; trad. *Œuvres complètes,* par Lucien-Marie de Saint-Joseph, 4ᵉ éd., Paris, 1967 (coll. Bibliothèque européenne).

3. Après Thérèse d'Avila et Jean de la Croix. — Les descriptions et les expressions de Thérèse, la triple distinction apportée par Jean de la Croix et les mises en garde au sujet des paroles intérieures qui ne sont pas substantielles, ont fortement influencé les générations postérieures. Dans l'école carmélitaine, les théologiens spirituels se sont efforcés de faire se rejoindre leurs deux sources majeures, en ce qui concerne les paroles intérieures comme pour les questions plus centrales ; nous n'y insisterons pas.

Il est plus notable que des théologiens d'autres écoles, tels Sandaeus ou La Reguera, s'y réfèrent autant que les carmes, même s'ils sont plus directement inspirés par les mystiques du moyen âge. Lors du renouveau des études spirituelles à partir de la seconde moitié du 19ᵉ siècle, Thérèse d'Avila et Jean de la Croix feront autorité dans la question qui nous occupe ; les auteurs s'intéresseront surtout à la direction spirituelle et au discernement, beaucoup moins à la théologie spirituelle spéculative.

On peut voir : Diego Alvarez de Paz † 1620, *De Inquisitione pacis,* livre 5, p. 3, ch. 6 (dans *Opera,* Paris, Vivès, t. 6, 1876, p. 567-573). – M. Sandaeus, *Theologia mystica* II, Comment. 6, Ex. 20-23 (Mayence, 1627, p. 484-502) ; *Pro theologia mystica clavis,* art. Loquela, Cologne, 1640, p. 266-268. – Honoré de Sainte-Marie, *Tradition des Pères... sur la contemplation,* t. 1, Paris, 1708, p. 568-574. – E.I. de La Reguera † 1747, *Praxis theologiae mysticae,* livre 5, ch. 9-11 (t. 2, Rome, 1745, p. 38-64), qui commente M.

Godinez † 1644 (cf. DS, t. 6, col. 565-570). – G.B. Scaramelli, *Il Direttorio mistico,* éd. Venise, 1799, tr. 4, ch. 12-15 (trad. franç. par F. Catoire, t. 2, Paris-Tournai, 1863, p. 103-146). – P. de Clorivière † 1820, *Considérations sur l'exercice de la prière et de l'oraison,* 1802 (éd. A. Rayez, *Prière et Oraison,* coll. Christus, Paris, 1961, p. 187-190).

Il est étonnant que A. Baker † 1641, qui donne tant d'importance aux inspirations du Saint-Esprit, ne dise mot des paroles intérieures (*Sancta Sophia,* Douai, 1657 ; trad. franç., t. 1, Paris, 1954, p. 42-112).

J. Ribet, *La mystique divine,* t. 2, Paris, 1879, ch. 15, p. 241-268. – A. Saudreau, *Les faits extraordinaires de la vie spirituelle,* Paris, 1908, ch. 7, p. 231-239. – A. Poulain, *Des grâces d'oraison,* 10ᵉ éd., Paris, 1922, ch. 20-23, p. 311-421 (surtout ch. 20). – A. Tanquerey, *Précis de théologie ascétique et mystique,* 7ᵉ éd., Paris-Tournai, 1928 (surtout n. 1494). – A. Farges, *Les phénomènes mystiques...,* 2ᵉ éd., t. 2, Paris, 1923, p. 34-41. – R. Garrigou-Lagrange, *Perfection chrétienne et contemplation,* t. 2, Saint-Maximin, 1923, p. 553-559 ; *Les trois âges de la vie intérieure,* t. 2, Paris, 1938, p. 766-770. – J. de Guibert, *Theologia spiritualis,* 4ᵉ éd., Rome, 1952, n. 128, 154, 168-169.

H. Delacroix (*Études d'histoire et de psychologie du mysticisme,* Paris, 1908, p. 427-435) est un bon témoin des problématiques scientistes de son temps ; M. de Montmorand (*Psychologie des mystiques,* Paris, 1920, ch. 5-6, p. 103-142) se place aussi sur le plan psychologique mais en admettant la possibilité de l'authenticité spirituelle de la mystique.

J. Postel, *Le psychiatre devant les visions des mystiques,* dans *Nouvelles. Institut catholique de Paris,* 1976-1977, n. 1, p. 73-93 (bibl.), traite des visions et des paroles intérieures ; cette étude témoigne de la manière dont le psychologue peut aborder les phénomènes mystiques aujourd'hui.

4. Du bon usage des paroles intérieures. — La littérature spirituelle ne manque pas d'ouvrages qui rapportent, plus ou moins abondamment, des paroles du Seigneur adressées à leur auteur, soit dans des révélations ou des visions, soit dans la trame ordinaire de leur existence. Parmi d'autres, on peut citer des saints comme Brigitte de Suède, Gertrude la grande, Catherine de Sienne, Marguerite-Marie Alacoque. Marina de Escobar et Marie d'Agreda ont rempli des in-folios de leurs révélations. Les cas de Jeanne d'Arc et de Bernadette Soubirous diffèrent notablement et ne peuvent être assimilés à ceux que nous venons de citer, étant donné que leurs « voix » ou les paroles qui leur furent adressées sont remarquables par leur brièveté ; il s'agit ici de « paroles intérieures » au sens précis de cette expression, dont nous avons parlé plus haut avec Thérèse d'Avila et Jean de la Croix.

A notre époque, on peut citer, parmi d'autres : Benigna Consolata Ferrero, visitandine, † 1916 (DS, t. 5, col. 197-198), Josepha Menéndez, religieuse du Sacré-Cœur, † 1923 (t. 10, col. 1014-1015), l'auteur de *Cum clamore valido* (Paris, 1943) et celle de la série *Lui et moi* (Gabrielle Bossis † 9 juin 1950 ; 5 vol., Paris, 1948-1953). Ces quatre exemples sont assez typiques de cette sorte d'ouvrages où les paroles attribuées au Christ remplissent la plus grande partie des volumes. Certains d'entre ces volumes ont été préfacés et comme garantis par des théologiens sérieux, tel H. Monnier-Vinard en ce qui concerne J. Menéndez et *Cum clamore valide.*

Monnier-Vinard, dans son introduction à ce dernier ouvrage, se demande : « Avons-nous ici une vraie révélation directe de Notre Seigneur et les mots mêmes qu'il a prononcés ? » (p. 34). Après quelques distinctions sur les diverses sortes de révélations, il conclut : « Le plus souvent Dieu manifeste lumineusement ce qu'il veut faire entendre, et l'âme le traduit elle-même dans son langage personnel... Souvent elle ne se rend pas compte qu'elle n'a fait que traduire (cette lumière) : il lui semble qu'elle n'a fait que la recevoir, qu'elle a été purement passive. Pourtant – et c'est là une marque de l'activité de l'âme –, si en réfléchissant une autre formule lui paraît mieux exprimer ce qu'elle a cru entendre, elle n'hésite pas à la prendre, pour se conformer plus exactement à ce qu'elle a reçu... Il y a donc toujours lieu de faire le départ entre ce qui est uniquement divin et ce qui est humain et personnel » (p. 34-35).

Comment faire un tel discernement ? D'après ce qu'enseignent les deux Docteurs du Carmel, on n'a guère de certitude de l'origine divine qu'en cas de paroles substantielles. Alors « ce qui est uniquement divin » ne peut être que la source de la lumière ou de l'inspiration, au plus profond de l'esprit qui reçoit passivement. Restent les explicitations qu'on en peut faire. De celles-ci il est clair que plus elles sont fidèles à la parole intérieure, plus elles en traduisent la plénitude et la fulgurance et la brièveté ; elles doivent donc être brèves. Si, au contraire, l'auteur a besoin de nombreuses pages pour cette explicitation, il est juste de penser qu'il y met d'autant plus du sien. Ceci découle de la 8e règle pour le discernement des esprits dans la seconde semaine des *Exercices spirituels* d'Ignace de Loyola, qui rejoint d'ailleurs parfaitement la pensée de Thérèse et de Jean de la Croix :

« Lorsque la consolation est sans cause (humaine), elle ne comporte pas de piège, puisque, comme on l'a dit, elle vient uniquement de Dieu notre Seigneur. Cependant l'homme spirituel à qui Dieu donne cette consolation doit l'examiner avec beaucoup de vigilance et d'attention, en discernant le temps même de cette consolation actuelle du temps qui la suit, où l'âme reste brûlante et favorisée du bienfait et des suites de la consolation passée. Souvent, en effet, pendant ce second temps, en pensant nous-mêmes à partir des liaisons et déductions de nos idées et jugements, ou sous l'effet du bon esprit ou du mauvais, nous concevons des projets et des opinions diverses, qui ne sont pas données immédiatement de Dieu notre Seigneur » (*Exercices spirituels*, n. 336, trad. Fr. Courel, Paris, 1960, p. 177).

D'autre part, on sait que les révélations privées, même lorsqu'elles sont approuvées par l'Église, ne font pas partie de la Révélation et ne s'imposent pas à la foi des chrétiens. En les « approuvant », l'Église permet seulement qu'elles soient publiées.

Enfin, à qui serait tenté d'entendre des paroles intérieures ou curieux de lire celles que d'autres ont pu entendre, on peut rappeler deux textes de Jean de la Croix : « Ce n'est pas la volonté de Dieu que les âmes prétendent recevoir par voies surnaturelles des choses distinctes de visions et propos, etc... Car, en nous donnant comme il nous l'a donné son Fils qui est son unique Parole (car il n'en a point d'autre), il nous a dit et révélé toutes choses en une seule fois par cette Parole et il n'a plus à parler » (*Subida del Monte Carmelo* II, ch. 22, n. 2-3 ; trad. p. 208-209) ; – « Dieu n'a dit qu'une parole : ce fut son Fils. Et dans un silence éternel il la dit toujours : l'âme aussi doit l'écouter en silence » (*Maxime* 147 ; trad. p. 989).

André DERVILLE.

**PARPERA** (HYACINTHE), oratorien, 1633-1700. – Giacinto Parpera (et non Perpera) naquit à Bra, dans le Piémont, en 1633. Il fut archiprêtre de Somano,

dans le diocèse d'Alba, de 1658 à 1661 et de 1679 à 1681, puis provicaire dans le même diocèse. Entré dans la Congrégation de l'Oratoire de Gênes le 18 octobre 1683, il en devint le supérieur et lui laissa sa bibliothèque, qui était considérable. Il fut aussi consulteur du Saint-Office à Gênes. Il mourut le 14 juillet 1700 et fut enseveli dans l'église Saint-Philippe, à Gênes.

Selon G. Giscardi, membre de l'Oratoire de Gênes (1688-1765), à qui nous devons les renseignements qui précèdent, Parpera était un directeur de conscience recherché (notamment par les ambassadeurs d'Espagne et de France), prudent, savant et pieux.

Comme le montrent les titres, nombre de ses ouvrages sont consacrés à sainte Catherine Fieschi Adorno, dite de Gênes (DS, t. 2, col. 290-325) et ont été utilisés par les Bollandistes (cf. AS, *Septembre*, t. 5, Anvers, 1755, p. 123, n. 1 ; 125, n. 11 ; 127, n. 20 ; lettres de Parpera à G. Henschen et à D. Papebroch, p. 123, n. 3 et 125, n. 12). Ces travaux de Parpera se situent dans les années où était repris le procès de Catherine en vue de sa canonisation (culte approuvé par Clément X le 6 avril 1675). C'est probablement le titre principal de Parpera à une place dans l'histoire de la spiritualité.

Ses autres ouvrages concernent soit la théologie dogmatique et morale, soit les pratiques de dévotion et les divers états de vie (le prêtre, la religieuse, le *cavagliere,* la *dama,* la *fanciulla*), à propos desquels il a tendance à régler jusqu'au comportement extérieur, descendant parfois aux usages et aux convenances. Dans ces ouvrages, Parpera semble bien n'être qu'un compilateur : il s'inspire des Pères, des théologiens de son temps, comme le montrent les abondantes citations disséminées dans ses pages.

Nous avons établi la liste des ouvrages publiés par Parpera d'après celle de G. Giscardi (cf. bibl.), confrontée avec une autre liste que donnent diverses éditions de Parpera lui-même et avec les catalogues actuels des principales bibliothèques de Gênes.

1) Sur Catherine de Gênes : *La Vita mirabile e la dottrina santa della B. Caterina... Con una utile e cattolica dichiaratione del Purgatorio. Con un Dialogo distinto in tre libri, composti dalla medesima, emendati secondo gli antichi e auttentichi esemplari...* (Gênes, 1681 et 1712 ; le nom de l'auteur est donné par G. Melzi, *Dizionario di opere anonime e pseudonime,* t. 3, Milan, 1859, p. 254). – *B. Caterina di Genova Fiescha degli Adorni illustrata...* (Gênes, 1681) ; divisé en trois parties : la première rapporte les éloges de Catherine par les auteurs spirituels ; la deuxième, sorte d'index de la doctrine, est une « anatomie... de son esprit, de ses vertus, des opérations et grâces célestes, un résumé non seulement de sa doctrine, mais de toute la théologie mystique ; la troisième explique quelques formules employées (*enigmi mistici*) ». – *Vita mirabile o sia varietà di successi spirituali osservati nella vita della B. Caterina...* (Gênes, 1682 ; avec une lettre approbatrice de Pier Matteo Petrucci, évêque de Jesi, p. 2-3). – *Propositione illustrata della B. Caterina...* (Gênes, 1683 ; éd. aussi en latin) commente la phrase rapportée par la *Vie* de Catherine publiée en 1551 : « Mi sento perduta la fede in tutto ; morta la speranza » ; notons que la Biblioteca Franzoniana de Gênes en conserve une copie avec une *Elucidatione* de P.M. Petrucci sur

le même texte. – *Specchio del Cuor humano nella vita compendiata della B. Caterina... con detti e sentenze...* (Gênes, 1688).

2) Autres ouvrages (théologie et spiritualité) : *La Novena triplicata del Santo Natale* (Gênes, 1679). – *La Dama Christiana in vita* (1679). – *Fundamenta, Axiomata theologorum, Dogmata Recentiorum. Deductiones ex istis generales ac particulares determinationes sanae doctrinae moralis. Cum tractatu de Summo Pontifice...* (Venise, 1686). – *La Dama stabilita da Dio nella Novena della B. Caterina... con la Novena dello Spirito Santo, et altre devotioni* (Gênes, 1688).

*Satanas transfiguratus confessariis necessario revelandus ne ipsi fallantur, et alios fallant...* (Gênes, 1690) ; s'inspire en grande partie du *De distinctione verarum visionum a falsis* de Jean Gerson (cf. DS, t. 6, col. 318). – *Scala sacerdotale per salire a far concetto del sacerdotio, e sue obbligationi...* (1692). – *La Madre di misericordia Maestra di spirito...* (1694). – *Scholastica veritatis lucerna in probabilitatis nocte... Accedunt quaestiones... De veritate et mendacio, De periculo et occasione proxima* (1697). – *Theologica lucerna caliginosis in veritatis locis...* (1697 ; sur la prédestination, le péché philosophique, l'infaillibilité du Pape en matière de doctrine de foi et de définition de faits connexes avec la foi).

Nous n'avons pu préciser les données bibliographiques des ouvrages suivants : *Fiori spirituali della B. Caterina... con altri di S. Francesco di Sales* (publié sous le nom de l'oratorien gênois Angelo Luigi Giovo). – *Invito a' Divoti della B. Caterina... La Strada Reggia del Paradiso aditata da S. Francesco di Sales e S. Filippo Neri. La Madre di Dio Maestra delle opere di misericordia. – Celeste riparo del mondo pericolante, il Rosario... – La Monaca instruita* (sous le nom de Giacinto Epebert). – *La Figlia instruita. – Ritratto del Cavagliere Christiano. – Scala del Paradiso, per la quale ascendono il Signore della Misericordia. – L'Onor Divino riparato nel sacrilego furto delle sacre Pissidi... – Scampo del flagello di Dio. – Disinganno Astrologico et Astrologia verace.*

Aux Archives de l'Oratoire philippin de Gênes : *Nomina sacerdotum et laicorum qui admissi sunt in Congregationem Oratorii Genuae* (1661-1864), col. 11-12 ; *Congr. Oratorii S. Philippi Nerij illustrium vivorum monumenta...*, 1728, col. 106-107 ; l'auteur est Giacomo Giscardi. *Memorie degli scrittori Filippini,* rassemblé par le marquis de Villarosa, Naples, 1837, p. 192-193. – Hurter, *Nomenclator...,* 3e éd., t. 4, col. 616 (« Perpera »). – Umile Bonzi da Genova, *S. Caterina da Genova,* t. 2, Gênes, 1962, p. 47.

DS, t. 2, col. 298, 299, 312, 325 ; t. 5, col. 333.

Francesco REPETTO.

**PARRA** (CHARLES), jésuite, 1877-1957. – Né à Lalbenque (Lot) le 8 janvier 1877, admis dans la Compagnie de Jésus le 4 octobre 1893 (province de Toulouse), Charles Parra fut ordonné prêtre le 24 août 1908 et prononça ses vœux de profès le 2 février 1911. Presque tout son ministère actif s'est exercé au service de l'Apostolat de la prière : à Tournai puis à Toulouse il seconde les directeurs généraux J. Calot et J. Boubée (1910-1924). Lorsqu'est décidé en 1925 le transfert à Rome de la direction générale (effectué en 1928), il assume la fonction de directeur national jusqu'en 1948, à Toulouse. Il est ensuite supérieur de la résidence de Pau (1949-1955), enfin directeur diocésain de l'Apostolat de la prière jusqu'à sa mort survenue le 25 mars 1957.

Heureusement doué, Parra fut un prédicateur longtemps apprécié dans les retraites (aux prêtres, séminaristes, communautés religieuses) comme dans les prédications. Il prit souvent la parole au cours de congrès, sessions, journées de l'œuvre dont il avait la charge. Responsable des principales revues de cette œuvre, il a donné, notamment dans le *Messager du Cœur de Jésus,* maints articles dont certains furent ensuite publiés à part, tels des recueils de méditations sous le titre global de « L'Évangile du Sacré-Cœur » : *Béthanie* (1925), *Tibériade* (1925), *Sur la Montagne* (2 séries, 1926 et 1930), *Gethsémani* (1931), *Bethsaïde* (1934), *Corozaïn* (1937), *Sichar* (1939).

On retiendra aussi sa contribution à l'ouvrage collectif *Le P. H. Ramière* (1934), sa brochure *Le Sacré-Cœur. Histoire, mystique, théologie, pratique* (1945) et les rééditions qu'il aménagea du *Manuel de l'Apostolat de la prière* (26e-28e éd., 1927-1933) ; rappelons que Parra a donné l'art. *Apostolat de la prière* dans le DS (t. 1, col. 770-773). On trouve dans ses ouvrages un enseignement spirituel fortement marqué par la dévotion au Sacré-Cœur, appuyé sur la doctrine commune et exprimé à l'intention d'un vaste public.

Parra a publié diverses biographies, parmi lesquelles : *L'abbé J.-B. Debrabant, fondateur... de la Sainte Union des Sacrés Cœurs* (Tournai, 1924), *Marie-Thérèse-Charlotte de Lamouroux* (1924), *Le P. Calot* (1927), *Gemma Galgani* (1932, 1939), *Louis Delcourt* (1949), *Le capitaine aviateur Pierre Claude* (1957). – Sauf mention contraire, tous ces ouvrages furent publiés à Toulouse.

L'essor de l'Apostolat de la prière et des groupements de jeunesse qui s'y rattachent fut assez remarquable en France jusque vers 1944, en dépit des épreuves de la guerre et de l'occupation. Il doit beaucoup à Parra. Les rapports officiels envoyés chaque année à Rome témoignent d'un optimisme qu'il faudrait peut-être nuancer mais qui se base sur des données objectives : faveur générale de l'épiscopat et du clergé, croissance des effectifs et de l'activité des éditions, assemblées multiples et imposantes, etc. On relève cependant, dès les années trente, la mention de problèmes avec l'Action catholique, au niveau des enfants comme des adultes ; ils iront se compliquant. Peut-être l'Apostolat de la prière, à partir de 1945 surtout, mérite-t-il quelques reproches d'inadaptation. Par ailleurs, l'aversion d'un bon nombre pour des formes jugées désuètes de piété, d'ascèse et d'apostolat a pu donner un tour exagéré à leurs critiques : les prises de conscience qui marquent l'Église de France de l'après-guerre peuvent l'expliquer. Si les dernières correspondances romaines font toujours état d'œuvres et de publications assez florissantes, elles témoignent aussi des difficultés, non sans une pointe d'amertume.

Archives de la Compagnie de Jésus à Toulouse. – Cl. Sclafert, *Le P. Ch. Parra,* dans *Messager du Cœur de Jésus,* t. 132, 1957, p. 193-199. – DS, t. 6, col. 157.

Henri de GENSAC.

**PARRHÈSIA** (Παρρησία). – 1. *Sens politique.* – 2. *Sens apostolique et spirituel.* – 3. *Sens monastique.*

1. LA PARRHÈSIA AU SENS POLITIQUE. – Étymologiquement (πᾶν-ρησις : action de tout déclarer, tout exprimer), la *parrhésia* désigne la liberté de langage.

1° *En grec classique,* le terme s'applique surtout au droit démocratique réservé au citoyen de s'exprimer librement dans l'assemblée, à la différence de l'étranger et de l'esclave, et aussi des régimes tyranniques (cf. art. *Liberté,* DS, t. 9, col. 809).

« On ne saurait trouver un régime et un idéal d'égalité, de *liberté de parole,* en un mot de démocratie, plus parfait que chez les Achéens » (Polybe, *Histoires* II, 38, 6). « L'homme démocratique est celui qui vit dans un État où règnent la liberté, le *franc-parler,* la faculté de faire ce que l'on veut » (Platon, *République* VIII, 557b ; cf. *Lois* III, 694b). Ailleurs, chez Platon, le mot signifie la liberté de langage et de comportement opposée à la timidité (*Banquet* 222c ; *Gorgias* 461de, 487ae).

C'est encore le sens que le mot a généralement chez Philon, pour louer la franchise et la liberté de langage de Joseph (*De Josepho* 73 et 107). « L'homme qui n'accorde à aucun habitant de sa maison le droit de *parler librement...* est un tyran » (*De specialibus legibus* III, 138). « Les gens illustres... respecteront l'égalité et accorderont aux humbles le droit au *franc-parler* » (IV, 74).

Dans le langage courant, le mot signifie aussi la franchise dans les propos et les entretiens ; c'est le propre du « magnanime » d'être *parrhèsiastès* (franc de parole) et véridique (Aristote, *Éthique à Nicomaque* IV, 3, 28, 1124b 29), la caractéristique de l'amitié de montrer de la confiance à l'égard des compagnons et des frères (IX, 2, 9, 1165a 29). « Je suis le libérateur des hommes et le médecin de leurs passions. Pour tout dire, je veux être le prophète de la vérité et de la *franchise* » (Diogène, dans Lucien, *Philosophes à l'encan,* éd. Belles Lettres, t. 1, Paris, 1967, p. 34).

Parfois cependant le mot est pris en un sens péjoratif : l'excès dans la liberté de parole, l'impertinence, même à propos des dieux (Platon, *Phèdre* 240e ; Isocrate, *Discours* 11, 40).

2° Dans la *version biblique* des Septante, *parrhèsia* est utilisé une fois pour exprimer la fierté que Dieu donne à son peuple : « J'ai brisé les barres de votre joug et je vous ai fait marcher *la tête haute* » (*metà parrhèsias* ; *Lév.* 26, 13). On le retrouve ensuite dans les livres sapientiaux : « La sagesse *parle ouvertement* sur les places » (*Prov.* 1, 20 ; cf. 10, 10 où « avec *franchise* » s'oppose à « avec ruse »). Lors du jugement, « le juste se tiendra debout *plein d'assurance* » (*Sag.* 5, 1). « Ne donne pas à l'eau un passage ni à la femme méchante *la liberté de parler* » (*Sir.* 25, 25). Le verbe *parrhèsiazesthai* est employé par un des amis de Job qui l'invite à se réconcilier avec Dieu : « Alors tu pourras *faire confiance* au Seigneur et regarder le ciel avec joie » (*Job* 22, 26).

2. LA PARRHÈSIA AU SENS APOSTOLIQUE OU SPIRITUEL. — 1° *Sens apostolique.* — Dans les *synoptiques,* le mot apparaît une seule fois, après la confession de Pierre à Césarée, lorsque Jésus annonce pour la première fois sa passion et sa résurrection : « Il tenait ce langage *avec assurance* » (*Marc* 8, 32). La *parrhèsia* du Christ est caractéristique : il peut tout dire, parce qu'il dit la vérité, parce qu'il est libre de la peur et libère ses disciples (cf. art. *Liberté,* DS, t. 10, col. 800-803).

Dans *l'évangile de Jean,* l'expression *en parrhèsiai* s'oppose soit à *en kruptôi* (7, 4 ; 18, 20 ; cf. 7, 13 ; 10, 24 ; 11, 14 et 54) : Jésus parle tantôt ouvertement, tantôt en secret ; soit à *en paroimiais* (16, 25 et 29) : il parle tantôt en paraboles, tantôt clairement. Jésus évite de se découvrir avant son « Heure » : c'est le « secret messianique ».

Dans les *Épîtres de Paul, parrhèsia* désigne l'attitude du chrétien qui témoigne audacieusement de sa foi, parle sans crainte et avec assurance (2 *Cor.* 3, 12 ; *Éph.* 6, 19 ; *Phil.* 1, 20 ; 1 *Tim.* 3, 13 ; *Philém.* 8 ; cf. *Hébr.* 3, 6 ; 10, 35) ; il exprime aussi la confiance que met l'apôtre en ses fidèles (2 *Cor.* 7, 4).

De même dans les *Actes.* Après la Pentecôte, les apôtres prêchent avec assurance, affrontent la foule, bravent l'opinion, s'exposent à la prison, au supplice et à la mort (2, 29 ; 4, 13, 29, 31). La dernière phrase du livre décrit l'activité de Paul prisonnier à Rome, « proclamant le Royaume de Dieu et enseignant ce qui concerne le Seigneur Jésus-Christ avec pleine *assurance* » (28, 31). Cf. W.C. van Unnik, *The Christian's Freedom of Speech in the N. T.* (Manson-Memorial Lecture), Manchester, 1962.

Le verbe *parrhèsiazesthai* est toujours employé dans le nouveau Testament (*Actes* 9, 27 ; 13, 46 ; 14, 3 ; 18, 26 ; 19, 8 ; 26, 26 ; *Éph.* 6, 20) au sens de parler ou agir avec assurance.

Chez les *Pères apostoliques* et dans les *Actes des martyrs,* les deux mots gardent la même signification. Ainsi dans la *Lettre* de Clément de Rome : « Le bon ouvrier prend avec *assurance* le pain de son ouvrage ». « Mettons en Dieu notre gloire et notre *assurance* ». « Qu'ils sont admirables les dons de Dieu : la vie dans l'immortalité, ... la vérité dans la *franchise* » (34, 1 et 5 ; 35, 2 ; SC 167, 1971, p. 154-157). Clément fait aussi l'éloge de la *parrhèsia* de Moïse à l'égard de Dieu (53, 5, p. 186). Dans le récit sur les martyrs de Lyon (177) : « Nous redoutions... que Blandine ne pût avec *assurance* faire sa confession, à cause de la faiblesse de son corps » (Eusèbe, *Histoire ecclésiastique* = HE V, 1, 18 ; SC 41, 1955, p. 10 ; cf. V, 1, 49). Ailleurs, la *parrhèsia* est mise en relation avec la patience (*hypomonè*) (V, 2, 4, p. 24 ; cf. *Martyrs de Palestine,* SC 55, 1958, p. 128). Polycarpe répond au proconsul : « Je vais te le dire avec franchise : je suis chrétien » (*Martyre de Polycarpe* 10, 1 ; SC 10, 4e éd., 1969, p. 222).

2° A côté de ce sens apostolique, il en est un autre que l'on peut appeler *spirituel* : il désigne l'attitude du croyant qui s'adresse à Dieu comme Père avec une confiance filiale, sûr d'être exaucé, qui vit dans une familiarité nuancée de respect, dans la souveraine liberté des enfants de Dieu (*Éph.* 3, 12 ; *Hébr.* 3, 12 ; *Hébr.* 4, 6 ; 1 *Jean* 2, 28 ; 3, 21 ; 4, 17 ; 5, 14).

Philon emploie le mot pour décrire la familiarité d'Abraham avec Dieu (*Quis rerum divinarum heres,* 5-7). Cette acception se retrouve chez les Pères. Chez Athanase *parrhèsia* désigne la « candide liberté » d'Adam avant la faute (*Contra gentes* II, PG 25, 8ab ; SC 18, 1946, p. 113). Mais, après son péché, Adam ne peut « regarder Dieu avec assurance » (Didyme l'aveugle, *Sur la Genèse* 3, 9 ; SC 233, 1976, p. 216 ; cf. Origène, *Homélies sur Jérémie* 16, 4 ; SC 238, 1977, p. 142).

Grégoire de Nysse, décrivant l'état paradisiaque, oppose la *parrhèsia* à la honte (*aischunè, Discours catéchétique* VI, éd. L. Méridier, Paris, 1908, p. 42 ; *Traité de la virginité* 12, 4 ; SC 119, 1966, p. 418-419). La contemplation comporte une purification préalable qui permet d'acquérir la *parrhèsia* (*In Psalmos* II, 3 ; PG 44, 496b). D'après les homélies *Sur l'Oraison dominicale,* la *parrhèsia* est nécessaire pour appeler Dieu « Père » (PG 44, 1141c) ; elle est mise en relation avec la liberté (*eleuthèria*) : « Pourquoi t'interdis-tu la *parrhèsia* fondée sur la liberté ? » (1180a).

Chez Jean Chrysostome, l'emploi du mot est fréquent. Dans le *Traité sur la virginité,* il décrit les vierges sages « environnées de gloire et d'*assurance* pour pénétrer avec le Roi dans la chambre nuptiale » (49, SC 125, 1966, p. 274) ; celui qui a renoncé à ses biens « agit avec une grande *assurance* vis-à-vis des grands... Il parle avec *assurance* sans redouter ni craindre personne... De la virginité... germent liberté et *assurance* » (81, p. 380-382). Dans les *Lettres à Olympias,* il vante la *parrhèsia* de Moïse qui plaide auprès de Dieu en faveur des Israélites révoltés (8, 7 ; SC 13 bis, 1968, p. 184), celle d'Élie qui affronte les menaces d'une reine maudite (10, 3, p. 252), celle de Timothée, auquel l'épreuve de la maladie vaut d'augmenter sa confiance en Dieu (17, 3, p. 280). La *Vie d'Olympias* rapporte que sa *liberté de parole* lui valut l'exil (10, 1 ; *ibidem,* p. 424), et qu'après sa mort elle peut demander la récompense avec *assurance* (16, 13, p. 444).

Dans les homélies *Sur l'incompréhensibilité de Dieu,* Chrysostome vante la *parrhèsia* de Daniel (3-4, SC 28 bis, 1970, p. 204, 230), celle du Fils par rapport au Père (4, p. 250). Il affirme que la prière publique a plus de *parrhèsia* que la prière privée (3, p. 220, 224, 226). « Abraham conversait avec Dieu, mais sa *parrhèsia,* loin de l'enorgueillir, l'incitait à la modestie » (2, p. 158). Enfin, il faut citer un texte où le mot et le verbe reviennent sept fois en quinze lignes : « Je manque d'*assurance,* dit-on, je suis plein de confusion et ne puis ouvrir la bouche... Tu manques d'*assurance ?* C'est au contraire une grande *sécurité,* et en soi-même un grand avantage, de croire que l'on manque de motif d'*assurance,* de même que c'est une honte et une cause de condamnation de croire que l'on a toute raison d'*être sûr de soi...* Si tu crois avoir toute raison d'*être sûr de toi,* tu perds tout le bénéfice de la prière. Par contre..., pour peu que tu sois convaincu d'être le dernier des hommes, tu pourras t'adresser à Dieu en toute *assurance* » (5, p. 310-312).

Le mot, on le voit, prend chez Chrysostome des sens différents. A.-M. Malingrey le signale dans le traité *Sur la providence de Dieu* (SC 79, 1961, p. 66, n. 2) : « C'est la liberté confiante que donne une grâce spéciale : Jean sur la poitrine du Christ » (3, 5), « la liberté de parole » de l'apôtre (14, 6 ; 22, 3 et 5), « l'assurance courageuse du persécuté » (19, 1 ; 24, 1).

3. SENS MONASTIQUE. – A côté du sens positif de *parrhèsia,* que l'on a rencontré jusqu'ici, il faut signaler cependant un *sens péjoratif,* déjà présent, on l'a vu, dans le grec classique : la liberté excessive du langage, la familiarité déplacée, le laisser-aller. Absent du nouveau Testament, ce sens péjoratif va prédominer dans la tradition monastique, comme le signalent deux bons connaisseurs :

« Ce mot, de par l'étymologie, signifie le droit ou l'habitude de tout dire. De là, l'évolution sémantique a tiré deux sens, l'un excellent, la confiance et l'audace devant Dieu, fondée sur une bonne conscience ; l'autre fâcheux, l'excessive liberté des paroles ou des allures avec les gens, la désinvolture du personnage, conscient de sa valeur » (I. Hausherr, *Penthos,* OCA 132, 1944, p. 107). « *Parrhèsia.* Excessive liberté de parole et d'allure du moine qui se sent ' chez lui ' partout, au lieu de se faire une âme de pèlerin » (Pl. Deseille, *L'Évangile au désert,* Paris, 1965, p. 132, n. 14). Déjà Clément d'Alexandrie notait que l'ébriété produit une *parrhèsia* désordonnée (*aneleutheros*), qui conduit à l'indécence et à l'obscénité (*Pédagogue* II, 5, 48 ; SC 108, 1965, p. 107). Jean Chrysostome employait aussi le mot pour décrire la licence des domestiques vis-à-vis du maître (*Sur la virginité* 52, 4 ; SC 125, p. 292).

1° *Le sens positif* persiste chez plusieurs auteurs. Évagre note que les pensées blasphématoires ou les pensées orgueilleuses coupent en nous la *parrhèsia* de la prière (*Antirrhétique,* éd. Frankenberg, *Evagrius Ponticus,* Berlin, 1912, p. 538, 12-13 ; p. 540, 30-31).

Dans le texte grec de l'*Histoire lausiaque* de Pallade (cf. art. *Pallade, supra*), le mot est employé en divers sens : « Communie avec *confiance* » (19, 10 ; cf. syriaque R1, CSCO 390, p. 113). « Le Christ s'est complu dans ta manière de vivre et la simplicité (*parrhèsia*) de ta vie » (25, 4 ; cf. syriaque R3, CSCO 399, p. 147). « L'observance de la règle doit faire vivre dans la *liberté* » (32, 7). Philoromos « renonça au monde dans les jours de Julien, l'infâme empereur, et il lui parla avec *franchise* » (45, 1 ; ces deux derniers passages n'ont pas de correspondant dans le syriaque).

Selon Diadoque de Photicée (5e s.), la *parrhèsia* accompagne la recherche de la charité : « Une des lumières de la vraie science consiste à discerner infailliblement le bien du mal... Dès lors l'intellect cherche hardiment (*metà parrhèsias*) la charité » (*Centuries* 6, SC 5 bis, 1966, p. 87). Une fois vaincue la colère, « l'esprit pourra se mouvoir sans faux pas dans la théologie, et même, dans une grande hardiesse, il montera à l'amour de Dieu » (92, p. 154). La *parrhèsia* doit aussi donner assurance au mourant : « À l'avènement du Seigneur, ceux qui quittent la vie avec une pareille *confiance* seront enlevés avec tous les saints » (100, p. 163).

Théodoret de Cyr († vers 466) oppose « le droit de parler librement à leur père », que la nature donne aux enfants, à la « loi de servitude » qui « prescrit aux serviteurs de respecter en silence l'autorité de leurs maîtres » (*Correspondance,* 45, SC 40, 1955, p. 109).

Maxime le Confesseur note que « l'esprit qui s'habitue aux pensées mauvaises et impures perd toute familiarité (*parrhèsia*) avec Dieu » (*Centuries sur la charité* I, 50 ; PG 90, 969c), que la tristesse chasse la *parrhèsia* (I, 68, 976a). Celle-ci est ici encore l'assurance à l'heure de la mort : « Garde-toi de faire fi de ta conscience, qui toujours t'invite au mieux ; elle te suggère les conseils de Dieu et des anges, te purifie des souillures cachées de ton cœur et, à l'heure du départ, te confère la *parrhèsia* » (III, 80, 1041b).

Selon Syméon le Nouveau Théologien † 1022, le mystique « conscient de connaître Dieu peut s'écrier en toute *assurance* : Ce n'est plus moi qui vis, c'est le Christ qui vit en moi » (*Éthique* 4, lignes 608-609, SC 129, 1967, p. 52). Ailleurs, la *parrhèsia* est liée à la patience et à l'action de grâces (*eucharistia*) dans les épreuves (10, lig. 591-593, p. 304), ou désigne la hardiesse dans les remontrances aux empereurs et aux puissants (11, lig. 366, p. 356). Elle est encore le fruit de la *metanoia* : « En proportion de sa pénitence, l'homme trouve *assurance* et familiarité (*oikeiotès*) avec Dieu » (13, lig. 231-233, p. 416 ; cf. 3, lig. 312, p. 102).

2° *Le sens péjoratif* de « mauvaise familiarité », particulièrement avec les hommes, est pourtant le plus fréquent chez les Pères du désert et les moines anciens.

Dans les *Apophtegmes,* la *parrhèsia* s'oppose à l'*hèsychia* : « Que celui qui veut s'adonner à l'*hèsychia* haïsse la *parrhèsia* » (*Sentences des Pères du désert* = SPN, 3e recueil, Solesmes, 1976, p. 49, n. 1744 = Jean Moschus 187, attribué à Jean de Cyzique). Un autre apophtegme conseille : « N'aie pas de familiarité avec une femme, ni avec un enfant, ni avec des hérétiques. Éloigne-toi de toute *parrhèsia* » (J.-Cl. Guy, *Les Apophtegmes des Pères du désert, série anonyme,* Bellefontaine, 1966, p. 389, n. 199 = n. 330 de la série publiée par F. Nau dans *Revue de l'Orient chrétien,* 1907-1913).

L'abbé Agathon est consulté par un moine : « Je désire-rais habiter avec les frères, dis-moi comment il me faudra vivre avec eux. L'ancien lui répondit : Comme le premier jour de ton entrée chez eux, conserve ta qualité d'étranger (*xeniteia*) tous les jours de ta vie, de façon à n'avoir jamais de *parrhèsia* avec eux. L'abbé Macaire lui demanda alors : Quel est le fruit de cette *parrhèsia* ? Le vieillard dit : La *parrhèsia* est semblable à un sirocco intense. Quand il se lève, il fait fuir devant lui tout le monde, et déssèche même les arbres. L'abbé Macaire reprit : Ainsi, la *parrhèsia* a une telle nocivité ? Oui, répondit l'abbé Agathon, il n'y a pas de pire passion que la *parrhèsia* ; c'est la mère de toutes les passions. Le moine travailleur ne doit pas l'avoir, même s'il vit seul dans sa cellule » (*Apophtegmes*, Agathon 1 ; PG 65, 109a ; trad. franç. SPN, Solesmes, 1966, p. 131, n. 8).

« L'abbé Pior fit de gros efforts pour arriver à ne pas dire ' tu ' à un frère » (SPN, nouveau recueil, 2e éd., Solesmes, 1977, p. 225 = E.A. Wallis Budge, *The Paradise of the Holy Fathers*, t. 2, Londres, 1907, ɪ 501).

Isaïe de Scété (5e s.) recommande à un moine de ne jamais « perdre sa réserve » (*to aparrhèsiaston*) avec les frères qui vivent auprès de lui (*Recueil ascétique*, logos 3 ; trad. franç., Bellefontaine, 1970, p. 52).

Dans la *Correspondance* de Barsanuphe et Jean de Gaza (6e s. ; DS, t. 1, col. 1255-1262 ; t. 8, col. 536-538), le mot est employé parfois pour désigner la confiance en Dieu au jour du jugement (lettres 77, 105, 106, 117, 219 ; nous citons d'après la trad. franç., Solesmes, 1972 ; éd. critique en préparation dans la collection SC). Cependant les deux moines conseillent à leur disciple de fuir la *parrhèsia* comme familiarité (lettres 257, 259, 271, 343, 347). Il faut acquérir le *penthos* pour chasser la *parrhèsia* (256) ; celle-ci entraîne à la luxure (240). Deux lettres mettent particulièrement en garde contre la familiarité déplacée :

« Est-il bon d'avoir de l'amitié pour un compagnon du même âge ? – Ce qui est bon, c'est précisément de ne pas avoir d'amitié pour un compagnon de son âge. En effet une telle disposition ne laisse pas venir à toi la componction... Apprends donc à tes yeux à ne regarder personne, et ils ne rempliront pas ton cœur de cette terrible effronterie qui fait perdre au moine tous ses fruits » (lettre 340, qui cite ensuite l'apophtegme Agathon 1).

« La mesure de la charité parfaite, c'est, après la charité que l'on a pour Dieu, d'aimer le prochain comme soi-même. Mais le novice, lui, doit rester sur ses gardes en tout. Car il ne faut pas longtemps au diable pour faire tomber les novices. D'abord ceux-ci engagent un entretien en vue, pensent-ils, du profit de l'âme..., mais ensuite ils passent à d'autres choses, à l'excitation, à la *parrhèsia*, au rire, à la médisance et à beaucoup d'autres vices... La mesure de leur charité mutuelle doit donc être de ne pas médire les uns des autres, de ne pas haïr, de ne pas mépriser, de ne pas cher-cher leur intérêt, de ne pas aimer pour la beauté du corps ni pour une œuvre corporelle quelconque, de ne pas s'asseoir les uns près des autres sans une grande nécessité, afin de ne pas tomber dans la *parrhèsia* qui fait perdre au moine ses fruits et le fait rejeter comme le bois sec. Voilà donc jus-qu'où doit aller la mesure de la charité des novices les uns pour les autres, et comme ils s'épargnent eux-mêmes à cause de la *parrhèsia* et du bavardage, qu'ils épargnent aussi leurs frères » (lettre 342).

Dorothée de Gaza (6e s. ; DS, t. 3, col. 1651-1664) félicite saint Dosithée d'avoir été « sans orgueil ni familiarité » (*Œuvres spirituelles*, Lettre d'envoi 5 ; SC 92, 1963, p. 116). Ses *Instructions* montrent les méfaits de la *parrhèsia*, opposée à la crainte de Dieu :

« Les Pères ont dit qu'un homme acquiert la crainte de Dieu en se souvenant de la mort et des châtiments, en exa-minant chaque soir comment il a passé la journée et le matin comment il a passé la nuit, en se gardant de la *parrhèsia* et en s'attachant à un homme craignant Dieu (suit l'apophtegme Poemen 65, PG 65, 337b)...Au contraire, nous chassons loin de nous la crainte de Dieu en faisant l'opposé de tout cela..., et surtout en nous abandonnant à la *parrhèsia*, ce qui est le pire de tout et la ruine achevée. Qu'est-ce qui chasse en effet la crainte de Dieu de l'âme comme la *parrhèsia* ? » (4, 52 ; SC 92, 1963, p. 230-232 ; suit l'apophtegme Agathon 1, cité *supra*).

Dorothée détaille ensuite diverses formes de la *parrhèsia* : « tenir de vains discours, parler de choses mondaines, faire des plaisanteries ou provoquer des rires malséants..., toucher quelqu'un sans nécessité, porter la main sur un frère pour s'amuser, lui pren-dre quelque chose, le regarder sans retenue... Aussi n'y a-t-il rien de plus redoutable que la *parrhèsia* ; elle est mère de toutes les passions, puisqu'elle bannit le respect, chasse la crainte de Dieu et engendre le mépris. C'est parce que vous avez de la *parrhèsia* entre vous que vous êtes effrontés les uns envers les autres, que vous parlez mal les uns des autres, et que vous vous blessez mutuellement. Que l'un de vous aperçoive quelque chose qui ne soit pas profitable, il va en bavarder et jeter cela dans le cœur d'un frère. Et non seulement il se nuit à lui-même, mais il nuit aussi à son frère en jetant dans son cœur un venin pernicieux... Ayons donc du respect, frères, redoutons de nous nuire à nous-mêmes et aux autres, honorons-nous mutuellement et prenons soin de ne pas nous dévisager les uns les autres, car c'est là aussi, selon un vieillard, une forme de la *parrhèsia* » (4, 53-54, p. 234-236 ; cf. 15, 164 et 16, 181, p. 454, 492).

Jean Climaque († vers 650 ; DS, t. 8, col. 369-389) est également sévère pour la *parrhèsia*. Vivre loin des parents, pratiquer la *xeniteia*, permet une « manière de vivre sans familiarité » (*aparrhèsiaston èthos*, ɪɪɪ ; PG 88, 664b). La frugalité est aussi une bonne méthode pour la chasser (xɪv, 869d). En effet « une table sans frugalité est la mère de la familiarité » (ɪx, 841b). Les amitiés spirituelles peuvent devenir à cause d'elle des amitiés particulières : « Quand nous voyons que des personnes nous aiment selon Dieu, gardons-nous bien d'être trop *familiers* avec elles. Rien ne rompt davantage l'amour (agapè) : quand la *parrhèsia* augmente, elle engendre l'aversion » (xxvɪ, 1033c).

Ces avertissements des anciens moines gardent leur valeur pour les communautés monastiques ou reli-gieuses d'aujourd'hui. Le laisser-aller, le sans-gêne ont vite fait de corrompre et de rendre insupportable la vie commune. Si l'amour est à base de respect et de discrétion, en manquer nuit gravement à la charité :

« La simplicité évangélique n'équivaut pas à la mise en veilleuse de ce que des siècles de civilisation et de culture ont apporté de patine aux plus simples comportements humains. Courtoisie, politesse, attentions, contrôle de soi, souci de garder au climat communautaire une certaine déli-catesse représentent des facettes importantes du souci per-manent de l'autre où la charité fleurit. Et n'allons pas nous empresser de mettre sur tout cela le label « confor-misme » !... Les caractéristiques de communautés heureuses d'étudiants non conformistes ne sauraient être transposées sans nuances pour servir de modèle à des groupes incluant des hommes ou des femmes engagés dans des tâches diffi-ciles. Quand s'annoncent les premiers cheveux gris – et cela vient vite – les religieux de toute espèce sentent le besoin de trouver dans leur maison quelque chose de ce qui fait de la vie humaine une victoire de l'esprit sur l'instinct. Et cela construit la communauté » (J.-M.-R. Tillard, *Devant Dieu et pour le monde*, Paris, 1974, p. 255 ; cf. art. *Koinônia*, DS, t. 8, col. 1767-1769).

*Conclusion*. – Ainsi la liberté du chrétien s'affirme dans l'audace tranquille du témoignage de l'apôtre comme dans la confiance du spirituel qui peut tout dire à Dieu puisqu'il sait qu'il est son Père. Mais cette liberté qui exprime l'amitié retrouvée avec Dieu et le courage qu'elle inspire pour parler aux hommes peut se contaminer dans une familiarité de mauvais aloi, un manque de respect à l'égard de Dieu comme à l'égard des hommes. La « distinction » est le respect des distances : elle préserve de la mauvaise *parrhèsia* et protège la bonne *parrhèsia*.

Παρρησία..., dans Kittel, t. 5, 1954, p. 869-884. – C.W.H. Lampe, *A Patristic Greek Lexicon*, Oxford, 1968, col. 1044-1046.
E. Peterson, *Zur Bedeutung von parrhèsia*, dans *Reinhold-Seeberg Festschrift*, Leipzig, 1929, t. 1, p. 283-297. – P. Joüon, *Divers sens de p. dans le N. T.*, RSR, t. 30, 1940, p. 239-242. – J. Daniélou, *Platonisme et théologie mystique*, coll. Théologie 2, Paris, 1944, p. 110-123. – B. Steidle, *Parrhesia-praesumptio in der Klosterregel St. Benedikts*, dans *Zeugnis des Geistes*, Beuron, 1947, p. 44-61. – H. Jaeger, *P. et fiducia. Étude spirituelle des mots*, dans *Studia Patristica* I = TU 63, 1957, p. 221-239 ; *Foi et confiance*, DS, t. 5, col. 619-630. – K. Rahner, *P. Von der Apostolatstugend des Christen*, GL, t. 31, 1958, p. 1-6. – D. Smolders, *L'audace de l'apôtre selon s. Paul. Le thème de la p.*, dans *Collectanea Mechlinensia*, t. 43, 1958, p. 16-30, 117-133.
A.-J. Festugière, *Les moines d'Orient*, t. 3/1, Paris, 1961, p. 66, n. 27. – H. Holstein, *La p. dans le N. T.*, dans *Bible et vie chrétienne*, n. 53, 1963, p. 45-54. – W.C. van Unnik, *P. in the « Catechetical Homilies » of Theodore of Mopsuestia*, dans *Mélanges... Chr. Mohrmann*, Utrecht-Anvers, 1963, p. 12-22. – L. Engels, *Fiducia dans la Vulgate, Le problème de la traduction parrhèsia-fiducia*, dans *Graecitas et Latinitas Christianorum primaeva* = GLCP, Supplementa I, Nimègue, 1964, p. 99-141 ; art. *Fiducia*, RAC, t. 7, 1968, col. 839-877 ; *Fiducia*, GLCP, Supplementa III, 1970, p. 59-118. – G. Scarpat, *P. Storia del termine e delle sue traduzioni in latino*, Brescia, 1964. – N.B. Tomadakès, *Parrhesia-parrhesiastikos*, dans *Epetèris Hetaireias Byzantinôn Spoudôn*, t. 33, 1964, fasc. 1. – R. Joly, *Sur deux thèmes mystiques de Grégoire de Nysse*, dans *Byzantion*, t. 36, 1966, p. 127-143.
W. Stählin, *Parusia und Parrhèsia*, dans *Wahrheit und Verkündigung*, M. Schmaus zum 70. Geburtstag..., Munich, 1967, p. 229-235. – G.J.M. Bartelink, *Quelques observations sur parrhèsia dans la littérature paléo-chrétienne*, GLCP, Supplementa III, cf. *supra*, p. 5-57 ; *P. dans les œuvres de Jean Chrysostome*, Congrès patristique d'Oxford 1975 (à paraître). – R.-G. Coquin, *Le thème de la P. et ses expressions symboliques dans les rites d'initiation à Antioche*, dans *Proche-Orient chrétien*, t. 20, 1970, p. 3-19. – W.S. Vorster, *The meaning of parrhèsia in the Epistle to the Hebrews*, dans *Neotestamentica*, t. 5, 1971, p. 51-59.
Chez Thérèse d'Avila : J.V. Rodríguez, *Parresía teresiana*, dans *Revista de Espiritualidad*, t. 40, 1981, p. 527-573. – Voir aussi art. *Familiarité avec Dieu*, DS, t. 5, col. 47-61.

Pierre MIQUEL.

**PARSCH** (JEAN ; en religion : PIUS), chanoine régulier de Saint-Augustin, 1884-1954. – 1. *Vie*. – 2. *Œuvre*. – 3. *Doctrine spirituelle*.

1. VIE. – Né à Neustift, près d'Olmütz (aujourd'hui Tchécoslovaquie) le 18 mai 1884, Parsch entre en 1904 au monastère des chanoines réguliers de Saint-Augustin de Klosterneuburg, près de Vienne. Il fait ses études de théologie dans le scolasticat de son abbaye, les complétant à partir de 1909 (année de son ordination) par des cours de l'université de Vienne.

Dès le début de sa vie canoniale, la prière chorale et le cycle liturgique le marquent beaucoup. Pendant son noviciat, il travaille le commentaire des Psaumes de M. Wolter ; jeune prêtre, il étudie *L'Année liturgique* de P. Guéranger (DS, t. 6, col. 1097-1106). Il œuvre dans son monastère en faveur de la communion fréquente selon la pensée de Pie X. De 1909 à 1913, il exerce un ministère sacerdotal à l'église des Piaristes de Vienne (*Maria Treu*), s'occupant surtout de direction spirituelle individuelle et de la communion fréquente. En 1912, il est promu docteur en théologie (thèse sur la mort du Christ en croix selon saint Paul). En 1913-1914, il est professeur de théologie pastorale et socius du maître des novices.

De 1915 à 1918, Parsch est aumônier militaire sur le front de l'Est. Ses expériences de guerre sont déterminantes pour la suite de sa vie : il prend conscience du renouvellement indispensable à opérer dans la piété chrétienne et le ministère, qu'il faut réorienter vers les sources, la Bible et la liturgie. Revenu en 1919 dans son monastère et à ses fonctions d'avant-guerre, il commence par donner des cours publics de Bible sur la vie de Jésus ; en 1920, il y ajoute un cercle liturgique. S'inspirant d'une « *Missa recitata* » pratiquée dans des groupes d'étudiants, il célèbre la première Messe communautaire (*Gemeinschaftsmesse*) dans l'église Sainte-Gertrude de Klosterneuburg à l'Ascension de 1922. Avec des membres de ses cercles bibliques et liturgiques, se forme en 1925 la *Liturgische Gemeinde* qui assure régulièrement la Messe dominicale à Sainte-Gertrude.

Il développe une activité similaire dans plusieurs paroisses de Vienne : à partir de 1923, il y organise des semaines liturgiques qui initient à la Messe communautaire ; il publie le texte des Messes avec leur traduction allemande (*Messtexte*), et aussi le calendrier liturgique. En 1925, il fonde sa propre maison d'édition (*Volksliturgisches Apostolat*) pour diffuser ses publications. L'année suivante, la revue *Bibel und Liturgie* est fondée ; à l'Avent de 1928, ce sera l'hebdomadaire *Lebe mit der Kirche*. C'est en 1927 que s'amplifie nettement l'activité éditrice de Parsch : en l'espace de trois ans, quinze millions d'exemplaires des *Messtexte*. Des sessions liturgiques (Klosterneuburg, 1927, 1928 ; Munich, 1927) aident à répandre les idées de Parsch ; en 1930, il donne une conférence sur la liturgie populaire en Autriche au Congrès liturgique international d'Anvers. La *Gemeinschaftsmesse* réussit sa grande percée lors du *Katholikentag* de Vienne en 1933 : une messe dialoguée avec chants rassemblant deux cent mille fidèles et retransmise par radio. En 1936, l'autel de Sainte-Gertrude est dressé face au peuple.

Après la suppression du monastère par le National-Socialisme en 1941, Parsch exerce son ministère à la paroisse Floridsdorf de Vienne. En 1945, il rétablit sa maison d'édition et en 1947 reprend son enseignement dans son monastère. Il donne une conférence au premier Congrès liturgique allemand de Francfort, le 22 juin 1950 ; la même année est fondé le *Klosterneuburger Bibelapostolat*. L'année suivante, paraît une nouvelle édition de la « Bible de

Klosterneuburg » ; une édition œcuménique est projetée, mais doit être ajournée. Le 31 mai 1952, Parsch donne une conférence au Congrès eucharistique de Barcelone ; le 23 juillet, il est frappé d'une attaque d'apoplexie qui le laisse paralysé d'un côté. Il meurt le 11 mars 1954 et est enseveli à Sainte-Gertrude.

2. Œuvre. – Pionnier du mouvement liturgique contemporain, maître dans l'art de l'adaptation, organisateur habile, âme d'apôtre, Parsch s'est attaché avant tout au renouveau biblique et liturgique ; il a beaucoup contribué à le diffuser par ses écrits dans les pays de langue allemande, en attendant que les traductions en diverses langues le répandent un peu partout. Il a rendu l'immense service de travailler intensément à « rendre au simple fidèle ses deux biens : la Bible et la Liturgie, qu'au cours des siècles il avait perdus » (*Zum neuen Jahrgang*, dans *Bibel und Liturgie*, t. 19, 1951/52, p. 1).

En ce qui concerne le second, Parsch crée l'expression de *Volksliturgie*, liturgie du peuple ; il veut amener le peuple chrétien à prendre part à la liturgie, avant tout à la Messe, d'une façon qui lui permette de la comprendre et d'y être actif. Ses publications liturgiques populaires comprennent des introductions, des traductions de textes, des directives pour les Messes communautaires ; celles-ci peuvent avoir deux formules : la *Chormesse* et la *Betsingmesse* (Messe avec chants et prières) ; cette dernière, en continuité avec la *Singmesse* usuelle dans les pays de langue allemande, est devenue en bien des endroits la forme de la Messe dominicale. Parsch a ainsi contribué à renouveler la foi et la piété du peuple chrétien envers l'Eucharistie. Il a aussi préparé la réforme liturgique de Vatican II : la constitution sur la liturgie promeut la participation active des fidèles, la liturgie de la Parole, l'emploi de la langue du peuple, idées déjà mises en œuvre par Parsch.

Le lien que Parsch établit entre Bible et Liturgie est caractéristique de son œuvre. Pour lui, chaque chrétien devait posséder une Bible (dans ce but il publie en 1934 une édition bon marché) et la lire chaque jour. Pour familiariser le chrétien avec la Bible, Parsch utilisa essentiellement la méthode des réunions bibliques (pour lesquelles il publia des directives). Mais il pensait aussi que le chrétien devait se familiariser par lui-même avec la Parole de Dieu et que la Bible, considérée comme le livre de l'Action catholique, fait du chrétien un être majeur. Car, selon Parsch, dans la Bible Dieu s'adresse à l'homme personnellement et, en ce sens, chacun est capable de comprendre l'Écriture ; même si l'exégèse scientifique y est utile, elle ne suffit pas ; il faut en venir à percevoir dans le Livre la voix de Dieu.

3. Doctrine spirituelle. – Aux yeux de Parsch, la Bible et la Liturgie sont les sources du renouveau nécessaire de la vie religieuse et spirituelle. A ce renouveau, il a contribué directement. Dans de nombreuses publications de son action pastorale, on voit paraître son idéal spirituel et la critique des insuffisances de la piété populaire, et cela dès la première année de la revue *Bibel und Liturgie* (1926/27), mais surtout dans *Die objektive und subjektive Frömmigkeit* (*ibidem*, t. 7, 1932/33, p. 233-236, 257-261, 283-289). La critique est triple : la piété traditionnelle est trop subjective et individualiste, pas assez communautaire, pas assez fondée sur le sacerdoce commun des fidèles. Elle est selon lui trop superfi-

cielle, laissant dans l'ombre des vérités essentielles, pas assez centrée sur Dieu et son Christ ; la sanctification par les œuvres y tient une place exagérée au regard de celle faite à la grâce et aux mérites du Christ rédempteur. Enfin, les formes traditionnelles de la piété (chapelet, lecture d'un livre de piété) n'ont pas à occuper le chrétien pendant qu'il « assiste » à la Messe.

A ce type de piété traditionnel depuis le moyen âge et que Parsch qualifie de subjectif, il oppose celui de l'ancienne Église, plus communautaire, plus objectif. Dans son article de 1933, il systématise les accents des deux types de piété à propos du Christ :

| *Piété objective* | *Piété subjective* |
|---|---|
| Le Christ | Jésus |
| Le Christ glorifié | Le Jésus historique et eucharistique |
| Le Corps mystique | La relation personnelle avec Jésus |
| Désir ardent de son retour | Le posséder dans le tabernacle |
| Crux gemmata | Le Crucifix |
| Passio beata | Les souffrances |
| Mourir avec le Christ | Méditer les souffrances |
| Le Bon Pasteur | Le Cœur de Jésus |

En ce qui concerne la piété eucharistique, Parsch demande qu'on tienne compte des points suivants : ce n'est pas l'adoration du Christ présent sous les espèces consacrées, mais la célébration de l'Eucharistie qui est centrale ; la communion doit être donnée et reçue au cours de la Messe comme nourriture du repas sacrificiel ; au lieu du culte eucharistique, on devrait servir le Christ dans les plus humbles de ses frères ; la piété eucharistique n'est pas assez orientée vers l'*eschaton*.

Après la seconde guerre mondiale, Parsch, sous l'influence de M. Scheeben, préfèrera utiliser les expressions *Gebotsfrömmigkeit* et *Gnadenfrömmigkeit* (piété d'observation des commandements, piété fondée sur la grâce) ; elles montrent plus clairement sa visée : exalter la grâce, diminuer l'importance attachée à l'effort humain et à ses actes. Cette visée se manifestera plus intensément dans les dernières années de sa vie (ainsi dans les conférences aux Congrès de Francfort, 1950, et de Barcelone, 1952).

Sur la doctrine spirituelle de Parsch, voir surtout N. Höslinger, *Pius Parsch und die Erneuerung der christlichen Frömmigkeit*, dans *Mit sanfter Zähigkeit* cité *infra*, p. 155-174.

**Principales publications** (éd. à Klosterneuburg) ; pour une bibliographie détaillée des œuvres, voir *Volksliturgie*, 1940, p. 535-544 ; 2ᵉ éd., 1952, p. 701-711 ; *Mit sanfter Zähigkeit*, p. 322-329.

*Das Jahr des Heiles*, Calendrier liturgique de Klosterneuburg (les trois premières années, le titre est : *Klosterneuburger Liturgie-Kalender*), 1923. A partir de la 10ᵉ éd. en 1932, il comporte trois vol. 13ᵉ éd. abrégée en 1 vol., 1947. 14ᵉ éd. en 3 vol., 1952-1953 ; avec supplément en 1958. Trad. franç. par M. Gautier, *Le Guide dans l'Année liturgique*, 5 vol., Mulhouse, 1936 (5ᵉ éd., 1951) ; Supplément, 1957 ; – trad. franç. abrégée par M. Grandclaudon, *Le petit guide...*, Mulhouse, 1955 (2ᵉ éd. revue et mise à jour, 1957) ; – trad. en italien, néerlandais, hongrois, portugais, espagnol, polonais, anglais, japonais.

*Messerklärung im Geiste der liturgischen Erneuerung* (1ᵉ éd. sous le titre : *Kurze Messerklärung*), 1930 ; 3ᵉ éd. modifiée, 1950 ; – trad. franç. par J. Décarreaux, *La sainte*

*Messe expliquée...*, Bruges, 1938 (5e éd., 1951) ; – trad. en anglais, néerlandais, espagnol, portugais, hongrois.

*Lernet die Messe verstehen*, 1931 ; 7e éd., 1960 ; – trad. franç. par M. Grandclaudon, *Pour bien comprendre la Messe*, Mulhouse, 1950 ; – trad. en italien, espagnol, portugais, polonais, etc.

*Liturgische Erneuerung. Gesammelte Aufsätze*, 1931.

*Volksliturgie. Ihr Sinn und Umfang* (recueil d'articles), 1940 ; 2e éd. modifiée, 1952 ; – trad. franç. par M. Grandclaudon, *Le renouveau liturgique au service de la paroisse...*, Mulhouse, 1950 ; – trad. en anglais, espagnol, polonais.

*Breviererklärung im Geiste der liturgischen Erneuerung*, 1940 ; – trad. franç. par M. Grandclaudon, *Le Bréviaire expliqué...*, Mulhouse, 1947, 1952 ; – trad. en anglais, néerlandais, espagnol.

*Die liturgische Predigt. Wortverkündigung im Geiste der liturgischen Eneuerung*, 10 vol., 1948-1955 ; la 2e éd. du t. 10 est remaniée par N. Höslinger ; – trad. franç. du t. 3 par M. Grandclaudon, *Homélies sur les Épîtres des dimanches*, Mulhouse, 1955, et du t. 6 par R. Virrion, *L'Année liturgique à la lumière de la Grâce*, Mulhouse, 1959 ; – trad. partielles en néerlandais et en anglais.

*Wie halte ich Bibelstunde?*, 1951, (éd. augmentée en 1957) ; – adaptation franç. par M. Zemb, *Apprenons à lire la Bible*, Bruges, 1956 ; – trad. espagnole. – *Ausgeführte Bibelstunden über das Leben Jesu*, t. 1 (seul), 1952.

**Revues éditées par Parsch** : *Bibel und Liturgie*, 1926-1941, 1949 à nos jours ; – *Lebe mit der Kirche*, 1928-1939, 1946-1949.

**Séries d'articles ou d'écrits publiés par Parsch** : *Klosterneuburger Messtexte*, – *Volksliturgische Andachten und Texte*, – *Klosterneuburger Hefte*, – « *Lebe* »-*Bücherei*, – *Liturgische Praxis, Volksliturgische Hefte*, – *Seelsorgsbriefe*.

**Sélection d'articles sur sa conception de la vie spirituelle** : *Die objektive und subjektive Frömmigkeit*, dans *Bibel und Liturgie*, t. 7, 1932/33, cité *supra* (= *Volksliturgie*, 1940, p. 139-164) ; – *Gnadenfrömmigkeit und Gnadenseelsorge*, dans *Lebe mit der Kirche*, t. 14, 1947/48, p. 23-30 (= *Volksliturgie*, 1952, p. 345-360) ; – *Die neue Enzyklika und unsere Bewegung*, dans *Lebe mit der Kirche*, t. 14, 1947/48, p. 137-144, 169-178 (= *Volksliturgie*, 1952, p. 77-113) ; – *Christliche Renaissance* (conférence au Congrès de Francfort de 1950), dans *Bibel und Liturgie*, t. 17, 1949/50, p. 329-340 ; – « *Schenke allen, denen du den Glauben gabst, auch den Frieden* » (conférence au Congrès de Barcelone de 1952), *ibidem*, t. 19, 1951/52, p. 310-317.

**Études**. – P. Mesnard, *Le mouvement liturgique de Klosterneuburg*, Lyon, 1944. – E. Muellerleile, *At the Cradle of Folk-Liturgy. The Story of the Life Work of F. P. Parsch*, St. Louis, Missouri, 1953. – M. Pfliegler, dans *Bibel und Liturgie*, t. 21, 1953/54, p. 225-229 ; dans *Singende Kirche*, t. 2, 1954/55, n. 1, p. 40-46. – Th. Warnung et Th. Schnitzler, dans *Liturgisches Jahrbuch*, t. 4, 1954, p. 230-236. – D. Zähringer, dans *Benediktinische Monatsschrift*, t. 30, 1954, p. 334-337.

L. Bouyer, *La vie de la liturgie...*, Paris, 1956, p. 88-90. – J. E. Mayer, *Die Liturgische Bewegung*, dans *Custos quid de nocte ?*, Festschrift M. Pfliegler, éd. par K. Rudolf et L. Lentner, Vienne, 1961, p. 271-284. – Th. Maas-Ewerd, *Liturgie und Pfarrei...*, Paderborn, 1969, p. 92-103, 175-184. – J. Zabel, *P. Parsch. Wegbereiter der liturgischen Erneuerung*, Königstein (Taunus), 1966 ; 3e éd., 1970. – R. Pacik, *Volksgesang im Gottesdienst...*, Klosterneuburg, 1977. – *Mit sanfter Zähigkeit. P. Parsch und die biblisch-liturgische Erneuerung*, éd. par N. Höslinger et Th. Maas-Ewerd, Klosterneuburg, 1979.

DS, t. 4, col. 266 ; t. 6, col. 1168 ; t. 10, col. 1088, 1614.

Rudolf PACIK.

**PARVILLEZ** (ALPHONSE DE), jésuite, 1881-1970. – Né le 22 août 1881 à Mons (Belgique) d'une famille française, Alphonse de Parvillez entra dans la Compagnie de Jésus à Saint-Acheul (Somme) le 17 sep-

tembre 1898. Humaniste et fin lettré, il étudia et enseigna dans les maisons d'exil et y refondit une importante *Littérature française* qui parut en 1922.

Rentré en France, il exerce d'abord le ministère à Lille jusqu'en 1928, collaborant à la *Revue des lectures*. Nommé rédacteur à la revue *Études* (Paris), il y publie des articles et des recensions (celles-ci sont aussi dispensées aux *Cahiers du Livre* et à *Livres et Lectures*). Bibliographe anonyme pour le *Bulletin de l'Œuvre des campagnes*, secrétaire du Comité d'Action catholique du Livre, membre de l'Association des écrivains catholiques, il donna à ces derniers des retraites et des récollections.

Dès 1932, il donna à Radio-Paris des causeries dont il publia le texte : *La joie chrétienne* (Avent 1932), *Ce que nous donne le Christ* (1936), *Les sacrements, richesses méconnues* (1937), *L'assaut des forces invisibles* (1939). On y trouve une doctrine sûre exprimée simplement, accessible à l'auditoire visé.

L'occupation supprima la revue *Études*. A partir de 1943, Parvillez devient père spirituel de la résidence des Jésuites de Paris. Il écrit alors *La joie devant la mort* (1941 ; trad. en anglais et en espagnol), *Notre vie divine* (2 brochures, 1941, 1943), *Le Notre Père* (1947). *Le Courage devant la vie* (1955 ; trad. espagnole), essai d'une éducation de la confiance, riche de citations, est une œuvre d'inspiration chrétienne s'adressant au public de bonne volonté. Le dernier ouvrage de Parvillez, *Confiance* (1965 ; trad. en espagnol et en anglais) traite, lui, ce thème d'une manière explicitement chrétienne, appuyé sur l'Écriture et les leçons de l'histoire, pour ceux qui sont troublés par leur propre souffrance et par les épreuves de l'Église.

Retiré à Lille en 1965, Parvillez y rendit à Dieu son âme simple, joyeuse et confiante le 30 avril 1970. Sa spiritualité est faite de confiance et de paix dans un amour de Dieu abandonné à sa volonté providentielle. Il avait contribué au retour à la foi chrétienne de Daniel-Rops et l'avait orienté vers l'histoire de l'Église ; il demeura pour lui un conseiller fidèle.

*Écrivains catholiques*, n. 42, 1970, p. 39-41. – Journal *La Croix*, n. des 10-11 mai 1970. – *Bulletin de l'œuvre des campagnes*, juillet 1970. – Hebdomadaire *Le Pèlerin*, n. du 24 mai 1970.

Hugues BEYLARD.

**PARVILLIERS** (ADRIEN), jésuite, 1619-1678. – Né dans le diocèse d'Amiens le 19 avril 1619, Adrien Parvilliers fut reçu dans la Compagnie de Jésus le 21 août 1637. En 1650, il partit pour la mission de Syrie et d'Égypte, séjourna longtemps à Damas et eut la possibilité de « vérifier sur les lieux » les « stations de la Passion » du Christ. Il rentra dans sa province de France en 1660 ou 1661. Prédicateur, puis recteur du collège de Caen, il mourut à Hesdin le 11 septembre 1678.

Parvilliers intéresse la vie spirituelle par son unique ouvrage : *La dévotion des prédestinés, ou les Stations de la Passion...* (la première éd. mentionnée par le Catalogue de la Bibl. Nat. de Paris est datée de 1609 ; c'est une erreur manifeste). L'ouvrage a connu de très nombreuses éditions, plus ou moins revues et augmentées et sous l'un ou l'autre titre : *La Dévotion des prédestinés, ou Les Stations de la Passion.* Y figurent assez habituellement une explication de la « Pratique de la dévotion aux Stations » et un « Dialogue ou Entretien sur l'oraison mentale ». Certaines éditions ajoutent l'Ordinaire de la Messe, les Vêpres de la Passion, des examens de conscience, des litanies, etc.

Parvilliers retient dix-huit stations, depuis le Cénacle (avec l'institution de l'Eucharistie) jusqu'à l'Ascension sur le Mont des Oliviers (cf. DS, t. 2, col. 2586-87). Chaque station commence par la description du lieu où va se dérouler la scène retenue, puis viennent des réflexions, une oraison de louange et de demande, et enfin quelques considérations plus doctrinales ; le tout est d'un style très simple : Parvilliers veut aider tout chrétien, y compris « les gens de travail, les artisans et les laboureurs » (Au Lecteur) ; il prévoit qu'on pourra faire ces stations dans divers lieux, diverses églises et chapelles, comme en un pèlerinage. Des images figurent chaque station si bien que celui qui ne sait pas lire pourra pourtant suivre les étapes de la Passion. Quant à l'esprit dans lequel il convient d'utiliser le livre, Parvilliers précise : « Vous ne pouvez avoir de meilleures intentions en faisant ces stations, que celles de Notre-Seigneur lorsqu'il les faisait. Tâchez donc de vous y conformer » (Au Lecteur).

A partir du *Catalogue* des imprimés de la Bibl. Nat. de Paris, de Sommervogel et de la Bibl. des Jésuites de Chantilly, nous avons recensé 70 éd. en français (11 au 17e siècle ; 40 entre 1701 et 1830) ; l'ouvrage a été traduit en allemand (3 éd.), anglais (3 éd.), breton (6 éd.), espagnol (2 éd.), flamand (5 éd.) et polonais (1 éd.).

L. Moréri, *Le grand dictionnaire historique...*, nouv. éd., t. 8, Paris, 1759, p. 101-102. – Sommervogel, t. 6, col. 319-325 ; t. 9, col. 758. – *Les établissements des Jésuites en France*, t. 1, 1949, col. 1007 ; t. 2, 1953, col. 823 ; t. 5, 1957, col. 25, 27.
DS, t. 2, col. 2599-2600 ; t. 7, col. 849, 1532.

André DERVILLE.

**PAS** (ANGE DEL), franciscain, † 1596. Voir ANGE DEL PAZ, DS, t. 1, col. 568 ; Wadding-Sbaralea, p. 20-21 ; *Supplementum*, t. 1, p. 46.

**1. PASCAL DE AMPUDIA,** dominicain et évêque, 1442-1512. – Mis en évidence par les chroniqueurs et les historiens du 16e siècle, Pascual de Ampudia tomba ensuite dans l'oubli durant trois siècles pour reprendre sa place au 20e parmi les animateurs principaux de la réforme catholique prétridentine. On l'estime à présent aussi important pour l'Église d'Espagne dans les décennies charnières des 15e et 16e siècles que F. Jiménez de Cisneros, Diego de Deza et Hernando de Talavera (DS, t. 7, col. 335-337).

Né en 1442 à Ampudia, bourg de la province de Palencia, d'une famille très pauvre du nom de Rebenga, Pascual entra au couvent dominicain de San Pablo, à Palencia, d'abord comme domestique, puis, vers 1457, comme novice. Il fit ses études de théologie à Bologne, où il fut envoyé avec d'autres religieux pour y vivre dans une ambiance de réforme et établir ensuite celle-ci dans la province dominicaine d'Espagne. Son séjour à Bologne dura plus ou moins de 1465 à 1481. A son retour en Espagne, il devint professeur dans les couvents de la Congrégation de l'Observance.

En 1487 il fut nommé vicaire général de cette Congrégation. Destitué en août de l'année suivante, à la suite de fausses informations provenant des adversaires de la réforme et de son austérité, il alla se défendre à Rome, fut rétabli dans sa charge et obtint d'Innocent VIII une bulle en faveur de sa Congrégation. Au terme de son office en 1490, il devint prieur de Palencia, réforma des couvents de religieuses dominicaines et fut professeur à San Pablo (Burgos).

Le 27 juin 1496 il fut nommé évêque de Burgos. Par humilité il refusa d'accepter jusqu'à ce qu'une bulle papale l'y obligeât. D'esprit réformiste, de vie austère, homme de prière, il s'assigna comme objectif d'élever le niveau spirituel de son clergé et de ses fidèles. Pendant ses quinze années d'épiscopat, à quatre reprises, il visita son vaste diocèse, accordant une attention particulière aux régions montagneuses, précédemment fort abandonnées. Ainsi informé, il fit suivre ces visites pastorales de quatre synodes qui prescrivirent, entre autres choses, la résidence des curés, des normes pour l'attribution des bénéfices ecclésiastiques et l'interdiction du cumul, l'interdiction faite au clergé de s'adonner à des travaux faisant obstacle au ministère pastoral, et la lecture des actes synodaux devant les fidèles plusieurs fois par an.

Convoqué par Jules II au 5e Concile du Latran, Pascual de Ampudia rédigea son mémoire en janvier 1512. Dans la Lettre de convocation, Jules II parlait de l'unité entre les chrétiens pour lutter ensemble contre l'Islam et reconquérir les lieux saints, sans s'arrêter à la question de réforme dans l'Église. Cependant Pascual fit de son rapport un programme de réforme. Il considérait comme urgente l'élimination de la simonie dans l'élection du pape et la création des cardinaux, désirait une diminution du centralisme romain pour faire plus de place aux conditions locales et aux droits des évêques, appelait au retour à la simplicité de l'Évangile, exigeait l'élimination du concubinage des évêques et des prêtres, demandait que l'on établît comme loi générale de l'Église la norme que lui-même avait édictée en 1503 dans son diocèse sur la tenue des registres baptismaux, que l'on réduisît le nombre des fêtes de précepte et des jours de jeûne ou d'abstinence, y voyant une manière de retour au judaïsme.

Il n'assista pas aux sessions conciliaires, étant tombé malade à son arrivée à Rome. Il mourut dans une extrême pauvreté et fut enterré dans l'église de Santa Maria sopra Minerva. En 1714, son corps fut transféré dans la salle qui se trouve entre la sacristie et le cloître.

*Copilación de todas constituciones del obispado de Burgos...*, Burgos, 1503 (?) ; rééd. par N. López Martínez, dans *Burgense*, t. 7, 1966, p. 218-406 ; on y trouve, p. 358-406, les *Constituciones sinodales de Pascual de Ampudia*. – *Cartas*, éd. par J.L. Ortega, dans *Anthologica Annua*, t. 19, 1972, p. 493-527. – *Parecer... sobre el concilio de Letrán*, éd. par J.M. Doussinague, dans *Fernando el Católico y el cisma de Pisa*, Madrid, 1946, p. 530-532. – Des sermons de Pascual n'ont pas été retrouvés.

V. Beltrán de Heredia, *Historia de la reforma de la Provincia de España (1450-1550)*, Rome, 1939. – J.L. Ortega, *Un reformador pretridentino : don Pascual...*, dans *Anthologica Annua*, t. 19, 1972, p. 185-556. – R. Hernández, *Actas de la Congregación de la Reforma de la Provincia de España* I, dans *Archivo Dominicano*, t. 1, 1980, p. 7-140. – *Dicc. de España*, t. 2, 1972, p. 964.

Ramón HERNÁNDEZ.

**2. PASCAL BAYLON** (saint), frère mineur, 1540-1592. – Pascual Baylón naquit à Torrehermosa (prov. de Saragosse, diocèse de Sigüenza) le 16 mai 1540. Ses parents, Martín Baylón Santander et Isabel Jubera Xériz, l'appelèrent Pascual, la date de sa naissance coïncidant avec la Pentecôte (« Pâque du Saint-Esprit »).

La famille comptait, avec lui qui était le second, six enfants : Francisco, Juan, Lucía, Ana et Juana. De sept à vingt-quatre ans il fut berger et, durant ce temps, presque tout seul, apprit à lire – beaucoup – et à écrire. Il s'adonna aussi à la sculpture sur bois : c'est ainsi qu'il sculpta sur sa houlette l'image de la Vierge, pour prier devant elle lorsqu'il se trouvait éloigné de ses ermitages ou sanctuaires, comme celui de la Sierra (près d'Alconchel, Saragosse). Il refusa modestement d'être adopté et de devenir, après s'être marié, l'héritier du riche Martín García, de Torrehermosa. Il allait toujours déchaussé, même avant d'être alcantarin.

En 1560, après la mort de ses parents, il quitta sa famille pour se faire religieux dans la récente custodie des franciscains déchaux, qui ne possédait encore que deux couvents, Elche (San José, résidence du custode) et Monforte (Nuestra Señora de Loreto), nommé aussi Orito (du nom d'un centre voisin). Il visita, en passant, sa sœur Juana, à Peñas de San Pedro (Albacete), où l'on a gardé longtemps sa houlette (depuis 1954, elle est à son sanctuaire de Villarreal). On ne l'accepta pas aussitôt à Monforte et il continua son métier de berger dans la région d'Elche, Monforte et Orito, parmi le personnel d'Esteban López. Finalement admis à prendre l'habit à Elche (1564), il accomplit son noviciat et fit profession à Monforte, le 2 février 1565. Par humilité, malgré l'insistance de ses supérieurs, il ne voulut pas être prêtre ; tout comme auparavant il n'avait pas voulu entrer chez les cisterciens proches de chez lui, à Santa María de la Huerta (Soria). Il eut comme confesseur, avant son entrée, le franciscain Antonio de Segura, puis Jaime Morales, franciscain lui aussi. Il exerça au couvent diverses occupations : portier, quêteur, jardinier, cuisinier, cantinier, réfectorier, infirmier, à plusieurs reprises gardien ou supérieur, et même substitut du maître des novices (1576) à Almansa. Il eut des rapports familiers avec saint Juan de Ribera (DS, t. 8, col. 652-655) et les bienheureux Nicolás Factor (DS, t. 11, col. 279-281) et Andrés Hibernón, l'un et l'autre franciscains qui vécurent avec lui en divers couvents de la région.

Il séjourna dans des maisons de plusieurs provinces civiles : celle d'Alicante, à Elche, Játiva (San Onofre, son avant-dernière résidence, déjà malade, en 1592), Monforte del Cid (où il passa de nombreuses années) et Villena (Santa Ana, également plusieurs années) ; celle d'Albacete, à Almansa (Santiago, sept ans, notamment 1576, 1586, 1591) ; celle de Murcie, à Jumilla (Santa Ana, 1585) ; celle de Valence (S. Juan de Ribera), Castellón, Villarreal de los Infantes (Nuestra Señora del Rosario).

Il fit le voyage de Jerez de la Frontera (1575) avec un adolescent de 14 ans, Juan Ximénez, qui sera dans la suite son provincial et son premier biographe. Son custode l'envoya aussi à Paris porter certains documents au supérieur général, Christophe de Cheffontaines (1571-1579) ; en s'y rendant, il fut en diverses occasions maltraité par les huguenots, en particulier à Orléans où, pris pour un espion, il risqua le martyre – qu'il eût désiré –; il en garda des cicatrices et des infirmités pour le reste de sa vie ; parti en France les cheveux noirs, il en revint les cheveux blancs, vieilli de dix ans en quelques mois. Il mourut à Villarreal (diocèse de Tortosa) le 17 mai 1592, jour de la Pentecôte.

C'était un homme de taille moyenne ; sans être beau, il avait un air agréable. Sa santé resta bonne jusqu'à 1587. D'une intelligence précoce, son affabilité était proverbiale ; très bon, simple, d'un caractère enjoué et toujours souriant, sa joie était contagieuse ; il avait une physionomie attirante, sympathique et ouverte. Ses traits marquants furent l'austérité, le désir du martyre, la patience, le don de discernement spirituel, qui faisait de lui un conseiller de gens instruits, le don de prophétie, l'esprit de prière et de recueillement, la ferveur et le zèle, le mépris du monde, l'obéissance aveugle ; éclairé sur les mystères les plus élevés, il lui arriva de discuter avec des hérétiques de façon approfondie et avec fruit ; il avait du reste le don de la parole. A Dieu il témoignait piété, amour filial ; au prochain, charité, amour maternel ; à lui-même amour de juge, sans indulgence. Il avait une très grande dévotion envers l'Eucharistie, la Passion et Marie Immaculée. On l'a appelé le Séraphin de l'Eucharistie, un nouveau Bernardo de Quintavalle, mais plus saint et plus perdu en Dieu. Ce qui l'a fait passer à l'histoire, c'est la profondeur de sa prière, de sa pénitence et de son amour obéissant (Gemelli). Il convertit beaucoup de pécheurs, auprès de qui avaient échoué de grands prédicateurs.

Demandé en 1608, le procès de béatification commença en 1611 ; Pascual fut béatifié par Paul V par la bulle *In Sede Principis Apostolorum* (29 octobre 1618). Le capucin Louis-Antoine de Porrentruy retrouva le procès au couvent romain de Santi Quaranta, où il resta jusqu'en 1918 (il est à présent à la Curie généralice). La canonisation fut faite par Alexandre VIII (bulle *Cum super nos*, 16 octobre 1690). Les rapporteurs du procès furent B. Coccini, P. Pirovani et C. Merlini (texte à la Biblioteca Universitaria, Barcelone, ms 447) ; ils présentèrent 14 miracles parmi les 175 consignés (trois jours après la mort, on en comptait déjà 23).

En 1897 (28 novembre), par le bref *Providentissimus Deus,* Léon XIII déclara Pascal Baylón patron de toutes les œuvres eucharistiques. Sa fête se célèbre le 17 mai ; son culte se répandit non seulement en Espagne, en Amérique centrale et méridionale, mais aussi en Italie, en Allemagne et dans les Flandres ; il est considéré comme protecteur des femmes (et, en certaines régions, des fiançailles). On le représente tenant tantôt un ostensoir ou un calice, tantôt sa houlette ou une bêche.

En fait d'écrits, il ne reste de Pascal que son célèbre *Cartapacio* ; commencé au cours d'une maladie, il comprend essentiellement des résumés de lectures spirituelles groupés en petits traités. Au plan littéraire, le résultat étonne, quand on se souvient que l'auteur eut si peu de formation en famille comme au couvent. La critique des textes ramène à peu de choses l'apport personnel du saint : quelques phrases sur la présence réelle et l'autorité du Pape, fruit de sa réflexion et de sa prière ; elles laissent entrevoir une piété saine, exigeante et tendre. Pascal composa aussi quelques couplets sur l'Eucharistie, courts, alertes, sans prétention et qui pouvaient être chantés.

Du manuscrit du *Cartapacio*, seul le premier volume nous est parvenu ; il a été édité par J. Sala : *Opúsculos de S. P. B., sacados del Cartapacio autógrafo...* (Tolède, 1911). Le titre original de ce volume était : *Regla franciscana, Testamento de S. Francisco y Declaraciones sobre la pobreza* ; ces *Declaraciones* sont la traduction du *Brevis discursus super observantia paupertatis* du franciscain Jean de Fano † 1539 (DS, t. 8, col. 506-509) réalisée et transcrite par un compagnon de Pascal, Alfonso Rodríguez.

Les traités conservés concernent la prière et ses formes (8 ch.), l'amour de l'Eucharistie (7 ch.), diverses dévotions (6 ch.), la visitation (2 ch.), la maternité et la pureté virginales de Marie (4 ch.), des antiennes (2 ch.), la naissance à Bethléem (8 ch.), le nom de Jésus (4 ch.), l'adoration des mages (3 ch.), l'octave de Noël (6 ch.), la virginité (1 ch.), la purification (4 ch.), Cana (3 ch.), la vie et la passion du Christ (14 ch.), l'Église (8 ch.), la Trinité (7 ch.), la gloire du ciel (7 ch.), puis des mélanges divers, des prières, pensées et oraisons jaculatoires, etc. : en somme un recueil doctrinal, spirituel et liturgique à usage personnel. On y trouve aussi des commentaires de l'Exode (ch. 25), des Psaumes 50 et 88, du Cantique des cantiques, de Matthieu (ch. 1-2 et 5), Luc (ch. 2, 5, 6, 14 et 15) et de Jean (ch. 2, 3, 13 et 14).

Pour la méditation, Pascal conseillait habituellement de suivre le schéma suivant :

| *Voie illuminative* | *Voie unitive* |
|---|---|
| Lundi : création | Le Christ principe et fin |
| Mardi : action de grâces | Beauté du Christ |
| Mercredi : bienfaits reçus | Gloire du Christ |
| Jeudi : justification | Charité |
| Vendredi : dons | Loi du Christ |
| Samedi : gouvernement divin | Le Christ qui gouverne |
| Dimanche : glorification | Le Christ qui donne. |

Le plus souvent, Pascal transcrit ce qu'il lit (indiquant ou non la référence) : passages de la Bible, des Pères, des saints et des auteurs spirituels. On relève ainsi des textes de François d'Assise, de Bonaventure, Ludolphe le chartreux (*Vita Christi*), Hugues Panziera, Giovanni Bonvisi de Lucca, Alonso de Madrid (*Arte de servir a Dios*, livre II, c. 4, n. 60), Luis de Granada (*Guía de Pecadores*).

Certains textes de Pascal ont été publiés sous des titres comme : *Tratado sobre la veneración y dignidad de la SS. Eucaristía, - Principales misterios de la vida de Cristo* (avec une partie de la *Vida de Jesucrist* de Francisco Eximenis, DS, t. 4, col. 1950-1955), *- Principales acciones de Nuestra Señora y de Santa Ana, - Ejercicios espirituales, - Calendario para todo el año, - Paráfrasis sobre el Miserere* (suivant Pietro Calderini † 1444).

*Bullarium romanum*, t. 12, Turin, 1867, p. 430. – L. Wadding, *Annales minorum*, t. 19, Quaracchi, 1933, p. 523-529 ; t. 20, p. 6-9, 223-225, 315-317 ; t. 21, 1934, p. 43-45 ; t. 22, p. 32-42 ; t. 23, p. 1-28, 59-91 ; t. 28, 1941, p. 666. – Wadding-Sbaralea, p. 185 ; *Supplementum*, t. 2, p. 305. – Juan de San Antonio, *Bibl. universa franciscana*, t. 2, Madrid, 1732, p. 409-411. – N. Antonio, *Bibl. hispana nova*, t. 2, Madrid, 1788, p. 157-158.

AS, *Mai*, t. 4, Anvers, 1685, p. 48-132. – F. Hueber, *Menologium*, Munich, 1698, col. 1079-1082. – *Martyrologium franciscanum*, Rome, 1938, p. 182.

Marc de Lisbonne † 1591, *Chronicas da Orden dos Frades Menores* (trad. italienne, t. 2, Naples, 1680, p. 763-953). – J. Ximénez, *Chrónica del B. Fr. Pasqual* (Valence, 1601). – C. d'Arta, *Vita, virtù e miracoli del B. P.B.* (Rome, 1672 ; Venise, 1673, 1691). – A. Panes, *Vida de S.P.B.* (Valence, 1675). – Hyacinthe Le Febvre, *Abrégé de la vie des saints Jean de Capistran et Pascal Baylon...* (Paris, 1712). – B. Mazzara, *Leggendario Francescano* (t. 3,

Venise, 1721, p. 355-362 ; t. 5, 1722, p. 199-221). – Nicolás de Jesús Belando, *Historia de los grandes milagros de S.P.B.* (Valence, 1747). – Vies par J.B. Taléns (Valence, 1761) et P. Salmerón (Madrid, 1785).

Au 19e siècle, à côté des biographies vulgarisées de J. Balatresi (2 vol., Florence, 1824), Giovan-Giuseppe di Maria Addolorata (2e éd., Naples, 1892), G.G. Gualtieri (Naples, 1895), A. Briganti (Naples, 1897) et A. Du Lys (Vanves, 1897), retenir surtout celle de Louis-Antoine de Porrentruy (Paris, 1899 ; trad. anglaise, Londres, 1908).

Au 20e siècle : P. Boronat y Barracina, *Estudio crítico de las obras escritas por S. Pascual* (Valence, 1900 ; tiré à part de *Recuerdo de la Peregrinación eucarística de 1889*). – A. Gröteken, *Pachalis Baylon, Ein Heiligenbild...* (Einsiedeln, 1909). – S. Eiján, vie (Barcelone, 1906) ; *Franciscanismo Ibero-Americano* (Madrid, 1927, p. 188). – V. Facchinetti, *Pasquale Baylon* (Milan, 1922). – D. Gruber, *Der heilige P.B.* (Rottweil, 1939). – O. Englebert, vie (Paris, 1942 ; trad. portugaise, Petropolis, 1955). – *San Pascual B., patrono de las Obras eucarísticas* (Madrid, 1943).

F. Diotalevi, *Viole serafice* (Venise, 1950). – J.D. Ryan, *Saint of the Eucharist. A Story of S.P.B.* (Notre Dame, Ind., 1951). – L. Guim Castro, *S. P., celestial patrono de los Congresos eucarísticos* (Barcelone, 1953). – I.A. Russo, *S. P. B.* (Rome, 1956). – L. Principe, *P. B., santo ieri e oggi* (Naples, 1973). – P. Rambla, *S. P. B., hermano y amigo de todos* (Barcelone, 1979).

Autres biographies par I. Beaufays (2e éd., Namur, 1903), M. Mansuy (Paris, 1910), J. Wilbois (Paris, s d), E. Clop (Lyon, 1924), H. Concannon (Dublin, 1930).

*Enciclopedia Universal* d'Espasa, t. 42, Madrid, 1920, p. 488-489. – EC, t. 9, 1952, col. 905. – NCE, t. 10, 1967, p. 1049-1050. – BS, t. 10, 1968, col. 358-363.

*Acta Ordinis Fratrum Minorum*, t. 16, 1897, p. 207-208 ; t. 23, 1904, p. 479. – AFH, t. 3, 1910, p. 350 ; t. 7, 1914, p. 154 ; t. 19, 1926, p. 102, 318, 447 ; t. 59, 1966, p. 430 ; t. 60, 1967, p. 262. – *Revista Franciscana*, t. 39, Vich, 1911, n. 525, p. 197-199. – *Archivo Ibero Americano*, t. 1, 1914, p. 189 ; t. 2, 1914, p. 309 ; t. 9, 1918, p. 161-167 ; t. 37, 1934, p. 602 ; nouv. série, t. 23, 1963, p. 475.

DS, t. 1, col. 1697 ; t. 3, col. 34-35 ; t. 4, col. 1193 ; t. 5, col. 1213, 1216-17, 1228, 1310, 1324, 1364 ; t. 8, col. 259, 507.

Mariano Acebal Luján.

**3. PASCAL DE VITORIA**, franciscain, † 1339. – Fanciscain de la Custodie de Vitoria (pays Basque), Pascal quitta son pays pour les missions d'Orient en 1333, obtint son obédience à Avignon du ministre général Guiral Ot, puis, après un pèlerinage à la Portioncule (Assise), s'embarqua à Venise. Un an de séjour à Saraï dans le Khanat du Kiptchac, au nord de la mer Caspienne, lui permit d'apprendre le cuman et l'écriture ouighour en usage dans tout l'empire mongol. Il se fixa ensuite à Al-Malik sur l'Ili, au sud-est du lac Balkash, siège d'un évêché et d'une communauté franciscaine florissante grâce à la protection du khan Kazan (Jenski). A ce dernier, mort empoisonné en 1337, succéda Ali-Sultan, musulman fanatique, qui décréta sous peine de mort la suppression de toutes les religions non islamiques. Pascal de Vitoria fut arrêté avec l'évêque Richard de Bourgogne et ses confrères franciscains, torturé et mis à mort vers le 24 juin 1339. Le tyran ne survécut que quelques jours au massacre.

Lorsque Clément VI apprit la tuerie, il fit l'éloge des vaillants missionnaires ; le chroniqueur franciscain Jean de Winterthur rapporte les paroles du pape : « Hic est ordo praecipuus per quem Ecclesia in fidei orthodoxae luce illustratur in diversis mundi partibus et robore solidatur lucrumque animarum innumerabilium inestimabile procuratur » (MGH, *Scriptores rerum germanicarum,* nova series, t. 3, 1924, p. 208). Passant sur les lieux en 1340, Jean Marignolli de Florence, envoyé de Benoît XII auprès du grand khan Togan-Témour (Chum-ti), trouva le couvent d'Al-Malik en ruine ; dans la relation de son voyage (*Sinica Franciscana,* t. 1, cité *infra,* p. 527), il note que Pascal était un prophète qui avait vu le ciel ouvert (*celum apertum* ; cf. *Actes* 10, 11), qu'il avait annoncé la persécution dont il serait la victime et la mort violente du tyran trois jours plus tard.

Pascal de Vitoria n'a laissé qu'un écrit, une lettre émouvante adressée d'Al-Malik, le 10 août 1338, à ses confrères de Vitoria ; elle témoigne d'une profonde piété et d'un zèle apostolique particulièrement ardent. Elle est éditée dans diverses collections ; éd. critique dans *Sinica Franciscana,* t. 1, Quaracchi, 1929, p. 501-506.

J. Martínez de Marigorta, *Victorianos ilustres,* Bilbao, 1933. – Pedro de Anasagasti, *Un vasco en Tartaria en el siglo 14, Fr. Pascual de Vitoria, geógrafo, apóstol y mártir,* dans *Homenaje a Don Julio de Urquijo,* t. 2, San Sebastian, 1949, p. 329-57. – V. Rondelez, *Un évêché en Asie Centrale au 14e s.,* dans *Neue Zeitschrift für Missionswissenschaft,* t. 7, 1951, p. 1-17.

Clément SCHMITT.

**PASCAL** (BLAISE), 1623-1662. – 1. *Formation et expérience.* – 2. *Œuvres.* – 3. *Doctrine.*

1. FORMATION ET EXPÉRIENCE. – Pour retracer la biographie spirituelle de Pascal, l'historien se trouve placé dans une situation relativement privilégiée. Il dispose d'assez nombreux écrits autobiographiques, et surtout de témoignages contemporains d'une rare qualité : entre autres, des lettres de la sœur cadette de l'écrivain, confidente de son évolution intérieure à certains moments décisifs, Jacqueline, religieuse à Port-Royal ; et de la *Vie de Pascal* composée par sa sœur aînée, Gilberte, femme de Florin Périer, tout orientée vers l'analyse spirituelle. L'intention édifiante qui a présidé à la rédaction de ce chef-d'œuvre du genre biographique entraîne toutefois une certaine stylisation : des précisions, des nuances et les arrière-plans indispensables pour définir et situer plus complètement la personnalité religieuse de l'écrivain sont à puiser à d'autres sources, malheureusement fort éparpillées.

Si l'on entreprend de décrire l'évolution spirituelle de Pascal en utilisant son propre langage, ou celui de ses biographes, on est conduit à mettre en évidence les diverses péripéties d'un grand conflit entre le monde et Dieu. Entre l'un et l'autre, il n'y a pas de partage possible, ou du moins le monde ne prend valeur que comme moyen d'accès à Dieu. Le passage du monde à Dieu, quelles que soient ses modalités, se nomme conversion.

Dans la première partie de sa vie, Pascal n'a pas encore véritablement saisi cette opposition fondamentale, cette nécessité de choix. Il reçoit parallèlement formation religieuse et formation humaine.

Né à Clermont-en-Auvergne le 19 juin 1623, orphelin de mère à l'âge de trois ans, il est l'objet, ainsi que ses deux sœurs, de soins attentifs de la part de son père, Étienne Pascal. Ce magistrat, homme de grande culture, excellent mathématicien, fut attiré par le prestige intellectuel de Paris et s'y établit avec ses enfants en 1631, abandonnant bientôt après ses charges en Auvergne. Il s'occupa lui-même de l'éducation de ses enfants, principalement de celle de Blaise. Éducation humaniste, fondée sur la connaissance des langues, mais que les dispositions et les goûts de l'enfant tournèrent vite vers les mathématiques. A l'âge de seize ans, Pascal publia un *Essai pour les Coniques,* prélude déjà remarquable à un traité sur la même matière. Accompagnant en 1640 à Rouen son père, devenu commissaire chargé de l'assiette des impôts, il inventait, pour faciliter les calculs exigés par cette tâche, la fameuse machine arithmétique, qui réalisait pour la première fois la mécanisation complète du calcul. Toutes recherches qui développaient en lui l'esprit positif et qui, en lui procurant de brillants succès, nourrissaient un fort penchant à l'orgueil.

Dans l'ordre religieux, sa formation n'avait pourtant pas été moins solide. A son inspiration humaniste elle dut aussi un caractère très positif : la connaissance des sources anciennes, notamment la Bible, y eut le pas sur l'exposé didactique et scolastique. Quelle fut sa composante spirituelle ? Il est difficile d'entrer dans de grandes précisions. Selon Gilberte, Pascal reçut de son père un principe auquel il demeura fort attaché : ce qui est l'objet de la foi ne saurait l'être de la raison. Cela peut s'entendre dans le sens d'une séparation du religieux et de l'humain : interprétation qui prévalut sans doute d'abord. Mais un autre sens s'imposera par la suite : celui d'une haute affirmation de la transcendance divine.

Hors de la famille, l'influence la plus aisément repérable à cette époque est celle des deux principales paroisses sur lesquelles vécurent les Pascal : Saint-Merri à Paris, Sainte-Croix-Saint-Ouen à Rouen. Dans l'une et l'autre, l'esprit de l'Oratoire se conjuguait avec celui de l'abbé de Saint-Cyran. Le jeune homme se trouvait ainsi formé à une spiritualité faite de sobriété et de rigueur, peu favorable aux entraînements de l'imagination et aux dévotions qui y font appel, orientée vers la réflexion morale, la considération des grandes vérités chrétiennes et l'imitation de Jésus-Christ.

C'est dans ce climat, et par la révélation de plus hautes exigences, que s'opéra en 1646 la conversion de la famille Pascal, sous l'influence d'un autre disciple de Saint-Cyran, N. Guillebert, dont le rayonnement était considérable en Normandie. Si la famille entière fut gagnée, le père et le fils eurent le rôle déterminant, et Blaise fut sans doute le premier et le plus profondément touché.

Comment caractériser cette conversion ? D'abord en termes spirituels. La révélation de l'incompatibilité entre le monde et Dieu s'accompagna du choix décidé en faveur de Dieu. Choix opéré avec un enthousiasme et une ferveur dont témoignent les lettres spirituelles écrites pendant les années qui suivirent.

Le plus clair est cependant que Pascal développa alors sa culture religieuse d'une manière décisive. Il enrichit sa connaissance de la tradition, insistant sur saint Augustin, mais accorda une place privilégiée aux ouvrages récents représentatifs de l'esprit de Port-Royal, opuscules et lettres de Saint-Cyran, *Fréquente Communion* d'Antoine Arnauld (DS, t. 1, col. 881-88), *Discours sur la réformation de l'homme intérieur* de C. Jansénius, sans oublier l'*Augustinus* et les nombreux écrits de controverse sur la grâce entraînés par la publication de cette somme augustinienne (cf. DS, t. 8, col. 117-120). La compétence doctrinale de Pascal lui permit de s'en prendre vigoureusement, en 1647, au rationalisme théologique de Jacques Forton, sieur de Saint-Ange, plus soucieux d'expliquer les mystères que de les vénérer.

Mais quelle vocation, selon le langage de Saint-Cyran, cette conversion impliquait-elle ? Pascal ne semble nullement s'être senti appelé à l'état ecclésiastique. Ni davantage à une retraite formelle. Selon Gilberte, Blaise aurait alors abandonné toutes ses recherches de science. Or c'est après sa conversion qu'ayant connu la fameuse expérience de Torricelli, il multiplia lui-même les expériences sur le vide et la pesanteur de l'air, sujet qui l'occupa jusqu'en 1654. Ou bien Gilberte aura antidaté une décision plus tardive ; ou plutôt elle aura transformé en acte ce qui demeura en projet. Mais il est certain que l'abandon des sciences conditionnait pour Pascal l'accession à une vie plus parfaite ; non qu'il y vît la manifestation d'un désir coupable de savoir, mais l'occasion de succès propres à nourrir la complaisance en soi. Quoi qu'il en soit, la conversion de 1646 entraîna moins des ruptures spectaculaires qu'une profonde transformation intérieure.

Son évolution fut d'ailleurs traversée, en 1647, par une grave maladie, conséquence probable du surmenage sur un organisme fragile. Pour achever la guérison, les médecins engagèrent le malade à chercher des occasions de « se divertir ». Vers la fin de l'été, il revint à Paris en compagnie de Jacqueline. Les deux jeunes gens fréquentaient le monastère de Port-Royal, où Jacqueline, encouragée par son frère, forma le dessein d'entrer comme religieuse, malgré l'opposition prévisible de leur père. Cependant, chez Blaise, un certain relâchement s'établissait : ce que les historiens appellent « période mondaine ».

Signe caractéristique : après la mort de son père (septembre 1651), Blaise, par crainte de la solitude, voulut à son tour empêcher Jacqueline d'entrer à Port-Royal : vainement d'ailleurs. C'est alors qu'il développa ses relations dans le monde. Il se lia d'une étroite amitié avec le duc de Roannez † 1696, jeune gouverneur du Poitou, et avec ses familiers Méré † 1684 et D. Mitton †1690, théoriciens de l' « honnête homme » et incontestables libertins. Peu à peu, la grande ferveur de 1646 se perdait. Les affaires, le jeu, la conversation mondaine venaient au premier plan ; en même temps qu'y revenait plus que jamais la science : d'une réflexion sur les problèmes de jeux naissait le calcul des probabilités. Sans que cet état général de tiédeur s'accompagnât de graves désordres.

Une nouvelle conversion ne tarda pas à se produire, dont les confidences faites à Jacqueline permettent de suivre le déroulement. Pendant de longs mois de malaise, le monde fut à la fois l'objet d'attachement et de dégoût, sans que pourtant aucun attrait s'éveillât pour Dieu. Cette crise se résolut dans la nuit fameuse du 23 novembre 1654, nuit proprement d'enthousiasme, où la présence de Dieu s'éprouva dans la certitude et dans la joie. L'écrit mémorable où fut consignée cette expérience unique enferme cette résolution où s'exprime la principale exigence spirituelle de Pascal : « Oubli du monde et de tout hormis Dieu ».

Comment cette résolution fut-elle concrètement appliquée ? Non par une retraite absolue à Port-Royal des Champs. Pascal ne fut pas au nombre des fameux solitaires. Il fit seulement, de temps à autre, des retraites auprès d'eux. Il demeurait à Paris, non loin de Port-Royal du faubourg Saint-Jacques. Il s'était écarté des compagnies, mais sans renoncer à aucune amitié. Au printemps 1655, il passa quelque temps à l'hôtel de Roannez et obtint la conversion du duc. Des libertins de son entourage, il envisageait aussi la conversion : origine lointaine des *Pensées*. Il s'était manifestement détaché des sciences, renonçant à publier des ouvrages achevés. S'il acceptait d'y revenir, c'est uniquement dans des entretiens privés.

Il mit alors l'essentiel de son activité au service de Port-Royal : participant à l'œuvre pédagogique entreprise autour des « petites écoles » ; suivant les controverses du moment et montrant, dans les *Écrits sur la Grâce* (1655-1656), son aptitude à les présenter d'une manière raisonnée ; s'exposant plus encore avec *Les Provinciales* (1656-1657) et défendant très efficacement, contre les Jésuites, la cause du monastère. Dans toutes ces tâches, il se trouvait aux côtés d'Arnauld et de P. Nicole (DS, t. 11, col. 309-318), esprits les plus modernes de Port-Royal, les mieux formés à la philosophie en même temps qu'à la théologie. Dans ce groupe, c'est Pascal qui offre la personnalité spirituelle la plus riche. Quelques épisodes permettent d'en préciser certains aspects.

Le premier fut le miracle de la Sainte Épine, guérison d'un mal d'yeux sur la personne de Marguerite Périer, pensionnaire à Port-Royal de Paris (24 mars 1656). Pascal, oncle de cet enfant, en fut vivement touché. Il y vit un signe de Dieu étendant sa protection sur le monastère persécuté, mais aussi une manifestation exemplaire de la manière dont Dieu se révèle dans le monde à ceux qui l'aiment. Origine indirecte de la conversion de Mademoiselle de Roannez, sœur du duc, le miracle établit un lien spirituel entre Pascal et la jeune fille. Mais la réflexion sur le miracle se développa surtout dans le sens de l'apologétique : prouver la vérité de la religion chrétienne revient à faire reconnaître les signes manifestant la présence de Dieu dans le monde et dans l'histoire.

On peut aussi observer, dans les années suivantes, plusieurs tournants dans la vie religieuse de Pascal : à deux reprises s'opérèrent comme de nouvelles conversions. Plusieurs de ses amis de Port-Royal, attentifs à son projet d'*Apologie*, le persuadèrent qu'il s'imposerait davantage auprès des incroyants en manifestant avec éclat son génie scientifique. Ce fut l'origine, en 1658, de ses travaux fracassants sur la courbe appelée roulette, ou cycloïde. Mais l'intention religieuse initiale n'empêcha pas l'orgueil naturel du savant de renaître. Contre cette nouvelle tentation du monde une réaction évidente se devine au début de 1659. C'est de là qu'il faut dater l'éloignement définitif des sciences. Sans doute la maladie joua-t-elle un rôle important dans le long silence qui s'établit désormais. Mais un choix délibéré fut aussi effectué : avec courtoisie, mais fermeté, Pascal laissa s'éteindre ses relations avec ses amis savants. A la même époque, la *Prière pour demander à Dieu le bon usage des maladies* demande essentiellement la conversion.

Un dessein de retraite encore plus rigoureuse fut pris au cours de l'hiver 1661-1662. Dans les controverses sur la conduite à tenir devant l'obligation de signer le formulaire condamnant Jansénius, Pascal, bouleversé par la mort de sa sœur Jacqueline (4 octobre 1662), qui s'était vivement opposée à la signature, adopta la même position et entra en conflit avec Arnauld et Nicole, plus modérés, et dont les vues prévalurent. Son échec le fit renoncer même aux controverses théologiques. Il adopta une forme de piété plus simple, et comme plus populaire. Il s'attachait de plus en plus au service des pauvres, et l'établissement des « carrosses à cinq sols », premier service de transports publics urbains, n'est pas étranger à ce souci. Les circonstances de sa dernière maladie et de sa mort, le 19 août 1662, manifestent son ardent amour pour Jésus-Christ et pour les pauvres.

La vie spirituelle de Pascal frappe donc par son caractère dramatique. Elle a été marquée par des ruptures et des reprises nombreuses et complexes. Mais il n'a pas seulement vécu le drame de la conversion à certains moments privilégiés. Ce drame constitue pour lui l'essence de la vie chrétienne, qui est constamment lutte et montée. Le repos n'existe que dans l'au-delà, dans la pleine possession de Dieu.

2. LES ŒUVRES ET LES GENRES. – Il est peu d'écrits de Pascal qui ne touchent de près ou de loin à la spiritualité. Même ses ouvrages scientifiques, surtout lorsqu'ils s'intéressent à la philosophie des sciences, peuvent apporter des enseignements sur ce sujet. Nous devrons cependant les négliger. A l'inverse, il est peu de ses écrits qui appartiennent exclusivement à la spiritualité, et ils ne s'y rapportent pas tous de la même façon. Aussi bien faut-il parmi eux distinguer des genres.

1° *La correspondance spirituelle*. – Le genre le mieux défini est celui de la lettre. Si la majeure partie de la correspondance de Pascal a disparu, certaines lettres spirituelles ou certains fragments de lettres à caractère spirituel ont été conservés avec un soin particulier par les destinataires qui en ont senti le prix.

1) *Les lettres à la famille Périer* (1648-1658) se répartissent très inégalement dans le temps.

Les lettres à Gilberte de l'année 1648 (26 janvier, 1er avril, 5 novembre) suivent de peu la conversion générale de la famille et font suite, après la dispersion de celle-ci, à des entretiens tenus de vive voix. La réflexion spirituelle y est étroitement liée aux nécessités du commerce épistolaire : elle naît de la considération des événements et de la recherche de leur sens ; elle se définit éventuellement en réaction à des vues exprimées dans les lettres reçues et qui appellent correction. Se développant comme par surcroît, la spiritualité finit cependant par emplir toute la lettre.

La lettre sur la mort de son père (17 octobre 1651), écrite à loisir quelques semaines après l'événement, propose, sous la forme d'une lettre de consolation, une ample méditation sur la mort. Cet écrit de circonstance devient ainsi un véritable petit traité, où la doctrine est fermement posée, en même temps que son application particulière. On y note le recours à la théologie augustinienne des deux amours contraires, amour de Dieu et amour de soi ; et une réflexion sur la vie et la mort comme sacrifice qui trahit l'influence de Ch. de Condren († 1641 ; DS, t. 2, col. 1373-88), exercée sans doute par l'intermédiaire de Saint-Cyran.

Des lettres plus récentes ne sont plus que des fragments non datés, d'interprétation malaisée. L'un d'eux (sans doute 1657) fait découvrir l'attitude spirituelle de Pascal au sein des polémiques : elle est toute d'attention à la volonté de Dieu, qui doit être seul vainqueur en de tels combats. Un autre (vers mai 1658) comporte, à l'occasion d'un projet concernant Jacqueline Périer, sœur de Marguerite, un jugement très dur sur le mariage, « la plus basse des conditions du christianisme ».

2) *Les lettres à M<sup>lle</sup> de Roannez* ( 1656-1657) se réduisent à neuf fragments, de grand intérêt spirituel. Ils ne sont pas datés, mais il est clair, par les allusions contemporaines, qu'ils font immédiatement suite à la conversion et à la brusque vocation religieuse de la jeune fille. Celle-ci fut emmenée en Poitou par son frère, afin qu'elle pût s'éprouver : c'est alors qu'elle reçut les lettres de Pascal.

Envers elle, son correspondant se pose véritablement en directeur spirituel. Il double un autre guide, sans doute ecclésiastique, dans lequel on peut reconnaître A. Singlin † 1664. Cette situation n'a rien d'exceptionnel au 17e siècle. La méthode de direction de Pascal, qu'il appliqua sans doute aussi à d'autres, consiste, non pas à s'imposer à la dirigée, mais à se mettre à son écoute pour lui rendre compte de ce qu'elle éprouve et surtout pour essayer de saisir le dessein de Dieu sur elle. Aussi le directeur utilise-t-il le plus possible le langage de Dieu : la Bible et la liturgie sont constamment invoquées pour fournir explications et conseils. Chez la dirigée, c'est moins la volonté qui est sollicitée que la docilité à l'appel de Dieu, un Dieu qui attire dans la joie, même si la résistance au monde ne va pas sans douleur. Entre directeur et dirigée, quoique le rapport soit de caractère surnaturel, ne sont pas exclus les sentiments humains, l'amitié, voire la tendresse.

2° *Prières, méditations, écrits intimes*. – Dans cette catégorie d'écrits, Pascal se trouve seul en face de lui-même ou plutôt en face de Dieu.

1) Le *Mémorial* (23 novembre 1654) se rattache à des circonstances précises, déjà évoquées. Mais s'il enregistre le dénouement, liturgiquement daté, d'un drame intérieur, il offre aussi une portée durable. Aussi bien Pascal en porta-t-il toute sa vie, cousu dans la doublure de son pourpoint, le double texte, le papier original étant enveloppé dans une feuille de parchemin renfermant une copie calligraphiée, légèrement différente et un peu plus complète. Entre Dieu et l'homme Pascal s'étaient établis des rapports qu'il importait de rendre définitifs.

Du côté de Pascal, deux sentiments s'expriment en toute lucidité : la contrition, à la pensée d'avoir quitté Dieu ; la résolution de lui demeurer fidèle. Mais l'initiative est venue de Dieu, qui a gratifié l'âme pénitente d'une double faveur, d'une double révélation. Une révélation biblique : le *Mémorial* est en grande partie formé d'une énumération des noms divins, des noms du Dieu vivant de la Bible. Une révélation mystique, toute personnelle : Dieu embrase le cœur du fidèle de son « feu », apportant la « certitude » de sa présence, dans le ravissement et la « joie ». A expérience exceptionnelle, langage exceptionnel : à la fois poème et « calligramme », le *Mémorial* rejoint la grande tradition des mystiques.

2) Le *Mystère de Jésus* et autres écrits intimes figurant parmi les *Pensées*. – Parmi les fragments autographes appelés *Pensées,* qui se rapportent pour l'essentiel à une *Apologie de la religion chrétienne* contre les incroyants, figurent quelques pièces de caractère plus intime, généralement étrangères à l'*Apologie*. La plus célèbre porte le titre Le *Mystère de Jésus* (éd. Lafuma = Laf., n. 919). C'est une méditation sur un « mystère » particulier de la vie de Jésus : son agonie au Jardin des Oliviers. Les principaux détails de la scène biblique sont représentés à l'esprit, se découpant en versets ; ils appellent réflexions sur la mission du Christ et résolutions personnelles. A ce texte est souvent rattachée, mais sans raison décisive, une autre méditation, qui prend la forme d'un dialogue émouvant entre le Christ crucifié et l'âme pénitente *(ibidem)*. L'emploi du verset souligne encore le caractère lyrique du texte.

D'autres méditations, plus brièvement esquissées, portent encore sur la personne du Christ. Nouveau « mystère », par exemple, que celui de Jésus au sépulcre (Laf. n. 560). Ailleurs, il est saisi comme dominant l'histoire (n. 570) ou comme présent parmi nous (n. 946).

Certains fragments peuvent être tenus pour des confidences spirituelles : « J'aime la pauvreté parce qu'Il l'a aimée... » (n. 931) ; « Il est injuste qu'on s'attache à moi... » (n. 396). Mais le contexte des *Pensées* invite parfois à leur donner une signification plus générale.

3) *La Prière pour demander à Dieu le bon usage des maladies* (vers 1660), contrairement à ce qu'on a longtemps cru, est certainement tardive. Elle s'insère dans une série d'écrits semblables, aux titres tournés de la même manière, contenus dans le recueil liturgique communément appelé *Heures de Port-Royal* (1650 ; 16e éd., 1659). Elle ressemble plus encore à une *Prière pour demander à Dieu la grâce d'une véritable et parfaite conversion,* œuvre de Guillaume Le Roy (1650 ; DS, t. 9, col. 693-696). Si personnelle que soit la situation, si intime le ton, cet écrit était donc destiné pour une part à nourrir la prière de tous.

Aussi bien un grand souci de généralité caractérise-t-il la *Prière.* La maladie est envisagée comme un signe de Dieu qu'il importe de bien interpréter. Elle offre une chance de conversion aussi bien qu'un risque de chute. Seule la prière peut rendre efficace la grâce qu'elle enferme en puissance. Le langage employé est d'un lyrisme frémissant ; et la division de cet écrit particulièrement achevé en quinze paragraphes numérotés découpe comme les strophes d'un ample poème en prose.

3° *Réflexions sur la vie chrétienne.* – Sous cette rubrique se rangent des écrits de caractère plus théorique. Les deux premiers étaient demeurés à l'état de brouillons inachevés, dépourvus de titres et malaisés à dater. Les autres appartiennent aux *Pensées.*

1) L'*Écrit sur la conversion du pécheur* retrace l'itinéraire vers Dieu d'un homme épris du monde et qui s'en détache progressivement, sans pourtant parvenir à éprouver aucun attrait vers Dieu. La démarche suivie donc surtout intellectuelle et abstraite. Elle porte à constater la vanité du monde et son inadéquation aux désirs de l'homme, qui postulent un Être infini. Au terme s'exprime une ardente attente de Dieu. On reconnaît l'expérience vécue par Pascal lors de sa conversion de 1654. Mais elle prend ici une signification générale, et se propose d'aider à la conversion d'autrui.

2) La *Comparaison des chrétiens des premiers temps avec ceux d'aujourd'hui.* – Ici, l'histoire ecclésiastique sert de support à la réflexion spirituelle. Mais le parallèle, rythmé par un continuel balancement, que Pascal établit entre le passé et le présent, porte sur un point très précis : les conditions requises pour accéder au baptême, le rapport unissant, à chaque époque, le baptême et l'instruction religieuse. L'un et l'autre ne sont pas moins nécessaires. Exemple susceptible de généralisation : les sacrements exigent la participation de l'homme entier.

3) *Pensées* diverses. – Parmi les fragments étrangers à l'*Apologie,* plusieurs offrent ainsi une réflexion générale sur la vie spirituelle (Laf. n. 944, 945, 948).

4° *Écrits de portée partiellement spirituelle.* – 1) D'une indiscutable portée apologétique, l'*Entretien avec M. de Sacy sur Épictète et Montaigne* (1655) offre d'abord une finalité pédagogique. Le dosage des lectures profanes pour la formation religieuse invite à pratiquer le « discernement des esprits ».

2) Les *Écrits sur la Grâce* (1655-1656). – Cette œuvre de vulgarisation théologique comporte un prolongement spirituel. Elle situe l'homme dans la stricte dépendance de Dieu. Un Dieu qui a toujours l'initiative : même si la grâce est donnée à la prière, la prière est déjà l'effet d'une grâce, qui ne peut être tenue pour définitivement acquise ; c'est le principe d'une inquiétude salutaire. L'humilité, l'abandon, l'esprit de pauvreté spirituelle sont au terme de cette théologie.

3) *Les Provinciales* (1656-1657). – L'intention polémique de cette œuvre ne l'empêche pas de toucher aussi à la spiritualité. La façon même de conduire la polémique est soumise à des principes spirituels définis dans la 11e *Provinciale,* tournant à partir duquel l'arme trop mondaine du ridicule est délaissée au profit d'une éloquence soulevée par l'indignation. La réflexion même sur la morale débouche aussi sur la spiritualité. L'erreur du probabilisme est, lorsque plusieurs attitudes sont possibles dans un cas de conscience, de laisser le choix au seul intérêt, c'est-à-dire à la concupiscence. C'est la charité, l'amour de Dieu qui doit inspirer le choix. Non rigorisme, mais souci de docilité à l'Esprit divin.

4) L'*Abrégé de la vie de Jésus-Christ* (vers 1660), résumé succinct, comporte un prologue à la riche doctrine christologique. De plus, les épisodes rapportés font l'objet d'une numérotation : ce sont autant de « mystères », découpés en vue de la méditation.

5) Les trois *Discours sur la condition des grands* (vers 1661), destinés à la formation d'un futur duc, comportent une importante dimension spirituelle. La vanité des grandeurs terrestres est fortement dénoncée ; et l'image du roi bienfaisant, « roi de concupiscence », qui procure à ses sujets les biens terrestres, est dévaluée par rapport à celle du « roi de charité », c'est-à-dire Dieu, qui peut seul procurer les biens véritables.

6) Les *Pensées* comme « Apologie de la religion chrétienne » (1657-1662 ; éd. en 1670). – L'apologie pascalienne ne consiste pas à dérouler un raisonnement ; elle invite à une démarche spirituelle. La conversion de l'incroyant n'est pas substantiellement différente de celle que doit opérer quotidiennement le croyant : il s'agit toujours de s'élever de l'amour du monde à l'amour de Dieu, conversion sans laquelle aucune raison n'aura prise sur l'intelligence. Aussi Pascal engage-t-il son lecteur à parcourir un itinéraire. De celui-ci les étapes sont très précisément jalonnées depuis que les travaux de Lafuma ont imposé la lecture des *Pensées,* non pas dans le désordre du manuscrit original, ni dans l'ordre subjectif d'un éditeur quelconque, mais selon l'ordre de la *Copie,* reflet de l'ordre établi par Pascal lui-même. On peut alors constater que l'apologiste reste foncièrement un directeur d'âmes.

3. DOCTRINE. – La spiritualité de Pascal se situe dans la mouvance de l'école française. Appuyée sur la théologie de saint Augustin, elle prend acte de la profonde déchéance de l'homme par le péché originel, et de la nécessité absolue de la grâce pour bien agir ; elle conserve aussi une certaine vision platonicienne du monde. Elle participe de l'esprit de saint François de Sales en ce qu'elle se refuse à réserver l'exercice des plus hautes vertus à l'état ecclésiastique, mais fait de leur pratique la commune vocation de tous les chrétiens. Elle doit à Bérulle et à ses disciples une attention privilégiée à la personne du Christ, le souci de la méditation sur son « état » et ses « grandeurs ». Toutes influences exercées soit directement, soit surtout par l'intermédiaire de Saint-Cyran, qui reste le principal maître de Pascal écrivain spirituel.

La synthèse personnelle de ce dernier se caractérise par la cohérence et la sobriété, par l'emploi d'un langage simple et direct, par un remarquable équilibre entre l'ascèse et la mystique.

1° Au principe, le sentiment de l'absolue transcendance de Dieu. A l'Être infini l'homme est entièrement redevable du peu d'être qu'il possède. Dieu l'a gratuitement tiré du néant, et d'une double manière : par la création, d'abord, mais aussi par la « régénération », fruit de la rédemption et du baptême. Le péché est en effet un autre néant, « parce qu'il est contraire à Dieu, qui est le véritable être » (Lettre à Gilberte, 1er avril 1648). Jeté dans le monde terrestre et soumis aux atteintes du mal, l'homme est « sujet au changement », alors que Dieu reste « toujours le même » (Prière..., n. 1). La distance est infinie entre le Créateur et la créature.

2° La première réaction de l'homme est d'oublier sa condition d'être créé et pécheur, de vouloir se rendre indépendant de Dieu. Il se tient dans le fini qui est son domaine et cherche sa satisfaction dans les créatures. Agissent ainsi, non seulement l'incroyant et l'impie, mais le superstitieux, fût-il chrétien, car il rend hommage aux créatures, et le tenant de la morale relâchée, car il légitime l'amour du monde pour lui-même. Dans la jouissance des créatures, l'homme trouve le plaisir, puisqu'il s'y porte en suivant la pente de sa nature. On se trouve à une sorte de degré zéro de la vie spirituelle.

Une telle position est pourtant intenable, comme la raison suffit à le prouver. L'homme n'est pas maître de ce monde dans lequel il se complaît. A sa quête du bonheur, des obstacles s'opposent, les maladies par exemple (Pensées, Laf. n. 407 ; cf. n. 132). L'expérience montre qu'aucun objet fini ne peut procurer de satisfaction véritable : ni les charges et les honneurs, ni le jeu et la chasse, toutes formes de « divertissement » (n. 136). Le plaisir trouvé dans les créatures n'est en fait qu'illusion. Au fond de lui-même, l'homme aspire à un bien infini ; c'est par erreur qu'il croit pouvoir se contenter du fini : ambiguïtés qui tiennent à sa double nature, divine et pécheresse, faite de grandeur et de misère. Le seul objet susceptible de satisfaire ses aspirations est Dieu lui-même (n. 148). Le vrai croyant se rend à l'évidence : « Tout ce qui n'est pas Dieu ne peut pas remplir mon attente » (Prière..., n. 4).

En définitive, si l'homme est « contraire à Dieu », il n'est pourtant « heureux qu'en Dieu » (Pensées, Laf. n. 399). C'est entre ces deux pôles extrêmes que se situe le champ de la vie spirituelle.

3° Les stoïciens, qui critiquent aussi la tendance au divertissement, croient que l'homme peut aller à Dieu par la seule force de sa raison. Mais la corruption de la nature est telle que la lumière de la raison est obscurcie, tandis que la volonté est détournée de son véritable but. L'initiative ne peut venir de l'homme. Il ne peut y avoir de montée vers Dieu si Dieu lui-même n'a pas balisé le chemin. Pour communiquer avec lui, il faut passer par les médiations qu'il a voulues, non sans difficultés pour le reconnaître dans ce qui le cache autant qu'il le désigne.

Médiation que la nature. La création est l'image du Créateur. « Les choses corporelles ne sont qu'une image des spirituelles et Dieu a représenté les choses invisibles dans les visibles » (Lettre à Gilberte, 1er avril 1648). C'est erreur que d'attacher « les effets naturels à la nature, sans penser qu'il y en ait un autre auteur » (Lettres à Mlle de Roannez, n. 4, fin octobre 1656). Erreur dans laquelle tombent ceux qui limitent leurs désirs aux choses naturelles.

Autre médiation : l'événement. « Si Dieu nous donnait des maîtres de sa main, ô qu'il faudrait leur obéir de bon cœur. La nécessité et les événements en sont infailliblement » (Pensées, Laf. n. 919). Ce n'est pas à dire que l'événement n'appelle qu'acceptation ; il n'est pas moins divin heureux que malheureux. Il constitue simplement un langage de Dieu, qu'il faut savoir interpréter. Langage divin, signe providentiel que, par exemple, la maladie (cf. Prière...). Signe au sens le plus plein du mot, le miracle ne diffère pas substantiellement des autres événements : pour y être plus manifeste, l'intervention de Dieu n'y est pas plus réelle, et la nécessité d'une interprétation n'est pas moindre : une guérison corporelle ne peut que figurer la seule guérison véritable, celle de l'âme.

On verra une autre médiation, plus essentielle encore, dans l'histoire du salut, histoire par excellence, rapportée dans le livre par excellence, la Bible. Mais cette histoire, ce livre se résument dans celui qui en est le centre, le véritable Médiateur, Jésus-Christ.

4° Unissant en sa personne la nature humaine et la nature divine, délivrant comme Verbe le message divin, rétablissant par l'Incarnation et la Croix le lien rompu entre l'homme et Dieu, Jésus-Christ est non seulement au centre de l'histoire du salut, mais au centre du chemin que l'âme doit parcourir dans son ascension spirituelle.

« Modèle de toutes les conditions », il a mission de « sanctifier en soi toutes choses, excepté le péché » (Lettre sur la mort de son père ; cf. Pensées, Laf. n. 946). Ainsi la mort. En lui, elle devient « aimable, sainte et la joie du fidèle » (Lettre sur la mort de son père). Elle accomplit en effet son sacrifice et le fait entrer dans la vie de la gloire. De même, en chaque homme, elle consomme le sacrifice par lequel l'âme rejette définitivement le péché pour être « reçue dans le sein de Dieu ». « Tout ce qui est arrivé à Jésus-Christ doit se passer et dans l'âme et dans le corps de chaque chrétien » (ibidem). Plus qu'imiter Jésus-Christ, le chrétien doit adhérer à tous ses états. Voilà la raison d'être de tant de méditations sur les mystères de la vie du Christ : « Jésus sera en agonie jusqu'à la fin du monde. Il ne faut pas dormir pendant ce temps-là » (Pensées, Laf. n. 919). En acceptant pour lui-même toute l'abjection de l'homme, il a donné le moyen de la surmonter. « Il a été fait péché par moi... Mais il s'est guéri lui-même et me guérira à plus forte raison » (ibidem).

Jésus-Christ est le Dieu caché par excellence. Le voile de l'humanité qui le couvre (Lettres à Mlle de Roannez, n. 4) est encore épaissi par son refus des grandeurs humaines, celles de la puissance, celles de l'intelligence. N'ayant en partage que la sainteté dans la parfaite soumission à son Père, le Médiateur montre plus que jamais la voie ; mais il n'est reconnaissable qu' « aux yeux du cœur » (Pensées, Laf. n. 308).

5° L'union à la personne du Christ se prolonge dans son Corps mystique. Le Christ ainsi fonde et réalise la communauté des chrétiens. Chacun d'eux doit se considérer comme un membre particulier au sein d' « un corps plein de membres pensants » (n. 368). Il ne trouve vie et bonheur qu' « à consentir à la conduite de l'âme entière » (n. 360) dont il dépend. Quelle est cette « âme » sinon le Christ lui-même, tête du Corps mystique, dont l'Esprit influe par tous les membres ? Il les unit à lui-même, et les unit les uns aux autres en lui-même, invitant à un universel oubli de soi.

La correspondance est parfaite avec l'Eucharistie, que peut désigner encore l'expression Corps mystique. Elle signifie aussi l'unité de l'Église autour de celui qui, vicaire du Christ, en est la tête, le pape (Lettres à M^lle de Roannez, n. 3). L'Église prolonge d'ailleurs, pour l'humanité entière, l'œuvre salvatrice de son Chef, « qui en est inséparable » *(ibidem).* Mais il y a plus : en ce Corps informé par le Christ, chaque membre est comme un autre Christ. Il faut « considérer Jésus-Christ en toutes les personnes » (*Pensées,* Laf. n. 946). L'application serait à faire au rapport réciproque, si important, entre directeur et dirigé. Mais il est des conditions où se reconnaît particulièrement l'humilité du Christ. Lors de sa dernière maladie, comme on différait de lui apporter le Viatique, Pascal demanda que, « ne pouvant pas communier dans le Chef », il eût au moins la compagnie d'un pauvre, afin de « communier dans les membres » (*Vie,* par Gilberte). Enfin le symbole suggère la nécessité de la perfection. Les chrétiens « doivent sans cesse aspirer à se rendre dignes de faire partie du Corps de Jésus-Christ » (Lettre à Gilberte, 1^er avril 1648). Ce qui suppose un progrès continuel. Il n'y a pas de degré de perfection « qui ne soit mauvais si on s'y arrête, et dont on ne puisse éviter de tomber qu'en montant plus haut » *(ibidem).*

6° S'il appartient à Dieu de définir, en général, le chemin qui mène à lui, il lui appartient aussi de guider chaque démarche particulière. La grâce, une grâce efficace, c'est-à-dire par laquelle Dieu agit en l'homme, est nécessaire pour que la raison et la volonté, engagées simultanément dans la recherche, rencontrent leur véritable objet, et percent le voile des apparences sous lesquelles il se manifeste et se cache à la fois : « Dieu ne trouve les hommes qu'infidèles et il les rend fidèles quand ils le sont » (Lettres à M^lle de Roannez, n. 9). L'action de la grâce consiste en ce qu'elle change les dispositions du cœur, ce fond de l'être humain, que la concupiscence tourne habituellement vers les créatures et qu'elle anime de l'amour de Dieu. L'orientation du désir et de l'affectivité commande le bon exercice de l'intelligence.

Le propre de la grâce est d'agir dans l'instant et de ne durer que par un renouvellement continuel : « La continuation de la justice des fidèles n'est autre chose que la continuation de l'infusion de la grâce, et non une seule grâce qui subsiste toujours ; et c'est ce qui nous apprend parfaitement la dépendance perpétuelle où nous sommes de la miséricorde de Dieu, puisque, s'il en interrompt tant soit peu le cours, la sécheresse survient nécessairement » (Lettres à Gilberte, 5 nov. 1648 ; cf. Lettres à M^lle de Roannez, n. 3). Même la prière, elle-même don de la grâce, ne saurait être un moyen de se concilier la bienveillance de Dieu pour l'avenir. Elle est union à la volonté de Dieu ; elle est donnée, elle vaut et elle obtient son effet dans l'instant. L'homme devant Dieu est dans l'état de « pauvre » ; privé de tout moyen d'agir sur Dieu, il n'atteint le sommet de la vie spirituelle que par une parfaite soumission.

Quelques conséquences découlent de ce principe. Le temps de la vie spirituelle est le présent. C'est une inquiétude malsaine qui nous fait regretter le passé ou attendre impatiemment l'avenir. Le passé n'appelle que pénitence ; l'avenir, espérance mêlée de crainte. Le présent est le seul temps qui soit à nous et où Dieu agisse en nous. Il faut nous y tenir *(ibidem,* n. 8 ; cf. *Pensées,* Laf. n. 47).

L'ordre spirituel est tout différent de l'ordre discursif. Le second procède dans le temps, un temps que la mémoire prolonge encore. Le premier procède par retour et répétition. C'est ainsi que Dieu inculque sa vérité : il « la continue et la rend toujours présente en la retraçant sans cesse dans le cœur des fidèles pour la faire toujours vivre » (Lettre à Gilberte, 5 nov. 1648). La nouveauté perpétuelle caractérise la vie spirituelle, qui tend constamment à ruiner le « vieil homme » dont parle saint Paul (Lettres à M^lle de Roannez, n. 3 et 5). Manié par l'homme, le langage spirituel agit aussi par incantation, par « digression sur chaque point qui a rapport à la fin, pour le montrer toujours » (*Pensées,* Laf. n. 298).

7° La pleine union à Dieu ne s'atteint que dans la pleine dépendance de Dieu. Cette double relation n'est parfaitement réalisée que dans la vie éternelle. Mais le chrétien peut en approcher pendant la vie terrestre. Sans doute les débuts dans la piété sont-ils douloureux : cesser de se laisser aller à la concupiscence pour suivre l'entraînement de la grâce provoque un véritable déchirement (Lettres à M^lle de Roannez, n. 2). Sans doute le corps doit-il toujours être maîtrisé, si bien que l'extérieur doit se joindre à l'intérieur, le matériel au spirituel, dans la prière, dans les sacrements (*Pensées,* Laf. n. 944 ; cf. n. 219). Mais la grâce, aliment de la vie spirituelle, procure un avant-goût des joies de l'éternité. « Il ne faut pas croire que la vie des chrétiens soit une vie de tristesse. On ne quitte les plaisirs que pour d'autres plus grands » (Lettres à M^lle de Roannez, n. 6). La doctrine spirituelle de Pascal ne se dégrade jamais en moralisme ; elle tend constamment à s'épanouir dans la mystique.

**Œuvres complètes.** – Éd. L. Brunschvicg, P. Boutroux et F. Gazier, coll. Les grands écrivains de la France, 14 vol., Paris, 1904-1914. – J. Chevalier, coll. Bibl. de la Pléiade, Paris, 1954. – L. Lafuma, coll. L'Intégrale, 1963. – J. Mesnard, coll. Bibl. européenne, DDB, 2 vol. parus, 1964-1970 ; le 3^e sous presse ; 6 vol. prévus.

**Œuvres particulières.** – *Pensées* (souvent accompagnées d'*Opuscules*) : éd. Brunschvicg (Paris, 1897), J. Dedieu (1937), Z. Tourneur (2 vol., 1938 ; réédé. D. Anzieu, 1960), L. Lafuma (de préférence Éd. du Luxembourg, Paris, 1952, 3 vol.), Ph. Sellier (1976), M. Le Guern (coll. Folio, 2 vol., 1977), Fr. Kaplan (1982).
*Opuscules et Lettres :* éd. L. Lafuma, Paris, 1955 ; – *Écrits sur Jésus :* éd. G. Michaut, 1942 ; – *Les Provinciales :* éd. L. Cognet, 1965.

**Études générales.** – Sainte-Beuve, *Port-Royal,* 3^e éd., t. 2-3, Paris, 1866. – É. Boutroux, *Pascal,* 1900. – F. Strowski, *Pascal et son temps,* 3 vol., 1907. – H. Petitot, *Pascal, sa vie religieuse et son Apologie du christianisme,* 1911. – H. Bremond, *Histoire littéraire du sentiment religieux...,* t. 4, 1920. – J. Chevalier, *Pascal,* 1922. – V. Giraud, *La vie héroïque de B.P.,* 1923.
J. Russier, *La foi selon P.,* 2 vol., Paris, PUF, 1949. – J. Laporte, *Le cœur et la raison selon P.,* Paris, Elzévir, 1950. – R. Guardini, *Christliches Bewusstsein. Versuche über Pascal,* Leipzig, 1935 (trad. franç., Paris, Seuil, 1951). – A. Béguin, *Pascal par lui-même,* Paris, Seuil, 1952. – J. Steinmann, *Pascal,* Paris, Cerf, 1954. – L. Goldmann, *Le Dieu caché. Étude sur la vision tragique dans les Pensées de P. et dans le théâtre de Racine,* Paris, Gallimard, 1955. – *Blaise Pascal, l'homme et l'œuvre,* colloque de Royaumont, Paris, Éd. de Minuit, 1956.
J. Mesnard, *Pascal, l'homme et l'œuvre,* Paris, Boivin, 1951 (5^e éd. Hatier, 1967) ; *Pascal,* coll. Les écrivains devant Dieu, Paris, 1965 ; *Les Pensées de P.,* Paris, SEDES, 1976. – Ch. Baudouin, *Pascal ou l'ordre du cœur,* Paris,

Plon, 1962. – H. Gouhier, *B.P. Commentaires*, Paris, Vrin, 1966. – Ph. Sellier, *Pascal et la liturgie*, Paris, PUF, 1966; *P. et saint Augustin*, Paris, A. Colin, 1970. – P. Magnard, *Nature et Histoire dans l'apologétique de P.*, Paris, Les Belles Lettres, 1975. – T. Shiokawa, *P. et les miracles*, Paris, Nizet, 1977. – P. Cahné, *P. ou le risque de l'espérance*, Paris, Fayard, 1981. – H. Schmitz du Moulin, *P., une biographie spirituelle*, Assen, Van Gorcum, 1982.

**Perspectives particulières.** – L. Pastourel, *Le Ravissement de P.*, dans *Annales de Philosophie chrétienne*, 1910-1911, p. 5-26, 487-509. – J. Lhermet, *P. et la Bible*, Paris, Vrin, 1930. – A. Blanchet, *La Nuit de feu de B.P.*, dans *Études*, 1954, p. 145-166; *Une lecture nouvelle du Mémorial*, ibidem, 1970, p. 74-85. – L. Jerphagnon, *P. et la souffrance*, Paris, Éd. ouvrières, 1956.– J. Mesnard, *P. et les Roannez*, Paris, DDB, 2 vol., 1965. – Ph. Sellier, *Pour une poétique de la légende: la Vie de Monsieur Pascal*, dans *Chroniques de Port-Royal*, 1982, p. 51-67.

Ces ouvrages et articles ont été choisis, parmi une bibliographie très abondante, comme se rapportant plus directement à la vie chrétienne et à la doctrine spirituelle de Pascal.

Parmi les nombreuses références faites à Pascal dans le DS, voir surtout : t. 1, col. 534 *(Amour-propre)*, 1576-77 *(Bérulle)*; – t. 2, col. 1370 *(Concupiscence)*, 1524 *(Connaissance de soi)*, 2363-64 *(Corps)*, 2499 *(Crainte)*; – t. 3, col. 75, 78-79 *(Défauts)*, 1365-67 *(Divertissement)*; – t. 4, col. 235 *(Écriture sainte)*; – t. 5, col. 936-37 *(France)*; – t. 7, col. 1787-88 *(Inquiétude)*; – t. 8, col. 129-130 *(Jansénisme)*.

Jean MESNARD.

**PASCHA** (VAN PAESSCHEN, PASCHASIUS, PASQUA, PASCHATA; JEAN), carme, † 1539. – 1. *Vie*. – 2. *Les Pèlerinages*. – 3. *Autres œuvres*.

1. VIE. – Jan, fils d'Arnold van Paesschen de Lierre et de Catherine Picquot, est né à Bruxelles vers le milieu du 15e siècle. Il s'inscrivit le 28 février 1478 à l'Université de Louvain. Après avoir terminé ses études philosophiques, il entra au couvent des Carmes de Malines, où il fit profession le 14 juillet 1482. Il fit ses études théologiques à Louvain et obtint le doctorat le 6 février 1504 en discutant de la conversion finale des Juifs; Adrien Fl. Boeyens, le futur pape Adrien VI, conclut la séance par un discours (cf. E. Reussens, *Syntagma doctrinae theologicae Adriani Sexti...*, Louvain, 1862, p. 199-202).

Dès 1486, Pascha enseigna la philosophie ou la théologie aux couvents des Carmes de Cologne, Malines et Anvers. De 1499 à 1533 (sauf quelque temps en 1505, lorsqu'il fut *regens studiorum* à Louvain), il fut prieur à Malines (exerçant aussi à partir de 1505 la régence des études de son couvent); ce long gouvernement fut marqué par le soutien et le progrès de la réforme introduite par Jean Soreth († 1471; DS, t. 8, col. 772-773). Pascha fut aussi définiteur de la province d'Allemagne inférieure, visiteur du monastère des Carmélites de Vilvorde; il collabora à la réforme de couvents non carmes et exerça diverses responsabilités ecclésiastiques (commissaire d'une indulgence, inquisiteur). Son opposition aux *bonae litterae,* spécialement à l'enseignement du grec au *Collegium trilingue* de Louvain, provoqua la colère d'humanistes, tel Érasme (lettre 856, *Opera omnia,* t. 3A, Leyde, 1703, col. 972). Pascha mourut à Malines le 17 janvier 1539, à un âge avancé.

2. LES PÈLERINAGES. – 1° L'ouvrage principal est un *Pèlerinage spirituel* qui peut être considéré comme « la clef du problème » de l'origine de notre actuel Chemin de croix (cf. DS, t. 2, col. 2589-90): *Een*

*devote maniere om gheestelyck pelgrimagie te trecken tot den heylighen lande als te Jherusalem, Bethleem, ter Jordanen...* (Louvain, H. Welle, 1563, 1568, 1576; Gand, C. vander Meeren, 1612; trad. franç. par Nicolas de Leuze, Louvain, 1566; Douai, 1576, 1584; anglaise, s l n d, vers 1630).

A. Ampe (art. cité) a mis en doute l'attribution à Pascha de l'ouvrage : celui-ci serait dû à l'auteur anonyme des *Jhesus-collacien*; sans doute, il y a parallélisme entre ces *collacien* et les journées 237-365 du *Pèlerinage*, c'est-à-dire le voyage de retour (f. 137v-159r). Mais c'est là une partie assez mince de l'ensemble et, surtout, à partir du retour, le pèlerinage change de manière: il ne suit plus l'histoire évangélique, mais médite des mystères de la foi. D'autre part, A. Ampe ne prend pas en compte le témoignage de la tradition bibliographique : dès la première édition, P. Calentijn attribue l'ouvrage à Pascha; Petrus Lucius, concitoyen de Pascha, fait de même (*Carmelitana Bibliotheca*, Florence, 1593, f. 52r). Enfin Ampe semble avoir sous-estimé les indices internes qui militent en faveur d'une origine carmélitaine (cf. f. 6v, 61v, 67v, 76v, 77r, 78r).

La structure du *Pèlerinage* est la suivante : après des considérations préparatoires sur la signification symbolico-spirituelle de la tenue et du bagage du pèlerin et quelques prières (f. 4r-12v), Pascha propose un voyage de 365 jours. Pour chaque jour, il offre une prière invariable (Matines) et une méditation qui varie, puis des prières (pour chaque jour de la semaine) : à Tierce, aux saints; à Sexte, en l'honneur des sept chutes du Christ; à None, sur les sept « mots d'or »; à Vêpres, aux sept effusions du sang du Christ; à Complies, aux sept douleurs de Marie. De plus, Pascha conseille une heure de silence chaque jour.

Le cycle annuel des sujets de la méditation se subdivise ainsi : création, chute, décision divine de la rédemption (1er-9e jour); – l'évangile de l'enfance (10e-73e jour); – préparation à la vie publique (74e-82e jour); – vie publique (83e-176e jour); – à Jérusalem : passion (177e-226e jour); – de la résurrection à la pentecôte (227e-236e jour); – commencement du voyage de retour : 25 vues douloureuses qu'eut Jésus en croix (237e-261e jour), labeurs, douleurs et pauvreté de Jésus transformées en gloire (262e-291e jour), jugement dernier (292e-295e jour); 17 méditations sur la damnation (296e-312e jour), les joies du paradis, s'achevant dans la perspective trinitaire (313e-365e jour).

En ce qui concerne le trajet géographique, le départ est Louvain (mais chacun adaptera au lieu de son établissement); on passe par Venise et on aboutit à Jérusalem, *in medio terrae* (f. 121v), centre symbolique de l'univers spirituel et point culminant du progrès spirituel du pèlerin. Il n'y a guère de correspondance entre le sujet de la méditation du jour et le lieu du trajet imaginaire accompli sauf pendant la Semaine sainte. A part ce manque inévitable de coïncidence, il semble qu'il y a, à un niveau plus profond, parallélisme entre les symboles mis en œuvre par les méditations et par les déplacements imaginaires. Jérusalem, lieu de la présence historique du Christ crucifié devient le foyer de l'expansion du message et de la présence invisible du Christ dans ses saints, leurs reliques, etc. Le voyage du retour du pèlerin est une intériorisation du mystère central de la rédemption dans une identification progressive au Christ crucifié devenu centre de sa vie. En conséquence, le voyage de retour ne fait que ruminer le chemin de la croix. A cause de cette structure dynamique et spirituelle, le *Pèlerinage* de Pascha se rattache à la tradition mystique des Pays-Bas et de la *Devotio moderna*.

Ce texte est le premier actuellement connu qui présente les éléments de nos quatorze stations du Chemin de croix traditionnel. Il ne présente pas une dévotion parmi d'autres, mais enveloppe toute la vie spirituelle dans la méditation évangélique jusqu'à son point culminant, la passion et la mort sur la croix de Jésus-Christ. Il semble ainsi que l'origine de notre Chemin de croix est à trouver non pas tant dans un exercice suivi par les pèlerins de Jérusalem, mais dans l'imagination pieuse d'un carme qui n'a jamais quitté son pays.

Pascha affirme avoir basé son ouvrage sur des récits de pèlerins (f. 3v). On n'a pas réussi à les retrouver. Il est possible qu'il ait connu le récit du pèlerinage de son confrère Jean Fridach de Düsseldorf datant de 1474 (Bibl. royale de Bruxelles, ms 8765-74, f. 231r-247v ; cf. Ampe, p. 49, n. 2) et surtout celui de son autre confrère Pierre de Lisle † 1529 qui avait séjourné à Louvain (cf. Cosme de Villiers, *Bibliotheca Carmelitana*, t. 2, Orléans, 1752, col. 577-579). Mais les sources spirituelles littéraires semblent plus importantes à déceler. Pascha a eu probablement des relations avec le milieu des pèlerinages spirituels ; Ampe a souligné les rapports avec le *De decem praeceptis* du franciscain Marquard de Lindau († 1392 ; DS, t. 10, col. 645-648), surtout avec *La Perle évangélique* et les *Jhesus-collacien* : le voyage de retour chez Pascha peut être mis en parallèle avec ces dernières (cf. Ampe, p. 91-105). Il faudrait aussi chercher du côté des différentes *Vies* du Christ et de la littérature dévotionnelle. Il est difficile actuellement d'établir jusqu'où vont son originalité et la quantité de ses emprunts.

2° On connaît un autre pèlerinage spirituel qui pourrait être aussi attribué à Pascha (cf. le raisonnement d'Ampe, p. 57-66). *Onser Liever Vrouwen Pelgrimagie* existe en deux versions : Bibl. Royale de Bruxelles, ms 21714 (ms A) et le ms de J. Van der Linden (ms B) ; ce pèlerinage de Notre Dame s'insère explicitement dans celui que nous avons présenté plus haut, lorsqu'au 236e jour (f. 135v) va commencer le voyage de retour (cf. ms B, f. 6r).

De même que le but du premier pèlerinage était l'intériorisation de la vie et de la mort du Christ à travers le paradigme central de la croix, de même le second pèlerinage vise à l'intériorisation spirituelle « de la vie, de la mort et de la glorieuse assomption de Marie, Mère de Dieu, pour être illuminé au moyen de sa sainte vie et pour l'imiter selon notre faible capacité » (ms A, f. 1r). Dans ce but, le voyage fictif proposé conduit vers l'ermitage de Macaire de Rome, situé selon un récit légendaire à dix lieues du paradis terrestre (cf. BS, t. 8, 1967, col. 431-32). Il s'agit d'un pèlerinage englobant toute la vie humaine dans un esprit de renoncement en vue d'atteindre à la vie céleste, « ubi coelum terrae se conjungit ». Après son retour à Jérusalem, le pèlerin de Notre Dame reprend le premier pèlerinage au point où il l'avait laissé (237e jour).

3. AUTRES ŒUVRES. – Une tradition bibliographique remontant à Julien Hasart † 1525 et transmise par John Bale † 1563 attribue à Pascha des mss actuellement perdus : *Super sententias, In Cantica Salomonis, Conciones de tempore, de sanctis, Quadragesimale egregium, Lecturae scripturarum plures, Exhortationes ad fratres, Epistolae ad diversos* (cf. A. Staring, dans *Carmelus*, t. 13, 1966, p. 176). – Une seule collection de sermons a été conservée : ms 963 de la Bibl. universitaire de Gand. Ces *Sermoenen van Jan van Pascha 1507* ont été donnés à l'occasion de vêtures et de professions religieuses au monastère des Carmélites de Vilvorde entre 1507 et 1513/14. Le

style est simple, populaire ; l'exposé s'attache à l'Évangile sans dépasser le niveau ascétique de la spiritualité des vœux religieux.

Cosme de Villiers, *Bibl. Carmelitana*, t. 2, Orléans, 1752, col. 67-68. – H. Thurston, *The Stations of the Cross*, Londres, 1906 (trad. franç., 1907, p. 120-143). – K.A. Kneller, *Geschichte der Kreuzwegandacht...*, Fribourg/Brisgau, 1908. – G. Wessels, *Johannes Pascha O.C. et via crucis*, dans *Analecta Ord. Carmelitarum*, t. 2, 1911/13, p. 629. – A. Teetaert (de Zedelgem), *Aperçu historique sur la dévotion au Chemin de croix*, CF, t. 19, 1949, p. 45-142. – I. Rosier, *Biographisch en Bibliographisch Overzicht van de Vroomheid in de Nederlandse Carmel*, Tielt, 1950, p. 70.

A. Ampe, *Nieuwe Belichting van de persoon en het werk van Jan Pascha*, dans *Handelingen der Kon. Zuidnederlandse Maatschappij voor Taal- en Letterkunde en Geschiedenis*, t. 18, 1964, p. 5-105. – H. Blommestijn, *Jean Pascha... e l'origine della via crucis*, dans *La Sapienza della Croce oggi*, t. 2, Turin, 1976, p. 259-265.

DS, t. 2, col. 2589-2590.

Hein BLOMMESTIJN.

**1. PASCHASE DE DUME,** moine, 6e siècle. – Les seules données certaines sur Paschase proviennent de la brève préface à sa traduction latine d'un recueil grec d'apophtegmes des Pères (cf. DS, t. 1, col. 765-70). Cette préface est adressée à « Martin, prêtre et abbé » ; il s'agit évidemment de Martin de Braga (DS, t. 10, col. 678-80). L'indication suffit à situer l'œuvre entre 550 (arrivée de Martin en Galice) et le 5 avril 556 (son élévation à l'épiscopat). En outre, la traduction est faite sur l'ordre de l'abbé (« iussus a te, sanctissime Pater ») : Paschase était donc moine de Dume.

Les diverses hypothèses sur son origine (Pannonie, comme Martin, Galice, Rome ou Italie, Proche-Orient, région de Tours) ne reposent par contre sur aucun document précis. Rien ne dit que Paschase était diacre, comme le suppose Sigebert de Gembloux (*De viris ecclesiasticis* 117, PL 160, 572). On ne saurait affirmer non plus qu'il fut initié par Martin à la connaissance du grec.

Nos connaissances sur Paschase et le contenu de son œuvre ont été renouvelées par les recherches de José Geraldes Freire, *A versão latina por Pascásio de Dume dos Apophthegmata Patrum*, 2 vol., Coïmbre, 1971. Le premier volume offre une introduction sur le personnage et les problèmes littéraires (p. 1-155 : genre des apophtegmes, parallèles dans les recueils grecs et latins, qualité de la traduction), puis le texte critique (p. 157-340), enfin une bibliographie et les index ; le second est une étude précise de la tradition manuscrite (résumée par G. Philippart, AB, t. 92, 1974, p. 357-63).

Freire montre que l'édition antérieure d'Héribert Rosweyde (*Vitae Patrum*, livre VII, Anvers, 1615 et 1628 = PL 73, 1025-66) est basée sur un mauvais manuscrit de la recension brève (44 chapitres, environ 150 apophtegmes). La recension longue, représentée par cinq témoins complets, constitue au contraire l'œuvre authentique de Paschase, qui fut diversement révisée, remaniée ou abrégée dans la suite ; cette recension compte 101 chapitres avec 358 apophtegmes. Le chapitre 101 est en fait une conclusion, si bien que l'ensemble doit être classé dans la catégorie classique des centuries. L'original grec, qui relevait des collections systématiques, n'a pas été identifié ; cependant 309 apophtegmes ont leurs correspondants dans les diverses collections grecques connues (cf. le tableau des p. 43-53 du t. 1).

L'examen de la tradition manuscrite permet de rectifier certaines attributions communément reçues jusqu'ici. La *Vita seu poenitentia Taisis* n'a pas été traduite par Denys le Petit, mais bien par Paschase (ch. 57, 4 ; la préface et l'introduction seraient d'un faussaire postérieur, 7e-11e s.) ; de même, les sept « Sentences de Moïse à Poemen » (n. 109 des *Sententiae* de Martin de Braga) forment en réalité le ch. 101 de Paschase. Par contre, les « Méditations des douze anachorètes » (Rosweyde, VII, 44, PL 73, 1060-62) n'ont pas été traduites par lui ; la *Vita S. Heliae* (BHL 3798) ne semble pas davantage son œuvre (cf. t. 1, p. 18-33).

L'ouvrage s'intitule *Liber Geronticon de octo principalibus uitiis.* Les ch. 2-39 traitent effectivement des huit vices capitaux selon l'énumération d'Évagre : *gula, passio corporis, phylargyria* ou *avaritia, ira, invidia, tristitia* ou *acedia, vana gloria, superbia* (cf. art. *Péchés capitaux*) ; on y trouve cependant divers compléments, par exemple sur les vertus contraires : patience contre colère, concorde contre envie, humilité contre orgueil. La seconde partie (ch. 40-101) aborde plus largement les obligations de la vie monastique : ne pas juger (41), obéissance (42-43), charité (44-47), souci des malades et comportement dans la maladie et la mort (50-52), larmes et pénitence (54-57), prière, spécialement prière continuelle (58-69), pensées mauvaises et leur manifestation au père spirituel (72-73), supériorité de la simplicité sur le savoir (78-84), silence (88), refus du sacerdoce (90), désert et solitude (93-95), vie cénobitique (96-98). Le dernier chapitre (Sentences de Moïse) résume en sept points l'idéal de la vie monastique : aimer Dieu, le prochain, se mortifier entièrement, ne pas juger les frères, ne jamais faire le mal, se purifier avant la mort, garder un cœur contrit et humilié (101).

Les exemples et les paroles des « anciens Pères » servent ainsi à la formation des moines et à leur persévérance dans la voie du renoncement, la lutte contre les vices, les pensées mauvaises et les démons. Le recueil est exclusivement d'ordre ascétique ; il ne contient qu'une brève allusion au passage du travail à la prière comme « repos » (60 : « ut ad orationem tanquam ad requiem ueniam »).

J.-Cl. Guy, *Recherches sur la tradition grecque des Apophthegmata Patrum,* Subsidia hagiographica 36, Bruxelles, 1962. – J. Geraldes Freire, *Traductions latines des Apophthegmata Patrum,* dans *Mélanges Chr. Mohrmann, Nouveau recueil,* Utrecht-Anvers, 1973, p. 164-71. – L. Regnault, *Sentences des Pères du désert. Troisième recueil et Tables,* Solesmes, 1976, p. 169-305 (tables permettant de situer les pièces de Paschase et leurs correspondants dans les autres recueils). – DIP, t. 6, 1980, col. 1193-95 (J.-G. Freire).

Aimé SOLIGNAC.

**2. PASCHASE RADBERT** (SAINT), bénédictin, † vers 859. – 1. *Vie.* – 2. *Œuvres.* – 3. *Doctrine.*

1. **Vie.** – Né vers 790 dans la région de Soissons, éduqué par les moniales de Notre-Dame en cette ville, Radbert (qui fit plus tard précéder ce nom par celui de Paschase) entra à l'abbaye de Corbie où il fut formé par l'abbé Adalard † 826 (DS, t. 1, col. 185-6). Devenu écolâtre et collaborateur de l'abbé Wala (820-833) bien qu'il n'ait jamais reçu l'ordination sacerdotale, il prit part à la fondation de Corvey (Nouvelle Corbie), en Saxe (822). Élu abbé de son monastère d'origine (fin 843 ou début 844), il prit part à ce titre aux conciles régionaux de Paris (847) et de Quierzy (849). Vers 851, il se démit de l'abbatiat et, après un bref séjour à l'abbaye de Saint-Riquier, il revint à Corbie où il s'occupa de travaux théologiques jusqu'à sa mort vers 859. Bien que son nom ne figure pas au Martyrologe romain, il était fêté à Corbie et dans le diocèse d'Amiens le 26 avril (jusqu'en 1910 environ).

2. **Œuvres.** – 1° HAGIOGRAPHIE : 1) *Vita S. Adalardi* (BHL 58-59), panégyrique de cet abbé, cousin de Charlemagne, écrit avant 836 ; il s'achève par une églogue où Galathée (Corbie) et Philis (Corvey) pleurent la mort l'une de son époux, l'autre de son père, en la personne d'Adalard. Cette *Vita* servit de modèle à la *Vita Odilonis* de Jotsaud (DS, t. 11, col. 613).

PL 120, 1507c-1556c ; éd. abrégée par Gérard de la Sauve-Majeure (11e s.), PL 147, 1045d-1064b (BHL 60) ; extraits par G.H. Pertz, MGH, *Scriptores,* t. 2, 1829 (éd. anastatique 1976), p. 524-532 ; éd. critique de l'églogue par L. Traube, MGH, *Poetae aevi carolini,* t. 3, 1886 (éd. anast. 1978), p. 45-51.

2) *Epitaphium Arsenii* ou *Vita Walae* (BHL 8761), dialogue en deux livres où les personnages (Paschase et des moines de Corbie) ont des noms d'emprunt. A propos de Wala † 835, frère d'Adalard, Paschase critique faits et hommes sous les règnes de Louis le Débonnaire et Charles le Chauve. Le livre I fut écrit peu après 835 ; le livre II après la démission de Paschase (donc après 851).

PL 120, 1559d-1650b ; éd. partielles par E. Dümmler, *Radberts Epitaphium Arsenii* (Philosophische und histor. Abhandl. der... Akademie... zu Berlin 2), 1900, p. 18-98 ; G. Pertz, *op. cit.,* p. 533-569. – Trad. angl. de ces deux *Vitae* par A. Cabaniss, *Charlemagne's Cousins. Contemporary Lives of Adalard and Wala,* Syracuse, U.S.A., 1967.
3) *De passione sanctorum Rufini et Valerii* (BHL 7374) : à la requête des habitants de Bazoches, près de Soissons, Paschase revoit du point de vue littéraire l'ancienne *Vita* de ces deux martyrs de la région.
PL 120, 1489b-1508c ; la comparaison avec la *Vita* antérieure (BHL 7373 ; AS *Juin,* t. 2, Anvers, 1698, p. 796-7) permet d'apprécier le travail de Paschase.

2° EXÉGÈSE SPIRITUELLE : 4) *Expositio in Evangelium Matthaei,* en 12 livres, fruit d'une vie de réflexion et de prédication conventuelle. Les livres I-IV sont dédiés à Guntland, moine de Saint-Riquier, et datent des premières années de la vie monastique ; les huit derniers, adressés aux moines de Saint-Riquier, furent écrits dans les dernières années à Corbie. Le recours aux Pères de l'Église est si abondant que l'œuvre constitue une sorte de florilège patristique. On y trouve des développements dogmatiques, des sentences parénétiques, des allusions à l'actualité.

PL 120, 31-994. Ce commentaire fut utilisé par une catéchèse celtique de la seconde moitié du 9e siècle transmise par un ms de la première moitié du 10e ; cf. A. Wilmart, *Analecta Reginensia,* coll. Studi e Testi 59, Vatican, 1933, p. 34-38 ; *Une source carolingienne des catéchèses celtiques,* RBén., t. 45, 1933, p. 350-351.

5) *Expositio in Psalmum* XLIV (« Eructavit cor meum... »), PL 120, 993d-1060b, dédiée à Emma, abbesse de Notre-Dame de Soissons, et rédigée pendant le séjour à Saint-Riquier ou après le retour à Corbie. En ces trois livres Paschase propose aux moniales, « fleurs des églises et lys du paradis »

(996d), l'idéal de la vierge, épouse du Christ ; il exprime aussi sa propre piété et il évoque sa première éducation dans le monastère (995a), où il reçut la « couronne » monastique (1040b).

6) *In Threnos sive Lamentationes Jeremiae libri* v, commentaire dédié au moine Odilman Sévère et joignant une interprétation mystique à l'explication littérale ; il date des dernières années.

PL 120, 1059-1256. Utilisé par Hugues de Fouilloy († 1172/74 ; DS, t. 7, col. 880-6) en un commentaire encore inédit (ms Reims 446, fin 12ᵉ s. ; texte fragmentaire en PL 175, 255d-322b), et par Gilbert d'Auxerre † 1134 (mss du 13ᵉ s. : Paris, Sainte-Geneviève 28 ; Mazarine 99 ; Cambrai 319).

7) *De fide, spe et caritate libri* III, destiné à l'instruction des novices de Corvey, à la requête de l'abbé Warin ; rédigé en trois étapes entre 840 et 856, l'ouvrage s'appuie sur de nombreux textes scripturaires et patristiques.

PL 120, 1387b-1490a. L'invocation initiale, en 15 hexamètres bâtis sur l'acrostiche « Radbertus levita », a été éditée par L. Traube, *op. cit.*, p. 51.

3° THÉOLOGIE EUCHARISTIQUE : 8) *Liber de corpore et sanguine Domini*, œuvre importante et originale, composée à la demande de l'abbé de Corvey (Placide ou Warin), « pas avant 831 et pas après 833 » (selon B. Paulus, éd. citée *infra*, p. VIII). Paschase en donna trois éditions. De la première recension, un florilège circula sous le nom d'Augustin et fut utilisé par Gottschalk contre Paschase. Une seconde édition fut dédiée à Charles le Chauve en 844 (poème dédicatoire, éd. Traube, *op. cit.*, p. 52-53) ; une troisième édition fut réalisée vers 875 (cf. J.-P. Bouhot, *Ratramne de Corbie. Histoire littéraire et controverses doctrinales*, Paris, 1976, p. 123-124 ; Bouhot pense que la « 4ᵉ édition », supposée par Paulus, p. IX-XII, est plus ancienne).

PL 120, 1263d-1350d ; éd. critique B. Paulus, CCM 16, 1970, p. 1-131. L'ouvrage fut utilisé par les catéchèses celtiques susdites (cf. A. Wilmart, *Analecta Reginensia*, p. 350), puis par Thomas d'Aquin (*Summa theologica* 3ᵃ, q. 82, a. 5, où le ch. 12 de Paschase était cité sous le nom d'Augustin ; voir aussi l'apocryphe *De venerabili sacramento altaris*, ch. 11).

Le *Liber* est le premier essai systématique de théologie eucharistique. Sa doctrine fut aussitôt attaquée par Ratramne, contemporain de Paschase à Corbie (*De corpore et sanguine Domini*, éd. J.N. Bakuizen van den Brink, Amsterdam, 1954 ; 2ᵉ éd. refondue, 1974), Gottschalk et Raban Maur. Mais, contrairement à leurs suppositions, Paschase n'a jamais admis un changement seulement symbolique du pain et du vin (ontologiquement inchangés) en Corps et Sang du Christ, devenus présents par une action de reproduction (« *quasi creatio* »). Il affirme l'identité du Corps eucharistique et du Corps historique (ch. 4-5). Cf. G. Gliozzo, *La dottrina della conversione eucaristica in Pascasio Radberto e Ratramno...*, Palerme, 1945.
Selon J.-P. Bouhot, *Ratramne...*, p. 116-138, 140-158, Paschase et Ratramne n'ont pas écrit pour se réfuter réciproquement ; ils diffèrent davantage par la forme que par le fond. Ce sont deux témoins d'une controverse née antérieurement, et dans laquelle entreront Frédugard, un anonyme qui emprunte à Ratramne et Hincmar de Reims, Hériger de Lobbes, puis Béranger de Tours réfuté par Lanfranc (cf. DS, t. 9, col. 199-201).

9) *Epistola ad Fredugardum*, recueil où Paschase reprend les thèmes de l'ouvrage précédent, en y ajoutant une série de textes patristiques destinés à prouver la valeur traditionnelle de sa doctrine. De cette lettre existent trois recensions (longue, moyenne, abrégée) ; seule la seconde serait authentique.

PL 120, 1351a-1366a ; B. Paulus, éd. citée, p. 135-143 (introd.) et p. 145-173 (texte). Cf. A. Wilmart, *Un développement patristique sur l'Eucharistie dans la lettre de Paschase Radbert à Frédigard*, dans *Analecta Reginensia*, p. 267-278. J.-P. Bouhot, *Ratramne...*, p. 117-120, estime que Frédugard est un moine de Corbie, distinct de Frédigard ou Frédégaire de Saint-Riquier (Wilmart, Paulus) ; Paschase lui écrirait au moment de son séjour à Saint-Riquier.

4° THÉOLOGIE MARIALE : 10) *De Nativitate Mariae* = Pseudo-Jérôme, *Epist.* 50, PL 30, 297-298. A partir d'une lettre d'Hincmar de Reims, conservée dans le ms 239 de la Bibl. Univ. de Gand, C. Lambot a montré que Paschase était l'auteur de ce récit, qui s'inspire de l'évangile apocryphe *Pseudo-Matthieu*. Le texte est précédé de deux lettres (*Petis a me ; Petitis a me*, seule éditée en PL) qui, selon Lambot, n'en forment qu'une en réalité et sont également de Paschase.

C. Lambot, *L'homélie du pseudo-Jérôme sur l'Assomption et l'évangile de la Nativité de Marie, d'après une lettre inédite d'Hincmar*, RBén., t. 46, 1934, p. 265-282 (éd. des deux lettres, p. 277-8). J.M. Canal (*Antiguas versiones latinas del Proto-evangelio de Santiago*, dans *Ephemerides mariologicae*, t. 18, 1968, p. 431-473) étudie la tradition manuscrite du *De Nativitate* et pense que Paschase est aussi l'auteur du *Pseudo-Matthieu* ; la thèse est rejetée par J. Gijsel (AB, t. 87, 1969, p. 504-505). Sur la tradition manuscrite des deux lettres, B. Lambert, *Bibliotheca hieronymiana manuscripta*, t. 3A, n. 350 et 350 bis, Steenbrugge, 1970, p. 205-212.

11) *De partu Virginis*, dédié aux moniales de Notre-Dame. Paschase s'oppose aux thèses de Ratramne et affirme la virginité de Marie *in partu* : l'enfantement eut lieu selon les conditions ordinaires, mais sans détriment de la virginité physique de Marie.

PL 120, 1367b-1386d ; texte plus complet en PL 96, 207a-236c. Éd. récente par J.M. Canal, *La virginidad de María según Ratramno y Radberto... Nueva edición de los textos*, dans *Marianum*, t. 30, 1968, p. 53-160 ; compléter par R. Maloy, *A Correction in the Text of a recent Edition of... « De partu »*, ibidem, t. 33, 1971, p. 224-5. – E.A. Matter, *The « De partu Virginis » of P. R. Critical Edition and Monografic Studies* (cf. *Dissertation Abstracts*, t. 38, 1977, p. 334).

12) *Homélies sur l'Assomption* : a) Pseudo-Jérôme, *Epist.* 9 « Cogitis me ». L'adresse fictive « ad Paulam et Eustochium » désigne en fait Théodrade, abbesse de Notre-Dame et sœur d'Adalard, et sa fille Emma.

PL 30, 126-147. Éd. crit. par A. Ripberger, *Der Pseudo-Hieronymus-Brief* IX, « Cogitis me ». *Ein erster marianischer Traktat des Mittelalters von P. R.*, Fribourg/Suisse, 1962, avec introd. sur la tradition manuscrite ; cf. B. Lambert, *Bibliotheca...*, t. 3A, n. 309, p. 23-44. L'attribution à Paschase ayant été contestée, voir la mise au point de H. Barré, RBén., t. 68, 1958, p. 203-25.

b) Trois homélies rangées parmi les œuvres de saint Ildefonse † 667 (*Hodie dilectissimi fratres ; Inter praecipuas sanctorum festivitates ; Adest nobis dilec-*

*tissimi*), PL 96, 239a-257d. La tradition manuscrite présente des textes adressés à un auditoire féminin, d'autres à un auditoire masculin ; il est possible que la première recension ait été écrite pour les moniales de Soissons.

13) P. Blanchard, *Un traité inédit De benedictionibus patriarcharum de Paschase Radbert ?*, RBén., t. 28, 1911, p. 425-432, publie le prologue et le début d'un opuscule conservé dans un ms de l'évêché de Portsmouth et que l'on peut considérer comme authentique.

INAUTHENTIQUES : Un *Liber de Assumptione,* publié parmi les œuvres d'Augustin (PL 40, 1141-48 ; *Ad interrogata de Virginis*), attribué parfois à saint Anselme ou à Paschase, n'est pas de l'abbé de Corbie. Cf. H. Barré, *La croyance à l'Assomption corporelle en Occident de 750 à 1150 environ,* dans *Études mariales,* t. 7, 1949, p. 80-100 (auteur inconnu du début 12ᵉ s.) ; *Prières anciennes de l'Occident à la Mère du Sauveur,* Paris, 1963, p. 61-62, 78. – G. Quadrio, *Il trattato « De Assumptione »... e il suo influsso nella Teologia assunzionistica latina,* coll. Analecta Gregoriana 51, Rome, 1951 (pense à Alcuin ; mais l'opinion de Barré est plus vraisemblable).

Un recueil discutant divers témoignages patristiques sur l'Eucharistie, intitulé parfois *Exaggeratio* (PL 139, 179a-188d, parmi les œuvres de Gerbert d'Aurillac) et attribué à Paschase, est en réalité l'œuvre d'Hériger de Lobbes † 1007 (DS, t. 7, col. 285-6). Cf. G. Morin, *Les dicta d'Hériger sur l'Eucharistie,* RBén., t. 25, 1908, p. 1-18 ; H. Silvestre, dans *Bulletin de théologie ancienne et médiévale,* t. 12, 1976, n. 145, p. 50-51, et dans *Scriptorium,* t. 30, 1976, p. 322-324 ; J.-P. Bouhot, *Ratramne...,* p. 128-131.

## 3. Doctrine.

– Historien et théologien souvent original, Paschase Radbert joua un rôle important dans les discussions théologiques du 9ᵉ siècle. De bons juges ont apprécié son apport personnel, et son œuvre fut utilisée par les compilateurs de Sentences du 12ᵉ siècle et par Thomas d'Aquin.

1° Paschase est *plus exégète que spirituel.* Son maître principal est saint Jérôme † 420, auquel il emprunte la méthodologie et le recours aux diverses versions bibliques. Bien qu'il ne soit pas un simple compilateur, il pratique l'usage des « chaînes » de témoignages patristiques. Un de ses thèmes préférés est l'Incarnation, dont la fin primordiale est la réalisation du Corps Mystique : l'Église et le Christ ne font qu'un, car l'Église est l'Épouse et le Corps du Christ (*In Matt.* VII, X, XII ; PL 120, 535b, 741cd ; 896cd, 987b ; *In Ps.* 44, I, 996a, 1000ab).

Paschase utilise aussi le thème du *corpus diaboli,* le « corps mystique du diable », qu'il croit emprunter à Grégoire le Grand (*Homilia in Evangelia* I, 16, 1, PL 76, 1135c) ; le thème est plus ancien, et il fut popularisé chez les Latins par la 7ᵉ règle du *Liber regularum* de Ticonius (cf. les textes rassemblés par S. Tromp, *Corpus Christi quod est Ecclesia,* t. 1, 2ᵉ éd., Rome, 1946, p. 160-166) ; on le trouve aussi chez Augustin (*De Genesi ad litteram* XI, 24, 31 ; *In Ps.* 139, 2 ; *Sermo* 144, 5, 6) et il sera repris dans le *De venerabili sacramento altaris* (ch. 14), faussement attribué à saint Thomas (cf. M. Grabmann, *Die Werke des hl. T.v.A.,* 3ᵉ éd., coll. BGPTMA 22/1-2, 1949, p. 405-407). En fait, ce terme permet à Paschase d'accentuer par contraste la signification spirituelle du corps mystique du Christ ; la vie morale elle-même tend à l'assimilation au Christ (*In Matt.* VI, 468-469, etc.).

2° *La théologie eucharistique* est celle de la tradition patristique (Hilaire, Ambroise, surtout Augustin), avec quelques incertitudes dans son développement rationnel. Elle insiste sur le réalisme du Corps mystique. Paschase distingue trois « modes » selon lesquels l'Écriture parle du Corps du Christ : l'Église, dont le Christ est la Tête et l'Époux ; le « corpus mysticum », c'est-à-dire l'Eucharistie, que doivent recevoir ceux-là seuls qui sont membres du premier Corps et n'appartiennent pas au « corpus diaboli » ; le Corps qui est né de la Vierge Marie, a souffert sur la croix et, devenu prêtre pour l'éternité, intercède chaque jour pour nous (cf. *Hébr.* 6, 20 ; 7, 25). Mais ces trois modes désignent un unique Christ, « agneau dont nous devons recevoir la chair pour qu'il enlève nos péchés, en sorte que le Christ demeure en nous et que, renés en lui, nous devenions un en lui » (*Liber de corpore...* 7, PL 120, 1284-86 ; CCM 16, p. 37-40).

L'effet de l'Eucharistie complète celui du Baptême : « Par le Baptême, nous renaissons dans le Christ, et par le sacrement du Corps et du Sang le Christ demeure en nous, non seulement par la foi, mais encore par l'unité de la chair et du sang. Par suite, déjà membres du Christ, nous nous nourrissons de sa chair, pour que nous ne devenions rien d'autre que son corps dont nous vivons, et son sang » (9, 1297a ; p. 57).

Ce réalisme est, semble-t-il, l'aspect le plus original de Paschase dans l'histoire du dogme ; c'est lui qui suscitera l'opposition de Raban Maur, Gottschalk et Ratramne ; mais il exercera aussi une influence notable dans l'élaboration d'une théologie de l'Eucharistie, notamment à Cluny (cf. A. Gaudel, art. *Messe,* DTC, t. 10, 1928, col. 1009-13 ; pour le courant opposé, col. 1013-27 ; H. de Lubac, *Corpus mysticum,* 2ᵉ éd., Paris, 1949, p. 39-46, 67-88, etc.).

3° Dans *la problématique mariologique,* Paschase occupe aussi une place importante. Il est un des chantres les plus délicats de la *virginitas in partu.* Quant à l'Assomption, il n'ose se prononcer sur son mode : « soit avec son corps, soit en laissant son corps » (*Epist.* Cogitis me 9). Ce point est pour lui secondaire. La fête, qui faisait déjà l'objet d'une célébration liturgique, est surtout l'occasion de reconnaître le rôle unique que Marie tient, par grâce et non par nature, dans l'histoire du salut, de célébrer le jour où « la mère et la vierge toute pure est montée jusqu'à la hauteur du trône, où elle siège glorieuse après le Christ » (39).

Par son tempérament humble et un peu pessimiste, qui l'empêche de se croire investi de charismes politiques et diplomatiques, à la différence de maints abbés de son temps, Paschase rappelle Grégoire le Grand, envers lequel il manifestait une dévotion spéciale : « Belle intelligence, accueillante et réceptive, mais aussi capable de repenser les choses, de restituer, enrichies d'un coefficient personnel, les idées qu'il a reçues » (H. Peltier, *Paschase Radbert,* p. 93).

La bibliographie essentielle a été donnée dans l'article. Voir aussi celle que fournit B. Paulus, CCM 16, p. LIII-LVII.

**Études d'ensemble.** – J. François, *Bibliothèque générale des écrivains de l'Ordre de S. Benoît,* t. 2, Bouillon, 1777, p. 367-368. – M. Manitius, *Geschichte der lateinischen Literatur des Mittelalters,* t. 1, Munich, 1911 (éd. anast. 1959), p. 401-411. – Un abondant dossier sur l'histoire de la Picardie, Corbie et Paschase Radbert en particulier, a été rassemblé au 18ᵉ s. par Dom Pierre-Nicolas Grenier, moine de Corbie, puis de Saint-Germain-des-Prés ; une partie a été publiée : *P. R., Étude sur sa vie et ses écrits*, dans *Analecta juris Pontificii*, 15ᵉ série, 1876, p. 385-400 ; *Histoire de la Ville et du Comté de Corbie*, Amiens, 1910 (cf. tables) ; il y aurait encore à glaner dans la partie inédite, cf. M. Blotière, *Histoire de la Ville... de Corbie. Le ms de Dom Grenier dans sa partie non publiée*, dans *Bulletin... des Antiquaires de Picardie*, 1968, p. 10-30. – H. Peltier, *P. R. Abbé de Corbie*, Amiens, 1938 (la meilleure étude existante ; les progrès de l'histoire de la théologie exigeraient une mise à jour). – G. Mathon, *P. R. et l'évolution de l'humanisme carolingien* (sur les Préfaces des livres ɪ et ɪɪɪ *In Matt*.), dans *Corbie, Abbaye Royale*, Lille, 1963 (13ᵉ centenaire), p. 135-155.

**Exégèse**. – H. de Lubac, *Exégèse médiévale*, 1ᵉ partie, 2 vol., coll. Théologie 41, Paris, 1959 (tables) ; 2ᵉ partie, 2 vol., même coll. 42 et 59, 1961-1964 (tables). – H. Weisweiler, *P. R. als Vermittler des Gedankengutes der karolingischen Renaissance in den Matthäuskommentaren des Kreises um Anselm von Laon* (Fribourg, 1960 ; repris de *Scholastik*, t. 35, 1960, p. 363-402, 503-536). – C. Maus, *A Phenomenology of Revelation. P. Radbert's Way of Interpreting Scripture*, Dayton, 1970.

**Eucharistie et mariologie**. – J.-P. Bouhot, *Extraits du « De corpore et sanguine Domini » de P. R. sous le nom d'Augustin*, dans *Recherches Augustiniennes*, t. 12, 1977, p. 119-173. – A. Rivera, *La interpretación mariana del Cantar de los Cantares en P. R.*, dans *Ephemerides mariologicae*, t. 14, 1964, p. 113-17.

**Thèmes divers**. – D. Flanagan, *Eve in the Writings of P. R.*, dans *The Irish Theological Quarterly*, t. 34, 1967, p. 126-142. – S. Mähl, *Quadriga virtutum, Die Kardinaltugenden in der Geistesgeschichte der Karolingerzeit*, Cologne-Vienne, 1969. – H. Wehlen, *Geschichtsschreibung und Staatsauffassung im Zeitalter Ludwigs des Frommen*, Lübeck, 1969. – P. von Moos, *« Consolatio ». Studien zur mittellateinischen Trostliteratur...*, 4 vol., Munich, 1971-1972 (tables).

DTC, art. *Radbert*, t. 13, 1937, col. 1628-39 (H. Peltier) ; Tables, t. 16, col. 1853. – EC, t. 9, 1952, col. 890-91 (A. Piolanti). – LTK, t. 8, 1963, col. 130-1 (K. Vielhaber). – BS, t. 10, 1968, col. 344-7 (R. Van Doren). – NCE, t. 10, 1968, p. 1050 (N.M. Haring).

DS, t. 1, col. 186, 1416, 1647, 1651 ; – t. 2, col. 570, 573, 578, 1211, 1220, 1258, 1938-39, 1946, 2379 ; – t. 3, col. 320, 838, 1691 ; t. 4, col. 179, 703, 756, 759, 765, 1623, 1629, 1717, 1770, 1773 ; – t. 5, col. 444, 824, 827 ; – t. 6, col. 1219, 1226 ; – t. 7, col. 87, 1936 ; – t. 9, col. 164, 352 ; – t. 10, col. 448, 569, 669, 970, 999, 1186.

Réginald GRÉGOIRE.

**PASCOLI** (Gabriel), chanoine régulier du Latran, 1543 – vers 1594. – Gabriele Pascoli naquit à Ravenne en 1543. Orphelin de père, il eut une enfance difficile ; il étudia à l'université de Padoue et commença à manifester son talent littéraire : ainsi écrivit-il *La pazzesca pazzia degl'huomini et delle Donne*, sorte de roman psychologique montrant les dangers, le vide et les illusions de l'amour profane ; l'ouvrage, dans la suite, fut publié à son insu à Venise en 1592. Devenu prêtre, il s'adonna à l'apostolat de la prédication, pour lequel il se sentait un attrait particulier, cherchant moins l'éloquence que le bien de ses auditeurs. Entré dans l'ordre des chanoines réguliers et appliqué à Ferrare, il assura longtemps la série de prédications que l'on y faisait d'ordinaire le soir, après les vêpres. Ces sermons furent repris dans *Il glorioso trionfo e la vittoriosa Insegna sotto di cui trionfar si deve in vita, in morte e dopo morte* (Ferrare, 1587) ; l'ouvrage est divisé en trente-

trois chapitres, en souvenir des années de la vie mortelle du Sauveur. Après un séjour de quatre années à Ferrare, Pascoli fut transféré à Pavie. C'est là qu'il publia *Il perfetto ritratto dell'huomo formato dalla mano di Dio* (Pavie, 1592) : il s'agit d'un dialogue divisé en six journées où les interlocuteurs sont sept personnages, membres de l'Académie littéraire de Santa Maria in Porto, à Ravenne. Vers le même temps, Pascoli publia un poème en italien, où il exprime avec plus de piété que d'art authentique les *Lamentazioni* adressées par la Vierge Marie à Jésus sur le chemin du Calvaire (Venise, 1592). Il gouverna ensuite quelques temps l'abbaye de Santa Croce, à Césène. Finalement transféré à Mantoue, comme guide spirituel des chanoinesses régulières de cette ville, il y mourut aux lendemains de sa cinquantaine.

*Il glorioso trionfo* est un traité sur le mystère de la passion du Christ et la manière dont le chrétien doit le contempler et le vivre. Après avoir énoncé le principe, d'application courante dans l'économie du salut, selon lequel Dieu tire le bien même des instruments dont s'est servi l'esprit du mal (l'arbre-la croix ; Ève), l'auteur invite le chrétien à contempler le mystère de la Croix à partir des multiples bienfaits qui en découlent.

Suit un long exposé des symboles, figures et prophéties qui ont préfiguré le mystère du calvaire ; vient ensuite la partie centrale du traité où sont notamment envisagés : sa valeur salvifique, ses mérites infinis, sa projection sur le mystère eucharistique et sur la vie de l'Église, laquelle détient en lui « la vraie manière de pacifier » l'humanité avec Dieu. Pascoli parle aussi du « règne du Christ », de son sacerdoce, mais surtout du Précieux Sang, dévotion alors très en faveur. Le sacrifice du Christ, « terme de toutes les figures », est acte de suprême obéissance au Père et signe d'infinie charité. L'auteur s'arrête spécialement à contempler les douleurs de « l'âme du Christ », thème non moins familier aux spirituels de l'époque. Enfin le chrétien est invité à louer le Seigneur et à lui rendre grâces pour ce mystère et à monter sur la croix avec le Christ, pour en cueillir les fruits en sa vie, en sa mort et durant l'éternité.

*Il perfetto ritratto dell'huomo* est un traité d'anthropologie spirituelle à la lumière de la raison et de la révélation. Après avoir rappelé les bases de l'éthique rationnelle, l'auteur étudie la noblesse de l'homme : création et élévation originelles, qualités intérieures et possibilités d'action au dehors. Il souligne en particulier son aptitude intellectuelle à connaître Dieu, selon la thématique augustinienne de l'*homo capax Dei*. Néanmoins la raison, laissée à elle seule, n'épuise pas en l'homme la connaissance de sa propre noblesse ; sa dignité plénière, c'est Dieu qui nous la révèle, d'abord dans l'Écriture, plus encore en se faisant homme. Vient alors l'étude de la chute et de ses conséquences. L'exposé de ce deuxième état de l'homme est fait en termes d'un absolu déconcertant, d'un pessimisme qui évoque parfois l'Augustin de la polémique antipélagienne. Il ne reste à l'homme qu'un remède : la conversion plénière. La voie du retour à Dieu est tracée dans une ligne précise : *Exi a te* (fuite de l'état présent, du monde, etc.), *Redi in te* (la pratique de la vertu), *Sta super te* (vigilance, pénitence, conformité à la volonté de Dieu) ; l'homme ainsi converti « doit ordonner son cœur et ses facultés en vue de se rendre agréable et aimable à son Créateur » ; cette ascèse intérieure conduit au « triomphe de l'amour de Dieu, tout autre amour en effet est de simple façade » (2ᵉ journée, ch. 5). L'urgence de la conversion est encore accentuée par la vue de la bonté, de la miséricorde de Dieu : toujours Il appelle à Lui et jamais n'abandonne. Suit un long exposé sur le nom et les attributs divins (thème à nouveau cher au 16ᵉ siècle). Autre point qui mérite d'être souligné : l'insistance de l'auteur – fidèle encore en cela à la spiritualité augustinienne – à recommander de « parler souvent et volontiers de Dieu, des choses saintes ». Rappelant le texte d'Augustin : « omnia fecit Deus propter hominem », Pascoli oriente son lecteur vers Dieu par l'entremise d'une *scala ad Deum* idéale, dont il décrit les nombreux degrés successifs (3ᵉ et 4ᵉ journées).

Une importance particulière est accordée à la divine sagesse. Pascoli s'arrête, à ce sujet, aux problèmes de la prescience, de l'élection, de la prédestination, de la glorification de l'homme. Après un rappel de la doctrine thomiste sur l'« élection » et la « sélection », il s'arrête aux positions paulinienne et augustinienne. L'initiative vient toujours de Dieu. A l'homme est laissé le libre choix de coopérer ou non à la grâce de Dieu, qui veut le salut de tous, de ceux-là même qui en fait ne se sauvent pas. Le résumé conclusif se situe dans la même ligne augustinienne : « L'initium salutis, nous l'avons de la miséricorde de Dieu ; ensuite, y consentir est en notre pouvoir ; puis interviennent conjointement Dieu et nous, sa grâce et notre liberté ; le moyen, sa grâce, vient de Lui, offert par ses mains divines, mais il nous reste à accueillir ou mépriser cette grâce ».

Il apparaît clairement de tout l'exposé de l'auteur que la prédestination, don gratuit de Dieu, ne fait pas abstraction des mérites prévus de l'homme prédestiné. La certitude de la prédestination « est basée non sur la prescience, mais en fait sur la volonté de Dieu » ; car Dieu « nihil in praedestinato ponit ». « Nous serons sauvés, non parce que Dieu le sait, mais Dieu le sait, parce que nous serons sauvés » ; il s'ensuit que la science divine, « étant postérieure à cette éventualité ou à ce fait, n'en est donc pas la cause ». Quant à notre glorification – terme constamment employé par l'auteur –, « Dieu veut que l'on opère et que l'on gagne cette gloire, cette félicité, en accomplissant ce qu'Il prescrit pour nous glorifier » (6ᵉ journée, ch. 5-6). Pascoli donne alors quelques « signes conjecturaux » de la prédestination (vg résister aux impulsions de la chair, observer les préceptes de Dieu, être disposé aux entretiens spirituels et aux pratiques de pénitence). L'homme seul est cause de sa propre ruine ; Dieu nous assure la grâce ; elle nous vient par l'entremise du Christ, qui nous « attire » vers le Père.

La Bibliothèque Vaticane (Cod. Ferraioli, III, 947, int. 9) possède de Pascoli : *La statua del merito fabbricata dalla virtù rappresentante... Cardinale Francesco Barberini, innalzata dagli ecclesiastici di Ravenna* (Ravenne, Bard, s d).
C. de Rosinis, *Lyceum Lateranense illustrium scriptorum...*, t. 1, Césène, 1649, p. 343-345.

Francesco ANDREU.

**1. PASCUAL** (ANTOINE), franciscain, 17ᵉ siècle. – 1. *Vie.* – 2. *Écrits.* – 3. *Doctrine.*
1. VIE. – Le franciscain espagnol Antonio Pascual est, pour le moment, un inconnu, bien qu'il mérite sans nul doute d'avoir sa place au catalogue des auteurs mystiques du siècle d'or espagnol.

Bibliographes et historiens régionaux, comme Ximeno, Fuster, Colomer, etc., ont tout à fait ignoré qui il était ; les bibliographes franciscains, comme L. Wadding, Juan de San Antonio, Sbaralea, et la *Bibliotheca* de N. Antonio n'ont pu fournir d'autres données que son nom, sa qualité de religieux et une énumération d'ouvrages présumés manifestement erronée. Ce sera donc Pascual lui-même, dans son seul ouvrage aujourd'hui connu, qui apportera les quelques renseignements que nous ayons actuellement.

Antonio Pascual naquit à Caspe, dans la province de Saragosse (Espagne). Il prit l'habit franciscain et fit profession, vers le dernier tiers du 16ᵉ siècle, dans la province observante de Valence. Il est fort probable qu'il eut comme maître des novices Nicolás Factor (DS, t. 11, col. 279-281), de la même province ; des allusions répétées dans la *Philocosmia* de Pascual à l'extatique de Valence permettent de le penser ; il l'appelle souvent « mon maître » et aussi « mon père Maître ». L'influence de N. Factor, à notre sens, fut double : d'abord celle d'un maître des novices (si tant est qu'elle ne se prolonge pas aussi aux années de théologie) ; ensuite, plus profonde, plus réelle et durable, l'influence doctrinale manifeste qu'exerça sur lui l'auteur de *Las tres vias*. Dans un passage de la *Philocosmia*, Pascual nous dit qu'il vécut avec N. Factor au couvent de S. Francisco, à Valence, et qu'il y fut témoin d'une de ses fréquentes extases (p. 96).

Une fois ordonné prêtre, ses occupations principales seront la prédication et l'enseignement, surtout au couvent de Valence. Il y enseigna la philosophie, puis la théologie scolastique jusqu'au moment de sa retraite. Il fut aussi définiteur et « padre de provincia », titre purement honorifique réservé, entre autres, aux écrivains et prédicateurs signalés. A l'âge mûr, ayant quitté l'enseignement de la théologie, « je décidai de laisser l'école pour m'appliquer à la lecture et aux exercices de la Théologie mystique, en laquelle, comme dans une vaste prairie fertile, je trouvai une pâture très abondante, bien à ma convenance ».

Dans cette vue, il s'adonna à la lecture des auteurs spirituels qu'il eut sous la main, et ils durent être nombreux : la bibliothèque de S. Francisco, à Valence, était vers 1591 la plus grande de la province, avec quelques 500 volumes. Pascual y trouva ce large ensemble d'écrivains qu'il cite copieusement au long de son ouvrage : Pères, Bernard, Thomas d'Aquin, Bonaventure, théologiens et mystiques médiévaux et du 16ᵉ siècle, en particulier des franciscains, qui sont souvent des contemporains.

On ignore la date de sa mort ; certainement postérieure à 1611, date d'impression de son seul livre connu, il ne semble pas qu'on puisse la reporter au-delà de 1647 : cette année vit la fameuse épidémie de Valence qui entraîna la mort de quelque 33 religieux du couvent de Valence, où sans doute Pascual se serait trouvé s'il vivait encore, et de 180 dans l'ensemble de la province (cf. Colomer, *Historia de la provincia de Valencia*, Valence, 1803, p. 387).
2. ÉCRITS. – Il est sûr que Pascual n'a rien publié avant 1611, année où il donne la 3ᵉ partie de la *Philocosmia*.

D'après L. Wadding (*Scriptores*, éd. Rome, 1906, p. 29), Pascual publia trois ouvrages : *De oratione mentali et via unitiva* (Valence, 1611, in-4º), *Exhortationes seu collationes spirituales* (1622, in-4º) et *De Philocosmia spirituali partes tres* (1616, in-fol.). Cet énoncé mélange titres et dates : on retrouve ces confusions chez Juan de San Antonio et N. Antonio. C'est aussi une erreur d'affirmer l'existence de deux éditions de la *Philocosmia* (cf. D. Savall, *La muerte vital de la Virgen según... A. Pascual*, dans *La Acción Antoniana*, Valence, t. 25, n. 271-272, 1951).

Dans la 3<sup>e</sup> partie de la *Philocosmia*, Pascual nous dit que les deux premières parties sont en préparation et qu'il pense les publier plus tard : « Recibe lector amigo/ en esta parte tercera / lo que en segunda y primera / a darte despues me oblígo » (sonnet initial). On ignore tout, jusqu'à présent, de ces éventuelles publications, de leur titre, etc.

L'unique exemplaire connu se trouve à la bibliothèque des Franciscains de Valence : *Tercera parte de la Philocosmia espiritual, que trata de la via unitiva y extática. Repartese en xxvii Platicas que enseñan de que arte podra el hombre subir a tan alta perfeción y privança con Dios...* (Valence, Juan Vicente Franco, 1611, in-4<sup>o</sup> ; 23 f. non numérotés comportant notamment divers sonnets du franciscain Juan Sanz dédiés à Pascual ; 224 f. de texte ; 19 f. de table). L'ouvrage est dédié à Fr. Fernández de Cabrera Bobadilla, ami de l'auteur. Au frontispice, une petite estampe représente Nicolás Factor en extase.

3. DOCTRINE. – Cet écrit est un exposé des trois voies classiques, purgative, illuminative et perfective ou unitive. Il tire son origine de causeries faites aux membres de la confrérie de la Santa Vera Cruz, fondée au couvent S. Francisco de Valence, « où elle est aujourd'hui prospère » (Prologue, n. 4). Les ayant reprises et adaptées, Pascual pense les intituler « Norte del alma » ou « Magisterio espiritual », mais préfère le titre de *Philocosmia* « parce qu'il signifie étude pour bien orner et arranger le corps, le débarrassant de tout ce qui le salit et le défigure... et j'ai ajouté le mot spirituel parce que l'ornement et l'ajustement ici en vue concernent l'âme qui est esprit » (Prologue, n. 1).

Sur les 27 entretiens, près de la moitié se rapportent à la voie unitive. Le travail est une compilation habilement ordonnée et doctrinalement correcte de la tradition spirituelle dans ce domaine. Le style est simple, élégant et clair, sans les pesanteurs du baroque ; en cela Pascual est plus proche des franciscains du 16<sup>e</sup> siècle que de ceux du 17<sup>e</sup> ; c'est d'ailleurs au 16<sup>e</sup> siècle qu'il reçut sa formation. Pour la doctrine, il s'inspire surtout, outre de N. Factor, de Denys l'Aréopagite, Jean Tauler, Denys le Chartreux, Alonso de Madrid, Fr. de Osuna, Diego Murillo, Pierre d'Alcantara, Louis de Grenade et Jean d'Avila, « sans compter nombre d'autres, anciens et modernes, que j'ai vus en passant » (Prologue, n. 15). Il connaît aussi fort bien et sait tirer parti des écrits de Jean Hérolt, Henri Herp, Jean de Pineda, Thérèse d'Avila, François Suárez, etc.

Il ne semble pas qu'il ait été lui-même favorisé d'une expérience mystique, comme tant de ses devanciers du 16<sup>e</sup> siècle. Mais il expose leur doctrine avec une fidélité certaine. Lorsqu'il quitte l'exposé de la doctrine pour parler en son propre nom, il ne manque cependant pas de hauteur et n'est pas loin de rejoindre les spirituels qu'il codifie. En somme, Pascual est, avec A. Sobrino, A. Ferrer et d'autres, un épigone de l'école franciscaine du *Recogimiento* et, à ce titre, tient une place dans la littérature spirituelle espagnole.

A. Melquiades Andrés, *Los Recogidos*, Madrid, 1976,

étudie le contexte historique et doctrinal, mais ne parle pas de Pascual. – DS, t. 4, col. 1173.

Victor SÁNCHEZ GIL.

**2. PASCUAL** (AUGUSTIN ANTOINE), augustin, 1607-1691. – Né à Guadasúar le 13 juillet 1607, Agustín Antonio Pascual fit profession au couvent des augustins de Turia le 16 juillet 1623. Les Chroniqueurs le disent lecteur en philosophie et en théologie aux couvents de Játiba et d'Orihuela. Ayant déjà acquis une certaine renommée de prédicateur, il demanda en vain de pouvoir missionner aux Philippines « afin d'y travailler à la conversion des infidèles et encore d'y souffrir le martyre, si Dieu lui concédait cette grâce ». Pascual fut supérieur de divers couvents et provincial en 1675. On le dit avoir été un modèle de religieux et, lors de son supériorat à Játiba, avoir instauré un genre de vie plus stricte ; d'où le titre de réformateur du couvent inscrit sur son tombeau. Il y mourut le 1<sup>er</sup> juillet 1691.

Après sa mort, ses sermons rédigés en castillan furent traduits en latin par son confrère Jaime Ferrer qui les publia, précédés d'une biographie inspirée de celle qu'avait déjà écrite A. Bella et des renseignements fournis par J. Jordán : *Vita et conciones quadragesimales* (Valence, 1744).

Ferrer nous apprend qu'existaient d'autres sermons et un volume de lettres à des dirigés, textes qui furent remis à Eustasio Esteban, postulateur des causes de béatification de l'ordre des augustins : on ignore où ils se trouvent actuellement.

A. Bella, *Vida del V.... A.A. Pascual...*, Valence, 1699. – J. Jordán, *Historia de la Provincia... de Aragón*, Valence, 1704-1712 (t. 2, p. 158). – V. Ximeno, *Escritores del Reino de Valencia*, Valence, 1749, t. 2, p. 110. – J. F. Ossinger, *Bibliotheca augustiniana historica...*, Ingolstadt, 1768, p. 665. – G. de Santiago Vela, *Ensayo de una Bibliotheca Ibero-Americana de la Orden de San Agustín*, t. 6, Madrid, 1922, p. 233-235.

Teófilo APARICIO LÓPEZ.

**PASQUALI** (JEAN-BAPTISTE), théatin, † 1679. – Giovan Battista Pasquali naquit à Crémone et entra chez les théatins à Plaisance en 1638. Théologien, il fut dans sa patrie consulteur de l'Inquisition. Ses qualités spirituelles, spécialement son humilité, et ses dons de contact lui gagnèrent la sympathie de la noblesse. Il mourut en 1679.

Il écrivit un ouvrage étrange et qui fut mis à l'Index (5 avril 1674) : *Scutum inexpugnabile fidei et confidentiae in Deum, vel in potentissimum Nomen Jesu, nimirum praxis apostolica, infallibilis, et evangelica ad liberandum, et praeservandum homines, irrationalia, et inanimata ab omnibus vexationibus diabolicis...*, Milan, Ludovici Montiae , 1673. L'ouvrage, soi-disant pastoral, sorte de manuel d'exorcisme pour les curés de paroisses, associait largement l'usage et l'invocation du nom de Jésus à un contexte de magie et de « superstition ».

L'auteur avait publié auparavant dans sa langue un exposé plus équilibré et d'allure mystique : *L'anima orante, pratica per l'orazione mentale, per la via purgativa di tutti li giorni della settimana*, 3 vol., d'abord imprimé en 1664, puis à Milan, Ludovici Montiae, 1669.

V. Lancetti, *Biografia Cremonese*, ms 19ᵉ s. (vers 1820). –
F. Arisi, *Cremona literata*, t. 3, Crémone, 1741, p. 137. –
F. Vezzosi, *I scrittori de' chierici regolari detti Teatini*, t. 2,
Rome, 1780, p. 156. – J. de Guibert, *Documenta ecclesiastica christianae perfectionis*, Rome, 1931, p. 94-95, n. 1208.
DS, t. 6, col. 45 ; t. 10, col. 873.

Pietro Zovatto.

**PASSAVANTI** (Jacques), dominicain, † 1357. – 1.
*Vie*. – 2. *Œuvres*. – 3. *Doctrine*.

1. Vie. – Jacopo Passavanti naquit au début du
14ᵉ siècle à Florence, dans la paroisse de S. Pancrazio, de Banco Passavanti et Francesca di Cardinale
Tornaquinci. La famille Passavanti était à l'époque
une des principales de la ville ; beaucoup de ses
membres jouèrent des rôles importants dans la vie
politique. Jacopo entra, encore adolescent, chez les
dominicains de S. Maria Novella et, son noviciat terminé, suivit les cours de philosophie et théologie au
*studium generale* du même couvent, rendu célèbre
par l'enseignement de Remigio de' Girolami † 1319,
disciple direct de Thomas d'Aquin. En 1330, déjà
prêtre, Jacopo fut envoyé à Paris pour achever ses
études ; il y resta probablement deux ans. Rentré en
Italie, il fut lecteur à Pise, Sienne et Rome (S. Maria
sopra Minerva) ; comme prieur, il dirigea les communautés dominicaines de Pistoie et de San Miniato. De
la fin de 1340 à l'automne de 1341, il prêcha à S.
Maria Novella, y favorisant la construction d'une
grande bibliothèque. En 1343, le chapitre provincial
lui conféra le titre de « prédicateur général ». De
1346 à sa mort il résida à S. Maria Novella, sauf au
cours d'une brève période (1353), où il fut vicaire du
Maître général de l'Ordre dans la province de Lombardie inférieure. En 1348, il fut chargé de choisir
pour la bibliothèque du couvent les « codici » laissés
par un grand nombre de « frati » morts au cours de la
*peste noire*.

Il fut aussi surintendant des travaux à l'église de S. Maria
Novella, dont la construction, commencée en 1279, touchait
à sa fin. C'est à lui que sont dus l'achèvement des dernières
arcades et voûtes, le revêtement de marbre de la partie inférieure de la façade (grâce à un legs de Turino di Baldese) et
les fresques de la grande chapelle, œuvre des frères Orcagna
aux frais de la famille Tornaquinci. Au nom de Passavanti
se rattachent aussi deux constructions importantes du couvent : le splendide réfectoire et la magnifique salle capitulaire (appelée à partir du 16ᵉ siècle « cappellone degli
Spagnoli »).

En novembre 1355 il fut élu prieur de S. Maria
Novella, gardant la fonction jusqu'au mois d'août de
l'année suivante. D'après le *Necrologio* du couvent, il
fut durant plusieurs années vicaire général de l'évêque de Florence, le dominicain Angelo Acciaiuoli.

Ses fonctions administratives ne l'empêchèrent pas de se
livrer à l'étude, ni de s'adonner avec grand zèle à la prédication. Les pèlerinages, chers à la piété des hommes de son
temps, n'avaient pour lui aucun attrait. Il nous en fait
l'aveu : « En pèlerinage, je n'y suis jamais allé, sauf à Rome
pour l'indulgence (du jubilé de 1350), et n'ai aucune intention d'y aller jamais » (*Specchio di vera penitenza*, éd.
Lenardon, Florence, 1925, p. 418). Il mourut le 15 juin
1357 ; en gratitude pour ce dont l'église et le couvent lui
étaient redevables, son corps fut enseveli devant le maître-
autel de S. Maria Novella. Son portrait, peint par Nardo et
Andrea di Cione Orcagna, est auprès de celui de Dante

Alighieri dans la même église au fond de la chapelle de
saint Thomas d'Aquin.

2. Œuvres. – L'ouvrage qui a rendu célèbre J. Passavanti et qui l'a mis au rang des « pères de la
prose italienne » est le *Specchio di vera penitenza* ; ce
traité spirituel, malheureusement resté incomplet,
recueille les sermons donnés à S. Maria Novella pour
le carême de 1354.

Éd. Florence, 1495 (Hain-Copinger, n. 12435), 1579,
1584, 1585 ; Venise, 1586, 1608 ; Florence, 1681, 1723 ;
l'éd. de Florence, 1725, par les Accademici della Crusca a
été reprise huit fois, à Venise, Milan, Bologne, jusqu'en
1845. F. L. Polidori en a donné une nouvelle éd. (Florence,
1856, 1863). Nous suivons la dernière éd. procurée par M.
Lenardon (Florence, 1925 ; pour les éd. et les mss, voir préface, p. xxvii-xxix).

Les *Sermones festivi et dominicales*, qui se trouvaient autrefois à la Bibl. de S. Maria Novella, ont
été perdus (cf. S. Orlandi, *La biblioteca di S. Maria
Novella... dal sec.* xiv *al sec.* xix, Florence, 1952,
p. 61). Nous restent des *Sermones de tempore* dans
deux mss : Bâle, Univ. B. iv. 27 et Munich, Clm
13580. Ces sermons eurent une large diffusion sous
une forme réduite et remaniée due au dominicain
Nicoluccio di Ascoli, contemporain de Passavanti.

Voir T. Kaeppeli, *Opere latine...*, cité *infra*. – J.B.
Schneyer, *Repertorium der lateinischen Sermones des
Mittelalters*, coll. BGPTM 43/3, Münster, 1971, p.
158-161 : 28 sermons ; à comparer avec les sermons
115-143 attribués à Nicoluccio, *ibidem*, 43/4, 1972, p.
215-217.

Selon toute probabilité, sont aussi de Passavanti les *Additiones* au commentaire de Nicolas Trevet (DS, t. 11, col.
302-304) sur la *Cité de Dieu* de saint Augustin ; les éd. de
Bâle, 1505 et 1515, comme celle de Lyon, 1530, l'affirment
expressément.

Dans le *Specchio*, l'auteur parle à maintes reprises d'un
« livre » sur la vie spirituelle écrit par lui et « rédigé en
latin », sans doute pour les lettrés et pour les clercs. Peut-
être s'agit-il de la *Theosophia*, ms latin conservé à la Biblioteca Laurenziana de Florence (S. Marco, 15ᵉ s., 459, 88f.) :
dans un colophon, à la fin du texte, on signale que l'auteur
mourut le 15 juin 1357 (date précise de la mort de Passavanti) ; le traité « enseigne la manière de vivre en toute droiture et la voie qui mène à la perfection de l'amour de charité envers Dieu et envers le prochain, en quoi consiste la
plus haute sagesse des chrétiens » (Prologue). Malheureusement cet écrit n'a pas encore fait l'objet d'une étude critique
qui en détermine l'auteur de façon sûre et en précise le
contenu.

3. Doctrine. – En écrivant le *Specchio di vera
penitenza*, Passavanti avait en vue la composition
d'un guide ascétique « pour ceux qui ne sont pas
lettrés » (p. 7) : il devait, dans une seconde partie,
apprendre à combattre le péché sous ses diverses formes et à pratiquer, d'une manière de plus en plus
parfaite, les vertus chrétiennes. La mort l'en empêcha ; il ne put traiter que de l'humilité.

Bien au courant de la doctrine thomiste, Passavanti la
suit. Il cite fréquemment la Bible, les Pères et les Docteurs.
Parmi les écrivains plus proches de lui ou contemporains,
certains lui sont familiers ; ainsi Guillaume Peyrault par sa
*Summa vitiorum et virtutum* (DS, t. 6, col. 1229-1234) et
Domenico Cavalca, notamment par son *Specchio de'peccati*
et son *Pungilingua* (t. 2, col. 373-374). Les « exemples »
sont empruntés à des sources médiévales connues : Bède,
Hélinand (†v. 1230), Césaire d'Heisterbach (†v. 1240),

Jacques de Vitry † 1240, Jacques de Voragine † 1298, etc. Sous la plume de Passavanti, ces exemples forment les plus belles pages du *Specchio* : elles montrent un conteur de grande classe, sobre, précis, atteignant parfaitement son but. « Si Passavanti, – l'hypothèse est absurde –, au lieu d'écrire un traité ascétique ' pour la consolation des personnes spirituelles et dévotes ', avait écrit un authentique recueil de nouvelles, il aurait été, sans nul doute, un des plus grands conteurs de tous les temps » (préface de D. Giuliotti à l'éd. de Lenardon, p. vii).

Le *Specchio* est divisé en cinq Distinctions : la 1re expose la nature de la pénitence ; la 2e les stimulants ; la 3e les obstacles ; la 4e traite de la contrition et de l'attrition ; la 5e de la confession, des qualités du confesseur, des dispositions du pénitent et des péchés qu'il faut confesser. Suivent de petits traités sur l'orgueil, l'humilité et la vaine gloire (avec des pages finales consacrées à la vaine science, à la science diabolique et aux songes ).

Pour apprécier l'œuvre de Passavanti, il faut tenir compte de son caractère inachevé. Il est faux, dès lors, d'affirmer que sa seule « muse » est la terreur (F. De Sanctis, *Storia della letteratura italiana*, 1912, p. 112). Les chapitres qui nous sont parvenus visent à ébranler le pécheur, à susciter en lui l'horreur du péché et à l'amener à la conversion. Il n'y a donc pas à s'étonner d'y voir prédominer des accents vigoureux, d'y entendre rappeler en termes très incisifs les peines éternelles. Mais ce qui est souligné, parmi les motifs qui doivent incliner à la pénitence, c'est la « patience » et la « bonté » de Dieu, la « vie » et la « doctrine » du Christ et des saints. Le fil conducteur du traité – qu'on le lise attentivement, on le verra sans difficulté –, c'est l'amour envers Dieu et envers le prochain que le péché grave tue, que fait revivre la pénitence. Les pages qui concernent directement le péché donnent un exposé que l'on chercherait en vain dans bien des manuels modernes. On ne peut comprendre ce qu'est le péché à moins de comprendre ce qu'est l'amour : là est la thèse qu'expose Passavanti de façon magistrale. Le péché n'est pas révolte contre une loi plus ou moins abstraite ; il est refus d'amour, perversion de l'ordre de l'amour (p. 209-222).

Émouvantes aussi les pages qui invitent les pécheurs à avoir « confiance en la Vierge Marie » ; elle a effectivement « un souci particulier des pécheurs qui s'adonnent à la pénitence et se dit leur avocate » (p. 79). Sur la question de la préservation de Marie du péché originel, Passavanti n'a pas d'opinion : Dieu « peut, s'il le veut, selon des modes indéfinis au-delà de notre science, préserver la Vierge Marie du péché originel ; l'a-t-il fait en réalité ? Nous n'en savons rien... » (p. 206).

L'auteur condamne avec une particulière énergie les prédicateurs et les maîtres frivoles « qui négligent ce qui est utile et nécessaire au salut de leurs auditeurs, pour leur parler de subtilités, de nouveautés et de vaines philosophies en termes mystérieux et figurés, qui s'expriment en poètes et introduisent avec soin des tons de rhétorique qui plaisent aux oreilles, mais ne vont pas au cœur » (p. 347). Celui qui annonce la parole de Dieu doit dire la vérité avec une franchise évangélique, sans tenir compte des réactions de ceux pour qui la vérité « est devenue objet de haine ».

S. Orlandi, *Necrologio di S. Maria Novella*, t. 1, Florence, 1955, p. 450-471 : biographie et bibliographie. Nous ne relevons ci-dessous que les ouvrages ignorés par Orlandi ou postérieurs.
G. Getto, *Umanità e stile di J.P.*, Milan, 1943 ; repris dans sa *Letteratura religiosa del Trecento*, Florence, 1967, p. 1-105. – M. Aurigemma, *Saggio sul P.*, Florence, 1957 ; *La fortuna critica dello Specchio di vera penitenza*, dans *Studi in onore di A. Monteverdi*, t. 1, Modène, 1959, p. 48-75.
T. Kaeppeli, *Opere latine attribuite a J. P. con un appendice sulle opere di Nicoluccio di Ascoli*, AFP, t. 32, 1962, p. 145-179 ; *Scriptores Ord. Praedicatorum medii aevi*, t. 2, Rome, 1975, p. 332-334. – G. Auzzas, *Per l'edizione dello Specchio...*, extrait de *Lettere italiane*, t. 26, 1974. – M. Petrocchi, *Storia della spiritualità italiana*, t. 1, Rome, 1978, p. 65-67.
Deux recueils de textes, avec leurs introductions, situent bien Passavanti dans son contexte spirituel : A. Levasti, *Mistici del Duecento e del Trecento*, Milan-Rome, 1935, p. 681-746 ; G. De Luca, *Scrittori di religione del Trecento*, t. 1, Milan-Naples, 2e éd., 1977, p. 79-98.
EC, t. 9, 1952, col. 909-910 (bibl.). – DS, t. 4, col. 1895 ; t. 5, col. 1436-1437.

Isnardo Pio Grossi.

**PASSERINI** (Pierre-Marie), dominicain, 1597-1677. – Pietro Maria Passerini naquit à Sestola (Modène) le 10 juin 1597 et entra dans l'ordre dominicain à Crémone (1612), à l'exemple de son oncle maternel, G.B. Boselli, provincial de Lombardie. Il fit ses études à Bologne et enseigna à Crémone, où il fut aussi prieur (1640-1642). Collaborateur du maître général T. Turco, il l'accompagna dans ses voyages en Italie, France, Belgique et Espagne. Après avoir été inquisiteur à Bologne (1650-1651), il fut procureur général de l'Ordre durant vingt-six ans, assurant à plusieurs reprises durant cette période l'office de vicaire général. Il enseigna la théologie à la Sapience et mourut à Rome le 21 juin 1677. Enseveli à Sainte-Sabine, une longue épigraphe résume les diverses étapes de sa vie.

Prédicateur de talent, il fut aussi excellent canoniste et comme tel publia de nombreux ouvrages. Il commenta presque toute la IIIa pars de la *Somme* de Thomas d'Aquin ; mais ce qui fonde la présente notice, c'est son considérable et remarquable ouvrage *De hominum statibus et officiis. Inspectiones morales ad ultimas septem quaestiones* IIae IIae *Divi Thomae* (3 vol., Rome, 1663-1665 ; Lucques, 1732, que nous citons parce que plus correcte que l'éd. de Rome).

Par tempérament, Passerini était plutôt porté vers la spéculation, mais par disposition des supérieurs il dut s'appliquer à des questions pratiques. Il l'écrit lui-même au cardinal d'Este (cf. *Memorie Domenicane*, t. 42, 1925, p. 184). En fait, le mérite de l'ouvrage est moins dans les nombreuses questions d'ordre juridique que dans le profond sens théologique de son exposé sur la nature de l'état religieux, des trois vœux, de l'ordre épiscopal et des tâches qui lui incombent.

Ne pouvant présenter ici l'ensemble doctrinal de ces trois in-folios, nous nous bornerons à relever quelques thèses qui font contraste avec celles du jésuite Fr. Suárez. Il soutient, par exemple, à l'encontre de ce dernier, que, métaphysiquement parlant, les divers ordres religieux ne sont pas spécifiquement distincts ; de même, que les supérieurs ne peuvent prescrire des actes ou formes de prières intérieures. Sans traiter expressément de l'obligation de suivre la vocation, il déclare cependant que « peccatum est non sequi consilia Dei in particulari ». Tous les chrétiens sont obligés de tendre à la perfection, encore qu'en prenant des moyens divers. Pour avoir le mérite de l'obéissance, un ordre n'est pas requis ; par ailleurs, les conseils des supérieurs ne tombent pas sous le vœu. Tout en étant nettement probabilioriste, l'auteur dénie au supérieur le droit d'empêcher une opinion probable. Si un religieux devient évêque, il reste sous les vœux d'obéissance et de pauvreté dans la mesure où ils ne font pas opposition « cum plena facultate administrandi ».

Il tient contre Suárez que la profession religieuse n'est pas un contrat ; il souligne son caractère héroïque : c'est pourquoi elle efface pleinement la peine des péchés, non pas automatiquement, mais selon les dispositions du sujet ; le but premier d'une profession religieuse est le bien personnel de celui qui l'émet. Ce qui rend un ordre plus parfait, ce ne sont pas les austérités corporelles, c'est la juste proportion entre les moyens et la fin.

Sa doctrine sur la « vie mixte » est célèbre chez les dominicains : les exercices contemplatifs ne sont pas, selon lui, des moyens ordonnés à l'action ; car on ne doit pas subordonner ce qui est plus excellent à ce qui l'est moins ; l'action apostolique découle de la fin atteinte, autrement dit de la perfection contemplative.

Passerini a de la prédication une idée très élevée : elle est proprement acte de foi, de miséricorde et de charité ; elle requiert, à l'encontre de l'opinion de Suárez, une vraie juridiction personnelle. Il est très sévère pour les prédicateurs qui s'adonnent à la rhétorique ou, pis encore, à des propos indécents.

Il déconseille le passage d'un ordre à un autre, même plus austère ; il suggère que chaque ordre ait des maisons de retraite et de complète solitude. Il n'est pas rigoriste : c'est ainsi, par exemple, qu'il tient pour légitime un modeste « pécule privé », qu'il n'estime pas que pèche contre l'obligation de la perfection quiconque se contente de ne point pécher mortellement : « Non revocat animum ab intentione perfectionis qui vult non peccare mortaliter ».

De l'évêque, Passerini a une très haute idée ; qu'il soit plutôt profond théologien que canoniste éprouvé ! Il ne doit pas se démettre pour raison de vieillesse et est, de droit divin et naturel, tenu à la résidence.

Le *De hominum statibus et officiis* se recommande par sa profondeur théologique et son souffle spirituel ; il fournit aussi nombre de renseignements sur les coutumes de l'époque (notamment à propos des apostats et fugitifs, des vocations forcées, des monastères de femmes et pensionnats adjoints).

Les références aux Constitutions dominicaines y sont tellement nombreuses et pertinentes qu'on peut considérer l'ouvrage comme un commentaire historico-juridique exhaustif de l'ancienne législation des Prêcheurs.

Si l'auteur ne manque pas une occasion de critiquer Fr. Suárez, il ne manque jamais de tirer parti des doctrines, suggestions et insinuations qu'il a trouvées chez Cajétan.

Il serait fort désirable qu'une monographie scientifique soit consacrée à Passerini et à son ouvrage ; notre exposé n'en est qu'une esquisse rudimentaire.

Quétif-Échard, t. 2, p. 674. – P. Domaneschi, *De rebus cenobii Cremonensis*, Crémone, 1767, p. 304-313. – Hurter, *Nomenclator*, 3e éd., t. 4, 1910, col. 252-253. – A. Mortier, *Histoire des maîtres généraux de l'Ordre des FF. PP.*, t. 7, Paris, 1915, *passim*. – B. Ricci, *Un grande teologo e canonista domenicano del sec. 17*, dans *Memorie Domenicane*, t. 40, 1923, p. 165-182, 436-443 ; *Lettere di P. M. Passerini al Cardinal d'Este, ibidem*, t. 42, 1925, p.181-186.

DS, t. 2, col. 887, 1592, 1598 ; t. 3, col. 701 ; t. 4, col. 1377 (*État*) ; t. 7, col. 1626.

Innocenzo Colosio.

**PASSION** (MYSTIQUE DE LA). – INTRODUCTION. – La spiritualité chrétienne se situe dans le plan divin du salut par le moyen de la passion et de la mort de Jésus. Croix et salut sont des termes corrélatifs et qui se rejoignent dans les notions de rédemption et sanctification chrétienne. Si le fidèle sait bien que ce n'est pas la souffrance comme telle qui le rachète, mais l'amour de Dieu qui l'a sauvé, il sait aussi que l'amour du Père s'est révélé et communiqué à lui par la passion de son Fils (1 *Jean* 4, 9-10 ; cf. *Jean* 3, 16 ; 15, 12 ; *Rom.* 5, 8 ; *Gal.* 2, 20 ; *Éph.* 5, 2 ; *Apoc.* 1, 5).

Pour éviter les équivoques et les confusions possibles, il est bon, dès le début, de préciser quelques points : 1) il faut sauvegarder le caractère christocentrique de la spiritualité de la Passion, en ce sens que l'expérience de la Passion ne peut être séparée de l'expérience du Christ lui-même ; 2) la présence de la croix dans l'expérience mystique n'est concevable que dans le cadre du mystère central du christianisme, c'est-à-dire du mystère pascal, où la mort de Jésus débouche sur la résurrection glorieuse ; 3) la mystique (le mot est pris au sens large, comme attrait spécifique) de la Passion ne doit pas être séparée de l'expérience sacramentelle et ecclésiale. Dans ces perspectives, on reconnaît la priorité des initiatives du Seigneur, et on évite que le souci d'imiter les souffrances de Jésus ne dégénère en dolorisme (R. Moretti, *La passione di Cristo nell' esperienza mistica*, dans *La sapienza della croce oggi. Atti del Congresso Internazionale*, t. 2, Turin, 1976, p. 165-180).

Ceci dit, on peut affirmer sans malentendu que la mystique de la Passion est une forme de la spiritualité chrétienne (un fruit de la grâce multiforme), caractérisée par une ardente contemplation du Crucifié et une participation aimante à ses souffrances jusqu'à une communion mystique à sa Passion. Cette communion peut être d'autant plus intense qu'est insondable le mystère de l'amour divin révélé sur la croix. L'Église primitive a trouvé la formule qui introduit le fidèle à l'intelligence et à la participation de ce mystère : « Dans la mesure où vous participez aux souffrances du Christ, réjouissez-vous, afin que, lors de la révélation de sa gloire, vous soyez aussi dans la joie et dans l'allégresse » (1 *Pierre* 4, 13).

C'est dans cet horizon que le mystique de la Passion affronte la souffrance. Ce qui l'intéresse, ce n'est pas de ressentir joie et douleur, mais il est tout entier saisi par cette orientation vers Dieu, où la participation devient une approche unitive, une « catégorie affective du surnaturel ». L'imitation, qui reste nécessaire, ne peut être évaluée à la simple mesure d'une répétition de gestes et de gémissements ; elle exige l'unité des esprits. Dans un tel contexte « l'union au Christ, en tant que 'connaissance pratique' selon l'esprit, est le chemin de l'union à Dieu ». Comme l'affirme très justement Bonaventure dans le prologue de l'*Itinerarium mentis ad Deum :* « Via non est nisi per ardentissimum amorem Crucifixi » (S. Breton, *La mystique de la Passion,* Tournai, 1962, p. 20-25).

1. *La Passion dans l'Écriture.* – 2. *La Passion dans la spiritualité des Pères.* – 3. *La Passion dans la vie de l'Église.*

1. **La Passion dans l'Écriture.** – L'Écriture offre une série de motivations théologiques et spirituelles qui incitent le disciple du Christ à méditer attentivement son rapport avec la croix. Elle inculque en particulier l'union à la passion et à la mort de Jésus par le baptême (*Rom.* 6, 3-6 ; *Col.* 2, 12), la participation à ses souffrances (2 *Cor.* 1, 5 ; 4, 10 ; *Gal.* 6, 17 ; 1 *Pierre* 4, 13), la constante référence à son exemple (1 *Pierre* 2, 19-24 ; 4, 1-2), la nécessité d'affronter contradictions et tribulations, pour témoigner de l'Évangile (*Actes* 9, 16 ; 20, 18-24) et avoir accès au Royaume (*Actes* 14, 21 ; 17, 3), à la suite de l'Agneau (*Apoc.* 14, 4).

Quant à l'*ancien Testament,* malgré les rappels de figures vétéro-testamentaires dans les évangiles de la Passion et leur insistance sur l'accomplissement des prophéties, on ne peut dire qu'il révèle le sens authentique de la croix. L'incompréhension que manifestent les apôtres devant les annonces de la passion en est la confirmation. Les hagiographes préchrétiens pensent moins à une mystique de la Passion avant la lettre qu'à une condition du monde présent, où Dieu intervient pour guider son peuple, le châtier et le mettre à l'épreuve (*Deut.* 30, 19 ; 2 *Sam.* 7, 14 ; *Job.* 1, 9-12 ; 2, 4-6 ; 36, 15 ; *Prov.* 3, 11-12 ; *Isaïe* 45, 7 ; *Jér.* 32 ; etc.). L'énigme que pose le juste souffrant n'est résolue qu'à une époque plutôt tardive, à la lumière du sort des prophètes et des martyrs de la période hellénistique.

Sauf exception, nous limitons la bibliographie aux principales études parues dans les dernières décennies. – E. Lohse, *Märtyrer und Gottesknecht,* Göttingen, 1955. – P.E. Bonnard, *Le Second Isaïe, son disciple et leurs éditeurs. Isaïe 40-66,* Paris, 1972. – L. Ruppert, *Der leidende Gerechte. Eine motivgeschichtliche Untersuchung zum Alten Testament und zwischentestamentlichen Judentum,* Wurtzbourg, 1972. – P.P. Zerafa, *The wisdom of God in the book of Job,* Rome, 1978. – J. Blank, *Der leidende Gottesknecht,* dans *Woran wir leiden,* éd. P. Pawlowski et E. Schuster, Innsbruck, 1979, p. 28-67. – P. Grelot, *Les poèmes du Serviteur,* Paris, 1981.

1º L'EXPÉRIENCE SPIRITUELLE DE JÉSUS DANS SA PASSION. – 1) *Les sources : les récits évangéliques de la passion.* – Le chrétien ne peut fonder son expérience spirituelle que sur celle de Jésus ; il est donc normal qu'il fixe d'abord son attention sur les sources premières de l'expérience du Christ, autrement dit sur les récits de la Passion. Théologiens et exégètes s'accordent pour reconnaître à ces écrits un rôle primordial dans la structure des Évangiles ; pour voir dans leur contenu le « couronnement » de la vie et du message du Christ (X. Léon-Dufour), le « moment significatif » de l'expérience chrétienne (H.U. von Balthasar), l'« événement » qui éclaire tous les autres (P. Tillich). Dans l'évangile de Marc notamment, divers auteurs ont vu « un récit de la Passion précédé d'une large introduction » (M. Kähler, O. Dibelius, H. Schlier). Pour un exposé plus détaillé, cf. X. Léon-Dufour, art. *Passion,* DBS, t. 6, 1960, col. 1420-92.

Les mystiques de la Passion n'ont pas soulevé, sur ces récits, de problèmes d'ordre critique ; cependant, ils ont su en pénétrer le sens et se sont arrêtés, comme d'instinct, à des données auxquelles l'exégèse scientifique ne s'est arrêtée que récemment : l'incompréhension des disciples, la solitude de Jésus, les motivations de son agonie et de sa prière à Gethsémani, l'abandon du Père, la soif mystérieuse sur la croix, la maternité spirituelle de Marie, la blessure du côté.

2) *Attitudes fondamentales.* – Les récits évangéliques permettent de discerner les attitudes fondamentales du Christ dans l'expérience de sa Passion ; ce sont aussi celles que les mystiques de la Passion ont cherché à s'approprier pour se conformer à leur modèle. On peut les ramener à trois :

– *Amour obéissant jusqu'à la mort.* Jésus a atteint le degré suprême de l'obéissance et, par suite, de l'amour à l'égard de son Père au cours de sa Passion (*Jean* 4, 34 ; 5, 30 ; 6, 38 ; 14, 31 ; 17, 4 ; 19, 30 ; *Marc* 14, 32-42 et par. ; *Phil.* 2, 8). Il y a, en effet, un rapport direct entre son obéissance et sa Passion, car « de ce qu'il souffrit il apprit l'obéissance » (*Hébr.* 5, 8) ; la conformité à la volonté de Dieu fut, dès son entrée dans le monde, le prélude à sa passion elle-même (*Hébr.* 10, 5-10). Le Père a voulu donner son Fils en croix pour le salut du monde (*Jean* 3, 15-16) et Jésus, à son tour, a choisi la Passion pour se conformer à la volonté du Père ; ainsi il donne à son offrande sa valeur intrinsèque : elle est un acte d'amour obéissant ; l'adhésion parfaite se réalise dans le don de soi plénier. Cette disponibilité à l'obéissance jusqu'à la mort est le point culminant de la vie chrétienne et, en même temps, le sommet et la source de toute expérience spirituelle. La mystique de la croix, en tout temps, y a trouvé son inspiration première.

– *Amour solidaire jusqu'au sacrifice.* Les récits de la Passion commencent par le geste symbolique du lavement des pieds (*Jean* 13, 1-17), pour montrer que tout ce qui va suivre n'est pas seulement un geste parmi d'autres de la part de Jésus, mais le geste décisif au service de ses frères. L'idée de service inspire tout l'Évangile (*Marc* 9, 35 ; *Mt.* 7, 12 ; *Luc* 6, 27-28 ; 12, 37) ; et le premier service que Jésus rend aux hommes est de leur révéler l'amour du Père (*Jean* 1, 18). Les hommes le comprennent au moment où « il donne sa vie pour eux » sur la croix (1 *Jean* 3, 16). Ainsi le service, comme lui-même l'explique, comporte le don de soi (*Jean* 17, 19 ; cf. *Éph.* 5, 25 ; *Gal.* 2, 20). Être solidaire de ses frères signifie « les aimer jusqu'au bout » (*Jean* 13, 1), en faisant sienne leur condition de misère et de mort. En étreignant la croix, Jésus boit au calice amer de l'humanité, pour que les hommes à leur tour puissent boire au doux calice de la grâce. Toute sa vie est un don pour le rachat de ses frères (*Mt.* 20, 28 ; 26, 28 ; *Marc* 10, 45 ; 14, 24 ; *Luc* 22, 19-20 ; 1 *Tim.* 2, 6) ; mais c'est sur la croix que s'accomplit le sacrifice définitif, que l'amour solidaire parvient au plus haut degré, l'« amour le plus grand » (*Jean* 10, 11.15.17.18 ; 15, 13).

– *Humiliation jusqu'à la croix.* Dans les récits de la Passion, la kénose est présentée comme conséquence d'un choix d'amour. L'humiliation, déjà obvie dans l'adoption de l'état de service (« prenant la condition de serviteur »), atteint à sa plénitude radicale quand Jésus s'offre comme victime à son Père en faveur de ses frères, « devenu semblable à eux » et « se faisant obéissant jusqu'à la mort en croix » (*Phil.* 2, 7-8 ; cf. *Rom.* 5, 19 ; 8, 3 ; 2 *Cor.* 8, 9 ; *Hébr.* 12, 2). Cette kénose en leur faveur ici-bas se fait, il va de soi, en vue de les entraîner avec lui dans la gloire, car il est exalté pour son amour obéissant et solidaire (*Phil.* 2, 9). Dès lors, la Passion donne sens non seulement à la vie de Jésus, mais aussi à la misère humaine, puisqu'elle valorise la souffrance comme exigence propre de l'amour : la logique de cet amour réclame l'abaissement comme condition *sine qua non* de l'exaltation (*Mt.* 23, 12 ; *Marc* 10, 43 ; *Luc* 14, 11 ; 18, 14 ; 22, 26 ; *Éph.* 1, 20-23 ; *Phil.* 2, 9).

3) *L'expérience de Gethsémani.* – La piété populaire s'est surtout arrêtée aux scènes décrites dans les récits de l'Évangile, accordant plus d'importance à la douleur physique et tangible ; la mystique, par contre, notamment celle des 16ᵉ-18ᵉ siècles, a surtout été attirée par les souffrances morales et spirituelles de Jésus. Les mystiques de la Passion ont préféré se fixer aux deux moments qui marquent le commencement et la fin du drame : Gethsémani et le Golgotha.

– *L'angoisse mystérieuse.* Seuls les synoptiques ont laissé une courte description de l'agonie de Jésus au jardin des Oliviers. Pour la première fois il se trouve en présence de son *Heure* (G. Ferraro, *Il termine « Ora » nei Vangeli sinottici*, dans *Rivista Biblica*, t. 21, 1973, p. 383-400). Il prie le Père de le délivrer de « cette heure » ( *Marc* 14, 35). Il reprochera à Simon de n'avoir pas pu veiller « seulement une heure » (*Marc* 14, 37). Aux disciples préférés il dit : « C'est assez, l'heure est venue » (*Marc* 14, 41). Il indique ainsi que le moment est particulièrement important et qu'il souffre pour accomplir le choix décisif de son amour obéissant et solidaire.

Tout, à Gethsémani, devient significatif, même le sommeil et l'incompréhension des disciples, qui laissent le Maître dans un isolement tragique. C'est pourquoi les mystiques de la Passion n'ont jamais cessé de méditer la scène de l'agonie. D'accord avec l'exégèse d'aujourd'hui, ils n'ont guère vu en elle la terreur suscitée par la mort imminente ; ils ont plutôt médité sur le rapport entre l'intensité de la douleur intime et l'immensité de l'amour qui s'y donne (A. Feuillet, *Il significato fondamentale dell' agonia del Getsèmani*, dans *La sapienza della croce oggi*, t. 1, Turin, 1976, p. 69-85).

– *L'abandon à la volonté du Père.* L'heure de Gethsémani est pour Jésus l'heure de l'épreuve (*peirasmos*). Il faut donc veiller et prier (*Mt.* 26, 41). La prière de Jésus est retracée par les évangélistes de façon remarquable : à la triple imploration vient chaque fois se joindre l'adhésion renouvelée à la volonté du Père ; Gethsémani est le lieu privilégié du colloque entre le Fils et le Père (*Marc* 14, 32-42 ; *Mt.* 26, 36-46). Jésus s'abandonne à la volonté de son Père, invitant ceux qui le suivent à faire de même.

La comparaison entre la prière de Gethsémani et celle que le Christ a laissée à ses disciples est un thème capital pour l'exégèse comme pour la spiritualité. Le texte du *Notre Père* rejoint la prière du Seigneur au jardin (*Mt.* 6, 9-13 ; *Luc* 11, 2-4), en particulier par la même affirmation de conformité plénière à la volonté du Père : « Fiat voluntas tua » (*Mt.* 6, 10 ; 26, 42). Cette conformité constitue, on l'a vu, le sommet de l'expérience spirituelle du Verbe incarné ; elle constitue aussi le sommet de la perfection chrétienne. Les mystiques de la Passion ont reconnu, dans le « fiat » de Gethsémani, l'expression d'amour la plus élevée qui puisse être formulée ici-bas. Comme Jésus, ils ont appris dans leurs

prières à donner la prévalence à l'abandon, surtout quand l'adhésion à Dieu comportait l'acceptation de la souffrance.

4) *L'expérience du Golgotha.* – *Abandonné par le Père.* Jésus a proféré des plaintes à deux reprises, au cours de sa passion : à l'agonie, lorsqu'il implore son Père pour que le calice s'éloigne (*Mt.* 26, 40) ; sur la croix, lorsqu'il l'appelle en un grand cri : « mon Dieu, mon Dieu, pourquoi m'as-tu abandonné ? » (*Marc* 15, 34). On s'interroge sur le sens et la portée de cet « abandon ».

Comme l'exégèse, la théologie s'est intéressée au problème (cf. art. *Mort* : Jésus devant sa mort, DS, t. 10, col. 1752-54). Pour les mystiques qui se réfèrent constamment aux attitudes fondamentales du Christ, cet abandon momentané représente la suprême pointe de la mission salvifique de Jésus ici-bas ; il constitue le sommet tout ensemble de la souffrance et de la révélation de l'amour. Le Christ révèle son amour au moment où il atteint le comble de l'humiliation ; il manifeste aux hommes la miséricorde du Père au moment où il se dit abandonné par lui (P. Lamarche, *L'humiliation du Christ*, dans *Christus*, t. 26, 1979, p. 461-470).

– *Offrande du Christ à son Père et don en faveur de ses frères.* Le Christ sur la croix a fait monter sa prière vers le Père (*Marc* 15, 34 ; *Luc* 23, 46) et lui est resté fidèle jusqu'au bout. Il s'est offert lui-même à Dieu, réalisant le « fiat » de Gethsémani ; mais de plus, « en remettant l'esprit » au Père (*Jean* 19, 30), il a communiqué la vie aux hommes. La soif de Jésus sur la croix (*Jean* 19, 28) est à bon droit reliée par les exégètes aux passages parallèles de *Jean* 4, 13-15 ; 6, 34 ; 7, 37-38. Elle exprime le désir qu'a Jésus de faire don de son Esprit. L'eau vive (*Jean* 4, 10.14) et l'eau qui sort du côté (*Jean* 19, 34) manifestent la soif qu'a le Christ de communiquer sa grâce, comme il l'avait laissé entendre le jour de la fête des Tabernacles : « Si quelqu'un a soif qu'il vienne à moi et qu'il boive celui qui croit en moi (*Jean* 7, 37-38 ; cf. I. de la Potterie, *La sete di Gesù morente e l'interpretazione giovannea della sua morte*, dans *La sapienza della croce oggi*, t. 1, p.33-49).

Le sang sorti avec l'eau du côté ouvert a aussi un sens symbolique : Jésus donne sa vie par sa mort ; sa vie, régie par l'attitude fondamentale de service, n'est pas seulement une promesse de salut ; elle est « offerte » à Dieu pour ses frères. Cette offrande constitue le lien essentiel entre la vie de Jésus et sa mort, sa vie « devant » être offerte dans sa mort. C'est pourquoi Dieu le glorifie, parce qu'il « donne sa vie dans sa mort » (*Jean* 10, 17), qu'il « donne » sa mort en communion d'amour et de vie (*Jean* 3, 14 ; 8, 28 ; 12, 32).

– *Révélation du Dieu véritable et de son amour miséricordieux.* Il ressort clairement des récits de la passion que la fin où tend le cheminement terrestre du Christ est l'accomplissement de ses actes et de ses paroles qui ont pour but de révéler le Père. Les mots « tout est accompli » (*Jean* 19, 30) signifient que toute son existence terrestre trouve là son achèvement, comme y trouvent leur accomplissement les promesses faites dans l'ancien Testament.

Tel est sans doute le motif qui a poussé Jean à rappeler à maintes reprises l'accomplissement de l'Écriture (*Jean* 19, 24.28.36.37), et les synoptiques à reconstruire l'événement du Calvaire sur la base de réminiscences vétéro-testamentaires (*Marc* 15, 24.29.34.36.38 ; *Ps.* 21, 19 ; 21, 8 ; 68, 22 ; 21, 2 ; *Éz.* 10, 4.18.19 ; 11, 23 ; etc.). Quand Marc (15, 38) déclare que le voile du temple s'est déchiré de haut en bas, il montre que la mort de Jésus a écarté ce qui tenait caché aux hommes le mystère du Dieu-Trinité (P. Lamarche, *La mort de Jésus et le voile du temple selon Marc*, NRT, t. 106, 1974, p. 583-589) : Dieu le Père a laissé mourir son Fils pour faire don de l'Esprit. C'est seulement lorsque le Christ a expiré, lorsque le voile du temple a été écarté, que le centurion, inondé de lumière, émet son acte de foi (*Marc* 15, 39).

La mort du Christ, dans ce contexte épiphanique, avant d'être sacrifice expiatoire pour les péchés, est lumière révélatrice de l'Esprit et amour de Dieu pour les hommes. Elle est lumière révélatrice, parce que Dieu s'est humilié pour se faire comprendre ; elle est témoignage d'amour, parce que l'amour ici-bas réclame toujours le sacrifice de soi. La mystique de la Passion a bien compris tout cela. Au lieu d'insister sur le caractère expiatoire et satisfactoire des souffrances du Christ, elle a toujours souligné la preuve incomparable d'amour qu'il nous a donnée en mourant sur la croix.

E. Linnemann, *Studien zur Passionsgeschichte*, Göttingen, 1970. – V. Taylor, *The Passion Narrative according to St. Luke*, Cambridge, 1972. – A. Dauer, *Die Passionsgeschichte im Johannesevangelium*, Munich, 1972. – H. Schlier, *Die Markuspassion*, Einsiedeln, 1974. – W. Schenk, *Der Passionsbericht nach Markus. Untersuchungen zur Ueberlieferungsgeschichte der Passionstraditionen*, Gütersloh, 1974. – L. Schenke, *Der gekreuzigte Christus. Versuch einer literarkritischen und traditiongeschichtlichen Bestimmung der vormarkinischen Passionsgeschichte*, Stuttgart, 1974. – D. Senior, *The Passion narrative according to Matthew. A redactional study*, Louvain, 1975. – *The Passion in Mark*, éd. W.H. Kelber, Philadelphie, 1976. – C. Mateos, *Los relatos evangélicos de la passión de Jesús*, Valladolid, 1978. – A. Vanhoye, Ch. Duquoc, I. de la Potterie, *La Passion selon les quatre évangiles*, Paris, 1981.
M. Bastin, *Jésus devant sa Passion*, Paris, 1976. – A. Feuillet, *La signification christologique de Luc 18, 14 et les références des Évangiles au Serviteur souffrant*, dans *Nova et Vetera*, t. 55, 1980, p. 188-229. – J.M. Nützel, *Jesus als Offenbarer Gottes nach den lukanischen Schriften*, Wurtzbourg, 1980.
Y.B. Tremel, *L'agonie de Jésus*, dans *Lumière et Vie*, t. 13, 1964, p. 79-103. – H. Kruse, « *Pater Noster* » *et Passio Christi*, dans *Verbum Domini*, t. 46, 1968, p. 1-10. – J. Carmignac, *Recherches sur le Notre Père*, Paris, 1969. – B. Gerhardsson, *Jésus livré et abandonné d'après la Passion selon S. Matthieu*, dans *Revue biblique* = RB, t. 76, 1969, p. 206-277. – M. Galizzi, *Gesù nel Getsèmani*, Rome, 1972. – W. von Mohn, *Gethsemane (Mk 14, 32-42)*, dans *Zeitschrift für die neutestamentliche Wissenschaft*, t. 64, 1973, p. 194-208. – S. Fabris, *La preghiera del Getsèmani (Mc 14, 32-42)*, dans *Parole di vita*, t. 19, 1974, p. 258-267. – M. Galizzi, *Getsèmani e Calvario. Meditazione, ibidem*, t. 21, 1976, p. 55-65, 135-145. – A. Feuillet, *L'agonie de Gethsémani. Enquête exégétique et théologique suivie d'une étude du « Mystère de Jésus » de Pascal*, Paris, 1977. – X. Tilliette, *Per una teologia del Getsèmani*, dans *Civiltà Cattolica*, 1977, t. 2, p. 194-208. – G. Cusson, *Un jardin en Éden nommé Gethsémani. La méditation fondamentale*, Québec, 1978 (= *Cahiers du Spir. Ignatienne*, Suppl. n. 1, p. 5-55). – J.M.R. Tillard, *La prière apostolique*, dans *Lumen vitae*, t. 35, 1980, p. 353-368.
L. Mathieu, *L'abandon du Christ sur la croix*, dans *Mélanges de Sciences Religieuses*, t. 2, 1945, p. 209-245. – H. Gese, *Psalm 22 und das Neue Testament. Der älteste Bericht vom Tode Jesu...*, dans *Vom Sinai zum Zion*, Munich, 1974, p. 180-201. – X. Léon-Dufour, *Le dernier cri de Jésus*, dans *Études*, t. 348, 1978, p. 666-682.
H.W. Bartsch, *Die Bedeutung des Sterbens Jesu nach den Synoptikern*, dans *Theologische Zeitschrift*, t. 20, 1964, p. 143-169. – A. Strobel, *Die Deutung des Todes Jesu im*

*ältesten Evangelium*, dans *Das Kreuz Jesu*, Göttingen, 1969, p. 32-64. – D. Senior, *Escatologia e soteriologia nella passione secondo Matteo*, dans *La sapienza della croce oggi*, t. 1, p. 95-105. – K. Stock, *Das Bekenntnis des Centurio, Mk 15, 39 im Rahmen des Markusevangeliums*, dans ZKT, t. 100, 1978, p. 289-301.
J. Jeremias, *Das Opfertod Jesu Christi*, Stuttgart, 1963. – E. Käsemann, etc., *Zur Bedeutung des Todes Jesu. Exegetische Beiträge*, Gütersloh, 1967. – A. George, *Le sens de la Mort de Jésus pour Luc*, RB, t. 80, 1973, p. 186-217. – U.B. Mueller, *Die Bedeutung des Kreuzestodes Jesu im Johannesevangelium*, dans *Kerygma und Dogma*, t. 21, 1975, p. 49-71. – K. Kertelge, éd., *Der Tod Jesu. Deutungen im Neuen Testament*, Fribourg/Br., 1976. – A. Büchele, *Der Tod Jesu im Lukasevangelium*, Francfort/M., 1978. – H. Schürmann, *Jesu Todesverständnis im Verstehenshorizont seiner Umwelt*, dans *Theologie und Glaube*, t. 70, 1980, p. 141-160.
J. Herr, *Der Durchbohrte. Johannische Begründung der Herz-Jesu-Verehrung*, Rome, 1966. – G. Moretto, *Gv 19, 28 : La sete di Cristo in croce*, dans *Rivista Biblica*, t. 15, 1967, p. 249-274. – J. Wilkinson, *The incident of the blood and water in John 19, 34*, dans *Scottish Journal of Theology*, t. 28, 1975, p. 149-172. – E. Malatesta, *Blood and water from the pierced side of Christ (Jn 19, 34)*, dans *Studia Anselmiana*, t. 66, 1977, p. 165-181.

2° La Passion dans l'expérience chrétienne primitive. – 1) *La « sequela crucis »*. – Envisagés comme *expression de foi vécue*, les récits de la passion montrent comment la comunauté primitive a compris le mystère de la croix, en dépendance directe de la manière dont le Christ lui-même l'avait entendue. Des exégètes autorisés ont relevé dans les diverses narrations une approche progressive du mystère de Jésus (C.M. Martini, *Vangelo della passione ed esperienza mistica nella tradizione sinottica e giovannea*, dans *Mistica e Misticismo oggi*, Semaine d'études de Lucques, 8-13 sept. 1978, Rome, 1979, p. 191-201). Le récit de Marc présente au disciple la simple proclamation du kérygme, l'accoutumant à lire dans le drame du Calvaire la révélation de Dieu. Celui de Matthieu l'habitue aux contenus ecclésiologiques et lui inculque l'abandon à la volonté du Père, avec Jésus (*Mt.* 6, 9-13 ; 26, 39-42). Luc fait faire un pas de plus dans la ligne du témoignage, rappelant au disciple que la passion du Christ se poursuit dans l'Église (*Luc* 22, 36-37 ; *Actes* 7, 54-60). Enfin, Jean exige que le disciple soit disposé à s'engager sans réserve dans la voie ouverte par son Maître, vers l'union intime avec Dieu ; son récit présente la passion comme un rayonnement de la gloire divine.

Les interprétations variées données, ces derniers temps, à la *sequela crucis* (*Mt.* 16, 24 et paral.) laissent intacte celle selon laquelle suivre Jésus signifie avant tout s'associer à sa vie et à son destin, en portant la croix avec lui (X. Léon-Dufour, *Perdre sa vie selon l'Évangile*, dans *Études*, 1979, p. 395-409). Plutôt que d'insister sur le caractère pénible de la croix, il importe de souligner la nécessité de s'associer, de se conformer à Jésus crucifié. Suivre Jésus signifie faire siennes les attitudes fondamentales de son expérience : être prêt à se mettre totalement au service de Dieu et de ses frères, jusqu'à donner sa vie pour eux (*Jean* 12, 26). Le disciple, comme Jésus, doit porter sa croix « chaque jour » (*Luc* 9, 23), ce qui suggère un genre de martyre qui dure toute la vie, sans que l'on doive forcément envisager des moments héroïques.

Suivre Jésus signifie aussi *l'imiter*. Tout le déroulement de l'Évangile vise à mettre en lumière, non seulement les enseignements oraux, mais aussi et surtout les exemples que le Maître a laissés à ses disciples. Au début de la passion se situe la grave recommandation du Seigneur : « Je vous ai donné l'exemple pour que vous-mêmes vous agissiez comme j'ai agi envers vous » (*Jean* 13, 15). Cette recommandation a une portée spécifique, car elle est reliée à ce qui va suivre, de Gethsémani au Calvaire : les disciples doivent se mettre au service de leurs frères, jusqu'au sacrifice d'eux-mêmes (*Jean* 15, 12-13). Le commandement nouveau ne se limite pas à la prescription : « aimez-vous les uns les autres » ; il comporte l'imitation : « comme moi-même je vous ai aimés », c'est-à-dire prêts à « donner votre vie », dans la mesure où l'amour chrétien le réclame (1 *Jean* 3, 16). Cf. DS, art. *Imitation du Christ*, t. 7, col. 1536-62.

Suivre Jésus comporte enfin le choix de « rester avec le Christ » (*Jean* 1, 35-51) ; et, en conséquence, le devoir de collaborer à sa mission en *participant à sa passion*. Le Maître, en effet, veut célébrer la pâque « avec ses disciples » (*Marc* 14, 14-15) ; il consomme avec eux le repas eucharistique, mémorial de sa passion, et, dans l'acte sacramentel, les fait participer à sa propre vie « qui sera donnée pour eux ». Autrement dit, on ne peut être avec le Christ sans participer, spirituellement et physiquement, à sa passion. L'épisode du Cyrénéen est ici très éclairant : « *un certain* Simon », dit Luc (23, 26), comme s'il voulait désigner tout individu, l'un de nous. Le trait est trop significatif pour qu'on l'estime écrit au hasard. Il ne suffit pas de suivre Jésus ; il faut « porter sa croix derrière lui » et y monter avec lui (*Luc* 9, 23 ; 14, 27 ; cf. *Gal.* 2, 20).

L. Malevez, *La mort du Christ et la mort du chrétien*, dans *Problèmes actuels de Christologie*, Bruges, 1965, p. 317-365, 412-426. – H.D. Betz, *Nachfolge und Nachahmung Jesu Christi im Neuen Testament*, Tübingen, 1967. – J.M.R. Tillard, *Qu'est-ce que porter la croix?*, VS, t. 116, 1967, p. 173-187. – R. Régamey, *La croix du Christ et celle du chrétien*, Paris, 1969. – D. Dormeyer, *Die Passion Jesu als Verhaltensmodell*, Münster, 1974. – C. Focant, *L'incompréhension des disciples dans le deuxième évangile*, RB, t. 82, 1975, p. 161-185. – U. Adams, *Solidarité radicale*, dans *Vie consacrée*, t. 52, 1980, p. 14-30. – A.M. Sicari, *Am Kreuzungspunkt zwischen der Passion Christi und der Passion jedes Menschen*, dans *Communio*, t. 9, 1980, p. 45-57.

2) *La Passion de Jésus dans l'expérience de Paul.* – Il ne s'agit pas de décider si saint Paul a été un mystique de la Passion au sens que nous donnons à la formule. Une chose est certaine : le Christ crucifié est *au centre de son enseignement* ; sa croix, cependant, n'est pas tant instrument de supplice que « puissance et sagesse de Dieu » (1 *Cor.* 1, 18-25), en action dans la vie de grâce. Il reste que le *corpus* paulinien a toujours servi de point de départ à ceux qui ont écrit de façon systématique sur la mystique de la croix ; en effet, la croix et la grâce apparaissent comme des données de base pour l'apôtre dans sa réflexion théologique et spirituelle. L'expression « puissance de Dieu », d'ordinaire, est chez lui appliquée au Christ ressuscité ; mais en 1 *Cor.* 1, 18 le sens est différent : la puissance de Dieu désigne le Christ crucifié (v. 22), en tant que « choisi » (v. 27) par Dieu lui-même pour se révéler et communiquer le salut (cf. *Rom.* 3, 25 ; 5, 8 ; 8, 32 ; 1 *Cor.* 15, 3 ; *Éph.* 1, 7. – S. Virgulin, *La croce come potenza di Dio in 1 Cor. 1, 18-24*, dans *La sapienza della croce oggi*, t. 1, p. 144-150).

En soulignant le couple croix-grâce, Paul aboutit à l'une des intuitions les plus fécondes de son expérience spirituelle comme disciple du Crucifié. C'est en vertu de ce couple qu'il peut parler de *conformation mystique du chrétien* au Christ souffrant. Le disciple vit « en Jésus » et Jésus « vit en lui » ; ils souffrent et se réjouissent ensemble, au point d'atteindre une sorte d'union mystique où la crucifixion du Maître et celle du disciple s'identifient (2 *Cor.* 1, 5 ; *Phil.* 1, 29 ; *Col.* 1, 24). C'est seulement après avoir dit « Je suis crucifié avec le Christ » que Paul peut ajouter : « le Christ vit en moi » (*Gal.* 2, 19-20) ; il donne un sens réel à sa propre crucifixion. On ne parvient à l'identification mystique qu'au terme d'un apprentissage laborieux, décrit par l'épître aux Galates dont le contenu peut servir de manuel pour introduire à la mystique de la Passion (*Gal.* 3, 1 ; 4, 19 ; 6, 17 ; 5, 24 ; 6, 2).

F. Neirynck, « *Le Christ en nous* », « *Nous dans le Christ* » *chez Saint Paul*, dans *Concilium*, éd. franç., n. 50, 1969, p. 121-131 ; B. Ahern, *Maturity, Christian Perfection*, dans *The Way-Supplement*, t. 15, 1972, p. 3-16 ; *La maturità cristiana e la croce*, dans *La sapienza della croce oggi*, t. 2, p. 9-17.

Dans la Seconde aux Corinthiens, Paul aborde un thème particulier : *la participation aux souffrances du Christ* comme apôtre qui continue sa mission : souffrances qui lui viennent de la jeune communauté de Corinthe (2 *Cor.* 5, 17 ; 10, 2 ; 11, 19-20 ; 12, 20-21), des faux apôtres (11, 3-4.13-15), de son activité missionnaire (6, 4-5 ; 11, 23), de ce qu'il appelle « l'écharde dans la chair » (12, 7). Ces souffrances qu'il éprouve sont celles de tous (2, 5) ; et les souffrances de tous, unies à celles du Christ dans l'Église, opèrent pour la sanctification (1, 6 ; 4, 10-12 ; cf. *Rom.* 8, 17-18 ; *Phil.* 3, 10-11 ; *Col.* 1, 24). Par la foi qui l'unit au Christ, l'apôtre peut surmonter la douleur, passer de la confiance en lui-même au total abandon à Dieu, « qui ressuscite les morts » (2 *Cor.* 1, 9 ; 4, 7). Ses épreuves vont donc à la gloire, puisqu'elles prennent place, avec celles du Christ, dans l'économie du salut (4, 8-9) ; en elles, comme dans la joie, le disciple participe au sort de son Maître (1, 5) ; « l'écharde dans la chair » est ordonnée à la vie (4, 12). Paul ne dit pas que ses souffrances sont identiques à celles de Jésus au cours de sa passion ; il les dit cependant « du Christ », parce que fruit de sa communion avec lui.

R. Schnackenburg, *Todes- und Lebensgemeinschaft mit Christus. Neue Studien zu Röm. 6, 1-11*, dans *Münchener Theologische Zeitschrift*, t. 6, 1955, p. 32-53. – J. Kremer, *Was an den Leiden Christi noch mangelt*, Bonn, 1956. – E. Güttgemans, *Der leidende Apostel und sein Herr...*, Göttingen, 1966. – B. Rinaldi, *Vi è una mistica della passione in S. Paolo?*, dans *Euntes Docete*, t. 25, 1972, p. 488-495. – E. Käsemann, *Die Heilsbedeutung des Todes Jesu nach Paulus*, Tübingen, 1972. – N. Baumert, *Täglich sterben und auferstehen. Der Literalsinn von 2. Kor. 4, 12-5, 10*, Munich, 1973. – J. Giblet, *La sagesse et la croix selon 1 Cor. 2, 6-8*, dans *Savoir, faire, espérer*, Mélanges H. Van Camp, Bruxelles, 1976, p. 755-774. – M. Orge, *Gal. 2, 19 : el cristiano crucificado con Cristo*, dans *Claretianum*, t. 18, 1978, p. 303-360 ; *Gal. 5, 11 : el escándalo de la Cruz en la predicación de San Pablo*, ibidem, t. 19, 1979, p. 313-330. – X. Léon-Dufour, *Face à la mort : Jésus et Paul*, Paris, 1979. – J. Eckert, *Der Gekreuzigte als Lebensmacht. Zur Verkündigung des Todes Jesu bei Paulus*, dans *Theologie und Glaube,* t. 70, 1980, p. 193-214. – U. Wilckens, *Das Kreuz Christi als die Tiefe der Weisheit Gottes. Zu 1 Kor. 2. 1-16,* dans *Paolo a una chiesa divisa,* éd. L. De Lorenzi, Rome, 1980, p. 43-108. – S. Penna, *Sofferenza e salvezza... nella seconda lettera ai Corinzi,* dans *Sofferenza e salvezza,* éd. P. Nesti, Rome, 1981, p. 75-89.

**2. La Passion chez les Pères.** – Les Pères de l'Église ont traité largement du thème de la Passion. Dans leurs commentaires des récits évangéliques et des lettres de Paul ils ne se contentent pas de rapporter l'enseignement du nouveau Testament, ils cherchent à l'expliciter.

Les plus anciens, comme Ignace d'Antioche et Polycarpe, ont une spiritualité de la passion qui évoque celle, toute proche, du nouveau Testament. D'autres écrivains du 2ᵉ siècle, pour la plupart de tradition asiatique, comme Méliton de Sardes, témoignent de l'intérêt pour la passion (*pathos*) et la compassion (*sympatheia*). Les apologètes, préoccupés de faire accepter le christianisme au plan de la raison, sont portés à passer sous silence le thème de la Passion et donnent à la croix un sens avant tout symbolique (Justin, *1 Apol.* 55, PG 6, 412-413 ; Tertullien, *Apolog.* 16, 6, CCL 1, p. 115-116 ; *Ad nationes* 1, 12, p. 31-32 ; Minucius Félix, *Octavius* 29, 6-8, CSEL 2, p. 43).

1° La Passion du Christ mystère de salut. – Léon le Grand résume en une phrase l'enseignement des Pères par rapport aux souffrances du Christ : « *Passio Christi salutis nostrae continet sacramentum* » (*Serm.* 55, 1, CCL 138A, p. 323).

1) *La Passion du Christ ouvre l'âme à la révélation divine.* – Du fait qu'elle renferme un mystère qui dépasse toute intelligence créée, la passion est une œuvre merveilleuse de Dieu, une sagesse de Dieu qui dépasse notre esprit (Léon le Grand, *Serm.* 62, 1, CCL 138A, p. 376-377). Les Pères s'inspirent du texte où Paul (*Éph.* 3, 18-19) déclare la « scientia crucis » supérieure à toute autre science, telle qu'on n'en peut mesurer la largeur, la longueur, la hauteur, ni la profondeur (Grégoire de Nysse, *In Christi resur.* 1, PG 46, 621-624 ; *Oratio Catechetica* 32, PG 45, 80-81 ; Rufin d'Aquilée, *Exp. Symboli* 12-26, CCL 20, p. 149-151 ; Jérôme, *In Ep. ad Eph.* 2, 3, PL 26, 522-523). Ignace d'Antioche voit dans le « mystère de la passion » le chef-d'œuvre de la sagesse divine : tout chrétien, en acquérant « l'esprit de la croix » et en devenant « victime de la croix », immole sa propre raison à ce qui « pour les incroyants est scandale », mais pour ceux que transforme la foi « salut et vie éternelle » (*Ad Eph.* 18, 1-2, SC 10, 4ᵉ éd., 1969, p. 72-74 ; cf. *A Diognète* 8, 6-8, SC 33 bis, 1965, p. 70-72). C'est sur cette base que Tertullien peut réfuter Marcion qui, avec d'autres gnostiques, niait que le Christ eût pu souffrir (*De carne Christi* 5, 3, CCL 2, p. 880-881).

Le rapport entre la Passion et la révélation de l'amour de Dieu est surtout souligné par saint Léon, pour qui le mystère de la croix est un mystère d'amour. Dieu est grand dans la création, mais plus grand encore dans la « recréation », car c'est dans la rédemption que se révèle de façon insondable son amour (*Serm.* 54, 1, CCL 138A, p. 317 ; 62, 1, p. 376). Les Pères sont convaincus que, sans la passion du Fils, nous n'aurions pas connu l'amour du Père ; c'est pourquoi ils invitent les fidèles à ne pas rendre vaine l'immense miséricorde qui vient à nous dans le Crucifié (Basile, *De baptismo* 1, 2, PG 31, 1576-1577 ; Salvien de Marseille, *Ad Ecclesiam* 2, 4, SC 176, 1971, p. 178 ; Augustin, *Serm.* 23a,

2, CCL 41, p. 321-322). La plénitude de l'amour divin, attestée par le sang du Fils, est rappelée par Clément de Rome (*Ad Cor.* 49, 6, SC 167, 1971, p. 180) et l'*A Diognète* (7, 5 et 9, 2, SC 33 bis, 68 et 74) ; sa fécondité, qui ramène au monde l'espérance, est soulignée par Irénée (*Adv. Haer.* v, 1, 1, SC 153, p. 19).

2) *La Passion, manifestation du pouvoir salvifique de la grâce.* – En consonance avec l'idée paulinienne de la croix-puissance et de la croix-grâce, les Pères cherchent à expliquer comment les souffrances du Christ se transforment en énergie salvifique. Outre leur recours, pour désigner la passion et la croix, à toute une série d'images : « cable », « échelle », « clef », « médecine », etc. (Ignace d'Ant., *Ad Eph.* 9, 1, SC 10, p. 64 ; Léon, *Serm.* 59, 7, CCL 138A, p. 323 ; Grégoire de Nazianze, *Or.* 29, 20, PG 36, 101b ; Théodoret de Cyr, *De incarn. Domini* 28, PG 75, 1468b ; Ambroise, *De poenit.* ii, 3, 18, SC 179, 1971, p. 144), ils affirment que le Seigneur « a voulu, dans sa grande miséricorde, endurer la souffrance de notre condition mortelle en vue de la guérir » (S. Léon, *Serm.* 58, 4, CCL 138A, p. 346-347 ; cf. Grégoire de Nazianze, *Or.* 45, 22, PG 36, 653b).

La Passion devient ainsi « une puissance de salut merveilleuse » qui éclate au moment même de la mort du Sauveur, qui jaillit dans le monde quand le voile du temple est déchiré pour donner accès au Saint des saints (Cyrille de Jérus., *Catéch.* 13, 3, PG 33, 773b ; Jean Chrysostome, *In Matth.* 54, 4, PG 58, 336-337 ; Léon, *Serm.* 59, 7, CCL 138A, p. 357). En d'autres termes, Jésus n'a pas affronté la souffrance pour l'endurer, mais pour la vaincre (Pseudo-Hippolyte, *In S. Pascha* 1 et 55, SC 27, 1950, p. 119 et 181-183 ; Pseudo-Cyprien, *De idol. vanitate* 14, CSEL 3/1, p. 30-31). Par sa mort il a vaincu la nôtre et par sa douleur mis en fuite notre douleur. La Passion déploie, en cet horizon, une triple force libératrice contre les trois ennemis de l'homme : le démon, le péché et la mort (Origène, *In Rom.* 61, 1, PG 14, 1056c ; Pacien de Barcelone, *De bapt.* 4-7, PL 13, 1092-94 ; Jean Damascène, *De fide orth.* 4, 11, PG 94, 1130bc).

3) *La Passion source de grâce sanctifiante.* – C'est de la Passion qu'ont jailli les sacrements (*Épître de Barnabé* 11, 1-10, SC 172, 1971, p. 158-166) ; du côté de Jésus ouvert par la lance l'Église est née, comme du flanc du premier Adam était née la première Ève (Jean Chrysostome, *Catech.* 3, 13-19, SC 50, 1957, p. 174-177 ; Augustin, *In Joh.* 120, 2-3). Le sang et l'eau qui ont coulé du côté ouvert rappellent les sacrements de l'eucharistie et du baptême ; par eux la Passion est la source de vie, d'où coulent les « deux ruisseaux » qui la répandent par le monde (Théodoret, *De incarn.* 27, PG 75, 1468a). Le baptême a sa source dans la Passion, et le signe de l'onction « marque le sceau de la passion » (Ambroise, *De Sacramentis* 2, 6 et 11 ; Pseudo-Denys *Eccles. Hier.* 4, 10 ; PG 3, 483b).

2° Le Crucifié dans la vie spirituelle. – 1) *Nécessité de méditer les souffrances du Christ.* – Clément de Rome affirme que les chrétiens de Corinthe ont « ses souffrances devant les yeux » et « doivent avoir les yeux fixés sur le sang du Christ pour mériter la grâce de la conversion et du salut » (*Ad Cor.* 2, 1, SC 167, p. 101 ; 7, 4, p. 111 ; cf. Chromace d'Aquilée, *Serm.* 20, CCL 9A, p. 95). Il propose ensuite un bel exemple de méditation biblique sur le thème de la Passion

(16, p. 124-128), comme le feront à sa suite d'autres auteurs du 2ᵉ siècle, dont Irénée (*Démonstration* 68-82, SC 62, p. 134-149). Pour Augustin, le temps de la passion évoque la vie terrestre et la résurrection la vie céleste ; le meilleur temps pour méditer la passion est celui du carême, plus indiqué que tout autre pour pleurer nos péchés devant les scènes de la passion (*Serm.* 254, 4, PL 38, 1184b).

Les Pères méditent donc les souffrances du Sauveur en se référant aux récits évangéliques (Jean Chrysostome, *In Matth. hom.* 83-88, PG 58, 745-773 ; *In Joh. hom.* 83-85, PG 59, 447-467 ; Augustin, *In Joh.* 60, 1-5). Cette méditation devient peu à peu plus intérieure, puisque le Crucifié y est contemplé « des yeux du cœur » (Léon, *Serm.* 66, 2, CCL 138A, p. 403) ; elle devient prière authentique, à l'exemple de celle du Christ implorant le pardon pour ses ennemis (Grégoire le Grand, *Moralia in Job* XIII, 22, CCL 143A, p. 682 ; *Regula past.* 3, 12, PL 77, 69c).

2) *Nécessité d'imiter le Christ crucifié.* – L'imitation de Jésus se rapporte spécialement à sa passion. Le chrétien peut prendre comme modèles « les exemples de vie de l'Évangile », mais s'il n'imite pas « les souffrances du Christ, sa croix et sa mort », il n'obtiendra pas le salut (Basile, *De Spir. Sancto* 15, 35, PG 32, 128-129). Ignace d'Antioche demande aux fidèles de Rome : « Laissez-moi imiter (*mimetès*) la passion de mon Dieu » (*Ad Rom.* 6, 3, SC 10, p. 115, cf. *Ad Philad.* 7, 2 et 8, 2, p. 126 ; *Ad Eph.* 3, 1, p. 60 ; *Ad Magn.* 5, 2, p. 82 ; cf. Polycarpe, *Ad Phil.* 8, 2, SC 10, p. 186 ; *Martyrium Polycarpi* 17, 3, p. 232). « La passion du Christ n'est utile qu'à ceux qui suivent ses traces » (Augustin, *Serm.* 304, 2, PL 38, 1396a ; cf. Grégoire de Nazianze, *Or.* 45, 23-24, PG 36, 656-657 ; André de Crète, *Serm.* 9, PG 97, 993b ; Cyprien, *De dom. orat.* 14-17, CSEL 3/1, p. 276-279).

3° L'« ANTHROPOLOGIE DE LA CROIX » DANS LA CATÉCHÈSE DES PÈRES. – 1) La Passion du Christ donne un sens aux *souffrances de l'homme*, les transforme en moyens de sanctification. A les envisager simplement comme suites onéreuses de la condition humaine, la souffrance et la croix restent d'ordre négatif ; personne ne peut les désirer, moins encore Dieu qui est bon. Mais, en tant qu'assumées dans le Christ, elles deviennent instruments de salut et source de gloire pour les chrétiens. Par elles, l'homme répare, autant qu'il se peut, les conséquences fâcheuses de son péché (Irénée, *Adv. Haer.* III, 18, 7, SC 211, p. 364-370 ; Grégoire le Grand, *Moralia in Job* III, 9, CCL 143, p. 124).

Le chrétien, par la souffrance, donne valeur au temps présent et « s'acquiert la vie éternelle » (Grégoire le Grand, *Regula past.* 3, 12, PL 77, 660) ; il domine les passions et triomphe des tentations (Chromace d'Aquilée, *In Matth.* 25, 1, CCL 9A, p. 315) ; il élimine les vices (Léon, *Serm.* 72, 5, CCL 138A, p. 446) ; il détruit le péché et suscite dans l'âme la charité (Isaïe de Gaza, *Or.* 21, PG 40, 1165a) ; il aide à vivre selon l'Évangile (Ps.-Augustin, *Serm.* 207, 3, PL 39, 2129) et facilite l'ascèse dans la vie spirituelle (*Apoph. Patrum*, Jean Colobos 34, PG 65, 215bc). Jésus a assumé nos souffrances et notre mort pour nous aider à les surmonter ; mais pour cela, chacun doit être assimilé à lui dans sa passion ; celle-ci est donc pour le chrétien un choix nécessaire (Tertullien, *De carne Chr.* 5, 3, CCL 2, p. 880-881 ; Grégoire de

Nysse, *Or. cath.* 32, PG 54, 80-81 ; Jean Damascène, *De fide orth.* 4, 11, PG 94, 1130a).

La croix devient ainsi le signe qui sépare les fidèles des infidèles (Clément d'Alex., *Excerpta ex libris Theodoti* 42, SC 23, 1948, p. 148). Aussi les Pères du 2ᵉ siècle se sont-ils opposés avec vigueur aux courants gnostiques, parce qu'ils niaient la réalité de la passion du Christ et privaient de tout sens la douleur humaine (Ignace, *Ad Smyrn.* 1, 2, SC 10, p. 132-134 ; Polycarpe, *Ad Phil.* 7, 1, p. 186 ; Irénée, *Adv. Haer.* III, 18, 1-7, SC 211, p. 342-370 ; Origène, *Contra Celsum* II, 25, SC 132, 1967, p. 352-354).

2) *Le chrétien doit porter sa croix avec le Christ.* – Cet aspect est lié à la doctrine paulinienne du Corps du Christ : les membres du Corps, comme leur Chef, pour parvenir à la résurrection, doivent passer par la passion (Méliton de Sardes, *Peri Pascha* 47-58, SC 123, p. 84-92 ; Pseudo-Macaire, *Hom.* 12, 5, PG 34, 560c). Seuls sont sauvés ceux qui portent la croix, comme le Cyrénéen, et sont crucifiés avec le Christ (Léon, *Serm.* 59, 5, CCL 138A, p. 355) ; sur le thème de la « concrucifixion », voir en outre Origène, *In Rom.* 5, 9 ; *In Joh.* 19, 5 ; *Ad Mart.* 12 ; Basile, *De bapt.* 1, 2 ; Augustin, *Serm.* 304, 2-3, etc.

Comme on le voit, les Pères esquissent les principes d'une mystique de la Passion. Dans l'ancienne alliance, les hommes faisaient offrande à Dieu de choses et d'animaux ; dans la nouvelle, ils s'offrent eux-mêmes en « sacrifice » avec Jésus (Origène, *In Num.* 24, 2, SC 29, p. 462-467). Hilaire suggère une interprétation de la prière de Gethsémani discutable du point de vue exégétique, mais suggestive du point de vue spirituel : Jésus ne demande pas que le calice lui soit épargné, mais que l'épreuve « passe aussi à d'autres » (*In Matth.* 31, 7, PL 9, 1068-1069). Augustin, partant de ce présupposé que le Christ glorieux ne peut plus souffrir, parle des souffrances de son Corps qui est l'Église : la passion de Jésus opère dans l'histoire comme un ferment ; celle de l'Église donne au « Christ total » la possibilité de grandir. Dans la sueur de sang, qui sort « de tout le corps » à Gethsémani, Augustin voit l'image du martyre de l'Église (*Enar. in Ps.* 140, 4, CCL 40, p. 2028 ; cf. Salvien de Marseille, *Ad Eccl.* 2, 4, SC 176, p. 178). Le Christ en sa passion assume la passion de tous (André de Crète, *Serm.* 9, PG 97, 1016b).

Gregorius a S. Joseph, *Catalogus operum S. Patrum necnon Scriptorum ecclesiasticorum de Passione Domini tractantium*, dans *De Verkondiger van het Kruis*, fasc. 1, 1955. – K. Wölfl, *Das Heilswirken Gottes durch den Sohn nach Tertullian*, Rome, 1960. – F. Giardini, *Il sangue di Cristo negli scritti di S. Giustino...*, dans *Tabor*, t. 33, 1963, p. 519-528. – G.Q. Reijners, *The Terminology of the Holy Cross in Early Christian Literature as Based upon Old Testament Typology*, Nimègue, 1965. – P. Stockmeier, *Theologie und Kult des Kreuzes bei Johannes Chrysostomus*, Trèves, 1966. – R. Cantalamessa, *L'omelia « in Sanctum Pascha » dello Pseudo-Ippolito di Roma*, Milan, 1967. – J.P. Jossua, *Le salut, Incarnation ou mystère pascal chez les Pères de l'Église de S. Irénée à S. Léon le Grand*, Paris, 1968. – J. H. Rohling, *Il sangue di Cristo nella letteratura latina cristiana prima dell'anno 1000*, Roma, 1970. – G. Delling, *Der Kreuzestod Jesu in der urchristlichen Verkündigung*, Berlin, 1971.

E. Nowak, *Le chrétien devant la souffrance. Étude sur la pensée de Jean Chrysostome*, Paris, 1972. – E. Calpardo, *Dimensión sacrificial de la muerte de Cristo en los escritos de S. Fulgencio de Ruspe*, dans *Estudios ecclesiásticos*, t. 47, 1972, p. 459-485. – R.M. Hübner, *Die Einheit des*

*Leibe Christi bei Gregor von Nyssa*, Leyde, 1974. – H.W. Kuhn, *Jesus als Gekreuzigter in der frühchristlichen Verkündigung bis zur Mitte des 2. Jahrhunderts*, ZKT, t. 72, 1975, p. 1-46. – A. Orbe, *La Pasión según los gnosticos*, dans *Gregorianum*, t. 56, 1975, p. 5-43. – D. Corgnali, *Il mistero pasquale in Cromazio di Aquileia*, Udine, 1979. – F.M. Léthel, *Théologie de l'Agonie du Christ. La liberté humaine du Fils de Dieu et son importance sotériologique mises en lumière par Saint Maxime le Confesseur*, Paris, 1979. – R. Cantalamessa, *La Pâque dans l'Église ancienne*, Berne, 1980. – V. Grossi, *La predicazione del mistero della croce nelle comunità cristiane del II secolo*, dans *Sofferenza e salvezza*, cité *supra*, p. 91-103.

3. **La Passion dans la vie de l'Église.** – 1° LA PÉRIODE LA PLUS ANCIENNE (1er-8e siècle). – La participation à la passion, au cours des siècles, a revêtu diverses formes. La période la plus ancienne en privilégie deux : le martyre sanglant, l'ascèse monastique.

1) *Mystique de la croix et martyre.* – Le rapport entre le martyre et le Christ crucifié est trop manifeste pour qu'il y ait lieu d'y insister (cf. DS, t. 7, col. 1565-1567 ; t. 10, 718-737). Luc connaît déjà une mystique du martyre, lorsqu'il assimile la mort d'Étienne à celle de Jésus (*Actes* 7, 59-60 ; *Luc* 23, 34.46). La mystique de la Passion, centrée sur le martyre, est déjà développée au 2e siècle avec Ignace d'Antioche et Polycarpe (cf. DS, t. 7, col. 1262-1264). La vierge Blandine va au martyre « comme invitée à un repas de noces » (Eusèbe, *Hist. Eccl.* v, 1, 55 ; SC 41, 1955, p. 21) ; pendant ses tourments elle est « intimement unie au Christ », dont, liée au poteau les bras étendus, elle reproduit l'image (41, p. 17).

2) *Attitude sacrificielle et participation à la passion dans l'ascèse monastique.* – A ses débuts, la vie monastique se base sur la conception même du martyre ; au martyr qui « donne sa vie » se substitue l'ascète qui immole la sienne « chaque jour » (*Luc* 9, 23). C'est pourquoi les Pères appellent les moines « des martyrs de temps de paix » (Hilaire d'Arles, *Vie de S. Honorat* 57, 3, SC 235, p. 170) ; la mortification quotidienne pratiquée dans le désert procure le mérite du martyre (Athanase, *Vita Antonii* 46, PG 26, 911b). Les vierges consacrées sont assimilées aux martyrs : « Non solum effusio sanguinis, sed devotae quoque mentis servitus immaculata quotidianum martyrium est » (Jérôme, *Ep.* 108, 31, PL 22, 905c ; cf. Ambroise, *De virg.* I, 3, 10, PL 16, 202a).

Dès lors, « participent à la passion de Jésus, non seulement les martyrs forts et glorieux », mais tous ceux qui par leur vie de chaque jour portent témoignage à la vérité, en particulier les moines qui, en se consacrant à Dieu, parviennent à la mort mystique (Pseudo-Denys, *Eccl. Hier.* 3, 9 et 6, 3, PG 3, 437c et 536a). C'est pour cela que les ascètes sont appelés « disciples de la croix », « crucifiés avec » le Christ (Éphrem, *Comment. sur l'Évangile concordant* 15, 4, SC 121, p. 266 ; Dorothée de Gaza, *Instr.* 1, 11 et 13, SC 92, p. 164 et 166). Ils sont ceux « qui ont crucifié leur chair » (Basile, *Ep.* 207, 2, PG 32, 761c) ; qui « portent dans leur corps la passion de Jésus » (*Ep.* 223, 2, 824c) ; qui « portent la croix et meurent au monde » (Isidore de Séville, *Sent.* 2, 2, PL 83, 602a) ; qui sont « crucifiés avec le Christ, mis à mort avec lui, ensevelis avec lui », afin d'être par sa grâce attirés vers la gloire (Grégoire de Nazianze, *Or.* 38, 18, PG 36, 333a ; cf. *Or.* 7, 23, PG 35, 785b ; *Poem.* 1, 2, 565-567, PG 37, 623a). Il en est de même pour

les vierges consacrées (Jérôme, *Adv. Jovinianum* I, 4 ; 12-13, PL 23, 225c, 239b-242a).

Cassien tient que l'ascète seul peut atteindre à la prière pure, sommet de la perfection ; en effet, par la *mortification*, il conforme sa vie à celle du Crucifié (*Institutions* 4, 34-35, SC 109, p. 172-174). Et cette mortification conduit nécessairement à la mort mystique, à un martyre qui « ne diffère pas du martyre physique » (Eutychius de Constantinople, *De pasch. et euchar.* 5, PG 86/2, 2397a) ; elle n'est pas un moyen pour atteindre Dieu, mais plutôt une résultante du lien qui unit l'ascète au Christ (Cassien, *Conférences* XXIV, SC 64, p. 169-206). Le haut moyen âge conserve cet héritage : Colomban † 615, par exemple, propose l'imitation du Christ comme la meilleure voie pour parvenir à la contemplation : « Les vrais disciples du Christ crucifié le suivent sur la croix... Là sont cachés tous les mystères du salut » (*Ep.* 4, *Opera*, éd. G.S. Walker, Dublin, 1957, p. 30-32).

2° LA SPIRITUALITÉ DE LA PASSION DU 9e AU 11e SIÈCLE. – 1) *Humanité du Christ et passion de Jésus dans le monachisme du haut moyen âge.* Voir DS, t. 7, col. 1056-63.

2) *La « contemplatio dominicae passionis ».* – Les réformes monastiques des 10e et 11e siècles accentuent l'orientation vers l'humanité du Christ et sa passion, le mouvement de Cluny en particulier (J. Leclercq, *Sur la dévotion à l'humanité du Christ*, RBén., t. 63, 1953, p. 128-130). La contemplation elle-même, plutôt que de viser l'essence divine, se contente de prendre pour objet le Christ souffrant. La mystique de la Passion, après avoir été assimilée au martyre et à la mortification des ascètes, trouve une nouvelle formulation dans la « contemplation de la passion du Seigneur ». Jean de Fécamp † 1078 (sur la détermination de ses œuvres, cf. A. Wilmart, *Auteurs spirituels et textes dévots du M.A.*, Paris, 1932, réimpr, 1971 ; DS, t. 8, col. 510) s'attarde à contempler la passion, où le Crucifié lui montre la grandeur de l'amour de Dieu et lui offre l'unique voie pour franchir l'abîme entre l'âme et son Créateur. Il prie Jésus de « blesser des flèches embrasées de son amour » l'âme qui le cherche, désirant lui être spirituellement uni sur la croix, en compagnie de la Vierge (*Medit.* 7-8, PL 40, 906-908 ; 37, 935d ; *Manuale* 21-33, 960-961). Anselme de Cantorbéry manifeste une attirance mystique vers le Christ souffrant, avec déjà l'union de compassion : il regarde la plaie du côté pour avoir l'âme « transpercée de la douleur la plus aiguë » (*Orat.* 20, PL 158, 903c) ; il voudrait charger la croix sur ses épaules pour sentir « le poids de l'immense charité » (*Medit.* 9, PL 158, 758-761).

W. Rordorf, *La « diaconie » des martyrs selon Origène*, dans *Epektasis*, Mélanges Daniélou, Paris, 1972, p. 395-402 ; *Martirio e testimonianza*, dans *Rivista di Storia e Letteratura religiosa*, t. 8, 1972, p. 239-258. – C. Sorsoli, *Martirio e immolazione sacrificale*, dans *Rivista di vita spirituale*, t. 29, 1975, p. 283-307 ; *Ascesi come preparazione spirituale al martirio, ibidem*, t. 29, 1975, p. 46-71. – B. Zomparelli, *Ascesi e martirio, ibidem*, t. 31, 1977, p. 449-469. – P.F. Beatrice, *Il sermone « De centesima, sexagesima, trigesima » dello Ps. Cipriano e la teologia del martirio*, dans *Augustinianum*, t. 19, 1979, p. 215-243. – T. Baumeister, *Die Anfänge der Theologie des Martyriums*, Münster, 1980.

F.S. Schmitt, *La « Meditatio redemptionis humanae » di S. Anselmo in relazione al « Cur Deus homo »*, dans *Benedictina*, t. 9, 1955, p. 197-213. – M. Peinador, *Eficacia salvifica del sufrimiento en la concepción eclesiológica de*

*Ruperto de Deutz*, dans *Claretianum*, t. 9, 1969, p. 305-327. – A. Vauchez, *La spiritualité du moyen âge occidental, 8ᵉ-12ᵉ siècles*, Paris, 1975. – A.G. Fuente, *La croce nell'arte... nei primi dieci secoli*, dans *La sapienza della croce oggi*, t. 1, p. 441-465. – H.V. Wiese, *Die Lehre Anselms von Canterbury über den Tod Jesu in der Schrift « Cur Deus Homo »*, dans *Wissenschaft und Weisheit*, t. 41, 1978, p. 149-179 ; t. 42, 1979, p. 34-55.

3º ÉPOQUE DE SAINT BERNARD ET DE SAINT FRANÇOIS (12ᵉ-13ᵉ s.). – 1) *Saint Bernard* apporte des éléments nouveaux dans la mystique de la Passion : il enseigne que l'âme, par la méditation et l'imitation du Crucifié, parvient dans la charité à l'union intime et personnelle avec le Verbe incarné. La « schola caritatis » est « schola Christi » (*in schola Christi sumus*). La passion de Jésus n'est pas seulement témoignage d'amour mais aussi exigence d'amour. La charité déborde le plan de la simple raison. A la science humaine, fondée sur le raisonnement, Bernard oppose la sagesse, qui s'apprend en méditant la vie et la passion du Seigneur : « Haec mea sublimior interim philosophia, scire Jesum, et hunc crucifixum » (*In Cant.* 44, 1, PL 182, 666b ; cf. *De dilig. Deo* 3, 7 et 8, 978b, 979a). L'Amour crucifié pénètre l'âme, la brûle et la consume jusqu'à la faire mourir à elle-même. C'est ce martyre intérieur qui mène à l'union mystique entre le Christ et l'âme qui cherche Dieu (cf. DS, t. 1, col. 1483-85).

Pour Guillaume de Saint-Thierry, la passion, « les opprobres, les crachats, les soufflets, la mort en croix » parlent le langage de la charité. Jésus nous fait comprendre en quoi consiste l'amour, lorsqu'il donne sa vie pour nous, nous aimant jusqu'au bout (*De contemplando Deo* 9-11, SC 61, 1959, p. 90-96). La méditation de la Passion équivaut à une communion spirituelle, puisque l'Eucharistie appelle la « memoria passionis » et l'union intime avec le Christ (*Ep. ad fratres de Monte Dei* 115, SC 223, 1975, p. 234).

Dans la même ligne, Eckbert de Schönau † 1184 fait de la Passion du Christ le *Stimulus amoris seu dilectionis* (PL 184, 953-966). Sa sœur Élisabeth † 1164 est une des premières mystiques à revivre, au cours de la semaine sainte de 1154, le drame de la passion (*Vita*, écrite par Eckbert, 4, 53-56, PL 195, 147-149 ; cf. DS, t. 4, col. 586-88). Hildegarde de Bingen († 1179 ; DS, t. 7, col. 505-21) revit également le mystère de la passion, mais dans un contexte ecclésial et sacramentaire (*Scivias* 2, 6.17, CCM 43, p. 232, 244 ; *Lib. divin. oper.* 3, 10, 34, PL 197, 1034c).

La mystique cistercienne s'intéresse particulièrement à l'aspect intérieur du mystère de Jésus crucifié. L'exemple le plus significatif est celui de Lutgarde d'Aywières (1182-1246), qui, dans une vision du Crucifié au cœur transpercé (AS *juin*, t. 4, p. 193), expérimente la grâce de l'*échange des cœurs* (cf. DS, t. 2, col. 1046-51). Ont part à des grâces analogues Sibylle de Gages, Élisabeth de Wans, Berthe de Marbais, du même monastère et contemporaines de Lutgarde ; de même Béatrice de Nazareth, Hadewijch et les mystiques de Helfta : Mechtilde de Magdebourg, Mechtilde de Hackeborn et Gertrude la Grande. On voit aussi affleurer la spiritualité de la Passion dans les écrits d'Aelred de Rievaulx (*Medit.* 16, parmi celles d'Anselme, PL 158, 789-791) et de Guerric d'Igny (*Serm. in Annuntiatione* 3, 4, SC 202, 1973, p. 154-156 ; *In Dom. Palm.* 4, p. 202-214).

Durant la même période apparaît l'impulsion vers l'amour pur sur la base de la passion et de la mort du Christ, en dépendance de saint Bernard et de l'école de Saint-Victor. Si Abélard, dans son commentaire sur l'épître aux Romains (PL 178, 891), ne voit dans la croix qu'un exemple de l'amour désintéressé, sans réserve, Ives, dans l'*Épître à Séverin*, y voit la pression « extrême » et « véhémente » d'un amour qui triomphe de tout. Dieu même se laisse « vaincre » par lui, à plus forte raison assure-t-il la conquête des âmes (2-3 ; éd. G. Dumeige, Paris, 1955, p. 46-49 ; cf. Richard de Saint-Victor, *Les quatre degrés de la violente charité*, même éd., p. 127-177).

2) *Réveil biblique, pauvreté évangélique et mystique de la croix*. – Entre la période grégorienne et le début du 12ᵉ siècle, la chrétienté accomplit un grand examen de conscience en se confrontant avec l'Évangile. On y perçoit que Jésus est né pauvre, a vécu pauvre, est mort pauvre et nu sur la croix ; on renoue ainsi avec une tradition patristique qui a toujours vu un rapport étroit entre la « sequela crucis » et la pratique de la pauvreté (cf. art. *Nudité*, DS, t. 11, col. 509-513). Ce sont les moines, non les mouvements laïcs ou les ordres mendiants, qui ont retrouvé le lien entre la pauvreté religieuse et la croix.

Étienne de Muret † 1124 veut que ses moines-ermites épousent une pauvreté radicale, « étant donné que le Christ a choisi la pauvreté comme la meilleure part » (*Liber de doctrina*, concl., CCM 8, 1968, p. 61). On trouve la même conviction chez d'autres réformateurs monastiques du 12ᵉ siècle, comme Robert d'Arbrissel † 1117, Bernard de Tiron † 1109, saint Norbert † 1134 et Foulque de Neuilly † 1201. Odon de Morimond † 1161 souligne que le Christ s'est préparé à la mort en laissant tout ce qu'il avait sur terre : sa bourse aux mains du traître, son Église à Pierre, son corps aux disciples dans le Sacrement, les disciples à Dieu, ses habits aux soldats, son corps mortel à ceux qui le mettent en croix : le dernier bien, sa mère, il la remet aux hommes (*Dos Homilias de O. de M.*, éd. J. Canal, dans *Sacris Erudiri*, t. 13, 1962, p. 432-433).

3) *Saint François, le « nouveau Crucifié »*. – Peu d'hommes ont eu une expérience de la passion aussi intense et prolongée que le Poverello. Son premier élan lui vint de la « voix » du Crucifié en l'église Saint-Damien : « il eut, dès lors, imprimé en traits profonds dans le cœur, le souvenir de la passion du Seigneur » (Thomas de Celano, *Tract. de miraculis* 2, 2, dans *Analecta Franciscana*, t. 10, éd. Quaracchi, 1941, p. 272-273). Le « dépouillement » le range à la suite de la croix nue ; le baiser au lépreux (image du corps de Jésus couvert de plaies) change pour lui « toute amertume en douceur » ; l'aspiration au martyre développe en lui le désir ardent de mourir sur la croix avec le Christ ; il reçoit finalement le don de la stigmatisation, où certains voient le fait nouveau et extraordinaire de ce temps. Crucifié avec le Christ, il consomme dans l'union mystique son sacrifice d'amour. Si auparavant le Crucifié était pour lui le « livre », « l'école », le modèle, maintenant Jésus « demeure dans son cœur comme un faisceau de myrrhe » et il désire « se transformer en lui par son amour débordant » (Bonaventure, *Legenda maior* 9, 2, dans *Opera*, éd. Quaracchi, t. 8, 1898, p. 530). François est l'image du Christ souffrant, mais une image vivante, vivifiée qu'elle est par la grâce. « Cloué à la croix en corps et en esprit », pendant ses deux dernières années il se fait porter d'un lieu en un autre « pour stimuler aussi les autres à porter la croix » (*ibidem* 14, 1, p. 545). Cf. DS, t. 5, col. 1279-81.

L'ordre franciscain suit les traces de François. Claire d'Assise répète que son unique désir est de rester sur la croix avec le Christ pauvre, « dont l'étreinte procure un bonheur sans fin » (*Lettres à Agnès de Bohême* 1, AFH, t. 17, 1924, p. 513). Les premiers compagnons de François sont persuadés que seul qui se dépouille de toutes les choses de la terre et « monte sur la croix avec le Christ » (cf. Dante, *Paradiso* XI, 70) peut espérer l'union mystique avec le Verbe incarné. Bonaventure a laissé un ensemble d'opuscules mystiques de très grande valeur sur la Passion. Antoine de Padoue veut, « avec les pieds de l'amour », parcourir jusqu'au bout le chemin de la croix (cf. *Sermones dominicales et festivi*, 3 vol., Padoue, 1979).

Metodio de Nembro, *I « Cantori della Passione » francescani*, t. 1, Rome, 1949. – J.B. Porion, *Écrits mystiques des béguines* (introd.), Paris, 1954. – O. von Rieden, *Das Leiden Christi im Leben des hl. Franziskus von Assisi*, Rome, 1960. – J. Leclercq, *Recueil d'études sur saint Bernard et ses écrits*, 3 vol., Rome, 1962-1969. – L. Randellini, *Fondamenti biblici e valori teologico-esistenziali delle stimmate di san Francesco*, dans *Studi Francescani*, t. 71, 1974, p. 123-176. – G. Lambertini, *Le malattie e le stimmate di S. Francesco, ibidem*, t. 71, 1974, p. 109-122. – M. Mollat (éd.), *Études sur l'histoire de la pauvreté*, Paris, 1974. – *La povertà del secolo* XII *e Francesco d'Assisi*. Atti del II Convegno internazionale (1974), Assise, 1975. – A.G. Matanic, *L'esperienza della croce in Francesco di Assisi...*, dans *La sapienza della croce oggi*, t. 2, p. 37-49. – W. Nyssen, *Die Wundmale des Franziskus als Ereignis der Geschichte*, dans *Franziskanische Studien*, t. 60, 1978, p. 252-261. – D. Gagnan, *Office de la passion, prière quotidienne de S. François d'Assise*, dans *Antonianum*, t. 55, 1980, p. 3-86. – B. Büchler, *Die Armut der Armen. Ueber den ursprünglichen Sinn der mönchischen Armut*, Munich, 1980.

4° Le 14e siècle. – Les mystiques du 14e siècle, surtout des femmes, ont revécu la passion sous le signe d'un *réalisme expressif*. Angèle de Foligno † 1309, dans ses visions (cf. *Autobiografia* 1, 7-15 ; 4, 1-7), revit le drame de la passion et en décrit les scènes avec un réalisme impressionnant. Elle fut sans doute stimulée par les paroles du Christ entendues à maintes reprises : « Tout cela, je l'ai souffert pour toi ». Alors « elle pleure avec un tel amour que les larmes lui brûlent la chair » ; elle s'offre toute et « désire mourir » avec lui (L. Leclève, *S. A. de F. Sa vie, ses œuvres*, Paris, 1936). Même réalisme dans les visions de Brigitte de Suède † 1373, surtout celle qu'elle eut à Jérusalem, dans l'église de la Passion, au cours de son pèlerinage en Terre Sainte (*Revel.* 7, 15 ; cf. DS, t. 1, col. 1943-58). Claire de Montefalco † 1308 éprouve une si grande compassion pour le Christ souffrant que « souvent elle ressent dans sa chair une douleur mystérieuse » (*Vita S. Clarae de Cruce*, Vatican, 1944, p. 14-15). Dans le Nord, à proximité des mystiques rhénans, fleurit aussi l'amour de Jésus crucifié ; ainsi Christine † 1356 et Marguerite Ebner † 1351 (DS, t. 10, col. 338-40), Élisabeth Stagel † 1360, dominicaines proches de Henri de Suso, qui a souvent été accusé de dolorisme. Même la spiritualité des « Amis de Dieu », auxquels Marguerite Ebner est liée par l'entremise de son directeur Henri de Nördlingen, et qui tire parti de Ruusbroec, voit dans la *compassion* une source de tristesse sainte, proprement chrétienne parce que basée sur l'amour (cf. *Das*

*Buch von geistlicher Armut* 2, 82, éd. H. Denifle, Munich, 1877, p. 218).

L'itinéraire spirituel de Catherine de Sienne † 1380 s'oriente vers le Crucifié, à qui elle parvient par les trois « escaliers » célèbres : le premier jusqu'aux « pieds transpercés », le second jusqu'au « côté ouvert » et le troisième jusqu'à la « bouche, où le fiel a mis son amertume ». Alors l'âme se repose sur la croix, « heureuse et douloureuse » (*Il Dialogo* 49-76, éd. G. Cavallini, Rome, 1968, p. 110-180).

Pourquoi un tel réalisme ? Certains auteurs croient pouvoir expliquer le langage des mystiques du 14e siècle et la diffusion de la dévotion au Crucifié vers la fin du moyen âge par une angoisse collective en face du problème du salut (J. Delumeau, *Naissance et affirmation de la Réforme*, Paris, 1973, p. 55). Mais d'autres auteurs ont fait remarquer que cette explication est trop courte : en fait, la dévotion envers le Crucifié a commencé bien plus tôt avec les cisterciens et les franciscains. Mieux vaut croire à un développement harmonieux de facteurs qui existaient déjà dans la chrétienté de l'Occident (F. Rapp, *L'Église et la vie religieuse en Occident à la fin du Moyen Age*, Paris, 1971, p. 147). Il faut surtout ne pas oublier le donné biblique, dont s'inspire constamment la piété du moyen âge : c'est la Bible elle-même qui attribue aux plaies du Sauveur et à son sang une vertu régénératrice (1 *Pierre* 2, 24 ; *Hébr.* 9, 13-14 ; etc.).

5° La « MEDITATIO VITAE ET PASSIONIS CHRISTI ». – 1) Après Bernard et François, la mystique chrétienne met à la base de l'expérience spirituelle la méditation de la vie et de la passion du Sauveur comme *mystères de salut*. Le réveil biblique du 12e siècle est déjà centré d'emblée sur deux thèmes : l'*Historia salutis* et la *Vita Christi* ; les manuels de piété sont structurés à partir de ces deux thèmes qui se concentrent finalement sur la passion envisagée comme mystère de salut. La *Vita Christi* qui, prenant racine dans le mystère de la Trinité, se déploie jusqu'à la résurrection et l'ascension glorieuse, constitue la voie maîtresse par laquelle le chrétien médiéval parvient à l'intelligence du mystère pascal (cf. art. *Mystères de la vie du Christ*, DS, t. 10, col. 1784-86).

L'écrit le plus ancien est un court traité d'un moine cistercien des environs de 1150, le « Pseudo-Bède » (*De medit. passionis Domini per septem diei horas*, PL 94, 561-568). C'est un des rares exemples où le thème de la passion, médité en récitant les Heures de l'Office, se trouve présenté en dehors du contexte normal de la *Vita Christi*.

Pour Bonaventure, après saint François, le Christ devient le « livre » par excellence, écrit au dedans et au dehors (cf. *Apoc.* 5, 1), dans lequel « Dieu le Père a renfermé tous les trésors de la sagesse et de la science » (*Lignum vitae* 46, *Opera*, éd. Quaracchi, t. 8, 1898, p. 84 ; *Vitis mystica* 24, 2, p. 188). L'*Arbor vitae crucifixae Jesu* (Venise, 1485 ; rééd. Turin, 1961) d'Ubertin de Casale est de la même veine. Le *Stimulus amoris* de Jacques de Milan (DS, t. 8, col. 48-49) est de ton presque exclusivement affectif.

2) *La méditation de la Passion selon les Évangiles.* – Dès le début du 14e siècle les manuels suivent les récits de l'Évangile, en particulier ceux de la passion. Les *Meditationes vitae Christi* pseudo-bonaventuriennes (cf. DS, t. 1, col. 1848-53 ; t. 8, col. 324-26) renferment encore des éléments empruntés aux apocryphes ou à des révélations privées, selon le goût populaire. La *Vita Jesu Christi* de Ludolphe de Saxe (DS, t. 9, col. 1333-38) suit simplement le contenu de l'Évangile, les commentaires des Pères et des

auteurs monastiques. Détail significatif, le manuel est divisé en deux parties que relie l'épisode de Césarée de Philippe où, pour la première fois, Jésus annonce sa passion et appelle à le suivre en portant sa croix.

3) *La Passion de Jésus et l'oraison méthodique.* – La *Devotio moderna* est manifestement orientée vers la méditation et l'imitation de la vie et passion du Seigneur : le *Chronicon Windeshemense* de Jean Busch offre une méthode de méditation intitulée *Epistola de vita et de passione Domini* (DS, t. 4, col. 1926 ; éd. K. Graube, Halle, 1886, p. 226-244 ; éd. M. Medlund, Leyde, 1975).

Gérard de Zutphen suit la ligne bonaventurienne et note que la méditation de la passion attire l'esprit vers le sommet de la contemplation (*De spirit. ascensionibus*, dans *Maxima Bibl. Patrum*, t. 26, Lyon, 1677, p. 237-289). Thomas a Kempis a une série de méditations et de prières sur la vie et la passion du Christ (*Opera*, éd. M.J. Pohl, t. 5, Fribourg, 1905). Vont dans le même sens, pour la méthode et les sujets, Jean Mombaer, Philippe de Zwolle, Nicolas Kempf, Jean Wessel, ainsi que d'autres adeptes de la *Devotio*, le *Modus meditandi* de Ludovico Barbo et l'*Exercitatorium vitae spiritualis* de Garcia de Cisneros † 1510.

Les *Exercices spirituels* d'Ignace de Loyola présentent le sujet de façon tout à fait personnelle : dans les Exercices d'un mois, trois semaines sont employées à méditer la vie du Christ, dont une la Passion. Jamais jusque-là le Mystère de la vie de Jésus n'avait été orchestré avec un art aussi consommé : ce n'est qu'après s'être rangé résolument sous l'Étendard du Christ et s'être enrôlé à la suite du Christ que le retraitant se voit proposer la méditation de la Passion : comme le Christ, le disciple passera de la passion à la gloire de la résurrection.

Du 16e au 18e siècle, les livres de méditation s'inspirent de plus en plus de la Passion ; voir par exemple les traités de Thomas de Jésus, Jean-Baptiste de Crema, Pierre de Lucques, Luis de la Palma, jusqu'à Gaétan de Bergame † 1753 (*Pensieri ed affetti sopra la passione... per ogni giorno dell'anno*, 2 vol., Bergame, 1733 ; cf. DS, t. 6, col. 49). Le jésuite Gaspar Loarte † 1578 en donne la raison : la Passion constitue une « récapitulation » de toute la vie de Jésus ; elle est comme « une formule abrégée », qui renferme toute la sagesse de l'Évangile (*Esercitio della vita christiana*, Rome, 1571, f. 21r).

A. Blasucci, *Il cammino della perfezione negli scritti della B. Angela da Foligno*, Padoue, 1950 ; *Il cristocentrismo nella vita spirituale secondo la B. Angela da Foligno*, Padoue, 1954. – J.A. Bizet, *Mystiques allemands du* xive *siècle*, Paris, 1957. – J. Leclercq, *La dévotion médiévale envers le Crucifié*, dans *La Maison-Dieu*, n. 75, 1963, p. 119-132. – F. Vandenbroucke, *La dévotion au Crucifié à la fin du moyen âge, ibidem*, p. 133-143. – T.S. Centi, *Il mistero della croce nella vita e nel pensiero di S. Caterina da Siena*, dans *La sapienza della croce oggi*, t. 2, p. 385-391.

L. Oliger, *Una nuova versione latina delle cento meditazioni sulla Passione del B. Enrico Susone*, dans *Archivio italiano per la Storia della Pietà*, t. 2, 1959, p. 207-230. – G. Schmidt, *Die Armenbibeln des 14. Jahrhunderts*, Graz-Cologne, 1959. – B. Strack, *Christusleid in Christenleben. Ein Beitrag zur Theologie des christlichen Lebens nach dem hl. Bonaventura*, Werl, 1960. – R. Stadler, *Die Christuserfahrung des Ignatius von Loyola*, dans *Internationale Katholische Zeitschrift*, t. 3, 1973, p. 239-250. – W. Baier, *Untersuchungen zu den Passionsbetrachtungen in der Vita Christi des Ludolf von Sachsen*, 3 vol., Salzbourg, 1977 (= Analecta Cartusiana 44). – F. Di Bernardo, *La « Meditatio vitae et passionis Domini » nella spiritualità cristiana*, Rome, 1980.

6° DE JEAN DE LA CROIX À PAUL DE LA CROIX (16e-18e s.). – Dès la fin du moyen âge, la participation aux souffrances du Christ prend discrètement de nouvelles formes : le martyre physique, la mortification ascétique, le dépouillement de totale pauvreté cèdent de plus en plus la place au martyre du cœur et de la volonté ; on regarde Jésus non seulement au Calvaire, mais aussi à Gethsémani.

1) *Le martyre du cœur de Jésus et les mystiques.* – Des auteurs du 14e siècle, comme Ubertin de Casale, avaient déjà parlé du sacrifice invisible offert par Jésus « dans le temple immense de son cœur » ; ce point de vue sera de plus en plus explicite en direction du culte du Sacré-Cœur. Au seuil du 16e siècle, le martyre intérieur du Sauveur est tellement entré dans les mentalités que la plupart des mystiques font de ses peines intérieures l'objet principal de leur contemplation ou de leur imitation. Catherine de Gênes † 1510 discerne dans le Crucifié une « grande blessure d'amour », qui se répercute dans son propre cœur en « une blessure intime » de même intensité. Osanna Andreasi † 1505 (DS, t. 11, col. 1008-09), dans ses ravissements, parle surtout de la « douleur du cœur » et Camilla Battista Varano † 1524 rédige l'opuscule où l'on peut voir le chef-d'œuvre du genre : *I dolori mentali di Gesù nella sua passione* (éd. G. Boccanera, Jesi, 1958). Marie-Madeleine de Pazzi † 1604 atteste à son tour que Jésus, au cours de sa passion, a plus souffert en son âme que dans son corps (cf. DS, t. 10, col. 583).

2) *Le martyre de la volonté et la mystique du « fiat ».* – C'est à la suite de l'expérience mystique de ces âmes saintes qu'Achille Gagliardi † 1607 (DS, t. 6, col. 53-64) peut parler de l'amour mystérieux qui unit le cœur blessé du Fils à la volonté crucifiante du Père. Le lieu privilégié où Jésus manifeste cet amour obéissant est Gethsémani. Dans le « fiat » qu'il y prononce il atteint tout ensemble le sommet de la peine et celui de l'amour (*Breve compendio...*, éd. M. Bendiscioli, Florence, 1952, p. 99-100). La spiritualité bérullienne elle-même, dans une large mesure, se situe dans la même ligne. Avant de souffrir de la part des Juifs, Jésus souffre surtout des blessures d'amour et de la part du Père, « par les opérations très saintes, très divines, très douloureuses, que la divinité opérait en son âme » (cité par F.G. Preckler, *Bérulle aujourd'hui. Pour une spiritualité de l'humanité du Christ*, Paris, 1978, p. 97 ; cf. p. 59-67).

La mystique du « fiat » ou de l'abandon à la volonté de Dieu trouve un climat particulièrement propice en France, au cours du 17e et du 18e siècle, notamment parmi ceux que l'on a appelés les écrivains de l'amour pur. *La croix de Jésus* de Louis Chardon † 1651 (DS, t. 2, col. 498-503) reste l'un des textes les plus attirants pour pénétrer les rapports mystérieux qui règlent la participation à la grâce sanctifiante à travers l'adhésion à la croix. Alexandre Piny † 1709 et d'autres insistent sur le total anéantissement de la volonté propre et parlent du sacrifice absolu, où Fénelon voit le dernier recours pour libérer l'âme de tout résidu d'égoïsme : au niveau psychologique, elle renonce au bonheur éternel et expire « dans le plus complet abandon », « quasi désespérée », avec le Christ sur la croix. Enfin, Blaise Pascal a laissé à la spiritualité chrétienne une des plus belles méditations sur Gethsémani et sur les « peines non humaines » de Jésus (*Pensées*, éd. L. Brunschvicg, n. 553 : Le mystère de Jésus).

3) *« Science de la Croix » et mystique de la Passion*. – Jean de la Croix décrit la nuit obscure comme une vraie crucifixion de l'esprit : l'âme, privée de tout appui, même spirituel, rejoint le Calvaire, monte sur la croix avec le Christ, se lamente avec lui de l'abandon du Père et avec lui expire mystiquement (*Noche* II, 5, 1-7 ; *Subida* II, 7, 9-11). Le Christ souffrant est toujours présent dans ses écrits, au moins à titre de chemin et d'exemple (*Subida* II, 7). L'imitation du Crucifié, spécialement dans son adhésion à la volonté du Père, est indispensable si l'on veut atteindre à la perfection (*Subida* I, 13, 4). La croix, entendue comme engagement continu à la souffrance, est la « porte étroite », la seule qui donne accès à la divine Sagesse (*Cántico* 36, 13). La voie négative est, pour Jean de la Croix, la science de la croix. De fait, la foi renonce à voir les choses auxquelles elle croit et oriente vers la croix (A. Cugno, *Saint Jean de la Croix*, Paris, 1979, p. 38-39). Cf. art. *Nuit*, DS, t. 11, col. 519-25.

La mystique de Paul de la Croix † 1775 est centrée sur le Christ et sa passion (Basilio de S. Pablo, *Pasiocentrismo en la vida mística y apostolado de S. Pablo de la Cruz*, dans *Teología Espiritual*, t. 11, 1967, p. 431-454). Pour lui, le Crucifié demeure l'expression la plus haute de l'agapè et la passion « l'œuvre la plus grande et la plus surprenante de l'amour divin » (*Lettere*, éd. Amedeo della Madre di Dio, t. 2, Rome, 1924, p. 499). Ses écrits, tout particulièrement le *Diario* (éd. E. Zoffoli, Rome, 1964), révèlent la participation constante à la passion du Christ, à travers les souffrances physiques et spirituelles.

Le mariage mystique n'annule pas mais confirme et intensifie l'union intime entre Paul et la passion de Jésus : l'anneau qui lui est mis au doigt porte « gravés les instruments de la passion » et le Seigneur lui dit qu'il doit garder le constant souvenir de « sa passion très douloureuse ». Ce qui prévaut alors, c'est ce « pur souffrir » que S. Breton explique comme une expérience très accusée de son propre néant (*La mystique de la passion*, p. 187-236) ; c'est aussi la « mort mystique », expression que Paul semble avoir héritée des écrivains de l'amour pur : offrir à Dieu une âme « crucifiée et morte », dans l'obéissance, la désolation, l'agonie, la mort, l'espérance (*Morte mistica, ovvero olocausto del puro spirito di un' anima religiosa*, Bilbao, 1976, p. 13-17 ; cf. DS, t.10, col. 1789-90 et sa notice, *infra*).

4) A la même époque appartiennent d'autres mystiques de Jésus crucifié. L'expérience spirituelle de la clarisse Véronique Giuliani † 1727 est une des plus attirantes. Son *Diario* rapporte des visions et des colloques avec le Christ souffrant qui reproduit en elle son image douloureuse. Un jour, une lumière intense jaillit du côté du Sauveur et lui transperce le cœur de part en part, « comme d'une flamme brûlante », suscitant en elle « une douleur et un amour » inexprimables (*Diario*, éd. O. Fiorucci, t. 2, Città di Castello, 1971, p. 23). Le capucin Tommaso da Bergamo † 1631 et saint Charles de Sezze † 1670, parmi d'autres franciscains, vivent la mystique de la croix. L'École française fonde sa mystique sur l'obéissance du Fils à l'égard du Père ; Jean Eudes qui se considère comme « hostie et victime », encourage les fidèles à réaliser en eux-mêmes le mystère de la passion

et résurrection du Seigneur : les membres du Corps mystique, pour se rendre conformes au Chef, doivent s'approprier son attitude d'offrande victimale pour le salut de tout le Corps (*Le royaume de Jésus*, dans *Œuvres complètes*, t. 1, Vannes-Paris, 1905, p. 310-311).

Au cours du 18e et du 19e siècle, la spiritualité de la Passion est représentée par de nouveaux instituts religieux qui s'en inspirent. Les Passionistes forment à l'ombre de la croix un cortège de saints ou bienheureux : Vincent-Maria Strambi † 1824, Domenico Barberi † 1849 et Gabriele dell'Addolorata † 1862 (cf. DS, t. 6, col.1-3). Les Rédemptoristes se réclament de la dévotion de saint Alphonse-M. de Liguori envers la Passion. Les missionnaires du Précieux Sang de saint Gaspar del Bufalo † 1837 et les « stimmatini » de Gaspar Bertoni † 1853 recueillent l'héritage d'une spiritualité aux origines lointaines. La mystique victimale et réparatrice inspire enfin divers instituts de religieux et de religieuses ; parmi d'autres, les Sœurs de Marie-Réparatrice, d'Émilie d'Oultremont † 1878 (*Marie de Jésus*, DS, t. 10, col. 513-515) ; les Prêtres du Sacré-Cœur, de L. Dehon † 1925 (DS, t. 3, col. 105-115).

Édith Stein, *Kreuzeswissenschaft. Studien über Johannes a Cruce*, Louvain, 1950. – M. Viller, *La mystique de la Passion chez S. Paul de la Croix*, RSR, t. 40, 1952, p. 426-445. – M. Petrocchi, *Rivelazioni de' dolori nella B. Camilla Battista Varano*, dans *L'estasi nelle mistiche italiane della riforma cattolica*, Naples, 1958, p. 53-65. – L. Netto, *Voglio seguire Cristo crocifisso*, Milan, 1970 (spiritualité de la passion chez les clercs réguliers du 16e s.). – S. Simoncini, *Il mistero della passione di Gesù Cristo nella spiritualità della B. Camilla Battista Varano (1458-1524)*, Rome, 1972. – E. Gullick, *The supereminent life and the contemplation of the Passion in the doctrine of Benet of Canfield*, dans *Laurentianum*, t. 15, 1974, p. 288-348. – O. Dominguez, *Espiritualidad pasiocéntrica de San Pablo de la Cruz*, dans *Teología Espiritual*, t. 19, 1975, p. 353-377.

E. Pacho, *La « croce » nella mistica di S. Giovanni della Croce e di S. Paolo della Croce*, dans *La sapienza della croce oggi*, t. 2, p. 181-196. – E. Ancilli, *La passione di Cristo in santa Teresa d'Avila e in santa Maria Maddalena de'Pazzi, ibidem*, p. 197-209. – M. Anselmi, *L'« anthropologia crucis » nelle lettere di S. Paolo della Croce, ibidem*, p. 104-126. – M. Bialas, *Das Leiden Christi beim hl. Paul vom Kreuz*, Aschaffenburg, 1978 (p. 517-535, bibl.). – F. Di Bernardo, *Sofferenza e salvezza nella spiritualità del Sei-Settecento*, dans *Sofferenza e salvezza*, cité *supra*, p. 105-133.

I. Bonetti, *Le stimmate della passione*, Rovigo, 1952. – Basilio de San Pablo, *Espiritualidad de la Pasión y espiritualidad de los pasionistas. Sus fundamentos doctrinales en el magisterio de S. Pablo de la Cruz*, Madrid, 1967. – M. Denis, *Qualche aspetto storico della spiritualità sacrificale nel secolo xix in Francia*, dans *La sapienza della croce oggi*, t. 2, p. 465-478. – G. Velocci, *La croce in sant'Alfonso de'Liguori, ibidem*, p. 351-359. – C. Naselli, éd., *Spiritualità della croce. Antologia di profili*, 5 vol., S. Gabriele dell'Addolorata, 1975-1980. – A. Carminati, *E' venuto nell'acqua e nel sangue*, Bologne, 1979.

7° LA MYSTIQUE DE LA PASSION AUJOURD'HUI. – 1) A notre époque, des hommes et des femmes participent à la Passion du Christ, jusqu'à la revivre en tout leur être. Bien qu'il soit difficile de porter un jugement sur le caractère naturel ou surnaturel des phénomènes corporels qui accompagnent leur expérience (cf. art. *Extase*, DS, t. 4, col. 2171-86), il convient de rappeler que ces phénomènes n'en constituent pas l'essentiel, qui est l'union intime au Christ crucifié. La stigmatisation, durable ou limitée aux temps forts de cette union, est relativement fréquente, après François d'Assise et, plus près de nous, depuis Anne-Catherine Emmerich † 1823 (DS, t. 4, col. 622-27) jusqu'à Marthe Robin † 1981.

Bornons-nous à un cas significatif, celui de Gemma Galgani † 1903, dont la sainteté est reconnue par l'Église (DS, t. 6, col. 183-187). Dans ses *Estasi* (Rome, 1941), elle se définit elle-même comme un « fruit de la passion », un « surgeon des plaies » de Jésus. La source de ses épreuves, comme chez d'autres représentants de la mystique réparatrice, n'est autre que la conscience des douleurs sans mesure du Christ, à cause du péché des hommes. Gemma participe mystérieusement à sa souffrance, avec, par moments, des reflets du Christ glorifié ; elle revit les tourments de la passion, les épines, les clous, la mise en croix, la mort, l'ouverture du côté. Au moment de sa mort, elle étend les bras en forme de croix.

2) *Spiritualité et souffrance*. – Les théologiens de notre temps, portés à une relecture critique des mentalités et usages du passé, ont formulé parfois des jugements sévères sur la spiritualité de la passion, où ils ont vu une tendance à l'exagération et au dolorisme. Une société qui cherche la libération de l'homme comprend la souffrance comme une donnée exclusivement négative, un ennemi à éliminer sous peine de paraître justifier le mal. Il est facile, dans cette perspective, de discréditer une spiritualité qui, des siècles durant, a insisté sur l'acceptation de la volonté de Dieu et l'abnégation de soi-même. Sans doute, le chrétien ne pourra jamais bénir le mal, en particulier lorsqu'il provient de l'égoïsme et de la haine. Mais il ne peut non plus ignorer que la souffrance est fréquemment une suite de nos limites et de notre péché ; en outre, elle apparaît parfois comme une exigence imprescriptible de l'amour : c'est précisément en ce sens que Jésus-Christ a fait choix de la croix.

G. Gaucher, *La passion de Thérèse de Lisieux*, Paris, 1972. – *Atti del 1º Convegno di studio sulla spiritualità di P. Pio*, S. Giovanni Rotondo, 1973. – Fernando da Riese, *Padre Pio da Pietralcina, crocifisso senza croce*, Rome, 1975. – C. Fabro, *La partecipazione di S. Gemma Galgani alla passione di Cristo*, dans *Mistica e misticismo oggi*, p. 673-689. – J. Solano, *Il Sacro Cuore e S. Gemma Galgani, ibidem*, p. 690-703. – J. Hanauer, *Konnersreuth als Testfall. Kritischer Bericht über... Th. Neumann*, Munich, 1972. – E. Boniface, *Thérèse Neumann, la crucifiée de Konnersreuth devant l'histoire et la science*, Paris, 1979. – A.C. Emmerich, *Douloureuse Passion de Notre-Seigneur Jésus-Christ. Extrait des visions*, Paris, 1979. – J. Peyret, *Marthe Robin*, Valence (France), 1982.

L. Rétif, *La souffrance pourquoi ?*, Paris, 1967. – J.H. Nicolas, *Souffrir avec le Christ*, VS, t. 120, 1969, p. 282-290. – S. Spinsanti, *L'etica cristiana della malattia*, Rome, 1971. – D. Sölle, *Leiden*, Stuttgart, 1973. – H. Schulze, éd., *Der leidende Mensch*, Neukirchen, 1974. – K. Scherer, *Mein Gott, mein Gott, warum... ?*, Neuhausen-Stuttgart, 1978. – G. Prosperi, *Parasceve. Interpretazione della sofferenza*, Rome, 1978. – G. Greshake, *Der Preis der Liebe. Besinnung über das Leid*, Fribourg/Br., 1978.

3) *Vatican* II. – De l'encyclique *Mystici Corporis* à *Redemptor hominis*, le magistère de l'Église n'a pas manqué d'éclairer les fidèles sur le sens de la croix dans la vie du chrétien. Nous rappellerons seulement les enseignements de Vatican II sur les divers aspects

d'une théologie de la croix. En présentant l'idée d'une Église en pèlerinage, qui vit de foi et d'espérance sans avoir part encore à la gloire à venir, qui « annonce la croix et la mort du Seigneur jusqu'à ce qu'il vienne » (*Lumen Gentium* = LG 8), le concile développe en fait une « théologie de la croix ». Le thème de la passion et de la croix est à la base des données essentielles de la foi : révélation, rédemption, anthropologie. L'annonce de la mort et de la résurrection est envisagée comme le sommet de la révélation divine (*Dei Verbum* = DV 4). Dans le rapport d'obéissance et d'offrande qui lie le Fils à la volonté du Père, la passion manifeste le vrai visage de Dieu et son amour (LG 3 ; cf. 37-38) ; en donnant sa vie pour eux, Jésus témoigne à ses frères son amour solidaire et leur révèle le salut (LG 22 ; 42 ; DV 4 ; 14 ; *Unitatis Redintegratio* 2).

À ceux qui annoncent l'Évangile, le concile recommande de « faire connaître en toute loyauté » ce mystère d'amour, « sans rougir du scandale de la croix », car c'est en lui que se trouve la force de la Parole (*Ad Gentes* = AG 24). Mais la passion n'est pas simplement « signe de l'amour de Dieu pour tous », elle est aussi « source de grâce » (AG 24). C'est de sa croix que le Christ « attire tous à lui » (*Jean* 12, 32) par sa vertu sanctificatrice (LG 3 et 48 ; DV 17) et c'est par sa passion qu'il est vainqueur du démon, du péché et de la mort, fait part de la vraie libération, de la paix authentique (LG 7 ; *Gaudium et Spes* = GS 2 ; 12 ; 18 ; 22 ; 38 ; *Sacrosanctum Concilium* = SC 5) et réconcilie avec Dieu (SC 5 ; GS 78). Quand la lance du soldat ouvre le côté de Jésus, l'Esprit fait jaillir sur le monde la grâce sacramentelle (LG 5 ; 7 ; 21 ; 39-40 ; DV 4 ; 17 ; AG 4 ; SC 5).

A travers le Corps mystique la vie divine se répand dans les membres et – le concile ici fait écho aux mystiques de la Passion – « les sacrements entretiennent un lien mystérieux avec le Christ souffrant » (LG 7). L'imitation de la passion et la conformation au Christ crucifié sont inculquées à maintes reprises (LG 7 ; GS 22 ; 37) : « En acceptant la mort pour nous tous pécheurs, Jésus nous enseigne par son exemple que nous aussi devons porter la croix, celle que la chair et le monde mettent sur les épaules de tous ceux qui cherchent la paix et la justice » (GS 38).

Giovanna della Croce, *La croce alla luce del Concilio Vaticano* II, dans *Fonti Vive*, t. 15, 1969, p. 5-21. – G. Giusti, *Il messaggio della croce alla luce dell'insegnamento conciliare*, dans *Catechesi*, t. 41, 1972, p. 1-31. – T. Merino, *Teología de la cruz en el Vaticano* II, dans *Studium*, t. 7, 1972, p. 67-101. – Basilio de S. Pablo, *Clave sacrificial de la redención... a la luz del Concilio Vaticano* II, Madrid, 1975. – Ph. Delhaye, *Il mistero della croce nei testi del Vaticano* II, dans *La sapienza della croce oggi*, t. 1, p. 332-343. – M. Caprioli, *La « sapienza crucis » nel magistero di Paolo* VI, *ibidem*, p. 235-246.

4) *Mystique de la Passion et œcuménisme*. – Ces dernières années, le dialogue œcuménique a provoqué une nouvelle réflexion sur le sens théologique et spirituel de la croix. Un appel en ce sens est aussi venu de la part des protestants, d'autant qu'à diverses époques l'Église évangélique a insisté sur ce point pour retrouver son principe vital.

De notre point de vue, de sérieuses difficultés subsistent pour faire converger la mystique de la Passion avec la *theologia crucis* de la Réforme. Pour

Luther, ce n'est pas notre souffrance qui peut nous rendre conformes au Christ, mais celle du Christ qui, détruisant en nous le péché, nous rend conformes à lui. Le renouveau théologique protestant reste fidèle à ce principe. Le Christ n'opère pas en nous par sa toute-puissance, mais par sa faiblesse. Le croyant reste avec sa faiblesse en présence du Crucifié et porte ainsi sa croix, du simple fait qu'il est chrétien (D. Bonhoeffer, *Nachfolge*, Munich, 1937). L'union mystique entre Dieu et l'homme se réalise, non pas directement, mais à travers le Christ, synthèse foncière de souffrance et d'amour. Le chrétien est uni à un « Dieu éprouvé » par la médiation du Christ (K. Kitamori, *Theologie des Schmerzes Gottes*, Göttingen, 1972). C'est au moment précis, où sur la croix Jésus crie son propre abandon, qu'il nous révèle le Père et sa justice (cf. art. *Luther*, DS, t. 9, col. 1208-16 ; 1236-40). Il tient la place de l'humanité abandonnée et opprimée ; en prenant sur lui la misère des hommes, il les en délivre (J. Moltmann, *Der gekreuzigte Gott. Das Kreuz Christi als Grund und Kritik christlicher Theologie*, Munich, 1972).

On voit ainsi ce qui distingue la *theologia crucis* et la *mystica crucis*. Dans la première, le Christ guérit nos blessures par ses propres blessures ; dans la seconde, l'homme se dirige vers Dieu, attiré par la grâce qui lui vient de la croix.

W. von Loewenich, *Luthers Theologia Crucis*, 4ᵉ éd., Witten, 1967. – H.S. Takayanagi, *Kitamoris Theologie vom Schmerze Gottes*, dans *Theologische Berichte*, ɪɪ : *Zur neueren christologischen Diskussion*, Zurich, 1973, p. 128-132. – R. Weth, *Ueber den Schmerz Gottes. Zur Theologie des Schmerzes Gottes von Kazoh Kitamori*, dans *Evangelische Theologie*, t. 33, 1973, p. 431-436. – S. Sorrentino, « *Sofferenza di Dio* » e « *theologia crucis* » *in Bonhoeffer*, dans *La sapienza della croce oggi*, t. 1, p. 600-611. – B. Gherardini, *Theologia crucis. L'eredità di Lutero nell'evoluzione teologica della Riforma*, Rome, 1978 (ouvrage fondamental). – G. Colzani, *La croce come fondamento della promozione umana. Sviluppo e riflessione sulla teologia di J. Moltmann*, dans *La Scuola Cattolica*, t. 105, 1978, p. 309-338. – P. Goffinet, *La théologie de la croix de J. Moltmann*, dans *La Foi et le Temps*, t. 9, 1979, p. 99-115. – M. Welker, éd., *Diskussion über Jürgen Moltmanns Buch « Der gekreuzigte Gott »*, Munich, 1979.

CONCLUSION. – Pour faire comprendre à l'homme d'aujourd'hui le sens de la Croix, il existe deux tendances dominantes : l'une – traditionnelle, que nous avons exposée – de caractère purement spirituel, insiste sur les attitudes fondamentales de l'expérience du Christ et de la passion ; l'autre, récente, avec un fort accent social, voit surtout dans la passion et la mort de Jésus une conséquence de son attitude de dénonciation des injustices, idolâtries, oppressions, etc. La *memoria passionis* étant inséparable de la *memoria resurrectionis*, les souffrances humaines de Jésus sont un appel à surmonter les nôtres pour construire une humanité digne de la nouvelle création instaurée par le Christ (J.B. Metz, *Glaube in Geschichte und Gesellschaft. Studien zu einer praktischen Fundamentaltheologie*, Mayence, 1977 ; Ch. Duquoc, *Attualità della Croce*, dans *La sapienza della croce oggi*, t. 1, p. 11-17). Cette seconde tendance a sa part de vérité ; elle met l'accent sur la charité fraternelle, indissociable de la justice du Royaume comme de la justice humaine et qui est susceptible, elle aussi, de s'épanouir dans une mysti-

que de la Passion : celle qui fait communier le chrétien à la charité du Christ donnant sa vie pour ceux qu'il aime (*Jean* 15, 13), afin de rendre tous les hommes « vraiment libres » (8, 34-35). Mais ces deux tendances, la traditionnelle plus centrée sur la personne de Jésus souffrant la Passion, la récente plus orientée vers l'instauration du peuple fraternel des fils de Dieu, s'unissent comme les deux aspects de l'unique commandement du Christ (*Mt.* 22, 34-40).

**Bibliographies d'ensemble.** – H. Gielen-F. Nackaerts, *Bibliographie Stauros. Souffrance humaine et Passion du Christ*, Louvain, 1975 svv (fascicules bi-annuels). – *Schede Bibliografiche della Passione*, par les Passionnistes d'Italie, secteur italien du « Stauros », Pescara, 1975 svv. – Z. Alszeghy-M. Flick, *Sussidio bibliografico per una teologia della croce*, Rome, 1975.
**Numéros spéciaux de revues et ouvrages collectifs.** – *La Sainte Croix*, dans *La Maison-Dieu*, n. 75, 1963, p. 1-159. – *The Cross*, dans *The Way*, t. 9, 1969, p. 1-78 ; cf. t. 13, 1973, p. 1-76. – *La mort du Christ*, dans *Lumière et Vie*, t. 20, 1971, n. 101, p. 5-121. – *La croce speranza del cristiano*, Milan, 1972. – *Das Kreuz Jesu*, Göttingen, 1969. – *Il mistero della croce*, éd. V. Insolera, Rome, 1975. – *Mort pour nos péchés*, Bruxelles, 1976. – *La sapienza della croce oggi*, Atti del Congresso Internazionale (Rome, octobre 1975), 3 vol., Turin, 1976. – *The language of the Cross*, éd. A. Lacomara, Chicago, 1977. – M. Flick-Z. Alszeghy, *Il mistero della croce*, Brescia, 1978. – *Theologia crucis-Signum crucis*. Festschrift für E. Dinkler, Tübingen, 1979. – *Communio*, t. 5, 1980, n. 1.
**Monographies.** – J. Lebreton, *Tu solus Sanctus. Jésus Christ vivant dans les Saints. Études de théologie mystique*, Paris, 1948. – A. Auer, *Leidenstheologie im Spätmittelalter*, St. Ottilien, 1952. – E. Dinkler, *Signum crucis*, Tübingen, 1967. – Basilio di S. Pablo, *La meditación de la Pasión de Cristo. Teología y espiritualidad para todos*, Madrid, 1967. – M.A. Chevallier, *La prédication de la croix*, Paris, 1971. – H. Cohn, *The trial and death of Jesus*, Londres, 1972. – W. Kurth, *Das Kreuz, Symbol und Wirklichkeit*, Darmstadt, 1975. – H. Cousin, *Le prophète assassiné*, Paris, 1976. – H. Schürmann, *Comment Jésus a-t-il vécu sa mort ?*, Paris, 1977. – S. Breton, *Vers une théologie de la Croix*, Clamart, 1979. – H.-M. Féret, *Mort et résurrection du Christ d'après les évangiles et d'après le linceul de Turin*, Paris, 1980. – H.J. Steichele, *Der leidende Sohn Gottes*, Ratisbonne, 1980. – S. Breton, *Le Verbe et la Croix*, Paris, 1981.
**Tendances actuelles.** – M. Galizzi, *Problematica attuale sulla passione*, dans *Parole di vita*, t. 17, 1972, p. 95-129. – H. Kessler, *Erlösung als Befreiung*, Düsseldorf, 1972. – G. Crespy, *Significado politico de la muerte de Jesús*, dans *Selecciones de Teología*, t. 11, 1972, p. 210-219. – J.M. Lochmann, *Gedenken des Leidens-Hoffnung der Auferstehungs*, *Zum theologisch-politischen Ansatz von J.B. Metz*, dans *Reformatio*, t. 22, 1973, p. 198-208. – J. Sobrino, *Christology at the Crossroad. A Latin American Approach*, Londres, 1978. – J.H. Nicolas, *La souffrance de Dieu ?*, dans *Nova et Vetera*, t. 53, 1978, p. 56-64. – M. Anselmi, *La parola passioforme dell'antropologia*, dans *Bollettino Stauros*, 1974/4. – W. Baier, *Passionstheologie heute im Lichte der mittelalterlichen Tradition*, GL, t. 53, 1980, p. 92-102. – F. Varillon, *La souffrance de Dieu*, Paris, 1975.

Voir aussi DS, art. Chemin de la *Croix* (t. 2, col. 2576-2606) ; – Mystère de la *Croix* (col. 2607-23) ; – *Dévotions* (à la Passion, t. 3, col. 767-68) ; – Dévotion à la sainte *Face* (t. 5, col. 26-33) ; – Instruments de la Passion (t. 7, col. 1820-31).

Flavio DI BERNARDO.

**PASSIONS DES MARTYRS.** Voir art. MARTYRE, DS, t. 10, col. 718-732.

**PASSIONS ET VIE SPIRITUELLE.** – Le mot « passion » est d'usage courant. Mais il est difficile, sinon de le définir, du moins de découvrir une certaine unité dans ses multiples significations. Son utilisation dans le vocabulaire philosophique a connu des évolutions caractéristiques, bien que l'accord ne soit pas unanime sur leur ampleur (voir *Vocabulaire critique et technique de la philosophie*, éd. A. Lalande, 6ᵉ éd., Paris, 1951, p. 745-747, écho des discussions de la Société française de philosophie). Dans le langage courant, on remarque les mêmes évolutions ou fluctuations. Pris en lui-même, le mot s'oppose à *action*, et il devrait en conséquence désigner tout ce qui est *passivité* ; or, il désigne aussi parfois ce qui fait le dynamisme et la puissance de l'action humaine, et l'on parle de « passion de l'art, de la liberté, de la justice », etc. On reconnaît d'autre part que la passion a des effets nocifs : « affection violente qui nuit au jugement », qui « aveugle », « opinion irraisonnée, affective et violente ». Au pluriel surtout, le terme désigne des « états affectifs et intellectuels assez puissants pour dominer la vie de l'esprit par l'intensité de leurs effets ou la permanence de leur action » (P. Robert, *Dictionnaire alphabétique et analogique de la langue française*, éd. abrégée, Paris, 1970, p. 1247) ; il en est globalement de même pour le grec πάθη, le latin *passiones*, l'allemand *Leidenschaften*, l'anglais *passions*. C'est ce dernier sens, au pluriel, qui semble dominer dans les œuvres littéraires, la philosophie et la théologie morales, et aussi dans la tradition spirituelle.

Notons cependant que la polyvalence ou, si l'on veut, l'ambiguïté du terme, ne restent pas inexplicables. La *passion*, chez l'animal et surtout chez l'homme, présente toujours un caractère *relationnel*. Elle résulte de l'affrontement entre un sujet et un objet qui se présente à lui : chose, personne, événement, situation. Ce qu'il y a de *passif* en elle tient à la rencontre, occasionnelle ou durable, de cet objet. Or la rencontre suscite toujours une *réaction* de la part du sujet, et c'est, paradoxalement, l'aspect *actif* de la passion. Il faut sans doute mettre la *passion* du côté du sujet, mais son intensité, son dynamisme, et même sa valeur morale ou spirituelle, dépendent toujours de la *corrélation* entre l'action de l'objet et la réaction du sujet. Cette corrélation sera très variable selon les dispositions intimes du sujet et selon les circonstances. Une passion peut atteindre un haut degré d'intensité, mobiliser à la fois les tendances inférieures et les énergies supérieures du sujet, pour produire des réalisations de grande valeur : tel est parfois le cas de l'amour, des passions de l'art, de la liberté, de la justice. Alors, loin de s'opposer à l'intelligence et à la volonté, la passion vient au contraire en renforcer la puissance : les grands « passionnés » (selon la caractérologie adoptée par R. Le Senne † 1954 ; DS, t. 9, col. 700-703) ont marqué l'histoire.

A l'inverse, les passions, dans leur multiple variété, peuvent exacerber les désirs et les tendances jusqu'à obnubiler l'intelligence et le jugement, paralyser la volonté : l'homme est alors « esclave » de sa passion ou de ses passions.

De toute manière, quand il s'agit des passions, les aspects psychologiques, moraux et spirituels sont intimement liés. Il est donc normal que l'étude des passions ait tenu une place importante chez les auteurs spirituels, soit pour discerner celles qui menacent le développement de la vie intérieure et promouvoir une lutte efficace contre leur influence, soit pour discipliner les autres et les orienter dans un sens positif.

Notre enquête sera volontairement limitée. Après un bref exposé sur la théorie des passions dans la philosophie gréco-latine, en raison de son influence sur la tradition spirituelle, nous étudierons surtout deux périodes où ce problème a pris une importance plus grande : celle des Pères et des moines, celle des philosophes ou auteurs spirituels du 17ᵉ siècle ; nous finirons par une vue globale sur la présence du thème, ou ses substitutions, dans la pensée contemporaine. – 1. *Philosophes grecs et latins.* – 2. *Pères de l'Église et moines.* – 3. *Philosophes et auteurs spirituels du 17ᵉ siècle.* – 4. *Pensée contemporaine.*

**1. Philosophes grecs et latins.** – 1º Pour Platon, la théorie des passions est liée aux trois parties de l'âme ; elles sont des « affections et maladies » qui procèdent du « principe de convoitise » (τὸ ἐπιθυμητιχόν) et du « principe de colère (τὸ θυμιχόν) et s'opposent ainsi aux aspirations supérieures du « principe raisonnable » (τὸ λογιστιχόν) (*République* IV, 14, 439d-441c). On notera toutefois que le *thumikon* n'incline pas forcément à des actes désordonnés : c'est aussi le principe du courage, de la vaillance.

Ainsi, dans la parabole du cocher et des deux chevaux, le cheval de gauche représente les passions nocives et le cheval de droite les passions généreuses (*Phèdre* 253c-254e), bien que le texte ne fasse pas allusion explicite aux passions. Voir aussi *Lois* 863a-864a : colère, crainte, plaisir, envie et désirs exercent sur l'âme une domination qui est « injustice » ; au contraire, la « pensée du mieux » guide vers ce qui est juste ; ici le rôle des passions prend déjà une dimension sociale.

2º Aristote énumère les passions dans l'*Éthique à Nicomaque*, lorsqu'il aborde la théorie de la vertu :

« Par le terme *passions* nous entendons la convoitise, la colère, la crainte, l'assurance, l'envie, la joie, l'amitié, la haine, le désir, l'émulation, la pitié, et en général tout ce à quoi suit plaisir ou peine » (II, 5, 1105b 21-22). Il y a donc des passions heureuses et des passions douloureuses. Mais Aristote précise que les passions en elles-mêmes, à la différence des vertus et des vices, ne nous rendent ni bons ni mauvais (1105b 29-1106a 2) ; les éprouver ne dépend pas de nous ; dans leur ordre, nous sommes « mus » ; dans l'ordre des vertus ou vices, nous sommes « disposés ». Comme Platon cependant, il estime que « vivre selon la passion » s'oppose à la vie rationnelle (I, 3, 1095a 8-10 ; IX, 8, 1169a 1-5) ; ainsi, chez les jeunes gens, amitié et amour proviennent habituellement de la passion, c'est pourquoi ils sont éphémères (VIII, 3, 1156a 3 ; 1156b 5).

Dans la perspective aristotélicienne, les passions doivent donc être disciplinées pour que l'âme, dans la poursuite de la vertu et du bien, atteigne la μεσότης, le « juste milieu », qui n'est nullement la médiocrité, mais un point de « vérité » où s'éliminent ensemble excès et défauts (II, 7, 1108a 19-35).

3º Les Stoïciens font une place importante aux passions dans leur éthique ; de nombreux traités *Peri pathôn* sont signalés dans cette école à la suite de celui de Zénon. On peut suivre l'exposé synthétique de Diogène Laerce (*Vitae philosophorum* VII, 110-117, éd. H.S. Long, Oxford, 1964, p. 343-346 ; trad. franç. É. Bréhier, dans *Les Stoïciens*, coll. La Pléiade, Paris, 1962, p. 51-53), car c'est une doxographie de ce genre qui sera exploitée par les auteurs postérieurs, païens ou chrétiens (Clément d'Alexandrie a connu cependant quelques textes originaux, dont il a transmis les meilleurs fragments). L'apport spécifique des stoïciens consiste en deux affirmations : – les passions relèvent du *jugement* ; elles résultent en effet d'une opinion *déraisonnable* sur la réalité ; – par suite, elles constituent comme des « maladies de l'âme », et sont toujours *moralement mauvaises*. En outre, ils posent les principes d'une classification :

« Selon Zénon, la passion est un mouvement de l'âme, déraisonnable et contraire à la nature, ou bien une inclination déréglée. Les passions principales, disent Hécaton au deuxième livre *Des Passions* et Zénon dans le traité *Des Passions*, forment quatre *genres* : la *peine*, la *crainte*, le *désir* et le *plaisir* (λύπη, φόβος, ἐπιθυμία, ἡδονή). Ils croient que les passions sont des jugements, comme le dit Chrysippe au traité *Des Passions* : l'avarice est en effet cette opinion que l'argent est une belle chose » (Diogène Laerce, VII, 110-111). Diverses « espèces » se rangent sous les quatre « genres » énoncés ci-dessus : – *peine* : pitié, envie, jalousie, haine, souci, ennui, chagrin, douleur, confusion ; – *crainte* : frayeur, perplexité, honte, stupeur, trouble, angoisse ; – *désir* : besoin, aversion, goût des querelles, colère, amour, ressentiment, irritation ; – *plaisir* : charme (vg plaisir des sons), joie du mal, jouissance, effusion (relâchement de la vertu) (111-115). « Comme on parle des infirmités du corps..., il y a ainsi dans l'âme l'amour de la gloire, le goût du plaisir et choses semblables. L'infirmité est une maladie qui s'accompagne de faiblesse ; la maladie (de l'âme) est la pensée d'une chose que l'on croit extrêmement souhaitable » (115).
A côté des *pathè*, les Stoïciens connaissent aussi trois *eupatheiai*, ou « bonnes affections » : la *joie* qui est contraire au plaisir, la circonspection (*eulabeia*, précaution contre le mal) contraire à la crainte, la *volonté* (*boulèsis*), « tendance raisonnable » opposée au désir (116). « Ils disent en outre que le sage est sans passion (*apathès*), car il est imperturbable (*anemptôton*) » (117 ; trad. Bréhier remaniée).

Cette théorie stoïcienne sera reprise et popularisée dans le monde latin par Cicéron, brièvement dans le *De finibus* (III, 10, 35), longuement dans le livre IV des *Tusculanae disputationes* (éd. par G. Fohlen et trad. franç. par J. Humbert, t. 2, Paris, 1931, p. 53-99). Tout en considérant les *pathè* comme *morbos* ou *aegritudines animi*, Cicéron les appelle cependant *perturbationes*, terme qui lui paraît correspondre de plus près au grec *pathè*. Dans la *Cité de Dieu*, Augustin résumera l'enseignement de Cicéron (qu'il cite explicitement) ; s'inspirant du *De deo Socratis* d'Apulée, il préfère cependant traduire *pathè* par *passiones* :

« Duae sunt sententiae philosophorum de his animi motibus quae graeci *pathè*, nostri autem quidam, sicut Cicero, *perturbationes*, quidam (Lactance, cf. *infra*) *affectiones* vel *affectus*, quidam vero sicut iste (= Apulée) de graeco expressius *passiones* vocant » (IX, 4 ; cf. XIV, 5 et 7-8 ; voir M. Testard, *Augustin et Cicéron*, t. 2, *Inventaire des textes*, Paris, 1958, p. 55-56, 59-61). Les « duae sententiae » sont celles des Platoniciens (auxquels Augustin joint Aristote) qui estiment que les « passions modérées » peuvent exister dans l'homme sage, et celle des Stoïciens qui affirment le contraire ; il s'agit là pourtant, pense Augustin, d'une discussion qui porte sur les mots plutôt que sur la réalité (IX, 4).

La doctrine stoïcienne conduit en fait à identifier les passions aux *vices* ; c'est pourquoi elle ne sera pas sans influence sur le développement de la doctrine

des *péchés capitaux* (cf. l'art. sur ce sujet, *infra*) ; plusieurs des termes de la liste stoïcienne, par ex. avarice, colère, tristesse, « ennui » (*acédie*), passeront effectivement dans la liste des huit ou sept vices capitaux.

A.-E. Chaignet, *La psychologie des Grecs*, 5 vol., Paris, 1887-1893 (table au t. 5 : *passions*). – L. Duprat, *La psycho-physiologie des passions dans la philosophie ancienne*, dans *Archiv für Geschichte der Philosophie*, t. 18, 1905, p. 396-412. – L. Robin, *La morale antique*, Paris, 1938. – P. Rabbow, *Seelenführung...*, Munich, 1954. – P. Hadot, *Exercices spirituels et philosophie antique*, Paris, 1981, p. 13-70.
T. Irwin, *Plato's Moral Theory. The Early and Middle Dialogues*, Oxford, 1977. – R.-A. Gauthier et J.-Y. Jolif, *L'Éthique à Nicomaque*, introd., trad. et commentaire, 3 vol., Paris-Louvain, 1958-1959, 2ᵉ éd., 1970-1971. – R.-A. Gauthier, *La morale d'Aristote*, Paris, 1963. – F. Ricken, *Der Lustbegriff in der Nikomachischen Ethik des Aristoteles*, coll. Hypomnemata 46, Göttingen, 1976, p. 49-80.
J.-M. Rist, *Stoic Philosophy*, Cambridge, 1969, p. 22-63. – G. Rodis-Lewis, *La morale stoïcienne*, Paris, 1970. – J.-B. Gould, *The Philosophy of Chrysippus*, Leyde, 1971, p. 181-198. – A. Voelke, *L'idée de volonté dans le stoïcisme*, Paris, 1973 (tables).

**2. Pères de l'Église et moines.** – Dans les écrits du nouveau Testament, le mot *pathos* désigne en fait la luxure (1 *Thess.* 4, 5 ; *Rom.* 1, 26 ; *Col.* 3, 15). *Pathèmata* a un sens plus général en *Rom.* 7, 5, où il s'agit des « passions des péchés », et en *Gal.* 5, 24, où Paul dit que les vrais disciples du Christ « ont crucifié la chair avec les *passions* et les convoitises » (le latin traduit ici *vitia*) ; enfin, en 2 *Cor.* 1, 5-6, le mot désigne les *souffrances* du Christ, auxquelles nous communions en supportant les *souffrances* de notre vie. Le rapprochement du terme avec la Passion du Christ dans les deux derniers textes est à retenir : nous le retrouverons chez Ambroise.

Le vocabulaire des passions était cependant si courant dans le milieu culturel des premiers siècles que les Pères de l'Église et les moines n'ont pas hésité à l'utiliser pour traduire les exigences de la vie chrétienne et celles de la vie monastique.

1° EN ORIENT. – 1) Parmi les Pères, *Clément d'Alexandrie* († avant 215) esquisse le premier une théorie globale des passions, visiblement inspirée de l'éthique stoïcienne :

« Une impulsion (ὁρμή) est un mouvement de la pensée vers quelque chose ou se détournant de quelque chose ; une passion (πάθος) est une impulsion excessive... et qui n'obéit plus à la raison ; les passions sont donc un mouvement de l'âme qui va contre sa nature puisqu'elle n'obéit pas à la raison ; mais... cette désobéissance dépend de nous, tout comme l'obéissance est aussi en notre pouvoir, et c'est pourquoi les actes volontaires sont passibles de jugement » (*Stromates* II, 13, 59, 6 ; SC 38, 1954, p. 82).
L'emprise des passions s'explique pourtant par une influence démoniaque : « Notre philosophie conçoit nettement toutes les passions comme des empreintes dans une âme molle et sans résistance, comme des sceaux imprimés par les puissances spirituelles contre lesquelles nous sommes en lutte » (II, 20, 109, 1, p. 118).

A l'influence néfaste des passions s'oppose l'exercice des vertus chrétiennes. Clément les présente dans un ordre défini que suivront maints auteurs postérieurs (dont Évagre dans le *Traité pratique*) : « Ainsi la foi nous apparaît comme le premier mouvement qui incline au salut ; après quoi la crainte, l'espérance et le repentir (*metanoia*), se développant avec l'abstinence (*egkrateia*) et la persévérance (*hypomonè*), nous conduisent jusqu'à la charité et la gnose » (*Stromates* II, 6, 31 ; trad. A. Guillaumont, SC 170, introd., p. 53-54). Clément décrit ainsi, sans les systématiser encore, les étapes de la vie spirituelle : purification des passions, développement des vertus, accès à l'amour et la connaissance de Dieu. Le « gnostique » (au sens orthodoxe de ce terme) est le chrétien parfait, parvenu à l'*apathie* et donc capable d'aimer pleinement (*Stromates* VI-VII ; cf. DS, t. 1, col. 731-732 ; t. 6, col. 514-515).

*Grégoire de Nysse* † 394 traite longuement et à plusieurs reprises des passions (cf. DS, t. 6, col. 991 ; J. Daniélou, *Platonisme et théologie mystique*, 2ᵉ éd., Paris, 1954, p. 47-83). L'exposé le plus complet du *De anima et resurrectione* montre la dépendance de Grégoire par rapport à Platon (PG 46, 49c, allusion au char et aux chevaux du *Phèdre* ; 53a, rattachement des passions à l'*epithumètikon* et au *thumoeides*) et au stoïcisme (53a-56a, énumération de diverses passions opposées deux à deux).

Les passions n'appartiennent pas à l'essence de l'âme ; elles sont « autour d'elle », comme des « verrues produites par la faculté dianoétique » (56c), mais non pas elle-même. En tant que telles, les passions restent moralement ambiguës, mais une réflexion approfondie lève cette ambiguïté : elles sont comme des *instruments* dont on peut user pour le bien comme pour le mal, selon que la raison, « partie principale de notre nature », réussit à les dominer ou au contraire leur « lâche les rênes » (61b), ce qui rabaisse l'homme au niveau de l'animal (61cd-64a). Finalement, si les mouvements intérieurs de l'âme inclinent au bien, ils méritent louange, comme les désirs de Daniel ou la colère de Phinéès ; si au contraire, par démission de la raison, ils inclinent au mal, « alors ils sont des passions et en prennent le nom » (65c-68a).

2) *Les moines* insistent en général sur la lutte contre les passions ; cette lutte est la première étape de l'itinéraire monastique, étape nécessaire de purification pour accéder à la contemplation. Ils prennent donc le mot en un sens péjoratif, englobant tous les obstacles à la pureté spirituelle : affections de l'âme (*pathè* au sens strict du terme), vices fondamentaux (voir l'art. *Péchés capitaux*), péchés proprement dits. On peut globalement distinguer *trois traditions*, selon les systématisations différentes de l'itinéraire spirituel.

a. *La tradition évagrienne*. – Pour Évagre † 399 (DS, t. 4, col. 1739-44), « Le christianisme est la doctrine du Christ notre Sauveur, qui se compose de la pratique, de la physique et de la théologie » (*Traité pratique* 1, éd. A. et Cl. Guillaumont, SC 171, 1971, p. 498). La *praktikè*, première étape de la vie spirituelle, a pour objet la lutte contre les vices (ou *logismoi*), les passions, et les démons qui en sont l'origine ; son succès permet de passer aux deux étapes suivantes : la contemplation à travers les réalités naturelles (*theôria physikè* ; cf. DS, t. 2, col. 1776-79, 1806-27 ; t. 11, 49-50) et la contemplation directe du Dieu Trinité (DS, t. 2, col. 1827-94). Les ch. 34-39 du *Traité* (p. 578-580) portent dans certains mss le titre *Peri pathôn*. Évagre n'énumère pas les passions et il ne semble pas les distinguer clairement des huit *logismoi* étudiés dans les chapitres précédents. Il affirme seulement que « les passions de l'âme tirent

des hommes leur origine ; celles du corps, du corps. Et les passions du corps sont retranchées par l'abstinence (*ekgrateia*), celles de l'âme par l'amour spirituel (*agapè pneumatikè*) » ; plus loin, il suggère que les premières proviennent de la partie concupiscible, les secondes de la partie irascible (ch. 35 et 38). La victoire contre les passions conduit à l'*apatheia* ; celle-ci est la « santé de l'âme », dont la nourriture est la « science » (*gnôsis*) qui seule unit « aux puissances saintes » (ch. 56. p. 630-632) ; l'*apatheia* est ainsi « la fleur de la *pratique* » et elle a pour fille (ou pour « rejeton », *eggonon*) la charité (ch. 81, p. 670). Évagre s'inspire visiblement de Clément.

Transcrit en entier ou partiellement dans de nombreux mss, sous le nom de Nil ou d'autres encore, traduit en syriaque, en arménien, en arabe et en géorgien (cf. SC 170, introd., p. 127-337), le *Traité pratique* exercera une influence considérable sur la tradition spirituelle gréco-byzantine ; on la discerne particulièrement dans les ouvrages intitulés *Centuries* (DS, t. 2, col. 416-18) ou *Chapitres* (*Kephalaia*).

Faute de pouvoir suivre en détail cette influence, nous notons seulement quelques auteurs, en ajoutant entre parenthèses les renvois éventuels aux articles du DS (tome et colonnes où le thème des passions est mentionné) :

Maxime le Confesseur † 562, *Centuries sur la charité*, PG 90, 960-1080 ; *Centuries gnostiques*, 1084-1173 (10, 842-43). – Thalassius le Lybien (ami de Maxime), quatre centuries *De caritate et continentia*, PG 91, 1428-69 ; cf. M. Th. Disdier, *Le témoignage spirituel de Th...*, dans *Revue des Études Byzantines*, t. 2, 1944, p. 79-118 ; M. van Parys, *Un maître spirituel oublié : Thalassios de Lybie*, dans *Irénikon*, t. 52, 1979, p. 214-240, spéc. p. 232-239. – Jean de Karpathos, 5ᵉ-6ᵉ s., *Chapitres parénétiques* ; *Chapitres théologiques et gnostiques*, PG 85, 1827-60 et 811-26 (8, 590-91). – Jean Climaque († vers 650), *Échelle* VIII-XXVI (8, 376-378). – Syméon le Nouveau Théologien † 1022, *Chapitres pratiques, gnostiques et théologiques*, SC 51, 1957 : surtout I, 73, 77, 85-86 ; III, 31-33, 63, 87. – Nicétas Stéthatos, *Chapitres pratiques, physiques et gnostiques*, PG 120, 852-1009 (11, 228-230). – Hésychius le Sinaïte, 8ᵉ-10ᵉ s., *De temperentia et virtute*, PG 93, 1479-1544 (7, 408-10). – Élie l'ecdicos, 12ᵉ s. ?, *Anthologion*, PG 127, 1127-76 (4, 577). – Ajoutons Nil d'Ancyre († vers 430), *Discours ascétique*, PG 79, 781-809, ch. 46-65 (11, 348-49).

b. *La tradition macarienne*. – Les écrits du Pseudo-Macaire insistent plus encore sur la lutte contre les passions, conséquences de la faute d'Adam et signes de l'emprise de Satan. L'âme n'en triomphe qu'au prix d'un long combat, en s'appuyant sur la grâce et en suivant le Christ dans sa Passion ; alors seulement, elle obtient la communion à l'Esprit saint et parvient à l'apathie (cf. DS, t. 10, col. 30-34). L'*Homélie* 25 de la collection III offre un excellent condensé de la pensée pseudo-macarienne ; citons un paragraphe caractéristique :

« Il y a une essence de lumière, bonne, raisonnable et immatérielle, et qui est Dieu ; et il y a une essence ténébreuse de par son libre choix, et qui sont les esprits de l'erreur et le prince de ce monde (cf. 1 *Jean* 4, 6 ; *Jean* 12, 31). L'âme qui a peu de ressources d'intelligence et de discernement, comme celle qui est riche de ses pensées, de sa prudence et de son discernement, doivent lutter, s'empresser, courir et chercher comment elles mériteront de s'unir à l'essence de la lumière divine, céleste et spirituelle. Ainsi l'âme pourra être guidée par elle contre *la maladie des passions*, elle recevra son enseignement et sera conduite par elle à bien accomplir tous les saints commandements. Une fois sanctifiée par la puissance divine, l'âme apparaîtra sainte et pure. Et chaque âme doit fournir à nouveau une grande lutte et de grands efforts pour être délivrée du pouvoir de la ténèbre immatérielle et perverse, des esprits du mal et des *passions de malice*, puisque, depuis la transgression d'Adam, ces maux s'attachent à l'âme pour lui faire la guerre. Tel doit donc être le but de tout homme qui veut être jugé digne du Royaume, que son intelligence soit au large ou à l'étroit, s'il veut être délivré de *la malice des passions* et mériter de communier à l'essence de l'Esprit. Car la victoire et la défaite dépendent de la libre volonté, soit que l'on se rende aux adversaires, soit qu'avec l'aide de la grâce on combatte et vainque les passions ; alors l'âme sanctifiée communie à l'Esprit, et, unie à la grâce, elle devient digne du Seigneur ; elle mérite ainsi d'hériter du Royaume » (*Hom.* 25, 2 ; éd. et trad. V. Desprez, SC 275, 1980, p. 270-274).

Sur l'influence des écrits macariens, voir DS, t. 10, col. 39-41.

c. Une *tradition syriaque* propose un itinéraire de la vie spirituelle qui semble strictement basé sur l'anthropologie trichotomique de saint Paul : *sôma-psychè-pneuma* (cf. 1 *Cor.* 2, 6 à 3, 3 : *charnels, psychiques, pneumatiques* ou *spirituels*). Cette tradition distingue en conséquence trois étapes de la vie spirituelle : *somatique* ou *corporelle, psychique, pneumatique*. La lutte contre les passions se situe principalement dans la première étape, mais se continue dans la seconde, où l'homme achève sa purification par la pénitence et l'acquisition des vertus.

La tradition s'inaugure avec Jean le Solitaire (ou d'Apamée), moine syrien du 5e s. (cf. DS, t. 8, col. 764-772, spéc. 769-70). On la retrouve ensuite chez Isaac de Ninive ou « le syrien », 7e s. (DS, t. 7, col. 2042-54, spéc. 2043-48), Jean de Dalyatha et Joseph Hazzaya (8e s. ; t. 7, col. 450-451 ; 1343-47).

L'œuvre d'Isaac de Ninive mérite une mention à part. Traduite en grec au moyen âge par les moines Abramios et Patricios de Saint-Sabas, elle connut dès lors un grand succès dans le monachisme byzantin, puis russe (cf. DS, t. 7, col. 2052-53) ; elle fut éditée par Nicéphore Théotokis (DS, t. 11, col. 208-214) à Leipzig en 1770 (éd. reprise à Athènes en 1895 par J. Spetsieris). L'éd. syriaque de P. Bedjan (*De perfectione religiosa*, Paris-Leipzig, 1909 ; trad. angl. par A.J. Wensink, Amsterdam, 1923, réimpr. Wiesbaden, 1967) présente un ordre différent des chapitres, qui permet de mieux saisir la logique interne de la doctrine. La version grecque a été traduite en français par J. Touraille, *Isaac le Syrien, Œuvres spirituelles*, coll. Théophanie, Paris, 1981 ; il est regrettable que cette traduction ne fournisse pas la correspondance des chapitres entre le syriaque et le grec (on la trouve en finale de l'éd. Wensink) ; sur le thème des passions, voir les ch. 55-56, p. 292-307.

2° E Occident, le problème des passions soulève moins d'intérêt ; l'éducation de la conscience chrétienne s'inspire directement de l'Écriture plutôt que des écoles philosophiques.

1) *Les Pères.* – Lactance († vers 325-330 ; DS, t. 10, col. 48-59) offre pourtant des vues originales. Dans le livre VI des *Divinae Institutiones*, il propose une conception positive des *affectus* (telle est sa traduction des *pathè*), à la fois contre les stoïciens et les péripatéticiens (dont il connaît les doctrines surtout par Cicéron). Pour lui, les *affectus* sont inhérents à la nature même de l'homme ; ils relèvent donc de la création et leur but providentiel est de mettre en relief la vertu :

« L'*affectus* est comme une fécondité naturelle des âmes. En effet tout comme un champ, productif par nature, abonde en plantes sauvages, de même l'âme inculte est livrée aux vices qui croissent en elle spontanément comme des épines ; mais dès qu'un vrai cultivateur approche, aussitôt les vices reculent et naissent les fruits de la vertu. C'est donc Dieu qui, en modelant le premier homme, introduisit en lui d'abord ces mouvements de l'âme, afin qu'il pût recevoir la vertu comme une terre reçoit la culture ; il plaça ainsi la matière des vices dans les *affectus*, et la matière de la vertu dans les vices. La vertu en effet sera inexistante ou ne pourra être exercée, si fait défaut ce par quoi sa puissance se manifeste ou se maintient » (VI, 15, 8-9 ; CSEL 19, 1890, p. 337-338).

Les *affectus* sont donc le point d'appui, la « matière » de l'action morale : laissés sans contrôle, ils deviennent des vices, mais contrôlés et dominés par la raison, ils deviennent des vertus. Car celles-ci se constituent et s'affirment en triomphant des vices qui leur sont contraires (17, 1-3 ; cf. 15, 5 : « supprimer les vices, c'est supprimer la vertu ») ; « nous devons donc nous efforcer de diriger droitement les *affectus*, dont le mauvais usage serait le vice » (17, 12).

Lactance renonce donc aux philosophes pour revenir à la sagesse révélée ; « Faisons donc ce qu'ordonne Dieu notre illuminateur : supportons-nous mutuellement et supportons les labeurs de cette vie, mais, si nous faisons une bonne action, évitons d'en tirer gloire » (18, 2). Aux trois Furies dont parlent les poètes, colère, désir, convoitise (*libido*), Dieu a imposé des limites : « Le désir nous a été donné pour acquérir ce qui est nécessaire à la vie, la *libido* pour procréer une descendance, la colère pour réprimer les fautes de ceux qui sont soumis à notre pouvoir (19, 1-6)... Celui donc qui contient ces *affectus* dans leurs limites, chose impossible à qui ignore Dieu, il est patient, fort, juste » (19, 11).

Dans le *De ira Dei*, Lactance conteste l'idée commune de l'impassibilité divine. Sans doute certains *affectus* sont étrangers à Dieu, « comme le désir (*libido*), la crainte, l'avarice, l'affliction, l'envie » (16, 7 ; éd. et trad. Chr. Ingremeau, SC 289, 1982, p. 170). Mais il faut lui en attribuer au moins deux : la bonté (*gratia*) et le colère (*ira*). Lactance apporte cependant deux nuances intéressantes. D'abord, la colère divine est la conséquence de sa bonté : « Dieu s'irrite puisqu'il est mu par la bonté ». Ensuite, l'affirmation de ces deux *affectus* en Dieu intéresse surtout nos relations envers lui : « là est en effet tout l'essentiel et le point cardinal de la religion et de la piété. Car il est impossible qu'on doive aucunement honorer Dieu, s'il n'accorde rien quand on lui rend un culte, ni le craindre s'il ne s'irrite pas quand on ne lui rend pas de culte » (6, 1-2, p. 110). Finalement, « nous devons tous aimer Dieu car il est père, le révérer car il est Seigneur, l'honorer car il est bienfaisant, le craindre car il est sévère » (24, 2, p. 208).

*Ambroise* † 397 traite assez longuement des passions dans le *De Jacob et Vita beata*. Les premiers chapitres du livre I (1, 1à 2, 6) et les derniers du livre II (10, 43 à 12, 58) suivent de très près le livre IV des *Maccabées*, apocryphe qui date probablement du 1er siècle de notre ère et qu'Eusèbe de Césarée attribuait à Flavius Josèphe sous le titre *Peri autocratoros logismou* (*Histoire ecclésiastique* III, 10, 6 ; cf. Jérôme, *De viris illustribus* 13). La suite du livre I (7, 28 à 8, 39) s'inspire du traité de Plotin *Sur le bonheur* (*Ennéade* I, 4 ; cf. A. Solignac, *Nouveaux parallèles entre S. Ambroise et Plotin*, dans *Archives de Philosophie*, t. 19, 1956, p. 148-156). L'utilisation de ces sources n'élimine point cependant l'originalité d'Ambroise. S'il emprunte à 4 *Macc.* l'idée que la *raison droite* est maîtresse des passions et la description de celles-ci (I, 1-2, 6), puis les exemples d'Éléazar, des sept frères martyrs et de leur mère (finale du livre II), il transfigure profondément le problème et sa solution en recourant à l'Évangile et aux écrits pauliniens. La vraie victoire sur les passions n'est possible que si le chrétien se met à la suite du Christ, accédant ainsi à « une précieuse servitude et glorieuse liberté » (I, 3, 11 ; CSEL 32/2, 1897, p. 11). Le Christ en effet « a cloué nos passions à sa croix » et « les passions de nos péchés meurent dans sa mort » (I, 5, 17-18, p. 16) ; en outre, par sa résurrection, « il a laissé le vieil homme figé à la croix et ressuscité l'homme nouveau » (18, p. 16). Par suite, « nous ensevelissons nos passions si nous ne rendons pas vaine la croix du Corps du Christ, si nous ne récrivons pas le chirographe du péché qui a été effacé en sa croix, si nous ne revêtons plus l'habit du vieil homme que nous avons quitté » (5, 19, p. 27).

Voir aussi *De Noe et arca* 24, 87-88 (CSEL 32/1, 1896, p. 475-476) où Ambroise compare les « passions impures du corps » aux reptiles venimeux et les *affectus* légitimes aux reptiles paisibles, « car tout *affectus* autre que les convoitises de la délectation désordonnée est sans doute une pasion, mais une bonne passion » ; *De officiis ministrorum* II, 5, 19, PL 16, 103b : « le bonheur ne consiste pas dans la passion, mais à être vainqueur de la passion et à ne pas se laisser abattre par la crainte d'une douleur temporelle ».

Nous avons déjà mentionné les passages de la *Cité de Dieu* où *Augustin* reprend les vues de Cicéron, en les corrigeant toutefois selon une perspective chrétienne (voir surtout *Cité de Dieu* XIV, 9). Ailleurs, il souligne la permanence des passions même après le baptême. Il commente ainsi les « passiones peccatorum » de *Rom.* 7, 5 : « A ces passions meurt celui qui se soumet à la loi de Dieu ; cependant les passions elles-mêmes ne sont pas mortes tant qu'il est encore par sa chair soumis à la loi du péché. Il reste donc quelque chose à celui qui est sous la grâce... jusqu'à ce que soit mis à mort tout ce que renforce l'habitude mauvaise ». La libération définitive est seulement pour la vie éternelle (*De diversis quaestionibus 83*, q. 66).

Dans le *Commentaire sur saint Jean*, Augustin s'interroge sur le « trouble » de Jésus avant la Passion (*Jean* 13, 21) :

« Comme il a transfiguré le corps de notre bassesse en le conformant à son corps de gloire (*Phil.* 3, 21), il a de même transfiguré en lui les *affectus* de notre faiblesse, en compatissant avec nous par l'*affectus* de son âme » (56, 2). Les raisonnements des philosophes sur l'absence de troubles chez le sage sont erronés. « L'âme chrétienne peut donc aussi être troublée, non par misère, mais par miséricorde : sa crainte est que les hommes soient perdus pour le Christ ; sa tristesse qu'ils soient éloignés du Christ ; son désir est d'attirer des hommes au Christ ; sa joie est de les voir gagnés au Christ » (56, 3). La crainte de la mort elle-même n'est pas répréhensible, car les chrétiens ne sauraient être plus forts que le Christ (56, 4). Augustin conclut cependant en évoquant le trouble de Jésus au tombeau de Lazare : « turbavit semetipsum » (*Jean* 11, 33) ; Jésus se trouble volontairement, et c'est le signe de sa divinité : « il a fait naître en lui par son pouvoir un sentiment humain, quand il l'a jugé opportun, lui qui par son pouvoir a assumé l'homme tout entier » (56, 5) ; dans le même sens, *Cité de Dieu* XIV, 9.

2) *Le monachisme occidental* laisse de côté le problème des passions. Cassien en parle évidemment (*Institutions* I, 7 ; V, 2 ; 20 ; 34 ; VI, 15 ; VII, 12 ; 13 ; VIII, 2 ; 8 ; IX, 13 ; XI, 17 ; XII, 24 ; *Conférences*, voir l'index, CSEL 17, p. 495), mais le terme a un sens

très général ou, plus souvent, désigne les huits vices capitaux. Dans la *Règle du Maître*, il s'applique seulement à la Passion du Christ (voir la table en SC 167, p. 324), de même dans le prologue de la *Règle* de S. Benoît. Ce silence ne signifie pas l'absence de lutte ascétique chez les moines d'Occident ; il s'explique peut-être par les critiques de Jérôme contre la conception évagrienne de l'apathie, celles du même Jérôme et d'Augustin contre l'« impeccabilité » pélagienne (cf. DS, t. 1, col. 735, 738-39), mais plutôt, et plus simplement croyons-nous, parce que le monachisme occidental s'est développé dans une orientation différente.

RAC, art. *Affekt* (A. Voegtle) et *Apatheia* (P. de Labriolle), t. 1, 1950, col. 160-173 et 484-487. – Kittel, πάσχω..., πάθος, t. 5, 1955, p. 905-939 (W. Michaelis).
J. Freudenthal, *Die Flavius Josephus beigelegte Schrift über die Herrschaft der Vernunft (IV Makkabäerbuch)*..., Breslau, 1869 (le premier à noter l'influence sur les auteurs chrétiens). – A. Dupont-Sommer, *Le Quatrième Livre des Machabées*, introd., trad. et notes, Paris, 1939.
M. Spanneut, *Le Stoïcisme des Pères de l'Église*, Paris, 1957 ; 2e éd. revue, 1969 ; *Tertullien et les premiers moralistes chrétiens*, Gembloux-Paris, 1969 ; *Permanence du Stoïcisme*, Gembloux, 1973, p. 130-178.
A. Méhat, *Études sur les Stromates de Clément d'Alexandrie*, Paris, 1966, p. 366-373. – E.P. Micka, *The Problem of Divine Anger in Arnobius and Lactantius*, Washington, 1943. – M. Perrin, *Homo christianus. Christianisme et tradition antique dans l'anthropologie de Lactance* (thèse Univ. Paris IV), Lille, 1979, t. 1, p. 431-438. – H. Dörries, *Die Theologie des Makarios/Symeon*, Göttingen, 1978, p. 27-28, 211-212, 303. – F.-J. Thonnard, *La vie affective de l'âme selon S. Augustin*, dans *Année théologique augustinienne*, t. 13, 1953, p. 33-55. – Segundo de Jesús, *Las passiones en la concepción agustiniana de la vida espiritual*, dans *Revista de Espiritualidad*, t. 14, 1955, p. 251-20.

3. **Philosophes et spirituels du 17e siècle.** – Le renouveau d'intérêt pour les passions à cette époque s'explique par le néo-stoïcisme et le réformisme du siècle précédent (art. *France*, DS, t. 5, col. 892-910 ; M. Spanneut, *Permanence du Stoïcisme*, p. 213-255). *La philosophie des stoïques* de Guillaume du Vair (Lyon, 1600 ; nombreuses rééd. à part ou dans les *Œuvres complètes*, cf. DS, t. 3, col. 1854-57) n'est pas un exposé historique mais une actualisation de la morale stoïcienne pour des lecteurs chrétiens ; l'ouvrage traite longuement des passions (éd. G. Michaut, Paris, 1946, p. 69-100) ; son influence se décèle chez Descartes et même Pascal. François de Sales en traite plus brièvement (*Traité de l'amour de Dieu* I, ch. 2-3 ; en 1612) ; plus tard, le médecin du roi Marin Cureau de la Chambre en parlera d'un point de vue surtout descriptif (*Les Caractères des Passions*, Paris, 1640). Nous limitons notre étude à cinq auteurs dont les traités connurent une large diffusion.

1º Le dominicain Nicolas COEFFETEAU (1574-1623 ; DS, t. 2, col. 1022-23), dans son *Tableau des passions humaines, de leurs causes et de leurs effets* (Paris, 1620 ; 16 éd. jusqu'en 1664 ; trad. angl. à Londres dès 1621), reprend en fait la doctrine de Thomas d'Aquin (*Summa theologica* 1ª 2ae q. 22-48 ; *De veritate*, q. 26) ; il la dégage cependant de l'appareil scolastique et la présente avec ordre et clarté dans la belle langue de l'époque. Coeffeteau définit les passions, d'après les philosophes, comme « un mouvement de l'appétit sensitif, causé de l'appréhension ou de l'imagination du bien et du mal, qui est suivi d'un mouvement qui arrive au corps, contre les lois de la nature » (1ᵉ éd., p. 20). Il distingue d'abord quatre passions fondamentales : volupté, douleur, espérance, crainte ; il en donne ensuite une énumération plus complète en les rattachant, comme saint Thomas, aux appétits concupiscible et irascible ; six dérivent du premier : amour, désir, volupté (si l'objet est un bien), haine, fuite, douleur (si l'objet est un mal) ; cinq du second : hardiesse et peur, espérance et désespoir, colère (p. 28-34).

Les passions sont présentes en tout homme, même chez le sage. Mais « la raison peut les soumettre à son empire et leur donner la loy » ; en conséquence « elles peuvent être bonnes ou mauvaises selon la qualité de la volonté qui les gouverne » (p. 51). Ainsi, « la tempérance n'est... qu'une médiocrité (le mot n'a pas un sens péjoratif) que nous gardons aux voluptez du goust et de l'attouchement, et aux douleurs ou aux tristesses qui nous surviennent : c'est-à-dire, ce n'est autre chose qu'une vertu, par le moyen de laquelle nous reglons les voluptés et les douleurs » (p. 58). D'ailleurs, « l'appetit sensitif est un present de la nature, que Dieu qui en est l'autheur nous a liberalement accordé. Or la vertu ne detruit pas la nature, mais y adjouste les perfections qui lui manquent » (p. 59). Contrairement à l'opinion des Stoïciens, « il est faux que les passions soient des maladies de l'âme ; au contraire, ce sont les instruments et les objects de la vertu : ce sont comme de vives estincelles qui en allument en nos ames les desirs, et comme parle Aristote, ce sont les armes de la raison » (p. 65).

La valeur positive des passions apparaît par exemple dans les effets de l'amour : le premier est de « nous unir à l'object de nostre affection : ... il est de l'essence de l'amour qu'elle produise cette union » (p. 153) ; le second, « c'est qu'il fait que l'ame de celuy qui ayme est plus où elle ayme qu'où elle anime, et que reciproquement l'ame de la chose aymée est plus avec l'amant qu'en son propre corps » (p. 157). De toutes les passions, la colère était pour saint Thomas la seule qui n'ait point de contraire. Ici, Coeffeteau corrige discrètement son maître : « Il y a un mouvement contraire à ceste passion, qui remet l'homme en l'estat de l'homme... Cette passion n'a point de nom propre, mais se peut nommer ou débonnaireté, ou douceur, ou clemence selon les suiets où elle se rencontre » (p. 602-603).

Coeffeteau se maintient en général au niveau de la philosophie, avec seulement de rares allusions au christianisme (en notant, par exemple, que le Christ, « incapable de péché..., a eu luy-mesme des passions et des affections humaines » ; p. 53). Mais la beauté du style, la qualité des descriptions et de l'enseignement, l'abondance d'exemples suggestifs, font de cet ouvrage un excellent guide de vie pour « l'honnête homme ».

2° Jean-François SENAULT (4ᵉ supérieur de l'Oratoire, 1601-1672 ; cf. A. Molien, DTC, t. 14, col. 1854-8) destine sûrement son traité *De l'usage des passions* (Paris, 1641 ; 18 éd. jusqu'en 1669) aux lecteurs chrétiens, comme le montre cette belle remarque de la Préface : « Il faut sçavoir que la Grâce, soit dans l'estat d'innocence, soit dans l'estat du christianisme, fait une partie de l'homme ; il n'est pas accomply quand il en est despouillé, et quoyque la Raison lui demeure, il est imparfait s'il n'a pas la Iustice ». Senault n'a pas cependant la limpidité du style de Coeffeteau ; en outre, il ne semble pas toujours exactement informé quand il traite des philoso-phes ; son maître est avant tout Augustin, qu'il cite souvent sans distinguer les œuvres authentiques des traités apocryphes.

La définition et l'énumération des passions sont pratiquement les mêmes que celles de Coeffeteau (I, 2ᵉ et 3ᵉ discours ; 1ᵉ éd., p. 18-27). Senault les rattache à l'appétit sensitif, mais hésite à les classer suivant le concupiscible et l'irascible :

« Si ce n'estoit point une heresie en morale de douter de cette maxime, et s'il n'y avoit point de temerité à combattre une opinion receuë depuis tant de siècles, j'auroy grande inclination à croire que toutes ces passions logent dans un mesme appetit qui est divisé par ses mouvemens comme l'esprit est partagé par ses opinions ou comme la volonté est divisée par l'amour et par la haine » (p. 24-25).

Il s'ensuit que l'amour – qui peut toutefois se transformer en son contraire, la haine – est en définitive « l'unique passion qui nous agite » car tous les mouvements passionnels « ne sont que des amours déguisez » (p. 27). Senault insiste sur ce primat de l'amour, en s'appuyant sur Augustin (*Cité de Dieu* XIV, 7) ; c'est l'aspect le plus original du traité :

« Si tant de bonnes raisons ne peuvent persuader une verité si manifeste, au moins doivent-elles obtenir de nos adversaires, que s'il y a plusieurs passions, l'amour en est le souverain, et qu'il est absolu dans son estat, que ses sujects n'entreprennent rien que par ses ordres : il est le premier mobile qui les emporte ; comme il leur donne le branle, il leur doinne aussi le repos » (p. 31). L'amour étant la plus violente des passions de l'homme, « la Morale ne doit travailler qu'à la conduite de l'amour ; car quand cette passion sera bien reglée, toutes les autres l'imiteront, et l'homme qui saura bien aymer n'aura point de mauvais desirs, ny de vaines espérances à moderer » (4ᵉ discours, p. 41).

D'autre part, les passions peuvent être les semences des vertus (p. 134-135), aussi bien que les semences des vices (p. 140-141). Mais il n'y a point de passion qui ne puisse être changée en vertu (p. 149-158). La seconde partie (p. 206-259) traite du bon ou du mauvais usage de chaque passion. On n'y trouve guère de notations originales.

3° René DESCARTES (1596-1650) couronne son œuvre par *Les passions de l'âme* (Amsterdam et Paris, 1649, 1650, etc. ; nous citons d'après l'éd. de G. Rodis-Lewis, Paris, 1955) où il expose à la fois son anthropologie et sa morale (à compléter sur ce point par les *Lettres sur la Morale,* rassemblées par J. Chevalier, Paris, 1935).

Pour connaître exactement les passions de l'âme, il convient « d'examiner la difference qui est entre l'âme et le corps », car « ce qui est en elle une passion, est communement en luy une action » (article 2, p. 66). Les actions de l'âme sont « toutes nos volontez, à cause que nous experimentons qu'elles viennent directement de nostre ame, et ne semblent dependre que d'elle ». Par contre, « on peut generalement nommer ses passions, toutes les sortes de perceptions ou connoissances qui se trouvent en nous, à cause que souvent ce n'est pas nostre ame qui les fait telles qu'elles sont, et que tousjours elle les reçoit des choses qui nous sont representées par elles » (17, p. 79-80). D'où la définition plus précise des passions : « Des perceptions, ou des sentiments, ou des emotions de l'ame, qu'on rapporte particulierement à elle, et qui sont causées, entretenues et fortifiées par quelque mouvement des esprits » (27, p. 86).

L'âme et le corps, pour Descartes, sont radicalement différents (dualisme cartésien) et néanmoins intimement conjoints. Bien que l'âme soit unie à toutes les parties du corps, son « siège principal » est « une certaine glande fort petite », située dans le milieu du cerveau (la glande *pinéale*) et particulièrement sensible aux « esprits animaux ». Ceux-ci sont des corpuscules qui émanent de la chaleur du cœur (4, p. 67), et qui « se répandent ensuite dans les nerfs et les muscles » pour produire les mouvements (11, p. 73-74). Par l'intermédiaire des esprits animaux, la « petite glande » peut être « meuë en autant de diverses façons qu'il y a de diversitez sensibles dans les objets ; mais... elle peut aussi estre diversement meuë par l'ame » (34, p. 91-92 ; cf. 37, p. 94-95). Ainsi s'explique l'interaction entre l'âme et le corps.

L'âme n'a donc sur les passions qu'une emprise indirecte : « Nos passions ne peuvent pas aussi directement estre excitées ny ostées par l'action de nostre volonté ; mais elles peuvent l'estre indirectement par la representation des choses qui ont coustume d'estre jointes avec les passions que nous voulons avoir, et qui sont contraires à celles que nous voulons rejetter » (45, p. 99).

Descartes refuse d'autre part l'idée d'un conflit *intérieur à l'âme* ; il affirme fortement son *unité*, à l'encontre de la distinction platonicienne des diverses parties : « il n'y a en nous qu'une seule ame... la mesme qui est sensitive est raisonnable, et tous ses appetits sont des volontez... L'erreur que l'on a commise en luy faisant jouër divers personnages... ne vient que de ce qu'on n'a pas bien distingué ses fonctions de celles du corps » (47, p. 101). S'il y a conflit, celui-ci résulte de la distinction âme-corps. Et si l'âme a le dessous, c'est qu'elle n'a pas réussi à se rendre « forte » mais se laisse dominer par les impressions. La « force » cependant ne suffit pas : la « connaissance de la vérité » doit s'y ajouter, c'est-à-dire une rectitude de jugement qui s'oppose aux « opinions » causées par les impressions venues du dehors (48-49, p. 103-104).

Du fait que les causes des passions sont pour la plupart extérieures à l'âme, il suffit que celle-ci soit « bien conduite » pour acquérir sur elles un pouvoir absolu ; en effet, les mouvements qui sont joints naturellement aux objets des passions « peuvent toutefois par habitude en estre separez, et joints à d'autres fort differens » (50, p. 104-105). La domination des passions consistera donc à remplacer les mouvements *naturels* par des mouvements *imposés* par la volonté et affermis par l'habitude. Descartes compare ce procédé au dressage des chiens couchants, qui leur apprend à ne pas courir aussitôt après la perdrix, mais seulement lorsqu'on a tiré sur elle (p. 106).

La seconde partie traite de l'ordre et du nombre des passions. Descartes propose des principes de distinction sur lesquels nous n'insisterons pas. Retenons seulement l'énumération nouvelle des passions : admiration (c'est-à-dire « étonnement » devant un objet inconnu) ; estime ou mépris, magnanimité ou orgueil ; humilité ou bassesse ; estime et vénération, mépris et dédain ; amour ou haine, désir ; espérance, assurance ou crainte (dont la jalousie est une espèce), désespoir ; irrésolution, courage, hardiesse, émulation, lâcheté, épouvante ; remords, joie ou tristesse ; moquerie, envie, pitié ; satisfaction de soi-même ou repentir ; faveur et reconnaissance, indignation et colère, gloire ou honte ; dégoût, regret, allégresse.

Parmi ces passions, six sont « primitives », comme fondement des autres : admiration, amour, haine, désir, joie, tristesse (69, p. 115-116). Descartes les décrit plus longuement, ainsi que les mouvements physiologiques qu'elles provo-

quent. L'avant-dernier chapitre de cette partie ajoute une remarque importante : « nostre bien et nostre mal depend principalement des emotions interieures, qui ne sont excitées en l'ame que par l'ame mesme ; en quoy elles different de ces passions, qui dependent tousjours de quelque mouvement des esprits » (147, p. 173). Or les émotions intérieures provoquent un « contentement » qui permet de dominer tous les troubles venus de l'extérieur. « Et affin que nostre ame ait ainsi de quoy estre contente, elle n'a besoin que de suivre exactement la vertu. Car quiconque a vescu en telle sorte, que sa conscience ne luy peut reprocher qu'il ait jamais manqué à faire toutes les choses qu'il a jugées estre les meilleures..., il en reçoit une satisfaction, qui est si puissante pour le rendre heureux, que les plus violens effors des passions n'ont jamais assez de pouvoir pour troubler la tranquillité de son ame » (148, p. 174).

La troisième partie décrit les « passions particulières ». On y remarque surtout les chapitres sur la générosité, nouvelle appellation de la magnanimité, que Descartes distingue nettement de l'orgueil (cf. DS, art. *Orgueil*, t. 11, col. 928). C'est une estime entièrement légitime de soi-même, fondée à la fois sur « la libre disposition de ses volontez », et « une ferme et constante resolution d'en bien user, c'est-à-dire de ne jamais manquer de volonté pour entreprendre et exécuter toutes choses qu'il jugera estre les meilleures. Ce qui est suivre parfaitement la vertu » (153, p. 177-178 ; cf. 161, p. 184-185 où la générosité est mise en relation avec la grandeur du « libre arbitre »). L'avant-dernier chapitre propose un « remède général contre les passions ». Ce remède consiste à pratiquer le « dressage » des mouvements spontanés grâce à cette rectitude du jugement qui permet « d'estre averti et se souvenir que tout ce qui se présente à l'imagination tend à tromper l'ame » (211, p. 215-218). Finalement l'âme « peut avoir ses plaisirs à part », et doit se prémunir contre « ceux qui luy sont communs avec le corps » et « dépendent entièrement des passions ». « Mais la Sagesse est principalement utile en ce point, qu'elle enseigne à s'en rendre tellement maistre et à les mesnager avec tant d'adresse que les maux qu'elles causent sont fort supportables, et mesme qu'on tire de la joye de tous » (212, p. 218).

Descartes entend se maintenir sur le terrain de la philosophie, ce dont on ne peut lui faire grief ; nous n'avons pas à juger ici sa manière de comprendre la distinction et les rapports de l'âme et du corps. Son enseignement sur le « bon usage » des passions ne manque ni de finesse ni de grandeur. On se demande cependant s'il a bien pris conscience de l'emprise durable et profonde que les passions exercent parfois sur la personnalité tout entière. La rectitude du jugement, la puissance du libre arbitre, les industries de « dressage » suffisent-elles pour dominer les passions lorsque celles-ci sont profondément implantées ? Descartes propose finalement un « salut par la connaissance », comme le fera Spinoza ; il ne connaît qu'une *katharsis* d'ordre psychologique et intellectuel ; il ignore la nécessité d'une purification morale et spirituelle.

4° Blaise PASCAL (1623-1662 ; DS, *supra*, col. 279-291) apporte la dimension qui manque à Descartes. Les *Pensées* (publiées en 1670, mais de façon incomplète) ne proposent aucune théorie des passions et n'en parlent qu'assez rarement. Pascal les comprend cependant comme un aspect fondamental de la misère de l'homme.

D'une façon générale, leur effet est de « troubler » les sens qui, par suite, « abusent la raison par fausses apparences..., mentent et trompent à l'envi » (éd. Brunschvicg, n. 83) ; elles « nous poussent au dehors, quand même les objets ne s'offriraient pas pour les exciter » (n. 464). Plus profondément, elles provoquent la « guerre intestine » de l'homme en s'opposant à la raison :

« S'il n'avait que la raison sans passions... S'il n'avait que les passions sans raison... Mais ayant l'un et l'autre, il ne peut être sans guerre, ne pouvant avoir paix avec l'un qu'en ayant guerre avec l'autre : ainsi il est toujours divisé et contraire à lui-même » (n. 412). Les hommes se sont dès lors « partagés en deux sectes : les uns ont voulu renoncer aux passions et devenir dieux ; les autres ont voulu renoncer à la raison et devenir bêtes brutes (comme le conseiller Des Barreaux). Mais ils ne l'ont pu, ni les uns ni les autres ; et la raison demeure toujours, qui accuse la bassesse et l'injustice des passions, et qui trouble le repos de ceux qui s'y abandonnent ; et les passions sont toujours vivantes dans ceux qui y veulent renoncer » (n. 413).

En particulier, les passions sont le grand obstacle à la foi, comme le dit Pascal à son interlocuteur fictif vers la finale du texte sur le « pari » (nous suivons ici l'éd. Lafuma, n. 418 ; cf. Brunschvicg, n. 233, éd. *minor*, p. 448, variante en n. 2) :

« Je ne puis croire. Que voulez-vous donc que je fasse ? – Il est vrai, mais apprenez au moins que votre impuissance à croire vient de vos passions. Puisque la raison vous y porte et que néanmoins vous ne le pouvez, travaillez donc non pas à vous convaincre par l'argumentation des preuves de Dieu, mais par la diminution de vos passions ».

Et « Jésus-Christ vient dire aux hommes qu'ils n'ont pas d'autres ennemis qu'eux-mêmes, que ce sont leurs passions qui les séparent de Dieu, qu'il vient pour les détruire, et pour leur donner sa grâce, afin de faire d'eux tous une Église sainte... » (n. 783).

Les passions pourtant ne sont pas radicalement mauvaises ; l'homme peut les transformer en vertus, mais à condition de les maîtriser :

« *Sub te erit appetitus tuus* (*Gen.* 4, 7). Ses passions ainsi dominées sont vertus : l'avarice, la jalousie, la colère, Dieu même se les attribue, et ce sont aussi bien des vertus que la clémence, la pitié, la constance, qui sont aussi des passions. Il faut s'en servir comme d'esclaves, et, leur laissant leur aliment, empêcher que l'âme ne s'y prenne ; car quand les passions sont les maîtresses, elles sont vices, et alors elles donnent à l'âme de leur aliment, et l'âme s'en nourrit et s'en empoisonne » (n. 502).

5° Nicolas MALEBRANCHE (1638-1715 ; DS, t. 10, col. 167-173) consacre aux passions le livre v de la *Recherche de la vérité* (1674-1675 ; éd. G. Rodis-Lewis, *Œuvres complètes*, t. 2, Paris, 1963, p. 126-242). Il suit Descartes en ce qui concerne la physiologie et l'énumération des passions, mais il le complète et le corrige en s'inspirant d'Augustin, redonnant ainsi au problème sa dimension spirituelle. Nous retenons seulement ce dernier aspect.

Malebranche se demande si « ce rapport... des pensées de l'esprit de l'homme avec les mouvements de son corps est une peine de son péché ou un don de la nature ». Sa réponse est nuancée : avant la faute, l'homme était « le maître absolu de ses passions », mais « sa nature est présentement corrompuë : le corps agit avec trop de force sur l'esprit » (ch. 1, p. 130). Cependant, « la chûte n'a pas détruit l'ouvrage de Dieu... sa volonté immüable, qui fait la nature de chaque chose, n'a point été changée par l'inconstance et la legereté de la volonté d'Adam ». « Le péché de

l'homme a bien été l'occasion de cette volonté de Dieu, qui fait l'ordre de la grâce. Mais la grace n'est point contraire à la nature : l'une ne détruit pas l'autre, parce que Dieu ne combat pas contre lui-même » (p. 130-131).

Les Stoïciens (et Descartes) sont dans l'erreur quand ils veulent mettre l'homme au-dessus des passions en faisant appel à sa raison. En effet, « l'expérience nous prouve assez que les choses ne sont point comme nôtre raison nous dit qu'elles doivent être, et il est ridicule de philosopher contre l'expérience. Ce n'est pas ainsi que les Chrétiens philosophent. Ils ne nient pas que la douleur soit un mal ; qu'il n'y ait de la peine dans la désunion des choses auxquelles nous sommes unis par la nature, et qu'il ne soit difficile de se délivrer de l'esclavage où le péché nous a réduits. Ils tombent d'accord que c'est un désordre que l'ame dépend de son corps : mais ils reconnoissent qu'elle en dépend, et de telle manière, qu'elle ne se peut délivrer de sa dépendance que par la grace de Jésus-Christ... Les Chrétiens sçavent que pour se délivrer en quelque manière de la dépendance où ils sont, ils doivent travailler à se priver de toutes les choses, dont ils ne peuvent jouïr sans plaisir ni être privez sans douleur ; que c'est là le seul moyen de conserver la paix et la liberté de l'esprit qu'ils ont reçûës par la grace de leur Libérateur » (ch. 2, p. 134-135). Malebranche laisse donc une place pour l'ascèse et la pénitence (cf. DS, t. 10, col. 171).

La doctrine de Spinoza (1632-1677) sur les *affectus*, la servitude de l'homme et son accès à la liberté (*Ethica* III-v ; voir l'éd. avec trad. franç. de Ch. Appuhn, Paris, 1934 ; réimpression, 1977) est trop complexe pour que nous puissions l'envisager ici ; elle se situe d'ailleurs au plan de la philosophie ; excellent exposé par J.-Cl. Fraisse, *L'Œuvre de Spinoza*, Paris, 1978, p. 177-308.

A. Kenny, *Action, Emotion and Will*, Londres, 1963. – A. Levi, *French moralists. The Theory of the Passions, 1585 to 1649*, Oxford, 1964. – M. Spanneut, *Permanence du stoïcisme. De Zénon à Malraux*, Gembloux, 1973. – É. Gilson, *Index scolastico-cartésien*, Paris, 1912, p. 291-294. – Voir aussi les multiples études sur Descartes, Pascal, Malebranche.

4. **Pensée contemporaine.** – Les passions constituent un aspect fondamental de l'existence humaine ; on ne s'étonne donc pas que cette thématique soit toujours présente à notre époque. Les auteurs de romans et de pièces de théâtre ne cessent d'exploiter cette veine, par exemple Jean Giraudoux † 1944, Georges Duhamel † 1966, François Mauriac † 1970 (DS, t. 10, col. 831-833), Julien Green (né en 1900). Les manuels de psychologie en traitent encore (L. Dugas, *Nouveau Traité... de G. Dumas*, t. 6, Paris, 1939, p. 18-54). La psychanalyse utilise des termes qui évoquent les mouvements passionnels (J. Laplanche et J.-B. Pontalis, *Vocabulaire de la psychanalyse*, Paris, 1967 : art. *Affects, Agressivité, Angoisse*, méthode *Cathartique, Désir, Frustration, Libido, Pulsions* ; DS, art. *Katharsis* III, t. 8, col. 1683-90).

Mais les perspectives ont changé. Dans l'antiquité, et encore au 17e siècle, l'homme individuel était le *sujet* des passions ; aujourd'hui, celles-ci se sont en quelque façon « socialisées » : elles atteignent des groupes, des partis, tout autant que les individus ; ou encore, elles sont envisagées sous l'angle des relations humaines, en tant qu'elles en modifient la structure ou les manifestations. On parle de « passions politiques », de « passions d'exploitation » ou « de révolte » ; l'agressivité et la violence, qu'elles qu'en soient les causes, comptent (avec la drogue, qui est aussi objet d'une passion) parmi les problèmes évidents des sociétés modernes.

1° LES PHILOSOPHES s'intéressent encore au problème ; nous retenons, à titre d'illustration, quelques exemples qui ne sont pas sans rapport avec les problèmes spirituels.

L'essai de F. Alquié sur *Le désir d'éternité* (Paris, 1943) est une réflexion sur le conflit entre les passions et la volonté, sous l'angle d'un refus affectif du temps et d'une quête spirituelle de l'éternel. Dans *L'être et le néant* (Paris, 1943), J.-P. Sartre s'interroge sur les deux formes de la « relation à autrui » et développe une analyse phénoménologique des passions, bien que le mot n'y soit pas (p. 431-484) ; plus loin, il rejette le dualisme cartésien passions-volonté et finit par intégrer les passions à la liberté (p. 516-537). La finale du dernier chapitre est devenue célèbre :

« Toute réalité humaine est une passion, en ce qu'elle projette de se perdre pour fonder l'être et pour constituer du même coup l'En-soi qui échappe à la contingence en étant son propre fondement, l'*Ens causa sui* que les religions nomment Dieu... Mais l'idée de Dieu est contradictoire et nous nous perdons en vain : l'homme est une passion inutile » (p. 708).

Dans une perspective tout autre, l'analyse de la « fragilité affective » chez P. Ricoeur (*Finitude et culpabilité*, t. 1, *L'homme faillible*, Paris, 1960, p. 97-148) propose aussi une nouvelle manière d'aborder le problème. S'inspirant de Platon et de Kant (*Anthropologie...*, trad. M. Foucault, Paris, 1964), critiquant Thomas d'Aquin et Descartes, Ricoeur montre qu'on ne saurait déduire les passions d'un seul principe (l'appétit concupiscible), mais qu'il faut poser à l'origine une polarité, celle du *bios* et du *logos*. Entre les deux le *thumos*, le cœur, joue un rôle de médiation. « Mais cette médiation se réfléchit elle-même dans une requête affective indéfinie où s'atteste la fragilité de l'être humain. Il apparaît alors que le *conflit* tient à la constitution la plus originaire de l'homme » (p. 148).

2° Dans les TRAITÉS RÉCENTS DE SPIRITUALITÉ, par contre, il n'est plus fait mention de la lutte contre les passions (sinon pour maintenir la valeur actuelle de la tradition, comme chez L. Bouyer, *Introduction à la vie spirituelle*, Paris, 1960, p. 251-260).

Ce silence s'explique d'abord, croyons-nous, par *l'absence du terme dans les écrits du nouveau Testament* (cf. *supra*). Or la spiritualité de notre temps revient, avec raison, à ses sources scripturaires ; on se défie du « moralisme » ; on hésite même à parler d'une « morale chrétienne », dans la mesure où la formule impliquerait une systématisation rationnelle des lois morales à partir de prémisses tirées de l'Écriture. Il existe cependant des ouvrages récents sur « la morale » ou « l'éthique » de l'Évangile et du nouveau Testament (cf. art. *Morale*, col. 1711-15, avec bibliographies). Mais ces ouvrages visent simplement à mettre au clair les exigences de la vie chrétienne telles qu'elles sont directement exprimées par les textes. On n'y trouve donc pas de directives sur la conduite des passions, mais bien sur l'abnégation, la conversion, le discernement des esprits, la *metanoia*, la mortification, la pénitence, car tous ces termes sont évangéliques (voir les art. afférents dans le DS).

Les écrits du nouveau Testament visent sans doute à mettre en garde contre le péché, les vices qui le provoquent, les tentations qui menacent. Ils n'ignorent point cependant la nécessité d'*extirper le péché jusqu'en ses racines* les plus profondes : c'est en ce sens qu'on doit interpréter les paroles du Christ où il déclare qu'il n'est pas venu « abolir » la loi mais la « parfaire », avec leurs développements précis sur la colère, l'impureté, la fidélité conjugale, la vengeance, l'amour des ennemis, l'hypocrisie, le danger des richesses (*Mt.* 5, 17 à 6, 6) ; en outre, Jésus montre avec insistance que l'impureté ou la pureté de l'homme ne viennent pas « du dehors », mais « du dedans, du cœur » (*Marc* 7, 14-23). Dans la même ligne, saint Paul oppose la servitude du péché et le service de la justice (*Rom.* 6, 12-23), analyse le conflit entre la *chair* et l'*esprit* (*Rom.* 7, 14-24) et montre comment ce conflit est résolu par la grâce du Christ et l'action de l'Esprit saint (*Rom.* 8, 1-17 ; *Gal.* 4, 4-7) ; ou encore, il énumère les « œuvres de la chair » et les « fruits de l'Esprit » (*Gal.* 5, 16-25). C'est en méditant ces textes, et en les appliquant à leur vie concrète, que les chrétiens apprennent à dominer leurs passions, ou plutôt tout ce qui, en eux, fait obstacle à la sainteté de la vie chrétienne.

Plus profondément encore, la purification intérieure et la montée vers la sainteté consistent essentiellement pour le chrétien à s'engager à la suite du Christ : « Si quelqu'un veut venir à ma suite, qu'il renonce à lui-même, qu'il prenne sa croix et me suive » (*Marc* 8, 24). La mortification des passions est ainsi une participation à la Passion du Christ et à sa Résurrection. Cette participation s'inaugure avec le Baptême qui, pour mettre fin à l'asservissement au péché, fait mourir avec le Christ, revivre avec lui : tel est l'enseignement capital de saint Paul, qui ajoute cependant que la conversion du Baptême et l'accès à la vie divine exigent d'être maintenus dans la suite : « Que le péché ne règne plus dans votre corps mortel pour vous plier à ses convoitises » (*Rom.* 6, 8-12).

Saint Ambroise, on l'a vu, avait déjà interprété dans ce sens la lutte chrétienne contre les passions (cf. *supra*, col. 346). Mais Évagre lui-même, et Cassien à sa suite, n'étaient pas si loin de cette solution puisque l'un et l'autre (Évagre surtout dans l'*Antirrhétique*) enseignent que le grand moyen de combattre les passions, les vices, et les démons qui les attisent, est le souvenir et la méditation des textes de l'Écriture qui leur sont contraires.

H.-D. Noble, *L'éducation des passions,* Paris, 1919. – G. Dumas, *La vie affective,* Paris, 1948, p. 170-190. – Alain (= Émile Chartier † 1951), *Les passions et la sagesse,* Paris, 1960 ; cf. O. Reboul, *L'homme et ses passions d'après Alain,* 2 vol., Paris, 1968. – J.-A. Rony, *Les passions,* coll. Que sais-je ? 943, Paris, 1961 ; 4e éd., 1973. – G. Blais, *Les passions humaines,* Paris, 1964. – E. Fromm, *The Heart of Man,* New York, 1964 ; trad. franç., Paris, 1979. – A.-L. Muller, *Les passions humaines dans le roman contemporain,* Paris, 1967. – J. Lacroix, *Le Désir et les désirs,* Paris, 1975. – Luce Irigaray, *Passions élémentaires,* Paris, 1982.

*La violence* (Semaine des Intellectuels catholiques 1966), dans *Recherches et débats,* n. 59, Paris, 1967. – *La violence dans le monde actuel,* Paris, 1968. – *Violence humaine,* coll. Approches, Paris, 1968. – *A la recherche d'une théologie de la violence,* Paris, 1968 (ces quatre ouvrages contiennent des études de divers auteurs). – R. Aron, *Histoire et dialectique de la violence,* Paris, 1973.

A. Mitscherlich, *Die Idee des Friedens und die menschliche Aggressivität,* Francfort/Main, 1969 ; trad. franç., Paris,

1970. – A. Millet, *L'agressivité*, Paris, 1970. – J. Van Rillaer, *L'agressivité humaine*, Bruxelles, 1975.

F.-A.-A. Poujol, *Dictionnaire des facultés intellectuelles et affectives..., des passions, des vices, des défauts*, Petit-Montrouge, 1849 (éd. J.-P. Migne). – M. Ubeda Purkiss, *Desarollo histórico de la doctrina sobre las emociones*, dans *Ciencia tomista*, t. 80, 1953, p. 433-487 ; t. 81, 1954, p. 35-68.

DTC, t. 11/2, 1932, col. 2211-41 (H.-D. Noble). – *Historisches Wörterbuch der Philosophie*, art. *Affekt* (Leidenschaften), t. 1, 1971, col. 89-100 (J. Lanz ; excellente vue d'ensemble). – *Encyclopedia Universalis*, t. 12, 1972, p. 590b-593c (B. Saint-Girons).

Aimé SOLIGNAC.

**PASSIVITÉ** (DANS L'EXPÉRIENCE MYSTIQUE). – Le but de cet article n'est que de faire l'inventaire des articles antérieurs du DS où le sujet a déjà été abordé (on donnera simplement les chiffres du tome et des colonnes), en les groupant suivant un ordre à la fois logique et chronologique ; nous ajouterons pourtant un complément documentaire au début et une conclusion.

1. L'EXPOSÉ THÉORIQUE le plus complet se trouve dans le ch. III de l'art. *Mystique* (t. 10, 1939-78), spécialement à propos des critères de l'expérience mystique : *pati divina*, purification *passive*, union *théopathique* (1955-78).

Comme l'indique P. Agaësse, la formule *pati divina* remonte au Pseudo-Denys, *Noms divins* 2, 9, PG 3, 648b (cf. t. 2, 1787). En raison de son importance dans la tradition, il est opportun de situer cette formule dans son contexte et d'expliquer comment elle a été comprise et transmise.

Le contexte traite explicitement de la connaissance des « mystères de Jésus-Christ » en tant que Dieu et homme : « De ces mystères, nous avons suffisamment parlé ailleurs (sans doute dans la *Théologie symbolique*, ouvrage perdu ou fictif), et notre illustre précepteur les a loués dans ses *Éléments théologiques* (Hiérothée : auteur et titre fictifs ?) de façon trop sublime pour qu'il soit besoin d'y insister davantage, soit qu'il ait appris à les considérer par une savante exégèse de l'Écriture, après beaucoup d'exercices et d'efforts, soit qu'il ait été initié (ἐμυήθη) par une inspiration plus divine *non seulement apprenant mais aussi pâtissant les réalités divines*(δὺ μόνον μάθων ἀλλὰ καὶ πάθων τὰ θεῖα) et, par une sympathie vis-à-vis d'elles (τῆς πρὸς αὐτὰ συμπαθείας), s'il faut ainsi parler, rendu parfait selon l'union inenseignable et mystique avec ces réalités et selon la foi » (trad. inspirée de celle de M. de Gandillac, *Œuvres du Pseudo-Denys...*, Paris, 1943, p. 86, et volontairement littérale).

Les formules spécifiques, que nous avons soulignées, ont été rendues en latin avec de légères différences par les traducteurs médiévaux : « non tantum discens sed et *patiens divina* » (Hilduin, Sarrazin, Robert Grossetête) ; « non solum discens sed et *affectus divina* » (Jean Scot Erigène) ; cf. Ph. Chevallier, *Dionysiaca*, t. 1, Paris, 1937, p. 104. La paraphrase de Thomas de Verceil (achevée en 1238) ne contient pas la formule mais simplifie ainsi : « sive per divinam inspirationem et divinorum experientiam » (*Dionysiaca*, t. 1, p. 679).

En grec, les scolies de Jean de Scythopolis ou de Maxime le Confesseur (DS, t. 3, 289, 295 ; elles figuraient dans les mss utilisés au 13ᵉ siècle, par exemple, le *Paris. BN lat.* 17341 ; cf. H.F. Dondaine, *Le Corpus dionysien de l'Uni-*versité de Paris au 13ᵉ siècle*, Rome, 1953, p. 15-20, 67-128) proposent trois explications. La première évoque l'allitération analogue en *Hébr.* 5, 8 : « il apprit de ceux dont il pâtit l'obéissance ». La seconde rappelle divers textes pauliniens, notamment *Rom.* 6, 4 et *Gal.* 6, 17 : « Nous avons été ensevelis avec le Christ afin de ressusciter avec lui et de régner avec lui ; celui qui a crucifié sa chair porte les stigmates du Christ dans son corps. A bon droit, il règne avec le Christ et peut contempler ses mystères ». La troisième, sans doute de Maxime, est d'ordre nettement mystique : « Pâtir les réalités divines, (c'est) non pas recevoir sur mode d'enseignement et par un discours l'initiation à ces réalités, mais en recevoir l'empreinte (ἐντυπωθῆναι) par l'illumination divine, comme si était imprimée dans son esprit la connaissance de ce qui est au-dessus de la nature, et il appelle cette initiation aux réalités divines *sympathie* ou *connaturalité (συνδιάθεσιν)* » (PG 4, 228bc). La *Paraphrasis* de George Pachymère (vers 1300) conserve la formule typique soulignée et l'explique en s'inspirant de la troisième scolie ci-dessus (PG 3, 673a).

Thomas d'Aquin, dans son *Commentaire des Noms divins* (en 1261), utilise la version de Sarrazin, mais l'explique en recourant, semble-t-il, à celle de Jean Scot : « non solum discens, sed et *patiens divina*, id est non solum divinorum scientiam in intellectu accipiens, sed etiam diligendo eis unitus per *affectum* ». Il rattache donc le *patiens divina* à « l'appétit », qui se meut vers les choses « prout sunt in seipsis », tandis que l'intelligence les saisit « secundum modum cognoscentis » (II, 4, n. 191 ; éd. C. Pera, Turin-Rome, 1950, p. 59). Dans la *Somme théologique*, il évoque le *pati divina* à propos de la *sagesse* et y voit une « connaissance par connaturalité », don du Saint-Esprit et fruit de la charité (2ᵃ 2ᵃᵉ, q. 45, a. 2).

Ce bref aperçu sur la tradition suggère, comme le note aussi P. Agaësse, que le terme *pati* « doit être purifié de sa signification ordinaire » (DS, t. 10, 1955) ; il ne s'agit pas de passivité au sens moderne du mot, mais bien d'une « expérience » que l'âme vit intensément sous l'influx de l'action divine.

La somme d'informations sur l'influence du *Pseudo-Denys* en Orient et en Occident (t. 3, 286-429) permettrait d'orienter une recherche sur l'histoire de la formule *pati divina*, recherche qui, à notre connaissance, n'a pas encore été entreprise.

Dans l'art. *Contemplation*, voir les colonnes sur l'extase dionysienne (t. 2, 1897-1908), sur la place de la « passivité » selon les diverses écoles de spiritualité (2060-64, carmes ; 2071-73, dominicains ; 2086-90, franciscains ; 2105-07, jésuites) et la conclusion générale (2172-80). On trouvera aussi des allusions à la passivité dans les art. généraux comme connaissance mystique de *Dieu* (t. 3, 888-929) ; *Épreuves spirituelles* ; *Expérience spirituelle*, et surtout *Extase* (t. 4, 916-18 ; 2009-10 ; 2045-2189).

2. Certains termes du VOCABULAIRE MYSTIQUE désignent *l'emprise suréminente de l'action divine* et la passivité corrélative de l'homme : *Blessure d'amour* (t. 1, 1724-29) ; *Illapsus-illabi* (t. 7, 1325-30) ; *Illumination* (1342-67 : Bonaventure, école carmélitaine) ; *Infus* (1729-32) ; *Inhabitation* (1757-67) ; *Ligature des puissances* (t. 9, 845-50). On notera particulièrement l'évolution de l'emploi du terme *Inaction* (t. 7, 1630-39), qui traduit d'abord l'*inwerking* des rhéno-flamands, action divine *dans* l'intérieur de l'homme (on pourrait traduire « enaction »), puis, mais non sans hésitations ni ambiguïté, désigne

l'absence ou l'arrêt de l'action humaine (« inaction » au sens privatif du préfixe).

D'autres termes de ce même vocabulaire concernent *le point d'attache*, le « lieu », la faculté où s'exerce particulièrement l'action divine : Structure de l'*Ame* (t. 1, 433-69), *Fond de l'âme* (t. 5, 650-66), *Noûs-mens* (t. 11, 459-69).

Enfin de nombreux termes, malgré leur signification plus étendue, sont souvent utilisés par les auteurs mystiques *en connexion avec l'idée de passivité* ; dans certaines écoles, ils en constituent même l'expression caractéristique : *Abandon* (t. 1, 25-49, avec les condamnations du « faux abandon » par le Magistère) ; *Anééantissement mystique* (t. 1, 562-64) ; *Apatheia* (727-46) ; *Conformité à la volonté de Dieu* (t. 2, 1454-64) ; *Fruitio Dei* (t. 5, 1552-69) ; *Hésychasme* (t. 7, 381-99) ; *Indifférence* (t. 7, 1705-07 : Fénelon et M^me Guyon) ; *Mort mystique* (t. 10, 1977-90, spécialement 1784-90) ; *Moyen* (1822-26) ; *Néant* (t. 11, 64-80) ; *Nudité mystique* (513-17) ; *Nuit* (519-24). – Voir aussi *Charité* (t. 2, 610-27 : querelle du pur amour) ; *Illuminisme* (t. 7, 1367-92, spécialement 1385-89 : quiétisme) ; *Ivresse spirituelle* (t. 7, 2322-37) ; *Liberté des mystiques* (t. 9, 824-38) ; *Oraison* de recueillement, de simplicité, de quiétude, d'union, oraison passive (t. 11, 841-846).

3. De nombreux AUTEURS MYSTIQUES parlent également de la passivité. La liste qui suit, par ordre chronologique et familles religieuses, ne prétend pas être exhaustive.

Période patristique et médiévale : *Origène* (t. 11, 941-949) ; *Cassien* (t. 2, 262-64 : prière pure) ; *Grégoire de Nazianze* (t. 6, 952 : silence contemplatif) ; *Hugues de Saint-Victor* (t. 7, 933-35) ; *Guillaume de Saint-Thierry* (t. 6, 1251-52) ; *Bonaventure* (t. 1, 1833-40) ; les chartreux *Hugues de Balma* (t. 7, 862-868) et *Guigues du Pont* (t. 6, 1178) ; Walter *Hilton* (t. 7, 528-29) et l'auteur du *Nuage de l'inconnaissance* (t. 11, 505-06) ; *Jean Ruusbroec* (t. 8, 688-90) ; *Gerson* (t. 6, 321-22) ; Henri *Herp* (t. 7, 357-59).

16^e-17^e siècles : *Catherine de Gênes* (t. 2, 310-14) ; les jésuites *Gagliardi* (t. 6, 58-59), *La Plaza* (t. 9, 260), *Lessius* (t. 9, 716-18) ; *Marie de l'Incarnation* ursuline (t. 10, 504-505) ; *Jean de la Croix* (t. 8, 434-38) et ses disciples *Jean de Jésus-Marie* le calaguritain (t. 8, 580), *Joseph...Quiroga* (t. 8, 1358-59), Miguel de *La Fuente* (t. 9, 70-72), *Jean de Saint-Samson* (t. 8, 706-07) ; les capucins *Benoît de Canfield* (t. 1, 1449-51), *Constantin de Barbanson* (t. 2, 1637-40), *Jean-Évangéliste de Bois-le-Duc* (t. 8, 829), *Joseph de Paris* (t. 8, 1382-86).

La « passivité » sera un des points les plus discutés au temps de la querelle quiétiste : *Molinos* (t. 10, 1495-1507), M^me *Guyon* (t. 6, 1334-36), *Fénelon* (t. 5, 167-68) ; *Bossuet* (t. 1, 1874, 1883), *Lacombe* (t. 9, 38-42), *Malaval* (t. 10, 156-58) ; voir aussi *Espagne* (t. 4, 1159-1164 : *alumbrados, recogidos*, etc.) ; *France* (t. 5, 947-53 : mystiques et antimystiques) ; *Italie* (t. 7, 2255-58 : quiétisme).

Au 20^e siècle : Fr. von *Hügel* (t. 7, 856-57) ; R. *Garrigou-Lagrange* (t. 6, 131) ; J. de *Guibert* (t. 6, 1150) ; *Gabriel de Sainte-Marie-Madeleine* (t. 6, 13-14) ; J. *Maritain* (t. 10, 607-08).

CONCLUSION. – Au terme de cette relecture, il semble que la signification du terme *passivité* oscille entre deux extrêmes. D'un côté la passivité consiste à maintenir le plus possible l'activité humaine, surtout celle des facultés cognitives, dans un état de vide, de silence, d'anéantissement : il s'agit en fait d'une attitude dont l'homme a l'initiative, et on pense que

l'âme se dispose ainsi à accueillir l'action de Dieu en elle. C'est dans ce sens que s'orientent tous les auteurs qui, à tort ou à raison, ont été soupçonnés de tendances quiétistes.

A l'autre extrême, la passivité est l'impuissance radicale que l'âme éprouve sous l'emprise de l'action divine, soit que cette action la purifie d'abord par les « nuits obscures », par une intime « compassion » avec le Christ ou d'autres épreuves, soit qu'elle l'illumine ensuite et lui infuse un amour qui est l'amour divin lui-même. Ici l'initiative vient tout entière de Dieu. Si l'âme est « passive », c'est parce qu'elle ne peut que se soumettre à cette action qui la dépasse souverainement ; en réalité, elle est éminemment active parce que cette « connaissance amoureuse » la « divinise » par grâce et lui donne des forces entièrement nouvelles pour connaître et pour aimer (cf. *Mystique* III, t. 10, 1978-84 : *fruits de l'union mystique*). Telle est la « passivité » des véritables mystiques.

Aimé SOLIGNAC.

**PASSY** (ANTOINE), rédemptoriste, 1788-1847. – Né le 31 mars 1788 à Vienne en Autriche, Anton Passy entra chez les Rédemptoristes dans cette ville le 23 décembre 1820 et y émit les vœux le 24 septembre 1821. Il fut ordonné prêtre à Vienne, pendant le noviciat, le 18 mars 1821. Il vécut dans la communauté de Vienne, où il fut un confesseur et conseiller recherché, tenant de nombreuses conférences à de petits cercles et se vouant surtout à l'apostolat de la plume. Il y mourut le 14 mars 1847.

De mauvaise santé depuis son enfance, Passy avait hésité à entrer dans un ordre missionnaire, mais Clément-Marie Hofbauer l'en avait persuadé en lui faisant valoir que la lecture spirituelle n'était pas moins nécessaire pour les fidèles que l'écoute de la Parole de Dieu. Avant son noviciat déjà il s'était acquis un certain renom par ses productions littéraires et il demeura très actif dans ce domaine pendant toute sa vie : il publia une centaine de livres et d'opuscules ; conçus dans l'esprit du catholicisme romantique, ils touchent les sujets les plus divers de la religion et de la piété. L'exposé est généralement succinct et l'intention didactique, toujours présente. Mais le but premier est pastoral : Passy veut conduire à la sainteté. Il cherche à montrer la beauté de la vraie religion et la consolation qu'elle apporte à qui s'efforce de vivre selon les normes de l'Évangile et les instructions de l'Église.

Le mouvement de réforme spirituelle, commencé par Hofbauer et son cercle, se manifeste clairement dans les publications de Passy, lesquelles furent un moyen très efficace pour le propager. Il insiste sur la vie intérieure qui, alimentée par la prière, s'exprime aussi dans la prière, liturgique et privée. Surtout la vie sacramentelle est nécessaire. La digne et fréquente réception des sacrements de l'eucharistie et de la pénitence sont les moyens les plus sûrs de conserver l'état de grâce et d'avancer dans l'amour de Dieu. Dans l'esprit du fondateur de sa congrégation, il professe une fidélité inconditionnelle à l'Église et au pape, et inculque la dévotion filiale à la Vierge Marie comme moyen infaillible de persévérance.

Parmi ses ouvrages importants, on peut relever : *Katholisches Trostbuch, in 12 Vorträgen über das hl. Kreuz* (Vienne, 1829 ; 3^e éd. augmentée, 1844) ; – *Lese- und Gebetbuch für christkatholische Jung-*

*frauen* (Augsbourg, 1831 ; 14ᵉ éd., 1890) ; – *Der Vollkommene Christ*, d'après *La vera sposa di Gesù Cristo* d'Alphonse de Liguori (Vienne, 1834 ; 15ᵉ éd., 1892) ; – *Marianischer Gnadenhimmel* (Augsbourg, 1834) ; – *Religionis et pietatis officia, studiosae juventuti proposita* (Augsbourg, 1836 ; 5ᵉ éd., 1879).

Quelques-uns de ses ouvrages ont été traduits en français : *Avis sur la conduite à tenir après une confession générale* (Vienne, 1828) ; *Étrennes spirituelles ou l'année consacrée à la pratique de l'amour divin* (Vienne, 1828 ; réimpr. sous le titre *Memento de l'éternité ou l'année du divin amour*, Paris, 1843).

Passy a traduit de l'italien plusieurs ouvrages et cantiques d'Alphonse de Liguori et, du français, les *Pensées sur les plus importantes vérités de la religion* de P.-H. Humbert (DS, t. 7, col. 1116-1118) : *Gedanken über die wichtigsten Wahrheiten...* (Vienne, 1832). – Il a collaboré régulièrement, en prose et en vers, à diverses revues littéraires et religieuses : *Oelzweige, Athanasia, Chrysostomus, Religionsfreund*, etc.

M. De Meulemeester, *Bibliographie générale des écrivains rédemptoristes*, t. 2, Louvain, 1935, p. 304-309 ; t. 3, 1939, p. 362-364. – Ed. Hosp, *Erbe des hl. Klemens M. Hofbauer. Erlösermissionäre (Redemptoristen) in Oesterreich, 1820-1951*, Vienne, 1953, p. 556-565.

André SAMPERS.

**PASTEUR.** – On ne suivra pas ici dans toute l'histoire de l'Église le thème – théologique et spirituel – lié au mot « Pasteur ». Il ne constitue par lui-même, en langage métaphorique, qu'un aspect de ce qu'on trouve, d'une part, dans les articles relatifs à Dieu et à la Christologie, et d'autre part, dans les articles *Ministères, Épiscopat, Presbytérat*, etc. La *Pastorale* donnera lieu à un article indépendant. Mais, aux sources bibliques de la doctrine et de la spiritualité, la place occupée par ce symbole est suffisante pour qu'il soit traité à part : son contenu pourra alors être reporté dans les articles connexes, dont il enrichira le contenu par des notations concrètes.

**1. Ancien Testament.** – Le symbole du Pasteur ou du Berger – deux mots employés ici indifféremment – a pour source une expérience économique et sociale universellement connue dans le Proche Orient ancien : l'élevage du petit bétail (ovins et caprins) dans la steppe située entre le désert proprement dit et les terres de culture, où les fermes avaient aussi des troupeaux de gros bétail. Dans ce cadre, le mot « Pasteur » ne désigne pas seulement le gardien de moutons et de chèvres, esclave ou salarié : il a ses titres de noblesse, car il s'applique aussi et avant tout au propriétaire du troupeau, chef de clan ou de tribu plus vaste. C'est pourquoi, dès le 3ᵉ millénaire, on le voit appliqué dans les civilisations de Mésopotamie aux rois eux-mêmes : dans son Code, Hammourapi, roi de Babylone (17ᵉ siècle), se présente comme le « Pasteur » de son peuple (cf. A. Finet, *Le Code de Hammourapi*, coll. « LAPO », Paris, 1971). Mais la métaphore a aussi un emploi plus général, par exemple dans la littérature de sagesse : on le constate dans la parabole du prophète Natân (2 *Sam.* 12, 1-4), où l'attitude du berger à l'égard de sa brebis comporte même une note affective inattendue. Sur cet arrière-fond sociologique et littéraire, le symbole du Pasteur est utilisé, dans l'ancien Testament, à deux fins qui s'entremêlent constamment : soit pour présenter les rois issus de David (et tardivement, les grands-

prêtres), soit pour montrer en Dieu le Pasteur suprême de son peuple. Pour examiner les aspects du thème correspondant, on suivra ici les phases du drame vécu par le « Troupeau », c'est-à-dire par le peuple d'Israël.

1° LE ROI-PASTEUR ET DIEU PASTEUR. – 1) Aux origines de *la royauté israélite*, Saül appartient à une riche famille de fermiers, propriétaires de troupeaux d'ânes et de gros bétail. Mais David, avec qui la royauté se stabilise dans le sud du pays, a été d'abord le gardien-chef des troupeaux de petit bétail appartenant à son père, dans la région de Bethléem. Une fois que son pouvoir s'est affermi sur le « royaume-uni » de Juda et d'Israël, la promesse dynastique que lui adresse le prophète Natân (2 *Sam.* 7, 1-17) part de cette expérience, pour lui expliquer le sens de sa mission royale dans le peuple de Dieu : « Je t'ai pris *au pâturage derrière le troupeau*, pour que tu deviennes le chef d'Israël, mon peuple » (7, 8). L'ancien titre tribal de « chef » ou de « prince » souligne la continuité de l'histoire d'Israël : la royauté n'est qu'une institution secondaire, à l'intérieur d'une structure plus fondamentale qui régit les relations d'Israël avec son Dieu.

Néanmoins, l'assimilation classique de la royauté à une fonction pastorale, exercée sous la souveraineté de Dieu, est reprise pour la dynastie davidique, comme on le voit dans le Psaume du sacre où Dieu assure au roi, dans un oracle : « Demande, et je te donnerai les nations en héritage... ; *tu les paîtras* avec un bâton (ou un sceptre : le mot est le même) de fer » (*Ps.* 2, 8-9). Le bâton du berger est devenu l'insigne du commandement, le sceptre royal, qui doit être un « sceptre de droiture », mis au service de la justice (*Ps.* 45, 7-8). Le drame viendra de ce que la réalité ne répond guère à cet idéal.

2) La soumission du roi lui-même à une structure nationale, remontant à l'époque de Moïse et définie classiquement en termes d'alliance, invite à regarder d'abord vers *les relations d'Israël avec son Dieu*. L'introduction du thème de la royauté divine pour les présenter symboliquement peut remonter au temps où la confédération des tribus s'installa sur le sol de Canaan. Dans ce cadre culturel, l'image était commune. On la trouve en tout cas dès le psaume très ancien où Dieu est salué comme « Roi de gloire » (*Ps.* 24, 7-10). C'est dans la logique de ce titre que la métaphore du Berger est reportée à son tour sur Dieu. Le berger n'est pas un sédentaire : il va dans la steppe à la tête de son troupeau de petit bétail, pour le conduire de pâture en pâture en suivant les points d'eau. Il n'y a donc rien d'étonnant à voir la migration de l'exode, à travers les steppes du Sinaï en direction des terres riches de Canaan, comparée à celle d'un troupeau : Dieu, son Pasteur, marchait donc à sa tête dans le désert pour le conduire à son pâturage, la terre promise, où s'est ensuite noué le drame de l'infidélité. Cette image apparaît dès le livre d'Osée (13, 4-6) et on la retrouve dans *Ps.* 77, 21. Mais c'est surtout au cœur de ce drame qu'elle va connaître ses développements littéraires les plus étudiés.

2° LES MAUVAIS BERGERS ET DIEU-PASTEUR. – 1) L'histoire d'Israël au temps des rois, à part de rares périodes de réussite, a été une suite d'échecs et de malheurs jusqu'à la chute des deux capitales (Samarie au nord en 722, Jérusalem au sud en 587). C'est pourquoi les cris de détresse collective résonnent dans le *Psautier*. Il faut probablement rapporter au temps qui suivit la ruine de Samarie une prière due aux fugitifs du nord, réfugiés à Jérusalem : « Pasteur d'Israël, prête l'oreille, toi qui conduis Joseph comme un troupeau ! Toi qui sièges sur les chérubins, réveille-toi, devant Éphraïm, Benjamin et Manassé ! » (*Ps.* 80, 2-3).

Cette prière est dans la ligne d'Osée. Elle sera reprise et complétée, probablement après la ruine de Jérusalem, par un ensemble qui développe le symbole de la vigne (cf. *Osée* 10, 1 et *Is.* 5, 1-7) et qui fait allusion à la déchéance du roi (v. 9-14.15b-17). Ainsi la conscience de foi est-elle marquée, dans le peuple de Dieu, par la conscience d'être symboliquement le troupeau et la vigne du Seigneur. De là les questions que soulève la catastrophe nationale, les appels ardents à la délivrance, la confiance finale dans le Berger divin qui avait choisi David pour en faire le berger visible de son troupeau (*Ps.* 78, 70-72, texte plus tardif).

2) De 609 à 587, *Jérémie* est le témoin prophétique de la catastrophe qui va mettre fin au temps des rois. C'est pourquoi le thème des mauvais bergers, responsables du malheur de leur troupeau, reparaît chez lui au cœur du petit livret dirigé contre les derniers rois de Juda (*Jér.* 21, 1 à 23, 8).

La première déportation est un signe concret du Jugement de Dieu : « ...Tous tes pasteurs, le vent les envoie paître » (22, 22). Mais un oracle présente finalement l'avenir en deux tableaux contrastés (23, 1-4). Dans un premier temps, Dieu va punir *les mauvais bergers* qui ont laissé le troupeau de Dieu à l'abandon, jusqu'à ce qu'il se disperse (23, 1-2). Dans l'avenir, Dieu rassemblera le reste de ce troupeau, le ramènera dans ses pacages et établira sur lui *des bergers fidèles* (23, 3-4). L'interprétation du drame historique qui se joue présentement débouche donc sur une promesse où l'intervention du Pasteur divin restaurera pour son troupeau une situation idéale : telle est l'image vers laquelle doit désormais tendre l'espérance de Juda, faible reste d'Israël.

3) Le thème ainsi annoncé trouve son plein épanouissement dans le long chapitre 34 d'*Ézéchiel*, qui a pu prendre son point de départ dans le texte précédent de Jérémie. On y trouve d'abord une diatribe contre *les mauvais bergers*, probablement les rois plutôt que les autres chefs de la nation, prêtres et prophètes (34, 1-6).

Insoucieux du troupeau de Dieu, ils l'ont exploité (v.2b-3) sans fortifier les bêtes débiles, ni panser les malades, ni ramener les égarées, ni chercher celles qui sont perdues (v.4) : c'est pourquoi elles se sont dispersées, faute de berger, et elles ont été livrées aux bêtes sauvages (v.5-6). Tous ces motifs amènent Dieu à énoncer sa sentence contre les bergers indignes, car il veut sauver malgré tout son troupeau (v.7-10). Dans ce but, il explique son *plan d'avenir* (v.11-16). Il va lui-même prendre soin de son troupeau débandé, pour le rassembler et le ramener dans un bon pâturage : la terre d'Israël (v.11-14) ; il cherchera la bête perdue, ramènera la bête égarée, pansera la bête blessée, fortifiera la bête malade, pour faire paître son troupeau « selon le droit » (v.15-16). On a reconnu au passage la source littéraire de certaines paraboles évangéliques.

La finale (34, 17-31) est un discours direct adressé au troupeau, entièrement tourné vers l'avenir. La justice royale exercée par le Pasteur suprême l'amènera à « juger entre brebis et brebis, entre les béliers et les boucs, entre la bête grasse et la bête maigre », la bête

violente et la bête faible (v.17-22) : dans le filigrane de l'allégorie, le prophète esquisse ainsi le tableau d'une société juste. La structure concrète de cette société reprend naturellement les traits d'un passé idéalisé : « Je susciterai à la tête de mon troupeau un berger unique qui le fera paître, ce sera mon serviteur David... Moi, le Seigneur, je serai leur Dieu et mon serviteur David sera prince (ou chef) au milieu d'eux » (v.23-24). Le prophète reprend ainsi la promesse dynastique de Natân à David (2 *Sam.* 7, 8.12-16) : le « chef » de l'avenir aura pour fonction de réaliser pratiquement l'œuvre divine évoquée plus haut, notamment dans l'ordre de la justice sociale. C'est pourquoi la finale du discours (v.25-30) introduit les thèmes de l'alliance de paix, de la libération par rapport à tous les oppresseurs et de la prospérité, thèmes liés à la connaissance authentique de Dieu par son troupeau, le troupeau de son pâturage (v.30-31). Comme ce discours tissé de métaphores envisage dans sa totalité l'« Avenir de Dieu », on peut dire qu'il est en quelque sorte au seuil du nouveau Testament.

3° DANS L'ATTENTE DE L'AVENIR. – 1) *La promesse* formulée en ces termes par Jérémie et Ézéchiel trouve des prolongements dans plusieurs oracles qu'on peut rapporter à la fin de la Captivité de Babylone, bien qu'ils aient été insérés par des éditeurs dans plusieurs livres distincts. L'essentiel ayant été dit par Ézéchiel, il suffit de les énumérer ici rapidement.

Deux d'entre eux figurent dans le livre de *Michée* : Dieu va rassembler le reste d'Israël comme un troupeau au milieu de son pâturage (*Michée* 2, 12-13) ; il sera leur roi à jamais sur la montagne de Sion, la « Tour-du-Troupeau » (4, 6-8). Il le gardera comme un berger garde son troupeau, et un texte de *Jérémie* évoque ce retour joyeux qui rassemblera Israël dans la terre sainte pour jouir de ses biens (*Jér.* 31, 10-14). L'édition finale du même livre contient une série d'oracles contemporains de la fin de l'Exil (50-51) : le thème du petit bétail perdu par la faute de ses bergers y retrouve une place, au moment où Dieu est justement en train de le rassembler (50, 6-7) en le ramenant vers ses pâturages (50, 17-19). Finalement l'oracle qui ouvre le « *Message de consolation* » (*Is.* 40, 1-11) reprend d'une façon originale la même image, afin de souligner davantage la *tendresse* de Dieu : non seulement il fait paître son troupeau et le rassemble, mais « il porte les agneaux sur son sein et procure de la fraîcheur aux brebis-mères » (40, 11). Il faut rappeler que les quatre évangiles ouvrent leur présentation du ministère de Jean le Baptiste, qui prélude au nouveau Testament, par une citation du même oracle : « Préparez le chemin du Seigneur... » (*Is.* 40, 3 ; cf. *Marc* 1, 2-3 et par. ; *Jean* 1, 23). Les auditeurs d'un tel message ne peuvent manquer de voir se profiler sur l'horizon l'image de Dieu-Pasteur, dont la gloire va se manifester ici-bas.

2) A partir du moment où le thème du Pasteur est ainsi implanté dans les promesses prophétiques et dans l'espérance qu'elles fondent, il est normal qu'on le voie repris dans *la prière juive* au temps du second Temple. On peut citer ici trois exemples topiques. Dans le premier, c'est *la conscience communautaire* qui s'exprime sous la forme d'une invitation à l'action de grâces et à la fidélité, avec une réminiscence du temps du désert auquel Osée rattachait le thème de Dieu-Pasteur : « A genoux devant le Seigneur qui nous a faits ! Car il est notre Dieu, et nous, le peuple qu'il fait paître et le troupeau de son bercail » (*Ps.* 95, 6-7). On comprend que ce psaume ait pu

devenir, moyennant les transpositions nécessaires, l'invitatoire des Matines dans la prière chrétienne.

Le second exemple est un *psaume de confiance* écrit au singulier mais adaptable à la prière communautaire : le Psaume 23. C'est l'hymne du « bon berger » par excellence. Avec Dieu pour berger, rien ne me manque pour manger et pour boire, pour retrouver des forces, pour cheminer dans les sentiers sûrs où il met son honneur à me conduire : même dans l'ombre de la mort, « je ne crains aucun mal, car tu es avec moi » (v.1-4). La série des métaphores enchaînées logiquement parle d'elle-même. Puis l'image change : le psaume se termine sur une évocation de repas à la table de Dieu (v.5). Comment mieux dire la joie du croyant qui se sait en présence du Seigneur, « dans sa maison » (v.6) ? Mais il y a pourtant *l'expérience de l'épreuve*, les égarements possibles. Alors le Pasteur divin reste le recours suprême. Au terme du long psaume qui chante l'amour de la Loi, on trouve cette formule : « J'erre comme une brebis perdue : cherche ton serviteur, car je n'ai pas oublié tes commandements » (*Ps.* 119, 176). Cela pourrait être le dernier mot de la vie spirituelle dans un monde où les faux pas du croyant peuvent éventuellement se multiplier.

3) Le dernier texte à signaler est aussi le plus obscur : c'est la longue *allégorie des pasteurs* qui figure dans la seconde partie de *Zacharie*, texte contemporain d'Alexandre le Grand (*Zach.* 11, 4-17 + 13, 7-9). Le prophète joue le rôle de Dieu-Pasteur, mais il fait allusion à des bergers humains qui visent probablement les grands-prêtres de son temps.

Au plan historique, les énigmes de ce texte ne sont pas résolues, sauf probablement une allusion au schisme entre Samaritains (Israël) et Juifs (Juda) (11, 14), lorsque le prophète-berger, après avoir brisé sa houlette « Faveur » (= Faveur de Dieu), brise sa houlette « Entente ». Pour le troupeau de Dieu (= le peuple juif), le temps est sombre, sans qu'on puisse préciser davantage. Comme salaire, le prophète reçoit « trente sicles d'argent » qu'il « jette au fondeur » : l'image sera reprise plus tard pour être appliquée au salaire de la trahison de Juda Iscariote (cf. *Mt.* 26, 15). Finalement, Dieu suscite dans le pays un berger insensé et vaurien, dans le style de ceux que stigmatisait Ézéchiel (cf. *Éz.* 34, 4) : il fait l'objet d'un oracle de malheur (11, 15-17). Est-ce contre ce même berger que Dieu appelle l'Épée ? « Frappe le berger et les brebis seront dispersées » (13, 7), de sorte que, du peuple épuré comme par le feu, il ne subsiste qu'un petit reste pour invoquer le nom de Dieu (13, 7-9) ? L'arrière-plan historique auquel le texte fait allusion reste indéchiffré jusqu'ici. Mais la phrase qui vient d'être citée n'en sera pas moins reprise dans le nouveau Testament (*Marc* 14, 27 = *Mt.* 26, 31), pour être appliquée aux circonstances nouvelles de la Passion où ses deux images prendront un nouveau sens.

*Conclusion.* – On voit que le symbole royal du Berger, sans perdre son arrière-fond sociologique, oscille sans cesse entre une application principale qui vise le Dieu d'Israël, et une application seconde qui vise, dans le présent, les rois avant l'exil et les grands-prêtres à l'époque tardive, dans l'avenir, le roi idéal auquel le Judaïsme a donné le nom de Messie. C'est pourquoi la métaphore occupe une place relativement importante dans le langage religieux, notamment pour évoquer les relations entre Dieu et son peuple : « Le Seigneur a pitié de toute créature ; il reprend, instruit, enseigne ; il ramène comme le berger ramène son troupeau » (*Sir.* 18, 13). On ne s'étonne donc pas de voir la même image reprise dans le nouveau Testament.

2. **Nouveau Testament.** – La situation sociale qui a donné lieu à l'imagerie du Pasteur dans l'ancien Testament reste à peu près la même au temps de Jésus et des apôtres.

On trouve, dans *Luc* 2, 8-20, une allusion aux bergers qui passent la nuit dehors en gardant leurs troupeaux dans la région de Bethléem, comme au temps de David. L'élevage du bétail, petit et gros, est d'ailleurs une nécessité pour les besoins du culte du Temple (cf. *Jean* 2, 14, et la célébration du repas pascal), si bien que le commerce du bétail est très important à Jérusalem. Enfin, la lecture de l'Écriture dans les synagogues rend la métaphore pastorale familière à tous. Dans le nouveau Testament, celle-ci trouve deux applications différentes mais liées entre elles : l'une part de Dieu-Pasteur et de l'image du Berger royal, pour aboutir à la Christologie ; l'autre étend à partir de là l'image classique, pour présenter les fonctions ministérielles de l'Église en termes de pastorat.

1° LE CHRIST-PASTEUR. – Les textes se regroupent ici en trois catégories, qui ne suivent pas l'ordre chronologique de leur composition : les évangiles synoptiques, les épîtres et l'Apocalypse, le 4e évangile. La pensée va ainsi, du ministère terrestre de Jésus au Christ en gloire, les deux images se superposant en quelque sorte dans le 4e évangile.

1) *Les évangiles synoptiques.* – L'enseignement de Jésus est centré sur le Règne de Dieu, objet de l'Évangile (*Marc* 1, 15, etc.). C'est dans cette perspective qu'il faut entendre les deux paraboles parallèles de la Brebis perdue et retrouvée (*Luc* 15, 3-7) et de la Brebis égarée (*Mt.* 18, 12-14). Leurs deux thèmes, légèrement différents, sont enracinés dans le texte d'Ézéchiel sur Dieu-Pasteur (*Éz.* 34, cf. *supra*). Toutes deux soulignent la miséricorde et la joie de Dieu, qui veut le salut des pécheurs (Luc) et des « petits » (Matthieu). Mais celle de Luc a pour fonction, dans son contexte, de justifier la conduite de Jésus (cf. *Luc* 15, 1-2), tandis que celle de Matthieu devient une instruction donnée aux responsables de la communauté, pour qu'ils aillent à la recherche des « brebis égarées ». On aboutit ainsi parallèlement au thème du Christ-Pasteur et à celui du pastorat chrétien : ce sont les deux interprétations ecclésiales du même thème parabolique, greffé par Jésus sur le texte classique d'Ézéchiel mais traité en fonction de l'expérience courante : « Qui de vous... ? ».

La façon dont Jésus calque *ses attitudes* sur celles de Dieu-Pasteur n'échappe d'ailleurs pas aux évangélistes : il a pitié des foules, « parce qu'elles sont comme des brebis qui n'ont pas de berger » (*Marc* 6, 34, avant la multiplication des pains ; *Mt.* 9, 36, avant l'envoi des disciples en mission). La conscience de Jésus comme Berger d'Israël, envoyé ici-bas pour le salut de son peuple filtre d'ailleurs à travers quelques *paroles* : « Je n'ai été envoyé qu'aux brebis perdues de la maison d'Israël », dit-il à la Cananéenne (*Mt.* 15, 24) ; mais la foi de cette femme le contraint en quelque sorte à guérir son enfant. En fonction de cette vocation personnelle, il restreint de son vivant la mission de ses disciples aux « brebis perdues de la maison d'Israël » (*Mt.* 10, 6) : c'est bien l'accomplissement de l'oracle d'Ézéchiel. Quant au groupe de disciples réuni autour de lui, c'est le « petit troupeau » qu'il invite à n'avoir pas peur, car, dit-il, « il a plu à votre Père de vous donner le Royaume » (*Luc* 12, 32). Ceux qui acceptent l'Évangile avec foi constituent donc le « petit troupeau » de Dieu, le reste d'Israël auquel le Dieu-Roi communique son Royaume. On songe à la promesse d'*Is.* 40, 11 ; mais la mention du Dieu-Père donne aux textes prophétiques une dimension nouvelle.

Enfin la conscience pastorale de Jésus se reflète jusque dans son *annonce de la passion*, dans le cadre même de la Cène. Pour montrer sa conformité aux Écritures, il ne se réfère pas à l'image du Berger royal dont parlait Ézéchiel (*Éz.* 34, 24), mais à l'image du Berger mis à mort dans l'obscure prophétie de Zacharie : « Je frapperai le Berger et les brebis seront dispersées » (*Marc* 14, 27 = *Mt.* 26, 31, citant *Zach.* 13, 7). Le troupeau dispersé n'est plus que le « petit troupeau » groupé autour de lui : il faudra sa résurrection pour qu'il le rassemble en Galilée (*Marc* 14, 28 = *Mt.* 26, 32), afin de l'envoyer à son tour en mission dans le monde entier (*Mt.* 28, 19-20). La métaphore pastorale revient enfin, *en perspective eschatologique*, dans la grande fresque du Jugement dernier où le Fils de l'Homme trône dans sa gloire (*Mt.* 25, 31-46) ; il sépare les hommes les uns des autres, comme le berger sépare les brebis des chèvres (25, 32). Simple comparaison qui renvoie à la vie courante : Jésus ne s'identifie pas explicitement à ce « Fils de l'Homme » dont l'image est empruntée à Daniel (*Dan.* 7, 13-14). Mais il n'est pas douteux que l'évangéliste, rapportant la parole de Jésus après sa résurrection, identifie Jésus au Fils de l'Homme : celui-ci apparaît ainsi comme le Berger divin qui exerce sa fonction à l'égard du genre humain tout entier.

2) *La fonction pastorale du Christ en gloire.* – C'est par sa résurrection que Jésus est introduit dans la fonction de Messie royal (cf. *Actes* 2, 42). Aussi l'image pastorale est-elle reportée sur lui dans cette perspective par plusieurs livres du nouveau Testament. Dans la *1re lettre de Pierre*, l'hymne au Christ présenté comme Serviteur souffrant, d'après *Is.* 53 (cf. 1 *Pierre* 2, 21-24), se termine en discours direct par cette application : « Car vous étiez égarés comme des brebis (cf. *Éz.* 34, 6.16 ; *Is.* 53, 6), mais maintenant vous vous êtes tournés vers le Berger et gardien (*épiskopos*) de vos âmes » (1 *Pierre* 2, 25). C'est donc dans sa gloire que le Christ est le Berger par excellence. Et s'il a sous ses ordres des « pasteurs » envoyés par lui – on y reviendra plus loin –, il est le Berger-en-chef (*archipoimèn*) qui apparaîtra finalement pour se faire rendre des comptes. C'est à ce titre que *l'Apocalypse* lui applique le Psaume, royal puis messianique, où l'on voit le Roi « paître les nations avec un sceptre de fer » (*Ps.* 2, 9, dans *Apoc.* 12, 5 et 19, 15). Mais, dans l'Apocalypse, les métaphores empruntées à l'Écriture se combinent et se superposent. Dans *Apoc.* 7, 17, « *l'Agneau* qui est au milieu du trône *les fera paître* et les conduira vers des sources d'eaux de la vie » (cf. *Éz.* 34, 23 et *Is.* 49, 10). Les allusions bibliques sont à la source de ce langage symbolique dont elles déterminent la portée.

L'auteur de *l'épître aux Hébreux* en tisse implicitement son langage, lorsqu'il dit que le Dieu de paix « a fait remonter d'entre les morts le grand Pasteur des brebis par le sang d'une alliance éternelle, notre Seigneur Jésus » (*Hébr.* 13, 20) : cela détermine l'attitude intérieure que doivent avoir les brebis envers leur Pasteur. Enfin, *l'évangéliste Matthieu*, qui présente sa christologie sous le couvert d'une narration dans les chapitres de l'enfance de Jésus, met exactement en place une citation qui combine *Mich.* 5, 1 et 2 *Sam.* 5, 2 pour justifier la naissance de Jésus à Bethléem. Le titre de Pasteur n'y figure pas, mais l'allusion à David lui permet de parler du Messie comme du « chef qui doit *faire paître* Israël, mon peuple » (*Mt.* 2, 6). Relue dans la lumière de la résurrection, l'histoire terrestre de Jésus n'est-elle pas celle du Messie, Roi d'Israël, donc Pasteur de son peuple ? Mais à sa naissance, ce ne sont que des étrangers qui le reconnaissent comme tel : c'est le sens de l'épisode des Mages.

3) *L'évangile de Jean.* – On sait que le 4e évangile, plus encore que les Synoptiques, superpose l'horizon temporel de la vie de Jésus et l'horizon de l'Église où le Christ en gloire continue de parler et d'agir. Dès lors, les actes de Jésus de Nazareth deviennent les révélations voilées de l'activité de grâce qu'il poursuit actuellement, et ses paroles anciennes sont reprises et reformulées (au plan littéraire) pour exprimer la révélation du salut et de lui-même qu'il adresse présentement à son Église : le Christ en gloire transparaît en filigrane sous les traits de Jésus de Nazareth. Il faut se placer dans cette perspective pour donner toute sa valeur à *l'allégorie du Bon Pasteur*, où le thème du Berger reçoit la plénitude de son sens (*Jean* 10, 1-18, suivi d'une allusion en 10, 26-29).

En lisant ce texte dans son contexte actuel, on peut aisément constater que *Jean* 9, 41 trouve sa suite en *Jean* 10, 19, l'allégorie interrompant le développement du récit. L'insertion du thème dans la controverse qui oppose Jésus à ses adversaires pendant la fête de la Dédicace (10, 22-42) semble donc constituer la rédaction la plus ancienne. Elle tourne autour de la mission de Jésus comme Messie (10, 24), que ses œuvres devraient prouver (10, 25), puis elle dérive vers le thème de sa filiation divine, interprétée comme un blasphème (10, 31-39). Le lien entre ces deux temps est fait par une déclaration où Jésus manifeste sa conscience de sa mission de Pasteur : « Vous ne croyez pas, parce que vous n'êtes pas de mes brebis ; mes brebis écoutent ma voix et je les connais et elles viennent à ma suite, et je leur donne la vie éternelle : elles ne périront jamais et personne ne pourra les arracher de ma main » (10, 26-28). On est encore très près de la conscience pastorale de Jésus dans les Synoptiques, bien que la finale introduise le thème johannique de la « vie éternelle » et que les Juifs du temps de l'évangéliste soient visés derrière ceux du temps de Jésus.

A partir de là, une longue allégorie (10, 1-18) fait jouer par ressauts successifs les diverses possibilités offertes par la métaphore du Pasteur. On a d'abord une parabole (*paroimia,* non *parabolè* : 10, 6) qui oppose le berger des brebis, d'abord au voleur, au brigand qui n'entre pas dans leur enclos par la porte (10, 1), puis aux étrangers dont les brebis n'écoutent pas la voix (10, 5) : le tableau du Berger qui appelle les brebis une à une et les fait sortir en marchant à leur tête, est saisi sur le vif. Son sens n'est pas explicité, mais on entrevoit déjà la relation affective personnelle entre le Berger et les brebis, que Jésus veut faire percevoir pour se l'appliquer à lui-même. Dans un second temps, Jésus reprend l'image précédente de la porte, pour stigmatiser ceux qui sont venus avant lui ou en dehors de lui : s'il est la Porte des brebis, ceux-là ne sont-ils pas des voleurs et des brigands (10, 7-8.10a) ? Et ceux qui passent par lui ne trouveront-ils pas leur nourriture et leur salut (10, 9), puisqu'il est venu pour que les hommes aient la vie (10, 10b) ? L'explication suit ici le déploiement de l'image. Vient enfin la révélation solennelle : « *Je suis le bon Berger* » (10, 11.14), différent du mercenaire qui prend la fuite à l'arrivée du loup (10, 12-13). Au contraire, Jésus, en bon Berger, se dessaisit de sa vie pour ses brebis (10, 11b.15b.17). C'est pourquoi la connaissance mutuelle du Berger et de ses brebis – traduisons : de Jésus et de ceux qui le reconnaissent par la foi – est analogue à celle qui existe entre Jésus et le Père (cf. *Mt.* 11, 26 = *Luc* 10, 22) : mystérieuse intimité qui, de la part de Jésus, se transmue en amour. En effet, c'est par amour que le bon Berger « se dessaisit de sa vie pour ses brebis » ; mais le Père l'aime justement parce qu'il s'en dessaisit, avec la certitude de la reprendre (10, 17). Tout le mystère de la mort et de la résurrection de Jésus passe ainsi dans le développement du symbole. Vue à partir de la vie terrestre de Jésus, cette mort ne sera pas un accident, mais un dessaisissement volontaire, pour accomplir librement la volonté du Père, et c'est aussi la volonté du Père qu'il reprenne ensuite sa vie en resurgissant de la mort (10, 18). Alors ses brebis le retrouveront. Bien plus, il appellera aussi les autres brebis qui ne sont pas de « cet enclos » (le petit cercle des disciples), de sorte qu'il y ait « un seul troupeau et un seul Berger » (10, 16).

Est-ce Jésus de Nazareth qui parle ainsi, ou bien le Christ en gloire qui explique actuellement aux membres de son Église l'ensemble du mystère du salut, qu'il a scellé par sa mort et qu'il réalise au sein de l'histoire depuis son entrée dans la gloire de Dieu ? Le thème initial s'est visiblement développé dans une présentation théologique qui englobe, sous le couvert d'une allégorie, tout le mystère de l'incarnation et de la rédemption. Les auditeurs, c'est-à-dire les fidèles, ne sont pas seulement invités à le contempler pour en bénéficier passivement, mais à entrer dans le jeu du « bon Berger », pour qu'il se réalise en plénitude dans l'Église, son troupeau.

2° LES FONCTIONS PASTORALES DANS L'ÉGLISE. – 1) *La mission de Jésus.* – La métaphore pastorale avait deux applications dans les textes de l'ancien Testament : soit pour désigner Dieu comme le Berger suprême de son peuple, soit pour présenter symboliquement la fonction de ses envoyés (David, les rois, les grands-prêtres dans *Zach.* 11 et 13). Dans le nouveau Testament, la situation de Jésus comme Pasteur suprême, envoyé par Dieu afin d'accomplir son œuvre ici-bas, lui permet de reprendre la métaphore pour l'appliquer aux disciples qu'il envoie à son tour. Ce pastorat dérivé du sien laisse sa trace en deux endroits dans les évangiles. On a déjà relevé plus haut le texte, conservé par Matthieu seul, mais archaïque par sa réserve même : « Allez plutôt vers les brebis perdues de la maison d'Israël » (*Mt.* 10, 6). Le thème prend davantage de relief dans le texte de Jean (21, 15-17) qui expose, en perspective post-pascale, la mission propre de Simon-Pierre après sa triple protestation d'amour envers son maître : « Pais mes agneaux » (avec *boské* en 21, 15 ; avec *poimainé* en 21, 16), « Pais mes brebis » (avec *poimainé,* 21, 17).

Ce texte, qui appartient à la dernière couche rédactionnelle de l'évangile, suppose connue l'allégorie du Christ « bon Pasteur » qui s'est dessaisi de sa vie pour ses brebis (cf. *supra*). Maintenant que le Christ ressuscité a repris sa vie (*Jean* 10, 18), il en confie le soin à ceux qu'il avait appelés avant sa mort ; Pierre occupe une place particulière parmi eux pour assurer le bien du troupeau. Il n'est pas sûr que la distinction des agneaux (mentionnés deux fois) et des brebis (citées pour finir) fasse allusion à la situation particulière de ceux qui remplissent un ministère parmi les « agneaux » qui représenteraient les fidèles. Mais le rôle spécial de Pierre, mis en relation avec sa profession d'amour du Christ, rejoint ce qu'on trouve dans *Luc* 22, 32 et surtout dans *Mt.* 16, 17-19, qui serait mieux à sa place au cours d'une apparition du Christ ressuscité. – Ni *Marc* 8, 27-30, ni *Luc* 9, 18-21, ne présentent de parallèle, et la mention de

l'*Église* fait allusion à la communauté rassemblée autour du Christ en gloire. – Quoi qu'il en soit, il y a là un point de départ pour l'interprétation pastorale de la fonction confiée à Pierre et aux Douze.

2) L'interprétation pastorale des ministères n'apparaît pourtant que dans des textes assez rares. En opposant son désintéressement aux usages humains des bergers qui ne paissent pas le troupeau sans se nourrir de son lait (1 *Cor.* 9, 7), Paul tendrait plutôt à dévaloriser l'image qu'*Éz.* 34, 2-3 invitait à appliquer aux « mauvais bergers ». Mais trois textes parlent en sens inverse. Dans la *1ʳᵉ lettre de Pierre,* l'instruction donnée aux Anciens (= presbytres), qui ont la responsabilité des communautés (5, 1-4), recourt méthodiquement au symbole : « Paissez le troupeau de Dieu qui vous est confié, non par contrainte, mais de bon gré, selon Dieu, non par cupidité, mais par dévouement ; n'exercez pas un pouvoir autoritaire sur ceux qui vous sont échus par le sort, mais devenez les modèles du troupeau » (5, 2-3). Il y a là tout un programme de spiritualité pastorale dont chaque mot peut être pesé. Celui qui parle, c'est-à-dire Pierre – quelle que soit l'origine littéraire exacte de la lettre –, partage la fonction des Anciens (il est « co-presbytre », 5, 1). Comme eux, il sait qu'il devra rendre compte de sa charge au « Pasteur-en-chef », lorsque celui-ci paraîtra pour juger les hommes (5, 4).

La terminologie est assez différente dans *l'épître aux Éphésiens,* où l'auteur présente les « dons » du Christ en gloire à son Église en énumérant les fonctions qui la structurent : « Il a donné les uns comme apôtres, d'autres comme prophètes, d'autres comme évangélistes, d'autres comme pasteurs et enseignants » (= didascales ou docteurs, cf. 1 *Cor.* 12, 28). Apôtres, prophètes et évangélistes (ou évangélisateurs) semblent avoir ici des charges qui les font aller, en qualité de missionnaires, d'une communauté locale à une autre, alors que les « pasteurs et enseignants » paraissent fixés dans les communautés qu'ils encadrent.

C'est exactement de cette façon que la fonction « pastorale » est envisagée dans le discours de Paul aux Anciens de l'église d'Éphèse (*Actes* 20, 18-35) ; cette longue composition lucanienne met sur les lèvres de Paul un véritable « Testament » avant sa montée à Jérusalem qui entraînera son arrestation. C'est pourquoi tous les mots portent dans le passage qui définit la charge des presbytres : « Prenez soin de vous-mêmes et du *troupeau* dont l'Esprit Saint vous a établis surveillants (= *épiskopoi*) ; *paissez* l'Église de Dieu, qu'il s'est acquise par le sang de son propre (Fils) » (20, 28). Du Christ-Pasteur, qui a donné sa vie pour assurer à Dieu l'acquisition de son Église, la pensée se reporte ainsi, à travers l'apôtre fondateur, vers les chefs qui ont reçu de lui une fonction de « pasteurs et surveillants » (ou épiscopes, cf. *Phil.* 1, 1 ; 1 *Tim.* 3, 1-7 ; *Tite* 1, 5-7). Le *pastorat* est donc en place dans l'Église : c'est une charge qui n'émane pas des communautés elles-mêmes, mais que l'Esprit Saint lui-même confie, moyennant des procédures dont nous ignorons le détail. L'essentiel est de constater que le soin du « troupeau » doit être au centre des préoccupations de ces hommes.

3) C'est d'autant plus nécessaire que la vie des communautés risque d'être troublée par des ennemis de l'Évangile. Dans la logique du symbole pastoral, le discours de Paul aux Anciens d'Éphèse les présente comme des loups ravisseurs (*Actes* 20, 29) : on peut penser que Luc rejoint ici l'imagerie employée dans l'allégorie de Jean, où les loups avaient le même rôle (*Jean* 10, 12). Mais c'est aussi du rang des Anciens que vont surgir des hommes aux paroles perverses (*Actes* 20, 30) : allusion aux premières hérésies et aux

faux docteurs dénoncés dans les épîtres pastorales (cf. 1 *Tim.* 4, 1-3 ; *Tite* 1, 10-12 ; 2 *Tim.* 3, 1-9) et dans la 2ᵉ lettre de Pierre (2, 1-22). Effectivement, la lettre de Jude (10-16) dit qu'ils « se paissent eux-mêmes » (v. 12) : l'expression provient d'Ézéchiel (34, 2) ; ils souillent ainsi les « agapes » qui réunissent la communauté des fidèles. C'est dans un contexte semblable que Matthieu reprend les paroles de Jésus au sujet des faux prophètes : « Ils viennent à vous vêtus en brebis mais, au-dedans, ce sont des loups rapaces » (*Mt.* 7, 15). La logique de l'image suppose que la fonction apostolique et celles qui en dérivent sont assimilées à un « pastorat ».

*Conclusion.* – On voit que l'image du Berger, empruntée à la sociologie du Proche-Orient et élaborée dans l'ancien Testament pour symboliser les relations des hommes avec Dieu, trouve sa plénitude dans le nouveau Testament en se reportant d'abord sur Jésus-Christ. Oscillant entre la tonalité royale, suivant un symbolisme commun dans l'ancien Orient, et la tonalité pastorale proprement dite, entre l'autorité qui exige du « troupeau » l'obéissance et la tendre sollicitude qui entraîne sa reconnaissance et sa confiance, c'est dans cette double perspective qu'elle s'applique d'abord à Dieu. Mais Dieu-Pasteur, qui veut le bien et le salut des hommes, son troupeau, ne peut compter, pour y parvenir, sur les hommes et les institutions auxquels il confie une tâche « pastorale » pour régir Israël, son peuple. Ces structures provisoires préparent néanmoins la venue future de son Règne, que les promesses prophétiques invitent à espérer fermement. Au terme de cette attente, c'est par l'envoi de son Fils dans le monde qu'il réalise son dessein : *le Christ-Pasteur* est donc celui par qui s'opère le plan de salut annoncé par Dieu-Pasteur (*Éz.* 34, 10-16 ; *Is.* 40, 11). C'est pourquoi les attitudes de Jésus dans l'accomplissement de sa mission révèlent celles de Celui qui l'a envoyé. Finalement, « le bon Pasteur livre sa vie pour ses brebis » (*Jean* 10, 11) : c'est ainsi qu'il « leur donne la vie éternelle, et personne ne les arrachera de sa main » (10, 28). Mais le Pasteur ne se dessaisit de sa vie que pour la reprendre : entré désormais dans la gloire de son Père par sa résurrection, il achève son œuvre dans son Église en choisissant des hommes pour y accomplir en son nom des tâches ministérielles qui, à ce titre, sont « pastorales », mais non plus au même sens que dans l'ancien Testament. La subordination totale au Christ-Pasteur et l'imitation de ses attitudes à l'égard des hommes constituent les règles essentielles de leur vie et de leur activité. C'est de cette façon que le langage métaphorique issu de la sociologie orientale devient porteur d'un sens profond, pour orienter la vie spirituelle des « ministres » chrétiens : leur « pastorat » n'est pas une tâche comme les autres, détentrice de pouvoir et portant à la domination. « Le bon Pasteur donne sa vie (littéralement : dépose son âme, livre sa personne, se donne lui-même) pour ses brebis » (*Jean* 10, 11). C'est aussi la règle de vie pour ceux qui ont reçu une mission de « pasteurs » dans l'Église.

On se référera aux commentaires des divers textes bibliques cités en cours d'article. Les mots essentiels du vocabulaire « pastoral » sont présentés, avec bibliographie, dans les articles correspondants des dictionnaires techniques. Pour l'ancien Testament, voir les art. *Nāḥāh, Nāhag, Nāhal,* du *Theologisches Handwörterbuch zum A.T.* (t. 2, Munich, 1976, col. 53-55) et *Rāʿāh* (col. 791-794). Le *Theologisches Wörterbuch zum A.T.,* de G.J. Botterweck et H. Ringgren (Stuttgart), n'est pas encore parvenu à ces mots.

Pour le nouveau Testament, voir Kittel, art. *Poimèn* et dérivés (t. 6, p. 484-501) et *Probaton* (p. 688-692) ; il n'y a pas d'art. spécial pour *Boskô*, qui est traité avec *Poimainô*. – Un traitement succinct du thème est donné dans le VTB (nouv. éd., 1970, col. 917-921).

Parmi les monographies sur le thème du pasteur : J. Kremer, *Die Hirtenallegorie im Buche Zacharias auf ihre Messianität hin untersucht,* Münster, 1931. – W. Jost, *Poimèn. Das Bild vom Hirten in der biblischen Ueberlieferung und seine christologische Bedeutung,* Giessen, 1939. – Th. K. Kempf, *Christus der Hirt,* Rome, 1942.

A. Legner, *Der Gute Hirte,* Düsseldorf, 1959. – B. Ebel, *Das Bild des Guten Hirten im 22. Psalm nach Erklärungen der Kirchenväter* (dans *Universitas,* Festgabe... A. Stohr, t. 1, Mayence, 1960, p. 48-57). – D. Mollat, *Le Bon Pasteur (Jean 10, 11-18.26-30),* dans *Bible et Vie chrétienne,* n. 52, 1963, p. 25-35.

A.J. Simonis, *Die Hirtenrede im Johannes-Evangelium* (coll. Analecta Biblica 29), Rome, 1967. – O. Kiefer, *Die Hirtenrede* (coll. Stuttgarter Bibelstudien 23), Stuttgart, 1967. – Ph. de Robert, *Le Berger d'Israël. Essai sur le thème pastoral dans l'A.T.* (coll. Cahiers théologiques 57), Neuchâtel, 1968. – R. Rumianek, *Dio Pastore d'Israele secondo Ezechiele 34 e l'applicazione messianica nel vangelo di Matteo* (extrait de thèse de l'Univ. Grégorienne), Rome, 1979, 50 p. – P.R. Tragan, *La parabole du Pasteur et ses explications, Jean 10, 1-18,* coll. Studia Anselmiana 67, Rome, 1980.

Pour l'iconographie, voir *Lexikon der Christlichen Ikonographie,* t. 2, Rome-Fribourg/Brisgau-Bâle, 1970 col. 289-299.

Voir aussi DS, art. *Diaconat* (t. 3, col. 799-817), *Épiscopat* (t. 4, col. 879-907), *Ministères* (t. 10, col. 1255-1267), *Pastorale, Pierre* (saint), *Presbytérat, Roi, Sacerdoce,* etc.

Pierre GRELOT.

**PASTOR** (J. – pseudonyme de MARIA MADDALENA DI GESÙ SACRAMENTATO), passioniste, 1888-1960. – 1. *Vie.* – 2. *Physionomie et écrits spirituels.*

1. VIE. – Maria Giuseppina Marcucci, en religion Maria Maddalena di Gesù Sacramentato, naquit à San Gemignano di Ponte a Moriano, faubourg de Lucques, le 24 avril 1888. Elle connut le passioniste Germano di San Stanislao († 1909 ; DS, t. 6, col. 311-312), déjà directeur spirituel de sainte Gemma Galgani † 1903, et avec son aide elle entra au nouveau monastère de religieuses passionistes, ouvert à Lucques en 1905. Elle y fit profession le 5 juillet 1908 en même temps que sa sœur (Maria Teresa di Gesù) et y eut pour maîtresse la noble romaine Palmira Armellini, en religion Maria Giuseppa del Sacro Cuore (1850-1921), amie de Gemma et fondatrice du couvent. Le 18 mars 1913, elle partit pour le Mexique avec cinq autres religieuses, pour y établir une fondation ; mais la révolution carranziste l'obligea à regagner l'Europe le 13 janvier 1916. Elle resta en Espagne et y prit part à la fondation du premier monastère passioniste à Deusto-Bilbao (1918), où elle fut plusieurs fois élue présidente (supérieure) et maîtresse des novices. Le 27 juin 1935, elle fut rappelée à Lucques pour y diriger les travaux d'achèvement du sanctuaire de sainte Gemma. Elle repartit pour l'Espagne le 15 juillet 1941 et y fonda, l'année suivante, le monastère de Madrid. Elle y mourut à l'âge de 72 ans, le 10 février 1960, et fut ensevelie dans la crypte de l'église qu'elle avait fait construire.

La Congrégation des passionistes, en décembre 1980, a commencé les procès en vue de sa béatification.

2. PHYSIONOMIE ET ÉCRITS SPIRITUELS. – Une rencontre fut déterminante dans la vie de M. Maddalena, celle qu'elle fit à Deusto (5 février 1922) du dominicain Juan González Arintero, professeur au couvent de San Esteban à Salamanque, théologien marquant, restaurateur des études de théologie mystique et fondateur de la revue *La Vida Sobrenatural* (1921 ; cf. DS, t. 1, col. 855-859). Des entretiens approfondirent leur entente spirituelle et permirent un cheminement commun dans le domaine spirituel. Arintero discerna dans la jeune passioniste de Lucques une vraie vocation mystique, jointe à une rare facilité pour traduire de manière étonnamment claire le contenu de son expérience spirituelle. Il comprit quelle précieuse contribution elle pouvait fournir en mettant par écrit cette expérience et les réflexions qu'elle lui inspirait. Ces exposés parurent dans *La Vida Sobrenatural,* de façon régulière, sous le pseudonyme de J. Pastor, sans que personne ait soupçonné qu'ils provenaient d'une religieuse cloîtrée, inconnue et autodidacte.

Ainsi prit naissance la vocation d'écrivain mystique de la passioniste italienne ; dans l'anonymat, comme Arintero et elle-même le désiraient, elle put exercer un apostolat spirituel fécond.

L'union spirituelle de M. Maddalena avec Arintero et l'Ordre dominicain devint même si étroite qu'à partir de 1925 elle signa « passioniste-dominicaine » les lettres qu'elle adressait à ce Père, puis à son disciple S. Martínez Lozano, lui aussi professeur à Salamanque. Ce dernier devint, après la mort d'Arintero (1928), son second directeur et le resta jusqu'à la mort de M. Maddalena (1960).

Ses ouvrages, avec leurs éditions successives de 1963 jusqu'à nos jours, ont été publiés par Lozano, puis par A. Alonso Lobo, dominicains du couvent de San Esteban à Salamanque. Ils ont paru non seulement en espagnol, mais dans les principales langues européennes. On trouve, rassemblés en six gros volumes, sa correspondance avec ses guides spirituels, le traité intitulé *La santidad es amor,* l'autobiographie et les biographies de Marie du Précieux Sang et de Maria Giuseppa Armellini. Parmi les écrits publiés, il y a en particulier nombre d'articles parus dans la revue *La Vida Sobrenatural,* sous divers sigles et pseudonymes, de 1922 à 1960 ; se détachent parmi eux les *Ejemplares* ou profils spirituels de beaucoup de passionistes. Il reste encore un grand nombre de manuscrits inédits.

Les écrits de M. Maddalena manifestent une femme exceptionnelle ; ils montrent aussi pourquoi et comment elle se sent investie de la mission d'être « apôtre de l'Amour ». L'autobiographie fait apparaître la trame du dessein de l'amour divin au fil de sa vie ; la correspondance avec ses directeurs analyse la réalisation de ce dessein ; l'exposé systématique, *La santidad es amor,* témoigne de la solidité et de l'attrait d'une « théologie de la sainteté » par le chemin direct de l'amour ; les autres écrits, publiés ou inédits, sont eux aussi une glorification de l'amour divin et on y voit le puissant attrait de la sainteté.

A travers la correspondance, on peut revivre l'expérience de M. Maddalena ; personne ne pouvait empêcher l'envol de son âme toute embrasée en Dieu (Lettre 23 ; nous citons les lettres d'après la numérotation de la 3e éd. espagnole, 1981, et de la 1re éd. italienne, 1981) : elle y affirme, en outre, sa vocation à être « mère des âmes » (Lettre 13) ; elle est convaincue que sa mission est de leur montrer combien la sainteté est simple et facile (Lettre 8). Même si, pour un si grand nombre, l'Amour est méconnu, elle se sent d'autant plus tenue à exercer, de préférence à tout autre, l'apostolat de l'Amour (Lettre 38), pour que tout homme devienne comme un charbon ardent qui communique à d'autres sa flamme (Lettre 46). Quant aux prêtres, qui ont rôle de guides, ils doivent avoir « science dans la tête et amour au cœur » (Lettre 52). Mais si l'on veut comprendre et apprécier les œuvres de l'Amour, rien n'est plus efficace que l'humble considération de son propre néant (Lettre 83). Cela est si vrai que toute inquiétude disparaît dès que l'on prend appui sur cette connaissance (Lettre 84). Aussi ne faut-il pas accorder à soi-même trop de place, trop s'arrêter à considérer sa propre misère et ses propres imperfections, mais plutôt fixer les yeux directement sur l'amour de Jésus ; c'est seulement ainsi que tout est consumé dans le feu et par le feu de l'Amour. Et elle affirme de façon nette : « si Dieu, au ciel, selon mon désir, m'accorde d'être un guide pour des âmes, je veux leur enseigner uniquement l'Amour » (Lettre 8).

Comme il est arrivé dans l'histoire des saints, les rôles parfois s'inversaient entre Arintero et M. Maddalena ; sans le vouloir, elle devenait le guide de son directeur. En voici un clair exemple : « Et maintenant, Père, permettez-moi de vous dire une chose. Quand vous me parlez dans vos lettres, il me semble que vous vous étendez plus sur votre connaissance de vous-même et sur votre insuffisance que sur la puissance, la grandeur de l'amour et l'œuvre que cet amour accomplit en votre âme. Pourquoi parler ainsi ? Vous savez bien que votre fille ne le fait pas. Laissons-nous là sans crainte pour nous livrer à l'amour ; nous-mêmes d'abord, puis aussi les autres. Il est bon qu'ils sachent que nous vivons dans l'amour ; que c'est du même amour que nous les aimons, eux aussi. Comme cela aide à gagner des âmes au Seigneur, de leur faire connaître l'amour de Dieu, de nous comporter comme si nous n'étions que tout amour, comme si nous n'avions plus notre corps, même si parfois il nous gêne et nous fait sentir sa lourdeur ! Et ne croyez pas, Père, qu'à agir ainsi il y ait quelque illusion ou quelque hypocrisie. Je l'ai d'abord cru, moi aussi ; mais le Seigneur m'a libérée de la timidité, comme de tant d'autres misères. Soyons ce que nous voulons être plutôt que ce que nous sentons que nous sommes ; nous nous rapprocherons d'autant plus du vrai. Que votre Révérence me dise s'il en est bien ainsi. Et si je ne me suis pas expliquée comme il faut, Dieu vous le fera comprendre » (Lettre 70).

La logique de M. Maddalena était sans faille ; elle était le fruit de son expérience intime et Arintero n'eut pas de peine à y reconnaître l'accent de l'Esprit, à réaliser que la sainteté de sa fille spirituelle était moins une belle théorie qu'un donné vécu jusqu'aux profondeurs de l'âme. En fait, dans son livre, *La santidad es amor,* on pourrait voir comme une manifestation de ce qu'elle avait authentiquement vécu, avant de le préciser dans sa pensée et de le formuler dans une « théologie de la sainteté ». Son *Prologo* fournit les raisons convaincantes au sujet des motifs et bases de cette science divine. Les voici en résumé.

Le Seigneur appelle un très grand nombre d'hommes à la sainteté. Malheureusement, il ne trouve pas de leur part la réponse attendue. Qui arrive à la perfection de l'amour divin entraîne toujours d'autres à sa suite et il est pour beaucoup source de conversion et de salut. Aussi faut-il faire comprendre au Seigneur combien le Seigneur souhaite que l'on écarte les difficultés réelles ou apparentes qui éloignent un grand nombre de chrétiens d'un bien aussi précieux, à l'encontre des désirs de Jésus. Trois principaux obstacles empêchent de correspondre aux invites du Seigneur : 1) Une conception inexacte de la sainteté. Constatant qu'on n'a ni la force, ni la possibilité de faire ce qu'ont fait les saints, on se dit qu'on n'arrivera jamais à le devenir. On oublie que ce qui les a rendus saints, ce ne sont pas leurs œuvres, mais l'amour avec lequel ils les ont accomplies. – 2) Le peu de générosité et les restrictions que l'on met à dire oui à Dieu, qui empêchent que son amour opère librement dans les âmes. – 3) Le manque de guides compétents, qui s'appliquent à donner en toute simplicité et vérité la formation requise à qui aspire à la sainteté. Dès lors, écarter ces obstacles et réveiller le désir de s'adonner à la haute mission de propager le règne de l'amour divin est une mission nullement inférieure à celle de propager la foi parmi les infidèles et de convertir les pécheurs (*La santidad es amor*, 2e éd., p. 12-13).

Pour M. Maddalena la sainteté est chose simple, parce qu'elle consiste à aimer Dieu, qui est tout amour (p. 17). L'amour, dès lors, n'a pas besoin de nous ; il se suffit à lui-même (p. 67-72). Ses urgences se résument dans l'humilité et le sacrifice (p. 79-139). Ce sont les souffrances de l'amour qui garantissent le caractère authentique de la sainteté, en particulier l'abandon apparent de Dieu et la privation des grâces sensibles (p. 141-213). Mais, à côté des souffrances, il y a aussi les joies de l'amour (p. 215-284) ; ce qui les motive (p. 285-373) constitue le grand mystère de cet immense amour que Dieu porte aux âmes (p. 375-443).

M. Maddalena en avait fait l'expérience, dans l'élan de son ardeur mystique, le jour où elle sentit le Seigneur lui dire : « Tu es mon amour, tu es l'apôtre de mon amour ». A quoi elle répondit : « C'est pourquoi je m'appelle et suis Maria Maddalena di Gesù Sacramentato, passioniste-dominicaine, apôtre de l'Amour » (dans *Apóstol del Amor*, 3e partie, n. 17, p. 419-420).

1. **Œuvres éditées.** – *La santidad es amor*, Salamanque, 1963, 1973. – *Hacia las cumbres de la unión con Dios* (correspondance Arintero-Maria Maddalena), 3 vol., Salamanque, 1968, 1979, 1981 ; trad. partielle, *Toward the Heights of Union with God*, Erlanger, Kentucky, 1972 ; 2e éd., Salamanque, 1981. – *Apóstol del Amor* (autobiographie), Salamanque, 1971. – *En la cima del monte santo* (correspondance Lozano-Maria Maddalena), Salamanque, 1972.

*Una violeta del jardín de la Pasión... María de la Preciosísima Sangre, religiosa pasionista del convento de Deusto*, Salamanque, 1933. – *Una amiga de santa Gema, Madre María Josefa del Sagrado Corazón de Jesús (1850-1921)*, Madrid, 1953.

Dans *La Vida Sobrenatural* (= LVS) : *Sobre la santidad del P. Arintero* (lettre à I. Reigada, 15 avril 1928), t. 62, 1982, p. 63-65 ; – une série de profils spirituels (*Ejemplares*), surtout de passionistes, publiés de 1924 à 1953, dont plusieurs sont signés J.G.A. (= Arintero) : *Asociación de amor a María santísima* (t. 4, p. 249-255) ; *S. Pablo de la Cruz* (t. 7, p. 60-68) ; *M. María Crucificada primera superiora de las Pasionistas* (t. 8, p. 129-140) ; *S. Verónica de la Dolorosa* (t. 9, p. 51-59) ; *S. Gabriel de la Dolorosa* (p. 124-133) ; *B. Vicente M. Strambi, obispo pasionista* (t. 10, p. 341-352) ; *M. Vicenta de Santa Catalina* (t. 15, p. 274-284) ; *La sierva de Dios Gema Galgani* (t. 16, p. 341-350) ; *La niña Ema Mariani* (t. 19, p. 54-64) ; *Galileo Nicolini* (t. 21, p. 270-281) ; *M. María Josefa del Sagrado Corazón, pasionista* (t. 23, p. 268-282) ; *Rosario Seoane postulante pasionista* (t. 26, p. 272-281) ; *Maria Goretti...* (t. 33, p. 465-480) ; *Mons. Juan Volpi confesor de S. Gema* (t. 36, p. 53-73) ; *P. Germán de San Estanislao* (t. 45, p. 288-302). – Dans la même revue, de nombreux autres articles parus de 1922 à 1960 sous divers noms.

Opuscules : *B. Gema Galgani* (Deusto, 1933, 32 p.) ; *La vida interior del P. Arintero* (Salamanque, 1937, 37 p.). – Avant d'être transférée à Lucques (1935), Maria Maddalena a fondé la *Perla del Calvario*, revue mensuelle destinée à répandre la dévotion à Jésus crucifié et à Gemma Galgani (Deusto, années 1935 et 1936).

2. **Inédits** (conservés aux Archives des religieuses passionistes d'Oviedo et de Madrid, sauf la correspondance avec la mère S. Solaún qui est chez les passionistes de Deusto-Bilbao) : *Diario del viaggio dall'Italia in Messico* (1913), 137 p. ; – *Storia dei tre anni passati in Messico* (1913-1916), 42 p. ; – *Diario del viaggio dal Messico in Spagna* (1916), 30 p. ; – *Diario di Lucca e seconda fondazione in Spagna* (1941-1942), 230 p. ; – *Poesie* (plus de 200) ; – *Testamento spirituale*, 13 p. ; – correspondance avec F. Cento, nonce apostolique en Espagne (plus de 200 lettres), avec Giacinto Iglesias et Soledad Solaún.

3. **Études.** – A. Alonso Lobo a présenté Maria Maddalena et ses ouvrages dans les introductions à *La santidad es amor* (2e éd., Salamanque, 1973, p. 7-11), *Hacia las cumbres...* (2e éd., 1979, et 3e éd., Salamanque, 1981, p. 5-18), *Apóstol del Amor* (Salamanque, 1971, p. 7-28 + p. 571-577), *En la cima del monte santo* (1972, p. 7-28 + p. 703-718).

M. Llamera, *La Autobiografía de J. Pastor*, dans *Teología espiritual*, t. 15, 1971, p. 407-421. – J.M. Zugazaga, *A la santidad por el Amor*, Bilbao, 1979 ; trad. ital. par C. Chiari dans *Spiritualità della Croce*, éd. par C.A. Naselli et C. Chiari, t. 4, San Gabriele, 1978, p. 71-101 (cf. *ibidem*, t. 5, 1980, p. 10-11). – C.A. Naselli, *Madre Marcucci (o J. Pastor) e la sua corrispondenza col P. Arintero*, dans *Rivista di ascetica e mistica*, t. 6, 1981, p. 277-292. – V. Camino, *Los caminos de la gracia*, dans LVS, t. 62, 1982, p. 66-71.

Carmelo A. NASELLI.

**PASTORALE.** – Pastorale et vie spirituelle sont indissociables. Elles font corps dans la mesure même où l'union à Dieu, plus que la condition de l'action, en est l'âme. Même si elle doit en user, la pastorale n'est pas affaire de méthodes et de techniques humaines ; elle est d'abord collaboration à l'œuvre de Dieu.

Nous proposerons seulement ici quelques réflexions inspirées par l'expérience de l'action pastorale dans le monde actuel. Le thème, par ailleurs, est connexe avec ceux qu'on trouve traités dans les art. *Apostolat et vie intérieure* (DS, t. 1, col. 773-790), *Évangile* (annonce de la Bonne Nouvelle, t. 4, col. 1745-1772, surtout 1765-1772), *Ministères* (t. 10, col. 1255-1267), *Mission* (Écriture, t. 10, col. 1349-1371) et *Pasteur* (supra).

1. MISSION ET PASTORALE. – Au sens strict, la pastorale – dont la théologie pastorale fait son objet – désigne le ministère de la hiérarchie auprès des fidèles dont elle a la charge et sur lesquels elle exerce son autorité, en vertu des pouvoirs conférés par le sacrement de l'Ordre.

Cette conception traditionnelle a été confirmée par le concile Vatican II. Le pape est « le pasteur plénier et immédiat de tous les fidèles » (*Christus Dominus*, n. 2). L'évêque est le pasteur de son diocèse (n. 11), le curé celui de sa paroisse (n. 30). Participant à l'unique sacerdoce du Christ Pasteur éternel, ils sont envoyés pour continuer son œuvre (n. 2). Les pasteurs exercent dans l'Église une triple fonction : enseignement (cf. art. *Magistère*, DS, t. 10, col. 76-90), sanctification (sacerdoce) et gouvernement (royauté). La fonction de gouvernement, qui doit maintenir l'unité de l'Église, correspond plus précisément à la fonction pastorale. On convient cependant que cette dernière englobe les deux autres. On accorde même la priorité à l'annonce de l'Évangile, si bien que la pastorale, en définitive, est mise au service de l'évangélisation.

Cette conception « hiérarchique » date des premiers traités de théologie pastorale et reflète l'ecclésiologie de leur temps (cf. les articles *Diaconat,* DS, t. 3, col. 799-817 ; *Épiscopat,* t. 4, col. 879-907 ; *Laïc et laïcat,* t. 9, col. 79-108 ; *Presbytérat,* t. 11). Progressivement cependant, du fait de l'évolution des temps modernes et de la pratique même de l'Église, les théologiens en sont venus à une conception beaucoup plus large. « La mission pastorale souffrait de son enfermement dans le périmètre clérical : la voici désenclavée » (É. Marcus, *Les prêtres et le Pasteur,* dans *Vocation,* janvier 1981, p. 43). Dès avant le concile Vatican II, le concept de pastorale s'est étendu à l'action de l'Église entière. Typique, à cet égard, la définition proposée par L. Dingemans : « La pastorale est l'action de l'Église par laquelle celle-ci, sous la motion du Saint-Esprit, accomplit visiblement la mission que lui a donnée le Christ et poursuit l'achèvement du dessein salvifique du Père » (*La pastorale et ses buts généraux,* dans *Évangéliser,* t. 17, n. 99, 1962, p. 247 ; cité dans *Concilium,* n. 3, 1965, p. 87 ; cf. dans le même numéro l'étude de H. Schuster, *Caractère et mission de la théologie pastorale,* p. 11-20). Ou, plus simplement : « Il s'agit de l'action que toute l'Église déploie en fonction de sa mission spécifique » (Fr. Houtard et J. Rémy, p. 87).

Cet élargissement est une conséquence du renouvellement de la théologie de l'Église. Au-delà des réalités qui la constituent comme société humaine, elle est d'abord considérée comme Mystère : elle est le Corps du Christ, le Peuple de Dieu tout entier sacerdotal et royal. Communauté de foi, d'espérance et de charité, elle forme un tout dans lequel règne une égalité fondamentale entre tous, même s'ils sont appelés à exercer des ministères divers qui concourent à l'avènement du Royaume de Dieu dans l'Humanité. « Tous responsables dans l'Église, il nous faut tout mettre en œuvre pour que la vie et la mission de l'Église reposent sur la responsabilité commune des chrétiens » (*Tous responsables dans l'Église, Assemblée plénière de l'Épiscopat français, Lourdes, 1973,* Paris, 1973, p. 9) ; un groupe de théologiens commente : « Tous les chrétiens sont appelés à prendre une responsabilité de plein exercice et dans leurs tâches humaines et dans le service de la communauté chrétienne » (*ibidem,* p. 42).

La conception d'une pastorale cléricale a donc cédé la place à celle d'une pastorale ecclésiale. Ainsi, l'évêque n'est plus seulement considéré comme le pasteur de son diocèse : membre du collège épiscopal, en communion avec le Pape et sous sa présidence, il assume sa part de responsabilité de l'Église universelle. De même le curé membre du presbyterium est coresponsable, sous l'autorité de l'évêque et en collaboration avec les laïcs, de la pastorale diocésaine ; son action s'inscrit dans la pastorale d'ensemble qui vise à harmoniser les activités de l'Église locale, laquelle à son tour s'inscrit dans l'Église universelle.

Cette évolution coïncide avec l'éclatement de l'ancienne distinction entre l'activité pastorale et l'action missionnaire ; la première se concentrait à l'intérieur de l'Église, tandis que la seconde se tournait vers « ceux qui sont loin » pour leur annoncer Jésus-Christ et « faire naître » l'Église là où elle n'était pas encore fondée. Or les antiques pays de « chrétienté » sont de plus en plus dans la situation d'un « pays de mission » en raison de la déchristianisation d'une large proportion de la population et de l'avènement d'une culture étrangère à la foi chrétienne, tandis que les anciens territoires de mission sont devenus des Églises diocésaines de plein exercice. D'autre part, pour mieux remplir sa tâche, l'action pastorale est amenée à se diversifier selon les lieux (pastorale urbaine ou rurale), les milieux socio-culturels (ouvriers, ruraux, classes moyennes, immigrés, enfants, jeunes, familles, etc.), selon aussi qu'il s'agit de catéchèse, de catéchuménat, de liturgie, etc. Enfin, à côté des ministères ordonnés, prennent place des ministères dits « institués » confiés à des laïcs, hommes et femmes (cf. DS, t. 10, col. 1261-1262).

S'ouvrant aux hommes qu'il faut évangéliser, la pastorale a opéré une véritable décentration vers « ceux du dehors », au milieu de qui vivent les chrétiens, prêtres et laïcs. L'Église se doit de les rencontrer, d'entrer en dialogue avec eux et de les servir pour être témoin et signe de Jésus-Christ. Car, si diversifiées que soient les situations, l'action pastorale est soumise à l'ordre de mission que Jésus a donné à son Église : « Allez, de toutes les nations faites des disciples, les baptisant au nom du Père, du Fils et du Saint-Esprit » (*Mt.* 28, 19)... « Rassembler dans l'unité les enfants de Dieu dispersés » (*Jean* 11, 52). Cela suppose l'annonce de la Parole, du mystère du Christ mort et ressuscité, le rassemblement des baptisés dans le repas eucharistique, le développement en eux de la vie divine.

Pour autant, l'Église n'habite pas dans un espace séparé, hors du monde des hommes ; composée d'hommes, elle est humaine comme son Fondateur (cf. art. *Monde,* DS, t. 10, col. 1633-1645). « La communauté des chrétiens se reconnaît donc réellement et intimement solidaire du genre humain et de son histoire » (Vatican II, *Gaudium et spes,* n. 1). Ce n'est pas seulement dire que l'action pastorale est conditionnée par les situations historiques dans lesquelles elle se fait : situations économiques, sociales, politiques, culturelles qui informent la conscience des hommes. L'Église doit se vouloir solidaire des hommes et engager les chrétiens à œuvrer pour l'instauration d'un monde plus juste et plus fraternel, dans lequel l'homme voie ses droits respectés et ses besoins satisfaits. L'annonce de l'Évangile suppose le combat pour la justice.

L'action pastorale de l'Église vise donc à soutenir et éclairer tout homme de sa lumière, tout en respectant l'autonomie des personnes et des institutions, à appeler chacun à œuvrer selon sa fonction au bien commun. En même temps, à tous elle rappelle leur vocation dernière qui est de rencontrer le Dieu vivant, de partager sa vie : tous sont appelés à devenir fils de Dieu.

Si, comme on l'a dit, la pastorale suppose des modalités multipliées, si les chrétiens qui sont appelés à l'exercer en collaboration ont le droit d'être différents les uns des autres sous de multiples aspects, il est normal aussi que les charismes et les cheminements spirituels de chacun soient différents. Il y a bien des manières d'incarner les énergies de l'Évangile ; autant qu'il y a de manières de vivre. Est-il possible, dans ces conditions, de parler d'*une spiritualité pastorale ?* Par-delà les diverses exigences de l'action et la diversité des personnes, y a-t-il des points communs, des lois universelles qui transcendent les contingences ? On ne peut en douter s'il est vrai que l'action comme les personnes relèvent d'une même foi, se réfèrent à un même maître et modèle, Jésus-Christ, découlent des vertus d'un même baptême, sont inspirés par le même Esprit, se développent au sein d'une même Église et tendent vers une même fin.

2. Aux sources spirituelles de la pastorale. – Jésus a entendu l'appel de son Père et y a consenti. Tout au long de sa vie terrestre, il est resté à l'écoute du Père qui l'envoyait, obéissant à sa volonté, docile à l'Esprit saint, conscient que tout lui était donné « d'en haut », qu'il se recevait du Père. Et sa mission le menait au milieu des hommes de son temps, dialoguant avec eux, leur annonçant la Bonne Nouvelle, en vue du Salut et pour répondre à l'appel de son Père, de leur Père.

Les apôtres ont été appelés par Jésus, l'ont écouté, ont vécu avec lui. Envoyés à leur tour, ils ont appris à rester fidèles à la Parole reçue, à en faire mémoire, à l'assimiler et à l'approfondir. Ayant reçu le don de l'Esprit, ils ont pu se donner entièrement, jusqu'au martyre, à leur mission divine.

Leurs successeurs, évêques, prêtres et laïcs, ne peuvent être dans une situation différente : eux aussi sont disciples du Christ, aimés, élus, appelés, envoyés. Là est la source de leur action comme de leur vie spirituelle. A la base, le chrétien doit se recevoir de Dieu comme donné aux autres hommes ses frères. Tout au long de son existence, il aura à faire mémoire de ce commencement où il a consenti à Dieu qui le saisit en se donnant à lui. Il aura à puiser à cette source, à s'appuyer sur cette base. Mais aussi l'Esprit de Dieu parle, appelle et nous rejoint par l'Église, par autrui, et même par les événements. Cette écoute-là est une autre forme de l'écoute du Dieu qui nous envoie.

L'action pastorale se situe à une sorte de point de rencontre entre l'Esprit de Dieu et l'humain, dans un « entre-deux » ; elle s'étend à tout le champ de l'activité humaine, pour devenir le lieu médiateur de la rencontre entre Dieu et les hommes ; elle doit se faire en synergie avec le Christ vivant, dans la foi et l'amour que le Père diffuse en nous par son Esprit saint.

3. Chemins spirituels de la pastorale. – 1° *Le zèle miséricordieux*. – Par la brèche qu'ouvre en nous la venue de Dieu à la venue des autres, passe une double passion : la passion de Dieu et la passion de l'homme ; elles sont l'âme du zèle apostolique. Dangereuses sont les passions mal contrôlées, mais on ne fait rien de grand sans une passion contenue. Il est des passions dévorantes, mais il n'est pas d'amour qui n'ait sa part de passion, sans quoi il ne serait capable ni de se donner ni de créer.

Le zèle est dangereux quand il devient intempestif, emporté par le secret instinct de dominer, de s'assouvir, soulevé par la colère ou la jalousie : il amène le sectarisme, la dureté, le mépris de l'autre ; parfois il se mue en ambition, en recherche de l'intérêt propre sous le couvert de la passion de Dieu ou de l'Église. Mais le zèle de l'apôtre est indispensable à l'annonce de la Parole. Soutenu par la foi et l'espérance, à l'imitation de la patience de Dieu, contenu par le nécessaire et primordial respect de la liberté d'autrui, il est chargé de cette énergie vivante et chaleureuse qui donne le « cœur » indispensable pour aller de l'avant, pour proclamer la Parole « à temps et à contretemps » (2 *Tim.* 4, 2), pour défier les idoles du Monde, quels que soient les obstacles. Il est la traduction du désir intense que l'apôtre a reçu d'aimer et de servir les enfants de Dieu sans esprit de retour et sans intérêt propre. Il est gratuit, courageux certes, mais humble, fier sans être orgueilleux ; il trouve sa récompense en Dieu, il se fond dans l'amour et le service de l'autre, il disparaît dans le bien offert à autrui.

Ce zèle-là est un autre nom de la tendresse miséricordieuse, qui est « la richesse de Dieu... Père des miséricordes » (cf. 2 *Cor.* 1, 3), incarnée par le Christ, personnifiée par lui, qui éclate dans le mystère de la Croix où l'Amour révèle que l'injustice ne le désarme pas. C'est là la réalité fontale de Dieu que l'Église doit « professer et proclamer », car elle est la plus grande des perfections divines (Jean-Paul II, Encyclique *Dives in misericordia, passim,* AAS, t. 82, 1980, p. 1177 svv). Conscient par grâce de l'immense misère des hommes qui crucifie les corps et les cœurs, qui flétrit les âmes, l'homme miséricordieux perçoit dans la profondeur de ses frères, au-delà de leurs pulsions, de leurs violences, de leurs perversions, à travers l'épaisseur du mal, la propre image de Dieu. Il rejoint l'action mystérieuse de Celui qui, descendu aux enfers, ne cesse de travailler à restaurer l'homme et à le rétablir dans sa dignité de fils de Dieu.

« Qu'est-ce donc que la miséricorde, sinon le partage de la blessure de Dieu face au mal ? C'est prendre sur soi le mal, non parce qu'il nous atteint ou parce que c'est notre devoir de l'assumer, mais parce que l'amour nous fait partager le destin de celui qui souffre plus que nous. Prendre sur soi le mal de l'autre parce qu'on l'aime plus que tout... C'est un désir né de l'amour, un désir que rien ne peut arrêter parce qu'il est plus fort que la mort... » (B. Bro, Introduction à la trad. franç. de *Dives in misericordia,* Paris, 1981, p. 13-15).

2° *La lecture de l'Écriture.* – Chaque époque ajuste ses méthodes d'action à la situation culturelle ambiante ; chacun adapte ses voies pour vivre l'Évangile, en continuité ou en rupture avec ce qu'avait acquis le passé (cf. M. de Certeau, *Cultures et spiritualité,* dans *Concilium,* n. 19, 1966, p. 7-25). La vie spirituelle est fidélité créatrice à l'histoire qui est, pour le chrétien, révélatrice de son Dieu. En nos temps marqués par tant de conflits et de profonds changements, cette quête, libre et courageuse, est aussi souvent tâtonnante, incertaine, inquiète même, parfois douloureuse ; elle n'évite pas tous les écueils. Mais, plus qu'autrefois, pasteurs et chrétiens lisent la Bible, pour y chercher la Parole de Dieu, laquelle est la voie royale où cheminent tous les spirituels des temps modernes. La spiritualité pastorale est d'abord biblique.

Cette lecture biblique est une lecture spirituelle : on n'y cherche pas un savoir d'ordre historique, théologique ou moral, on écoute Dieu. « La Parole de Dieu, ce n'est pas d'abord un livre. C'est d'abord Dieu qui parle, Dieu qui s'adresse à nous, pour nous éclairer, nous convertir et nous faire vivre » (*Construire l'Église ensemble. Assemblée plénière de l'Épiscopat français, Lourdes, 1976,* Paris, 1976, p. 31). On cherche à rencontrer Jésus présent au milieu de ceux qui se rassemblent en son nom pour l'écouter. Tout autant que le chrétien lisant la Bible pour lui-même, celui qui est engagé dans l'action pastorale la lit à partir de l'expérience concrète, y cherche la lumière qui l'éclaire, se laisse interpeller par ses appels. Il n'a pas à y chercher une réponse toute faite aux questions immédiates de la vie quotidienne, qui dispenserait de réfléchir, de juger, de prendre ses responsabilités, et moins encore une justification de ses manières de faire ou de ses théories. Il s'agit de se laisser pénétrer, imprégner, travailler, transformer par l'Écriture : la Parole de Dieu devient alors « source d'une force créatrice nouvelle » (G. Bouwmann, *Une spiritualité biblique est-elle possible aujourd'hui ?,* dans *Concilium,* n. 49, 1969, p. 34).

Voir les art. *Écriture sainte* (DS, t. 4, col. 128-278), *Lectio divina et Lecture spirituelle* (t. 9, col. 470-510).

3° *La prière et les sacrements.* – Déjà la lecture de la Parole est prière, s'il est vrai que « la prière de Jésus (et donc celle de ses disciples), c'est l'écoute confiante et aimante du Père » (P. Jacquemont, *Agir, est-ce prier ?*, dans *Concilium,* n. 79, 1972, p. 43). Déjà la Bible recèle un grand nombre de prières, les *Psaumes* en particulier et les Cantiques évangéliques dont l'Église fait la trame de la prière des Heures. Il reste que la prière personnelle privée est acte essentiel de la vie chrétienne et de la mission pastorale. Par la relation qu'elle établit avec le Père dans la médiation du Christ, elle communique l'Esprit, qui devient inspirateur et moteur de notre agir, lui donne la « densité chrétienne et divine » tout en mettant en œuvre nos possibilités humaines. La prière précède l'action, la pénètre et aussi la recueille ; ici les témoignages d'apôtres sont innombrables (vg celui de A. Depierre, dans *Chantiers des Fils de la Charité,* n. 50, juin 1981, p. 22). Qui participe à la mission pastorale est *ipso facto* délégué à la prière pour et au nom des hommes.

Chrétiens et pasteurs n'en restent pas à la seule prière privée ; membres d'un peuple, ils prient comme membres de ce peuple et au milieu de ce peuple (prière communautaire, prière publique, etc.). Surtout, l'Eucharistie est pour eux le rassemblement qui unit les hommes dispersés et divisés dans le mystère du Christ, mystère qui les renvoie au combat difficile, douloureux et violent contre le mal, mystère qui les assure de la victoire du pardon, de la réconciliation et de la paix (cf. A. Depierre, cité *supra,* p. 24). C'est là aussi que le Christ nous redit combien ce que nous célébrons liturgiquement fut pour lui le cœur de sa vie d'homme et il nous appelle à en faire le cœur de la nôtre. C'est là encore que l'Église nous remet en route pour la mission, munis du souvenir de la tendresse et de la miséricorde de Dieu, pour rencontrer et servir les hommes.

Voir H. Sanson, *Spiritualité de la vie active,* Le Puy-Lyon, 1957 ; – *Prière et vie selon la foi,* Paris, 1976.

4° *La révision de vie* ressemble, par certains côtés, aux partages bibliques et aux réunions de prières quand ils s'orientent vers l'action et la vie concrète ; d'autre part, on a souvent tendance, à tort, de lui faire remplacer l'examen de conscience. Pour une équipe pastorale, la révision de vie permet de « lire dans les événements petits et grands ce que réclame une situation, ce que Dieu attend » (Vatican II, *Presbyterorum ordinis,* n. 6 ; cf. *Gaudium et spes,* n. 4, 11, etc.).

« Rassemblés au nom de leur foi en Jésus-Christ, (les militants essayent) de voir ensemble ce que Dieu veut nous révéler... Non pas en partant de la Bible..., mais plutôt en partant de la vie, des faits, des situations ou des événements » (P. Barrau et G. Matagrin, *Agir en vérité,* Paris, 1960, p. 11). Ils cherchent à discerner les signes que Dieu leur fait, à entendre les appels qu'il leur adresse, à découvrir ce qu'il attend d'eux, à repérer les traces de sa grâce, à sonder le vide créé par son absence chez qui l'oublie. La révision de vie tend ainsi à « rassembler » la trame de l'existence, en fait mémoire et la soumet à la lumière de l'Évangile ; elle regarde l'histoire du point de vue de Jésus ; son vœu est de « rencontrer Dieu, créer, entretenir et développer la relation vitale à Dieu, la connaissance et l'amour de Dieu, l'union à Dieu dans et par Jésus-Christ » (p. 15). Elle est aussi un nouvel appel à la mission si du moins elle fait entendre l'appel des hommes.

5° *La fraternité évangélique.* – Une « caractéristique notable de la spiritualité qui s'élabore, et qui la distingue de ses devancières immédiates : c'est la répudiation instinctive de tout individualisme. Les chrétiens en recherche refusent énergiquement en général de poursuivre des chemins solitaires. Ils sont tous avides de trouver ou de constituer un groupe dont l'ambiance et les objectifs correspondent à leurs aspirations et à leurs besoins » (A.-M. Besnard, *Lignes de force des tendances spirituelles contemporaines,* dans *Concilium,* n. 9, 1965, p. 36). La recherche d'un style de vie fraternelle découle de la nature même de la vie chrétienne (cf. art. *Fraternité,* DS, t. 5, col. 1141-1167). Les disciples du Christ prient « Notre Père » et sont donc appelés à vivre en frères dans une communion scellée par l'*agapè*. Ce style de vie fraternelle est également postulé par la mission pastorale, qui ne saurait être affaire d'individualités, même si le témoignage personnel est irremplaçable.

L'apostolat est toujours acte d'Église, conduit en relation et en collaboration avec d'autres, comme membre d'une équipe, d'une communauté, d'une paroisse, etc. La fraternité évangélique n'est pas seulement affaire de sentiments et d'intention théorique ; elle est effective et active ; elle trouve à s'incarner dans l'action d'ensemble, dans la collaboration. On sait que Vatican II a fortement mis en lumière la collégialité et la collaboration entre les évêques unis au pape, entre évêques et prêtres, entre prêtres et laïcs, entre les chrétiens de confessions différentes, et même entre hommes de bonne volonté au niveau de la défense et de la promotion des droits de l'homme, de la justice et de la paix. De plus en plus, les chrétiens sont appelés à former des équipes pastorales dans lesquelles ils ont à travailler, prier, parler ensemble. Si, à la base de la fraternité évangélique comme de l'équipe pastorale, il y a la communion dans la foi en l'amour du Père pour tous ses fils, dans la docilité à l'Esprit, maître de vérité, lien de charité, force d'union, il va sans dire, mais il ne va pas sans difficulté qu'il faille respecter les consciences et les différences, les rythmes et les maturations. Ces réalités humaines doivent susciter le dialogue, un dialogue lui aussi fraternel. Chacun doit apprendre qu'il ne possède pas l'expression absolue et totale de la vérité, qu'il n'y a pas de modèle unique d'une vie inspirée par l'Évangile, encore moins de méthode universelle d'apostolat. Il y a de multiples demeures dans la maison du Père et diverses sont les vocations, mais tous doivent collaborer, chacun selon ses dons, à l'édification du Corps du Christ et au bien de l'homme.

La nécessité d'une pastorale communautaire est plus urgente encore à une époque où, dans tous les domaines (économique, social, politique, culturel), se développe la vie associative et le travail par équipe au sein d'une complexification croissante de la vie sociale. Significatif à cet égard est le surgissement des *communautés de base* ; leur ciment est certes un projet commun : prière, évangélisation, entraide, partage ; c'est aussi la recherche d'une vie fraternelle, d'un climat où les membres peuvent développer leurs possibilités humaines et chrétiennes. Tâche difficile et jamais terminée, voire humainement impossible ; tâche traversée aussi par les exigences du service ou de l'accueil de plus pauvres. Mais, filles de l'espérance, ces communautés de base peuvent offrir le témoignage peut-être le plus adapté à ce que notre époque attend de l'Église. Voir, par exemple, R. Pourraz, *La force des pauvres. Communautés chrétiennes au Brésil,* Paris, 1981.

6° *Sous la conduite de l'Esprit.* – Une des grandeurs du 20e siècle finissant aura certainement été la remontée de la foi au Saint-Esprit ; on l'a déjà signalé à propos de la lecture de la Bible et de la révision de vie. Il y a aussi, typiques, les « renouveaux charismatiques ». Même s'ils n'échappent pas toujours à l'excès (affectivité mal contrôlée et fusionnelle au sein de communautés chaleureuses ; goût de l'extraordinaire et du miraculeux ; désir d'une transparence totale de l'un à l'autre qui risque de violer le secret incommunicable de l'âme avec Dieu), ces groupes charismatiques sont signe d'un retour à une religion plus intérieure, plus « mystique ». A condition de ne pas se détourner des devoirs humains et de ne pas s'isoler en communautés .élitistes et fermées, ils apportent une réponse partielle aux aspirations des chrétiens perdus dans un monde quantifié qui, bien souvent, isole autant qu'il massifie, sue l'angoisse et la violence, et meurt de manque spirituel. Ils posent ainsi une question aux équipes, aux communautés diverses, et aux paroisses.

7° *La sainteté de la vie active.* – Les divers chemins spirituels de la pastorale dont nous avons parlé, en particulier la prière et les sacrements, ne constituent pas à eux seuls toute la vie spirituelle. Certes, ce serait une erreur de les considérer seulement comme des moyens, comme une nourriture, fût-elle indispensable. Actes de rencontre et d'union avec Dieu, ils constituent des démarches essentielles de la foi vivante. Mais cette foi vivante se doit d'inspirer et d'animer *un agir selon l'Évangile* : la foi implique d'elle-même d'investir toute la vie du chrétien. Qu'elle soit religieuse (comme la catéchèse ou la liturgie) ou qu'elle soit profane, l'action est un des lieux de rencontre avec Dieu, comme avec les autres et avec le monde créé. Dieu nous a précédés et nous attend pour travailler, agir avec nous.

« On déclare beaucoup trop facilement que toute la vie est prière. Certes, nous savons que l'existence humaine a aussi une signification et une valeur religieuses, parce qu'elle est une collaboration avec le Créateur toujours à l'œuvre et avec le Premier-Né de toute créature qui fait toutes choses nouvelles. Notre vraie rencontre avec Dieu a lieu dans cette collaboration avec Dieu et avec Jésus ressuscité et retourné dans la gloire du Père, et se situe donc au cœur même de toute réalité » (F. D'Hoogh, *Prier dans un monde sécularisé,* dans *Concilium,* n. 49, 1969, p. 41).

Le concile Vatican II a fortement affirmé la vocation de tout chrétien (et de tout homme) à la sainteté, « quels que soient leur condition et leur état de vie, chacun dans sa voie ». C'est « par leur vie qu'ils doivent développer les germes de sainteté reçus dans le baptême... En exerçant leurs charges et en accomplissant leurs fonctions diverses, selon leur état et leur rang dans la société terrestre elle-même, ils s'efforcent de conformer leur vie à celle du Christ en se pénétrant de son Esprit de service et de charité » (*Lumen Gentium,* n. 31-32, 39-42, etc.).

A propos des prêtres en particulier, le concile souligne que « c'est l'exercice loyal de leurs fonctions dans l'esprit du Christ qui est pour eux le moyen authentique d'arriver à la sainteté... C'est en exerçant le ministère d'Esprit et de justice qu'ils s'enracinent dans la vie spirituelle, pourvu qu'ils soient accueillants à l'Esprit du Christ qui leur donne vie et les conduit » (*Presbyterorum ordinis,* n. 12-13). Bien des témoignages de prêtres pourraient corroborer cet enseignement (ces pages doivent beaucoup à ceux des prêtres, religieux et religieuses de l'Année de formation aux ministères de l'Institut catholique de Paris).

Ce qui est vrai du prêtre l'est du chrétien laïc, y compris dans l'accomplissement des tâches profanes. Servir les hommes, combattre pour la vérité, la justice, les droits de l'homme, quand cela est fait en union avec le Père des hommes, à la suite du Christ, en conformité avec son Esprit de gratuité et d'amour, est vie spirituelle. Au niveau de la mission pastorale de même, l'action « chrétienne » n'est pas d'abord de l'ordre du faire, mais de l'*agir,* c'est-à-dire d'une épiphanie de l'être, d'une manifestation du cœur qui s'engage tout entier parce qu'il se donne et se consacre en réponse à la vocation de Dieu : le rayonnement dépend de la qualité de l'âme, de la densité divine d'un être.

Une telle action est œuvre d'*agapè,* de charité, étant entendu, comme l'observe Ph. Nemo (dans *Communio,* n. 1, 1975, p. 94), que « la première connotation de la charité n'est pas comme pour l'amour, la décharge d'une affectivité qui s'abandonne, mais au contraire l'effort d'une volonté à qui une secrète inspiration commande de brimer le désir et qui ne s'abandonne ensuite qu'en continuant à se contrôler. C'est la répression ou la réprimande du désir qui inaugure le processus d'amour ».

On sait qu'une telle action, si elle est source de joie, est aussi crucifiante. Pour être attentif à l'autre, pour l'écouter, l'accueillir, le respecter, le reconnaître..., pour entamer et poursuivre avec lui le dialogue, nouer avec lui la collaboration dans une communion fraternelle, il faut se soumettre à une rude ascèse, à un constant renoncement au désir égoïste de soi, et se fonder sur l'espérance. Il faut renaître à l'amour de Dieu et par Lui. « L'amour est Trinitaire : nul n'aime Dieu s'il n'aime son prochain, nul n'aime son prochain s'il n'aime Dieu ; il ne fait que les désirer et par conséquent se désirer soi-même. Il donne libre cours à une *libido* (ou à une autre force vitale, comme il plaira de la nommer) qui le conduit à enfler son corps de désir. Il se replie dans l'absolue intériorité de son désir où il se répète et dont il ne peut attendre nulle initiation à autre chose que lui-même ». Ne serait-ce pas l'ascèse propre à la chasteté, vertu à laquelle tout chrétien est invité s'il veut connaître « l'amour religieusement inspiré » (*ibidem,* p. 94) ?

Dans la mission pastorale, l'homme d'action court de nombreux risques : de distraction, de dispersion, d'émiettement, de dérive loin de l'essentiel qui est de vivre en Dieu à la suite du Christ ; s'il se laisse emporter par l'intérêt ou l'ambition, fasciner par ce que le monde lui offre, séduire par ces idoles que sont le pouvoir, la politique, l'idéologie, etc. ; s'il en vient à vouloir se suffire à lui-même. Aussi, au sein même de l'action à laquelle il se livre, doit-il lutter pour rester fidèle, résister aux tentations, garder l'unité de sa vie, se maintenir en symbiose avec le Christ : se recevant de Dieu au cœur de sa liberté, à la manière d'un fils aimant, non pas à celle d'un mercenaire intéressé ou d'un esclave apeuré. Cela requiert soumission et obéissance à la volonté du Père, ainsi que fit Jésus.

Dans ce combat spirituel, l'homme d'action fait l'expérience de ses limites, de sa vulnérabilité ; il connaît les tensions et les conflits intérieurs. Il lui arrive aussi, et normalement, d'être en butte à l'échec, à l'indifférence, à la calomnie, à la haine, de rencontrer l'incompréhension, la critique stérile, y compris à l'intérieur de l'Église ; il peut être tenté de renoncer ou de se révolter. L'homme d'action a, lui aussi, ses « nuits » purifiantes. Seules, les énergies de la foi, la force renouvelée de la charité le feront tenir debout dans la tempête ; il se sentira, au cœur de sa prière de pauvre, fondé sur l'espérance que Dieu, l'Église, tant d'autres, ont mise en lui ; et viendra la lumière qui lui fera voir comment, tout indigne qu'il en soit, il est mis avec le Christ et vit le mystère de sa passion.

Conclusion. – « Dans les formes diverses de vie et les charges différentes, c'est une seule sainteté que cultivent tous ceux que conduit l'Esprit de Dieu et qui, obéissant à la voix du Père et adorant Dieu le Père en esprit et en vérité, marchent à la suite du Christ pauvre, humble et chargé de sa croix pour mériter de devenir participant de sa gloire. Chacun doit résolument avancer, selon ses propres dons et ressources, par la voie d'une foi vivante qui stimule l'espérance et agit par la charité » (Lumen Gentium, n. 41). Avancer par la voie d'une foi vivante, comme Pierre fit à la suite de Jésus, apprenant à le connaî-tre, discernant le Père à travers son Fils, et ses frères à travers les hommes, expérimentant qu'il est infini-ment aimé : là est le cœur de la Bonne Nouvelle. Selon les époques et les lieux, des « écoles de spiri-tualité » ont été élaborées pour jalonner et éclairer cette voie d'une foi vivante ; prêtres et laïcs s'en serviront comme de moyens. La mission pastorale a tout à gagner à rechercher sans cesse la proximité du Christ et celle des hommes, comme le nouveau Tes-tament nous le montre des apôtres et des disciples, et d'en espérer la même fécondité. Comme l'écrit C. Lubich, « voici le grand attrait des temps modernes : s'élever jusqu'à la plus haute contemplation en restant au milieu des autres. Homme parmi les hommes. Mieux. Se perdre dans la masse pour qu'elle s'imprègne de Dieu, comme s'imbibe le pain trempé dans le vin. Mieux encore. Associés aux projets de Dieu sur l'humanité, tracer dans la foule des chemins de lumière, et partager avec chacun la honte, la faim, les coups, les joies brèves. Voilà ce qui attire, en notre temps comme en tous temps. Jésus et Marie. Ce que l'on peut imaginer de plus humain et de plus divin. Le Verbe de Dieu, fils d'un charpentier. Le trône de la Sagesse, mère de famille » (Méditations, trad. franç., 4e éd. revue, Paris, 1977, p. 9).

La bibliographie sur la pastorale en général et la théolo-gie pastorale en particulier est très abondante (T. Stramare, Pastorale. Bibliografia internazionale, Rome, 1969, qui serait largement à compléter aujourd'hui). Par contre, les études spécifiques sur la spiritualité de l'action pastorale ne sont pas très nombreuses (cet aspect est pourtant mentionné à l'occasion dans des ouvrages plus généraux). Sans repren-dre les études signalées dans l'article, nous donnerons seule-ment ici quelques indications, en commençant par les traités qui, depuis les premiers siècles, jalonnent l'histoire de la tradition (et qui donnent souvent une place à l'action des laïcs).

**Histoire de la tradition.** – Période patristique. – Ambroise de Milan † 397, De officiis ministrorum ; Epist. 63 ad Vercellensem Ecclesiam ; PL 16, 23-184, 1188-1220. – Grégoire le Grand † 604, Regula pastoralis, PL 77, 13-128 ; cf. DS, t. 6, col. 877. – Isidore de Séville † 636, Sententiae ; De ecclesiasticis officiis, PL 83, 535-738, 737-926 ; DS, t. 7, col. 2109.

F. Van der Meer, Augustinus de zielzorger, Bruxelles, 1947 (trad. multiples). – D. Roland, Activisme ou pastorale ? Le message de S. Grégoire le G., Paris, 1963. – P. Rentinck, La cura pastorale in Antiochia nel IV secolo, coll. Analecta Gregoriana 178, Roma, 1970 (Jean Chrysostome).

Période médiévale. – Jonas d'Orléans † 842/3, De institu-tione laicali ; De institutione regia ; PL 106, 121-278, 279-306 ; DS, t. 8, col. 1270-1271. – Raban Maur † 856, De clericorum institutione, PL 107, 298-420. – Cf. G. Devailly, La pastorale en Gaule au 9e s., RHEF, t. 59, 1973, p. 23-54.

Bernard de Clairvaux, De consideratione ad Eugenium III ; De moribus et officiis episcoporum ; De conversione ad clericos ; PL 182, 727-808, 809-834, 833-856 ; DS, t. 1, col. 1405-1407.

Période pré-tridentine. – Sur Jean Gerson † 1429, cf. DS, t. 6, col. 532 (œuvre ecclésiologique). – Lorenzo Giustiniani † 1450, De institutione et regimine praelatorum ; cf. DS, t. 9, col. 396. – Claude de Seyssel † 1520, Tractatus de triplici statu viatoris, Paris-Turin, 1540.

Période post-tridentine. – Les Acta Ecclesiae mediolanen-sis, Milan, 1582, condensé des initiatives pastorales prises sous l'impulsion de Charles Borromée † 1584 (DS, t. 2, col. 696), furent largement diffusés, notamment en France ; de même la traduction d'un ouvrage de Giovanni Battista Constanzi † 1617, archevêque de Cosenza, Avertissements aux recteurs, curez, prestres et vicaires..., Paris-Bordeaux, 1613, puis sous le titre Le Pastoral de S. Charles Borromée, Lyon, 1697, 1716. – Barthélemy des Martyrs † 1590, évêque de Braga, Stimulus pastorum, Rome, 1564. – François de La Rochefoucauld † 1622, De l'estat ecclésiastique, Lyon, 1597 (DS, t. 9, col. 305).

P. Broutin, L'évêque dans la tradition pastorale du 16e siècle, Bruges-Paris, 1953 ; La réforme pastorale en France au 17e siècle, 2 vol., Paris-Tournai, 1956, Cf. DS, art. France, t. 5, col. 927-931, 946 ; Italie, t. 7, col. 2236-2240.

A la fin du 18e siècle, s'inaugure en Autriche et en Alle-magne l'enseignement universitaire de la théologie pastorale. Cf. M. Füglister, Die Pastoraltheologie als Universitätsdiszi-plin, Bâle, 1951 ; V. Schurr, Théologie pastorale, dans Bilan de la théologie au 20e siècle, trad. franç., t. 2, Tournai-Paris, 1970, p. 569-626.

**Études diverses**, faisant place aux aspects spirituels. – Wesentliche Seelsorge. Grundlagen und Zeitfragen wirk-samer Seelsorge in der Verantwortung der Gegenwart, éd. X. von Horstein, Lucerne, 1945. – F. X. Arnold, Seel-sorge aus der Mitte der Heilsgeschichte..., Fribourg-en-Br., 1956 (adaptation franç., Pastorale et principe d'incarnation, Bruxelles, 1964) ; Pastoraltheologische Durchblicke, Fri-bourg-en-Br., 1965. – O. Semmelroth, Das geistliche Amt, Francfort, 1958 ; trad. franç., Paris, 1965. – K. Rahner, Sendung und Gnade, Innsbruck, 1959 (plusieurs rééd.) ; trad. franç., 3 vol., Tours, 1962-1965 ; Théologie et spiri-tualité de la pastorale paroissiale, NRT, t. 101, 1979, p. 381-394 (texte original dans Pfarrseelsorge von der Gemeinde verantwortet, Vienne, 1977, p. 11-25).

K. Delahaye, Erneuerung der Seelsorgsformen aus der Sicht der frühen Patristik, Fribourg-en-Br., 1958 ; trad. franç. « Ecclesia Mater » chez les Pères..., coll. Unam Sanctam 46, Paris, 1964.– M. Pflieger, Pastoraltheologie, Vienne, 1962 ; trad. angl., Westminster, 1966. – C.W. Bris-ter, Pastoral Care in the Church, New York, 1964. – L. Höfer, Pour une pastorale œcuménique (trad. de l'allem.), Paris, 1965. – C. Floristan, J.M. Estepa, Pastoral de hoy, Madrid-Santiago du Chili, 1966. – P. Barrau, L'in-vention pastorale, Paris, 1968. – A.-M. Henry, La force de l'Évangile, Tours-Paris, 1968. – E. Thurneysen, Seelsorge im Vollzug, Zurich, 1968. – M. Lefebvre, Vers une nouvelle problématique de la théologie pastorale, NRT, t. 93, 1971, p. 29-49. – E.R. Kiersow, Das Proprium der Seelsorge, dans Theologische Literaturzeitung, t. 103, 1978, col. 241-250 (point de vue protestant). – Bulletin de Saint-Sulpice, n. 2, 1976 et n. 6, 1980.

Le 3 juin 1958, la Constitution apostolique Ad uberrima de Jean XXIII créait l'Institut Pontifical de Pastorale et le Centre de Coordination Pastorale ; actes du premier Congrès de ce Centre (Fribourg, 1961) : Pastorale d'aujour-d'hui. Bilans et perspectives, Bruxelles, 1973.

**Encyclopédies spécialisées.** – Handbuch der Pastoral-theologie. Praktische Theologie der Kirche in ihrer Gegen-

*wart*, éd. F.X. Arnold, K. Rahner, V. Schurr, etc., 4 t. en 5 vol., Fribourg-en-Br., 1964-1969 ; 2e éd. en cours ; adaptation franç. en cours, *Fondements théologiques de l'action pastorale*, Tournai-Paris, 1969 svv ; de même une adaptation italienne. – *Dizionario di teologia pastorale*, 2 vol., Rome, 1962, éd. T. da Torre del Greco. – A. Mistrorigo, *Dizionario liturgico-pastorale*, Padoue, 1977. – *Dizionario di Pastorale della comunità cristiana*, éd. V. Bo, C. Bonicelli, etc., Assise, 1980. – *Manuali di Pastorale*, éd. R. Spiazzi, Rome, 1965 svv.

**Périodiques** en diverses langues. – *Questions liturgiques et paroissiales*, Louvain, 1910-1969. – *Évangéliser*, Liège, 1946 svv. – *Lumen vitae*, Bruxelles, 1946 svv. – *Lumière et vie*, Lyon, 1951 svv. – *Masses ouvrières*, Paris, 1944 svv. – *Paroisse et Liturgie*, Ottignies, 1919 svv ; en 1975, devient *Communautés et liturgie*. – *Pastoral Misionera*, Madrid, 1965 svv. – *Theologisch-praktische Quartalschrift*, Linz, 1948 svv. – *Dienst am Wort*, Fribourg-en-Br., 1966 svv ; etc.

DS, art. *Apostolat, Confréries, Congrégations, Devoir d'état, Diaconat, Éducation, Épiscopat, États de vie, Famille, Fraternité, Imitation de Jésus-Christ* III-IV, *Incarnation, Laïc-Laïcat, Mariage, Ministères, Œuvres de Miséricorde, Ordres enseignants, Pasteur*.

Paul Barrau.

**PASTRANA Y SOTOMAYOR** (Diego), augustin, † 1604. – On sait très peu de choses de la vie de Diego Pastrana : il n'est pas certain qu'il ait pris l'habit des augustins au couvent de Tolède, comme le dit Tamayo y Vargas, car il ne figure pas sur la liste des professions de ce couvent qu'a laissée le P. Méndez. Il fut nommé vicaire des religieuses augustines de Talavera de la Reina en avril 1586. La seule charge qu'il semble avoir exercée dans son ordre fut celle de prédicateur. Il mourut au couvent de Tolède en 1604.

L'unique ouvrage qu'il fit publier, *Libro del camino de la Ciudad de Dios* (Tolède, 1603), a été étudié par I. Monasterio (*Místicos agústinos españoles*, t. 1, El Escorial, 1929, p. 333-346). Il est composé de deux parties : la première est centrée sur les vertus à pratiquer et les vices à combattre sur le chemin qui mène à la sainte cité de Dieu ; Pastrana les réfère fréquemment au but à atteindre et sait exciter l'espérance du pèlerin. La deuxième partie traite de la pénitence (vertu et sacrement), de la prière, de la garde du cœur et des sens, de la confiance et de l'espérance, de la gloire du Christ et de ses élus ; l'ouvrage s'achève avec trois chapitres sur le ciel et l'enfer. Comme on le voit, Pastrana a voulu rédiger un ouvrage destiné à tous et n'aborde pas les questions d'une vie spirituelle élevée. Le style est agréable, un peu oratoire, sans faute de goût. L'ouvrage est devenu rare.

J.F. Ossinger, *Bibliotheca Augustiniana historica*, Ingolstadt, 1768, p. 667. – G. de Santiago Vela, *Ensayo de una Biblioteca Ibero-Americana de la Orden de San Agustín*, t. 6, Madrid, 1922, p. 240. – DS, t. 4, col. 1012.

Teófilo Aparicio López.

**PATARIA.** Voir art. Italie, t. 7, col. 2185-2187. Précisions à propos de l'histoire du mouvement et son influence sur la vie religieuse, DIP, t. 6, 1980, col. 1265-1271, avec bibliographie (G. Gracco ; G. Rocca).

**PATER NOSTER.** – Remarques préliminaires. – 1o Le *Pater* est la prière enseignée par le Christ lui-même à ses disciples, d'où les appellations « Prière du Seigneur », « Oraison dominicale ». Les évangiles en donnent *deux versions* différentes dans des contextes également différents : celle de Matthieu (6, 9-13), dans la section sur la prière du Sermon sur la montagne, où l'on distingue habituellement sept demandes ; celle de Luc (11, 2-4), après une prière matinale de Jésus et en réponse à une demande des disciples : outre des variantes importantes, elle se réduit à cinq demandes (omettant « que ta volonté soit faite » et « délivre-nous du mal »).

Sur les questions exégétiques posées par ces deux versions, voir J. De Fraine, art. *Oraison dominicale*, DBS, t. 6, 1960, col. 788-800 ; J. Carmignac, *Recherches sur le Notre Père*, Paris, 1969, p. 18-28 et *passim* (ouvrage fondamental, même si l'on n'en retient pas toutes les conclusions, et auquel notre exposé doit beaucoup).

Il faut noter cependant trois additions qui ne figurent pas dans le texte (sauf les deux premières dans quelques mss) mais jouent un rôle notable dans la tradition : 1) la *doxologie*, mentionnée dès la fin du 1er siècle dans la *Didachè* ; Carmignac, p. 320-333 ; – 2) dans la version lucanienne, le remplacement de la formule « que ton règne vienne » par « que vienne (sur nous) ton Esprit saint et qu'il nous purifie » ; Grégoire de Nysse en est le premier témoin (*Hom.* 3, PG 44, 1157c-1160a) ; Carmignac, p. 89-91 ; – 3) chez quelques auteurs latins, un complément à l'avant-dernière demande : « in tentationem *quam ferre (suffere) non possimus* » (Hilaire, *In Ps.* 118, PL 9, 510 ; Ambroise, *De sacramentis* 5, 4 ; Chromace d'Aquilée, *Tract.* 28, CCL 9 A, p. 334 ; Jérôme, *In Ezech.* XIV, 48, 16, CCL 75, p. 735) ; Carmignac, p. 239-240. La formule matthéenne s'est imposée ; c'est déjà celle de la *Didachè*, avec quelques variantes (8, 2-3, SC 248, 1978, p. 172-174 ; cf. introd. p. 91-99 : rédaction vers 91-96, probablement en Syrie).

2o On peut se demander si Jésus a voulu donner une *formule typique* ou seulement un *modèle* de prière. Les deux hypothèses ne s'excluent pas mutuellement. Dans le sens de la seconde, on a relevé des correspondances avec les diverses demandes dans les textes johanniques (*Jean* 17, 1 ; 12, 38 ; 18, 36 ; 4, 34 ; 6, 33-34 ; 12, 47 ; 17, 15) et pauliniens (*Gal.* 4, 6 ; *Phil.* 2, 9 ; 1 *Cor.* 15, 28 ; *Rom.* 12, 2 ; 1 *Cor.* 10, 17 ; *Rom.* 4, 6-7 ; 13, 8 ; 1 *Cor.* 10, 3) ; cf. G. J. Brocke, *The Lord's Prayer interpreted through John and Paul*, dans *Downside Review*, t. 98, 1980, p. 298-311.

3o Il est impossible de présenter ici une *histoire complète* du rôle joué par la Prière du Seigneur dans la tradition chrétienne. Les monographies sur ce sujet sont en général limitées à un aspect particulier ou à une époque (plusieurs nous sont restées inaccessibles). Nous avons préféré présenter un *inventaire* des principaux commentaires, des origines jusqu'à la fin du 16e siècle (dans la suite, ils se trouvent en général dispersés dans des traités plus vastes ou des recueils de méditations). Nous donnerons cependant, en fin d'article, une liste d'ouvrages parus après 1950, parce qu'ils témoignent de l'actualité de la tradition. On peut néanmoins donner une vision globale de cette histoire.

1) À l'époque patristique, le Pater est commenté dans des traités d'ensemble sur la prière (Tertullien, Origène, Cyprien), des écrits à la fois exégétiques et spirituels (Chromace, Jérôme, Augustin), des homélies (Grégoire de Nysse, Jean Chrysostome, Pierre Chrysologue), spécialement celles

qui s'adressaient aux futurs baptisés (Cyrille de Jérusalem, Théodore de Mopsueste, Augustin).

2) Au moyen âge, jusqu'à la fin du 12e siècle, les commentaires s'inspirent étroitement de ceux des Pères, qu'ils reprennent parfois textuellement. Au 13e siècle, avec les scolastiques, ils prennent une tournure théologique : les auteurs (Alexandre de Halès et ses disciples, Thomas d'Aquin...) soulèvent des questions sur la nature de la prière, ses conditions, son efficacité ; les Pères sont surtout cités à titre d'*autorités*.

3) Du 14e au 16e siècle, la diversité s'accentue : à côté des commentaires exégético-spirituels, se multiplient les exposés catéchétiques, moraux ou dévotionnels ; mais on voit aussi apparaître des interprétations mystiques.

4) Au 20e siècle, les commentateurs témoignent en général d'une double préoccupation : soit de donner aux exposés une base exégétique et théologique, soit d'actualiser les demandes en fonction des besoins ou des appels du monde contemporain.

4° Après cet inventaire présenté dans le premier chapitre, *l'interprétation spirituelle* du Pater occupera le second. Nous pourrons nous limiter à trois points que la lecture des commentaires a montrés plus intéressants pour notre propos : le Pater comme prière spécifiquement chrétienne, comme règle de vie chrétienne, enfin, les commentaires mystiques.

I. *Inventaire des commentaires.* – II. *Interprétation spirituelle :* 1. *Prière spécifiquement chrétienne.* – 2. *Règle de vie chrétienne.* – 3. *Commentaires mystiques.*

## I. INVENTAIRE DES COMMENTAIRES

L'inventaire ici présenté ne prétend pas être exhaustif. Sauf exception, nous omettons délibérément les commentaires purement exégétiques et oratoires. Nous suivons autant que possible l'ordre chronologique, en signalant après diverses périodes quelques monographies (on trouvera des compléments dans l'abondante bibliographie de J. Carmignac, p. 469-553, ordre alphabétique). Nous donnons en outre les éditions récentes et les références éventuelles aux articles du DS (tome et colonnes).

Nous ne parlerons pas du Pater dans la liturgie. Voir sur ce sujet : N.-M. Denis-Boulet, *La place du N. P. dans la liturgie*, dans *La Maison-Dieu* = MD, n. 85, 1966, p. 69-91. – I. Furberg, *Der Pater in der Messe*, Lund, 1968 (recensions dans *Archiv für Liturgiewissenschaft*, t. 12, 1970, p. 408-409 ; MD, n. 103, 1970, p. 154-155). – J. A. Jungmann, *Missarum solemnia*, 4e partie, ch. 3, 2 ; trad. franç., t. 3, coll. Théologie 21, Paris, 1954, p. 200-218.

Notons aussi que, du 4e au 6e siècle, le Pater a été souvent copié sur des *ostraka*, des *papyrus*, des « amulettes », que l'on portait en gage de protection ou signe de dévotion. Cf. H. Leclercq, DACL, t. 11, 1933, col. 203-206 (amulette de Mégare, 4e s.) ; t. 12, 1936, col. 2253-54 ; autres exemples et références fournis par M. Naldini, *Testimonianze cristiane negli amuleti greco-egizi*, dans *Religiosità popolare nel cristianesimo antico = Augustinianum*, t. 21, 1981/1, p. 179-188.

1. **Pères grecs.** – Clément d'Alexandrie († vers 215), *Pédagogue* I, 8, 73, SC 70, 1960, p. 240 ; *Stromates* IV, 8, 66 et 26, 172, GCS 2, p. 278, 325 ; VII, 13, 81, GCS 3, p. 58. – Origène, *De oratione* (vers 233) 22, 1-30, 3 ; GCS 2, p. 346-395 (diverses traductions). – Titus de Bostra † avant 378, *Homélies sur Luc*, éd. J. Sickenberg, TU 21, 1, Leipzig, 1901, p. 197-201. – Cyrille (ou Jean) de Jérusalem (cf. DS

8, 571-572), *Catéchèses mystagogiques* V, 11-18, SC 126, 7e éd., 1966, p. 160-169. – Grégoire de Nysse † 394, *Homiliae 5 in Orationem dominicam*, PG 44, 1120-1193 ; éd. crit. J. G. Krabinger, Landshut, 1840 (DS 6, 974). – Jean Chrysostome † 407, *In Matth. hom.* 19, 4-6, PG 57, 278-282 (connaît la doxologie). – Théodore de Mopsueste (vers 392), *Homélies catéchétiques.* Reproduction phototypique du ms Mingana syr. 561 et trad. franç. de R. Tonneau, coll. Studi e Testi 145, Rome, 1949, hom. 11, p. 281-321. – Cyrille d'Alexandrie † 444, *In Lucam*, hom. 71-77, PG 72, 685-696 (abrégé) ; texte complet en version syriaque, CSCO 70, 1912 ; trad. lat. R.-M. Tonneau, CSCO 140, 1953, p. 194-217. – Maxime le Confesseur † 666, *De oratione dominica*, PG 90, 872-909 (DS 10, 839), édité aussi dans la *Philocalie* de Macaire et Nicodème, t. 2, p. 187-202 ; trad. franç. dans A. Riou, *Le monde et l'Église selon M. le C.*, Paris, 1973, p. 214-239. – Le commentaire sur Matthieu attribué à Pierre de Laodicée n'est qu'une chaîne dont il pourrait être le compilateur ; cf. CPG 4, 1980, C 111, p. 230.

2. **Pères latins.** – Cf. *Index de oratione dominica*, PL 220, 959-960. – Tertullien, *De oratione* 2-9 (vers 200-206), CCL 1, 1954, p. 258-263 ; cf. *Adversus Marcionem* IV, 26, 1-5, p. 614-615 (allusion possible à la variante lucanienne « que vienne ton Esprit »). – Cyprien, *De oratione dominica* (vers 250), éd. crit. avec trad. franç. par M. Réveillaud, Paris, 1964 ; éd. crit. C. Moreschini, CCL 3A, 1976, p. 87-113. – Juvencus, *Evangelica historia* (vers 330) I, 620-639, PL 19, 132-133. – Ambroise † 397, *De sacramentis* V, 18-30 et VI, 24, SC 25 bis, 1961, p. 128-136, 150-152. – Chromace d'Aquilée † 407, *Sermo* 40, SC 164, 1971, p. 223-229 ; CCL 9 A, 1974, p. 172-173 (cf. *Liber Sacramentorum Gellonensis*, CCM 69, 1981, p. 71-73) ; *Tract. in Matth.* 28, 9-15, CCL 9 A, p. 329-335. – Jérôme, *In evang. Matth.* IV, 26, PL 26, 198-199.

Augustin, *De sermone Domini in monte* (391-395) II, 4-11, CCL 35, 1967, p. 104-130 ; *Sermones* 56-59 (aux catéchumènes), PL 38, 377-402 (deux sermons aux nouveaux baptisés, le matin de Pâques, signalent la récitation du Pater à la messe après la prière eucharistique et avant le baiser de paix : S. 227, PL 38, 1100-1101 ; SC 116, 1966, p. 240 ; S. Denys 6, *Miscellanea Agostiniana*, t. 1, Rome, 1930, p. 31-32) ; *Epist.* 130 à Proba (vers 411) 11, 21-12, 23 ; *Epist.* 157 à Hilaire de Syracuse (vers 414) 1, 1-2, 5, PL 33, 502-503, 674-676 ; *Enchiridion* (après 420) 114-116, PL 40, 285-286.

Sedulius, *Paschale carmen* (avant 431), PL 19, 622-634 ; CSEL 10, 1885, p. 220-230. – Pseudo-Chrysostome latin, coll. Morin *Sermo* 28, PLS 4, 817-821 (sur cette collection, cf. J.-P. Bouhot, dans *Revue des études augustiniennes*, t. 16, 1970, p. 139-146). – Jean Cassien († vers 425), *Collatio* IX, 18-25, SC 54, 1958, p. 55-63. – Pierre Chrysologue († vers 450), *Sermones* 67-72, PL 52, 390-406 (éd. crit. CCL 24A, 1981, p. 402-433). – Césaire d'Arles † 452, *Hom.* 147, CCL 104, 1953, p. 602-604. – *Regula Magistri* (sans doute en Italie méridionale, début 6e s.), Thema, SC 105, 1964, p. 300-316. – Venance Fortunat † 601, *Expositio orat. domin.*, PL 88, 313-322 ; MGH *Auctores antiquissimi*, t. 4, 1, 1881, p. 221-229. – Pseudo-Chrysostome, *Opus imperfectum in Matth.* (5e-6e s. ? ; DS 8, 362-369)

XIV, 9-15, PG 56, 711-715 (arianisant ; aucune allusion à la filiation adoptive).

F. H. Chasse, *The Lord's Prayer in the Early Church*, coll. Texts and Studies 3, Cambridge, 1891 ; réimpr. Nendeln, 1967.– G. Dibelius, *Das Vaterunser in der alten und mittleren Kirche*, Giessen, 1903. – Ios. Calaz. Vives, *Expositio in orationem dominicam juxta traditionem patristicam et theologicam*, Rome, 1903. – G. Walther, *Untersuchungen zur Geschichte der griechischen Vaterunser-Exegese*, TU 40, 3, Leipzig, 1914. – P. Chiminelli, *La storia della preghiera immortale*, Turin, 1942. – W. Marchel, *Abba, Père. La prière du Christ et des chrétiens*, Rome, 1971 (cf. *infra*, art. *Paternité de Dieu*).

A. Hamman, *Le Pater expliqué par les Pères*, Paris, 1952 ; éd. augmentée, 1962 (choix de textes traduits) ; *La prière*, t. 2, *Les trois premiers siècles*, Paris-Tournai-Rome, 1963 ; *Le N. P. dans la catéchèse des Pères de l'Église*, MD, n. 85, 1966, p. 41-68. – S. Sabugal, *El « Padre nuestro », tradición literaria y comentarios patrísticos,* dans *Revista agustiniana de espiritualidad*, t. 21, 1980, p. 47-72.

Les commentaires d'Augustin ont été réunis au 17ᵉ s. et classés selon les demandes par Phileremus Palaeologus (pseudonyme de Martin Lardenoy † 1671, célestin ; cf. Moréri, t. 6, 161), *De oratione domin. ex variis sententiis S. Augustini...*, Paris, 1673 ; trad. franç. par Guillaume Le Roi, Paris, 1674. – J. D. Folghera, *Le Pater expliqué par S. Augustin*, VS, t. 20, 1929, p. 88-108. – G. P. Coassolo, « *Panem nostrum... hodie* » *in S. Agostino*, dans *Convivium Dominicum* = CD, Catane, 1959, p. 45-66.

B. Simonic, *Le P. chez quelques Pères latins*, dans *La France franciscaine*, t. 21, 1938, p. 193-222, 245-264. – S. Costanza, *La quarta petizione in Venanzio Fortunato*, CD, p. 87-97. – C. Vona, *La quarta petitio... nell'interpretazione di antichi scrittori cristiani*, CD, p. 215-225. – V. Dürig, *Die Deutung der Brotbitte... bei den lateinischen Vätern bis Hieronymus*, dans *Liturgisches Jahrbuch*, t. 18, 1968, p. 72-80. – K.S. Frank, *Die Vaterunser Erklärung der Regula Magistri*, dans *Pietas* (Festschrift B. Kötting), Münster, 1980, p. 458-471. – Tertulliano, Cipriano, Agostino, *Il Padre Nostro*, éd., trad. ital. et notes par V. Grossi, Rome, 1980 (souligne le lien entre prière et foi dans la catéchèse baptismale).

## 3. Moyen âge oriental.

– Les commentaires des auteurs grecs sont pour la plupart recueillis dans les chaînes exégétiques : voir CPG 4, C 110-115, p. 228-235. Nous relevons quelques commentaires qui ne figurent pas dans les chaînes.

Narsaï de Nisibe † 502 ? (DS 11, 39-41), *Hom.* 17 et 21, éd. A. Mingana, t. 1, Mossoul, 1905 ; trad. angl. R. H. Connolly, coll. Texts and Studies 8, 1, Cambridge, 1909 ; trad. franç. de l'hom. 21 par A. Guillaumont, dans *L'Orient Syrien*, t. 1, 1956, p. 189-207. – Élisée l'arménien (5ᵉ s. ? ; DS 4, 595), « Explication de la prière N. P. » (en arm.), dans « Œuvres », Venise, 1859, p. 199-206 ; trad. allem. S. Weber, *Bibliothek der Kirchenväter* 58, 2, Munich, 1927, p. 271-298. – Jacques (Denys) Bar Salibi † 1171 (DS 8, 29-30), *Commentaires sur les évangiles*, CSCO 77, 1915 (texte syriaque), et 85, 1922 (trad. lat. par I. Sedlacek, p. 172-174). – Nabyud de Dabra Sihat, 14ᵉ s., *Visions et conseils*, CSCO 377 (éthiopien) ; trad. franç. R. Beylot, CSCO 378, 1976, p. 2-4 (DS 11, 2-3).

Germain, patriarche de Constantinople † 753, *Explication de la sainte liturgie*, PG 98, 445-454 (DS 6, 309, sur l'authenticité). – Théophylacte de Bulgarie († vers 1108), *In evang. Matth.* VI, PG 123, 204-205 (emprunte aux Pères grecs ; cf. R. Janin, DTC, t. 15, 1946, col. 536-538). – Euthyme Zigabène (12ᵉ s. ; DS 4, 1725-26), *Comment. in Matth.* VI,

PG 129, 231-241 ; *Comm. in Luc.* XI, 962c, renvoie au commentaire de Mt. – Gennade Georges Scholarios, patriarche de Constantinople († après 1472 ; DS 6, 209-211), « *Paraphrase de l'or. domin.* » (en grec), dans *Œuvres complètes*, éd. L. Petit, X. A. Sidéridès, M. Jugie, t. 4, Paris, 1935, p. 344-348.

Bien qu'il n'appartienne plus à la période médiévale, signalons le commentaire de Macaire de Corinthe et Nicodème l'hagiorite contenu dans le *Biblion psychôphelestaton* sur la communion fréquente, Venise, 1783, p. 13-93 (DS 11, 236).

## 4. Moyen âge occidental.

– 1° 9ᵉ-12ᵉ SIÈCLES. – Amalaire de Metz († vers 850), *Liber officialis* III, 21, PL 105, 1148-50 ; éd. crit. J. M. Hanssens, *Opera liturgica*, t. 1, Rome, 1948, p. 355-359 ; *Ordinis missae expositio* I, 17, éd. Hanssens, t. 3, 1950, p. 312-313. – Florus de Lyon † 860 (DS 5, 514-526), *Expositio missae* 75-83 ; éd. P. Duc, Belley, 1937, p. 150-152. – Raban Maur † 856, *Comment. in Matth.* II, 6, PL 107, 817-822 (dépend surtout de Cyprien et Augustin). – Paschase Radbert († vers 865 ; *supra*, col. 295), *Expositio in Matth.* IV, 6, PL 120, 280-301 (assez original). – Christian de Stavelot Druthmar † 880 (DS 3, 1721-23), *Expositio in Matth.* 12, PL 106, 1314-15 (Augustin). – Théodulfe d'Orléans † 881, *Capitula* 2, PL 105, 198a (tous les chrétiens doivent dire chaque jour le Pater et le Credo).

Bruno de Wurtzbourg († vers 1045), *Commentarium*, PL 142, 557-9 (bref exposé par questions et réponses). – Thierry de Paderborn, fin 11ᵉ s., *In orat. domin.*, PL 147, 333-340. – Pseudo-Anselme de Lucques, *In orat. domin.*, PL 149, 569-578 (DS 1, 698-9 ; peut-être de Martin de Magistris). – Yves de Chartres † 1116, *Sermo 22 de orat. domin.*, PL 162, 599-604 (dépend d'Augustin ; traits originaux). – Anselme de Laon et son école (début 12ᵉ s.), *Enarratio in evang. Matth* VI, PL 162, 1305-9 ; cf. *Glossa ordinaria*, PL 114, 100-103 (qui rapporte des textes de Tertullien, Cyprien, Grégoire de Nysse, Ambroise, Augustin, etc.) ; sur les commentaires de l'École de Laon, B. Smalley, *Some Gospel Commentaries of the Early Twelfth Century*, RTAM, t. 45, 1978, p. 147-180.

Bruno de Segni † 1123, *Comment. in Matth.* I, 6, 15, PL 165, 115-118 (Augustin). – Rupert de Deutz † 1129, *De gloria et honore Filii hominis super Matth.* V, 6, 9-13 (vers 1126), PL 168, 1427-34 ; éd. crit. CCM 29, 1979, p. 159-168 (sens christologique ; original). – Pierre Abélard † 1142, *Expositio orat. domin.*, PL 178, 611-618. – Pseudo-Bernard, *Expositio in orat. domin.*, PL 184, 811-818 (DS 1, 1501, d'un bénédictin). – Hugues de Saint-Victor † 1141, *De quinque septenariis*, PL 175, 403-414 ; *Allegoriae in Nov. Test.* II, 3-14, PL 175, 774-789 (les sept demandes opposées aux sept péchés capitaux ; authenticité, cf. DS 7, 908). – Joscelin de Soissons † 1152, *Expositio de orat. domin.*, PL 186, 1489-96 (DS 8, 1275). – Hugues de Rouen † 1164, *De fide catholica et orat. domin.*, PL 198, 1564-5 (DS 7, 897-8).

Richard de Saint-Victor † 1173, *Liber exceptionum* 2ᵃ pars, XI, 5-13 ; éd. crit. J. Châtillon, Paris, 1958, p. 447-455. – Pierre Comestor (vers 1170), *Historia...in evangelia*, ch. 49, PL 198, 1464-65 (dépend de Jérôme). – Jean Beleth, 12ᵉ s., *De ecclesiasticis officiis* 47, éd. crit. CCM 41A, 1976, p. 82-83 (DS 8, 285-286). – Alain de Lille (vers 1190), éd. N. Häring,

*A Commentary of the Our Father...*, dans *Analecta cisterciensia*, t. 31, 1975, p. 149-177 (dix demandes ; lien avec les dons du Saint-Esprit et les béatitudes). – Martin de León † 1203, *Sermo 29 de Rogationibus*, PL 208, 1074-80 (DS 10, 685-686). – Innocent III † 1216, *De missarum mysteriis* v, 16-37, PL 217, 897-906 (avant 1298 ; base de la compilation *De oratione domin.* publiée sous le nom de Bonaventure ; éd. A. C. Peltier, *Opera*, t. 10, Paris, 1867, p. 207-210 ; éd. Quaracchi, t. 7, 1895, p. 662-665) (DS 7, 1767-73).

2º 13ᵉ SIÈCLE. – François d'Assise, *Expositio in Pater Noster,* dans *Écrits* (texte et trad. franç.), SC 285, 1981, p. 276-281. – Gunther de Pairis, cistercien († vers 1220 ; DS 6, 1296), *De oratione, jejunio et eleemosyna,* PL 212, 171-203. – Alexandre de Halès † 1245 (et disciples), *Summa Halesiana,* pars IV, *Tractatus de Officio missae, Expositio orat. domin.,* Venise, 1575, f. 163v-180r (ne figure pas dans l'éd. Quaracchi de la *Summa*). – Hugues de Saint-Cher op † 1263 (DS 7, 900), *In evang. Matth.* VI ; *In evang. Lucae* XI, *Opera,* t. 6, Venise, 1645, f. 23r-24v, 197r-199v.

Bonaventure † 1274, *Breviloquium* V, 10 ; *Collationes de septem donis* II, 4-5, éd. Quaracchi, t. 5, 1891, p. 264, 463 ; *Comment. in evang. Lucae,* t. 7, 1895, p. 280-281. – Thomas d'Aquin † 1274, *Catena aurea in Matth.* VI, 2-10, éd. Marietti, Turin, t. 1, 1953, p. 102-109 (vers 1263-64 ; nombreuses citations de l'*Opus imperf. in Matth.* ) ; ... *in Lucam* XI, 1, (en 1267), t. 2, 1953, p. 158-160 ; *Super evang. Matth. lectura* (1271-72), Turin, 1951, p. 80-93 ; *In orat. domin.* (conférences prononcées en italien à Naples, Carême 1273), éd. Marietti, *Opuscula theologica,* t. 2, Turin, 1954, p. 221-235, n. 1019-1109 ; trad. franç. par P. Péguy et Y. Simon, VS, t. 20, 1929, p. 342-52, 451-8, 545-51 ; t. 21, p. 212-6 ; t. 22, 1930, p. 83-8, 282-7 ; t. 23, p. 73-77. – Laurent d'Orléans op († avant 1300), *La Somme le Roi* (inédit ; DS 9, 405-406).

3º 14ᵉ SIÈCLE. – Gilles de Rome osa † 1316, *In orat. domin. et salutationem angelicam,* Rome, 1555 (sur l'authenticité probable, DS 6, 388). – Eckhart op † 1327, *Tractatus super orat. domin.,* éd. E. Seeberg, *Lateinische Werke,* t. 5, Stuttgart-Berlin, 1936, p. 109-129 (œuvre de jeunesse, dépend surtout de la *Catena* de S. Thomas). – Jean de Baconthorp oc † 1346, *Comment. in Matth.,* éd. B. Smalley, dans *Mediaeval and Renaissance Studies,* t. 4, 1958. – Henri de Friemar osa † 1340, *Expositio orat. domin.* (inédit ; DS 7, 194). – Jourdain de Saxe osa † 1380, *Expositio orat. domin.* (inséré dans l'*Opus postillarum,* serm. 289-298, Strasbourg, 1483 ; DS 8, 1424-26). – Jean Waldeby osa † 1372, *Super orat. domin.* (inédit ; DS 8, 781-90). – Nicolas de Lyre † 1349, *Postilla in evang. Matth.* VI ; *in evang. Lucae* XI, dans *Biblia cum Glossa ordinaria,* éd. Léandre de Saint-Martin, t. 5, Anvers, 1634, col. 127-33, 837-39 (DS 11, 291-2).

Gérard Appelmans (début 14ᵉ s. ?), *Glose op het Vaterons,* éd. L. Reypens, OGE, t. 1, 1927, p. 81-107 ; étude historique et doctrinale, p. 113-141 (DS 1, 809-10 ; cf. *infra*) ; autre glose anonyme, éd. et étude par D. A. Stracke, *Een corte glose opt P. N.,* OGE, t. 9, 1935, p. 268-301 ; voir aussi D. A. Stracke, *De originell Tekst der* XV *Pater op het Lijden des Heeren,* OGE, t. 17/1, 1943, p. 71-140. –

Jean Ruusbroec † 1381 ; cf. L. Reypens, *Een Vateronsglose van R. ?,* OGE, t. 17/2, 1943, p. 9-25.

Henri de Langenstein † 1397, *Expositio super orat. domin.* (plusieurs éd. incunables ; DS 7, 217).

4º 15ᵉ SIÈCLE. – Jean de Retz † 1408, *Declaratio super orat. domin.* (inédit ; DS 8, 652). – Ulrich de Pottenstein († vers 1416), explication en allemand ; cf. G. Baptist-Hlawatsch, *Das Katechetische Werk U. v. P.,* Tübingen, 1980. – Jean Müntzinger † 1417, *Die Letzte Rose oder Erklärung des Vaterunsers* (original latin ; éd. en allem. V. Hasak, Ratisbonne, 1883, p. 388-97 ; DS 10, 1834). – Hermann de Schuttrop † 1428 chartreux, *Sermones L super orat. domin.* (DS 7, 308, avec relevé des éd. incunables). – Nicolas de Dinkelsbühl † 1433, *De oratione domin.,* Giessen, 1971 ; éd. allem., Giessen, 1972 (DS 11, 274). – Augustin de Léonissa osa † 1435, *Sermones pulcherrimi super... Pater noster* (éd. incunable, cf. Copinger, *Supplement* II, n. 3546). – Nicolas de Cues † 1464, *Predigten* 6 (en 1442 ; éd. Cusanus-Texte, t. 1, Heidelberg, 1940) ; *Auslegung...* (1451 ; DS 11, 264).

Denys le chartreux † 1471, *Enarratio in evang. Matth.* 13, *Opera,* t. 11, Montreuil, 1900, p. 79-82 ; *... in evang. Lucae* 29, t. 12, 1901, p. 27-30. – Jean Hagen † 1475 ; cf. R. Damerau, *Expositio domin. orat. et Ave Maria. Das Herrengebet eines Unbekannten... 53 Auslegungen des Herrengebets des... J. H.,* Giessen, 1966 (DS 8, 544-5). – Wessel Gansfort † 1489, *De orat. domin. in een dietse bewerding,* éd. A.J. Persijn, Assen, 1964. – Jean Pfeffer † 1493 ; cf. C. Jeudy, *Une œuvre inédite de Johannes Pfeffer de Weidenberg: la Summa breuissima Orationis dominicae et bona (a. 1456),* RHS, t. 53, 1977, p. 235-244. – Giov. Pico della Mirandola † 1494, *In Orat. dominic. expositio,* dans *Opera,* t. 1, Bâle, 1572, 6 f. non paginés.

Gabriel Biel † 1495, *Canonis Missae expositio,* lect. 63-79 ; éd. crit. H.O. Oberman, etc., t. 3, Wiesbaden, 1966, p. 53-352 (multiples citations ; traite des questions théologiques et morales en relation avec le texte). – Raoul de Montfiquet † 1501, *Exposition de l'oraison dominicale,* Paris, 1485, 1489, 1545 (DS 10, 1684-85). – Jérôme Savonarole op † 1498, *Expositio orationis domin.* ; 1ᵉ éd. en version ital., Florence, 1494 ; éd. de l'original latin en 1544 ; éd. crit. M. Ferraro, *Operette spirituali,* t. 1, Rome, 1976, p. 227-277 ; voir p. 411-426, notes critiques où l'éditeur affirme que la *Dominicae precationis pia admodum et erudita explanatio,* Lyon, 1531 (signalée en DS 5, 1444), n'est pas de Savonarole ; le traité authentique contient quatre brefs exposés suivant le schème *lectio-meditatio-oratio-contemplatio.*

Sur la dévotion médiévale du « chapelet de Pater » (*patrenostre, Paternoster-Schnur*), cf. art. *Chapelet,* DS 2, 478-80 (bibliogr.). – O. Dibelius, *Das Vaterunser,* cité *supra,* Anhang, p. 129-176 (éd. de brefs commentaires conservés en divers mss d'Allemagne). – M. Hussey, *The Petitions of the Pater noster in mediaeval English Literature,* dans *Medium aevum,* t. 27, 1958, p. 8-16. – B. Adam, *Katechetische Vaterunsersauslegungen. Texte und Untersuchungen zu deutschsprachigen Auslegungen des 14. und 15. Jahrhunderts,* Zurich-Munich, 1976. – M.W. Bloomfield, B.G. Guyot, etc., *Incipits of Latin Works on the Virtues and Vices 1100-1500 A.D. Including a Section of Incipits of Works on the Pater Noster,* Cambridge Mass., 1979, n. 8001-9261, p. 567-686.

**5. 16e siècle.** – 1) COMMENTAIRES SPIRITUELS. – Antoine de Matelica ofm † 1535, *Expositio orat. domin.,* Parme, 1535 (DS 10, 755-6). – François d'Osuna ofm † 1540, *Tercer Abecedario,* tr. 16, ch. 7-8 ; éd. crit. M. Andrés, Madrid, 1972, p. 476-483 (cf. *infra*). – Jérôme Seripando osa † 1563, *Doctrina orandi,* Louvain, 1661 (et 19 sermons inédits en italien dont on possède l'autographe ; cf. H. Jedin, *Gir. Seripando,* t. 2, Wurtzbourg, 1937, p. 436-439). – Thérèse d'Avila † 1582, *Camino de perfección* (1564 et 1567) ; éd. posthume, Evora, 1583 ; éd. crit. Efrén de la Madre de Dios et O. Steggink, *Obras completas,* Madrid, 1962, p. 264-320 (cf. *infra*). – Alphonse Salmeron sj † 1585, *Commentarii in evangelicam historiam,* t. 5, tract. 46-53, Cologne, 1602, p. 283-338. – Jean de Pineda ofm † 1590, *Agricultura cristiana,* diálogo 28 (Salamanque, 1589) ; éd. J.B. Gomis, dans *Místicos franciscanos españoles,* t. 3, Madrid, 1949, p. 371-457. – Louis Carbone de Costaciaro † 1597, *Orationis domin. ampla expositio,* Venise, 1590 (DS 2, 135).

2) COMMENTAIRES PROTESTANTS ET CATHOLIQUES. – Sur les nombreux exposés du Pater par Luther, cf. Carmignac, p. 166-170 ; retenons ceux de 1517-1519, dans *Werke,* t. 2, Weimar, 1884, p. 74-130 (trad. franç., *Œuvres,* t. 1, Genève, 1957, p. 202-205) ; du Grand et du Petit Catéchisme (1529), *Werke,* t. 30, 1, p. 195-211, 298-309 (*Œuvres,* t. 7, 1962, p. 101-112, 175-178). – Jean Calvin, *Institution de la religion chrétienne* III, 20, 34-48 ; éd. crit. J.-D. Benoit, t. 3, Paris, 1960, p. 376-400 (qui donne les variantes des diverses éditions).

Pierre Canisius sj † 1597, *Summa doctrinae christianae,* Vienne, 1554 (nombreuses éd. et trad.) ; éd. crit. Fr. Streicher, Rome, 1933, t. 1, p. 101-116. – *Catechismus. Ex decreto Concilii Tridentini,* Lyon, 1588, p. 597-701 ; éd. avec trad. franç. et notes, t. 2, Paris, 1905, p. 369-465 (cité : *Catéchisme romain*).

K. Barth, *La prière d'après les catéchismes de la Réformation,* coll. Cahiers théologiques 25, Neuchâtel-Paris, 1953. – J.-D. Benoit, *Le N.P. dans le culte et la prière des Églises protestantes,* MD, n. 85, 1966, p. 101-116. – O. Dibelius, *Das Vaterunser,* cité *supra,* p. 73-126 (comparaison du *Petit Catéchisme* de Luther avec la tradition médiévale). – J.-Cl. Dhôtel, *Catéchismes... Richesses et infortunes de l'oraison dominicale dans la catéchèse,* dans *Catéchistes,* n. 66, 1966, p. 135-149 ; *Les origines du catéchisme moderne,* coll. Théologie 71, Paris, 1967, p. 95-96, 395-399.

Pour les 17e-19e siècles, signalons seulement : Pierre Nicole † 1695, *Instructions théologiques et morales... sur l'Oraison dominicale, la Salutation angélique...,* Paris, 1706. – Jacques Bénigne Bossuet † 1704, *Méditations sur l'Évangile. Sermon sur la montagne* 22-27 (publiées en 1721) ; éd. des Classiques Garnier, Paris (1929), p. 43-50. – Jean-Nicolas Grou † 1803, *Le chrétien sanctifié par l'oraison dominicale,* ms publié d'abord en trad. angl., puis en français avec des modifications par A. Cadrès (Paris, 1858) ; trad. allem. et ital. (DS 6, 1068-69).

## II. INTERPRÉTATION SPIRITUELLE DU PATER

**1. Prière spécifiquement chrétienne.** – Prises isolément, les formules du Pater offrent sans doute des parallèles avec la prière juive (Robert Aron, *Les origines juives du P.,* MD, n. 85, 1966, p. 36-40 ; M. Brocke, *Das Vaterunser. Gemeinsames im Beten von Juden und Christen,* Fribourg/Brisgau, 1974 ; art. *Paternité de Dieu, infra*). Cependant l'appellation de Dieu comme Père est un des traits caractéristiques de l'enseignement de Jésus et de sa prière (art. *Jésus,* DS, t. 8, col. 1077-79, bibliogr.). Aussi les Pères de l'Église voient-ils d'instinct dans le Notre Père la prière chrétienne par excellence (parfois avec une pointe anti-juive), prière de l'homme qui, par l'Incarnation du Fils, la Rédemption et le don de l'Esprit, est introduit dans la condition nouvelle d'un rapport filial avec Dieu. Leurs exposés s'appuient habituellement sur les textes johanniques et pauliniens concernant la filiation divine et la communion du chrétien au mystère du Christ dans l'Esprit. Le caractère trinitaire du Pater, sans qu'il soit explicitement affirmé, est toujours sous-jacent. Les commentaires ultérieurs, avec des nuances, s'orientent dans le même sens.

1° UNE PRIÈRE DE FILS. – 1) *Chez les Latins,* la tradition s'inaugure avec Tertullien qui souligne d'entrée de jeu la *nouveauté* du Pater : « Jésus-Christ, notre Seigneur, a fixé pour de nouveaux disciples d'une nouvelle alliance une nouvelle forme de prière. Il fallait en effet qu'en ce domaine un vin nouveau soit versé dans des outres neuves, et une pièce nouvelle cousue à un vêtement nouveau » (*De orat.* 1, 1). L'appellation « Père » est déjà fondée sur des textes qui deviendront traditionnels : *Jean* 1, 12 ; 17, 6. Les Juifs ne peuvent l'employer, car ils n'ont pas été de véritables fils (cf. *Is.* 1, 2). Cette appellation implique en outre l'unité du Père et du Fils (*Jean* 10, 30), et elle se fait dans « la mère Église, d'où nous vient l'assurance des noms de Père et de Fils » (2-3).

Cinquante ans plus tard, Cyprien note que le Seigneur nous a « communiqué la forme de la prière : celui qui nous a fait vivre nous a aussi montré comment prier..., en sorte qu'après avoir reçu l'Esprit et la vérité par la sanctification qui vient de lui, nous puissions aussi... adorer en esprit et en vérité » (*De dom. or.* 2). Nous ne disons pas « *mon* Père », mais « *notre* Père », en effet, « pour nous, la prière est *publica et communis* (il faut traduire : « universelle et en communion ») ; quand nous prions, ce n'est pas pour un seul, mais pour le peuple tout entier, car nous, peuple entier, nous sommes un. Le Dieu de la paix et le maître de la concorde qui a enseigné l'unité, a voulu qu'un seul prie pour tous, comme lui-même en un seul a porté tous les hommes » (8). « L'homme nouveau, régénéré et rendu à son Dieu par la grâce divine, en premier lieu dit : Père, car désormais il est devenu fils » (9 ; suit la citation de *Jean* 1, 12).

Ambroise souligne plutôt le caractère *gracieux* de la filiation : « Tu as reçu la grâce du Sacrement, tous tes péchés t'ont été remis. De mauvais serviteur, tu es devenu un bon fils. Ne te fie donc pas à ton action, mais à la grâce du Christ : c'est par grâce que vous avez été sauvés » (*De sacramentis* 19 ; cf. *Éph.* 2, 5). Pour Chromace d'Aquilée, les mots « notre Père » sont « des mots de liberté d'une confiance entière » (*Sermo* 40, CCL 9 A, p. 172).

Quant à Augustin, il montre d'abord que le peuple juif n'a pas reconnu sa qualité filiale, bien qu'elle fût annoncée par les prophètes (*Is.* 1, 2 ; *Ps.* 81, 6 : « dii estis et filii Altissimi omnes » ; *Mal.* 1, 6). Ce sont les chrétiens qui ont reçu « le pouvoir de devenir enfants de Dieu » et l'Esprit d'adoption « en qui nous crions abba » (*De Sermone in monte* II, 4, 15) ; ils peuvent dès lors, non en raison de leurs mérites mais par grâce, dire à Dieu : « Notre Père » (4, 16). « Le Fils de Dieu est unique, et cependant il n'a pas voulu être un seul ; il a daigné avoir des frères... Dans sa fraternité il appelle les peuples des nations et le Fils unique a d'innombrables frères qui puissent dire : Notre Père » (S. 57, 2 ; cf. S. 58, 2). « Sous ce Père, sont frères le maître et l'esclave, l'empereur et le soldat, le riche et le pauvre » (S. 59, 2).

Dans la tradition latine médiévale, Rupert de Deutz met particulièrement en relief la signification *christologique* du Pater : « Par la grâce de son unique Fils, nous parlons à ce Père dont nous sommes rénés..., et cela dans la foi en celui qui, alors qu'il était seul Fils de Dieu, s'est fait participant de notre nature... Par là tous les chrétiens, petits et grands, riches et pauvres, nobles et roturiers..., tous, sans distinction aucune de condition, de sexe et d'âge, d'état et d'office, nous disons *notre* Père, et nul ne dit *mon* Père » (*De gloria et honore*, CCM 29, p. 161-162) ; la suite du commentaire se réfère sans cesse à l'exemple du Christ.

Saint Thomas, utilisant les distinctions habituelles de la scolastique, enseigne que Dieu est Père *ratione creationis* et *ratione gubernationis*, ensuite *ratione adoptionis*, ce qui nous constitue « fils et héritiers » (*In orat. dom.* II, n. 1028 ; citant *Rom.* 8, 15). On peut regretter que le fondement scripturaire ne soit plus au premier plan.

Il en est de même chez Luther qui, comme d'ailleurs saint Thomas, introduit les commentaires de 1519 et du *Grand catéchisme,* par des recommandations sur la nécessité et les conditions de la vraie prière. Il ne fonde pas l'appellation de Père sur l'adoption filiale, mais y voit plutôt « une parole très amicale, très douce, très profonde et qui vient du cœur » (1519 ; *Œuvres,* t. 1, p. 148). Il note cependant le caractère « commun » de cette prière : « Le Christ... n'admet pas que chacun prie pour soi uniquement. En effet il ne nous enseigne pas à dire : mon Père mais notre Père. La prière est un bien commun à tous ; c'est pourquoi il ne faut en frustrer personne, pas même les ennemis. Car, de même qu'il est notre Père à tous, il veut qu'entre nous nous soyons frères, que nous nous aimions d'amitié, et que nous intercédions les uns pour les autres comme pour nous-mêmes » (p. 151). Calvin par contre s'appuie sur l'œuvre du Christ et le don de l'Esprit pour affirmer notre qualité de fils, et il pousse jusqu'aux extrêmes conséquences pratiques l'exigence de fraternité :

« Pour ce que nostre cœur est trop estroit pour comprendre une telle infinité de sa faveur, non seulement Iésus Christ nous a esté donné de lui comme gage et arre de notre adoption, mais aussi il nous en a faict son Esprit tesmoin, lequel nous donne liberté de crier haut et clair à pleine voix : Abba, Père (*Gal.* 4, 6)... Nostre Père... en cela nous sommes admonnestez combien doit estre fraternelle l'affection des uns envers les autres qui sommes tous enfans d'un même Père et par un même droit et tiltre de sa pure libéralité ». Et puisque tout bien nous vient de lui, « nous ne devons rien avoir tellement séparé et divisé entre nous, que nous ne soyons prests de bon courage et en toute libéralité de cœur de le communiquer mutuellement les uns aux autres, d'autant que mestier en est » (*Institution chrétienne* III, 20, 37-38, éd. Benoit, p. 381).

Le *Catéchisme romain* rappelle après saint Thomas les titres de la paternité divine en vertu de la création et de la providence ; il insiste cependant sur la justification de ce titre en raison de la Rédemption par le Christ, signe principal de la bienveillance divine. « Aussi le curé transmettra-t-il à ses fils spirituels et leur inculquera sans cesse cet amour incomparable de Dieu à notre égard, en sorte qu'ils comprennent que, parce que rachetés, ils sont devenus fils de Dieu d'une manière admirable ; il leur a donné en effet, dit Jean, le pouvoir de devenir enfants de Dieu et ils sont nés de lui » (I, 16-17 ; cf. *Jean 1*, 12-13).

2) *Chez les Grecs,* le premier traité est le *De oratione* d'Origène. Rédigé vers 220 pour son mécène Ambroise, un gnostique converti, l'ouvrage commence par une justification théologique de la prière, la description de ses diverses formes et l'affirmation de sa nécessité. Sa diffusion a malheureusement souffert de la *damnatio memoriae* de l'auteur, dès les premières querelles origénistes (un seul ms tardif, *Cantabrigensis S. Trinitatis* B 8.10, 14e s., en conserve le texte complet) ; il a été lu cependant par Ambroise de Milan et Jérôme. Origène souligne explicitement la nouveauté du nom de Père, et il fonde lui aussi cette appellation sur les textes traditionnels (*Gal.* 4, 1 ; *Rom.* 8, 15-16 ; *Jean 1*, 12 ; 1 *Cor.* 12, 3 ; *1 Jean 3*, 9). Il ajoute une nuance personnelle qui tient à sa conception de l'homme comme « image de l'Image », c'est-à-dire du Fils (cf. DS, t. 6, col. 814-816).

Seuls sont habilités à ne pas dire « à moitié » (ἐξ ἡμίσους) Notre Père, « ceux dont le cœur, source et principe de toute bonne œuvre, croit en vue de la justice (*Rom.* 10, 10). Toute leur action, leur parole et leur pensée, conformées à lui-même par le Logos monogène, imitent l'image du Dieu invisible et sont accomplies *selon l'image* du Créateur..., en sorte qu'existe en eux l'image du Verbe céleste, qui est lui-même l'Image de Dieu. Ainsi, puisque les saints sont image de l'Image, et que l'Image est le Fils, ils expriment leur qualité filiale, devenus conformes non seulement au corps de gloire du Christ, mais à celui qui est dans ce corps..., et cela par le renouvellement de l'esprit » (22, 4).

Jean Chrysostome détaille les implications du nom de Père : « Celui qui dit Dieu Père professe par cette appellation à la fois la rémission des péchés, l'abrogation des peines, la justice, la sainteté, la rédemption, la filiation adoptive, l'héritage et la fraternité avec le Monogène, la communication de l'Esprit... Il dit *notre* Père, rapportant sa prière au corps tout entier, ne songeant en rien à lui-même, mais en tout au prochain. Il supprime ainsi les inimitiés, réprime l'arrogance, élimine l'envie ; il proclame la charité mère de tous les biens et chasse l'inégalité dans les choses humaines... ; il manifeste l'égale dignité du roi avec le pauvre, puisque nous avons tous en commun les biens les plus grands et les plus nécessaires » (*hom.* 19, 4). De plus, le Christ « nous ordonne de faire des demandes communes... ; en tout il nous prescrit de parler au pluriel, afin que nous n'ayons même pas une trace de colère contre le prochain » (19, 7).

Mêmes notations dans les *Homélies catéchétiques* de Théodore de Mopsueste : « Il vous faut savoir ce que vous étiez et ce que vous êtes devenus, quel est et combien grand le don que vous avez reçu de Dieu ». Les Juifs étaient esclaves sous les commandements, « mais vous, c'est la grâce du Saint-Esprit que vous avez reçue, laquelle vous a valu l'adoption filiale, et vous avez la liberté (παρρησία) d'appeler Dieu Père ». Nous disons *notre* Père « parce que le Père est commun à tous dès là qu'est commune la grâce dont nous avons reçu l'adoption filiale..., en sorte que... vous ayez cette concorde qu'il vous faut garder..., vous qui êtes frères et sous la main d'un même Père » (11, 7-8, trad. Tonneau, p. 295, 299).

2° Le Christ, pain du chrétien. – Pour les trois premières demandes, les commentateurs affirment généralement que nous ne pouvons ajouter à la sainteté, au règne, à l'efficacité de la volonté du Père : c'est *en nous* et *pour nous* que ces demandes doivent se réaliser. Mais la quatrième demande appelle chez bon nombre d'auteurs l'identification du « pain supersubstantiel » ou du « pain de chaque jour » à la Parole divine qui est le Christ, ou encore à l'Eucharistie ; cf. Carmignac, p. 118-221.

Origène développe une longue étude exégétique sur le sens du terme ἐπιούσιος ; il le fait dériver soit de ἐπὶ οὐσία : pain « substantiel » ou « supersubstantiel » (non pas « au-delà de la substance » mais « destiné à la substance »), soit de ἐπιέναι : pain « à venir », pain « du monde futur » ; ses préférences sont pour le premier sens. Il s'appuie sur *Jean* 6, 28-33 pour montrer que le Verbe est le Pain donné par le Père : « le véritable pain est celui qui nourrit l'homme véritable, créé selon l'image de Dieu, et qui élève celui qui s'en nourrit à la ressemblance du Créateur » (27, 2). Plus loin, il cite *Jean* 6, 51-54, en donnant visiblement à ces versets un sens eucharistique : « Telle est la vraie nourriture : la chair du Christ. Lorsque nous le mangeons, il habite en nous ; lorsqu'il est distribué, nous voyons sa gloire » (27, 4). Le sens eucharistique est évident chez Cyrille de Jérusalem, qui explique aux nouveaux baptisés la célébration de l'eucharistie à laquelle ils participent pour la première fois : « Ce pain sacré est substantiel, autrement dit distribué pour la substance de l'âme » (*Catéch.* 5, 15, SC 126, p. 163).

Tertullien, tout en admettant que la demande englobe nos besoins matériels, préfère une interprétation spirituelle et eucharistique : « Le Christ est notre pain, car le Christ est vie, et ce pain est vie (cf. *Jean* 6, 31-32) du fait que son Corps est signifié (*significatur*) par ce pain : *ceci est mon corps*. Ainsi, en demandant le pain quotidien, nous demandons de rester en permanence le Christ et de ne pas être séparés de son Corps » (*De orat.* 6, 3). Cyprien met en parallèle « notre Père » et « notre pain », dans un sens ecclésial et eucharistique : « Le Christ est le pain de ceux qui, comme nous, sont conjoints à son Corps. Nous demandons que ce pain nous soit donné chaque jour, de peur que nous, qui sommes au Christ et recevons quotidiennement son eucharistie comme la nourriture du salut, ne soyons arrêtés par quelque grave péché..., séparés du Corps du Christ » (*De dom. or.* 18).

Ambroise fait écho à Cyrille : ce pain *epiousios*, c'est celui « qui réconforte la substance de l'âme ». Il exhorte à ne pas imiter les Grecs qui ne communient qu'une fois l'an ; la raison qu'il en donne développe la pleine signification de l'eucharistie : « Toi donc, tu entends dire qu'en chaque oblation du sacrifice on signifie (*significatur*) la mort du Seigneur, la résurrection du Seigneur, l'ascension du Seigneur, ainsi que la rémission des péchés, et tu ne reçois pas tous les jours ce pain de vie ? ». En outre, « aujourd'hui, c'est quand le Christ ressuscite ; si tu le reçois chaque jour, chaque jour est pour toi aujourd'hui » (*De sacram.* 5, 25-26 ; cf. *Hébr.* 13, 8).

Augustin, qui semble connaître le texte d'Ambroise, note aussi que l'on ne reçoit pas chaque jour l'eucharistie dans toutes les Églises, notamment *in orientalibus partibus*. Pour ne pas choquer ceux qui suivent d'autres coutumes, il préfère donc voir dans le pain quotidien non le pain eucharistique mais plutôt le pain spirituel, c'est-à-dire « les préceptes divins à méditer et accomplir chaque jour » (*De serm. in monte* II, 7, 25-27). Le sermon 56, adressé à de futurs baptisés, interprète le pain quotidien de « la parole de Dieu qui nous est offerte chaque jour » (56, 10) ; les sermons 57-58 envisagent cependant la signification eucharistique.

Jean Chrysostome ne fait pas allusion au pain spirituel ; il note que le Christ nous fait demander seulement le pain, et non les richesses, et cela « aujourd'hui » pour éliminer un souci excessif du lendemain (*hom.* 19, 5). Même limitation chez Théodore de Mopsueste (*hom.* 11, 14), mais elle se justifie du fait que celui-ci s'adresse à des catéchumènes qui ne peuvent encore être éclairés sur le mystère eucharistique.

Thomas d'Aquin insiste d'abord sur le fait que nous demandons « aujourd'hui » le pain matériel, pour éviter le souci du lendemain ; ensuite cependant, il parle d'un double pain spirituel : celui du sacrement et celui de la Parole divine (*In or. dom.*, n. 1079).

Curieusement, c'est avec les grands Réformateurs que s'estompe fortement la notion du pain spirituel. Le premier commentaire de Luther (1517-1519) admet encore cette interprétation : « Christ, notre Pain, nous est donné de deux manières. Premièrement, extérieurement, par des hommes tels que les Prêtres et les docteurs. Et ceci est produit aussi de deux manières, d'une part par des paroles, d'autre part dans le Sacrement de l'autel... Deuxièmement, intérieurement, par l'enseignement de Dieu lui-même » (*Œuvres*, t. 1, p. 183-184). Mais le *Grand catéchisme* réduit la demande au pain matériel, dont la signification est cependant élargie : « Pour vivre, il ne suffit pas que notre corps ait subsistance et couverture et autres choses nécessaires ; il faut encore que parmi les gens avec lesquels nous vivons... nous connaissions la tranquillité et la paix. Bref, cette demande comprend tout ce qui concerne, à la fois, la vie de la maison et les relations avec les voisins ou les affaires publiques » (1529 ; *Œuvres*, t. 7, p. 113).

L'interprétation est la même chez Calvin, avec insistance sur la confiance en la Providence :

« En cette requeste nous demandons à Dieu les choses qui nous conservent et qui subviennent à nos nécessitez... Non pas ce seulement dont nous soyons nourris et vestuz, mais tout entièrement ce que Dieu sait et cognoist nous estre bon et utile, afin que nous puissions user des biens qu'il nous donne, en bonne paix et tranquillité. En somme, par ceste pétition nous nous baillons à luy comme en charge, et nous mettons en sa providence, pour estre de luy nourriz, entretenuz et conservez ». Les raisons qu'introduit Calvin pour exclure la signification spirituelle ne manquent pas d'intérêt : « Ce qu'aucuns transfèrent cecy au pain supersubstantiel, il ne me semble pas fort convenable à la sentence de Iésus Christ... La raison qu'ils amènent est trop profane : c'est qu'il n'est point convenable que les enfants de Dieu, qui doivent estre spirituels, non seulement appliquent leurs désirs aux choses terrestres, mais y enveloppent aussi Dieu avec eux. Voire, comme si sa bénédiction et faveur paternelle ne reluisoit pas mesmes au boire et manger qu'il nous donne, ou qu'il fust escrit en vain que le service que nous luy rendons a les promesses tant de la vie présente que de celle qui est à venir (1 *Tim.* 4, 8)... Il nous ordonne de prier pour nostre pain quotidien, afin que nous soyons contens de la portion que le Père céleste distribue à chacun et que nous ne pourchassions nul gain par artifices ou finesses illicites » (*Inst. chrét.* III, 20, 44, p. 389-390).

Cependant, comme l'a montré J. Carmignac (p. 170-182), cette restriction au pain matériel n'a pas été unanime chez les commentateurs du Pater inspirés par la Réforme.

Quant au *Catéchisme romain,* il insiste sans doute sur le pain corporel et les conditions dans lesquelles nous devons le demander (droiture d'intention, modération, humilité), mais il ajoute que cette demande enveloppe aussi le « pain spirituel... qui signifie tout ce qui est requis en cette vie pour le salut de l'esprit et de l'âme » (n. 149). En outre, « notre pain est principalement le Christ Seigneur lui-même, substantiellement présent dans le Sacrement de l'Eucharistie : tel est le gage inexplicable d'amour qu'il nous a donné avant de retourner au Père » (n. 154, citant *Jean* 6, 57 et la formule de la consécration). Ce Pain est appelé *quotidien* pour deux raisons : « d'abord parce qu'il est offert chaque jour dans les mystères sacrés de l'Église chrétienne, et donné à ceux qui le demandent avec piété et sainteté ; ensuite parce qu'il doit être reçu chaque jour, ou du moins parce qu'il faut vivre de telle manière que nous puissions chaque jour, autant que possible, le recevoir dignement » (n. 156).

3° AUTRES ASPECTS. – On pourrait relever dans les commentaires du Pater d'autres traits qui en font une prière spécifiquement chrétienne. Nous nous limitons à deux d'entre eux.

1) Les commentateurs anciens ne connaissaient pas les problèmes que soulèvent les théologiens d'aujourd'hui, en dépendance de la psychologie ou de la linguistique, sur *le concept de Dieu* ou la façon de nommer Dieu. Ils ont eu cependant conscience que l'idée de Dieu proposée aux chrétiens dans leur prière différait de celle de la philosophie grecque ou des cultes païens. Citons seulement Origène et Augustin, les deux grands témoins de la tradition grecque et latine.

« Qui es aux cieux », dit Origène, n'est pas à prendre en un sens matériel et local ; dans ce cas en effet, Dieu serait « circonscrit » ; il faut au contraire « se persuader que, par l'indicible puissance de sa divinité, toutes choses sont enveloppées et contenues en lui ». D'une manière générale, « tous les textes qui, pris à la lettre, semblent dire aux gens simples que Dieu est contenu en un lieu, doivent être transposés comme il convient en conceptions grandes et spirituelles sur Dieu » (23, 1). Origène ne traite pas la question avec tous les détails et toutes les nuances que révèle son *Entretien avec Héraclide* (SC 67, 1960). Mais il s'agit pour lui de maintenir à la fois l'élévation de Dieu au-dessus de toutes les créatures et le fait que cependant « réside en celles-ci quelque chose de sa gloire et de sa puissance, et, pour ainsi parler, une surabondance de sa divinité » (23, 5).

Augustin affirme également que « Dieu n'est pas contenu dans un espace ». Mais son interprétation prend plutôt un sens anthropologique : « Il n'est pas écrit que Dieu est proche des hommes grands, ou de ceux qui habitent sur les montagnes, mais bien qu'il est *proche des cœurs brisés* (*Ps.* 33, 19), ce qui relève plutôt de l'humilité ». Finalement, dire « qui es aux cieux » équivaut à « qui es dans les saints » (*De sermone in monte* II, 5, 17). De même, se tenir debout et tourné vers l'orient pour la prière est une attitude symbolique, qui met le corps en harmonie avec l'esprit, tandis que celui-ci « se tourne vers la nature supérieure, c'est-à-dire vers Dieu » (5, 18).

2) Le lien des demandes du Pater avec les sept *dons de l'Esprit* et les sept premières *béatitudes* est une trouvaille d'Augustin, qui s'explique sans doute par sa sensibilité « pythagorisante » à la mystique des nombres (pour lui, seules les sept premières béatitudes correspondent à la vie terrestre ; la huitième évoque « l'homme parfait » qui annonce déjà la vie céleste ; cf. *De sermone in monte* I, 4, 12). La correspondance est la suivante (*ibidem* II, 11, 38) :

1. Crainte de Dieu ; pauvres en esprit ; sanctification du Nom ; – 2. Piété ; doux ; venue du règne ; – 3. Science ; « ceux qui pleurent » ; volonté de Dieu ; – 4. Force ; « ceux qui ont faim et soif » ; pain quotidien ; – 5. Conseil ; miséricordieux ; remise des fautes ; – 6. Intelligence ; purs de cœur ; « ne pas tomber en tentation » (pour ne pas avoir un « cœur double ») ; – 7. Sagesse ; pacifiques ; libération du mal (cf. DS, t. 1, col. 1308-09).

Cette correspondance sera reprise, avec quelques variantes, par la tradition occidentale postérieure. On peut l'estimer artificielle. Elle a cependant l'avantage indéniable de montrer l'union étroite qui doit s'établir dans la vie chrétienne entre les dons de l'Esprit, source de sainteté (mis en premier par Augustin), les béatitudes, charte de la sainteté et norme suprême de l'existence chrétienne, la prière par excellence enfin, qui permet d'obtenir la grâce pour accéder à la sainteté.

**2. Règle de vie chrétienne.** – Un des aspects qui surprend le plus un lecteur moderne des anciens commentaires du Pater, c'est l'insistance des auteurs à considérer cette prière comme une *règle de vie* ; pour eux en effet, la prière est vaine si la vie n'est pas mise en harmonie avec elle. En outre, le Pater est considéré comme un résumé de l'Évangile, à la fois message d'amour divin et exigence d'une réponse à cet amour. Cette perspective s'explique sans doute par le caractère normatif des catéchèses baptismales, où l'explication du Pater précédait ou suivait celle du Symbole de foi. Ainsi naissait la conviction que la *lex credendi* était indissociable de la *lex orandi,* et celle-ci de la *lex vivendi.*

C'est déjà l'affirmation de Tertullien. La brièveté du Notre Père est riche d'enseignements : « elle n'enveloppe pas seulement les devoirs de la prière, vénération de Dieu ou demande de l'homme, mais encore l'enseignement du Seigneur presque entier, le rappel de toute la discipline de vie, si bien qu'en vérité dans cette prière est contenu *le résumé (breviarium) de tout l'évangile* » (*De orat.* 1, 6). « Dans cette brièveté d'un petit nombre de paroles, que de préceptes des prophètes, des évangiles, des apôtres, que d'enseignements du Seigneur, de paraboles, d'exemples, de commandements sont contenus ! Que de devoirs mis au clair !... Pourquoi s'en étonner ? Dieu seul pouvait enseigner comment il voulait être prié » (9, 1 et 3).

1° UNE VIE DIGNE DES FILS DE DIEU. – Pour Origène, on l'a vu, seuls peuvent dire non « à moitié » le Notre Père ceux qui par toute leur vie sont « conformés au Christ ». Mais il précise encore : « Que notre vie tout entière soit une prière ininterrompue et dise Notre Père qui es aux cieux ; qu'elle n'ait plus sa cité sur la terre, mais de toute manière dans les cieux... par l'affermissement du règne de Dieu en ceux qui portent l'image du Verbe céleste et sont ainsi devenus célestes » (*De orat.* 22, 5).

Pour dire « Père », affirme Grégoire de Nysse, « quel besoin d'âme ! quelle *parrèsia* ! quelle conscience ! Lorsque le Seigneur nous enseigne à appeler Dieu Père, il ne me semble pas faire autre chose que de nous prescrire une vie élevée et sublime ; assurément, la vérité ne nous enseigne pas à mentir, de manière à dire ce que nous ne sommes pas..., mais en l'appelant Père, lui l'incorruptible, le juste et le bon, à prouver la vérité de notre proximité avec lui » (*hom.* 2, PG 44, 1141c). « Quand donc nous approchons de Dieu, examinons d'abord notre vie ; ensuite nous aurons l'audace de prononcer cette parole : car celui qui nous a prescrit de l'appeler Père ne nous permet pas de dire un mensonge » (1148ab).

Théodore de Mopsueste est sans doute celui qui souligne avec le plus d'insistance, pour les futurs baptisés, la nécessité d'accorder la prière à la vie :

« Il faut avoir soin que notre vie s'accorde aux commandements divins. Pour cette raison, aux paroles du Credo, (nos Pères) joignirent-ils la prière où se trouve une doctrine de mœurs suffisante, celle que Notre Seigneur enferma en de brèves paroles et transmit à ses disciples. Or toute prière... est enseignement pour la vie... Car telles nous voulons que soient nos mœurs, telle nous nous efforçons aussi que soit notre prière » (1.1, 1, trad. Tonneau, p. 283). Et après avoir cité le texte matthéen suivi de la doxologie, Théodore commente : « C'est de ces brèves paroles que se servit Notre Seigneur, comme s'il voulait dire que la prière ce n'est pas en mots qu'elle consiste, mais en mœurs, amour et application au bien ; parce que celui qui a inclination au bien, toute sa vie doit être dans la prière... Or la prière doit se faire en vue de la conduite... La prière véritable est rectitude morale, amour envers Dieu et zèle pour ce en quoi il se complaît. Celui en effet qui s'applique à cela, dont le cœur médite cela, prie sans obstacle, continuellement, à chaque instant, partout et toujours il fait ce que Dieu agrée » (3, p. 287 ; cf. 5, p. 293). Fils de Dieu, il faut « avoir des mœurs dignes de cette noblesse, puisque ce sont ceux que dirige l'Esprit de Dieu qui sont fils de Dieu » (9, p. 299). De même Jean Chrysostome : « il faut être fils non seulement par la grâce, mais encore par les œuvres » (Hom. 19, 7, 283a).

Citons encore Luther : « Puisque, dans cette prière, nous appelons Dieu notre Père, nous sommes tenus de nous conduire et de nous montrer en toutes choses comme des enfants pieux, afin de ne pas lui faire honte, mais honneur et gloire » (Grand catéchisme, Œuvres, t. 7, p. 107).

En montrant d'autre part que les trois premières demandes concernent la sanctification du Nom, l'avènement du règne et l'accomplissement de la volonté de Dieu en nous, les commentateurs soulignent également l'effort de sanctification que cela exige : « Nous en sommes incapables sans le secours de Dieu ; aussi est-ce en forme de prière que (le Seigneur) a transmis ces choses afin que nous les choisissions avec un amour parfait » (Théodore, 11, 13, p. 307).

2° LE PARDON DES OFFENSES. – Origène explique surtout les ὀφειλήματα, d'après Rom. 13, 7-8, au sens de « devoirs » (καθήκοντα, terme stoïcien), et il énumère ce que nous devons à l'égard des frères dans le Christ, de tous les hommes, surtout à l'égard de Dieu ; ensuite les devoirs liés à une fonction ou un état dans l'Église : veuve, diacre, prêtre, évêque (De orat. 28, 4-5). Mais les autres Pères insistent sur le comme nous pardonnons, d'autant que le texte de Matthieu répète l'exigence du pardon après la formule du Pater : « si vous pardonnez aux hommes, votre Père vous pardonnera ; si vous ne pardonnez pas, votre Père non plus ne vous pardonnera pas » (6, 14).

Cyprien note que le Christ formule ici « une loi, nous contraignant ainsi par une condition et un engagement précis (certa condicione et sponsione) ; nous demandons la remise de nos dettes en sachant que nous ne pouvons l'obtenir si nous n'agissons pas de la même manière à l'égard de ceux qui ont péché envers nous » (De dom. or. 23). De même Ambroise : « Fais attention à ce que tu dis : comme je remets,

remets-moi ; si tu remets, tu fais un juste accord pour qu'il te soit remis » (De sacram. 5, 28).

Augustin précise la sponsio de Cyprien dans le sens d'un pacte, d'un contrat avec Dieu : « Dans aucune autre formule nous ne prions de telle manière que nous fassions comme un pacte (quasi pasciscamur) avec Dieu. Nous disons en effet : remets-nous comme nous aussi nous remettons. Si dans ce pacte (pactione) nous mentons, le fruit de toute notre prière est nul » (De serm. in monte II, 11, 39). Le sermon 56 est encore plus net : dans cette demande, « nous prenons un engagement avec Dieu : nous faisons un pacte, un accord (sponsionem facimus cum Deo, pactum et placitum) ; le Seigneur ton Dieu te dit : remets et je remets ; si tu ne remets pas, c'est toi qui prends parti contre toi, pas moi ». Et il souligne devant les catéchumènes l'importance de cette demande : « Écoutez-moi : vous allez être baptisés ; remettez toutes choses ; celui qui a quelque chose contre quelqu'un en son cœur, qu'il lui remette de tout cœur » (56, 13 ; cf. 57, 8 ; 58, 7).

Cette idée de « pacte » se trouve aussi chez les Grecs : « Nous prenons des engagements (συνθήκας) avec Dieu, en le priant de nous pardonner nos fautes comme nous pardonnons ses offenses à notre prochain » (Cyrille, Catéch. 5, 16). « Notre Seigneur a clairement prescrit de demander pardon en échange de ce que nous avons pardonné » (Théodore, Catéch. 11, 15-16, p. 313).

Luther écrit à son tour : « Si tu ne pardonnes pas, n'imagine pas que Dieu te pardonne ». Cependant, pour éliminer l'idée de mérite, il tient à préciser que le pardon de Dieu nous est donné non pas à cause de notre pardon, « mais d'une manière purement gratuite, par pure grâce, comme il l'a promis » (Grand catéchisme, p. 117). Mêmes nuances chez Calvin, Inst. chrét. III, 20, 45, p. 394-395.

Le Catéchisme romain explique le comme à la fois dans le sens d'une ressemblance et d'une condition, et note que ces deux acceptions impliquent la nécessité de pardonner si nous voulons être pardonnés (n. 189-190). A cette exigence s'ajoute celle de l'amour des ennemis (n. 191). Mais les auteurs du Catéchisme font ici preuve d'une sage psychologie et conseillent aux pasteurs de traiter le sujet « avec une prudence peu ordinaire ». Ils savent en effet qu'un ressentiment naturel peut persister malgré la volonté de pardon. Ils envisagent même l'hypothèse de chrétiens qui s'abstiendraient de dire le Pater pour cette raison. Ils conseillent donc aux pasteurs d'attirer l'attention de ces chrétiens sur le fait que le Pater est toujours dit au nom de l'Église, où quelques hommes pieux pardonnent de tout cœur ; on ajoutera qu'en formulant cette prière nous demandons aussi implicitement « les dispositions requises pour obtenir ce que nous sollicitons » (n. 193-195). Aucune mention n'est faite d'un mérite ; bien que le pardon du prochain soit une condition de notre pardon, celui-ci est une grâce qui s'obtient par la prière et la pénitence.

Les commentaires de notre époque maintiennent la même réciprocité entre le pardon que Dieu nous donne et celui que nous donnons : voir par exemple les pages nuancées et précises de R. Guardini, Prière et vérité. Méditations sur le Notre Père, p. 156-162. Cf. art. Pardon, supra.

3° LA TENTATION. – J. Carmignac note que l'avant-dernière demande du Pater « pose un redoutable problème » (Recherches, p. 236 ; voir tout le chapitre, p. 236-304). Il s'agit de savoir dans quelle mesure la tentation vient de Dieu, et quel est le sens de cette sixième demande. De ce problème, les Pères ont eu déjà conscience.

Le ch. 29 du *De oratione* d'Origène est un véritable traité sur la tentation ; nous en retiendrons seulement quelques points. Puisque « toute la vie humaine est tentation » (*Job* 7, 1), il faut chercher en quel sens nous prions « pour ne pas entrer en tentation », car le Seigneur ne peut nous prescrire de demander l'impossible (29, 1). Origène cite alors de nombreux passages de l'Écriture qui laissent entendre que la tentation vient, d'une certaine façon, de Dieu lui-même. « Il faut donc prier, non pour ne pas être tentés, mais afin que nous ne soyons pas circonvenus par la tentation, ce qui arrive à ceux qui sont entrés en elle et ont été vaincus ». En outre, « il faut examiner comment Dieu induit en tentation celui qui ne prie pas ou celui qui n'est pas exaucé dans la tentation ; il ne convient pas en effet de penser... que Dieu induit quelqu'un en tentation comme s'il le livrait à la défaite » (29, 9).

Origène estime que « Dieu dirige (οἰκονομεῖ) toute âme raisonnable eu égard à sa vie éternelle ». L'homme est doté de libre arbitre, et il peut en abuser. Mais si Dieu le laisse parfois s'endurcir dans son péché, c'est pour qu'il en ait finalement « la nausée » et revienne à la santé (29, 13 ; cf. 29, 16 sur l'endurcissement du Pharaon). En définitive, la tentation nous est utile : elle nous donne la connaissance de nous-mêmes, de nos faiblesses et de nos malices. Mais, entre les tentations, il convient de nous préparer « à tout ce qui pourrait nous arriver ». Et Origène conclut sur cette note rassurante : « Ce qui manquerait en raison de l'humaine faiblesse, lorsque nous aurons fait notre possible, Dieu le comblera, lui qui avec ceux qui l'aiment collabore en tout pour le bien » (29, 19 ; cf. *Rom.* 8, 28). Un peu plus loin, il ajoute que les vrais croyants « ont en eux des fleuves d'eau jaillissant en vie éternelle qui ne laissent pas prévaloir le feu du Malin » (30, 3).

Cyprien (qui lit la demande sous la forme : *ne patiaris nos induci in tentationem*) met la tentation au compte de Satan « qui ne peut rien contre nous sans la permission de Dieu ». Ce pouvoir lui est donné « soit pour nous punir du péché, soit pour nous éprouver en vue de la gloire ». La demande met donc en garde contre la présomption : « Quand nous demandons de ne point venir en tentation, nous sommes rappelés au souvenir de notre insuffisance et de notre faiblesse, afin que personne ne s'élève avec insolence, ne s'arroge ou s'attribue quelque chose avec orgueil, ne se fasse gloire de sa confession de foi ou de sa passion » (25-26 ; la dernière phrase évoque le temps de persécution ).

Augustin distingue « être tenté » et « être entraîné (*induci*) en tentation ». Éviter la tentation est impossible, car elle est nécessaire pour nous éprouver. Mais nous prions « pour ne pas être entraînés en tentation, c'est-à-dire *pour ne pas y succomber* » (*De Serm. in monte* II, 9, 32). Augustin éclaire le sens de cette formule par 1 *Cor.* 10, 13 : « Dieu est fidèle, lui qui ne permettra pas que vous subissiez une tentation que vous ne pourriez supporter » (de ce texte provient sans doute la glose « *in tentationem quam ferre non possumus* » signalée chez Hilaire, Ambroise, Chromace et Jérôme). La sixième demande vise ce type de tentation : « nous sommes entraînés en effet si surviennent des tentations telles que nous ne pouvons les supporter » (9, 34).

L'interprétation de Luther va dans le même sens : « Ne pas nous induire en tentation signifie que Dieu nous donne la vigueur et la force de résister, sans que la tentation soit, pour autant, supprimée. Car la tentation et la séduction, nul

ne peut les éviter, aussi longtemps que nous vivons dans la chair et que nous avons le diable autour de nous » (*Grand catéchisme*, p. 119).

Le commentaire de la *Regula Magistri* est orienté d'après les exigences de la vie monastique. L'invocation du Père signifie que le moine doit renoncer à son père et à sa mère selon la chair (SC 105, p. 300). La grâce de l'adoption nous ayant été rendue par le Christ après le péché, il faut « participer à sa passion pour mériter d'avoir part avec lui à l'héritage et à la gloire » (p. 302). « Montrons-nous frères, tels que Dieu souhaite de nous avoir pour fils. Que, Père et Seigneur, il établisse en nous sa demeure et qu'il y fasse habiter l'Esprit saint » (p. 304). Sans qu'il soit explicitement question d'obéissance religieuse, la Règle prescrit d'accomplir la volonté de Dieu à l'imitation du Christ (p. 310-312). Le Maître insiste sur le pardon réciproque (p. 312), sans doute parce qu'il est indispensable pour des moines vivant en communauté. Il faut encore « nous tenir en garde et résister au diable dans les tentations » ; avec assurance pourtant, car « après avoir appris à donner au Seigneur le nom de Père, (le Christ) daignera encore nous délivrer du mal » (p. 316).

Dans l'exposé qui précède, nous avons sans doute privilégié les commentaires des Pères de l'Église. Ce n'était pas seulement par nécessité de faire un choix, mais surtout parce que ce choix a paru opportun. Les écrits des Pères sont des *textes fondateurs*, auxquels les auteurs postérieurs n'ont guère ajouté que des points de détail. C'est dans leurs écrits que le Pater reçoit l'interprétation à la fois la plus profonde et la plus complète : basée sur une familiarité étonnante avec le nouveau Testament, elle reste féconde pour nourrir la vie spirituelle encore aujourd'hui.

**3. Les commentaires mystiques.** – 1° ESQUISSES PATRISTIQUES. – La signification mystique du Pater s'annonce déjà avec Grégoire de Nysse qui met la sanctification du Nom en rapport avec le sacerdoce du Christ auquel le chrétien participe : « Celui qui est conduit par le Christ à ce sacerdoce, après avoir mortifié le sens de la chair par le glaive de l'Esprit, celui-là apaise Dieu dans le saint des saints. Il s'est sanctifié lui-même par cette offrande divine, et se présente à Dieu comme une hostie vivante, sainte et agréable » (*hom.* 3, PG 44, 1148d-1149b).

Le commentaire de Jean Cassien se situe dans la conférence de l'abbé Isaac sur la prière. Le Pater n'est pas encore « la prière pure » (DS 2, 262-264), mais y achemine :

« Cette prière semble bien... contenir toute la plénitude de la perfection, puisque le Seigneur lui-même en a donné l'exemple à la fois et le précepte. Elle *élève plus haut encore* cependant ceux qui se la rendent familière, jusqu'à... cette *prière de feu* que bien peu connaissent d'expérience et pour mieux dire ineffable... L'âme, toute baignée de la lumière d'en haut, ne se sert plus du langage humain, toujours infirme. Mais c'est en elle un flot montant de toutes les affections saintes à la fois : source surabondante d'où sa prière jaillit à pleins bords et s'élance d'une manière ineffable vers Dieu » (*Conférence* IX, 25, SC 54, p. 60-62).

L'*Expositio* de Maxime le Confesseur est d'ordre mystique en ce sens qu'elle découvre dans le Pater, en rapport assez souple avec les sept demandes, « les sept *mystères* plus généraux » révélés et communiqués à l'homme par le Christ : « la *theologia* (connaissance expérientielle et pas seulement notionnelle de la Trinité), la filiation dans la grâce, l'égalité d'honneur avec les anges, la participation à la vie éternelle, la restitution à elle-même de l'âme qui s'est laissé tromper, la dissolution de la loi du péché et la destruction de la tyrannie du Malin » (PG 90, 876a ; trad. A. Riou, parfois remaniée, p. 217). Maxime identifie le Nom avec le Fils unique et le Règne avec l'Esprit, reprenant à ce propos la leçon lucanienne utilisée par Grégoire de Nysse : « Que vienne ton Esprit et qu'il nous purifie » (884b, 885b ; p. 223-224). Devenus disciples du Christ par la douceur et l'humilité (cf. *Mt.* 11, 29), nous recevons l'empreinte du Règne de Dieu à l'image du Christ, qui est « par essence et selon la nature le grand Roi », et cela en vertu de la « transformation (μόρφωσιν) dans l'Esprit » (888bc).

Maxime explique la transformation en commentant à sa manière *Gal.* 3, 38 : il n'y a plus *ni homme ni femme* (c'est-à-dire ni agressivité ni concupiscence), *ni grec ni juif* (car les vues païennes et judaïques sur Dieu sont dépassées), *ni esclave ni homme libre* (car la nature ne s'oppose plus à la liberté) ; dès lors « le Christ est tout en tous » (*Col.* 3, 11 ; 892a-893c). Cette assimilation au Christ et cette purification par l'Esprit permettent finalement d'aller vers le Père, dans une vie digne des fils de Dieu :

« Par l'accomplissement de la volonté du Père, (le Christ) nous rend semblables aux anges dans leur adoration, nous qui imitons et manifestons la béatitude céleste dans la conduite de notre vie. Enfin, de là il nous conduit à l'ascension suprême des réalités divines, vers le Père des lumières (*Jacq.* 1, 17) et nous fait communier à la nature divine par la participation de l'Esprit qui nous donne le titre d'enfants de Dieu ; ainsi nous revêtons tout entiers Celui qui est l'auteur de cette grâce et qui est tout entier Fils du Père selon la nature ; de lui, par lui et en lui, nous avons et aurons l'être, le mouvement et la vie » (905d, cf. *Actes* 17, 23 ; p. 237-238). Voir I.-H. Dalmais, *Un traité de théologie contemplative. Le Commentaire du Pater de S.M...*, RAM, t. 29, 1953, p. 123-160.

2° GHERAERT APPELMANS. – Le commentaire le plus nettement mystique est dû à cet ermite dont on n'a pu encore déterminer le lieu d'origine ni l'époque (probablement le Brabant, fin 13e ou début 14e s.). Le texte de l'unique ms connu en ancien néerlandais (éd. J. Reypens, OGE, t. 1, 1927, p. 83-107) est difficile et parfois corrompu (nous devons à J. Vanneste la traduction des passages essentiels ; voir aussi St. Axters, *Geschiedenis van de vroomheid in de Nederlanden*, t. 2, *De eeuw van Rusbroec*, Anvers, 1953, p. 132-138).

Appelmans interprète le mot « Père » d'après une conception de la génération du Fils et de la création dont l'origine immédiate est à chercher sans doute chez Bonaventure : « Pater ab aeterno genuit Filium similem sibi et dixit se et similitudinem suam similem sibi et cum hoc totum posse suum ; dixit quae posset facere, et maxime quae voluit facere, et omnia in eo expressit » (*Collationes in Hexaëmeron* I, 13, éd. Quaracchi, t. 5, p. 331b). Mais Bonaventure s'inspire lui-même d'Augustin (*Confessions* IX, 6, 9 ; *De Genesi ad litteram* II, 6, 13). La tradition sera reprise par Jean de la Croix : « Le Père a dit une seule Parole : ce fut son Fils ; il la dit toujours en un silence éternel, et c'est dans le silence qu'elle doit être entendue par l'âme » (*Puntos de Amor* 21 ; cf. *Subida* II, 22, 3).

« Le Père, dit Appelmans, est en lui-même celui qui, dans la fécondité de sa nature et en vertu de cette fécondité, dit le Verbe et engendre le Fils dans une parfaite similitude de lui-même et de sa propre nature, comme une autre Personne, lui donnant d'être Fils, selon une manière paternelle... Dans cet Engendré, le Père est en lui-même et pour lui-même Créateur dans toute la puissance de sa déité ; il donne à toutes les créatures vie, être et subsistance, et un 'soutien' de sa bienfaisance divine et paternelle maintient tout ce qui possède vie et être, selon une manière créaturelle. Ainsi Dieu est le Père de toute créature ; cependant il ne communique sa propre substance et sa propre nature ni aux anges, ni aux hommes, ni aux créatures inférieures » (p. 84-86).

« Celui qui comprend ainsi cette parole adore le Père en cette parole ». Et cette adoration a lieu lorsque le Père « a pris possession de toute l'ampleur de l'esprit (humain) et de toute son énergie », pour l'absorber « en l'abyssale déité de sa glorieuse grandeur » et le faire passer « du quelque chose au Rien... Ici, Dieu le Père atteint dans l'esprit la propre identité de ce qu'il est en lui-même » (p. 86 ; texte traduit intégralement en DS, t. 3, col. 906).

Si nous comprenons bien, l'adoration véritable implique une assomption par Dieu de l'esprit de l'homme, qui confère à celui-ci une participation de ce que Dieu est en lui-même. La même idée est exprimée sous d'autres formes par Guillaume de Saint-Thierry (cf. art. *Osculum*, DS, t. 11, col. 1020-21) et par Jean de la Croix (cf. art. *Mérite*, t. 10, col. 1047).

L'interprétation du mot « notre » reprend plus brièvement l'explication de la génération du Fils, puis elle ajoute : « Dans cet Engendré se trouve tout ce que le Père connaît, dans sa sagesse abyssale et éternelle, comme sortant de lui avec le Fils, engendré avec le Fils et connu comme fils ». Appelmans pense manifestement aux créatures spirituelles, les hommes en particulier ; en effet, le texte continue au pluriel, sans souci de correction grammaticale : « A ceux-là, le Père donne d'être fils en vertu de sa grâce, de manière paternelle. Ainsi nous sommes ses fils, et lui est notre Père » (p. 87-89).

Les mots « qui es » désignent la transcendance absolue de l'Être divin, qui « rend muets tous les esprits créés ». Nous pouvons cependant, « comme en bégayant », dire ce que Dieu est : « une source sans fond de la nature féconde de sa déité, qui s'écoule au-dedans et au-dehors, engendrant les fruits de la nature féconde de toute la déité ; et il est l'origine abyssale de la sainte Trinité, la racine et le tronc de la Toute-Puissance divine... dont les merveilles éclatent dans les puissances célestes » (p. 89-90). « Aux cieux » signifie la présence de la sainte Trinité dans le ciel spirituel de l'âme « avec les paroles fécondes de son cœur paternel et avec l'aimable et claire empreinte de son Esprit Saint, et avec la puissance de sa déité » (p. 91).

A propos de la troisième demande, Appelmans exprime plus nettement les exigences et les effets de la vie mystique. Notre volonté propre doit mourir « à tout ce que notre esprit peut connaître par grâce et par nature ». Alors « nous sommes un seul Corps avec le Christ, et un seul fils dans le Fils, et un seul esprit avec Dieu » (p. 95 ; traduction plus complète en DS, t. 3, col. 906).

L'interprétation de la quatrième demande distingue « trois jours » auxquels correspondent « trois pains » différents. « Le premier jour est temporel et passe avec le temps. Notre pain quotidien pour ce jour est tout ce dont nous avons besoin. Par là, il nous est prescrit de prier le Père, de l'honorer et de trouver sans cesse en lui repos et suffisance ».

« Le deuxième jour est spirituel : c'est une intelligence juste et vraie, illuminée par la grâce divine » (p. 96-97). Le Pain qui lui correspond est d'abord le Verbe que le Père dit éternellement dans l'intime de l'âme et dont les paroles sont accueillies par une intelligence humble, une perfection spirituelle. C'est ensuite le Pain qui nous est donné « dans le Saint Sacrement en ce jour temporel ». Ce pain sacramentel est « un avant-goût intérieur et spirituel » du Pain qui nous sera donné « au-delà de la foi et au-delà du temps » (p. 97-98).

« Le troisième jour est Dieu, qui est le jour parfait de tous les jours... En ce Jour-là est notre béatitude éternelle et Dieu est cette béatitude. Comment jouirons-nous de ce Pain ? Comme (Dieu) se connaît et s'aime lui-même, dans la parfaite sainteté de son être, de sa nature et de sa divinité, ainsi il veut, autant que possible, se donner à être connu, aimé, goûté, dans la parfaite sainteté de son être et de sa divinité » (p. 99).

A propos du pardon des péchés, Appelmans affirme que le Christ, par son obéissance aimante, a pris sur lui tous nos péchés. De même, Marie et tous les saints, « vrais imitateurs du Christ », participent à son martyre sur la Croix et à ses mérites ; ils intercèdent pour que nous soyons libérés à la dernière heure de notre vie terrestre (p. 103-104). La mystique d'Appelmans n'est donc pas une mystique individualiste de l'union ; c'est aussi une mystique de l'imitation du Christ en son humanité, de participation à son œuvre rédemptrice.

Cette brève « glose », dont la richesse doctrinale et spirituelle est évidente, ne semble pas être une exception au tournant des 13ᵉ et 14ᵉ siècles. J. Reypens (OGE, 1927, p. 140, n. 40-41) signale douze commentaires du Pater mentionnés dans un ancien catalogue du couvent de Rosecroix, ainsi que *Eine schone ausslegung uber datz Pater noster* publiée par J. Bach, *Meister Eckhart der Vater der deutschen Spekulation* (Vienne, 1894, p. 233-240 ; l'attribution à Eckhart est douteuse) ; on y trouve une interprétation analogue de notre filiation divine en liaison avec la génération du Fils éternel. La glose d'Appelmans est plutôt un témoignage de la mystique vécue dans les béguinages et les monastères rhéno-flamands de cette époque (cf. art. *Eckhart*, DS, t. 4, col. 111 ; *Naissance divine*, t. 11, col. 29-30 ; J.-B. Porion, *Hadewijch d'Anvers*, Paris, 1954, introd. p. 29-56). R. Mechslin cite des textes semblables de Mechtilde de Magdebourg (*Eckhart et la mystique rhénane*, dans *Lumière et vie*, n. 30, 1956, p. 102-106, avec une trad. franç. du poème *Dreifaltigkeit*, 13ᵉ siècle).

3° Le bref chapitre du franciscain FRANÇOIS D'OSUNA † 1540 sur le Pater (*Tercer Abecedario*, tr. 16, ch. 8 ; éd. M. Andrés, Madrid, 1972, p. 478-483) mérite d'être mentionné parce que Thérèse d'Avila assure avoir avoir trouvé dans cet écrit la voie de l'oraison de recueillement (*Vida* 4, 6) ; c'est dans le même contexte qu'elle introduira ses réflexions sur le Pater dans le *Camino* (cf. *infra*). Osuna voit dans la prière enseignée par le Seigneur une invitation à l'amour : amour filial pour le Père et amour fraternel pour les hommes (p. 478-479, en référence explicite à saint Cyprien). En effet, le Nom divin qu'il s'agit de sanctifier est précisément celui d'Amour ; aussi la première demande exige-t-elle « un amour sanctifié, purifié de tout ce qui est terrestre ». *Que ta volonté*

*soit faite* évoque le *Fiat* de Marie « en quoi consiste la suprême perfection de l'amour, dont le but est de nous conformer à l'Aimé entièrement et de tout notre cœur » (p. 480). Quant au pain quotidien, « c'est le goût de la *contemplation parfaite* » que l'Écriture appelle « pain de vie et pain de l'intelligence » (cf. *Sir*. 15, 3) : « pain de vie parce qu'en lui notre volonté commence à sentir les réalités de la vie éternelle ; pain de l'intelligence parce qu'il enseigne à l'homme une doctrine suffisante sur ce qu'il doit faire pour se sauver ». Enfin, la cinquième demande exprime l'objet principal de l'amour du prochain, qui est le pardon des injures (p. 482-483).

4° THÉRÈSE D'AVILA destine son *Camino de perfección* aux moniales de San José d'Avila (première rédaction 1563-1565). Elle entend les former à la vie d'oraison, les élever peu à peu vers les oraisons de recueillement, de quiétude et d'union. C'est dans ce but qu'elle commente le Pater dans la dernière partie.

L'éd. critique d'Éphrem de la Mère de Dieu et O. Steggink (Madrid, 1962) donne sur la même page le texte primitif du ms de l'Escorial et celui du ms de Valladolid, rédaction remaniée à Tolède en 1569 ; les différences textuelles ne sont pas considérables, mais la seconde rédaction est divisée en 42 chapitres seulement au lieu de 73 ; nous suivrons le texte de Valladolid, plus proche de celui sur lequel a été établie la traduction de Grégoire de Saint-Joseph (*Œuvres*, t. 1, Paris, 1949 ; on notera cependant un décalage de deux chiffres dans la numération des chapitres : les ch. 27-42 de l'éd. critique correspondent aux ch. 29-44 de la traduction, dont nous indiquerons seulement la pagination).

Retrouvant la tradition patristique et lui donnant une saveur mystique, Thérèse commence par exprimer sous forme de louange les relations intimes entre le Père et le Fils auxquelles nous participons par grâce : « O mon Seigneur, comme vous paraissez Père d'un tel Fils et comme votre Fils paraît Fils d'un tel Père... O Fils de Dieu et mon Seigneur, comme vous nous donnez au nom de votre Père tout ce qui peut se donner, puisque vous voulez qu'il nous prenne pour ses fils » (27, 1-2, p. 265 ; trad. p. 717-718). Les mots « Qui êtes aux cieux » introduisent l'exposé sur l'oraison de recueillement où « l'on n'a pas besoin de paroles », mais de se mettre en solitude pour parler à Dieu comme à un Père.

« En ce mode d'oraison, même s'il se fait vocalement, bien vite se recueille l'entendement, et c'est une oraison qui apporte de grands biens : on l'appelle recueillement parce que l'âme recueille toutes ses puissances et entre en elle-même avec son Dieu... Alors, l'âme peut penser à la Passion, se représenter le Fils et l'offrir au Père, sans fatiguer l'entendement en le cherchant sur le Calvaire, le Jardin ou la Colonne » (28, 2-4, p. 268-269 ; p. 722-723). L'âme devient comme un palais céleste, où elle demeure librement, à condition cependant qu'elle s'abandonne totalement à Dieu comme son bien propre (28, 11-13, p. 271-272 ; p. 726-727).

Le ch. 30 applique à l'oraison de quiétude les deuxième et troisième demandes. Thérèse affirme que ce mode d'oraison peut s'accorder même avec la prière vocale ; elle en donne pour preuve l'expérience d'une sœur (ou la sienne propre ?) : « Elle employait plusieurs heures à dire quelques Pater en songeant aux mystères où Notre Seigneur a répandu son sang...

et je vis que, fidèle à dire le Pater, elle était parvenue à l'oraison de pure contemplation et le Seigneur l'élevait jusqu'à la conjoindre à lui dans l'union » (30, 7, p. 277 ; p. 735).

Le ch. suivant décrit avec plus de précision l'oraison de quiétude, avec son retentissement corporel, en particulier la difficulté de multiplier les paroles : « dire un seul Pater demandera une heure ». L'âme et Dieu sont en effet si proches que la communication s'établit par signes plutôt que par des paroles (31, 3, p. 279 ; p. 738-739). Alors « vie active et contemplative vont de pair... : la volonté est à l'œuvre – sans savoir comment elle œuvre – et en sa contemplation les deux autres puissances (mémoire et entendement) assurent le service de Marthe, de telle façon qu'elle et Marie sont unies » (31, 5, p. 279-280 ; p. 739-740). La multiplication des prières vocales est ici inutile et nuisible : « vous faites mieux en prononçant de temps en temps une seule parole du Pater qu'en le disant plusieurs fois à la hâte » (31, 13, p. 282 ; p. 745).

La troisième demande invite à laisser *librement* Dieu accomplir sa volonté en la nôtre : « O mes amies, quel gain en cela et quelle perte à ne pas accomplir ce que nous disons au Seigneur dans le Pater ! » (32, 4, p. 284 ; p. 748). Le modèle est ici le Christ à Gethsémani (32, 6, p. 284 ; p. 749). Offrir sa volonté au Seigneur, non pas en paroles mais en actes, dans l'acceptation généreuse des épreuves, conduit à une communion totale de la volonté humaine à la volonté divine ; c'est le « ravissement » (*arrobamiento*). Alors Dieu « commence à traiter l'âme avec une si grande amitié que non seulement il lui rend sa volonté mais lui donne en même temps la sienne propre... Dieu fait ce pourquoi elle le prie, comme elle-même fait ce que Dieu lui commande » (32, 13, p. 287 ; p. 752). Seulement, cette communion ne relève point des forces humaines ; elle est un don de Dieu, auquel disposent la simplicité, l'humilité et la prière : « que votre volonté soit faite » (32, 14, p. 287 ; p. 753).

Notons seulement deux traits dans la suite du commentaire. Le pain que nous demandons est « le Pain de vie », c'est-à-dire la Présence eucharistique que le Père offre chaque jour (33, 3, p. 289 ; p. 755-756). Thérèse ajoute des conseils pour l'action de grâces après la communion : « Lorsque le Seigneur voit ceux qui vont profiter de sa présence, il se découvre à eux ; et bien qu'ils ne le voient pas avec les yeux du corps, il a de multiples moyens de se montrer à leur âme par grands sentiments intérieurs et par différentes voies. Restez avec lui de bon cœur ; ne perdez pas une occasion si favorable de traiter avec lui durant le temps qui suit la communion... C'est le bon moment pour que le Seigneur nous enseigne et que nous l'entendions... et le suppliions de ne pas s'éloigner de nous » (34, 11, p. 294 ; p. 763-764).

Thérèse insiste ensuite sur « *comme* nous pardonnons » ; d'ailleurs celui qui a dit du fond du cœur : que votre volonté soit faite, « doit avoir déjà pardonné ou du moins avoir la détermination de le faire » (36, 2, p. 298 ; p. 770).

Terminons par la remarque qui ouvre le ch. 37 : « Il y a bien lieu de louer le Seigneur, tant est sublime en perfection cette prière évangélique... Je suis stupéfaite de voir qu'en si peu de paroles est contenue toute la contemplation et toute la perfection, si bien qu'il semble que nous n'ayons pas besoin d'étudier d'autres livres, mais seulement celui-ci. En effet, le Seigneur m'y a enseigné toute manière d'oraison et de haute contemplation, depuis le commencement avec l'oraison vocale jusqu'à la quiétude et à l'union... On pourrait faire un grand livre sur l'oraison à partir d'un fondement si solide » (37, 1, p. 302-303 ; p. 778).

5° DE NOS JOURS, cette veine mystique de l'interprétation du Pater n'est pas épuisée. On la retrouve par exemple dans la *Méditation du Pater* par le carme Paul-Marie de la Croix (Paris, 1961 ; cf. sa notice *infra*). L'ouvrage se veut accessible à tous les chrétiens ; il recueille en outre les meilleurs éléments de la tradition, se nourrit de la même sève scripturaire et patristique et déploie toutes les dimensions théologiques et spirituelles de la Prière du Seigneur, en particulier son aspect trinitaire et sa valeur universelle. En de nombreux passages cependant (vg, p. 13, 29-31, 33-34, 60-61, 71, 169, 179, 191, 194, 287), l'auteur souligne, par touches discrètes, l'élévation progressive de la prière par cette « méditation ».

Citons seulement quelques extraits qui, en commentant la traduction littérale de la troisième demande « comme elle est faite au ciel, également sur la terre », évoquent l'anticipation de son accomplissement « dans la vision de celui que nous verrons alors *face à face* (1 *Cor.* 13, 12) et *tel qu'il est* (1 *Jean* 3, 2) » :

« Cette connaissance, cette contemplation, cette vision nous permettront de découvrir que Dieu est Amour... Cette vie de l'Amour, si elle ne doit connaître son épanouissement qu'au ciel, peut et doit cependant commencer à se réaliser dès ici-bas, et c'est à faire vivre et à développer cet amour dans les âmes que s'emploie essentiellement et en dernière analyse la volonté de Dieu. Sans doute, restera-t-elle toujours pour nous enveloppée de mystère, mais un chrétien ne doit pas s'en tenir là ; il ne doit pas renoncer à se faire de la volonté de Dieu une notion plus profonde ; non seulement pour mieux la réaliser, mais encore pour s'y unir plus intimement et plus parfaitement. La grâce insigne des mystiques et des saints est d'avoir reçu des lumières sur ce qu'est l'essence même de la vie céleste, et d'avoir compris que quelque chose de cette vie peut et doit être vécu dès la terre... Une fausse idée de l'amour fait qu'on l'identifie plus ou moins avec ses manifestations extatiques ou passives ; alors qu'au ciel comme sur la terre, il consiste à *faire la volonté de Dieu*. Les saints, eux, ne s'y sont jamais trompés. L'ayant expérimenté, ils ont perçu que son activité suprême était dans l'union des volontés. En pratiquant celle-ci, ils ont eu la certitude de commencer à vivre d'une vie toute céleste dès ici-bas » (p. 168-170).

Par manière de CONCLUSION, relevons la *continuité* fondamentale dans les commentaires du Pater. Ceux des Pères sont assurément les plus riches. Mais si les auteurs postérieurs ont souvent repris et répété les éléments variés de cette richesse, ils ont su l'actualiser pour leur époque, aussi bien sous la forme savante ou élevée des commentaires théologiques et mystiques que sous la forme populaire des commentaires catéchétiques, et cela vaut aussi pour les Réformateurs. Le Pater reste la prière par excellence des chrétiens, de tous les chrétiens : c'est aujourd'hui la prière œcuménique que prononcent ensemble les membres des diverses confessions. Du fait de ses attaches avec la prière juive, le Pater peut aussi être la prière de tous les « fils d'Abraham », expression de leur foi en un Dieu personnel qui est Père en même temps que Créateur, exigence d'amour filial envers ce Père et d'amour fraternel envers tous les hommes.

**Commentaires récents.** – E. Lohmeyer, *Das Vaterunser*, Zurich, 1952 ; trad. amér., New York, 1952. – R. Guardini, *Das Gebet des Herrn*, Mayence, 1932 ; trad. franç. J. Ancelet-Hustache, *La prière du Seigneur*, Paris, 1952 ; *Gebet und Wahrheit, Meditationen über das Vaterunser*, Wurtzbourg, 1960 ; trad. franç. J. A.-H., *Prière et vérité. Médita-*

*tions sur le N. P.,* Paris, 1966. – H. Schürmann, *Das Gebet des Herrn,* Fribourg/Brisgau, 1958 ; trad. franç., Paris, 1965 (exégétique). – L. Évely, *N. P.,* Paris, 1956, plusieurs rééditions. – F. Thalhammer, *Gelebtes Gebet. Gedanken zum Vater Unser,* Vienne, 1959. – H. van den Bussche, *Le N. P.,* Bruxelles, 1960. – Paul-Marie de la Croix, *Méditation du Pater,* Paris, 1961. – F.M. Willam, *Die Welt vom Vaterunser aus gesehen,* Fribourg/Brisgau, 1961 ; trad. franç., *Le Pater, prière moderne,* Mulhouse, 1963.

Raïssa (et Jacques) Maritain, *Notes sur le Pater,* Paris-Bruges, 1962. – A.M. Carré, *Le Pater pour le monde* (conférences de Notre-Dame, 1964), Paris, 1965. – G.F. Vicedom, *Gebet für die Welt. Das Vaterunser als Missionsgebet,* Munich, 1965. – S. Laubarède, *N. P., formule-clé du salut de l'univers,* Toulouse, 1966. – F. Refoulé, J. Dupont, P. Bonnard, *N. P. La Prière œcuménique,* Paris, 1968. – J.M. Cabodevilla, *Discursos sobre el Padrenuestro,* Madrid, 1971. – J. Carmignac, *A l'écoute du N. P.,* Paris, 1971 (condensé pour un large public des *Recherches sur le Notre Père,* cité *supra*). – A. Royo Marín, *La oración del cristiano,* Madrid, 1975 (2ᵉ partie).

RE, t. 20, 1908, p. 431-445 (J. Haussleiter). – DACL, t. 12, 1936, col. 2244-55 (H. Leclercq). – EC, t. 9, 1952, col. 943-46 (G. Stano). – RGG, t. 6, 1962, col. 1235-38 (W. Jannasch). – LTK, t. 10, 1965, col. 624-29 (J. Gnilka ; J.A. Jungmann). – *Sacramentum mundi,* t. 4, 1969, col. 1147-52 (Kl. Berger). – NCE, t. 10, 1967, p. 829-31 (J.A. Grassi). – DES, t. 2, 1976, col. 1361-65 (C. Sorsoli).

Aimé SOLIGNAC.

# PATERNITÉ DE DIEU. – I. *Étude biblique.* – II. *Réflexion théologique et spirituelle.*

## I. ÉTUDE BIBLIQUE

La croyance en la paternité divine semble être extrêmement ancienne et très répandue, aussi bien dans la prière des primitifs que dans le langage des religions antiques les plus développées, en particulier dans le monde sémitique. De nombreux textes, prières et hymnes, portent à croire que, dès la plus haute antiquité, l'homme s'est représenté la divinité sous des images de parenté, le plus souvent sous celle d'un père ; il l'invoque à ce titre, comme un Être proche et intimement mêlé aux vicissitudes de sa vie. Avec le temps, cette conception primitive des pères divins, issue du sentiment religieux de l'homme, s'est de plus en plus affinée, jusqu'au moment où Dieu lui-même a révélé le secret de son Être véritable. A l'intérieur de la Révélation elle-même, on constate une évolution de plus en plus claire dans la représentation de la paternité de Dieu et de nos relations avec lui. – 1. *Ancien Testament.* – 2. *Évangiles synoptiques.* – 3. *Première communauté chrétienne.*

1. **Ancien Testament.** – Dans l'onomastique hébraïque, expression de l'ancienne piété familiale et tribale commune à tous les Sémites, l'emploi du titre de père et d'autres titres de parenté (frère, oncle) est assez courant et d'une époque très reculée, comme l'attestent les noms théophores formés sur le thème de la parenté (relevé dans W. Marchel, *Abba, Père,* 1ᵉ éd., p. 27-33). Par contre, dans les écrits de l'ancien Testament, on remarque une réserve frappante à cet égard : « père » est le seul terme de parenté qui sert à désigner Yahvé, Dieu d'Israël. Yahvé n'est jamais invoqué sous le titre de père-mère, ni jamais censé avoir une déesse parèdre, comme en ont les dieux des autres Sémites. En outre, comparativement

aux parallèles sémitiques, le titre de père, appliqué à Yahvé, n'apparaît que rarement (*Deut.* 32, 6 ; 2 *Sam.* 7, 14 ; *Ps.* 68, 6 ; 89, 27 ; *Jér.* 3, 4.19 ; 31, 9 ; *Is.* 63, 15-16 ; 64, 7 ; *Mal.* 1, 6 ; 2, 10 ; *Tobie* 13, 4 ; *Sir.* 23, 1.4 ; 51, 10 ; *Sag.* 14, 3).

Ce titre comporte des particularités bien significatives : 1) il n'est explicitement attribué à Yahvé qu'à partir de l'époque prophétique (à laquelle le cantique *Deut.* 32 semble appartenir en raison de son contenu) ; 2) à part les textes qui se rapportent au roi, représentant de la nation (2 *Sam.* 7, 14 ; *Ps.* 89, 27), c'est habituellement par rapport à Israël en tant que nation personnifiée, ou aux Israélites en tant que membres de la nation, donc au sens collectif, que Yahvé est appelé père ; 3) ce n'est que très rarement, seulement dans le Siracide et la Sagesse, livres de l'époque hellénistique, que l'on peut relever le mot « Père » sur les lèvres d'un individu. En outre, avant l'époque hellénistique, l'épithète de Père ne se présente jamais comme une invocation directe à la paternité de Dieu, ni à titre individuel, ni à titre collectif.

Par son caractère singulier, éthico-moral et historique, l'idée de la paternité divine dans l'ancien Testament se place à un niveau incomparablement supérieur à toutes les conceptions semblables rencontrées dans les autres religions.

1º LA GENÈSE ET LE SENS ORIGINAL DE LA PATERNITÉ DE DIEU. – Tandis que la croyance en la paternité divine, commune aux anciens Sémites, remonte à une époque fort lointaine et que sa genèse est difficile à expliquer, dans l'ancien Testament elle est au contraire liée à des faits historiques et sa genèse ressort des textes eux-mêmes. Bien que l'épithète soit tardive, l'idée elle-même de la paternité de Dieu vis-à-vis d'Israël est beaucoup plus ancienne.

Elle se manifeste dès l'origine de l'existence historique d'Israël comme peuple élu : depuis le Sinaï, et même auparavant (cf. *Ex.* 4, 22-23), Yahvé est le Dieu propre d'Israël. Il en est le Père, non pas en tant que Créateur de tous les hommes, mais en tant que, dans un amour particulier, il est créateur de l'existence nationale d'Israël, par son élection et par l'Alliance conclue d'abord avec les Patriarches, puis d'une façon tout à fait singulière au Sinaï. C'est précisément dans ce sens que plus tard le cantique de Moïse repensera l'histoire de la nation élue : « N'est-il pas ton Père, celui qui t'a donné l'être, lui qui t'a acquis et par qui tu subsistes ? » (*Deut.* 32, 6).

Les faits de l'élection et de l'Alliance dominent la pensée religieuse de l'ancien Testament. C'est cette élection gratuite d'Israël « parmi toutes les nations » (*Deut.* 7, 6), issue de l'amour et de la miséricorde de Dieu (7, 7-15), qui donne une signification profonde à la notion vétérotestamentaire de la paternité divine. Liée aux faits historiques, elle se présente comme une paternité exclusive et propre au peuple d'Israël. Quand celui-ci devient peuple élu, fils premier-né (*Ex.* 4, 22), Yahvé devient son Père d'une manière unique. A l'origine donc, la paternité divine semble exprimer une relation d'appartenance réciproque et d'union religieuse entre le peuple choisi et son Dieu : autorité et protection de la part de Yahvé, soumission et fidélité de la part de son peuple, « premier-né ».

Diverses raisons ont empêché l'usage antérieur de cette épithète de Père. En effet, étant connue des autres Sémites, l'idée de la paternité divine n'était pas sans danger : trop liée à des représentations courantes chez les peuples polythéistes, elle était incompatible avec le monothéisme absolu d'Israël. Du fait qu'elle pouvait être comprise au sens naturel ou au sens d'une relation individuelle avec une divinité particulière, et ainsi prêter à équivoque, cette terminologie n'était pas apte à exprimer la relation originale, créée par l'élection, entre Yahvé et son peuple en tant que collectivité. Cette réserve peut s'expliquer aussi, en partie, par le fait qu'originellement le titre de père était réservé aux ancêtres d'Israël, pères de la race.

2° L'APPROFONDISSEMENT DE L'IDÉE DE LA PATERNITÉ DIVINE. – A cette notion fondamentale de la paternité de Dieu, le Deutéronome et les prophètes apportent un approfondissement notable, d'une part en mettant en lumière l'amour paternel de Dieu, d'autre part en insistant sur le caractère éthico-moral de la filiation d'Israël.

Certes, multiples et différents sont les aspects sous lesquels la paternité divine se manifeste dans l'ancien Testament ; pourtant tous ces aspects, bonté et longanimité, fidélité et vérité, miséricorde et justice, font ressortir, d'une manière ou d'une autre, l'amour paternel de Dieu. D'ailleurs, parmi les textes où Yahvé est nommé Père, deux ou trois seulement parlent de son droit de domination (*Mal.* 1, 6 ; *Tobie* 13, 4 ; peut-être *Mal.* 2, 10) ; ailleurs ce titre est l'expression de l'amour et de la bonté.

Cet amour se révèle dès les origines du peuple élu. C'est Yahvé lui-même qui, « d'une main puissante et d'un bras étendu » (*Ex.* 32, 11 ; cf. *Deut.* 7, 8), fait sortir d'Égypte son fils « premier-né » (*Ex.* 4, 22-23) ; il « l'adopte au pays de la steppe, il l'élève, le garde comme la prunelle de son œil » (*Deut.* 32, 10-11) ; il le protège et le soutient (7, 8) ; il l'instruit (8, 5). Même quand Israël se détourne de son créateur et Père (32, 18), celui-ci ne le délaisse pas (cf. *Ex.* 34, 6-7).

Parmi les prophètes, c'est d'abord Osée qui met en relief l'amour paternel de Dieu. Bien qu'on ne trouve pas chez lui le terme de Père appliqué à Dieu, l'idée de la paternité divine est bien présente et elle reçoit un approfondissement sans précédent. L'image de la paternité divine, comme celle de l'époux et de l'épouse (*Osée* 2, 4-18), sert à exprimer d'une manière sublime, avec tendresse et poésie, l'amour de Yahvé pour Israël. Manifesté dès la sortie d'Égypte, mis souvent en épreuve par les infidélités d'Israël (11, 1-2), c'est cet amour paternel qui finalement l'emporte (11, 8-11 ; 2, 1).

De même Jérémie, dès le commencement de sa mission, tout en combattant l'infidélité de ses coreligionnaires, s'efforce de leur faire comprendre l'amour persévérant de Dieu. Au début, le peuple choisi était fidèle (*Jér.* 2, 1-3), mais à peine arrivé dans la terre promise, il a trahi son « Père et l'ami de sa jeunesse » (3, 4), en se livrant à l'idolâtrie (2, 4-13 ; 3, 19-21). Cependant, malgré toutes les trahisons, infidélités ou ingratitudes d'Israël, Yahvé, lui, reste fidèle à ses promesses ; son inébranlable amour est toujours prêt à pardonner à son peuple (3, 14.22), à le protéger, le délivrer de la captivité d'une manière merveilleuse (cf. *Isaïe* 43, 5-7), et le ramener de l'exil (*Jér.* 31, 9).

D'après Isaïe, l'amour de Yahvé pour son peuple surpasse même l'amour naturel d'une mère pour son enfant (*Isaïe* 49, 15 ; cf. *Jér.* 31, 20). Que cet amour soit si tenace, si persévérant, les paroles de Dieu lui-même l'expliquent : « Dans un amour éternel j'ai pitié de toi, dit Yahvé, ton Rédempteur » (*Isaïe* 54, 8). La prière d'Isaïe (63, 7-64, 11), tendre effusion de l'âme repentante, est aussi confession de la véritable paternité de Dieu. Fidèle à ses promesses malgré

les infidélités de ses fils, Yahvé reste leur Père et son amour est inébranlable. Il est plus véritablement Père que les ancêtres : il est le seul vrai Père d'Israël. En dévoilant les traits les plus remarquables de la paternité divine, ce message constitue une excellente préparation à la révélation néotestamentaire concernant le Père.

3° LA PATERNITÉ DE DIEU DANS LE SIRACIDE ET LA SAGESSE. – Au cours des siècles, l'aspect d'obligation morale et religieuse s'est approfondi de telle façon que la fidélité exigée est devenue le critère de la véritable filiation divine. Aux approches de l'ère chrétienne, alors que les Juifs sont exposés aux persécutions et aux influences de l'hellénisme, la fidélité des uns et l'infidélité des autres conduisent à une nouvelle conception de la filiation. Ce n'est plus le titre d'enfant d'Israël qui en est la base, mais bien des valeurs intérieures et personnelles ; celles-ci justifient le titre de fils et l'invocation de Dieu comme Père. Celui qui vit vertueusement croit être en droit d'appeler Dieu « son » Père, comme en témoignent le *Siracide* (23, 1.4 ; 51, 10), la *Sagesse* (2, 16-18 ; 14, 3) et quelques apocryphes de l'époque.

1) Le livre du *Siracide* conservant l'idée ancienne de la paternité de Dieu à l'égard du peuple élu en tant que collectivité, donne aux conceptions traditionnelles des accents nouveaux. La sollicitude particulière que le Pentateuque, les prophètes et les livres sapientiaux portent aux pauvres et aux éprouvés, est ici mise en relation avec la paternité divine. Dieu, « Père des orphelins » (*Ps.* 68, 6), est aussi Père de celui qui, à son imitation, se fait défenseur de la veuve et de l'orphelin ; il l'aime comme son fils, d'un amour plus tendre encore que l'amour maternel (4, 10 ; cf. *Isaïe* 49, 15 ; *Ps.* 103, 13). Ce trait prépare l'idée qui en découle immédiatement : les hommes qui mènent une vie juste sont nommés les fils de la Sagesse divine personnifiée (4, 11). Pour être fils de Dieu, pour l'avoir comme Père et jouir de sa protection, il faut que cette filiation se fonde sur des valeurs intérieures.

La prière du Siracide (22, 27-23, 6), qui date du dernier quart du 2e siècle avant J.-C., offre le plus ancien exemple biblique de l'invocation de Dieu comme Père à titre individuel : « Seigneur, Père et Maître de ma vie... » (23, 1.4). Ce texte marque un enrichissement par rapport aux données antérieures : le Père de la nation devient le Père de l'individu.

2) Le livre de la *Sagesse,* composé en grec au premier siècle avant J.-C., reste aussi fidèle aux idées traditionnelles (cf. 9, 7 ; 11, 10 ; 12, 19 ; 16, 2) ; cependant, il va plus loin et donne à l'idée de la paternité divine un sens universel : Yahvé, tout en demeurant Père d'Israël à titre privilégié, est aussi, par sa bonté, sa miséricorde et sa Providence universelles, Père de tous, Père de tout (11, 23-24 ; 15, 1) : « C'est ta providence, ô Père, qui guide le vaisseau en mer » (14, 3). Cette vue universaliste a été annoncée par quelques textes antérieurs (*Jér.* 12, 16 ; *Ps.* 47 ; 50, 12 ; 145, 9 ; *Isaïe* 40-45, cf. DS, t. 10, col. 1354-55). Toutefois, c'est dans le livre de la Sagesse qu'elle apparaît pour la première fois de manière explicite. Si les Juifs pouvaient entendre l'invocation de *Sag.* 14, 3 dans le sens traditionnel, celle-ci, parce que formulée en termes conformes aux usages grecs, était aussi susceptible d'atteindre les lecteurs païens, auxquels la représentation d'un Dieu, Père juste et bon, n'était pas étrangère.

On trouvera des compléments (avec bibliographie) dans W. Marchel, *Abba, Père ! La Prière du Christ et des chrétiens* (Analecta Biblica 19), Rome, 1963, p. 5-97 ; 2e éd. refondue, 1971, p. 21-97 ; *Abba, Vater. Die Botschaft des N. T.,* Düsseldorf, 1963 ; trad. franç., *Dieu Père dans le N.T.* (Lire la Bible 7), Paris, 1966, p. 11-36 ; autres traductions.

Pour les religions non bibliques, RGG, t. 6, 1962, col. 1232-33 (G. Mensching). – M.P. Nilsson, *Vater Zeus,* dans *Archiv für Religionswissenschaft,* t. 35, 1938, p. 156-71. – J.S. Mbiti, *Concepts of God in Africa,* Londres, 1970, p. 91-95. – *Das Vaterbild in Mythos und Geschichte, Das Vaterbild im Abendland, Vaterbilder in Kulturen Asiens, Afrikas und Ozeaniens,* 4 vol., H. Tellenbach éd., Stuttgart-Berlin-Cologne-Mayence, 1976-1979.

M.-J. Lagrange, *La paternité de Dieu dans l'A.T.,* dans *Revue biblique,* t. 17, 1908, p. 481-99. – R. Gyllenberg, *Gott der Vater im A.T. und in der Predigt Jesu,* dans *Studia Orientalia,* t. 1, 1926, p. 51-60. – J. Ziegler, *Die Liebe Gottes bei den Propheten,* Münster, 1930. – F.E. Barker, *The Fatherhood of God,* dans *The Church Quarterly Review,* t. 132, 1941, p. 174-96. – J.L. McKenzie, *The Divine Sonship of Israël and the Covenant,* dans *Catholic Biblical Quarterly* = CBQ, t. 8, 1946, p. 320-331. – P. Dalbert, *Die Theologie der hellenistisch-jüdischen Missionsliteratur unter Ausschluss von Philo und Josephus* (Theologische Forschung 4), Hambourg-Volksdorf, 1954. – L. Moraldi, *La paternità di Dio nell'A. T.,* dans *Rivista biblica italiana,* t. 7, 1959, p. 44-56.

H. Van den Bussche, *La ballade de l'amour méconnu,* dans *Bible et vie chrétienne,* n. 41, 1961, p. 18-34. – D.J. McCarthy, *Notes on the Love of God in Deuteronomy and the Father-Son Relationship between Yahweh and Israël,* CBQ, t. 27, 1965, p. 144-47. – J.J. Ortigosa, *Dios como Padre en el A. T.,* dans *Revista Biblica* (Argentine), t. 30, 1968, p. 83-91. – Cl. Orrieux, *La paternité de Dieu dans l'A. T.,* dans *Lumière et Vie* = LV, t. 20, 1971, p. 59-74. – A. Delaye, *La paternité de Dieu dans l'A. T.,* dans *Carmel,* n. 9, 1972, p. 7-35. – A. Schenker, *Gott als Vater-Söhne Gottes,* dans *Freiburger Zeitschrift für Philosophie und Theologie,* t. 25, 1978, p. 1-55.

## 2. La paternité de Dieu d'après les évangiles synoptiques.

– L'idée vétérotestamentaire de la paternité de Yahvé préparait la voie à la révélation définitive apportée par le Christ, Fils de Dieu. Son message, enseignements et actions, révèle la vraie paternité de Dieu, tant par rapport au Fils unique que par rapport aux hommes. C'est ce dernier aspect que nous étudierons d'abord, mais on verra qu'il se fonde sur la révélation de Jésus comme Fils de Dieu, en fonction de l'œuvre du salut.

1° LE MESSAGE DE JÉSUS CHRIST CONCERNANT LE PÈRE. – Le Dieu qui, dans l'ancien Testament, s'est fait connaître comme Seigneur, Saint, Dieu de toute la terre, Éternel, Sauveur et Père d'Israël, reçoit habituellement dans la prédication de Jésus le nom de Père. Mais l'idée de ce Père, telle que Jésus la propose, n'est à confondre ni avec celle que se faisaient déjà de Dieu les anciens philosophes, ni avec celle de certains courants modernes, qui ont tendance à ne voir en Dieu Père que sa bonté. C'est un Dieu qui se révèle comme Père du Christ, et comme Père des hommes, qu'il a décidé de réintégrer dans la maison paternelle pour en faire ses enfants. Pour réaliser ce dessein il a envoyé son propre Fils (*Jean 3, 16 ; Gal. 4, 4 ; Rom. 8, 3*).

Dès le commencement de sa mission historique, Jésus appelle les hommes à la conversion, à se décider entre l'empire du Mal et le Royaume de Dieu (*Marc 1, 15*). L'objet principal de sa prédication, d'après les synoptiques, est la foi au Père céleste. Tout en employant une appella-

tion traditionnelle de Dieu comme « notre Père qui est aux cieux », appellation connue de ses premiers disciples, Jésus lui confère pourtant un sens tout nouveau : en tant que Fils, il est seul à posséder la connaissance plénière du Père et il est seul à avoir le pouvoir et la mission de le révéler (*Mt. 11, 27*). Cette révélation du Père par Jésus, le Fils, ne se fait pas en savants discours sur l'être et les attributs de Dieu. Ce qui la caractérise, c'est sa simplicité, de sorte qu'elle « échappe aux sages et aux habiles » et qu'elle est reçue par les « tout petits » (*Mt. 11, 25*).

1) *La bonté du Père ne fait pas d'exception.* – Dieu est le Père de tous et de chacun, sans distinction entre Israélite et non-Israélite, entre bon et méchant : « Votre Père qui est aux cieux... fait lever son soleil sur les méchants et sur les bons, et tomber la pluie sur les justes et les injustes » (*Mt. 5, 45 ; Luc 6, 35*). Ce thème de la bonté et de la miséricorde du Père tient dans le message de Jésus une place de choix et, comparativement à ses parallèles vétérotestamentaires, est marqué d'une originalité sans précédent. Trois aspects d'importance capitale s'en dégagent.

a) La promesse de la miséricorde divine est d'ordinaire mise en relation avec *l'exigence du pardon du prochain.* Il faut cependant mettre l'accent sur l'absolue gratuité de la miséricorde de Dieu. En effet, *Mt. 6, 14-15* (« Oui, si vous pardonnez aux hommes leurs manquements, votre Père céleste vous pardonnera aussi... »), qui développe la sixième demande du Pater (*Mt. 6, 12 ; Luc 11, 4*), ne signifie pas que Dieu pardonne automatiquement si nous pardonnons au préalable.

En réalité, il s'agit seulement d'une condition indispensable à la prière (cf. *Mt. 5, 23-24*), et non d'un droit sur le pardon de Dieu. Quant au futur biblique (« votre Père céleste vous pardonnera aussi »), il a le sens d'une promesse qui ne limite en rien la liberté de Dieu. Son pardon est toujours un don libre et gratuit. D'ailleurs, la relation entre pardon humain et pardon divin est exactement inverse. Dieu, le Père de Jésus Christ, nous a pardonné le premier, et c'est pourquoi il exige que nous ayons pitié d'autrui. C'est ce qu'annonce la parabole du débiteur impitoyable (*Mt. 18, 21-35*). La miséricorde divine, en créant *une relation* toute particulière entre le Père et les hommes, devenus fils, et *une communauté* de frères, exige, de la part des hommes, le pardon de leurs fautes réciproques (cf. art. *Pardon, supra,* col. 208-214).

b) Les évangiles parlent surtout de *l'amour paternel de Dieu pour ceux qui sont égarés et perdus.* La parabole de l'enfant prodigue (*Luc 15, 1-32*) l'exprime d'une façon incomparable.

Le Père ne se contente pas d'attendre patiemment le retour de son fils, il va à sa recherche (15, 3-9), il court au-devant de lui, se jette à son cou, l'embrasse et, sans le moindre reproche, l'accueille sous le toit paternel avec une joie débordante : « il fallait bien festoyer et se réjouir, puisque ton frère que voilà était mort et il est revenu à la vie ; il était perdu et il est retrouvé ! » (15, 32). Jésus annonce par cette parabole qui est le Père céleste, son inconcevable amour pour ce qui est perdu, amour qui se manifeste, depuis les origines et de différentes manières, tout au long de l'Histoire du salut, surtout dans la Passion et la mort de son Fils unique.

c) Enfin, ce qui distingue le plus le message évangélique sur la bonté de Dieu, c'est *le lien indissoluble de la paternité avec la personne et l'œuvre de Jésus.* Étant donné que dans la parabole du fils prodigue le rôle rédempteur du Christ n'est pas explicitement mentionné, il pourrait sembler que l'homme prenne par ses propres forces la décision de rentrer à la maison du Père. Cette impression est trompeuse. En effet, Jésus a raconté ses paraboles dans le cadre d'une annonce actuelle du Royaume ; elles ne doivent donc pas mettre en évidence une vérité intemporelle mais bien celle d'un événement précis et concret, c'est-à-dire la révélation de la grâce de Dieu qui, *hic et nunc*, s'accomplit en la personne de Jésus. En outre, par ces paraboles Jésus justifie sa propre attitude envers les pécheurs et les égarés. Par son comportement et son témoignage, il rend tangible la bonté paternelle de Dieu au milieu des hommes. Ainsi, par lui et par son œuvre, l'amour du Père atteint les hommes, en les invitant à rentrer au foyer paternel et à commencer une vie nouvelle. La notion de la médiation de Jésus Christ va se préciser dans d'autres écrits du nouveau Testament, en particulier dans les lettres de Paul.

2) Dans un passage didactique (*Luc* 12, 16-32 ; cf. *Mt.* 6, 25-33) sur *la sollicitude paternelle* de Dieu, Jésus conclut : « Ne cherchez donc pas, vous non plus, ce que vous mangerez ou boirez ; ne vous tourmentez pas. Car ce sont là toutes choses dont les païens de ce monde sont en quête ; mais votre Père sait que vous en avez besoin. Aussi bien, cherchez son Royaume, et cela vous sera donné par surcroît » (*Luc* 12, 29-32). Ce passage ne signifie pas que l'on puisse attendre de Dieu, en récompense de la piété, une vie sans soucis et sans peine. En fait Jésus caractérise ici deux attitudes diamétralement opposées à l'égard des choses matérielles, l'inquiétude païenne et celle que doivent observer les disciples : chercher le Royaume de Dieu. « S'inquiéter », comme les païens, c'est oublier l'unique nécessaire (*Luc* 10, 41), se limiter aux nécessités matérielles de vie et s'y perdre. Plus importante, plus urgente que le souci de la nourriture et du vêtement, est la recherche de Dieu et de son Royaume. Plus nécessaire et plus nourrissante pour l'homme que le pain quotidien, est sa relation avec Dieu.

Mais comment chercher le Royaume du Père ? Il est évident que le comportement des animaux et des plantes n'est pas proposé comme norme d'agir pour gagner le Royaume. La phrase sur l'insouciance des oiseaux n'a que valeur de comparaison : « Combien plus valez-vous que les oiseaux ! » (*Luc* 12, 24). Les paroles de Jésus reviennent à dire : si Dieu prend soin des créatures insignifiantes, ne fait-il pas beaucoup plus pour les hommes ? Le but véritable de la comparaison est de montrer l'évidente sollicitude de Dieu pour tous les êtres de ce monde. En effet, le Père céleste sait ce dont les disciples ont besoin (*Luc* 12, 30), avant qu'ils le lui demandent (*Mt.* 6, 8).

Mais la sollicitude paternelle de Dieu ne s'arrête pas là. Jésus annonce la Bonne Nouvelle : « Car il a plu à votre Père de vous donner le Royaume » (*Luc* 12, 32). Dans ce Royaume, il se révèle vraiment Père : sa miséricorde s'applique à tous et à chacun en particulier, par un amour personnel. A côté de ce Royaume, que le Père nous donne par son Fils, les conditions extérieures de la vie présente deviennent secondaires. Tout en continuant à travailler, comme les autres, et même s'il est astreint à des tâches très dures, le chrétien n'a pas à s'angoisser, à craindre, à s'inquiéter comme les païens, non parce qu'il attend de Dieu des avantages terrestres, mais parce qu'il se sait guidé par la Providence et appelé à entrer dans le Royaume du Père pour participer à sa Royauté.

3) Dans son Royaume, le Père céleste agit *selon d'autres normes* que celles des hommes. Jésus l'illustre par la parabole des ouvriers envoyés à la vigne (*Mt.* 20, 1-16).

En donnant aux derniers venus le même salaire qu'aux autres, le maître de la vigne fait preuve d'une bonté qui surpasse la justice, sans pourtant léser celle-ci. C'est ainsi qu'agit le Père céleste : même quand sa bonté paraît incompatible avec le sens humain de l'égalité, le Père n'est jamais injuste envers personne ; sa libéralité manifeste la gratuité de son amour. La manière dont Dieu récompensera chaque homme en particulier est mise en relief dans un passage qui traite des œuvres de piété : aumônes, prières, jeûnes (*Mt.* 6, 1-6.16-18). Dieu y reçoit une appellation unique dans toute la Bible : « *ton Père qui voit dans le secret* ». Avec cette désignation, la révélation néotestamentaire atteint un sommet : le Père céleste connaît chaque homme en particulier et agit envers lui selon les intentions du cœur.

4) « *Soyez parfaits comme votre Père céleste est parfait* ». – Le grand dessein de salut, c'est que Dieu a pitié de l'homme, veut l'adopter comme son enfant (*Gal.* 4, 1-6), le faire participer à sa Royauté (*Luc* 12, 32). Dans le Sermon sur la montagne, Jésus proclame les lois fondamentales de ce Royaume et précise les conditions pour y entrer. En terminant son interprétation de la loi mosaïque (*Mt.* 5, 20-47), il exige de ses disciples d'être « parfaits comme (leur) Père céleste est parfait » (5, 48). Or, nous ne pouvons nous faire une idée de la perfection du Père qu'à travers la révélation faite par le Christ (*Mt.* 11, 27) : à travers ses enseignements, ses actions et son comportement pendant sa vie sur terre. A cette lumière la perfection du Père qui est proposée aux disciples comme modèle à imiter, prend des aspects très concrets et humains : celle d'un Dieu qui, depuis les origines, s'est révélé tout proche des hommes, fidèle à ses promesses et persévérant dans son amour (cf. *supra*), bon et miséricordieux, un Dieu de paix et de réconciliation (cf. *Rom.* 5, 10) ; surtout celle d'un Dieu qui est vraiment Père de tous et de chacun en particulier.

Jésus y revient avec insistance : il faut accomplir la volonté du Père (*Mt.* 7, 21-27), imiter sa bonté et sa miséricorde (*Mt.* 5, 7 ; *Luc* 6, 36), pardonner aux hommes leurs manquements (*Mt.* 6, 12 ; *Luc* 11, 4), du fond du cœur et toujours (*Mt.* 18, 21-35), tendre une main fraternelle en signe de réconciliation (*Mt.* 5, 23) et de paix (5, 9). Dans les engagements pris, surtout à l'égard d'une personne aimée (cf. *Mt.* 5, 27-28.31-32 ; 19, 4-6), le chrétien doit suivre l'exemple de la fidélité inaltérable de Dieu (cf. *Osée* 2, 21-22 ; 11). Entre les disciples, doivent régner la sincérité et la confiance réciproques, basées sur la véracité, et non pas la méfiance des uns à l'égard des autres (*Mt.* 5, 33-37). Jésus est venu anéantir le règne du mensonge et du mal, et « rendre témoignage à la vérité » (*Jean* 18, 37) ; dès lors, Dieu n'est plus témoin à l'occasion d'un serment (comme dans l'ancien Testament), mais toujours et à chaque moment de la vie de l'homme. On ne peut participer à la perfection du Père et lui ressembler qu'en vivant en accord total avec la vérité.

Dans son discours à propos des œuvres de piété (*Mt.* 6, 1-6.16-18), Jésus demande à ses disciples de les accomplir « dans le secret ». Ainsi, en faisant le bien uniquement pour l'amour du bien et pour la gloire de Dieu, et non en vue d'être « remarqué » ou « honoré » des hommes, le chrétien peut espérer que le Père céleste, qui connaît les vraies intentions de chacun, révélera le bien resté secret sur la terre et le rétribuera.

Enfin, le plus important dans l'imitation de la perfection du Père céleste est la loi d'amour universel (*Mt.* 5, 44-45 ; *Luc* 6, 35), qui doit animer nos relations avec les autres hommes. Ainsi se formera dans le chrétien l'attitude vraiment filiale, celle d'un fils qui vise à se transformer selon l'image de son Père céleste. Tel est l'idéal de la vie chrétienne, si bien que la mesure de notre perfection sera celle de la charité, dans la ressemblance au Père et à son Fils Jésus (cf. DS, art. *Perfection*).

2° LA RELATION ENTRE JÉSUS ET SON PÈRE. – Le fait le plus remarquable et absolument unique dans le message néotestamentaire, c'est que Jésus, en révélant le Père, se fait en même temps connaître comme Fils de Dieu. Les déclarations qu'il fait sur lui-même, ses prières surtout, livrent peu à peu le secret de sa relation singulière à Dieu et, en même temps, font pénétrer dans le mystère de la vie divine.

1) *Les déclarations de Jésus antérieures à sa prière de Jubilation.* – Déjà les paroles de Jésus au temple permettent de deviner le secret de sa personne et de sa mission : en affirmant qu'il se doit « aux affaires de son Père » (*Luc* 2, 49), Jésus laisse entendre qu'il entretient avec Dieu une relation d'un ordre à part. Cette première constatation devient plus claire au cours de sa prédication publique. Jésus n'identifie jamais sa position par rapport au Père à celle de ses auditeurs. Il a soin de distinguer entre le Père de ses disciples, d'une part, et « son » Père, d'autre part (« mon Père » : 14 exemples en *Mt.*, 4 en *Luc*, 25 en *Jean*). Sauf en *Mt.* 6, 9, où il s'agit d'ailleurs d'une prière enseignée aux disciples, on ne l'entend jamais dire « notre Père », même pas après la Résurrection (*Jean* 20, 17).

En outre, Jésus ne parle de sa relation au Père qu'avec grande réserve. D'après les synoptiques, excepté en *Luc* 2, 49, il semble que Jésus n'ait jamais nommé Dieu « mon Père » avant la prière de Jubilation, prononcée très probablement après l'épisode de la Confession de Pierre. Cette remarquable réserve s'explique très bien si on l'interprète en fonction d'une période d'adaptation de Jésus à la mentalité de ses auditeurs. Ceux-ci, même ses disciples les plus proches, n'étaient pas préparés à comprendre le secret de sa filiation divine.

Cependant, dès le début de son ministère, la personnalité divine de Jésus transparaît dans ses actions et dans ses paroles. Il enseigne avec autorité, non pas au nom de Yahvé comme les prophètes, mais en son propre nom (*Mt.* 5, 22.28 ; etc.) ; il se révèle maître du sabbat (*Marc* 2, 28) ; son enseignement, de même que sa manière de parler, stupéfait les auditeurs (*Jean* 7, 46). Ses œuvres font soupçonner qu'il possède la puissance divine et qu'il en dispose souverainement (cf. *Marc* 1, 31.41 ; 4, 35-41 ; *Luc* 5, 17 ; etc.).

Jésus s'appelle lui-même le « Fils de l'homme ». D'après les évangiles, il est seul à employer ce titre, bien qu'avec une évidente réserve avant la Confession de Pierre. Se rattachant aux descriptions des livres de Daniel et d'Hénoch, ce titre révèle de façon discrète, mais de plus en plus clairement, le caractère messianique et divin de Jésus, et en même temps sa relation unique à Dieu. C'est cela sans doute qui a finalement conduit ses disciples à une profession de foi dans sa messianité, selon *Marc* (8, 29) et *Luc* (9, 20), et, d'après *Matthieu* (16, 15), à la confession de sa divinité. Dès lors, Jésus parle plus ouvertement ; à la Transfiguration, la voix du Père affermit la foi des disciples privilégiés : « Celui-ci est mon Fils bien-aimé » (*Marc* 9, 7 ; *Mt.* 17, 5 ; cf. *Luc* 9, 35 ; 2 *Pierre* 1, 17-18). Ainsi, de même qu'au baptême de Jésus (*Marc* 1, 10 ; *Mt.* 3, 16 ; *Luc* 3, 22), le Père lui-même révèle l'identité réelle et la dignité de son Fils bien-aimé, et, en même temps, la relation personnelle et réciproque qui les unit depuis toujours. C'est en vertu de cette relation personnelle au Père que Jésus peut révéler la vraie paternité de Dieu. Tandis que dans l'ancien Testament les hommes inspirés ne proclament la paternité de Dieu qu'au nom de Yahvé, dans le nouveau Testament, au contraire, c'est le Père lui-même qui se révèle au monde par son Fils unique, bien-aimé.

2) *La prière de Jubilation de Jésus.* – La prière d'action de grâces, nommée aussi prière de Jubilation ou encore « logion johannique » (*Mt.* 11, 25-30 ; *Luc* 10, 21-22), qui se situe après les événements de Césarée et du Tabor, est certainement le témoignage le plus important et le plus significatif donné par Jésus sur sa propre personne. Cette prière, de caractère profondément sémitique et traditionnel et en même temps d'accent si original, permet de découvrir un mystère entièrement nouveau : la réciprocité parfaite du Père et du Fils, et par suite la dignité suréminente de Jésus. Dans le texte de Matthieu, ce logion se divise en trois strophes ; la deuxième est le sommet de la révélation du mystère : « Tout m'a été remis par mon Père (27a), et nul ne connaît le Fils si ce n'est le Père (27b), comme nul ne connaît le Père si ce n'est le Fils (27c), et celui à qui le Fils veut bien le révéler (27d) ».

La transmission de la souveraineté universelle au Fils (« tout m'a été remis ») comporte à la fois la communication du pouvoir universel (affirmée en d'autres textes) et celle d'une connaissance parfaite du mystère de Dieu (27bc). Cette transmission est si totale qu'elle permet à Jésus d'appeler Dieu « mon Père » (27a). Tandis que dans les versets 25-26 l'accent portait sur le Père qui accorde la lumière intérieure à ceux qui acceptent l'Évangile de Jésus, dans le verset 27 c'est le Christ dans son rôle de Fils qui devient le centre d'intérêt. Lui seul est connu du Père, connaît le Père et peut le révéler.

Seuls le Père et le Fils se connaissent réciproquement et d'une manière transcendante, preuve d'une véritable égalité, voire d'une identité dans la connaissance (H. Mertens, *L'hymne de Jubilation*, p. 58 svv. ; Spicq, *Dieu et l'homme*, p. 80-81). C'est ce que le distique en question, par son parallélisme sémitique, veut mettre en relief, l'accent portant sur la seconde partie de la phrase : « personne... si ce n'est le Fils ». Lui seul possède la connaissance du Père en propre, en plénitude et d'une manière transcendante. Et puisqu'il en jouit de façon exclusive, non seulement lui seul connaît le Père comme Père, mais lui seul aussi, en sa qualité de Fils, connaît ce qu'est le Père en tant que « son » Père. Seul Jésus peut donc révéler le vrai caractère de la paternité divine et faire participer les hommes à sa propre connaissance, mais d'une manière imparfaite, et dans la mesure de son vouloir : « à qui le Fils veut bien le révéler ».

De la sorte, Jésus apparaît comme le Médiateur indispensable et unique pour arriver à la « connaissance » du Père au sens biblique du mot à tout ce qu'elle comporte. Parce qu'il y a entre Jésus et le Père une unité parfaite et sans égale, la révélation du Père par le Fils est aussi la révélation du Fils par lui-même.

3) *Abba*. – A l'intérieur de cette révélation de la vie divine, le terme « Abba » devient l'expression la plus caractéristique du secret de la relation de Jésus au Père. Ce secret transparaît déjà lors des grands événements de la vie terrestre du Christ, comme le Baptême ou la manifestation lumineuse du Tabor, mais il se dévoile plus clairement encore dans les prières de Jésus. Les évangiles décrivent à plusieurs reprises Jésus donnant à Dieu dans sa prière le titre de Père. Si Marc seul (14, 36) a conservé le terme original araméen, Abba, il semble pourtant probable que ce terme commande toutes les communications de Jésus avec son Père.

Tirant son origine de la langue familière, Abba désigne le père au sens du diminutif (plus ou moins comme notre « papa »), aussi bien qu'au sens d'appellatif (« père ! ») ou d'appellatif-possessif (« mon père ! »). En employant ce terme (*Marc* 14, 36 et déjà *Mt.* 11, 25-26 ; *Luc* 10, 21 etc.), Jésus a inauguré une prière dont l'originalité tient non seulement au fait qu'il s'agit d'une prière à titre individuel, mais encore à la formule même, sans précédent dans la piété israélite. Pour Jésus, c'est la prière par excellence, unique.

Comment Jésus a-t-il pu prier Dieu en se servant du langage propre aux relations humaines ? D'où lui vient cette intimité avec Dieu ? La réponse à ces questions, Jésus lui-même la donne dans sa prière de Jubilation. Expression de la conscience filiale de Jésus, le terme Abba, plusieurs fois repris au cours de sa vie, fait découvrir le secret de son être, de sa filiation divine : Dieu est son Père au sens propre. En appelant Dieu Abba, Jésus nous introduit dans le mystère de sa personnalité unique, de sa relation personnelle à Dieu ; il communique en même temps le Mystère du Père. Abba est donc le terme révélateur de la vie divine, un terme de portée transcendante, une des affirmations théologiques les plus profondes du nouveau Testament.

T.W. Manson, *The Teaching of Jesus*, 2ᵉ éd., Cambridge, 1935. – W. Koester, *Der Vatergott in Jesu Leben und Lehre*, dans *Scholastik*, t. 16, 1941, p. 481-95. – G. Quell, G. Schrenk, Πατήρ, dans Kittel, t. 5, 1954, p. 946-1016. – H.F.D. Sparks, *The Doctrine of the Divine Fatherhood in the Gospels*, dans *Studies in the Gospels* (Essays in Memory of R.H. Lightfoot), Oxford, 1955, p. 241-62. – I. Bonfigli, *Padre mio e Padre vostro*, dans *Vita cristiana*, t. 25, 1955, p. 289-302. – L. Lochet, *Charité fraternelle et vie trinitaire*, NRT, t. 88, 1956, p. 113-34. – H.W. Montefiore, *God as Father in the Synoptic Gospels*, dans *New Testament Studies* = NTS, t. 3, 1956/57, p. 31-46. – M.-E. Boismard, *Dieu notre Père*, dans *Grands thèmes bibliques*, Paris, 1958, p. 67-75. – P. Schruers, *La paternité divine dans Mt. 5, 45 et 6, 26-32*, dans *Ephemerides theologicae lovanienses* = ETL, t. 36, 1960, p. 593-624. – C. Spicq, *Dieu et l'homme selon le N. T.* (Lectio divina 29), Paris, 1961. – J. Jeremias, *Die Botschaft Jesu vom Vater* (Calver Hefte 92), Stuttgart, 1968. – W. Marchel, *Dieu Père dans le N.T.*, cité *supra*, p. 37-88.

L. Cerfaux, *Les sources scripturaires de Mt. 11, 25-30*, ETL. t. 30, 1954, p. 740-46 ; t. 31, 1955, p. 331-42. – A. Feuillet, *Jésus et la Sagesse divine d'après les évangiles synoptiques*, dans *Revue biblique*, t. 62, 1955, p. 161-96. – A. George, *Le Père et le Fils dans les évangiles synoptiques*, LV, n. 29, 1956, p. 27-40. – J. Guillet, *L'action de grâces du Fils*, dans *Christus*, t. 4, 1957, p. 438-53. – H. Mertens, *L'Hymne de Jubilation chez les Synoptiques (Mt. 11, 25-30-Luc 10, 21-22)*, Gembloux, 1957. – B.M.F. Van Iersel, *« Der Sohn » in den synoptischen Jesusworten. Christusbezeichnung der Gemeinde oder Selbstbezeichnung Jesu ?*, Leyde, 1961. – W. Grundmann, *Matth.* xi, *27 und die johanneischen « Der Vater-Der Sohn »-stellen*, NTS, t. 12, 1965, p. 42-49. – C. Gennaro, *« Il Padre mio e il Padre vostro »*, dans *Mistero del Dio vivente*, éd. E. Ancilli, Rome, 1968, p. 73-81. – F. Gogarten, *Die Frage nach Gott*, Tübingen, 1968, p. 175-210. – C.G. Greig, *Abba and Amen : Their Relevance to Christology*, dans *Studia evangelica* v = TU 103, Berlin, 1968, p. 3-13.

J. Jeremias, *Abba. Untersuchungen zur neutestamentlichen Theologie und Zeitgeschichte*, Göttingen, 1966, p. 15-67, 145-48 ; trad. franç. partielle, *Abba, Jésus et son Père*, Paris, 1972 ; trad. ital. *Abba*, dans *Supplemento al Grande Lessico del N.T.*, t. 1, Brescia, 1968. – W. Marchel, *Abba, Père !...*, 2ᵉ éd. (Analecta biblica 19A), Rome, 1971.

3. **La paternité de Dieu dans la première communauté chrétienne.** – Il faut maintenant porter notre attention sur l'importance du Père dans les épîtres de Paul et l'évangile de Jean. Nous nous limiterons aux aspects qui mettent mieux en relief l'originalité des idées de la première génération chrétienne concernant la paternité divine.

1° LE PÈRE DANS LES ÉPÎTRES DE PAUL. – Le nom de Père est appliqué à Dieu 42 fois dans les épîtres de Paul et 2 fois dans l'épître aux Hébreux ; 24 fois dans les épîtres catholiques et 5 dans l'Apocalypse. Ces nombreux emplois montrent la place toute particulière que le Père tenait dans la pensée religieuse des premiers chrétiens. Ils avaient pris l'habitude d'invoquer Dieu comme leur Père, comme en témoignent la première épître de *Pierre* (1, 17) et de nombreuses formules de prière dans les lettres de Paul. Trois traits capitaux s'en dégagent.

1) *Le Père de notre Seigneur Jésus Christ*. – A la différence des Juifs qui, dans leurs prières liturgiques, invoquaient Dieu comme Père, mais comme Père d'Israël, les chrétiens, « nouvel Israël », invoquent Dieu comme Père de notre Seigneur Jésus Christ. Parmi les diverses formules liturgiques, certaines se réfèrent explicitement au « Dieu et Père de notre Seigneur Jésus Christ » (2 *Cor.* 1, 3 ; 11, 31 ; *Éph.* 1, 3 ; cf. *Rom.* 15, 6 ; *Col.* 1, 3 ; *Éph.* 1, 17 ; 1 *Pierre* 1, 3).

Cette façon de s'exprimer a chez saint Paul une raison bien précise. Pour lui, la formule « Dieu est le *Père du Seigneur* Jésus Christ » signifie que sa paternité est en relation avec l'acte d'institution de Jésus comme Seigneur lors de son exaltation (*Phil.* 2, 9-11 ; cf. *Hébr.* 7, 28 : « le Fils rendu parfait pour l'éternité »). Dieu se révèle comme Père en ressuscitant Jésus d'entre les morts, en l'exaltant et l'instituant Seigneur sur le monde entier. D'ordinaire, les titres de Père et de Fils apparaissent en relation avec le message de la Résurrection (cf. *Actes* 13, 33 ; *Rom.* 1, 1-4) ; le rapport de la paternité de Dieu avec la Résurrection du Christ est parfois explicitement marqué (*Rom.* 6, 4 ; *Gal.* 1, 1).

L'Apôtre semble en cela poursuivre une idée très précise. En ressuscitant et exaltant Jésus, le Père lui a transmis la Royauté. Mais, à la fin de l'économie du salut, Jésus doit la remettre à Dieu le Père (1 *Cor.* 15, 24 ), après avoir détruit toutes les forces hostiles « afin que Dieu soit tout en tous » (15, 28). Si donc le titre de Père fait partie du message de la Résurrection, c'est parce que, en inaugurant la Royauté du Christ, elle introduit en même temps au terme final du salut, lorsque se révélera la gloire du Père (cf. *Éph.* 1, 17 ; *Rom.* 6, 4 ; *Phil.* 2, 11), sa toute puissance universelle. Dans cette perspective des derniers temps, le nom de Père, « Père de gloire », prend un aspect eschatologique.

2) *Dieu, notre Père.* – Tout en connaissant l'usage juif, les premiers chrétiens considèrent néanmoins l'invocation de Père comme un trait caractéristique de leur foi. En effet, éclairés par l'Esprit, ils ont graduellement pris conscience de leur union au Christ. Ils vivent en conséquence une relation au Père semblable à celle de Jésus : c'est parce que Dieu est le Père de Jésus Christ qu'il est aussi « leur » Père. Telle est l'idée maîtresse qui domine la pensée des premiers chrétiens. Dans les prières, Jésus Christ est le plus souvent associé au Père ; en outre, Paul n'appelle jamais Dieu « notre » Père sans parler du Christ dans le contexte.

Plusieurs indices suggèrent que tout cela n'a été saisi que progressivement. Dans les lettres aux Thessaloniciens, Paul suggère que le Père de Jésus Christ est aussi notre Père (1 *Thess.* 1, 3 ; 3, 11-13 ; 2 *Thess.* 1, 1 ; 2, 16). D'autres formules semblent marquer un progrès notable, telles les invocations présentées sous forme de souhaits au commencement des épîtres (1 *Cor.* 1, 3 ; 2 *Cor.* 1, 2 ; *Rom.* 1, 7 ; *Phil.* 1, 2 ; *Philm.* 3 ; etc.).

En général, on les traduit de la façon suivante : « A vous, grâce et paix de par Dieu notre Père et le Seigneur Jésus Christ » ; Jésus est ainsi placé sur le même plan que le Père. Cependant une autre traduction est possible : « A vous, grâce et paix de par Dieu (qui est) notre Père et celui du Seigneur Jésus Christ » ; elle est proposée par quelques exégètes modernes (S. Lyonnet, *Exegesis epistulae ad Romanos, Cap.* I-IV, 2e éd., Rome, 1960, p. 17-18 ; cf. C. Spicq, *Deuxième épître aux Corinthiens,* dans *La Sainte Bible,* t. 11/2, Paris, 1951, p. 308). En 2 *Cor.,* au souhait de la grâce et de la paix de par Dieu notre Père et (celui) du Seigneur Jésus Christ (1, 2), fait immédiatement suite une bénédiction qui loue le Père et nous fait comprendre que ce « notre Père », est précisément « le Père de notre Seigneur Jésus Christ » (1, 3). Non seulement le donné philologique, mais le contexte lui-même appuient la seconde interprétation (voir aussi *Éph.* 1, 3). En nous plaçant de la sorte à côté du Seigneur dans nos rapports au Père, elle laisse percer la conviction naissante chez les premiers chrétiens, explicitement formulée par Paul (*Rom.* 8, 29), d'avoir un Père commun avec Jésus Christ.

Frères du Christ, nous sommes par lui et en lui fils du même Père. Telle est la foi, entièrement nouvelle, de la première communauté chrétienne : elle explique pourquoi la mention de « notre Père » évoque immédiatement chez l'Apôtre la pensée de notre Seigneur Jésus Christ ; en dernière analyse, elle fait comprendre que Dieu ne peut être pensé comme *notre* Père en dehors de Jésus Christ.

3) *La prière Abba.* – Il est significatif que, très tôt après l'ascension, les premiers chrétiens ont repris l'invocation dont le Seigneur lui-même s'était servi : Abba (cf. *Gal.* 4, 6 ; *Rom.* 8, 15). Or, aucun texte – à part le cas, d'ailleurs hypothétique, du *Pater* selon Luc (11, 2) – ne relate que Jésus ait jamais enseigné explicitement aux disciples de reprendre sa propre prière. Il appartenait donc aux premières générations d'en prendre l'initiative, en approfondissant progressivement la nouvelle relation qui les unissait au Christ et au Père. En effet, au lendemain du retour de Jésus auprès de son Père, un nouveau mouvement, fondé sur le message évangélique, commence à s'épanouir. Lors de la célébration du repas eucharistique, les chrétiens prennent conscience dans la foi de la présence de Jésus au milieu des siens.

Ils prient « au nom de Jésus » (*Actes* 9, 14), comme lui-même l'a conseillé (*Jean* 14, 13-14) ; parfois ils lui adressent directement leurs prières (*Actes* 7, 59). L'exclamation araméenne *Maranatha* (1 *Cor.* 16, 22 ; *Didachè* 9, 4 ; 10, 6) semble être, à cause de sa saveur primitive, de grande importance. On peut l'interpréter soit comme une confession exprimant le vif sentiment de la présence eucharistique du Christ : « le Seigneur est venu » (cf. *Phil.* 4, 5) ; soit comme une prière ou plutôt un appel : « O notre Seigneur, viens ! » (cf. *Apoc.* 22, 20).

De toute manière, en confessant Jésus comme leur Seigneur, les chrétiens confessent implicitement la mystérieuse union qui les lie à lui. Si, de son vivant, ils n'en avaient pas une conception claire, après la Pentecôte, sous l'action de l'Esprit, Esprit du Christ (*Gal.* 4, 6), et à la lumière de certaines paroles du Seigneur (*Mt.* 25, 40 ; *Actes* 9, 4-5 ; cf. *Mt.* 10, 40 ; 18, 5 ; *Luc* 10, 16), ils ont approfondi le sens de leur nouvelle existence et expérimenté cette action continuelle de l'Esprit, à laquelle Paul fait appel (*Gal.* 4, 6 ; *Rom.* 8, 15). Dès lors, ils firent leur dans la prière le mot de Jésus, Abba, dont ils conservèrent le souvenir en raison du sens très particulier qu'il revêtait à leurs yeux.

Dans la prière de Jésus, le terme Abba nous a permis de pénétrer dans le secret de son être, de sa filiation divine. De même, dans la prière des chrétiens, ce même mot fait comprendre le sens profond de leur *adoption* : ils sont vraiment et réellement fils de Dieu (*Rom.* 8, 16 ; 1 *Jean* 3, 1). Préparée par le livre de la Sagesse, transformée essentiellement par la prédication de Jésus, l'adoption filiale, telle que Paul la présente, comporte une filiation réelle, fondée sur notre union au Christ, Fils de Dieu par nature (*Rom.* 8, 10-15), et donc une participation par grâce à cette filiation (cf. J. Huby, S. Lyonnet, *Épître aux Romains,* coll. Verbum Salutis, 2e éd., Paris, 1957, p. 611 ; S. Zedda, *L'adozione...,* p. 152-53). L'adoption filiale nous introduit dans une intimité semblable à celle qui unit un père et son fils, et dans des relations tout à fait nouvelles avec Dieu ; bien plus, elle transforme intérieurement tout notre être au point de nous assimiler au Fils de Dieu et de nous donner ainsi de participer à la vie divine elle-même (cf. S. Lyonnet, *Les épîtres de saint Paul aux Galates et aux Romains,* coll. Bible de Jérusalem, 2e éd., Paris, 1959, p. 34, note f.).

Par là même, la prière « Abba » dévoile le mystère de *la vie trinitaire en nous.* Notre filiation s'accomplit en effet par l'union au Christ, par l'incorporation au Christ (*Gal.* 3, 27) et en quelque sorte, par notre identification avec lui (*Gal.* 2, 20). Cette union est tellement intime que nous ne formons avec lui qu'« un seul être vivant » (*Gal.* 3, 28). L'invocation que Jésus adressait au Père au cours de sa vie terrestre, il continue de la prononcer, par son Esprit, dans les cœurs des fils de Dieu (*Gal.* 4, 6). C'est cette action de l'Esprit en nous qui opère notre régénération, notre adoption filiale (cf. Zedda, p. 140-44), et entraîne du même coup notre union au Père et au Christ. En vertu de cette présence de l'Esprit, nous participons à la vie, à la fois trinitaire et humaine, du Christ Dieu-Homme. Unis au Christ, nous continuons sa prière au Père : par le Fils, dans l'Esprit, nous invoquons Dieu comme Abba (*Rom.* 8, 15).

2° LE PÈRE DANS L'ÉVANGILE DE JEAN. – Un simple coup d'œil sur l'emploi du titre de Père appliqué à Dieu dans les évangiles (*Marc,* 5 fois ; *Luc,* 17 fois ; *Mt.* 44 fois, dont 17 dans le seul Sermon sur la montagne ; *Jean,* 118 fois) suggère que Matthieu et Jean ont voulu mettre en lumière ce qui leur a paru plus important dans le message de Jésus. Jean surtout, dont l'évangile représente un stade de réflexion plus avancé, en fait le nom par excellence de Dieu. Pourtant il emploie seulement le nom de Père lorsqu'il rapporte les paroles de Jésus ou lorsqu'il médite lui-même sur la relation du Fils à Dieu.

1) Le point le plus important, pour Jean, n'est pas l'affirmation que Dieu est Père, mais bien l'affirmation inverse : *le Père révélé en Jésus Christ est le « seul véritable Dieu »* (17, 3). Il s'agit avant tout de la divinité du Père et non de la paternité de Dieu. C'est pourquoi dans le Père johannique tous les traits humains (miséricorde, bonté, etc.), si accentués dans les évangiles synoptiques, sont remplacés par des expressions abstraites et théologiques. Il semble que ce déplacement de perspective n'ait pu se produire qu'à la suite d'une interprétation erronée du message chrétien de la paternité divine, interprétation accentuant tellement la différence entre Création et Rédemption, entre ancien et nouveau Testament, que l'unité de la conception de Dieu risquait de se briser. Jean propose une solution originale du problème. D'après lui, la Création n'est pas à considérer comme un acte terminé dans le temps : « Mon Père travaille toujours et moi aussi je travaille » (*Jean* 5, 17). Le Père de Jésus reste le Créateur, même dans l'œuvre de son Fils, considérée comme « accomplissement de l'œuvre du Père » (4, 34 ; 5, 36 ; 17, 4).

Tout en s'appliquant aux miracles, à la révélation du Père ou encore à la réalisation du salut, le concept d'*œuvre*, si caractéristique de l'évangile de Jean, fait penser avant tout à l'œuvre de création (*Gen.* 2, 2). Les œuvres de Jésus sont en relation évidente avec la création et le Créateur : « Le Père qui demeure en moi accomplit les œuvres » (14, 10). Le Père, dans cette perspective, est le Dieu qui continue à opérer dans sa création, qu'il veut achever par son Fils (5, 19). Par conséquent, les miracles de l'Évangile n'apparaissent pas seulement comme « manifestation de la gloire de Dieu » (2, 11 ; 11, 40) ou « manifestation des œuvres de Dieu » (9, 3-4 ; 5, 19-20), mais aussi comme signes d'une création rendue parfaite.

2) Cette *relation intime entre le Fils et le Père*, qu'on vient de constater dans les « œuvres », Jean la détermine encore dans d'autres passages et avec beaucoup de précision. Être Fils, c'est être éternellement « tourné vers le sein du Père » (1, 18 ; cf. 1, de la Potterie, *L'emploi de* εἰς *dans saint Jean et ses incidences théologiques*, dans *Biblica*, t. 43, 1962, p. 379-87). Entre le Père et le Fils, il y a une unité parfaite et transcendante : « Le Père et moi, nous somme un » (10, 30 ; cf. 17, 11.22) ; davantage même, une immanence réciproque : « Je suis dans le Père et le Père est en moi » (14, 11 ; cf. 10, 38 ; 17, 21.23). En vertu de cette union intime le Fils peut scruter l'Être du Père et connaître ses secrets.

3) La mission de Jésus est de *révéler le Père au monde*. – « Sorti du Père » (16, 28) et envoyé par lui dans le monde (3, 17 ; etc.), Jésus parle de ce qu'il a vu auprès du Père (3, 11 ; 8, 38) et il affirme connaître le Père : « Moi, je le connais, parce que je viens d'auprès de lui » (7, 29 ; cf. 8, 55 ; I. de la Potterie, Οἶδα *et* γινώσκω. *Les deux modes de connaissance dans le 4*[e] *évangile*, dans *Biblica*, t. 40, 1959, p. 709-25). Le but final de sa mission est de transmettre cette connaissance : « La vie éternelle, c'est qu'ils te connaissent, toi, le seul véritable Dieu, et ton envoyé, Jésus Christ » (17, 3 ; cf. 10, 14-15). En

se révélant lui-même, Jésus révèle le Père ; il le fait tant par ses œuvres que par ses enseignements. Le rôle le plus important dans cette révélation semble revenir aux discours métaphoriques de Jésus.

En tant que l'envoyé du Père, il peut dire : « Je suis le pain de vie. Qui vient à moi n'aura jamais faim ; qui croit en moi n'aura jamais soif » (6, 35), « Je suis la lumière du monde... » (8, 12), « Je suis le bon pasteur... » (10, 14-15), « Je suis la résurrection et la vie... et quiconque vit et croit en moi ne mourra jamais » (11, 25-26). En raison de son union profonde avec le Père, Jésus ne parle pas seulement au nom de son Père comme un prophète, c'est le Père lui-même qui parle en lui. Ces discours de Jésus sont à la fois révélation de lui-même comme Fils et révélation du Père.

4) *On ne peut donc connaître le Père que par Jésus Christ*. – Connaître intimement Jésus, le Fils, c'est atteindre et connaître en lui le Père : « Voilà si longtemps que je suis avec vous... et tu ne me connais pas, Philippe ! Qui m'a vu a vu le Père » (14, 9 ; cf. 14, 7 ; 8, 19 ; 12, 45). Toute la vie terrestre de Jésus tend à révéler le Père aux hommes, à leur montrer la voie menant au Père ; arrivé au terme, il peut donc dire : « J'ai manifesté ton nom aux hommes » (17, 6 ; cf. v.26). Sans doute, le monde n'a pas reçu le message de Jésus (cf. 1, 10-11), mais l'Évangile ne s'arrête pas à cette douloureuse constatation : « À tous ceux qui l'ont reçu, il a donné pouvoir de devenir enfants de Dieu, à ceux qui croient en son nom... » (1, 12). Ce n'est qu'en croyant en Jésus, à ses paroles et à ses œuvres, que l'homme peut parvenir à la connaissance du Fils qui, au fond, est également celle du Père, à savoir de ce Dieu qui a promis la vie éternelle à tous ceux qui croient en son Fils : « Oui, c'est la volonté de mon Père, que quiconque voit le Fils et croit en lui ait la vie éternelle » (6, 40 ; cf. 3, 16 ; 5, 24 ; 17, 2-3).

CONCLUSION. – L'essentiel de toute religion est constitué par l'idée que les hommes se font de Dieu, de sa personnalité, de la relation qu'il établit avec eux. Si l'idée de la paternité de Dieu est un phénomène religieux universel, dans la Bible elle est marquée d'une originalité dont on chercherait en vain des équivalents hors de la Révélation. Annoncée par l'ancienne Alliance, révélée et réalisée par Jésus Christ, Fils de Dieu, la paternité divine biblique nous introduit dans le mystère de ce qu'est vraiment le Dieu Vivant : ce Dieu qui, dès avant la création du monde, nous a choisis et « nous a prédestinés à devenir pour lui des fils adoptifs par Jésus Christ » (*Éph.* 1, 4-5). Non seulement Jésus nous a fait connaître le Père, mais il nous a apporté le don de la filiation divine : unis au Fils, nous sommes réellement ses frères et en même temps fils du même Père, donc frères entre nous. Notre adoption, de son origine à sa réalisation dernière, est l'œuvre de l'amour et de la miséricorde du Père.

Comme dans la vie de Jésus, de même dans celle des chrétiens la filiation doit s'exprimer dans le témoignage. Au milieu d'un monde tourmenté et angoissé, de ses cruautés et de ses souffrances, les chrétiens ont hérité la tâche de continuer la mission du Fils en révélant le Père. Non pas en adoptant l'attitude du fils aîné de la parabole de « l'enfant prodigue », mais bien celle du Père : Père bon, miséricordieux, plein d'amour. Rendre son message croyable aux hommes éloignés de la « maison du Père », aller à la recherche des frères égarés, voilà la mission qui a été confiée par Jésus à son Église, à tous ses membres et à chacun en particulier (cf. *Jean* 17).

É. Mersch, *Filii in Filio*, NRT, t. 65, 1938, p. 550-82, 681-702, 809-830. – J. Mouroux, *L'expérience de l'Esprit chez s. Paul*, dans *Mélanges de science religieuse*, t. 5, 1948, p. 1-38 ; *L'expérience chrétienne*, Paris, 1952, p. 128-65. – H. Rondet, *La divinisation du chrétien. Mystère et problèmes*, NRT, t. 71, 1949, p. 339-76, 561-88. – S. Zedda, *L'adozione a figli di Dio e lo Spirito Santo. Storia dell'interpretazione e teologia mistica di Gal. 4, 6* (Analecta Biblica 1), Rome, 1952. – R. Guelluy, *Le chrétien, fils adoptif du Père*, dans *Revue diocésaine de Tournai*, t. 8, 1953, p. 425-29. – P. De Haes, *Quonam sensu Deus dicitur Pater noster ?*, dans *Collectanea Mechlinensia*, t. 38, 1953, p. 551-57 ; *Filii in Filio*, ibidem, p. 674-78. – J. Guillet, *Le Christ prie en moi*, dans *Christus*, t. 5, 1958, p. 150-65. – J. Havet, *Dieu notre Père*, dans *Revue diocésaine de Namur*, t. 12, 1958, p. 19-40, 155-69. – A. Hamman, *La Prière*, t. 1, *Le N. T.*, Bruges-Tournai, 1959. – S. Lyonnet, *La sotériologie paulinienne*, dans A. Robert et A. Feuillet, *Introduction à la Bible*, t. 2, 1959, p. 840-49.

P. Dacquino, *Dio Padre e i cristiani figli secondo S. Paolo*, dans *La Scuola Cattolica*, t. 88, 1960, p. 366-74 ; *Lo Spirito Santo ed il cristiano secondo S. P.*, dans *Studiorum Paulinorum Congressus*, t. 1, Rome, 1963, p. 119-29. – A. Duprez, *Note sur le rôle de l'Esprit Saint dans la filiation du chrétien. A propos de Gal. 4,6*, RSR, t. 52, 1964, p. 421-31. – S. Lyonnet, *Exegesis epistulae ad Romanos, Cap. v-viii*, 2ᵉ éd. revue (ad usum auditorum), Rome, 1966. – W. Marchel, *Dieu Père*, p. 113-29 ; *Abba, Père*, 2ᵉ éd., p. 190-225. – DS, art. Paul, *infra*.

W.F. Lofthouse, *Vater und Sohn im Johannesevangelium*, dans *Theologische Blätter*, t. 11, 1939, col. 289-300. – F.-M. Catherinet, *Note sur... Jean 20, 17*, dans *Mémorial J. Chaîne*, Lyon, 1950, p. 51-59. – Donatus ab Hamrun, *An Outline of the St. John's Doctrine on the Divine Sonship of the Christian*, dans *Melita theologica*, t. 8, 1955, p. 1-26 ; t. 9, 1956, p. 14-38. – A. Solignac, *Le Saint Esprit et la présence du Christ auprès de ses fidèles*, NRT, t. 77, 1955, p. 459-90. – J. Giblet, *Jésus et le Père dans le 4ᵉ évangile*, dans *L'Évangile de Jean* (Recherches bibliques 3), Louvain, 1958, p. 111-30. – J. Moingt, *Connaître le Père dans le Fils*, dans *Christus*, t. 12, 1965, p. 195-212. – W. Marchel, *Dieu Père*, p. 130-37. – C. Traets, *Voir Jésus et le Père en lui selon l'évangile de S. Jean* (Analecta Gregoriana 159), Rome, 1967. – DS, art. *Jean l'évangéliste*, t. 8, col. 202-212. – DS, art. *Divinisation, Enfance spirituelle, Esprit-saint, Grâce, Naissance divine*.

Witold MARCHEL.

## II. RÉFLEXION THÉOLOGIQUE ET SPIRITUELLE

En Christ, la paternité de Dieu nous a été révélée comme centre de l'Évangile. Avec elle la foi chrétienne se spécifie dans le concert des religions ; sans elle, elle perdrait ce qui la constitue.

1. **Attaques de la modernité.** – Ce point central de la foi fut frappé de plein fouet par la modernité. Certes d'autres aspects de la vie chrétienne n'échappèrent pas à ce destin ; mais rares furent ceux qui eurent à subir une attaque aussi radicale et aussi largement reçue dans un vaste public. Sans vouloir nous livrer à une analyse exhaustive, nous voudrions mettre en lumière deux courants très différents de cette contestation : un courant freudien d'une part, un courant assez composite de l'autre où se mêlèrent des influences libertaires, anarchistes, nietzschéennes et existentialistes.

1° LE REFUS FREUDIEN DE LA PATERNITÉ DE DIEU. – Il importe de le relever, Freud travailla à partir d'analyses concrètes portant sur des patients concrets. Certes, il généralisa bien vite au delà du champ de pertinence de ses observations et construisit même de grandioses mythologies pseudo-historiques pour tenter de donner une portée universelle à ses observations (cf. son meurtre du père primitif dans *Totem et tabou* ou son assassinat de Moïse par les Hébreux dans *Moïse et le monothéisme*). Mais il ne faut pas en rester là et enterrer trop vite ses remarques : c'est peut-être dans ses travaux les plus quotidiens et les plus éloignés en apparence des faits religieux qu'il interpella de manière décisive la foi chrétienne.

Résumons ses conclusions. La religion est une névrose obsessionnelle universelle pour deux raisons au moins : 1) Elle permet de se réconcilier avec la figure du père : l'inconscient porte la trace du désir œdipien du meurtre du père, de la volonté de s'en débarrasser ou de le réduire à l'impuissance afin de demeurer seul avec la mère. Cette trace est source d'angoisse et fantasmes divers susceptibles de menacer. En projetant la figure paternelle au ciel et en lui vouant un culte, le croyant espère l'apaiser et éloigner de lui toute vengeance possible.

2) Le désir refoulé aimerait bien faire d'une pierre deux coups : l'homme vit dans la finitude (limites imposées par le destin biologique, maladie, mort, limites en avoir et pouvoir dues au poids de la société, etc.). C'est justement l'acceptation de cette finitude qui a permis à l'enfant de sortir de l'œdipe en accédant au langage et à une vie humaine située dans l'espace et le temps. Toutefois cette acceptation coûte cher au narcissisme ! La figure du Dieu-Père, une fois construite, il est possible d'obtenir d'elle guérison, surplus de biens, immortalité, etc. ; c'est-à-dire de dépasser cette finitude si pesante.

Mais à quel prix ? Certes, Freud a bien vu que la morale s'origine aussi dans un processus parallèle ; mais elle a l'avantage d'accommoder au réel et d'ouvrir sur une vie sociale. La religion au contraire projette une figure imaginaire et donne des sécurités irréelles ; elle conduit non à accepter l'histoire mais à la fuir. Elle s'avère donc illusion (cf. *L'avenir d'une illusion*). Il est à noter que Marx aussi, parmi les diverses idéologies, isolait la religion comme fantasmagorie.

On ne pouvait attaquer plus fortement la foi chrétienne en son centre. Nous étudierons plus loin les caractéristiques d'une spiritualité interpellée mais non asservie à la critique freudienne. En attendant, n'évacuons pas trop vite cette parole : si la foi n'advient jamais qu'à un homme, elle ne peut échapper à l'humain et à sa finitude ; et si la névrose est un risque pour chaque homme, la foi ne peut par avance récuser toute atteinte pathologique. De plus, à une époque où le religieux était un des grands lieux où s'investissait encore le sens de la vie des hommes, elle courait inévitablement le risque de voir confluer vers elle les soifs de compensation et les vies marquées par l'échec ou tout au moins par l'insatisfaction. Il est vrai qu'aujourd'hui le risque est moindre, la politique ayant largement supplanté la foi dans le drainage du sens ; il n'est pas réduit à zéro pour autant.

Le travail des théologiens et des philosophes chrétiens a permis de placer l'interpellation freudienne à sa juste place. 1) On a remarqué que la psychanalyse ne pouvait que lire des destins individuels et que toute généralisation tendait à devenir un propos terroriste. On peut dire d'un tel ou d'un tel que son comportement religieux est largement affecté par sa personnalité névrotique ; mais cette constatation ne dit rien sur la piété du voisin.

2) On a remarqué que le freudisme était loin de rejeter la figure du père. Avec le vocabulaire de Jacques Lacan, un successeur de Freud, on peut dire que le père est une figure imaginaire et donc soupçonnable quand elle est pur produit de nos projections et qu'elle se charge de notre refus d'accepter les limites de notre humanité. Le père est par contre une figure *symbolique Autre*, quand il est le lieu d'où surgit une parole qui nous appelle par notre nom, arrache au délire de nous croire origine de nous-mêmes, nous situe dans une destinée d'homme et donc dans l'acceptation d'une finitude humaine. Dans ce dernier cas, il est évident que l'infantilisme réside dans le refus de la paternité et non dans son acceptation : il ne s'agit pas tant de refuser le père que de le bien situer. La transposition théologique pourrait être la suivante : le père imaginaire est l'idole, de métal ou de mental, fabrication de l'homme pour combler un certain nombre de besoins ; le père symbolique est le *Dieu tout autre*, altérité qui parle et permet de parler, qui aime et permet d'aimer, qui libère et inscrit le fidèle dans l'aventure de la libération des hommes.

3) On a de plus compliqué le schéma : aucun homme, face au père, ne se situe dans un statut univoque ; la vie est une marche de l'infantile à l'âge adulte, sans que les limites puissent être atteintes d'un côté comme de l'autre. Il en est de même de la foi chrétienne : elle n'est jamais exempte d'idolâtrie et Dieu est bien souvent le besoin que nous en avons. Marcher dans la sanctification, c'est épurer de plus en plus l'expérience de Dieu comme Père des tentations idolâtres ; c'est l'aimer de plus en plus pour ce qu'il est et non pour ce qu'il peut nous donner en avoir ou en pouvoir. Ainsi, sur chaque vie chrétienne, le verdict freudien n'est ni totalement juste ni totalement faux ; plus exactement il se vérifie de moins en moins au fur et à mesure que le fidèle progresse dans la sanctification. Pour illustrer ce propos, on pourra se reporter aux divers cheminements décrits par plusieurs écoles de spiritualité. A titre d'exemple, la purification de l'amour chez Guillaume de Saint-Thierry, *La contemplation de Dieu* ; ou encore la progression dans la sainteté décrite par Jean Calvin dans l'*Institution chrétienne*, livre III.

4) Il faudrait encore dire un mot de l'inconscient et lever par là de nombreux malentendus : il n'est pas le lieu du ténébreux, du douteux ou du démoniaque ; l'inconscient, c'est du langage qui échappe à ma conscience. Ainsi, la société, l'Église, la famille tiennent sur nous un certain nombre de discours qui traduisent divers projets. La plupart de ces discours nous sont inconscients bien qu'ils jouent un rôle considérable sur notre vie. De plus, quand nous signifions, une partie seulement de notre vouloir-dire trouve à s'inscrire dans les conventions du langage ; l'écart linguistique entre notre dire et notre vouloir-dire est encore l'inconscient.

Il est clair dès lors qu'avoir un inconscient ne relève pas de la catastrophe ou du péché ; avoir un inconscient, c'est être homme et non Dieu. Seul ce dernier n'a pas d'inconscient puisqu'il est totalement un avec son *Logos*, pleinement transparent à son Christ et réciproquement.

Sur le débat avec le freudisme, consulter : P. Ricœur, *De l'interprétation, Essai sur Freud*, Paris, 1965. – J.-M. Pohier, *Au nom du Père*, Paris, 1972. – J. Ansaldi, *La paternité de Dieu, libération ou névrose*, Montpellier, coll. *Cahier d'Études théologiques et religieuses*, 1979.

2° Le refus prométhéen de la paternité de Dieu. – Le maître mot de la contestation est ici celui de liberté. Mais il s'agit d'une liberté inhumaine à force de vouloir être surhumaine, d'une liberté qui ne supporte plus d'être posée par une altérité et qui ne se déclare telle que si elle est auto-création de l'homme par l'homme.

S'originant dans le romantisme avec un Max Stirner † 1856, s'intégrant le courant nihiliste d'un Tourgueniev † 1883, se gonflant des pathétiques affirmations de Fr. Nietzsche (« S'il y avait un Dieu, comment supporterais-je de n'être pas Dieu ? »), le refus du Père débouche dans l'existentialisme sartrien. Là, la paternité de Dieu n'est déjà plus un problème et la paternité tout court doit être refusée. J.-P. Sartre, dans *Les mots*, se présente lui-même comme celui qui a eu la chance de voir mourir son père en bas âge et qui, de ce fait, n'a pas connu les tourments de l'œdipe ! Dans cette logique, le lien interhumain ne repose plus sur grand-chose et André Breton, dans le *Second manifeste du surréalisme* (1930), s'est chargé de conclure : « ...l'acte surréaliste le plus simple consiste, révolver au poing, à descendre dans la rue et à tirer au hasard, tant qu'on peut, dans la foule ».

Il se pourrait néanmoins que cette aventure soit riche d'enseignements pour la spiritualité chrétienne et que la théologie ne sorte pas innocente de l'examen des sources. Comment en est-on venu à faire de Dieu un obstacle à la pleine réalisation de l'homme ? Il semble que progressivement le symbole paternel ait glissé du registre de la parole nommante vers celui de l'avoir-pouvoir : c'est à partir du cléricalisme, du paternalisme, du mandarinat, du totalitarisme que les figures du Père ont été déchiffrées par notre modernité. Mais ces masques grimaçants des figures paternelles n'ont pu s'insinuer puis s'installer confortablement en Occident qu'en s'appuyant sur une paternité divine lue dans le même registre.

Deux moments nous semblent caractéristiques de ce glissement, encore qu'ils n'en aient pas l'exclusivité :

1) La traduction latine du symbole de foi jointe à l'exégèse augustinienne : de l'avis des spécialistes, les auteurs de la confession de Nicée-Constantinople, en parlant du Dieu Père *pantocratôr*, n'entendaient pas parler de sa puissance au sens de pouvoir ; *pantocratôr* désignait plutôt « celui qui maintient toutes choses dans l'Être », le garant des structures de stabilité du monde créé. En ce sens, Paul Tillich, lorsqu'il définit Dieu comme *Ground of Being*, retrouve peut-être une authentique veine conciliaire.

Or, en traduisant ce terme par *omnipotens*, les Églises occidentales tendaient à enfermer Dieu, tôt ou tard, dans le modèle du César romain, mais avec un coefficient de puissance porté à l'infini. Dans ce contexte, et tout à sa lutte contre Pélage, Augustin inaugurait une voie lourde de menaces en inscrivant la dialectique paternité divine-filialité humaine dans le conflit de deux libertés.

2) La pensée nominaliste : Duns Scot aggrava cette problématique en greffant l'arbitraire à l'état pur au sein même de Dieu : les choses sont créées ainsi et pas autrement sans autre raison que la volonté gratuite de Dieu ; un comportement est dit bon ou mauvais sans autre critère que la seule déci-

sion d'un Dieu qui pose les valeurs à partir de sa seule volonté (cf. le thème de la *potentia absoluta Dei*). Quand on sait l'énorme influence que le nominalisme a exercé sur la formation de l'esprit moderne, surtout en matière de philosophie politique, on mesure les conséquences d'une telle problématique.

Un moment, la Réforme parut capable de surmonter partiellement cette fausse dialectique ; ceci ne dura pas. Martin Luther distingua l'œuvre du Dieu providence (*opus alienum*) de celle du Dieu révélé en Christ (*opus proprium*) : certes, Dieu demeure le tout-puissant et de ce fait il agit dans le monde pour le maintenir, le gouverner et conduire l'histoire en toute souveraineté. Mais de cela nous ne pouvons rien connaître ; mieux, nous n'avons pas à nous en soucier, car Dieu n'a pas voulu que nous prissions en considération l'œuvre de sa « main gauche ». Seul le Dieu Père qui nous parle en Jésus Christ et qui nous rencontre aujourd'hui dans l'Église, par l'Écriture et le Sacrement, doit faire l'objet de notre quête. Or là, pas de conflits de puissance possibles ; il est réduit à une Parole qui nous pardonne, nous restitue notre filialité et avec elle notre liberté d'homme (cf. *Traité de la liberté chrétienne*, dans *Œuvres*, t. 2, Genève, 1966 ; cf. aussi *Traité du serf-arbitre*, t. 5, 1958, p. 110-111). On le voit, le *Pater omnipotens* n'était pas nié mais repoussé dans l'inconnaissable, hors des préoccupations de la foi. Cela ne dura pas, avons-nous dit : avec Jean Calvin la problématique augustinienne reprit le dessus et fut poussée jusqu'à ses ultimes conséquences logiques, la double prédestination.

Qu'on ne s'y trompe pas, cette problématique viciée, si elle a largement conduit la modernité à voir dans le Dieu Père un obstacle à la liberté humaine, n'a pas pour autant empêché une multitude de fidèles de vivre cette paternité dans une très grande santé spirituelle. C'est pourquoi, si l'Église entend aujourd'hui retrouver l'expérience de cette paternité divine et aider les hommes à dépasser les malentendus en la matière, elle doit puiser davantage son inspiration dans la spiritualité passée de ses saints que dans sa longue tradition théologique, sur ce point en tout cas.

Sur l'incompréhension humaine de la paternité de Dieu, voir : G. Gusdorf, *Signification humaine de la liberté*, Paris, 1962 (les 2 derniers chapitres) ; – A. Gouhier, *Pour une métaphysique du pardon*, Paris, 1969 (la 1e partie) ; – Art. *Nietzsche*, DS, t. 11, col. 335-344 (P. Valadier).

Sur le sens de pantocratôr : A. de Halleux, *Dieu le Père tout-puissant*, dans *Revue théologique de Louvain*, t. 8, 1977, p. 401-422. – Sur l'influence de Duns Scot : A. de Murat, *La structure de la philosophie politique moderne*, dans *Cahier de la Revue de théologie et de philosophie*, 1978, n. 2.

2. **Approche théologique et spirituelle.** – Dans le magnifique dialogue que rapporte saint Jean (8, 31-59), Jésus affirme que nul n'est sans Père-Tout-Autre : ou le Dieu vivant, ou l'idole diabolique. En effet, l'homme n'accède à une compréhension de soi-même et du monde qu'à partir d'une parole qui vient d'*ailleurs* et qui permet un minimum de synthèse des connaissances et des pratiques. La question est alors de savoir si cette paternité est vraiment d'*ailleurs* ou si elle n'est que la projection dans le ciel de la mégalomanie du désir humain. Dans le premier cas, elle nous restitue notre identité de fils, nous donne les autres comme frères et le monde comme création ; dans le second cas, la paternité est satanique (satan = accusateur), source d'angoisse et de culpabilité ; elle est aussi diabolique (diable = diviseur), source de tensions et de conflits.

1° La paternité de Dieu nous restitue notre identité de fils. – La visée adamique qui nous traverse tous est claire : devenir « comme des dieux », source de soi et auto-législateur. Retrouver Dieu comme Père suppose faire deuil de cette quête d'infinitude, refuser cette tension vers l'auto-divinisation. La condition *sine qua non* est donc ici d'accepter la finitude, les limites de l'intelligence, de l'avoir, du pouvoir, la réalité de la mort ; de plus, il est nécessaire de se reconnaître pécheur et privé de la gloire de Dieu. C'est une des tâches de la Loi divine que de mettre en évidence ce dernier fossé, incomblable par l'homme, d'éclairer le péché comme aliénation radicale et de gommer toute prétention à vouloir se donner un statut acceptable aux yeux de Dieu par un effort moral et religieux. Nous rencontrons là l'expérience que Paul fit de la Loi et de l'impasse du cheminement pharisien (cf. entre autres *Rom.* 7,1-8,1 ; *Gal.* 3 et 4 ; *Phil.* 3, 4-11). Elle ne fut pas que la sienne et l'histoire des Églises chrétiennes atteste largement l'universalité de l'exigence : mesurer l'impasse, connaître le désespoir devant l'effort accompli pour « faire » son identité, fût-ce par idole interposée (cf. Martin Luther, *Préface à la première édition des œuvres latines*, dans *Œuvres*, t. 7, 1962).

Mais une deuxième exigence s'annonce (ne pas oublier que Dieu seul donne ce qu'il ordonne) : il faut certes s'ancrer dans sa propre finitude, mais encore il faut accepter celle de Dieu ! Le propos choque, il faut s'en expliquer. Viser Dieu comme Père dans l'illimitation de son être, de son pouvoir, de son savoir, etc., c'est encore refuser sa propre finitude ; c'est poser une instance capable de m'arracher à mon statut humain ; c'est encore faire de Dieu une idole. Il est symptomatique qu'Israël n'a pratiquement jamais nommé Dieu comme Père avant l'incarnation.

En langage théologique, cette exigence signifie que Dieu ne peut être authentiquement nommé Père qu'en son abaissement en Christ : ce n'est qu'en ce lieu où il est faible, où il s'est réduit volontairement à une Parole, interpellante certes mais sans évidence, que nous pouvons faire l'expérience de la paternité de Dieu hors d'un contexte névrogène. En Jésus Christ, Dieu n'a plus rien à nous donner sur le plan de l'avoir-pouvoir : il est une Parole qui nous appelle par notre nom et qui, par là, fait de chacun de nous un *unique* devant lui. Cette nomination débouche sur une espérance et donc sur un espace de liberté humaine. Il peut nous désigner une route, nous y accompagner et partager nos joies et nos peines ; il ne nous épargne aucune de nos limites, car il n'entend pas nous arracher à notre humanité, mais au contraire nous la restituer, dans sa finitude certes, mais aussi dans la riche palette de ses possibilités.

Il importe de parler encore d'une troisième exigence : nommer Dieu comme Père par Christ, mais aussi en Esprit. Le désir qui nous traverse est désir de l'Autre, de reconnaissance mutuelle. S'il était totalement satisfait dans l'expérience de Dieu, cela entraînerait la fin de l'homme car il n'est d'homme en histoire que porté par un désir. L'Esprit saint est alors la manière d'être de Dieu par laquelle il se rend présent à nos vies, mais d'une présence qui n'étanche pas le désir que nous avons de lui. Contrairement au symbole maternel, la paternité est créatrice de distance et d'individualité ; elle est le refus de l'immédiateté fusionnelle ou du corps à corps. Dans la rencontre, le Père-Tout-Autre se donne comme présent-absent, présent en Esprit.

Cela signifie, entre autres, que dans cette expérience spirituelle nous ne pouvons pas économiser les médiations : le langage de notre confession de foi ou de notre prière n'enferme pas Dieu dans les mots ; il est symbole, désignation à distance. De plus nous ne pouvons pas dépasser non plus les médiations ecclésiales, scripturaires et sacramentelles : toute spiritualité ou mystique qui refuserait ces médiations pour quêter une relation d'immédiateté ne pourrait que conduire l'orant à la rencontre de ses propres projections. Certes, des moments d'anticipation du Royaume peuvent être accordés, de brèves montées sur la montagne de la Transfiguration ; ils ne sont que provisoires et par ailleurs toujours discutables : il fut interdit à Pierre de dresser des tentes sur cette montagne. C'est que le cheminement de la foi n'est pas celui de la vue ; la paternité de Dieu n'arrache pas à l'humain mais y ancre.

Dans ces limitations il ne faut pas voir l'œuvre d'un Dieu qui n'entendrait que sauvegarder sa distance ; tout est fruit de l'amour : en devenant Père par Christ, Dieu inscrit la relation Père-fils loin des conflits de pouvoir où se heurteraient deux libertés ; en devenant Père dans la non-évidence de l'Esprit, il ouvre devant chaque homme une histoire nouvelle possible que ne permettrait pas un étanchement du désir.

2° LA PATERNITÉ DE DIEU NOUS RESTITUE LES HOMMES COMME FRÈRES. – S'il est une chose frappante aujourd'hui, c'est bien le débat sur les *Droits de l'homme* : presque tout le monde s'accorde sur les contenus ; à peu près personne n'arrive à convaincre les autres sur les fondements de ces droits. Il y a de cela une raison simple : la fraternité humaine n'a pas de fondements dans l'horizontalité du monde.

Là, les hommes organisent leur vie autour d'un certain nombre d'idoles qui permettent un minimum de synthèse. Mais parce que ces idoles ne sont que la projection des désirs fourvoyés, elles conduisent à organiser la vie autour de l'agressivité. L'autre y apparaît comme un concurrent ou un allié dans la course à l'avoir-pouvoir ; certainement pas comme un frère. Il est vrai que l'éthique veille et qu'elle institue une relative stabilité et sauvegarde ; mais le verdict freudien ne semble pas dépassable dans cette économie : la coexistence pacifique ne s'obtient que par la pression du groupe mue par la force extérieure ou, au mieux, par son intériorisation en surmoi.

En me permettant sans conditions de l'appeler Père, Dieu m'institue dans l'économie de la grâce et me justifie gratuitement. Je ne peux lui demander de me mesurer avec l'étalon de son amour et mesurer les autres avec l'étalon de la Loi. La gratuité de l'accueil de l'autre est inscrite dans l'accueil que le Père-Tout-Autre m'a réservé.

Devenu fils de Dieu et co-héritier avec le Christ, je ne suis plus esclave mais associé au combat de Dieu. Parce qu'il veut le salut de tous et l'offre à tous, je ne peux que vouloir étendre mon amour aux dimensions du sien.

En Christ Dieu ne lit plus les hommes tels qu'ils sont mais tels qu'ils seront dans son Royaume. Mon regard ne peut plus les enfermer dans un diagnostic au présent ; déjà, en surimpression, se dessine sur eux la silhouette de leur futur destin. Mon regard sur chaque homme se colore d'espérance.

Accueil sans conditions, combat pour l'homme, espérance, nous touchons ici à l'*agapè*. Elle est à l'œuvre depuis toujours à l'intérieur de la Trinité divine ; elle sera le quotidien du Royaume ; il nous est donné de la balbutier dans l'aujourd'hui de notre histoire vis-à-vis de ceux qui nous sont rendus comme frères.

3° LA PATERNITÉ DE DIEU NOUS RESTITUE LE MONDE COMME CRÉATION. – Dire que le monde est création, ce n'est pas d'abord poser une assertion scientifique, affirmer quelque chose sur le commencement chronologique. Israël ne confessa le Dieu créateur qu'au terme d'un long cheminement avec le Dieu libérateur ; l'Église primitive ne parvint à confesser la médiation du Christ dans la geste créatrice que dans l'expérience de la rédemption. Dans l'histoire de la théologie, ce fut la tâche de Thomas d'Aquin que de nous faire mesurer cette distinction : chez lui, la création n'est pas pensée comme être, posée une fois pour toutes en un temps donné, mais comme *relation*. Le monde est création en tant qu'il est inclus dans une relation avec un Dieu qui lui donne une origine, un sens et un avenir (*Somme Théologique*, 1ª, q. 24-25).

C'est dire que l'homme qui n'est pas réconcilié avec Dieu ne tient pas spontanément le monde comme création. Les cosmogenèses que nous connaissons, les travaux de l'histoire comparée des religions, ceux des psychanalystes mettent en évidence un fait indubitable : l'homme projette sur le cosmos les *imagos* maternelles. Il peut certes rationaliser son commencement en posant un Créateur, un horloger sublime, un grand ordonnateur du chaos ; il s'agit là d'idoles permettant d'expliquer le processus ; elles n'économisent pas les projections : la nature est mère. Dès lors, le comportement vis-à-vis du cosmos connaîtra les ambiguïtés propres au comportement vis-à-vis de la mère : attirance et brutal rejet. Cela peut aller, suivant les cultures ou les moments, de l'intégration sans reculs dans les lois naturelles, du « retour » exagéré à la terre jusqu'au sadisme le plus brutal et le plus destructeur de certaines civilisations techniques.

La paternité de Dieu nous rend le monde comme création, disions-nous ; cela signifie qu'il nous le rend comme lieu profane et comme lieu du culte. Ces deux affirmations ne sont contradictoires qu'en apparence.

Un lieu profane d'abord : l'homme est intendant du monde. Sa gestion relève de la raison tranquille car aucune divinité naturelle ne s'y cache qui exigerait un respect religieux ou nécessiterait une agression violente. En Dieu, le cosmos apparaît comme une réalité démystifiée, neutre en soi, offerte à la connaissance et à la pratique humaine (cf. la « déreligionisation » de l'agriculture et de la sexualité opérée par les prophètes d'Israël, particulièrement mais non exclusivement par Osée).

Un lieu de culte ensuite : *Genèse* 1 présente le monde comme un temple cosmique où tous les éléments sont organisés pour offrir l'espace et le calendrier de la célébration de la gloire de Dieu. En lieu et place de la représentation de la divinité païenne, l'homme est placé comme image de Dieu. Sa tâche est ici sacerdotale : recueillir et transformer en louange et intercession la joie et la peine de la création ; recueillir la Parole de Dieu pour la retransmettre à son œuvre et par là lui donner sens. Un grand dialogue liturgique s'institue entre Créateur et création, dialogue dont l'homme est ici constitué

« sacerdote ». En Christ, cette vocation est rendue au chrétien et un grand texte néo-testamentaire nous en fournit l'illustration : après avoir mesuré son impasse (*Rom.* 7), après s'être renouvelé par la réconciliation en Christ (*Rom.* 8, 1), Paul peut retrouver la relation filiale avec Dieu et la liberté qu'elle implique : « Et vous n'avez point reçu un Esprit de servitude pour être encore dans la crainte, mais vous avez reçu un Esprit d'adoption par lequel nous crions : *Abba*, Père » (8, 15). Or, de manière très symptomatique, son cœur s'élargit aussitôt aux dimensions du cosmos pour y discerner ses souffrances et l'attente d'une parole révélante qui lui redonne sens (8, 18-30).

Par la rencontre de Dieu comme Père nous est rendu le monde comme création, comme lieu d'une pratique raisonnable et d'un culte renouvelé, agrandi aux dimensions de l'universel. « Nous est rendu », venons-nous de dire ; certes ! Mais parce que la création ne peut se réduire à un fait passé et datable, mais parce qu'elle est aussi une constante mise en relation du cosmos avec son auteur, nous sommes entraînés dans cette tâche : il faut que le monde advienne sans cesse comme création ! Et dans cette œuvre, les fils sont mobilisés à côté du Père.

La paternité de Dieu nous rend notre identité de fils, les hommes comme frères et le monde comme création. Tout ceci est pleinement inclus dans la Parole par laquelle nous sommes pardonnés, justifiés et adoptés par le Seigneur. Reste que cette affirmation plénière décrit davantage le Royaume que notre réalité quotidienne. Au niveau de notre expérience, notre nomination de Dieu comme Père contient encore peu ou prou l'idole ; dès lors, notre identité, la fraternité et la création ne sont que partiellement vécues en nouveauté. C'est en un cheminement libérateur que nous sommes inclus et non pas en un point d'arrivée. « Allons un chacun selon son petit pouvoir, et ne laissons point de poursuivre le chemin qu'avons commencé. Nul ne cheminera si pauvrement qu'il ne s'avance chaque jour quelque peu pour gagner pays » (Jean Calvin, *Institution chrétienne* III, ch. 6, n. 5, éd. J.-D. Benoit, Paris, 1960, p. 164).

Sur la paternité de Dieu, notre identité, la fraternité des hommes, on pourra lire : H. Urs von Balthasar, *La prière contemplative* (trad. franç., Paris, 1972) ; – P. Ricoeur, « La paternité, du fantasme au symbole », dans son ouvrage *Le conflit des interprétations*, Paris, 1969 : – les ouvrages cités d'A. Gouhier et de J. Ansaldi.
Sur le langage symbolique : P. Tillich, *Théologie systématique* (trad. franç., 2 vol., Paris, 1970). – Sur la création : O. Clément, *L'homme dans le monde*, dans *Verbum Caro*, t. 12, 1958, n. 45, p. 4-22 ; – P. Gisel, *La création*, Genève, 1980.
Voir aussi le n. 163 *Un Dieu Père ?* de la revue *Concilium*, mars 1981.

Jean Ansaldi.

**PATERNITÉ SPIRITUELLE.** Voir DS, *Direction spirituelle*, t. 3, surtout col. 1008-17, 1183-85 ; *Gouvernement spirituel*, t. 6, col. 644-669 *passim*. – Voir encore : P. Gutiérrez, *La paternité spirituelle selon S. Paul*, coll. Études bibliques, Paris, 1968 ; – J.-Cl. Sagne, *Le prêtre comme figure paternelle et fraternelle*, VSS, n. 91, novembre 1969, p. 491-524 ; – VS, n. 589, mars-avril 1972 ; – *Collectanea cisterciensia*, t. 36, 1975, p. 327-330.

**PATI DIVINA.** Voir DS, *Mystique*, t. 10, col. 1955-65 ; *Passivité, supra*, col. 357-360.

**PATIENCE.** – La patience, qui sera ici étudiée dans le monde occidental, a deux sources indépendantes, la pensée gréco-latine et la Bible. Les deux courants se sont mêlés chez les Pères de l'Église, tandis qu'intervenait aussi l'épreuve des persécutions. Dans la suite, la patience a occupé une place importante dans la vie chrétienne jusqu'à nos jours. La seule monographie générale sur le sujet est celle de Paul-Émile Schazmann, *Siegende Geduld, Versuch der Geschichte einer Idee* (traduite du français par B. Juker, Berne-Munich, 1963 ; l'original semble inédit), riche de renseignements, mais sommaire, peu doctrinale et presque sans références critiques. On examinera ici successivement : 1. *les origines gréco-latines ;* – 2. *la source biblique ;* – 3. *l'époque patristique ;* – 4. *le moyen âge ;* – 5. *la Renaissance ;* – 6. *le 17e siècle ;* – 7. *les 18e-20e siècles.* – Pour la période antérieure au moyen âge, on recourra, pour plus de détails, à notre art. *Geduld*, RAC, t. 9, 1976, col. 243-94.

1. **Origines gréco-latines.** – Ulysse est traité 33 fois dans l'*Odyssée* de πολύτλας, « qui a beaucoup supporté ». La patience-support, qui semble ainsi appartenir au patrimoine grec le plus ancien, s'incarne dans le personnage d'Héraclès. Peu mentionnée chez Platon et chez Aristote, qui en exclut expressément l'espoir comme une motivation impure (*Eth. Nic.* III, 11, 1117a 9-17 ; cf. *Eth. Eud.* III, 1, 1230a 4-20), elle devient chez les stoïciens presque un synonyme du courage (ἀνδρεία), l'une des quatre vertus, définie elle-même comme support (*Stoicorum Veterum Fragmenta*, t. 1, 49, p. 200-201 ; 128-129, p. 563 ; t. 3, 64, p. 263-264 ; 69, p. 280 ; 70, p. 286 ; 73, p. 295 ; 171, p. 683) ; elle y est appelée surtout καρτερία, jamais ὑπομονή (t. 3, 65, p. 265 ; 66, p. 269-270 ; 67, p. 274-275).

Cicéron transmet au monde latin les définitions du Portique (cf. surtout *Tusculanes* IV, 24, 53). Personnellement il apporte des définitions du courage (*Fortitudo*) et de ses composantes qui vont s'imposer au moyen âge :
« Le courage est l'acceptation réfléchie des dangers et le support total des peines. Ses parties sont magnificence, assurance, patience, persévérance... La patience est le support volontaire et prolongé, en vue de l'honnête ou de l'utile, des choses ardues et difficiles ; la persévérance est le maintien ferme et indéfectible dans une option bien réfléchie » (*De inuent.* II, 54, 163-164). Ailleurs il fait entrer dans la magnanimité des éléments qui la rapprochent aussi de la patience. « Supporter ce qui paraît pénible, les épreuves nombreuses et variées qui se mêlent à la vie et à la fortune des hommes, sans s'écarter en rien de l'ordre de la nature, en rien de la dignité du sage, est le fait d'une âme robuste et d'une grande constance » (*De off.* I, 20, 66-67).

Sénèque n'est pas un théoricien de la patience. Certaines de ses œuvres y sont cependant très liées : *De constantia sapientis, De tranquillitate animae, De uita beata, De prouidentia* et beaucoup de *Lettres à Lucilius*. Fidèle au stoïcisme, il en fait une « part » ou un « rameau » du courage (*Ep.* 67, 6 et 10). L'homme réalise sa grandeur dans « la maîtrise de soi ». « Ce qu'il y a de plus grand ? D'élever son âme au-dessus des menaces et des promesses de la fortune et d'estimer que rien ne vaut qu'on l'espère » (*Quaest. nat.* III, praef., 10-13). Le sage, « paisible possesseur de soi-même », est invulnérable (*Ep.* 12,

9). Une telle attitude inclut une patience essentielle, tant à l'égard des personnes que des événements. Le sage « est de l'espèce de ceux qui, par un long et constant exercice, acquièrent la force de supporter, jusqu'à la fatigue, la violence de tout adversaire » (*De const. sap.* 9, 5). « Je vous vaincrai en vous supportant » (*De uita b.* 27, 3). Triomphant de tout, il est « supérieur à Dieu » : « Lui, il est en dehors de la souffrance, vous êtes au-dessus » (*De prou.* 6, 6).

Derrière cette glorification de la patience, se profile la doctrine de la nature-providence. Dans « le perpétuel enchaînement des événements », rien ne survient au hasard (*ibid.* 5, 7). Tout est chose nécessaire (*Ep.* 96, 1). La soumission alors va de soi : « Je ne souffre aucune contrainte ; je ne supporte rien malgré moi ; je ne suis pas au service de Dieu ; je suis de son avis, et d'autant mieux que je sais que tout se déroule en vertu d'une loi fixe, énoncée pour l'éternité » (*De prou.* 5, 6). Cette obéissance intériorisée ne va pas sans noblesse : « Obéir à Dieu est liberté » (*De uita b.* 15, 7). Il faut aller jusqu'à l'adhésion empressée (*Quaest. nat.* III, praef., 12). Sur la même base de l'unité cosmique, Épictète (*Diss.* II, 6, 10 ; 10, 5 ; 16, 41-43 ; III, 5, 8-10 ; 26, 29-31) et Marc-Aurèle (IV, 23 ; VIII, 46) enseignent le même accueil à l'événement.

De Platon à Marc-Aurèle, le concept a évolué. De vertu secondaire, qui permet l'équilibre humain et la persévérance dans le bien, la patience est devenue une vertu centrale, qui rend le sage invulnérable au milieu des accidents de la vie. En même temps, avec le stoïcisme, elle s'est doublée de l'idée d'intégration à l'ordre du monde, qui se fait, à l'époque impériale, chaleureuse adhésion. Cependant, au long de ces sept siècles, elle est toujours une vertu autarcique, où l'homme n'utilise que ses moyens propres pour une fin qui est lui-même. La seule espérance la rend impure.

**2. La patience dans la Bible.** – Dans l'Antiquité classique, la patience est exclusivement une vertu de l'homme. La Bible applique à Dieu lui-même une forme de patience, la longanimité. Les différents aspects que revêt la notion de patience peuvent se ranger assez logiquement sous les deux noms qu'a retenus principalement la version des Septante : la μακροθυμία et l'ὑπομονή (ἀνοχή est beaucoup plus rare).

1° La Makrothymia (*ōrek 'appayim*, lenteur à se mettre en colère) est d'abord uniquement vertu de Dieu, partagée entre le châtiment et la grâce (*Sir.* 5, 4-6), qui supporte le péché de l'homme, celui de son peuple « à la nuque raide », comme celui des nations pécheresses, et en attend la conversion (*Ex.* 34, 6 ; *Nombr.* 14, 18 ; *Ps.* 7, 12 ; 85, 15 ; 144, 8 ; *Sag.* 15, 1 ; *Joël* 2, 13 ; *Jonas* 4, 2 ; *Nah.* 1, 3 ; 2 *Macc.* 6, 14...). Elle est accompagnée d'une série de qualifications qui soulignent la bonté de Dieu : tendresse, pitié, indulgence, fidélité... Elle passe comme attribut de Dieu dans le nouveau Testament (*Luc* 18, 7 ; *Mt.* 18, 26 ; *Rom.* 2, 4 ; 9, 22 ; 1 *Pierre* 3, 20) et le Christ en hérite (1 *Tim.* 1, 16 ; 2 *Pierre* 3, 9 et 15).

R.-A. Gauthier a montré que cette longanimité de Dieu, remplacée parfois dans la traduction latine par *magnanimitas*, se rattache à sa grandeur autant qu'à son amour ; il est lent à la colère, parce qu'il est maître du temps et du pardon (*Sir.* 18, 9-11 ; 2 *Pierre* 3, 8-9) : il « domine de très haut la misère de l'homme » (*Magnanimité...,* p. 206). L'homme en retour se sait dépendant, mais se sent en confiance parce qu'il connaît la justice et la bonté de Dieu.

Quand les livres sapientiaux attribuent cette vertu à l'homme, elle garde un certain caractère seigneurial (*Prov.* 14, 29 ; 15, 18 ; 19, 11 ; *Eccle.* 7, 8 ; *Sir.* 2, 4). Elle permet de dominer les événements de la vie et la méchanceté des hommes. Le longanime vaut mieux qu'un héroïque preneur de villes (*Prov.* 16, 32).

Dans le nouveau Testament, la vertu humaine de longanimité prend, au contraire, une note d'indulgence et de tendresse. Elle n'apparaît que deux fois dans les synoptiques (*Mt.* 18, 26 : débiteur insolvable ; *Luc* 18, 7 : veuve importune), où la longanimité de Dieu pour l'homme se répercute en longanimité de l'homme pour l'homme. Paul, qui utilise 10 fois *makrothymia* sur les 14 emplois néotestamentaires (2 *makrothymein* sur 10), établit ce lien entre le Christ et lui : Jésus lui « a manifesté toute sa longanimité » afin qu'il en soit le révélateur devant les croyants à venir (1 *Tim.* 1, 16). Elle est un « fruit de l'esprit » (*Gal.* 5, 22) et un critère d'authenticité du ministère (2 *Cor.* 6, 6 ; 2 *Tim.* 4, 2). La longanimité est une marque de la charité (1 *Cor.* 13, 4). Elle accompagne le support du prochain jusqu'à s'y confondre (*Éph.* 4, 2 ; *Col.* 3, 12).

Certains textes transfèrent sur l'homme l'attente qu'incluait la *makrothymia* divine : le croyant attend la réalisation des promesses, comme Dieu attendait la conversion de son peuple (*Hébr.* 6, 12-15). « Soyez donc longanimes, frères, jusqu'à l'avènement du Seigneur. Voyez le laboureur : il attend le précieux fruit de la terre, longanime envers elle jusqu'aux pluies de la première et de l'arrière-saison. Soyez longanimes, vous aussi ; affermissez vos cœurs, car l'avènement du Seigneur est proche » (*Jacq.* 5,7-8).

2° Hypomonè. – Si la *makrothymia* définit initialement une attitude de Dieu devant l'homme, l'*hypomonè* biblique est toujours une attitude de l'homme. Par elle, il affronte le temps, le temps présent, temps de Dieu qui se traduit en événements, mais aussi le temps qui dure avec ses maturations trop lentes.

1) *Ancien Testament.* – *Hypoménein* (70 emplois) et *hypomonè* (14 emplois) représentent dans la Septante, selon P.M. Goicoechea (*De conceptu hypomonè,* p. 4-7), neuf verbes hébreux dont les plus fréquents incluent l'idée d'attente-espérance et sont traduits aussi par *elpizein*.

La Vulgate rendra parfois la nuance de l'original, parfois la faussera. Très fréquemment ces mots sont traduits par *patientia* (*Ps.* 9, 19 ; 61, 6 ; 70, 5) ou par *sustinentia* (*Sir.* 2, 14 = 16 *lat.*) et *sustinere* (*Job* 6, 11 ; *Ps.* 24, 3, 5 et 21 ; 32, 20 ; 36, 9 ; 55, 7 ; 105,13 ; 129, 5 = 4 *lat.*). Le mot a aussi pour répondant *exspectatio* (*Ps.* 38, 8 ; *Jér.* 14, 8) ou *exspectare* (2 *Rois* 6, 33 ; *Job* 14, 14 ; 32, 4 et 16 ; *Prov.* 10, 22 = grec 9c ; *Ps.* 26, 14 ; 36, 34 ; 39, 2 ; 51, 11 ; 68, 7 ; 118, 95 ; *Soph.* 3, 8 ; *Mich.* 7, 7 ; *Hab.* 2, 3 ; *Is.* 49, 23 *gr.* ; 64, 4 = *gr.* 3 ; *Jér.* 14, 19 et 22 ; *Lam.* 3, 24 *lat.*) ou même *sperare* (*Lam.* 3, 21 et 25). Inversement, *patientia* peut répondre à *elpis* (*Job* 4, 6). Ces rencontres et échanges de terminologie, parfois nombreux sur quelques lignes (*Sir.* 2, 1-10 ; *Ps.* 70, 5), sont révélateurs. L'idée de support est loin d'être absente, mais attente confiante et espérance dominent nettement.

Cette patience est l'attitude messianique par excellence, à la fois individuelle et collective. Le peuple juif est celui qui « patiente pour Iahvé », qui compte sur lui, espère en sa miséricorde (*Is.* 64, 3 *gr.*) et « héritera de la terre » (*Ps.* 36, 9 et 34 ; cf. 24, 3).

Le judaïsme hellénistique exprime la patience, support et attente, en un langage marqué par la terminologie philosophique (4 *Macc.* 1, 11 ; 5, 23 ; 17, 4 ; Philon, *Leg. all.* I,

65 ; cf. 63 ; *Cher.* 78 ; *Quod Deus sit imm.* 13 ; celui-ci identifie l'*hypomonè* avec Rébecca, *De congr. erud. gr.* 37, et l'associe au rire, *De plant.* 168-170).

2) Dans le *nouveau Testament,* on pourrait croire que l'espérance n'a plus sa place. Les promesses se réalisent. Celui qu'on attendait est « entré dans le monde ». L'*hypomonè* se réduira-t-elle au support des souffrances qu'entraîne la fidélité à Jésus ?

Cet aspect est premier dans la plupart des textes (1 *Pierre* 2, 20 ; 3, 8-9.17 ; 2 *Tim.* 3, 10-11 ; 2 *Cor.* 1, 6 ; 6, 4 ; 2 *Thess.* 1, 4 ; *Rom.* 5, 3-4 ; 12, 12 ; *Jacq.* 1, 2-4 ; *Apoc.* 2, 2 ; 13, 10), en particulier dans les synoptiques (*Mt.* 24, 13 = *Marc* 13, 13 ; *Luc* 8, 15 ; 21, 19). Mais le Messie reste « celui qui vient » (*Apoc.* 1, 4.7.8 ; cf. 3, 11.20 ; 22, 7.12 ; *Luc* 7, 19 ; *Mt.* 11, 3 ; 24, 30 ; *Jean* 6, 14 ; *Actes* 1, 11). L'*Épître aux Hébreux* ne s'exprime pas autrement que l'ancien Testament : « Vous avez besoin de patience pour que, après avoir accompli la volonté de Dieu, vous bénéficiiez de la promesse » (10, 36 ; cf. 12, 1-2). Jacques promet la couronne de vie à la patience (1, 3-4.12) et glorifie les *hypomeinantes* (5, 11) de la nouvelle alliance. La venue première du Seigneur ne rend que plus ferme la foi dans le Royaume et plus ardente l'attente du retour. Le délai que constate la génération chrétienne des origines avive la patience-espérance, désormais orientée toute vers le Christ.

Pour rendre compte des nuances de l'*hypomonè,* il faudrait procéder écrit par écrit, et même emploi par emploi (voir Goicoechea et Ortiz Valdivieso), en particulier pour saint Paul qui donne à l'*hypomonè* sa plus riche valeur sémantique et en parle le plus.

Sur 31 emplois néotestamentaires du mot, 16 se trouvent chez lui (4 emplois du verbe sur 15). La patience y est don de Dieu (*Rom.* 15, 4-5 ; *Col.* 1, 11), aspect ou effet de la charité (1 *Cor.* 13, 4.7). Elle semble remplacer l'espérance auprès de la foi et de la charité (*Tite* 2, 2) ou dans les séries de vertus plus larges (1 *Tim.* 6, 11 ; 2 *Tim.* 3, 10 ; cf. 2 *Pierre* 1, 6 ; *Apoc.* 2, 19). Elle noue des liens privilégiés avec l'espérance (*Rom.* 8, 25 ; cf. 15, 5.13), dont elle est la source (*Rom.* 5, 3-4), la garantie (*Rom.* 2, 7 ; cf. *Hébr.* 10, 35-36). « La patience de l'espérance » (1 *Thess.* 1, 3) tient l'homme tendu dans un héroïque dynamisme vers l'au-delà. Elle semble même résumer la vie chrétienne. Comme dans l'Apocalypse (1, 9), où « vivre dans l'*hypomonè* » et « vivre dans le Christ » ne se distinguent guère, pour Paul aussi être disciple du Christ, c'est communier à ses souffrances pour communier un jour à sa gloire (*Phil.* 3, 10-11 ; *Rom.* 8, 17) : « Si nous patientons (ὑπομένομεν), nous régnerons avec (le Christ) » (2 *Tim.* 2, 12).

Bien que l'*hypomonè* de l'ancien Testament soit fondamentalement espérance et celle du nouveau principalement support, malgré les changements de motivation et de perspective, la continuité est profonde. La patience, liée au temps, est une pièce importante de l'économie du salut. Au contraire, de la patience gréco-latine à la patience biblique, la différence éclate dans la terminologie comme dans les notions. La καρτερία des philosophes, axée sur l'obstacle à vaincre, occasion de conquête de soi par soi et pour soi, est égocentrique essentiellement. Froidement raisonnable, ébauche de l'impassibilité, sauf chez les derniers stoïciens, elle est triste. Farouchement autarcique, elle exclut toute aide extérieure, tout espoir d'au-delà et toute fin étrangère à elle-même. Elle a son accomplissement en soi : elle est son propre but (τέλος). La patience du juif ou du

chrétien est un combat d'homme au sein d'un peuple, dans la foi, en coopération avec Dieu. Elle se vit collectivement, dans l'attente commune – Israël ou Église – de la Pâque. Elle compte sur Dieu – ou Jésus –, qui seul peut combler son désir. La patience profane s'installe dans le présent. La patience chrétienne, sœur de l'espérance, ouvre sur l'éternité, où elle s'effacera.

**3. Pères de l'Église.** – 1° PATIENCE, MARTYRE ET NON-VIOLENCE AUX TROIS PREMIERS SIÈCLES. – Clément de Rome, Ignace d'Antioche, Polycarpe parlent évidemment de la patience. Il s'agit « d'être fort jusqu'au bout dans l'*hypomonè* de Jésus Christ » (Ignace, *Ad Rom.* 10, 3). Hermas, qui dans son *Pasteur* l'appelle presque exclusivement *makrothymia* et la reconnaît dans l'une des quatre vierges placées aux coins de la Tour chrétienne (*Sim.* IX, 15, 2), s'en fait le premier théoricien en lui consacrant tout le *précepte* V : elle est témoin de la présence de l'Esprit, face à la colère diabolique (V, 1, 2-3), gardienne de tous les commandements (2, 8), grande, forte, calme et joyeuse (2, 3 ; cf. *Sim.* VIII, 7, 6).

1) *Les premiers théoriciens latins.* – Tertullien, vers 200, étudie méthodiquement la patience (*De patientia* : nature, applications, fruits) et en parle fréquemment dans toute son œuvre. Il en souligne l'origine divine (*De pat.* 3, 11, CCL 1, p. 302), en particulier dans une phrase reprise au 16ᵉ siècle : « Où est Dieu, là aussi est sa protégée (*alumna*), je veux dire la patience. Quand l'Esprit de Dieu descend, l'inséparable (*indiuidua*) patience l'accompagne » (15, 6-7, p. 316). Cette « disposition divine » (2, 1, p. 300) est accessible à l'homme « par la seule grâce de l'inspiration divine » (1, 2, p. 299). Mais le Christ en est naturellement le premier dépositaire (3, 4 ; 9-10, p. 301 ; 11, p. 302 ; *Adu. Marc.* III, 17, 5, CCL 1, p. 531 ; IV, 21, 6, p. 598).

Elle conditionne « tout acte agréable au Seigneur » (*De pat.* 1, 6, p. 299), « intervient dans tous ses commandements » (15, 2, p. 316), permet de supporter toutes les difficultés, qu'elles viennent des événements, des autres, de nous-mêmes, du démon ou du Seigneur (7, 5-8, p. 307 ; 8, 3, p. 308 ; 9, 4, p. 309 ; 11, 5, p. 311). Elle est la *summa uirtus* (1, 7, p. 299), en liaison avec beaucoup d'autres vertus. Elle facilite l'obéissance (4, 5, p. 302), la générosité (7, 9, p. 307), la paix (12, 1-4, p. 312). Les Béatitudes sont autant d'exigences de patience (11, 6-8, p. 311-312). Elle procure la constance, capable de conduire au martyre (*Apol.* 27, 3, CCL 1, p. 138-139 ; *De cor.* 1, 1, CCL 2, p. 1039 ; *Scorp.* 6, 6, p. 1080 ; 7, 2, p. 1081), mais par la présence de « l'esprit de Dieu en nous » (*Adu. Prax.* 29, 7, p. 1203). La patience se mêle aux trois vertus théologales : « la foi, que la patience du Christ a procurée ; l'espérance que la patience de l'homme attend ; l'amour qu'à l'école de Dieu la patience accompagne » (*De pat.* 12, 10, p. 313 ; cf. 6, 1-5, p. 306 ; 12, 8-9, p. 313). Elle est en quelque sorte la vertu universelle. Mais il faut faire la part, dans ces affirmations, de l'exagération chère à Tertullien, due à son caractère, à son goût de la formule et peut-être à l'influence de la diatribe.

Malgré le caractère surnaturel qu'il lui proclame, la patience de Tertullien n'est guère biblique. Elle n'est attente que de la vengeance divine : « patientiam ... uindictae expectatricem » (*Adu. Marc.* IV, 16, 3 et 6-7, p. 582-83 ; cf. *De pat.* 10, 6, p. 310 ; *Ad Scap.* 2, 10, p. 1128 ; *Scorp.* 12, 9, p. 1093). Par une sorte de masochisme, le Christ goûte ce « plaisir de la patience » dans sa passion (*De pat.* 3, 9). Cette patience qui se réclame des Béatitudes invoque rarement l'Écriture et présente manifestement des aspects peu évangéliques. Il s'y mêle aussi quelques traits philosophiques d'origine stoïcienne. Elle est marquée d'*aequanimitas* (3, 10, p. 301 ; 14, 5, p. 315 ; 15, 6, p. 316) et surtout exclut la douleur jusqu'à l'*apatheia* (10, 9, p. 311).

Saint Cyprien est un grand maître de la patience non seulement dans le *De bono patientiae* (vers 255), mais aussi dans le *De mortalitate,* l'*Ad Fortunatum* et sa correspondance. Bien qu'il doive beaucoup à Tertullien et continue à compter – mais sans hâte et discrètement – sur « la vengeance divine du sang du juste » (*De bono pat.* 21, CSEL 3/1, p. 412 ; 22, p. 413), la patience baigne chez lui dans l'humilité et l'amour, et, pour cette seule raison, les philosophes n'ont pu la connaître (2, p. 398). Pour ce maître, qui enseigne une spiritualité du temps, de la durée, de la maturation, la patience-attente constitue une pièce essentielle, beaucoup plus intégrée dans son œuvre que dans celle de Tertullien :

« Le fait même d'être chrétien est affaire de foi et d'espérance ; mais pour que la foi et l'espérance puissent parvenir à porter leurs fruits, elles ont besoin de patience... Attente et patience sont nécessaires à l'accomplissement de ce que nous avons commencé d'être et à l'obtention, Dieu aidant, de ce que nous espérons et croyons » (13, p. 406 ; cf. 21, p. 412). Cyprien dénonce donc la « téméraire » ou « irréligieuse précipitation » (24, p. 415), au profit de la « religieuse patience » (*Ep.* 19, 1, CSEL 3/2, p. 525). Il peut chanter : « Chez nous la force de l'espérance s'épanouit, avec la fermeté de la foi, et, parmi les ruines mêmes d'un monde qui s'écroule, ... notre patience pas un instant n'est sans joie... Qu'importent (les malheurs) pour des chrétiens... qu'attendent toute grâce et la richesse du Royaume des cieux » (*Ad Dem.* 20, CSEL 3/1, p. 365 ; cf. 19, p. 364). Voilà l'*hypomonè* biblique retrouvée et explicitée.

Cyprien unit la patience non seulement à l'espérance, mais à la foi (*Ad Fort.* 8, p. 329) et à la charité (*De bono pat.* 15, p. 408). Après avoir placé la charité au-dessus du martyre même, il ajoute : « Enlève-lui la patience, et, délaissée, elle disparaît ; enlève la vertu sous-jacente qui fait soutenir et supporter, elle perd totalement ses racines et sa force » (15, p. 408). Il célèbre magnifiquement la passion du Sauveur, où « se consomme la patience pleine et parfaite » (7, p. 402), dont l'efficacité se poursuit dans l'Église (8, p. 403), « le peuple de son Église », qu'il « aide à supporter tout le mal à venir » (*De mort.* 2, CSEL 3/1, p. 297), le peuple de la patience (*Ad Dem.* 18, p. 364). La patience est si essentiellement « bien du Christ » et « l'impatience mal du diable » (*De bono pat.* 19, p. 410) que, « par notre patience, nous demeurons dans le Christ et pouvons, avec le Christ, aller à Dieu » (20, p. 410-411 ; *De mort.* 14, p. 305-306). On retrouve l'équation entre « être dans le Christ » et « être dans la patience ».

Lactance († vers 325-330 ; DS, t. 9, col. 48-59) est l'ardent défenseur de la colère de Dieu dans son *De ira Dei* et il n'oublie pas le jour du jugement et de la vengeance « attendu patiemment » par le chrétien (*Divinae Institutiones* V, 23, 3-4, CSEL 19, p. 477-478). Cependant il considère aussi la patience comme une vertu divine (*De ira* 20, 5, CSEL 27, p. 120 ; 20, 13, p. 121), à condition qu'on n'y voie pas « quelque stupeur insensible » (17, 8, p. 111). Dans le seul chapitre de ses *Divinae Institutiones* = *DI*, qu'il consacre proprement aux vertus humaines (v, 22, CSEL 19, p. 472-477), il les réduit toutes au modèle de la patience.

Elle constitue une pièce essentielle de son système marqué par le *certamen,* où tout bien implique un mal, tout juste un injuste, et donc toute vertu un combat et des coups (*DI* III, 29, 16, p. 270 ; IV, 26, 27, p. 381 ; VII, 1, 18, p. 584). Vertu et patience semblent s'identifier (*DI* III, 11, 9, p. 205 ; 29, 16, p. 270). La patience est « vertu principale » (v, 22, 2, p. 473), « vertu suprême » (22, 3, p. 473 ; VI, 18, 30, p. 552), comme la justice d'ailleurs (v, 5, 1, p. 413) ou la piété (22, 8, p. 474), comme l'innocence (17, 31, p. 457) et la miséricorde (*Epit.* 33/38, p. 709). Elle est « la plus grande de toutes les vertus » (*DI* VI, 18, 16, p. 549 ; 18, 26, p. 551 ; *Epit.* 57/62, 1, p. 740), suppose la maîtrise de tous les *affectus* (*DI* VI, 18, 32, p. 552 ; 19, 11, p. 555). Les martyrs supportent tous les tourments les plus cruels, « doux, silencieux et patients » (*Epit.* 48/53, 4, p. 726), mais ne pourraient « tenir l'invincible victoire » (*DI* VI, 17, 7, p. 542) sans l'aide de Dieu (*sine Deo,* v, 13, 11, p. 441). Les païens, dont la patience ne semble pas être d'une autre nature (v, 13, 15, p. 442 ; 13, 19, p. 443), ne peuvent atteindre ce degré « parce qu'il leur manque la patience inspirée » (v, 13, 12, p. 441).

Il s'agit bien d'une patience chrétienne, que Lactance déchiffre en fait dans le martyre, mais cette patience est une vertu de support et de combat, dans la ligne de la vertu philosophique, malgré l'appel à la grâce, et n'est liée à l'espérance qu'implicitement.

2) *La non-violence.* – La patience présente un caractère évangélique particulier qui se retrouve, à des degrés divers, chez beaucoup d'auteurs chrétiens des premiers siècles. Il se traduirait aujourd'hui dans le terme de non-violence. A partir des Béatitudes, de *Rom.* 12, 21 (« uince in bono malum »), de 1 *Pierre* 2, 23 (« cum malediceretur non maledicebat » ; cf. 3, 17), de *Mt.* 5, 39 (« tends-lui l'autre joue »), dans le contexte de l'amour des ennemis (*Mt.* 5, 38-47 ; *Luc* 6, 27-35), on pose comme règle de subir le mal sans le rendre (*Rom.* 12, 17) et on présente cette attitude comme la plus chrétienne et même comme la plus humaine, autour du respect de la vie en particulier.

Tertullien lui-même souligne cette « nouveauté de la patience » chrétienne, qui « ordonne de tendre l'autre joue », non pas abolition mais « complément » de l'ancien Testament (*Adu. Marc.* IV, 16, 2-6, CCL 1, p. 581-582). Il présente comme marque du peuple chrétien « l'interdiction de rendre le mal pour le mal » et « la pratique de se laisser tuer plutôt que de tuer » (*Apol.* 37, 3 et 5, p. 148), de peur qu'en rendant le mal, « nous ne devenions en fait semblables » au provocateur (37, 1, p. 147 ; cf. *De pat.* 10, 2, p. 310). « Ta patience doit lasser la méchanceté... Tu frapperas plus ce méchant en supportant » ; mais Tertullien, toujours vengeur, ajoute : « Il recevra les coups au nom de celui de qui tu supportes » (8, 2, p. 308).

Cyprien, qui associe souvent la patience à la douceur, en fait plus encore une attitude de non-violence. Il en établit le dossier biblique dans ses *Testimonia* III, surtout 23 et 106. Il trace un tableau des exigences de cette « très patiente douceur » dans le *De bono patientiae,* ch. 16. Il écrit ailleurs : « Nous ne rendons pas l'insulte en contrepartie... A vos haines nous rendons la bienveillance, et en retour des tourments et supplices qui nous sont infligés nous vous montrons le chemin du salut. Croyez et vivez, et vous qui nous persécutez pour le moment, pour l'éternité réjouissez-vous avec nous » (*Ad Dem.* 25, CSEL 3/1, p. 369-370). Il dit expressément que « l'impatience est vaincue par la patience » (2, p. 352) et il ne voit pas là une faiblesse, mais une capacité de victoire sur soi-même et sur le monde dans le respect de l'homme. Il rattache à « la patience courageuse et stable dans le cœur» le rejet de l'adultère et de la fraude, et aussi le refus du sang versé, pour lequel il invoque en plus un motif religieux: «Après avoir porté l'Eucharistie, on ne souille pas la main par le glaive et le sang» (*De bono pat.* 14, p. 407). Cette dernière note révèle une sensibilité chrétienne surprenante. Cependant l'évêque de Carthage n'oublie pas dans sa non-violence la vengeance de Dieu (*Ad Dem.* 17, p. 362-363).

Arnobe et Lactance relient expressément la non-violence à la rationalité humaine. Arnobe, qui dénonce avec éclat les fureurs de la guerre, dit qu'«il ne faut pas payer le mal par le mal; qu'il vaut mieux subir l'injustice que la porter, verser son sang plutôt que de se tacher les mains et la conscience du sang d'autrui» (*Aduersus nationes* I, 6, CSEL 4, p. 8). Et il fait appel à «tous ceux qui comprennent qu'ils sont hommes non par la forme du corps, mais par le pouvoir de la raison» (*ibidem*). Lactance est bien plus insistant. L'homme, parce qu'il a «la science du bien et du mal», s'abstient de nuire. «Très sagement», «il préfère périr, pour ne pas nuire» (*DI* V, 17, 31, CSEL 19, p. 457), «mourir plutôt que tuer» (17, 20, p. 455). Contre Cicéron (*De off.* III, 19, 76), le moraliste repousse toute exception de légitime défense, au nom de la patience: «Ce n'est pas un moindre mal de relancer l'insulte que de la lancer», mais «lui opposer la patience, c'est l'éteindre aussitôt, comme de jeter de l'eau sur le feu» (*DI* VI, 18, 15-19, p. 549-550), tandis que «rendre l'insulte», c'est «imiter celui-là même par qui on est lésé» (18, 25, p. 551; cf. VI, 17, 8, p. 542; 18, 10 et 12, p. 548). Le principe s'applique surtout à la religion, qui «ne peut être forcée» (V, 19, 11, p. 463), terrain privilégié de la totale liberté (13, 17-19, p. 442-443; cf. Tertullien, *Apol.* 24, 6, CCL 1, p. 134; *Ad Scap.* II, 2, CCL 2, p. 1127). «La religion doit se défendre non pas en tuant, mais en mourant, non par la violence, mais par la patience, non par le meurtre, mais par la foi» (*DI* V, 19, 22, p. 465), «par la patience ou par la mort» (19, 24, p. 466).

Chez beaucoup de Pères de l'époque, la patience non violente se traduit dans l'horreur du sang humain, déjà rencontrée chez Cyprien. On rejette naturellement les terreurs de la guerre, les jeux du cirque et l'homicide; mais le seul fait de voir le sang répandu est comme une complicité de crime (Minucius Félix, *Octavius* 30, 6, CSEL 2, 44, p. 9-11; Tertullien, *Apol.* 9, 8 et 13-15, CCL 1, p. 103-104; Athénagore, *Legatio* 35, TU 4/2, p. 45; Lactance, *DI* VI, 20, 10, p. 557; Théophile d'Antioche, *Ad Autolycum* III, 15, SC 20, 234, 3-5). Dans ce contexte de non-violence et de respect de la vie, même quand le motif d'idolâtrie est secondaire ou absent, le refus du service militaire, comme l'a montré J.-M. Hornus, apparaît à peu près comme une règle de morale. Les *Actes* des martyrs s'en font l'écho. Maximilien déclare (295): «Mihi non licet militare, quia christianus sum» (1, éd. R. Knopf, etc., p. 80), et Marcel (298): «Respondi me christianum esse et huic officio militari non posse» (2, Knopf, p. 82). Plus tard (356), saint Martin reprend: «Christi ergo miles sum; pugnare mihi non licet» (Sulpice Sévère, *Vita s. Mart.* 4, 3, CSEL 1, p. 114). C'est l'objection de conscience, que Tertullien admire dans le *De corona* (1, 2, CCL 2, p. 1039): «O militem gloriosum in Deo», parce que l'armée nous fait renier tous ceux que l'Évangile nous commande d'aimer (11, 1, p. 1056). Ailleurs, il préconise une attitude parallèle: «Comment donc (le chrétien) fera-t-il la guerre? bien plus, comment, même en temps de paix, servira-t-il, sans le glaive que le Seigneur a enlevé?... Le Seigneur, en désarmant Pierre (cf.

*Mt.* 26, 52), en a privé tout soldat» (*De idol.* 19, 3, CCL 2, p. 1120). Son Évangile est «un évangile de paix, non de guerre» (*Adu. Marc.* III, 14, 4, CCL 1, p. 526). Pour Lactance, la guerre n'est qu'un homicide indéfiniment multiplié (*DI* I, 18, 10, CSEL 19, p. 68; cf. Tertullien, *Apol.* IX, 8, p. 103): «Il est toujours interdit de tuer un homme, que Dieu a voulu vivant sacro-saint» (*DI* VI, 20, 16-18, p. 558).

La *Tradition Apostolique* (vers 220) s'inspire de ces principes pour l'admission au catéchuménat: le militaire dépendant est accepté conditionnellement, le détenteur du glaive est repoussé sauf démission, les candidats au service militaire sont écartés (16, SC 11, p. 45). Les *Canons* dits d'Hippolyte (4ᵉ s.), qui reprennent ces dispositions, tolèrent le glaive, à condition qu'il ne serve pas à l'effusion du sang; s'il y a sang, le chrétien est écarté des sacrements et tenu à résipiscence (*Can.* 71-75, TU 6/4, p. 81-82). La conversion de Constantin bouleversera cette pratique, jusqu'à la palinodie, mais la dispense du service militaire pour les clercs en restera un témoin prophétique. L'attitude évangélique de non-violence gardera sa place. Origène écrivait: «La violence contre un homme n'est jamais juste..., même si celui-ci est très injuste» (*Contre Celse* III, 7, GCS 2, p. 208); les chrétiens observent une loi de douceur et de charité, laissant à Dieu le combat (III, 8, p. 209).

On retrouvera cette attitude pacifique chez beaucoup de Pères, en particulier chez Jean Chrysostome ou Pierre Chrysologue. Même Augustin, qui fait appel au bras séculier en matière religieuse, dit que l'Église «triomphe par la patience» (*patiendo, Ep.* 137, 4, 16, CSEL 44, p. 120; cf. *De civitate Dei* V, 14; *Contra Faustum* XXII, 76, CSEL 25, p. 675-676).

2° Pères grecs des 3ᵉ-4ᵉ siècles. – L'Église grecque n'a laissé aucun traité de la patience. Elle apporte cependant une contribution importante. Alors que les Latins sont très marqués par le martyre, les Grecs font de la patience surtout une vertu de la vie chrétienne ordinaire ou monastique.

Clément d'Alexandrie a écrit un *Protreptique à la patience* (le fragment qui en reste est sans intérêt, GCS 17, p. 221-223). Surtout, dans ses *Stromates*, il transmet les définitions stoïciennes des vertus et les situe dans le contexte chrétien. «Près du courage est placée l'ὑπομονή, que (les Grecs) appellent καρτερία, science des choses qu'il faut endurer ou ne pas endurer» (II, 18, 79, 5-80, 1, GCS 15, p. 154; cf. 78, 1, p. 153). La patience, dont la parenté païenne est ainsi déclarée, n'en est pas moins chrétienne. Elle reste vertu des martyrs (IV, 4, 14, 1, p. 254), mais «toute épreuve est succédané du martyre» (6, 41, 4, p. 267). Dès lors, la patience devient vertu du gnostique, le parfait, le nouveau martyr (IV, 21, 130, 1, p. 305; cf. VII, 9, 53, 6, GCS 17, p. 40), dont Clément décrit l'itinéraire spirituel: foi, «puis crainte et espérance et repentir, se développant avec la maîtrise de soi et la patience, nous conduisent à la charité et à la gnose» (II, 6, 31, 1, GCS 15, p. 129), «jouissant de l'apathie par la patience» (20, 103, 1, p. 169).

Ailleurs, dans la lignée de Philon, Clément identifie Rébecca avec l'Église: «Elle porte le nom de patience qui est solidité, soit parce que, seule, elle dure pour les siècles, joyeuse toujours, soit parce qu'elle est constituée par la patience des croyants, nous qui sommes les membres du Christ» (*Pédagogue* I, v, 21, 3-22, 2, GCS 12, p. 102-103). Bien que Clément consacre peu de place à la patience, son témoignage est important, en particulier par cette association de la patience avec l'*apatheia* au service de la perfection chrétienne qui supplée le martyre (cf. DS, t. 1, col. 729-33).

Origène insiste sur la patience des martyrs dans son *Ad martyres* et plaide la dignité de la patience chez le Christ et chez les chrétiens dans son *Contra Celsum*. Le 4ᵉ siècle laisse un sermon sur la patience (PG 26, 1297-1309), centré sur les exemples bibliques et attribué à Athanase. La littérature de consolation, chez Grégoire de Nysse et Basile, est souvent aussi une occasion de promettre la récompense aux patients. Mais cet âge révèle une nouveauté : Grégoire de Nazianze appelle le support des difficultés de la vie « philosophie » (*Ep.* 31, PG 37, 68bc ; 32, 69b ; *In seipsum* IX, PG 35, 1240b) et ce concept est familier à Jean Chrysostome.

Jean Chrysostome ne laisse aucun écrit d'authenticité certaine consacré à la patience ; tout au plus pourrait-on citer l'homélie 18 *In Matt.*, sur la patience envers les ennemis (PG 57, 265-274). Mais son œuvre est si riche sur ce thème que la tradition a reconstitué plusieurs collections d'extraits authentiques (PG 63, 701-716 ; 777-788 ; 879-888) et qu'on pourrait aisément en tirer un traité. Il fait de la patience un garant de moralité parfaite (*Ep. ad Olymp.* 13, 4d, SC 13 bis, p. 346 ; cf. 17, 2ac, 372-376 ; *In 1 Cor.* 33, PG 61, 276-277), « le fondement des biens » (*In 2 Cor.* 12, 2, 483). Bien qu'il mêle à la victoire de la patience un certain souci de considération humaine et de satisfaction personnelle (*In Matt.* 87, 3, PG 58, 772 ; *Ep. ad Olymp.* 16, 1cd, SC 13 bis, p. 364-366), il y voit une imitation du Christ qui renforce l'appartenance à l'Église, maîtresse universelle de patience (*De prou.* 16, SC 79, p. 264 ; 23, 3, p. 268-270). Dans cette œuvre de « sueur », il fait la part de la « chorégie de l'Esprit » (*In Rom.* 14, 7, PG 60, 532), de « la grâce de Dieu » (*De sanct. mart.* 1, PG 50, 708), de « l'invincible puissance de Dieu » déclarée indispensable trois fois de suite (*Hom. 7 dicta in templo s. Anast.* 4, PG 63, 498-499).

Toute la vie morale se ramène, en un sens, à la patience. La « philosophie », idéal chrétien, consiste à « supporter généreusement » la souffrance et tout mal (*Ad pop. antioch.* 17, 1 PG 49, 182 ; cf. 16, 6, 170 ; *Ep.* 233, PG 52, 739 ; *De Laz.* 1, 10, PG 48, 978). Pardon et prière pour les ennemis sont mis au compte de la philosophie (*In Matt.* 18, 1-4, PG 57, 265-269 ; *Ecloga 29 De mans.*, PG 63, 778-779 ; 783-784 ; 787-788). Quelquefois *philosophia* est accompagné de *makrothymia* (*Adu. opp. uit. mon.* 3, 14, PG 47, 373) ou *hypomonè* (*De prou.* 13, 5, SC 79, 190), mais il s'agit d'un doublet stylistique. « La patience est la racine de toute philosophie » (*In 1 Cor.* 33, 1 PG 61, 276-277). Job, « le grand athlète de la patience », est « alors devenu philosophe » (*Ecloga 22 De pat.*, PG 63, 702-703). La patience est la pierre de touche de la philosophie nouvelle : « Non seulement supporter avec noblesse les difficultés, mais même ne pas ressentir leur présence, les mépriser, et, en toute tranquillité, ceindre la couronne de la patience sans fatigue..., cela est une preuve de la plus authentique philosophie » (*Ep. ad Olymp.* 12, 1b, SC 13 bis, p. 318).

Le christianisme est une patience. La notion est exprimée très diversement : *philosophia, hypomonè, karteria, makrothymia, anexikakia*. Mais *hypomonè* est de beaucoup le plus utilisé ; il est probablement le seul terme technique, dans la pensée de Jean, pour désigner la vertu pleinement acquise dans la richesse de sa compréhension, la disposition stable que n'atteint aucune épreuve : τῆς ὑπομονῆς τὴν ἀρετήν (*Ad Stag.* 1, 6, PG 47, 440). L'évêque d'Antioche, qui hérite cependant d'une tradition philosophique riche et variée, est resté fidèle à la terminologie chrétienne.

3° LES PÈRES LATINS DES 4ᵉ-6ᵉ SIÈCLES sont moins centrés sur la patience que ceux du 3ᵉ. On retrouve, de manière assez permanente, le non-retour des injures, par exemple chez Ambroise (*De fide* III, 7, 52, CSEL 78, p. 127 ; *In Psalm.* 118, serm. 10, 3, 2, CSEL 62, p. 204), chez Jérôme, qui exploite tout le dossier évangélique correspondant dans l'*Epitaphium sanctae Paulae* (*Ep.* 108, 18-19, CSEL 55, p. 329-334), chez Pierre Chrysologue, qui y consacre un sermon (38, CCL 24, p. 216-219). Les vers où Prudence chante la patience (*Psychomachia*, 109-177) n'apportent pas de nouveauté doctrinale.

Ambroise insiste sur le lien avec l'espérance (*De off.* I, 48, 237, PL 16, 93c ; *In Psalm.* 118, serm. 15, 27, 2, p. 344, 18-20 ; *Ep.* I, 4 (27), 17, CSEL 82, p. 34). Comme il le confirme dans son *De Joseph* (I, 1, CSEL 32/2, p. 73), le *De Jacob* est un véritable traité de la patience où il présente « singularem animi laborumque patientiam ».

Le sage Jacob est « au-dessus des passions » et prouve que le bonheur « n'est pas diminué mais confirmé » par l'adversité (*De Jacob* I, 6, 23, CSEL 32/2, p. 19 ; cf. 7, 32, p. 25). Il reste « heureux même dans les tribulations » (7, 27-28, p. 21). Quelque accident qu'il subisse, il n'est pas moins heureux, puisqu'il n'est pas moins parfait (8, 36, p. 26-27). « Aussi bien devant les délices du corps que devant la fragilité même de la nature, les pertes d'enfants, les deuils, les insultes, l'âme invaincue doit garder une égale constance » (7, 31, p. 25 ; *De off.* II, 14, 66, PL 16, 120 ; *Ep.* 37, 4-5, PL 16, 1085ab). « Athlète courageux..., il méprise les tourments que craint la multitude » (*De Jacob* I, 8, 36, p. 27). On se sent en terre stoïcienne, mais christianisée : « Rien de funeste ne peut lui arriver, puisque la grâce de la divine présence le favorise et qu'il se sent lui-même inondé d'une souveraine tranquillité d'esprit » (8, 39, p. 31).

Deux auteurs étudient *ex professo* la patience. Zénon de Vérone † 372 (DS, t. 7, col. 2147-50) dans son bref *Tractatus de patientia* (I, 4, CCL 22, p. 31-37) en souligne le caractère « impassible » (1), la juge mieux observée dans la nature que par l'homme (2-3), en admire les principaux témoins (4-7), en dit le lien avec le martyre et les vertus théologales (8).

Augustin a écrit (avant 418, semble-t-il) le *De patientia* (CSEL 41, p. 663-691) et prononcé à Tuneba un sermon *De patientia et de lectione euangelii de uillico* (PLS 2, 759-769) ; il y est revenu souvent dans le reste de son œuvre. Il garde dans sa conception de la patience un souvenir de la sagesse antique (*Ep.* 138, 2, 12, CSEL 44, p. 138 ; *De beata uita* 4, 25, CCL 29, p. 78). Mais sa marque est dans l'insistance sur l'origine surnaturelle de la patience et sur son lien avec le salut.

Augustin semble refuser le terme à l'effort humain qui affronte de grands maux pour des fins licites ou illicites : ce n'est que « dureté » (*De pat.* 5, 4, CSEL 41, p. 667). La vraie patience est « don de Dieu » (1, 1, p. 663 ; *De contin.* 12, 26, CSEL 41, p. 175-176 ; *Serm.* 323, 1, PL 38, 1463-1464). Elle est liée à la charité et a la même source (*De pat.* 17, 44, p. 679 ; 23, 20, p. 685 ; 26, 22, p. 687). Elle est liée aussi à l'espérance (7-8, p. 667-670) ; elle conditionne « l'espoir de la vie future », « éternelle et sans terme » (7, 6, p. 667 ; *Serm.* 157, 2, PL 38, 860 ; *Tract. in Joh.* 124, 5, CCL 36, p. 683, 686 ; *Enarr. in Psalm.* 37, 5, CCL 38, p. 385). Notre patience est déjà sanctifiée dans celle du Christ, dont nous sommes le corps (*Serm.* 157, 3, 860). Elle est la vertu de l'Église terrestre : « La très glorieuse cité de Dieu, dans l'écoulement de ce temps, chemine parmi les impies en vivant de la foi », tournée vers la stabilité de la demeure éternelle qu'elle attend dans la patience » (*De ciu. Dei* I, praef., CCL 47, p. 1).

Léon le Grand a sans doute le mérite d'introduire la patience dans la liturgie. Il l'admire chez le Christ (*Tractatus* LIII, 3, CCL 138 A, p. 315) et chez les saints (*Tr.* LXIV, 3, p. 392 ; LXXXII, 7, p. 517), en particulier chez saint Laurent (LXXXV, 2, p. 535) ; il peut être l'auteur de la préface qui remercie le Seigneur de « nous exciter aux sublimes exemples de la patience par le triomphe de saint Laurent » (CCL 161 C, p. 420, n. 1399). La patience est célébrée dans d'autres pièces du sacramentaire léonien et jusque dans la liturgie actuelle.

Sur Cassiodore († vers 580), qui reprend la définition de Cicéron (*De inuent.* II, 54, 163), voir *Expos. in Psalt.* 7, 18, CCL 97, p. 88 ; 9, 19, p. 104 ; 23, 20, p. 292 ; 70, 5, p. 630.

Le grand spécialiste latin de la patience au 6e siècle est Grégoire le Grand † 604, dans une homélie sur *Luc* 21, 9-19 (*Hom. in Euang.* II, 35, PL 76, 1259a-1265c), reprise en partie et quelquefois précisée par le *Regulae pastoralis liber* (3, 9, PL 77, 59c-62c) et dans ses *Moralia in Job*. L'homélie et le *Pastoral* déclarent que « la patience est la racine et la gardienne de toutes les vertus » (PL 76, 1261d ; PL 77, 59d) – sentence citée dans beaucoup de traités postérieurs –, reprennent les thèmes classiques, mais les inscrivent dans une anthropologie et en affinent les exigences. Dans l'homme, la *ratio* doit posséder l'âme, qui possède le corps : c'est là le travail de la patience, « gardienne de notre condition » (PL 77, 60cd). On doit aimer en frère, et non seulement supporter, celui qui fait souffrir (PL 76, 1262a ; 1265b ; PL 77, 61ab ; *Hom in Ezech.* I, 7, 12, CCL 142, p. 91 ; II, 5, 14, p. 287 ; 8, 15, p. 347). Il ne s'agit pas d'être fort sur le moment pour être ensuite affligé secrètement par le souvenir (PL 76, 1262c ; 1263c ; PL 77, 62a).

Comme Clément d'Alexandrie, Cassien ou Diadoque de Photikè (*infra*), Grégoire fait de la patience le martyre des non-persécutés, en une phrase reprise souvent, avec des variantes, jusqu'au 18e siècle : « Nous aussi, nous pouvons être martyrs, sans le fer, si vraiment nous gardons en notre âme la patience » (PL 76, 1263d). On retrouve dans les *Moralia* la même finesse psychologique. Grégoire juge seul « parfait celui qui ne s'impatiente pas devant l'imperfection du prochain » (V, 16, 33, CCL 143, p. 241 ; cf. *Hom. in Euang.* I, 15, 4, PL 76, 1133b) et rappelle que nos méchancetés doivent aussi être supportées par les autres. Parmi les moyens d'acquérir la patience, il invite, avec les stoïciens, à prévoir tous les maux possibles, afin qu'« armé de la cuirasse de la patience » on ne soit jamais surpris (*Moral.* V, 45, 81, CCL 143, p. 278-279 ; XXXIV, 8, 18, PL 76, 727a). Job, le patient par excellence, annonce le Christ et son corps, l'Église militante (praef. 6, CCL 143, p. 19-20 ; XIII, 1, 1, CCL 143 A, p. 669 ; XVIII, 2, 3, p. 887).

Isidore de Séville † 636, *Étymologies* X, 157, éd. Lindsay = 158, PL 82, 383c ; *Synonyma* II, 29-36, PL 83, 852a-853d.

4° PATIENCE MONASTIQUE. – Dès le 4e siècle, la patience a trouvé un nouveau terrain d'application dans le monachisme, érémitique ou cénobitique. On en trouve l'écho dans les œuvres séparées mais aussi dans les collections que constitue l'Éphrem grec (cf. DS, t. 4, col. 800-815) dont plusieurs pièces sont intitulées «de la patience», dans les *Verba* et les *Vitae* des moines. La patience n'y change pas de nature. Elle reste évidemment, par exemple chez Pallade, don de Dieu (*Histoire lausiaque* 3, 4) et

même « charisme » (58, 1). Elle est liée à l'espérance, avec une insistance exceptionnelle dans les écrits qui composent l'Éphrem grec : « Heureux, frères, qui acquit la patience, parce que la patience a l'espérance et l'espérance n'est pas confondue » (*Ephraem Syri Opera omnia graece et latine*, éd. J.S. Assemani, t. 1, Rome, 1732, 6a ; cf. 287b ; t. 3, 1746, 93bc, 279ce, 291b, 301f, 304e), en particulier dans le *De patientia* restitué au Pseudo-Macaire (Assemani, t. 2, 1743, 326c-334a = Makarios/Symeon, *Reden und Briefe*, éd. H. Berthold, GCS 2, 1973, p. 164-172). Elle est associée avec l'humilité chez Jean Cassien (*Inst.* 4, 3, 1 ; 4, 36, 2 ; 6, 15, 1 ; *Coll.* XVIII, 8 et 11) qui fait de cette dernière la condition nécessaire de la patience (*Inst.* 7, 31 ; *Coll.* XVIII, 13, 1), et chez Benoît (*Regula* 7, 35-36 et 42) qui voit aussi dans la patience une condition de l'obéissance (prol., 50, 9).

Mais la vie monastique, surtout cénobitique, procure beaucoup d'occasions supplémentaires de subir indélicatesses, insultes, fatigue, épreuves et tentations. Elle développe la patience-support, déjà chez Pachôme (CSCO 160, p. 2-6, 25, 48).
Très souvent l'Éphrem grec recommande la « patience d'acier » (Assemani, t. 3, 291e), indispensable au progrès (84d) ; de même le Pseudo-Macaire (t. 2, 329de) ou Hyperéchios (362d, cf. DS, t. 4, col. 809). Les *Verba* et les *Vitae* des moines s'en font l'écho continuel (cf. *Verba seniorum* V, 7 et 16, PL 73, 893-905, 969-973 ; cf. PL 74, *Indices*, p. LXVI-LXVII). L'illustre Poemen étoffe la leçon. Il classe les actes humains en trois catégories : nuire selon le diable, refuser de nuire selon Adam, ne nuire à personne volontairement, même injurié, selon le Christ, c'est-à-dire la patience chrétienne, qui a encore quatre degrés, selon qu'elle s'exprime dans les actes seulement, dans les paroles, sur le visage, dans le cœur, ce qui est la perfection (VII, 6, 1, PL 73, 1031ab ; cf. *Apopht. patr.*, Poemen, 34, 7, PG 65, 332ab).
Isidore de Péluse † 435 retrouve le vocabulaire de Jean Chrysostome pour décrire cette « philosophie » de la non-vengeance et ses effets libérateurs (*Ep.* II, 67, PG 78, 509d-512a ; 225, 908c-909a ; 327, 988a). Philosopher, au lieu de s'énerver, c'est la meilleure défense : « Le remède le meilleur à ce qui n'est pas en notre pouvoir, c'est notre philosophie » (*Ep.* II, 280, 711ab ; cf. 296, 724c).

Dans le monde latin, Cassien, qui exige la patience dès l'entrée au monastère (*Inst.* 4, 3, 1), juge la vie commune plus favorable à son développement que la solitude (6, 3 ; 8, 18, 2 ; 9, 7 ; *Coll.* XVIII, 13, 1 ; XIX, 11, 2). Il fait de la patience une sorte de martyre : « La patience et la rigueur avec lesquelles ils persévèrent si pieusement dans cette profession... » font des vrais moines « des hommes crucifiés à ce monde chaque jour et des martyrs vivants » (*Coll.* XVIII, 7, 7). Cette idée de la patience succédané du martyre est explicitée au 5e siècle par Diadoque de Photikè (*Cent.* 94, SC 5, p. 160-161). Au 6e siècle, Dorothée de Gaza dit aussi que l'acceptation sereine des épreuves « sera comptée comme martyre » (*Instr.* 7, 84, SC 92, p. 296).

La vie monastique, cette fois surtout érémitique, apporte une épreuve spéciale, la tentation de l'ennui et du dégoût, l'*acedia*, que seule peut dominer « la patience dans la cellule » dont parle Pallade (*Hist. laus.*, prol. 9, 14 et 16 ; 5, 3 ; 16, 1 ; 21, 1). Le mal est dénoncé aussi par Évagre, dans le *De octo spiritibus malitiae*, comme capable de faire renoncer à la résidence persévérante (*hypomonè*) dans la retraite (13, PG 79, 1157d), par Euthyme, selon Cyrille de Scythopolis (*Vita Euthymii* 19, éd. E.

Schwartz, TU 49/2, p. 30-32) ou par l'Éphrem grec qui en fait un manque de virilité (Assemani, t. 1, 287b). Le Pseudo-Macaire déclare : « Soyons comme des enclumes battues, ne donnant pas de marque de fatigue, de négligence, d'acédie » (*Coll.* II, hom. 55, 4, 3, éd. Berthold, p. 170). Un texte tardif de l'Éphrem grec (Assemani, t. 1, 272f-273b), qui se lit aussi dans les scolies de l'*Échelle* de Jean Climaque, voit dans l'acédie exactement le contraire de la patience : « Celui qui est entouré d'acédie est bien éloigné de la patience, comme le malade de la santé... La vertu se reconnaît non à l'acédie, mais à la patience, cette patience qui se renouvelle et se fortifie, parce que l'esprit est occupé par la contemplation et par la pratique des biens attendus » (*Grad.* XIII, sch. 3, PG 88, 861d-864a). Jean Climaque, qui fait de la colère et de l'acédie les deux chefs de file des passions, écrit expressément : « L'espérance et la componction produisent la patience ; qui déserte ces vertus est esclave de l'acédie » (*Grad.* XXVII, 1113d).

Souvent la patience du moine, selon la doctrine déjà enseignée par Clément d'Alexandrie, est liée à l'*apatheia*, qui ouvre sur la contemplation. C'est l'avis d'Évagre, pour qui la colère écarte l'oraison, tandis que la patience y mène par l'apathie, don du ciel (*De mal. cog.* 12, PG 79, 1213c). Il considère la parenté patience-apathie comme une doctrine commune : « La foi est affermie par la crainte de Dieu, et celle-ci à son tour par l'abstinence ; celle-ci est rendue inflexible par la persévérance (*hypomonè*), desquelles naît l'impassibilité (*apatheia*) qui a pour fille la charité » (*Practicos*, prol. 8, SC 171, p. 492-93 ; cf. l'introd. de A. Guillaumont, SC 170, p. 52-55). Le même schéma est repris par Maxime le Confesseur dans ses *Centuries sur la charité* (I, 2-3, PG 90, 961ab). Cette apathie est déjà toute tournée vers Dieu et spiritualisée.

Cassien, qui fait aussi déboucher la patience sur la contemplation, insiste sur la maîtrise de soi, « une tranquillité de l'âme », une « douceur inaltérable » par laquelle nous « soumettons à notre empire la terre rebelle de notre corps » (*Col.* XII, 6, 2-3 ; cf. I, 6, 3 ; XII, 6, 5 ; XVI, 22, 3 ; XVIII, 12 ; 13, 1 ; 16, 1 ; XIX, 14, 7). C'est le « cachet d'acier » qui rend l'âme insensible aux changements environnants et capable de les transformer à son image (VI, 12 ; cf. XIX, 11, 1-2). La description de Job rappelle jusque dans les termes l'idéal du sage stoïcien : « Ni la prospérité ne l'élève, ni le malheur ne l'abat. Il va toujours un chemin uni, une route royale », jamais écarté « de ce fameux état de tranquillité » (VI, 9, 3). « Un autre homme ne saura m'atteindre, quelque malice qu'il déploie, si mon cœur inapaisé ne se remet en guerre contre moi-même. Suis-je blessé ? La faute n'en est pas à l'attaque d'autrui, mais à mon impatience » (XVIII, 16, 4). Le monachisme rapproche au maximum la patience de ses origines stoïciennes.

5° PROLONGEMENTS DANS LE HAUT MOYEN ÂGE. – Au 8e siècle, la recluse Nonsuinda se voit adresser un *De aduersis tolerandis* (PL 134, 932-934) et le moine Antiochus intitule *De la patience* la pièce 78 de ses *Pandectes de l'Écriture sainte* (PG 89, 1665a-1668c). Ambroise Autpert † 784, dans son *De conflictu uitiorum atque uirtutum*, imagine un dialogue colère-patience, où il dit qu'avec le Christ tout peut être « supporté d'un esprit égal » (9, CCM 27 B, p. 915). Au 9e siècle, Smaragde consacre à la patience un chapitre du *Diadema monachorum* (PL 102, 606-607), où l'on sent la présence de Cyprien et de Grégoire : « La racine et la gardienne de toutes les vertus, c'est la patience » (606d). Au 11e siècle, la patience figure toujours parmi les vertus du moine grec, cf. la *Contemplation du Paradis* de Nicétas Stéthatos (57 ; SC 81, p. 222-224).

L'Islam accorde à la patience une place capitale. Dieu, qui est dit « clément et miséricordieux » à chaque sourate du Coran, éprouve l'homme (II, 155-156 ; III, 186 ; XLVII, 31) et l'invite en toute circonstance à la patience (II, 177 ; III, 17, 120, 125, 186, 209 ; X, 106 ; XI, 49 ; XXXI, 47 ; XLVI, 35 ; LXX, 5 ; LXXIV, 7 ; XC, 17 ; CIII, 3), qui est don de Dieu (XVI, 127) et qui se demande dans la prière (II, 45, 153 ; VII, 126, 128). Les patients sont les élus (VII, 137 ; XI, 11, 49, 115 ; XIII, 24 ; XVI, 96 ; XXIII, 11 ; XXVIII, 54, 80 ; XXIX, 59 ; XXX, 60 ; etc.) : ils jouissent des « salles du paradis » (XXV, 75 ; cf. III, 142).

Les commentateurs du Coran et les premiers penseurs musulmans continuent à mettre la patience en bonne place (cf. A.J. Wensinck, art. « Sabr », dans H.A.R. Gibb et J.H. Kramers, *Shorter Encyclopaedia of Islam*, Leyde, 1953, col. 480-482).

4. **Moyen âge.** – 1° THÉOLOGIENS DES 11e-15e SIÈCLES. – Les théologiens, à partir d'Abélard (cf. *Dialog.*, PL 178, 1657) situent la patience parmi les composantes ou les aspects de la force, l'une des vertus principales, en se souvenant de Cicéron (*De inuent.* II, 54, 163) ou de Macrobe (*In somm. Scip.* I, 8, 7, éd. Willis, p. 38).

Le *Moralium dogma* (éd. J. Holmberg, Uppsal, 1929, p. 7, 30 ; cf. p. 39) de Guillaume de Conches (attribué quelquefois à Gauthier de Chatillon) et l'*Ysagoge in theologiam* d'un disciple d'Abélard (éd. A. Landgraf, *Écrits théologiques de l'école d'Abélard*, Louvain, 1932, p. 75-77) illustrent cet effort de classification que l'on retrouve dans le *Speculum maius* de Vincent de Beauvais (*Speculum doctrinale* IV, 72, t. 2, Douai, 1624, col. 341) ou dans le *Florilegium morale oxoniense* (éd. Ph. Delhaye, Namur, 1955, p. 85-87), ou encore chez le chancelier Philippe dans sa *Summa de bono* (cf. R.A. Gauthier, *Magnanimité*, p. 271-277) et chez Albert le Grand (*Mariale siue Quaestiones* 55, éd. P. Jammy, Lyon, 1651, t. 20, p. 49b).

Thomas d'Aquin se dégage de l'héritage abélardien et apporte sa morale propre. Pour établir en l'homme un ordre rationnel, dans sa *Somme théologique*, il adjoint à chaque mouvement de l'appétit une vertu, la tempérance au concupiscible et la force à l'irascible (1ª 2ᵃᵉ, q. 61, a. 2). A la force il attribue deux actes, *aggredi*, avec les vertus de magnanimité ou confiance et de magnificence, *sustinere*, avec les vertus de patience et de persévérance. Il définit la patience, avec Cicéron (cf. *supra*), « honestatis aut utilitatis causa, rerum arduarum aut difficilium uoluntaria ac diuturna perpessio » . La persévérance intervient quand l'épreuve se prolonge (2ª 2ᵃᵉ, q. 128).

La q. 136 de la 2ª 2ᵃᵉ est consacrée à la patience. S'appuyant sur Augustin, Thomas lui assigne un domaine très précis : supporter, pour demeurer dans le vrai bien et dans la charité, toutes les tristesses qui peuvent naître des difficultés de l'existence ou de la conduite des autres hommes (a. 1). Elle « produit une œuvre parfaite » (*Jacq.* 1, 4) en ce qu'elle modère la tristesse, premier effet de l'épreuve. Mais elle n'est pas la plus parfaite des vertus : les théologales et les cardinales la surpassent (a. 2). La patience naturelle qui fait supporter la souffrance, par exemple en vue de la santé, n'est qu'imparfaitement vertu. Quand elle vise les biens surnaturels, objet de charité, la patience ne peut subsister sans la grâce (a. 3). Élément constitutif de la force là où il y a danger de mort, elle en est seulement une vertu annexe quand elle a pour objet les autres épreuves et dangers (a. 4 ; cf. q. 128). Elle ne se confond pas avec la longanimité, qui concerne les biens envisagés à distance (a. 5). Thomas établit ainsi une théologie morale de la patience qui exercera une influence durable. Le *Speculum morale*, intégré dans le *Speculum maius* de Vincent de Beauvais dans les premières décades du 14ᵉ siècle, en recopie des pages entières presque littéralement.

Si le *De remediis utriusque fortunae* (1355-1365) de Pétrarque s'inscrit dans le contexte sénéquien et plaide pour une *tranquillitas animi* toute naturelle, à partir de l'expérience concrète décrite avec réalisme, Denys le Chartreux † 1471 revient à la patience dans l'esprit de saint Thomas au livre II de sa *Summa de uitiis et uirtutibus*, art. 23-27 (*Opera omnia*, t. 39, Tournai, 1910, p. 197-205).

Il n'en retient cependant pas la systématisation. La patience (art. 23) est « le support serein (*tolerantia aequanimis*) des adversités en considération de Dieu pour le salut » (p. 198bA). Comme vertu « infuse et méritoire », elle est plus précisément « la vertu morale qui modère la passion de tristesse, portant sereinement toute adversité et tribulation pour l'honneur de Dieu et la félicité éternelle » (p. 198bB). L'art. 24 expose les causes et raisons de l'adversité et de la patience (p. 199aB-200bB). L'art. 25 décrit les effets : la patience guérit la tristesse, rend l'homme maître de lui, fort, exemplaire pour les autres ; elle récompense le patient dès ce monde par la paix et l'assurance qu'elle lui donne (p. 200bC-201bC). L'art. 26 en estime la dignité et les degrés. D'autres vertus sont plus nobles, mais la patience est le test de l'état vertueux ; elle a été exaltée par la vie du Christ et des saints ; elle est recommandée souvent par l'Écriture et produit des actes difficiles et éclatants (p. 202aC). L'auteur raffine sur les degrés de la patience en utilisant diverses échelles (202aC-203aB). L'art. 27 (p. 203aC-205bD) situe la patience dans l'Écriture, en insistant sur les Béatitudes, et chez les Pères. L'exposé est clair, mais sans grande originalité.

Marsile Ficin (1433-1499) part du thème platonico-stoïcien que le mal subi n'est mal moral que si on le fait sien (*Ep.* 1, *Opera*, Paris, 1641, p. 616b ; 5, p. 776b). Mais la patience, qui est « le bien subir », « fait avec le nécessaire du volontaire », « transforme les maux en bien » (*Ep.* 5, p. 763ab) et « les siècles de fer » « en or » (p. 777a). Ainsi « on triomphe du destin » jusqu'à « s'égaler à Dieu » (p. 776a). Ficin christianise cette idée, en demandant que le patient s'unisse au souverain bien par l'amour (p. 776ab) ; la patience alors parfait les autres vertus (p. 764a).

J.-J. Pontano (1426-1503) consacre deux livres *De fortitudine* (*Opera*, Bâle, 1566, t. 1), l'un au courage militaire, l'autre au courage domestique. Le second est un véritable traité de la patience, conçu dans la tradition antique, où l'on considère successivement tous les accidents de la vie : ruine de la patrie, exil, défaveur, pauvreté, servitude, cécité, perte d'enfant... Aux arguments stoïciens se mêlent des exemples chrétiens, mais devant le Christ en croix l'auteur rappelle avec Tertullien : « C'est un genre de vengeance, que d'enlever à celui qui la fait le plaisir de l'insulte faite » (x, p. 254-255).

Le carme Jean-Baptiste Spagnoli † 1516 (DS, t. 8, col. 822-26), dit le Mantouan, étale une érudition désordonnée dans ses *De patientia aurei libri tres* (cité d'après *Secundus Operum B. Mantuani tomus*, Paris, 1513, en suppl. ; éd. récente par E. Bolisani, Padoue, 1960). Dans la ligne d'Aristote et de Thomas d'Aquin, il situe la patience dans l'irascible (I, 31, f. XII), en face de la tristesse (III, 15, f. XXXII) ; il insiste sur sa nécessité (II, 2-8, f. XIII-XVI). Il se souvient souvent de Pline, mais aussi d'Hermas (*Past.*, Sim. IX, 15, 2), quand il bâtit sa patience sur les quatre colonnes de foi, espérance, persévérance et longanimité (III, 1, f. XXVI). La note chrétienne n'est pas absente : « Si tu es patient, tu seras appelé à bon droit fils de Dieu » (II, 23, f. XIX). « On verra

l'homme patient et joyeux passer dans la compagnie des anges » (II, 44, f. XXVI).

2° LES SPIRITUELS DES 11ᵉ-15ᵉ SIÈCLES. – Au 11ᵉ siècle, saint Pierre Damien rédige un *De patientia in insectatione improborum* (PL 145, 791-796), profondément évangélique : « Tout homme qui, vivant dans la droiture, est écrasé par les épreuves, comme il suit le Christ maintenant doublement sur sa trace, de même ensuite ne manquera pas de partager son héritage » (796b).

Du 11ᵉ au 13ᵉ siècle, la plupart des religieux n'en parlent qu'incidemment. Ainsi les chartreux Bruno † 1101 (*Ep.* 3, SC 88, p. 85), Guigues I † 1137 dans ses *Méditations* (éd. A. Wilmart, Paris, 1936, p. 80, 89, 111). Chez les cisterciens, Bernard de Clairvaux † 1153 recommande une patience couronnée par la paix à Hugues, archevêque de Rouen (*Ep.* 25, *Opera*, éd. J. Leclercq-H. Rochais, t. 7, Rome, 1974, p. 78-79) ou l'associe à l'humilité dans *Sermones in Cantica* 34, 3 (t. 1, 1957, p. 247). Thomas de Froidmont rappelle, avec Grégoire, que la patience « permet d'être martyr sans être frappé par le fer » et y invite vigoureusement (*De modo bene vivendi* 40, 101, PL 184, 1261a). Dans la même famille, Aelred de Riévaux † 1167 fait contempler « la tranquille patience de son bien-aimé maître et sauveur » (*De spec. car.* III, 5, 14-16, CCM 1, p. 112-113) et Adam de Perseigne † 1221 y voit « une école de patience » où l'on apprend « toute la philosophie de la patience chrétienne » (*Ep.* 64, éd. J. Bouvet, *Archives historiques du Maine*, t. 13, 1951-1960, p. 629, qui corrige PL 211, 650-653 ; cf. *Ep.* 8). A la même époque, François d'Assise † 1226 en fait sept mentions, où elle est jointe souvent à l'humilité (*Écrits*, SC 285, 1981 ; cf. index analytique).

Les franciscains du 13ᵉ siècle insistent davantage sur la patience. Bonaventure † 1274 en fait une composante de la force du martyr dans son *Sermon 2 sur Étienne* : « magnanimus in aggrediendo..., patiens in sustinendo..., constans in perseuerando..., magnificus in triumphando » (éd. Quaracchi, t. 9, p. 486a ; cf. *In Hexaemeron* VI, t. 5, p. 363a ; *Sermo 2 In Festo omn. sanct.*, t. 9, p. 604b). Il revient volontiers sur cette vertu (t. 9, p. 415b ; 534b ; 569a), qui caractérise « le mode de vie du nouveau Testament », depuis que le Christ a souffert plutôt que de soumettre le monde (*Serm. de Circumc. Dom.* 1, t. 9, p. 139a ; cf. *Domin. 2 post Pascha* 1, p. 296a), en particulier la patience envers les ennemis (*Serm... de Annunt.* 6, t. 9, p. 686a). Il y voit un moyen d'obtenir « la sainteté de l'impassibilité » (*Feria 2 post Pascha* 2, t. 9, p. 288a ; cf. 285b ; 286a).

Guillaume de Lanicia († avant 1310) fait de la patience l'objet de la 8ᵉ Béatitude dans sa *Diaeta salutis* (VII, 7, dans *Bonauenturae Opera omnia*, éd. A.C. Peltier, t. 8, Paris, 1866, p. 325a-326b). David d'Augsbourg † 1272, auteur d'un *Vom Nutzen der Geduld* resté inédit, consacre à la patience quatre chapitres de son *De profectu religiosorum* (II, 34-37, *ibid.*, t. 12, Paris, 1868, p. 394b-398b) : nature, occasions, effets, degrés. La patience est parfois simulée ou forcée, mais même imposée elle peut être vertueuse (p. 394b-395a). Deux fois, il la définit en termes proches du *De inuent.* de Cicéron (p. 394b et 395b), mais, dans le premier cas, il remplace « honestatis aut utilitatis causa » par « aeternae gloriae respectu ». Parmi les effets, il souligne la participation à la passion du Christ, qui « cherche qui de nous veut compatir avec lui et porter avec lui le poids de ses épreuves, qu'il soutient encore dans son corps mystique qui est l'Église » (p. 396b). Ce développement bien chrétien s'achève sur la joie dans les tribulations, supérieure à toutes les bonnes œuvres (p. 398ab).

Le dominicain Humbert de Romans † 1277 étudie la patience dans une partie de sa lettre *De tribus uotis substantialibus religionis et quibusdam uirtutibus* (ch. 41-46, *Opera de uita regulari*, éd. J.-J. Berthier, t. 1, Rome, 1888, p. 23-28 ; trad. anonyme, VS, t. 10, 1924, p. 453-462). Elle est « un diamant..., un remède..., un bouclier ». « Le patient a l'avantage sur celui qui le poursuit, puisque la faute est à qui blesse et seulement la peine à qui supporte ». La vertu donne à l'épreuve la douceur du lait ou du miel (42, p. 24-25). La patience a dix degrés (43-45, p. 26-27). Les moyens de l'acquérir terminent ce petit traité assez riche.

Le 14e siècle produit, en particulier dans l'école dominicaine, des maîtres plus originaux. Un premier courant affleure dans les *Institutions* placées sous le nom de Jean Tauler † 1361 (*Œuvres complètes*, trad. E.P. Noël, t. 8, Paris, 1913), surtout dans les chapitres 4 et 11-12 sur la « patiente résignation », que la critique attribue à Guillaume Jordaens † 1372, et dans le chapitre 15 « sur la patience en toute adversité », qui serait inspiré de Ruusbroec et d'Eckhart. La patience y est comptée parmi « les filles de l'humilité » (11, p. 131). Au-delà de distinctions pointilleuses entre résignation intérieure et extérieure (cf. 12, p. 150-163), parfois appuyées sur Thomas d'Aquin (11, p. 134), elle est définie comme la vertu du support (15, p. 186). « Il n'est pas de souffrance, si petite soit-elle, courageusement acceptée pour Dieu, qui ne soit plus utile que la possession de tout un monde » (15, p. 187). La sécheresse spirituelle est, plus que tout, occasion de perfection (11, p. 139). Cette patience est axée sur le Christ et sa passion (11, p. 137-138 ; 15, p. 186) : « Nos douleurs ne nous sont utiles que par le mérite des siennes » (15, p. 189).

La position des *Institutions* n'est pas toujours aussi classique. Elles insistent beaucoup sur la paix, terme de la patience (15, p. 186, 192 ; cf. 11, p. 131, 136-137), qui « laisse indifférent, impassible, ferme » (4, p. 74), « libre, résigné et immobile » (15, p. 193-194). Stoïcisme ? Peut-être, mais, tandis que le sage du Portique se réfugie dans le noyau inviolable de son vrai moi, ces spirituels dénoncent tout « vivre en propriété » (14, p. 173) : « Que devons-nous haïr davantage, dites-moi, que la propriété de nous-mêmes ? » (14, p. 176). Bénie soit l'épreuve qui atteint nos « possessions », source d'imperfection, et nous « rend pauvres » (14, p. 180) entre les mains de Dieu. Patience teintée de quiétisme, elle s'accorde bien avec la doctrine du *dépouillement*, chère à Eckhart (cf. DS, t. 4, col. 105-107).

Plus exaltant est le message de Catherine de Sienne † 1380. Sa spiritualité, toujours traduite en une langue scintillante dans la correspondance, se noue en une densité admirable dans son *Dialogue*. Le cantique suivant, surgi au détour d'une lettre, donne et le ton et les thèses essentielles :

« Ô patience, que tu es aimable ! Ô patience, quelle espérance tu donnes à celui qui te possède ! Ô patience, que tu es reine et maîtresse, et jamais tu n'es dominée par la colère ! Ô patience, tu fais justice de la sensualité, lorsqu'elle veut s'irriter et lever la tête ; tu portes avec toi un glaive à deux tranchants, le glaive de la haine et de l'amour pour frapper et abattre sa colère, l'orgueil, et la moelle de l'orgueil, l'impatience ! Ton vêtement est le soleil avec la lumière de la vraie connaissance de Dieu et avec la chaleur de la divine charité... Oui, douce patience fondée sur la charité, c'est toi qui portes des fruits pour le prochain, et qui rends honneur à Dieu ; ton vêtement est couvert des étoiles de toutes les vertus... Comment donc ne pas se passionner pour une aussi douce chose que la patience ? Comment ne pas aimer souffrir pour Jésus crucifié ?... Appliquez-vous à vous connaître vous-même, afin que cette reine habite votre âme... Toutes les vertus qui sont l'ornement de la patience restent sur la terre ; la charité seule entre triomphante dans le ciel ; mais elle porte avec elle le fruit de toutes les vertus, et surtout le fruit de la patience. La patience est intimement unie à la charité ; elle en est la moelle, car elle se montre toujours revêtue d'amour ; elle n'en est jamais dépouillée, puisque la charité sans la patience ne serait pas une vertu » (*Lettre* 138, à Raymond de Capoue, trad. E. Cartier, 2e éd., t. 2, Paris, 1886, p. 413-15).

Ce texte, parfaitement accordé à la théorie de saint Thomas, contient presque toutes les idées que Catherine développe au long de son œuvre (*Lettres* 101, 102, 104, 131 ; trad. Cartier, t. 2, p. 208, 218, 230-31, 362 ; cf. *Lettres* 325, 334, 338, 342, 346, 351 ; t. 4, p. 193, 231, 257, 274, 290, 310 ; *Dialogue* 5, 2 ; 95, 6 ; 154, 3 ; trad. Cartier, 3e éd., Paris, 1892, p. 9, 162, 321 ; cette trad. rend assez exactement le texte italien publié par G. Cavallini, *Il Dialogo*, Rome, 1980).

La patience est intimement liée à l'obéissance : « La mère des vertus, qui est la charité, a donné la patience pour sœur à la vertu d'obéissance, et les a tellement unies, qu'elles ne peuvent vivre l'une sans l'autre » (*Dialogue* 154, 7, p. 323 ; légères différences dans l'éd. Cavallini, p. 446 ; cf. *Lettre* 107, t. 2, p. 243-244). La patience est, en somme, le miroir et le signe de toutes les vertus, puisqu'elle est un critère de l'amour (*Lettre* 101, t. 2, p. 199, 208 ; 138, p. 415). « Toutes les vertus peuvent tromper quelque temps et paraître parfaites alors qu'elles sont imparfaites ; mais elles ne peuvent se cacher devant toi ; car si cette douce patience, miroir de la charité, est dans l'âme, elle montre que toutes les vertus sont vivantes et parfaites » (*Dialogo* 95, éd. Cavallini, p. 224 ; cf. Cartier, p. 162). Finalement, la patience, solidement acquise, fait « goûter dès cette vie, les arrhes de la vie éternelle » (*Lettre* 324, t. 4, p. 190 ; cf. 101, t. 2, p. 208).

Les *Contemplations d'Idiota* (Raymond Jourdan, † avant 1390 ; DS, t. 8, col. 1430-34), selon le titre que leur donne le traducteur J. Tigeou (1586, éd. utilisée), accordent aussi une bonne place à la patience. A travers 21 petits chapitres (f. 76-121) qui détaillent les occasions, les qualités et les effets de cette vertu, l'auteur s'adresse à Dieu et demande indéfiniment la patience.

Au début du 15e siècle, L'*Imitation de Jésus-Christ* rappelle la nécessité de la patience en raison des adversités continuelles (III, 12 et 35). Elle est condition de salut (III, 19). Elle n'exige pas le combat offensif ou « l'âpreté » (I, 13), mais l'indifférence à la peine subie, quel qu'en soit l'auteur, prélat, égal ou inférieur (III, 19), dans la conformité totale à la volonté de Dieu, seule consolation (III, 14-17 ; cf. III, 12), jusqu'à un certain mépris de soi (III, 13). Le Christ est le maître de patience. Il faut se mettre à son « école » : « Ta vie est notre voie, et par la sainte patience nous cheminons vers toi, qui es notre couronne » (III, 18).

Thomas a Kempis est l'auteur d'un très beau dialogue entre le Christ et le chrétien *De tribus Tabernaculis*, consacré à la pauvreté, l'humilité et la patience. A cette dernière revient le chapitre 3 (*Opera omnia*, éd. M.J. Pohl, t. 1, Fribourg/Brisgau, 1910, p. 43-62). Après un éloge de la patience, admirable et nécessaire parce que la vie n'est que misère, et un appel à la miséricorde de Dieu (3, 1), le Seigneur répond : « Patiens esto et aduersa libens suscipe » (3, 4). La douceur de Dieu est la seule consolation (3, 6). Puis viennent la passion du Christ et l'appel à l'âme : « Dic ubi sit patientia tua ? Tu rea es et Jesus pro te in poena est. Tu peccasti et ille flagellatur » ; la suite est émouvante comme les impropères (3, 6-10). Les patriarches, les prophètes, Job, les martyrs sont autant de modèles de patience : « Placé dans la tribulation, souviens-toi que c'est le chemin des saints, par lequel on passe au royaume des cieux » (3, 12). Souffrir, c'est être assimilé au Christ, source de paix (3, 13). L'auteur reprend la parole en finale : « Seigneur, la patience m'est nécessaire, la patience ma protectrice. J'ai dit à la patience : tu es ma sœur ; à la pauvreté : mon amie ; à l'humilité : ma maîtresse et ma mère... Restez toujours avec nous » (3, 15).

Thomas a Kempis a aussi composé une oraison pour demander « la patience dans la tribulation et l'angoisse du cœur », marquée par le mépris de soi (éd. Pohl, t. 2, 1904, p. 417-418) et un cantique spirituel *De patientia seruanda* (t. 4, 1918, p. 246-247), où l'on retrouve une idée chère à certains Pères : « Totiens martyr Dei effeceris / Quotiens pro Deo poenam pateris » (p. 247). Thomas a Kempis, auteur d'un recueil inédit d'extraits sénéquiens, reste intégralement chrétien dans sa conception de la patience.

Au début du 15e siècle, Laurent Justinien (1381-1456) compose son *Lignum uitae* (1419), dont il consacre une partie à la patience (*Opera omnia*, Cologne, 1691, p. 58-66 ; cf. DS, t. 9, col. 398). Les considérations ne sont généralement pas originales : définitions et effets de la patience ; utilité et origine des tribulations (Dieu, le démon, le prochain) ; motifs qui invitent à cette vertu ; ses degrés. Elle est parfaite quand elle en un état stable, sans « diminution ni augmentation du fait des changements des biens » (p. 66a). « Elle s'élève au-dessus de ses biens ; que le hasard en supprime quelque chose ou tout, elle n'en est pas diminuée, et dans toutes les adversités elle reste immobile » (p. 66b). Laurent fait de la patience un martyre, à peu près dans les termes de Grégoire : « Sans fer ni flamme nous pouvons être martyrs, si nous gardons vraiment dans le cœur la patience » (p. 60a).

On peut ajouter les deux dialogues de Matteo Bosso † 1502, *De tolerandis aduersis* (*Opera uaria...*, Bologne, 1627, p. 117-138), qui constituent un plaidoyer pour la Providence plus qu'un traité de la patience ; le poème anonyme en vieil anglais *Patience* (2e moitié du 14e siècle, éd. J.J. Anderson, Manchester, 1969), paraphrase allégorique et plutôt mystique du livre de *Jonas* ; le mystère anonyme du 15e siècle *La pacience de Job* (éd. A. Meiller, Paris, 1971), où la patience joue le rôle final (à partir du v. 6084, en particulier v. 6414 et 6421-6428).

5. **La Renaissance.** – La place de la patience s'amplifie au 16e siècle. La peinture (Vasari, Salviati, Girolamo da Carpi, G.-B. Franco) et la gravure (Flötner, H.S. Beham, P. Brueghel l'Ancien, M. Van Heemskerck) en sont témoins. A côté d'auteurs secondaires comme Charles de Bouelles ou Loys Le Caron (Charondas), Montaigne en présente dans ses *Essais* (surtout III, 12 et 13) une conception presque épicurienne. Mais la littérature spirituelle, catholique et réformée, rend un tout autre son.

1° Spirituels catholiques (1500-1590). – Les traités de la patience ne sont pas très nombreux.

Antoine van Hemert (Hemertius) a publié, en 1551 (éd. néerlandaise dès 1549) à Anvers, *Paraclesis adflictae mentis, siue de Patientia*. Au long de l'exposé, l'auteur énumère toutes les espèces d'épreuves et apporte à chacune la réponse chrétienne qu'il lit dans l'Écriture, chez les Pères et chez les auteurs du moyen âge, sans invoquer l'antiquité païenne (une seule référence). Il définit la « vraie patience » : « C'est le support de tous les maux, c'est supporter toutes les épreuves et adversités, d'un cœur égal, pour Dieu, et, contre celui qui les a infligés, n'éprouver aucune morsure de souffrance ou de haine ». Il distingue quatre formes de patience : perverse, simulée, nécessaire ou forcée et volontaire (p. 15r-17v).

Polidore Vergilio, dans ses *Dialogorum De patientia et eius fructu libri* II (Bâle, 1531 ; éd. citée, Bâle, 1545), insiste sur cette dernière opposition, rencontrée déjà chez David d'Augsbourg : volontaire ou forcée (p. 4) ; même forcée (par nécessité naturelle) la patience peut devenir parfaite, quand on fait de nécessité vertu. Il célèbre les bienfaits de cette patience : « souveraine conservatrice de paix et de concorde, parce qu'elle ne se souvient d'aucune injure ; elle chasse aussi guerre et division... ; elle restaure en retour faveur et amitié... La patience est en outre la maîtresse de presque tous les arts et disciplines » (p. 23-24). Bien que l'auteur parte de la définition du *De invent.* de Cicéron (p. 2 ; cf. p. 3 et 5), l'œuvre cite peu les païens. D'allure plutôt philosophique, elle est fondamentalement chrétienne et, dans son dernier quart, essentiellement évangélique. Ces deux traités sont, en définitive, bien traditionnels.

Le dominicain Pierre Doré (DS, t. 3, col. 1641-45), à l'occasion des retrouvailles d'un « petit traité intitulé *Le Miroir de patience* », a composé *La Piscine de patience* (Paris, 1550). Le *Miroir*, publié en deuxième partie (p. 26r-78) est un exposé assez artificiel de quatorze occasions ou miroirs de patience ; la doctrine est évangélique : appel à la grâce, union de nos souffrances avec celles des saints et avec la passion du Christ. La *Piscine* est un commentaire de *Jean* 5, 1-9 (l'infirme à la piscine de Bezatha). Les cinq portes symbolisent les cinq catégories de tribulations ; Jérusalem, « vision de paix », rappelle que « patience est où est la paix d'esprit » (p. 9v) et les 38 ans d'attente du malade la vaine patience des philosophes sans le Christ (p. 24v-25r). Cet allégorisme recouvre une solide théologie de la patience, inspirée des Pères de l'Église.

L'ange qui rendait l'eau efficace, c'est Jésus Christ, « descendu du ciel es peines, misères et tourments de ce monde calamiteux » (p. 24r). La patience vient donc de Dieu, « fille de lui engendrée, laquelle est trouvée en lui premièrement devant qu'en nul ait été » (p. 4v). Doré cite Tertullien (*De pat.* 15, 6-7, CCL 1, p. 316) : « Là où est Dieu, là est sa nourriture patience ; quand l'esprit de Dieu descend, patience le suit comme individue compagne » (p. 10r). Elle est essentiellement dans le Christ, qui la manifeste surtout dans sa passion (p. 6r-8v) et Doré dit après Cyprien : « Telle est la patience de notre Rédempteur, que si elle n'était telle, et si grande, et admirable, l'Église n'aurait pas saint Paul Apôtre (cf. *De bono pat.* 8). Cette vertu tant divine, à nous utile et nécessaire, qui sommes tant de misères, voulant être en nous, à ce que comme enfants de Dieu, à lui fussions semblables, et comme frères de Jésus-Christ, eussions son esprit vêtu : nous a pourvus d'une belle piscine de patience » (p. 8v). Notre « patience en tribulations » nous sauve « quand le sang de l'agneau y est mêlé » (p. 11r).

La patience est présente aussi chez les auteurs spirituels en dehors des traités spécialisés. Louis de Blois † 1566 vante volontiers l'utilité de l'épreuve ; il invite à y voir « une disposition divine », « la main de Dieu », et à rendre grâces (*Règle abrégée des novices* 3, trad. Bénédictins de Wisques, Paris, 1913, t. 1, p. 189-191 ; *Le miroir de l'âme* 2 et 7, t. 2, p. 117-118, 165-167). Louis de Grenade † 1588 parle souvent de la patience, avec plus de flamme et d'originalité doctrinale (cité *Œuvres complètes,* trad. Bareille, etc., Paris, 1865-1868). Bien qu'il exploite longuement les sources païennes, surtout Sénèque et Plutarque, dans sa *Philosophie morale* (ɪ, 2, 69, t. 9, p. 245-253 ; ɪɪɪ, 2, 46, p. 683-684), il est centré sur la passion du Christ : il « n'a choisi d'autres insignes que ceux de la patience » (*Sermons,* t. 4, p. 37 ; *Introd. au Symbole de la foi* ɪɪɪ, 1, 18, t. 15, p. 116).

La patience est la vertu qui a sauvé le monde : « Sa patience fut la robe nuptiale dont il était revêtu quand sur la croix il prit l'Église pour épouse » (*Sermons,* t. 8, p. 146). Elle est, en retour, « le principal indice... de la vertu chrétienne » (t. 4, p. 37-38), nécessaire à la vie comme le pain (t. 2, p. 591) ou comme les armes (*Lieux communs* ɪɪ, 66, t. 21, p. 122), et il parle, avec Prudence, de « véritable veuvage » quand elle est absente (*Sermons,* t. 1, p. 550). Le Seigneur la privilégiée, parce que l'épreuve, « la matière de cette patience et de ce courage, se rencontre à chaque instant », comme l'eau, le pain et le vin pour les sacrements (t. 8, p. 585). La patience est « le martyre spirituel que tout chrétien est appelé à souffrir » (p. 417) ; saint Grégoire est cité en ce sens (t. 2, p. 400).

Le jésuite François Arias (DS, t. 1, col. 844-45) a publié à Valence en 1588, avec son *Aprovechamiento espiritual,* un traité *De la imitación de Nuestra Señora* (cité d'après la trad. franç. de François Solier, Douai, 1608), dont les derniers chapitres (50-57) constituent un bon traité de la patience appuyé sur les Pères et les auteurs spirituels.

« La patience, comme dict Augustin (*De pat.* 2), est une vertu par laquelle nous endurons de bon cœur les maux qui nous surviennent ». Son effet propre est de repousser les tristesses qui en résultent pour que l'âme ne soit ni troublée ni inquiétée (50, p. 448-49). L'élément de « paix et tranquillité » semble essentiel (56, p. 510) ; de même le silence, qui est bien plus qu'absence de plainte et qu'Arias recommande envers tous, sauf envers Dieu, le médecin et le confesseur (50, p. 453-54 ; 54, p. 478-79). La patience est « victoire sur soy-mesme », sur « sa propre volonté » et sur le démon (54, p. 483-85). Arias en définit les degrés (50, p. 448-53) et en montre la nécessité : elle fournit les armes nécessaires au combat de la vie, inspire la juste mesure dans les châtiments ; elle sauve les autres vertus et les préserve jusqu'à la perfection, si bien que Grégoire peut l'appeler « mère et gardienne de toutes les vertus » (54, p. 480-85). Il indique les moyens humains et spirituels d'acquérir ce « don spécial d'un prix incomparable » : entre autres, envisager, avant toute activité, les « traverses » qu'on pourra subir, même en traitant avec de bons chrétiens (56-57, p. 498-521).

Le support du mal, qui inclut une répugnance plus grande, exprime mieux l'amour que l'action bonne. Unissant l'âme à la passion du Christ, elle rend plus semblable à Dieu que toute autre vertu. Devançant Thérèse de Lisieux, sur un mot de Jean Chrysostome, il affirme qu'« endurer quelque peine pour nostre Sauveur vaut plus qu'estre habitant du Ciel » (55, p. 490). En tout cas, comme l'ont dit Diadoque et Grégoire qu'il cite, les épreuves « vallent autant qu'un second martyre » (55, p. 494). Marie, « l'exemple le plus rare de la patience », a souffert plus que les martyrs, parce qu'elle souffrait en Jésus, qu'elle aimait plus que personne (52-53, p. 461-77) ; de plus, elle a subi sur terre un « martyre spirituel » (53, p. 475). Dieu, l'aimant plus qu'aucune créature, l'a comblée d'épreuves,

« affin qu'ayant enduré avec plus de patience et charité que tous, elle meritast incomparablement plus que tous les hommes ny les anges meriterent iamais » (55, p. 497).

2º Littérature spirituelle réformée (1500-1595). – Les réformés excluent de la patience tout ce qui pourrait la rapprocher de l'apathie et lui donner une certaine suffisance humaine. Calvin, dans l'*Institution de la religion chrestienne* (1536), invite à nous ranger au « vouloir et providence du Seigneur ». En acceptant les maux, nous « acquiesçons à notre bien ». Mais il ne s'agit pas de « ne sentir douleur aucune », comme le prétendaient les stoïciens, d'être « sans sentiment comme une pierre ». Il dénonce les chrétiens qui imitent les païens en oubliant que le Christ fut triste jusqu'à en mourir, et il ajoute : « Il convient que ceux qui font de patience stupidité, et d'un homme fort et constant, un tronc de bois, perdent courage et se désespèrent quand ils se voudront adonner à patience » (ɪɪɪ, 8, 9-11, éd. J.D. Benoit, t. 3, Paris, 1960, p. 185-188). Dans ses œuvres exégétiques, il dénonce à nouveau « la dureté de fer des stoïciens » (*In Eu. Ioh.* xɪ, 33, éd. G. Baum, etc., t. 47, p. 266 ; *In 2 Cor.* ɪɪ, 4, t. 50, p. 28), qui est « patience forcée » (*Sermon 46 sur Daniel* xɪɪ, t. 42, p. 156). « La vertu est quand ils se pourront modérer et tenir telle mesure, qu'ils ne laisseront point de glorifier Dieu au milieu de toutes leurs misères..., qu'ils batailleront contre leurs passions jusqu'à ce qu'ils se puissent ranger à la volonté de Dieu » (*Sermons sur le livre de Job* 7, 1, t. 42, p. 93-94).

Pierre la Primaudaye, dans la huitième journée de son *Académie française* (Paris, 1577), voit dans la patience la vertu « qui approche le plus près de la divinité » (p. 93a), « la plus digne de l'homme chrétien » (p. 94b), mais, à son tour, contre les stoïciens, qu'il exploite pourtant, il refuse que nous soyons « premièrement dépouillés d'humanité, ou rendus stupides et sans sentiments comme une pierre » (p. 93a) :

« La vraie patience donc que nous devons embrasser en toutes choses, non comme forcée et par nécessité, ains gaiement, et comme acquiesçant à notre bien, est une modération et tolérance de nos maux : qui, combien que nous gémissions sous le faix d'iceux, nous revêt cependant d'une joie spirituelle, qui combat si bien, et maîtrise tellement le sens de nature qui fuit la douleur, qu'en fin elle nous range d'une affection de piété, et d'un courage franc et allègre, sous le joug et obéissance de la volonté divine, juste et équitable, en l'attente certaine des choses promises » (p. 93b).

Jean de l'Espine (Spinaeus), dans ses *Excellens discours touchant le repos et contentement de l'esprit...* (1587 ; cités d'après l'éd. de Genève, 1599), bien qu'il fasse appel souvent à Plutarque et quelquefois à Sénèque, dénonce aussi la conception stoïcienne du repos (p. 6 ; 242-243 ; 343-345).

La patience est « de toutes les vertus, celle qui est la plus propre aux Chrétiens et qui leur devrait être plus familière. Car quelle foi, espérance ou charité, saurions-nous avoir sans elle ?... Quelle conformité avec Jésus-Christ et tous ses saints ? Quelles marques et enseignes de notre chrétienté ? Quel témoignage de l'Évangile ? A quoi connaîtra-on sans patience que nous sommes membres de Jésus-Christ et enfants de son Église ?... Que pour suivre Jésus-Christ, nous ayons grande volonté de renoncer à nous-mêmes, de tout abandonner, et de prendre notre croix sur nos épaules, afin d'y être attachés à telle heure qu'il lui plaira de le permettre, pour la confession de la vérité et son saint nom ? » (p. 280-281). C'est surtout la vertu du combat, qui peut aller jusqu'au martyre effectif (p. 702).

Sous le nom assez mystérieux de Quintin Renvoy, nous est parvenu un traité considérable et peu connu, violemment anti-papiste : *Le combat spirituel de la patience chrestienne avec tous ses ennemis tant visibles qu'invisibles...* (Paris, 1595). L'auteur affirme d'emblée que la patience est un don de Dieu « pource qu'elle vient et procède de lui » (ɪ, 1, p. 1 ; cf. p. 2) : « Dieu sans nous l'engendre en nous » (ɪ, 6, p. 20 ; cf. 7, p. 26 et 28 ; ɪɪ, 3, p. 139 ; v, 1, p. 996). Cette insistance est liée à la théologie de la grâce : « la couronne de gloire » est donnée « tant seulement de don gratuit » (v, 2, p. 1000). Elle est accordée, indépendamment des œuvres, « aux vrais martyrs de Jésus Christ, et aux vrais patients qui sont persécutés pour justice » (v, 5, p. 1026 ; cf. 6, p. 1027, 1030).

L'auteur rappelle le mot de Grégoire, modifié : « Sans fer, sans glaives, et sans feu nous pouvons être martyrs, si vraiment nous gardons la patience » (ɪ, 3, p. 8). Il donne en outre, sans référence, quatre fonctions de la patience, qui se lisent identiquement dans le *Speculum morale* du pseudo-Vincent de Beauvais (*Speculum maius*, t. 3, Douai, 1624, lib. ɪ, pars 3, dist. 88, col. 458-463) : « Premièrement elle est appelée Gouvernante très docte. Secondement Défense très forte. Tiercement Marchande très prudente. Quartement Gardienne très fidèle » (ɪ, 2, p. 2-3). Faisant du monde « un champ de bataille », il souligne l'aspect militant de la patience, qui « fait retourner les dards contre ceux qui les jettent » (ɪ, 3, p. 6). Mieux, elle « convertit les choses viles en choses précieuses, elle trouve l'or dans le sable contemptible, voire elle convertit le sable en pierres précieuses » (ɪ, 5, p. 14). L'espérance est très présente dans cette patience (ɪɪ, 1, p. 58-77 ; v, 7, p. 1039). Mais la foi est l'objet du combat qu'elle soutient (ɪɪ, 6, p. 280-281), non point la foi « papistique » (ɪɪ, 6, p. 271), qui ne peut produire qu'une patience « feinte et simulée », « obstinée, opiniâtre et endurcie » (ɪ, 10, p. 35 ; p. 38-40), mais « la vraie vérité, qui est Dieu » (ɪɪ, 9, p. 349). Cette patience-là se vit dans « la joie es afflictions » (ɪɪ, 7, p. 282-300 ; cf. ɪ, 6, p. 21).

Les réformés rappellent ainsi son caractère de joyeuse conformité à la volonté divine. Ils veillent à ne pas en faire une action méritoire et en accentuent la gratuité. Enfin ils la ramènent au martyre. C'est un tournant – provisoire – dans l'histoire de la patience.

**6. Le 17ᵉ siècle.** – La poussée néo-stoïcienne des années 1600 provoque un regain d'intérêt pour la patience, mais dans un esprit opposé. Trois grands auteurs présentent la double particularité d'appuyer cette patience sur la confiance en l'homme et de la situer par rapport aux malheurs politiques plus que devant l'épreuve personnelle. Juste Lipse (1547-1606) définit la patience, dans son *De constantia* (1584), « le support volontaire et sans plainte de tous les accidents et incidents qui surviennent à l'homme, de l'extérieur » (ɪ, 4, éd. L. du Bois, Bruxelles-Leipzig, 1873, p. 150-151), et déclare dans la préface : « J'ai cherché le soulagement aux maux publics. Qui avant moi ? » (ɪ, 4, p. 116). Guillaume du Vair indique cette intention dans le titre même de son *Traité de la Constance et Consolation es calamités publiques* (1594). Enfin Pierre Charron (1541-1603), moins axé sur les événements politiques, donne de la vaillance-patience, une conception toute rationnelle et autonome. Ces trois auteurs, en faisant appel explicitement aux stoïciens, situent la grandeur de l'homme dans la domination de la raison sur les passions, travail qui lui permet de s'intégrer à la loi du monde. Leur patience, malgré leur volonté d'orthodoxie, particulièrement sensible et chaleureuse chez du Vair, est plus philosophique que chrétienne.

Dans le monde anglais autour de 1600 la patience n'a pas d'insertion politique et sa conception est souvent religieuse. Le théâtre de Shakespeare, de Philip Massinger, John Ford et surtout Thomas Dekker est nettement marqué par la présence de « l'homme patient ». Les moralistes y sont encore plus attentifs dans leurs traités consacrés à la consolation (Nicholas Bownde, 1608), à l'équilibre de l'âme (Lawrence Bankes, 1619), à la tranquillité de l'esprit (Bishop Hall, 1606), au courage (George Gifford, 1594), à la résolution (Gabriel Powel, 1600), à la patience proprement dite (William Jeffray, 1629 ; Richard Younge, 1636). Tous ces auteurs réformés, même quand ils admirent le stoïcisme et en subissent l'influence, écartent de la patience la dureté, « la stupidité stoïque » (Jeffray), « la stoïque indolence » (Powel), qui rendrait « insensible comme bois ou pierre » (Bownde). Ils insistent sur la grâce, sans laquelle l'acte humain ne serait que vice (Gifford), un « splendide péché » (Younge). Seul Cornwallis dans ses *Essais* publiés à partir de 1600, donne une conception très stoïcienne de la patience (pour précisions et références, voir G. Monsarrat, *Thèmes stoïciens*, cf. bibliographie).

En somme, autour de 1600, on distingue nettement deux courants : dans le monde catholique, sous l'influence du Portique, une tendance laïcisante, qui compte beaucoup sur l'homme ; chez les réformés, fidèles à l'esprit de Calvin, une volonté religieuse, qui compte sur Dieu seul. Le 17ᵉ siècle rétablit un certain équilibre.

1° Auteurs spirituels des premières décades : François de Sales. – L'influence du stoïcisme est plus discrète dès 1610 environ, mais la patience reste très présente dans la pensée des écrivains. Jérémie Drexel (1581-1638 ; DS, t. 3, col. 1714-17) inscrit la patience qui supporte les afflictions parmi les douze signes de prédestination de son *Zodiacus christianus* (1622). De même Ch. Moreau, dans son *Zodiacus mysticus* (1631), attache une note de patience au Sagittaire, auquel il associe Job (p. 206), puis au Cancer, pour y intégrer « l'apôtre Paul » (p. 208-211). Le capucin Sébastien de Senlis, dans *La Philosophie des contemplatifs* (1620), intitule la leçon 42 « De la force et constance » (p. 432-446). Dans ce monde instable et changeant, où « tout n'est qu'une roue, qui monte, qui dévale, et qui roule de vicissitude en vicissitude et de précipice en précipice » (p. 433), il faut « se murer d'équanimité et de constance » (p. 435). « L'homme constant est un diamant qui se rit des marteaux et des feux » (p. 444). Pour ce faire, il faut se souvenir que le mal est surtout dans « l'idée qu'on s'en fait. Dans cet argument et dans d'autres (p. 437-438 ; 442-443), on reconnaît des éléments de la littérature consolatoire stoïco-chrétienne, où l'on pourrait aussi étudier la patience. La leçon 46 aborde directement cette vertu : « De la patience » (p. 460-474). L'auteur y considère le monde dominé par la misère et ajoute :

« En cette mer si tempêtueuse, et si hasardeuse, il n'y a qu'un seul port pour ceux qui y font voile : c'est la patience » (p. 462). Les derniers mots du développement disent le niveau où il se situe : « La profession du nom de Chrétien nous oblige au port gai de la croix de notre bon maître... Le remède à toutes douleurs, l'onguent à tous maux, et le port à toutes misères, c'est la patience : qui en a médiocrement, celui-là est riche. Le plus souverain de tous les remèdes, pour soutenir patiemment toutes sortes d'infortunes, c'est de se mettre à l'abri sous les mains clouées du sauveur du monde, qui sont continuellement étendues, et déployées en forme d'ailes, pour protéger, secourir et aider, tous ceux qui espèrent en sa mort et passion douloureuse » (p. 473-474).

François de Sales a bien écrit une brève et peu connue *Prattique de la patience*, mais il l'a surtout enseignée au long de son œuvre (éd. d'Annecy, 1892-1932), en particulier dans sa correspondance. Il n'a pas renoué avec la tradition biblique de la patience-espérance, mais il en a fait une vertu du quotidien, pratique, sans rien lui enlever de sa portée mystique. Il la conseille naturellement envers les autres (à Mᵐᵉ de Fléchère, t. 14, p. 138). Mais il insiste sur la patience avec soi-même : « Il faut, s'il vous plaît, avoir patience avec tout le monde, mais premièrement avec soi-même ». « Pendant que nous sommes ici-bas, il faut que nous nous portions tous les jours nous-mêmes, jusqu'à ce que Dieu nous porte au ciel, et pendant que nous nous porterons, nous ne porterons rien qui vaille. Il faut donc avoir patience et ne penser pas de nous pouvoir guérir en un jour de tant de mauvaises habitudes... » (à la Présidente Brulart, t. 13, p. 19 ; p. 194, p. 226 ; à Mˡˡᵉ de Soulfour, t. 12, p. 203 ; à Mᵐᵉ de Fléchère, t. 14, p. 2 ; p. 22).

Quel qu'en soit l'objet, cette patience, apparemment bonhomme, va jusqu'au « désengagement... de toutes choses » (à la baronne de Chantal, t. 12, p. 363), à « la fervente indifférence » (à la même, t. 21, p. 156). Il précise, dans l'*Introduction à la vie dévote* : « Or je dis, Philothée, qu'il faut avoir patience, non seulement d'être malade, mais de l'être de la maladie que Dieu veut, au lieu où il veut, et entre les personnes qu'il veut, et avec les incommodités qu'il veut » (III, 3, t. 3, p. 135). François de Sales témoigne d'un grand réalisme, mais poussé à l'héroïsme et toujours tourné vers le modèle souverain : « Il faut être en la croix... avec patience, pour ne point vouloir descendre de la croix qu'après la mort, si ainsi il plaît au Père éternel » (à Mᵐᵉ de Granier, t. 19, p. 142).

2° LES TRAITÉS DE LA PATIENCE, qui se multiplient de 1623 à 1657, n'ont pas le niveau de cette belle spiritualité. Le hollandais Th. Schrevelius publie en 1623 un ᾿Αλεξίχαχον *siue De patientia* composé surtout de citations. Le *Clypeus patientiae* (1622 ; cité d'après la 2ᵉ éd., Lyon, 1627) du franciscain Jacques Coren (DS, t. 2, col. 2325-26) est encore un réservoir de citations (124 de Sénèque), mais néanmoins une œuvre composée.

Le livre I traite de la patience en général, à partir du titre emprunté au *De patientia* de Tertullien : définition, nécessité, motifs et moyens, dont la *praemeditatio* des malheurs possibles (p. 241-245). Le livre II est un traité de patience appliquée, où l'on envisage, cas par cas, tous les maux qu'il faut surmonter, depuis les persécutions (ch. 1), jusqu'au désespoir du salut (ch. 32), en passant par les calculs des reins (ch. 22) ou la galère (ch. 30)... Ce qui donne au total 704 pages d'un traité profondément chrétien, où les auteurs païens sont abondamment cités, mais surtout pour inviter les chrétiens à faire mieux.

Vers la même date, en 1627, un luthérien strasbourgeois mal connu, H.M. Moscherosch, entreprend un vaste dossier *Die patientia*, retravaillé jusqu'en 1662, resté inachevé, édité seulement en 1897 par L. Pariser. C'est un étrange fourretout de langues et d'idées, qui révèle l'importance que ce luthérien accorde à la patience, apparemment sans y apporter les réserves que mettait Calvin.

J. Drexel, nommé plus haut, a laissé un traité en forme sous le titre *Gymnasium patientiae* (1630), traduit *Escole de patience où par divers exemples et par de fortes raisons l'on apprend à résister à tous les maux de la vie* (Paris, 1633 ; cité d'après le texte latin des *Opera spiritualia*, t. 2, Douai, 1636). Il considère littéralement la formation à la patience comme une discipline d'école et les adversités deviennent les sanctions de l'écolier. Il justifie la dureté des peines et leur apparente inégalité, en s'appuyant sur des citations nombreuses de Sénèque, Épictète, la Bible et les Pères. La 2ᵉ partie, sur la base d'exemples désormais uniquement bibliques et patristiques, montre tous les bienfaits des épreuves : « Quae nocent docent » revient comme une refrain. La 3ᵉ partie, la plus intéressante, sinon la plus originale, expose comment supporter les épreuves.

La patience, comme chez Juste Lipse (*Constance*, éd. du Bois, p. 150), « est le support volontaire et sans plainte de tous les accidents et incidents qui surviennent à l'homme, de l'extérieur » (p. 84b) : « Il faut exercer la patience en tout lieu et en tout temps, à l'égard de tous les hommes et en toutes choses, sans exception. Car aucune vertu n'est parfaite sans patience » (p. 86b-87a). Il insiste sur la *praemeditatio* de tous les possibles (cf. déjà p. 40a) : « L'inattendu pèse plus lourd. La nouveauté ajoute du poids à la calamité » (p. 105ab). A grand renfort de Sénèque et d'Épictète, il invite à être toujours prêt, à pouvoir répondre toujours « je savais » (p. 106a). Le livre se termine par une invitation à « conformer entièrement sa volonté à la volonté divine ». « A ceux (qui l'ont réalisé) tout va bien, même quand cela va très mal... Tout répond à leurs vœux » (p. 113a).

A ces textes, on peut joindre un écrit posthume de François Quevedo (1580-1645), *La Constancia y paciencia del Santo Job en sus perdidas, enfermedades y persecuciones* (*Obras*, t. 3, Madrid, 1729, p. 201-314). L'œuvre est, en partie, un commentaire du livre biblique, réalisé avec l'aide de Sénèque et d'autres auteurs, profanes et religieux, où la providence est vigoureusement défendue et Job patient longuement rapproché du Christ souffrant. Un traité antérieur touche ainsi à la patience : *De los remedios de cualquier fortuna. Desdichas, que consuela L.A. Seneca*, 1633 (*Obras*, t. 2, p. 49-67), commentaire du texte sénéquien, qui constitue un art de dominer le destin, sans exclure l'au-delà et la grâce.

Le *Trattato della Pazienza* du dominicain A. Paciuchelli (Pérouse, 1657 ; cf. sa notice, *supra*) est une somme de 800 pages, sans grand art ni haute philosophie, mais solidement documentée, où voisinent Aristote et Thomas d'Aquin, Sénèque, appelé « presque un saint Paul et un évangéliste » (p. 104 ; cf. p. 268 et 269) ou un autre Chrysostome (p. 727), Thomas a Kempis et tant d'autres, même contemporains. Le livre I traite de l'essence, de la perfection et de la nécessité de la patience. L'auteur insiste sur le caractère surnaturel de la vertu (p. 18-19) : « La patience est propriété et caractéristique de la divinité et qui est patient a plus de divin que d'humain » (p. 61). Comme pour Marsile Ficin, elle « a cette merveilleuse vertu, de savoir transformer les maux en biens, les tristesses en joies, et les tourments en allégresses pleines de mérites. Glorieuse alchimie, *Tristitia uestra*. Oh quel fer ! *Conuertetur in gaudium*. Oh quel or ! » (p. 29).

Reine des vertus, « elle fait les martyrs et, sans feu ni fer, donne la couronne et la palme » (p. 46 ; souvenir de Grégoire), permet même un martyre permanent (p. 46-47). Ce ne sont pas les miracles qui font les saints, mais la patience. Les religieux, en particulier, selon Thomas a Kempis, précise-t-il, sont des « martyrs quotidiens » (p. 77) : « La religion est un martyre et un perpétuel exercice de patience » (p. 81). S'appuyant sur l'évêque Zénon, sur Sénèque, sur saint Paul (*Rom*. 5, 3), Paciuchelli fait de la patience « le signe » de la vertu, au sens sacramentel du mot « signe » (p. 105).

A l'ouverture du livre II, consacré aux moyens d'acquérir la patience, il nomme en premier lieu la prière, parce que « Dieu est la cause efficiente... de la patience » (p. 199), la prière doublée de la contemplation. Il ajoute immédiatement la préméditation, appuyée sur Sénèque, de tous les maux possibles (p. 212), « pour que l'imprévu ne vienne pas s'ajouter au mal » (p. 223). Défilent alors tous les moyens, motifs et justifications, païens et chrétiens, rencontrés ailleurs. Puis, comme J. Coren, il passe aux cas concrets et énumère, en trois livres, toutes les occasions de patience, depuis le mauvais accueil d'une auberge jusqu'à l'aridité spirituelle et au scrupule, qui termine le livre un peu brutalement. Tel est l'un des derniers grands traités de la patience.

3° AUTEURS SPIRITUELS. – Le jésuite J.-B. Saint-Jure (1588-1657) est l'auteur, entre autres, de deux œuvres où la patience occupe une grande place : *De la connaissance et de l'amour du Fils de Dieu Notre Seigneur Jésus Christ* (1634), dont on a tiré *La vertu de patience* (Bruxelles, 1913, 88 pages), et *L'homme religieux* (1658), dont le livre II, ch. 6 (« Des qualités nécessaires pour bien vivre dans une communauté ») a été reproduit sous le titre *De la patience* (Lille, 1912, 138 pages).

*De la connaissance et de l'amour* (cité d'après l'éd. Tarpin, Lyon, 1839, 5 vol.) définit la patience dans l'esprit de saint Thomas en un langage bien scolastique (livre III, ch. 24, t. 4, p. 411-412) et distingue « trois degrés dans la vertu de patience » (p. 413-414). Après ces généralités, Saint-Jure envisage les grandes occasions de patience : pauvreté (p. 415-425), humiliations et « toutes les atteintes à notre honneur » (p. 425-439), afflictions du corps et surtout maladies (p. 439-451), enfin afflictions de l'esprit (p. 451-467). Plus loin il donne le sens de toutes ces épreuves : « Ces deux choses posées, savoir que la prédestination de Notre Seigneur est le modèle de la nôtre, et qu'elle est fondée sur la croix, il faut nécessairement conclure que la nôtre doit être aussi nécessairement fondée sur la croix » (ch. 24, t. 5, p. 223). Ailleurs, soulignant les exigences et les déceptions du ministère, il juge que la patience, autant que la mortification qui, à ses yeux, en est très proche, est indispensable à l'homme apostolique (livre III, ch. 4, t. 3, p. 233-241) : « Si l'homme apostolique n'est animé d'une patience à toute épreuve, il ne pourra jamais rien faire de grand » (p. 233).

*L'homme religieux*, livre II (éd. de Paris, 1658) est un traité de la vie religieuse remarquable de réalisme et même d'humour. Il consacre un long chapitre 6 à la patience en communauté (p. 235-298), exigée pour la paix perpétuelle et pour l'obéissance (p. 240-242). L'Église est mêlée – Judas parmi les apôtres – et cela est vrai des ordres religieux (p. 249, 253). « Les esprits grands et relevés ont naturellement beaucoup de difficultés dans les Religions, en deux choses. La première, à assujettir leur jugement, et suivre celui d'autrui. Et la seconde, à porter les bassesses, les impertinences et les extravagances des esprits simples » (p. 245-246). La présence des méchants parmi les bons, dans les ordres religieux comme dans l'Église, permet aux premiers de se corriger en s'inspirant des bons exemples et aux seconds de s'exercer. C'est l'essentiel de ce chapitre (p. 270, 272, 273) sur la patience des religieux.

Jean-Jacques Olier (1608-1657 ; DS, t. 11, col. 737-751) consacre à la patience le chapitre 2 de l'*Introduction à la vie et aux vertus chrétiennes*, publiée en 1657 (citée d'après l'éd. Paris, 1661). Son originalité est de songer spécialement aux prêtres : il faut souffrir comme créature placée devant le Tout-Puissant, comme pécheur tenu à réparation, comme chrétien continuateur de la vie du Christ, comme clerc voué à la perfection (p. 242-246). Cette patience est « une marque que l'âme est unie intimement à Dieu et qu'elle est établie dans la perfection. Car il faut qu'elle soit bien en Dieu, et possédée bien pleinement de lui, pour porter les peines et les tourments dans la paix, dans la quiétude, et même dans la joie et la béatitude de son cœur » (p. 246-247). La patience du prêtre le fait hostie avec le Christ, « victime d'holocauste », « prêtre et victime pour les péchés du monde » (p. 248-249).

Jean de Bernières-Louvigny (1602-1659 ; DS, t. 1, col. 1522-27 ; *Œuvres spirituelles*..., 2 vol., Paris, 1677) situe la patience au niveau de la vie illuminative (t. 1, p. 124). Aimer, c'est souffrir. « L'Esprit du Christianisme est un esprit de croix... Pour vivre, et mourir par le pur amour, il faut vivre et mourir sur la croix » (t. 1, p. 129).

C'est le martyre nouveau, « un martyre perpétuel » (t. 1, p. 125-126). Le maître spirituel raffine sur les mots « abandon », « pure souffrance », « pur amour ». Il invite à « souffrir en patience passive » (t. 2, p. 237). « Vous ne posséderez jamais votre âme en paix que par une patience toute pure, c'est-à-dire qui ne soit point soutenue ni de lumières, ni de sentiments, demeurant abandonnée au bon plaisir de Dieu, qui fera en nous ce qu'il lui plaira, et sans que vous le connaissiez » (t. 2, p. 181-182 ; cf. la « voie... de pure souffrance », t. 2, p. 230-231 ; p. 220 ; « abîme de la pure souffrance », p. 223 ; « parfait abandon », p. 215).

Pascal nomme-t-il la vertu de patience dans ses œuvres ? Cependant sa *Prière pour demander à Dieu le bon usage des maladies* (*Pensées et opuscules*, éd. Brunschvicg, p. 56-66) reflète une attitude devant la souffrance. Dans la logique de sa théologie, il attend l'efficacité essentiellement de la grâce, « fin » et « principe » de tout « bon mouvement » (6, p. 60).

Il demande instamment la conformité de sentiments et de volonté avec Dieu (9, p. 62 ; 15, p. 65), d'autant plus que l'homme ignore ce qui lui est utile (14, p. 65). C'est l'esprit d'indifférence : « Je ne vous demande ni santé, ni maladie, ni vie, ni mort ; mais que vous disposiez de ma santé et de ma maladie, de ma vie et de ma mort, pour votre gloire, pour mon salut et pour l'utilité de l'Église et de vos Saints, dont j'espère par votre grâce faire une portion » (13, p. 64-65). Il voit précisément dans sa souffrance un point de rencontre avec le Christ, marqué par la douleur. Toute jouissance en écarte (12, p. 64). La maladie en rapproche (10, p. 63). « Entrez dans mon cœur et dans mon âme, pour y porter mes souffrances, et pour continuer d'endurer en moi ce qui vous reste à souffrir de votre Passion, que vous achevez dans vos membres jusqu'à la consommation parfaite de votre Corps ; afin qu'étant plein de vous ce ne soit plus moi qui vive et qui souffre, mais que ce soit vous qui viviez et qui souffriez en moi, ô mon Sauveur ! » (15, p. 66).

Le jésuite Nicolas Caussin (DS, t. 2, col. 371-373) nous ramène à une morale plus aimable, et parfois grandiose, dans *La Cour sainte* (éd. définitive, 2 vol., Paris, 1664). Il situe la patience d'abord en Dieu, qui supporte l'idolâtrie et la lenteur de l'histoire et du cosmos (traité I, livre II, 8, t. 1, p. 71b ; tr. III, sect. 4, p. 461a). Le « second modèle », c'est « le Verbe Incarné, le vrai miroir de la patience et l'unique récompense des patients » (s. 5, p. 462a). Il invite donc à la patience (tr. I, l. III, s. 32, p. 141a ; tr. III, passion VI, s. 6, p. 464b), en soulignant que tout homme est « image de Dieu » (tr. III, passion II, s. 5, p. 426b). « La plus noble vengeance qu'on saurait tirer des affronts, c'est de les mépriser et... tel est le train de toutes les grandes âmes ». Qui y réussit « se fera un bouclier de diamant contre toutes ces mêmes traverses ». « Cette magnanimité dans les injures est le vrai caractère que Dieu imprime en toutes les grandes âmes, pour leur faire porter sa ressemblance » (tr. I, l. II, 8, p. 71ab). La patience, c'est le couronnement de tout : « Voici celle qui met le sceau à toutes les vertus, la patience toujours la première en lice, et la dernière à la couronne... Regarde ton Jésus, c'est le serpent d'airain planté au désert de ce monde, qui guérit toutes les morsures de notre impatience » (tr. I, l. III, s. 32, p. 140a-141b).

Deux traités de la paix de l'âme exposent, dans un esprit chrétien, une sorte de philosophie de la patience très marquée par le stoïcisme : L'*Ars semper gaudendi demonstrata ex sola consideratione divinae prouidentiae* (1664-1667) du jésuite Alphonse-Antoine de Sarasa (Anvers, 1664 ; trad. franç., Strasbourg, 1752, p. 23-39, 241-42) ; le *Traité de la paix de l'âme et du contentement de l'esprit* du protestant Pierre II du Moulin (traduit de l'anglais, Sedan, 1600 ; rééd. Paris, 1840, p. 62-64, 272-73 ; voir DS, t. 2, col. 37-39).

Le cardinal Jean Bona (1609-1674 ; DS, t. 1, col. 1762-66 ; *Opera omnia*, Anvers, 1677) parle avec une certaine précision technique de la patience dans sa *Manuductio ad Coelum*, ch. 30, et dans ses *Principia et documenta uitae christianae*, ch. 18-24. Bien qu'il n'accorde aux païens que « la fausse patience », parce que la vraie est « la réplique du Christ patient » (*Princ.* 18, p. 84a), il démarque étonnamment les stoïciens, qu'il se contente de signaler globalement avec éloge dans la préface de la *Manuductio* (p. 1). Le sage seul « possède une patience invaincue » (*Princ.* 18, p. 84b ; *Man.* 30, p. 38a).

« Qui méprise (les insultes), qui ne les accueille pas, qui est supérieur à la blessure, ne souffre rien ». C'est la faiblesse de la victime qui fait la force des coups (*Princ.* 22, p. 86b-87a). « Personne n'est lésé que par lui-même » (*Man.* 17, 5, p. 24b). Il faut voir les choses dans leur origine et leur réalité. Tout est de Dieu, qui « conduit quand on veut, entraîne quand on ne veut pas » (18, 7, p. 26a). Tout ce qui est extérieur à soi « porte la mort avec soi » (30, 3, p. 38a). « Les opinions troublent les hommes, non les choses... La vertu de l'âme, personne n'a pu l'enlever aux martyrs, parce qu'elle est hors du pouvoir des rois et des tyrans... Ils pouvaient être tués, non vaincus » (*Princ.* 24, p. 88a). La marque stoïcienne est visible encore quand il développe, parmi les moyens de se procurer la patience, la préméditation (*Man.* 20, 4, p. 29a ; *Princ.* 24, p. 88a) : prévoir tout ce qu'on ne peut empêcher, « et tout adviendra favorablement » (*Man.* 30, 4, p. 38ab), ou quand il rappelle, après Épictète, que « toute réalité a deux poignées », qu'il suffit de la prendre « par où elle est tolérable » (30, 6, p. 38b-39a). Mais tout ce stoïcisme est au service d'une patience essentiellement chrétienne et rédemptrice.

4° LA PRÉDICATION, dont on peut se faire une idée à travers les cent volumes des *Orateurs sacrés* de Migne, reflète aussi la place de la patience dans la spiritualité de l'époque. On n'oublie pas la patience de Dieu (J. Lejeune, Cl. Texier, La Roche, Bourrée, Nicolas de Dijon). Mais le problème de la souffrance impose souvent le sujet de la patience humaine : V. Houdry, Bourrée, La Roche, Cheminais, Nicolas Foucault, Simon de la Vierge, M. Hubert, E. Bertail (ou Bertal).

La Roche, malgré son dédain affiché pour « la vaine philosophie » (t. 26, col. 945) des stoïciens, envie leur impassibilité (952-953). Il célèbre les bienfaits de la patience, avec tous ces prédicateurs, unanimes à souligner que la

volonté de Dieu s'exprime par l'épreuve, dont le martyre est l'idéal. Bertal, de la deuxième moitié du 17e siècle, mérite une mention particulière et par la longueur de son discours « De la patience » (t. 38, 138-179) et par l'originalité de ses idées. L'homme, dit-il, est appelé à souffrir à un triple titre : « comme membre de ce grand corps que compose toute la nature sensible de l'univers, ou du corps politique que fait la nature raisonnable, ou du corps mystique de Jésus Christ » (139). Et il étudie chaque point. Le monde physique est décrit comme un lieu de conflit et de misère (144), de même que « le système du corps politique » (149 ; cf. 151). Enfin, le corps mystique, avec la grâce, est « né d'un père crucifié », de la souffrance de la croix, qui lui est à jamais associée. « Il est vrai que la douleur est le propre élément de la grâce, elle est née dans la douleur, elle se doit conserver et acquérir sa perfection dans la douleur » (154 ; cf. 156). On ne peut trouver le Seigneur « qu'entre les bras de la croix » (157 ; cf. 159). Pour parvenir au ciel, le baptême et le martyre sont les moyens les plus sûrs, mais la patience procure « une source plus abondante de grâce que les eaux sacrées dont nous sommes régénérés » (159 ; cf. 160). « Il faut que la patience nous sauve : sans elle, il n'y a point de salut, parce que sans elle il n'y a point de vertu » (165).

7. **Du 18e au 20e siècle.** – Le thème de la patience suscite moins d'intérêt à partir du 18e siècle. Leibniz, dans le *Discours de Métaphysique* (1686), rejette déjà « la patience par force » comme insuffisante à un acquiescement d'amour (3, IV, éd. Lestienne, Paris, 1929, p. 29-30 ; cf. *Monadologie* 90, éd. Robinet, Paris, 1954, p. 127). Dans les *Nouveaux essais sur l'entendement humain* (1703), en nommant Socrate, Marc-Aurèle et Épictète, il revient sur ce sujet (IV, 8, 11, éd. J.E. Erdmann, *Opera philosophica*, Berlin, 1840, p. 372a) et précise son opinion dans les *Essais de Théodicée* (1710) : bien que le *Fatum Stoicum* soit supérieur au *Fatum Mahometanum*, « les enseignements des Stoïciens..., se bornant à cette nécessité prétendue, ne peuvent donner qu'une patience forcée, au lieu que Notre Seigneur inspire des pensées plus sublimes, et nous apprend même le moyen d'avoir du contentement » (préface, éd. Erdmann, p. 470b ; cf. 471a). Dans *Les principes de la nature et de la grâce fondés en raison* (vers 1714), il semble définir le *Fatum Christianum* : cette religion de l'amour « produit une véritable tranquillité de l'esprit, non pas comme chez les Stoïciens, résolus à une patience par force, mais par un contentement présent qui nous assure même un bonheur futur ». En somme, le christianisme fait passer la patience de la soumission contrainte à la joie de la « parfaite confiance dans la bonté de notre Auteur et Maître » (*Monad.* 18, éd. Robinet, Paris, 1954, p. 63).

Cette réflexion profonde est sans lendemain. Les écrits théologiques ou spirituels au début du 18e siècle sont modestes. Le théatin Gaëtan-Félix Verani, dans son *De humanis affectibus ciendis et coercendis* (Munich, 1710), consacre deux articles (694b-701b) à vanter sans originalité « l'exercice d'acier de la patience » (694b), illustrée par les martyrs, le Christ, les personnages bibliques. Un anonyme, dans *La vie sanctifiée de l'homme chrétien par une conduite qui règle ses actions dans tout le cours de l'année* (1718), intitule un chapitre : « Le chrétien victorieux de la colère par la patience » (p. 242-262). Un autre chapitre (p. 299-308) porte ce titre significatif : « Le paradis ouvert aux pauvres et aux riches : aux pauvres par la patience, aux riches par l'aumône ».

Deux œuvres éditées autour de 1750 sont plus doctrinales. *Les leçons de la sagesse sur les défauts des hommes* de Louis de Bonnaire (3 vol., 1743 ; éd. citée, Paris, 1751-1752) constituent, selon l'auteur, « le traité de la science de souffrir » (t. 1, introd., p. XXXIII). C'est une étude de bon sens et de psychologie, profondément équilibrée et chrétienne, intéressée par l'impatience plus que par la patience. Le livre du dominicain André Touron, *De la Providence, Traité historique, dogmatique et moral* (1752), dans l'esprit du *De Prouidentia* de Jean Chrysostome, réfute les objections qu'on lui fait, mais cette apologie, où l'épreuve humaine tient beaucoup de place, ne traite jamais directement de la patience.

Le *Thesouro de paciencia nas chagas de Jesus Christo* (Lisbonne, 1768 ; trad. Jamet, Clermont-Ferrand – Rodez, 1833) de l'oratorien Théodore d'Almeida est essentiellement un livre de piété, composé de sept méditations sur la passion du Christ et de douze entretiens, qui sont encore des méditations sur la souffrance.

Voici le début : « O mon sauveur, puisqu'il nous faut tous être attachés à la croix pendant le cours de cette vie mortelle, nous devons avoir sans cesse les yeux sur vous, pour puiser, dans vos plaies sacrées, la patience qui nous est nécessaire » (trad., p. 8). L'un des buts de la passion est de « nous encourager à faire un saint usage des maux de cette vie... Voulez-vous acquérir la patience ? Méditez sur ses souffrances et sur sa mort. Dans cet immense trésor vous puiserez toute la patience que vous pouvez désirer » (p. 91). Bien que le livre, centré sur la croix, fasse appel essentiellement à la sensibilité, il ne cultive pas le dolorisme. La fin souligne l'efficacité de la patience : « N'est-ce pas la croix et la patience dans mes peines qui m'ont rendu plus fervent dans l'amour de Dieu, plus prévenant pour le prochain, plus condescendant pour les humbles, plus patient envers les orgueilleux, plus doux envers ceux que la passion emporte, et plus charitable envers tous ? » (p. 142). On voit là, à l'opposé de la patience-tranquillité, une dévotion à la souffrance du Christ et une patience très affective, qui dureront jusqu'au 20e siècle.

Œuvre de piété encore, *L'année sanctifiée ou choix de sentences et d'exemples sur différentes vertus...* (anonyme, traduit de l'italien, Paris-Tulle, 1785) retient le mois d'avril pour la patience (p. 74-100), avec une pensée et un ou plusieurs exemples pour chaque jour. Le mois de décembre est consacré à « la conformité à la volonté de Dieu ». La prédication enseigne la même résignation. L'évêque Jean Soanen (1647-1740), par exemple, invite à « adorer la main qui nous frappe » (*Sermon 25, Orateurs sacrés*, éd. J.-P. Migne, t. 40, 1491). Le curé Régis, dans sa *Voix du pasteur* (1766), développe la même image : « Non, mon enfant, ce n'est pas le malheur qui vous poursuit, c'est la main gauche du Seigneur qui est posée sur vous : *laeua eius*. Patience, patience, bientôt vous sentirez sa main droite vous embrasser » (2e dominicale, disc. 26, *Sur la patience, Orateurs sacrés*, t. 95, 1787 ; cf. 1799). L'invitation à la patience s'adresse au cœur plus qu'à la raison, selon la tendance dominante de la piété du 18e siècle. Cependant un autre curé, N. Girard, dans un prône *Sur la vertu de la patience* (t. 92, 702-713), vante la patience-tranquillité presque dans la formulation de Sénèque.

Au contact de la Révolution française, Noël Lacroix retrouve quelque chose du souffle des martyrs dans son traité *De la patience et de la conformité à la volonté de Dieu...* (posthume ; éd. utilisée, Lyon-Paris, 1843). L'auteur part du fait que « nous sommes condamnés à souffrir. Or, il n'est pas moyen plus nécessaire et plus efficace pour y réussir, que la patience et la conformité à la volonté de Dieu » (p. 1), ce qui inclut l'« amour, qui est lui-même le comble de la perfection » (p. 7-8).

Il fait une énumération très réaliste des difficultés, de la « cherté des vivres » aux « ravages de la révolution » (p. 18-22). Après une étude très classique de la patience, de ses bienfaits, des moyens de l'acquérir, il situe l'homme devant la pauvreté, la maladie, la privation des êtres chers et « autres afflictions particulières », pour revenir aux calamités publiques (p. 236-260). Comme Bona, il croit « qu'un bon chrétien peut bien être tué, mais qu'il ne peut être vaincu » (p. 255). Loin des « calculs trompeurs de la politique humaine », « patience donc, patience et conformité sans réserve aux volontés du Seigneur ; confiance filiale en ses bontés, et entier abandon entre ses mains » (p. 257). Doctrine saine, où la soumission est dominante, mais sans dolorisme, et l'expression parfois éloquente.

Le 19e siècle n'enrichit guère notre dossier. Du côté catholique, on prêche « la bonne souffrance », matière à mérite et à réparation. Telle image pieuse (non datée) adressée aux « pauvres malades » a pour titre « Billet d'Entrée pour le ciel Mérité à la divine École de Patience ». Au verso s'exprime très sentimentalement une soumission passive à la « très douce volonté de mon Dieu ».

Cependant l'évêque anglais W.B. Ullathorne (1806-1889) traite deux fois de la patience en des œuvres doctrinales de haut niveau : *Christian patience. The strength and discipline of the soul* (Londres-New York, 1886) et *A little Book of Humility and Patience*, traduit sous le titre *Humilité et patience* en 1923 (Maredsous-Paris, éd. utilisée) et en 1938. *Christian patience* est une œuvre profondément chrétienne, riche de toute la tradition, nullement scolastique, plus pratique que théorique. Quelques grandes idées, souvent répétées, dominent l'étude.

La patience relève de la volonté (p. 19-21), qui est cependant inefficace sans la grâce (p. 19 ; 101 ; 174) ; elle dépend donc de la vertu de force, dont elle est « comme une part composante » (p. 174). Elle est liée essentiellement à la charité (p. 6-7 ; 58 ; 99 ; 136 ; 253) : « C'est la patience de la charité qui rend nos actions parfaites » (p. 107). Elle est « vertu universelle », qui agit sur toutes les autres (p. 16) et sur tout l'homme : « La charité de la volonté rend l'homme entier charitable et saint ; la patience de la volonté rend tout l'homme vigoureux et paisible » (p. 253). *Humilité et patience* rejoint ce traité en intégrant la patience au don de force (p. 94 ; 112) et en l'appuyant sur la volonté (p. 84 ; 86 ; 101). Le « petit livre » souligne évidemment la « connexion intime entre la patience et l'humilité » au service de la charité (p. 84-85). Il insiste sur le caractère « joyeux » de l'acceptation (p. 89 ; 92 ; 97 ; 105). Il fait enfin un éloge de la patience digne de la grande tradition, dont il s'inspire d'ailleurs (p. 121).

Il serait faux de dire que le 20e siècle se désintéresse de la patience. La bibliographie montrera, au contraire, l'abondance des études positives qui précisent le sens de la notion, en particulier dans la Bible et chez les Pères. Quelques livres, qui rassemblent textes et exemples, sont une invitation à la pratique : A. de Boissieu, *La patience enseignée par les saints* (Paris, 1926), ou A. Masseron, *La patience* (Paris, 1942), qui se situe dans le contexte de la défaite. Mais l'ère des grands traités spécialisés semble révolue et la patience n'apparaît plus comme une vertu essentielle dans l'enseignement religieux ou profane.

Il est cependant un penseur, qui, sans jamais traiter directement de la patience, a renouvelé le sujet. Le jésuite Pierre Teilhard de Chardin † 1955 a posé explicitement le problème de la souffrance, deux fois, en de brèves études : *La signification et la valeur constructrice de la souffrance* (1933 ; *Œuvres*, t. 6, *L'Énergie humaine*, Paris, 1962) et *L'Énergie spirituelle de la souffrance* (1950 ; *Œuvres*, t. 7, *L'Activation de l'Énergie*, 1963). Mais il avait étudié auparavant le sens fondamental du mal dans *Le Milieu divin* (1926-1927 ; *Œuvres*, t. 4, 1957), reprenant des idées émises dans *La Vie cosmique* (1916) et dans *Le prêtre* (1918), deux opuscules publiés dans les *Écrits du temps de la guerre* (Paris, 1965). Il s'agit donc d'une position longuement mûrie.

Teilhard rejette délibérément la « résignation patiente » trop facile (*Vie cosmique*, p. 24), « l'exagération dans le culte des passivités » (p. 26), « qui peut aller jusqu'à la culture perverse de la diminution et de la souffrance » (*Milieu divin*, p. 97). C'est là « une fausse interprétation de la résignation chrétienne », qui déconsidère le christianisme (p. 85), parce qu'elle est l'« un des éléments les plus dangereusement assoupissants de l'opium religieux » (p. 97 ; cf. p. 98 ; *Signification*, p. 65). A la « vue classique » qui insiste sur la souffrance expiatoire, il répond que « la souffrance, avant tout, est la conséquence et le prix d'un *travail de développement*. Son efficacité est celle d'un *effort*. Mal physique et mal moral *naissent du Devenir* : toute chose qui évolue a ses souffrances et commet ses fautes... La Croix est le symbole du *Travail ardu de l'Évolution* – plutôt que celui de l'Expiation » (*Vie cosmique*, p. 60-61). C'est, dès 1916, le noyau de toute sa doctrine du mal. Le mal est donc lié ontologiquement au « devenir », à l'évolution. C'est une idée centrale de la pensée de Teilhard. La poussée « en avant » et « en haut » passe comme un « chariot qui geint et qui broie » (*ibidem*, p. 55 ; cf. *Énergie spirituelle*, p. 256). « Les souffrants, à quelque espèce qu'ils appartiennent, sont l'expression de cette condition austère, mais noble. Ils ne représentent pas des éléments inutiles et amoindris. Ils paient seulement pour la marche en avant et le triomphe de tous. Ils sont des tombés au champ d'honneur » (*Signification*, p. 62).

A côté et au sein des éléments actifs du progrès cosmique, habitent donc « les passivités », qui « forment la moitié de l'existence humaine » (*Milieu divin*, p. 72), « passivités de croissance », « forces amies et favorables », mais aussi « passivités de diminution », qui « réduisent nos capacités » (p. 74). Ces dernières sont les « véritables passivités », qu'elles soient « d'origine externe », comme les accidents de la vie, qu'elles soient « diminutions d'origine interne », comme les défauts naturels, la maladie, l'âge, la faiblesse, l'échec moral (p. 80-82). Mais ces passivités sont la condition du progrès, aussi essentielles à la montée que les forces actives. Les souffrants sont « les plus actifs facteurs de ce progrès même qui paraît les sacrifier et les broyer ». « Dans la souffrance est cachée, avec une intensité extrême, la force ascensionnelle du Monde. Toute la question est de la libérer, en lui donnant la conscience de ce qu'elle signifie et de ce qu'elle peut. Ah ! quel bond le Monde ne ferait-il pas vers Dieu, si tous les malades à la fois tournaient leurs peines en un commun désir que le Règne de Dieu mûrisse rapidement à travers la conquête et l'organisation de la Terre » (*Signification*, p. 64-65).

Dès lors, chaque être, chaque événement prend son sens dans l'édification du monde : « Il lui faut accepter, peut-être, le rôle de l'atome imperceptible qui accomplit fidèlement, mais sans honneur, la fonction obscure, utile au bien-être et à l'équilibre du Tout pour laquelle il existe », même le rôle de l'« inutilisé », de l'« inutilisable », du « raté » (*Vie cosmique*, p. 55). Qu'importe ! « Devant la souffrance même, je trouverai, dans ma vision du Cosmos, une raison de demeurer impassible... Inexplicable et odieuse si on l'observe isolément, la douleur prend en effet une figure et un sourire dès qu'on lui rend sa place et son rôle cosmique... La souffrance excite, elle spiritualise ; elle purifie. Inverse et complémentaire de l'appétit au bonheur, elle est le sang même de l'Évolution. Puisque, par elle, c'est le Cosmos qui s'éveille en nous, je la verrai venir sans trouble et sans crainte » (p. 33).

La croix du Christ est le résumé et le sommet de tout ce négatif qui se retourne en divin. Puisque la Matière est la base primordiale du Royaume, Teilhard appelle l'agonie du Christ « une souffrance ʻcosmiqueʼ » (*Vie cosmique*, p. 56). « Par une merveilleuse compensation, le mal physique, humblement supporté, consume le mal moral. Suivant des lois psychologiques définissables, il épure l'âme, l'aiguillonne et la détache. Enfin, à la manière d'un sacrement, il opère une mystérieuse union du fidèle au Christ souffrant. Abordé dans une disposition de doux abandonnement, puis avec un esprit de conquête, la poursuite du Christ dans le monde finit donc, logiquement, sur un passionné et douloureux embrassement entre les bras de la Croix. Enthousiaste et sincère, l'âme s'était offerte et livrée à tous les grands souffles de la Nature. Au terme de ses expériences et de la longue maturation de ses vues, elle aperçoit que nul travail n'est plus efficace et apaisant que de recueillir, pour la consoler et l'offrir à Dieu, la Peine du monde, dans « *la Compassion cosmique* » (p. 57). A travers la Matière et le mal, se poursuivent l'Incarnation et la Rédemption, l'édification du Corps du Christ : « Dans notre Monde le Sauveur a germé ; par la prolongation de nos humbles travaux et de notre patience, il grandit encore et s'achève » (p. 42-43 ; cf. *Milieu divin*, p. 101, note ; p. 150). Par « la prodigieuse énergétique spirituelle, née de la Croix » (*Énergie spirituelle*, p. 257), « la mort s'invertit en vie » (*Prêtre*, p. 293 ; cf. *Milieu divin*, p. 84 et 90). C'est « l'étonnante révélation chrétienne d'une souffrance transformable (pourvu qu'elle soit *bien* acceptée) en expression d'amour et en principe d'union..., capable de nous surcentrer sur Dieu » (*Énergie spirituelle*, p. 256).

Alors du cœur du philosophe-poète s'élève cet hymne de la patience :

Dieu « m'enserre – Dieu qui poursuit en moi l'Œuvre, aussi longue que la totalité des siècles, de l'Incarnation de son Fils. Bénies passivités qui m'enlacez par chacune des fibres de mon corps et de mon âme, Sainte Vie, Sainte Matière, par qui je communie, en même temps que par la Grâce, à la genèse du Christ, puisque, en me perdant docilement en vos vastes replis, je nage en l'Action créatrice de Dieu, dont la Main n'a pas cessé, depuis l'origine, de modeler l'argile humaine destinée à former le Corps de son Fils, je me voue à votre domination, je me livre à vous, je vous accepte et je vous aime. Je suis heureux qu'un Autre me lie et me fasse aller où je ne voudrais pas. Je bénis les circonstances, les faveurs, les fatalités de ma carrière. Je bénis mon caractère, mes vertus, mes défauts... Je veux qu'au Vouloir divin, dont est toute chargée et imprégnée la Nature, mon âme soit une monade transparente, souple, obéissante » (*Vie cosmique*, p. 50-51). Épictète aussi se précipitait à la rencontre de son destin... Teilhard souligne le caractère actif de cette attitude : « A ces bénies passivités, je ne me laisse pas aller passivement, Seigneur ; mais je m'y offre, et je les favorise de tout mon pouvoir » (*Prêtre*, p. 295). « Si donc nous sommes résolus à nous plier intégralement aux volontés divines inscrites dans les lois de la Nature, notre obéissance doit nous jeter dans l'effort positif, notre culte des passivités aboutir à la passion du travail » (*Vie cosmique*, p. 51). L'auteur ajoute : « Comme nous voilà loin... de cette trop justement critiquée ' soumission à la volonté de Dieu ' qui risquerait d'amollir » (*Milieu divin*, p. 98-99).

Cette patience cosmique qui, malgré son caractère profondément chrétien, évoque souvent, jusqu'en l'expression, la religion du consentement chère à Épictète et Marc-Aurèle, est aussi, du fait de son lien essentiel avec l'évolutionnisme, fondamentalement attente. Le monde qui vit « en avant » nous fait la leçon : « C'est à cette école que notre génération chrétienne réapprendra à attendre » (*Milieu divin*, p. 200). Teilhard constate que « nous n'attendons plus rien » (p. 198). Et pourtant « c'est une accumulation de désirs qui doit faire éclater la Parousie ». « Chrétiens..., qu'avons-nous fait de l'attente ? » (p. 197). « L'attente, – l'attente anxieuse, collective et opérante d'une Fin du Monde, c'est-à-dire d'une issue pour le Monde, – est la fonction chrétienne par excellence, et le trait le plus distinctif peut-être de notre religion » (p. 196-197).

**Conclusion.** – La patience a connu, dans les vingt-cinq siècles parcourus, une histoire assez variée. L'Église naissante la reçoit de la Bible dans sa double réalité : patience de Dieu et patience de l'homme, mais elle la vit dans un monde pénétré de philosophie platonico-stoïcienne. La patience de Dieu, qui est miséricordieuse attente du pécheur, inconnue des philosophes, est présente au long des siècles. La patience de l'homme (*hypomonè*) est support mêlé d'attente et appuyé sur Dieu, en face de la *karteria* païenne, essentiellement autarcique. Les premiers chrétiens, qui ont beaucoup à souffrir, comme le Christ le leur a annoncé, lui accordent une grande place dans leurs écrits. Dès le début du 3ᵉ siècle, elle fait l'objet de traités spécifiques, où elle porte parfois les traits évangéliques de l'actuelle non-violence. Dans son aspect de support des événements, elle trouve alors sa forme parfaite dans le martyre. Le développement du monachisme et du cénobitisme procure aussi à la patience un nouveau terrain d'application : fidélité à la cellule, lutte contre l'ennui, servitudes de la communauté. La patience apparaît ainsi comme une marque importante du chrétien et tend même à s'identifier avec sa manière de vivre, sa « philosophie ».

Le travail de classification et de systématisation est surtout l'œuvre du moyen âge, qui s'inspire à la fois de Cicéron et d'Aristote, tout en restant fidèle à l'héritage chrétien. L'influence de Thomas d'Aquin sur la conception de la vertu de patience est très sensible dès le 14ᵉ siècle et s'impose encore à la théologie morale contemporaine.

Le 16ᵉ siècle poursuit cet effort, plus modestement. Mais la Réforme vient dénoncer bruyamment le caractère trop philosophique d'une certaine patience chrétienne marquée par la Renaissance : elle rappelle la part de Dieu aux dépens de l'homme et redécouvre la patience-martyre. Inversement, vers la fin du siècle, secoués par les malheurs de l'Europe, de grands esprits indépendants cherchent dans le stoïcisme renouvelé une réponse aux maux publics et présentent une patience laïcisée, mal accordée avec leurs sentiments parfois très chrétiens. Les spirituels du 17ᵉ siècle ramènent la patience dans les voies traditionnelles. Au 20ᵉ siècle, Teilhard de Chardin, en intégrant les passivités et la croix à son évolutionnis-

me chrétien, repousse comme fausse et indigne la résignation facile et invente une patience cosmique, qui intègre l'action et l'attente.

Cette histoire générale couvre de nombreuses histoires particulières, qui apparaissent dans le détail de l'exposé. Supporter, c'est laisser à Dieu l'exercice de la justice, mais aussi enlever aux méchants le plaisir de l'insulte. Le jeu de la patience et de la vengeance peut se suivre aisément de la Bible au 16ᵉ siècle. De même, la parenté entre patience et martyre est exploitée des origines chrétiennes au 18ᵉ siècle. Le caractère naturel et surnaturel de la patience, la place et le rôle de la « vertu suprême » parmi les autres vertus, ses liens en particulier avec les vertus théologales, avec la force, la magnanimité, l'obéissance et l'humilité, ont évolué, selon les époques et les auteurs. L'affinement psychologique se manifeste très tôt et se double d'un approfondissement spirituel, où la patience se fait silence, dépossession de soi, indifférence, « pure souffrance », mais aussi respect de l'image de Dieu en autrui ou ressemblance au Christ en croix. Ce travail de la pensée et du cœur concerne également les moyens d'acquérir la patience, ses degrés, ses bienfaits. On considère la patience ici surtout comme vertu individuelle, là plutôt comme moyen d'insertion dans le cosmos, dans la société civile, dans le Corps du Christ ou l'Église en marche. La patience-soumission à Dieu est liée aux problèmes de la providence et du mal, qui ont aussi leur histoire.

La patience ne semble plus aujourd'hui une vertu à la mode. Mais elle reparaît sans doute avec des visages nouveaux ou renouvelés : disponibilité, accueil, tolérance, non-violence surtout. Le développement simultané de la vie commune et de la dimension historique ne semble-t-il pas s'ajouter aux raisons traditionnelles pour faire de l'*hypomonè*, quelque forme précise qu'elle revête, la compagne nécessaire de l'humanité en marche vers Dieu ?

Les traités sur la patience sont présentés dans l'exposé. Figurent ici seulement les travaux historiques et critiques contemporains.

**Tradition philosophique.** – U. Knoche, *Magnitudo animi. Untersuchungen zur Enstehung und Entwicklung eines röm. Wertgedankens*, dans *Philologus*, Suppl. Band 27, 3, Leipzig, 1935. – A.-J. Festugière, *La sainteté*, Paris, 1942 ; *Hypomonè dans la tradition grecque*, RSR, t. 21, 1931, p. 477-86. – R.-A. Gauthier, *Magnanimité. L'idéal de la grandeur dans la philosophie païenne et la théologie chrétienne*, Paris, 1951. – M. Piot, *Hercule chez les poètes du 1ᵉʳ siècle après J.C.*, dans *Revue des études latines*, t. 42, 1965, p. 342-58. – P. Ortiz Valdivieso, *Hypomenô et hypomonè en la literatura griega*, dans *Thesaurus*. Boletín del Instituto Caro y Cuervo (Bogota), t. 21,1966, p. 449-514. – A.-M. Malingrey, *« Philosophia »... dans la littérature grecque des Présocratiques au 4ᵉ s. après J.C.*, Paris, 1961. – M. Spanneut, *Le Stoïcisme des Pères de l'Église*, 2ᵉ éd., Paris, 1969 ; *Permanence du Stoïcisme. De Zénon à Malraux*, Paris, 1973 ; *Le Stoïcisme dans l'histoire de la patience chrétienne*, dans *Mélanges de science religieuse*, t. 39, 1982, p. 101-30.

**Écriture.** – Μακροθυμία (J. Horst) ; ὑπομένω (F. Hauck), dans Kittel, t. 4, 1942, p. 377-90 et 585-93. – T.W. Meikle, *The vocabulary of « Patience » in the Old Testament ; ... in the New Testament*, dans *Expositor*, sér. viii, t. 19, 1920, p. 219-20 et 304-13. – Th. Deman, *La théologie de l'hypomonè biblique*, dans *Divus Thomas*, t. 35, 1932, p. 30-48. – J. Van der Ploeg, *L'espérance dans l'A.T.*, dans *Revue* *biblique* = RB, t. 61, 1954, p. 480-507. – H.A. Fine, *The Tradition of Patient Job*, dans *Journal of Biblical Literature*, t. 74, 1955, p. 28-32. – VTB, p. 921-24 (R. Deville).

J. de Guibert, *Sur l'emploi d'elpis et de ses synonymes dans le N.T.*, RSR, t. 4, 1913, p. 565-69. – C. Spicq, *Hypomonè, Patientia*, RSPT, t. 19, 1930, p. 95-106 ; *Bénignité, mansuétude, douceur, clémence*, RB, t. 54, 1947, p. 321-39. – P. Joüon, *Matth. 10, 22. Hypomenein, « endurer » et non « persévérer »*, RSR, t. 28, 1938, p. 310-11. – W. Grossouw, *L'espérance dans le N.T.*, RB, t. 61, 1954, p. 508-32. – J. Giblet, *De patientia christiana juxta S. Paulum*, dans *Collectanea Mechlinensia*, t. 40, 1955, p. 28-30. – L. Cerfaux, *Fructifier en supportant (l'épreuve), à propos de Luc 8, 15*, RB, t. 64, 1957, p. 481-91. – A. Hackl, *Spes, Elpis*, Innsbruck, 1963. – K. Wennemer, *Die Geduld in neutestamentlicher Sicht*, GL, t. 36, 1963, p. 36-41. – J. Hennig, *Das Wesen der Geduld im Licht der Liturgie*, GL, t. 37, 1964, p. 244-50. – P.M. Goicoechea, *De conceptu Hypomonè apud S. Paulum*, Rome, 1965. – J. Walsh, *The Patience of Christ*, dans *The Way*, t. 5, 1965, p. 291-97. – P. Ortiz Valdivieso, *Hypomonè en el N.T.*, dans *Ecclesiastica Xaveriana*, t. 17, 1967, p. 51-161 ; t. 19, 1969, p. 115-205.

**Époque patristique et moyen âge.** – É.Gilson, *La vertu de patience selon saint Thomas et saint Augustin*, AHDLMA, t. 15, 1946, p. 93-104. – D. Lang-Hinrichsen, *Die Lehre von der Geduld in der Patristik und bei Thomas von Aquin*, GL, t. 24, 1951, p. 209-22, 284-99. – H.J. Kunick, *Der lateinische Begriff Patientia bei Laktanz*, diss. Fribourg/Brisgau, 1955. – P. Canivet, *Erreurs de spiritualité et troubles psychiques. A propos d'un passage de la Vie de S. Théodose par Théodore de Pétra (530)*, RSR, t. 50, 1962, p. 161-205. – G. Geyer, *Die Geduld. Vergleichende Untersuchung der Patientia-Schriften von Tertullian, Cyprian und Augustinus* (mémoire de licence dactyl.), Wurtzbourg, 1963. – M. Skibbe, *Die ethische Forderung der patientia in der patristischen Literatur von Tertullian bis Pelagius*, diss., Münster, 1964.

M. Spanneut, *Patience et temps chez Cyprien de Carthage*, dans *Littérature et Religion* (Mélanges J. Coppin) = *Mélanges de science religieuse*, t. 23, 1966, t. supplément., p. 7-11 ; *Tertullien et les premiers moralistes africains*, Gembloux-Paris, 1969. – G.J.M. Bartelinck, *Patientia sine ira, traduction de ἀοργησία*, dans *Mnemosyne*, t. 25, 1972, p. 190-92. – J.-Cl. Fredouille, *Tertullien et la conversion de la culture antique*, Paris, 1972, p. 363-410. – E. Nowak, *Le chrétien devant la souffrance. Étude sur la pensée de Jean Chrysostome*, Paris, 1973. – Cl. Rambaux, *Tertullien face aux morales des trois premiers siècles*, Paris, 1979, p. 327-65. – J.F. Van der Kooi, *« Patientia » como elemento en la visión histórica de Agustín. Con una referencia parcial a G.E. Lessing*, dans *Augustinus*, t. 26, 1981, p. 121*-126*. – Cyprien de Carthage, *A Donat et La vertu de patience*, introd., trad. et notes de J. Molager, SC 291, 1982 (introd., p. 129-79).

J.-M.Hornus, *Évangile et Labarum*, Genève, 1960 ; *It is not lawful for me to fight. Early Christian Attitudes toward War, Violence and the State*, Scottdale (Pennsylv.) et Kitchener (Ontario), 1980 (trad. et refonte enrichie du précédent). – M. Spanneut, *La non-violence chez les Pères africains avant Constantin*, dans *Kyriakon*, Festschrift J. Quasten, Münster, 1970, p. 36-39. – P. Siniscalco, *Massimiliano : un obiettore di coscienza del tardo impero*, Turin, 1974. – E. Buttirini, *La Nonviolenza nel cristianesimo dei primi secoli. Antologia dei prosatori latini*, con un saggio di D.M. Turoldo, Turin, 1977.

**Renaissance et temps modernes.** – R.M. Levitsky, *Shakespeare's Treatment of the Virtue of Patience*, thèse, Univ. de Missouri, 1957. – G. Monsarrat, *Les thèmes stoïciens dans la littérature de la Renaissance anglaise* (thèse), Université de Lille III et Paris, Champion, 1975. – *The Triumph of Patience. Mediaeval and Renaissance Studies*, éd. G. Schifforst, Orlando, 1978. – M. Spanneut, *S. François de Sales, maître de patience*, dans *Facultés Catholiques de Lille*, n. s., t. 17, 1960, p. 323-26.

**Études contemporaines.** – A. de Boissieu, *La patience enseignée par les saints*, Paris, 1926. – F.X. Lasance, *Patience. Thoughts on the patient endurance of sorrows and suffering* (choix de textes), New York, 1937. – E. Przywara, *Vom Sinn der Geduld*, ZAM, t. 15, 1940, p. 114-23 ; *Demut, Geduld, Liebe...*, Düsseldorf, 1960. – A. Masseron, *La patience*, Paris, 1942. – F. Egle, *Die Geduld als Grosstugend*, dans *Theologische Quartalschrift*, t. 128, 1948, p. 361-66. – R.F. Clarke, *Geduld. Ein kleiner Lehrgang für 31 Tage* (trad. de l'anglais par R. Egloff), Lucerne, 1951. – A. Gauthier, *La Force*, dans *Initiation théologique*, t. 3, Paris, 1952, p. 949-95. – M.-J. Le Guillou, *Le sens du temps et de la patience*, VS, t. 88, 1953, p. 30-37. – *Force chrétienne*, coll. Cahiers de la Vie spirituelle, Paris, 1953. – *Le Livre de la Patience*, dans *Bible et vie chrétienne*, n. 8, déc. 1954-févr. 1955. – J.B. Lotz, *Von der Geduld. Eine theologische Meditation*, GL, t. 31, 1958, p. 161-65. – D. Rusterholz-Rohr, *Geduld in der Erziehung*, Berne-Stuttgart-Vienne, 1971. – D. Gray, *On patience : Human and Divine*, dans *Cross Currents*, t. 24, 1975, p. 409-22.

R. Wittkower, *Patience and Chance. The Story of a Political Problem*, dans *Journal of the Warburg Institute*, t. 1, 1937/38, p. 171-176. – L. Alcina Roselló, *Dinámica de la paciencia*, dans *Revista de espiritualidad*, t. 24, 1965, p. 519-550. – P.E. Schazmann, *Siegende Geduld. Versuch der Geschichte einer Idee*, Berne-Munich, 1963 (cf. *supra*).

*Encyclopaedia of Religion and Ethics*, éd. J. Hastings, t. 9, Édimbourg, 1917, p. 674-75 (W.W. Holdsworth). – DTC, t. 11, 1932, col. 2247-51 (E. Vansteenberghe) ; t. 16, Tables, col. 3458. – RGG, t. 2, 1968, col. 242-44 (G. Bornkamm). – LTK, t. 4, 1960, col. 574-77 (W. Pesch, etc.). – *Encyclopédie de la foi*, t. 3, 1966, p. 329-34 (F.J. Schierse). – *Dizionario encicl. di teologia morale*, 3ᵉ éd., Rome, 1974, p. 728-32 (G. Gatti).

DS, art. *Apathie, Confiance, Espérance, Force, Magnanimité, Maladie, Martyre*.

Michel SPANNEUT.

**PATISS** (GEORGES), jésuite, 1814-1902. – Né le 4 juillet 1814 à Tiers (Südtirol), Georg Patiss entra dans la Compagnie de Jésus en 1834 et fut ordonné prêtre en 1846. De 1850 à 1855, en collaboration avec les jésuites G. Roder, P. Roh, J. et M. von Klinkowström, il travailla au renouvellement catholique de l'Allemagne et de l'Autriche en donnant des missions populaires qui eurent grande influence. De 1855 à 1860, il fut recteur, professeur et éducateur au collège d'Innsbruck ; de 1860 à 1866, il gouverna la province d'Autriche, après quoi il redevint recteur à Linz. De 1869 à 1877 et de nouveau de 1881 à 1888, il fut maître des novices à St. Andrä (Lavanttal). C'est là qu'il mourut le 10 novembre 1902.

Patiss avait une ardente dévotion au Cœur de Jésus ; pour la répandre, il fonda des congrégations et des confréries à Linz, Vienne et dans le Lavanttal. Son œuvre d'écrivain comporte quelque soixante publications, dont la majeure partie est d'ordre dévotionnel, oratoire ou spirituel. Dans ces domaines, sa manière se caractérise par un enseignement solide, présenté clairement ; sa spiritualité s'alimente aux *Exercices* ignatiens, mais il est imprégné de la dévotion au Sacré-Cœur et d'une grande piété mariale. Comme beaucoup à son époque, l'effort vers la perfection à laquelle il exhorte et dont il enseigne le chemin s'adresse essentiellement aux personnes individuelles.

Parmi les ouvrages publiés, nous retenons : 1) Prédication : *Festtagspredigten* (2 vol., Innsbruck, 1851 ; 6ᵉ éd., 3 vol., 1907) ; – *Volkspredigten* (1859 ; 2 vol., Innsbruck, 1861) ; – *Das grosse Versöhnungs-*

werk des Menschen mit Gott (1861) ; – Fastenpre-
digten (3ᵉ éd., 1890) ; – Predigten auf alle Sonntage
(2ᵉ éd., 2 vol., 1885) ; – 50 kleine Homilien über die
Erbauung des göttl. Herzens Jesu (1884, 1896) ; –
Die Schule des göttl. Herzens Jesu (Ratisbonne,
1886).

2) Piété et ascèse : Die Verehrung des göttl.
Herzens Jesu (Innsbruck, 1857 ; 5ᵉ éd., 1886) ; – Der
Gehorsam (Ratisbonne, 1861) ; – Briefe über Geistes-
bildung (1862, 1883) ; – Die Liebe des göttl. Herzens
Jesu (Vienne, 1869) ; – Unterricht über das Gebet
nach Anleitung des Hl. Geistes (Graz, 1872) ; – Das
Leiden unseres Herrn J.Chr. (d'après Thérèse d'Avila ; Ratisbonne, 1883) ; – Die ganze Weltordnung
beruht auf dem Gehorsam (nouv. éd. de Der Gehorsam, 1883) ; – Die Leiden Mariae (1884, 1908) ; –
Die Verehrung des Hauptes J.Chr. (Innsbruck,
1888) ; – Das verborgene Leben Christi als Vorbild
unserer Selbstheiligung (Ratisbonne, 1891) ; – etc.

3) Retraites : Geistesübungen für 8 Tage (Innsbruck, 1858, 1889) ; – Materiae meditationum et
contionum (4 vol., Ratisbonne, 1887) ; – Achttätige
Exerzitien (polycopié).

4) « Jesuitica » : Das Wirken der Gesellschaft Jesu in der
österreichischen Ordensprovinz seit den letzten Dezennien
(Ratisbonne, 1861) ; – Das Apostolat und Martyrium der
G.J. in Japan (Vienne, 1863, 1868) ; – ouvrages sur Pierre
Canisius, Jean Berchmans, etc.
5) Patiss a publié, en outre, dans les domaines de l'apologétique et de la théologie (vg Die Geschichte der biblischen
Offenbarung, 2 vol., Vienne, 1864) ; nous n'avons pas
retenu ses opuscules nombreux sur la prière, les pèlerinages,
la piété de l'enfant, etc.

C. von Wurzbach, Biogr. Lexikon des Kaiserthums
Oesterreich, t. 21, Vienne, 1870, p. 350-351. – W. Kosch,
Das Katholische Deutschland, Augsbourg, 1933, col. 3438.
– L. Koch, Jesuiten-Lexikon, Paderborn, 1934, col. 1386. –
J. de Guibert, La spiritualité de la Compagnie de Jésus,
Rome, 1953, p. 519-520. – Oesterreichisches Biographi-
sches Lexikon (Vienne, 1978), t. 7, col. 342 (bibl.). –
Archives de la province S.J., Vienne.

Constantin BECKER.

**PATRIARCHES.** Voir DS, art. Abraham (t. 1,
col. 110) ; – Isaac (t. 7, col. 1987-2005) ; – Jacob
(t. 8, col. 1-19) ; – Joseph (col. 1276-89) ; – Noè
(t. 11, col. 378-85). Voir encore Melchisédech (t. 10,
col. 967-72).

**1. PATRICK** (PATRICIUS, PATRICE ; saint), apôtre de
l'Irlande, 5ᵉ siècle. – 1. Problèmes de biographie. – 2.
Écrits. – 3. Personnalité spirituelle et doctrine.
1. **Problèmes de biographie.** – Saint Patrick est
considéré comme l'apôtre national de l'Irlande ; il est
en effet à l'origine de la conversion au christianisme
de l'ensemble du pays (cf. DS, t. 1, col. 626-29 ;
t. 7, col. 1972-73). Sa biographie pose d'importants
problèmes que les sources existantes ne permettent
pas de résoudre entièrement. Nous résumerons
d'abord la croyance traditionnelle, où se mêlent des
données certaines tirées des écrits du saint et d'autres
éléments transmis par les compositions hagiographiques postérieures, avant d'aborder le débat critique
qui s'est instauré à une date récente.
1° CROYANCE TRADITIONNELLE. – Patrick est venu en
Irlande après l'échec ou la courte durée d'une autre
mission, celle de Palladius. Celle-ci est attestée en
433 par Prosper d'Aquitaine qui, dans son Epitoma
Chronicarum, situe l'événement en 431 : « Ad Scotos
(à l'époque Scotia désigne l'Irlande) in Christum
credentes ordinatus a papa Caelestino Palladius
primus episcopus mittitur » (MGH Auctores antiquissimi, t. 9, Chronica minora I, éd. Th. Mommsen,
Berlin, 1892, p. 473).
1) Données tirées des écrits. – Dans sa Confession
(SC 249, p. 70-133), Patrick fait d'abord le récit des
années de sa jeunesse. Il naquit dans la Bretagne
romaine (Grande Bretagne actuelle) d'une famille
bretonne romanisée et christianisée. Son père était
diacre et son grand-père prêtre. Le village natal
s'appelait Bannavem Taberniae (sur les essais de
localisation, cf. SC 249, p. 27-28). Patrick dit qu'il
ne reçut pas une éducation supérieure ; l'enseignement religieux ne semble pas avoir tenu une place
importante dans sa propre formation.

A l'âge de seize ans, il fut capturé et emmené en Irlande,
où il passa six années de captivité comme berger dans
l'ouest du pays. Ce fut alors qu'il se tourna vers Dieu et prit
l'habitude de prier avec ferveur. Cette prière obtint sa
récompense. Averti en songe qu'un bateau l'attendait et
qu'il pourrait le prendre, il dut traverser plus de 300 km.
pour arriver au port. Les marins, pirates ou marchands,
refusèrent d'abord de l'embarquer, mais ils changèrent
d'avis et le ramenèrent en Bretagne (hypothèse la plus
probable : le trajet dura seulement trois jours). Le saint fait
ensuite allusion à une marche de vingt-huit jours, à travers
un désert (Conf. 17-19).

De retour dans son pays et chaleureusement
accueilli par sa famille, Patrick y resta assez longtemps pour se préparer au diaconat et à la prêtrise.
Cette formation ecclésiastique lui fut donnée en Bretagne ; il semble cependant avoir fait un voyage en
Gaule (cf. SC 249, p. 36, avec références à Conf. 32 ;
43 et Lettre 14). Finalement, on eut l'idée de l'envoyer comme évêque en Irlande ; il était alors très
probablement moine. Le nouvel évêque arriva dans
le pays et, malgré les difficultés, la menace de l'esclavage et de l'assassinat, son ministère fut très fructueux : plusieurs milliers de personnes furent bapti-
sées, des prêtres ordonnés, des vierges consacrées au
Christ (Conf. 49-50).

Deux incidents racontés par Patrick furent l'occasion de
ses écrits. Au cours d'un raid en Irlande, Coroticus, un chef
breton et chrétien seulement de nom, fit massacrer plusieurs
chrétiens nouvellement baptisés ; d'autres furent enlevés et
vendus comme esclaves. Patrick réagit par la Lettre à Coroticus (SC 249, p. 134-153) et l'excommunication de celui-ci
et de ses soldats. L'identité de Coroticus n'a pu être établie ;
peut-être était-ce un écossais de la région de Strathclyde, ou
un gallois du nord du Pays de Galles (cf. SC 249, p. 41-42).
L'autre épisode, vers la fin de sa carrière, est à l'origine
de la Confession. Le récit reste énigmatique. Un ancien ami,
celui-là même qui avait appuyé sa nomination comme évêque, à qui il avait avant d'être diacre confié un péché de
jeunesse, rappela cette faute trente ans plus tard. L'accusation eut des suites sérieuses : un synode se réunit en Bretagne, et une délégation vint en Irlande pour inculper
Patrick ; c'est du moins ce qu'on doit supposer d'après les
minces indices fournis (Conf. 27-32). Mais Dieu vint au
secours du saint, qui désormais sentit en lui une force extraordinaire. Il décida de rédiger la Confession, dont il avait
déjà fait le projet auparavant.

2) Données postérieures. – Les hagiographes Muirchu et Tirechan (fin 7ᵉ s.), Nennius dans son Histo-

*ria Brittonum* (vers 800), les auteurs de la *Vita tripartita* (9ᵉ s.), du *Liber angeli* (fin 8ᵉ s.) et du *Genair Patraic* (hymne en l'honneur du saint, vers 800), ainsi que les annalistes anciens (cf. SC 249, p. 14, n. 2), ont ajouté maints détails au récit plutôt sobre fait par Patrick lui-même : celui-ci aurait connu Germain d'Auxerre et Martin de Tours, fait un séjour dans une île de la mer Tyrrhénienne (probablement à Lérins). Comme évêque, il voyagea beaucoup dans un but missionnaire et jouit du don des miracles. Il choisit Armagh comme siège épiscopal et centre de son ministère et de son gouvernement. Il aurait aussi fait un séjour à Rome.

Diverses régions d'Irlande conservent des traces d'une tradition locale qui rappelle une visite du saint. Deux de ces traditions ont marqué la piété populaire. Chaque année, le dernier dimanche de juillet, des pèlerins font l'ascension de *Croagh Padraigh* (comté de Mayo), colline rocailleuse où Patrick aurait prié pour ses ouailles. D'autres, plus nombreux encore, se rendent durant les mois d'été dans une île du lac de *Lough Dergh* (comté de Donegal), au « Purgatoire de saint Patrick », lieu de pénitence très austère.

La tradition du « Purgatoire de saint Patrick » n'est pas attestée avant le 12ᵉ siècle. Le premier écrit qui en parle, vers 1180, est le *Tractatus de Purgatorio S. Patricii* (PL 180, 973-1004) du cistercien Henri de Sawtry (ou Saltrey ; DS, t. 7, col. 232-233) ; on connaît d'autres écrits semblables. Mêlé à la *Vie* de Patrick, et développé, ce récit fut plus tard largement répandu et traduit en diverses langues ; il fut même le sujet d'un drame de Calderon. – Voir la bibl., DS, t. 7, col. 233. Ajouter : Sh. Leslie, *St. Patrick's Purgatory. A record from History and Literature*, Londres, 1932. – R. Easting, *Peter of Cornwall's Account of St. Patrick's Purgatory*, AB, t. 97, 1979, p. 397-416 (éd. d'un nouveau texte et étude historique). – R. Ricard, *Les avatars franco-belges du « Purgatorio de San Patricio »*, dans *Études de Philologie Romane et d'Histoire Littéraire* offertes à J. Horrent, Liège, 1980, p. 791-795 (sur le 17ᵉ s.).

Où et quand Patrick est-il mort ? Selon la tradition, ce serait à Saul, dans l'Irlande du nord. Quant à la date, elle pose le « problème de saint Patrick ». Dès le début de ce siècle, la critique commençait à s'exercer sur la vie du saint, parfois de façon trop négative. C'est alors que le grand historien de l'empire romain, J.B. Bury, entreprit une étude qui se voulait scientifique (*St. Patrick and his Place in History*, Londres, 1905). En fait, Bury accréditait en grande partie les idées reçues, avec le poids de son autorité et de son prestige. Il proposait l'an 461 comme date de la mort de Patrick.

2° LE DÉBAT CRITIQUE. – En 1942, Thomas O'Rahilly, spécialiste de l'histoire ancienne de l'Irlande, proposait, avec son érudition bien connue, une interprétation toute différente des données historiques. Sa conférence bientôt imprimée, *The Two Patricks* (Dublin, 1942), allait provoquer un vaste débat auquel prirent part, en plus des historiens irlandais, divers érudits de renom : le bollandiste Paul Grosjean, le spécialiste du latin médiéval Ludwig Bieler, l'historien de l'Irlande médiévale Mario Esposito.

La décision des évêques irlandais de fêter en 1961 le 15ᵉ centenaire de la mort du saint semblait donner appui à l'ancienne chronologie. Or celle-ci était alors remise en question, notamment par O'Rahilly, J. Carney, M. Esposito. Les anciens documents parlaient d'un *Sen-Patraic* mort en 461. O'Rahilly prétendait que Palladius s'appelait aussi Patricius ; c'est lui qui mourut à cette date, et un autre Patrick lui succéda, mort en 490 ; le premier serait romain,

le second breton. Pour Carney, Patrick est venu en Irlande en 457 et il est mort autour de 493 ; M. Esposito croyait que la venue de Patrick avait précédé celle de Palladius.

Que faut-il retenir ? Daniel Binchy, dans un article qui a eu un retentissement mérité (*St. Patrick and his Biographers*, dans *Studia Hibernica*, t. 2, 1962, p. 7-173), a fait de façon magistrale le bilan des controverses suscitées par O'Rahilly et indiqué la meilleure voie à suivre désormais : les seuls documents absolument valables sont les écrits du saint lui-même ; ceux-ci, replacés dans le cadre historique bien documenté de l'époque et du milieu, ne donnent sans doute pas la solution de tous nos problèmes mais ils fournissent une base sûre pour les recherches qui s'imposent. Il ne s'agit pas de rejeter ou dévaloriser toutes les traditions, ni tous les récits des hagiographes, mais bien de valoriser l'essentiel.

Le premier qui ait suivi la méthode préconisée par Binchy est R.P.C. Hanson ; il en a exposé les premiers résultats (*St. Patrick. His Origins and Career*, Oxford, 1968 ; éd. critique des écrits avec une introduction bien informée et un commentaire précis, SC 249). Hanson a notamment démontré qu'il faut placer la carrière de Patrick dans la première moitié du 5ᵉ siècle (*St. Patrick*, p. 171-188 ; SC 249, p. 18-21 ; *The Date of St. Patrick*, dans *Bulletin of John Rylands University Library*, t. 61, 1978, p. 60-77). A l'encontre de ceux qui basent leurs théories sur l'analyse des traditions conservées dans les Vies et les annales, il tire ses conclusions d'un examen approfondi des écrits de Patrick, tout en contrôlant leurs données par une connaissance très sûre du milieu historique.

2. **Écrits.** – 1) *Lettre à Coroticus* et *Confession*, dont l'authenticité n'est pas contestée.

Éd. critiques (sur les éd. anciennes, cf. SC 249, p. 62-64 ; la *princeps* de James Ware, Londres, 1656, était déjà, pour l'époque, une éd. critique) : L. Bieler, *Libri Epistolarum S. Patricii Episcopi*, 2 vol., coll. Irish Manuscripts Commission, Dublin, 1951 (repris de *Classica et Mediaevalia*, t. 11, 1950, p. 1-150 ; t. 12, 1951, p. 81-214). – R.P.C. Hanson avec collaboration de Cécile Blanc, *S. Patrick, Confession et Lettre à Coroticus*, SC 249, 1978, introd., texte, trad. franç. et notes.
Traductions : en gaélique, W. Philbin, *Mise Padraig*, Dublin, 1961 ; – en allemand, F. Wolke, *Das Bekenntnis des hl. Patrick*, Fribourg/Br., 1940 ; – en anglais, N.J.D. White, *The Writings of S. P.*, Londres, 1932 ; L. Bieler, *The Works of S. P.*, coll. Ancien Christian Writers 17, Westminster Mar. et Londres, 1953 ; P. Gallico, *The Steadfast Man. A Life of St. P.*, Londres 1958, p. 207-230 ; R.P.C. Hanson, dans *Nottingham Mediaeval Studies*, t. 15, 1971, p. 7-24.

La différence entre la recension courte conservée dans *The Book of Armagh* (vers 700 ; ms D, daté de 807 environ) et la recension plus longue des mss dispersés en Europe (inventaire et analyse, SC 249, p. 56-62) pose le problème du texte original. D. Powell (*The textual Integrity of St. Patrick's Confession*, AB, t. 87, 1969, p. 387-409 ; *St. Patrick's Confession and the Book of Armagh*, AB, t. 90, 1972, p. 371-385) pense que la recension courte est originale. Hanson conteste cette opinion et estime que le texte d'Armagh est une recension abrégée en fonction de besoins locaux (*The Omissions in the Text of the Confession of St. P.*, dans *Studia Patris-*

tica XII = TU 115, Berlin, 1975, p. 91-95 ; *The D Text of P. Confession, Original or Reduction ?*, dans *Proceedings of Royal Irish Academy*, t. 77/8, 1977, p. 251-256 (cf. P. Grosjean, *The Confession of St. P.*, dans *Thomas Davis Lectures*, éd. J. Ryan, Dublin, 1958, p. 81-94 ; résumé dans AB, t. 82, 1964, p. 299).

Sur les sources qu'on peut discerner dans ces écrits, voir D.S.N. Nerney, *A Study of St. Patrick's Sources*, dans *Irish Ecclesiastical Record* = IER, t. 71, 1949, p. 497-507 ; t. 72, 1949, p. 14-26, 97-110, 259-280. L'opinion de R. Weijenborg, *Deux sources grecques de la « Confession » de S. Patrice*, RHE, t. 62, 1967, p. 361-378 (il s'agirait des *Acta Archelai* d'Hégémonius ; des *Narrationes* de Nil, cf. DS, t. 11, col. 351-2) n'est pas soutenable. Pour le latin, assez fruste, des écrits, voir l'étude magistrale de Chr. Mohrmann, *The Latin of St. P.*, Dublin, 1961, et L. Bieler, *The Place of St. P. in Latin Language and Literature*, dans *Vigiliae christianae*, t. 6, 1952, p. 65-98. Patrick reste l'homme d'un livre, la Bible, qu'il avait étudiée à fond et qu'il cite constamment (cf. L. Bieler, *Der Bibeltext des hl. P.*, dans *Biblica*, t. 28, 1947, p. 31-58, 239-63).

2) Une *Lorica*, longtemps attribuée à Patrick, n'est pas de lui (cf. DS, t. 9, col. 1009). Il faut en dire autant d'un canon unique et d'un recueil de canons d'un prétendu Synode II. Quant aux *Dicta Patricii*, trois brèves sentences qui parlent d'un voyage en Gaule, en Italie et dans les îles de la mer Tyrrhénienne, puis recommandent les formules de prière *Kyrie eleison, Christe eleison* (« Curie lession, Christi lession »), liées au conseil souvent cité « ut Christiani ita et Romani sitis », leur authenticité, défendue cependant par plusieurs érudits, ne peut être catégoriquement affirmée (voir cependant A. Gwinn, *The Problem of the Dicta Patritii*, dans *Seanchas Ardmhacha*, 1976, p. 69-80).

### 3. Personnalité spirituelle et doctrine.

– La doctrine de Patrick est entièrement orthodoxe. Son *credo* (*Conf.* 4) présente de curieuses ressemblances avec celui de Victorin de Pettau (*Commentaire sur l'Apocalypse*, fin 3e s.), sans qu'on puisse conclure à une dépendance. Cf. J.E.L. Oulton, *The Credal Statements of St. P.*, Dublin, 1940 ; L. Bieler, *The « Creeds » of St. Victorinus and St. P.*, dans *Theological Studies*, t. 9, 1949, p. 121-4 ; R.P.C. Hanson, *The Rule of Faith of Victorinus and of Patrick*, dans *Latin Script and Letters*, Leiden, 1976, p. 25-36. La mentalité du saint est ancrée dans la croyance en la Sainte Trinité ; une vieille tradition populaire veut qu'il en ait fait la catéchèse à partir des trois folioles du trèfle, devenu pour cette raison l'insigne distinctif des Irlandais dans le monde entier.

La personnalité de Patrick est celle d'un homme entièrement pénétré par le sens de sa vocation, la plus haute qui soit, celle de l'apostolat missionnaire. Un homme obsédé par son indignité personnelle mais très sûr du secours extraordinaire qu'il reçoit de Dieu : « imparfait en plusieurs choses », il a été néanmoins « protégé et consolé par Dieu » (*Conf.* 5 ; 2). « Car je suis grandement redevable à Dieu, qui m'a accordé une grâce si grande que, par mon intermédiaire, de nombreuses nations sont nées à nouveau pour Dieu et ont été ensuite confirmées ; que pour elles, des clercs ont été ordonnés en tout lieu en faveur de ce peuple qui venait de parvenir à la foi » (*Conf.* 38).

Patrick souligne dans le récit de sa conversion l'habitude qu'il avait prise de « cent prières en un seul jour et à peu près autant de nuit » ; il se levait tôt le matin pour prier, même « dans la neige, la gelée, la pluie » (*Conf.* 16). Il a un sens très vif,

presque expérimental, du Saint-Esprit. Assailli par le démon, il se sent délivré par une force supérieure : « Je crois que j'ai été secouru par le Christ, mon Seigneur, et que c'est son Esprit qui criait alors pour moi et j'espère qu'il en sera de même au jour de mon angoisse, comme il est dit dans l'Évangile : ' En ce jour-là, le Seigneur l'atteste, ce n'est pas vous qui parlez, mais l'Esprit de votre Père qui parle en vous ' » (*Conf.* 20 ; cf. *Mt.* 10, 19-20). Il se sent « enchaîné par l'Esprit » (cf. *Actes* 20, 22), et ne peut quitter les Irlandais qu'il a engendrés dans le Seigneur, même pour rentrer dans sa patrie ou aller « jusqu'en Gaule pour visiter les frères » (*Conf.* 43).

Patrick croit surtout que sa prière vient de l'Esprit : « Et une autre fois, je le vis qui priait en moi ; j'étais comme à l'intérieur de mon corps et je l'entendis au-dessus de moi, c'est-à-dire au-dessus de l'homme intérieur, et là il priait à haute voix avec gémissements ; pendant ce temps, j'étais dans la stupeur et l'étonnement et me demandais quel était celui qui priait en moi, mais à la fin de la prière il déclara qu'il était l'Esprit ; ainsi je m'éveillai et je me souvins des paroles de l'apôtre : L'Esprit subvient à la faiblesse de notre prière ; car nous ne savons pas ce qu'il convient de demander dans la prière, mais l'Esprit lui-même demande à notre place avec des gémissements indicibles ce qui ne peut pas s'exprimer à l'aide de mots » (*Conf.* 25 ; cf. *Rom.* 8, 26). C'est l'Esprit saint qui inspire au saint le désir du martyre.

Dans la *Confession*, les prodiges rapportés par l'hagiographie médiévale font défaut. Mais Patrick fut favorisé plusieurs fois de visions et de communications surnaturelles. Ce qui distingue celles-ci d'autres récits de miracles c'est l'insertion du phénomène surnaturel dans l'apostolat du saint. Il est instruit d'en haut sur les moyens de s'évader de la captivité ; c'est grâce à une vision qu'il reconnaît sa destinée d'apôtre des Irlandais. Comme Paul, dans une vision, entendit un Macédonien lui dire « Passe en Macédoine, viens à notre secours » (*Actes* 16, 9), Patrick vit dans un rêve un homme qui, parmi beaucoup de lettres, en choisit une pour lui ; elle s'intitulait « Voix des Irlandais » ; en même temps il entendit l'appel à revenir parmi eux ; ce qu'il fit « après bien des années » (*Conf.* 23). Pendant son sommeil aussi, il est rassuré sur la présence du Christ ou de son Esprit en lui (*Conf.* 24-25) ; il est consolé dans des épreuves, délivré de sa deuxième captivité (*Conf.* 20 ; 21 ; 29). Le style de ses récits a quelque chose de si direct, si nerveux, et si puissant qu'il en garantit l'authenticité. La *Confession* n'est pas sans intérêt du point de vue psychologique.

C'est surtout le souffle missionnaire de ce noble document, une confession écrite à la louange de Dieu aussi bien que pour défendre son auteur, qui impressionne. Il respire le zèle, le courage apostolique, la sagesse, le renoncement d'un grand envoyé de la Bonne Nouvelle. Patrick est un missionnaire qui entreprend la première évangélisation, qui met en place les organismes, les institutions dont l'Église locale aura besoin, surtout un clergé indigène. Il sera en temps opportun le défenseur de son troupeau.

C'est pour cela que son nom et sa légende sont entourés d'une vénération inaltérable. Son culte est attesté dès le 6e siècle ; il fut établi à Péronne en Picardie par saint Fursy au 7e siècle et s'est répandu dans d'autres pays européens. Les émigrés irlandais à travers le monde de langue anglaise le célèbrent le 17 mars, jour de sa fête, avec un enthousiasme qui prend parfois la forme de manifestations publiques, à New York notamment.

Bibliographies. – R.E. McNally, *St. Patrick, 461-1961,* dans *Catholic Historical Review,* t. 47, 1961/62, p. 305-324. – J.F. Kenney, *Sources for the Early History of Ireland,* 2ᵉ éd. par L. Bieler, Shannon, 1968, p. 319-356. – R.J. Hayes, *Manuscript Sources for the History of Irish Civilization,* t. 4, 1965, p. 21-30. – R.P.C. Hanson, *St. Patrick...,* p. 230-235.

Aux ouvrages et études cités dans l'article, ajouter : L. Gougaud, *Les chrétientés celtiques,* Paris, 1911 ; trad. angl. corrigée et augmentée : *Christianity in Celtic Lands,* Londres, 1935. – N.J.D. White, *St. P., his Writings and his Life,* Londres, 1920. – K. Mulchrone, *Die Abfassungszeit und Ueberlieferung der Vita Tripartita,* dans *Zeitschrift für Celtische Philologie,* t. 16, 1927, p. 1-94.

L. Bieler, *Codices Patriciani Latini,* Dublin, 1942 ; *The Life and Legend of St. P.,* Dublin, 1948 ; *Sidelights on the Chronology of St. P.,* dans *Irish Historical Studies* = IHS, t. 24, 1949, p. 247-59 ; *The Mission of Palladius,* dans *Traditio,* t. 6, 1948, p. 1-32 ; *P. and the Kings,* IER, t. 75, 1956, p. 171-189 ; *St. P. and Rome,* dans *The Irish Augustinians in Rome,* éd. J.F. Madden, Rome, 1956, p. 11-14 ; *S. Secundinus and Armagh,* dans *Seanchas Ardmhacha,* t. 2, 1956, p. 21-27 ; *The Chronology of St. P.,* dans *Old Ireland,* éd. R. McNally, Dublin, 1965, p. 1-27 ; *St. P. and the Coming of Christianity,* Dublin, 1967 ; *Four Latin Lives of St. P.,* Dublin, 1971 ; *Muirchu's Life of St. P. as a Work of Literature,* dans *Medium Aevum,* t. 43, 1974, p. 219-233.

P. Grosjean (attaché à la thèse d'un unique Patrick), *Analyse du livre d'Armagh* et *Notes sur les documents anciens concernant S. Patrice,* AB, t. 62, 1944, p. 32-41, 42-73 ; *Notes d'hagiographie celtique,* AB, t. 63, 1945, p. 65-130 ; AB, t. 75, 1957, p. 158-226 ; *S. Patrice d'Irlande et quelques homonymes dans les anciens martyrologes,* dans *Journal of Ecclesiastical History,* t. 1, 1950, p. 151-171 ; *Les Pictes apostats dans l'épître de S. Patrice,* AB, t. 76, 1958, p. 354-378.

J. Carney, *Patrick and the Kings,* dans *Studies in Irish Literature and History,* Dublin, 1955, p. 324-373 ; *The Problem of St. P.,* Dublin, 1961. – M. Esposito, *The Patrician Problem and a Possible Solution,* IHS, t. 38, 1956, p. 135-155. – *St. Patrick,* éd. J. Ryan, Dublin, 1958. – E. MacNeill, *St. Patrick,* éd. augmentée par J. Ryan, Dublin, 1964. – *Seanchas Ardmhacha,* 1961/62, *The Patrician Year* (articles importants).

R.P.C. Hanson, *St. P., a British Missionary Bishop,* Nottingham, 1965. – T. O'Raifeartaigh, *St. Patrick's Twenty-eight Days' Journey,* IHS, t. 64, 1969, p. 395-416. – *The Patrician Texts in the Book of Armagh,* éd., trad. et commentaire par L. Bieler, coll. Scriptores Latini Hiberniae 10, Dublin, 1979.

DTC, t. 11/2, 1932, col. 2297-2301 (É. Amann). – Pauly-Wissowa, t. 18/2, 1949, col. 2233-41 (F. Wotke). – EC, t. 9, 1952, col. 968-9 (N. Turchi). – LTK, t. 8, 1963, col. 396-407 (L. Bieler). – NEC, t. 10, 1967, p. 1099-1102 (L. Bieler). – BS, t. 10, 1968, col. 396-407 (L. Bieler). – Cross-Livingstone, p. 1043. – DIP, t. 6, 1980, col. 1271-73 (V. O'Maidín).

DS, t. 1, col. 1143, 1146, 1410 ; – t. 2, col. 400, 465, 1247 ; – t. 3, col. 774 ; – t. 4, col. 898 ; – t. 6, col. 224 ; – t. 7, col. 786, 1983 ; – t. 9, col. 1007, 1009-10 ; – t. 10, col. 685, 1373.

Michael O'Carroll.

**2. PATRICK,** évêque de Dublin, 1074-1084. – Moine bénédictin, formé à Worcester par saint Wulfstan, Patrick succéda en 1074 au premier évêque de Dublin, Dunan (Donatus) à l'époque où la ville était sous la dépendance des Danois ; Dublin n'avait jamais été une grande église monastique. Il mourut en 1084 noyé dans la mer irlandaise. Sa nomination avait été demandée à Lanfranc (DS, t. 9, col. 197-201), archevêque de Cantorbéry, par une lettre du clergé et du peuple de Dublin qui parlent de lui comme « noble d'origine et de caractère, formé par la discipline apostolique et ecclésiastique, catholique dans sa foi, habile dans l'interprétation des Écritures, bien informé des doctrines de l'Église » (*Veterum Epistolarum Hibernicarum Sylloge,* éd. par J. Usher, Dublin, 1632, *Ep.* 25 ; dans *Works of J. Usher,* éd. Elrington, t. 4, 1847, p. 488).

Selon les *Acta Lanfranci* (éd. C. Plummer, dans *Two Texts of the Saxon Chronicle,* t. 1, Oxford, 1892, p. 289), celui-ci sacra Patrick à Londres ; on garde l'acte de profession (soumission) fait par Patrick entre les mains du métropolitain ; il contient entre autres ces mots : « Donc moi, Patrick qui ai été choisi pour gouverner l'église de Dublin, la ville métropolitaine d'Irlande, comme évêque je vous transmets, à vous Père Lanfranc, Primat des Bretagnes (*Brittaniarum Primas*) et archevêque de la sainte église de Cantorbéry, cette page de ma profession et je promets que je vous obéirai, à vous et à vos successeurs, en toutes choses qui regardent la religion chrétienne » (dans *Works of J. Usher,* ibidem, p. 564).

Il y a tout lieu de croire que Patrick a bien exercé ses fonctions d'évêque. Il a pu être un précurseur de la réforme associée au nom de saint Malachie († 1148, DS, t. 10, col. 136-7). Il est possible qu'il ait fondé une communauté de moines bénédictins dans le diocèse.

Est-il l'auteur des œuvres qu'on lui a attribuées ? A. Gwynn, après une étude complète des documents, a admis leur authenticité. Il en a donné l'édition critique (avec introd., trad. anglaise et notes : *The Writings of Bishop Patrick,* coll. Scriptores latini Hiberniae 1, Dublin, 1955).

Son jugement est appuyé par d'autres (L. Bieler, dans *Theologische Literaturzeitung,* t. 82, 1957, p. 120 ; K. Hugues, dans *Medium Aevum,* t. 26, 1957, p. 122-128 ; J. Vendries, dans *Études celtiques,* t. 7, 1956, p. 451-453 ; J. Othway-Ruthven, dans *Hermathena,* 1957, p. 113-115). M. Esposito avait inventorié les manuscrits (*Hermathena,* t. 22, 1932), sans prendre position sur la question de l'authenticité.

Il s'agit de cinq poèmes et d'un petit traité auquel un des poèmes sert de préface. Le traité peut être intitulé *De tribus habitaculis animae* (ciel, enfer, terre) ; Gwynn montre qu'il ne faut pas, en vertu d'un argument *ex silentio,* conclure que Patrick ne croyait pas au purgatoire. La doctrine du purgatoire comme *lieu* n'apparaît qu'à la fin du 11ᵉ siècle (cf. J. Le Goff, *La naissance du Purgatoire,* Paris, 1981). On trouve des échos d'œuvres authentiques et apocryphes de saint Augustin chez Patrick, qui a pu se servir d'un texte déjà composé sur le sujet de son traité. Des vers du poème qui l'introduit rappellent Paulin de Nole. Les quatre autres poèmes s'intitulent : *De mirabilibus Hiberniae* (sur les merveilles du pays, pour la plupart naturelles, sujet qui a toujours passionné les irlandais), *De honore humanae condicionis* (met en parallèle les puissances de l'âme et la Trinité : le Père et l'intelligence, le Fils et la volonté, l'Esprit et la mémoire ; interprétation qui s'écarte de la tradition augustinienne issue du *De Trinitate* ; cf. art. *Mémoire,* DS, t. 10, col. 994-1002), *Ad amicum de caduca vita* s'achevant par une prière très christocentrique, comme le sont aussi les *Versus allegorici.*

Le *De mirabilibus Hiberniae* s'inspire d'un ancien texte en gaélique qui se trouve dans *The Book of Ballymote.* Partout, le style latin de Patrick témoigne du renouveau des études classiques déjà bien avancé à Worcester, comme à Chartres, Tours, Rennes, Mons et Dol. L'intérêt des poèmes de Patrick est plutôt humaniste, mais c'est un humanisme profondément chrétien.

J.H. Todd, *Wonders of Ireland,* Appendice à *The Irish Version of Nennius,* Dublin, 1848, p. 193-219. – J. Leclercq, etc., *La spiritualité au Moyen Age* (Histoire de la spiritualité chrétienne II), Paris, 1961, p. 63, n. 86. – R.J. Hayes, *Manuscript Sources for the History of Irish Civilization,* t. 4, Dublin,, 1965, p. 30. – J.F. Kenney, *Sources for the Early History of Ireland,* 2e éd. augmentée par L. Bieler, Shannon, 1968, p. 759-762.

Michael O'CARROLL.

**PATRIGANI** (JOSEPH-ANTOINE), jésuite, 1659-1733. – Né à Montalboddo (Marches) le 22 février 1659, Giuseppe Antonio Patrignani entra au noviciat de la Compagnie de Jésus le 17 septembre 1680. Il enseigna les lettres dans les classes inférieures pendant trente-cinq ans, dont trente à Florence. Appelé à Rome en 1731 pour composer le Ménologe de la Compagnie, il y mourut le 15 février 1733.

Le plus gros ouvrage de Patrignani fut le *Menologio di pie memorie d'alcuni religiosi della Compagnia di Giesù...* (4 vol., Venise, N. Pezzana, 1730), dont Giuseppe Boero commença une édition augmentée (2 vol., Rome, 1859). Divers extraits ont été publiés à part ; ainsi la vie du bienheureux Francesco di Girolamo (Palerme, 1806 ; avec une neuvaine, Naples, 1822 ; Gênes, 1839 ; etc.), celle de saint Stanislas Kostka (Rome, 1823), celle de Luigi Lanuza (Palerme, 1835, 1852) et les *Vite dei Santi e Beati della Compagnia...* (Rome, 1842).

Patrignani a surtout publié des ouvrages de dévotion qui eurent une large diffusion en Italie et au dehors grâce à des traductions ; ils témoignent de la sensibilité religieuse et des pratiques de piété assez courantes au 18e siècle et dont l'influence a perduré jusqu'à la fin du 19e. On retiendra surtout ceux qui ont trait à la dévotion à l'Enfant-Jésus (cf. DS, t. 4, col. 678). Il commença par publier une traduction adaptée de la vie, par D. Amelotte (Paris, 1654), de Marguerite du Saint-Sacrement, la carmélite de Beaune célèbre par sa dévotion à l'Enfant-Jésus (cf. DS, t. 4, col. 667-668 ; t. 10, col. 343-344) ; après cette adaptation (Florence, 1704), Patrignani donna un ouvrage de pratiques dévotionnelles, *La Santa Infanzia di Gesù Bambino* (sous le pseudonyme de Presepio Presepi, Florence, 1707), qui, sous le nouveau titre de *La Santa Infanzia del Figliolo di Dio* et développé d'édition en édition, finit par atteindre les 4 volumes de l'éd. de Venise, 1715 (1722, 1746, 1757, etc.).

Des extraits en ont été faits : *Quattro corone d'esempi* (Rome, 1757), *Delizie della quotidiana conversatione col divino Infante Gesù* (dévotion pour le 25e jour de chaque mois ; Venise, 1718 ; augmentée, 1732 ; Gênes, 1828) et *Il piccolo santuario... di Gesù Bambino...* (Faenza, 1721). Autres dévotions où les livres de Patrignani ont exercé une influence notable, celles de saint Joseph et des Anges : *Il divoto di S. Giuseppe, fornito d'esempi e pratiche* (Florence, 1707 ; Venise, 1709, 1716, 1724, etc.), dont on extrait deux neuvaines : *Novena del glorioso Patriarca S. G.* pour bien mourir (Florence, 1809 ; Reggio E., 1822), *Novena ed altri ossequi al glorioso...* (Vérone, 1843, 1847, etc.). – *La Settimana angelica* (slnd : avant 1715), puis sous le titre : *Settimana angelica di divozione all'Angelo Custode* (Rome, 1744 ; Parme, 1804). Chacun de ces ouvrages et extraits d'ouvrages a eu des traductions en langues étrangères (cf. Sommervogel).

Patrignani a encore publié des poèmes religieux (*La Musa contemplativa nelle quattro settimane degli Esercizi...*

*di S. Ignazio,* Lucques, 1712 ; Palerme, 1715), la traduction des lettres de saint François Xavier (Venise, 1716), des *Conforti di vera e stabile conversione presi dal S. Evangelio* (Rome, 1728) et diverses biographies édifiantes. Il faut encore relever qu'il a porté sur le théâtre les thèmes de sa dévotion préférée : *La S. Infanzia di Gesù... in teatro. Rappresentazioni e trattenimenti drammatici* di Presepio Presepi (Florence, 1708 ; augmenté, 1728, etc.).

Sommervogel, t. 6, col. 357-366. – J. de Guibert, *La spiritualité de la Compagnie de Jésus,* Rome, 1953, p. 277, 384, 386, 412. – DS, t. 3, col. 777 ; t. 4, col. 663, 668 (Enfance de Jésus) ; t. 8, col. 1313 (S. Joseph).

Giuseppe MELLINATO.

**PAUCCI** (MARIE-DOMINIQUE), dominicain, † 1777. – Né vers la fin du 17e siècle, Maria Domenico Paucci, dominicain de Catanzaro (Reggio), fut curé à Catane. Nommé « prédicateur général » du couvent de Pizzo en Calabre, durant plus de trente ans il missionna avec ardeur auprès des fidèles et du clergé. Il fut, sans nul doute, un religieux fort connu, comme le furent aussi ses livres, « magna aviditate a sacerdotibus conquisiti », nous dit T. Villanueva. On peut encore lire dans les registres des Pères Généraux les autorisations données pour leur impression. Paucci mourut en 1777.

Il publia : 1) *Esercizi Spirituali proposti agl'ecclesiastici così secolari, come regolari...,* Naples, 1746 (3 éd.). – 2) *Sacre Missioni sermoni catechistici agli adulti...,* Naples, 1755 ; l'auteur lui-même déclare, dans la 3e éd. du premier livre de cet ouvrage en 1755 : « Vous y trouverez recueilli... tout ce qu'ont dit d'utile et de mieux ces excellents auteurs » (= J.E. Nieremberg, François de Sales, Louis de Grenade, J. Pinamonti, P. Segneri).

Le premier ouvrage intéresse directement la vie spirituelle sacerdotale. On y trouve encore la marque humaniste, mais équilibrée par une solide formation scripturaire, théologique et ascétique, et aussi par le pathétique du prédicateur de missions. Le rappel insistant de l'ascèse et de la mystique traditionnelles est significatif de l'état un peu relâché du clergé de l'époque.

Les thèmes développés sont les suivants : le but de la vie sacerdotale ; le lien entre vie intérieure et apostolat efficace (souligné avec vigueur) ; l'état déplorable du prêtre en état de péché, au regard de Dieu et de l'Église ; la malice du péché véniel et ses funestes suites ; la mort pénible du prêtre attaché aux biens de ce monde, et le bonheur de celui qui meurt en état de grâce ; le jugement, la condamnation du coupable, le souvenir éternel du bien qu'on a omis de faire ; la réconciliation du fils prodigue (repentir) ; le rachat par les souffrances de Jésus et de Marie ; le triomphe de l'âme au ciel et son bonheur éternel ; le don de l'Eucharistie et la gloire qu'elle rend à Dieu, les biens qu'en retire l'Église. L'ensemble des méditations est réparti sur huit jours (deux pour chaque jour) ; chacune est divisée en trois points de plusieurs pages : ce long développement laisse peu de part à l'initiative du retraitant. A la fin de chaque méditation, sont indiqués la manière de l'utiliser au cas où l'on ferait retraite seul, l'une ou l'autre lecture spirituelle et un examen de conscience.

Dans la troisième édition, trois appendices ont été ajoutés : 1) *Metodo di vivere,* court règlement quotidien pour la vie intérieure du prêtre ; 2) *Piccolo catechismo* ; 3) *Giornata solitaria,* jour de retraite mensuel pour se préparer à la mort.

Les réflexions pénétrantes, l'attention psychologique lucide que manifestent ces pages pourraient marquer une étape dans l'évolution de la littérature spirituelle consacrée aux retraites à cette époque.

Archives gén. de l'ordre des Frères Prêcheurs, IV, 211, f. 9r, 70v; M. Bonnet, *Scriptores O.P.* (ms, *sub voce*); T. Villanueva, *Continuatio Bibl. scriptorum O.P.*, Repertorium 2, N-Z, p. 252 (ms).

A. Zavarroni, *Biblioteca Calabra*, Naples, 1753, p. 209. – Minieri-Riccio, *Memorie storiche degli scrittori nati nel Regno di Napoli*, Naples, 1844, p. 261. – L. Aliquò-Lenzi et F. Aliquò-Taverriti, *Gli scrittori Calabresi*, Reggio Cal., 1955, t. 3, p. 75.

Corriger DS, t. 5, col. 1460 : non pas Pascucci, mais Paucci.

Gerardo CAPPELLUTI.

## 1. PAUL (SAINT). – I. *Paul dans les écrits pauliniens et les Actes.* – II. *Paul chez les Pères.*

### I. PAUL DANS LES ÉCRITS PAULINIENS ET LES ACTES

C'est à la spiritualité de Paul lui-même que se limitera cet article, dans la mesure où il est possible de la distinguer d'une « spiritualité paulinienne » liée davantage à son enseignement. Sur celle-ci, on pourra consulter différents articles thématiques du DS, parus ou à paraître. Parmi eux, certains traitent déjà l'apport de l'Apôtre sous cet angle personnel (en particulier : art. *Contemplation,* t. 2, col. 1698-1716 ; *Évangile,* t. 4, col. 1753-61 ; *Extase,* t. 4, col. 2084-86 ; *Gouvernement spirituel,* t. 6, col. 647-48 ; *Imitation du Christ,* t. 7, col. 1548-55 ; *Jésus,* t. 8, col. 1071-1075 ; *Liberté,* t. 9, col. 805-806 ; *Mission,* t. 10, col. 1363-1366). C'est d'une façon plus générale que nous chercherons ici à esquisser, dans ses traits essentiels, la spiritualité de Paul, après avoir, dans une première partie, évoqué brièvement sa vie et sa personnalité, qui font corps avec elle.

Notre connaissance de Paul repose principalement sur les *Lettres* et les *Actes,* mais ces sources et leur utilisation ne sont pas sans problèmes.

En ce qui concerne les *Lettres,* source la plus directe, se posent d'abord les questions d'authenticité et de chronologie. Des quatorze écrits que comporte le corpus paulinien traditionnel (*Hébr.* inclus), la moitié voient contestée, de manière plus ou moins radicale, plus ou moins générale, l'authenticité de leur auteur. C'est le cas pour *Hébr.* (qui n'est pas vraiment une lettre et ne porte pas le nom de Paul), pour le groupe de 1-2 *Tim.* et *Tite,* pour *Éph.,* pour *Col.* et pour 2 *Thess.* Sept lettres – à l'un ou l'autre passage près et en notant que certaines pourraient inclure des lettres ou des fragments de lettres à l'origine indépendants – restent donc généralement attribuées à Paul lui-même, quelle que soit par ailleurs la manière dont on se représente concrètement leur rédaction : *Rom., 1 Cor., 2 Cor., Gal., Phil., 1 Thess., Philémon.* En outre, la date de tous ces écrits n'est pas connue avec précision ; il est même parfois difficile de les situer exactement les uns par rapport aux autres. Dans le groupe des sept lettres généralement attribuées à Paul, on s'accorde cependant – réserve faite pour certains des fragments qu'elles comporteraient – à reconnaître la succession suivante : 1 *Thess.,* 1-2 *Cor., Rom.* La place précise de *Gal., Phil.* et *Philémon* reste discutée. Cet ensemble appartiendrait à une période de temps relativement brève (de cinq à dix ans environ). Pour les autres lettres, les dates proposées varient davantage, en fonction des hypothèses faites sur leur origine. A ces difficultés d'authencité et de chronologie s'ajoute celle du caractère même de ces documents. Bien qu'elles frappent en effet par un ton souvent très personnel, les lettres de Paul n'en sont pas moins inspirées d'abord par la situation et les problèmes de leurs destinataires, sur lesquels elles nous renseignent sans doute plus immédiatement que sur la physionomie spirituelle de celui qui les écrit.

En ce qui concerne les *Actes,* le problème principal – lié aux questions controversées de l'auteur, de la date, des sources et du caractère de l'écrit – est celui de la confiance que l'on peut ou non accorder, du point de vue historique, aux traits que dessinent de la personnalité spirituelle de Paul les récits qui le mettent en scène et les discours qui lui sont attribués.

Pour tenir compte de toutes ces difficultés, il a paru prudent, dans chaque section, d'examiner en premier lieu l'apport des sept lettres généralement considérées comme authentiques, en prêtant une attention particulière aux éléments qui leur sont communs, en relevant aussi les traits, même isolés, où Paul semble se livrer davantage. L'apport des autres lettres (à l'exception de *Hébr.*), de même que celui des *Actes,* ne sont mentionnés qu'ensuite, en insistant sur les éléments nouveaux que ces écrits inviteraient à prendre en considération. Pour la facilité du lecteur, les citations sont toutes empruntées à la *Traduction œcuménique de la Bible, Nouveau Testament,* Paris, 1972 ; nous renonçons, dans le cadre de cet article, aux discussions qu'elle pourrait, çà et là, soulever. – 1. *Vie et personnalité.* – 2. *Spiritualité.*

### 1. Vie et personnalité. – 1° VIE.

L'événement qu'évoque *Gal.* 1, 15-16, en le rattachant indirectement à Damas (1, 17), marque dans la vie de Paul un tournant qui permet d'y distinguer deux périodes : sa vie dans le judaïsme, sa vie de croyant et d'apôtre dans le Christ.

Paul (c'est le seul nom qu'il se donne dans ses lettres) était juif de naissance (*Gal.* 2,15), « de la tribu de Benjamin » (*Phil.* 3, 5 ; *Rom.* 11, 1), « hébreu, fils d'hébreux » (*Phil.* 3, 5 ; le sens précis de cette expression reste incertain ; cf. 2 *Cor.* 11, 22) ; selon la loi, il avait été « circoncis le huitième jour » (*Phil.* 3, 5). Il se présente lui-même comme un pharisien « devenu irréprochable » (*Phil.* 3, 6), particulièrement zélé pour les traditions de ses pères (*Gal.* 1, 14) et persécuteur de l'Église (*Gal.* 1, 13 ; *Phil.* 3, 6 ; cf. 1 *Cor.* 15, 9).

Aussitôt reçue la révélation qu'il place à l'origine de sa mission, Paul, sans se rendre à Jérusalem, part pour l'« Arabie ». Il revient à Damas et, après trois ans (comptés à partir de quel moment ?), monte à Jérusalem (*Gal.* 1, 15-18 ; c'est peut-être alors que se place l'épisode, évoqué en 2 *Cor.* 11, 32-33, de sa fuite de Damas « par une fenêtre... le long de la muraille », pour échapper aux mains de « l'ethnarque du Roi Arétas »). A Jérusalem, il passe quinze jours auprès de Céphas ; il y voit aussi Jacques, « le frère du Seigneur » (*Gal.* 1, 18-19). Il gagne ensuite les régions de la Syrie et de la Cilicie (1, 21). Paul annonçait alors (depuis quand ?) « la foi » qu'il avait précédemment cherché à détruire (1, 22-23). Plusieurs années après – « au bout de quatorze ans » (comptés à partir de quel moment ?) –, « à la suite d'une révélation », il monte de nouveau à Jérusalem, avec Barnabas et Tite ; il y expose « aux personnes les plus considérées » l'Évangile qu'il prêchait parmi les païens. Tite, « un grec », n'est pas contraint à la circoncision. « Jacques, Céphas et Jean » reconnaissent « la grâce » donnée à Paul d'évangéliser les incirconcis ; ils marquent leur communion avec lui et lui recommandent les pauvres (*Gal.* 2, 1-10). Un peu plus tard, semble-t-il, à Antioche, Paul est amené à reprocher publiquement à Céphas son changement d'attitude à l'égard des païens, depuis l'arrivée, dans la ville, de certaines personnes de l'entourage de Jacques (2, 11-14). Il faut rappeler que ces données de *Gal.* 1-2 sont destinées à souligner que l' « Évangile » annoncé par Paul ne vient pas de l'homme, mais d' « une révélation de Jésus-Christ » (1, 11-12).

Sur l'extension de l'activité missionnaire de Paul vers l'ouest (de Jérusalem à l'Illyrie, avec le projet, après un retour à Jérusalem, de pousser jusqu'à l'Espagne en passant par Rome, cf. *Rom.* 15, 19-28), les sept lettres ne fournissent que des renseignements occasionnels. A eux seuls, ils permettraient difficilement de se faire une idée précise des déplacements et des séjours de l'Apôtre au cours de ces années d'évangélisation et de relations suivies avec les communautés et les personnes dont il parle. Il y a des églises en Galatie (*Gal.* 1, 2 ; la région plutôt que la province, cf. *Gal.* 3, 1), que Paul évangélisa « à l'occasion d'une maladie » (4, 13), auxquelles il donne des directives pour la collecte en faveur de Jérusalem (cf. 1 *Cor.* 16, 1) et qu'il doit mettre sérieusement en garde, par une lettre, contre l'abandon du véritable Évangile (*Gal.* 1, 16).

En Macédoine, il y a une église à Philippes. Lors de sa fondation, Paul avait connu, dans cette ville, souffrances et insultes (*Phil.* 4, 15-16 ; 1 *Thess.* 2, 2). Les « saints » (*Phil.* 1, 1) de cette église devaient par la suite subvenir à plusieurs reprises aux besoins de l'Apôtre (4, 16.18), qui, de prison (où ?), leur donnera de ses nouvelles, les exhortera à l'unité et leur dira sa joie de l'aide reçue.

Il y a aussi une église à Thessalonique. Paul l'avait fondée après celle de Philippes (cf. 1 *Thess.* 2, 2). Dans l'impossibilité de retourner lui-même chez ces frères, il leur avait, d'Athènes, envoyé Timothée (3, 1-2). Au retour de celui-ci, il leur adressera une lettre pour resserrer les liens avec eux et leur rappeler ou compléter l'un ou l'autre point de son enseignement (1 *Thess.*).

En Achaïe, il y a une église à Corinthe, où Paul, en compagnie de Silvain et de Timothée, avait annoncé le Christ Jésus (cf. 2 *Cor.* 1, 19). Les relations de l'Apôtre avec elle furent parfois mouvementées, comme le montrent les lettres conservées. La première, écrite d'Éphèse, semble-t-il (1 *Cor.* 16, 8), après l'envoi de Timothée à Corinthe (4, 17 ; 16, 10), contient une série de reproches ainsi que de réponses à des questions posées par les Corinthiens eux-mêmes. La seconde, expédiée vraisemblablement de Macédoine après le retour de Tite de Corinthe (2 *Cor.* 7, 5-6), paraît supposer une seconde visite de l'Apôtre à cette communauté, dans des circonstances mal connues, mais sans doute pénibles ; une grande partie de la lettre est consacrée à des explications ; en même temps qu'il envoie de nouveau Tite à Corinthe (2 *Cor.* 8, 6 ; 12, 18), Paul annonce sa propre venue (la troisième, 2 *Cor.* 12, 14 ; 13, 1), en rapport avec l'achèvement de la collecte, dont le produit devait, de Corinthe, être porté à Jérusalem (cf. 1 *Cor.* 16, 3). En *Rom.* 15, 25, Paul annonce qu'il fera ce voyage, qui paraît imminent. C'est donc de Corinthe et de cette époque que daterait la longue lettre qu'il adresse à « tous les bien-aimés de Dieu qui sont à Rome » (*Rom.* 1, 7), ville où il espère enfin pouvoir se rendre après en avoir été empêché plusieurs fois (cf. 15, 22-24.28). La plus courte des sept lettres, écrite de

prison, comme *Phil.*, a pour destinataire immédiat un certain Philémon et concerne son esclave Onésime.

Ces lettres font connaître les noms de plusieurs collaborateurs de Paul, en particulier Timothée (il lui confie différentes missions ; cf. encore *Phil.* 2, 19 ; des sept lettres, *Gal.* est la seule où ne figure pas son nom ; on le trouve dans l'adresse de 1 *Thess.*, 2 *Cor.*, *Phil.*, *Philémon*) et Tite. Toutes laissent transparaître les multiples difficultés que l'Apôtre rencontra dans son œuvre d'évangélisation (cf. 2 *Cor.* 1, 8 ; 11, 23-28 ; *Phil.* 1, 20), à l'intérieur comme à l'extérieur des communautés ; elles manifestent aussi la nécessité quasi constante dans laquelle il s'est trouvé de justifier sa mission et sa manière de l'exercer.

A ces données biographiques, les autres lettres ajoutent certains éléments, dont la valeur historique, discutée, pourrait ne pas nécessairement dépendre de l'authenticité des écrits où ils figurent : les rapports de Paul avec Colosses, Laodicée et Hiérapolis, villes qu'à sa place aurait évangélisées Épaphras (cf. *Col.* 1, 7 ; 4, 13 ; Philémon était peut-être de Colosses) ; les noms d'autres compagnons de Paul (Tychique, par exemple, cité dans *Col.*, *Éph.*, *Tite*, 2 *Tim.*) ; quelques points nouveaux de ses déplacements : la Crète (*Tite* 1, 5), Nicopolis (3, 12), Milet (2 *Tim.* 4, 20) ; les nouvelles missions confiées à Timothée et à Tite (cf. 1 et 2 *Tim.*, *Tite*) ; enfin, le début d'un procès à Rome et l'isolement de Paul (cf. 2 *Tim.* 1, 17 ; 4, 16).

Les *Actes* offrent, eux, un ensemble chronologique et géographique plus large et plus détaillé. On y retrouve, en situation, de nombreuses données des *Lettres*, sous un éclairage parfois différent. On y relève aussi beaucoup d'éléments nouveaux. Sans pouvoir ici les passer tous en revue, rappelons au moins le cadre général dans lequel ils figurent : la naissance de Saul à Tarse, sa formation auprès de Gamaliel à Jérusalem (on retrouvera plus tard dans cette ville « le fils de la sœur de Paul », 23, 16) ; la persécution des disciples, la rencontre du Seigneur sur le chemin de Damas (les trois récits, avec, en 22, 19-21, la mention de la vision à Jérusalem), l'activité à Damas, puis à Jérusalem, le départ pour Tarse, l'activité à Antioche, un second voyage à Jérusalem, le « premier » voyage missionnaire, un troisième voyage à Jérusalem, destiné à régler le différend concernant la nécessité ou non de la circoncision et de la loi pour les païens, le « deuxième » voyage missionnaire et le séjour à Corinthe, suivi, semble-t-il, d'un quatrième passage par Jérusalem, le « troisième » voyage missionnaire et le séjour à Éphèse, le dernier voyage à Jérusalem, où Paul est arrêté, d'où il est transféré à Césarée et, de là, à Rome. Ces données ne s'accordent pas toutes avec celles des *Lettres*. Les difficultés portent en particulier sur le nombre et la signification des différents voyages de Paul à Jérusalem (3 selon les *Lettres*, 5 selon les *Actes*). D'autres s'y ajoutent, assez importantes pour que l'on puisse être amené à se demander si l'auteur des *Actes* connaissait les *Lettres*. Dans la négative, les points d'accord entre les deux sources n'en seraient, historiquement, que plus assurés. – La tradition rapporte le martyre de l'Apôtre à Rome.

Pour ce qui regarde la chronologie de la vie, quelques rattachements à des dates connues par ailleurs apparaissent possibles. Le plus sûr d'entre eux provient des *Actes* (18, 12-17) et concerne le proconsulat de Gallion à Corinthe, au cours duquel Paul, qui séjournait alors pour la première fois dans cette ville, comparut devant lui. Mais la date, pratiquement certaine, du texte de l'inscription de Delphes (entre janvier et mai 52) ne permet qu'une datation probable du proconsulat, comme aussi du séjour de Paul à Corinthe, et cette indétermination initiale s'accroît à mesure que l'on intègre les données, incertaines ou hypothétiques, concernant les déplacements et séjours de l'Apôtre. C'est ce qui explique les différences que l'on peut observer dans les dates proposées par les auteurs, quand ils passent sous silence l'incertitude relative qui les frappe toutes.

2° PERSONNALITÉ. – D'une façon générale, ce que Paul, dans les sept lettres, dit de son comportement, intransigeant, dans le judaïsme (*Gal.* 1, 13-14) ainsi que de sa réponse, immédiate et radicale, à l'appel de Dieu manifesté dans le Christ (*Gal.* 1, 15-16 ; *Phil.* 3, 7-9), ce qu'il fait aussi connaître de lui-même, indirectement ou parfois même directement, comme croyant et apôtre (par exemple 1 *Thess.* 2, 4 ; *Gal.* 2, 20 ; 6, 14 ; *Phil.* 1, 20-23 ; 2, 17 ; 3, 12-14 ; 1 *Cor.* 2, 2 ; 9, 19-27 ; 2 *Cor.* 5, 9 ; 11, 23-29 ; *Rom.* 1, 9 ; 14, 7-8), révèlent le tempérament passionné d'un homme entièrement voué à une tâche et y déployant sans réserve les ressources, variées et complexes, de son esprit et de son cœur. L'ampleur et la puissance, en même temps que la souplesse et la subtilité de la pensée frappent tout autant que la force des sentiments, une grande émotivité et la délicatesse des attentions.

Elles se reflètent dans la vivacité et la variété du discours, qui va de l'exposé construit, mais plein de vie et toujours direct, à la demande affectueuse et réservée, en passant par toutes les formes de l'invective, du réconfort, de l'apologie, de la confidence, de la louange, de l'ironie, de la polémique, de la démonstration, de la tendresse, de la repartie, de la persuasion. Irréductible sur l'essentiel, Paul manifeste en même temps une grande liberté de réflexion et d'adaptation dans les situations diverses qui se présentent. Il traite de front les problèmes posés et cherche à les éclairer de diverses façons, sans compromission ni crainte du désaccord, mais toujours avec réalisme, prudence et habileté. Il sait, dans certains cas, donner son opinion sans vouloir l'imposer. Le plus souvent cependant, en fonction même des valeurs en cause, il ne néglige rien pour convaincre ceux à qui il s'adresse. Dans son désir de persuader, il lui arrive même d'accentuer à tel point l'aspect qui le préoccupe (par ex., dans *Gal.*, l'indépendance de son évangile à l'égard de toute tradition humaine) que l'on pourrait légitimement – en s'appuyant sur d'autres passages de ses lettres – mettre en doute l'objectivité de sa présentation. Des affirmations trop rapides ou excessives, dans l'expression du positif comme du négatif, peuvent se présenter (par ex. 1 *Cor.* 1, 14 ; il se corrige ici immédiatement après et use alors d'une formule plus prudente, 1, 16 ; 1 *Thess.* 1, 8 ; *Phil.* 2, 21).

Les relations de Paul avec les personnes et les communautés n'apparaissent jamais neutres ou superficielles. Il s'y engage d'une façon très personnelle – trop personnelle, pourrait-il parfois sembler – et il attend des autres qu'ils fassent de même. A l'exercice de l'autorité, il préfère généralement l'expression de la confiance et l'appel à l'initiative. Volontiers, il renonce à l'exercice de certains de ses droits, qu'il rappelle, pour protester de son désintéressement et de son amour. Sa combativité et son dynamisme ne l'empêchent pas d'être profondément affecté par les incompréhensions dont il est l'objet, surtout à l'intérieur des communautés. Il en souffre

et ne le cache pas. La place importante qu'occupe sa personne dans ses lettres, la fierté qu'il revendique, son souci de répondre, point par point, aux attaques qui le visent, pourraient ne pas être sans rapport avec cette vulnérabilité.

Les sept lettres ne révèlent rien de l'aspect physique de Paul. La « maladie » à laquelle il fait allusion en *Gal.* 4, 13 demeure inconnue, comme aussi, à supposer qu'il s'agisse d'une réalité du même ordre – l'« écharde » dans sa « chair » de 2 *Cor.* 12, 7. L'allusion de 2 *Cor.* 10, 10 à la nullité de sa parole, en contraste avec le « poids » et la « force » de ses lettres, n'implique sans doute pas un défaut d'expression, et l'éloquence que Paul renonce à revendiquer en 2 *Cor.* 11, 6, pourrait n'être que celle des « discours persuasifs de la sagesse » (1 *Cor.* 2, 3), auxquels les Corinthiens semblent s'être montrés trop sensibles.

Les autres lettres, si elles sont authentiques, témoigneraient, par les perspectives particulières de la pensée et des recommandations ainsi que par le style, d'accents en partie nouveaux, que certains veulent expliquer par les circonstances et par l'âge de l'Apôtre. Les *Actes* ne cherchent pas à faire le portrait de Paul, mais le personnage que mettent en scène récits et discours s'accorde en général bien avec celui que révèlent les sept lettres (cf. 13, 10 ; 15, 39 ; 16, 37-39 ; 19, 30 ; 23, 3 ; 26, 29 ; sur son éloquence, ou du moins sa faconde, cf. 14, 2 ; 20, 7).

2. **Spiritualité de Paul.** – 1° La spiritualité de Paul AVANT DAMAS entre dans le cadre plus vaste de la spiritualité juive de l'époque, que nous ne pouvons retracer ici (voir art. *Judaïsme*, DS, t. 8, col. 1487-1527). Nous nous bornerons à relever, dans les *Lettres* et les *Actes*, quelques traits qui fournissent, indirectement, des indications à ce sujet.

1) *Dans les sept lettres*, Paul rappelle à plusieurs reprises son origine juive.

Il se compte (*Gal.* 2, 15) parmi les « juifs de naissance », qu'il oppose aux « païens, ces pécheurs » ; mais c'est la seule fois qu'il utilise ces mots pour se désigner. Les expressions qu'il préfère : « de la descendance d'Abraham », « de la race d'Israël », « de la tribu de Benjamin », « israélite », « circoncis le huitième jour », et encore « hébreu », « hébreu, fils d'hébreux » (*Phil.* 3, 5 ; 2 *Cor.* 11, 22 ; *Rom.* 11, 1), constituent déjà un indice de ce que représentait pour lui son appartenance au « peuple » de Dieu (cf. *Rom.* 11, 1), à ce peuple auquel étaient liés « l'adoption, la gloire, les alliances, la loi, le culte, les promesses et les pères » (*Rom.* 9, 4-5). Sa qualité de « pharisien » et le rapport à « la loi » qu'elle impliquait (*Phil.* 3, 5), spécifiaient sa vie dans le judaïsme. Il en souligne lui-même la rigueur et la ferveur, en affirmant être, dans cette voie, « pour la justice qu'on trouve dans la loi, devenu irréprochable » (3, 6), et avoir surpassé la plupart de ceux de son âge et de sa race par son « zèle débordant pour les traditions de ses pères » (*Gal.* 1, 14). Il rattache à ce zèle sa persécution de « l'Église » (*Phil.* 3, 6 ; cf. *Gal.* 1, 13-14).

Mis à part ces quelques rappels personnels, c'est, plus indirectement, par ce que l'Apôtre dit du Juif en général, par la manière aussi dont il évoque certaines réalités du judaïsme, que l'on peut recueillir l'un ou l'autre écho de ses convictions spirituelles avant Damas. On connaît l'apostrophe de *Rom.* 2, 17-27, où le « Juif » est décrit comme celui qui se repose « sur la loi » et met son orgueil en Dieu, qui connaît « sa volonté », qui, « instruit par la loi », discerne « l'essentiel », qui est « convaincu d'être le guide des aveugles, la lumière de ceux qui sont dans les ténèbres, l'éducateur des ignorants, le maître des simples », parce qu'il possède « dans la loi l'expression même de la connaissance et de la vérité » (*Rom.* 2, 17-20). L'insistance sur la loi, dans ce passage qui évoque la conscience qu'avait de lui le juif face au païen, comme ailleurs dans cette lettre et d'autres lettres de Paul, n'est sans doute pas due seulement aux circonstances qui expliquent leur rédaction. Il faut relever aussi la nécessité faite au juif d'observer toutes les prescriptions de cette loi (cf. *Gal.* 3, 10 ; *Rom.* 2, 25).

Avec la loi, d'autres réalités du judaïsme apparaissent. Certaines, comme la circoncision, l'alliance, le culte, le temple, Jérusalem, voient leur signification transformée dans le Christ, mais leur utilisation même dans cette perspective témoigne, à sa manière, de l'importance spirituelle qu'elles devaient avoir pour Paul avant Damas. D'autres gardent toute leur valeur, comme l'Écriture et les « révélations de Dieu » « confiées » aux juifs (*Rom.* 3, 2) ; l'usage qu'en fait l'Apôtre révèle la connaissance qu'il en avait. C'est plus vrai encore de ce « zèle pour Dieu », dont Paul témoigne qu'il anime les israélites (*Rom.* 10, 2), et qui restera le cœur de sa vie.

A vrai dire, la spiritualité juive de Paul se révèle inséparable de sa spiritualité de croyant et d'apôtre. S'il parle de sa vie « dans le judaïsme » au passé, c'est pour rejeter une certaine façon de se comporter (*Gal.* 1, 13), une certaine manière de concevoir la justice et son acquisition (*Phil.* 3, 9). Mais *« Dieu n'a pas rejeté son peuple »* : « il y a... un reste, selon le libre choix de la grâce », et Paul en fait partie comme « israélite » (*Rom.* 11, 1-5). De sa spiritualité juive, l'Apôtre n'aura à abandonner que les formes devenues caduques par la révélation du Christ. Celle-ci conduira par ailleurs à un approfondissement inouï de la relation privilégiée à Dieu qui en constituait l'essentiel.

2) A ces données, les autres lettres n'ajouteraient guère d'éléments nouveaux. Les *Actes* en fournissent certains, comme la naissance de Paul à Tarse, en Cilicie (21, 39 ; 22, 3 ; 23, 34) – qui ferait de lui un juif de la « diaspora » –, mais aussi son éducation et sa formation à Jérusalem (cf. 22, 3 ; 26, 4), « aux pieds de Gamaliel » (22, 3) ; cette précision, dans le contexte, semble plutôt souligner le caractère strict de la formation reçue par Paul (cf. 26, 5), ce « pharisien, fils de pharisiens » (23, 6), que la nuancer dans un sens « libéral » (Gamaliel se rattachait à Hillel). Ces éléments en recoupent d'autres et les développent. Ils insistent en particulier sur la violence du zèle de « Saul » dans la persécution des « saints » (26, 10) et lui donnent un caractère officiel (cf. 7, 58 ; 8, 3 ; 9, 1-2.13-14.21.26 ; 22, 4-5 ; 26, 9-12). Ils mentionnent encore, dans son discours devant Félix, son « service du Dieu » des pères, sa foi en « tout ce qui est écrit dans la Loi et les Prophètes », son « espérance en Dieu qu'il y aura une résurrection des justes et des injustes » ainsi que son effort, en conséquence, pour « garder sans cesse une conscience irréprochable devant Dieu et devant les hommes » (24, 14-16 ; cf. 26, 22) ; autant de manières d'exprimer, d'une façon générale, des valeurs spirituelles du judaïsme dont Paul continue à vivre, mais dans la nouveauté du Christ.

2° La révélation de Jésus Seigneur et la mission de Paul. – « Celui qui nous persécutait naguère annonce maintenant la foi qu'il détruisait alors » (*Gal.* 1, 23-24). A l'origine de la transformation qui fit, du pharisien zélé et persécuteur, l'apôtre du Christ, le héraut de la justification par la foi, le fondateur d'églises, il y a, selon le témoignage de Paul lui-même, un événement précis, dont on ne peut sans doute exagérer l'importance dans sa vie. Si les sept lettres ne le rapportent pas directement, elles y font plus d'une fois allusion, sous diverses formes.

*Gal.* 1, 15-16, texte le plus explicite, le présente, dans la ligne des grandes vocations prophétiques, comme un acte souverain de Dieu, appelant, « par sa grâce », quand il le juge bon, celui qu'il « a mis à part depuis le sein de » sa « mère ». En s'exprimant de cette manière, Paul, on le voit, souligne l'unité du dessein de Dieu sur sa vie, au moment même où il évoque l'intervention qui la transforme.

Faut-il, en conséquence, et aussi pour marquer la continuité du service du même Dieu, éviter, comme le voudraient certains, de parler de « conversion » ? L'Apôtre lui-même, il est vrai, n'utilise pas, à propos de cet événement, le vocabulaire de la « conversion ». Pour « servir le Dieu vivant et véritable », il n'a évidemment pas eu, comme les païens, à se tourner vers Dieu en se « détournant des idoles » (cf. 1 *Thess.* 1, 9). Il n'avait pas besoin non plus, lui, qui, « pour la justice qu'on trouve dans la loi », était « devenu irréprochable » (*Phil.* 3, 6), de cette « conversion » à laquelle la « bonté » de Dieu « pousse » les pécheurs endurcis (cf. *Rom.* 2, 4). On peut d'ailleurs observer que, dans les occasions où Paul évoque sa vie dans le judaïsme, il ne le fait jamais en termes de culpabilité – bien qu'il reconnaisse, dans une parenthèse, qu'avoir persécuté l'Église de Dieu le rend indigne du titre d'apôtre (1 *Cor.* 15, 9). Il n'en reste pas moins que l'événement de Damas a marqué un tournant dans sa vie, qu'il a, en particulier, totalement modifié sa manière de considérer Jésus ainsi que son attitude envers l'Église. Ne serait-ce que dans ce sens, il n'est pas abusif de continuer à parler de « conversion ».

Le texte de *Gal.* 1, 15-16 situe d'une double façon l'événement de Damas à l'origine de la vie, et donc de la spiritualité nouvelle de Paul : par la révélation que Dieu lui fit alors de son Fils ; par la mission qu'il lui confia de l'annoncer aux païens. Révélation et mission sont liées dans l'intention divine : Dieu a révélé en lui son Fils « afin qu' » il l'annonce parmi les païens. Elles sont liées aussi dans leur objet : le Fils de Dieu que Paul a mission d'annoncer est celui-là même dont il a reçu la révélation. C'est, selon le contexte de *Gal.*, le Christ, Jésus crucifié, maudit par la loi (3, 13), que le Père a ressuscité (1, 1), abolissant ainsi le régime de la loi incapable de faire vivre, et inaugurant en lui une « nouvelle création » (6, 15), à laquelle les païens aussi sont appelés par la foi.

Ce lien explicite entre révélation et mission se retrouve dans d'autres textes, où il invite à voir une allusion au même événement. Ainsi, en 1 *Cor.* 9, 1, où Paul appuie sa qualité d'apôtre par le rappel, comme d'une chose connue, de la vision qu'il a eue de « Jésus, notre Seigneur » ; en 1 *Cor.* 15, 7-9, où il mentionne, après l'apparition du Christ « à tous les apôtres », celle dont lui-même, « le plus petit des apôtres », fut, en tout dernier lieu, le bénéficiaire. On retrouve encore ces deux aspects, exprimés différemment, dans le texte de 2 *Cor.* 4, 6, qui pourrait également faire écho au même événement : « le Dieu qui a dit : que la lumière brille au milieu des ténèbres, c'est lui-même qui a brillé dans nos cœurs pour faire resplendir la connaissance de sa gloire qui rayonne sur le visage du Christ ». L'illumination des cœurs par Dieu se trouve ordonnée au resplendissement de la connaissance de sa gloire. Son rapprochement avec l'illumination de la création marque en outre l'unité du dessein et de l'action de Dieu.

Ce lien entre révélation et mission ne subordonne pas totalement, dans le cas de Paul, la première à la seconde. La révélation du Fils de Dieu le concerne d'abord lui-même. Elle n'est pas seulement de l'ordre d'une connaissance à transmettre. Elle est pour Paul rencontre personnelle de celui qui l' « a aimé et s'est livré pour » lui, début d'une vie nouvelle, « dans la foi au Fils de Dieu », début de la vie du Christ lui-même en Paul (*Gal.* 2, 20). Parce que Paul a été « saisi... par Jésus-Christ », il tâche, lui aussi, « de le saisir » ; « la connaissance » de son Seigneur, en regard de laquelle « tout est perte », implique l'expérience, dans sa vie, de « la puissance de sa résurrection », de « la communion à ses souffrances » (*Phil.* 3, 8-13).

Une dimension de cet événement, que Paul ne mentionne pas directement quand il en parle mais dont témoignent d'autres passages de ses lettres, est le rapport qu'il implique entre lui et ceux qui, avant lui, étaient croyants et apôtres. La foi que Paul se met à annoncer est celle-là même qu'il avait, auparavant, cherché à détruire (*Gal.* 1, 23), la foi de « l'Église de Dieu » qu'il avait persécutée (1, 13). Le même apôtre qui, s'adressant aux Galates, souligne l'origine non humaine de l'Évangile qu'il leur a annoncé (1, 11-12), déclare aux Corinthiens, en leur rappelant l'Évangile qu'ils ont reçu, avoir « transmis » ce qu'il avait « reçu » lui-même (1 *Cor.* 15, 1.3 ; cf. 11, 2.23). Nombre d'expressions, de formules, que l'on rencontre dans les lettres, apparaissent déjà forgées par cette tradition vivante, à laquelle, comme croyant, il se rattache. Dans son apostolat non plus, Paul n'est pas un isolé. Apôtre du Christ, il l'est avec d'autres (cf. 1 *Thess.* 2, 7 ; 1 *Cor.* 9, 4-5), après d'autres (*Gal.* 1, 17 ; 1 *Cor.* 15, 8) et en relation avec eux (*Gal.* 1-2 ; ce n'est pas un hasard que la lettre où Paul entend le plus marquer l'indépendance de son Évangile, soit aussi celle où il est amené à évoquer le plus longuement ses rapports avec Jérusalem et les autres apôtres). La spiritualité de Paul, telle qu'elle se développe après Damas, se rattache ainsi, dès le début, à la spiritualité des premiers croyants et des premiers apôtres.

Dans les autres lettres, on notera, en particulier, les termes un peu différents par lesquels sont exprimés la mission de Paul et son objet (cf. 1 *Tim.* 1, 12 ; 2, 7 ; *Tite* 1, 1-3 ; 2 *Tim.* 1, 11) ; on relèvera aussi le jugement plus négatif que l'Apôtre porterait sur lui-même et sur sa conduite avant l'événement de Damas : il rappelle qu'il était « auparavant blasphémateur, persécuteur et violent » (1 *Tim.* 1, 13) ; il se déclare, « le premier » des « pécheurs » (1, 15) ; il ne craint pas de se placer parmi ceux qui, « autrefois », étaient « insensés, rebelles, égarés, asservis à toutes sortes de désirs et de plaisirs, vivant dans la méchanceté et l'envie, odieux et » se « haïssant les uns et les autres » (*Tite* 3, 3). De ce point de vue, 2 *Tim.* 1, 3, où Paul affirme « servir » Dieu (littéralement : « rendre un culte ») « à la suite de » ses « ancêtres avec une conscience pure », offrirait une perspective plus proche de celle des sept lettres.

De l'événement de Damas, les *Actes,* dans les trois récits des chapitres 9, 22, 26, assurent non seulement l'existence – et la localisation –, mais aussi le double caractère de révélation ou de vision ainsi que de mission. Dans le troisième récit, comme en *Gal.* 1, 16, cette mission se trouve directement liée à la révélation reçue et à l'objet de cette révélation (cf. 26, 16). Les deux premiers récits distinguent davantage les

deux aspects de l'événement. Il s'agit, comme dans les *Lettres,* d'une mission aux « nations païennes » (9, 15 ; 26, 17). Les *Actes,* cependant, ne la limitent pas à elles (cf. 9, 15 ; 26, 17.20 ; cette limitation est l'objet de l'extase de 22, 17-21). Les trois récits offrent le même noyau d'éléments communs, mais une présentation et des détails différents. Ils insistent sur des points qui convenaient mal à l'évocation de *Gal.* (distinction entre vision et mission dans les deux premiers, aveuglement de Saul, intervention d'Ananias, baptême). Le troisième envisage d'autres visions à venir (26, 16). En rapport, peut-être, avec l'attitude antérieure de Saul, le premier annonce la souffrance que connaîtra l'envoyé (9, 16) ; le troisième, dans le même contexte, paraît souligner la force de l'intervention divine et l'inutilité de toute résistance (26, 14). D'une manière générale, ces récits montrent Saul relativement passif : c'est Dieu qui a l'initiative ; qui lui résisterait ? Excellente façon, dans les deux derniers, de servir la défense de l'Apôtre. Dans la même perspective, les *Actes* insistent également sur la continuité de la conduite de Paul et de son culte envers le Dieu d'Israël, avant comme après l'événement de Damas (23, 1 ; 24, 14). Ils notent aussi, en relation avec son baptême, la purification de ses péchés (cf. 22, 16).

3° Le croyant et l'apôtre. – 1) *Les sept lettres.* – La distinction, chez Paul, entre le croyant et l'apôtre, ne doit pas être forcée. Dans ses lettres, il lui arrive cependant de parler de lui comme croyant, sans référence directe à sa mission ; il sait aussi, à l'occasion, distinguer explicitement l'annonce faite aux autres et son salut personnel (cf. 1 *Cor.* 9, 27).

a) *Comme croyant,* Paul partage avec les autres croyants certaines convictions vitales, qu'il ne cesse de leur rappeler, de multiples façons, et qui forment la base de leur spiritualité commune.

Lui et eux se trouvent dans une situation nouvelle, que pourrait définir, avec les nuances qu'impliquent les différents contextes où on la trouve, l'expression « dans le Christ », ou ses nombreux équivalents. Elle résulte de l'action de Dieu dans le Christ, de son accueil par les croyants – accueil qui est aussi un don de Dieu – et elle entraîne, chez les croyants, un comportement nouveau, dans lequel s'exprime leur vie nouvelle par l'Esprit.

*L'action de Dieu* est et reste, pour Paul, toujours première. La « grâce » que Dieu nous a « accordée en... Jésus-Christ » (*Rom.* 5, 15), en qui il nous a manifesté son amour (8, 39) « alors que nous étions encore pécheurs » (5, 8), par qui il « nous a réconciliés », nous et « le monde », « avec lui » (2 *Cor.* 5, 18-19), révèle sa « sagesse, mystérieuse et demeurée cachée », que, dès « avant les siècles », il « avait... destinée à notre gloire » (1 *Cor.* 2, 7). Dans cette grâce, se réalise la promesse faite à Abraham (*Gal.* 3, 16), la « bonne nouvelle » qu'annonçait « d'avance » l'Écriture (*Gal.* 3, 8) ; en elle s'éclaire même la création, car « il n'y a pour nous qu'un seul Dieu, le Père, de qui tout vient et vers qui nous allons, et un seul Seigneur, Jésus-Christ, par qui tout existe et par qui nous sommes » (1 *Cor.* 8, 6).

Cette action, Dieu l'a accomplie *en son Fils,* en qui « toutes ses promesses... ont trouvé leur *oui* » (2 *Cor.* 1, 20). Envoyé pour libérer l'homme du péché et de la mort, le Christ a réalisé cette libération par le don de lui-même. Il « s'est livré pour nos péchés, afin de nous arracher à ce monde du mal, conformément à la volonté de Dieu » (*Gal.* 1, 4). Il « est mort pour nous » (*Rom.* 5, 8), « pour tous » (2 *Cor.* 5, 14-15), pour chacun d'entre nous (cf. 1 *Cor.* 8, 11 ; *Rom.* 14, 15). Lui qui « nous a aimés » (*Rom.* 8, 37), il a scellé dans son sang « la nouvelle Alliance » (1 *Cor.* 11, 25) et « est devenu pour nous sagesse venant de Dieu, justice, sanctification et délivrance » (1 *Cor.* 1, 30).

Cette action de Dieu dans le Christ, les croyants *l'accueillent par leur foi* en la bonne nouvelle qui leur est annoncée, accueil et foi inséparables du don qui leur est fait de l'Esprit. C'est en effet « par la foi » que nous recevons « l'Esprit, objet de la promesse » (*Gal.* 3, 14), mais c'est aussi « l'Esprit de Dieu », « l'Esprit qui vient de Dieu », qui nous fait connaître sa « sagesse » et « les dons » de sa « grâce » (1 *Cor.* 2, 7-12) et qui nous rend capables de proclamer la seigneurie de Jésus (12, 3). C'est par cet Esprit que « l'amour de Dieu a été répandu dans nos cœurs » (*Rom.* 5, 5). C'est « l'Esprit de son Fils » (*Gal.* 4, 6) qui fait de nous « des fils adoptifs » et par qui « nous crions : Abba, Père » (*Rom.* 8, 15). C'est dans cet Esprit, qui distribue « ses dons, selon sa volonté » (1 *Cor.* 12, 11), que les croyants ont tous été baptisés « pour être un seul corps » (12, 13), celui « du Christ » (12, 27), dans l'attente de la venue du Seigneur (11, 26 ; *Phil.* 3, 20) et de la transformation qui lui sera liée (*Phil.* 3, 21), lorsque le Christ se soumettra lui-même « à Celui qui lui a tout soumis, pour que Dieu soit tout en tous » (1 *Cor.* 15, 28).

L'accueil par la foi, dans l'Esprit, de l'action de Dieu en Jésus place les croyants dans une *situation nouvelle*. Autrefois « sous la loi » (*Rom.* 6, 14), « esclaves du péché » (6, 17), qui les conduisait à la mort (6, 21), ils vivaient « dans la chair » (7, 5), en « ennemis de Dieu » (5, 10). Maintenant « justifiés » par la grâce de Dieu (3, 24), « circoncis » ou « incirconcis » (3, 30), ils sont « en paix avec Dieu » (5, 1) ; ils sont devenus en vérité ses « enfants » et ses « héritiers » (8, 17), ses « bien-aimés » (1, 7). Dans le Christ, qui est lui-même en eux (8, 10) et à qui ils appartiennent (7, 4), dans la vie et la mort (14, 8), ils sont une « nouvelle créature » (2 *Cor.* 5, 17). L' « Esprit du Christ » est en eux, « l'Esprit de Celui qui a ressuscité Jésus d'entre les morts », cet « Esprit » qui est leur « vie à cause de la justice » (*Rom.* 8, 9-11). Ensemble, ils attendent ce qu'ils ne voient pas encore, « la gloire » qui doit être révélée en eux et à laquelle aura part toute « la création » (8, 18-25).

Cette situation nouvelle implique chez les croyants un *agir nouveau*, en rapport avec elle. Morts au péché, comment vivraient-ils encore dans le péché (*Rom.* 6, 2) ? C'est « pour Dieu » qu'ils vivent désormais (6, 10) ; à son « service » qu'ils doivent se mettre (6, 13) ; à lui qu'ils doivent s' « offrir » eux-mêmes « en sacrifice vivant, saint et agréable » (12, 1) ; pour lui qu'ils doivent porter des fruits (7, 4). Ils ne le pourront qu' « en Jésus-Christ » (6, 11), en se comportant « comme on le fait en Jésus-Christ » (*Phil.* 2, 5), en marchant « sous l'impulsion de l'Esprit » (*Gal.* 5, 25), en se laissant conduire par lui (*Rom.* 8, 14), selon les dons que chacun a reçus dans le corps dont il est membre (12, 3-8).

Cet agir s'exprimera dans une « foi active », un « amour qui se met en peine », une « persévérante espérance » (1 *Thess.* 1, 3). Plus que tout, l'amour, cette « voie infiniment supérieure » (1 *Cor.* 12, 31), ce don « le plus grand » (13,

13), inspirera toutes les démarches des croyants (cf. 16, 14). Cet amour, dans lequel « la loi tout entière trouve son accomplissement » (*Gal.* 5, 4), est en eux le « fruit de l'Esprit » (5, 22). Par lui, les croyants ont à se mettre « au service les uns des autres » (5, 13), à porter « les fardeaux les uns des autres » pour accomplir ainsi « la loi du Christ » (6, 2), à chercher non leur « propre intérêt, mais celui d'autrui » (1 *Cor.* 10, 24), à se soucier « les uns des autres » (12, 25), à faire « le bien sans défaillance » et envers « tous », tant que l'occasion en est donnée (cf. *Gal.* 6, 10).

Cela ne se fera pas sans peine. La vie nouvelle du croyant est en effet une lutte, où s'opposent « la chair » et « l'Esprit » (*Gal.* 5, 17). Des chutes restent possibles (1 *Cor.* 10, 12) ; « la grâce reçue de Dieu » peut demeurer « sans effet » (2 *Cor.* 6, 1). Car ce monde n'est pas seulement un monde dont « la figure... passe » (1 *Cor.* 7, 31) ; il reste d'une certaine manière soumis au « dieu de ce monde » (2 *Cor.* 4, 4), dont on peut être dupe (2 *Cor.* 2, 11) et qui garde ses « serviteurs » (11, 15).

Mais la sanctification à laquelle Dieu appelle les croyants (cf. 1 *Thess.* 4, 3), c'est lui-même qui l'accomplira (5, 23) ; c'est lui qui « poursuivra... l'achèvement » de l' « œuvre excellente » qu'il a commencée en eux (*Phil.* 1, 6). En réponse à cette grâce, les croyants sont invités à vivre « toujours dans la joie », à rendre grâce « en toute circonstance » (1 *Thess.* 5, 16-17), dans l'attente, « par l'Esprit, en vertu de la foi... que se réalise ce que la justification... fait espérer » (*Gal.* 5, 5).

Dans le cadre de cette spiritualité commune, certains *traits plus personnels* apparaissent à l'occasion. C'est le plus souvent lorsqu'il parle du Christ, du Christ *crucifié*, que l'on peut relever chez Paul ces accents. Depuis qu'il a appris à connaître « Jésus-Christ » son « Seigneur », qu'il a été « saisi » par lui, rien ne compte plus pour Paul que de le « gagner... et d'être trouvé en lui » ; avec la justice « qui vient par la foi au Christ, la justice qui vient de Dieu et s'appuie sur la foi ». Rien ne compte plus que « de le connaître, lui, et la puissance de sa résurrection et la communion à ses souffrances, de devenir semblable à lui dans sa mort, afin de parvenir, s'il est possible, à la résurrection d'entre les morts ». C'est vers cela que Paul s'élance « pour tâcher de le saisir » (*Phil.* 3, 7-14). « Avec le Christ », Paul est « un crucifié » ; il vit, mais ce n'est plus lui, c'est Christ qui vit » en lui. Sa « vie présente dans la chair », il la vit « dans la foi au Fils de Dieu » qui l' « a aimé et s'est livré » pour lui (*Gal.* 2, 19-20). La seule « loi » que Paul reconnaisse désormais, c'est « Christ » (cf. 1 *Cor.* 9, 21). « L'amour du Christ » l' « étreint », l'amour de celui qui « est mort pour tous afin que les vivants ne vivent plus pour eux-mêmes, mais pour celui qui est mort et ressuscité pour eux » (2 *Cor.* 5, 15). Vivre, pour lui, « c'est Christ » ; mourir, c'est « être avec » lui ; l'important est que « Christ » soit « exalté » dans son corps, par sa vie ou par sa mort (*Phil.* 1, 20-23). Dans la croix du Christ, Paul découvre un amour qui abolit toute prétention humaine à se justifier soi-même et qui inaugure une « nouvelle création ». Désormais, il ne veut plus « d'autre titre de gloire que la croix » du « Seigneur Jésus-Christ », de ce « Jésus » dont il porte dans son corps « les marques » (*Gal.* 6, 14-17).

Cette vie d'union au Christ dans sa mort et dans sa résurrection – dans son abaissement « jusqu'à la mort... sur une croix » et dans son exaltation par Dieu (cf. *Phil.* 2, 8-9) – éclaire la conviction que la puissance de Dieu agit dans la faiblesse. Paul la formule explicitement comme la réponse de Dieu à une

prière répétée et non exaucée (cf. 2 *Cor.* 12, 8-9). Le
passage mérite l'attention. Il montre en effet combien
profondément cette conviction a marqué sa vie spirituelle de croyant. Il en révèle aussi certains aspects
que nous aurions ignorés sans la confidence qui
apparaît dans ce contexte.

Pour mettre en garde les Corinthiens contre la séduction
de faux apôtres, Paul, non « selon le Seigneur, mais comme
en pleine folie » (11, 17), se décide à parler de ce dont il
pourrait s'enorgueillir. Il évoque ainsi, à propos des
« visions et révélations du Seigneur » (12, 1), une expérience
dont il souligne le caractère extraordinaire : ravissement
« au troisième ciel », « au paradis », « dans son corps ?...
hors de son corps ?... Dieu le sait », audition de « paroles
inexprimables qu'il n'est pas permis à l'homme de redire »
(12, 2-4). Il s'agit, à n'en pas douter, d'une expérience personnelle, importante pour lui et dont il gardait un vif souvenir (la précision chronologique qu'il donne le suggère ;
elle exclut en même temps, selon toute vraisemblance, qu'il
puisse s'agir de la révélation de Damas). Il la présente
cependant comme si elle concernait un autre que lui, tant il
refuse même qu'il s'y essaie – de s'enorgueillir d'autre chose que de ses faiblesses (cf. 12, 5-6). C'est pourquoi
aussi, sans doute, il évoque immédiatement après cette mystérieuse « écharde » qu'il a, par trois fois, demandé au Seigneur d'« écarter » de lui et qui, demeurée dans sa
« chair », lui rappelle constamment que la « puissance » de
Dieu « donne toute sa mesure dans la faiblesse » (12, 7-9).
Déjà dans les versets précédents (à partir de 11, 16), la tentative faite par Paul de se glorifier, en particulier comme
ministre du Christ (11, 23), s'était achevée par la mention
de sa faiblesse et de sa fuite de Damas « dans une corbeille »
(11, 30-33).
    Cette vie d'union au Christ dans sa mort et sa résurrec-
tion est la source de la force que Paul garde dans quelque
situation où il puisse se trouver. S'il parle à ce propos
d'apprentissage, d'initiation (*Phil.* 4, 11-13), s'il évoque
ailleurs, par comparaison avec l'« ascèse rigoureuse » des
« athlètes », la manière dont il traite lui-même « durement »
son « corps » et 'le tient « assujetti » (1 *Cor.* 9, 25-27), ce
n'est pas pour s'attribuer cette force à lui-même : s'il peut
« tout », c'est « en Celui qui le rend fort » (*Phil.* 4, 13).

C'est dans la foi au Christ mort et ressuscité que
Paul vit sa « vie présente dans la chair » (*Gal.* 2, 20).
C'est dans cette même foi qu'il envisage sa mort. S'il
a pu penser être encore vivant lors de la venue du
Christ (cf. 1 *Thess.* 4, 15.17 ; l'expression utilisée,
dans le contexte, ne constitue pas une affirmation
directe à ce sujet), il s'est très vite trouvé affronté à la
perspective de la mort, et d'une mort proche. Lui
pour qui « vivre » c'était « Christ », voyait dans la
mort « un gain » (*Phil.* 1, 21). A choisir, même si
s'« en aller et... être avec le Christ » lui semblait « de
beaucoup préférable », il savait que « demeurer
ici-bas » était « plus nécessaire » à cause de ses frères
(*Phil.* 1, 23-24). La mission de l'apôtre, pourrait-on
dire, l'emportait sur le désir du croyant.
    b) *L'apôtre.* – La situation nouvelle dans laquelle
se trouve Paul comme croyant se spécifie par la mission qui est la sienne. En même temps qu'il lui révélait son Fils, Dieu l'appelait à être son apôtre ; Paul
a répondu à cet appel. Cet appel et cette réponse
déterminent sa vie et sa spiritualité apostoliques,
dans son rapport à Dieu, au Christ, à l'Esprit, et dans
ses relations avec les autres, croyants ou non.
    Paul est « apôtre ». C'est le titre qu'il se donne le
plus souvent au début de ses lettres (*Gal.* 1, 1 ; 1 *Cor.*
1, 1 ; 2 *Cor.* 1, 1 ; *Rom.* 1, 1) et il rattache lui-même
sa mission à l'événement de Damas, à ce moment où

Dieu « a jugé bon de révéler » en lui « son Fils »,
« afin » qu'il l'annonce « parmi les païens » (*Gal.* 1,
15-16). C'est Dieu qui lui a confié l'Évangile (1
*Thess.* 2, 4) ; il ne l'a pas reçu par une transmission
et un enseignement d'homme, « mais par une révélation de Jésus-Christ » (*Gal.* 1, 12), « par l'Esprit », de
« la sagesse de Dieu, mystérieuse et demeurée cachée,
que Dieu, avant les siècles, avait d'avance destinée à
notre gloire » (cf. 1 *Cor.* 2, 7-10). Paul est ainsi
« apôtre, non de la part des hommes, ni par un
homme, mais par Jésus-Christ et Dieu le Père » (*Gal.*
1, 1), ou encore « apôtre du Christ Jésus par la
volonté de Dieu » (1 *Cor.* 1, 1 ; 2 *Cor.* 1, 1), l'Esprit
étant lié, dans cette révélation et donc dans cette
mission, à l'action conjointe du Père et de Jésus-
Christ.
    Cette mission fait de Paul un ministre de Dieu (2
*Cor.* 6, 4), un collaborateur de Dieu (1 *Cor.* 3, 9), un
intendant de ses mystères (4, 1), un ministre du
Christ (2 *Cor.* 11, 23), un serviteur du Christ (1 *Cor.*
4, 1 ; cf. *Phil.* 1, 1 ; *Rom.* 1, 1), son représentant, son
ambassadeur (2 *Cor.* 5, 20), son officiant (*Rom.* 15,
15). Elle fait de lui le ministre de l'Alliance nouvelle
de l'Esprit (2 *Cor.* 3, 6), le serviteur des croyants à
cause de Jésus (2 *Cor.* 4, 5). Ce qui est vrai pour Paul
l'est aussi – le pluriel souvent employé le montre –
pour les autres apôtres que « Dieu a établis dans
l'Église » (1 *Cor.* 12, 28).

Comme apôtre, Paul se sait tout particulièrement chargé
d'annoncer l'Évangile aux païens. Il le rappelle en évoquant
la révélation de Damas (*Gal.* 1, 16) ; la chose sera reconnue
à Jérusalem (2, 9) ; il se présentera aux Romains comme
« apôtre pour conduire à l'obéissance de la foi... tous les
peuples païens » (*Rom.* 1, 5), comme « apôtre des païens »
(11, 13), comme « officiant de Jésus-Christ auprès des
païens, consacré au ministère de l'Évangile de Dieu, afin
que les païens deviennent une offrande qui, sanctifiée par
l'Esprit Saint, soit agréable à Dieu » (15, 15-16). Mais, dans
cette mission même, Paul ne perd pas de vue ceux de son
« sang », – « dans l'espoir d'exciter » leur « jalousie... et d'en
sauver quelques-uns » (11, 13-14).
    Cette mission, que Paul a accueillie avec la promptitude
et la radicalité que l'on sait (*Gal.* 1, 16 ; *Phil.* 3, 7), est pour
lui à la fois une « grâce » donnée par Dieu (*Gal.* 2, 9 ; 1
*Cor.* 3, 10 ; *Rom.* 1, 5 ; 15, 5) et « une charge » qui lui est
confiée, « une nécessité qui s'impose » à lui et dont il  ne
veut tirer aucun orgueil, ni aucun avantage, même légitime
(1 *Cor.* 9, 16-17).

Dans l'accomplissement de sa mission, Paul ne
cesse de s'appuyer sur cette mission même. Apôtre
du Christ par la volonté de Dieu, c'est en Dieu qu'il
trouve « l'assurance » qu'il faut « pour prêcher son
Évangile » (1 *Thess.* 2, 2) ; par lui-même il n'en est
pas capable – « qui est à la hauteur d'une telle
mission ? » (2 *Cor.* 2, 16) – : « c'est de Dieu que
vient » sa « capacité » (3, 5). C'est « de la part de
Dieu » qu'il parle (2, 17), « au nom de la grâce » qui
lui « a été donnée » (*Rom.* 12, 3), et la « mesure »
dont il se sert est « la règle même que Dieu » lui « a
attribuée » (2 *Cor.* 10, 13). L'Évangile qu'il annonce
est le « Fils de Dieu, le Christ Jésus » (2 *Cor.* 1, 19) ;
il n'en connaît pas d'autre, il n'y en a pas d'autre.
Lorsque sa vérité se trouve en jeu, l'Apôtre réagit
avec vigueur, tant vis-à-vis des églises menacées (*Gal.*
1, 6 ; 3, 1-4) que des fauteurs de désordre (5, 12) ; il
s'en prend même ouvertement, sur ce point, à
Céphas (2, 14).
    Car – l'Apôtre le sait – Dieu, qui lui a confié cette

mission, est aussi celui qui agit et ne cesse d'agir dans son ministère comme dans l'accueil de l'Évangile par les croyants. N'est-ce pas cette action de Dieu en Paul « en faveur des païens », qui fit voir aux « personnalités » de Jérusalem « que l'évangélisation des incirconcis » lui « avait été confiée », et reconnaître « la grâce » qui lui avait « été donnée » (*Gal.* 2, 7-9) ? Cette action de Dieu, c'est le Christ qui l'accomplit par Paul, « par la parole et par l'action, par la puissance des signes et des prodiges, par la puissance de l'Esprit » (*Rom.* 15, 18-19) ; ainsi, la foi des croyants se trouve-t-elle « fondée », non « sur la sagesse des hommes », mais sur la puissance de Dieu » (1 *Cor.* 2, 4-5). C'est « Dieu qui, par le Christ, ... emmène en tout temps » son apôtre « dans son triomphe » et qui, par lui, « répand en tout lieu le parfum de sa connaissance » (2 *Cor.* 2, 14). C'est le Christ qui parle en lui (13, 3) ; c'est « Dieu lui-même » qui, par sa bouche, appelle à la réconciliation (5, 20).

La même action de Dieu, l'Apôtre la reconnaît dans l'accueil de l'Évangile par les croyants et dans leur fidélité à cet Évangile. Dieu « a commencé » en eux « une œuvre excellente » (*Phil.* 1, 6) ; il leur « a fait la grâce, à l'égard du Christ, non seulement de croire en lui mais encore de souffrir pour lui » (1, 29) ; c'est lui qui, à tout moment, « fait en eux et le vouloir et le faire selon son dessein bienveillant » (2, 13) ; c'est de lui que Paul attend pour eux qu'ils luttent « ensemble d'un même cœur selon la foi de l'Évangile, sans » se « laisser intimider en rien par les adversaires » (1, 28) ; c'est de lui aussi qu'il attend, pour ceux qui ne pensent pas en « parfaits », le complément de lumière nécessaire (3, 15) ; car c'est lui qui « comblera » tous leurs besoins « suivant sa richesse, magnifiquement, en Jésus-Christ » (4, 19) ; c'est lui qui « poursuivra l'achèvement » de l'œuvre commencée « jusqu'au jour de Jésus-Christ » (1, 6).

Serviteur de Dieu, c'est « à Dieu » que Paul cherche « à plaire », non « aux hommes » (1 *Thess.* 2, 4) ; c'est « de Dieu » qu'il cherche « la faveur » (*Gal.* 1, 10) ; c'est à Dieu qu'il veut se montrer fidèle (1 *Cor.* 4, 1-3). Aussi est-ce Dieu qu'il prend à témoin de la pureté de ses intentions et de son comportement d'apôtre (1 *Thess.* 2, 5-10 ; 2 *Cor.* 1, 18.23), de la force de son amour (*Phil.* 1, 8), de sa sincérité (*Gal.* 1, 20 ; 2 *Cor.* 11, 31), comme c'est « de Dieu » qu'il attend « la louange » au jour où le Seigneur « éclairera ce qui est caché dans les ténèbres et mettra en évidence les desseins des cœurs » (1 *Cor.* 4, 5).

Apôtre du Christ par la volonté de Dieu, Paul n'annonce pas seulement le Christ par ses paroles. Sa manière même d'être apôtre est annonce du Christ, lui qui « de condition divine... s'est dépouillé..., s'est abaissé » (*Phil.* 2, 6-8). Paul, pourrait-on dire, a suivi, comme apôtre, le même chemin. Il renonce, pour ne pas faire obstacle à l'Évangile, à certains droits de l'apôtre, ainsi à celui d'être à la charge de ceux qu'il évangélise (1 *Thess.* 2, 7) ; 1 *Cor.* 9, 12-18 ; 2 *Cor.* 11, 7-12 ; cf. *Rom.* 9, 4-6), au risque de se le voir reprocher (2 *Cor.* 11, 7-12 ; 12, 13). Comme le Christ, qui « n'a pas recherché ce qui lui plaisait » (*Rom.* 15, 3), l'Apôtre s'efforce « de plaire à tous en toutes choses, en ne cherchant pas » son « avantage personnel mais celui du plus grand nombre, afin qu'ils soient sauvés » (1 *Cor.* 10, 33) ; il a été « avec les Juifs comme un Juif », « avec ceux qui sont assujettis à la loi » comme s'il l'était lui-même, « avec ceux qui sont sans loi » comme s'il était « sans loi » ; il a « partagé la faiblesse des faibles », il s'est fait « tout à tous pour en sauver sûrement quelques-uns » (9,

20-22), ne faisant en tout cela qu'imiter le Christ (11, 1).

L'imitation du Christ se manifeste aussi dans le partage de ses souffrances et de sa mort et dans l'action de la puissance de Dieu à travers ces souffrances et cette mort. Car « les souffrances du Christ abondent » pour Paul, mais aussi la « consolation » de Dieu (2 *Cor.* 1, 5) ; il porte « l'agonie de Jésus » dans son corps, sa vie est livrée « à la mort à cause de Jésus, afin que la vie de Jésus soit elle aussi manifestée » dans son « corps », dans son « existence mortelle » (2 *Cor.* 4, 10-11). En se désignant, en *Philémon* 1, comme « prisonnier de Jésus-Christ », Paul décrit sans doute une situation extérieure, « la prison » où il est « à cause de l'Évangile » (13) ; il suggère peut-être aussi le lien étroit qui, dans cette épreuve même, l'unit au Christ.

La prière apostolique de Paul naît de sa foi en l'action de Dieu et s'appuie sur l'Esprit, qui « vient en aide à notre faiblesse » (*Rom.* 8, 26). Elle est avant tout, en réponse à cette action, action de grâces. C'est par la mention de cette action de grâces, dont il souligne souvent le caractère incessant, que Paul commence généralement ses lettres (1 *Thess.* 1, 2 ; 1 *Cor.* 1, 4 ; *Phil.* 1, 3 ; *Philémon* 4 ; *Rom.* 1, 8). C'est à Dieu que Paul rend grâces pour « la grâce... qui... a été donnée » aux croyants « dans le Christ Jésus » (1 *Cor.* 1, 4), pour le choix dont ils ont été l'objet et pour leur réponse de foi, d'amour, d'espérance (1 *Thess.* 1, 2-4), pour « la part » qu'ils prennent « à l'Évangile » (*Phil.* 1, 5). C'est Dieu qu'il bénit, « Dieu, le Père de notre Seigneur Jésus-Christ, le Père des miséricordes et de toute consolation », qui le « console » dans toutes ses détresses, pour le rendre capable « de consoler tous ceux qui sont en détresse, par la consolation » que lui-même reçoit de Dieu (2 *Cor.* 1, 3-4) ; cette bénédiction est une autre manière de rendre grâces, qui annonce la louange. C'est Dieu dont il proclame le dessein insondable (*Rom.* 11, 33) et à qui il rend gloire, en de brèves acclamations qui interrompent parfois son discours (2 *Cor.* 11, 31) ou le concluent (*Phil.* 4, 20 ; *Rom.* 11, 36). C'est à Dieu aussi, de qui vient tout don, qu'il adresse ses demandes en faveur des croyants (par ex. 2 *Cor.* 13, 7).

Cette action de Dieu dans sa vie et celle des croyants, Paul sait la reconnaître et l'affirmer à l'occasion dans des événements concrets. C'est la « pitié » de Dieu qui a permis qu'Épaphrodite, gravement malade, échappe à la mort (*Phil.* 2, 27). C'est Dieu qui « a arraché » Paul lui-même à la mort dans « le péril » qu'il a « couru en Asie » (2 *Cor.* 1, 8-10). C'est Dieu qui, en Macédoine, l'« a consolé par l'arrivée de Tite » et « par le réconfort » que Tite lui-même avait reçu des Corinthiens (7, 6-7). Dans la « libéralité » des églises de Macédoine, Paul reconnaît une « grâce... accordée » par Dieu (8, 1), comme c'est à Dieu aussi qu'il attribue le « zèle » dont témoigne Tite pour les Corinthiens (8, 16).

Paul s'efforce encore de saisir la signification de cette action, et il la formule parfois à l'intention de ses correspondants. Si Dieu a permis le péril qui, en Asie, l'a conduit à désespérer de la vie, c'est pour l'obliger en quelque sorte à ne pas fonder sa confiance sur lui-même, mais « sur Dieu » seul « qui ressuscite les morts » (2 *Cor.* 1, 8-10). L'expérience du croyant devient ici témoignage de l'apôtre. Ailleurs il se contente de suggérer le sens que pourrait prendre un événement en fonction de l'attitude de celui qui s'y trouve impliqué : si l'esclave Onésime a été séparé de Philémon « pour un temps », ne serait-ce pas pour lui être rendu « pour l'éternité » « comme... un frère » (*Philémon*

15-16)? Il se réjouit, pour le Christ et le progrès de l'Évangile, des conséquences positives qu'entraîne la captivité dont il parle aux Philippiens (1, 12-18).

De cette action de Dieu dépend aussi l'avenir. C'est pourquoi l'Apôtre forme ses projets « dans le Seigneur Jésus » (*Phil.* 2, 19; cf. 2, 24): il les veut inspirés par lui, mais aussi toujours subordonnés à lui et à sa volonté (1 *Cor.* 4, 19; 16, 7).

La foi dans l'action de Dieu, dont la puissance ne se manifeste jamais tant que dans la faiblesse des moyens humains, explique aussi la joie de l'Apôtre, même et surtout dans ses épreuves. C'est en prison qu'il écrit *Phil.*, où cette joie s'exprime le plus: joie dans la prière (1, 4), joie dans l'épreuve, pourvu que le Christ soit annoncé (1, 18), joie qui sera complète si les croyants vivent dans l'unité, l'amour et l'humilité dont le Christ est l'exemple (2, 2-5), joie dans la perspective de la mort, liée au service de la foi de la communauté (2, 17), joie qu'il invite à partager (2, 18), joie, pour eux, de la générosité dont il est l'objet (4, 10-19), joie incessante dans le Seigneur, à laquelle il exhorte avec insistance (3, 1; 4, 4), joie inséparable de la foi qui l'anime; si Paul en parle tant dans cette lettre, c'est peut-être parce que sa situation n'était pas de nature à l'engendrer et qu'il savait les Philippiens prompts à s'attrister (2, 26.28).

La mission de l'Apôtre crée entre lui et les communautés qu'il a fondées, ainsi qu'avec chacun des croyants qui les constituent, un lien particulier. La manière dont Paul le vit, en rapport avec sa mission, révèle d'autres aspects encore de sa spiritualité apostolique. Serviteur du Christ, il est d'abord et avant tout serviteur des croyants en rapport avec le Christ (2 *Cor.* 4, 5). Son rôle, aussi bien dans l'annonce de l'Évangile que dans ses rapports ultérieurs avec les communautés, est de servir, de coopérer, non de régenter (1, 24).

Une relation privilégiée l'unit cependant à ceux que « par l'Évangile » il a « engendrés en Jésus-Christ » et qui, d'une certaine manière, lui doivent la vie nouvelle qui est la leur. Paul est leur « père » (1 *Cor.* 4, 15) et il agit comme tel. Il appelle Onésime son « enfant », celui qu'il a « engendré » en prison (*Philémon* 10) et il rappelle à Philémon, sans doute dans le même sens, qu'il a « une dette » envers lui (19). Traitant chacun « comme un père ses enfants », l'Apôtre exhorte, encourage, adjure (1 *Thess.* 2, 11); il se propose à leur imitation (1 *Cor.* 4, 16).

C'est peut-être en rapport avec cette paternité que Paul déclare aux Corinthiens les avoir « fiancés à un époux unique », pour les « présenter au Christ comme une vierge pure » (2 *Cor.* 11, 2). Les croyants n'ont-ils pas été « mis à mort à l'égard de la loi, par le corps du Christ, pour appartenir à un autre, le Ressuscité d'entre les morts » (cf. *Rom.* 7, 4)? Paul éprouve pour eux « autant de jalousie que Dieu » (2 *Cor.* 11, 2).

Ce lien de l'Apôtre avec ses communautés se traduit chez lui par un don de lui-même et une affection qu'il ne se lasse pas d'exprimer. Avec l'Évangile de Dieu, c'est sa « propre vie » qu'il est prêt à leur donner (1 *Thess.* 2, 8). Ce qu'il recherche, ce ne sont pas les biens des croyants, mais eux-mêmes; Paul est prêt à se dépenser pour eux comme les parents doivent le faire pour leurs enfants, sans être assuré de la réciprocité (2 *Cor.* 12, 14-15). Son « souci de toutes les églises » (11, 28), son amour pour tous en Jésus-Christ (1 *Cor.* 16, 24) vont de pair avec une attention à chacun de ceux pour qui « le Christ est mort »; plutôt que de voir, pour une question de nourriture,

tomber un de ses frères, l'Apôtre renoncerait « à tout jamais à manger de la viande » (8, 11-13). Cet amour, qu'il lui arrive de comparer à l'attitude d'une mère (1 *Thess.* 2, 7), trouve, en 2 *Cor.*, où Paul s'attache principalement à rétablir avec la communauté de Corinthe de meilleurs rapports, des accents particulièrement pressants et émouvants (2, 4; 6, 11.13; 7, 2.3; 11, 2; 12, 14.15). Il le conduit à justifier son comportement, lorsque celui-ci pouvait être mal compris (1, 17), au risque de paraître se recommander lui-même (5, 12; 12, 19). Il s'exprime à l'occasion en détours délicats (2, 1-4; 7, 9; *Phil.* 1, 23-26; 2, 25-28). Il n'exclut pas les reproches (1 *Cor.* 1, 10 - 6, 20), ni une ironie douloureuse, qui cherche peut-être à cacher la peine éprouvée (4, 9-13). La violence même dont Paul fait parfois preuve, en paroles, à l'égard de ceux contre lesquels il met en garde ses communautés, témoigne à sa manière de l'amour que, dans le Christ, il porte à celles-ci.

C'est dans cet amour que l'Apôtre assume ses responsabilités vis-à-vis de ses églises, avec l'autorité qui est liée à sa mission, mais qui reste un service. Car le pouvoir qui est le sien, il l'a reçu « pour édifier et non pour détruire » (2 *Cor.* 13, 10). Sans jamais y renoncer, il préfère souvent parler « au nom de l'amour » (*Philémon* 9). Quand il donne des ordres, des directives ou des conseils, il se montre attentif à préciser leur origine et donc leur autorité diverses (1 *Cor.* en fournit de nombreux exemples). D'une façon générale d'ailleurs, ses exhortations, qui s'appuient sur l'action première de Dieu dans les croyants, restent ordonnées à un discernement que cette action même en eux doit leur permettre de toujours mieux exercer. C'est Dieu qui, par la croissance en eux de l'amour et le renouvellement de l'intelligence, leur donnera de discerner ce qui importe, de reconnaître sa volonté (*Phil.* 1, 9-10; *Rom.* 12, 1-2). Avant d'avoir à intervenir, l'Apôtre préfère inviter les croyants à faire eux-mêmes leur « propre critique » (2 *Cor.* 13, 5). En matière de générosité, en particulier, il insiste sur l'importance de la liberté intérieure (2 *Cor.* 8, 8-9; 9, 7; cf. 8, 17 et *Philémon* 9.14).

C'est la même foi en l'action de Dieu qui permet de mieux comprendre l'attitude toujours positive de l'Apôtre à l'égard de ceux auxquels il s'adresse. L'action de grâces du début des lettres porte sur ce que Dieu a déjà réalisé; la prière que Paul y joint, en même temps qu'elle lui permet de formuler, de façon générale et indirecte, le progrès qu'il propose, souligne sa conviction que Dieu seul pourra en assurer la réalisation.

Leur commune appartenance au Christ unit d'ailleurs plus profondément l'Apôtre et ses communautés que ne les distingue la mission propre qu'il a reçue. Communion dans la foi au Christ et dans la souffrance pour lui, liée au même combat (*Phil.* 1, 29), communion dans les souffrances et dans la consolation (2 *Cor.* 1, 7; cf. 1, 4; 2, 3), dans la peine (2, 5) et le pardon (2, 10), communion dans la prière (Paul ne cesse de prier pour ses églises, mais il demande et attend aussi que l'on prie pour lui, 2 *Cor.* 1, 11; *Rom.* 15, 30), communion aussi, au jour du Seigneur, dans une mutuelle « fierté » (2 *Cor.* 1, 14). L'importance attachée par Paul à la qualité de ses relations avec les communautés, sa demande, parfois presque gênante, d'être compris et aimé, la joie et la consolation qu'il dit éprouver (2 *Cor.* 7, 13; *Philémon* 7) doivent se comprendre à la lumière de ce lien dans la foi. C'est lui aussi qui donne tout son sens au thème de l'imitation, qui joue du Christ à Paul et de Paul à ses communautés, tant dans les souffrances qu'ils subissent (1 *Thess.* 1, 6.7) que dans la recherche, non de leur « avantage personnel », mais de celui « du plus grand nombre, afin qu'ils soient sauvés » (1 *Cor.* 10, 23 - 11, 1), qui joue aussi des autres églises « dans le Christ Jésus » aux communautés de Paul (1 *Thess.* 2, 14), dans l'unité de l'unique « délivrance accomplie en Jésus-Christ » (*Rom.* 3, 24).

2) *Les autres lettres et les Actes.* – A ce portrait spirituel de l'Apôtre, quels éléments apporteraient les autres lettres, soit pour souligner certains des traits déjà relevés, soit pour en modifier d'autres, soit encore pour en ajouter de nouveaux ? Que donnerait par ailleurs sa confrontation avec la figure de Paul, telle qu'elle ressort des *Actes ?* Dans le cas des autres lettres, les éléments que l'on peut relever prennent une signification différente selon le jugement que l'on porte sur leur authenticité. Les raisons variées qui, dans chaque cas, conduisent à poser cette question, de même que les dates et les origines différentes proposées pour ces écrits, suggèrent de distinguer l'apport de chacun d'eux.

2 *Thessaloniciens.* – Les doutes concernant l'authenticité de cette lettre mettent en cause l'enseignement eschatologique de 2, 1-12, les ressemblances de structure, de thèmes, de formules avec 1 *Thess.* et la dépendance littéraire qu'elles supposeraient, les différences aussi de ton, de langue et de pensée par rapport à cette première lettre. Il reste cependant difficile d'imaginer la situation qui expliquerait un écrit pseudépigraphique présentant à la fois tous ces caractères, avec celui de ne rien refléter des lettres authentiques.

Le ton de 2 *Thess.* apparaît, il est vrai, par endroits, plus distant, plus impersonnel, moins spontané et chaleureux que celui de 1 *Thess.* (comparer, par ex., le début de l'action de grâces en 2 *Thess.* 1, 3 avec 1 *Thess.* 1, 2). Par contre, en ce qui concerne l'enseignement eschatologique et l'attitude spirituelle qu'il implique, il ne semble pas qu'il y ait une telle différence d'une lettre à l'autre. En 1 *Thess.*, Paul refusait d'entrer dans la question des temps et des moments, sinon pour rappeler l'imprévisibilité du Jour du Seigneur – qui ne pouvait surprendre les croyants puisqu'ils appartenaient déjà au Jour. L'auteur de 2 *Thess.* refuse de même de considérer ce Jour comme déjà arrivé et rappelle ce qui doit immédiatement précéder sa venue, non pour qu'on puisse en fixer le temps, mais pour qu'on soit convaincu que ce temps n'est pas encore arrivé. Plusieurs traits, par ailleurs, s'accorderaient bien avec la figure de l'Apôtre que font connaître les sept lettres : la sollicitude de l'auteur pour les croyants en butte aux persécutions et aux épreuves, son regard de foi et d'action de grâce sur les progrès réalisés, son souci d'encourager avant de mettre en garde ou de donner des directives, sa manière de se placer dans la perspective de ceux à qui il s'adresse pour répondre à leurs préoccupations et leur rendre la paix et la confiance, sa demande de prière, l'alliance de la fermeté et de la bonté à l'égard de ceux qui n'obéiraient pas.

*Colossiens.* – La question de l'authenticité de *Col.* est posée non seulement par la langue et le style de la lettre, ainsi que par certains développements théologiques nouveaux, mais encore par les liens de cet écrit, d'une part avec *Éph.*, d'autre part avec *Philémon.*

*Col.* insiste sur la place et le rôle premiers et universels du Christ, dans la création comme dans la réconciliation (1, 15-20) ; « Premier-né de toute créature » (1, 15), « tête » d'un « corps » qui semble désigner l'ensemble des êtres créés (1, 16-17), mais qui n'en est par moins identifié avec « l'Église » (1, 18), il est aussi le premier-né d'entre les morts, en qui « il a plu à Dieu... de tout réconcilier » (1,

19-20). En lui, en qui « habite toute la plénitude de la divinité » et « qui est le chef de toute Autorité et de tout Pouvoir », les croyants se trouvent « pleinement comblés » (2, 9-10). Car déjà, ils sont « ressuscités avec le Christ » (3, 1) et leur « vie est cachée avec le Christ en Dieu » (3, 3). Dans « les cieux », « là où se trouve le Christ, *assis à la droite de Dieu* » (3, 1), les « attend » leur « espérance » (1, 5) ; c'est là qu'est leur « but, non sur la terre » (3, 2). Aussi, doivent-ils faire « mourir ce qui appartient à la terre » (3, 5) et rechercher « ce qui est en haut » (la « terre » – quand elle n'exprime pas, dans le couple « cieux-terre », la totalité de ce qui a été créé et réconcilié, cf. 1, 16.20 – devient ainsi une référence négative). C'est tout ce « mystère du Christ » qu'annonce l'Apôtre (cf. 4, 3), « mystère tenu caché tout au long des âges et que Dieu a manifesté maintenant » : « Christ au milieu » d'eux (autre traduction : « en » eux), « l'espérance de la gloire » (1, 26-27).

La nature, mal connue, des erreurs qui menaçaient les Colossiens doit sans doute expliquer en partie l'insistance mise dans cette lettre sur la primauté du Christ et sur le caractère universel d'une victoire à laquelle participent déjà les croyants. Il y a là, cependant, un élargissement de la vision que l'on ne rencontrait pas ailleurs de la même manière. Dans ce sens, on notera encore la mention de l'universalité de l'annonce et de la croissance de l'Évangile : « proclamé à toute créature sous le ciel » (1, 23), « il porte du fruit et s'accroît dans le monde entier » (1, 6). La lettre exprime aussi d'une façon plus générale le rapport des souffrances de l'Apôtre avec la vie des communautés : c'est « en faveur de son corps qui est l'Église » qu'il « achève dans » sa « chair ce qui manque aux détresses du Christ » (1, 24). A côté de ces accents, en partie nouveaux, bien des traits relevés dans les sept lettres se retrouvent dans celle-ci, dont l'authenticité serait sans doute plus généralement reconnue sans l'existence d'*Éph.*

*Éphésiens* présente avec *Col.* des ressemblances frappantes, parfois même littérales, qui posent la question, controversée, de leur rapport et de l'intention de l'auteur. Plus générale dans ses développements, plus synthétique, moins personnelle, moins polémique, cette lettre ne permet guère de préciser la situation concrète de ses destinataires, dont l'identité n'est d'ailleurs pas certaine.

La lettre exalte « Dieu, le Père de notre Seigneur Jésus-Christ », qui « nous a bénis de toute bénédiction spirituelle dans les cieux en Christ » (1, 3). Elle évoque son « dessein bienveillant », le « mystère de sa volonté » (1, 9), – « tenu caché depuis toujours en lui, le créateur de l'univers » (3, 9), « le Père, de qui toute famille tient son nom, au ciel et sur la terre » (3, 14-15) –, de « réunir l'univers entier sous un seul chef, le Christ, ce qui est dans les cieux et ce qui est sur la terre » (1, 10). Elle décrit la place du Christ dans ce mystère – qui est son mystère (cf. 3, 4) – : lui en qui Dieu « nous a choisis... avant la fondation du monde » (1, 4), en qui il nous a créés (2, 10) ; lui qui « a fait une unité » « de ce qui était divisé » (2, 14), voulant, « à partir du Juif et du païen, créer en lui un seul homme nouveau... et les réconcilier tous les deux avec Dieu en un seul corps, au moyen de la croix » (2, 15-16) ; lui que Dieu a « *fait asseoir à sa droite* dans les cieux, bien au-dessus de toute Autorité, Pouvoir, Souveraineté et de tout autre nom qui puisse être nommé, non seulement dans ce monde, mais encore dans le monde à venir » (1, 20-21), sous les pieds duquel il a tout mis, qu'il a donné, « au sommet de tout, pour tête à l'Église qui est son corps, la plénitude de Celui que Dieu remplit lui-même totalement » (1, 22-23 ; autres traductions possibles). C'est ce mystère qui a été révélé à Paul (3, 3), comme aux « saints apôtres et prophètes » (3, 5), pour qu'ils l'annoncent (6, 19) et mettent en lumière « comment Dieu » le « réalise » (3, 9).

Corps du Christ (cf. 1, 22), l'Église prend dans cette lettre une place toute particulière. C'est « grâce à » elle que « désormais les Autorités et les Pouvoirs, dans les cieux, connaissent... la sagesse multiple de Dieu » (3, 10), comme c'est en elle « et en Jésus-Christ » que, « pour toutes les générations », la gloire pourra être rendue à Dieu (3, 21). Le lien entre elle et le Christ s'exprime, comme en *Col.*, par le lien entre le corps et la tête ; il s'exprime aussi par le lien entre la femme et son mari. Mais c'est l'attitude du Christ qui est proposée en exemple : « Maris, aimez vos femmes comme le Christ a aimé l'Église et s'est livré pour elle ; il a voulu ainsi la rendre sainte ; il a voulu se la présenter à lui-même splendide, sans tache ni ride, ni aucun défaut » ; il « la nourrit », « l'entoure d'affection » (5, 25-29). L'auteur cite à ce propos *Gen.* 2, 24 et parle d'un « grand » « mystère » (5, 32). Une vision ample se laisse pressentir, qui souligne l'union du Christ et de l'Église, en même temps que l'éternité et l'universalité du dessein de Dieu révélé et accompli dans le Christ, en qui les croyants sont appelés à « devenir une demeure de Dieu par l'Esprit » (2, 22).

Indépendamment du problème posé par les ressemblances avec *Col.*, ces développements nouveaux de la pensée et certaines caractéristiques du style peuvent-ils s'expliquer suffisamment par les circonstances, comme l'éloignement dans lequel se serait alors trouvé l'Apôtre, son emprisonnement, son âge ? Le fond sur lequel ils se détachent abonde en tout cas en traits pauliniens déjà rencontrés et, par ailleurs, les sept lettres ne manquent pas de passages, généralement brefs, qui auraient pu, semble-t-il, servir d'amorces à des développements similaires.

*1 Timothée, Tite, 2 Timothée.* – Le groupe formé par ces trois lettres, adressées à des collaborateurs chargés de mission et leur donnant des instructions et des conseils, n'est pas aussi homogène qu'on le dit parfois. *2 Tim.*, en particulier, diffère assez des deux autres par le ton, la forme, le contenu et le style. Le nom de « pastorales », sous lequel souvent on les désigne, reste pratique, pourvu que l'on se rappelle que le mot « pasteur » ne figure pas dans ces lettres, que le « pastorat » de Timothée et de Tite n'est pas bien défini et que le contenu déborde le cadre strict des responsabilités « pastorales ».

L'auteur, s'il est le même pour les trois, se montre prodigue de directives précises et brèves, préoccupé de la transmission de l'enseignement (2 *Tim.* 2, 2 : ce qu'il a « appris » de Paul, Timothée devra le confier « à des hommes fidèles, qui seront eux-mêmes capables de l'enseigner encore à d'autres » ; cf. 1 *Tim.* 5, 22) ; il insiste sur la doctrine « saine » et fidèle (1 *Tim.* 1, 10 ; 6, 3 ; *Tite* 1, 9.13 ; 2, 1.2-8 ; 2 *Tim.* 1, 13 ; 4, 3), sur la « vérité » (1 *Tim.* 2, 4 ; 3, 15 ; 4, 3 ; 6, 5 ; *Tite* 1, 14 ; 2 *Tim.* 2, 15.18.25 ; 3, 7.8 ; 4, 4), sur une vie de « piété » (1 *Tim.* 2, 2 ; 3, 16 ; 4, 7.8 ; 6, 3.5.6.11 ; *Tite* 1, 1 ; 2, 12 ; 2 *Tim.* 3, 5.12) et d'œuvres belles et bonnes (1 *Tim.* 2, 10 ; 5, 10.25 ; 6, 18 ; *Tite* 1, 16 ; 2, 7.14 ; 3, 1.8.14 ; 2 *Tim.* 2, 21 ; 3, 17) ; l'Église est pour lui la « maison de Dieu » (1 *Tim.* 3, 15), dont l'« épiscope » doit prendre soin comme un père capable de « gouverner sa propre maison » (1 *Tim.* 3, 5). D'autres éléments encore, tels le caractère moralisant de certaines exhortations et le développement de l'organisation que reflètent les instructions sur les épiscopes

et les diacres, peuvent étonner le lecteur des premières lettres de Paul.

On retrouverait par contre dans ces lettres la sollicitude de l'Apôtre pour ses communautés et ses collaborateurs, le souci de mettre en garde contre les fausses doctrines, plusieurs notes aussi d'un réalisme très paulinien (1 *Tim.* 5, 4.14.16.23 ; 6, 2). 2 *Tim.* s'inscrirait particulièrement bien dans la ligne des sept lettres, par le rapport qu'y affirme l'auteur entre la vie dans le Christ et les persécutions (3, 12), par son attente confiante du jugement du Seigneur (4, 8), par la « douceur » aussi qu'il recommande dans l'instruction des « contradicteurs » (2, 25). Si on pouvait l'attribuer à Paul, elle serait particulièrement précieuse par ce qu'elle révélerait de la manière dont il a vécu l'achèvement de sa course apostolique : encouragement donné à Timothée (1, 7), solidarité avec lui dans la souffrance et foi dans la puissance de Dieu (1, 8.12), lien entre la mission et la souffrance (1, 11-12), supportée pour le salut des élus (2, 10), mort et vie avec le Seigneur (2, 11), offrande de soi en libation (4, 6), confiance dans le Seigneur (4, 8.18) et louange (4, 18).

*Actes.* – Les caractères de cette source ne permettent pas d'attendre qu'elle nous donne de la spiritualité de Paul, comme croyant et apôtre, une image détaillée et toujours fidèle. Les intentions de l'auteur étaient autres. Il peut cependant être utile de noter ce qui, dans sa présentation de l'activité de Paul, constituerait, par rapport au portrait spirituel que permettent d'esquisser les lettres, des éléments discordants ou concordants.

L'auteur, on le sait, réserve en général le titre d'apôtre aux Douze. Là où il l'emploie pour Barnabas et Paul (14, 4.14), c'est avec un sens qui ne paraît qu'imparfaitement convenir à la conscience qu'avait Paul de lui-même comme apôtre. Contrairement à *Gal.*, les *Actes* semblent aussi indiquer que, dans les débuts au moins de son activité missionnaire, Paul n'occupait pas la première place et n'avait pas toujours l'initiative (par rapport à Barnabas, 9, 27, à comparer avec *Gal.* 1, 18 ; cf. 11, 25-26 ; 11, 30 ; 12, 25 ; 13, 1, où Saul est nommé en tout dernier lieu ; 13, 2.7 ; 15, 25 ; par rapport aux autres frères, 9, 30 ; 11, 30 ; 15, 2, à comparer avec *Gal.* 2, 2 ; cf. 15, 40 ; dans d'autres mentions du même genre, l'intervention des frères pourrait se limiter à une aide matérielle pour le voyage).

Les rapports de Paul avec Jérusalem apparaissent également sous un jour différent : que l'on compare, par exemple, le récit du premier séjour de Paul à Jérusalem, en 9, 26-30, avec ce qu'il en dit en *Gal.* 1, 18-24, ou encore son rôle à l'assemblée de Jérusalem selon l'une et l'autre source ; le silence de *Gal.* sur les observances alimentaires à imposer aux païens, comme celui des *Actes* sur l'incident d'Antioche, mériteraient aussi une explication. Dans l'annonce missionnaire de Paul, les *Actes* insistent sur l'ordre suivi : les juifs d'abord, puis les païens, et ils en soulignent la nécessité (cf. 13, 46). En *Gal.*, le domaine de Paul semble plus directement limité aux païens (cf. 2, 9). Les *Actes* paraissent d'ailleurs, jusqu'à un certain point, vouloir disculper Paul du grief qu'on lui fait de détourner de la circoncision, de la loi, du temple (cf. 18, 13 ; 21, 21-28), en relatant des comportements (cf. 16, 3 ; 18, 18 ; 20, 6.16 ; 21, 26) ou des paroles (cf. 25, 8 ; 28, 17) qui prouveraient plutôt le contraire.

Il ne faut sans doute pas majorer ces éléments discordants, dont certains pourraient assez facilement s'expliquer par la perspective différente – et différemment subjective –

des deux auteurs. En ce qui concerne l'apostolat, par exemple, les trois récits de l'événement de Damas développent, avec sans doute des nuances et des compléments, une conception qui rejoint, dans ses éléments essentiels, celle dont témoignent les lettres. La « division du travail », que présente *Gal.* 2, 7-9, ne doit pas non plus être entendue de façon trop exclusive. C'est encore à la synagogue que Paul avait le plus de chances de rencontrer des non-juifs prêts à accueillir l'annonce de la bonne nouvelle. Le souci de ceux de sa « race selon la chair » ne le quittait d'ailleurs pas (cf. *Rom.* 9, 2-3 ; 10, 1). De plus, dans ses lettres, c'est aux communautés dans leur ensemble qu'il paraît bien s'adresser, sans distinguer, parmi leurs membres, ceux qui étaient d'origine juive ou païenne. En prescrivant à chacun de vivre dans l'état où le Seigneur l'avait appelé, en déclarant aussi s'être « fait tout à tous pour en sauver sûrement quelques-uns » (1 *Cor.* 9, 22), Paul relativisait par ailleurs les questions d'observance d'une manière qui pouvait entraîner des malentendus.

Les éléments concordants, auxquels parfois on prête une moindre attention, apparaissent relativement nombreux. Les formules des *Actes* qui expriment l'objet de l'annonce par Paul aux juifs et aux païens offrent de nombreux parallèles avec les rappels qu'on en trouve dans les lettres. Sur la manière dont Paul accomplit sa mission, les *Actes* et les lettres présentent également plusieurs traits communs : annonce incessante, nuit et jour (20, 31) ; travail manuel pour pourvoir à l'entretien et donner l'exemple (20, 34-35 ; cf. 18, 3) ; adaptation aux païens et aux juifs (17, 22-23 ; 21, 26) ; souci de garder « une conscience irréprochable devant Dieu et devant les hommes » (24, 16) ; sollicitude à l'égard des communautés (14, 21-22 ; 15, 36) ; trajectoire missionnaire avec, pour point de départ, Jérusalem (26, 20) ; existence d'une certaine organisation des communautés (14, 23 ; 20, 28). Telle ou telle parole prêtée à Paul n'est pas non plus sans rappeler des passages des lettres (cf. 23, 3 ; 26, 9).

Les *Actes* illustrent par ailleurs, à leur manière, d'autres aspects de la vie spirituelle et apostolique de Paul. Ils le montrent en prière, avec Silas (16, 25) et avec tous les frères (20, 36 ; 21, 5) ; ils parlent plusieurs fois de visions, en rapport, il est vrai, avec son activité missionnaire (16, 9 ; 18, 9 ; 22, 18 ; 23, 11 ; 27, 23-24) ; Paul envisage l'accomplissement de ses projets dans un même sentiment de dépendance par rapport à la volonté de Dieu (18, 21). Les *Actes* mentionnent aussi, soit d'une manière générale (14, 3 ; 19, 11-12), soit de façon circonstanciée (13, 11 ; 14, 10 ; 16, 16-18 ; 20, 10-12 ; 28, 5.8), plusieurs gestes de puissance accomplis par Paul ; il confère l'Esprit par l'imposition des mains (19, 6). On rapprochera de ces derniers exemples les « signes distinctifs de l'apôtre », dont les lettres ne parlent que d'une manière générale (cf. 2 *Cor.* 12, 12 ; 1 *Thess.* 1, 5 ; 1 *Cor.* 2, 4 ; *Rom.* 15, 19).

Les *Actes*, enfin, suggèrent avec une certaine force, dans les derniers chapitres, un rapprochement entre le destin de Paul, en route pour Jérusalem, et celui de Jésus (cf. 20, 22-25 ; 21, 4.11-13 ; 23, 2.9). L'ancien persécuteur, identifié avec celui qu'il persécutait, devient le persécuté. Nous retrouvons ainsi, exprimé d'une autre manière, ce qui nous a paru être au cœur de la spiritualité de l'Apôtre : son identification au Christ dans sa faiblesse pour qu'agisse la puissance de Dieu, dans sa souffrance et dans sa mort pour que se manifeste la vie de Dieu. « Je suis Jésus... que tu persécutes », avait-il entendu sur la route de Damas

(9, 5 ; 22, 8 ; 26, 15). Cette révélation, cette rencontre furent pour Paul à l'origine d'un cheminement qui devait le conformer sans cesse davantage à celui à qui il s'était, en retour, tout entier offert (cf. 22, 10). Il était difficile d'exprimer plus fidèlement, en d'autres termes que Paul lui-même, l'itinéraire de l'Apôtre.

CONCLUSION. – Malgré les difficultés inhérentes aux sources, Paul reste, parmi les écrivains du Nouveau Testament, une des personnalités les plus directement accessibles. Les sept lettres dont l'authenticité est généralement admise offrent de lui une image déjà assez complète, où ne manquent même pas, sous une forme différente ou seulement allusive, certains traits auxquels les autres lettres donnent une place et un accent nouveaux. Les données biographiques qu'elles fournissent prennent tout leur relief dans le cadre détaillé que tracent les *Actes,* et les problèmes qui demeurent apparaîtraient sans doute moins aigus si n'étaient aussi abondante l'information dont on dispose et importante la place de Paul dans les premières années de l'histoire de l'Église.

La riche personnalité que révèlent les sept lettres n'est pas aisée à saisir pour elle-même et dans l'union des traits divers et parfois contrastés qui la constituent, mais elle s'exprime d'une manière directe qui impose sa présence et qui, en même temps, laisse percevoir combien ses composantes naturelles se trouvent intégrées dans une synthèse que commandent, chez Paul, les convictions et l'attitude spirituelles.

La rupture que représente l'événement de Damas et que l'Apôtre est plusieurs fois amené à souligner, s'inscrit dans une continuité plus fondamentale, celle du dessein éternel de Dieu et de la vie de Paul lui-même, mis à part depuis le sein de sa mère pour la mission à laquelle Dieu le destinait. Cette mission est directement liée à la révélation que Dieu lui fit de son Fils. La foi du croyant, chez lui, n'est pas séparable de la mission de l'apôtre.

La spiritualité de Paul s'enracine dans cette révélation et dans cette mission. Dieu lui a révélé son Fils par l'Esprit ; de la part de Dieu, il annonce désormais le Christ, par la puissance de l'Esprit. Tant sa foi que son apostolat s'éclairent dans cette lumière essentielle où le dessein et l'action de Dieu, la mort et la résurrection du Christ, le don et la vie de l'Esprit apparaissent indissociables. On peut, dans ce sens, parler de spiritualité trinitaire et apostolique.

Le Christ y occupe une place particulière, non seulement par l'union à lui, dans sa mort et sa résurrection, qu'accomplissent la foi et le baptême, par l'appartenance à son « corps » que détermine cette union pour chacun des croyants, par la mission dont il est la source et l'annonce dont il est l'objet, mais aussi par le lien étroit et personnel qui unit à lui son apôtre dans l'imitation de sa « faiblesse », dans le partage de ses souffrances, dans l'amour de ses frères. On peut, dans ce sens, parler de spiritualité christologique.

Ces dénominations indiquent certaines constantes, certains accents. Dans le cas de Paul, ils appartiennent au cœur même de la spiritualité chrétienne, qu'il a contribué à fonder.

Le nombre d'études qui ont directement pour objet la spiritualité de Paul lui-même est relativement réduit. Rares, par contre, sont les travaux sur Paul ou sur les lettres qui ne contiennent pas quelque indication à ce sujet. Les limites de cet article imposaient un choix, que les bibliographies existantes permettront de compléter.

1. **Bibliographies.** – Comportent une section consacrée à Paul : *Elenchus bibliographicus*, dans *Biblica*, t. 1-48, 1920-1967 (avec *Elenchus suppletorius* dans *Verbum Domini*, 1960-1966) ; fascicules à part depuis le t. 49, 1968 ; c'est la plus complète des bibliographies bibliques sans analyse des études répertoriées. – *Internationale Zeitschriftenschau für Bibelwissenschaft und Grenzgebiete*, t. 1, 1951-52 svv, Stuttgart puis Düsseldorf, avec présentation brève des articles. – *New Testament Abstracts*, t. 1-12, 1956-57 à 1967-68, Weston, Mass. ; t. 13, 1968-69 svv, Cambridge, Mass., avec analyse des études. – *Bibliographia Internationalis Spiritualitatis*, t. 1, 1966 svv, Rome, sans analyse. – RAM, puis RHS, t. 1-52, 1940-1976. – P.-É. Langevin, *Bibliographie biblique*, t. 1, *1930-1970*, t. 2, *1930-1975*, Québec, 1972, 1978, sans analyse. – B.M. Metzger, *Index to Periodical Literature on the Apostle Paul*, coll. New Testament Tools and Studies 1, Leiden, 1960, jusqu'à la fin de 1957, sans analyse. – Introduction à la Bible, t. 3, vol. 3, *Les épîtres apostoliques*, Paris, 1977, p. 303-319 ; les p. 13-199 concernent la vie et les lettres de Paul.

2. **Travaux d'ensemble.** – Voir les encyclopédies bibliques et religieuses, entre autres DBS, t. 7, 1966, col. 279-387 (J. Cambier). – J.M. Bover, *Teología de S. P.*, Madrid, BAC, 1946. – B. Rigaux, *S. P. et ses lettres. État de la question*, Paris-Bruges, 1962. – *Studiorum Paulinorum Congressus*, 2 vol., Rome, 1963. – G.T. Montague, *The Living Thought of St. P.*, Londres, 1966. – O. Kuss, *Paulus, Die Rolle... in der theologischen Entwicklung der Urkirche*, Ratisbonne, 1971, 1977. – J.M. González Ruiz, *El evangelio de P.*, Madrid, 1977. – *Paul de Tarse, apôtre de notre temps*, éd. L. De Lorenzi, Rome, 1979.

3. **Commentaires exégétiques.** – Commentaires bibliques des éd. Labor et fides, Genève. – *Commentaire du Nouveau Testament*, Neuchâtel. – Coll. Études Bibliques, Paris. – Coll. *Verbum salutis*, 1re et 2e séries, Paris. *Black's N.T. Commentaries*, Londres. – *New London Commentaries on the N.T.* – *The Anchor Bible*, New York. – *The International Critical Commentary*, Edinburgh. – *The New Internat. Commentary on the N.T.*, Grand Rapids. – *Evangelisch-katholischer Kommentar zum N.T.*, Zurich, Einsiedeln, Cologne, Neukirchen-Vluyn. – *Herders theologischer Kommentar zum N.T.*, Fribourg/Br., Bâle, Vienne. – *Kritisch-exegetischer Kommentar über das N.T.*, Göttingen. – *Zürcher Bibelkommentare*, Zurich.

Les notes des traductions apportent des éléments utiles, par ex. en franç. : *La Sainte Bible*, ou « Bible de Jérusalem ». – *Trad. œcuménique de la Bible*. – *La Sainte Bible* (L. Pirot et A. Clamer), Paris.

4. **Vie et personnalité.** – J. Holzner, *Paulus*, Stuttgart, 1937 (nombreuses réédit. et trad. ; en franç. *Paul de Tarse*, 2e éd., Paris, 1951). – G. Ricciotti, *S.P. apôtre*, trad. franç., Paris, 1952. – J. Cantinat, *La vie de P. apôtre*, Paris, 1964. – M. de Lojendio, *El testimonio personal de S.P.*, 2 vol., Madrid, 1965. – *Paolo : Vita, scritti, apostolato*, éd. T. Ballarini, Turin, 1968. – G. Bornkamm, *Paulus*, Stuttgart, 1969 ; trad. franç., Genève, 1971. – J. Colson, *Paul apôtre martyr*, Paris, 1971. – K.H. Schelkle, *Paulus. Leben-Briefe-Theologie*, Darmstadt, 1981. A.S. Peake, *P. the Apostle : His Personality and Achievement*, dans *Bulletin of the J. Rylands Library*, t. 12, 1928, p. 363-88. – C.H. Dodd, *The Mind of P. : A Psychological Approach*, ibidem, t. 17, 1933, p. 91-105 ; ... *Change and Development*, t. 18, 1934, p. 69-110. – W.S. Reilly, *Characteristics of St. P.*, dans *The Catholic Biblical Quartely* = CBQ, t. 3, 1941, p. 214-19. – H. Clavier, *La personnalité de P.*, dans *Paulus-Hellas-Oikumene*, Athènes, 1951, p. 44-49 ; *La santé de P.*, dans *Studia Paulina in honorem J. de Zwaan*, Haarlem, 1953, p. 66-82. – H. Rondet, *Les amitiés de P.*, NRT, t. 77, 1955, p. 1050-66. – E.W. Hunt, *Portrait of P.*, Londres, 1968. – M. Scott Enslin, *Reapproaching P.*, Philadelphie, 1972. – E. Pax,

*Versuch über P.*, dans *Studii Biblici Franciscani Liber Annuus*, t. 24, 1974, p. 359-78.

5. **Spiritualité en général.** – W. Mundle, *Das religiöse Leben des Apostels P.*, Leipzig, 1923. – R. Steiger, *Die Dialektik der Paulinischen Existenz*, Leipzig, 1931. – J. Giblet, *S.P., serviteur de Dieu et apôtre de Jésus-Christ*, VS, t. 89, 1953, p. 244-65. – J. Dupont, *L'union avec le Christ suivant S.P.*, Bruges, 1952. – J. Knox, *Life in Christ Jesus*, Londres, 1963. – L. Cerfaux, *L'itinéraire spirituel de S.P.*, coll. Lire la Bible 4, Paris, 1966. – G. Turbessi, *Profilo interiore*, dans *Spiritualità Paolina*, Rome, 1967, p. 5-49. – Ch. A. Bernard, *Expérience spirituelle et vie apostolique en S.P.*, dans *Gregorianum*, t. 49, 1968, p. 38-57. – T. Smith, *Spiritualité missionnaire christocentrique de S. P.*, dans *Le Christ au monde*, t. 13, 1968, p. 162-68. – R. Rábanos, *La espiritualidad de S. P.*, dans *Historia de la Espiritualidad*, t. 1, Barcelone, 1969, p. 207-82. – B.T. Smyth, *Paul : Mystic and Missionary*, New York, 1980.

Avant Damas. – J. Blank, *Paulus. Jude und Völkerapostel, als Frage an Juden und Christen*, dans *Paulus. Apostat oder Apostel ?, Jüdische und christliche Antworten*, Ratisbonne, 1977. – R.J.Z. Werblowsky, *Paulus in jüdischer Sicht*, ibidem, p. 135-46. – D. Flusser, *Die jüdische und griechische Bildung des P.*, dans *Paulus*, Fribourg/Br.-Bâle-Vienne, 1980, p.11-39.

Révélation de Jésus Seigneur et mission. – O. Kietzig, *Die Bekehrung des P., religionsgeschichtlich und religionspsychologisch ~neu untersucht*, Leipzig, 1932. – E. Pfaff, *Die Bekehrung des hl. P. in der Exegese des 20. Jahrhunderts*, Rome, 1942. – P.-H. Menoud, *Révélation et tradition. L'influence de la conversion de P. sur sa théologie*, dans *Verbum caro*, t. 7, 1953, p. 2-10. – W. Prokulski, *The Conversion of St. P.*, CBQ, t.19, 1957, p. 453-73. – U. Wilckens, *Die Bekehrung des P. als religionsgeschichtliches Problem*, dans *Zeitschrift für Theologie und Kirche*, t. 56, 1959, p. 273-95. – L. Cerfaux, *La vocation de S. P.*, dans *Euntes docete*, t. 14, 1961, p. 3-35 ; *S. P. et le « serviteur de Dieu » d'Isaïe*, dans *Recueil L. Cerfaux*, t. 2, Gembloux, 1954, p. 439-54. – X. Léon-Dufour, *L'apparition du Ressuscité à Paul*, dans *Resurrexit*, Vatican, 1974, p. 266-94 (avec échange de vues).

Le croyant et l'apôtre : Dieu, Christ, Esprit. – L. Cerfaux, *Le Christ dans la vie de S.P.*, dans *Collationes dioec. Tornacensis*, t. 28, 1932/33, p. 81-94, 225-38 ; *Le Christ dans la théologie de S.P.*, coll. Lectio divina 6, 2e éd. revue, Paris, 1954. – D. Sesboüé, *L'Esprit Saint dans l'expérience de l'apôtre*, dans *Spiritus*, t. 4, 1963, p. 115-28.

Mystique. – A. Schweitzer, *Die Mystik des Apostels P.*, Tübingen, 1930 (plusieurs rééd.) ; trad. franç., Paris, 1962. – J. Huby, *Mystiques paulinienne et johannique*, Paris, 1947. – J. Baruzi, *Création religieuse et pensée contemplative*, t. 1, *La mystique paulinienne et les données autobiographiques des Épîtres*, Paris, 1951. – E. Benz, *P. als Visionär...*, dans *Abhandlungen der Geistes- und Sozialwissenschaftlichen Klasse*, Mayence, 1952, p. 79-121. – A. Wikenhauser, *Die Christusmystik des Apostels P.*, 2e éd. augm., Fribourg/Br., 1956. – G. Turbessi, *Saggio bibliografico sulla mistica paolina...*, dans *Rivista Biblica*, t. 8, 1960, p. 225-50 ; t. 9, 1961, p. 19-41, 123-43.

Prière. – L. Cerfaux, *L'apôtre en présence de Dieu. Essai sur la vie d'oraison de P.*, dans *Recueil L. Cerfaux*, t. 2, p. 469-81. – St. Lyonnet, *Un aspect de la « prière apostolique » d'après S. P.*, dans *Christus*, t. 5, 1958, p. 222-29. – P. Hilsdale, *Prayers from St. P.*, New York, 1964. – A.W. Pink, *Gleanings from P. Studies in the Prayers of the Apostle*, Chicago, 1967. – G.P. Wiles, *Paul's Intercessory Prayers*, coll. Society for N.T. Studies, Monograph Ser. 24, Cambridge, 1974. – C. Casale Marcheselli, *La preghiera in S. P.*, Naples, 1975. – K. Stendhal, *Paul at Prayer*, dans *Interpretation*, t. 34, 1980, p. 240-49. – L. Monloubou, *S. P. et la prière, Prière et évangélisation*, coll. Lectio divina 110, Paris, 1982.

Apostolat. – L. Cerfaux, *L'antinomie paulinienne de la vie apostolique*, RSR, t. 39-40, 1951-52, p. 221-235. – J. Cambier, *P., apôtre du Christ et prédicateur de l'évangile*,

NRT, t. 81, 1959, p. 1009-28 ; *P. témoin du Christ,* dans *Spiritus,* t. 5, 1964, p. 33-43. – P. Seidensticker, *P., der verfolgte Apostel Jesu Christi,* Stuttgart, 1965. – E. Güttgemans, *Der leidende Apostel und sein Herr,* Göttingen, 1966. – M. Bouttier, *Remarques sur la conscience apostolique de S. P.,* dans *Oikonomia,* Hambourg-Bergstedt, 1967, p. 100-08. – A. Pardilla, *La figura bíblica del apóstol,* dans *Claretianum,* t. 21-22, 1981-82, p. 313-473.

K. Weiss, *Paulus, Priester der christlichen Kultgemeinde,* dans *Theologische Literaturzeitung,* t. 79, 1954, col. 355-64. – A.-M. Denis, *La fonction apostolique et la liturgie nouvelle en Esprit,* RSPT, t. 42, 1958, p. 401-36, 617-56. – D. Smolders, *L'audace de l'apôtre selon S. P.,* dans *Collectanea Mechlinensia,* t. 43, 1958, p. 16-30, 117-33. – E. Kamlah, *Wie beurteilt P. sein Leiden ?,* dans *Zeitschrift für die neutestamentliche Wissenschaft,* t. 54, 1963, p. 217-32. – M.-A. Chevallier, *Esprit de Dieu, paroles d'hommes. Le rôle de l'Esprit dans les ministères de la parole selon l'apôtre P.,* Neuchâtel, 1966. – P. Gutiérrez, *La paternité spirituelle selon S. P.,* coll. Études Bibliques, Paris, 1968. – H. Clavier, *Méthode et inspiration dans la mission de P.,* dans *Verborum Veritas* (Festschrift G. Stählin), Wuppertal, 1970. – P.-É. Langevin, *S. P. prophète des Gentils,* dans *Laval théologique et philosophique,* t. 26, 1970, p. 3-17. – O. Haas, *Paulus der Missionar. Ziel, Grundsätze und Methoden...,* Münsterschwarzach, 1971. – E. Therrien, *Le discernement dans les écrits pauliniens,* coll. Études Bibliques, Paris, 1973. – J. Guillet, *L'Apôtre P. et son autorité,* dans *Le Supplément,* n. 133, 1980, p. 185-94.

Divers. – F. Prat, *Un aspect de l'ascèse dans S. P.,* RAM, t. 2, 1921, p. 3-22. – J. Sánchez Bosch, *« Gloriarse » según S.P.,* Rome-Barcelone, 1970. – N. Beaupère, *S.P. et la joie,* coll. Lire la Bible 35, Paris, 1973. – X. Léon-Dufour, *Face à la mort, Jésus et Paul,* coll. Parole de Dieu, Paris, 1979.

Xavier Jacques.

## II. PAUL CHEZ LES PÈRES DE L'ÉGLISE

1. Pères apostoliques et Apologètes. – 1° Chez les *Pères apostoliques,* on ne peut parler d'une réception uniforme des écrits et de la pensée de Paul. La *Didachè* ne semble nullement s'y rattacher (sauf peut-être quant aux dispositions requises pour recevoir l'eucharistie : *Did.* 14, 1-3 et 1 *Cor.* 11, 27-33 ; cf. SC 248, 1978, introd., p. 70) ; elle vise surtout à établir une discipline ecclésiale, proche plutôt de l'évangile de Matthieu.

Il est plus difficile de préciser le paulinisme de la première Lettre de Clément de Rome. L'auteur semble connaître au moins quelques lettres de Paul, notamment 1 *Cor.* et *Rom.* On peut discerner une dépendance littéraire entre 1 *Cor.* 15 et 1 *Clém.* 24 (SC 167, 1971, p. 142) à propos de la résurrection : il y a coïncidence entre le vocabulaire et le mode d'argumenter. 1 *Clém.* 35, 5-6 (p. 156-158) paraît aussi s'inspirer de *Rom.* 1, 28-31 : l'ordre des vices signalés est identique. L'idée de l'Église comme Corps du Christ peut être à l'origine du développement semblable en 1 *Clém.* 37, 4-5 (p. 162), mais non de la théologie du Corps « dans le Christ Jésus » qui vient ensuite (38, 1).

Pour affirmer le paulinisme de la Lettre, on donne généralement une grande importance au texte qui traite de la justification par la foi seule (32, 4-33, 1, p. 150-152) ; mais la solution adoptée est davantage d'ordre éthique que christologique, à la différence de Paul. On ne peut parler d'un revêtement paulinien de thèmes différents, mais bien d'une évolution qui tend à incorporer l'ancien Testament dans la réflexion chrétienne ; par suite la relation foi-œuvres est conçue d'une autre manière que chez Paul : il s'agit de notions non plus opposées mais complémentaires. La Lettre ne relève pas de la tradition paulinienne, mais on ne saurait la taxer d'antipaulinisme. Si elle ne se situe pas dans ligne d'un seul auteur ou d'un seul écrit néo-testamentaire, elle atteste néanmoins l'influence réelle des épîtres de l'Apôtre à Rome vers la fin du premier siècle.

Ignace d'Antioche († vers 110-117 ; DS, t. 7, col. 1250-1266) présente un premier point de contact avec Paul, du fait même qu'il écrit à diverses communautés dont certaines avaient été les destinataires des épîtres pauliniennes. Il semble donc se situer ainsi dans la tradition de l'Apôtre ; d'autre part, il ne le cite jamais textuellement et mentionne son nom en deux passages seulement : *Éphés.* 12, 2 et *Romains* 4, 3 (SC 10, 4ᵉ éd., 1969, p. 68, 112). L'opinion commune est qu'Ignace montre surtout des affinités avec Jean, mais l'influence de Paul n'est pas absente. Il connaît sûrement l'existence des épîtres (cf. *Éphés.* 12, 2), notamment 1 *Cor.* Mais on n'est pas entièrement d'accord sur la portée et l'étendue de l'influence paulinienne, ni sur son caractère immédiat.

L'absence de citations littérales n'est pas significative : Ignace en effet ne cite aucun texte du nouveau Testament et quelques-uns seulement de l'ancien. *Éphés.* 8, 2 (p. 64 : « Les hommes charnels ne peuvent pas faire les œuvres spirituelles, ni les hommes spirituels les œuvres charnelles ») semble un écho de *Rom.* 8, 5-8, peut-être aussi de 1 *Cor.* 1, 24. – *Éphés.* 16, 1 (p. 72 ; cf. *Philad.* 3, 3, p. 122) pourrait se référer à 1 *Cor.* 6, 9-10. – *Éphés.* 18, 1 (p. 72) offre des coïncidences de vocabulaire avec 1 *Cor.* 1, 20.23-24. – *Romains* 4, 3 (p. 113) rappelle 1 *Cor.* 7, 22 et, bien qu'avec un accent différent, 1 *Cor.* 9, 1. – *Romains* 9, 2 (p. 118) semble s'inspirer de 1 *Cor.* 15, 8-10, en raison de la remarquable similitude du vocabulaire et de la manière d'argumenter. – *Philad.* 7, 2 (p. 126) dépend de 1 *Cor.* 3, 16 ; 6, 19 ; 11, 1.

Autre point intéressant, Ignace fait grand usage de l'opposition *chair-esprit,* ce qui rappelle Paul et Jean. Bien que l'influence paulinienne soit possible, les deux termes n'ont pas exactement la même signification : la chair, surtout, désigne chez Paul le domaine du péché, chez Ignace plutôt ce qui passe, ce qui est caduc. Des ressemblances plus importantes d'idées, même si elles ne peuvent s'appuyer sur une dépendance littéraire directe, apparaissent à propos de la christologie et de la mystique du Christ. On a souvent noté l'absence chez Ignace de toute allusion à la doctrine paulinienne de la justification, aux problèmes de la loi, de la foi et des œuvres, etc. Il reste que les coïncidences signalées ci-dessus ne peuvent être l'effet d'un pur hasard.

Polycarpe de Smyrne témoigne tout aussi clairement d'une connaissance des écrits pauliniens dans sa seconde *Lettre aux Philippiens.* Il suffit de relever trois mentions de Paul (3, 2, SC 10, p. 180, avec référence à l'épître paulinienne aux mêmes destinataires ; 9, 1, p. 188 ; 11, 2-3, p. 190). Cependant la question de sa connaissance d'un *corpus paulinum* est discutée. On trouve un écho des idées et des formules de l'Apôtre en 3, 2-3, avec la juxtaposition, typiquement paulinienne, de la foi, l'espérance et la charité (cf. 1 *Cor.* 13, 13), et la mention de la foi comme « notre mère à tous », qui rappelle *Gal.* 4, 26. Enfin 4, 1 (p. 180) semble présenter une citation littérale de 1 *Tim.* 6, 7. Les affirmations sur le salut par la grâce (1, 3, p. 178) ont aussi une résonance paulinienne. On discute du sens paulinien de l'expression « arrhes de la justice », en référence au Christ (8, 1, p. 186) : bien que, dans les écrits de l'Apôtre, les « arrhes » soient toujours en référence à l'Esprit saint, néanmoins la conjonction du Christ avec l'idée de justice semble répondre à la mentalité de Paul.

En 11, 2 (p. 190), 1 *Cor.* 6, 2 est expressément cité, avec le nom de Paul ; il s'agit cependant d'un fragment conservé uniquement en latin et qui pose le problème de la fidélité dans la traduction. La difficulté est la même en 12, 1 (p. 192) qui cite *Éph.* 4, 26, avec en outre la question de savoir jusqu'à quel point le mot « Écriture » peut se rapporter à cet écrit néo-testamentaire. Si l'on ne peut situer nettement Polycarpe dans la tradition théologique de Paul, il faut cependant remarquer qu'il ne nomme aucun autre auteur du nouveau Testament et que la majeure partie des citations néo-testamentaires sont pauliniennes. Il est dès lors manifeste qu'il accorde une grande autorité aux écrits de l'Apôtre, même si l'on ne retrouve pas chez lui toutes les données centrales de la théologie paulinienne.

L'influence paulinienne est beaucoup plus lointaine dans d'autres écrits. Ainsi, dans l'homélie du 2ᵉ siècle dite *Seconde Lettre de Clément* (éd. et trad. franç. par H. Hemmer, Paris, 1909, p. 134-171), on trouve quelques échos de 1 *Cor.* (2 *Clém.* 7 ; 9, 1-6 ; 11, 7 ; p. 144-146 ; 148-150 ; 152), mais il reste difficile de déterminer s'ils dérivent directement de Paul, de la tradition chrétienne au sens large, ou d'autres écrits comme 1 *Clem.* L'ecclésiologie de 14, 1-2 (p. 156-158), avec la doctrine de l'Église spirituelle préexistante et du Corps du Christ, paraît paulinienne en son origine, mais les différences sont assez nettes pour exclure une dépendance directe. L'auteur de l'homélie ne prétend pas se rattacher à la tradition paulinienne ; il est difficile d'en discerner les raisons.

Il en est de même pour l'*Épître de Barnabé* (SC 172, 1971), bien que les ressemblances avec des formules pauliniennes n'en soient pas absentes : ainsi pour la triade foi, charité, espérance (1, 4, p. 74), où les critiques voient une influence indirecte plutôt qu'une dépendance littéraire. De même l'exemple de la foi d'Abraham est mise en relation avec la justification (13, 7, p. 176), jointe à une citation de *Gen.* 15, 6 ; cela fait penser à *Rom.* 4, 3.11 et *Gal.* 3, 6-9, bien que l'auteur argumente différemment à partir de cet exemple. Plutôt que d'une dépendance directe, il faudrait parler d'une influence paulinienne à travers la tradition connue par l'auteur. Celui-ci ne prend pas en compte les points les plus décisifs de la théologie paulinienne. En 8, 3 (p. 138), il parle de l'autorité évangélique des « douze » ; on a vu parfois dans ce texte une tendance à refuser à Paul la qualité d'apôtre, mais cette explication semble excessive. On ne trouve pas dans l'Épître des traces nettes d'antipaulinisme.

*Le Pasteur* d'Hermas (SC 53, 1958 ; DS, t. 7, col. 316-334) ne cite pas davantage Paul ; bien qu'il soit « imprégné des textes sacrés », on ne trouve que « rarement des citations précises » de l'ancien ou du nouveau Testament (R. Joly, introd., p. 45). L'auteur entend se présenter et parler comme un prophète ; en conséquence, il ne fait point appel à des autorités reconnues. Les problèmes qui le préoccupent sont également éloignés des thèmes centraux de Paul : possibilité d'une seule pénitence après le baptême, perfection de l'agir chrétien après la conversion. On ne peut cependant le taxer lui non plus d'antipaulinisme.

Comme dépendance littéraire possible, on signale *Mand.* IV, 1-11 (p. 154-156), dont les prescriptions à propos du mariage évoquent 1 *Cor.* 7, 28.39-40, mais les similitudes de vocabulaire s'expliqueraient aisément sans recourir à une connaissance certaine du texte paulinien. *Simil.* IX, 13, 5 et 18, 4 (p. 320 et 322 : l'Église « un seul corps », « un seul esprit ») rappellent *Éph.* 4, 3-6 ; on ne peut cependant parler d'une connaissance directe, mais plutôt du recours à un thème traditionnel. Hermas ne semble pas utiliser directement les Épîtres, bien qu'il ait pu en connaître, notamment 1 *Cor.*

Chez Papias, l'influence paulinienne est très effacée, et on relève ici ou là quelques traces d'antipaulinisme (cf. les fragments édités par F.X. Funk et K. Bihlmeyer, *Die apostolischen Väter*, Tübingen, 1924, p. 133-140). On n'a pu donner de ce fait aucune explication satisfaisante.

Pour le discours *A Diognète* (SC 33 bis, 1965 ; cf. DS, t. 3, col. 993-995), on peut au contraire parler d'une influence paulinienne importante. L'incertitude sur la date et le lieu d'origine de cet ouvrage ne permet guère d'en tirer des conclusions pour une histoire de la réception du corpus paulinien (H.-I. Marrou pense que situer l'ouvrage « à la charnière des 2ᵉ et 3ᵉ siècles est une conclusion qui peut passer pour raisonnablement fondée » ; comme auteur, il propose l'hypothèse de Pantène d'Alexandrie ; SC 33 bis, p. 265-268, 294). En 12, 5 (p. 82) seulement, « l'Apôtre » est mentionné avec citation explicite de 1 *Cor.* 8, 1. Mais, outre les indices d'une connaissance générale des Épîtres, divers passages dénotent une influence précise.

Ainsi en 5, 8 (p. 62) on constate une réelle connaissance des vues pauliniennes sur « la chair » (cf. 2 *Cor.* 10, 3 ; *Rom.* 8, 12-13) ; – 5, 12-13 (p. 64 : situation des chrétiens dans le monde) présente de grandes ressemblances avec 2 *Cor.* 6, 9-10 dans la structure et la succession des idées ; – de même 5, 15 (p. 64) en rapport avec 1 *Cor.* 4, 12 ; – 9, 1-5 (p. 72-74) évoque manifestement les idées pauliniennes de *Rom.* 3, 21-26 sur la justification, même si l'on n'y trouve pas tous les éléments de la doctrine paulinienne ; – en 9, 6 (p. 74) on relève par contre des appellations du Christ empruntées plutôt à des milieux helléniques. Conjointement à cette influence paulinienne, l'auteur fait preuve d'un manque évident d'intérêt pour l'ancien Testament ; en cela il ne se situe guère dans la tradition paulinienne, mais cet aspect peut s'expliquer par le but et le destinataire du discours.

2° *Apologètes*. – Chez Justin, martyr vers 165 (DS, t. 8, col. 1640-1647), l'influence de Paul est très limitée. Fait significatif, il ne nomme jamais l'Apôtre dans ses écrits ; il est évident cependant que ce silence ne relève pas d'une ignorance puisque plusieurs textes précis semblent directement inspirés des Épîtres. Ainsi *Apologie* I, 19, 4 présente des similitudes notables de vocabulaire avec 1 *Cor.* 15, 53 ; I, 60, 11 semble un écho de 1 *Cor.* 2, 5. Dans le *Dialogue avec Tryphon* 27, 1-4, on trouve une liste de citations vétéro-testamentaires identique à celle de *Rom.* 3, 11-17 ; l'allusion à la « circoncision spirituelle » en 43, 2 évoque aussi *Col.* 2, 11-12. Pour Justin, toutefois, les écrits de Paul n'ont pas l'importance de l'ancien Testament ou des paroles de Jésus. Certains points centraux de sa théologie, comme celui du *logos spermatikos*, semblent étrangers à la vision paulinienne de l'homme et du monde sous l'emprise du péché. Les thèmes spécifiquement pauliniens font défaut chez l'Apologète, qui recueille cependant les points importants de la tradition chrétienne. La pensée paulinienne n'était peut-être pas celle qui correspondait le mieux aux intentions apologétiques de Justin ; on se demande encore si la nécessité de s'opposer à Marcion n'explique pas dans une certaine mesure cet accueil limité des écrits de Paul.

Justin n'est pas une exception sur ce point parmi les Apologètes. On ne trouve guère d'échos de la pensée paulinienne chez Aristide ou chez Athénagore (*Supplique au sujet des chrétiens,* trad. franç. SC 3, 1943 : 1, p. 16 et 1 *Cor.* 6, 2 ; 12, p. 97, et 1 *Cor.* 15, 32). Les réminiscences sont plus nombreuses dans le *Discours aux Grecs* de Tatien (éd. E. Schwartz, TU 4, 1, Leipzig, 1888 ; trad. franç. de A. Puech, *Recherches sur le Discours aux Grecs,* Paris, 1903, p. 107-158 ; voir les notes de cette trad. p. 113, 115, 122-123, 128, 130, 135) ; Tatien semble utiliser Paul de façon sélective, en fonction de son propos.

Chez Théophile d'Antioche (*Ad Autolycum,* éd. et trad. franç. SC 20, 1948 ; éd. crit. par R.M. Grant, Oxford, 1970), les paroles de Paul ont même autorité que celles de l'ancien Testament et des Évangiles ; elles sont considérées comme « paroles de Dieu ». En III, 14, il cite 1 *Tim.* 2, 2 comme « enseignement divin » ; de même *Rom.* 13, 7-8, quoique non littéralement (SC 20, p. 232) ; II, 27 rappelle également *Rom.* 5, 19 (p. 166 ; autres réminiscences signalées dans la table des citations bibliques, p. 280-281). Les formules pauliniennes sont parfois interprétées dans un sens assez éloigné du sens littéral. L'influence de Paul n'est pas primordiale chez Théophile ; le témoignage de l'ancien Testament est chez lui déterminant, et celui des évangiles et de Paul est introduit seulement lorsqu'il s'en rapproche ; il a pourtant conscience que l'ancien Testament trouve son accomplissement dans le nouveau (cf. N. Zeegers Vander Vorst, *Les citations du Nouveau Testament chez Th. d'A.,* dans *Studia Patristica* XII = TU 115, Berlin, 1975, p. 371-382).

On peut donc conclure, en général, que la théologie des apologistes n'est pas marquée de manière décisive par celle de Paul.

Il convient de faire une brève allusion au paulinisme excessif de Marcion († vers 160 ; DS, t. 10, col. 311-321) qui, selon quelques historiens, a pu influer sur l'attitude à l'égard de Paul chez certains hommes d'Église (*ibidem,* col. 319). Marcion a créé son propre canon des Écritures, admettant seulement l'évangile de Luc et la plupart des Épîtres de Paul, excluant d'autre part tout l'ancien Testament (cf. col. 313-314). Mais, contrairement à ce qu'on a pensé, ce n'est pas lui qui a « découvert » Paul ; il l'a rencontré dans la tradition de l'Église. Et plutôt que de s'inspirer de lui, il a cherché en lui un appui pour ses propres doctrines.

Ainsi veut-il fonder sur 2 *Cor.* 4, 4 (« le dieu de ce monde ») et sur *Gal.* 6, 14 ( le « monde », identique pour lui au « dieu de ce monde ») sa doctrine des deux dieux (cf. Tertullien, *Adversus Marcionem* v, 11, 9 et 4, 15) ; la prédication d'un « second évangile », proscrit par Paul (*Gal.* 1, 6-7), serait pour lui le retour au Dieu créateur de l'ancien Testament. Une interprétation radicale de la distinction paulinienne entre Loi et Évangile lui a servi à étayer sa propre doctrine. On ne peut soutenir la thèse de Harnack, suivi par d'autres, selon laquelle, malgré ses vues unilatérales, Marcion serait plus proche de Paul que les écrivains de la Grande Église, ou encore l'initiateur de son influence prépondérante dans la suite.

Méliton de Sardes († avant 190 ; DS, t. 10, col. 979-990 ; éd. et trad. franç. par O. Perler, *Homélie sur la Pâque et Fragments,* SC 123, 1966) a été assez fortement influencé par saint Paul, bien que les citations textuelles soient rares. Certaines expressions du fr. XIV semblent rappeler *Phil.* 2, 6 et 2 *Cor.* 8, 9 ; dans l'*Homélie,* certaines tournures évoquent des textes de Paul ; comparer § 5 et *Éph.* 4, 10 ; 1 *Cor.* 8, 6 ; § 7 et 2 *Cor.* 5, 17 ; § 68 et *Col.* 1, 12-13. Ce qui est dit du péché d'Adam et de ses conséquences dans les paragraphes 50-56 est particulièrement important ; on y relève des coïncidences avec *Rom.* 1, 24.26 et, semble-t-il, une influence directe de *Rom.* 5, 12-19.

2. D'IRÉNÉE À AUGUSTIN. — 1° *Irénée* († après 193 ; DS, t. 7, col. 1923-1969) fait un grand usage des écrits de Paul et le cite souvent de façon explicite. Après les évangiles, le corpus paulinien est sa principale source néo-testamentaire. Il le considère manifestement comme partie intégrante du canon, et lui reconnaît la même autorité qu'à l'ancien Testament et aux évangiles, sans oser cependant lui appliquer le terme « Écriture » ni introduire les citations par la formule « il est écrit » ou d'autres traditionnelles comme il le fait pour les évangiles et les *Actes.*

Il fait appel aux textes de Paul pour fonder les points centraux de sa théologie. *Rom.* 3, 29-30 ; 4 en entier ; 8, 15 servent à prouver sa thèse de l'unicité de Dieu ; *Rom.* 1, 1-4 et *Col.* 1, 15 à montrer l'unité du Christ ; *Rom.* 3, 23.30 et les ch. 4-5 et 8 lui permettent de développer ses vues sur l'économie du salut et la récapitulation. Irénée n'altère pas la doctrine paulinienne, bien qu'il ne s'y attache pas de façon exclusive ; il subit aussi l'influence de Jean. Ce qui l'intéresse avant tout n'est pas de commenter les textes, mais bien de faire front au gnosticisme, et ceci l'oblige à se situer sur un autre plan que celui de l'Apôtre. Irénée a contribué malgré tout à conférer aux écrits pauliniens cette autorité indiscutée dont ils jouissent dès lors dans l'Église.

2° A partir du 3ᵉ siècle, apparaissent les *Commentaires des Épîtres,* en même temps que d'autres écrits du nouveau Testament.

D'Origène † 253/4, on possède un commentaire en dix livres de *Rom.* dans une traduction de Rufin (PG 14 ; l'original avait quinze livres) ; des fragments grecs du même commentaire ont été transmis par diverses sources (sur 1, 1.3 dans la *Philocalie,* ch. 25, SC 226, 1976, p. 212-232 ; de 3, 5 à 5, 7 dans un papyrus récemment découvert à Toura, éd. J. Schérer, Le Caire, 1955). Les chaînes patristiques ont livré en outre des fragments de commentaires (dont l'authenticité serait parfois à vérifier) sur *Éph.* (éd. J.A.F. Gregg, dans *Journal of theological Studies,* t. 3, 1901-2, p. 233-244, 398-420, 554-576) et 1 *Cor.* (éd. Cl. Jenkins, *ibidem,* t. 6, 1903-4, p. 113-116 ; t. 9, 1907-8, p. 231-247, 353-372, 500-514 ; t. 10, 1908-9, p. 29-51).

De Jean Chrysostome † 407, nous avons un commentaire sur *Gal.* (PG 61, 611-682) et de nombreuses homélies sur les autres épîtres (PG 60-62). Il ne reste que des fragments grecs des commentaires de Théodore de Mopsueste † 428 sur *Rom.* et 1-2 *Cor.* (éd. K. Staab, *Pauluskommentare aus der griechischen Kirche,* Münster, 1933, p. 113-200) ; ses commentaires sur *Gal., Éph., Col., Phil.,* 1-2 *Tim., Tite, Philém.* ont été transmis en traduction latine, avec quelques fragments grecs (éd. H.B. Swete, 2 vol., Cambridge, 1880-1882, réimpr. 1969 ; nouveaux fragments grecs édités par D. De Bruyne, RBén., t. 33, 1921,

p. 53-54 et par E. Dekkers, dans *Sacris Erudiri*, t. 6, 1954, p. 429-433 ; cf. U. Wickert, *Studien zu den Pauluskommentaren Th. v. M.*, Berlin, 1962 ; CPG 2, n. 3845-3847). On possède encore de longs extraits des commentaires de Cyrille d'Alexandrie sur *Rom.* et 1-2 *Cor.* (PG 74, 773-952 ; cf. CPG 3, n. 5209).

En Occident, Marius Victorinus († vers 365) a commenté *Gal. Phil., Éph.* (pour les éditions et le contenu, cf. DS, t. 10, col. 617, 620-622) ; un peu plus tard l'Ambrosiaster toutes les Épîtres (éd. H.J. Vogels, CSEL 81, 1-3, 1966-1969). – De Jérôme, on garde les commentaires de *Philémon, Gal., Éph.* et *Tite* (PL 26, 307-618 ; cf. DS, t. 8, col. 912).

Récemment, H.J. Frede a attiré l'attention sur un bref commentaire transmis par un ms de Budapest, daté de 395-404 et composé sans doute dans la région d'Aquilée (*Ein neuer Paulustext und Kommentar*, 2 vol., Fribourg/Brisgau, 1973-1974). Ce texte a été utilisé par Pélage dans ses *Expositiones* XIII *Epistularum Pauli* (éd. A. Souter, coll. Texts and Studies, 3 vol., Cambridge, 1922, 1926, 1931) ; l'inspiration de ce commentaire n'est pas pélagienne, mais relève étroitement de la théologie antiochienne dont les points d'attache ultérieurs avec le mouvement pélagien sont bien connus.

Les *Expositiones* de Pélage datent des années 405-410. En raison sans doute de l'hétérodoxie de l'auteur, la transmission de l'ouvrage dans les mss s'est faite dans des conditions très complexes ; le texte original a été d'abord remanié, parfois en accentuant l'accent pélagien, par un compilateur qui y a introduit des morceaux du commentaire étudié par Frede et il est passé ainsi à la postérité sous le nom de Jérôme (ces interpolations débordent celles qu'avait discernées A. Souter et recueillies à part dans le 3ᵉ volume de son édition ; l'ensemble de l'édition doit donc être utilisé avec prudence et devrait faire l'objet d'une nouvelle recherche). Une autre édition, corrigée dans un sens orthodoxe par Cassiodore et ses disciples (après 540), fut publiée sous le nom de Primasius (PL 68, 417-686).

3° On ne peut cependant limiter l'influence de la théologie paulinienne aux auteurs qui ont commenté ses Épîtres ; en fait, tous les auteurs ecclésiastiques s'en sont trouvé marqués dans leurs ouvrages divers. Parmi *les thèmes de la théologie et de la spiritualité pauliniennes* qui ont fait l'objet de la réflexion des auteurs postérieurs, il faut nommer en premier lieu *l'anthropologie*, concrètement la distinction *chair et esprit*. Les Pères s'efforcent d'éviter l'identification pure et simple de la *chair* (au sens paulinien ; cf. DS, t. 2, col. 441-443) avec le *corps* pour ne pas marquer celui-ci d'une signification négative au plan moral et spirituel. Bien qu'ils ne se soient pas toujours libérés des influences platoniciennes, ils sauvegardent néanmoins la dignité du corps (cf. DS, t. 3, col. 2345-2351). La notion d'*esprit* correspond en général à celle de Paul : le terme signifie d'une part l'Esprit saint, et d'autre part le niveau supérieur de l'homme, par lequel celui-ci est ouvert à l'action divine et en éprouve la nécessité (cf. DS, t. 4, col. 1264-1266 ; t. 7, col. 653-658 ; t. 11, col. 460-465). L'Esprit saint est un don concédé à l'homme et non un élément naturel de son être. 1 *Cor.* 15 est la source où puisent les Pères pour parler de la résurrection du corps et aussi du corps spirituel. L'interprétation du corps ressuscité chez Origène, qui semble le concevoir comme dépourvu de tout élément charnel, a soulevé de multiples discussions (cf. art. *Origène*, DS, t. 11, col. 937-39, 956-57).

Pour le développement de la christologie, les textes pauliniens ont joué un rôle important, notamment 1 *Cor.* 15, 28 ; *Col.* 1, 15-20 ; *Phil.* 2, 6-11. Les passages qui pouvaient donner lieu à une interprétation subordinatienne (vg 1 *Cor.* 15, 24-28) sont ceux qui ont posé les plus graves problèmes, spécialement dans le contexte de la controverse arienne. La solution adoptée fut presque toujours la distinction entre nature humaine et nature divine dans le Christ. On ne peut dire que les Pères se soient ainsi éloignés des vues pauliniennes dans la présentation de la figure de Jésus. Il est cependant manifeste qu'ils se sont davantage préoccupés de résoudre les questions agitées à différentes époques que de saisir l'intention originelle de l'Apôtre. Leur interprétation des textes discutés va souvent au-delà de ce que Paul voulait dire. Mais, en un sens, un problème encore plus grave a été celui d'une interprétation correcte des points controversés de la théologie paulinienne : valeur de la loi, grâce, foi et œuvres, etc.

La théologie de la Loi a posé en premier lieu la question des divers sens que Paul donne à ce terme. Origène en a distingué jusqu'à six (*In Rom.* 7, 7 ; fragm. sur *Rom.* 2, 21-25) ; mais c'était là éliminer plutôt qu'expliquer l'ambiguïté du terme paulinien (cf. art. *Loi*, DS, t. 9, col. 970-972). Les interprètes sont soucieux d'éviter que la relation entre Loi et péché n'entraîne une dévalorisation de la Loi elle-même ; ils disent en général que la Loi fait connaître son péché à l'homme et augmente ainsi la responsabilité de ce dernier (cf. Tertullien, *Adv. Marc.* V, 13, 13-14 ; Clément d'Alexandrie, *Stromates* II, 34, 1 ; III, 84, 1). La controverse avec Marcion contraint à mettre en relief l'unité de la Loi et de l'Évangile comme œuvres du même Dieu ; d'où l'insistance sur le thème paulinien de la Loi comme pédagogue (*Gal.* 3, 24). En outre, c'est seulement avec le Christ que la Loi trouve son plein accomplissement. Pour éviter la conclusion que la Loi tout entière se trouve abrogée, les Pères introduisent une distinction entre loi morale et lois cérémonielles ; les chrétiens sont libérés de celles-ci, non de la première.

La foi est considérée comme la réponse à la grâce de Dieu ; celle-ci consiste en premier lieu dans la rédemption acquise par le Christ (cf. DS, t. 5, col. 546-547). Les Pères s'attachent plus que Paul à souligner la liberté de l'homme dans l'accueil de la grâce. Origène affirme d'abord l'existence d'un « commencement de la foi », qui dépend de la liberté de l'homme et en conséquence duquel Dieu accorde l'Esprit saint dans la mesure où chacun désire le recevoir. Vient ensuite la foi parfaite, qui ne s'obtient pas sans ce don de l'Esprit, et qui est l'œuvre de Dieu en nous. Elle va de pair avec la charité et l'espérance (*In Rom.* 4). Cette voie origénienne est suivie par Jean Chrysostome et en Occident par Hilaire de Poitiers.

Augustin lui-même, avant la controverse pélagienne, semble affirmer que l'acte initial de la foi est le propre de l'homme ; plus tard, il insistera sur l'initiative divine et limitera l'œuvre de l'homme au consentement à cette initiative. Dans ce contexte, il est intéressant de noter qu'Augustin introduit une nouvelle idée de la liberté, assurément dans la ligne paulinienne ; il ne s'agit pas seulement du libre arbitre de l'homme quant au choix, mais de la libération du péché et de son esclavage : c'est la liberté concédée à l'homme sous l'action de la grâce (*De spiritu et littera* 30, 52, s'appuyant sur 2 *Cor.* 3, 18 ; cf. art. *Liberté chez les Pères*, DS, t. 9, col. 818-819).

En relation avec le thème de la grâce vient celui du péché. *Rom.* 5, 12 a été interprété depuis Augustin comme l'affirmation du péché de tous les hommes en Adam. Déjà l'Ambrosiaster avait lu le texte dans ce sens (CSEL 81, 1, p. 162-163). Mais les Grecs en général ne l'avaient pas interprété de cette manière, à l'exception, semble-t-il, d'Irénée. L'Anonyme du ms Budapest l'explique ainsi : « Hic ostendit apostolus 'quemadmodum uno Adam praevaricante, peccatum in hunc mundum ingressum sit cunctis', eo quod tam naturalem quam scriptam legem nullus potuisset implere » (Frede, cité *supra*, t. 2, p. 38). Pélage réduit le péché d'Adam à un « exemple » (exemplo vel forma), que tous ont imité jusqu'à ce que vienne le Christ, à l'exception toutefois d'hommes comme Abraham et Isaac (éd. Souter, t. 2, p. 45). C'est cette interprétation de Pélage qui a contraint Augustin à développer sa doctrine du péché originel.

La justification par la foi et la valeur des œuvres représentent un autre thème paulinien qui a trouvé écho chez les Pères. Ils reprennent la doctrine de la justification par la foi, mais celle-ci est le plus souvent comprise comme la *fides quae creditur* (la foi dans son objet plutôt que comme attitude intérieure) ; de ce fait, ils affirment que l'homme doit être jugé d'après ses œuvres. Origène a une vue plus globale de la foi : croire au Christ, c'est pratiquer les vertus (cf. *In Rom.* 7, 9 ; 6, 11). De même, Marius Victorinus insiste sur l'identification personnelle avec le Christ (cf. DS, t. 9, col. 621). Pour la pensée d'Augustin, voir l'art. *Justice*, DS, t. 8, col. 1630-1632.

Une interprétation moralisante de Paul est assez commune chez les Pères ; cette attitude s'explique si l'on tient compte du fait qu'ils ont éprouvé la nécessité, depuis la première génération chrétienne, de définir et de tracer le cheminement propre à la vie chrétienne, face au milieu ambiant.

Le problème des résultats de la réception de Paul dans l'Église ancienne ne peut donc être résolu sans nuance. Il est faux de dire, comme on l'a fait, que Paul est resté totalement incompris. On doit cependant reconnaître que sa voix n'a jamais été la seule à être entendue, et que s'est manifestée une tendance, d'ailleurs explicable, à atténuer les formules qui paraissaient outrancières.

Études d'ensemble. – C.H. Turner, *Greek Patristic Commentaries on the Pauline Epistles*, dans *Dictionary of the Bibel* (Hastings), Extra Volume, Édimbourg, 1904, col. 484-531. – K. Staab, *Die Pauluskatenen nach den handschriftlichen Quellen untersucht*, Rome, 1926. – A. Souter, *The earliest Latin Commentaries on the Epistles of St. Paul*, Oxford, 1927. – E. Aleith, *Paulusverständnis in der alten Kirche*, Berlin, 1937. – W. Schneemelcher, *Paulus in der griechischen Kirche des zweiten Jahrhunderts*, dans *Zeitschrift für Kirchengeschichte*, t. 75, 1964, p. 1-20. – K.H. Schelkle, *Paulus Lehrer der Väter. Die altkirchliche Auslegung von Römer 1-11*, Düsseldorf, 1956, 2e éd., 1959 ; *Wort und Schrift*, Düsseldorf, 1966 (recueil d'articles sur l'exégèse patristique de *Rom.* : Baptême et mort, Église et état, eschatologie, élection et liberté, Église romaine, p. 216-281). – W. Affeldt, *Verzeichnis der Römerbriefkommentare der lateinischen Kirche bis zu Nikolaus von Lyra*, dans *Traditio*, t. 13, 1957, p. 369-406 (avec inventaire des mss et bibliographies). – M.F. Wiles, *The Divine Apostle. The Interpretation of St. Paul's Epistles in the Early Church*, Cambridge, 1967. – H. von Campenhausen, *Die Entstehung der christlichen Bibel*, Tübingen, 1968.

E. Dassmann, *Der Stachel im Fleisch. Paulus in der frühchristlichen Literatur bis Irenäus*, Münster, 1979. – A. Grillmeier, *Jesus der Christus im Glauben der Kirche*. Bd 1. *Von der apostolischen Zeit bis zum Konzil von Chalkedon* (451), Fribourg-Bâle-Vienne, 1979. – A. Lindemann, *Paulus im ältesten Christentum. Das Bild des Apostels und die Rezeption der paulinischen Theologie in der frühchristlichen Literatur bis Marcion*, Tübingen, 1979.

Études sur tel ou tel Père. – H. Rathke, *Ignatius von Antiochien und die Paulusbriefe*, TU 99, Berlin, 1967. – A. Orbe, *Antropología de san Ireneo*, Madrid, 1968. – E. Peretto, *La Lettera ai Romani cc. 1-8 nell'Adversus Haereses d'Ireneo*, Rome, 1971. – H. Crouzel, *Théologie de l'image de Dieu chez Origène*, Paris, 1956. – M. Eckart, *Das Verständnis von 1 Kor. 15, 23-28 bei Origenes*, Augsbourg, 1966 (extrait de thèse). – E. Hoffmann-Aleith, *Das Paulusverständnis des Johannes Chrysostomus*, dans *Zeitschrift für Neutestamentliche Wissenschaft*, t. 38, 1939, p. 181-188.

J.J. Dempsey, *Pelagius's Commentary of St. Paul. A Theological Study* (extrait de thèse Univ. Grégorienne), Rome, 1937. – H.H. Esser, *Thesen und Anmerkungen zum exegetischen Paulusverständnis des Pelagius*, TU 92, Berlin, 1966, p. 443-461. – J.B. Valero, *Las bases antropológicas de Pelagio en su tratado de las Expositiones*, Madrid, 1980.

A.F.N. Lekkerker, *Römer 7 und Römer 9 bei Augustin*, Amsterdam, 1942. – G. Madec, *Connaissance de Dieu et action de grâces. Essai sur les citations de l'Ép. aux Rom. 1, 18-25 dans l'œuvre de S. Augustin*, dans *Recherches augustiniennes*, t. 2, 1962, p. 273-309. – S. Lyonnet, *Rom. 5, 12 chez S. Augustin. Note sur l'élaboration de la doctrine augustinienne du péché originel*, dans *L'Homme devant Dieu* (Mélanges H. de Lubac), t. 1, Paris, 1963, p. 327-339 • *Augustin et Rom. 5, 12 avant la controverse pélagienne*, NRT, t. 89, 1967, p. 842-849.

Études sur l'exégèse patristique de thèmes pauliniens. – S. Zedda, *L'adozione a figli di Dio e lo Spirito Santo*, Rome, 1952. – J.-M. Dufort, *La récapitulation paulinienne dans l'exégèse des Pères*, dans *Sciences ecclésiastiques*, t. 12, 1960, p. 21-38. – W. Keuck, *Dienst des Geistes und des Fleisches. Zur Auslegungsgeschichte... von Rom. 7, 25b*, dans *Theologische Quartalschrift*, t. 141, 1961, p. 257-280.

Outre les art. du DS signalés dans le texte, voir art. *Mystère*, t. 10, col. 1861-1874.

Luis F. Ladaria.

**2. PAUL VI**, pape, 1897-1978. – 1. *De G. B. Montini à Paul* VI. – 2. *Paul* VI *et le Concile Vatican* II. – 3. *Esquisse d'une spiritualité.*

1. De G. B. Montini a Paul VI. – Dès lors qu'on admet une continuité entre G.B. Montini et Paul VI, une caractéristique s'impose : la contrariété.

Première et constante contrariété : une santé fragile. Fils de Giorgio Montini, de Brescia, et de Guiditta Alghisi, originaire de Verolavecchia, Giovannibattista naît le 26 septembre 1897 à Concesio, dans la maison de campagne familiale. De constitution précaire, il est mis en nourrice pendant quatorze mois. A sept ans, il fréquente le collège Cesare Arici de Brescia, dirigé par les jésuites : malgré l'excellence de ses notes, il ne résiste pas à la rigidité des horaires. Préparé par un précepteur, il passe l'examen de maturité au Lycée d'État en 1916. Entré au séminaire l'année suivante, il est bientôt autorisé, pour raisons de santé, à suivre les cours en externe. Il prend les revers avec un humour, qui est humilité, dont témoigne la correspondance (1914-1923) avec son ami d'enfance Andrea Trebeschi (G.B. Montini, *Lettere a un giovane amico*). L'épreuve est d'ailleurs salutaire : elle l'oblige à une discipline qui lui permet plus tard un rythme de travail fortement organisé. L'oratorien Giulio Bevilacqua que fréquente le jeune Montini dès 1929 à Rome, créé plus tard cardinal, souligne avec vigueur et acharnement (G. Huber, *Paul* VI, p. 17) tandis qu'il s'emploie au Vatican à lui rendre une indispensable gaieté (J. Guitton, *Dialogues avec Paul* VI, p. 167-175)

Son évêque, Mgr Gaggia, envoie à Rome don Montini, ordonné prêtre le 29 mai 1920, avec la consigne de se refaire une santé. En novembre 1921,

Mgr G. Pizzardo, substitut à la Secrétairerie d'État, le fait entrer à l'Académie des Nobles ecclésiastiques. L'initiative tourne à l'épreuve d'une contrariété nouvelle et autrement profonde. Diplomatie et Évangile sont parfois proprement opposés : « S'il est déjà difficile de mettre en pratique les paradoxes de la vie chrétienne, il devient quasiment impossible de les pratiquer avec des moyens qu'ils contredisent fondamentalement » (lettre à sa famille, 4 décembre 1921, citée par F. Molinari, *Entre la prophétie et l'institution,* dans *Communio,* 1979, n. 6, p. 62-68). Les cours l'irritent « comme une parodie des choses sérieuses, destinée à se faire illusion à soi-même ». Et d'y répondre : « se rendre instrument est, pour qui connaît l'excellence des actes de la hiérarchie et de Dieu, le sacrifice à offrir » (à sa famille, 21 janvier 1923). Tiraillé entre « l'institution et la prophétie », entre Rome où « on a l'impression de sentir battre le cœur de l'Église, qui vit de Dieu » (4 décembre 1921) et l'âme priante du petit peuple auquel il a souhaité se consacrer, Montini ne récuse pas la tension : sa volonté est d'une fidélité au charisme d'une « prophétie obéissante ». Il vit intensément le conflit, qu'il refuse de résoudre par une rupture ou un choix qui serait une manière de vanité : au cœur de la contrariété, l'humilité, une forme d'humour, s'impose au « contestataire obéissant et intransigeant, fort et doux » (C. Jemolo) qu'est J.B. Montini. La mauvaise santé, encore, abrège un séjour en Pologne (mai-octobre 1923) où Pie XI l'envoie préparer les dossiers du concordat de 1925.

En décembre 1923, Mgr Pizzardo le nomme conseiller spirituel du Cercle romain de la Fédération Universitaire Catholique Italienne (FUCI, cf. DHGE, t. 19, 1979, col. 263-268) dont il devient, en octobre 1925, aumônier national. La charge, dans un premier temps, rencontre les aspirations pastorales de Montini. Elle s'inscrit aussi dans la foulée du passé où, jeune séminariste, il a été administrateur de *La Fionda,* périodique de l'Association étudiante de Brescia « Alessandro Manzoni », dirigée par A. Trebeschi (1897-1945). C'est le temps des premiers écrits : comptes rendus et articles (cf. Fappani-Molinari, *Giovannibattista Montini giovane...,* ch. 5 ; *Bio-bibliographie* par Nello Vian, dans J. Guitton, *Dialogues,* p. 363-364). Son ascendant sur la jeunesse étudiante est incontestable ; entraîneur rayonnant, il prêche, dirige, donne des retraites, organise des rencontres avec la misère romaine. Sa formation intellectuelle continue : il traduit les *Trois Réformateurs* de J. Maritain (1928, rééd., 1964), *La Religion personnelle* de L. de Grandmaison (1934 ; réimpr., 1948). La pensée catholique française lui devient de plus en plus familière. Il publie *Coscienza universitaria* (1930), *Via di Cristo* (1931), *Introduzzione allo studio di Cristo* (1935), à la Cooperativa editrice Studium qu'il fonde (1927), en annexe à la revue *Studium* des étudiants catholiques (depuis 1905). Dans cette revue, il signe sept articles sur saint Paul (1931), qu'on définirait comme un essai sur la double exigence de l'apostolat : sous le signe du Dieu vivant, l'Apôtre concilie l'intransigeance doctrinale et la tolérance soucieuse de dialogue avec le monde « païen ». Les nombreux discours de la période frappent par leur « modernité ».

L'activité littéraire de Montini est un héritage de son père, journaliste au quotidien *Il Cittadino* (1881-1912)

avant d'entamer une carrière politique à Brescia (1913-1920) puis à Rome (élu au Parlement en 1919 du *Parti Populaire italien* = PPI, fondé en 1918 par don L. Sturzo). Le père et le fils se sont retrouvés à Rome en 1920 : une rencontre où l'épreuve a aussi sa place. Liée au PPI à ses origines, la FUCI s'en est détachée en 1922 : le désaccord révèle une scission au sein du mouvement étudiant tandis que le parti politique est secoué par des contradictions qui l'empêchent de s'opposer efficacement à la montée du fascisme (P. Milza et S. Berstein, *Le fascisme italien,* coll. Points, Paris, 1980). Ici et là, tandis que certains poussent à une attitude de fermeté, la majorité se rallie à une position d'attente. La réorganisation de l'Action catholique (1925) pousse la FUCI à se replier sur une activité culturelle et d'éducation professionnelle. L'incident de Macerata (1926), où le congrès national est perturbé par les jeunes gardes fascistes, précipite l'évolution. Le mouvement se morcelle en sections diocésaines pratiquement autonomes ; et Montini n'est pas étranger à l'orientation. Tandis que le père, privé de son mandat en novembre 1924, préfère le silence à l'opposition violente autant qu'à toute idée de « pacte » (lettre de 1926 à son fils Ludovic), le fils prône une attitude parallèle « d'attente », à la jointure de l'hostilité et de l'indifférence : avec le président Righetti, il s'emploie à former une élite intellectuelle plutôt qu'une classe dirigeante. L'avenir démentira le pronostic : la FUCI fournit à la *Démocratie chrétienne* de 1948 de nombreux militants et dirigeants, Aldo Moro, G. Andreotti et d'autres étudiants de Montini.

L'attitude de Montini à la FUCI oriente sa « politique » future. En 1945, son influence permet à la *Démocratie chrétienne* de sortir de la clandestinité et d'obtenir l'appui du Saint-Siège jusque-là réticent. Archevêque de Milan, on lui attribue des sympathies pour « l'ouverture à gauche » (1954) ; lorsque cette ouverture est condamnée (19 mars 1960), la mise en garde à son clergé (21 mai) insiste sur la primauté du spirituel : nouvel exemple de « prophétie obéissante ». Intervention et indépendance marquent aussi le pontificat. Si, en décembre 1964, lors de l'élection présidentielle, il donne un gage à l'expérience de « république conciliaire » (1963-1968) d'Aldo Moro, il pratique ensuite, au temps du « bipartisme imparfait » (R. Galli), un « décollement progressif » vers plus d'autonomie (cf. J.M. Mayeur, *Des partis catholiques à la Démocratie chrétienne,* Paris, 1980, p. 175-193). Et ce sont les interventions directes (septembre 1965 ; septembre 1968) ou secrètes (mars 1970 auprès du ministre Forlani) lors des remous autour de loi sur le divorce (1971, confirmée par referendum le 12 mai 1974). Si d'une part, en continuité avec Jean XXIII, Paul VI veut « élargir le Tibre », de l'autre, il ne peut rester insensible à une question qui engage la morale (cf. J. Nobécourt, *L'Italie à vif,* Paris, 1970). Toutes nuances sauves, deux lignes de force inspirent sa « politique » : une certaine idée de la démocratie chrétienne héritée plus ou moins de son père et l'influence d'une « politique chrétienne », proche de Maritain mais adaptée à l'italienne. Entre les deux, la tension l'emporte parfois sur la parenté : la loi des « contrariétés », ici encore, joue.

Au lendemain des accords du Latran (11 février 1929), la FUCI, désavouée par le Vatican, est entrée dans la clandestinité. Le 12 mars 1933, Mgr Pizzardo annonce que, en considération des charges croissantes de Mgr Montini (*minutante* en avril 1925, nommé prélat le 8 juillet 1931), sa démission de la FUCI est acceptée par Pie XI. Une démission qui, dans le contexte, prend les allures d'une destitution : la « loi du renoncement » s'accentue. A la mort de Mgr L. Maglione (1944), Montini travaille sous les ordres directs de Pie XII, chargé des « affaires ordinaires ». Déclinant la pourpre (décembre 1952), il devient prosecrétaire d'État. Nommé archevêque de Milan (1er novembre 1954), il est sacré à Saint-Pierre le 12 décembre.

L'hypothèse d'une disgrâce n'est pas à rejeter. Certains qui l'ont approché ces années-là l'insinuent : les décisions de Pie xii ne rencontrent pas toujours l'intime adhésion de Montini. Lors des élections municipales de Rome, il arbitre le conflit entre A. De Gasperi et le Pape gagné à la stratégie d'une alliance avec la droite préconisée par Luigi Gedda (cf. J.-M. Mayeur, *op. cit.,* p. 186). Et certaines orientations du pontificat de Paul vi appuyeraient l'hypothèse. Aux comités civiques de Gedda, il rappelle (30 janvier 1965) la primauté du moral et du doctrinal : « La tâche du catholique militant est d'être le porte-parole d'une idée et le soutien d'une cause » (Zananiri, *Paul* vi..., p. 141). Dans un domaine proche, il émet des réserves à l'égard de certaines initiatives du jésuite Lombardi. Gedda et Lombardi ont été soutenus par Pie xii ; Paul vi se montre plus nuancé. Plus généralement, la ligne concordataire de Pie xi et Pie xii cède le pas à une diplomatie directe et discrète avec les chefs d'État, selon les circonstances et dans le souci de ne pas gêner l'épiscopat des pays concernés. Et l'attitude à l'égard des états marxistes prolonge celle de Jean xxiii dans une *Ostpolitik* vaticane.

Inversement, le passage à Milan étonne par ses constrastes. L'activité débordante de l'archevêque tranche par ses audaces qui le situent au-dessus des clivages, mais la Mission de novembre 1957 ne rencontre pas le succès escompté. Certaines décisions laissent perplexe : la suppression (1962) du journal *Adesso,* proche de *Témoignage chrétien* et d'*Esprit* dont Montini a soutenu, en 1954, le directeur Mario Rossi contre Gedda ; l'interdiction (janvier 1963) à J.-M. Domenach de tenir une conférence devant le groupe *Esprit* de Milan, dont l'influence intellectuelle sur Montini est pourtant certaine. Indécision, changement ou lucidité ? Il accepte l'ouverture jusqu'à l'extrême limite où elle se dilue dans des courants mêlés. Mais il faudrait encore déterminer ce qui relève de l'obéissance et de l'initiative personnelle : la réponse est délicate entre 1954 et 1963 où, de Milan, son autorité ne pèse plus autant sur les décisions romaines. Que, contrairement aux usages, le nouvel archevêque n'ait pas été nommé cardinal (il l'est seulement le 15 décembre 1958) peut être un autre indice de défaveur.

2. PAUL VI ET LE CONCILE VATICAN II. – L'annonce du Concile (25 janvier 1962) suscite chez Montini une adhésion immédiate (26 janvier), circonstanciée (cf. *L'Église et les Conciles* = EC, Paris, 1965, p. 117-215) et réfléchie (lettre pastorale du Carême 1962 « Pensons au Concile », *ibidem,* p. 140-179, surtout p. 161 svv).

Au cours de la première session (11 octobre – 8 décembre 1962), l'attitude du cardinal Montini est plutôt en retrait. Si ses « lettres du Concile » à ses diocésains, publiées par le quotidien *Italia,* sont régulières, ses interventions publiques sont rares. Le schéma sur la liturgie rend à la prière de l'Église son efficacité (cf. aussi lettre du 18 novembre 1962) et, en respectant le pluralisme, permet le maintien du rite ambrosien en usage à Milan. Le schéma sur l'Église le déçoit : « matériel immense, excellent, mais hétérogène et inégal », dépourvu d'une « idée centrale, architecturale », d'une finalité (lettre du 2 décembre 1962). Le 6 décembre, il précise : le lien entre l'Église et le Christ n'est pas assez souligné. L'orientation pastorale de Jean xxiii (11 septembre), confirmée par le discours d'ouverture (11 octobre) auquel Montini avait collaboré (cf. Juffé, p. 129 : aveu de Mgr G. Colombo), s'est enlisée dans le juridisme. Le jugement pose aussitôt le problème de la continuité : quelle sera l'attitude de Montini, élu Pape le 21 juin 1963, devant une œuvre qui lui paraît mal engagée ? En affirmant le 22 juin que son pontificat sera occupé « par la continuation » du Concile, Paul vi assume un héritage qu'il n'a pas voulu et engage l'avenir, sans le prévoir sans doute, dans la voie de la contrariété.

Après la réorganisation, le 9 septembre 1963, de l'appareil conciliaire (élection des quatre « modérateurs »), Paul vi n'a de cesse qu'il n'atténue les divergences jusqu'à des votes aussi unanimes que possible. Trois exemples illustreraient le procédé. Dans la controverse mariale, source du sentiment d'échec de la seconde session (R. Laurentin), Paul vi propose (allocution de clôture, 4 décembre 1963) d'affirmer à la fois l'intériorité et la supériorité de Marie dans l'Église. La suggestion ne devient réalisable qu'au moment où, reprenant et élargissant une perspective avancée par Jean xxiii, les Pères décident d'ajouter au projet un aspect eschatologique : Marie apparaît alors, « dans le mystère du Christ », unie à l'Église en marche, participant d'avance à sa nature glorieuse. La proclamation (21 novembre 1964) de « Marie, mère de l'Église » en tant que Peuple de Dieu, en réponse au souhait de nombreux Pères, accentue le vote presque unanime du 29 octobre. Et les deux exhortations (*Signum magnum,* 13 mai 1967 ; *Cultus marialis,* 2 février 1974), en référence explicite au Concile, ont ensuite recherché l'adhésion des chrétiens, dont certains critiquaient la position mariale de Vatican ii. L'initiative (19 mai 1964) d'une *Nota praevia,* pour mieux articuler la collégialité et la primauté (*Lumen Gentium* = LG, ch. 3), relève du même souhait d'apaisement autant que du souci d'harmoniser Vatican ii et *Pastor Aeternus* de Vatican i.

Le voyage en Terre sainte (4-6 janvier 1964) est plus qu'un exemple : il crée une « nouvelle situation » (*Informations catholiques internationales,* n. 210, 1964, p. 24). La « richesse symbolique et la fécondité d'un tel geste » (cf. H. de Lubac, *Paradoxe et mystère de l'Église,* Paris, 1967, p. 178) a un impact spirituel sur le Pape et, à travers lui, sur le Concile (cf. B. Lambert, *De Rome à Jérusalem. Itinéraire spirituel de Vatican* ii, Paris, 1964). Il recentre l'Église sur le Christ (P. Poupard, *Un Pape pour quoi faire?,* p. 238) et amorce des amendements significatifs : « décentralisation » du gouvernement de l'Église et « décentration » de son mystère en le référant au Christ (cf. *Discours au Concile,* coll. Documents conciliaires 6, Paris, 1966, p. 263-283 : le voyage en Terre sainte). Il retrouve les liens antiques avec les patriarcats (G. Philips) et devient, par la rencontre avec Athénagoras, un geste d'œcuménisme (cf. *L'Église de Vatican* ii, Paris, 1966, coll. Unam sanctam 51 b, p. 85-120 ; réactions : *ibidem,* 51 c, p. 1262-1363). Promulguée le 21 novembre 1964, la constitution *Lumen Gentium* (LG) présente, par ses trois axes de rénovation, de dialogue et de mission, des analogies certaines avec la première encyclique *Ecclesiam suam,* – dont la date (6 août 1964), celle de la Transfiguration, anticipe mystérieusement celle de la mort de Paul vi (6 août 1978) –, articulée sur trois thèmes proches : la conscience de l'Église, son renouvellement, sa mission de « dialogue de salut » (cf. aussi *Discours au Concile Vatican* ii, recueil de textes de la 2ᵉ session, Paris, 1964). L'analogie se remarque dans des développements précis et parallèles : les « cercles concentriques » (*Ecclesiam,* n. 87-89) et les « attaches » à l'Église (LG, n. 14-16).

Dès lors, il n'est pas seulement commode, mais nécessaire de situer les actes du pontificat dans la lettre et l'esprit du Concile. *Sacerdotalis coelibatus* (24 juin 1967), qui répond au malaise persistant malgré les décrets *Presbytorum Ordinis* (28 octobre 1965) et *Optatam totius ecclesiae* (7 décembre 1965), aborde les objections sans acrimonie ni faux-fuyants, avec une ampleur à la mesure de ceux qui les soulèvent, et suggère un renversement de problématique (cf. texte et intr. A. Manaranche, Paris, 1967). *Mysterium fidei* (3 septembre 1965), l'encyclique inattendue (le bruit courait d'un document sur la famille), se rattache de maintes manières au Concile. Au seuil de la 4ᵉ session (14 septembre-8 décembre 1965), elle prend les allures d'un message ; elle veut aider la mise en œuvre de la réforme liturgique eucharistique qui unit l'Église locale à l'Église universelle (LG, n. 26). Elle entend d'autre part clarifier le débat soulevé par certains théologiens, le jésuite P. Schoonenberg et le capucin Smits, opposés, au nom des données scientifiques, au mot de *transsubstantiation*. Le langage de l'Église, venu de loin, au prix de peines et malentendus, reste aussi exact que possible pour dire le « mystère de la foi » qui rebutera toujours le rationalisme et le scientisme : *transsignification* ou *transfinalisation* privilégieraient un sens « pneumatique » inadéquat.

Un mois plus tard (4 octobre 1965), le discours aux Nations-Unies (ONU) développe les traits essentiels d'une anthropologie chrétienne où se dessine le passage du *Décret sur l'œcuménisme* (21 novembre 1964) à la *Déclaration sur les relations avec les religions non chrétiennes* (28 octobre 1965), en même temps qu'une épure de la *Déclaration sur la liberté religieuse* (7 décembre 1965) : les uns et les autres, jamais les uns contre les autres, « jamais la guerre ; jamais plus la guerre ». L'idée centrale, – « car c'est avant tout de la vie de l'homme qu'il s'agit » – se précise dans le discours au Bureau International du Travail (= BIT, Genève, 10 juin 1969) : « jamais plus le travail au-dessus du travailleur », « jamais plus le travail contre le travailleur », toujours le travail au service de l'homme.

Le « développement intégral de l'homme » occupe la première partie (n. 6-42) de *Populorum progressio* (26 mars 1967 ; texte et commentaire de l'Action populaire, Paris, 1967, note b, p. 36-40) : une manière de longue paraphrase d'un propos tenu à Rome le 4 octobre 1966 : « Le développement est le nouveau nom de la paix... Pour être authentique, il doit promouvoir tout homme et tout l'homme ». Plus qu'une reprise et mise à jour de *Mater et Magistra* (1961) et de *Pacem in terris* (1963), dont cependant elle tient compte, l'encyclique se rattache étroitement à *Gaudium et spes* (7 décembre 1965), comme une relecture à la lumière d'informations et confidences versées dans un dossier ouvert dès 1963 (cf. P. Lesourd et J.M. Benjamin, *Paul* VI, p. 301-304 ; commentaire de l'Action populaire, p. 23-29).

La défense de la vie déshéritée ou menacée au niveau du couple inspire *Humanae vitae* (25 juillet 1968) : dès lors qu'on accepte d'y déceler, au-delà des interdits, une présentation positive de la morale conjugale, le texte supporte une lecture spirituelle (cf. R. Heckel dans *Cahiers d'Action religieuse et sociale* = CARS, septembre 1968). A la lumière de la vocation intégrale de l'homme (n. 7-13), la « paternité responsable » n'est pas la banalisation de l'amour (n. 9), encore moins du courage d'être (n. 10). L'éthique est toujours, fût-ce à long terme, une exigence (n. 21) à l'encontre de la permissivité (n. 22). Oppositions et commentaires (cf. Lesourd et Benjamin, *op. cit.*, p. 282-301) ont mis en relief le niveau « objectif » du document, même si, inscrit dans le concret « subjectif », il rappelle une dure vérité et confine par là à un appel prophétique (cf. K. Rahner, *A propos d'Humanae vitae*, dans *Stimmen der Zeit*, septembre 1968, n. 9 ; trad. franç., Paris, 1969). Bien que, souhaitant une meilleure maîtrise de la vie, l'encyclique s'appuie sur la notion traditionnelle de « nature », l'élargissement souhaité par Paul VI (discours du 31 juillet 1968) et entamé par lui

(*Persona humana*, aux Équipes Notre-Dame, 1970) dans le cadre plus général de la famille (cf. synode de novembre 1980), permet de mieux apprécier les valeurs engagées.

Au jugement de certains (*Encyclopaedia universalis* = EU, Universalia 1977, p. 445-446), 1968 marque une brisure du pontificat : moins d'éclat, un repliement. Une solitude recherchée. Le propos appelle des nuances (cf. EU, Universalia 1979, p. 620-621) : il ne tient pas compte des voyages en Ouganda (31 juillet – 2 août 1969) et en Extrême-Orient (26 novembre – 3 décembre 1970), ni de la Lettre au cardinal Roy (14 mai 1971 ; cf. *infra*), ou encore de *Evangelii nuntiandi* (8 décembre 1975 ; cf. CARS, n. 113, 15 janvier 1976). Tous, cependant, admettent un changement : les contrariétés s'amplifient, au rythme d'une crise à plusieurs niveaux.

Au niveau du gouvernement de l'Église, d'abord. L'héritage de Vatican II engage Paul VI à une réorganisation interne : internationalisation de la Curie, restructuration ou création d'organismes (cf. P. Poupard, *Connaissance du Vatican*, Paris, 1974, p. 131-148). La collégialité entraîne l'institution des synodes (cf. Lesourd et Benjamin, *op. cit.*, p. 161-280), projetée le 21 août 1963, créée le 14 septembre 1965, normalisée en 1967 ; les synodes sont convoqués en 1971 (le sacerdoce), 1974 (l'évangélisation), 1977 (la catéchèse). L'articulation est lente à se faire, des divers rouages entre eux et avec les anciennes congrégations romaines : les perspectives, par exemple, des « diplomates » de Curie et des « prophètes » de *Justice et Paix* ne coïncident pas aisément (cf. P. Poupard, *ibidem*, p. 171-180, surtout p. 172-173). De ces tensions, Paul VI a souffert.

La crise se nourrit ensuite d'une évolution qui prend les dehors d'une « révolution » : le rejet d'une certaine société par les hippies américains en 1963, l'explosion étudiante de 1968, le terrorisme de toutes couleurs, surtout le surgissement d'un athéisme « mystique », fait de négation intellectuelle au bénéfice d'une frénésie festive et, en même temps, nourri de Nietzsche, Freud, Marx (cf. O. Clément, *Dionysos et le Ressuscité*, dans *Église et Révolution*, Paris, 1968, p. 67-122, surtout p. 70-77 ; DS, t. 11, col. 343). En 1968 encore, Mgr M. Lefebvre inaugure un réformisme qui pose problème dès 1970 (fondation d'Écône et de la Fraternité sacerdotale de S. Pie X) et dégénère en 1976 en une « affaire ». Autant de signes qui interpellent l'œuvre conciliaire. Ils laissent entrevoir la diversité d'une histoire après l'unité d'un moment. Dix ans après, le Concile n'apparaît ni une péripétie, ni un acquis, mais une tâche où « ruptures » et « transformations » n'étaient guère prévisibles (cf. Fr. Marty, lors du centenaire de l'Institut catholique de Paris, 9 décembre 1975, dans *Présence et dialogue*, n. 177, p. I-XI). Dix ans d'une crise où les mots d'intégrisme et de modernisme ont retrouvé une actualité. Les divergences d'appréciation ne dissimulent pas le fait : la crise frappe l'Église tous azimuts ; pratique, vocations, théologie, morale. L'attribuer au Concile relève d'un jugement démenti par les faits et des aveux.

Dès lors qu'on revient au concret du Concile, « tradition » et « progrès » sont entachés de malentendus. Dans une perspective d'œcuménisme (cf. E. Schlink, dans *La révélation divine*, coll. Unam sanctam 70b, Paris, 1968, p. 499-511, surtout 510), la constitution *Dei Verbum* (18 novembre 1965) noue Écriture, tradition, magistère dans le concept suprême d'une Tradition vivante « qui progresse dans l'Église sous l'assistance de l'Esprit » (n. 8). Dans cette approche, les traditionalistes ne se reconnaissent pas, qui suspectent tout progrès ; ni les progressistes qui veulent totalement libérer la Parole. L'affrontement s'aggrave du fait que les uns et les autres proclament le primat de l'Évangile, donnant l'image d'une Église déchirée au nom de l'Évangile. Du fait aussi que les extrémismes écrasent une majorité silencieuse, persuadée avec dépit ou soulagement qu'on « change la religion », privée de directives qui ne viennent pas ou sont mal communiquées...

Meurtri, Paul VI l'est plus que quiconque. Contre les abus et déviations, contre certaines libertés théologiques (affaire H. Küng ; cf. A. Duchemin, *L'affaire des trois théologiens,* Paris, 1981) ou pastorales (le catéchisme hollandais), il invoque le Concile, rien que le Concile. A l'inverse, les gestes d'ouverture œcuménique se multiplient : levée de l'anathème entre Rome et Constantinople (7 décembre 1965), rencontres avec le Dr Ramsey (24 mars 1966), le patriarche Athénagoras (Istambul, 25 juillet, et Rome, 26 octobre 1967), ceux des Arméniens (1970), des Syriens (1971), des Coptes (1973) ; visite au Conseil œcuménique des Églises (1972 ; cf. lettre du 26 août 1973). Mais ces gestes n'ont pas la portée immédiate qui relativiserait la crise interne du catholicisme européen. Sans qu'il soit possible d'en préciser la date ni de discerner un changement d'attitude, c'est dans le cœur de Paul VI qu'un malaise se devine, où l'effroi se mêle à l'amertume : « Satan est venu gâter et dessécher les fruits du Concile » (29 juin 1972 ; cité par EU, t. 19, 1975, p. 1468).

Sa fragilité émeut, fruit d'une sagesse rigoureuse et d'une extrême sensibilité. J. Maritain se souvient d'un homme qui « réfléchit avec prudence et scrupule, cherchant toujours la plus parfaite exactitude » (lettre 154 à J. Green, le 13 février 1964, dans *Une grande amitié. Correspondance 1926-1972 Julien Green-Jacques Maritain,* Paris, 1979 ; cf. lettre 143). J. Guitton affine le portrait autour de quelques axes : intériorité, immersion dans l'écume et les souillures de la mer, « élasticité » du langage (*Dialogues avec Paul VI,* ch. 6, p. 99-136, surtout p. 130-133). Et toujours, le témoignage d'une sensibilité écartelée, d'un « tourment ». Même là où son anxiété reste calme, parce que maîtrisée, et, finalement, rayonne la paix, il y a en lui comme un déplaisir vécu librement : responsabilité et humilité, en apparente contradiction, ne le poussent pas à les réconcilier, mais à les assumer dans leur opposition (cf. Lesourd et Benjamin, *op. cit.,* p. 306-309). Il est simple, d'une simplicité souvent retenue qu'on prend pour l'incompréhension. Il est « l'homme le moins fait pour affronter » la tourmente, mais aussi « celui grâce à qui une transition difficile » a été possible (É. Poulat, *Une Église ébranlée,* p. 274). Tout en lui définit moins un « maître » qu'un « témoin » (P. Poupard, *De Paul VI à Jean-Paul II,* dans *Communio,* 1979, n. 4, p. 72 ; la priorité du « témoin » sur le « maître » est soulignée dans *Évangelii nuntiandi,* n. 41, DC, t. 73, 1976, p. 8).

3. ESQUISSE D'UNE SPIRITUALITÉ. – La spiritualité de Paul VI est donc celle d'un témoignage, lié d'abord à une formation contrariée. Son entrée à l'Académie des nobles le détourne de la philosophie et de la littérature pour le droit canon. Mais il compense le manque de diplômes (cf. Juffé, p. 107) par la rage de lire, de se tenir au courant (P. Poupard, *Un Pape...,* p. 246-247). Il assimile les langues étrangères : le polonais en 1923, le français lors d'un séjour à Paris, en été 1924. Sa faculté d'assimilation et de travail personnel déconcerte. Il consacre ses loisirs à l'*Histoire des Conciles* de J. Hefele qu'il cite souvent (cf. EC, p. 117-215). Tout l'intéresse : la musique classi-

que et la chanson contemporaine. À la Secrétairerie d'État et à la FUCI, il trouve le temps d'un cours d'histoire à l'Académie ecclésiastique (octobre 1931), puis à l'Université du Latran (1936-1937). Paul VI apparaît souverainement « cultivé » ; il cite aussi bien l'Écriture que les Pères, les auteurs anciens que les modernes, les non-chrétiens que les chrétiens (cf. EC, p. 23-45, les nombreuses citations). Les aspects les plus intellectuels de la foi sont abordés avec bonheur (cf. discours du 29 août 1950 à *Pax romana,* cité par Huber, p. 31-33). La culture est d'ailleurs un thème favori : il y voit, à l'encontre d'un savoir fermé sur soi, l'ouverture à une dimension spirituelle (cf. discours à la FUCI, 4 septembre 1963, « Culture et unité européenne », cité par Zananiri, p. 148-151).

La fonction, chez lui, n'écrase pas la personnalité, même si elle confère au témoignage une portée plus universelle. Le nœud reste d'harmoniser, jusque dans leur opposition, personne et communauté, foi et pratique, action et contemplation. Le style reflète ce souci, où les mots, le plus souvent, en entraînent d'autres : comme des nuances ou des mesures. L'emploi de l'antithèse en découle, où la juxtaposition exprime des contradictions vécues, sinon toujours surmontées. L'aisance sert une idée de perpétuelle recherche de justesse. Chaque sujet est abordé pour faire ressortir la « complexité » : la chose – et souvent le mot – revient comme un leitmotiv. Ainsi lorsqu'il évoque la « nouveauté » (audience du 2 juillet 1969), *Face à la contestation* = FC, Paris, 1970, p. 107) ou la foi (audience du 3 juillet 1968, FC, p. 176-177) ou, encore, la sainteté de l'Église qu'il situe « dans le pénible accomplissement de sa mission et dans l'attente aimante de sa consommation eschatologique » (allocution au Sacré Collège, 23 décembre 1967, FC, p. 342).

Parce que le témoignage est la mesure d'une âme, il en dit à la fois la conviction et la déchirure. Et parce que l'âme est ouverte, deux grands axes fondent le témoignage : l'écoute du Christ et l'ouverture au monde.

1° « Jésus-Christ fut toute sa vie, sa passion et son espérance. Sa hantise : lui ouvrir les intelligences et les cœurs. Son drame : la dureté du monde et son oubli de Dieu, son matérialisme et les déchirures fratricides dans l'Église dont il était le pasteur » (P. Poupard, *Un Pape...,* p. 235). « In nomine Domini » : la devise esquisse une démarche personnelle. L'évocation du Christ principe, voie et fin, « rapport multiple et unique, immuable et stimulant, plein de mystère et de clarté, d'exigence et de bonheur » (*Discours au Concile* = DC, p. 105, ouverture de la 2ᵉ session, 29 septembre 1963), invite au ressourcement, celui de son voyage en Terre sainte : Pierre, parti de Jérusalem à Rome, ramenait Paul de Rome à Jérusalem (P. Poupard, *ibidem,* p. 238). Le pèlerinage prend les allures d'une « conversion », d'un retournement. Le Christ devient le fil conducteur des travaux conciliaires et, au terme, le leitmotiv des messages de clôture (8 décembre 1965, DC, p. 355-369) ; surtout, il devient pour Paul VI la référence unique (Profession de foi du 30 juin 1968 ; cf. J. Daniélou, *La profession de foi de Paul VI,* dans *Études,* t. 329, 1968, p. 599-607 ; G. Garrone, *La profession de foi de Paul VI,* Paris, 1969). « Simplifier et spiritualiser, c'est-à-dire rendre facile l'adhésion au christianisme, telle est la mentalité qui semble découler du Concile », mais le rejet du juridisme et de l'autoritarisme n'évacue d'aucune manière la leçon de la

« porte étroite », ni celle de la Croix : le joug du Christ n'est léger que pour l'amour (audience du 28 mai 1969, FC, p. 81-84). Le retour aux sources ramène au Christ écartelé.

A l'écoute du Christ : le propos définirait le mieux l'ecclésiologie, présente dès les premiers écrits de 1930, avec son ouverture à la pensée contemporaine (vg. à Rosmini) et ses réticences (vg. à l'égard du néothomisme, cf. Fappani-Molinari, *op. cit.*, p. 304-305). Plus qu'ailleurs, l'approche s'appuie sur le jeu antithétique des mots accouplés : institution-communion, prophétie-histoire. La religion, immergée dans la vie, donne l'impression de se dégrader : c'est normal, car une réalité invisible présente, dans sa dimension visible, un « visage sans auréole » (*Le visage de l'Église*, radio-message à l'occasion de la Mission de Milan, 1967, EC, p. 15). Mais « il faut regarder plus attentivement le visage, souvent souillé et blessé, de l'Église, si l'on veut en découvrir les traits véritables » (*Ce qu'est l'Église*, introduction à la Mission de Florence, novembre 1960, EC, p. 108). À la réalité contrastée de l'Église répond sa mission : l'antithèse tourne ici autour de l'orthodoxie et du mandat : l'orthodoxie est le contenu, le message dans son état permanent et « statique » ; le mandat est la « capacité », la transmission dynamique (*La mission de l'Église*, 2e congrès mondial pour l'Apostolat des laïcs, Rome, octobre 1957, EC, p. 30). L'analyse touche surtout à l'antithèse prophétie-histoire. Le mépris du « passé », comme étant du « dépassé », relève de la critique systématique qui « vient bien vite à tout réduire en poussière » (audience du 24 septembre 1969, FC, p. 338-339, citant H. de Lubac, *L'Église dans la crise actuelle*, NRT, t. 91, 1969, p. 585). A l'opposé, le prophétisme tous azimuts fait fi du discernement nécessaire et risque de dégénérer  en libre examen (FC, p. 339-340).

Toutes antithèses qui ne sont pas contradictions : la référence au Christ suggère de les concilier, au lieu de les opposer. Elle inspire l'attitude chrétienne face à l'Église : la reconnaissance de ses faiblesses conduit à l'aveu que nul n'en est quitte, ni innocent, dès lors que la responsabilité est commune (*Ce qu'est l'Église*, EC, p. 100-101). L'Église est toujours à réformer – *semper reformanda* – dans une plus grande fidélité à l'Évangile, dans la mesure même où chaque chrétien est appelé à une conversion sans cesse reprise. Savoir tout d'elle n'est pas encore la connaître (EC, p. 108-110). La connaître n'est pas encore l'aimer ; et hors l'amour, elle cesse d'être Mère (EC, p. 113-115). Et l'amour vrai ne répugne pas au pardon : l'Église, aussi, est notre prochain (audience du 18 septembre 1968, FC, p. 22).

A quelque niveau que ce soit, l'Église renvoie ainsi au Christ : elle en est le « miroir », la « trajectoire à travers les siècles » (*La mission de l'Église*, EC, p. 25). Comme le Christ « son divin modèle crucifié » (*Ce qu'est l'Église*, EC, p. 108), elle est « un signe de contradiction », elle souffre en lui. « Le Concile n'a pas oublié que la Croix demeure le centre du christianisme » ; la passion se reflète dans le message de l'Église, mais aussi dans sa vie, « comme la vie du Christ prolongée dans l'histoire » (audience du mercredi saint 2 avril 1969, FC, p. 25-26). La perfection et la sainteté de l'Église sont « dans l'idée par laquelle Dieu la pense » (*Ecclesiam suam*, n. 36).

Le propos va profond : jusque dans le mystère trinitaire. L'ecclésiologie de Paul VI ne répète pas Vatican II, elle se construit, à partir du Concile, sur une problématique « appelée » – « appelante ». L'Église est appelée par Dieu en Jésus-Christ dans l'œuvre unifiante de l'Esprit : « cognitio Trinitatis in unitate est fructus et finis totius vitae nostrae » (S. Thomas, *In sent.* I, c.2, a.1), la Trinité est origine et fin de l'Église. Appelée, l'Église est communauté rassemblée par la Parole : c'est son état « passif ». Répondant, elle devient appelante : c'est son état « actif » (cf. P.G. Debernardi, *Gerarchia e laicato nella Chiesa-Comunione, Indagine sul magisterio di Paolo VI dal 1963 al 1975*, thèse Univ. du Latran, Rome, 1978, p. 61-83).

2° L'OUVERTURE AU MONDE s'exprime dans la dialectique, empruntée à Maritain, du spirituel et du temporel dans leur distinction nécessaire et leur essentielle implication. Au fur et à mesure, des nuances s'ajoutent, d'où naît une tension. Dans « le grand problème non résolu des rapports de l'action pastorale avec le monde moderne » (discours d'intronisation à Milan, 7 janvier 1955), Montini préconise l'audace et la prudence, une ouverture qui ne soit pas démission, une adaptation qui ne corrompe pas la vérité : si les idées chrétiennes manquent de dynamisme, la faute en est à l'attitude, timide ou excessive, des apôtres (4 septembre 1956, aux organisations catholiques de Venise ; cf. Huber, p. 70). « Convertir ou se laisser convertir ? » : la question renvoie explicitement (cf. Zananiri, p. 122) à l'expérience des prêtres-ouvriers, arrêtée le 23 septembre 1954, dont le souci d'assimilation est jugé conduire à la confusion. En autorisant, le 23 septembre 1965, la reprise de l'expérience des « prêtres au travail », Paul VI répond peut-être au « séisme culturel » qui secoue l'institution catholique (É. Poulat, *op. cit.*, p. 147-148) ; il entend certainement l'encadrer dans des critères limités et précis.

La terminologie, en évoluant, s'enrichit, voire s'infléchit : ainsi, le rapport du sacré au profane. L'un doit s'engager dans l'autre « de telle sorte que le premier soit communiqué sans être contaminé et le second, sanctifié sans être altéré : c'est le mystère de l'Incarnation... qui continue. Attitude facile à définir, mais très difficile à tenir » (*La mission de l'Église*, EC, p. 42). Le rapport débouche sur un autre : Église-monde, qui « constitue effectivement un drame d'autant plus intéressant et d'autant plus complexe qu'il est plus mystérieux et plus profond. C'est le véritable drame de l'histoire » (EC, p. 39 ; couplé dans *Evangelii nuntiandi* avec le « drame de l'humanisme athée », n. 55). Et pourtant, la rencontre est le cadre même du témoignage : elle définit l'ouverture aux « lointains » jusqu'à ce point d'équilibre où l'accueil risque de tourner à la démission (Milan, 1958, EC, p. 47-63). La lettre pastorale de 1963 (DTC, tables, col. 3497), la dernière avant le pontificat, consacre la première partie à la situation privilégiée du chrétien dans la société moderne : il en a la vision la plus complète par l'honnêteté qui est critère de jugement, par sa sensibilité au « tragique de la vie », par la pauvreté évangélique qui est à « la primauté de l'économique » ce que la douceur est à la violence.

Le vocabulaire, de plus en plus englobant, affine l'analyse de chacun de ces termes. La tension, forme subtile de contrariété, entre Église et monde fait ressortir une Église contestée et un monde équivoque.

1) Face à la contestation *pratique*, Paul VI distingue le « renouveau » de l'Église, d'ordre spirituel et intérieur, œuvre de conversion personnelle et collective, et l'*aggiornamento*, d'ordre institutionnel (audience du 15 janvier 1969, FC, p. 43-46). « Il s'agit moins d'inventer un christianisme nouveau pour les temps nouveaux que de donner au christianisme authentique les applications nouvelles dont il

est capable et dont il a besoin » (audience du 2 juillet 1965, FC, p. 112). La condamnation de la contestation *doctrinale* est sans appel. La négation au nom de la modernité par démythisation et autres sécularisations aboutit souvent à la perte de l'art de bien penser (audience du 12 juin 1968, FC, p. 65-70). L'impatience, que voudrait justifier une théologie de la Révolution, est souvent une intolérance à l'égard d'une nécessaire cohérence (audience du 23 janvier 1969, FC, p. 50-53). L'opposition entre une religion verticale qui relie à Dieu et une religion horizontale « de caractère philantropique et social » repose sur une méconnaissance « que Dieu est notre Père à tous », et, à la limite où l'amour du prochain oublierait que sa racine est l'amour de Dieu, la fraternité dégénère en rivalité. La primauté du « courant humanitaire » court le risque « de transformer la théologie en sociologie », d'abandonner la doctrine aux seuls critères humains. La foi n'inspire pas seulement la charité, elle la sauvegarde contre le « temporalisme », l'affairisme ou le recours à la violence (audience du 10 juillet 1968, FC, p. 32-34 ; cf. 26 mars 1969, p. 116).

2) A l'Église contestée répond un *monde équivoque* : en effet, sont ambigus les « signes du temps », au sens d'une « interprétation théologique de l'histoire contemporaine ». Sauf à tomber dans « un certain prophétisme charismatique dégénérant souvent en des fantaisies de dévotes », ou dans une interprétation en termes d'« humanisme scientifique » fermé aux valeurs surnaturelles, ou enfin dans la condamnation du Révélé, déchiffrer les signes du temps, c'est lire la « réalité empirique... à la lumière de l'Évangile », c'est confronter foi et vie (audience du 16 avril 1969, FC, p. 331-335).

Le critère est tout ensemble justification d'un comportement et fondement d'un message. Le comportement : l'œcuménisme dont Paul VI aurait dit qu'il est la face mystérieuse de son pontificat. Comme une sorte de rêve impossible, une chose qu'il voulait et, en même temps, redoutait. Interventions au Concile (19 amendements au *Décret sur l'œcuménisme*, 21 novembre 1964), gestes et démarches n'excluent pas une certaine réticence, liée peut-être à la peur de voir s'abîmer la primauté (cf. DS, t. 11, col. 559-560). Pape du dialogue, il l'est par sa constante ouverture et largeur de vues ; mais, parce qu'il a le sens aigu de la précision à quoi répond le respect de l'autre, il est tout entier dans ce qu'il fait, même dans ses timidités.

Le message concerne les prises de position dans un monde déchiré et dur. A Bogota, le 23 août 1968, Paul VI affirme, entre la violence qui n'est pas évangélique et l'exploitation qui ne l'est pas davantage, la possibilité d'une charité qui ne soit pas aliénation mais sursaut de la justice au service de la dignité humaine (cf. FC, p. 35-37). Le propos s'inscrit dans une constante réflexion sur la « doctrine sociale » de l'Église. « La question sociale est encore à résoudre », déclare-t-il en 1958 (à l'Association des Travailleurs chrétiens de Milan, *Osservatore romano*, 5 mai 1958). Dans sa lettre pastorale de 1963, il précise que la doctrine sociale rejette le « primat de l'économique », donnant par avance un sens évangélique à ses propos contre la guerre à l'ONU et contre l'exploitation au BIT. Le 14 mai 1971, *Octogesimo Adveniens* (lettre au Cardinal Roy à l'occasion du 80e anniversaire de *Rerum Novarum*) élargit le débat au comportement politique chrétien (cf. *La responsabilité politique des chrétiens*, présentation par l'Action Populaire, Paris, 1971 ; *Pour une société humaine*, présentation L. Guissard, Paris, 1971). Le document, relayant *Quadragesimo Anno* (1931) et *Mater et Magistra* (1961), abandonne l'expression de « doctrine sociale » et celle, introduite

en dernière instance dans *Gaudium et spes* (n. 76), de « doctrine sur la société », pour adopter celle d'*enseignement social* (n. 42). A l'encontre de ce que la « doctrine » a de figé, l'« enseignement » suppose une élaboration adaptée aux situations historiques. Social : le mot recouvre l'éthique dans sa totalité, formation des consciences, initiatives des laïcs, etc. (n. 48-49). Face aux structures et cultures des diversités économico-politiques, il n'y a pas de « parole unique », mais un discernement (n. 4) qui seul, universalise les options (n. 50-52 ; cf. P. Valadier, *Contestées et nécessaires : les interventions sociales du Magistère*, dans *Communio*, mars-avril 1981, p. 6-16). Le message, mûri, s'est sensiblement éloigné de la problématique de Maritain ; dans le primat de la « pratique » sur la « doctrine », on a relu le « discernement combatif » de Mounier (H. Wattiaux, *La pensée de Mounier dans l'enseignement contemporain de l'Église en matière socio-politique*, dans *La Foi et le Temps*, 1980, p. 435-440). Quoi qu'il en soit des influences, assumées ou subies, Paul VI semble vouloir arracher l'enseignement social à toute idéologie et le ramener au critère, toujours à discerner dans l'Esprit saint, de l'Évangile.

La même orientation apparaît dans *Evangelii nuntiandi* (8 décembre 1975 ; cf. CARS, n. 113, 15 janvier 1976) : Évangile et promotion humaine sont indissociables et irréductibles. Évangéliser, c'est proclamer qu'en Jésus-Christ le salut est offert à tout homme : pas seulement un salut immanent « s'épuisant dans le cadre de l'existence temporelle », mais « transcendant, eschatologique ». L'évangélisation en appelle à la « vocation profonde et définitive de l'homme..., au-delà du temps et de l'histoire..., au-delà de l'homme lui-même » (n. 27), tandis qu'elle tient compte des besoins du temps, du monde et de l'homme (n. 29). La dialectique « appelée » – « appelante » de l'Église à l'écoute du Christ cède le pas à une autre : à l'écoute du monde, l'Église est évangélisatrice, parce que constamment évangélisée.

3) Les deux problématiques se rejoignent dans une *spiritualité sacerdotale*, que Paul VI vit et défend (J.B. Montini, *Vous les prêtres du Christ*, Paris-Fribourg, 1969). Aumônier d'étudiants, diplomate à la Secrétairerie d'État, il a d'abord frappé par son souci d'être prêtre (cf. Huber, p. 34, 46-49). Du sacerdoce vécu, il souligne l'aspect « paradoxal », « contesté » (ordinations du 28 juin 1965, *Vous...*, p. 41-46 ; cf. 30 juin 1968, FC, p. 271-277), discuté dans son rôle de relais entre le sacré et le profane (ordinations du 26 juin 1955, *Vous les prêtres*, p. 10-11 ; cf. 17 février 1969, FC, p. 282-289). Aux prêtres qui doutent, il proclame une triple certitude : le rapport au Christ « in persona Christi », le service de l'Église, la sainteté qui n'est pas solitude mais solidarité (26 février 1968, FC, p. 278-281 ; cf. *Sacerdotalis cœlibatus*, 24 juin 1967, n. 15, 46, 58). Évoquant les prêtres qui abandonnent, il avoue : « c'est notre couronne d'épines » (allocution au Sacré Collège, 15 décembre 1969, FC, p. 349). L'aveu renvoie à l'idée maîtresse de son message sacerdotal : la Croix, où se rejoignent le sacrifice et le mystère (ordinations du 30 mars 1963, *Vous les prêtres...*, p. 60-64 ; Rameaux 1960, message au clergé de Milan, *ibidem*, p. 88-91).

Ce qu'il recommande aux prêtres, il le dit à tout chrétien au nom de son baptême. Comme le sacerdoce, le baptême enracine dans le sacrifice de la Croix. La foi du baptême « lucidement ingénue » (lundi saint 1961, *Lumière de la Rédemption* = LR, Paris, 1964, p. 28) « sépare » le chrétien par une filiation qui le renvoie à la mission. De même que « la Croix est le point d'impact de l'amour infini de Dieu tombant sur l'humanité » (vendredi saint 1960, LR, p. 113), ainsi le « fait mystique, instantané et définitif du baptême » appelle une attitude spirituelle en croissance (samedi saint

1961, LR, p. 137). Le baptême doit être ce qu'il signifie : une « illumination » qui « rend capable de marcher comme fils de lumière vers la vision de Dieu, source de béatitude éternelle » (*Ecclesiam suam*, n. 34 ; cf. n. 53).

Le mystère pascal est la référence ultime. Crainte et joie se disputent la primauté : la réalité pascale ne les partage pas, elle « les laisse vivre simultanément dans notre expérience. Bien mieux : elle les ravive et les combine l'une à l'autre ; elle les coordonne et les synthétise en une magnifique unité intérieure, ... en une paradoxale harmonie », où la joie ne triomphe que dans le sens où Pâque rend raison de la croix, où l'amour est plus fort que la mort (Pâques 1961, LR, p. 182-184). Et parce que le monde est celui d'une paix menacée, d'espoirs déçus ou brisés, où le bien-être achoppe à l'angoisse, où les remèdes proposés trop souvent oppriment, tout pousse à une espérance du salut en Jésus-Christ (Noël, 20 décembre 1968, FC, p. 351-355). « Le christianisme est espérance » (Pâques 1957, LR, p. 154).

L'espérance qui est patience, elle-même support de la charité, apparaît alors comme la clé de voûte du message spirituel de Paul VI. Pape de transition, il l'a peut-être été contre son gré : il a vu disparaître une Église qu'il a servie pour une autre qu'il a prise en charge comme un héritage lourd d'espoirs et d'inquiétudes. C'est, au terme des déplaisirs multiples de sa vie, la contrariété essentielle qu'il a assumée avec une entière liberté d'esprit et une humilité – cette façon délicate de charité – en proportion de ses audaces puis de ses tourments. « La religion du Dieu qui s'est fait homme s'est rencontrée avec la religion (car c'en est une) de l'homme qui se fait Dieu » et l'affrontement redouté n'a pas eu lieu : « Nous aussi, nous plus que quiconque, nous avons le culte de l'homme » (discours de clôture de Vatican II, 7 décembre 1965, DC, p. 248). L'appréciation du propos comme une conversion de l'Église au monde trouve aussitôt son démenti : Bogota annonce Puebla (janvier 1979). L'anthropologie esquissée par Paul VI – tout homme et tout l'homme – reçoit avec Jean-Paul II un contour rigoureux. Paul VI a libéré un nouveau langage ; Jean-Paul II le structure. Sur de nombreux points, le pontificat pose des pierres d'attente.

**Sources et recueils de textes.** – Archivio Montini (à l'Institut Paul VI, Brescia). – Vues d'ensemble : *Anni e opere di Paolo VI*, dir. Nello Vian, intr. C. Jemolo, Rome, 1978. – *Bio-bibliographie* (jusqu'en 1967), par Nello Vian, dans J. Guitton, cité *infra*, p. 359-416. – *Paulus PP. VI, Elenchus bibliographicus*, 2ᵉ éd., Brescia, 1981. *Documents pontificaux de Paul VI*, 17 vol. parus (couvrant le pontificat jusqu'en 1978), Saint-Maurice, 1967-1978 (deux tables : 1963-1967 ; 1968-1972). Pour la suite : *Acta Apost. Sedis* ou *La Documentation catholique*. J.B. Montini, *Lumière de la Rédemption. Homélies pour la semaine sainte et la férie de Pâques*, tr., Paris, 1964. – *La Chiesa* ; tr. fr. *L'Église et les Conciles... et l'encyclique Ecclesiam suam de Paul VI*, Paris, 1965. – *Discorsi al clero* ; tr. fr. *Vous les prêtres du Christ. Exhortations – Discours – Lettres aux prêtres*, Paris, 1969. – *Demeurez fermes dans la foi. Entretiens du mercredi*, prés. R. Etchegaray, Paris, 1967. – *Messages aux hommes d'aujourd'hui*, tr. fr., Paris, 1969. – *Face à la contestation*, tr. fr., Paris, 1970. – *Lettere a un giovane amico*, Brescia, 1978.

**Études.** – La littérature sur Paul VI est de plus en plus abondante. Outre les ouvrages déjà cités, deux critères ont servi au choix fait ici : d'une part, les études concernant Paul VI (personne, message, etc.), d'autre part, leur utilisation possible.

G. Huber, *Paul VI, esquisse biographique et psychologique*, Paris, 1963, coll. « L'Église en son temps ». – E. Noel, *The Montini Story. Portrait of Pope Paul VI*, Londres, 1963. – M. Juffé, *Paul VI*, Paris, 1963. – F. Bea, *Vocabor Paulus*, Turin, 1963. – P. Lesourd, *Qui est le Pape Paul VI ?*, Paris, 1963. – G. Scartamburlo, *Paolo VI, « Avremo cuore per tutti »*, tr. fr. *Paul VI*, Paris, 1964. – P.L. Gonzales et T. Pérez, *Pablo VI*, Bogota, 1964. – C. Pallenberg, *Paul VI : Schlüsselgestalt eines neuen Papsttums*, Munich, 1965. – G. Zananiri, *Paul VI et les temps présents*, Paris, 1966. – J. Guitton, *Dialogues avec Paul VI*, Paris, 1967. – P. Ambriogiani, *Paul VI, le pape pèlerin*, Paris, 1971. – P. Lesourd et J.M. Benjamin, *Paul VI, 1897-1978*, Paris, 1978. – A. Fappani et F. Molinari, *Giovannibattista Montini giovane, 1897-1944, documenti inediti e testimonianze*, Turin, 1979. – P. Poupard, *De Paul VI à Jean-Paul II*, dans *Communio*, 1979, n. 1, p. 71-76. – F. Molinari, *Entre la prophétie et l'institution : le jeune Montini*, dans *Communio*, 1979, n. 6, p. 62-68. – Daniel-Ange, *Paul VI, un regard prophétique*, 2 vol., *Un amour qui se donne*, Paris, 1979 ; *L'éternelle Pentecôte*, Paris, 1981.

LTK, t. 8, 1963, col. 203-204 (R. Bäumer). – NCE, t. 11, 1967, p. 16-23 (R. Trisco). – DTC, Tables, 1972, col. 3496-3502. – *Encyclopaedia Britannica*, Macropaedia, t. 13, 1974, p. 1088-1090. – *Encyclopaedia universalis*, t. 19, 1975, p. 1468 ; *1977*, p. 445-446 ; *1979*, p. 620-621.

DS, t. 6, col. 758 ; – t. 7, col. 650, 808, 1600, 1723, 1728, 1806 ; – t. 8, col. 271, 514, 1123, 1320/21, 1487 ; – t. 9, col. 100, 1043, 1179 ; – t. 10, col. 76, 81-84, 88, 371, 374, 380, 382, 458, 475/79, 485, 556, 733, 736, 862, 900, 1149, 1222/23, 1261, 1402, 1607, 1635/44 *passim*.

André BOLAND.

**3. PAUL ALVARO** DE CORDOUE, † vers 860. Voir DS, t. 1, col. 410.

**4. PAUL ATTAVANTI DE FLORENCE,** servite, vers 1440-1499. – La vie de Paolo Attavanti Fiorentino peut se diviser en trois périodes : la première, celle de sa formation et des premiers temps qui suivirent, dans l'ordre des servites de Marie ; la deuxième, environ treize années, dans l'ordre du Saint-Esprit ; la troisième, de 1485 à sa mort, de nouveau chez les servites.

Paolo Attavanti naquit à Florence vers 1440, fils d'Antonio di Giusto Attavanti. Sa mère, en le mettant au monde, fut en grave danger et le voua à saint Philippe Benizi. C'est peut-être pour cela qu'âgé seulement de sept ans, vers 1447, l'enfant fut « donné » au couvent des servites de Marie de l'Annunziata à Florence. Il y eut pour maîtres une série de religieux remarquables : Leonardo di Bartolomeo, puis Cristoforo Tornielli (qui en 1461 sera prieur général), sans doute aussi Matteo Ughi et Mariano Salvini, successivement évêques de Cortone en 1449 et 1455.

En 1456, il revêtit l'habit religieux et changea son nom de baptême, Francesco, en celui de Paolo (*Pagholo*, comme on disait alors couramment). Son activité littéraire est très précoce : dès 1461 il dédia au prieur général Tornielli la vie de deux servites : celles de saint Philippe et du bienheureux Gioacchino da Siena (1258/59-1305) ; on n'a pas retrouvé sa biographie d'un autre servite de Sienne, Francesco (1266-1320), qu'il dédia à Pie II. Vers 1465, il rédigea le *Dialogus de origine Ordinis*, dédié à Piero di Cosimo dei Medici † 1469. Ces écrits – où les historiens servites ont vu des essais littéraires de jeunesse – ont été préparés sur la base de documents antérieurs et vraisemblablement en utilisant des traditions orales. Le *Dialogus* est présenté comme une conversation entre Piero dei Medici et l'évêque de Cortone, Mariano Salvini ; il s'agit probablement d'une fiction littéraire.

Entre-temps Paolo poursuivait sa vie religieuse : en 1462 il était ordonné diacre ; quelques années plus tard, prêtre. En 1466/67, il allait étudier au couvent de Bologne ; en décembre 1467, il était de nouveau à Florence, comme l'atteste un document d'archives, où on lui donne le titre de maître en théologie, grade obtenu à l'université de Sienne. Le même fonds d'archives précise son activité de prédicateur en 1468, 1470, 1471. Il semble qu'il s'occupait aussi de la bibliothèque de son couvent : on relève sur les registres d'administration la dépense faite pour acquisition, sur le conseil d'Attavanti, d'un lot considérable d'ouvrages patristiques et classiques.

Vers la fin de 1471, fra Paolo se trouve mêlé à un épisode douloureux : à la date du 30 novembre, les registres de l'Annunziata indiquent une série de dépenses pour lui, emmené en captivité dans les cachots de la ville ; pour quel motif, on ne sait ; vraisemblablement à la suite de divisions internes dans le couvent. En avril 1472, les mêmes registres signalent d'autres dépenses faites pour sa libération. Lui-même en juin, de Sienne, écrit à Lorenzo dei Medici, protestant de son innocence et demandant de pouvoir retourner à Florence. Mais son exil à Sienne se prolongea quelques années. En 1472, Attavanti se voit incorporé au Collège des théologiens de cette ville.

Ainsi commença la deuxième période de la vie de Paolo. Il était lié d'amitié avec Innocenzo dei Flavi della Rovere, que le pape avait nommé maître général de l'ordre du Saint-Esprit. Innocenzo avait obtenu de pouvoir accueillir d'autres religieux de n'importe quel ordre. Paolo échangea alors l'habit des servites pour celui de l'ordre du Saint-Esprit. Les années qui suivirent, il parcourut, enseignant et prêchant, diverses régions d'Italie (Toscane, Ligurie, Émilie et particulièrement Lombardie). A Milan, il fit nombre de connaissances, comme en témoignent les dédicaces de ses publications. La protection et l'encouragement de Della Rovere lui permirent de s'adonner davantage aux études ; c'est sans doute alors qu'il obtint le doctorat en Droit Canon. En 1478, commencent ses années les plus fécondes. C'est en effet, vers la quarantaine qu'il rédigea les deux principaux ouvrages auxquels est attaché son renom : en 1479 parut à Milan son Carême le plus connu, *De reditu peccatoris ad Deum* (295 f.) précédé, quelques jours auparavant, du *Breviarium totius juris canonici* (133 f.).

Dans le *Breviarium*, qui suit l'ordre du *Corpus juris canonici*, l'auteur reprend pour l'essentiel les multiples dispositions des Décrets, des Décrétales, du *Liber* vi, des Clémentines, etc. Il omet les divers commentaires, mais ajoute un index analytique. Le livre eut un grand succès. Le nombre des exemplaires signalés dans les répertoires des éditions du 15e siècle témoignent de cet accueil favorable.

Le carême, *De reditu peccatoris ad Deum*, est plus considérable. Il est malaisé d'y déceler l'ordre des divers thèmes : parfois le développement logique des arguments est facile à comprendre ; ailleurs l'exposé semble décousu. Ainsi la pénitence suppose la contrition, la confession, la satisfaction ; cette dernière doit être accompagnée du jeûne, de l'aumône, de la charité, etc. Les sept péchés capitaux sont opposés à autant de vertus. Certains sermons recommandent la pratique des commandements et la lutte contre les défauts et les péchés. D'autres sont consacrés au Christ, à sa passion, à l'Eucharistie, au sacerdoce. D'autres encore traitent de thèmes plutôt philosophiques, comme l'immortalité de l'âme. La structure de chaque sermon, annoncée dès le début, est à signaler : elle s'articule selon les trois « lois »,

hébraïque, évangélique et physique. Les preuves de la première sont tirées de l'ancien Testament ; celles de la deuxième, du nouveau Testament (pour l'histoire, surtout les *Actes des apôtres* et l'hagiographie) éclairé par les commentaires des théologiens, en particulier les quatre grands docteurs latins, et du Droit Canon. Quant à la loi « physique », elle est exprimée dans les lois ecclésiastiques et civiles, chez les philosophes, les orateurs et historiographes, et aussi les poètes. Attavanti aime particulièrement Dante dont il reprend des tercets de la *Divina Commedia*.

Dans son *De reditu*, il ne suit pas l'usage de consacrer le sermon du samedi à un thème marial. Cependant les allusions à la Vierge Marie ne manquent pas (vg Immaculée Conception, apparition du Christ ressuscité à Marie, etc., paraphrase du chant 33 du *Paradiso* de la *Divina Commedia*).

Durant son séjour en Lombardie, Attavanti publie encore un bref *Commento volgare e latino del salmo 90 « Qui habitat in adiutorio Altissimi »* (Milan, 1479) et une *Expositio in psalmos paenitentiales* (Milan, 1479), non pas dans une intention exégétique, mais pour inviter à la réflexion en un temps où guerre, famine et peste affligeaient la population. Comme dans le *De reditu*, la manière est typiquement humaniste : les sources chrétiennes et classiques sont mêlées et invoquées pour commenter les événements présents. La réédition à Pavie, 1495 du *Commento* contient aussi la *Vita di san Rocco* (déjà parue à part, Brescia vers 1478/1482) ; l'auteur y rappelle le vœu fait au saint par la ville de Brescia alors qu'elle était frappée par une peste qui fit près de 25 000 victimes.

Un opuscule sur la confession *(Confessione utile e brieve)* adressé aux fidèles est connu en trois éditions, qui devraient être comparées (Brescia, vers 1478-1482 ; Milan, vers 1480 ; Florence, vers 1478). En 1482, Attavanti écrit l'histoire de Mantoue et de sa famille princière, les Gonzaga (encore inédite).

En 1484 meurent Innocenzo della Rovere et le marquis Federico di Gonzaga. Nous ne pouvons connaître le déroulement précis des événements, mais à partir de février 1485 on signale le retour de Paolo au couvent de l'Annunziata de Florence, où il reprend l'habit des servites de Marie. Ce retour fut sans doute arrangé par le supérieur local, Antonio Alabanti, qui devint peu après général de l'ordre. La même année, il prêche le Carême avec Étienne de Flandre. En mai il prend part au chapitre général de l'ordre et y prononce l'*Oratio ad patres super novi generalis electione*. Grande devait être, malgré les vicissitudes de sa vie, l'estime dont il jouissait : il est en effet choisi comme l'un des compagnons du nouveau général, A. Alabanti, pour la visite aux couvents d'Italie ; il continue cependant son activité de prédicateur en Piémont, Savoie et Suisse.

Au chapitre général de 1488 à Bologne, il donne la traditionnelle *Oratio de laudibus religionis*. Le chapitre décide de publier ses sermons de carême : *Quadragesimale seu Paulina praedicabilis* (Sienne, 1494). Le recueil, qui devrait comporter les sermons du dimanche de la septuagésime au troisième jour après Pâques, ne comporte en fait que les neuf premiers discours ; on ignore pourquoi la publication intégrale n'a pas eu lieu. La *Paulina* contient cependant un sermon dédié à Marie *(De devotione in Virginem tuta humanae vitae)* ; le ton et le style sont plus simples que dans le *De reditu*. L'*exemplum* y tient une place : la *legenda* de la bienheureuse Julienne Falconieri, florentine, est presque certainement empruntée à une source plus ancienne aujourd'hui disparue (f. 52rv).

Si les recherches de A. M. Serra ont apporté beaucoup de précisions sur l'existence d'Attavanti, il n'existe pas encore d'étude de valeur sur sa personnalité et sa pensée. Ayant reçu sa formation intellectuelle dans la Florence du 15e siècle, en pleine Renaissance, il n'y a pas à être surpris de ses vastes connaissances en droit, en philosophie, en théologie et dans les lettres. Il note expressément ses études sur Aristote, Platon, Pierre Lombard ; au sujet de Thomas d'Aquin, il déclare : *Angelum in humanis..., sui ordinis decus ac totius religionis jubar, magistrum mihi praefeci, cui sane inter theologos dari monarchia visa est*. Parmi les Pères de l'Église il cite fréquemment Grégoire le Grand, Jérôme et Augustin. Dans l'interprétation du nouveau Testament, il a très souvent recours à Nicolas de Lyre. Il fait mention de beaucoup d'auteurs grecs et latins. Nous avons déjà signalé sa prédilection pour les poètes : il aime Pétrarque et spécialement Dante. Bref, suivant en cela la tradition des humanistes, il s'applique à joindre littérature religieuse et lettres profanes. Cette association, que nous trouvons aussi chez d'autres orateurs, lui permet de manifester sa culture et son goût littéraire. Dans ses sermons il évite les invectives, les paroles dures, très fréquentes chez les prédicateurs d'alors. Sa manière de s'exprimer est de bonne tenue, modérée dans les formules et aussi dans le ton ; son latin est d'allure classique. Peut-être réussit-il mieux dans sa langue maternelle à donner force et vie à sa parole, comme semble montrer le succès qu'il eut. Un simple regard montre qu'Attavanti dans *Paulina* s'exprime de façon plus vivante et plus humaine à l'adresse des simples fidèles, sans se soucier des exigences humanistes : c'est un point de vue que l'on pourrait reprendre et approfondir.

Fra Paolo mourut en 1499 et fut enseveli au couvent de l'Annunziata.

Deux études sont fondamentales : A.M. Serra, *Memoria di fra Paolo Attavanti* sur sa vie (dans *Bibliografia dell' Ordine dei Servi*, t. 1, Bologne, 1971, p. 213-254 ; repris dans *Studi storici O.S.M.*, t. 21, 1971, p. 47-89), et G.M. Besutti, *Edizioni del secolo* xv, dans la *Bibliografia* citée supra, p. 79-119.
1. *Œuvres éditées* (ordre chronologique des éd.). – *Breviarium totius juris canonici*, Milan, 1479 ; Lyon, 1484 ; Memmingen, 1486 et 1499. – *Commento volgare e latino al salmo 90...*, Milan, 1479 (après le 16 nov.) ; Milan, vers 1480 ; Pavie, vers 1495. – *Vita di S. Rocco*, Brescia, vers 1478-1482 ; Pavie, vers 1495 avec le précédent. *Confessione*, Brescia, vers 1478-1482 ; Florence, vers 1478 ; Milan, 1480. – *Expositio in psalmos paenitentiales*, en latin, Milan, 1479 ; en italien : Milan, 1480 ; Venise, vers 1483-1485. – *Quadragesimale de reditu peccatoris ad Deum...*, Milan, 1479. – *Quadragesimale seu Paulina praedicabilis*, Sienne, 1494.
*Vita S. Philippi Benitii* (ms Paris, B.N. lat. 5374), dans *Catalogus codicum hagiographicorum latinorum... in Bibl. Nat. Parisiensi*, t. 2, Bruxelles, p. 438-458 ; dans *Monumenta O.S.M.* (Bruxelles-Rome, 1897-1930), t. 3, p. 97-124. – *B. Joachim vita*, dans B. Canali, *Vita de' Beati Gioacchino Piccolomini e Francesco Patrizi...*, Lucques, 1727, p. 129-178 ; dans AS *Avril*, t. 2, Anvers, 1676, p. 455-465.
*Dialogus de origine Ordinis ad Petrum Cosmae*, dans B. Canali, *Istoria breve dell' origine dell' Ordine dei Servi...*, Parme, 1727, p. 98-123 ; E. Martène et U. Durand, *Veterum scriptorum et monumentorum... amplissima collectio*, t. 6, Paris, 1729, col. 537-599 ; Florence, 1741 ; G. Lami, *Deliciae eruditorum*, t. 13, Florence, 1742, p. 1-48 ; *Monumenta O.S.M.*, t. 9, p. 72-113.

*Regola dei papi Martino* v *e Innocenzo* viii *data alle sorelle dell' Ordine, dichiarata per M. Pagolo da Firenze*, dans *Monumenta O.S.M.*, t. 8, p. 117-213. – *Oratio super approbatione Generalis*, dans A.M. Serra, cité supra, p. 252-254.
2. *Œuvres inédites*. – *Historia urbis Mantuae Gonziace-que familie* : Rome, *Angelica*, ms 1420 ; Mantoue, *Comunale*, cod. A, iv. 18 (n. 112 ; la seule histoire de Mantoue) et 27 (n. 121) ; Venise, *Marciana*, cod. L.x. 17 (= 3324). – *Historia perusina Balionaque* : Pérouse, *Augusta*, Plut. xxiv, n. 45 ( disparu depuis 1888) ; copie de 1741 : Rome, Archives gén. O.S.M., sez. *Annalistica*.
3. *Œuvres perdues*. – *B. Francisci Senensis vita*. – *Sermones de sanctis*.
4. *Attributions douteuses*. – *Sermones thesauri novi de Sanctis*, Strasbourg, 1484 (cf. Hain-Copinger, Supplement, n. 5421-5438). – *Commentaria in* xii *Prophetas minores et in Apocalypsim*. – *Logica et liber dubiorum*. – *Commenti su Dante e Petrarca*.
U. Chevalier, *Bio-bibliographie*, col. 359 et 3539. – L. Razzolini, *Squarci della Divina Commedia... che si trovano nel Quaresimale latino del P. Paolo A. in confronto colla lezione adottata dagli Accademici della Crusca*, Bologne, 1876 (et déjà en articles dans *Il Propugnatore*, t. 9, 1876). – A. Bartolini, *Il Quaresimale dantesco del P.P.A.*, dans *L'Arcadia*, t. 6, 1894, p. 241-252, 321-333, 989-993 ; t. 7-8, 1895-96, p. 537-546 ; *Il Quaresimale dantesco del P. P.A... Paradiso*, Rome, 1907.
O. Pogni, *Paolo A., commentatore della Divina Commedia...*, dans *Miscellanea storica della Valdelsa*, t. 29, 1921, p. 123-144. – DHGE, t. 5, 1931, col. 152-153. – *Diz. Biogr. degli Italiani*, t. 4, 1962, p. 531-532. – *Repertorium fontium historiae medii aevi*, t. 2, Rome, 1967, p. 416-417. – U. Baroncelli, *Tre incunaboli bresciani sconosciuti*, dans *Studi bibliografici*, Florence, 1967 ; *Un predicatore fiorentino del sec.* xv. *P. Attavanti ed il panegirico di Brescia*, dans *Studi in onore di L. Fossati*, Brescia, 1974, p. 33-39. – DS, t. 1, col. 1668.

Giuseppe M. Besutti.

**5. PAUL DE LA CROIX** (saint), fondateur des Passionistes, 1694-1775. – 1. *Esquisse biographique*. – 2. *Le fondateur*. – 3. *Le missionnaire*. – 4. *Le directeur spirituel*. – 5. *Les écrits spirituels*. – 6. *L'expérience mystique*. – 7. *La doctrine spirituelle*. – 8. *La Congrégation des Passionistes*.

1. **Esquisse biographique**. – Paolo Danei, appelé par la suite Paolo della Croce, naquit à Ovada (Alessandria) le 3 janvier 1694, premier des six enfants restés en vie sur les quinze de sa famille. De bonne taille, il était de constitution robuste ; malgré les attaques de malaria, de rhumatismes aigus, de sciatique, les fréquentes palpitations de cœur et d'autres maladies, suites des grandes pénitences de sa jeunesse et des multiples épreuves qu'il eut à subir dans son apostolat et dans la fondation de sa congrégation, il atteignit près de 82 ans et mourut à Rome le 18 octobre 1775.

D'un tempérament que ses contemporains appelaient « igneo e fervido » – « sanguin, très impressionnable » –, il réagissait profondément à tout événement, agréable ou pénible ; ce qui l'exposait à beaucoup de souffrances psychologiques. Ses lettres en témoignent : joie et crainte, enthousiasme et dépression alternent en lui, même s'ils sont toujours éclairés par une foi vive et assumés en vue de se conformer au bon plaisir de Dieu. A cette pente de nature vint s'ajouter, pendant de longues années, la désolation spirituelle ; ce qui lui faisait dire : « Il y a des jours – en fait presque tous –, où je ne sais comment faire pour me supporter moi-même. Je m'applique néanmoins, avec beaucoup d'effort, à supporter les autres ; sans jamais y réussir pleinement » (*Processi* I, p. 182). Mais les textes s'accordent à reconnaître sa constante affabilité, sa politesse aimable et digne dans toutes ses relations. Il unissait aussi à une grande prudence une application extrême à mettre à exécution ce qui avait été décidé, y stimulant semblablement ses religieux (I, p. 142).

Sa formation fut notablement marquée par l'influence du cadre familial : son père, Luca, mort en 1727, et sa mère, Anna Maria Massari décédée en 1746, lui donnaient l'exemple d'une grande foi en Dieu et d'une vraie dévotion à Jésus crucifié, où ils puisaient le courage d'un don plénier à leurs enfants. Paul vécut son enfance et sa jeunesse auprès de sa mère, dans l'ambiance des fréquentes maternités et aussi de la mort qui emporta neuf de ses frères : il aida son père dont le négoce était l'unique soutien financier de la famille. Aux fins de ce négoce, il fit nombre de voyages qui le mirent en contact avec des gens de mentalités fort diverses. Tout cela lui donna une foi ferme, un grand réalisme humain qui l'aidera dans son rôle de fondateur et de guide spirituel et développera aussi en lui, comme en témoignent ses lettres, une image de la femme où dominent les qualités de tendresse et de dévouement héroïque au service d'un idéal.

Pour ses études, il ne put suivre un cours régulier ; il s'instruisit grâce à son travail personnel et, doué d'une mémoire excellente, il put acquérir une bonne culture, générale et théologique. Plus tard, les illuminations de l'Esprit saint, au cours de ses expériences mystiques et de l'oraison, firent de lui un théologien et maître spirituel compétent, au jugement prudent et sûr. Sa connaissance des hommes et de leurs vrais besoins, et son sens évangélique l'orientèrent en matière de morale, vers une position équilibrée, fondée sur la miséricorde sans laxisme, sur la confiance en Dieu et dans les mérites de la passion de Jésus, orientée vers la pratique des vertus et le fréquent recours à l'Eucharistie. Il contribua ainsi à rendre au peuple chrétien le sens de la bonté de Dieu, affaibli par l'influence janséniste.

En 1713, en juillet semble-t-il, alors qu'il écoutait un sermon de son curé, il reçut une telle lumière intérieure sur la grandeur et la bonté de Dieu que sa vie lui apparut sous un jour nouveau. Il réalisa qu'il était non seulement imparfait mais pécheur ; il fit une confession générale de ses fautes, et forma le propos « de s'adonner à une vie sainte et parfaite » (*Lettere* IV, p. 217-221 ; *Processi* I, p. 32). Le fruit le plus direct de cette « conversion » – c'est le terme qu'il emploie –, fut de découvrir que Dieu est « son Dieu », « son Bien-Aimé », « l'Immense », « l'Infinie Bonté », et d'adhérer à lui non plus seulement dans un acte intellectuel, fût-il éclairé par la foi, mais en s'unissant vitalement au mystère pascal du Christ, qui est pour lui désormais « Jésus, notre vrai Bien », ou aussi « Jésus Époux ». Tel fut le début d'une profonde transformation intérieure, aussi de sa vie mystique, qui le disposa à accueillir la vocation particulière à laquelle Dieu l'appelait. Dans ce climat spirituel, il aspira au martyre pour défendre la foi. Il écouta donc l'appel lancé aux chrétiens par Clément XI, en 1715, à s'enrôler comme croisés pour aider Venise à défendre contre les Turcs l'Occident chrétien. Il gagna Crema pour s'enrôler. Mais le 20 février 1716, surlendemain du mardi-gras, étant entré dans une église pour y adorer le Saint Sacrement exposé pour les quarante-heures, il comprit que ce n'était pas à la défense de la foi catholique par les armes qu'il était appelé. Il rentra dans sa famille et continua à aider son père, tandis que sa vie spirituelle se développait sous l'influence d'illuminations intérieures sur les mystères de la foi. En 1717 il reçut la première qui concernait sa vocation personnelle :

intérieurement il se sentit poussé à se retirer dans la solitude pour y mener « une vie pénitente en très grande pauvreté ». En 1718 il en eut une autre pour « rassembler des compagnons et vivre ensuite avec eux en vue de promouvoir dans les âmes la sainte crainte de Dieu ». En 1720, au cours de l'été, vint la lumière décisive : intérieurement il se vit revêtu d'un habit noir sur lequel se détachaient un cœur, le Nom de Jésus et l'indication de sa passion, avec au-dessus du cœur une croix. Il comprit qu'il devait revêtir cet habit, mener le deuil en souvenir de la passion de Jésus et en promouvoir le « souvenir reconnaissant » dans l'âme des fidèles. Dans cette lumière il eut une nouvelle compréhension des exigences de solitude, de pauvreté et de pénitence, ressenties précédemment et vit qu'elles se rapportaient à la vie en commun de ses futurs compagnons. « Après ces visions de la sainte tunique..., Dieu, écrit-il, m'a donné une impulsion et un désir accrus de réunir des compagnons et, avec l'autorisation de notre sainte Mère l'Église, de fonder une Congrégation intitulée : Les Pauvres de Jésus. Et il m'a laissé présente dans l'esprit la forme de la sainte Règle que les Pauvres de Jésus et moi-même devrions observer » (*Lettere* IV, p. 219-220).

Ce processus d'illumination de Paul sur sa vocation personnelle est d'ordre mystique, comme il le laisse lui-même entendre : « Je ne voyais aucune forme corporelle... non, je voyais en Dieu ; autrement dit, l'âme sait que cela vient de Dieu, parce qu'il le lui fait comprendre par les mouvements intérieurs du cœur, la lumière qu'il infuse dans l'esprit » (*Lettere* IV, p. 219). Mais cette évidence intérieure lui fait sentir vivement son appartenance à l'Église, la pousse à s'en remettre à son approbation : « Je m'en remets au conseil de mes supérieurs..., avec la permission de notre sainte Mère l'Église fonder une Congrégation... Mais pour tout je m'en remets au jugement de mes supérieurs » (*Lettere* IV, p. 219, 220, 221). Le discernement de la volonté de Dieu, commencé avec l'aide de son directeur spirituel, fut achevé avec son évêque, Francesco Arborio Di Gattinara † 1743. Celui-ci, après avoir entendu sa confession générale et s'être entretenu longuement avec lui, acquit une certitude suffisante de la crédibilité de ses dires et consentit à le revêtir de l'habit noir de pénitence, le vendredi 22 novembre 1720. Il lui enjoignit ensuite de faire une retraite de 40 jours, en notant chaque jour ce qui se passerait dans son esprit, d'écrire aussi la règle de la congrégation projetée. Cette prescription nous a valu un document exceptionnel d'expérience mystique au 18e siècle italien.

2. **Le fondateur.** – 1) Les Passionistes. – Gattinara, après avoir lu ce diaire et cette règle, consulta diverses personnes et fut persuadé de l'authenticité spirituelle de ces écrits, mais il resta indécis sur la mise en œuvre de ces inspirations divines. Paul, avec sa permission, alla à Rome en septembre 1721, dans l'espoir d'obtenir une audience du Pape et l'autorisation de commencer à grouper des compagnons ; mais dépourvu des recommandations requises, il n'obtint rien. Il se rendit néanmoins à Sainte-Marie-Majeure, y renouvela l'engagement de réaliser le charisme reçu, et émit aussi le vœu de promouvoir chez les fidèles le souvenir et la dévotion de la passion, de réunir dans ce but des compagnons (*Processi* I, p. 160 ; Strambi, *Vita,* p. 147).

Il était assuré de l'origine céleste de l'inspiration, comme il l'écrivait à son évêque : « Je fais confiance à mon Seigneur Crucifié et suis plus que certain que tout se fera. Dieu m'a donné l'inspiration et un signe très assuré qu'il veut cela. Quelle raison de craindre ? » (*Lettere* I, p. 22). Il ne voyait cependant pas de façon nette où ni comment débuter. Avec l'approbation de Gattinara, il se rendit à Monte Argentario, dans le diocèse de Pitigliano, où l'évêque lui permit de prendre pour compagnon son frère Giovanni Battista ; à l'invitation des Ordinaires respectifs, il alla aussi à Gaète et à Troia. En mai 1725, alors qu'il était à Rome pour l'indulgence du Jubilé, il rencontra Marcello Crescenzi, plus tard cardinal † 1768, qui devint pour lui un ami, un protecteur, et qui l'introduisit auprès du cardinal Pier Marcellino Corradini † 1743. Celui-ci lui obtint une brève audience de Benoît XIII, lequel, « de vive voix », l'encouragea à grouper des compagnons, à mettre à exécution l'inspiration reçue de Dieu. Du point de vue juridique, cette permission orale était sans valeur, mais Paul et la première génération passioniste y virent une confirmation de cette inspiration. Après divers essais sans résultat à Gaète ou à Itri, Paul se rendit à Rome et s'y mit au service de l'hôpital de S. Gallicano, fondé par le cardinal Corradini. C'est durant cette période qu'il fut ordonné prêtre.

Mais il éprouvait un malaise spirituel croissant, se rendant compte de façon de plus en plus nette que ce n'était pas là le plan de Dieu concernant sa vie. En février 1728 il quitta l'hôpital et retourna à Monte Argentario (Toscane) ; c'est là, dans l'ermitage de S. Antonio, que prit naissance la première communauté passioniste. Le 15 mai 1741 Benoît XIV approuva pour la première fois la règle du nouvel institut appelé « Congregazione dei Minimi Chierici Scalzi sotto l'invocazione della S. Croce e Passione di Gesù Cristo ». Le 11 juin de la même année, Paul et ses six premiers compagnons firent la profession publique des trois vœux de religion, y ajoutant un quatrième qui spécifiait le charisme ou la finalité de la Congrégation : promouvoir le souvenir reconnaissant et le culte de la passion de Jésus chez les fidèles, en méditant avec eux ce mystère de salut et en leur enseignant à le méditer. Les efforts du fondateur pour obtenir des vœux solennels furent sans succès. Lui-même y tenait beaucoup, y voyant une sécurité pour l'avenir de la congrégation, une garantie aussi pour avoir des vocations et pouvoir ordonner des clercs au titre de « mensa comune ». En 1769 Clément XIV approuva l'institut comme congrégation à vœux simples, lui donnant part à tous les privilèges des ordres mendiants et des congrégations régulières déjà approuvées ; il lui assurait ainsi la stabilité morale et juridique, la possibilité aussi de faire ordonner ses clercs sans difficulté. A la mort du fondateur, la congrégation avait sa place dans l'Église, avec 12 couvents (« ritiri ») et 176 religieux.

2) LES RELIGIEUSES PASSIONISTES CONTEMPLATIVES. – A partir de 1734, Paul chercha à fonder un monastère de religieuses poursuivant le même but : « Nous voulons établir un monastère d'âmes magnanimes et saintes, mortes à tout le créé et qui s'appliquent, dans les saintes vertus, la mortification et la pénitence, à imiter *Gesù Appassionato* et *Maria SS. Addolorata* » (*Lettere* II, p. 304). Clément XIV l'aida à surmonter l'obstacle juridique que posait l'absence des vœux solennels, qui seuls, à l'époque, permettaient l'érection d'un monastère féminin. Le premier établi fut, en 1771, celui de Corneto (aujourd'hui Tarquinia). Les religieuses aussi émettent le vœu propre aux passionistes d'entretenir et promouvoir le souvenir de la passion de Jésus ; elles s'adonnent à la contemplation de ce mystère dans l'oraison, environ trois heures chaque jour, en plus de l'office de jour et de nuit, dans un cadre de silence soigneusement gardé ; elles

accompagnent les passionistes dans leurs missions, priant « jour et nuit pour la conversion des âmes, surtout des plus égarées » (*Lettere* I, p. 490 ; *Regole*, ch. 10).

Leur spiritualité, comme celle des religieux, est centrée sur le mystère de l'Amour Crucifié, fondement pour elles d'exigences particulières de pauvreté, de pénitence et de vie en commun dans l'union fraternelle. C'est seulement par règle et par vœu qu'elles observent la clôture propre aux religieuses à vœux solennels ; en fait, le fondateur leur permit d'accueillir, dans des limites clairement spécifiées, des femmes désireuses de faire les exercices spirituels : occasion de communiquer le fruit de leur contemplation et d'enseigner à méditer la passion de Jésus. La première supérieure fut Maria Crocifissa Costantini, que Paul dirigea pendant environ quarante ans ; la cause de sa béatification a été introduite.

3. **Le Missionnaire.** – Paul fut un des meilleurs missionnaires en Italie, au 18e siècle. Son activité s'exerça de façon toute particulière en Italie centrale. Il accordait la préférence, lui-même et ses religieux, aux gens les plus dépourvus au regard de la foi et qui vivaient sur les bords marécageux du littoral, dans les petites îles et dans les campagnes.

Sa méthode se rapprochait de celle de saint Léonard de Port-Maurice († 1751, DS, t. 9, col. 646-649), mais en plus simple. Après quelques expériences, en effet, il abandonna complètement les processions pénitentielles, gardant seulement la discipline et quelques gestes dramatiques pour certaines méditations. Sa préférence allait à la méditation et à la réflexion, plus propres selon lui à favoriser la conversion et des convictions solides. Son apport personnel fut la méditation quotidienne et publique de la passion de Jésus, et aussi d'enseigner chaque jour à méditer pour aider à passer de la crainte du jugement de Dieu à la confiance dans le pardon par les mérites de Jésus Crucifié. Son désir était de rendre stable, là où il passait, la méditation de la passion de Jésus, soit à titre individuel, soit en groupes organisés. Il ne se contentait pas d'accueillir avec une charité particulière les pécheurs, notamment les pécheurs publics ; souvent il leur disait, pour les encourager, qu'il prenait sur lui la responsabilité de la pénitence qui leur incombait. Cette solidarité avec eux explique certainement pour une part la désolation qu'il eut à souffrir durant de si longues années.

4. **Le directeur spirituel.** – En plus du travail considérable de direction accompli dans les missions, dans les exercices spirituels, dans les entretiens avec qui venait le voir au couvent, Paul assura aussi la direction spirituelle par correspondance à l'égard de laïcs voués à Dieu dans le monde ou mariés, de prêtres, d'un grand nombre de religieuses et des membres de sa congrégation. Lui-même s'étonnait que Dieu dans sa miséricorde eût daigné le choisir pour « diriger quelques âmes enrichies de dons merveilleux et d'oraison très élevée » ; et il ajoutait : « l'expérience que j'ai de leur vertu héroïque, de leur marche en sainte et pure foi, me fait croire qu'elles ne sont pas dans l'illusion » (*Lettere* II, p. 276). Il se rendait compte qu'une sainte direction « suppose sainteté, doctrine, expérience, prudence et un clair appel de Dieu » (*Lettere* I, p. 149) ; aussi n'acceptait-il de diriger que pour obéir à la volonté de Dieu nettement manifestée (cf. *Lettere* I, p. 178). La responsabilité acceptée, Dieu le disposait à une profonde union avec la personne dirigée dans un vrai détachement : c'était pour lui la garantie « que cette union spirituelle était fondée en Jésus-Christ » (*Lettere* I, p. 178).

« J'aime toutes les âmes, en particulier celles que Dieu m'a confiées par l'entremise de la sainte direction ; mon âme se sent unie par un lien tout spirituel, davantage à l'une, moins à une autre, etc., suivant la conduite d'amour plus ou moins signalée de Dieu à leur égard. Je m'explique : si une âme est dans une intimité d'amour et d'union avec Dieu plus grande qu'une autre, assurément, – d'après ce que Dieu me donne à entendre –, cette âme étant plus aimée du Bien souverain, le lien de sainte charité m'unit aussi à elle davantage ; ce qui n'empêche aucunement que je sois aussi uni aux autres dans la charité, plus à l'une, moins à une autre, comme le veut mon souverain Bien » (*Lettere* I, p. 149-150).

Cette adaptation spirituelle aux diverses personnes lui permettait de donner à chacune les avis convenables selon le plan de Dieu : « Les instructions qu'en Dieu je vous donne correspondent à votre conduite ; ce serait une erreur de les appliquer à qui ne suit pas même voie. A chaque estomac la nourriture qui lui convient » (à sœur C.G. Gandolfi, *Lettere* II, p. 472 ; cf. à T. Fossi, *Lettere* I, p. 581). Il prie pour les personnes qu'il dirige et nombre de ses lettres sont écrites alors qu'il est en contemplation. Parfois il le déclare au destinataire pour que ce dernier ait davantage confiance dans l'aide que Dieu lui veut donner par la direction : « Lisez parfois cette lettre que je vous ai écrite après avoir célébré ; je vois que c'est Dieu qui m'a éclairé ; tenez-en compte comme d'un trésor qui vient de lui, car en moi-même il n'y a que misère » (*Lettere* I, p. 462 ; cf. p. 287 ; III, p. 464).

Les points fondamentaux de sa direction étaient d'abord l'humilité à acquérir avec l'aide de la grâce et qui doit être « connaissance vécue de son propre néant » (*Lettere* II, p. 298), pour s'ouvrir au Tout qui est Dieu, se conformer au Verbe incarné qui s'est anéanti lui-même et mériter d'être ainsi avec lui au sein du Père. Avec l'humilité, il faut désirer et accepter d'être crucifié avec Jésus, s'abandonnant au bon plaisir de Dieu dans le même amour de Jésus. Et tout cela se réalise en passant par la porte, qui est Jésus, en étant docile au vrai maître de l'oraison et de la vie spirituelle, qui est le Saint-Esprit, à qui Paul renvoie constamment avec une insistance et une confiance qui sont à noter. L'union transformante, à la mesure que Dieu désire, est le but où tend sa direction : « Vis en Dieu, respire en Dieu et brûle de son Amour » (*Lettere* I, p. 134).

5. **Les écrits spirituels.** – 1) Le DIARIO écrit au cours de sa retraite de 40 jours à la fin de 1720, permet de connaître le niveau spirituel atteint par Paul à l'âge de 27 ans ; il manifeste aussi les principes qui serviront de soutien à sa spiritualité et à son enseignement : comprendre que la norme de vie chrétienne est la participation à la vie de Jésus ; percevoir Dieu comme « l'Immense », en qui il faut s'immerger en passant par la passion du Christ ; l'humanité du Verbe incarné est la médiation nécessaire pour entrer en communion avec la Trinité ; la souffrance est le don de Dieu qui permet de mieux partager le sort du Christ sur la croix et dans la gloire.

Le *Diario* fut connu du premier biographe de Paul, mais ignoré de ceux du 19e siècle jusqu'à Louis-Thérèse Laffargue (*Histoire de S. Paul de la Croix*) qui en parle de façon exhaustive. Publié pour la première fois en 1867, en même temps que quelques lettres choisies, il passa inaperçu. En 1924, il fut inséré dans le tome 1 des *Lettere*. En 1925 J. de Guibert en fit paraître une traduction française (RAM, t. 6, p. 26-48), souhaitant que ce texte prenne place « parmi les textes classiques de la mystique catholique » (p. 27). En fait,

jusqu'aux années 1950, le diaire, comme aussi les Lettres, a peu attiré l'attention. Pour la tradition manuscrite et le texte authentique, voir *S. Paolo della Croce. Diario spirituale*, éd. E. Zoffoli, Rome, 1964.

2) LES LETTRES. – Beaucoup parmi celles qui ont été conservées concernent les questions de la fondation et du gouvernement de la Congrégation, mais plus de la moitié se rapportent à la direction spirituelle. Elles sont d'un style simple, sobre, ordinairement coulant, bien qu'écrites à la hâte ; le brio et l'humour y paraissent parfois. On y relève 155 citations expresses de l'Écriture, apportées pour confirmer ou expliquer l'enseignement donné, et des réminiscences de patristique et de culture générale. Actuellement on en possède 2 060 publiées en 5 volumes. Nous savons que Paul en écrivit des milliers ; certaines, on peut le penser, se trouvent encore dans des archives privées. Celles qui nous restent suffisent pour faire connaître sa doctrine et sa méthode de direction.

3) MORTE MISTICA : c'est un petit opuscule, où l'auteur suggère de vivre les vœux de religion comme participation mystique à la mort de Jésus crucifié, pour renaître à une vie nouvelle, déifique, et avoir ainsi part à la gloire du Christ.

Paul envoya ces pages à une carmélite de Vetralla, Angela M. Maddalena Cencelli, à l'occasion de sa profession le 22 novembre 1761. En 1765 il envoya aussi le manuscrit au maître des novices passionistes, mais en l'accompagnant de cette directive : « Il y a dans *Morte mistica* un programme de très haute perfection et de sainteté. Il ne convient donc pas de le remettre aux novices avant d'être assuré qu'ils ont fait un progrès notable dans l'oraison et les saintes vertus ; à l'avoir dès le début, il est à craindre qu'ils ne s'arrêtent et n'estiment trop difficile la voie de la vertu » (*Lettere* III, p. 442). Cet écrit disparut de la circulation peu après la mort de Paul, à cause d'une certaine défiance qui régnait alors à l'égard de la mystique hors de la congrégation, chez certains aussi de ses membres qui cependant avaient connu le fondateur. Ce n'est qu'en 1976, à la suite de la découverte fortuite d'une copie manuscrite, qu'il a été publié dans le 5e volume des *Lettere*.

4) LA PASSIONE DI G.C. IN QUARANTA BREVI MEDITAZIONI *raccomandate del Rv.mo P. Paolo della Croce*, livret imprimé à Camerino après la mission que Paul donna en 1750. Comme l'indique le mot « raccomandate », il n'est pas sûr que la rédaction soit de lui, même si la méthode suggérée et les idées développées se retrouvent dans ses lettres et dans ses sermons. Le texte a pour but d'aider les simples fidèles.

6. **L'expérience mystique.** – 1) LA PASSION DE JÉSUS, ŒUVRE D'AMOUR. – Pendant sa retraite de 40 jours, il comprit les peines de Jésus comme une assurance, une révélation de l'amour de Dieu lui faisant voir ses propres souffrances comme souffrances de Jésus et inversement : « Tes peines, Dieu aimé, sont garanties de ton amour » (27 nov.) ; et aussi « Tes croix sont la joie de mon cœur » (26 nov.). Dieu lui donna « avec abondance intelligence infuse » pour saisir les motifs de la passion : l'amour infini de Dieu et le péché de l'homme qui fait obstacle à cet amour ; ce qui fit naître en lui « un si ardent désir de lui être uni qu'il aspirait à ressentir dans le présent les tourments qu'il avait endurés, à être sur la croix avec lui » (6 déc.). Cette connaissance vécue de l'amour et de la douleur du Verbe incarné suscite en lui admiration, amour et

souffrance pour les peines que Jésus a souffertes autrefois et dont par la foi il se sent contemporain. Ainsi commence en lui cette contemplation aimante, douloureuse, caractéristique de son expérience et de son enseignement ; contemplation où domine l'amour principe et fin, toujours en référence à l'amour incréé de la Trinité, mais qui vient à nous par l'entremise de la vie éprouvée par la souffrance du Verbe incarné. Dans le *Diario* il écrivait pour son évêque : « Quand je redis ces peines à mon Jésus aimé, parfois, après en avoir rapporté une ou deux, il me faut rester là, l'âme ne pouvant plus parler et se sentant liquéfiée ; elle se tient là défaillante, avec une douceur très haute où se mêlent des larmes, avec infuse en elle la douleur de son Époux ; ou, pour me faire mieux comprendre, plongée dans le cœur et la douleur très sainte de Jésus, son très doux Époux. D'autres fois elle a l'intelligence de toutes et reste ainsi en Dieu avec cette vue aimante et douloureuse » (8 déc.).

Cette compréhension, foyer rayonnant de son expérience et de sa doctrine, est traduite par la formule : « avoir en soi infuses les peines de Jésus époux ». Le terme « époux » a ici son sens mystique : l'âme considère et saisit Jésus comme « époux » ; elle se sent toute aimante et reçoit comme dans la connaissance et l'expérience des peines de Jésus ; elle les éprouve comme siennes, en souffre et tout ensemble s'en réjouit, car elles sont pour elle garantie de l'amour de Jésus, de la réponse aimante qu'elle-même lui fait. Le dernier jour de sa retraite, Paul a une expérience très élevée de l'amour de Dieu manifesté dans la passion de Jésus, de la nécessité aussi de passer par l'humanité du Verbe incarné pour rejoindre l'amour incréé de la Trinité : « J'avais connaissance de l'âme unie par lien d'amour à la très sainte Humanité, et tout ensemble liquéfiée et élevée à la connaissance haute et sentie de la Divinité : Jésus, en effet, étant Dieu et Homme, l'âme ne peut être unie en amour très saint à la très sainte Humanité et tout ensemble liquéfiée sans être en même temps élevée à la connaissance très haute et sentie de la Divinité » (1er janvier). Il s'agit là d'une œuvre surnaturelle, comme l'indiquent les formules, qui reviennent souvent, d' « intelligence infuse » et « peines infuses ».

Ainsi, le 28 décembre, alors qu'il médite sur les souffrances de Jésus et de Marie, lors de la fuite en Égypte : « dans ma pauvre âme s'entremêlaient souffrance et amour, abondance de larmes et douceur ; et de tout cela l'âme a une intelligence infuse, très élevée ; parfois, tout ensemble comme d'un seul mystère, le comprenant soudainement, sans formes corporelles ni imaginaires, mais Dieu infusant le tout par une œuvre de son infinie charité et miséricorde : et au moment même où l'âme le comprend de façon très élevée, ou bien elle s'y complaît, ou elle compatit, selon les mystères ; le plus souvent s'y mêle la sainte complaisance ». Cette expérience suscite le désir, qui deviendra réalité, d'avoir imprimées dans son cœur les peines du Sauveur, d'en ressentir vivante compassion et participation réelle. Il demande à Marie de prier « pour que demeurent imprimées dans mon cœur ses douleurs et la passion de mon Jésus, comme je le désire tant et tant » (*Lettere* I, p. 134). Une autre fois, il demande des prières pour « être blessé de vraie douleur d'avoir offensé mon Dieu et avoir sa très sainte Passion imprimée dans mon cœur » (*Lettere* I, p. 465 ; *Processi* II, p. 427, 630 : on y parle du don de l'impression de la Passion dans le cœur de Paul).

2) DÉSOLATION. PUR SOUFFRIR (« NUDO PATIRE ») ET ABANDON AU BON PLAISIR DE DIEU. — Comme nous

l'avons signalé, la conversion de Paul fut suivie d'une période d'illuminations intenses sur les mystères de la foi, au point qu'ils lui semblaient presque évidents ; il se disait « très heureux de croire dans l'obscurité de la foi, obscurité du reste plus claire que le soleil » (*Lettere* I, p. 199). De là ses rappels insistants : « cheminer dans la foi », « le juste vit de foi ». Après ces illuminations vint une période de dures épreuves spirituelles, qui le prépare au don de l'union transformante, reçu avant 1727 ; on ne peut davantage préciser la date (cf. E. Zoffoli, *Storia critica*, t. 2, p. 1380-1392). Durant un court espace de temps, il savoura la joie de cette union ; mais bientôt Dieu permit qu'il se trouvât de nouveau dans la désolation pendant environ quarante ans ; ce qui l'a fait appeler « le prince des grands désolés » (H. Martin, art. *Désolation*, DS, t. 3, col. 635).

Cette désolation est décrite comme une répugnance et une crainte de la souffrance physique, mais surtout morale, qui le submerge presque. Il parle de « très grand délaissement intérieur », d' « une sorte de peine du dam, éloigné de Dieu, – j'en avais du moins l'impression –, il me semblait être son plus grand ennemi ; j'éprouvais des tentations très violentes contre les vertus théologales, des tentations d'impatience, des poussées de blasphème, de désespoir, et surtout d'effrayantes tribulations spirituelles qui ne se peuvent décrire » (*Lettere* II, p. 753 ; cf. I, p. 180). Ceux qui ont étudié cette désolation si prolongée de Paul après qu'il eut reçu l'union transformante sont d'accord pour admettre qu'il s'agit là d'épreuves purificatrices destinées à être « toutes transformées en Dieu par amour » (*Lettere* I, p. 180) ; cette transformation, en effet, se réalise dans « l'amour très pur de Dieu » et on n'y peut atteindre que par « la souffrance toute pure, sans réconfort ni du ciel, ni de la terre », comme Jésus désolé sur la Croix (*Lettere* I, p. 153). Dans cette désolation de Paul, certains auteurs, à la suite de R. Garrigou-Lagrange, voient une souffrance rédemptrice ou réparatrice, d'autres simplement une conformation ou une participation à la passion de Jésus. Garrigou-Lagrange (*Nuit réparatrice en S. Paul de la Croix*, dans *Études Carmélitaines*, oct. 1938, p. 287-293) a certainement trop souligné l'idée réparatrice, non seulement chez Paul mais aussi dans sa congrégation, présentant celle-ci comme fondée pour ainsi dire dans ce but. Beaucoup de passionistes ont récusé cette manière de voir (cf. S. Breton, *La mystique de la Passion*, p. 188-189) ; d'autres l'ont estimée correcte (cf. Zoffoli, *op. cit.*, t. 2, p. 1269-1273).

Il est certain qu'il faut comprendre cette désolation comme une participation à la passion du Christ en raison d'un charisme propre ; mais il y faut voir aussi un autre aspect important de la rédemption, dans la ligne « apostolique » de la vocation du fondateur et de sa congrégation. Comme on l'a dit, Paul prenait souvent sur lui la pénitence qu'auraient dû faire les pécheurs ; il s'employait aussi à la conversion des gens les plus éloignés de Dieu et à la direction d'âmes appelées à une grande sainteté. Tout cela réclamait de sa part une préparation spirituelle faite de contemplation et de souffrance rédemptrice pour ces personnes à qui il devrait annoncer l'amour miséricordieux de Dieu crucifié. Cette motivation apostolique est d'autant plus fondée qu'il désirait la même expérience pour ses religieux. En fait, les pénitences de la congrégation, les épreuves et les tentations étaient regardées par Paul comme faisant partie de la vocation du passioniste et comme la préparation au don d'oraison et à l'union transformante, laquelle prépare une action « apostolique » vraiment profitable aux âmes. Il voulait que ses religieux, précisément en vue de produire « des fruits doux, mûrs, imprégnés de toute bénédiction même pour le prochain », fussent formés à souffrir, en silence et grande charité, épreuves et désolation.

Ainsi écrivait-il au maître des novices : « La congrégation de la Passion de Jésus doit marcher ainsi, c'est-à-dire dans les épreuves et les tentations ; ses membres doivent être des hommes très solides éprouvés par de multiples tentations *intus et foris* en vue d'accomplir de grandes choses, surtout en ces temps si dangereux et qui réclament des gens armés de foi, bien entraînés dans les grandes souffrances » (*Lettere* II, p. 94). Aux religieux de Monte Cavo qui se trouvaient en de grandes tribulations physiques et morales, il écrivait de même : Dieu permet toutes ces épreuves « pour qu'ils soient victimes sacrifiées en holocauste, dans le feu d'une souffrance de prix pour la gloire du Très-Haut, et que ce sacrifice exhale toujours une odeur très douce de toute vertu à tous les peuples proches ou éloignés » (*Lettere* III, p. 510). Au fond, cet état particulier de désolation répondait à l'aspiration que Dieu avait suscitée en lui d'être crucifié avec Jésus et couvert de plaies *(scarnificato),* fût-ce pour n'être utile qu'à une seule personne (*Diario,* 23 nov. ; 4 et 6 déc.). Il trouvait juste et encourageante l'explication que donnait de ces terribles souffrances une personne de grande vertu : « Comme Jésus-Christ a donné vie aux âmes pour le ciel dans le délaissement extrême, ainsi veut-il que toi aussi la leur dispense » (*Processi* I, p. 128).

Cette participation si intense à la désolation de Jésus à Gethsémani et sur la croix lui fit connaître un mode de souffrance qu'il appela le « pur souffrir » *(nudo patire),* c'est-à-dire sans aucun mélange de joie, avec le sentiment d'un délaissement complet (H. Martin, art. *Déréliction,* DS, t. 3, col. 504-517) de la part de tous et de Dieu même ; c'était du moins ce qu'il lui semblait. Il essaie de l'expliquer : « Hélas ! une âme qui avait joui des caresses du ciel ; et la voilà obligée d'être pour un temps dépouillée de tout ; davantage, amenée au point de se trouver, – c'est ce qu'il lui semble –, abandonnée de Dieu ; il lui semble que Dieu ne veut plus d'elle, ne s'occupe plus d'elle, est très mécontent d'elle ; d'où cette impression que tout ce qu'elle a fait est mal fait, etc. C'est là, dirais-je, une sorte de peine du dam, de peine qui surpasse toute autre peine » (*Lettere* I, p. 153-154). Parfois il établit une équivalence entre ce « pur souffrir » et la « nudité d'esprit », entendant par là une souffrance d'absolue pauvreté, qui fait expérimenter son propre néant (*Lettere* II, p. 298) et rester, sans le moindre soulagement (*Lettere* III, p. 806-807), dans « ce pur souffrir en silence sacré de foi », sans se plaindre ni au-dedans, ni au-dehors, répétant seulement... les paroles de Jésus à Gethsémani, puis continuant « en silence de foi » à se laisser « martyriser par le saint Amour » (*Lettere* III, p. 806-807). Qui passe « par l'épreuve d'un pur souffrir » s'abandonne comme vaincu « à l'amour divin » (*Lettere* III, p. 827) ; il se nourrit du bon plaisir de Dieu et meurt « de cette précieuse mort mystique », remettant comme Jésus « son âme au sein du Père céleste, en disant : Père très doux, en vos mains je remets mon esprit » (*Lettere* III, p. 226). Cette expérience mystique du total abandon à la volonté du Père devient une pratique caractéristique de sa vie personnelle, comme le montrent son diaire (cf., par exemple, 25 nov., 30 déc.) et nombre de confidences qu'il a faites dans ses lettres (cf. M. Viller, *La volonté de Dieu dans les lettres de S. Paul de la Croix,* RAM, t. 27, 1951, p. 132-174).

3) CONTEMPLATION DE LA PASSION ET VIE « APOSTOLIQUE ». – L'expérience de l'amour de Dieu révélé dans la passion de Jésus conduit Paul vers ceux qui doivent profiter des fruits de cette passion rédemptrice. Songeant aux offenses faites à Dieu, « la douleur me venait de le voir offensé et je lui disais que je voulais être couvert de plaies *(scarnificato),* fût-ce pour une seule âme. Hélas ! j'avais l'impression de défaillir en voyant la perte de tant d'âmes, qui ne jouissent pas du fruit de la passion de mon Jésus » (*Diario,* 4 déc.). Avec la connaissance de l'amour et des souffrances du Sauveur, s'accrut en lui le désir de la conversion des pécheurs.

On l'a dit, il fonde une congrégation en vue de coopérer au bien des âmes. Il prie ordinairement pour la conversion des hérétiques, spécialement en Angleterre, pour les besoins généraux de l'Église. Dans ses souffrances, il pense avant tout à réparer ses fautes personnelles, mais est prêt aussi à se sacrifier, fût-ce pour une seule personne. Il veut réparer les péchés commis contre l'Eucharistie, et à deux reprises formule le désir de mourir martyr de l'Eucharistie. Citons deux textes du *Diario* : après la communion, « grande ferveur mêlée de larmes pour implorer la conversion des pauvres pécheurs : je disais à mon Dieu que je ne peux plus le voir offensé ; j'éprouvais aussi une douceur particulière à lui demander qu'en sa bonté il fondât sans tarder la sainte congrégation, lui envoyât du monde pour sa plus grande gloire et le bien du prochain ; tout cela avec un grand désir et ferveur » (7 déc. ; cf. aussi 9 déc.). Les 15-18 décembre il notait : « le désir persistant de la conversion de tous les pécheurs ne me quitte pas et je me sens poussé à prier mon Dieu spécialement à cette fin dans le désir que j'ai de ne plus le voir offensé ». L'emprise de la contemplation et le très vif désir de souffrir en union avec le Christ n'ont aucunement affaibli son engagement au salut du prochain ; ils l'ont, au contraire, fondé, fortifié et rendu fécond.

4) L'EUCHARISTIE MÉMORIAL DE LA PASSION DE JÉSUS. – Chez notre saint, l'expérience mystique « est mystique sacramentelle ». Elle ne dépend pas seulement de façon éloignée du baptême, « mais de façon prochaine, ou plutôt immédiate, de l'Eucharistie » (Divo Barsotti, *L'Eucarestia in S. Paolo della Croce e teologia della preghiera,* Rome, 1980, p. 10). Paul note que l'Eucharistie le recueille intérieurement d'une manière inexprimable ; qu'il y ressent de façon particulière l'union avec Dieu et l'intelligence de son amour. A plusieurs reprises, il parle aussi d'une influence bienfaisante du saint Sacrement sur son corps : après la communion, « j'ai été particulièrement élevé en Dieu avec une douceur très profonde et une certaine chaleur du cœur, qui s'étendait aussi à l'estomac, et dont je compris le caractère surnaturel » (26 nov., cf. 7 déc.). C'est aussi après la communion qu'il reçoit une « intelligence infuse de la joie qu'éprouvera l'âme » au paradis (4 déc.) et de l'humilité profonde qu'il lui faut avoir (30 nov., 5 et 7 déc.). Il a coutume, après la communion, de rappeler à Jésus sa passion, et reçoit de lui une compréhension surnaturelle qui le fait fondre en quelque sorte d'amour et de douleur : « Dans la sainte Communion j'ai été particulièrement recueilli, surtout en faisant à mon Jésus le rappel douloureux et aimant de ses tourments. La grâce si élevée que mon Dieu aimé me dispense alors, je ne sais comment l'expliquer, car c'est chose impossible. Sachez qu'à rappeler ses peines à mon Jésus, parfois quand je lui en ai redit une ou deux, il me faut rester là, parce que l'âme ne peut plus parler et se sent liquéfier » (8 déc.). Il

ressent le désir de mourir martyr pour témoigner de la vérité du saint sacrement (26 déc.). En contemplant « avec les yeux du corps mon Jésus dans le Sacrement, je lui disais d'envoyer les séraphins me transpercer de flèches d'amour » ; et, à la communion, il ressent un désir ardent d'être désaltéré de son amour infini, « me laissant boire à la source infinie de son Sacré-Cœur » (27 déc.).

Cette expérience du Cœur eucharistique de Jésus restera dans sa doctrine et son enseignement comme un désir de « boire l'Amour à des fleuves, des mers de feu et laisser toutes choses s'en aller en cendres » (*Lettere* I, p. 473). Son désir s'accroît de voir le saint Sacrement cru, adoré comme « mystère ineffable de la Très sainte Charité de Dieu », de donner sa vie en témoignage de sa foi et de son adoration envers l'Eucharistie (*Diario*, 29 déc.). Il veut réparer les manques de respect et les offenses qu'elle reçoit « en pleurant des larmes de sang » (29 déc.). Cette compréhension du mystère de l'Eucharistie, ainsi que le désir de réparation et d'adoration entreront dans sa doctrine ; il les enseignera à ses dirigés et aux religieux de sa Congrégation.

Il écrit à une religieuse : il faut voler dans le « Cœur de Jésus au saint Sacrement et là défaillir de douleur à cause des irrévérences commises à son égard par les mauvais chrétiens, par des ecclésiastiques, des religieux et religieuses encore plus mauvais, puisqu'à tant d'amour ils répondent par des sacrilèges et des ingratitudes ; et pour réparer tant d'outrages, l'âme aimante doit souffrir en victime » (*Lettere* I, p. 473 ; cf. p. 272). L'expérience de sa retraite débute par une grâce extraordinaire reçue après la communion et s'achève sur ces mots : « Jésus, mon Époux dans le saint Sacrement ». Au long des années, Paul se rendra de plus en plus compte que l'Eucharistie dispose à participer à la passion de Jésus comme expérience d'amour (*Lettere* I, p. 194).

**7. La doctrine spirituelle.** – 1) On entre dans la contemplation par la passion de Jésus. – A partir de son expérience personnelle, dont nous venons de parler, Paul énonce ce principe qu' « on ne peut passer à la contemplation de la Divinité sans limites que par la porte de l'Humanité toute divine du Sauveur » (*Lettere* I, p. 256). Il développera cette doctrine en s'appuyant sur les thèmes johanniques du Christ « porte » (cf. *Jean* 10, 7, 9), « voie » (14, 6), du Christ « dans le sein du Père » (1, 18). Il fait aussi appel à l'affirmation de Jésus que nul ne peut aller au Père, sinon par lui (*Jean* 14, 6). Mais toujours ces images sont rapportées au Christ dans le mystère de sa passion. Il dit et redit avec une insistance toujours nouvelle : on rejoint la Trinité par un acte de foi et de charité, « en passant par la porte, qui est le Christ, notre Seigneur, en s'immergeant dans la mer de sa très sainte Passion, l'œuvre la plus grande et la plus merveilleuse du divin amour » (*Lettere* II, p. 499 ; cf. p. 492 ; III, p. 748). L'âme, même aux degrés les plus élevés de la contemplation, ne doit pas « perdre de vue » l'humanité du Christ ; non pas au regard de l'imagination, mais en intuition mystique aimante, « au regard de la foi », « au regard de l'amour », « au simple regard de foi et de saint amour » (*Lettere* III, p. 747, etc.).

C'est une particularité du saint que son insistance à présenter aussi la passion de Jésus comme le moyen qui prépare et la voie qui fait accéder à la contemplation : la solitude, le détachement, le silence, le recueillement. De même que le Verbe, pour nous introduire à l'amour du Père, « se dépouilla lui-même » (cf. *Phil* 2, 7 ; les versets 6-11 de ce ch. 2 sont d'une grande importance dans la spiri-

tualité de Paul ; il a laissé comme directive à ses religieux de proclamer la conclusion de cet hymne christologique au début de chaque heure de l'office divin), de même en nous dépouillant de notre propre suffisance, de nos vues humaines, en acceptant la « mort mystique », en nous crucifiant avec Jésus, nous recevrons le don de l'union transformante, de l'union intime avec Dieu dans une vie déifique (*Lettere* II, p. 489, 496). Passer par la porte de la passion signifie également pour lui avoir des garanties plus assurées de ne point tomber dans l'illusion : « Dans vos exercices, continuez surtout à rester dans votre néant, en pureté d'intention avec grande confiance en Dieu, recueillie en Dieu à l'intérieur de vous-même, revêtue de Jésus-Christ et de sa très sainte Passion. Oh ! alors, pas d'illusion » (*Lettere* II, p. 501-502 ; cf. I, p. 791).

2) Faire siennes, par amour, les peines de Jésus. – La contemplation passant par la passion reçoit de Dieu une connaissance – compréhension spéciale de celle-ci comme œuvre d'amour. Dès lors, celui en qui sont « infusées » ou « imprimées » les peines du Sauveur désire les avoir toujours en lui, les ressentir de façon vécue comme sceau et source de l'amour de Dieu pour lui en Jésus et de son amour en Jésus pour le Père.

A ce sujet, Paul écrit à un supérieur religieux missionnaire : « Le point que Votre Révérence ne saisit pas – faire siennes par amour les peines très saintes de mon doux Jésus –, sa Divine Majesté le lui fera comprendre lorsqu'il lui plaira. C'est une œuvre toute divine ; l'âme totalement plongée dans l'amour pur, sans images, en foi toute pure et nue (au gré du Souverain Bien), se trouve aussi soudain plongée dans l'océan des peines du Sauveur ; par un regard de foi elle les comprend toutes, sans les comprendre, la Passion de Jésus étant toute œuvre d'amour, il s'opère un mélange d'amour et de souffrance, l'esprit en demeurant tout imprégné, immergé qu'il est totalement dans un amour souffrant, une souffrance aimante... » (*Lettere* III, p. 149).

« Faire siennes, par amour, les peines de Jésus » signifie participer de manière effective aux souffrances du Sauveur, comme Paul en avait fait l'expérience au cours de sa retraite (6 déc.) ; cela signifie aussi conserver ces peines pour son bien, rester présent par amour à qui nous est présent d'un amour si coûteux, accomplir cet acte connaturel à l'amour de faire sien tout ce qui est en qui l'on aime. Cette expérience est don de Dieu, étant œuvre de foi, de charité théologale, mais on doit s'appliquer, avec la grâce ordinaire, à traduire en acte cet élan propre à l'amour de s'unir à l'Aimé en faisant sien tout ce qui est en lui. Et Paul y revient : « Le saint amour est vertu unitive ; il fait siennes les peines de celui qu'il aime au vrai » (*Lettere* II, p. 440, 458 ; III, p. 398, 804 ; V, p. 172). Il est clair qu'il s'agit pour lui d'un amour sous l'influence vécue de la foi (cf. *Lettere* I, p. 484-485). Au niveau d'une contemplation plus haute, il s'agit d'un amour purifié, où « l'Amant Divin » attire l'âme à lui « et la divinise toute par la sainte union à sa Divine Majesté » ; alors l'âme se laissera « toute imprégner de ces peines, de cet amour (de Jésus), y restant dans un silence, un étonnement sacrés, qui accroissent encore son amour pour Dieu ». Ainsi « toute plongée en ces peines et douleurs, l'âme opère un mélange aimant et douloureux ou souffrant et aimant », exerçant aussi les vertus de façon héroïque (à M.C. Bresciani, *Lettere* I, p. 488-489).

3) Se transformer dans le Bon Plaisir de Dieu. – Participer aux peines du Sauveur, c'est aussi faire

siens ses sentiments, son constant abandon filial à la volonté du Père ; il est, en effet, le modèle auquel on doit se conformer (*Lettere* IV, p. 170 ; V, p. 25). S'abandonner au bon plaisir de Dieu signifie accueillir tout ce qui arrive comme si Dieu lui-même le disposait directement pour nous : « accueillant tout sans intermédiaire de sa propre main aimante » (*Lettere* V, p. 191). Paul n'est pas le seul à insister sur cette conformité ou cet abandon à la volonté de Dieu ; ce qui lui est propre, c'est qu'il voit le bon plaisir divin dans la lumière de la passion de Jésus. Ainsi : comme Jésus, « en se nourrissant de cette douce volonté très sainte, se nourrit si constamment de peines intimes et extérieures que sa vie très sainte fut toute croix », de même l'âme qui l'imite, en se conformant elle aussi à la volonté de Dieu, rencontrera épreuves et croix (*Lettere* I, p. 574). Cette ligne spirituelle a aussi ses degrés : le premier, *se résigner* ; bien au-dessus, *s'abandonner* au bon plaisir de Dieu ; mais « la plus haute perfection consiste à se *nourrir,* en pur esprit de foi et d'amour, de la Divine Volonté », en imitation plus profonde du Sauveur qui « a dit à ses disciples que sa nourriture était de faire la volonté de son Père Éternel » (*Lettere* I, p. 491).

On reçoit du Père, comme grâce mystique, sa volonté en nourriture ; du point de vue humain elle « paraît amère ; en fait, elle est très douce au palais de l'âme » (*Lettere* I, p. 341). D'où la sérénité et la paix, même dans les épreuves les plus dures ; en même temps sont données des grâces plus qualifiées, comme un nouveau baptême dans l'Esprit saint : « nourrissons-nous de la divine volonté et baptisons-nous souvent dans ce bain tout de feu du saint amour. Quotiescumque nos ipsos divino beneplacito resignamus, in Spiritu Sancto baptizamur, filii Dei efficimur » (*Lettere* II, p. 404). Se nourrir de la volonté de Dieu n'est point passivité, mais engagement à réaliser tout ce qui est possible de notre part, précisément pour accomplir cette divine volonté : « Je vis abandonné dans les bras du Père Céleste comme un pauvre petit enfant, désireux de me nourrir toujours de sa très sainte volonté dans le Christ et par le Christ Jésus ; mais je ne dois pas négliger de procurer, selon l'obligation que j'en ai, la mise en œuvre des moyens qui s'imposent » (*Lettere* V, p. 97). Ce qui assure la perfection de cette attitude d'abandon à la divine volonté, c'est de se nourrir de l'Eucharistie. Dans la communion eucharistique on se laisse « assimiler » par Jésus et transformer en lui, en brûlant du même amour qui est le sien. Ayant ainsi « le même cœur » que Jésus, on peut comme lui se nourrir de la volonté du Père en amour filial (*Lettere* III, p. 190).

4) CONTEMPLATION DE LA PASSION ET VIE APOSTOLIQUE. — Contempler l'amour infini de Dieu qui s'est révélé dans l'incarnation et la passion du Verbe, c'est prendre conscience de la volonté salvifique de Dieu, s'assimiler au Christ dans l'engagement qui est le sien de se donner à cette mission de salut. Plus la vie apostolique dérive d'une contemplation du Crucifié et de notre union mystique avec lui, plus aussi elle est intense et féconde. Pour Paul, l'impression intime des peines de l'amour du Christ crucifié était la préparation la meilleure à l'apostolat : « Comme Votre Révérence m'a envoyé les signes extérieurs de la Passion, de même, que sa Divine Majesté les lui imprime dans le cœur, les y gravant avec les dards de son infinie charité, afin que tout brûlant du feu du saint amour, vous en puissiez faire la sainte annonce aux peuples, tribus, langues et nations » (*Lettere* IV, p. 109). Ainsi que nous l'avons noté, pour lui épreuves, tentations et désolations spirituelles sont une excellente préparation pour une vie apostolique

féconde (cf. *Lettere* II, p. 94 ; III, p. 174, 418, etc.). La préparation la plus vraie et la plus solide à l'activité pastorale dérive de la contemplation mystique de la passion, du fait qu'on s'en laisse pénétrer et qu'on en vit avec amour : « Demeure en paix aux pieds du doux Jésus ; davantage, sur sa croix nue... En ce saint repos en Dieu, tu apprendras la science des saints et Dieu béni te rendra propre aux ministères apostoliques » (*Lettere* III, p. 702). C'est ainsi seulement que les religieux seront en mesure d' « annoncer au monde entier l'amour infini de Jésus-Christ, qu'il nous a manifesté en particulier dans sa très sainte Passion et sa Mort » (*Lettere* III, p. 453).

Pour conclure cette présentation rapide de la spiritualité et de l'expérience de Paul, on peut reprendre ce qu'en dit S. Breton :

« La Passion est bien dans cette vie l'élément dominateur. C'est elle qui est au premier plan de l'intentionnalité de conscience, comme voie privilégiée de l'union à Dieu... Le Mystère de Dieu est contemplé par et dans la Passion... La Croix résume toutes les possibilités de vie spirituelle. Centrée sur la conformité à la Passion, cette spiritualité accentuera moins la tension volontaire des « exercices » que la « passivité » de l'assimilation, l'abandon à la volonté divine. Le sujet psychologique conscient et organisé s'efface devant cette fine pointe, ce fond de l'esprit qui, au-delà de toute nature et dans sa nudité, est pure capacité de Dieu » (*La mystique...,* p. 50-51).

Pour ce qui est de la dépendance de Paul à l'égard d'autres spirituels, signalons qu'il a lu en particulier Thérèse d'Avila, Jean de la Croix, François de Sales, mais spécialement Tauler, dont il n'a pris connaissance que vers 1747. Dans le diaire, on relève diverses formules et réminiscences des premiers auteurs, notamment François de Sales. Plus tard, dans la maturité, il se servira davantage d'images, de phrases empruntées à Tauler et qui l'aidaient mieux à interpréter et traduire ce qui se passait en lui-même. Il faudrait étudier de manière plus attentive l'apport original que comporte sa propre expérience, la dégageant des cadres trop rigides dans lesquels jusqu'à présent on a abordé Paul de la Croix ; on a été trop soucieux de l'étudier à travers le schème mystique propre à Jean de la Croix (cf. Zoffoli, *op. cit.,* t. 2, p. 124-199 ; S. Breton, *La mystique,* p. 78-109).

8. **La Congrégation passioniste.** — 1) LES RÈGLES ET CONSTITUTIONS furent écrites entre le 2 et le 7 décembre 1720, au cours de la retraite mentionnée. Ce texte primitif fut incorporé par le fondateur dans celui qui fut présenté au Saint-Siège et approuvé en 1741 par un *rescrit,* en 1746 par un *bref* plus solennel. En 1769 Clément XIV confirma ces règles et, par la bulle *Supremi apostolatus,* approuva l'institut comme congrégation à vœux simples, avec participation aux privilèges des ordres et congrégations à vœux solennels. Pie VI en septembre 1775 confirma à nouveau les règles et l'institut comme congrégation à vœux simples par la bulle *Praeclara virtutum exempla.* Dès 1755 furent adjoints aux règles les *Regolamenti comuni,* pour compléter l'organisation quotidienne de la vie de communauté et, en particulier, fournir pour l'accomplissement des actions prescrites des motivations spirituelles authentiques. Les règles reflètent notablement l'expérience mystique du fondateur alors qu'il les écrivait. On y trouve par ailleurs une résonance évangélique qui fait écho au dis-

cours de Jésus aux apôtres avant de les envoyer en mission.

2) SPIRITUALITÉ. – La congrégation a une doctrine spirituelle qui découle de l'expérience mystique du fondateur dont elle a repris, en vertu de son charisme propre, la spiritualité centrée sur le souvenir de la passion de Jésus comme manifestation spéciale de l'amour miséricordieux du Seigneur. Elle se situe dans le courant spirituel de l'« imitation des apôtres », comme on l'entendait au 12ᵉ et 13ᵉ siècles et comme la comprenaient les congrégations et mouvements d'« observance » de la période qui précéda et suivit le concile de Trente. Mais le centrage sur le souvenir de la passion du Christ introduit dans ce courant spirituel un apport nouveau, une exigence particulière de pratiquer la pauvreté et la pénitence. Les Passionistes doivent vivre sans revenus stables, des seuls dons spontanément offerts. L'administration de ces dons est confiée à des gérants *(sindaci)* laïcs pour éviter aux religieux d'avoir à s'occuper d'argent (*Regulae* 44/I-III/19 svv) ; on demande à notre « S. Mère l'Église d'avoir pleine possession de tout », des couvents et des dons reçus (*Regulae* 54/I-III/19-39). L'abstinence de viande sera continuelle.

Le jeûne, permanent jusqu'en 1746, fut alors ramené à trois fois la semaine en cours d'année, sauf au temps de l'avent et du carême. Jusqu'en 1746 également, on allait complètement déchaussé ; on autorisa alors les sandales. On couchait sur une paillasse, avec les seules couvertures et sans draps. Cette austérité traduisait de façon pratique la participation mystique à la pauvreté pénitente du Christ, « qui mourut nu sur un dur bois de croix » et tout ensemble elle permettait à « Dieu, en son infinie miséricorde, de transformer le religieux en son très saint amour » (*Regulae* 54/I-III/1-15).

La spiritualité est « apostolique », du fait que les religieux imitent les apôtres en restant avec Jésus au *désert*, loin de la foule (cf. *Marc* 6, 31) dans leurs couvents *(ritiri),* fondés dans la solitude pour donner à ceux « qui ne sont plus du monde toute facilité pour se sanctifier au bénéfice du prochain » (Paul de la Croix, *La Congregazione... cos'è e cosa vuole,* notice 47, n. 6). Dans cette solitude, on vit dans la prière et le jeûne, célébrant l'office divin la nuit et le jour en union avec toute l'Église pour louer Dieu, prier en vue de la conversion du monde et de sa persévérance dans le bien. En plus de l'office divin, on consacrait environ trois heures en commun à la prière personnelle et à peu près une autre heure à la célébration eucharistique. Tout cela, contemplation et pénitence, est en vue de réaliser le « don de recueillement intérieur, pour mener toujours la vraie vie apostolique, qui consiste dans le dévouement aux âmes, la prière et la contemplation permanentes, non pas constamment à genoux, mais dans ce profond recueillement intime, tout imprégné de la charité de Dieu » (*Lettere* II, p. 752 ; cf. p. 662 ; III, p. 145-146).

Spiritualité aussi de communion fraternelle, puisqu'elle est « apostolique » et rassemble aux pieds du Christ crucifié. Cette structure de communauté demeure même au cours d'une « mission ». Les religieux qui y sont destinés, avant de quitter le couvent, promettent devant le saint Sacrement obéissance au délégué désigné pour être leur supérieur ; durant le travail apostolique ils prennent leurs repas en commun et seuls ; en commun également, ils récitent l'office divin, font un temps de prière, considèrent le déroulement de la mission et les décisions à prendre (*Regulae* 90/II-III/35 svv).

C'est encore une spiritualité du « souvenir » plein d'amour et de gratitude pour l'amour divin manifesté dans la passion de Jésus : les religieux sont habillés de noir pour se souvenir du « deuil perpétuel qu'ils doivent garder de la très sainte Passion et mort de Jésus-Christ » (*Regulae* 12/I-II/15-40 ; 20/I/33-36). Il émettent le vœu de « promouvoir chez les fidèles le souvenir et le culte de la Passion et de la mort vivifiantes » de Jésus (30/I-III/10-15). Le « Signe du salut » (cœur surmonté d'une Croix avec le Nom de Jésus et le titre de la passion écrits à l'intérieur) rappellent aux religieux, et à ceux qui les voient, « qu'ils ont pour mission de prêcher les peines très amères de notre Jésus, de promouvoir dans tous les cœurs la vraie dévotion par rapport à elles » (*Lettere* II, p. 218). Jésus présent au saint Sacrement dans l'église du couvent constitue l'assurance de cette « union conjointe en lui », comme de « pauvres enfants et de disciples ignorantins » (*Lettere* V, p. 38), qui restent le plus possible avec lui « pour que leur cœur brûle toujours du saint amour de Dieu » (*Regulae* 76/II-III/55 svv). L'activité apostolique permettra de susciter un tel souvenir chez les fidèles en leur enseignant la méditation de la passion de Jésus, qui efface les péchés et mène à une grande sainteté (*Regulae* 4/I-III/1-11 ; 8/I-III/14-20).

3) ACTIVITÉ « APOSTOLIQUE ». – La mise entre guillemets du mot « apostolique » indique qu'on l'entend dans la ligne de l'imitation des apôtres, que par suite une vie contemplative et mystique en fait partie intégrante et en conditionne l'expression au-dehors. Par charisme propre, la congrégation veut apporter à l'Église une conscience renouvelée et profonde de l'amour de Dieu, spécialement tel qu'il se manifeste dans l'expérience douloureuse de Jésus. Par suite, dans les formes variées de la prédication « itinérante » propre aux apôtres (missions populaires, exercices spirituels, cours de catéchèse, entretiens, administration des sacrements, direction spirituelle), elle doit accorder une place prépondérante à la méditation du mystère du salut et apprendre à le méditer de façon adaptée aux diverses conditions.

On s'appliquait à réaliser le même dessein en accueillant dans la solitude des couvents les gens désireux de passer quelques jours en prière. On eut ainsi recours à des livres et à des feuillets imprimés, mais de façon restreinte pour raison d'économie. Il n'y eut pas de mouvement organisé de laïcs pour imiter cette vie spirituelle des Passionistes, du fait que la congrégation, n'ayant pas de vœux solennels, ne pouvait ériger ni tiers ordre, ni confrérie au sens strict. C'est sous Pie IX seulement qu'elle obtint l'autorisation d'établir des confréries. Depuis lors, la Confrérie de la Passion a été instituée.

4) EXPANSION. – Jusqu'en 1840, la congrégation resta en Italie centrale. La même année elle fonda un couvent en Belgique et en 1841 Domenico della Madre di Dio l'introduisit en Angleterre (cf. DS, t. 3, col. 1534-1539). En 1852 elle passa aux États-Unis, en 1878 en Espagne, puis graduellement dans les divers pays d'Amérique du Sud, en Australie et en France. Ce n'est qu'en 1924 qu'elle pénètre en Allemagne et en Pologne ; mais depuis 1782, en dépendance de la Propagande, elle travaillait déjà dans la Valachie et en Bulgarie.

5) AUTEURS SPIRITUELS. – (On n'a retenu que les principaux avec un choix de leurs œuvres). – Giammaria *Cioni* † 1796, *Esercizio di affettuose aspirazioni verso Gesù Appassionato...* (Rome, 1767, etc. Trad. franç., Lille, 1844, 1878 ; espagn., Valladolid, 1890). – Saint Vincenzo Maria *Strambi* † 1824, *Vita* de Paul de la Croix citée *infra* ; *Dei Tesori che abbiamo in Gesù... e dei misteri della sua vivifica Passione e Morte* (Macerata, 1805 ; Florence, 1908) ; *Il mese di giugno consecrato al Preziosissimo Sangue...* (4ᵉ éd., Rome, 1829, etc. Trad. franç., Turnhout, 1845 ; flamande, Turnhout, 1845 ; Bruges, 1929 ; espagn., Barcelone, 1906) ; *Meditazioni sopra i novissimi...* (5ᵉ éd., Foligno, 1820) ; *Ricorso filiale a Maria...* (Foligno, 1797).

*Ignazio del Costato di Gesù* †1844, *La scuola di Gesù Appassionato aperta al cristiano con la quotidiana meditazione delle sue pene* (Rome, 1838 ; une vingtaine d'éd. Trad. franç., Lille, s d ; Paris, 4ᵉ éd., 1876 ; Turnhout, 1933 ; anglaise, Londres, 1866 ; flamande, Mook, 1924) ; *Le armi della fede... contro la seduzione del mondo e le illusioni del proprio cuore* (Rome, 1845, 1885, etc.) ; *Sante industrie per mantenere il frutto dei Spirituali Esercizi* (Rome, 1843). – *Agapito di S. Secondiano* †1845, *Raccolta di esercizi divoti e pie istruzioni...* (6ᵉ éd., Rome, 1819 ; une trentaine d'éd.). – Bienheureux *Domenico della Madre di Dio* † 1849 (cf. DS, t. 3, col. 1534-1539). – *Lorenzo di S. Francesco Saverio* †1856, *L'anima innamorata di Gesù Bambino...* (Assise, 1832 ; 6ᵉ éd., Rome, 1870).

Saint *Gabriel de l'Addolorata* † 1862 (cf. DS, t. 6, col. 1-3). – Joseph *Gasparini* † 1876, *The Attributes of Christ* (Dublin, 1870). – *Séraphin du Sacré-Cœur* † 1879, *Réflexions pieuses sur la Passion...* (Tournai, 1849 ; en flamand, Doornik, 1851) ; *Principes de Théologie mystique...* (Paris, 1873) ; *L'Homme-Dieu souffrant, ou la Divinité de Jésus-Christ... dans sa Passion* (Paris, 1875).

Gaudenzio *Rossi* † 1801, *The Voice of Jesus Suffering... A Book on the Passion* (New York, 1876). – *Louis-Thérèse de Jésus Agonisant* † 1907, *Histoire de S. Paul de la Croix* (Bordeaux, 1866, etc. Trad. espagn., Séville, 1882 ; flamande, 1908 ; ital., Rome, 1952 ; portugaise, Saô Paulo, 1958) ; *Inventions du saint amour ou Exercices spirituels* (Bordeaux, 1873) ; *Fleurs de la Passion, Pensées de S. Paul de la Croix* (Bordeaux, 1875 ; trad. flamande, Courtrai, 1883 ; anglaise, New York, 1891 ; espagn., Buenos Aires, 1901) ; *Les opérations du Saint-Esprit dans les âmes* (La Trappe, 1896 ; trad. ital., Padoue, 1951).

*Norbert de Sainte-Marie* † 1911 (cf. DS, t. 11, col. 424-427). – Arthur *Devine* † 1919 (cf. DS, t. 3, col. 653). – *Dominique de Jésus* † 1923, *Saint Joseph époux vierge d'une Vierge Mère...* (Turnhout, 1919) ; *Janua coeli. Marie porte du ciel ou méditations...* (Paris, 1919) ; *Trésor caché dans la Passion ou méditations...* (2ᵉ éd., Paris, 1932). – *Brice of S. Heart* † 1966, *Journey in the Nigth. A practical introduction to St. John of the Cross...* (New York, 1945) ; *Spirit in Darkness...* (New York, 1946).

*Germanus a Corde Jesu, Passionis D.N. Iesu Christi praelectiones historicae* (3 vol., Turin, 1933-1936). – Nicholas *Schneiders, With Jesus Suffering, Thoughts on the Passion...* (St. Louis, 1947). – Basilio de San Pablo, *El Misterio de nuestra Redención. Sintesis teológica* (Madrid, 1957) ; *La*

*devoción a la Pasión de Cristo. Teología y espiritualidad* (Madrid, 1965) ; *La meditación en la Pasión de Cristo...* (Madrid, 1967) ; *Reflexiones sobre la Pasión de Cristo... para cada día del año* (Madrid, 1968).

Enrico *Zoffoli, La Passione mistero di salvezza* (Manduria, 1966). – Bernardo *Monsegu, El y su Pasión. Ensayo cristológico* (Madrid, 1968). – B. *Rinaldi, Maria di Nazareth : mito o storia?* (Milan, 1963 ; trad. anglaise en 1966) ; *Le quattro dimensioni del mistero pasquale* (Milan, 1968) ; *Religiosi testimoni dell'amore di Cristo* (Milan, 1974). – St. Breton, *Le Verbe et la Croix* (Paris, 1981).

**Bibliographie. – A. Paul de la Croix.** – *Sources inédites* (aux Archives des Passionistes, Rome) : Dépositions de témoins hors procès ; Procès apostoliques.

*Sources éditées.* – *Diario spirituale,* éd. critique et introd. par E. Zoffoli, Rome, 1964 (aussi édité dans *Lettere,* t. 1). – *Lettere,* éd. par A. Casetti et C. Chiari, 5 vol., Rome, 1924 et 1977 (éd. partielle avec le *Diario* sous le titre *Scritti spirituali* par C. Chiari, 3 vol., Rome, 1974-1975). – *La Congregazione della Passione di Gesù : cos'è e cosa vuole. « Notizie » inviate agli amici per far conoscere la Congregazione* (éd. par F. Giorgini, Rome, 1978). – *La morte mistica* (éd. dans *Lettere,* t. 5). – *I Processi di beatificazione e canonizzazione di S. Paolo...* (éd. par Gaetano dell' Addolorata, t. 1-4 : *Processi Ordinari,* Rome, 1969-1979). – Vincenzo Maria Strambi, *Vita del V. Servo di Dio P. Paolo della Croce...* (Rome, 1786).

*Biographies* (choix). – Outre celle de Strambi (citée *supra*) : P. Edmund, *Hunter of Souls. A Study of the Life and Spirit of St. Paul...* (Dublin, 1946). – C. Alméras, *S. Paul..., le fondateur des Passionistes* (Bruges, 1957). – E. Zoffoli, *S. Paolo della Croce, Storia critica* (3 vol., Rome, 1963-1968) : ouvrage fondamental. – M. Bialas, *Im Zeichen des Kreuzes. Leben und Werk des Hl. Paul...* (Leutesdorf, 1974). – F. Piélagos, *Testigo de la Pasión. S. Pablo de la Cruz* (Madrid, 1977).

*Études.* – J. de Guibert, *Le Journal de retraite de S. Paul...,* RAM, t. 6, 1925, p. 26-48. – Gaétan du Saint-Nom de Marie, *S. Paul..., directeur des âmes...,* RAM, t. 9, 1928, p. 25-54 ; *Oraison et ascension mystique de S. Paul...,* Louvain, 1930 ; *Doctrine de S. Paul... sur l'oraison et la mystique,* Louvain, 1932 ; *Esprit et vertus de S. Paul...,* Tirlemont, 1951 (en anglais, New York, 1960). – R. Garrigou-Lagrange, *Nuit de l'esprit réparatrice en S. Paul...,* dans *Études Carmélitaines,* t. 23, 1938, p. 287-293.

J. Lebreton, *Tu solus Sanctus,* Paris, 1948, p. 215-236. – F. Brice, *In Spirit and in Truth. The spiritual Doctrine of St. Paul...,* New York, 1948. – R. Coccalotto, *L'influsso di Taulero nella vita e nella dottrina di S. Paolo...,* dans *Vita Cristiana,* t. 20, 1951, p. 136-145, 287-309. – M. Viller, *La volonté de Dieu dans les lettres de S. Paul...,* RAM, t. 27, 1951, p. 132-174 ; *La mystique de la Passion chez S. Paul...,* RSR, t. 40, 1952, p. 426-445. – P. Oswald, *De mystieke weg van de H. Paulus...,* Mook, 1954.

C. Brovetto, *Introduzione alla spiritualità di S. Paolo...,* San Gabriele, 1955 ; *Il Cantico della Croce,* dans *Fonti vive,* t. 1-3, 1955-1957 (6 livraisons) ; *La vita contemplativa secondo S. Paolo,* dans *La vita contemplativa nella Congr. della Passione,* San Gabriele, 1958, p. 57-122. – Basilio de San Pablo, *La contemplación reparadora en S. Pablo...,* dans *Revista de Espiritualidad,* t. 16, 1957, p. 449-465 ; *La suave y dulce dirección de S. Pablo...,* dans *Vida Sobrenatural,* t. 58, 1957, p. 347-357 ; *La Mariología en el marianismo de S. Pablo...,* dans *Ephemerides Mariologicae,* t. 8, 1958, p. 125-138 ; *La contemplación de la Pasión... como puerta para la contemplación de la Divinidad...,* dans *Teología Espiritual,* t. 2, 1958, p. 81-99 ; *La espiritualidad de la Pasión en... S. Pablo...,* Madrid, 1961.

A. Walz, *Tauler im italienischen Sprachraum,* dans *Johannes Tauler, ein deutscher Mystiker,* Essen, 1961, p. 371-395 ; *Influencia tauleriana en S. Pablo...,* dans *Teología Espiritual,* t. 5, 1961, p. 397-408. – St. Breton, *La*

*Mystique de la Passion...*, Tournai, 1962 ; *Il silenzio nella spiritualità cristiana e in S. Paolo...*, Rome, 1980 ; *La Croix du non-être. L'expérience mystique de S. Paul...*, dans *Vers une théologie de la Croix*, Clamart, 1979, p. 160-176 (en italien dans *La Sapienza della Croce oggi*, t. 3, Turin, 1976, p. 21-35). – E. Henau, *The Naked Suffering (Nudo Patire) in the Mystical Experience of Paul...*, dans *Ephemerides theologicae lovanienses*, t. 43, 1967, p. 210-221.

S. Pompilio, *L'esperienza mistica della Passione in S. Paolo...*, Rome, 1973. – Dans *Teología Espiritual*, t. 19, 1975 : O. Dominguez, *Espiritualidad pasiocéntrica de S. Pablo...*, p. 353-377 ; N. García Garcés, *Vivencia del misterio de María en S. Pablo...*, p. 451-473 ; L. Díez Merino, *La Biblia en el magisterio de S. Pablo...*, p. 475-503 ; M. Garrido Bonaño, *La oración personal y la litúrgica en S. Pablo...*, p. 505-538 ; P.E. Llamas, *S. Pablo... y S. Juan de la Cruz. En busca de las fuentes de su doctrina mística*, p. 581-607.

C. Chiari, *Il mistero della Croce nella direzione spirituale di S. Paolo...*, dans *La Sapienza della Croce oggi*, t. 2, Turin, 1976, p. 127-134. – E. Pacho, *La Croce nella mistica di S. Giovanni della Croce e di S. Paolo...*, ibidem, p. 181-196. – M. Bialas, *Das Geistliche Tagebuch des hl. Paul...*, Aschaffenburg, 1976 ; *Das Leiden Christi beim hl. Paul... Eine Untersuchung über die Passionszentrik...*, Aschaffenburg, 1978 ; *Participare alla potenza della sua Resurrezione. Ricerche sulla presenza del Cristo risorto nella mistica della Passione in S. Paolo...*, Rome, 1978 ; *La Passione di Gesù come la « più stupenda opera del divino amore »...*, Rome, 1980 ; *Paolo... come direttore spirituale*, dans *La Direzione spirituale oggi*, Naples, 1981, p. 97-118. – A.M. Artola, *La 'Muerte mística' según S. Pablo...*, Deusto-Bilbao, 1980. – L. Díez Merino, *Fundamentos bíblicos en la doctrina sobre la 'muerte mística' de S. Pablo...*, dans *Teología Espiritual*, t. 25, 1981, p. 51-93.

**B. La Congr. des Passionistes.** – *Textes institutionnels.* – Regulae et constitutiones Congr. SS. Crucis et Passionis..., éd. F. Giorgini, Rome, 1958. – *Consuetudines...*, éd. Giorgini, Rome, 1958. – *Decreti e Raccomandazioni dei Capitoli generali...*, éd. Giorgini, Rome, 1960. – *S. Paolo della Croce, Guida per la animazione spirituale della vita passionista. Regolamenti del 1755*, éd. Giorgini, Rome, 1980.

*Histoire et spiritualité.* – Pour l'histoire, voir surtout *Storia dei Passionisti*, t. 1, *Il periodo del Fondatore (1720-1775)*, par F. Giorgini (Rome, 1981) ; t. 2/1 *La successione (1775-1796)*, par C. Naselli (Rome, 1981) ; à suivre.

Voir aussi : F. Ward, *The Passionists* (New York, 1923). – G. Herbert, *The Preachers of the Passion* (Londres, 1924). – Bernaola de S.M., *Album histórico de los Pasionistas de la Prov. de la S. Familia* (Mexico, 1933). – C. Yuhaus, *Compelled to speak. The Passionists in America...* (New York, 1967). – E. Zoffoli, *Le Monache passioniste. Storia e spiritualità* (Padoue, 1970). – L. Ravasi, *Le Monache passioniste e le loro regole. Storia, testi, documenti* (Rome, 1970).

C. Naselli, *La soppressione napoleonica delle corporazioni religiose. Il caso dei Passionisti in Italia* (Rome, 1970) ; *La solitudine e il « deserto » nella spiritualità passionista* (Rome, 1978) ; *La celebrazione del mistero cristiano e la liturgia delle Ore in S. Paolo...* (Rome, 1980). – M.P. Doudier, *Les Passionistes en France...* (Clamart, 1977). – C. Brovetto, *La Struttura apostolica della Congr. passionista* (Rome, 1978).

St. Breton, *La Congr. passionista e il suo carisma* (Rome, 1978) ; *Vers une théologie de la Croix* (Clamart, 1979). – A.M. Artola, *La presenza della Passione di Gesù nella struttura istituzionale e nell'apostolato della Congr. passionista* (Rome, 1980). – F. Giorgini, *Promuovere la grata memoria e il culto della Passione di Gesù...* (Rome, 1980) ; *La povertà evangelica della Congr. passionista negli scritti di S. Paolo...* (Rome, 1980) ; *La comunità passionista...* (Rome, 1980) ; *« Condizioni per diventare uomini d'orazione » nella dottrina di S. Paolo...* (Rome, 1980).

DIP, t. 6, art. *Paolo della Croce*, col. 1101-1105 (C.

Chiari) ; art. *Passioniste*, col 1233-1235 (L. Ravasi) ; art. *Passionisti*, col 1236-1247 (C. Naselli).

DS, t. 1, col. 10, 852, 1151, 1708 ; – t. 2, col. 2039-42 *(Contemplation)*, 2364-65, 2606 ; – t. 3, col. 508, 635-37 et 640-41 *(Désolation)*, 767, 1134, 1641, 1695 ; – t. 4, col. 736, 1618 ; – t. 6, col. 184 ; – t. 7, col. 1583-84 *(Imitation du Christ)*, 2262-64 *(Italie)* ; – t. 9, col. 456 ; – t. 10, col. 148, 396, 736, 1789-90 *(Mort mystique)*.

Fabiano GIORGINI.

**6. PAUL DIACRE**, bénédictin, † vers 799. – 1. *Vie*. – 2. *Œuvres*.

1. VIE. – « Paulus diaconus » (désignation habituelle des mss, mais on ne sait ni où ni quand il reçut l'ordination) naquit dans une noble famille lombarde à Cividale du Frioul après 720 ; son père s'appelait Warnefrid (d'où l'appellation Paul Warnefrid), sa mère Theudelinde. Il reçut une excellente éducation à la cour de Pavie, puis fut employé à la chancellerie royale. Pédagogue d'Adelberge, fille du roi Didier, il accompagna celle-ci à Bénévent après son mariage. Il devint moine au Mont-Cassin, à la suite sans doute des revers qu'entraîna pour sa famille la conquête du royaume lombard par Charlemagne (774). Il écrivit à celui-ci vers 781, pour intercéder en faveur de son frère Arichis, prisonnier. Le roi franc, qui connaissait sans doute sa vaste culture, l'appela près de lui et Paul devint, avec Pierre de Pise et Paulin d'Aquilée (cf. la notice de ce dernier, *infra*), l'artisan de la première renaissance carolingienne, avant la venue d'Alcuin. En 787 il regagne le Mont-Cassin, où il meurt un 13 avril, vers 799.

Il est difficile de déterminer quelle fut la spiritualité d'un homme qui se montre surtout grammairien, poète et historien. On notera d'abord qu'il déclare, à propos d'Eutrope, avoir voulu insérer « l'histoire divine » dans l'œuvre d'un gentil. Par ailleurs il manifeste avec délicatese des sentiments amicaux à l'égard, par exemple, d'Adalard de Corbie (DS, t. 1, col. 185-6) ou d'un prêtre en difficulté ; il exprime aussi son attachement pour saint Benoît, son abbé Theudemar, son monastère. Pieux, confiant en Dieu, il fait une grande place au Christ dans sa pensée. Tous ces traits deviendront des constantes de la spiritualité des lettrés carolingiens, comme le goût des épitaphes, des inscriptions, et même de la fable. Un certain sens de la nature lui serait peut-être plus personnel.

Paul Diacre mérite une place dans l'histoire de la spiritualité pour son *Homéliaire*, sa *Vie* de saint Grégoire et son rôle dans la transmission de la Règle de saint Benoît ; le commentaire de la *Regula*, qui n'est pas de lui, est encore cité sous son nom. De nombreux points restent obscurs dans la biographie de Paul Diacre, et les éditions de ses œuvres ne sont pas définitives. Il manque encore, du moins à notre connaissance, une étude d'ensemble qui ferait le point sur sa personnalité et son œuvre selon les exigences de la critique moderne.

2. ŒUVRES. – 1° *Grammaire et poésie.* – 1) *Sexti Pompei Festi de verborum significatione quae supersunt cum Pauli epitome*, PL 95, 1603-1704, d'après A. Mai ; éd. critique W.M. Lindsay, Leipzig, 1913 (Bibliothèque Teubner). – 2) *Carmina*, PL 95, 1591-1604 (l'élégie sur sainte Scholastique est d'Albéric du Mont-Cassin, 11ᵉ s.) ; E. Dümmler, *Petri et Pauli diaconorum carmina*, MGH *Poetae latini aevi*

*carolini,* Berlin, 1881, p. 35-86 ; éd. critique annotée par K. Neff, *Die Gedichte des Paulus Diaconus,* Munich, 1908. L'hymne *Ut queant laxis,* pour la fête de saint Jean-Baptiste, n'est pas de Paul (cf. NEC, t. 14, 1967, p. 501).

2° *Lettres.* – PL 95, 1583-92 ; meilleure éd. E. Dümmler, MGH *Epistolae,* t. 4, Berlin, 1895, p. 505-516. La lettre à Charlemagne accompagnant l'envoi d'un exemplaire de la *Regula Benedicti* est bien de Paul ; cf. J. Neuville, *L'authenticité de l'Ep. ad Regem Karolum de monasterio S. Benedicti directa et a Paulo dictata,* dans *Studia monastica,* t. 13, 1971, p. 295-309 (texte de la lettre dans *Corpus consuetudinum monasticarum,* t. 1, Siegbourg, 1963, p. 129-136). En outre, les corrections stylistiques et orthographiques portées dans les marges de cet exemplaire (ms A. codex 914 de Saint-Gall) sont probablement de la main de Paul ; cf. J. Neuville, *La Règle de S. Benoît,* SC 181, 1972, introd., p. 320-327.

Par contre, le *Commentarium Regulae S. Benedicti* (éd. dans *Bibliotheca Casinensis,* t. 4. 2, Mont-Cassin, 1880, p. 1-173) ne peut plus être attribué à Paul ; cf. W. Hafner, *Paulus Diaconus und der ihm zugeschriebene Kommentar zur Regula S. Benedicti,* dans *Commentationes in Regulam S. B.,* éd. B. Steidle, coll. Studia Anselmiana 42, Rome, 1957, p. 347-358 ; *Der Basiliuskommentar zur Regula S.B.,* coll. Beiträge zur Geschichte des alten Mönchtums und des Benediktinerordens 23, Münster, 1959 ; A. de Vogüé le cite encore sous son nom *(Règle de S. Benoît,* commentaire, SC 184-186, 1971, *passim).*

3° *Histoire.* – 1) *Historia Romana (De gestis Romanorum ad Eutropii Historiam additiones),* dédiée à Adelberge. Éditions diverses : PL 95, 739-998, d'après Muratori ; H. Droysen, MGH *Auctores antiqui,* t. 2, Berlin, 1879, p. 183-224 ; A. Crivelluci, coll. Fonti per la storia d'Italia, Rome, 1914. – 2) *Libellus de numero vel ordine episcoporum...in Mettensi civitate* (écrit durant le séjour près de Charlemagne à Metz) ; PL 95, 699-710, d'après G.H. Pertz, MGH *Scriptores,* t. 2, Hanovre, 1829, p. 260-270 ; version amplifiée, *Gesta episcoporum Mettensium,* PL 95, 710-724, d'après A. Calmet.

3) *Historia Longobardorum* (jusqu'en 744). C'est l'œuvre la plus célèbre de Paul Diacre ; celui-ci utilise des documents plus anciens et, malgré quelques embellissements littéraires, la valeur historique de son récit n'est pas négligeable. Éd. nombreuses : PL 95, 433-672, d'après Muratori ; éd. critique L. Bethmann et G. Waitz, MGH *Scriptores Rerum Langobardicarum,* Hanovre, 1878, p. 45-187 (introd. de G. Waitz sur la vie de Paul et la tradition manuscrite, p. 12-45) ; *Historia dei Longobardi,* trad. ital. et notes de F. Roncoroni, introd. d'E. Fabiani, Milan, 1970, 1974 ; *History of the Lombards,* texte par E. Peters, trad. angl. de W.D. Foulkes, Philadelphie, 1974.

G. Pontoni, *Introduzione alla Historia Longobardorum di P.D.,* Milan, 1940 ; *Introduzione agli studi su Paolo Diacono storico dei Longobardi,* Naples, 1946. – E. Sestan, *La storiografia dell'Italia longobarda : Paolo Diacono,* dans *La storiografia medievale* (17e Semaine d'études), Spolète, 1970, p. 357-386.

4° *Hagiographie.* – *Vita S. Gregorii,* PL 75, 41-59 ; (BHL, 3640 ; texte interpolé) ; éd. critique par H. Grisar, ZKT, t. 11, 1887, p. 162-173 (BHL, n. 3639). – W. Stuhlfauth, *Gregor der Grosse,* Heidelberg, 1913.

5° *Homéliaire,* recueil d'homélies patristiques collationné à la demande de Charlemagne pour les lectures liturgiques des offices de nuit. La collection originale comprenait 244 pièces et se divisait en deux parties (hiver : Avent-Samedi saint ; été : Vêpres du Samedi saint-fête de S. André et commun des saints) ; pour le contenu et son originalité, cf. art. *Homéliaires,* DS, t. 7, col. 602.

Cette collection fut reprise et amplifiée dans la suite ; voir l'inventaire des pièces et leur identification par R. Grégoire, *Homéliaires liturgiques médiévaux,* Spolète, 1980, ch. 13, p. 423-486 (mise à jour du ch. 2 de son étude antérieure, *Les homéliaires du Moyen Age,* Rome, 1966, p. 71-108). Pour les amplifications, voir C.L. Smetana, *Aelfric and the early medieval Homiliary,* dans *Traditio,* t. 15, 1959, p. 163-204 ; R. Quadri, *Paolo Diacono e Lupo di Ferrières. A proposito di Parigi B.N. lat. 9604,* dans *Studi medievali,* t. 16, 1975, p. 737-746 ; J.-P. Bouhot, *L'Homéliaire des Sancti Catholici Patres* (12e s.). *Reconstitution de sa forme originale ; Tradition manuscrite ; Sources et composition,* dans *Revue des études augustiniennes,* t. 21, 1975, p. 145-196 ; t. 22, 1976, p. 143-186 ; t. 24, 1978, p. 103-158 (p. 151-153 : emprunts à Paul Diacre). L'éd. de PL 95, 1159-1666, ajoute plusieurs pièces, dont quatre homélies sous le nom de Paul Diacre, d'après Martène, Mabillon et Mai ; la première au moins, pour la fête de l'Assomption, est authentique ; cf. G. Marocco, *Nuovi documenti sull'Assunzione nel Medio Evo latino,* dans *Marianum,* t. 12, 1950, p. 399-459.

« Avec des additions et autres modifications, l'homéliaire de Paul Diacre remplit le rôle de lectionnaire patristique de la Liturgie des Heures, utilisé par l'Église latine durant de nombreux siècles, pratiquement jusqu'à son élimination à la suite du renouveau voulu par le Concile œcuménique Vatican II, en la Constitution *Sacrosanctum Concilium,* du 4 décembre 1963 » (R. Grégoire, *Homéliaires liturgiques...,* p. 425).

L. Bethmann, *Paulus Diaconus. Leben und Schriften,* dans *Archiv der Gesellschaft für ältere deutsche Geschichtskunde,* t. 10, 1851, p. 247-334 (étude toujours fondamentale). – M. Manitius, t. 1. Munich, 1911 (réimpr. anastatique 1959), p. 257-272 (bibliographie), et *passim* (cf. Register, p. 753). – W. Wattenbach et W. Levison, *Deutschlands Geschichtsquellen im Mittelalter,* t. 1, Weimar, 1953, p. 212-214.

*Atti del 2° Congresso internazionale di Studi sull'alto medioevo,* Spolète, 1953 (plusieurs contributions sur Paul D.). – L.J. Engels, *Observations sur le vocabulaire de Paul Diacre,* coll. Latinitas Christianorum primaeva 16, Nimègue, 1961. – *Medioevo latino,* t. 1, 1980, n. 1727-34 ; t. 2, 1981, n. 1555-57.

DTC, t. 12/2, 1933, col. 40-43 (É. Amann). – EC, t. 9, 1952, col. 730-732 (A. Amore). – LTK, t. 8, 1963, col. 230-31 (A. Kollautz). – NEC, t. 11, 1967, p. 24-25 (C.M. Aherne).

DS, t. 1, col. 269, 1376, 1383, 1413 ; t. 2, col. 484 ; t. 3, col. 1079 ; t. 4, col. 1697 ; t. 5, col. 726-7 (Venance Fortunat) ; t. 6, col. 552, 906 (Grégoire) ; t. 7, col. 283, 522, 598-602 (Homéliaire), 1057, 2170 ; 2172-73 (Italie ; inauthenticité du *Commentaire*) ; t. 8, col. 364, 1114 ; t. 10, col. 447 (fêtes mariales et *Homéliaire*), 853 (Maxime de Turin).

Jacques HOURLIER.

**7. PAUL ÉVERGÉTINOS** (DE L'ÉVERGÉTIS), moine byzantin, † 1054. – Le *Typikon* du monastère de « La Mère de Dieu Bienfaisante » (τῆς Εὐεργετίδος), rédigé par son second higoumène Timothée (éd. et trad. franç. par P. Gautier, dans *Revue des études byzantines,* t. 40, 1982, p. 5-101), nous apprend que ce monastère fut fondé en 1049 par Paul, homme d'une certaine aisance et cultivé, dans une maison de campagne qui lui appartenait (sans doute à 3 km environ des murs de Constantinople, vers l'ouest). Paul mourut cinq ans après, le 16 avril 1054. Jusqu'alors peu peuplé et formé de simples cabanes, le monastère se développa dans la suite sous l'impulsion de Timothée.

Paul de l'Évergétis est surtout célèbre par le Florilège monastique qu'il rédigea et qui reçut dans la suite le nom d'*Évergétinon*. L'ouvrage a été déjà présenté globalement par M. Richard, art. *Florilèges*, DS, t. 5, col. 502-503 (repris dans *Opera minora*, t. 1, Turnhout-Louvain, 1976, *Opus* 1, sans pagination). L'inventaire des sources, esquissé par M. Richard, serait à préciser, spécialement en ce qui concerne le *Gérontikon*; le florilège est en effet la source grecque la plus abondante de la collection alphabético-anonyme des *Apophtegmes*: inventaire détaillé des références dans les tableaux établis par L. Regnault, *Les Sentences des Pères du désert, Troisième recueil et tables*, Solesmes, 1975, p. 201-288 et 302-304 (3ᵉ colonne, sous le sigle PE).

La diffusion de l'*Évergétinon* est attestée par les nombreux mss qui le contiennent intégralement ou en partie (cf. DS, t. 5, col. 503); édité à Venise en 1783 (par Macaire de Corinthe et Nicodème l'hagiorite, cf. DS, t. 10, col. 10-11; t. 11, col. 235), il a été plusieurs fois réimprimé: Constantinople, 1861; Athènes, 1900, 1901, et récemment en 4 vol., 1957-1966. Ce succès, maintenu jusqu'à nos jours, ne s'explique pas seulement par le choix des textes recueillis mais encore par l'organisation de l'ouvrage, œuvre propre de Paul. Le travail exigé par la constitution d'un tel ensemble a pu difficilement trouver place dans les courtes années de la vie monastique; on peut penser qu'il en avait élaboré le projet et rassemblé les documents avant sa retraite à l'Évergétis.

Sans vouloir présenter ici une analyse détaillée de l'*Évergétinon*, nous croyons utile d'en indiquer l'objectif global, en mentionnant au moins quelques titres des cinquante *hypothèseis* (thèmes traités) que comporte chacun des quatre livres.

Le premier livre est destiné visiblement aux *commençants*. Il donne en effet les *principes généraux* de l'ascèse monastique: souvenir de la mort et du jugement (*hyp.* 5), péché et repentir (8), *xeniteia* (13), crainte de Dieu (14), renoncement (*apotagè*, 15-18), obéissance (*hypotagè*, 19), ouverture de conscience aux Pères doués de discernement (20-21), difficultés de l'ascèse et patience (28-31), habit monastique (32), humilité (44-46).

Le second traite des *usages* monastiques et des exigences de la *vie en commun*: travail (3-4), soin des objets du monastère (7), services (6-9), heures de prière (10), psalmodie (11), danger de la « philautie » (14), soin du corps et mesure dans l'ascèse (18), repas et tenue à table (21-23), éviter l'impureté (25-26), *penthos* et larmes (32), colère (35), amour des ennemis (40-41), éviter mensonges et calomnies (45-46), quand parler et quand se taire (47), correction fraternelle (50).

Avec le troisième livre, on passe du comportement extérieur aux *dispositions intérieures*: ne pas juger (2), ne pas scandaliser ni se scandaliser (3), hypocrisie, malice, duplicité, envie (5), la conscience, « grand don de Dieu » (8), acédie, tristesse (13), comportement dans la maladie (14-15), secret et discrétion dans la vertu (26-27), nécessité du secours divin pour la conversion: agir en « fils de Dieu » ne vient pas des efforts mais de la grâce (32), conduite dans les tentations (33), ne pas désirer les charismes (35), car la charité est la plus grande des vertus (36, 37-39), relâcher l'ascèse pour accueillir un visiteur (42), l'aumône qui convient au moine (47).

Le quatrième livre aborde des sujets qui supposent un progrès dans la vie spirituelle; il traite ensuite des devoirs de ceux qui occupent une fonction d'ordre spirituel. Les 26 premiers chapitres forment ainsi une première partie qui enseigne les voies de la perfection: pauvreté spirituelle (1), libéralité dans les aumônes (2), car l'avarice est le plus grand des maux (3), charité envers Dieu et ses effets (4), *hésychia* (5), mort spirituelle (6), prière continuelle (8): grâce à la prière tout est donné à l'homme et celui-ci est uni à Dieu (10), nécessité de la lecture des Écritures, en pratiquant ce qu'on lit (15-16), « théologie », sagesse et science spirituelles (23), comment le *noûs* participe à la grâce divine et se trouve conduit à la contemplation (24), celle-ci tient lieu de toutes choses, même de nourriture, boisson et vêtement (26).

La seconde partie du livre commence par évoquer la dignité du sacerdoce (ἱεροσύνη): il ne faut pas le désirer, mais le recevoir comme un appel de Dieu; de même pour le gouvernement et l'enseignement (27), célébrer avec respect (28), en pensant que la célébration unit la terre au ciel (29; curieusement, Paul cite ici Grégoire le Grand, et non pas le *De sacerdotio* de Jean Chrysostome), la communion est utile, à condition d'en être digne (34), celui qui est sous le coup d'une peine et ne communie pas doit quitter la célébration avec les catéchumènes (35), il n'appartient pas à tous d'enseigner, mais seulement à ceux qui en sont capables par l'effet de la Providence (38), celui qui « discerne » d'après le Saint Esprit, même s'il n'est pas prêtre, a Dieu pour garant (affirmation appuyée sur un événement de la vie de saint Benoît cité par Grégoire), de même Dieu donne aux « purs » d'enseigner les autres (39). Suivent quelques indications sur les devoirs du vrai pasteur ou enseignant: prendre garde aux dangers qui menacent leurs fidèles (40), ménager les faibles, et spécialement les commençants, ne pas exiger de tous la même mesure d'ascèse (45-46), ne pas rebuter le pécheur qui se repent (47).

Comme on le voit, l'*Évergétinon*, à travers les exemples et les instructions qu'il recueille, propose une doctrine spirituelle relativement complète, bien qu'elle soit limitée à l'aspect pratique et ne comporte point d'enseignement proprement spéculatif. A ce titre, ce florilège mérite de jouer dans les monastères orientaux un rôle analogue à celui du *Traité de la perfection chrétienne* d'Alphonse Rodriguez dans les noviciats et les maisons de formation des instituts religieux d'Occident.

Paul de l'Évergétis a constitué en outre un recueil de *Catéchèses* monastiques, transmis par plusieurs mss; une soixantaine de pièces semblent son œuvre propre et lui sont attribuées nommément dans le *Londin. Cromwellianus* 22; le reste du recueil est tiré de Maxime le Confesseur, du Pseudo-Macaire, d'Évagre, de Marc l'ermite et surtout de la *Grande Catéchèse* de Théodore Studite. Cf. J. Leroy, *Un nouveau témoin de la Grande Catéchèse de S. Th. St.*, dans *Revue des études byzantines*, t. 15, 1957, p. 73-88 (voir p. 75-76; l'édition annoncée p. 76, n. 2, d'un *Recueil de catéchèses de Paul de l'Évergétis*, n'a pas été publiée).

J. Pargoire, *Constantinople. Le monastère de l'Évergétis*, dans *Échos d'Orient*, t. 9, 1906, p. 366-373; t. 10, 1907, p. 155-167, 259-263. – R. Janin, *La Géographie ecclésiastique de l'Empire byzantin*, t. 3, *Les églises et les monastères*, Paris, 1953, p. 186-192 (fondation, histoire, localisation de l'Évergétis). – I. Hausherr, *Paul Évergétinos a-t-il connu Syméon le Nouveau Théologien?*, OCP, t. 23, 1957, p. 58-79. – J. Leroy, cité *supra*. – J.-M. Sauget, *Paul Évergétinos et la collection anonyme des Apophtegmes des Pères*, OCP, t. 37, 1971, p. 223-225.

Aimé SOLIGNAC.

**8. PAUL GIUSTINIANI,** camaldule, 1476-1528. Voir *Giustiniani* (Paul), DS, t. 6, col. 414-417. Depuis la parution de cette notice, E. Massa a publié *Trattati, lettere e frammenti dai manoscritti originali dell' Archivio dei Camaldolesi di Monte Corona...*, 2 vol., Rome, 1967-1974.

**9. PAUL DE LAGNY,** capucin, † 1694. – 1. *Vie.* – 2. *Œuvres.* – 3. *Doctrine.* – 4. *Influences.*

1. VIE. – Ayant pris l'habit chez les capucins à Amiens le 4 mai 1630, Paul de Lagny fut envoyé en mission au Levant en 1640, année où son frère (Léandre de Lagny) entrait aussi dans l'ordre. Le 16 octobre 1643, Paul quitta Constantinople pour Chio ; il revint en France en 1649. En 1651, il est maître des novices à Paris (couvent Saint-Jacques), puis secrétaire provincial (1656-1658) et de nouveau maître des novices. Il retourna au Levant, arrivant à Constantinople le 17 juin 1660, puis à Smyrne le 1er août 1661, de nouveau à Constantinople, et rentra en France après le 11 octobre 1662. Il laissa à la mission du Levant des ouvrages en grec demeurés inédits, dont des homélies sur le *Magnificat.*

De 1663 à 1666, il redevient maître des novices au couvent Saint-Jacques et confesseur des capucines de Paris ; il se laissa naïvement compromettre dans l'Affaire des poisons, mais sa lettre à Bachimont (3 juillet 1675), l'un des assassins de Charles-Emmanuel de Savoie, montre sa bonne foi. En 1679, on l'envoya porter à Rome le dossier de la béatification d'Honoré de Paris † 1624 (DS, t. 7, col. 719-721). A son retour, il se consacra à la visite des malades pauvres et mourut au couvent Saint-Jacques le 8 août 1694.

2. ŒUVRES. – Paul de Lagny a laissé les œuvres suivantes : 1) *Le double esprit d'Élie, qui introduit l'âme dans la vie active et contemplative* (Paris, 1657) : c'est l'ébauche du n. 3. – 2) *Exercice méthodique de l'oraison mentale en faveur des âmes qui se retrouvent dans l'estat de la vie purgative...*, en deux parties, p. 1-675, suivies de *Considérations sur les principales Festes de la sainte Vierge* (et quelques autres fêtes), p. 1-86 (Paris, 1658). – 3) *Introduction à la vie active et contemplative* (Paris, 1658) ; rééd. sous le titre : *Conduite intérieure pour les âmes qui désirent tendre à la perfection chrestienne par les exercices de l'oraison et de l'action tirée sur le modèle de Jésus-Christ Notre Seigneur* (Paris, 1698) ; trad. italienne : *Introduzione alla vita attiva e contemplativa...* (Milan, 1719, 1725 ; Vérone, 1743).

4) *Canones amoris sacri* (Paris, 1659), suite de petits chapitres d'allure très mystique, mais sans ordre bien apparent. – 5) *La pratique de bien mourir, ou moyens salutaires pour aider les malades à rendre leurs infirmités méritoires et les moribonds à faire une bonne mort* (anonyme, Paris, 1663 ; ce serait la trad. franç. d'un ouvrage de Paul de Lagny composé en italien. – 6) *Méditations religieuses disposées pour tous les jours de l'année sur tous les mystères de nostre sainte foy* (les états de vie du Christ, les quatre fins de l'homme, les fêtes de la Vierge et des saints), « accommodées... pour être lues publiquement dans les maisons religieuses où l'oraison se fait en commun, et ordonnées en faveur des prédicateurs » (2 vol., Paris, 1663) ; l'ouvrage était une commande du ministre général des capucins. – 7) *La vie de la séraphique espouse de J.-C. Marie-Laurence Le Long, napolitaine, première fondatrice des capucines...* (Paris, 1667) ; cf. DS, t. 9, col. 989.

8) *Le chemin abbrégé de la perfection chrétienne dans l'exercice de la volonté de Dieu* (Paris, 1673 ; rééd. avec introd. d'Ubald d'Alençon, Paris, 1929) : dans la pensée de l'auteur, le *Chemin* introduit à tout son enseignement ; c'est « l'ouverture pour entendre les autres livres qui doivent suivre cet abrégé ». Paul de Lagny y parle (section 1 ; rééd., p. 29) de 12 autres livres qu'il « prétend donner au public en peu de temps » ; cela n'a jamais paru. Le *Chemin* peut être considéré comme le chef-d'œuvre spirituel de Paul de Lagny.

Il faut ajouter à cette liste deux ouvrages composés en grec : une *Didaskalia* chrétienne (Paris, 1666) et un *Encheiridion* (1668) ; d'autres ouvrages en grec sont restés manuscrits, dont une traduction adaptée de l'*Imitation de J.-C.*

3. DOCTRINE. – 1° Les idées de Paul de Lagny sur l'*oraison* mentale sont exposées dans plusieurs de ses écrits et appartiennent nettement au courant contemporain. L'*Exercice méthodique* la situe d'abord (tr. 1) dans l'ensemble de la vie spirituelle, dans ses relations avec la direction de conscience, la purification du corps, de l'imagination, etc., puis aborde le vif du sujet : préparation prochaine, considération, affection, consolations et peines, les sept degrés de l'oraison et de l'oraison continuelle, discernement de la fausse et de la bonne oraison (tr. 2-5). Toute cette matière est reprise en 1663 dans l'avant-propos des *Méditations religieuses* (t. 2), mais d'une manière condensée. La seconde partie de l'*Exercice* et les deux vol. des *Méditations* offrent des textes élaborés en vue d'aider l'utilisateur.

Dans le *Chemin abrégé*, il est dit que « l'état d'oraison suit ordinairement l'état de la volonté humaine », l'entendement devant aller pas à pas avec « l'application de la volonté humaine à la divine » (sect. 15). Cela posé, il parle de l'oraison des commençants (voie purgative), des progressants (voie illuminative) et des parfaits (voie unitive) à la lumière de la triple gradation de la volonté juste ou bonne, de bon plaisir ou d'amitié, et de parfaite conformité (sect. 16-18) dont on traitera plus loin.

2° *Le Christ.* – Quelle que soit la progression dans les voies spirituelles, quel que soit le mécanisme psychologique de la méthode utilisée, il est important de noter que l'objet privilégié de l'oraison est le Christ.

« Jésus-Christ vivant et mourant doit être le sujet le plus ordinaire de toutes nos méditations, en quelque disposition intérieure que nous nous trouvions » (*Conduite*, Au lecteur). Incontestablement Paul est marqué à la fois par la tradition franciscaine venue de saint Bonaventure et par le courant de ses contemporains, en particulier Bérulle, surtout lorsqu'il aborde le sujet des anéantissements du Verbe Incarné. Mais c'est le mystère du Christ pris dans son ensemble qu'il détaille et enseigne à contempler dans ses *Méditations religieuses*. Le plus important de ces mystères est la révélation par le Christ et dans le Christ de l'amour de Dieu pour les hommes. Reprenant Bonaventure, il rappelle que l'ouverture du cœur de Jésus montre qu'on ne peut accéder au mystère de Dieu qu'en passant par l'humanité du Christ ; la méditation pour le 29 mars (t. 1, p. 104) expose que saint Jean penché sur la poitrine de Jésus à la cène montre qu'on ne peut aimer le Christ qu'avec le cœur du Christ même. Ce qui est une façon de parler de l'union de l'âme contemplative avec Dieu Amour incarné. Dans la prière finale de la méditation du 29 novembre (t. 1, p. 348), Paul, à propos de la plaie du côté de Jésus, n'enseigne pas autre chose que la vraie dévotion au Sacré-Cœur en même temps qu'il reste fidèle au principe de réciprocité amoureuse de l'homme et de Dieu sur lequel insistait François d'Assise. Mais une particularité de Paul est l'attention qu'il porte aux « exercices » du Christ en sa vie terrestre. Dans l'introduction au lecteur de la *Conduite intérieure*, il énumère des « exercices » à faire pour chaque jour de la semaine, comme Jésus les accomplissait pleinement chaque jour : pureté d'intention, souffrance, solitude, conformité à la volonté divine, amour de Dieu, oraison mentale. Paul précise ici que la conformité à la volonté de Dieu est l'exercice « le plus parfait, le plus intelligible et le plus universel que puisse se choisir une âme qui commence à s'adonner au service de Dieu ».

3) *La volonté de Dieu.* – Paul souligne l'importance de la parole de Jésus : « Ma nourriture est de faire la volonté de mon Père » (*Jean* 5, 34 ; cf. *Chemin*, section 1). C'est à cause du Christ modèle et chef que la conformité à la volonté de Dieu est un acte capital. Mais qu'est-ce que la volonté de Dieu ? « La volonté de Dieu est la gloire mystique de sa justice » (*Chemin*, ép. dédic.). La formule, peut-être peu claire, dépasse l'aspect purement psychologique et moral, bien que le contexte du passage montre que *justice* signifie ici le jugement divin et non la sainteté divine ; elle oriente vers la « gloire mystique » et non seulement vers une exigence morale. Paul distingue avec l'Apôtre (*Rom.* 12, 2) trois « états » de la volonté de Dieu ; elle est juste ou bonne pour les commençants, de bon plaisir pour les progressants, parfaite pour ceux qui sont sur la voie unitive. Ainsi le spirituel dans son cheminement apprend à saisir de façons diverses la volonté divine. Il connaît celle-ci grâce à trois « oracles » : la foi, les supérieurs et la raison, c'est-à-dire la conscience (*Chemin*, sect. 4). Il ne s'agit pas simplement, soit pour l'entendement, soit pour la volonté, d'exercices progressifs et successifs, mais aussi d'une sorte de consécration, d'une offrande à faire de sa volonté à la volonté divine, au cours d'un cérémonie privée, par la réception de la communion et une prière spéciale dont Paul écrit le texte (*Chemin*, sect. 6).

En quoi consiste la conformité à la volonté de Dieu ? « Renoncer... à sa propre volonté..., faire tout ce que Dieu veut... parce qu'Il le veut et que c'est sa plus grande gloire » (*Chemin*, sect. 2). Nous sommes ici en pleine correspondance avec l'enseignement de saint François, bien que Paul n'y renvoie pas. Mais François insiste sur le renoncement à la « volonté propre » pour l'accomplissement continu de la volonté de Dieu (cf. Willibrord, *Le Message de S. François dans ses écrits*, Blois, 1960, p. 341 svv). Pour Paul, toute la vie spirituelle dans sa durée comme dans son essence réside en cette conformité à la volonté divine. Dans l'homme, la volonté a la suprématie sur l'intelligence ; toute sa vie, même d'oraison, est soumise aux décisions ou à l'assistance de la volonté. Quant aux relations de Dieu avec l'homme, Paul écrit : « Les lois de la volonté de Dieu (sont) vraie vie de l'esprit et règle infaillible de toutes les bonnes actions » (*Chemin*, ép. dédic.). C'est la raison pour laquelle il donne tant d'importance à cet exercice. Qu'on soit dans le monde ou dans la religion, la poursuite du salut, à plus forte raison de la perfection, impose à tous une communauté de règle : « Il faut qu'il y ait un moyen également commun aux personnes séculières et religieuses, qui les rendent également parfaites pour les mettre en état de mériter en terre la même récompense essentielle de la gloire. Ce moyen n'est autre que l'observance de la volonté de Dieu » (*Chemin*, ép. dédic.).

Ce serait une erreur de penser que n'est visé ici que le seul plan des actions morales. Bremond fait remarquer à juste titre que la conformité à la volonté de Dieu est « un exercice d'amour pur » ; Optat de Veghel, de son côté, à propos des sections 12 *(Les trois perfections qui doivent accompagner les actes des profitants)* et 13 *(Troisième état de l'exercice...)* dit que Paul dépasse ici Benoît de Canfeld parce qu'il « parle expressément d'une gradation de l'amour avec lequel on fait la volonté de Dieu dans les trois parties de la vie spirituelle » : dans la vie active, par obéissance ; dans la vie contemplative, par amitié ; dans la vie unitive, par amour (cité *infra*, p. 428, n. 4). A la fin de la section 8, on voit comment Paul conçoit la conformité à la volonté de Dieu au niveau de la vie unitive, quand il écrit : « Les grâces qui se trouvent le plus en usage dans ce troisième état (des parfaits) sont les dons du Saint-Esprit, qui éclairent l'entendement et fortifient la volonté humaine d'une manière éminente, pour leur faire connaître et aimer Dieu autant parfaitement que la créature est capable de le connaître et de l'aimer sur terre » (cf. DS, t. 3, col. 1608). L'amour auquel a conduit l'exercice de la volonté de Dieu amène à l'abandon, voire à l'indifférence. Paul y insiste assez d'une manière très dilatante : « L'âme supposant les soins que Dieu a de son salut, elle ne s'en met plus en peine... Comme elle tient Dieu pour son bon ami..., elle se fie totalement à sa souveraine bonté » (*Chemin*, sect. 19). Dieu étant le souverain bien, celui qui ne fait que sa volonté ne peut faire aucun mal et se trouve en sécurité. La conformité à la volonté divine débouche dans l'union transformante : « L'exercice de la volonté de Dieu consiste à être si parfaitement transformé en Dieu que nous vivions davantage la vie de Dieu que la nôtre, de sorte que tous nos mouvements viennent de Dieu, se fassent en Dieu, tendent à Dieu, ne se produisent que pour Dieu, et se reposent tranquillement en Dieu » (*Chemin*, sect. 2). N'est-ce pas là le « mon Dieu et mon tout » de saint François ?

4. INFLUENCES. – Alors que dans le *Chemin abrégé* Paul ne cite que la Bible, il renvoie dans ses autres ouvrages aux grands classiques du passé, Pères de l'Église et théologiens, en particulier Bernard, Bonaventure, Thomas d'Aquin. Il ne cite pas ses contemporains, mais il est évident qu'il dépend étroitement pour ses *Méditations* de Mathias Bellintani de Saló et pour son *Chemin abrégé* de Benoît de Canfeld. Selon Optat de Veghel, Paul de Lagny suit une explication anonyme de l'ouvrage du capucin anglais publiée dans l'édition parisienne de 1646, et le *Chemin* « n'en serait qu'une adaptation libre et personnelle ».

Quant à l'influence que Paul a pu jouer, il est difficile de l'apprécier. Un fait est visible : aucun de ses livres, même les *Méditations*, qu'on dit avoir été utilisées communément chez les capucins jusqu'en 1706 environ, n'a connu de réédition ancienne. L'éloge que font de lui Bremond et Ubald d'Alençon est cependant mérité, surtout quand Bremond lui reconnaît « le mérite d'avoir comblé l'abîme que trop de spirituels entendent creuser entre les divers degrés d'une seule et même prière ». Il reste que cet auteur, comme tant d'autres de son temps, par l'excès des méthodes et des analyses, donne l'impression d'inciter à l'introspection. Paul de Lagny attend encore une étude approfondie qui montrerait l'originalité de son enseignement dans le courant d'ensemble de son époque spirituelle.

Archives des Capucins de Constantinople, I, 2. – Denis de Gênes, *Bibliographia scriptorum... Capucinorum*, Gênes, 1691, p. 265. – Bernard de Bologne, *Bibliotheca scriptorum... Capuccinorum*, Venise, 1747, p. 207.
Henri de Grèzes, *Le Sacré-Cœur de Jésus...*, Lyon-Paris, 1890, p. 235-239. – Clemente da Terzorio, *Storia delle*

*missioni dei... Cappucini*, t. 4, Rome, 1910, p. 31. – Ubald d'Alençon, *La spiritualité franciscaine*, dans *Études franciscaines*, t. 39, 1927, p. 462-464. – H. Bremond, *Le P. Paul de Lagny et le panmysticisme franciscain*, *ibidem*, t. 40, 1928, p. 113-127 ; *Histoire littéraire...*, t. 7, 1928, p. 266-278 et *Table générale*.

Optat de Veghel, *Benoît de Canfeld...*, Rome, 1949, table. – *Lexicon Cappuccinum*, Rome, 1951, col. 1300-1301. – *Dictionnaire des Lettres françaises, 17e siècle*, Paris, 1954, p. 790. – M. Dubois-Quinard, *Laurent de Paris...*, Rome, 1959, table. – Raoul de Sceaux, *Les capucins et l'Affaire des poisons*, dans *Les Amis de S. François*, t. 10, n. 3, 1969, p. 101. – Metodio da Nembro, *Quattrocento scrittori spirituali*, Rome, 1972, p. 212-214 et table.

DS, t. 1, col. 1451, 1706 ; t. 2, col. 1452-1465 *passim*, 2051 ; t. 3, col. 1124, 1608 ; t. 5, col. 921, 1379, 1419 ; t. 9, col. 414.

Willibrord-Chr. VAN DIJK.

**10. PAUL DE LATROS** ou de Latmos (SAINT), moine byzantin, † 995. – Voir la notice de R. Janin, *Paolo il Giovanne*, BS, t. 10, 1968, col. 258-260. Ajouter à la bibliographie : R. Janin, *Les églises et les monatères des grands centres byzantins*, Paris, 1975, p. 218-240 (monastère du Latros).

**11. PAUL DE LEON**, dominicain, vers 1460-vers 1528. – Né dans le royaume de León, Pablo entra chez les Frères Prêcheurs au couvent de San Esteban, à Salamanque, vers 1475. Un séjour de quelques années en Italie lui permit de s'imprégner de l'esprit de la réforme dominicaine. Le 13 septembre 1500, il obtint du Saint-Siège le titre de maître en théologie et le 24 octobre suivant le maître général de l'ordre lui conféra celui de prédicateur général, avec pouvoir de prêcher et confesser en tous lieux : c'était là avant tout sa vocation, prêcher. Désireux de faire connaître l'Évangile dans les régions les plus démunies, il obtint du maître général, V. Bandelli, de pouvoir évangéliser le diocèse de Calahorra ; il parcourut les régions de Logroño, de Navarre et une partie du pays basque, prêchant aux populations les plus abandonnées.

En 1509 il devint prieur du couvent de Toro, où il exerça à trois reprises la même charge, tout en missionnant dans les montagnes du León et des Asturies. A partir de 1518, autorisé et aidé par l'évêque d'Oviedo, Diego de Muros, il fonda le couvent dominicain d'Oviedo, destiné à servir de centre pour toute cette région démunie de missionnaires. Sa prédication était populaire ; il inculquait la dévotion à la Vierge Marie, en particulier la récitation du Rosaire (le couvent d'Oviedo fut dédié à Notre Dame du Rosaire). Déchargé du priorat de Toro, on le voit, de 1520 à 1525, prêcher à Jaca et dans toute la région pyrénéenne d'Aragon. Il mourut au couvent d'Oviedo vers 1528.

Sa mentalité réformiste et les thèmes de sa prédication apparaissent dans son livre *Guía del Cielo*. Il annonce d'autres ouvrages (sur les commandements, les sacrements, le commerce) ; il n'en reste aucune trace. La *Guía* fut composée vers 1520. Juan de Guernica, en 1528, par ordre du prieur de Salamanque, Domingo de Montemayor, la recopia sur le texte de Pablo de León avec beaucoup d'errata et d'incorrections. Ce fut malheureusement cette copie, non le texte original, qui fut imprimée en 1553 à Alcalá de Henares (éd. critique, Barcelone, 1963).

Le livre est un exposé de caractère pastoral de la 2ª 2ᵃᵉ de la *Somme* de Thomas d'Aquin ; il tient aussi grand compte de la *Summa vitiorum et virtutum* de Guillaume Peyraut. Les auteurs mentionnés par Pablo le sont aussi dans ces ouvrages ; deux seulement sont postérieurs au 13e siècle, Thomas Walden et Nicolas de Lyre. Le livre fut composé au cours de missions, sans possibilité de recours aux bibliothèques couventuelles.

Le but de l'auteur est de mettre à la disposition des prédicateurs populaires un guide qui les aide à exposer clairement aux fidèles les vertus chrétiennes et les vices opposés. Il comprend sept parties, une pour chaque vertu : la foi, l'espérance, la charité, la prudence, la justice, la force et la tempérance. La visée réformiste de l'œuvre a pour effet d'attirer plus spécialement l'attention sur les vices et les défauts à corriger chez les prêtres et les fidèles. L'exposé est d'une vigueur et d'une langue très appropriées aux orateurs populaires ; il est fort utile pour connaître la manière usuelle de parler dans les bourgs et villages espagnols aux débuts du 16e siècle. Ce n'est ni une œuvre catéchétique populaire, ni un sermonnaire ; c'est une somme morale pratique pour prédicateurs et confesseurs.

Notons que les historiens ont confondu notre Pablo de León avec un autre dominicain du même nom, d'une dizaine d'années plus jeune, qui devint célèbre notamment en appuyant la rébellion des « Comuneros » ; ainsi L.G. Alonso Getino. V. Beltrán de Heredia les a distingués dans son éd. de la *Guía* de 1963.

L.G. Alonso Getino, *Vida e ideario del Maestro Fr. Pablo de León...*, Salamanque, 1935 ; cf. aussi *Doctrinas de Fr. Pablo...*, analyse de la *Guía*, dans *La Ciencia tomista*, 1934, n. 147, p. 330-345 ; n. 148, p. 27-45. – V. Beltrán de Heredia, *Las corrientes de espiritualidad entre los Dominicos de Castilla durante la primera mitad del siglo 16*, Salamanque, 1941 ; Introduction à son éd. de la *Guía*, coll. Espirituales españolas 11, Barcelone, 1963. – R. Hernández, *Actas de la Congr. de la Reforma de la Prov. de España*, dans *Archivo Dominicano*, t. 1, 1980, p. 7-140.

DS, t. 4, col. 1155, 1172 ; t. 10, col. 1019.

Ramón HERNÁNDEZ.

**12. PAUL MANASSEI, DA TERNI**, capucin, 1587-1620. – 1. *Vie*. – 2. *Écrits*. – 3. *Doctrine spirituelle*.

1. VIE. – Matteo Francesco, fils de Marsilio, comte Manassei, et de Teodora Fadulfi, naquit à Terni le 21 février 1587. A l'âge de quinze ans, le 20 mai 1602, il entra au couvent des capucins à Panicale, y prenant le nom de Paolo, sous le provincialat de Girolamo Mautini da Narni † 1632. C'étaient les années de la prédication itinérante de Joseph de Leonessa † 1612. Les plus anciens documents biographiques s'accordent pour relever, au cours des années de sa formation, une période de relâchement spirituel, dû à son trop grand amour de l'étude et de la littérature humaniste. En 1616, il fut transféré de Lugnano au couvent de San Onofrio à Spello. Là, ses confrères, en particulier Giuseppe da Bevagna, ancien secrétaire et compagnon de Joseph de Leonessa, l'auraient, le jour de la Pentecôte, réveillé à la vie spirituelle. On peut interpréter dans ce contexte l'affirmation de certains historiens qui attribuent sa conversion à Joseph de Leonessa.

Il s'adonna alors, avec l'ardeur et la fougue d'un converti, à une vie de grande pénitence. Il brûla ses sermons au style affecté et, se conformant aux normes des Constitutions, se mit à prêcher uniquement l'Évangile et le Christ crucifié.

Son changement de vie se manifesta par des pénitences extraordinaires et des prières intenses : « Je décidai, dit-il, de ne jamais m'accorder, à moins d'absolue nécessité, le moindre soulagement ; de me procurer, au contraire, tous les désagréments et moyens éprouvants, cilices, jeûnes et veilles, possibles dicrètement. Je veux désormais m'alimenter très frugalement, boire à l'ordinaire de l'eau ou du vin mêlé de beaucoup d'eau, faire la nuit de longues veilles, me donner la discipline plusieurs fois le jour, porter durant quelque temps des chaînes de fer, lécher la terre de ma langue, garder souvent dans la bouche quelque chose d'amer, marcher lourdement chargé, les pieds nus sur des graviers ; accepter le grand froid et les grandes chaleurs, faire de ma vie un constant martyre : c'est là, en effet, ce qui convient à un traître » (*Paradiso interiore,* Bergame-Naples, 1684, p. 37 svv). Il occupait une cellule très étroite, dormait par terre, priait à chaque heure du jour. En prêchant, il portait le crucifix et ses biographes rapportent les fruits de conversion qu'il obtint à Ascoli-Piceno, Rimini, Messine, etc. Dans sa chambre de prédicateur il se laissait préparer un bon lit ; il y déposait son crucifix, puis dormait lui-même à côté, par terre. Il fit vœu d'obéissance à un frère, chargé de le modérer. Ce fut peut-être ce frère qui l'encouragea à écrire un livre de vie spirituelle. Il y fut aussi exhorté par Girolamo Mautini da Narni et en reçut finalement l'ordre formel de Francesco da Bevagna, alors ministre provincial ; c'est le *Paradiso interiore.*

Il s'enflamma tant de l'amour de Dieu que dans le désir du martyre, il obtint comme obédience de Paul v de se rendre dans le canton des Grisons pour y prêcher aux hérétiques. Il passa donc à la province de Brescia et, en compagnie de l'extatique Angelo Tavoldini da Vestone † 1630, à qui le lia une profonde amitié spirituelle, s'employa à cet apostolat missionnaire, sans changer sa vie d'austérité. C'étaient les premiers essais d'une mission organisée sur les terres des Grisons, mission qui prendra son essor après 1621, du temps d'Ignazio Imberti da Casnigo † 1632. La santé de Manassei déclina rapidement et il dut regagner la province de Brescia. A Vestone, il recouvra la santé et se remit à prêcher ; ainsi à Venise durant le carême de 1620. Au retour il tomba malade et, transporté dans une litière, dut s'arrêter à Desenzano. Une lettre du 2 juillet 1643, écrite à Salvatore da Città di Castello par Francesco da Palazzolo, rapporte que Paul de Terni « mourut sur le territoire de Desenzano, près du couvent de Drugolo » ; c'était le 18 mai 1620. On transporta le corps au couvent de Drugolo et il y fut inhumé.

2. ÉCRITS. — On a parlé d'une publication anonyme du *Paradiso interiore* à Brescia, peu après la mort de l'auteur, mais il n'en est resté aucune trace. La seconde édition se fit à Bologne chez Giacomo Monti en 1636 ; trop incorrecte, elle fut aussitôt retirée et détruite. Entièrement refaite, elle reparut l'année suivante chez le même imprimeur, dédiée à Giovanni Battista Estense, entré chez les capucins déjà duc de Modène : *Paradiso interiore, overo Corona spirituale, nella quale con trentatré Essercitij si pratticano tutte le virtú per arrivare alla perfettione...,* Bologne, par G. Monti, 1637.

Autres éditions : Bologne, Nicolò Tebaldini, 1638 ; Bologne, Giovanni Battista Ferroni, 1641 ; Macerata, Grisei, 1648, 1650 et 1667 ; Bergame, 1652 ; Todi, Faustini, 1658 ; Milan, 1673 ; Bergame et Naples, Francesco Mollo, 1684 ; c'est la dernière édition, car le 16 avril 1689, un décret du Saint-Office, publié par l'Inquisition le 29 novembre suivant, mettait l'ouvrage à l'Index.

Il avait déjà été traduit en allemand et cinq fois publié. La première édition allemande avait comme titre : *Innerliches Paradeys oder geistlicher Rosengarten in welchen 33 geistliche Übungen, die Volkommenheit aller Tugenden hierdurch zuerlangen... zum drittenmahl in Wälscher, ietz andermahl in Teuscher Sprach gedruckt, gemehrt und verbessert,* Vienne, Matthaeo Cosmerovio, 1643. Autres éd., Vienne, 1645, 1659 ; Cologne, 1644, 1646.

D'après les études les plus récentes, il semble que la mise à l'Index du *Paradiso interiore* ait été motivée, pour ne pas parler d'éventuelles tendances quiétistes, par les éditions allemandes, remaniées par le traducteur, Nicolas Barsotti, capucin (cf. DS, t. 11, col. 252-253), et appréciées par les disciples du piétiste F.G. Spener.

On a aussi conservé un sermon de Paul de Terni, donné en 1619 aux Ursulines de Brescia et publié dans la *Regola della Compagnia di Santa Orsola di Brescia. Aggiuntovi la vita della B. Angela Fondatrice, co'l sermone fatto alle Vergini Demesse, dal P.F. Paolo da Terni predicatore capuccino il giorno di santa Caterina 1619,* Brescia, Pietro Maria Marchetti, 1620, p. 43-55.

3. DOCTRINE SPIRITUELLE. — La doctrine du *Paradiso interiore* est plutôt la description d'une expérience concrète formulée dans une série d'exercices pratiques, sous forme d'oraisons, d'affections pieuses et de suggestions d'ascèse exigeantes. Il y a 33 exercices, en référence aux années de la vie de Jésus, et chacun de ces exercices se déroule en dix points, comme les dizaines d'un chapelet.

L'exposé commence par un acte de foi ; pour cette foi on est prêt à endurer le martyre (1) ; suit un acte de contrition pour ses péchés (2). Ces deux actes conditionnent l'humilité (3), qui apprend à se soumettre à tous « come un loro straccio di stalla » ; ne faisant plus aucun fond sur soi, on naît à l'espérance, à la confiance en Dieu (4), à la générosité dans le service avec le désir d'égaler et même dépasser les plus grands saints (5), d'être pleinement diligent et aussi persévérant (6). Ces précisions fournies en manière de préparation ou d'introduction générale, commence l'exercice de la vie du Christ : on passe en revue, « plus avec le cœur qu'avec l'intelligence », les mystères du Christ, de sa naissance à sa mort et à sa sépulture (7). La vie du Christ et sa passion révèlent le grand amour de Dieu et, par contraste, l'ingratitude humaine, qui est source de mépris et de haine pour soi-même (8) ; mais elle introduit aussi à la pratique des vertus, notamment de la douceur (9), à la lutte contre les passions concupiscibles, pour s'unir pleinement à la volonté de Dieu (10), et irascibles, pour ne plus mettre de confiance en soi-même (11). La vie du Christ apprend en particulier la mortification des yeux et de la langue (12), la sobriété et l'abstinence dans la nourriture (13), l'obéissance (14), la pauvreté (15) et la chasteté (16). Cette dernière vertu appelle « le renouvellement de la profession » religieuse (17). La pratique des vertus et des vœux conduit à vivre les dons et fruits de l'Esprit saint dans les huit béatitudes (18), les œuvres de miséricorde (19), la charité à l'égard du prochain (20). Suit une prière d'offrande de soi pour tout bien, et qui se transforme en prière d'action de grâces aimante pour les bienfaits reçus (21).

Dès lors, on passe à une sorte d'imploration générale pour obtenir le don de l'amour pur et parfait (22). C'est l'étape la plus importante et on n'y parvient qu'après avoir bien exercé les pratiques qui précèdent. Aussi l'auteur l'introduit-il, non comme d'ordinaire, sous forme de prière, mais en développant une « information en vue d'acquérir l'amour de Dieu » (éd. de 1684, p. 170-176). Il s'agit, en fait, d'un petit traité de l'amour de Dieu ; l'aimer avec « amour en charité et par charité » (p. 174) est « la fin » (p. 176).

L'exercice de la charité envers Dieu (23) consiste à se réjouir, à être heureux de la bonté, de la grandeur de Dieu, désirant que toutes les créatures soient louange de sa gloire. Cet amour de Dieu n'a point de cesse ; il est « aspiration et respiration » (24) : aspiration à donner et soi-même et tout ce que l'on peut en offrande d'holocauste, à désirer que le Nom de Dieu soit sanctifié, à remercier pour les dons de la création, de la conservation, de la rédemption, de la charité avec laquelle il nous aime, de notre vocation, de nos inspirations et grâces, à louer Dieu... ; respiration, en se réjouissant de toute joie du ciel et de la terre, en jetant toute imperfection dans la fournaise de l'amour pour se conformer à l'humanité du Sauveur, en imitant les saints et en étant transformé en Dieu (p. 190-196).

« Vouloir acquérir la charité et l'amour envers Dieu » (25) exige que l'on vive constamment retiré dans le Cœur du Christ : « Fais qu'en ton cœur je mange, boive, dorme, chemine, lise, contemple, vive et meure » (p. 198). De ces hauteurs, l'âme voit et saisit toutes les nuances de l'amour, les exerçant comme « amour de Dieu méprisé et contristé » (26), lorsqu'elle se sent abandonnée ; « amour de Dieu désintéressé » (27) sans préoccupation de la récompense ou du châtiment – car, écrivait-il, « je ne connais d'autre paradis que de vous plaire » (p. 210) ; pour lui, une seule alternative « ou souffrir ou mourir » (p. 215). Ici naît la véritable « offrande que l'on doit faire à Dieu » (28) : l'âme, absorbée par l'amour de Dieu, offre au Père le cœur du Christ, comme un vase d'or qui renferme en lui tous les trésors de la divinité et tout ensemble jouit de cette divinité ; elle offre en même temps les grâces de l'humanité du Fils, celles de Marie, des saints, et tout elle-même – pensées, paroles, actions – en perpétuel holocauste : « offrande de toi en moi et de moi en toi » (p. 219 svv) dans l'offrande du Verbe Incarné et Crucifié. Elle offre encore tous les trésors créés, les humiliations et souffrances, les âmes et les cœurs créés ou qui peuvent l'être ; les renfermant dans son propre cœur, elle en fait un incendie d'amour où elle veut se consumer d'amour et de douleur « pour les offenses faites contre toi » (p. 223). Dans cette flamme ardente, l'âme vit aussi « l'amour desséché et avili par les fautes » (29), car « je ne connais pas d'autre enfer que de t'offenser, toi Beauté sans limite » (p. 227) ; et elle en vient à « s'anéantir elle-même en la volonté de Dieu » (30) : « rien de plus doux dans le monde que cette simple parole, volonté de Dieu » (p. 233) ; « que je meure en tes mains et sois jeté par toi dans l'abîme de ta volonté, sans trouver d'issue pour en sortir en quelque occasion, jamais » (p. 234). L'âme, dès lors, ne veut plus penser à elle-même, « comme si elle n'existait plus dans le monde » (p. 238).

L'amour de Dieu est parfois « pénible et sec » (31) ; il rappelle alors l'angoisse du cœur du Christ durant sa vie terrestre, surtout de la Cène à la croix ; aussi l'âme se dispose-t-elle généreusement à supporter toute affliction et sécheresse ; mais il est parfois aussi comblant (32), et l'âme confondue ne peut s'expli-

quer « ce don infini de la bonté divine » (p. 247). Au-delà de ces variations expérimentées, Paul oriente vers l'Eucharistie (33) : « Mon Amour, ouvre-moi le cœur pour y exposer la très sainte Hostie » (p. 251) ; « Si le monde entier était feu, ou s'il était tout soleil, comment rester moi-même absorbé en tant de flammes ? Et pourtant cela n'est rien, comparé à ce que tu es ; comment donc ne pas m'anéantir en ta si grande Majesté ? Mon Amour, unis-moi à toi par le moyen de ton pain divin, transforme-moi tout en toi » (p. 255).

Les éditions allemandes comportent beaucoup d'additions et d'explications ; les 33 exercices sont divisés en quatre parties, en référence aux quatre âges de la vie : les trois premiers exercices correspondent à l'enfance ; les dix suivants (éd. ital. 4-13), à la jeunesse ; dix autres (14-23), à l'âge adulte ; les dix derniers (24-33) à la vieillesse ou maturité spirituelle. Chaque exercice, achevé par un *Pater* et un *Ave*, est symbolisé par une rose de qualité particulière. Mis à part ces additions, inspirées sans doute d'écrits spirituels de la « devotio moderna », il ne semble pas que les traductions allemandes accentuent les données du texte original qui sonnent préquiétistes. En fait, M. Petrocchi situe Manassei dans les débuts du quiétisme italien, parce qu'il souligne « le pur amour de Dieu, en dehors de toute préoccupation christologique », qu'il ne se préoccupe pas des explications de la foi et de l'espérance et inculque la nécessité de s'anéantir dans la volonté de Dieu, sans égard aux motivations de récompense ou châtiment, de salut ou damnation, ni à l'efficience objective des sacrements (cf. p. 178, 180, 191, 231, etc.).

Plus qu'*imitatio Christi* dans la ligne franciscaine, la doctrine spirituelle du *Paradiso interiore* se rapproche de celle de Jacopone da Todi (ou des mystiques rhénans) de la « transformation » dans le Christ et de la divinisation qui en résulte par l'entremise de l'amour unitif. On ne dit pas pour autant que la « préoccupation christologique », la foi, l'espérance et la pratique des sacrements soient absentes. Le Christ de l'Évangile est la *forma virtutum* et la référence exemplaire essentielle. Il est présent surtout dans ses mystères : le contemplatif y participe à travers une dramatisation quasi baroque des affections ; cette participation intérieure, aux allures bonaventuriennes et selon la méthode de la contemplation imaginative, met au premier plan les douleurs intimes du Christ de la passion, pour s'unir à travers son humanité à la divinité, en « sainte perfection de ressemblance ». Il s'agit de « rester en son cœur où je Te possède, ô mon trésor, gardé, étreint, enclos en éternelle clôture » (p. 121). Les exercices de mortification, de pénitence corporelle et spirituelle, sont soutenus par la constante présence du Christ crucifié (cf. p. 71 svv, 78 svv, 102 svv, 127 svv, 166), de sa douceur et de son humilité.

C'est une doctrine spirituelle en quête d'équilibre entre le volontarisme franciscain concret et pratique et l'illuminisme des Spirituels ; le titre même du livre et la logique de l'exposé semblent influencés par certaines doctrines du « libre esprit » ; ainsi, mettre le point de départ de la voie mystique dans l'humilité, une sévère ascèse et une pratique de la vertu presque pélagienne, pour parvenir à la *deificatio per caritatem*, où l'âme, devenue volonté de Dieu et gloire de la Trinité, est comme rétablie dans l'innocence paradisiaque.

Paul de Terni utilise, semble-t-il, cet arrière-plan doctrinal, à travers divers auteurs alors fort répandus parmi les franciscains : Henri de Herp (ses célèbres « douze mortifications »), Benoît de Canfield † 1610. On discerne aussi les traces de l'évangélisme italien des débuts du 16e siècle et de Bernardino Ochino † 1564. Dans un cadre plus local, on relève l'influence évidente du *Circolo del divino amore* de Francesco Ripanti da Iesi † 1549 et du *Dyalogo dell'unione spirituale di Dio con l'anima* de Bartolomeo Cordoni da Città di Castello † 1535. Là se trouve probablement le motif principal de la mise à l'Index.

Assise, Archives provinciales des Capucins : *Breve relazione della conversione ' ad meliorem vitam ' del... Paolo da Terni* (déposition de Carlo da Foligno) ; lettre de Francesco da Palazzolo (2 juillet 1643) sur la mort de Paul ; Alessio da Perugia, *Memorie non inutili* XII, 225 (date de la prise d'habit) ; *Notizie del P. Paolo da Terni* recueillies par Salvatore da Castello. – Rome, Istituto storico dei Capucins : *Schedario bibliografico*.
L. Jacobilli, *Vite de'Santi e Beati dell'Umbria*, t. 3, Foligno, 1647, p. 411-412 ; *Bibliotheca Umbriae*, Foligno, 1658, p. 218. – *Annales Ord. Min. Cap.*, t. 3 (1613-1634), Lyon, 1676, p. 356-358. – A. Tavoldini da Vestone, *I splendori di virtù fiammeggianti...*, Brescia, 1681, *passim*.
Gabriele da Modigliana, *Vita del P. Paolo da Terni*, dans son *Leggendario Cappuccino*, t. 1, Venise, 1767, p. 218-220. – S. Cimarrosto da Venezia, *Biografia Serafica...*, Venise, 1846, p. 524. – V. Bonari, *I conventi e i cappuccini bresciani*, Milan, 1891, p. 247 svv. – *S. Josephi a Leonissa epistolae tres*, dans *Analecta OFMCap.*, t. 13, 1897, p. 57-63.
Antonino da Reschio, *Memorie del patriarca de' poveri... e dei minori cappuccini della provincia serafica...*, Foligno, 1904, p. 160 svv. – Francesco da Vicenza, *Gli scrittori cappuccini della provincia serafica...*, Foligno, 1922, p. 69-74 ; *Necrologio dei Frati Min. Cap. della provincia...*, t. 1, Foligno (1925), p. 275 ; *I missionari cap. della provincia...*, Città di Castello, 1931, p. 6-9. – M. Petrocchi, *Il quietismo italiano del Seicento*, Rome, 1948, p. 28-32 ; *Storia della spiritualità italiana*, t. 2, Rome, 1978, p. 220-223. – *Lexicon Capuccinum*, Rome, 1951, col. 1302. – Optatus a Veghel, *Scriptores ascetici et mystici Ord. Cap.*, dans *Laurentianum*, t. 1, 1960, p. 127-128. – Metodio da Nembro, *Quattrocento scrittori spirituali*, Rome, 1972, p. 60.
H. Reusch, *Der Index der verbotenen Bücher*, t. 2, Bonn, 1885, p. 624. – J. Hilgers, *Der Index...*, Fribourg/Brisgau, 1904, p. 434. – G. Casati, *L'indice dei libri proibiti...* III *Breve commento...*, Milan, 1939, p. 242.
Les bibliographies de Bernard de Bologne, Wadding-Sbaralea. – DS, t. 5, col. 1354 ; t. 7, col. 2256 ; t. 11, col. 253.

Costanzo CARGNONI.

**13. PAUL DE MONTAIGU**, capucin, 17e siècle. – Né à Montaigu-le-Blin (Allier), Paul se fit capucin le 18 novembre 1623 dans la province de Touraine. Il prêcha « l'espace de trente-cinq ans » (t. 1, Avant-propos). Gardien du couvent de Saumur en 1646, il fut en relation avec Henri Arnaud, évêque d'Angers, qui lui fit prêcher une octave du Saint Sacrement dans sa cathédrale (t. 5, Épître), avec l'archevêque de Bourges, Montpezat de Carbon, et d'autres évêques à qui il dédie les divers tomes de son ouvrage. Il ne se mit à l'écrire, dit-il, qu'après avoir cessé de prêcher. On ignore la date de sa mort.
Le titre général de son unique ouvrage est : *Les jours divins, dans lesquels sont expliquées les œuvres de la nature, de la grâce et de la gloire...* La publication des huit volumes se fit à Paris, de 1670 à 1672

(t. 1, 2 et 8 chez D. Thierry ; les autres chez E. Coutherot). Les approbations sont les mêmes pour tous les volumes et vont de 1667 à 1669 selon les différents censeurs, ce qui laisse penser que tout était écrit en 1667.

Chaque volume a son titre particulier, toujours très développé ; ainsi le 7e : « *Le jour du sabbath, ou celuy du repos du Seigneur, de la mort de l'homme et de l'amour de Marie. Dans lequel sont contenus les moyens de faire une belle mort, la méthode de louer, honorer et servir la Vierge...* ».

Ces tomes ne traitent pas directement de la vie spirituelle ; on le comprend dès l'Avant-propos du premier volume où l'auteur explique : « Le titre assez particulier que je donne à mon ouvrage... en marque l'ordre et en spécifie la matière, en l'appelant les *Jours divins*, dans lesquels sont contenues et expliquées les œuvres de nature, de grâce et de gloire » (cf. t. 8, p. 94). Très frappé par l'ordre et les beautés de la nature (il traite d'astronomie, de zoologie, de botanique) et par la qualité de l'homme (« Vous êtes en qualité d'homme le dernier des ouvrages de Dieu, ... vous devez être en qualité de chrétien le chef-d'œuvre de Jésus-Christ » (t. 8, Avant-propos), Paul a un côté humaniste qui lui fait admirer la dignité humaine et saisir la convenance de l'incarnation du Verbe (bien qu'il soit explicitement thomiste quant aux motifs de cette incarnation). Cette pente l'entraîne à se montrer plus moraliste que spirituel ou mystique (cf. t. 2, ch. 12-13 sur la sainteté du chrétien). Quand il emploie le mot contempler (vg t. 8, Avant-propos), il s'agit plutôt d'une considération scientifico-philosophique que d'un haut degré de la prière. La prière a pourtant sa place, dans le t. 8 en particulier. Paul donne son avis sur les livres de dévotion :

« Les traitéz... les plus clairs, les plus courts et les plus méthodiques sont d'ordinaire les meilleurs. Il y en a de quatre sortes où se réduisent tous les autres : les uns traitent de la connaissance et de l'amour de Dieu ; les autres de la connaissance et de la haine de soi-mesme ; les troisièmes donnent la connaissance... des mystères de la religion, et les derniers apprennent à pratiquer les vertus » (t. 8, p. 382) ; il ne mentionne pas ceux qui apprennent à prier et à méditer, mais pour lui « la prière est l'exercice le plus commun de la religion et le plus élevé après les sacrifices et les sacrements » (t. 8, p. 240). La prière vocale a bien moins de vertu que l'oraison mentale. « Ma pensée serait de joindre l'une à l'autre et des deux n'en faire qu'une, qui serait la plus facile et la plus efficace. Quoy de plus facile que de dire moins de chapelets, moins de psaumes, moins de paroles ? Quoy de plus efficace de les entrecouper par de petits espaces pendant lesquels la bouche garde le silence, l'âme se recueille en soy-mesme, et l'esprit élevé à Dieu goûte avec plaisir combien il est doux ? » (t. 8, p. 242).

A propos de l'Eucharistie, il fait cette remarque : La meilleure manière d'*entendre* la messe est « celle qui unira le plus vostre esprit à celuy du prestre, et celuy du prestre à l'esprit de Jésus-Christ, le souverain sacrificateur » (t. 8, p. 210). Les ch. 19-24 du t. 6 offrent une belle suite de méditations sur la Passion.
Paul recommande souvent « des actes très simples de l'entendement et de la volonté » ; il attache beaucoup d'importance à la droiture d'intention : « La meilleure de toutes les intentions, qui est la plus pure, la plus droite, et la plus méritoire, est celle qui va purement et directement et immédiatement à

Dieu, ne faisant rien que pour son pur amour, que pour lui plaire, que pour accomplir sa sainte volonté » (t. 8, p. 104).

De tels enseignements sont exigeants, mais Paul de Montaigu ne les précise pas dans une méthode détaillée ; il reste plus prédicateur que maître spirituel et ne s'enfonce guère dans les détours et les profondeurs de l'intériorité. Mis au rang des moralistes par Fr. Pérennès (*Dictionnaire de bibliographie catholique*, coll. Migne, t. 2, Paris, 1859, col. 358), Paul côtoye sans cesse la vie spirituelle sans en être un spécialiste. Il se défend d'ailleurs d'avoir une pensée propre (t. 1, Avant-propos). Étrangère à la logique des traités de théologie, dépouillée de l'éloquence de la parole dite, son œuvre, peu connue, n'est cependant pas inutile à la connaissance de la spiritualité du 17e siècle français.

Bibl. provinciale des Capucins, Paris : ms 52, p. 157 (*Nomina Fr. Prov. Turonensis*) ; ms 1291 (*Capucins de Saumur*). – Denys de Gênes, *Bibl. Scriptorum Ord. Min. Cap.*, Gênes, 1691, p. 267. – DS, t. 5, col. 1830 ; t. 8, col. 1467.

Willibrord-Christian VAN DIJK.

**14. PAUL DE NOYERS,** capucin, 1697-1764. – Issu de la famille Bois habitant le village de Noyers (proche de Sisteron, Provence), Paul de Noyers est né en 1697. Il entra chez les Capucins, fut maître des novices, fit un séjour de trois ans en Italie, durant lequel il put préparer les sujets de ses ouvrages. A son retour en France, il séjourna à Avignon, puis fut directeur spirituel des Capucins de Marseille et enfin celui des Ursulines de Sisteron. C'est là qu'il mourut le 11 février 1764.

Paul de Noyers est surtout connu par la diffusion qu'il donna à un ouvrage de son confrère Gaétan-Marie de Bergame : *Le religieux en retraite...* (exercices spirituels de dix jours, Avignon, 1736 ; 2e éd., Nancy, 1736), plus qu'une traduction, est une adaptation, qui fut à son tour traduite en flamand (Bruxelles, 1745) et même en italien (Ferrare, 1810). Voir DS, t. 6, col. 51. Il publia aussi la biographie de Joseph de Leonessa (Avignon, 1737) et de Laurent de Brindes (Avignon, 1737) ; chacune est dite « tirée du Procès de... canonisation et d'un auteur italien ».

Paul de Noyers était le frère cadet de Paul Bois, prêtre et éducateur renommé (1685-1763), qui a publié : *La vie de la Bse Jeanne Frémiot, baronne de Chantal...* (Orléans, 1752), *La vie des premières religieuses capucines du monastère de Marseille* (Marseille, 1754), *La vie des cinq premières et principales mères de... la Visitation* (Paris, 1755) et surtout a réédité le *Traité de la vie intérieure* du récollet Maximien de Bernezai ; cette réédition sera publiée de nombreuses fois jusqu'en 1862 (cf. DS, t. 10, col. 858).
M. Achard, *Histoire des hommes illustres de la Provence*, t. 1, Marseille, 1787, p. 102-104. – DS, t. 9, col. 392.

André DERVILLE.

**15. PAUL OROSE,** 4e-5e siècles. Voir *Orose*, DS, t. 11, col. 965-969.

**16. PAUL DE SAINT-JOSEPH,** carme déchaussé, 1784-1866. – Paul de Saint-Joseph (de son nom de famille Fortunato Lupi) naquit à Rome le 25 septembre 1784. A l'âge de 17 ans, il entra dans l'ordre des Carmes thérésiens ; il fit profession à Santa Maria della Scala, à Rome, le 19 mars 1801, et se signala par sa piété et son esprit d'oraison. Ordonné prêtre, il montra du talent pour donner les exercices, notamment aux Carmélites déchaussées.

Nommé professeur de théologie, il se spécialisa bien vite dans le droit canon, ce qui le fit nommer examinateur synodal du clergé romain, puis successivement consulteur de diverses Congrégations de la Curie romaine : des Indulgences, des Religieux, des Évêques et Réguliers, des Rites, enfin *de Propaganda fide* ; il y prit une part très active.

En 1848, il fut nommé membre de la Commission spéciale de théologiens et de juristes chargés par Pie IX d'étudier la définibilité de l'Immaculée Conception de Marie ; la proclamation du dogme fut réalisée par le même Pape dans la Bulle « Ineffabilis Deus » (1854). Nommé définiteur et procureur général de sa congrégation en Italie, Paul déploya une activité étonnante jusqu'à ses 82 ans : il mourut à Rome en 1866.

Paul fut un écrivain prolifique et de valeur dans les domaines spirituel et canonique. Quant à la vie spirituelle : *Vita della... M. S. Maria Minima di Gesù Nazareno, al secolo, Maria Angiola Salvatori di Caprarola* (1780-1831), carmélite (Rome, 1833, 429 p.). – *Il mese di Maggio, ossia, Trattenimenti sulla vita e grandezze della Madre di Dio...* (Naples, 1863). – *Metodo per un corso di essercizi spirituali, da praticarsi dalle... Carmelitane scalze...* (Rome, 1864).

Œuvre canonique : *Instructio practica pro Capitulis generalibus et provincialibus in Ordine Carmelitarum Discalceatorum celebrandis* (Rome, 1885 et 1930). – Son avis sur la définibilité de l'Immaculée Conception est édité dans V. Sardi, *La solenne definizione del dogma dell'Immacolato Concepimento di Maria... Atti e documenti*, t. 1, Rome, 1904, p. 190-214.
Sont conservés manuscrits aux Archives générales OCD de Rome : *Corso di prediche quaresimali*, avec des panégyriques (Plut. 339, a) ; – *Manuale Carmelitarum Discalceatorum...* (Plut. 339, b) ; – *I doveri de' Fratelli conversi Carmelitani scalzi* (Plut. 339, c) ; – *Dizionario concionatorio scrittorale, ossia : Raccoltà di autorità ed istorie cavatte dalla S. Scrittura* (3 vol., Plut. 340).
Henri-Marie du Saint-Sacrement, *Collectio scriptorum OCD*, t. 2, Savone, 1884, p. 257-258. – Valentino di Santa Maria (Macca), *L'Immacolata e la Congregazione d'Italia OCD*, dans *Ephemerides Carmeliticae*, t. 7, 1956, p. 54-56.

Otilio RODRÍGUEZ.

**17. PAUL DE SAINTE-MADELEINE,** franciscain, 1599-1643. Voir *Heath* (Henri), DS, t. 7, col. 107-108.

**18. PAUL DU SAINT-SACREMENT,** carme déchaussé, † 1673. – Selon Cosme de Villiers, Paul du Saint-Sacrement était originaire d'Avignon et s'appelait Jean-Baptiste Marini. Le 14 avril 1637, il prononça ses vœux chez les carmes déchaux de sa ville. En 1655, il fut envoyé à Lyon comme lecteur en théologie et quatrième définiteur de la province. Prieur en 1658, définiteur général en 1659, il est provincial en 1665. Pendant vingt-cinq ans il prêcha avec succès à travers la France. Il mourut à Lyon le 28 octobre 1673.

Son œuvre imprimée est faite de biographies : 1) *La vie de la V.M. Magdelaine de Jesus-Maria* (Centurione), *carmelite deschaussée avec l'abbregé de celle de la V.M. Sœur Marie-Liesse de Luxembourg aussi carmelite deschaussée* (Lyon, 1664, 284 + 119 p. ; Currière, 1893, avec 75 p. de documents) ; – 2) *Idée de la véritable piété en la vie, vertus, écrits de demoiselle Marguerite Pignier, femme de... Cl.-A. Romanet, avocat au Souverain Sénat de Savoie* (Lyon, 1669).

Du point de vue spirituel, ce second livre est précieux : il sauve de l'oubli les précieuses pages dans lesquelles M. Pignier parle de son oraison, du déroulement de ses journées sous le regard de Dieu et livre ses réflexions sur le Cantique des cantiques ; Bremond a loué Paul du Saint-Sacrement de s'être effacé pour laisser la parole à cette voix pure et vibrante de Dieu (*Histoire littéraire...*, t. 6, p. 314-333).

Ces trois biographies souffrent des défauts habituels au genre à cette époque : il s'agit surtout d'édifier. L'auteur n'y prétend pas tant faire un exposé de doctrine spirituelle que donner les exemples vivants de chrétiens qui ont voulu suivre de plus près Jésus-Christ : « Comme elle avait un amour tendre et solide tout ensemble pour le Fils de Dieu », elle voulait « se rendre semblable à lui autant que la faiblesse humaine le lui pouvait permettre » (*Abbregé*, p. 14-15). Les moyens privilégiés du progrès sont pour Paul la mortification et l'oraison : « La mortification, mettant l'âme dans une sainte liberté qui la fait triompher de tout ce qui est au-dessous d'elle et la rendant par là très disposée à s'élever au-dessus de soi par le moyen de l'oraison ». La description de la manière dont Magdelaine dirigeait ses religieuses (p. 151-152) est fort belle et fait souhaiter qu'elle ait été exacte ; François de Sales n'est pas loin. Certaines images (p. 131) laisseraient penser que l'auteur a lu l'*Introduction à la vie chrétienne* de M. Olier et retenu notamment la célèbre formule du ch. 4 : « Avoir Notre-Seigneur devant les yeux, dans le cœur et dans les mains ».

Relevons que deux de ses héroïnes, Marie-Liesse de Luxembourg et Marguerite Pignier, avaient vécu la chasteté parfaite dans le mariage.

J. Lelong, *Bibliothèque historique de la France*, Paris, 1719, p. 66, n. 1513. – Cosme de Villiers, *Bibliotheca carmelitana*, t. 2, Orléans, 1752, col. 537. – M. Achard, *Histoire des hommes illustres de la Provence*, t. 2, Marseille, 1787, p. 57-58.

LOUIS-MARIE DU CHRIST.

**PAUL-MARIE DE LA CROIX**, carme déchaux, 1902-1975. – Paul Hayaux du Tilly est né à Paris le 2 septembre 1902. Il fit ses études à l'école Gerson et au lycée Janson de Sailly. A partir de 1919 et un peu contre lui-même, il prépara successivement en Sorbonne des licences de droit, puis d'histoire et de géographie. En 1937, il sera diplômé d'études supérieures. Entre-temps, il était entré au séminaire Saint-Sulpice et avait été ordonné prêtre (Paris, 29 juin 1933). Il est nommé directeur de l'internat de l'école Bossuet à Paris.

Ayant rencontré « des âmes où l'amour est passé à l'acte, des âmes qui se sont unifiées par la permanence du regard sur Dieu, par la persévérance à demeurer fidèles au réel le plus humble », il comprit ce que le Seigneur attendait de lui : « Ces exemples concrets ont allumé en moi une sainte jalousie de passer moi aussi à l'acte » (notes inédites de retraite, 1941, p. 4). Entré au noviciat du Carmel à Avon en décembre 1940, il fit profession simple le 8 décembre

1941. En octobre 1944, il prenait la succession de Jacques de Jésus à la direction du petit collège Sainte-Thérèse d'Avon et prononça ses vœux solennels le 8 décembre de la même année. De 1948 à 1951, il est prieur du couvent de Lille, alors scolasticat de la province des carmes. Il vient ensuite à Paris où il assure un ministère de prédications et de retraites spirituelles, donnant aussi des cours très suivis à l'« École d'oraison carmélitaine » inaugurée par les Carmes de Paris entre les deux guerres mondiales. Son envoi (fin 1957) au couvent de Bernay-en-Champagne (Sarthe) interrompt pour un temps ces activités qu'il reprend après son retour à Avon en 1965 et cela jusqu'en 1973. A cette date, Paul-Marie avait établi les fondements d'une œuvre qui se situe dans le prolongement des « Écoles d'oraison » : les « Petits groupes de prière » (charte de fondation, juin 1972). Ces groupes rassemblent des chrétiens qui s'engagent à la pratique quotidienne de la prière en vue d'un témoignage de vie évangélique, avec une réunion mensuelle. Dès la deuxième année de la fondation, une vingtaine de groupes existaient. Paul-Marie de la Croix mourut presque subitement au couvent d'Avon le 24 mars 1975.

Les activités de Paul-Marie sont à la source de ses écrits. La première en date de ses publications est la biographie de la carmélite Marie-Angélique de Jésus (1893-1919 ; *La montée d'une âme d'oraison*, Paris 1944). A partir de 1948, en alternance avec François de Sainte-Marie († 1961 ; DS, t. 5, col. 1056-1057), il donne des conférences aux « Écoles d'oraison » : *La pauvreté spirituelle* (1948), *Le temps et l'éternité* (1950), *L'éducation du sens de Dieu* (1951), *L'esprit du Carmel et l'oraison* (1952), *Les chemins de la contemplation carmélitaine* (1953), *Le Pater* (1954), *L'Évangile selon S. Jean* (1955) ; ces cycles de conférences sont diffusés ronéotés. Après Vatican II, la doctrine traditionnelle est reprise à la lumière des ouvertures du concile : *Le dialogue. Perspectives spirituelles* (1965), *Vatican II et la rénovation de la vie religieuse* (1967) ; mais dès 1966 Paul-Marie revient à la veine qui lui tient le plus à cœur : *La vie unifiée par la présence* (1966), *Initiation à l'oraison* (1968-1970), *Marche en ma présence* (1971), *Bienheureux les pauvres* (1972).

Une collaboration régulière l'attache à la revue *Contemplatives* ; il y tient la rubrique de spiritualité. Ce fut l'occasion d'études sur *La prière du Seigneur : le Pater* (1954-1957), *La messe du contemplatif* (1957-1960).

Ces conférences et ces articles montrent que l'Écriture fut la source principale de l'inspiration et de l'étude de Paul-Marie. Ses livres en sont le fruit (publiés à Bruges, DDB) : *L'Ancien Testament source de vie spirituelle* (1952), *l'évangile de Jean et son témoignage spirituel* (1959), *Méditation du Pater* (1961), *Marie et la pauvreté évangélique* (1964), *Présence, notre vie* (1973). Dans ces ouvrages, l'auteur ne fait œuvre ni d'exégète ni de théologien (des lacunes lui seront reprochées en ces domaines), ni même d'expert en spiritualité, bien qu'on l'ait dit « un des meilleurs orateurs spirituels de ce temps » (J. Daujat, dans *Doctrine et vie*, n. 97, 1975). Paul-Marie est un contemplatif qui témoigne d'une présence divine : « En témoigner est notre devoir le plus strict, quand bien même notre vie trahirait sans cesse les exigences qu'entraîne cette Présence » (préface de *Présence, notre vie*). Il fut un homme saisi par la Parole de Dieu, transporté d'admiration devant les perspectives qu'elle ouvrait. Son œuvre est un chant au puissant lyrisme, aux cent thèmes divers inextricablement enlacés.

Paul-Marie de la Croix a encore donné diverses études, comme *L'esprit du Carmel* (dans *La Spiritualité catholique*, éd. par J. Gautier, Paris, 1953 ; à part : *Le Carmel dans l'Église*), *Hauts-lieux élianiques* (dans *Élie le Prophète*, coll. Études Carmélitaines 19, t. 1, 1956, p. 9-50), etc.

DS, t. 4, col. 277-278 ; t. 6, col. 669 ; t. 10, col. 540, 1327, 1458.

LOUIS-MARIE DU CHRIST.

**PAULE-MARIE DE JÉSUS** (CENTURIONE), carmélite déchaussée, 1586-1646. – Fille du noble gênois Stefano Centurione, Paola Maria naquit le 6 octobre 1586 à Naples, où s'était transférée sa famille quand son père fut nommé gouverneur de Melfi ; au baptême elle reçut le prénom de Vittoria. Sa vocation mûrit lorsqu'âgée de douze ans et réfléchissant, sans bien comprendre, au départ de sa sœur pour le couvent, elle comprit que le Seigneur lui disait : « C'est pour moi, pour mon amour, que ta sœur a pris cette décision ; si tu fais de même, tu verras combien grands sont ma grâce et mon amour pour toi ». Au retour de ses parents à Gênes, Vittoria prit contact avec le monastère des Carmélites déchaussées fondé en 1590 à Gênes et en mai 1601 elle y devint fille de sainte Thérèse sous le nom de Paola Maria di Gesù.

Peu d'années après sa profession, elle devint maîtresse des novices et prieure ; elle fit preuve d'un grand savoir-faire dans l'art de guider ses sœurs et rayonna même hors du couvent. Quand Ferdinand II demanda des carmélites déchaussées pour la capitale de l'Empire, Paola Maria fut choisie. En 1629 elle mena à bien la fondation du Carmel de Vienne. En 1643 elle fonda le second couvent autrichien à Graz, puis regagna Vienne où elle mourut le 16 ou le 15 (d'après la *vita* ms, gravure du ch. 3) janvier 1646.

Outre son mérite d'avoir introduit le Carmel thérésien en Autriche, Paola Maria a sa place dans l'histoire spirituelle pour son autobiographie, ses lettres et ses petits écrits spirituels.

L'autobiographie, rédigée par obéissance à partir de 1640, nous est parvenue dans une copie ms : *Vita della V.M.S. Paola Maria di Gesù... scritta dalla medesima* (Gênes, Bibl. Univ., E IV 1/2, 2 parties de 82 et 55 ch. formant près de 500 p.) ; on y trouve, outre des gravures intéressantes du point de vue de la symbolique spirituelle, le récit de sa vie intérieure et de ses fondations, les relations aussi de nombreuses visions (surtout de l'humanité du Christ), et 61 lettres datées de 1636 à 1645 à son frère Agostino, doge de Gênes de 1650 à 1652, puis prêtre et mort novice jésuite.

Dix autres lettres, autographes celles-ci et différentes des précédentes, datées de 1621 à 1646, sont conservées dans la *Vita del Servo di Dio Stefano Centurione*, le père de Paola Maria, par Luigi M. Levati (ms daté de 1918 ; à l'Archivio delle Monache Celesti, San Cipriano, Gênes) ; ces lettres sont adressées à son frère Agostino ; y est jointe la lettre de Maria Maddalena di Santa Teresa (20 janvier 1646) relatant la mort de Paola Maria.

Dans l'autobiographie comme dans les lettres, visions et révélations sont nombreuses, ainsi que les maximes spirituelles. Les dévotions dominantes sont celles à l'Eucharistie, au saint Esprit et à l'Humanité du Christ (en particulier à son enfance).

Unique ouvrage imprimé, les *Varii essercitii spirituali, composti in varij tempi della V.M. Paola Maria...* (Gênes, P.G. Calenzani, 1652, 730 p. ; à la Bibl. Munic. de Marseille ; – Venise, per li Baba, 1661, 366 p. ; à la Bibl. des Jésuites de Chantilly ; – Venise, Steffano Curti, 1679, 373 p.) recueillent divers petits écrits spirituels : textes brefs, séries d'exercices, dispositions intérieures pour les circonstances diverses de la vie, des *proteste* (Venise, 1661, p. 1-92), quatre lettres (trois au Seigneur, une aux citoyens de la Jérusalem céleste, p. 93-119), des exercices pour la communion, des aspirations selon les trois voies (p. 120-133), une manière de faire l'oraison mentale avec des points de méditation plus ou moins développés (p. 134-225). La fin du recueil est une sorte d'art de bien mourir (*Itinerario per il cielo*, p. 233-325 ; *Testamento dell'anima*, p. 326-352).

La biographie de Paola Maria par Alessio Maria della Passione comporte des *Atti interni di virtù*, « co'quali la Serva di Dio istruiva le sue novitie nel camino della perfettione » (appendice, 15 p.). – Les Archives générales OCD de Rome conservent une copie des *Scripta varia* de Paola Maria et des relations concernant sa vie (mss 389b et 320b-1/2).

Les *Varii essercitii* ainsi que la biographie de Paola Maria par le jésuite G.A. Alberti (1648) furent mis à l'Index le 4 juin 1692 lors de la réaction antiquiétiste.

G.A. Alberti, *Teopiste ammaestra secondo gli esempi della... Paola Maria di Gesù...* (Gênes, 1648 ; Venise, 1649). – Antero Maria Miccone (de Saint-Bonaventure), osa † 1686 (DS, t. 1, col. 699), *Vita di persone venerabili... di Gen* (ova)... (ouvrage recueilli par Giovanni Maria di San Carlo en 1695 ; à l'Archivio des Augustins du Santuario della Madonetta, Gênes), p. 338-363 : a utilisé l'autobiographie de Paola Maria. – (Alessio Maria della Passione, ocd), *Vita della V.M. Paola Maria..., fondatrice de' Monasteri della Riforma nell'Allemagna...* (Rome, Filippo Mancini, 1669, 1144 p. + appendice). – Cosme de Villiers, *Bibl. Carmelitana*, t. 2, Orléans, 1752, col. 523. – Giacomo Giscardi, oratorien de Gênes † 1765, *Diario dei Santi, Beati, Venerabili... della Città e Dominio di Genova...* (ms autographe de 1739 ; à la Bibl. Franzoniana de Gênes), ch. 49-52 : vie de Paola Maria.

B. Müller, *Paula M. a Jesu, erste Oberin des Karmeliterinnenklosters... in Wien* (Vienne, 1880). – Redemptus vom Kreuz Weninger, *Auf Karmels Höhen* (Ratisbonne, 1922, p. 31-32). – M.J. Waltendorf, *Die Karmeliterinnen in Oesterreich*, dans l'ouvrage collectif *Dominicus a J.M., Seine Persönlichkeit und sein Werk*, Vienne, 1930, p. 132-146. – Alberto de la Virgen del Carmen, *Palomarcitos Teresianos por tierras austríacas*, dans *El Monte Carmelo*, t. 50, 1946, p. 404-407 ; t. 51, 1947, p. 64-71. – M. Petrocchi, *Il Quietismo italiano del Seicento*, Rome, 1948, p. 40-43. – G.L. Bruzzone, *Un modo di recitare il Rosario del Seicento*, dans *Rivista di vita spirituale*, t. 35, 1981, p. 292-294. – DS, t. 1, col. 288 ; t. 7, col. 2256.

Cette notice doit beaucoup aux renseignements procurés par Mgr Francesco Repetto.

Ildefonso MORIONES.

**PAULI** (Mathias), ermite de Saint-Augustin, 1580-1651. – Mathias Pauli naquit à Hasselt, fils de Mathijs Pauwels et Marie van Milen. Gilles de Zingelbeke, curé du béguinage de Hasselt, lui enseigna le latin et lui inspira de se faire religieux. Entré chez les Augustins à Hasselt en 1595, Mathias fit sa profession le 28 août 1596. Ses frères, Jérôme, Augustin et Martin, eux aussi, entrèrent au même monastère.

Mathias étudia la théologie à la *Schola Augusti-*

*niana* de Louvain, mais aussi chez les Jésuites et à l'université. En 1605 il est cité comme prêtre et organiste à Hasselt et en 1609 comme sous-prieur à Louvain, où il remplit cette fonction aussi de 1625 à 1628. A Louvain, il fut nommé préfet du collège d'humanités que les religieux de son ordre ouvrirent en 1612, mais au cours de la même année il fut déjà remplacé. Plusieurs fois il fut prieur (Bruges, 1613-1625 ; Louvain, 1628-1631 ; Termonde, 1631-1634 ; Maestricht, 1634-1646) et définiteur (1619-1622, 1646-1649).

A Bruges il dirigea les travaux de la restauration du couvent, détruit par le mouvement iconoclaste (1578), lui rendit une belle prospérité et fonda, en 1622, sous les auspices de son provincial Georges Maigret (DS, t. 10, col. 101-102), une école d'humanités. En 1649 il fut impliqué dans la lutte concernant les délégués au chapitre provincial, ce qui lui valut une réprimande de la part de l'internonce Antonius Bichi (8 mai 1649). Cependant, le 12 décembre de la même année, il se soumit aux exigences de Rome.

Il mourut le 14 janvier 1651 après avoir rédigé lui-même la nouvelle de sa mort. Un tableau du 17e siècle représentant Pauli est gardé à l'église Notre-Dame de la Potterie à Bruges.

Mathias Pauli est un des auteurs les plus féconds parmi les Augustins des Pays-Bas. Son activité littéraire est centrée sur les thèmes suivants : la Messe, le purgatoire et le culte des saints. Contre les Protestants, il démontre l'existence du purgatoire et défend le rachat des âmes fidèles au purgatoire, surtout par la participation à l'eucharistie et par les indulgences. Les confréries, fondées ou renouvelées par lui, ont comme signe distinctif la rédemption des âmes des fidèles : ainsi celles de Nicolas de Tolentino, des saintes Barbe et Cécile, de Notre Dame de Consolation, et saint Joseph. Ses premières œuvres sont destinées aux membres de ces confréries. En outre, Pauli est un polémiste éminent, notamment pendant son séjour à Maestricht, où il prit contact avec la doctrine calviniste ; ses positions sont identiques à celle de B. Moors, son confrère (cf. DS, t. 10, col. 1696-1697). Son office de prédicateur constitue le troisième aspect de son activité. A l'usage de ses confrères il écrivit son livre *Den boom des levens*, qui renferme la matière utile à la composition de sermons pour tous les dimanches de l'année.

Œuvres : 1) *Het bondelken van devotien*, Gand, 1615, 1616 ; ce sont probablement des rééditions, au titre modifié, du *De seven cleyn ghetyden van den soeten name Jesus*, 1614. – 2) *Den boom des levens*, Gand, 1618 ; rééd. légèrement modifiée, Anvers, 1631 ; cette œuvre traite du sacrement de l'autel et des rites de la messe. – 3) *Ghebeden ende meditatien op de ceremonien vande H. Misse*, Gand, 1618 ; Anvers, 1618 ; fait aussi partie de l'éd. anversoise (1631) du *Den boom des levens*.

4) Deux volumes traitent du Saint-Sacrement, de la Sainte Ceinture et de saint Joseph ; à Bruges, Pauli fut le premier à stimuler la dévotion à saint Joseph : *Den chrijchsriem*, Gand, 1619 ; *Den Processionael*, Gand, 1620 ; autre éd. à Anvers pendant cette période ; rééd. par J. de Smet, *Twaalf Fonteijnen*, Termonde, 1729 ; Anvers, 1780. – 5) *Het leven vanden H. Nicolaus van Tolentyn*, Gand, 1619, thème déjà traité dans *Den Chrijchsriem*. – 6) *L'Officium parvum in honorem S. Joseph*, de la main de Pauli, parut comme œuvre anonyme, Anvers, 1619 ; Bruges, 1625. Vers 1622 et 1625, cet opuscule fut interdit. Une version néer-

landaise fut éditée sous le titre *Den honighvloeyenden psalter van S. Augustyn*, Gand, 1621 ; Liège, 1646 ; version française par Ph. de Vliesberghe, Douai, 1621. Cet ouvrage anonyme a influencé les différentes éditions du *Manuel de la confrérie du glorieux patriarche S. Joseph*, Gand, 1621 et 1625, et la version néerlandaise de ce *Manuel*, Gand, 1624, 1684 et 1715.

7) *Vier historien van het H. Sacrament van Mirakel*, Anvers, 1620, concernant Herkenrode, Gand, Bruxelles et Louvain. Dans une édition augmentée (Gand, 1665) il est aussi question d'Amsterdam, Kranenburg, Boxmeer, etc. Rééd. Anvers, 1670, Dunkerque, s d ; Anvers, s d ; Anvers, 1747. – 8) *Den spiegel der volmaecktheyt*, Anvers, 1623. – 9) *De beclagingen Christi*, 2 vol., Louvain, 1623 ; rééd., Louvain, 1624. – 10) *Manipulus precum sacer suavissimo parvulo Jesu*, Bruges, 1625 : version latine de quelques fragments du *Het bondelken* et du *Den chrijchsriem*.

11) *Bruylofts-liedt van Jesus en Maria*, Louvain, 1630, est une des œuvres les plus éminentes de Pauli. C'est un commentaire du Cantique des Cantiques, qui veut réagir contre la littérature classique de l'amour. – 12) *Den gheestelycken sonne-wyser*, Louvain, 1631 ; éd. augmentée, *Den grooten gheestelycken sonne-wyser*, Gand, 1634. – 13) *Tractaet vande tegenwoordigheyd Godts*, Gand, 1633, édition d'une partie de n. 12. – 14) *De poorte des hemels*, Anvers, 1634 ; Liège, 1635. – 15) *Het leven vanden H. Rochus*, Liège, 1635.

16) *Een nieu tractaet van de twe aldermeeste ende perijckeleuste quaden*, Liège, 1636, traite de la peste et des méthodes de la médecine populaire. – 17) *Een handboecxken... tot lavenisse van de zielen des vagheviers*, Liège, 1636, sur le purgatoire. – 18) *Requeste oft versoeck-brief*, Liège, 1637, sur le purgatoire. Trad. franç. *Un abrégé contenant la vérité catholique du purgatoire*, Liège, 1640. – 19) *Vyf vriendelycke t'samen-sprekinghen*, Liège, 1637, traitant du purgatoire et de la Messe.

20) *Het kleyn getydeken vande seven wee-en O.L. Vrouwen*, Liège, 1639, 1641, 1646. – 21) *Sonderlinghen troost der geloovige zielen*, Liège, 1643, traitant du purgatoire et de la dévotion qui tend à soulager les âmes des fidèles. Les augustins ont été les grands promoteurs de cette dévotion dans les Pays-Bas méridionaux. – 22) *Twee genuechelycke maer wyse t'samensprekingen*, Liège, 1643. – 23) *Jublee oft vreughden-jaer*, Liège, 1645, écrit à l'occasion de sa 50e année de profession religieuse. – 24) *De leere des hemels*, 2 vol., Liège, 1650.

N. de Tombeur, *Provincia Belgica OESA*, Louvain, 1727, p. 97. – J. F. Ossinger, *Bibliotheca Augustiniana*, Ingolstadt-Augsbourg, 1768, p. 675-676. – *Biographie nationale* (de Belgique), t. 16, 1901, col. 705-707. – *Bibliotheca catholica neerlandica impressa*, La Haye, 1954, table.

P. Daniels, *Deux raretés bibliographiques*, dans *Verzamelde Opstellen*, Hasselt, 1929, p. 11-28. – N. Teeuwen, *P. M. Pauli*, OGE, t. 20, 1946, p. 235-292. – *Augustiniana Belgica Illustrata*, éd. E. Braem et N. Teeuwen, Louvain, 1956, p. 35. – A. Kunzelmann, *Geschichte der deutschen Augustiner-Eremiten*, t. 7, Wurtzbourg, 1976, p. 133, 135, 198, 248, 274, 282, 394, 397.

DS, t. 4, col. 1013.

Martijn SCHRAMA.

**1. PAULIN D'AQUILÉE** (SAINT), patriarche, † 802. – 1. *Vie*. – 2. *Œuvres*.

1. **Vie**. – Le premier document historique où apparaît notre Paulin est un diplôme de Charlemagne, « roi des Francs et des Lombards », daté d'Ivrée le 17 juin 776 ; il y est désigné comme « venerabilis artis grammaticae magister » et comme

doté des propriétés que possédait dans le Frioul un certain Wendland qui, avec le duc Roticause (ou Rotgand), avait pris le parti des Lombards contre les Francs et était mort dans la bataille (MGH, *Die Urkunden der Karolinger*, éd. E. Mühlbacher, Hanovre, 1906, p. 158-159). Charlemagne semble récompenser ainsi un *magister* qui vivait déjà dans cette région et avait pris son parti ; on pense donc que Paulin était originaire du Frioul, où il naquit vers 730-740. Charlemagne le fit ensuite venir à sa cour ; Paulin y vécut en amitié avec l'anglais Alcuin (DS, t. 1, col. 196-209), exerçant encore les fonctions de *grammaticus*, et fut à ce titre le maître d'Angilbert.

A la mort de Sigwald, patriarche d'Aquilée mais résidant à Cividale, Paulin fut désigné pour lui succéder en 787. Il siégea en divers conciles et y intervint personnellement : Aix-la-Chapelle en 789, Ratisbonne en 792, Francfort en 794 (où il rédigea le *Sacrosyllabus*), Aix-la-Chapelle en 801. En 796, il présida un synode régional à Cividale, dont les *Actes* ont été conservés (cf. *infra*). Il travailla au rétablissement de la discipline ecclésiastique et au renouveau de la vie chrétienne dans la région ; il dirigea aussi la mission pour la conversion des Avares, récemment soumis par le fils de Charlemagne, Pépin. Paulin fut étroitement lié avec Éric, margrave ou duc du Frioul ; il lui adressa une sorte de « miroir des princes », puis écrivit un poème élégiaque à l'occasion de sa mort (automne 779). Paulin mourut sans doute en 802 ; son tombeau, dans la basilique de Cividale, fut aussitôt le centre d'un culte public. Il est fêté le 11 janvier, anniversaire probable de sa mort ; son nom ne figure pas au martyrologe romain, mais les Bollandistes ont retenu deux anciennes *Vitae* (AS, janvier, t. 1, Anvers, 1643, p. 713-718).

2. **Œuvres.** — L'édition la plus complète des œuvres de Paulin, précédée de deux nouvelles *Vitae* et enrichie de dissertations érudites, est due à J. Fr. Madrusi, Venise, 1737 ; l'ensemble est repris en PL 99, 9-684. Ce n'est pas une édition critique ; quelques pièces ont été ajoutées dans les éd. critiques partielles des MGH ; des études de A. Wilmart ont montré la possibilité de nouveaux progrès pour certains traités ou poèmes. Une édition critique nouvelle s'impose ; elle exigerait sans doute un inventaire complet de mss existants, mais permettrait d'évaluer de façon précise l'œuvre de Paulin et son rôle historique.

1° Œuvres théologiques. — 1) *Libellus episcoporum Italiae contra Elipandum*, ou *Libellus Sacrosyllabus* (PL 99, 151-166 ; MGH *Concilia aevi karolini*, t. 1/1, éd. A. Werminghoff, Hanovre-Leipzig, 1906, p. 130-142) ; c'est une brève réfutation de l'adoptianisme espagnol (sur cette doctrine, qui voit dans le Christ-homme seulement un « fils adoptif » du Père, cf. É. Amann, *L'adoptianisme espagnol*, RSR, t. 16, 1936, p. 281-317). – 2) *Contra Felicem Urgelitanum*, précédé d'une lettre à Charlemagne et suivi d'un fragment de lettre d'envoi ; éd. princeps par André Duchesne (*Quercetanus*), à la suite des *Opera* d'Alcuin, Paris, 1617, col. 1765-1886 ; PL 99, 343-468 reprend l'éd. de Madrusi, lequel avait divisé en chapitres l'éd. de Duchesne.

A. Wilmart (*L'ordre des parties dans le traité de Paulin d'Aquilée contre Félix d'Urgel*, dans *Journal of theological studies*, t. 39, 1938, p. 22-37), en partant d'un nouveau ms (Vatic. Reginensis 192), a montré que l'ordre des matières

du ms utilisé par Duchesne (un *Puteanus*, actuellement Paris. B.N. lat. 2846) est probablement bouleversé et donne en conséquence une suite peu intelligible ; il propose un ordre nouveau des pièces en deux livres et donne une éd. critique des morceaux qui servent de suture entre les diverses parties. On notera cependant que la lettre à Charlemagne parle bien de *trois* livres (cf. *infra*).

Cet ouvrage (achevé en 800) est une réfutation plus précise de l'adoptianisme. Paulin s'appuie sur l'Écriture et les Pères (surtout les latins, d'Hilaire à Grégoire le Grand, mais aussi des grecs, dont Cyrille d'Alexandrie) ; il propose une christologie équilibrée qui montre comment le Christ est vrai Dieu et vrai homme ainsi que la valeur de son œuvre de salut.

3) *Actes du Synode de Cividale* (796 ou 797) ; éd. en Mansi, t. 13, 850-856 ; PL 99, 283-302 ; MGH *Concilia*, éd. citée, p. 178-195). Dans le discours d'introduction, Paulin réfute brièvement l'adoptianisme, puis traite de la procession du Saint-Esprit ; il justifie le *Filioque* ajouté au Credo de Nicée (mais on notera la formule : « In eo namque Spiritus sanctus a filio procedere creditur, in quo a Patre procedere non dubitatur ») ; il termine en exigeant que tous les fidèles connaissent le Symbole et l'Oraison dominicale. Le synode promulgue ensuite 14 canons qui traitent surtout du devoir des pasteurs, de la sainteté du mariage et de la vie monastique, de la sanctification du dimanche (dès le samedi soir), de l'offrande des dîmes et prémices (avec insistance sur la sincérité spirituelle de ces dons, car « tout notre être, notre vie et notre avoir » sont reçus de la bienveillance divine ; p. 195).

2° Œuvre didactique. – *Liber exhortationis ad Hericum comitem* (PL 99, 197-282). Ce « miroir des princes » (cf. DS, t. 10, col. 1303 où sont mentionnés des écrits contemporains du même genre) n'est pas entièrement original : les ch. 10-19 sont empruntés à Julien Pomère (DS, t. 8, col. 1594-1600), *De vita contemplativa* (II, 13, 16, 19-21 ; III, 1-3 ; cf. J. Devisse, *L'influence de J. P. sur les clercs carolingiens*, RHEF, t. 56, 1970, p. 286). D'autres chapitres reprennent partiellement l'*Admonitio ad filium spiritualem* (PL 103, 683-700, dans le *Codex Regularum* de Benoît d'Aniane qui l'attribue à Basile de Césarée ; éd. récente de ce texte par P. Lehmann, *Sitzungsberichte der Bayer. Akademie... philologisch-hist. Klasse*, Munich, 1955/7, favorable à l'attribution à Basile ; mais il s'agit plutôt d'une Règle monastique des 6e-8e siècles, cf. CPL, n. 1155a) ; comparer par exemple *Ad Hericum* 20 et *Admonitio* 1 ; 22 et 4 ; 23 et 3 ; 30-31 et 9 ; 32 et 10 ; 37 et 14 ; 42 et 16 ; 44 et 18.

C'est l'ouvrage de Paulin qui intéresse de plus près la spiritualité. Le prince chrétien doit d'abord aimer Dieu, puisque l'homme est son image ; il choisira soigneusement ses amis et conseillers, s'appliquera à l'étude de l'Écriture, se comportera en vrai « soldat du Christ » (ch. 20), évitera les fautes charnelles, l'avarice, la vaine gloire et l'orgueil ; il recevra l'eucharistie après avoir éprouvé sa conscience (ch. 33 : la confession avant la communion est très recommandée) ; il aura fréquemment recours à la prière, exercera la patience et pratiquera largement la bienfaisance ; le 66e et dernier chapitre fournit l'exemple d'une longue prière que le prince doit formuler pour obtenir la grâce de bien remplir tous ses devoirs.

3° Œuvres poétiques et liturgiques (PL 99, 467-504 ; éd. plus complète, MGH *Poetae aevi karolini*, éd. E. Dümmler, t. 1, Berlin, 1881, p. 126-148 ; éd. critique par D. Norberg, *L'œuvre poétique de P. d'A.*, Stockholm, 1979). – Norberg retient seize pièces comme authentiques :

1) *Regula fidei...*, exposé du Credo de Nicée avec allusions aux hérésies contraires, en 151 hexamètres suivis d'une conclusion en prose. – 2) *Ad Zachariam* ; *Ad amicum ignotum* (amputé du début). – 3) *De Herico duce*, à l'occasion de la mort du duc au combat, 14 quatrains. – 4) *De Lazaro*, 70 quatrains (cf. A. Wilmart, *L'hymne de Paulin sur Lazare dans un ms d'Autun*, RBén., t. 54, 1922, p. 27-45). – 5) *De Joseph*, 71 quatrains. – 6) *Versus confessionis de luctu poenitentiae*, 24 strophes. – 7) *De natiuitate Domini*, 42 strophes.

Les poèmes suivants sont en strophes de cinq vers : 8) *De caritate* ; cette pièce est la forme primitive de la séquence *Congregauit nos in unum Christi amor*, utilisée au lavement des pieds le Jeudi-saint ; le dernier vers de chaque strophe est : « Vbi caritas est uera, deus ibi est ». – 9) *De die paschali*, 14 strophes. – 10) *In purificatione sanctae Mariae*, 12 strophes. – 11) *In quadragesima*, 10 strophes. – 12) *De resurrectione Domini*, 31 strophes. – 13) *In sancti Marci evangelistae*, 11 strophes. – 14) *In sanctorum Petri et Pauli*, 9 strophes, qui a inspiré l'hymne liturgique du 29 juin (str. 7 : « O Roma felix, quae tantorum principum Es purpurata glorioso sanguine »). – 15) *In dedicatione Ecclesiae*, 9 strophes. – 16) *Oratio pro aeris tempestate*, 13 strophes.

Les *Versus de destructione Aquileiae* ne sont pas de Paulin (D. Norberg les donne en appendice, p. 166-169) ; pas davantage l'hymne *O Petre, petra ecclesiae*.

Le style de ces pièces trahit une certaine préciosité ; les poèmes proprement liturgiques dénotent pourtant une piété profonde, appuyée sur des réminiscences bibliques.

4° CORRESPONDANCE (PL 99, 503-516 ; éd. plus complète, MGH *Epistolae karolini aevi*, t. 2, éd. E. Dümmler, Berlin, 1895, p. 516-527).

1) Lettre à Charlemagne pour solliciter son intervention en vue de l'application des canons de Cividale. – 2) A Haistulfe, qui avait fait mourir son épouse sans raison valable ; Paulin lui conseille soit d'entrer dans un monastère, soit de se soumettre à la pénitence publique, en s'abstenant de la communion, jusqu'à sa mort ; le viatique lui sera donné alors, s'il l'a mérité. – 3) A Charlemagne, pour lui offrir les « trium... librorum munuscula » contre Félix d'Urgel. – 4) Fragment d'une lettre à Charlemagne ; Paulin l'exhorte à « combattre contre les ennemis visibles pour l'amour du Christ et avec l'aide de Dieu », tandis que les évêques combattent « contre les ennemis invisibles... par des armes spirituelles ». – 5) Fragment d'une lettre à ses suffragants : il leur reproche sévèrement de délaisser leur devoir de pasteurs pour se mêler aux luttes séculières, de détourner à leur profit les biens de l'Église qui sont « offrandes des fidèles, prix des péchés et patrimoine des pauvres » (la formule est reprise de Julien Pomère ; cf. DS, t. 8, col. 1597). – 6) Lettre au pape Léon III, pour lui recommander de ramener à l'Église, avec douceur, une « brebis égarée » (fragment).

Paulin est en outre le destinataire des *Lettres* 28, 60, 86, 95-96, 99 et 139 d'Alcuin (MGH *Epistolae*, même éd., p. 70-71, 103-104, 128-131, 130-140, 143-144, 220-222), qui le fait en outre saluer par d'autres correspondants (voir l'index de l'éd. au mot *Paulinus*). Alcuin lui adresse également les *carmina* 17-20 (MGH *Poetae*, éd. citée, p. 239-241).

Paulin d'Aquilée mérite d'être compté parmi les meilleurs théologiens et pasteurs du 8e siècle. Son œuvre semble trop peu étudiée de nos jours.

Bibliographie ancienne dans U. Chevalier, *Bio-bibliographie*, t. 2, Paris, 1907, col. 3552-3553 ; dans M. Manitius, t. 1, Munich, 1911, p. 368-370.

C. Giannoni, *Paulinus II Patriarch von Aquileia*, Vienne, 1896 (toujours à utiliser, spécialement pour l'étude des sources). – G. Ellero, *S. Paolino d'Aquileia*, Cividale, 1901. – P. Paschini, *S. Paolino patriarca († 802) e la chiesa Aquileiese alla fine del secolo VIII*, Udine, 1906 (reste la meilleure

biographie) ; *Storia del Friuli*, t. 1, Udine, 1934 ; 2e éd., 1953, p. 138-146.

J. Leclercq, *Bref discours pastoral attribuable à P. d'A.*, RBén., t. 59, 1949, p. 157-160. – Fr. Zagiba, *Paulinus II... und die Anfänge der Slavenmission*, dans *Vescovi e diocesi in Italia nel medioevo...* (Italia sacra 5), Padoue, 1964, p. 339-348. – M. Toller, *S. Paolino*, Udine, 1965 (courte biographie, mais bien documentée).

DTC, t. 12, 1923, col. 62-67 (J. Reviron). – EC, t. 9, 1952, col. 700-701 (P. Paschini). – LTK, t. 8, 1963, col. 207-208 (J. Fleckenstein). – BS, t. 10, 1968, col. 144-148 (I. Daniele). – Dicc. de España, t. 1, 1972, p. 10-11 (*Adopcionismo*, R. Silva) ; t. 3, 1972, p. 912 (*Felix de Urgel*, M. Díaz y Díaz).

DS, t. 1, col. 1134 ; t. 2, col. 570 ; t. 3, col. 1079 ; t. 4, col. 178 ; t. 5, col. 80, 441, 462, 519, 848 ; t. 7, col. 2180 ; t. 10, col. 1303.

Aimé SOLIGNAC.

**2. PAULIN D'AUMALE,** du Tiers-Ordre régulier de Saint-François, 17e siècle. – Les *Traités spirituels* signalés en DS, t. 5, col. 1647 et qui se trouvaient alors à la Bibliothèque des Franciscains de Paris n'ont pas été retrouvés.

**3. PAULIN DE BÉZIERS,** auteur de l'*Epigramma S. Paulini* (début 5e s.) ? – Selon la *Chronique* de l'évêque espagnol Hydace (73, éd. A. Trannoy, SC 218, 1974, p. 124 ; commentaire, SC 219, p. 55), l'évêque Paulin de Béziers fit dans une lettre le récit de « signes terrifiants » survenus dans cette ville en 418-419. Cette lettre semble perdue. Mais G. Schenkl conjecture que ce Paulin pourrait être l'auteur de l'*Epigramma S. Paulini*, conservé dans le *Paris. B.N. lat. 7558* (9e s.), à la suite de l'*Aletheia* de Marius Victorius (cf. DS, t. 10, col. 623-624) ; il a édité les deux ouvrages en CSEL 16, 1888, p. 335-498 et 499-510. L'éd. princeps de Marius Victorius par Jean de Gagny (Lyon, 1536), basée sur un ms de Lyon aujourd'hui perdu, faisait de ce poème le livre IV de l'*Aletheia* ; cette erreur s'est répétée dans les éd. suivantes (sauf celle de G. Morel, Paris, 1650) ; en PL 61, 969-972, le poème est intitulé *De perversis suae aetatis moribus ad Salmonem Abbatem* (ces deux derniers mots du titre sont erronés).

L'attribution à Paulin de Béziers n'est pourtant pas certaine (cf. Schenkl, CSEL 16, p. 502 ; corriger en ce sens l'affirmation émise en DS, t. 10, col. 624). Elle trouverait un appui dans la correction introduite par Schenkl au v. 105 : « ad » *Tecumque* (le ms donne *tecumque*) ; il s'agirait du *Tech*, rivière du Roussillon, région proche de Béziers ; mais cette correction est injustifiée (cf. É. Griffe, cité *infra*, p. 194, n. 9).

Quel que soit son auteur (le nom de *Paulinus* est fréquent à l'époque ; Gennade, *De viris illustribus* 69, éd. E.C. Richardson, TU 14/1, Leipzig, 1896, p. 85, attribue à un certain Paulin divers écrits non identifiés jusqu'ici) et malgré sa brièveté (110 hexamètres), l'*Epigramma* est un document intéressant sur la situation de l'Église dans la Gaule méridionale après l'invasion des Vandales et des Alains (vers 410). Le poème raconte un entretien entre un certain Salmon et deux moines, le chef du monastère et un autre nommé Thesbon. Salmon affirme que les destructions de l'invasion n'ont pas rendu les hommes meilleurs ; le vrai mal est à l'intérieur. Mais le poème s'achève sur une note plus optimiste, qui fait contraste avec le sombre tableau fourni par Salvien de Marseille à la même époque (*Du gouvernement de Dieu*, éd. G. Lagarrigue, SC 220, 1975). L'abbé constate qu'il existe, même hors des monastères, des chrétiens exemplaires : « Cependant, au milieu de votre peuple, les bons ne constituent pas seulement un petit groupe, et nombreux sont les hommes pieux que l'Église nourrit » (v. 96-97).

É. Griffe, *L'Epigramma Paulini...*, dans *Revue des études augustiniennes*, t. 2, 1956 (Mélanges G. Bardy), p. 187-194 (étude et trad. partielle). – P. Courcelle, *Histoire littéraire des grandes invasions germaniques*, 3e éd., Paris, 1974, p. 87-88, 355. – Bibliographie ancienne dans U. Moricca, *Storia della letteratura cristiana*, t. 3/1, Turin, 1931, p. 14 (p. 38-40, étude de l'ouvrage). – DS, t. 5, col. 798.

Aimé SOLIGNAC.

**4. PAULIN DE MILAN**, diacre, fin 4e-début 5e siècle. – 1. *Vie*. – 2. *Paulin et le pélagianisme*. – 3. *La « Vita Ambrosii »*.

1. VIE. – Les écrits de Paulin (surtout la *Vita Ambrosii*, éd. M. Pellegrino, Rome, 1961) et d'autres témoignages permettent de fixer quelques dates de sa vie. Il était secrétaire (*notarius*) d'Ambroise (*Vita* 42, p. 112) au moment où celui-ci, peu de temps avant de mourir (4 avril 397), dictait le commentaire sur le Ps. 43. Les autres événements de la vie d'Ambroise auxquels il dit avoir été mêlé (32-33, p. 96-100 : invention du corps de saint Nazaire ; prière sur la tombe de saint Celse) se situent tous après la mort de l'empereur Théodose (395) ; on peut donc conjecturer que Paulin entra au service d'Ambroise dans les dernières années de son épiscopat, soit entre 394 et 397 ; il était d'autre part sous les ordres du diacre Castus (42, p. 114), ce qui laisse entendre qu'il était clerc dans un ordre inférieur. Il devait avoir un peu plus de vingt ans ; sa naissance se situe ainsi autour de 370. Quelques détails (résurrection du jeune Pansophius ; apparitions d'Ambroise à Florence ; *Vita* 28 et 52, p. 92, 122-124) permettent de supposer qu'il avait des attaches florentines et appuient l'hypothèse de J.-R. Palanque (*S. Ambroise et l'empire romain*, Paris, 1933, p. 409-410) : Paulin aurait suivi Ambroise après la visite de celui-ci à Florence en 394. Il fut témoin de la maladie et des derniers moments de l'évêque et assure avoir lu une lettre reçue après sa mort (46-49, p. 116-122).

C'est après la mort d'Ambroise qu'il accéda au diaconat, et il semble être resté dans cet ordre malgré l'affirmation d'Isidore de Séville qui le dit prêtre (*De viris illustribus* 17, 21, PL 83, 1092). Paulin passa encore quelques années à Milan, où il entendit le témoignage de Mascezel sur une apparition d'Ambroise lui montrant en quel lieu il devait engager la bataille contre son frère Gildon, le *comes* d'Afrique révolté (51, p. 124 ; la bataille victorieuse eut lieu en 398). Peut-être vint-il à Rome au début du 5e siècle et fut-il au courant des premières manifestations du mouvement pélagien. On le trouve un peu plus tard en Afrique, comme administrateur des biens de l'Église milanaise (*Praedestinatus* I, 88, PL 53, 617 : « defensor et procurator ecclesiae mediolanensis »). Il intervient comme accusateur de Caelestius, disciple de Pélage, devant une assemblée d'évêques présidée par Aurélius de Carthage (après septembre 411 ; cf. P. Refoulé, *Datation du premier concile contre les Pélagiens...*, dans *Revue des Études Augusti-*

*niennes* = REAug., t. 9, 1963, p. 49) ; c'est alors qu'il rédige le premier *Libellus* contre Caelestius. Paulin est toujours en Afrique lorsqu'il adresse au pape Zosime un second *Libellus* en 417 (cf. *infra*).

La *Vita Ambrosii* fut rédigée au temps où un certain *Iohannes* était préfet du prétoire (31, p. 96). On situait habituellement la *Vita* en 422, date où Iohannes aurait exercé cette charge pour la seconde fois ; mais la réalité de cette seconde préfecture a été récemment contestée, tandis que la première, en 411-412, est indiscutable (cf. *The Prosopography of the Later Roman Empire*, t. 1, éd. A.H.M. Jones, Cambridge, 1971, p. 459 ; la notice sur Iohannes dans le t. 2, éd. J.R. Martindale, 1980, p. 594, est plus hésitante). D'autres facteurs entrent en jeu, qu'il est impossible d'examiner en détail (voir É. Lamirande, *La datation de la Vita Ambrosii...*, REAug., t. 27, 1981, p. 43-55) ; en définitive, la date de la *Vita* est incertaine. Il en est de même pour une lettre d'Augustin à Paulin, qui figure dans le lot de lettres récemment découvert (n. 29, éd. J. Divjak, CSEL 88, 1981, p. 137-138). Paulin l'avait prié d'écrire des « récits de martyre » sur le modèle de ceux qu'il lui envoyait de Carthage, mais Augustin se récuse (cf. G. Madec, *Du nouveau dans la correspondance augustinienne*, REAug., 1981, p. 65).

On ne sait donc rien sur les dernières années de Paulin ; il était mort cependant en 428-429, date à laquelle Marius Mercator parle de lui.

2. PAULIN ET LE PÉLAGIANISME. – 1o Le *Libellus* du concile de Carthage est perdu ; il figurait pourtant dans les *Gesta* que Marius Mercator (cf. DS, t. 10, col. 610-11) dit avoir vus et dont il a tiré l'énoncé des thèses reprochées par Paulin à Caelestius : 1) Adam fut créé mortel, indépendamment de son péché ; 2) ce péché ne lésa que lui seul, non le genre humain ; 3) les enfants naissent dans l'état d'Adam avant son péché ; 4) ce n'est pas à cause du péché d'Adam que tout homme meurt, ni à cause de la résurrection du Christ qu'il ressuscite ; 5) la loi mosaïque conduit au Royaume des cieux aussi bien que l'Évangile ; 6) même avant la venue du Seigneur, il y eut des hommes sans péché (*Commonitorium super nomine Caelestii*, éd. E. Schwartz, *Acta Conciliorum Oecumenicorum*, t. 1, vol. 2/1, Berlin, 1924/26, p. 66). Augustin a conservé quelques fragments des *Gesta*, avec les interventions de Paulin, dans le *De gratia Christi et peccato originali* II, 3-4 (éd. et trad. franç., coll. Bibliothèque Augustinienne, t. 22, Paris, 1975, p. 160-165).

2o Le second *Libellus adversus Caelestium*, adressé au pape Zosime et daté du 8 novembre 417, a été conservé dans la *Collectio avellana* (PL 20, 711-716 ; éd. critique O. Günther, CSEL 35, 1895, n. 47, p. 108-111). Convoqué à Rome par le pape (qui avait cru pouvoir réhabiliter Caelestius et Pélage) pour justifier ses accusations, Paulin répond qu'il ne donnera pas suite à cette convocation puisque Caelestius n'a nullement rétracté ses doctrines erronées. On ne sait comment cette réponse fut reçue à Rome. Peu après, des troubles graves suscités par les Pélagiens entraînèrent un décret d'expulsion de l'empereur Honorius (30 avril 418) et leur condamnation par Zosime au cours de l'été de la même année (cf. art. *Pélage et Pélagianisme*).

3. LA VITA AMBROSII. – Dans la préface (1-2, p. 50-52), Paulin dit à Augustin, qui lui a demandé d'entreprendre ce récit en prenant pour modèles les *Vies* de Paul et Antoine par Jérôme et celle de Martin par Sulpice Sévère, son incapacité à imiter des auteurs si bien doués ; avec la grâce du Saint-Esprit, il évoquera cependant ses propres souvenirs, les témoignages qu'il a reçus des amis d'Ambroise,

particulièrement ceux de sa sœur Marcelline. L'ouvrage vise donc l'édification. M. Pellegrino y distingue six parties : 1) naissance, jeunesse, formation littéraire, carrière juridique et administrative (3-5) ; 2) circonstances de l'élection à l'épiscopat (6-9) ; 3) activités épiscopales et récits de divers événements (10-38) ; 4) vertus d'Ambroise : abstinence, jeûnes, veilles, prière, amour du travail, zèle pastoral, souci des pauvres et des prisonniers, humilité, dons extraordinaires (39-44) ; 5) dernière maladie, mort et funérailles (45-48) ; 6) survie : apparitions et miracles (49-54).

A quelques exceptions près, Paulin suit l'ordre chronologique des événements, ce qui donne à la *Vita* une réelle valeur historique, malgré l'abondance excessive des récits miraculeux, quelques lacunes ou erreurs (cf. M. Pellegrino, introd., p. 12-13 ; A. Paredi, *Paulinus of Milan...*, p. 213-220). Outre ses propres souvenirs, contrôlés auprès de témoins encore vivants (entre autres celui de la vierge Candida, ancienne compagne de Marcelline, « qui vit maintenant à Carthage dans un âge avancé » ; 4, p. 54), Paulin utilise encore le livre XI de l'*Histoire ecclésiastique* de Rufin d'Aquilée, spécialement pour les circonstances de l'élection (cf. introd., p. 16-18) et recourt parfois aux écrits d'Ambroise lui-même.

La *Vita* a été conservée dans de nombreux mss (inventaire, avec étude comparée, introd., p. 27-47). L'éd. princeps fut publiée à Milan dès 1474 ; celle des Mauristes (J. du Frische et N. Le Nourry), publiée d'abord en appendice du t. 2 des *Opera* d'Ambroise (Paris, 1686-1690), a été reprise en PL 14, 28-50. Éd. critique, avec trad. italienne et notes par M. Pellegrino (plus tard cardinal-archevêque de Turin), coll. Verba seniorum, nouv. sér. 1, Milan, 1961.
Une autre *Vita Ambrosii,* qui dépend partiellement de celle de Paulin, a été découverte par A. Paredi dans le ms Sangallensis 569 (9ᵉ s.) et éditée par lui (*Vita e meriti di S. Ambrogio,* Milan, 1964) ; elle a fait l'objet d'une nouvelle éd., avec recherche approfondie des sources et une étude historique, par P. Courcelle, *Recherches sur S. Ambroise,* Paris, 1972, p. 48-121, 123-153.
La *Vita* écrite par Paulin a été utilisée d'autre part, avec d'autres sources, pour des *Vies* grecques d'Ambroise ; une trad. grecque, rédigée peut-être entre le 7ᵉ et le 9ᵉ siècle, est conservée dans les mss 242 de Saint-Sabas à Jérusalem et le Paris. grec 1458 ; voir sur ce sujet J. Irmscher, *Ambrosius in Byzanz,* dans *Ambrosius episcopus* (Actes du 16ᵉ centenaire de l'épiscopat), t. 2, Milan, 1976, p. 298-311 ; F. Trisoglio, *S. Ambrogio negli storici e nei cronisti bizantini, ibidem,* p. 345-377.
Le *De benedictionibus patriarcharum,* publié sous le nom de Paulin (PL 20, 715-732), est en réalité d'Arévald de Fleury † 878/879, comme l'a montré A. Wilmart, *Le commentaire des bénédictions... attribué à P. de M.,* RBén., t. 32, 1920, p. 57-63.

Bibliographie choisie dans l'éd. Pellegrino, p. 131-134. Nous relèverons surtout les études importantes parues depuis 1960.
J.-R. Palanque, *La Vita Ambrosii de Paulin,* dans *Revue des sciences religieuses,* t. 4, 1924, p. 26-42, 401-420. – A. Paredi, *Paulinus of Milan,* dans *Sacris erudiri,* t. 14, 1963, p. 206-230 (étude importante). – I. Opelt, *Das Bienenwunder in der Ambrosius-Biographie von P. v. M.,* dans *Vigiliae christianae,* t. 22, 1968, p. 38-44 (antécédents classiques de ce topos). – B. Fischer, *Hat Ambrosius von Mailand in der Woche seiner Taufe und seiner Bischofskonsekration andere Weihen empfangen?,* dans *Kyriakon,* Festschrift J. Quasten, t. 2, Münster, 1970, p. 527-531 (réponse négative à cette question). – O. Wermelinger, *Rom und Pelagius,* coll. Päpste und Papsttum 7, Stuttgart, 1975 (tables). – R. McClure, *St. Gall 569 and the Text of the Vita Ambrosii of P.,* dans *Forma futuri,* Studi... M. Pellegrino, Turin, 1975, p. 656-665. – A. Bastiaensen, *P. de M. et le culte des martyrs chez S. Ambroise,* dans *Ambrosius episcopus...,* t. 2, p. 143-150 ; Y.-M. Duval, *Ambroise de son élection à sa consécration, ibidem,* p. 242-283.
DTC, t. 12, 1923, col. 67-68 (É. Amann). – LTK, t. 8, 1963, col. 208 (A. Stuiber). – DS, t. 6, col. 967.

Aimé SOLIGNAC.

**5. PAULIN DE NOLE** (SAINT), évêque et moine, vers 355-431. – 1. *Vie.* – 2. *Relations.* – 3. *Œuvres.* – 4. *Doctrine.*

1. **Vie.** – Meropius Pontius Paulinus naquit en 355 (peut-être en 353-354) dans la province d'Aquitaine, en Gaule. Sa famille appartenait à l'aristocratie ; elle possédait de riches domaines en Aquitaine, à Fundi en Campanie et en Espagne. Son père et sa mère moururent chrétiens ; il eut au moins un frère, qui mourut de mort violente. Il reçut son éducation littéraire à Bordeaux, sous la direction d'Ausone, et tous deux devinrent grands amis. Peut-être pratiqua-t-il le Droit. En 378, au plus tard, il était *consul suffectus* et en 381 gouverneur (*consularis*) de Campanie. Cette même année, il assista à Nole à la fête de saint Félix et fut impressionné par les miracles qui s'y opéraient. Il célébra sa *depositio barbae* au sanctuaire du saint, fit construire et paver une route pour y accéder, bâtir un refuge pour les pauvres (*Carmen* 21, 365-385). Au terme de son office, il se rendit peut-être à Milan et y rencontra Ambroise. En tout cas, il était connu à Milan avant 386 (alors qu'Alypius et Augustin s'y trouvaient) et grandement estimé d'Ambroise (*Ep.* 3, 4).

Paulin se retira en Gaule pour y mener une vie tranquille et développer les attraits religieux qui s'étaient éveillés à Nole. C'est à la même époque qu'il rencontra Martin de Tours, peut-être à Vienne autour de 386 ; Victrice de Rouen s'y trouvait également (*Ep.* 18, 9 ; Sulpice Sévère, *Vita Martini* 19, 3). En 389 (au plus tard), Paulin fut baptisé à Bordeaux par l'évêque Delphinus, après avoir été instruit par le prêtre Amandus. C'est à cette époque qu'il se rendit en Espagne et y épousa Therasia ; leur fils Celsus naquit en Espagne mais mourut huit jours après et fut enseveli à Alcala, auprès du tombeau des martyrs Justus et Pastor (*Carm.* 31, 600-620). Vers la même époque, le frère de Paulin fut assassiné et peut-être celui-ci fut-il accusé du meurtre (*Carm.* 21, 416-420). En 389, Paulin et Therasia quittèrent la Gaule de façon définitive. En 393, Paulin commença de vendre ses biens et ceux de son épouse. Dans la lettre à Augustin où il parle de lui-même, il place à cette date le tournant de sa vie (*Ep.* 4, 3, écrite en 395).

Le jour de Noël 394, sur l'insistance de l'assemblée des fidèles, il fut ordonné prêtre à Barcelone par l'évêque Lampius (*Ep.* 1, 10 ; 2, 2 ; 3, 4), mais en stipulant qu'il ne serait point attaché à cette église. En fait, son plan était déjà fixé : lui-même et Therasia iraient vivre à Nole. Dans le *Carm.* 12, premier *natalicium* (poème pour l'anniversaire du martyre de saint Félix), écrit à Barcelone pour le 14 janvier 395, il formule l'espoir d'atteindre bientôt son but. Après Pâques de la même année, il quitta Barcelone avec Therasia (*Ep.* 1, 11). Ils allèrent d'abord à Rome, où le pape Sirice refusa de les voir et le clergé romain les traita de façon désobligeante (*Ep.* 5, 13-14), peut-être à cause de l'antipathie du pape à l'égard des ascètes.

A leur arrivée à Nole (accompagnés sans doute de quelques-uns de leurs affranchis), ils commencèrent à mener une vie proprement monastique. A partir de son installation en cette ville, Paulin élargit le cercle de ses correspondants, y incluant Jérôme, Augustin et d'autres (cf. *infra*). Chaque année, il se rendait à Rome pour la fête des apôtres (*Ep.* 17, 1 ; 18, 1 ; 20, 2 ; 43, 1 ; 45, 1). Il fut traité avec honneur par le pape Anastase qui, en 399 ou 400, écrivit à son sujet aux évêques de Campanie (*Ep.* 20, 2). Peu après 400, il répara l'ancienne basilique de saint Félix à Nole, en bâtit une nouvelle et aménagea le cadre environnant (*Ep.* 32 ; *Carm.* 27 et 28). Il améliora aussi l'adduction d'eau d'Abella à Nole (*Carm.* 21, 704-835) et construisit une petite basilique à Fundi (*Ep.* 32, 17).

En 400, il reçut à Nole la visite de Mélanie l'ancienne (*Ep.* 29, 6-14) ; puis, en 400 et 403, celle de Nicétas de Rémésiana (*Ep.* 29, 14 ; *Carm.* 17 et 27 ; sur Nicétas, cf. DS, t. 11, col. 214-219) ; en 407, Mélanie la jeune, avec son mari Valerius Pinianus, sa mère Albina et d'autres, vinrent aussi le voir pour la fête de Saint Félix (*Carm.* 21, 272-343). Therasia mourut entre 408 et 415. Lui-même fut ordonné évêque à une date incertaine entre 404 (où il est fait mention pour la dernière fois de l'évêque de Nole, Paulus ; *Ep.* 32, 15) et 413 (où Augustin parle de Paulin comme évêque ; *De Civitate Dei* I, 10).

A partir de 407, très peu d'écrits nous sont parvenus. Entre 423 et 426 il adressa son *Ep.* 51 à Eucher et Galla, qui menaient la vie monastique à Lérins, preuve qu'il restait en contact avec la communauté monastique de l'île. En 419, l'empereur Honorius lui demanda de présider un synode à Spolète, pour résoudre le conflit entre Boniface et Eulalius qui se disputaient la succession du pape Zosime (*Ep.* 25 de la *Collectio avellana*, CSEL 35, p. 71). Paulin mourut le 22 juin 431 ; le prêtre Uranius dans une lettre à Pacatus, inconnu par ailleurs, a décrit ses derniers jours (AS *Juin*, t. 5, col. 170-172).

2. **Relations**. – 1° AUSONE. – Le caractère poignant de la conversion de Paulin apparaît au plus haut degré dans sa correspondance avec Ausone. Celui-ci avait dirigé la formation de Paulin, qui exerça l'office de consul subrogé, un an avant le consulat d'Ausone. Il nous reste quatre lettres d'Ausone à Paulin antérieures à 389 (*Ep.* 19-22, éd. C. Schenke, MGH, *Auctores antiquissimi*, t. 5, 2, 1883). Paulin se trouvait à Bordeaux ; les lettres lui ont certainement été écrites après qu'il eut quitté son office vers 382.

Dans l'*Ep.* 19 Ausone le remercie de lui avoir transmis son adaptation en vers de trois livres de Suétone sur les rois de Rome (les livres et l'adaptation sont les uns et les autres perdus). L'*Ep.* 20 est une lettre pour le nouvel An ; l'*Ep.* 21 un mot de gratitude, l'*Ep.* 22 la demande d'une faveur. Ausone envoya aussi à Paulin la première version de son *Technopaegnion*. En 389 le ton change. Chacune des quatre années suivantes, Ausone écrivit une lettre à Paulin, désormais en Espagne, mais sans recevoir de réponse (Ausone, *Ep.* 23 en 391, *Ep.* 24 en 393 ; les deux autres sont perdues). Il se plaint du silence de Paulin et soupçonne Therasia d'en être la cause (*Ep.* 23, 10-12.31). En 393 finalement, Paulin reçut à la fois trois des lettres d'Ausone et y répondit dans le *Carm.* 10. Mais le destinataire dut être déçu : Paulin annonce qu'il renonce aux artifices de la poésie et s'est donné tout entier au Christ. Ausone répondit par son *Ep.* 25, lui demandant de venir le voir. Dans le *Carm.* 11 (394), Paulin est plus déférent, mais il confirme sa détermination de poursuivre la vie ascétique avec Therasia. Ausone mourut sans doute peu après.

2° SULPICE SÉVÈRE. – De Paulin à Sulpice Sévère il nous reste treize lettres, étalées sur plus de dix années : 1 (395) ; 5 (396) ; 11 (397) ; 17 (398) ; 22 (399) ; 23, 24, 29 (400) ; 27 (401) ; 30 (402) ; 31 (403) ; 28, 32 (404). De Sévère à Paulin aucune ne nous est parvenue. Sévère lui envoya un exemplaire de sa *Vita Martini* en 397 (*Ep.* 11, 11) et Paulin en fait mention dans deux lettres qui suivent (*Ep.* 23, 4 ; 29, 6, 14). Il est mentionné dans la *Vita Martini* (19, 3 et 25, 4) ; ses propres *Carm.* 15, 16, 18, 23 et 26 (du quatrième au huitième *Natalicium*, 398-402) sont une sorte de *Vita et miracula sancti Felicis*, probablement inspirée par la *Vita Martini* (cf. *Ep.* 28, 6).

La date de leur première rencontre est inconnue, mais le début de la correspondance les montre déjà étroitement liés. Les premières lettres laissent entendre que l'un et l'autre ont vendu leurs biens vers le même temps (cf. *Ep.* 1, 1. 4 ; 11, 6). Leurs rapports passèrent par diverses phases. Entre 395 et 399, Paulin s'attendait à une visite de Sévère, peut-être même à ce qu'il vienne se fixer à Nole. En fait, il n'y vint jamais et Paulin se montra dès lors amer et mordant (*Ep.* 22). Mais la réconciliation eut lieu (*Ep.* 23, 1). En 402, Sévère entreprit de décorer la basilique de Primuliacum et demanda à Paulin son portrait (*Ep.* 30, 2). En 403, celui-ci lui envoya pour sa basilique une relique de la Croix (*Ep.* 31, 1) et en 404 des inscriptions en vers, ainsi que des copies de celles qu'il avait lui-même composées pour les basiliques de Nole et de Fundi (*Ep.* 32). Puis la correspondance cessa ; peut-être l'invasion de la Gaule en 406 avait-elle rendu impossibles les voyages des porteurs de courrier.

3° AMBROISE. – Bien que les témoignages soient imprécis, il est probable qu'Ambroise eut une influence notable sur le choix de Paulin pour une vie d'ascèse. Il semble que Paulin lui ait rendu visite à son départ de Campanie. En fait, il est déjà connu à Milan avant 386 et, après son ordination en 394, Ambroise souhaitait le considérer comme un de ses prêtres (*Ep.* 3, 4) ; ce qui laisserait entendre que Paulin l'avait mis au courant de son ordination. Peut-être Ambroise vit-il en lui un successeur possible. Dans son *Ep.* 27 (CSEL 82, 1968, p. 180-187 = *Ep.* 58 des Mauristes) écrite en 395, il dit la joie que lui cause la conversion à la vie d'ascèse de Paulin et Therasia. Paulin connaissait certains écrits d'Ambroise, au moins le *De Spiritu Sancto* et l'*Expositio Evangelii secundum Lucam* (cités dans *Ep.* 23) ; et Ambroise lui envoya des reliques (cf. *Ep.* 32, 17 ; *Carm.* 19, 324-328 ; 27, 436-437).

4° JÉRÔME. – Après sa venue à Nole en 395, Paulin commença à correspondre avec Jérôme. Les lettres sont perdues, mais trois réponses de Jérôme nous sont parvenues : *Ep.* 58 (395), 53 (396) et 85 (399). Paulin envoya à Jérôme un exemplaire de son panégyrique sur Théodose (Jérôme, *Ep.* 58, 8 ; il en est aussi fait mention dans l'*Ep.* 28, 6 de Paulin à Sévère). Jérôme envoya à Paulin son *Adversus Jovinianum* (*Ep.* 58, 5) ; dans l'*Ep.* 85, 3, il lui promet un exemplaire de sa traduction du *De principiis* d'Origène. L'*Ep.* 58 est particulièrement importante pour bien comprendre la vie monastique de Paulin. Il avait, semble-t-il, écrit à Jérôme pour lui annoncer la vente de ses domaines, son ordination et son intention de mener avec Therasia une vie de continence. Jérôme lui trace un programme de vie monastique : solitude, dégagement des charges cléricales, jeûne, veilles, étude de la Bible. Dans l'*Ep.* 53 il lui donne un programme beaucoup plus détaillé concernant l'étude de l'Écriture. Il continua à admirer Paulin et dans une lettre plus tardive le présentait comme un modèle (*Ep.* 118, 5).

5° AUGUSTIN. – Il reste une correspondance de Paulin avec Augustin et d'autres africains de son entourage : l'évêque Alypius de Thagaste, le protecteur d'Augustin Romanianus et son fils Licentius. Tous trois se trouvaient à Milan avec Augustin, au temps de sa conversion (386). L'amitié de Paulin et d'Augustin dura au moins vingt-cinq ans. L'initiative de la correspondance semble être venue de Paulin, avec la lettre (perdue) qu'il écrivit en 395 à Alypius (*Ep.* 3, 1). Alypius répondit en lui transmettant cinq livres des traités d'Augustin contre les Manichéens (*Ep.* 3, 2). Avec sa réponse (*Ep.* 3), Paulin envoya à Alypius un ouvrage historique d'Eusèbe (*Ep.* 3, 3 ; il s'agit sûrement de la *Chronique,* traduite par Jérôme). La même année (395), il commença à correspondre avec Augustin dans une lettre aimable (*Ep.* 4), où il fait des allusions à son âge, sa conversion et la vente de ses biens. Une seconde lettre suivit en 396 avant qu'il n'eût reçu une réponse d'Augustin (*Ep.* 6). A la même époque, Paulin correspondait aussi avec Aurelius, évêque de Carthage (*Ep.* 3, 3 ; 6, 2 ; 7, 1), ainsi qu'avec Profuturus, évêque de Cirta (Constantine), et Severus, évêque de Milève, tous deux anciens membres de la communauté monastique d'Augustin à Hippone (*Ep.* 7, 1).

La première réponse d'Augustin est son *Ep.* 27 ; il recommande Romanianus à Paulin et note que ce dernier possède un exemplaire de son *De vera religione* (*Ep.* 27, 4). Le messager, semble-t-il, apprit aussi à Paulin qu'Augustin avait été ordonné évêque. Le lendemain, Paulin écrivit à Romanianus à Rome pour l'en informer (*Ep.* 7) ; il envoya en même temps une lettre (*Ep.* 8) à Licentius, fils de Romanianus et élève indocile d'Augustin, le pressant de renoncer à ses visées mondaines et de se donner au Christ ; il le fit à la requête d'Augustin (cf. son *Ep.* 27, 6). L'*Ep.* 26 d'Augustin à Licentius va dans le même sens. Augustin écrivit une seconde lettre à Paulin, la même année 396 (*Ep.* 31), lui faisant part de son ordination à l'épiscopat et l'invitant à venir en Afrique. Il joignit au message son *De libero arbitrio* ; la fin de sa lettre montre clairement qu'il demandait à Paulin de l'aider à diffuser ses écrits en Italie.

Durant les douze années qui suivent, il ne nous reste aucune lettre de Paulin à Augustin ; mais nous avons trois lettres de ce dernier à Paulin : *Ep.* 42 (398) ; 45 (399), où il lui demande son ouvrage (inconnu) contre les païens ; 80 (405), où il lui demande son opinion sur le discernement de la volonté de Dieu. En 408 Paulin écrivit à Augustin (*Ep.* 45) pour lui annoncer la mort de Valerius Publicola, fils de Mélanie l'ancienne, et lui dire sa pensée sur la *mors evangelica* (cf. DS, t. 10, col. 1781-82) et la nature du corps ressuscité. La réponse d'Augustin (*Ep.* 95), de la même année 408, poursuit la discussion sur ce sujet. La lettre suivante est l'*Ep.* 50 de Paulin, envoyée en 413, dans laquelle il pose à Augustin une série de questions d'exégèse. La réponse se perdit, mais une copie en fut adressée en même temps que l'*Ep.* 149, qui parvint à Paulin en 415.

La dernière pièce de cette correspondance est celle qui intrigue le plus. En 417, Augustin et Alypius envoyèrent conjointement une longue lettre (*Ep.* 186) à Paulin sur les dangers du Pélagianisme, l'informant que certains « apud vos vel in vestra potius civitate » (*Ep.* 186, 8, 29) adhéraient fermement à cette erreur. Les auteurs en libèrent Paulin en citant un paragraphe de son *Ep.* 30 à Sévère (Aug., *Ep.* 186, 12, 39-40) ; mais le ton grave de la lettre et son ampleur montrent clairement qu'Augustin soupçonnait Paulin de ne point se rendre compte du danger de l'erreur pélagienne, que lui-même sentait si vivement. Augustin mentionne encore Paulin (citant peut-être une lettre perdue) vers 412 dans *De civitate Dei* ı, 10 ; enfin, vers 421 il lui dédie son *De cura pro mortuis gerenda.*

**3. Œuvres.** – 1° ÉDITIONS. – Sur les éd. anciennes, cf. P. Fabre, *Essai sur la chronologie de l'œuvre de S.*

*P. de Nole,* Paris, 1948, p. ı ; et l'introd. du CSEL 29, p. XXII-XXVII ; les plus importantes sont l'éd. princeps de Jean Petit et Josse Bade, Paris, 1515 ; puis celles de Francesco Sacchini (Anvers, Plantin, 1622, avec notes de Fronton du Duc et H. Rosweyde), J.-B. Lebrun-Desmarettes (Paris, 1685), L.A. Muratori (Vérone, 1756, éd. de Lebrun, avec addition des *Carm.* 21-23), reprise en PL 61.

L'éd. critique classique est celle de W. von Hartel, CSEL 29 (*Epistulae*) et 30 (*Carmina*), 1894, qui pourrait être améliorée (cf. CPL, n. 202-203). Elle comprend 51 lettres et 33 poèmes. L'authenticité des *Ep.* 46-47 à Rufin est discutée (meilleure éd. par M. Simonetti, *T. Rufini Opera,* CCL 20, 1961, p. 189-190, 203-204) ; de même celle de l'*Ep.* 48 (estimée authentique par P. Courcelle, *Fragments historiques de P. de N.,* dans *Mélanges... L. Halphen,* Paris, 1951, p. 145-153). – Sont inauthentiques les *Carm.* 4 (Paulin de Pella, cf. *infra*), 5 (Ausone ?), 32 (CPL, n. 206, « poema ultimum ») ; cf. A. Chastagnol, *Le sénateur Volusien...,* dans *Revue des études anciennes,* t. 58, 1956, p. 241-253 ; F. Sirna, *Sul cosidetto poema ultimum...,* dans *Aevum,* t. 35, 1961, p. 87-107) ; probablement aussi le *Carm.* 33 (*De obitu Baebiani ;* cf. CPL, n. 205).

Dix poèmes sont des *natalicia,* rédigés pour la fête de saint Félix entre 395 et 404 (12-16 ; 18-21 ; 23 ; 26-28 ; en outre, les fragments du *Carm. 29,* daté de 408 ou plus tard). D'autres reprennent dans un sens chrétien des genres littéraires antiques : 17 est un *propempticon* (discours d'adieu et d'accompagnement) pour Nicétas ; 25 un *epithalamium* pour le mariage de Julien (futur évêque d'Éclane et adversaire d'Augustin) et de Titia (nouv. éd., trad. néerl. et commentaire par J.A. Bouma, *Het Epithalamium van P. van N.,* Assen, 1968) ; l'*Ep.* 13 et le *Carm.* 31 sont des *consolationes ;* les *Ep.* 8 à Licentius, 25-25* à Crispianus, l'*Ep.* 16 et le *Carm.* 20 à Jovius sont des exhortations à la conversion ; les *Carm.* 6-9 des paraphrases de l'Écriture. L'*Ep.* 34 est en fait un sermon sur « la table des pauvres » dans l'Église, envoyé avec l'*Ep.* 33 à Alethius. Meilleure éd. et trad. angl. d'*Ep.* 32, 10-17, *Carm.* 27, 345-647 et *Carm.* 28, dans R.C. Goldschmidt, *Paulinus' Churches at Nola,* Amsterdam, 1940.

Sur la chronologie des divers écrits, cf. J.T. Lienhard, *Paulinus of Nola and Early Western Monasticism,* Appendix ı : The Chronology..., p. 154-191.

2° TRADUCTIONS. – En anglais, trad. complète par P.G. Walsh, *Letters,* coll. Ancient Christian Writers 35-36, Westminster Maryland, 1966-1967 ; *Poems,* même coll. 40, 1975. – En allemand, G. Bürke, *P. v. N. Das eine Notwendige,* Einsiedeln, 1961 (extraits des lettres). – En français, *Les Lettres de S. P.,* Paris, 1703 (due à Claude de Santeul, revue par P. Pelhestre (Bibliothèque Nationale, *Catalogue des Imprimés,* t. 162, 1941, col. 976) ; trad. annotée des *Poèmes* en cours de publication par J. de la Cr. Bouton, dans *Bulletin de la Société des bibliophiles de Guyenne,* n. 91-92, 1970 ; puis dans *Revue française d'Histoire du Livre,* n. 3 et 4, 1972 ; n. 6, 1973 ; n. 15, 1977 ; n. 19, 1978 ; n. 23, 1979 ; trad. partielle avec excellente présentation par Ch. Piétri, *P. de N. Poèmes, lettres et sermon,* coll. Les écrits des saints, Namur, 1964. – En italien, par A. Mencucci, *I carmi,* Sienne, 1970 ; S. Costanza, *Antologia di carmi,* Messine, 1971. – En néerlandais, A.P. Muys, *De briefwisseling van Paulinus van N. en Augustinus,* Hilversum, 1941 (avec commentaire).

3° **Écrits perdus.** – La notice de Gennade (*De viris illustribus* 49 ; éd. E.C. Richardson, TU 14/1, 1896, p. 78-79) attribue à Paulin un *Sacramentorum (opus) et hymnorum* ; Kl. Gamber pense qu'il s'agit d'un sacramentaire *prégélasien* utilisé en Campanie (*Das kampanische Messbuch als Vorläufer des Gelasianum. Ist der hl. P. v. N. der Verfasser ?*, dans *Sacris erudiri*, t. 12, 1961, p. 5-111 ; cf. V. Raffa, dans *Ephemerides liturgicae*, t. 76, 1962, p. 345-348) ; Gamber a au moins le mérite de signaler des formules identiques dans les écrits de Paulin et les textes liturgiques postérieurs. Gennade parle aussi d'un *panégyrique de Théodose* ; Paulin y fait lui-même allusion (*Ep.* 26, 8, en disant qu'il ne l'a pas « édité ») ; Jérôme l'a lu et lui en dit le mérite (*Ep.* 58, 8). Le *Liber de poenitentia* et le *De laude generali omnium martyrum* mentionnés par Gennade doivent sans doute être identifiés avec tel ou tel des écrits connus. Par contre, la mention de « nombreuses lettres de Paulin *à sa sœur* » semble bien une erreur de Gennade.

Les lettres de Paulin commencèrent à se diffuser de son vivant : Augustin possède une lettre à Sévère (Aug., *Ep.* 186, 39) ; Sanctus en fait une collection (Paulin, *Ep.* 41, 1). Beaucoup d'entre elles sont en fait de petits traités. Paulin pouvait passer une journée entière à lire une lettre d'Augustin (cf. *Ep.* 45, 1) ; les siennes propres ont dû être composées de façon analogue. Souvent il rassemble des textes et des thèmes de la Bible pour en tirer un exposé compliqué et subtil de quelque point de vie spirituelle. Ainsi l'*Ep.* 1 est un traité sur la fuite du monde ; l'*Ep.* 12 un exposé sur le péché et la grâce dans l'histoire du salut ; l'*Ep.* 21 une appréciation sur le quatrième Évangile ; l'*Ep.* 24 une présentation des aspects dominants de sa propre doctrine ascétique.

4. **Doctrine.** – Il est manifeste que Paulin n'était pas théologien spéculatif. On peut voir dans sa doctrine un ascétisme éclairé et plutôt optimiste. Il fut saisi par la vague d'enthousiasme pour la vie ascétique et monastique qui entraîna l'aristocratie romaine à la fin du quatrième siècle (cf. DS, t. 7, col. 2146-47). C'est dans ses lettres à Sévère que sa doctrine est la plus nette, mais il n'est guère un seul de ses écrits qui n'en porte la trace.

1° DUALISME ASCÉTIQUE. – Dès sa conversion Paulin eut la conviction que le vrai christianisme s'identifiait au christianisme ascétique. Sans cesse, dans ses écrits, il met en opposition le monde, la richesse et les honneurs d'une part, la retraite, la pauvreté et l'obscurité de l'autre. Ce dualisme est exprimé sous des formes multiples : ancien et nouveau ; obscurité et lumière ; Mammon et le Christ ; activités et loisir ; mort et vie ; perversité et justice ; servitude et liberté ; terre et ciel ; chair et esprit ; homme extérieur et homme intérieur (*Ep.* 5, 6. 8 ; 11, 5 ; 24, 12 ; toute l'*Ep.* 30). Pour lui, le sens de l'option est tout à fait clair : le vrai chrétien doit choisir la voie ascétique.

2° CONVERSION. – Paulin a laissé des descriptions de sa conversion dans *Carm.* 10 et *Ep.* 5, 4-6 ; dans le second passage il la compare à celle de Sévère. Beaucoup plus tard (en 407), il insère une autobiographie dans un de ses *Natalicia* (*Carm.* 21, 344-459).

Les meilleures sources pour comprendre son attitude au temps de sa conversion sont ses deux dernières lettres à Ausone (*Carm.* 10 et 11) et ses trois premières à Sévère (*Ep.* 1 ; 5 ; 11). Cette conversion fut progressive : Paulin se retira de la vie politique active à la manière du *secessus in villam* classique. Son intérêt pour l'ascétisme s'accrut, probablement sous l'influence de Therasia. Durant la période de sa conversion, il eut peut-être quelques contacts passagers avec les milieux priscillianistes d'Espagne. Il abandonna successivement sa maison, ses domaines et ses biens, sa carrière politique, son intérêt pour la littérature païenne des Romains, ses rapports conjugaux avec Therasia. A tout cela il substitua une vie de pauvreté, le dégagement total des affaires du monde, la continence et l'étude des lettres chrétiennes, en tout premier lieu de la Bible.

3° PAUVRETÉ ET RENONCEMENT. – A son avis, le pas décisif de sa conversion ne fut pas son baptême en 389 (ou plus tôt), ni son ordination à Noël 394, mais la vente de son domaine héréditaire et de celui de Therasia en 393. Dans sa première lettre à Augustin, écrite avant l'hiver 395, il assure que son âge physique est de quarante ans, mais que son âge spirituel n'est que de deux ans, l'âge auquel furent massacrés les saints Innocents (*Ep.* 4, 3 ; cf. *Mt.* 2, 16). Ambroise, dans sa lettre à Sabinus (*Ep.* 27, 1, en 395), parle du choc que produirait dans l'aristocratie romaine l'annonce de cette renonciation. En outre, la première lettre de Paulin à Sévère, écrite de Barcelone au début de 395, montre comment celui-ci tente d'expliquer à ceux qui ne les comprennent pas son propre geste et celui de Paulin (*Ep.* 1, 4).

C'est très exactement la vente de ses domaines ancestraux que Paulin ressentit comme le tournant de sa vie. Il ne connut pas ensuite un total dénuement, mais il éprouva un grand soulagement à être libéré des charges d'un propriétaire terrien. Une images favorites qu'il emploie pour décrire sa renonciation est celle du nageur, qui se dépouille de ses vêtements en vue d'atteindre plus aisément son but (*Ep.* 4, 4 ; 16, 8 ; 24, 7) ; il parle aussi du soldat qui, avant le combat, laisse de côté son bagage (*Ep.* 24, 1), du mouton tondu de sa laine (*Ep.* 11, 7. 9) ; et encore d'un investissement qui sera recouvré avec les intérêts, ou du prix par lequel on obtient la vie éternelle. Cette image du négoce apparaît par exemple en *Ep.* 1, 1 ; 23, 45-46 ; 34, 2 ; 44, 4 ; *Carm.* 21, 435-439.

Mais la pauvreté est pour lui plus qu'un simple manque de biens. Son point de vue est autre : il considère la richesse comme voulue de Dieu pour servir au relèvement du pauvre ; et il cite dans ce sens 2 *Cor.* 8, 14 : « ut fiat aequalitas » (*Ep.* 12, 1 ; 32, 21 ; cf. 11, 9). En fait, le pauvre et le riche ont été créés l'un pour l'autre : « consilium communis auctoris, quo divitem pauperi et pauperem diviti praeparaverit » (*Ep.* 32, 21 ; cf. 26, 3). Cette doctrine de libéralité est mise en lumière dans le sermon sur la table des pauvres (*Ep.* 34 ; cf. *Ep.* 13). L'idée que la pauvreté ascétique doit inclure la libéralité envers les pauvres est encore exposée dans la doctrine de Paulin sur le Corps du Christ, bien développée dans ses écrits (*Ep.* 1, 5 ; 2, 3 ; 4, 1 ; 5, 3 et 9-11 ; 6, 2 ; 13, 3 ; 38, 3). Sur les relations riches-pauvres à l'époque, cf. DS, t. 9, col. 371-375.

La cession des biens fut pour Paulin l'aspect majeur mais non le seul. Quitter sa famille et son pays natal pour s'établir à Nole fut aussi un acte significatif. En divers passages il relève ce qu'il a quitté : *terra, cognatio* (*Ep.* 11, 2) ; *patria, parentes, patrimonia* (*Ep.* 11, 4) ; *patrimonium, patria* (*Ep.* 11, 14) ; *patria, domus, substantia* (*Carm.* 15, 15) ; *mundus, patria, domus* (*Carm.* 21, 425) ; et l'énumération d'Ambroise : *domus, patria, cognatio* (*Ep.* 27, 1) semble faire écho à une lettre reçue de Paulin. Celui-ci voit clairement dans son déplacement à Nole une part de son programme d'ascèse et, à l'occasion, évoque la vocation d'Abraham (*Gen.* 12, 1-4) dans ce contexte (*Ep.* 1, 10 ; *Carm.* 15, 61-63).

4° CONTINENCE. – Dès sa venue à Nole Paulin vécut dans la continence avec Therasia. Jérôme, dans l'*Ep.* 58, appelle à plusieurs reprises Therasia « sœur » de Paulin, reprenant sans aucun doute le terme que celui-ci employait. Paulin considère la continence et la virginité comme un idéal pour tous les chrétiens, ainsi qu'il l'écrit à Victrice (*Ep.* 18, 5). Il compare la continence à l'abstinence de l'athlète avant le combat (*Ep.* 24, 9). Écrivant au soldat païen Crispinianus, il donne une description tout à fait classique des *molestiae nuptiarum* et presse son destinataire d'accepter à la fois baptême et célibat (*Ep.* 25, 7). Enfin, il propose le Christ comme le véritable conjoint (*Ep.* à Sévère, 23, 42).

5° LITTÉRATURE PAÏENNE ET BIBLE. – Dans sa lettre à Ausone, Paulin attache une grande importance à l'abandon de la littérature païenne. Il écrit avec rudesse à son ancien maître : « Pourquoi me conseilles-tu, Père vénéré, de revenir au culte des muses que j'ai abandonnées ; ils repoussent les Camènes, ils sont fermés à Apollon, les cœurs voués au Christ » (*Carm.* 10, 19-22 ; trad. Ch. Piétri, citée *supra*, p. 23).

A maintes reprises, dans ses lettres, il se dissocie nettement des auteurs païens : Cicéron (*Ep.* 5, 6) ; Térence (*Ep.* 7, 3) ; Virgile (*Ep.* 22, 3) ; les rhéteurs (*Ep.* 29, 7 ; cf. *Ep.* 16, 6). Renonciation plus formelle que matérielle cependant : bien que Paulin ne lût plus les auteurs classiques, il leur restait redevable pour la langue, le style et les genres littéraires. Après sa conversion, la Bible prit dans sa vie la place qu'avait tenue auparavant la littérature païenne et l'étude de l'Écriture dut occuper une bonne partie de son temps. Il écrit à Augustin (*Ep.* 50) pour lui poser une longue série de questions d'exégèse. Il semble parfois s'engager dans un allégorisme excessif ; mais son approche de l'Écriture est plus littéraire que scientifique et il trouve sa joie à expliquer des passages difficiles, en recourant d'ordinaire à des allégories d'ordre ascétique : voir, par exemple, *Ep.* 39, 5 (lettre à un couple menant la vie ascétique dans une ferme : allusion aux insectes divers qui détruisent en nous « la semence de la Parole ») ; *Ep.* 40, 6-9 (divers oiseaux) ; toute l'*Ep.* 23 (la chevelure).

6° MONACHISME. – Une fois installé à Nole, Paulin considéra sa demeure comme un *monasterium* (*Ep.* 5, 15) et lui-même comme un *monachus* (*Ep.* 22, 1-3 ; 23, 6. 8). Il se conforme aux coutumes spécifiquement monastiques pour le costume et le comportement (*Ep.* 22, 2). A Nole, les moines observaient un jeûne strict, même durant les jours de Pâques (*Ep.* 15, 4 ; cf. 19, 4 ; 23, 8) ; un peu de vin était cependant permis (*Ep.* 5, 16. 22 ; 15, 4 ; 19, 4). La culture d'un jardin était une forme de travail manuel (*Ep.* 5, 15-16 ; 11, 14).

En ligne générale, Paulin offre l'exemple d'un monachisme occidental primitif et de forme plutôt libre. Peut-être s'est-il inspiré de Martin de Tours. La lettre 58 de Jérôme montre que Paulin lui écrivit après son installation à Nole et qu'il lui demanda des directives pour guider la vie monastique. Ambroise l'aura certainement encouragé. L'*Ep.* 1 de Paulin à Sévère montre que les deux amis étaient convaincus de poursuivre l'un et l'autre une même visée (*propositum*). Le monachisme à l'époque était encore suspect ; l'accueil hautain (*superba discretio*) du pape Sirice et du clergé de Rome (*Ep.* 5, 13-14) en était sans doute un signe. L'attitude amicale des évêques de Campanie (*Ep.* 5, 14), plus tard celle du pape Anastase (*Ep.* 20, 2), lui apportèrent un soulagement. On ignore ce que devint la fondation après la mort de Paulin.

7° PÉLAGIANISME. – La lettre au ton grave (*Ep.* 186) qu'Augustin lui adresse en 417 pose la question de l'attitude de Paulin à l'égard du Pélagianisme. Vers 405, Paulin reçut de Pélage une lettre dans laquelle celui-ci – comme il le déclarait plus tard – ne traitait que « de la grâce de Dieu et de son aide » (cf. Augustin, *De gratia Christi* I, 35, 38 ; mais Augustin, qui a lu cette lettre, y discerne les idées hétérodoxes de Pélage). Le cercle des relations et des amis de Paulin, comme Rufin, Mélanie l'ancienne, Mélanie la jeune, Pinien, et d'autres (qui étaient origénistes en opposition à Jérôme, Pammachius et Épiphane) étaient aussi probablement sympathiques à Pélage. Mais ici une distinction importante est à faire : si Paulin était favorable à Pélage, c'était pour son rôle de guide spirituel et de promoteur de l'ascèse, nullement dans la ligne hérétique des écrits anti-pélagiens d'Augustin. Les écrits de Paulin ne laissent voir aucune trace des positions pélagiennes classiques, mais simplement la naïve confiance dans l'effort pratique, typique de tant d'ascètes.

8° SAINT FÉLIX. – Les *Natalicia* manifestent de la part de Paulin un lien spécifique avec saint Félix de Nole. Comme nous l'avons noté, les *Carm.* 15, 16, 18, 23 et 26 offrent une sorte de *Vita et miracula* du saint. Paulin lui attribuait les premières impulsions de son éveil religieux (*Carm.* 21, 372-374), ressenties au moment où il était gouverneur de Campanie. Une fois installé à Nole, il devint le gardien du sanctuaire de Félix et promut le culte du martyr. La fête du saint, le 14 janvier, attirait des foules considérables de pèlerins, parmi lesquels Mélanie l'ancienne (*Ep.* 29, 6-13), Nicétas de Rémésiana (*Ep.* 29, 14 ; *Carm.* 17 et 27) et le groupe qui accompagnait Mélanie la jeune (*Carm.* 21, 272-343). Dans les *Natalicia*, Paulin raconta les miracles qui s'étaient produits à la tombe de Félix (notamment *Carm.* 18, 23 et 26). Il défendit aussi avec ardeur le culte des reliques du saint et d'autres reliques à Nole (*Carm.* 19, en particulier v. 283-316). C'est d'Ambroise qui en propageait activement le culte, que provenaient sans doute les autres reliques que Paulin possédait à Nole (*Carm.* 27, 405-439 ; *Ep.* 32, 17).

Pour une bibliographie plus complète, cf. J. T. Lienhard, *Paulinus of Nola and Early Western Monasticism*, Cologne-Bonn, 1977 (coll. Theophaneia 28) : Appendix II, An annotated Bibliography on P. of N. 1879-1976, p. 192-204.

**Biographies.** – A. Buse, *Paulinus, Bischof von Nola, und seine Zeit*, Ratisbonne, 1856. – A. Baudrillart, *S. Paulin, évêque de Nole*, coll. Les Saints, Paris, 1904, 1905, 1924. – A. Mencucci, *S. Paolino vescovo di Nola*, Sienne, 1971.

**Prosopographie.** – K.F. Stroheker, *Der senatorische Adel im spätantiken Gallien*, Tübingen, 1948. – A.H.M. Jones, *Prosopography of the Later Roman Empire*, t. 1, Cambridge, 1971. – M.T.W. Arnheim, *The Senatorial Aristocracy in the Later Roman Empire*, Oxford, 1972.

**Relations.** – E.-Ch. Babut, *P. de N. et Priscillien*, dans *Revue d'histoire et de littérature religieuse*, nouv. sér., t. 1, 1910, p. 97-130, 232-275. – H. Delehaye, *S. Martin et Sulpice Sévère*, AB, t. 38, 1920, p. 5-136. – F.X. Murphy, *Melania the Elder : A Biographical Note*, dans *Traditio*, t. 5, 1947, p. 59-77 ; *Rufinus of Aquileia and Paulinus of Nola*, dans *Revue des études augustiniennes* = REAug., t. 2 (Mélanges G. Bardy), 1956, p. 79-91. – P. Courcelle, *Paulin de Nole et S. Jérôme*, dans *Revue des études latines*, t. 25, 1947, p. 250-280 ; *Les lacunes de la correspondance entre S. Augustin et Paulin de Nole*, dans *Les Confessions de S. Augustin dans la tradition littéraire*, Paris, 1963, p. 559-607 ; *Grégoire le Grand devant les conversions de*

*Marius Victorinus, Augustin et P. de N.,* dans *Latomus,* t. 36, 1977, p. 942-950. – G. Casati, *S. Agostino e S.P. di N.,* dans *Augustinianum,* t. 8, 1968, p. 40-57. – W.H.C. Frend, *P. of N. and the Last Century of the Western Empire,* dans *Journal of Roman Studies,* t. 59, 1969, p. 1-11 ; *The Two Worlds of P. of N.,* dans *Latin Literature of the Fourth Century,* éd. J.W. Binns, Londres, 1974, p. 100-133. – P.G. Walsh, *P. of N. and the Conflict of Ideologies in the Fourth Century,* dans *Kyriakon* (Festschrift J. Quasten), t. 2, Münster, 1970, p. 565-571. – P. Nautin, *Études de chronologie hiéronymienne.* III. *Les premières relations entre Jérôme et P. de N.,* REAug., t. 19, 1973, p. 213-239. – S. Costanza, *I rapporti tra Ambrogio e P. di N.,* dans *Ambrosius Episcopus,* Milan, 1976, t. 2, p. 220-232. – C.P. Hammond, *The Last Ten Years of Rufinus'Life,* dans *Journal of theological Studies,* t. 28, 1977, p. 372-429. – N. Moine, *Melaniana,* dans *Recherches Augustiniennes,* t. 15, 1980, p. 3-79.

**Aspects littéraires et culturels.** – P. Fabre, *Essai sur la chronologie de l'œuvre de S.P. de N.,* Paris, 1948 ; *S. P. de N. et l'amitié chrétienne,* Paris, 1949 (thèses). – A. Weis, *Die Verteilung der Bildzyklen des P. v. N. in den Kirchen von Cimitile (Campanien),* dans *Römische Quartalschrift,* t. 52, 1957, p. 129-150. – R. Argenio, *S. P. da N., cantore di miracoli,* Rome, 1970. – A. Esposito, *Studio su l'epistolario di S. P....,* Naples, 1971. – R.P.H. Green, *The Poetry of P. of N.: A. Study of His Latinity,* Bruxelles, 1971. – S. Costanza, *Dottrina e poesia nel carme* XXXI *di P. da N.,* dans *Giornale italiano di Filologia* = GIF, t. 24, 1972, p. 346-353 ; *Saggi sulla poesia di P.,* Messine, 1972 ; *I generi letterari nell'opera poetica di P...,* dans *Augustinianum,* t. 14, 1974, p. 637-650 ; *Aspetti autobiografici...,* GIF, t. 27, 1975, p. 265-277 ; *Il catalogo dei pelligrini. Confronto di due tecniche narrative (Prud. Per.* XI, *189-213 ; P. du N. Carm.* XIV, *44-85),* dans *Bolletino di studi latini,* t. 7, 1977, p. 316-326.

J. Fontaine, *Les symbolismes de la cithare dans la poésie de P. de N.,* dans *Romanitas et Christianitas* (Studia J.H. Waszink), Amsterdam-Londres, 1973, p. 123-143. – P. Flury, *Das sechste Gedicht des P. v. N.,* dans *Vigiliae christianae,* t. 27, 1973, p. 129-145. – F. Corsaro, *L'autore del De mortibus boum, Paolino da Nola e la politica religiosa di Teodosio,* dans *Orpheus,* t. 22, 1975, p. 3-26. – H. Junod-Ammerbauer, *Le poète chrétien selon P. de N. L'adaptation des thèmes classiques dans les Natalicia,* REAug., t. 21, 1975, p. 13-54 ; *Les constructions de Nole et l'esthétique de S. P.,* ibidem, t. 24, 1978, p. 23-57. – W. Erdt, *Christentum und heidnisch-antike Bildung bei P. v. N., mit Kommentar und Uebersetzung des 16. Briefes,* Meissenheim, 1976. – P.G. Walsh, *Paulinus Nolanus Carmen 24,* dans *Latin Script and Letters* (Festschrift L. Bieler), Leyde, 1976, p. 37-43. – A. Lipinsky, *Le decorazioni per la basilica di S. Felice negli scritti di P. di N.,* dans *Vetera Christianorum,* t. 13, 1976, p. 65-80. – K. Kohlwes, *Christliche Dichtung und stilistische Form bei P. v Nola,* Bonn, 1979.

**Aspects spirituels.** – H. Ulbrich, *Augustins Briefe zur entscheidenden Phase des Pelagianischen Streites (415-418),* REAug., t. 9, 1963, p. 51-75, 235-258. – J. Fontaine, *Valeurs antiques et valeurs chrétiennes dans la spiritualité des grands propriétaires terriens à la fin du* IVᵉ *siècle occidental,* dans *Epektasis* (Mélanges... J. Daniélou), Paris, 1972, p. 571-595. – D. Marin, *La testimonianza di P. di N. sul cristianesimo nell'Italia meridionale,* dans *Archivo Storico Pugliese,* t. 27, 1974, p. 161-190. – S. Prete, *P. di N. : la storia umana come provvidenza e salvezza,* dans *Augustinianum,* t. 16, 1976, p. 145-157 ; *I temi della proprietà e della famiglia negli scritti di P. di N.,* ibidem, t. 17, 1977, p. 257-282. – J. T. Lienhard, *Paulinus of Nola and Early Western Monasticism,* 1977, cité *supra.*

*Histoire littéraire de la France,* t. 2, Paris, 1865, p. 179-199. – DTC, t. 12, 1933, col. 68-71 (É. Amann) ; Tables, col. 3504. – DACL, t. 12, 2, 1936, art. *Nole,* col. 1422-65 (H. Leclercq). – Pauly-Wissowa, t. 18/2, 1949, col. 2331-51 (R. Helm). – EC, t. 9, 1952, col. 701-703 (E. Rapi-

sarda). – LTK, t. 8, 1963, col. 208-9 (G. Bürke). – NCE, t. 11, 1967, p. 28-29 (M.P. Cunningham).– BS, t. 10, 1968, col. 156-162 (S. Prete ; M. Ch. Celletti). – DIP, t. 6, 1880, col. 1099-1101 (J. Gribomont). – *Patrologia* III (suite de J. Quasten, *Patrology*), Rome-Turin, 1978, p. 281-290 (A. De Berardino).

DS, t. 1, col. 122, 589, 976, 1324, 1627 ; – t. 2, col. 899, 971, 1158, 1612, 2521 ; – t. 3, col. 837, 1065, 1069, 1561 ; – t. 4, col. 867, 894, 1094, 1653, 1655, 1730, 1788, 1891, 1985, 2192 ; – t. 5, col. 791-797 *passim,* 802, 1603, 1638 ; – t. 6, col. 622 ; – t. 7, col. 770, 1825, 2153, 2165, 2320 ; – t. 8, col. 568, 570, 902, 905-906, 908, 913, 1306, 1597 ; – t. 9, col. 370, 372, 945, 1265 ; – t. 10, col. 567, 691, 956-965 *passim,* 1373.

Joseph T. LIENHARD.

**6. PAULIN DE PELLA,** poète gallo-romain, † après 459. – 1. *L'homme et l'œuvre.* – 2. *La conversion.*

1. L'HOMME ET L'ŒUVRE. – Tout ce que l'on sait de Paulin de Pella est tiré de son *Eucharisticos Deo sub ephemeridis mei textu,* poème d'action de grâces en 616 hexamètres, où l'auteur, en se basant sur un « journal intime » rédigé peu avant, remercie Dieu de l'avoir conduit et protégé dans les épreuves de sa vie (cf. préface, p. 54-56 ; nous citons l'éd. critique, avec trad. franç. et notes de Cl. Moussy, SC 209, 1974).

L'appellation Paulin de Pella est trompeuse : cette ville est seulement le lieu de sa naissance, son père étant alors préfet du diocèse de Macédoine. Dès l'âge de neuf mois, il est à Carthage avec son père devenu proconsul d'Afrique, et à trois ans il arrive à Bordeaux, l'année même où son grand-père Ausone devient consul (379 ; cette date sûre permet de fixer la chronologie de sa vie). Il restera dans cette ville, puis à Bazas, durant la majeure partie de sa vie, avant de se retirer à Marseille à l'âge de 60 ans. On pourrait donc l'appeler, plus exactement, Paulin *de Bordeaux* ou *de Bazas.*

Le nom de Paulin ne figure pas dans le seul ms actuellement conservé (*Bernensis* 317, 9ᵉ s., Bibl. univ. de Berne), mais on le lisait sans doute dans le *Parisinus* perdu sur lequel Margarin de la Bigne a établi l'édition princeps (*Appendix Bibliothecae Sanctorum Patrum,* Paris, 1579, p. 281-294). Par modestie peut-être, Paulin ne fournit jamais les noms de ses parents ou d'autres personnes avec lesquels il a été en contact, mais seulement ceux des lieux où il est passé ; parce qu'il donne Bazas comme « patrie de ses ancêtres » (v. 332), nous savons qu'il appartient à la famille d'Ausone et, par divers recoupements, qu'il est très probablement le fils de son gendre Thalassius (cf. Moussy, introd. p. 10-12 ; commentaire des v. 273, p. 153 et 414-415, p. 173).

Il fournit par contre des indications précises sur son âge et sur les intervalles entre les événements de sa vie, et on peut ainsi en dater les étapes : – 376, naissance à Pella en Macédoine ; – 379, arrivée à Bordeaux (consulat d'Ausone) ; – 381, début de sa formation littéraire (il note, à l'inverse d'Augustin, la difficulté de passer du grec au latin) ; – 391, maladie grave, guérie par la pratique de la chasse ; – 394 (18 ans), ambitions et désordres de jeunesse (il avoue avoir eu un fils naturel qui mourut à sa naissance) ; – 397 (21 ans), mariage : il eut une fille (v. 326) et deux fils, dont un fut prêtre (v. 498-515) ; – 407, mort de son père, auquel il se dit lié intimement ; – 412-415, l'usurpateur Attale, créature des Goths, lui confie la charge de ses finances privées (v. 293-294) ; – 414, incendie de Bordeaux par les Goths ; Paulin se réfugie à Bazas, et joue un rôle auprès d'un chef des Alains (le roi Goar ?) pour faire lever le siège de la ville par les Goths ; – 421 (45 ans), conversion de Paulin (v. 463-488) ; peu après, mort de sa belle-mère, de sa femme et de ses fils ; – 436 (60 ans), venue à Marseille, où il vit pauvrement, en amitié avec des *sancti* ; – 459, achèvement du poème, dont la majeure partie semble cependant composée vers 455 (cf. P. Courcelle, *Histoire littéraire...*, p. 167, n. 3) ; Paulin a 83 ans (v. 11-14) ; sans doute est-il mort peu après.

L'*Eucharisticos* a été souvent édité, cf. Moussy, introd., p. 44-45 ; l'éd. critique de celui-ci ne périme pas celle qu'a procurée W. Brandes, CSEL 16, 1888, p. 263-334, avec un index des sources ou réminiscences (Ausone, Juvencus, Paulin de Nole, Sedulius, Virgile ; les références scripturaires sont rares), un index des noms propres, des particularités de la métrique, et des principales expressions ; cette éd. a été reprise, pour le texte seulement, dans PLS 3, 1966, p. 1115-1128. Trad. franç. de J. Rocafort, *Un type gallo-romain, Paulin de Pella...*, Paris, 1896, annexe p. I-XL. L'éd. de H.G. Evelyn White (Loeb Classical Library, Londres, 1921) reprend le texte de Brandes, avec de légères modifications et une trad. anglaise.

P. Courcelle a montré (*Un nouveau poème de P. de P.*, dans *Vigiliae christianae*, t. 1, 1947, p. 101-113 ; repris dans *Histoire littéraire*, p. 293-302) qu'il faut attribuer à notre Paulin une *Oratio* (19 hexamètres) conservée parmi les *spuria* de Paulin de Nole ; elle est publiée, avec trad. et commentaire de Cl. Moussy, à la suite de l'*Eucharisticos*, p. 212-225. C'est une œuvre de jeunesse : Paulin, qui semble déjà marié, demande à Dieu une vie paisible et vertueuse, mais aisée. Cette prière, inspirée de l'*Oratio* d'Ausone, a un accent plus moraliste que chrétien ; dans la suite, le dépouillement et la pauvreté devaient conduire Paulin à une tout autre conception de l'existence.

2. LA CONVERSION DE PAULIN (v. 451-488). – La lecture de l'*Eucharisticos* révèle en Paulin une personnalité mal affermie, un caractère indécis, un esprit quelque peu confus. Si l'on excepte son habileté à faire valoir les vignobles de son épouse et son intervention heureuse au siège de Bazas, il n'a joué aucun rôle de premier plan. Il se rachète par sa franchise et sa modestie, l'acceptation des épreuves et la sincérité de son action de grâces. L'influence des *Confessions* d'Augustin, non remarquée par Brandes, a été mise en lumière par P. Courcelle (*Les Confessions... dans la tradition littéraire*, Paris, 1963, p. 207-211 ; cf. Moussy, p. 19-22) ; Paulin cependant rend grâces à Dieu non pas tant de l'avoir délivré de ses fautes que de l'avoir guidé et soutenu dans les conditions misérables de ses dernières années. Nous laissons ici de côté le témoignage précieux sur l'histoire des invasions (cf. Moussy, p. 28-31), pour nous en tenir aux problèmes que pose le récit de sa conversion.

1° *Paulin « pénitent »*. – Selon É. Griffe (*Un exemple de pénitence publique au 5ᵉ siècle*, dans *Bulletin de littérature ecclésiastique* = BLE, t. 59, 1958, p. 170-175), Paulin se soumit à la pénitence publique, bien qu'il n'y fût pas strictement tenu. Cette opinion ayant été mise en doute par Moussy (p. 33), É. Griffe l'a maintenue et appuyée par de nouveaux arguments (*P. de P. le « Pénitent »*, BLE, t. 76, 1975, p. 121-125) : certaines formules des v. 463-468 (*confessus igitur ; proposita constrictus lege, digno... labore, rite recurrente statuto tempore pascha... sacramenta recepi*) paraissent en effet désigner les actes divers de la pénitence publique tels qu'ils étaient pratiqués à cette époque. Cette

solution paraît justifiée ; elle trouverait d'ailleurs un appui supplémentaire si l'on admet que Paulin dut renoncer à des doctrines hérétiques, comme il le laisse entendre.

2° *Les erreurs désavouées par Paulin*. – Celui-ci affirme qu'au moment de sa conversion il décida de « garder avec pleine conscience (*non inscius ipse*) la foi droite, en reconnaissant les voies de l'erreur à travers les dogmes pervers » (v. 471-472). É. Griffe réduit ces *dogmata praua* aux « fausses maximes du monde » (BLE, 1975, p. 125). L'interprétation, cette fois, semble trop faible. Paulin en effet associe ces *dogmata* aux *aliis culpis* qu'il réprouve simultanément (v. 473) : il distingue ainsi pratiquement *erreurs dogmatiques* et *péchés*. De quelles erreurs s'agit-il ? Contrairement à l'opinion de Moussy qui voit dans les *dogmata praua* les doctrines pélagiennes (p. 182-183), nous croyons qu'il s'agit plutôt de l'hérésie arienne. Les relations de Paulin avec l'usurpateur Attale, qui fut baptisé par l'évêque arien Sigesar (cf. SC 209, p. 156), laissent en effet penser qu'il pactisa un moment avec la religion des Goths, du moins avant son départ pour Bazas. Il renoncerait donc à cette hérésie pour adhérer à la « foi droite » des catholiques, comme le suggèrent les termes « ecclesia nostra » (v. 467) et l'invocation « *Christe Deus* » (v. 476). Ce qui est sûr, c'est que Paulin vécut dès lors en *conversus*, empêché de suivre « la vie parfaite selon le rite monastique » (v. 456), en raison de ses obligations familiales. Converti sur le conseil des *sancti* de Bazas ou de Bordeaux (v. 464), c'est encore en contact avec « des saints qui lui sont chers » qu'il vit à Marseille (v. 521).

Bibliographie ancienne dans U. Chevalier, *Bio-bibliographie*, Paris, 1907, col. 3555-3556 ; bibliographie abondante dans SC 209, p. 48-51. Nous signalons ici les études récentes, sans reprendre celles qui ont été signalées dans le texte.
G. Misch, *Geschichte der Autobiographie*, t. 1/2 , 3ᵉ éd., Berne, 1950, p. 684-689. – N.D. Chadwick, *Poesy and Letters in Early Christian Gaul*, Londres, 1955, p. 123-126. – P. Courcelle, *Histoire littéraire des grandes invasions germaniques*, 3ᵉ éd., Paris, 1964, p. 92-95 (et index). – É. Griffe, *La Gaule chrétienne à l'époque romaine*, t. 2, nouv. éd., Paris, 1966, p. 20 ; t. 3, 1965 (index). – P. Tordeur, *Concordance de Paulin de P.*, coll. Latomus 126, Bruxelles, 1973. – C. Johnston, *Paulinus of Pella*, dans *History To-Day*, Londres, t. 25, 1975, p. 761-769.
DTC, t. 12, 1933, col. 71-72 (É. Amann). – DACL, t. 13/2, 1938, col. 2727-34 (H. Leclercq). – EC, t. 9, 1952, col. 703 (E. Vogel). – LTK, t. 8, 1963, col. 209-210 (J.A. Fischer).
DS, t. 1, col. 1146 ; t. 5, col. 795, 797-8, 803, 805.

Aimé SOLIGNAC.

7. **PAULIN DE PÉRIGUEUX**, poète gallo-romain, 5ᵉ siècle. – Les écrits de Paulin permettent de situer sa vie dans l'histoire, mais en laissent ignorer les détails. Il compose la vie versifiée de saint Martin (cf. DS, t. 10, col. 687-694) au moment où Perpetuus, évêque de Tours entre 461 et 491, fait construire la nouvelle église en l'honneur du saint, avant 470. Plusieurs mss la donnent sous le nom de *Paulini petricordiae*, c'est-à-dire « de Périgueux » ; c'est dans cette ville qu'il vécut, probablement comme rhéteur, mais il n'en fut jamais l'évêque (cette hypothèse repose sur une fausse interprétation de la formule « per Domninissimum meum diaconum » de la lettre d'envoi des *carmina minora* à Perpetuus ; elle doit se traduire : « par mon cher Domnissimus, diacre », et non : « Par *mon* diacre... » ; aucun Paulinus ne figure sur la liste des évêques de Périgueux à cette date). Dans le *De uisitatione nepotuli*, il se dit déjà âgé (v. 79) ; il semble encore vivant cependant vers 477-478, d'après une

lettre de Sidoine Apollinaire à Perpetuus qui parle de lui (*Lettres* VIII, 11, 2, éd. et trad. A. Loyen, Paris, 1970, t. 3, p. 110). Paulin doit donc être né vers le début et mort vers la fin du 5e siècle.

La *Vita sancti Martini*, en vers hexamètres, comporte six livres. Les trois premiers suivent la *Vita* de Sulpice Sévère, les deux suivants ses *Dialogi* ; quant au livre VI, il met en vers une série de miracles opérés par Martin, et dont le récit lui a été transmis dans une *charta*, aujourd'hui perdue, de Perpetuus. A quoi s'ajoutent deux courts récits, précédés d'une lettre d'envoi : *De visitatione nepotuli sui* (80 hexamètres, récit de la guérison de son neveu et de l'épouse de celui-ci, par l'intervention indirecte de Martin) ; *De orantibus* (25 hexamètres), pièce destinée à être gravée à l'entrée de la nouvelle église pour inviter les pèlerins à mettre toute leur confiance dans l'intercession du saint ; une pièce du même genre avait été demandée par Perpetuus à Sidoine Apollinaire, qui l'a transcrite dans une lettre (IV, 18, 4 ; éd. Loyen, t. 2, p. 152-153).

L'œuvre de Paulin a été transmise par divers mss ; la liste donnée par M. Petschenig (CSEL 16, p. 3-8) est à compléter par celle de J.-M. Drevon (*De Paulini Petrocorii vita et scriptis*, Agen, 1889, p. 18-21).

Selon les auteurs de l'*Histoire littéraire de la France* (t. 2, 2e éd., Paris, 1865, p. 472-473), l'éd. princeps aurait été publiée par le juriste François Juret à Paris (ou Dijon) en 1585, d'après un mss fort défectueux (aujourd'hui perdu) qu'il avait reçu de Pierre Pithou (Pithoeus) ; on ne trouve aucune trace de cette édition (cf. Drevon, p. 4-8). Il semble bien que Juret publia la *Vita Martini* (sauf le prologue) et les autres pièces pour la première fois dans la *Bibliotheca Veterum Patrum* de Margarin de La Bigne, t. 8, Paris, 1589, p. 1003-1074 ; il l'attribue en réalité à Paulin de Nole, se fiant à Grégoire de Tours qui avait fait la même confusion (*De vita S. Martini* I, 2 ; éd. B. Krusch, MGH, *Scriptores rerum merovingicarum*, t. 1/2, Hanovre, 1885, p. 596) ; il n'est pas sûr que Venance Fortunat ait commis la même erreur ; dans sa *Vita S. Martini* I, 20 et II, 468, il dit seulement « Paulinus beatus » (éd. F. Leo, MGH, *Scriptores antiquissimi*, t. 4, Berlin, 1881, p. 296, 329). L'éd. est reprise dans la *Magna Bibliotheca*, t. 6, Paris, 1644, p. 851-853, puis dans la *Maxima Bibliotheca*, t. 6, Lyon, 1677, p. 297-323, cette fois sous le nom de Paulin de Périgueux. On notera toutefois que Juret avait déjà reconnu son erreur dans les notes de son édition de Symmaque (Paris, 1603, p. 323).

L'éd. de Juret a été reprise en PL 61, 1009-1076 ; elle est très défectueuse. Il faut recourir désormais à l'éd. critique de M. Petschenig, CSEL 16, 1888, p. 1-190 (qui donne aussi le prologue de la *Vita*, conservé par le seul *Vatic. Reginensis* 582). J.-M. Drevon note toutefois que l'éditeur viennois n'a pas tenu compte de tous les mss, ni des éd. antérieures ; il juge que l'éd. (avec trad. franç.) de È.-F. Corpet, *Poèmes de Paulin de Pella et de Fortunat*, coll. Panckoucke, Paris, 1849, est meilleure sur quelques points (voir le tableau comparatif des deux éd., p. 23-33).

L'œuvre de Paulin de Périgueux a été peu étudiée ; sa *Vita Martini* ne fait d'ailleurs qu'amplifier le récit de Sulpice Sévère, tout en supprimant tel ou tel détail ; cette *Vita* vaut surtout comme un témoignage de la popularité du culte de saint Martin, dès le siècle qui suivit sa mort (397).

L'étude la plus complète reste encore la thèse latine de J.-M. Drevon, citée *supra*. – Voir aussi A. Huber, *Die poetische Bearbeitung der Vita S. Martini des Sulpicius Severus durch Paulinus von Perigueux*, dissertation inaugurale, Kempten, 1901. – O. Bardenhewer, t. 4, p. 650-652. – U. Moricca, *Storia della letteratura latina cristiana*, t. 3/1, Turin, 1932, p. 20 (bibliographie), 77-83 (étude). – DTC, t. 12, 1933, col. 72 (É. Amann). – EC, t. 9, 1952, col. 703-704 (E. Peterson). – LTK, t. 8, 1963, col. 210 (J.A. Fischer). – CPL, n. 1474-1477.

P. Courcelle, *Histoire littéraire des grandes invasions germaniques*, 3e éd., Paris, 1964, p. 247, n. 4, et index. – É. Griffe, *La Gaule chrétienne à l'époque romaine*, t. 2, nouv. éd., Paris, 1966, p. 66, 307 ; t. 3, 1965, p. 242-251.

DS, t. 3, col. 837 ; t. 5, col. 725 ; t. 10, col. 693.

Aimé SOLIGNAC.

**8. PAULIN DE VENISE**, franciscain, † avant juillet 1344. – Né vers 1270/74, Paulin est mentionné la première fois au couvent de Padoue le 12 décembre 1293. Prêtre vers 1300, il a le titre de lecteur dans un document du 30 novembre 1301, de custode de la custodie de Venise dans un autre document du 5 octobre 1304. De 1305 à 1307, il exerce les fonctions d'inquisiteur dans la Marche de Trévise. La République de Venise l'envoie en mission diplomatique auprès du roi Robert à Naples en 1315-1316, puis à Aix-en-Provence en 1321. Il est pénitencer apostolique à Avignon quand Jean XXII lui fait examiner, en 1321, le *Liber secretorum fidelium crucis* de Marino Sanudo et lui confie de nouvelles missions diplomatiques à Venise. Le 20 juin 1324, il est nommé évêque de Pouzzoles (*Bullarium Franciscanum*, t. 5, Rome, 1898, n. 541), mais ne peut prendre possession de son siège qu'en 1326. Robert de Naples l'accueillit comme un ami et le nomma son conseiller. Paulin mourut à Pouzzoles avant le 1er juillet 1344.

Paulin a laissé une œuvre abondante d'ordre historique, géographique et chronologique : *Nobilium historiarum epitome*, *Historia satyrica*, *Chronologia magna* ; il s'agit d'une chronique des origines du monde à son temps, vaste compilation largement tributaire du *Speculum historiale* de Vincent de Beauvais.

Parmi ses œuvres mineures : *Mappa mundi*, *Provinciale Romanae Curiae* (provinces ecclésiastiques et diocèses), *Provinciale Ordinis Minorum* (couvents franciscains répartis par provinces et custodies), *Tractatus de ludo scacorum* (jeu d'échecs), *Tractatus de diis gentium et fabulis poetarum*, *De Providentia et fortuna* (vision du monde sous le signe de la Providence).

Le *De regimine rectoris* intéresse plus particulièrement la spiritualité. Inspiré du *De regimine principum* de Gilles de Rome (DS, t. 6, col. 385-390), rédigé en dialecte vénitien sur la requête de Marino Badoer, duc de Crète, à qui il est dédié, l'opuscule traite des devoirs du responsable d'une communauté : collège, ville, état. Il est divisé en trois parties : la première précise les qualités exigées d'un recteur ou gouverneur (intention droite, prudence, équilibre, mansuétude, magnanimité, intégrité morale, etc.) et les normes pour sa conduite personnelle ; la deuxième traite des obligations envers sa propre famille : femme, enfants, domesticité ; la troisième se rapporte au gouvernement de la communauté : choix de bons conseillers, nécessité d'une fidèle application des lois, sens de la justice, le souci de l'intérêt du peuple, etc.

La seconde partie du *De regimine* a été éditée par C. Foucard, *Del governo della famiglia* (Venise, 1856), et par A. Rossi, *Del reggimento della casa* (Pérouse, 1860) ; le texte l'a été dans son ensemble par A. Mussafia, *Trattato de regimine rectoris* (Vienne, 1868). Sur l'opuscule, voir en outre A. Sorbelli, *I teorici del reggimento comunale*, ch. 8 : *Fra Paolino Minorita e il trattato « De regimine rectoris »* (dans *Bullettino dell'Istituto Storico Italiano per il Medio Evo*, t. 59, 1944, p. 123-133).

H. Simonsfeld, *Bemerkungen zu der Weltchronik des Frater Paulinus von Venedig, Bischofs von Pozzuoli*, dans *Deutsche Zeitschrift für Geschichtswissenschaft*, t. 10, 1893, p. 120-7. – G. Golubovich, dans *Biblioteca bio-bibliografica della Terra Santa*, t. 2, Quaracchi, 1913, p. 74-102. – W. Holzmann, *Bruchstücke aus der Weltchronik des Minoriten Paulinus von Venedig*, Rome, 1927. – G. Fussenegger, *Fr. Paulinus de Venetiis, Custos in Custodia Venetiarum a. 1304*, AFH, t. 24, 1931, p. 283. – A. Vernet, *Une version provençale de la « Chronologia magna » de Paulin de Venise*, dans *Bibliothèque de l'École des Chartes*, t. 104, 1943, p. 115-30. – A. Ghinato, *Fr. Paolino da Venezia, vescovo di Pozzuoli*, Rome, 1951. – D. Franceschi, *Fra Paolino da Venezia*, dans *Atti della Accademia delle Scienze di Torino*, t. 98, 1963-64, p. 109-52. – A.D. von den Brincken, *Mappa mundi und Chronographia. Studien zur « imago mundi » des abendländischen Mittelalters*, dans *Deutsches Archiv für Erforschung des Mittelalters*, t. 24, 1968, p. 118-86. – A. Bondanini, *La pianta di Ferrara di fra Paolino Minorita*, dans *Atti e Memorie della Deputazione prov. Ferrarese di Storia Patria*, sér. 3, t. 13, 1973, p. 33-89.

DTC, t. 12, 1933, col. 72-75. – EC, t. 9, 1952, col. 704-705. – LTK, t. 8, 1963, col. 210-211. – NCE, t. 11, 1967, p. 29. – DS, t. 5, col. 1273 ; t. 9, col. 631.

Clément SCHMITT.

**PAULISTES** (PAULIST FATHERS), Société missionnaire de Saint-Paul, fondée en 1858 par Isaac-Thomas Hecker † 1888. Voir DS, t. 7, col. 126-132 ; NCE, t. 11, 1967, p. 29-30.

**PAULLINUS** (PAULINUS ; JEAN), jésuite, 1604-1671. – Né à Neuburg (diocèse d'Augsbourg) le 23 juin 1604, Johannes Paullinus, après ses études de philosophie et de théologie, entra dans la province de Germanie supérieure de la Compagnie de Jésus le 10 ou 11 mars 1628. Ordonné prêtre en 1631, il fut d'abord professeur de grammaire, puis de diverses disciplines dans les collèges, et enfin, durant trois ans, de rhétorique et de controverse théologique. Il fut aussi supérieur et prédicateur à Trente. Il mourut à Munich le 13 avril 1671.

Toute œuvre publiée concerne des thèmes spirituels pratiques. Il composa des pièces de théâtre : *Theophilus seu charitatis hominis in Deum, cantato dramate in scenam datus...*, Munich, 1643 (représenté les 4 et 9 septembre 1643), republié et à nouveau joué en 1658 à Munich sous le titre : *Philothea, id est anima Deo chara* (cf. Sommervogel, t. 5, col. 1411, n. 135 et col. 1413, n. 164) ; le thème de cette pièce spirituelle fut longuement commenté « ad excitandam pietatem » dans un livre (même titre, Munich, 1659, 611 p. ; trad. allemande par le carme déchaux Fulgentius a Santa Maria, Cologne, 1717). – *Pandulphus Capuae princeps*, tragi-comédie jouée à Munich le 9 septembre 1655 (cf. Sommervogel, t. 5, col. 1413, n. 157), dramatisant le « Que sert à l'homme de gagner l'univers... » de l'Évangile.

Dans le but de promouvoir la dévotion au Christ de la passion et à son Cœur transpercé, Paullinus publia des *Pia cum Jesu vulnerato colloquia* (Munich, 1668, 248 p. in-12°), de ton très affectif et d'une certaine qualité poétique. Ils ont été traduits en italien par le jésuite Ch. Andriusi † 1683 (cf. Sommervogel, t. 1, col. 381).

Paullinus a publié encore, dans le genre hagiographique : *Vita Dominici Ansalonis, Nobilis Mamertini* (Trente, 1642) ; – *Miracula S. Francisci Xaverii Potami* (Munich, 1657 ; en allemand ; c'est probablement la trad. de l'ouvrage latin, du même titre, du jésuite L. Bachin) ; – *De vita et virtutibus R.P. Bernardi Colnagi*, jésuite (Munich, 1662 ; trad. néerlandaise, Anvers, 1666).

Sommervogel, t. 6, col. 381-382. – B. Duhr, *Geschichte der Jesuiten in den Ländern deutscher Zunge*, t. 2/2 et t. 3, Fribourg-en-Brisgau, 1913. – J. de Guibert, *La spiritualité de la Compagnie de Jésus*, Rome, 1953, p. 388-389. – J.-M. Valentin, *Le théâtre des Jésuites dans les pays de langue allemande (1554-1680)*, Berne, 1978, p. 800-811 et 1473.

Constantin BECKER.

**PAULLUS** (GAUTIER), jésuite, 1587-1672. – Né à Huy (Belgique) le 15 juin 1587, Gautier Paullus étudia les humanités à Maestricht et la philosophie à Louvain. Reçu dans la Compagnie de Jésus par Bernard Olivier à Bruxelles, il fut envoyé à Rome pour y faire son noviciat à Saint-André, où il fut reçu le 25 novembre 1603. Ayant brillamment revu sa philosophie (1605-1607), il fit aussitôt sa théologie, fut ordonné prêtre (1611) et passa quelques mois à l'Académie ecclésiastique que venait de fonder Claude Aquaviva.

Envoyé en 1612 dans sa province gallo-belge, il enseigna la philosophie au collège d'Anchin à Douai jusqu'en 1618 ; après un bref troisième an à Tournai, il fut préfet général à Douai et y fit sa profession (8 septembre 1620). Il occupa ensuite la chaire de controverse au collège wallon de Saint-Omer (1620-1624). Docteur en théologie, il l'enseigna à Douai (1624-1631) puis à Vienne pendant dix ans, y séjournant une onzième année comme préfet général.

En 1642, le supérieur général de la Compagnie l'appela à Rome comme censeur des livres à paraître. En 1647, il fut demandé comme confesseur par le duc de Bouillon, frère du maréchal de Turenne, qui se trouvait alors à Rome ; il l'accompagna à Paris et résida à la maison professe. Le duc ayant été exilé à la suite de la Fronde, Paullus dut quitter la France et se fixa à Douai, où il fut préfet des études jusqu'en 1666. Il y mourut le 17 avril 1672.

Nous ne mentionnons pas ici ses ouvrages philosophiques et théologiques (cf. Sommervogel) et ne retenons que sa veine poétique. Il écrit en latin, la plupart du temps en vers, utilisant aussi bien la poésie métrique que la rythmique. Ce « Catulle chrétien » publie des recueils centrés sur divers thèmes, comme l'Eucharistie nourriture de l'âme et principe d'union au Christ, les douleurs de Marie, avec une consécration à son cœur qui évoque déjà Grignion de Montfort. Le *Canticum novum animi salientis a mundo..., a seipso ad Deum*, sorte de théologie spirituelle inspirée des *Exercices* ignatiens, révèle une tendre dévotion au Cœur du Christ à travers celui de Marie, *Ecclesiae exordium*, qui en est la copie parfaite. Souvent réédités en divers lieux, ces recueils poétiques, dont le style est parfois assez contourné, manifestent déjà la dévotion au Cœur de Jésus qui se développera au siècle suivant. La spiritualité de Paullus attend encore une étude sérieuse.

Principaux recueils : *Septem Dolores B. Virginis, rhythmo numeroso expressi* (Vienne et Douai, 1631). – *Canticum novum animi salientis...* (Vienne et Douai, 1638) ; devient : *Iter extaticum animi salientis...* (Douai, 1653). – *Affectus eucharistici* (Vienne, 1640). – *Cor Mancipium Iesu et Mariae...* (Douai, 1651, 1667). – *Iesus-esus...* (Douai, 1661, 1667 : en prose et en vers, de genre allégorique).
*Triumphus corporis Christi sub Eucharistia...* (Douai, 1661). – *Scalae et Alae spiritus ascendentis in Deum* (Douai, 1663 ; reprend en le retouchant *Iter extaticum*). – *Hortus olivarum Dolor-Amor Rosa-Spina* (Douai, 1667).

Sommervogel, t. 6, col. 383-387. – *Biographie nationale* (de Belgique), t. 16, 1901, col. 716-718. – P. Debuchy, *Un précurseur belge de la dévotion au saint cœur de Marie*, dans *Mémoires et rapports du Congrès marial* (de Bruxelles, 1921), t. 1, Bruxelles, 1922, p. 241-244. – *Les établissements des Jésuites en France*, t. 4, 1956, col. 853. – DS, t. 4, col. 77 ; t. 7, col. 782.

Hugues BEYLARD.

**PAULOT** (LUCIEN), oratorien, vicaire général de Reims, 1864-1938. – 1. *Vie*. – 2. *Œuvres et doctrine*.

1. VIE. – Jules Vital Lucien Paulot est né à Tailly (Ardennes), le 26 novembre 1864, d'une famille d'artisans ruraux. Son enfance fut éprouvée par la guerre de 1870 et par l'occupation prussienne. Il fut élève au petit séminaire de Charleville, puis au grand séminaire de Reims dirigé par les Sulpiciens. Ordonné prêtre le 26 mai 1888, il est ensuite étudiant à l'Institut Catholique de Paris, secrétaire privé de Mgr d'Hulst (DS, t. 7, col. 944-947) et soutient une thèse de théologie sur Urbain II sous la direction de Georges Goyau.

Rentré dans son diocèse, il est, en 1893, directeur du collège de Binson, missionnaire diocésain en 1903, puis, de 1905 à 1920, supérieur du grand séminaire, et, en 1918, chapelain des Bénédictines de Jouarre. Enfin, en 1920, il est nommé vicaire général par le cardinal Luçon ; il le restera, du cardinal Suhard, de 1929 à 1938. Il a également la charge d'archidiacre des Ardennes, de directeur des religieuses et de l'Enseignement religieux, enfin de supérieur du Carmel. Visiteur pontifical des séminaires du nord de la France, il meurt à la tâche le 15 juillet 1938.

Premier membre de l'Oratoire philippin de Reims, fondé par le cardinal Langénieux en 1895, il fit des stages aux Oratoires de Londres et de Birmingham, ainsi que les grands Exercices de saint Ignace et un noviciat dirigé par le Père Labbé, jésuite mort chartreux. De 1896 à 1902, il est prédicateur et directeur de « l'Oratoire externe », puis supérieur en septembre 1902. Les lois de 1901 l'empêcheront de continuer l'expérience, mais Pie X le nommera supérieur à vie pour une restauration qui ne put jamais avoir lieu.

Prêtre austère, réservé, marqué par la souffrance, mais artiste, orateur et écrivain, bon et zélé, contemplatif, il a excellé dans la direction spirituelle par correspondance, la formation à l'apostolat, l'initiation à l'oraison. « Le premier prêtre de France », ainsi le nommait, à ses obsèques, le cardinal Suhard.

2. ŒUVRES ET DOCTRINE. – Outre sa thèse de doctorat publiée à Paris en 1903, *Un pape français, Urbain II* (préface de Georges Goyau), nous avons de lui : *Une victime du tribunal révolutionnaire de Paris, Nicolas Dieudonné, prêtre, 1742-1792*, Reims, 1910 ; – *L'Esprit de Sagesse. Essai de synthèse des principes généraux de la vie intérieure*, Paris, 1926 ; 3ᵉ éd. 1935 ; – *Le Bx Vincent Abraham, curé de Sept-Saulx..., martyr aux Carmes le 2 sept. 1792*, Reims, 1928 ; – *La science de la Croix*, Juvisy, 1933 (75 p.) ; – *Le message doctrinal de sainte Thérèse de l'Enfant Jésus à la lumière de saint Paul*, Juvisy, 1934.

Paulot a publié des articles d'ordre spirituel dans VS : *L'art de la direction spirituelle* (t. 12, 1925, p. 399-422, 573-588), *De l'amitié* (t. 14, 1926, p. 213-215), *La discipline de la prière* (p. 321-350), *Notes de pédagogie religieuse* (6 art., t. 15-25, 1926/27-1930), *L'oraison selon M. Olier* (t. 20, 1929, p. 43-65) ; – dans VSS : *Pour fixer la terminologie mystique* (t. 21, 1929, p. 30-37) ; – dans le *Bulletin pastoral du diocèse de Reims*, revue de spiritualité sacerdotale fondée et dirigée par Paulot jusqu'en 1938 ; – dans l'*Éducateur chrétien*, etc.

On conserve aux Archives de la Marne (dépôt de Reims, fonds de l'Archevêché, 27 J) des lettres de direction, des carnets de notes et de retraites. Des extraits de ces inédits ont été réunis par une bénédictine de Jouarre et publiés dans VS : *La Virginité chrétienne* (t. 98, avril 1958, p. 402-429), *La pratique de l'oraison* (t. 101, oct. 1959, p. 281-302), *La Croix et la Joie* (t. 102, avril 1960, p. 353-364), *L'attente de Dieu* (t. 103, nov. 1960, p. 371-378).

Le principal ouvrage, *L'Esprit de Sagesse*, se présente comme une « synthèse » distribuée à l'intérieur d'un plan d'ensemble fourni par le texte de la *Sagesse* 11, 21 : « Dieu a tout ordonné selon la mesure, et le nombre, et le poids ». L'*ordre* se prend de la vue de la fin à laquelle toutes choses doivent être rapportées. « L'esprit de sagesse », en définitive, « ne sera rien que cet esprit de rectitude, disposition habituelle à diffuser en toutes choses la tendance ordonnatrice à voir la fin d'abord » (p. xv). Le *poids*, c'est la force des vertus théologales qui portent l'âme vers sa fin ultime ; la *mesure* est le « juste milieu » exigé par les vertus morales ; le *nombre*, c'est le principe extérieur, à la fois exemplaire et efficient, sur lequel doit se régler tout notre mouvement intérieur, à savoir le Christ en qui s'incarne la Loi éternelle.

Le livre donne ainsi un traité des vertus, rapprochées des dons du Saint-Esprit et des attitudes spirituelles telles que paix et beauté, usage et prudence, rectitude intellectuelle et sens moral, intention et désir, dons de l'action et patience, vocation et devoir d'état. L'humanisme profond de l'auteur et sa morale fondée sur la raison complètent sa théologie spirituelle.

Les pages consacrées à la prière, si on y ajoute *La Pratique de l'Oraison* (art. cité plus haut), font de Paulot un maître en matière d'oraison. Il insiste sur la place primordiale qui revient à la prière de demande en laquelle s'exprime le *désir* suscité par la présence en nous de l'Esprit saint. La prière, acte des vertus théologales et fruit des dons du Saint-Esprit, est à la fois soumission de l'intelligence, désir explicite, volonté d'aimer. Elle s'exprime dans des attitudes d'âme : soif, attente, abandon, volonté nue, qui sont le départ et l'arrivée dans la carrière contemplative. La véhémence du désir d'union éclate dans *L'attente de Dieu*. Elle rend étranger au monde et inclut la mort.

Quant aux extraits publiés dans *La Croix et la Joie*, ils révèlent, chez Paulot, une vocation personnelle à la souffrance, physique et morale ; il écrivait : « La maladie est un sanctuaire ». Mais « Dieu n'efface que pour écrire », et « il faudrait que le tréfonds de l'âme fût une joie dense, lente à se traduire extérieurement, comme le radium ».

Au total, cette doctrine très fondée sur l'Écriture, où affleure constamment l'expérience de l'auteur, manifeste une lecture très étendue, depuis les Pères (en particulier saint Augustin) et les mystiques du moyen âge, Guigues le Chartreux et Guillaume de Saint-Thierry, jusqu'aux modernes (Ignace de Loyola et Thérèse de Jésus, François de Sales et Olier), mais on ne remarque aucune citation des Oratoriens, tant bérulliens que philippins et très peu de l'*Imitation*.

Paulot reste un bon témoin de la recherche d'une « spiritualité sacerdotale », ainsi que d'une tendance contemplative assez caractéristique de la spiritualité dans la première moitié du 20ᵉ siècle.

Dans *Bulletin pastoral, historique et social du diocèse de Reims*, n. du 28 mai 1938 : *Un jubilé* ; n. du 23 juillet : Discours du cardinal Suhard aux obsèques de Paulot ; n. du 30 juillet : Compte rendu des obsèques. – *Mgr Paulot, un des fondateurs de l'Éducateur chrétien*, dans l'*Éducateur chrétien*, t. 4, 1938, p. 7 svv. – Dans *Église de Reims*, n. des 21 et 28 nov. 1964 et 2 janvier 1965, *A propos du centenaire d'une naissance, Mgr Paulot...* (recueil de témoignages). – Sur *L'Esprit de Sagesse*, compte rendu de J. Maritain, dans *Revue des Jeunes*, 16ᵉ année, 1927, 3ᵉ trimestre, p. 519-527. – Bremond fait assez souvent appel à l'autorité de Paulot dans son *Histoire littéraire* et son *Introduction à la philosophie de la prière* (voir *Index*, par Ch. Grolleau, de l'*Histoire littéraire*, Paris, 1936, p. 194). – Fr. Morlot, *L'abbé Daniel Fontaine restaurateur de la Soc. du Cœur de Jésus*, Paris, 1982, Table (Fontaine † 1920 fut en rapport avec Paulot quand il pensa entrer dans l'Oratoire de Reims ; cf. DS, t. 5, col. 669-672).

DS, t. 3, col. 1175 ; t. 10, col. 926.

Jean SAINSAULIEU.

**PAUPER** (PAUPERT, CATHERINE ; en religion MARCELINE), religieuse, 1666-1708. – « Marceline Pauper est une mystique éminente, à mettre à côté des plus illustres de son époque, et plus intéressante que quelques-unes d'entre elles. Ses écrits sont de tous points admirables et peuvent se comparer à ceux de Marie de l'Incarnation » (Louis Cognet, lettre inédite, 1961). Dieu lui donna en effet la grâce d'unir à un rare degré les plus hauts états de la contemplation et l'action charitable sous ses formes les plus héroïques. Elle a incarné, jusqu'à en devenir « le modèle », l'idéal que J.-B. de Laveyne (DS, t. 9, col. 433-434) proposait, au début du 18ᵉ siècle, aux Sœurs de la Charité et de l'Instruction chrétienne. « Son exemple, témoignera-t-il en 1708, surpasse tous (les exemples de sainteté) que nous ont laissés nos autres sœurs qui reposent dans la paix ».

Catherine Pauper naquit le 11 mars 1666 à Saint-Saulge en Nivernais, où son père, Christophe, était boulanger. La famille compta neuf enfants ; Catherine en était la cadette. En 1674, elle est pensionnaire chez les Ursulines de Moulins-Engilbert ; en 1678, elle rentre à Saint-Saulge et se met deux ans plus tard sous la direction spirituelle du jeune sacriste de l'ancien prieuré bénédictin local, Jean-Baptiste de Laveyne. Dès lors, elle pratique avec ardeur l'oraison, la pénitence, l'amour des pauvres. Vers ses 17 ans, sa ferveur décline, mais dans la nuit du 9 au 10 janvier 1685, le Christ lui apparaît et lui reproche sa tiédeur : « Il se fit en moi soudain un grand changement ».

En 1688, elle s'adjoint au petit groupe de sœurs de charité que Laveyne a organisé dans la paroisse. En 1689, Catherine est admise à faire profession et prend le nom de Marceline. Commence alors pour elle une vie de véritable missionnaire de la charité. Elle est « envoyée » pour fonder les premières maisons de la jeune congrégation : Decize (1691), puis, après un séjour de deux ans à Nevers où elle dirige les sœurs de l'hôpital, Murat en Auvergne (1696), Bourg-Saint-Andéol (1700), Saint-Étienne (1703), enfin Tulle (1705). Elle meurt à Tulle le 25 juin 1708.

C'est dans le mouvement, les difficultés, les périls de cette existence de fondatrice que se déploie chez Marceline une grâce mystique exceptionnelle, comparable à celle des François Xavier, Thérèse d'Avila, Marie de l'Incarnation : contemplation et action s'imbriquent l'une dans l'autre par des liens indissociables. De la contemplation, Marceline a expérimenté les richesses les plus précieuses : lumières sur les mystères de la Trinité, de l'Incarnation, de l'Eucharistie ; appel à « la conformité à Jésus crucifié », comme à son « Époux de sang », ce qui l'amène à pratiquer des pénitences, dont elle-même, un jour, avouera qu'elles étaient excessives ; fiançailles et mariage mystiques, blessure ou « liquéfaction » d'amour, persécutions démoniaques, tentations de désespoir qu'elle compare à « l'épreuve du dam » ; vœu du plus parfait ; « entrée dans le cœur de Jésus ».

De l'action « au service des pauvres », elle a connu les exigences et les épreuves : les voyages (l'un de plus de trois cents lieues) avec leurs aléas, leurs accidents, leurs périls (elle dut circuler plusieurs fois en pays hérétiques), la pauvreté souffrante des débuts de fondations, les contradictions et oppositions, la calomnie et les humiliations, les épuisements et de terribles maladies, le désir du martyre. Au milieu des pires tempêtes, « il y avait, dit-elle, un fond caché, dans le plus intime de mon intérieur, où la paix régnait ». Une paix d'adoration, de louange, de joie. Car elle avait alors le sentiment d'œuvrer avec le Christ pour « la gloire de Dieu » et « la conversion des pécheurs ». Signalons, avec les contemporains de Marceline, qu'au milieu de ces travaux et de ces phénomènes exceptionnels, elle se voulait scrupuleusement fidèle « au règlement des sœurs » et à la vie de sa communauté.

Il faudrait décrire la genèse de cette vie mystique, sa courbe de développement. Ni l'état des recherches, ni l'espace ne le permettent. Notons seulement quelques points qui semblent acquis. D'abord la précocité de l'appel privilégié de Dieu. A six ans, elle « aime entendre la Parole de Dieu », et ses écrits et lettres reflètent toujours un sens très vif de la Bible. Dans la nuit de Noël 1672, elle « voit la Vierge Marie tenant dans ses bras son divin Fils » et, de cette grâce, « il lui resta un grand amour pour Jésus-Christ et sa sainte Mère ». A neuf ans, elle fait, « sans prendre conseil de personne », le vœu de chasteté perpétuelle et, dit-elle, « je ne m'en suis jamais repentie ». Un second point semble incontestable : ses impressionnantes mortifications corporelles proviennent clairement d'un désir de « se conformer à Jésus crucifié » par amour pour les hommes, et de collaborer ainsi « à la conversion des pécheurs » ; sa mystique pénitentielle ne se replie pas, et encore moins se complaît en elle-même, elle s'ouvre largement sur Dieu et sur le prochain : elle naît d'un amour.

A défaut d'une synthèse de la spiritualité de Marceline Pauper, tenons-nous donc à ce jugement de Laveyne (1708) : « Son principal attrait a été le mystère de la Sainte Trinité, comme le premier et le plus grand de tous, comme l'objet de la dévotion de Jésus-Christ et la fin de tout le culte chrétien. Son oraison ne gardait aucune méthode, car l'amour n'a point d'ordre. Elle se livrait à l'Esprit saint pour apprendre de lui toute vérité. Elle se donnait continuelle-ment à la seconde personne, le Fils qui s'est fait homme pour être crucifié et sauver les hommes. Elle était comme clouée en chair et en esprit à sa croix » (éd. critique, p. 26).

De la mort de Marceline, nous savons fort peu de chose. La lettre de M. Michel, grand vicaire et supé-rieur du séminaire de Tulle, qui fut son directeur en ses dernières années, n'a jamais été retrouvée, pas plus que les copies qui avaient été envoyées dans les maisons de la congrégation. Nous savons seulement, par Laveyne, que les curés de Tulle lui ont écrit, « avec de grands éloges, la traitant de bienheureuse », et, par J. Deparis, qu'elle « fut inhumée avec des honneurs extraordinaires et un merveilleux concours de peuple ».

*Écrits.* – Des textes laissés par M. Pauper, il ne reste que des copies (cf. éd. critique, p. 257-265) : *Autobiographie* rédigée sur l'ordre de son père spiri-tuel ; il s'agit, pensons-nous, de M. Michel ; certains penchent pour Laveyne, ou même pour « ses direc-teurs ». Le lieu et surtout la date de rédaction sont également discutés. Le plus probable est que M. Pauper rédigea ce compte de conscience à Tulle, durant les dernières années de sa vie. Le récit s'arrête à 1702 (éd. critique, p. 43-81).

Trois autres documents s'apparentent à l'*Autobio-graphie : Sentiments que Dieu me donna après la Sainte Communion du 29 nov. 1699* (1701 ?) ; *Senti-ments que Dieu m'a donnés dans ma retraite de l'année 1705...* (sur l'Eucharistie ; p. 102-119) ; *État des dispositions où je me suis trouvée dans la maladie...* (mai 1707 ; p. 82-94). – Il semble que le texte *Sur la naissance de l'Enfant-Dieu* (p. 97-101) soit apocryphe et s'inspire de l'École française.

Reste un lot de 47 *lettres* adressées à Laveyne, à l'oratorien Jean Galipaud (son directeur à Nevers de 1694 à 1696) et à M. Michel (p. 129-202).

Ces écrits demeurèrent ignorés du grand public jusqu'en 1871, date où parut chez Fay, à Nevers, *La Vie de Marcel-line Pauper... écrite par elle-même.* L'auteur en était l'abbé Dominique Bouix, qui mourut avant de confier son manus-crit à l'imprimeur ; son frère, le jésuite Marcel Bouix, se chargea de l'édition. L'ouvrage a le mérite d'exister, mais contient de nombreuses erreurs. P. Gresle, curé de Chante-nay Saint-Imbert, a pu rectifier dates, textes, et identifier des correspondants. Ses travaux sont déposés aux Archives du couvent Saint-Gildard (Nevers), ainsi qu'un manuscrit de P. Cousin, *Essai sur la vie mystique de S. M. Pauper* (1974) et les notes du chanoine Cachet.

Pour la biographie et les écrits, il faut désormais utiliser : *L'expérience mystique de S. M. Pauper,* Couvent Saint-Gildard, Nevers, 1982 (citée : éd. critique).

Voir aussi : A.-J. Crosnier, *Hagiologie nivernaise,* Nevers, 1858, p. 551-558. – J.-B. Poulbrière, *M. Pauper. Une page oubliée de l'histoire de Tulle,* Tulle, 1876, 32 p. – L.-J. Rivière, *M. P., son 200e anniversaire,* Tulle, 1908. – Fr. Veuillot, *Dom de Laveyne et la Congrégation des Sœurs de la Charité... de Nevers,* Paris, 1938.

Le document fondamental reste la *Lettre du P. de Laveyne sur la mort de M. P.,* de 1708 (dans l'éd. critique citée, p. 23-30) ; il est indispensable de consulter *Le Procès de béatification du P. de Laveyne,* par B. Chauvier (Vatican, 1977). – DS, t. 1, col. 1153, 1897 ; t. 10, col. 395.

André RAVIER.

**PAUVRETÉ CHRÉTIENNE.** – Les études qui composent cet article s'intéressent essentiellement au problème de la pauvreté chrétienne devant la richesse, au rapport du pauvre et du riche ; la pau-vreté dans les ordres religieux n'est pas au centre de leur visée, même s'il en est traité ici ou là. La der-nière étude présente la doctrine de la pauvreté spiri-tuelle de l'homme devant Dieu à partir des auteurs rhénans et flamands. – I. *Écriture sainte.* – II. *Pères de l'Église et premiers moines.* – III. *Moyen âge.* – IV. *Vingtième siècle.* – V. *Pauvreté spirituelle.*

### I. ÉCRITURE SAINTE

**1. Ancien Testament.** – 1º VOCABULAIRE. – 1) L'hébreu parle peu de pauvreté mais beaucoup des pauvres, selon la tournure concrète de la pensée sémitique. Une série de termes sont utilisés à cet effet, chacun possédant sa nuance propre.

a) *°anî* et *°anaw* (le singulier du second terme ne figure qu'en *Nomb.* 12, 3) se rattachent à la racine *°nh* dont le sens général paraît être celui d'infériorité, plus précisément de fléchissement (*Is.* 31, 4 ; 53, 7). De la sorte, le *°anî* (80 fois dans l'Ancien Testament, avec prédominance dans le psautier et chez les prophètes) est avant tout l'homme courbé, abaissé, opprimé. Le mot parent *°anaw* (25 fois, surtout dans les psaumes), sans doute de formation plus récente, n'offre pas de différence absolue en regard du terme précédent avec lequel les copistes l'ont souvent confondu. Il tend cependant à revêtir une signification plus directement morale et religieuse (nuance « humble »). Aux termes concrets qu'on vient de mentionner il faut ajouter l'abstrait *°onî,* de la même racine que *°anî* et *°anaw,* et désignant l'oppression, l'affliction, la misère.

b) *ebyôn* (61 fois), probablement de la racine *'bh,* « vou-loir », « désirer » : c'est le pauvre défini comme celui qui désire en raison d'une privation des biens nécessaires à la vie, mais encore « comme un homme sans défense devant des adversaires plus puissants que lui, un opprimé à qui l'on refuse la justice ; ce qu'il veut dans, ce n'est pas une aumône, mais simplement son bon droit » (J. Dupont, *Les béatitudes,* t. 2, p. 81 ; cf. *Ex.* 23, 6 ; *Amos* 5, 12, etc.).

c) *dal* (48 fois), « maigre » (*Gen.* 41, 19), « chétif », « faible » (*Juges* 6, 15 ; 2 *Sam.* 3, 1 ; 13, 4), s'applique à l'homme qui, dans la société, n'a ni poids ni relief, une situation dont la pauvreté est la cause la plus courante. C'est pourquoi le *dal* s'oppose non seulement aux « grands » (*Jér.* 5, 4-5), mais encore et bien plus souvent aux « riches » (*Ex.* 30, 15 ; *Prov.* 10, 15, etc.).

d) *rash* (21 fois), participe du verbe *rûsh,* « être dému-ni », attesté surtout dans les Proverbes, désigne le pauvre au sens socio-économique (*Prov.* 13, 8.23 ; 14, 20, etc.).

e) *misken* (6 fois en comptant *Sir.* hébreu), de la même racine que l'arabe *maskîn* d'où vient le français « mes-quin » : la nuance est ici celle de dépendance et le mot évoque spécialement le besogneux qui appartient aux couches inférieures de la société (*Qo.* 4, 13).

De ce parcours on peut déjà déduire que la notion de pauvreté dans l'Ancien Testament ne se limite pas au seul manque des biens nécessaires à la vie, comme c'est le plus souvent le cas dans nos langues modernes ainsi que, jadis, chez les Grecs et les Latins : « pour l'homme de la Bible, le pauvre est moins un indigent qu'un inférieur, un petit, un opprimé : c'est une notion sociale » (A. George, dans *La pauvreté évangélique,* p. 17).

2) Les Septante, pour rendre les termes hébreux en question, emploient des mots variés au gré des traducteurs et sans prêter attention aux nuances de la langue orientale. Voici les principaux, dont il est utile de prendre connaissance puisqu'on les retrouve dans le Nouveau Testament : a) *penês* : en grec

profane, celui qui appartient à la classe laborieuse et possède juste le nécessaire pour vivre (cf. le *pauper* des latins) ; dans les Septante, ce terme sert à rendre tous les mots hébreux énumérés plus haut. – b) *ptôkhos* : miséreux, celui qui n'a même pas le nécessaire, mendiant ; sauf *misken*, *ptôkhos* couvre indifféremment l'ensemble des mêmes mots hébreux. L'abstrait *ᶜonî* est rendu 10 fois par *ptôkheia*. – c) *tapeinos*, « bas », « humilié » : pareillement pour tous les termes hébreux mentionnés sauf *misken*. L'abstrait *tapeinôsis* traduit 19 fois *ᶜonî*. – d) *praÿs*, « doux », « clément », pour *ᶜanaw* et *ᶜanî* : seul terme du vocabulaire de pauvreté des Septante à avoir un sens moral en grec non biblique. – e) autres mots grecs : *adynatos* (faible), *asthenês* (faible, chétif), *endeês* (indigent), *penikhros* (nécessiteux : 10 fois pour *dal*).

Abondante bibliographie sur le vocabulaire biblique de pauvreté dans J. Dupont, *Les béatitudes*, t. 2, p. 19-34. Voir aussi : E. Hatch, *Essays in Biblical Greek*, Oxford, 1889, p. 73-77. – P. Humbert, *Le mot biblique « èbyon »*, dans *Revue d'histoire et de philosophie religieuses*, t. 32, 1952, p. 1-6, ou dans P. Humbert, *Opuscules d'un hébraïsant*, Neuchâtel, 1958, p. 187-192. – J. Coste, *Trois essais sur la Septante à partir du mot 'tapeinos'* (thèse dactylographiée), Lyon, 1953.

2° LE FAIT SOCIAL DE LA PAUVRETÉ EN ISRAËL : *parcours historique*. – Une religion donnée ne prête attention à une réalité sociale que lorsque celle-ci existe dans les faits et soulève un problème humain. En d'autres termes, elle n'ordonne pas dans l'abstrait. C'est pourquoi l'absence du vocabulaire de la pauvreté comme de préoccupation au sujet des pauvres dans les récits patriarcaux, ceux de l'Exode, de la conquête de Canaan et de l'époque des Juges est significative : elle trahit un état de choses auquel la mémoire du peuple est restée fidèle. Sans doute existait-il des différences à l'intérieur du groupe : les récits patriarcaux en supposent entre maîtres et serviteurs (*Gen.* 24). On y note aussi des situations de détresse comme celle d'Agar (*Gen.* 21, 8-20) ou de Jacob en fuite devant Esaü (*Gen.* 27, 42 svv) ; mais Jacob n'allègue par ailleurs son léger bagage que pour mieux faire ressortir son opulence actuelle (*Gen.* 32, 11). Du reste, nulle part dans ces épisodes ne s'exprime l'idée de pauvreté comme telle.

Elle est pareillement absente des récits du séjour en Égypte, où les Israélites apparaissent, il est vrai, comme des opprimés et réduits en servitude (*Gen.* 15, 13 ; *Ex.* 1, 11-12 ; 3, 7 ; 6, 5), mais non spécialement comme des pauvres. De même en ce qui concerne le temps du désert et de la conquête, où la perspective est singulièrement égalitaire (*Ex.* 16, 16-18.22). Durant la période des Juges, la pauvreté fait son apparition, mais elle s'étend au peuple tout entier que Dieu châtie ainsi par l'entremise de voisins pillards (*Juges* 3, 14-16 ; 6, 4-6). Si Gédéon (*Juges* 6, 15) et, plus tard, Saül (1 *Sam.* 9, 21) opposent à l'appel divin l'insignifiance de leur origine (cf. *Ex.* 3, 11 ; 1 *Rois* 3, 7 ; *Jér.* 1, 3), il n'est pas question ici de pauvreté au sens économique.

Par contre, la pauvreté est incluse dans une protestation du même genre, cette fois sur les lèvres de David répondant aux envoyés de Saül qui lui accorde sa fille en mariage : « Est-ce peu de chose à vos yeux de devenir le gendre du roi, moi qui suis un homme pauvre (*rash* ; LXX : *tapeinos*) et méprisé ? » (1 *Sam.* 18, 23 ; cf. 18, 18). Pourtant, c'est bien avec l'instauration de la monarchie que le clivage entre riches et pauvres devient un fait préoccupant en Israël. Ce n'est pas impunément que le prophète Nathan, pour reprocher à David son adultère, recourt à un récit qui oppose un riche et un pauvre (*rash* ; LXX : *penês* ; 2 *Sam.* 12, 1-4), et la mise en garde de Samuel contre les inconvénients de la royauté (1 *Sam.* 8, 11-18) reflète la situation sous Salomon et sa dynastie : travaux forcés, exactions en vue d'accroître démesurément le domaine royal, abus de toute sorte (cf. *Jér.* 22, 3.13-17). L'épisode de Naboth (1 *Rois* 21) est l'illustration typique des conditions du royaume de Juda au 7ᵉ siècle avant notre ère. Un tel état de choses débordait du reste le seul cas de la monarchie. Une évolution économique se dessine entre le 10ᵉ et le 8ᵉ siècle, malgré la guerre quasi permanente dans les royaumes d'Israël et de Juda, évolution que confirment les données de l'archéologie. Or, ce progrès n'est réalisé qu'au bénéfice d'un petit nombre, les riches propriétaires fonciers auxquels les exploitants agricoles finissent par céder leurs terres (*Is.* 5, 8 ; *Michée* 2, 2). De plus, ces derniers, par rapport aux autres, « ne constituaient pas... une autre classe sociale : ils étaient des individus, et qui étaient sans défense justement parce qu'ils étaient isolés » (R. de Vaux, *Les institutions de l'Ancien Testament*, t. 1, p. 115).

Cette situation, qui se maintient tout au long de l'époque royale et appelle l'intervention vigoureuse des prophètes (*Amos* 2, 7 ; 4, 1 ; 5, 11 ; *Is.* 1, 15-17.23, etc.), n'existe plus quand, avec l'exil et les premiers temps du retour, le peuple vit une expérience égalitaire du point de vue socio-économique. Alors, c'est tout Israël qui est désigné comme un peuple de pauvres (*Is.* 41, 17 ; 49, 13). La vie est dure en Judée pour les rapatriés (*Ag.* 1, 6-9 ; *Zach.* 8, 10 ; *Néh.* 5, 1-5). Le temple reconstruit n'est encore qu'un modeste édifice (*Ag.* 2, 3 ; *Esd.* 3, 12). Et si, plus tard, la prospérité renaît, le « Troisième Isaïe » devra renouveler à l'adresse d'Israël post-exilique les exhortations de jadis contre une religion oublieuse des devoirs envers les pauvres (*Is.* 58, 6-7.10). Sous les Ptolémées, époque d'intense activité commerciale (archives de Zénon : voir L. Pirot, DBS, t. 2, col. 627-630) et de perfectionnement technique, les différences sociales s'accentuent, comme on peut le percevoir à travers certains psaumes et fragments prophétiques tardifs (*Ps.* 9, 13.19 ; 10, 2.9.17, etc. ; *Is.* 24, 2 ; *Zach.* 11, 4-5, etc.), mais surtout grâce aux sentences de Qohélet (entre 280 et 230 environ) (3, 16 ; 4, 1 ; 5, 7-8) et de Ben Sira (190 ou 180) (11, 10-19 ; 13, 1-5 ; 26, 29 – 27, 3 ; 31 [34], 5). Ainsi se constitue en partie l'arrrière-fond de la révolte maccabéenne, où l'apostasie s'adjoint les avantages matériels pour provoquer l'insurrection (*Dan.* 11, 39 ; 1 *Macc.* 9, 23).

Mais à celle-ci succède la monarchie sacerdotale des Hasmonéens que ne ménagent pas les documents de Qumrân. Quelle que soit son identité précise, le « Prêtre impie », persécuteur de la secte, est un des chaînons de la dynastie. Or, il est accusé d'avoir trahi les commandements de Dieu « par amour de la richesse », fruit de ses extorsions (1QpH 8, 10-11 ; voir aussi 9, 3-5 ; 10, 1-10). Le même esprit caractérise la « Critique des princes de Juda », incriminés pour leur recherche effrénée du plaisir et de la richesse, avec pour contrepartie la haine et de graves manquements envers le prochain (CDC 8, 3-19 ; voir J. Murphy-O'Connor, *The Critique of the Princes of Juda CD* VIII, 3-19, dans *Revue biblique* = RB, t. 79, 1972, p. 201-216). Les mêmes abus sont dénoncés dans certaines apocalypses, tel le « livre de l'Admonition » incorporé à 1 Hénoch et rédigé probablement sous le règne scandaleux d'Alexandre Jannée (102-76 av. J.-C.) : ici les riches sont violemment pris à partie, eux qui « édifient l'iniquité et l'oppression et fondent sur la fraude », qui acquièrent toute richesse « par l'injustice » (1 *Hén.* 104, 6-7 ; 107, 10). On arrive ainsi à l'époque romaine et hérodienne, contemporaine de la naissance du christianisme.

A. Causse, *Du groupe ethnique à la communauté religieuse*, Paris, 1937, p. 34-47 et *passim*. – S.W. Baron, *Histoire d'Israël, vie sociale et religieuse*, tr. fr., t. 1, Paris, 1956, p. 98-103. – R. de Vaux, *Les institutions de l'Ancien Testament*, t. 1, Paris, 1958, p. 113-123. – M. Hengel, *Judentum und Hellenismus*, Tübingen, 1979, p. 97-105, 250-251, 450. – Sur l'épisode de Naboth, outre les commentaires, voir : H. Seebass, *Der Fall Naboth in 1 Reg.* XXI, dans *Vetus Testamentum*, t. 24, 1974, p. 474-488. – E. Würthwein, *Naboth-Novelle und Elia-Wort*, dans *Zeitschrift für Theologie und Kirche* = ZTK, t. 75, 1978, p. 375-397. – R. Bohlen, *Der Fall Nabot. Form, Hintergrund und Werdegang einer alttestamentlichen Erzählung (1 Kön 21)*, Trèves, 1978.

3° La pauvreté d'après la sagesse profane. – D'après l'ancienne sagesse israélite, qui dépend des sagesses païennes antérieures et environnantes, la pauvreté est d'abord un état de fait qui relève du Créateur : « Le riche et le pauvre se rencontrent : Yahweh les a faits tous deux » (*Prov.* 22, 2) ; – « Les biens et les maux, la vie et la mort, la pauvreté et la richesse viennent du Seigneur » (*Sir.* 11, 14 ; voir déjà 1 *Sam.* 2, 7). Le pauvre est néanmoins un malheureux, objet de haine et abandonné même de ses proches (*Prov.* 14, 20 ; 19, 4.6.7), sans influence (*Prov.* 18, 23), contraint à la mendicité (*Sir.* 40, 28-30), tant et si bien que la mort lui est bonne (*Sir.* 41, 2). Mais l'on sait aussi rappeler que la pauvreté n'est pas toujours innocente. Elle est le résultat normal de la paresse : « Une main nonchalante appauvrit, une main diligente enrichit » (*Prov.* 10, 4 ; voir aussi 6, 6-11 ; 20, 4.13 ; 24, 30-34 ; 28, 19). De même, pour ceux qui s'adonnent à la débauche (*Prov.* 21, 17 ; 23, 20-21 ; *Sir.* 18, 33 ; 19, 1). Un point de vue identique s'exprime dans les sentences du Pseudo-Ménandre (voir J.-P. Audet, *La sagesse de Ménandre l'Égyptien*, RB, t. 59, 1952, p. 55-81, n. 12, 18, 87, 90, 93).

4° La pauvreté châtiment divin. – Il n'est pas seulement fatal que survienne la pauvreté ; celle-ci figure encore parmi les ressources dont Dieu dispose pour punir les fautes des hommes. Cette conception est d'ailleurs le corollaire de celle qui voit dans l'opulence le signe d'une bénédiction divine. Les amis de Dieu, Abraham, Isaac et Jacob regorgent de biens (*Gen.* 13, 2 ; 24, 35 ; 26, 13-14 ; 30, 43 ; 32, 6 ; 33, 11). Salomon est immensément riche (1 *Rois* 10, 14-25), selon la promesse que Dieu lui a faite à Gabaon (1 *Rois* 3, 13). La Torah (*Deut.* 28, 3-12 ; *Lév.* 26, 3-10), comme les livres et les psaumes sapientiels (*Prov.* 10, 22 ; 15, 6 ; 19, 23 ; *Sir.* 11, 21-25 ; 31, 10-11 ; *Ps.* 1, 1-3 ; 37, 25 ; 112, 1-3, etc.), attache à la rectitude l'assurance de la prospérité matérielle.

C'est pourquoi, quand Dieu châtie, il est normal qu'il en prive les coupables, selon une conception qui s'étend pour ainsi dire tout au long de l'Ancien Testament. Les prophètes en font l'objet de leurs annonces (*Amos* 3, 15 ; 4, 6-9 ; *Is.* 3, 16-24 ; 4, 1 ; 5, 9-10). Les codes du Pentateuque (*Deut.* 28, 15-46 ; *Lév.* 26, 14-26) s'en servent pour clore leurs prescriptions et stimuler la fidélité d'Israël. C'est le même but parénétique que vise l'encadrement deutéronomique des récits des Juges (*Juges* 2, 14-16 ; 6, 3-6). Le *Ps.* 109 inclut pareillement la pauvreté parmi les souhaits imprécatoires de la victime (v. 10-11). Enfin les maximes et les réflexions des sages maintiennent cette correspondance et lui donnent à l'occasion la forme d'un principe (*Prov.* 13, 18.25 ; *Job* 5, 26-35 ; 20 ; 22 ; 27, 13-23).

5° Le refus de la pauvreté. – 1) *Les livres sapientiaux*. – On aurait tort de penser que l'ancienne sagesse israélite s'est satisfaite de l'analyse que l'on vient d'évoquer. Elle ne pouvait du reste se montrer inférieure à la morale païenne dont elle hérite et qui accordait un intérêt particulier aux devoirs envers les pauvres (voir A. Barucq, *Le livre des Proverbes*, Paris, 1964, p. 33-34). D'après le Livre des Morts égyptien (mis en forme vers 1550 av. J.-C.), chacun doit pouvoir dire après sa mort : « J'ai donné du pain à l'affamé, de l'eau à l'altéré, des vêtements à celui qui était nu, une barque à celui qui n'en avait pas » (ch. 125 ; trad. P. Barguet, Paris, 1967 ; voir également une inscription d'époque ptolémaïque citée par B. Couroyer, RB, t. 56, 1949, p. 423, et J. Dupont, *Les béatitudes*, t. 2, p. 63). Il ne manque pas, parmi les sentences des sages d'Israël, d'invitations à éliminer non seulement les causes de la pauvreté mais encore la pauvreté elle-même, allant jusqu'à manifester une réelle « solidarité fraternelle avec le pauvre » (A. Ranon, dans *Evangelizare pauperibus*, cité *infra*, p. 111). Ici, l'appel à la « compassion » envers le pauvre (*Prov.* 14, 21.31) se double d'une référence à Dieu qui évoque certains passages des évangiles : « Celui qui a pitié du pauvre prête à Yahweh, celui-ci lui rendra son bienfait » (*Prov.* 19, 17 ; voir également 22, 8 ; 28, 27, et comparer 21, 13). C'est que Dieu lui-même fait sienne la cause du miséreux : « Ne dépouille pas le pauvre parce qu'il est pauvre, n'écrase pas le malheureux à la porte (de la ville, où l'on rend la justice), car Yahweh plaidera leur cause et ravira la vie à leur ravisseur » (*Prov.* 22, 22-23). La conséquence est que le juste agit nécessairement de même (*Prov.* 29, 7), la « femme vaillante » aussi (*Prov.* 31, 20), et que Job se défend en énumérant toutes ses actions passées envers les pauvres, les infirmes, les inconnus (*Job* 29, 12-17). Ce n'est pas un hasard si, au stade le plus récent de la sagesse israélite (*Sir.* 3, 30 ; 7, 10 ; 12, 3 ; 40, 17.24 ; *Dan.* 4, 24) et, plus tard, dans le judaïsme rabbinique, l'aumône est appelée « justice » (*çedaqah*).

2) *La législation*. – Dans l'ancien Orient (Mésopotamie, Ugarit, Égypte), le soin des pauvres n'est pas chose uniquement privée, mais il est officialisé, étant avant tout une fonction du roi et des fonctionnaires royaux (textes cités par J. Dupont, *Les béatitudes*, t. 2, p. 54-62).

Dans le prologue et l'épilogue de son code, Hammurabi énonce les intentions qui ont guidé son gouvernement : faire prévaloir la justice dans le pays, détruire l'impie et le méchant, faire en sorte que le fort ne puisse écraser le faible, assurer la justice à l'orphelin, à la veuve, aux opprimés. Ce caractère marque pareillement la législation de l'ancien Israël. Bien qu'on ne puisse parler à ce propos de codes d'état, le programme tracé dans le Pentateuque vise une application et des réformes qui font aux pauvres une large place. Le Code de l'Alliance (*Ex.* 20, 22 - 24, 18), sans doute prémonarchique, légifère en faveur de l'étranger résident (*ger*), de la veuve et de l'orphelin, du pauvre qui emprunte ou qui est engagé dans un procès ; il énonce la règle de l'année sabbatique où les indigents pourront récolter le produit des champs (*Ex.* 22, 20-26 ; 23, 6.9-11). Les lois cultuelles sont mitigées pour faciliter leur application aux pauvres (*Lév.* 5, 7-13 ; 12, 8 ; 14, 21-31).

Le Deutéronome a reçu l'influence des prophètes. C'est pourquoi il prêche autant qu'il légifère en faveur des pauvres ; du reste, comme celles des prophètes, ses consignes répondent à l'urgence du temps, alors que la prospérité s'étend dans le royaume du Nord au bénéfice de certains et au détriment des autres. D'où cette entreprise de restauration de la fraternité idéale du peuple de Dieu. La protection des pauvres y est concrétisée dans une série de préceptes groupés au ch. 24 (v. 10-15.17-22). Plus remarquables sont les lois sur la *shemittah*, complétant l'ancienne coutume de l'année sabbatique par une remise générale des dettes et la libération des esclaves (15, 1-18) ainsi que l'obligation de la dîme triennale dévolue au lévite, à l'étranger, à l'orphelin et à la veuve (14, 28-29 ; 26, 12). Un grand esprit humanitaire pénètre cette législation non dépourvue d'utopie (la *shemittah* n'a jamais été réellement appliquée, malgré *Jér.* 34, 8-22 ; *Néh.* 5, 6-11), mais significative d'une volonté de supprimer la pauvreté dans le peuple, en prenant les moyens d'écarter une prolétarisation des paysans israélites : « Qu'il n'y ait donc pas de pauvres chez toi » (15, 4), et à supposer qu'il s'en trouve, « tu n'endurciras pas ton cœur ni ne fermeras ta main à ton frère pauvre » (15, 7). « Ici la pitié est au-dessus de la justice légale. Un grand esprit de bonté et de miséricorde inspire les exhortations et la législation » (A. Causse, *Du groupe ethnique...*, p. 165).

Les lois sociales du Code de Sainteté (*Lév.* 19, 9-10.13-15 ; 23, 22 ; 25) suivent en gros la même ligne que celles du Deutéronome, auquel le reste du recueil se conforme, tout en considérant Israël « surtout comme une communauté rituelle centrée sur le temple où réside la sainteté de Yahweh » (H. Cazelles, DBS, t. 7, col. 827). D'où le fondement théologique particulier sur lequel reposent les lois en question (*Lév.* 19, 2.10.14 ; 23, 22 ; 25, 17.38.55).

3) *Les prophètes*, comme la législation israélite, sont l'écho de situations sociales appelant une réforme. Mais alors que les codes nous les révèlent sous forme indirecte, les anciens prophètes d'Israël attaquent directement les abus. Jamais, toutefois, à l'inverse de leur attitude envers les ennemis extérieurs du peuple, ils ne conçoivent l'élimination de la pauvreté comme une revanche du pauvre sur le riche. La victoire qu'ils s'efforcent d'obtenir est comprise autrement, selon deux possibilités : « la première est l'appel, exprimé de façon variée (invitation, exhortation, reproche ou menace), qu'ils adressent aux riches ouvriers d'iniquité, pour qu'ils cessent de mal agir et rétablissent la justice. La seconde est la menace, souvent très violente, de l'intervention personnelle de Dieu en vue de punir les pécheurs invétérés et de protéger les justes opprimés » (N.M. Loss, dans *Evangelizare pauperibus*, p. 75). On ne saurait passer en revue tous les textes où les prophètes prennent délibérément le parti des pauvres. Tous les aspects de l'oppression due au progrès économique se retrouvent chez eux : redevances écrasantes (*Amos* 5, 11-12 ; *Is.* 3, 14-15), fraudes commerciales avec balances truquées (*Amos* 8, 4-6), accaparement des terres (*Mich.* 2, 2), vente comme esclaves des débiteurs insolvables (*Amos* 2, 6 ; 8, 6), injustices et pots de vin dans les tribunaux (*Amos* 5, 7.10.12-15 ; *Is.* 1, 23 ; 10, 1-2 ; 29, 21 ; 32, 7 ; *Jér.* 5, 28), exactions et violences (*Amos* 3, 10 ; 4, 1 ; *Éz.* 18, 12-13 ; *Jér.* 22, 17 ; *Zach.* 7, 10), voire péchés par omission (*Éz.* 16, 49). Partout, la pauvreté est considérée comme un mal, et ceux qui l'engendrent et l'entretiennent comme des malfaiteurs. Selon la conception uniquement religieuse qui pénètre l'Ancien Testament, ceux-ci portent devant Dieu une redoutable responsabilité, puisque, par leurs injustices, ils brisent l'unité du peuple constitué comme tel par Dieu en vertu de l'alliance ; ils pèchent donc indirectement contre Dieu en péchant contre le pauvre.

Aussi, chez les prophètes s'annonce l'établissement définitif de l'ordre social voulu par Dieu au sein de son peuple. Dieu qui, par la bouche de ses messagers, s'est proclamé le défenseur des pauvres (voir également *Deut.* 10, 17-18), doit régler une fois pour toutes le sort des malheureux en se substituant aux responsables indignes (*Mich.* 4, 6-7 ; *Is.* 14, 30 ; 25, 4-5 ; 29, 19-21 ; 35, 2-10 ; *Éz.* 34 ; *Ps.* 132, 15). Le Messie, quand il apparaît à l'horizon, est un roi juste dont le rôle consiste, par délégation divine, à faire régner la justice, tout spécialement à l'égard des plus démunis : « Il jugera avec justice les faibles et se prononcera selon le droit à l'égard des pauvres du pays » (*Is.* 11, 4 ; voir aussi *Ps.* 72, 3.12-14).

6º Vers une signification spirituelle de la pauvreté. – Dans l'attente de l'ère messianique, le pauvre est le plus souvent, au dire de ses défenseurs, frustré de la justice qui lui est due. Aussi bien trouve-t-on dès le début de la littérature prophétique une mise en parallèle du « juste » et du « pauvre » (*Amos* 2, 6 ; 5, 12). Toutefois, à ce stade, les implications socio-économiques prédominent. C'est avec Sophonie, sous la minorité du roi Josias (vers 630), qu'une évolution se dessine où les pauvres apparaissent non seulement comme l'objet du droit divin mais encore comme ceux qui le mettent en pratique. Deux passages entrent ici en considération.

Dans le premier, Sophonie, après une attaque contre les princes de Juda qui « remplissent le palais de leur seigneur (le roi) de violence et de fraude », contre les « peseurs d'argent » et tous les impies, évoque la catastrophe finale (ch. 1). Suit un appel à la conversion qui s'achève par ces mots : « Cherchez Yahweh, vous tous les pauvres (ᶜ*anwei* ; LXX : *tapeinoi*) du pays, qui accomplissez ses ordonnances ; recherchez la justice, recherchez l'humilité (ᶜ*anawah*), peut-être serez-vous à l'abri au jour de la colère de Yahweh » (2, 3). Ces « pauvres » sont assurément les fidèles, que le prophète, après s'être adressé à Juda dans son ensemble, invite à adopter l'orientation indispensable au salut. La ᶜ*anawah* est ici plus qu'un état social, car elle a pour parallèle la justice et s'oppose à l'orgueil (3, 11-12).

« La traduction oscillera entre humilité et pauvreté, pour définir cette attitude de disponibilité, d'accueil et de désir (cf. 2, 1). A l'opposé du riche sans désir le pauvre se présente comme celui qui désire et qui cherche (cf. *Ps.* 34, 5-11). Le croyant n'a plus seulement à se préoccuper des pauvres, il doit se trouver du côté des pauvres. C'est même ce qui le caractérise devant Dieu » (B. Renaud, dans *Assemblées du Seigneur*, n.s., n. 35, 1973, p. 5).

Dans le second passage Sophonie tourne son regard vers l'avenir et la restauration du peuple : purifié de tout orgueil et impiété, celui-ci subsistera sous la forme d'un « reste » : « Je laisserai subsister en toi un peuple pauvre et modeste (ᶜanî wa-dal ; LXX : praÿn kai tapeinon) et c'est dans le nom de Yahweh que cherchera refuge le reste d'Israël » (3, 12-13). On suppose parfois que cette attitude, comme caractéristique de la nation idéale, est due à l'opprobre enduré par Juda sous la domination assyrienne. Quoi qu'il en soit, une moralisation de la pauvreté est désormais amorcée qui se prolonge dans le prophétisme ultérieur.

Sans doute, en *Is.* 41, 17 et 54, 11, le peuple du retour et Jérusalem sont qualifiés de pauvres en raison de l'exil et de ses conséquences. Mais le sens religieux de ce vocabulaire est assez obvie en *Is.* 57, 15 et, dans la troisième partie du recueil, en *Is.* 61, 1 (cf. v. 3-4.6.8-9) ; 66, 2. Les derniers oracles prophétiques se signalent de la même façon. Selon l'apocalypse d'*Is.* 24-27, le peuple messianique sera un peuple de pauvres (25, 4 ; 26, 6). Bien plus, *Zach.* 9, 9-10 étend cet idéal au Messie lui-même : « juste et protégé [de Dieu] (?), pauvre (ᶜani) et monté sur un âne », probablement une réminiscence de *Soph.* 3, 12 : ici la pauvreté est une attitude morale, une humble confiance en Dieu, comme l'ont bien compris les Septante (praÿs) et le Targum.

Ce n'est plus le peuple ou le Messie que Jérémie qualifie de pauvre mais lui-même. Dans ses « confessions », après s'être plaint des persécutions dont il est l'objet, il célèbre sa délivrance : « Chantez Yahweh, car il a délivré l'âme du pauvre de la main des malfaisants » (20, 13). On a reconnu les termes et l'esprit des « psaumes des pauvres », où l'empreinte des prophètes, de Jérémie en particulier, est aisément identifiable (cf. P.E. Bonnard, *Le psautier selon Jérémie*, Paris, 1960). On aurait tort de réduire la figure du pauvre dans les psaumes à de simples traits religieux et moraux, ou de voir dans leur groupe une sorte de parti ou de confrérie en réaction contre l'impiété de leur temps. D'une part, leur situation suppose d'authentiques et concrètes persécutions, calomnies et accusations, venant d'ennemis personnels. D'autre part, ces persécutés sont aussi des faibles, des rejetés face à des puissants, des pauvres ou des affamés face à des riches ou à des repus (*Ps.* 10, 2.3.17-18 ; 22, 19.27 ; 35, 10 ; 69, 9 ; 73, 3-4.12 ; 82, 4 ; 132, 15). Mais ces malheureux de toute sorte ont ceci de particulier qu'ils n'attendent leur délivrance que de Dieu seul (*Ps.* 38, 16 ; 40, 2.18). Ils cherchent refuge auprès de lui, dans le sanctuaire, convaincus qu'il est l'unique défenseur de leur juste cause (*Ps.* 5, 8 ; 7, 12 ; 31, 2 ; 71 ; 86 ; 109, 31). C'est pourquoi ils peuvent se désigner comme « ceux qui connaissent ton nom » (*Ps.* 9, 11), eux qui mettent leur espoir dans la présence agissante du Dieu d'Israël. Enfin ces pieux, qui savent que « le pauvre n'est pas oublié jusqu'à la fin » (*Ps.* 9, 19), certifient que Dieu les a exaucés et, par une doxologie, se font les témoins de sa bonté et de sa puissance (*Ps.* 8, 12-13 ; 22, 23-32 ; 28, 6-7 ; 30, 12-13 ; 31, 20-23 ; 34, 7 ; 69, 30-35) ou encore exhortent directement leurs semblables à redoubler de confiance en Dieu (*Ps.* 22, 24 ; 32, 24-25). Mais il y a plus, car certains passages du psautier semblent

détacher la pauvreté de sa signification sociologique. Dans le *Ps.* 149, 4, les « pauvres » sont identifiés au peuple tout entier et dans le *Ps.* 34, 3.7, ils apparaissent, à cause du contexte, essentiellement comme des justes. C'est encore avec ces derniers que le *Ps.* 140, 13-14 les identifie (voir aussi *Ps.* 76, 10 ; 132, 15-16 ; 146, 7-10). Il faut aussi remarquer que les adversaires des pauvres « ne sont pas simplement des riches ou des puissants qui les oppriment mais aussi des orgueilleux, des railleurs qui ridiculisent leur foi » (A. George, DBS, t. 7, col. 394) (*Ps.* 3, 3 ; 10, 2.4.11 ; 12, 5 ; 14, 1 ; 22, 9 ; etc.).

A. Rahlfs, ᶜAni und ᶜanaw in den Psalmen, Göttingen, 1932. – H. Birkeland, ᶜAni und ᶜanaw in den Psalmen, Oslo, 1933. – P.A. Munch, *Einige Bemerkungen zu den ᶜanijjim und den reshaᶜim in den Psalmen*, dans *Le Monde Oriental*, t. 30, 1936, p. 13-26. – H.-J. Krauss, *Psalmen*, t. 1, Neukirchen-Vluyn, 1958, p. 82-83. – P. van den Berghe, ᶜAni et ᶜanaw dans les Psaumes, dans *Le Psautier, ses origines, ses problèmes littéraires, son influence*, Louvain, 1962, p. 173-295. – J. Limburg, *The Prophets and the Powerless*, Atlanta, 1977. – H.-J. Krauss, *Theologie der Psalmen*, Neukirchen-Vluyn, 1979, p. 188-193.

Le vocabulaire de pauvreté se retrouve, aux abords de l'ère chrétienne, dans les *documents esséniens* de Qumrân. Mais ici quelques remarques s'imposent. D'une part, la secte, à tout le moins d'après la Règle de la Communauté (l'organisation décrite dans le Document sadoqite est d'un autre type), pratique la communauté des biens (1QS 6, 19-22 ; cf. Philon, *Quod omnis probus liber sit* 77 et 86 ; Josèphe, *De Bello Judaico* II, 122). D'autre part, ses membres se désignent du nom de « pauvres » (ebyôn, ᶜanî, ᶜanaw, ᶜonî : 1QH 12, 3.6.10 ; 1 QM 11, 9.11 ; 14, 7 ; 1QH 1, 36 ; 2, 34 ; fr. 18, 4 etc.) et le groupe est appelé « la Congrégation des pauvres » (ᶜadat ha-ebyônîm : 4QpPs 37, 2.9 ; 3, 16). En rapprochant ces deux faits on peut être tenté d'attribuer aux Esséniens un idéal de « pauvreté analogue à celui des religieux mendiants dans le christianisme » (ainsi S. Monwinckel, *Some Remarks on Hodayot 39, 5-20*, dans *Journal of Biblical Literature*, t. 75, 1956, p. 265-276, surtout p. 275 ; A. Gelin, *Les pauvres de Yahvé*, p. 92-93, 95, 97). Mais en réalité le titre de « pauvres » n'a, dans ce contexte, aucun rapport avec le renoncement à la propriété privée, mais comme dans les Psaumes de Salomon (5, 2.11 ; 10, 6 ; 15, 1 ; 18, 1) et les Psaumes (syriaques) apocryphes (2, 30-35 ; 4, 3-12), « si... on aime se dire ' pauvre ' »... c'est « pour faire valoir qu'on est faible et sans défense devant des ennemis puissants » et pour pouvoir compter sur le secours de Dieu (J. Dupont, *Les béatitudes*, t. 3, p. 425-427 ; dans le même sens, H.J. Kandler, *Die Bedeutung der Armut*). Il n'est pas davantage question d'indigence économique (acceptée volontairement) dans l'expression « pauvres (courbés) d'esprit » (ᶜanwei ou ᶜaniyyei ruah : 1QM 14, 7) qui, à l'instar de son homologue en *Mt.* 5, 3, n'évoque qu'une attitude spirituelle.

Quant à la mise en commun des biens, le groupe poursuit en cela deux buts complémentaires : se séparer, s'unir, dans la conviction que le non-sectaire est un impur et un impie (1QS 5, 14-15.19-20). Contre le danger de se laisser corrompre, « tous ceux qui sont volontaires pour sa vérité apporteront leur savoir, leurs forces et leurs biens (hôn) à l'unité, pour purifier leur connaissance de la vérité des commandements divins, pour régler leurs forces selon la perfection de ses voies et tous leurs biens conformément au conseil de sa justice » (1QS 1, 11-13). En d'autres termes, l'absence de propriété individuelle n'est ici qu'un aspect d'une cohésion plus large. Le tout ne fait aucune place à la pauvreté économique ni à l'aumône (comparer CDC 6, 16-17.20-21 ; 19, 14-15) : il ne peut y avoir ni pauvres ni riches dans une société où tout est commun. Quant à l'origine de cette organisation, une influence étrangère au judaïsme, telle que celle des conventicules pythagoriciens (cf. Josèphe, *Antiquitates Judaicae* xv, 371), ne s'impose pas. La mise en commun des biens ne fait ici que pousser à l'extrême un souci de pureté, typiquement juif, dont les *haburôt* ou confréries pharisiennes offraient un exemple moins radical.

H.J. Kandler, *Die Bedeutung der Armut im Schrifttum von Chirbet Qumran*, dans *Judaica*, t. 13, 1957, p. 193-209. – L.E. Keck, *The Poor among the Saints in Jewish Christianity and Qumran*, dans *Zeitschrift für die neutestamentliche Wissenschaft* = ZNW, t. 57, 1966, p. 54-78. – J. Dupont, *Les béatitudes*, t. 3, spéc. p. 386-399 (bibliographie). – M. Del Verme, *La comunione dei beni tra gli esseni e a Qumrân*, dans *Studia Hierosolymitana in onore di P. Bellarmino Bagatti*, Jérusalem, 1976, p. 226-258. – L. Moraldi, *Poveri e povertà tra gli esseni di Qumran*, dans *Evangelizare pauperibus* p. 293-309.

**2. Nouveau Testament.** – La pauvreté et son contraire, la richesse, sont parmi les thèmes importants du Nouveau Testament. Ils se présentent sous divers aspects qui, sans être pleinement originaux, n'en portent pas moins la marque du christianisme naissant.

1° Jésus annonce la Bonne Nouvelle aux pauvres. – La situation économique de la Palestine au temps de Jésus était nettement injuste. Le gros domaine foncier, en particulier celui de la famille hérodienne, s'étendait au détriment des petits propriétaires, souvent acculés au fermage (cf. *Marc* 12, 1-9 par.) ou à se louer comme journaliers, sans compter les chômeurs en quête d'emploi (cf. *Mt.* 20, 1-16). Ajoutons le poids des taxes : tribut romain, taxes hérodiennes, octrois, redevances religieuses (dîmes, prémices, les cinq sicles pour le rachat du premier-né, l'impôt annuel du didrachme pour le temple, etc.). De tout cela résultait une paupérisation et, conséquemment, l'abandon du pays par de nombreux jeunes gens. Cette situation sera plus tard une des causes principales de la révolte contre Rome et ceux qui, dans le pays, collaboraient avec la puissance occupante.

C'est dans ce cadre social que se déroule la prédication de Jésus. Sans doute, parmi les passages évangéliques ayant trait aux riches et aux pauvres, certains semblent bien témoigner d'une adaptation réalisée par les soins de la catéchèse primitive. Telles paraboles n'ont probablement exprimé à l'origine qu'un avertissement tourné vers l'heure dernière, tandis que les personnages, avec leur qualification socio-économique, étaient au service d'un message qui, en fait, s'adressait à tous (ainsi pour *Luc* 12, 16-20 ; 16, 1-8 : voir J. Jeremias, *Les paraboles de Jésus*, tr. fr., Le Puy-Lyon, 1962). Toutefois, quand Jésus, en héraut autorisé du Règne de Dieu, laisse entendre que celui-ci s'accomplira sous le signe de la miséricorde (*Marc* 2, 5-11.17 par. ; *Mt.* 18, 12-13.23-34 ; *Luc* 15, 4-32), les pauvres ont leur place dans sa prédication aux contours bien définis. Les béatitudes, dont la forme la plus ancienne est rapportée en *Luc* 6, 20b-21, prolongent et réitèrent les assurances du Dieu de l'Ancien Testament protecteur des déshérités. Les pauvres, de vrais pauvres, y sont proclamés heureux du fait qu'avec toutes les

misères humaines, celle qui les accable doit prendre fin à l'heure où Dieu décidera de renouveler le monde. A la différence de certaines apocalypses mais dans la ligne de la prophétie biblique, Jésus ne promet pas aux pauvres de devenir riches, encore moins de prendre leur revanche sur la classe possédante : il leur garantit simplement que leur souffrance actuelle sera compensée par un bonheur dont lui seul a le secret. C'est pourquoi ils sont invités à se réjouir : « Adressée aux pécheurs, l'annonce de la venue imminente du Royaume devient un appel pressant à faire pénitence ; adressée aux pauvres, elle prend la forme d'une invitation à la joie, car ce Royaume qui est sur le point de venir leur appartient » (J. Dupont, *Les béatitudes*, t. 2, p. 123).

En attendant, le présent n'apparaît guère modifié. Aucun passage des évangiles ne nous apprend que Jésus a voulu bouleverser l'ordre social. Dans les paraboles, où se reflète le milieu galiléen de son temps, on rencontre des propriétaires fonciers avec leurs ouvriers agricoles, des maîtres avec leurs esclaves, des créanciers avec leurs débiteurs ; il y est question de régisseurs et d'opérations bancaires, sans que la moindre antipathie recouvre cet état de choses en laissant entendre que Jésus s'est fait l'écho des revendications des pauvres contre les riches. Pour lui, selon qu'il est possible de le saisir à travers les évangiles, la remise en ordre n'est pas l'affaire des hommes mais de Dieu seul.

Conditions socio-économiques dans la Palestine au temps de Jésus : F.C. Grant, *The Economic Background of the Gospels*, New York, 1926 (réimpr. 1973) ; *The Economic Background of the New Testament*, dans *The Background of the New Testament and Its Eschatology... in honour of C.H. Dodd*, Cambridge, 1956, p. 96-114. – J. Jeremias, *Jérusalem au temps de Jésus. Recherches d'histoire économique et sociale pour la période néo-testamentaire*, tr. fr., Paris, 1967. – H. Kreissig, *Die landwirtschaftliche Situation in Palästina vor dem Jerusalem Krieg*, dans *Acta Antiqua Academiae Scientiarum Hungaricae*, t. 17, 1969, p. 223-254. – D. Sperber, *Cost of Living in Roman Palestine*, dans *Journal of the Economic and Social History of the Orient*, t. 13, 1970, p. 1-15. – S. Applebaum, *Economic Life in Palestine*, dans *The Jewish People in the First Century*, t. 2, edited by S. Safrai and M. Stern, Assen-Amsterdam, 1976, p. 631-700. – G. Theissen, *Le christianisme de Jésus. Ses origines sociales en Palestine*, tr. fr., Paris, 1978. – F. Manns, *L'arrière-plan socio-économique de la parabole des ouvriers de la onzième heure et ses limites (Mt. 20, 1-16)*, dans *Antonianum*, t. 55, 1980, p. 258-268.

Jésus et les pauvres : J. Leipold, *Jesus und die Armen*, dans *Neue kirchliche Zeitschrift*, t. 28, 1917, p. 784-810. – J. Dupont, *Les béatitudes*, t. 2, Paris, 1969. – R. Batey, *Jesus and the Poor*, New York, 1972. – L. Schottroff et W. Stegemann, *Jesus von Nazareth – Hoffnung der Armen*, Stuttgart, 1978. – J. Sobrino, *Relation de Jésus avec les pauvres et les déclassés. Importance de la morale fondamentale*, tr. fr., dans *Concilium*, n. 150, 1979, p. 25-34. – E. Lohse, *Das Evangelium für die Armen*, ZNW, t. 72, 1981, p. 51-64.

2° Soin et défense des pauvres dans l'Église. – L'intérêt central de Jésus pour les pauvres se ramifie au sein de l'Église apostolique. Bien que, d'après le Nouveau Testament, celle-ci ait recruté un certain nombre de gens aisés, c'était là, en fait, une minorité ; à Corinthe, l'ensemble se rangeait parmi les non fortunés, l'argent assurant ce qui justement lui faisait défaut : un niveau social élevé, le temps de s'instruire et de philosopher (1 *Cor.* 1, 26-29). En Macédoine les Églises vivaient dans une « profonde indigence » et durent se priver pour secourir la communauté de Jérusalem, elle-même en difficulté économique (2 *Cor.* 8, 2-4).

E.A. Judge, *The Social Pattern of the Christian Groups in the First Century: Some Prolegomena to the Study of the New Testament Ideas of Social Obligation*, Londres, 1960. – H. Kreissig, *Zum sozialen Zusammenhang der frühchristlichen Gemeinden im ersten Jahrhundert u. Z.*, dans *Eirene*, t. 6, 1967, p. 91-100. – G. Theissen, *Soziale Schichtung in der korinthischen Gemeinde*, ZNW, t. 65, 1974, p. 232-272. – J.G. Gager, *Kingdom and Community: The Social World of Early Christianity*, Prentice-Hall et Englewood Cliffs, 1975. – J.Z. Smith, *The Social Description of Early Christianity*, dans *Religious Studies Review*, t. 1, 1975, p. 19-25. – A.J. Malherbe, *Social Aspects of Early Christianity*, Baton Rouge et Londres, 1977. – R.M. Grant, *Early Christianity and Society*, San Francisco, 1977. – A. Sisti, *La 'povertà' della Chiesa di Corinto (1 Cor. 1, 26-31)*, dans *Evangelizare pauperibus*, p. 325-341. – W. Stegemann, *De la Palestine à Rome: Observations sur un changement social dans la chrétienté primitive*, tr. fr., dans *Concilium*, n. 145, 1979, p. 47-54.

1) Pourtant, le souci des pauvres n'est pas un thème majeur dans tous les écrits du Nouveau Testament. Dans les *évangiles*, Luc étant mis à part, l'insistance sur ce point est plutôt réduite. La charité envers les pauvres joue un rôle accessoire dans l'épisode de l'appel du riche (*Marc* 10, 21 par. *Mt.* 19, 21 ; voir *infra*, col. 629) et, pareillement, dans celui de l'onction de Béthanie (*Marc* 14, 5.7 par. *Mt.* 26, 9.11 ; *Jean* 12, 5-6.8), où tout en attestant indirectement l'existence d'un service des pauvres dans l'Église, la perspective est christologique, comme le montre avec évidence la réponse de Jésus selon les deux traditions (cf. R. Pesch, *Die Salbung Jesu in Bethanien Mk 14, 3-9. Eine Studie zur Passionsgeschichte*, dans *Orientierung an Jesus... Für J. Schmid*, Fribourg-en-Brisgau, 1973, p. 267-285, surtout p. 277, 281-282 ; *Das Markusevangelium*, t. 2, Fribourg-en-Brisgau, 2ᵉ éd., 1980, p. 333-336).

Matthieu semble plus préoccupé par ces devoirs, encore qu'il ne faille pas s'y méprendre. Ainsi, les libéralités prescrites dans l'antithèse sur le talion (5, 38-42) visent moins à améliorer le sort d'autrui qu'à parfaire le donateur selon le type dessiné par le Christ matthéen. Il est vrai que, conduite à sa perfection (5, 17), la Loi se résume désormais dans le double commandement de l'amour de Dieu et du prochain (22, 34-40), donc requiert l'exercice concret de la charité. Mais non spécialement l'aumône. Dans le Sermon sur la montagne, l'aumône n'est envisagée que sous l'angle de l'intention et dans le but de bannir toute vanité ostentatoire chez le donateur. Par contre, ce sont bien des œuvres de miséricorde que prône le Christ de la Parousie dans la scène du jugement dernier (25, 31-46) et dont il fait l'unique condition de l'accès au royaume. L'importance de ce passage, où le Christ s'identifie pour ainsi dire avec les malheureux, est capitale. Mais il faut aussi remarquer qu'aucune des œuvres de la liste (non exhaustive) ne suppose les biens de la fortune. C'est donc à tous, pauvres et riches, que la leçon est destinée.

2) Les écrits qu'on vient de mentionner font apparaître une situation intra-ecclésiale où les différences de fortune et de classe sociale, si elles existaient, ne posaient pas de problème particulier. Il en va autrement quand *Paul*, pour préserver la charité et, ainsi, une participation « digne » au souper du Seigneur, prescrit aux chrétiens de Corinthe de ne pas exhiber ces différences et de prendre leurs repas alimentaires dans leurs maisons (1 *Cor.* 11, 17-34). C'est aussi en vue de l'unité, mais à une plus vaste échelle, que Paul entreprend une collecte en faveur des « pauvres » de Jérusalem (*Gal.* 2, 10 ; l'adjectif est de portée purement économique : cf. L.E. Keck, art. cité *infra*) parmi les Églises du monde hellénistique (2 *Cor.* 8-9 ; *Rom.* 15, 25-28.31). Ce partage, qui n'épargnait pas les communautés les plus démunies (2 *Cor.* 8, 2-4), visait, selon Paul lui-même, à rétablir la règle de l'« égalité » entre les Églises, à l'image des Hébreux de l'Exode (*Ex.* 16, 18) mesurant à un ᶜomer par tête leur récolte de manne (2 *Cor.* 8, 13-15). Pratiquement, il s'agissait de gagner aux communautés pagano-chrétiennes l'estime de l'Église de la circoncision, tâche urgente étant donné que Paul, après ses démêlés avec les dirigeants de Jérusalem (*Gal.* 2, 1-14), flairait le danger d'une rupture, au point de ne pas être tout à fait sûr que les dons rassemblés fussent acceptés par leurs destinataires (*Rom.* 15, 31). Pour stimuler la générosité des Églises, il laisse entrevoir que les frères hiérosolymitains pourraient un jour rendre la pareille à ceux de Corinthe, mais surtout que Dieu dispensera aux généreux donateurs à la fois l'aisance matérielle et les bienfaits de la grâce (2 *Cor.* 8, 14 ; 9, 8). Paul n'a pu que se féliciter du succès remporté. De même, l'auteur de l'*Épître aux Hébreux* rappelle, en guise d'encouragement pour l'avenir, les gestes accomplis par ceux qui, ayant échappé à la persécution, se sont dépouillés de leurs biens pour venir en aide aux prisonniers (*Héb.* 10, 34).

K.F. Nickle, *The Collection: A Study of Paul's Strategy*, Londres, 1956. – L.E. Keck, *The Poor Among the Saints in the New Testament*, ZNW, t. 56, 1965, p. 100-129. – D. Georgi, *Die Geschichte der Kollekte des Paulus für Jerusalem*, Hambourg-Bergstedt, 1965. – O. Cullmann, *Oekumenische Kollekte und Gütergemeinschaft im Urchristentum*, dans O. Cullmann, *Vorträge und Aufsätze 1925-1962*, Tübingen-Zurich, 1966, p. 600-604. – L.E. Keck, *The Poor Among the Saints in Jewish Christianity and Qumran*, ZNW, t. 57, 1966, p. 54-78. – K. Berger, *Almosen für Israel. Zum historischen Kontext der paulinischen Kollekte*, NTS, t. 23, 1977, p. 180-204. – L. Oitana, *Esperienza ecclesiale e società. Il significato della colletta di Paolo in favore di Gerusalemme*, dans *Evangelizare pauperibus*, p. 383-403. – S. Garofalo, *Un chef d'œuvre pastoral de Paul: la collecte*, dans *Paul de Tarse, apôtre de notre temps*, Rome, 1979, p. 575-593.

3) La parénèse que développe l'*Épître de Jacques* pour défendre la nécessité des œuvres comme condition d'une foi authentique fait une large place aux devoirs des riches envers les pauvres. Cet écrit accumule en lui-même à peu près tous les aspects que la Bible et l'ancien judaïsme répartissent çà et là quand ils abordent ce thème. L'un de ces aspects consiste à qualifier de « riches » ceux (des juifs ?) qui, n'appartenant pas à la communauté, s'en font les persécuteurs (2, 6b-7). C'est à eux que l'auteur adresse la grande invective en 5, 1-6 où, empiétant sur l'heure du jugement, il annonce que les biens détériorés des coupables témoigneront d'une avarice indifférente aux besoins des pauvres (cf. *Sir.* 29, 10). Il s'agit ici, non d'aumône mais de salaire, donc d'exploitation par des maîtres injustes à l'encontre des préceptes de la

Loi (*Deut.* 24, 14-15 ; *Lév.* 19, 13). Mais le crime va plus loin puisque ces riches sont dits avoir « tué le juste », accusation suprême (probablement hyperbolique et stéréotypée : cf. *Ps.* 37, 14.32.34 ; *Sag.* 2, 20 ; 1 *Hén.* 96, 8 ; 1QH 2, 21, etc.) et qui ne saurait rester impunie. A travers cette virulence on retrouve les deux camps déjà dessinés dans l'Ancien Testament : d'un côté, les riches, qui sont en même temps les impies persécuteurs, de l'autre, les pauvres identifiés aux justes. La communauté chrétienne se reconnaît dans ces derniers comme jadis les prophètes annonçaient que le peuple juste des temps messianiques serait un peuple de pauvres (cf. *supra,* col. 621).

Mais, – autre aspect et paradoxe –, la communauté des pauvres comprend des riches. On y a tendance à entourer ceux-ci d'égards particuliers et à mépriser les pauvres (*Jacq.* 2, 1-3). D'où la mise en garde qui rappelle que dans le domaine de la foi, autrement dit, sous l'angle du salut chrétien, les pauvres sont les vrais riches, puisque « Dieu les a choisis... comme héritiers du royaume » (2, 5-6). Sur ce fondement, un écho indubitable des béatitudes (cf. *Luc* 6, 20), l'auteur s'efforce de décourager ceux qui auraient le goût d'accumuler les richesses (1, 9-11) ; au contraire, il invite les riches à aider leurs frères pauvres (2, 14-17). S'il est admis que les communautés comprennent des riches et des pauvres, l'épître se prononce nettement en faveur des seconds et de la situation qui est la leur.

Th. Zahn, *Die soziale Frage und die innere Mission nach dem Brief des Jakobus,* dans Th. Zahn, *Skizzen aus dem Leben der Alten Kirche,* Erlangen et Leipzig, 1894, p. 39-61. – M. Dibelius, *Der Brief des Jakobus,* Göttingen, 10ᵉ éd., 1959, surtout p. 37-44 (« Arm und Reich »). – F. Mussner, *Der Jakobusbrief,* Fribourg-en-Brisgau, 1964, surtout p. 76-84 (Die ' Armenfrömmigkeit ' des Jakobusbriefes). – A. Sisti, *Le parole e le opere,* dans *Bibbia e Oriente,* t. 6, 1964, p. 78-85. – J. Corbon, *Le sort des riches à l'avènement du Juste (Jc 5, 1-6),* dans *Assemblées du Seigneur,* n.s., n. 57, 1971, p. 46-52. – O. Knoch, *Riches et pauvres dans l'Église (Jc 2, 1-5),* dans *Assemblées du Seigneur,* n.s., n. 54, 1972, p. 28-32.

4) L'évangile de *Luc* est l'évangile des pauvres par définition. Et d'abord parce que Jésus s'y présente d'emblée comme réalisant la prophétie d'*Is.* 61, 1-2 : « L'Esprit du Seigneur est sur moi... Il m'a envoyé porter la Bonne Nouvelle aux pauvres... ». Sans doute, dans l'épisode de la synagogue de Nazareth (*Luc* 4, 16-22) les « pauvres » du texte prophétique sont avant tout identifiés aux malades dont la guérison miraculeuse (*Luc* 4, 31 svv ; *Actes* 10, 38 : même référence à *Is.* 61, 1-2), constitue, dans l'« aujourd'hui » (*Luc* 4, 21 ; cf. 5, 26), le signe annonciateur du temps du salut. Les choses se présentent un peu différemment dans l'épisode des envoyés de Jean-Baptiste (*Luc* 7, 21-22) : ici, du fait que les miracles précèdent la « Bonne Nouvelle aux pauvres », « les guérisons et les résurrections opérées actuellement par Jésus... sont promesse et garantie d'un changement de situation qui, pour l'ensemble des pauvres, reste futur et objet d'espérance » (J. Dupont, dans *Evangelizare pauperibus,* p. 184). Quant aux béatitudes, elles proclament le bonheur qui doit échoir aux malheureux dans un avenir proche mais qui leur permet de se réjouir dès à présent, comme l'indique la béatitude des persécutés (6, 22-23 par. *Mt.* 5,

11-12). Entre ces trois passages d'une même œuvre un certain flottement se manifeste qui est dû à l'origine différente de ces morceaux. « Il reste que, de toute manière, la condition du pauvre est considérée comme une condition malheureuse. La pauvreté est un mal, et l'avènement du Règne de Dieu doit y mettre fin, aussi bien qu'à la situation misérable des aveugles ou des lépreux. Il n'y aura plus de pauvres dans le Royaume de Dieu » (J. Dupont, *ibid.*).

Aussi ne faut-il pas s'étonner de trouver sous la plume du même évangéliste un enseignement sur l'aumône à l'intention des riches, non du reste sans une application parfois déconcertante des anciens matériaux (*Luc* 11, 41 ; 12, 33) et un radicalisme nécessairement hyperbolique (6, 30 ; 18, 22 ; 14, 33 ; cf. 19, 2.8). L'articulation de cette éthique de l'aumône avec les textes précédemment mentionnés se fait sans peine si l'on sait que, pour Luc comme pour les autres auteurs du Nouveau Testament, le temps du salut n'est pas un pur objet d'attente et qu'il se vit déjà au sein de la communauté chrétienne (*Actes* 2, 17-21), communauté de sauvés soumis à des impératifs d'ordre moral dont la charité est le principe coordinateur, encore que, dans l'évangile, Luc vise au moins autant le salut du riche que le bien du pauvre (6, 24-26 ; 12, 13-21 ; 16, 1-15.19.31 ; 18, 24-27).

Les pauvres, toutefois, devaient constituer une large majorité dans la communauté chrétienne, puisque Luc, dans les béatitudes suivies des malédictions (6, 20-26), les identifie sans plus avec les victimes des persécutions venues du dehors et dont les agents sont des personnes riches et honorées (des Juifs ? cf. 16, 14, et *supra,* col. 621). Qu'on songe aussi au « petit troupeau » (12, 32), sans aucun doute composé de pauvres, ceux-ci étant seuls capables de mettre en pratique les consignes données aux versets précédents (12, 22-31) : ce ne sont pas les riches qui s'inquiètent de la nourriture, de la boisson ou du vêtement. D'où, si les chrétiens n'ont pas à rejeter comme ne les concernant pas le message de Luc sur l'usage des biens, on aurait tort d'en déduire que l'opulence avait corrompu une bonne partie des communautés visées par cet auteur. Ici, comme pour l'Épître de Jacques, l'arrière-plan sociologique se divise entre les chrétiens, situés dans l'ensemble au bas de l'échelle, et ceux de l'extérieur.

A. Feuillet, *Les riches intendants du Christ (Luc 16, 1-13),* RSR, t. 34, 1947, p. 30-54. – R. Koch, *Die Wertung des Besitzes im Lukasevangelium,* dans *Biblica,* t. 38, 1957, p. 151-169. – H.-J. Degenhardt, *Lukas Evangelist der Armen. Besitz und Besitzverzicht in den lukanischen Schriften,* Stuttgart, 1965. – S. Aalen, *St Luke's Gospel and the Last Chapters of* I *Enoch,* NTS, t. 13, 1966-1967, p. 1-13. – J. Dupont, *Les béatitudes,* t. 3, p. 21-206. – M. Del Verme, *Povertà e aiuto del povero nella Chiesa primitiva (Atti),* dans *Evangelizare pauperibus,* p. 405-427. – G.W.E. Nickelsburg, *Riches, the Rich and God's Judgement in* I *Enoch 92-105 and the Gospel According to Luke,* NTS, t. 25, 1978-1979, p. 324-344. – G. Pérez, *Lucas, evangelio de exigencias radicales,* dans *Servidor de la Palabra, Miscelanea biblica en honor del P. Alberto Colunga,* Salamanque, 1979, p. 319-367. – P. Klein, *Die lukanischen Weherufe Lk 6, 24-26,* ZNW, t. 71, 1980, p. 150-159. – L.T. Johnson, *The Literary Function of Possession in Luke-Acts,* Missoula, 1977. – W.E. Pilgrim, *Good News to the Poor,* Minneapolis, 1981.

Un même souci de signifier les conditions de vie dans le royaume par une anticipation éloquente n'est pas à exclure du tableau de la communauté primitive de Jérusalem dans les *Actes.* Tableau idéal et programmatique où l'auteur généralise ce qui ne fut à l'origine qu'une série de cas isolés, en vue de présenter la « communion » (*koinônia* : *Actes* 2, 42), c'est-à-dire la mise en commun des biens (cf. 2, 44 ; 4, 33), comme une des caractéristiques de l'Église naissante. Sans préjudice de certaines influences grecques, c'est là, avant tout, la réalisation de l'annonce formulée en *Deut.* 15, 4, où les Septante portent, au lieu du précepte de l'hébreu, une phrase qui a l'accent d'une promesse visant l'ère messianique : « Il n'y aura pas d'indigent parmi toi ». C'est ce que la nouvelle communauté accomplit à la lettre (*Actes* 4, 34). Une telle pratique exclut la pauvreté ; elle vise au contraire à la supprimer par le partage, le tout étant ordonné à l'unité spirituelle des croyants (*Act.* 4, 32a).

H. Seesemann, *Der Begriff koinônia im Neuen Testament*, Giessen, 1933. - F. Hauck, art. *koinos ktl.*, dans Kittel, t. 3, p. 789-810. - T.Y. Campbell, *Koinônia and its Cognates in the New Testament*, dans T.Y. Campbell, *Three N.T. Studies*, Leiden, 1965, p. 1-28. - J. Dupont, *La communauté des biens aux premiers jours de l'Église (Actes 2, 42.44-45 ; 4, 32.34-35)*, dans J. Dupont, *Études sur les Actes des Apôtres*, Paris, 1967, p. 503-519 ; *L'union entre les premiers chrétiens dans les Actes des Apôtres*, NRT, t. 91, 1969, p. 916-954 ; *La koinônia des premiers chrétiens dans les Actes des Apôtres*, dans G. d'Ercole et A.M. Stickler (éd.), *Comunione interecclesiale - Collegialità - Primato - Ecumenismo. Conventus internationalis de historia sollicitudinis omnium Ecclesiarum*, Rome, 1972, p. 63-82. - D. Stanley, *Koinônia as Symbol and Reality in the Primitive Church*, ibid., p. 83-99. - J. Salguero, *La comunidad cristiana primitiva*, dans *Cultura Bíblica*, t. 232, 1970, p. 131-154. - P.C. Bori, *Koinônia. L'idea della comunione nell'ecclesiologia recente e nel Nuovo Testamento*, Brescia, 1972 ; *Chiesa primitiva. L'immagine della comunità delle origini (Atti 2, 42-47 ; 4, 32-37) nella storia della Chiesa primitiva*, Brescia, 1974. - J. Hadot, *L'utopie communautaire et la vie des premiers chrétiens de Jérusalem*, dans *Problèmes d'Histoire du Christianisme*, t. 3, Bruxelles, 1972-1973, p. 15-34. - M. Del Verme, *La comunione dei beni nella comunità primitiva di Gerusalemme*, dans *Rivista Biblica*, t. 23, 1975, p. 353-382. - E. Haulotte, *La vie en communion, phase ultime de la Pentecôte, Actes 2, 42-47*, dans *Foi et vie, Cahiers bibliques*, n. 19, 1981, p. 69-75.

3° DÉTACHEMENT DES BIENS. - Nulle part le Nouveau Testament ne prêche en faveur de la pauvreté matérielle. En revanche, il rappelle fréquemment la nécessité de se soustraire à l'empire des richesses. Non que celles-ci, à la différence de la pauvreté, soient un mal (le Nouveau Testament n'appuie pas la thèse du futur judéo-christianisme hétérodoxe selon lequel « les biens sont péchés pour tout le monde » : Pseudo-Clément, *Hom.* xv, 9, PG 2, 364a), mais soit à cause de leur provenance malhonnête (« *mamôn* d'iniquité » ou « *mamôn* injuste » : *Luc* 16, 9.11 ; cf. F. Hauck, dans Kittel, t. 4, p. 391-392), soit en raison de leur action néfaste sur celui qui leur est asservi, l'Évangile ne leur accorde qu'un regard défavorable. La sentence sur l'impossibilité du double service (*Luc* 16, 13, par. *Mt.* 6, 24) se trouve illustrée par l'épisode de l'appel du riche et ses compléments (*Marc* 10, 17-31 par.).

Le point de départ de cette composition semble être un apologue où le catéchète développait sous forme narrative une mise en garde contre le danger de la richesse pour qui veut obtenir le salut. De l'apologue on aura fait plus tard un récit de vocation,

en ajoutant l'ordre « puis viens, suis-moi » (*Marc* 10, 21c), qui prépare le dialogue des v. 28-29, tout en faisant figure de rallonge après la promesse de récompense eschatologique. Dans sa forme définitive, le récit nous apprend que richesse et salut (celui-ci requérant l'engagement pour le Christ, *sequela Christi*) sont en principe incompatibles : le mieux intentionné des riches, le plus charitable même (v. 19-20), ne s'écartera-t-il pas de ce salut dès qu'il lui est demandé de sacrifier sa fortune ? Il faut toute la puissance de Dieu pour sauver le riche (v. 27). On notera qu'ici l'éthique sociale n'intervient pas : les « pauvres » (v. 21) n'apparaissent qu'en tant que destinataires naturels des biens dont un riche se défait.

Le texte n'offre pas davantage l'occasion d'appuyer la distinction entre préceptes et conseils, et cela même dans la version de *Mt.* Préoccupé du danger que constitue l'amour des richesses (6, 19-21.24 ; 13, 22), le moraliste qu'est Matthieu est aussi celui qui définit l'éthique chrétienne selon le barème de la « perfection », au-delà des normes limitatives qu'il découvre dans le judaïsme (5, 20.48). D'où, en exigeant du jeune homme riche, comme condition d'une perfection par ailleurs imposée à tous, l'abandon des biens (19, 21), Matthieu peut difficilement parler d'un degré supérieur de vie chrétienne distincte de la vocation commune, mais plutôt d'un mode radical, dans la ligne des antithèses du ch. 5, de pratiquer la Loi amenée par Jésus à sa perfection dans la charité (Matthieu ajoute en 19, 21b le commandement de l'amour du prochain ; cf. 5, 17 ; 22, 34-40). Ce thème unique est développé au moyen d'un dialogue qui le met progressivement en lumière. Le « si tu veux » fait seulement appel à la libre décision de l'homme pour qu'il s'engage sur cette voie exigeante, sans que la formule implique la moindre nuance facultative (pour un point de vue différent sur ce passage, cf. *infra*, l'art. cité de J. Galot, avec la réponse de J.M.R. Tillard, NRT, t. 100, 1978).

Dans l'épisode de l'appel du riche, le « viens, suis-moi » (*Marc* 10, 21 par.) identifie le cas de ce personnage à celui des compagnons de Jésus auxquels celui-ci prescrit d'abandonner derrière eux famille et biens (*Marc* 1, 18-20 par. ; 2, 13-14 par. ; *Mt.* 8, 18-22 ; *Luc* 9, 57-62). Au niveau des évangiles ces mêmes hommes deviennent des paradigmes de la vocation chrétienne, avec ses exigences radicales, une vocation qui n'hésite pas devant les grands moyens (cf. *Marc* 9, 43-48 ; *Mt.* 5, 29-30 ; 18, 8-9) quand il s'agit de s'engager à la suite du Christ ou de se garder dans la fidélité à son égard.

Une même fonction typique échoit aux prédicateurs que Jésus envoie lors de la mission galiléenne munis d'un bagage dérisoire (*Luc* 10, 3-12 par. *Mt.* 10, 5-16 ; *Marc* 6, 7-13 par.). De ce souvenir de circonstances révolues les évangélistes ont tiré, non sans en modifier à l'occasion la teneur (*Marc* 6, 8-9, autorise le bâton et les sandales), une leçon pour les missionnaires de leur temps, appelés ainsi au désintéressement. L'insistance du christianisme primitif sur ce point (1 *Thess.* 2, 9 ; 4, 10-17 ; 1 *Cor.* 9, 12 ; *Actes* 20, 33 ; *Did.* 11, 5-6.9-12 ; 12, 1-5) était d'autant plus nécessaire que les prédicateurs judaïsants et les hérétiques donnaient alors l'exemple d'une religion intéressée (2 *Cor.* 2, 17 ; 1 *Tim.* 6, 5 ; *Tite* 1, 11 ; 2 *Tim.* 3, 2 ; 2 *Pierre* 2, 13-14 ; *Jude* 12. 16). Paul, qui ne recule devant aucun dénuement pour le service de l'Évangile, loin de se plaindre de ses épreuves, s'en fait un titre de gloire (2 *Cor.* 11, 26-27).

Mais le détachement ne s'impose pas seulement aux missionnaires. Outre ce rôle pour ainsi dire fonctionnel, il concerne tous les chrétiens. Paul, dans la perspective d'un monde proche de sa fin (1 *Cor.* 7, 29.31 ; *Rom.* 13, 12), écrit aux Corinthiens : « Que ceux qui achètent soient comme s'ils ne possédaient pas, ceux qui usent de ce monde comme s'ils n'en usaient pas » (1 *Cor.* 7, 30c-31a). De toute façon, la morale des écrits apostoliques s'aligne sur celle du judaïsme hellénistique en mettant les chrétiens en garde contre la « cupidité » (*pleonexia, pleonektês*) ou la « convoitise » (*epithymia*) qui, toutes deux, impliquent « une anxieuse quête de soi qui peut aller jusqu'au désir effréné des biens sans égard aux droits d'autrui » (J. Murphy-O'Connor, *L'existence chrétienne selon saint Paul*, Paris, 1974, p. 59). Parce qu'elle découle d'un égoïsme foncier, la cupidité « sert la créature plutôt que le Créateur » et, par là, mérite d'être assimilée à l'idolâtrie (*Rom.* 1, 25 ; *Col.* 3, 5 ; *Éph.* 5, 5). L'auteur des Épîtres pastorales, en polémiquant contre les faux docteurs soucieux d'amasser des richesses, reprend à son compte la maxime classique selon laquelle « la racine de tous les maux, c'est l'amour de l'argent » (1 *Tim.* 6, 9-10) et se fait l'écho de la sagesse païenne ambiante (1 *Tim.* 6, 7-8), non sans y introduire la note spécifiquement chrétienne : c'est face à la Parousie pieusement attendue que le chrétien devra renoncer aux « convoitises du monde » (*Tite* 2, 12-13). La note religieuse est également présente en *Héb.* 13, 5-6, de même qu'en 1 *Jean* 2, 16. Dans ce dernier passage, où Jean adresse une triple mise en garde contre les « convoitises » qui hantent le monde physique où les chrétiens sont obligés de vivre, la « présomption de la richesse » ou « l'orgueil qui découle de la richesse » figure parmi elles. Le moyen d'y échapper est de venir en aide au frère pauvre (1 *Jean* 3, 17).

E. Klaar, *Pleonexia, –ektès, –ektein*, dans *Theologische Zeitschrift* = ThZ, t. 10, 1954, p. 395-397. – P. Rossano, *De conceptu 'pleonexia' in Novo Testamento*, dans *Verbum Domini*, t. 32, 1954, p. 257-265. – G. Delling, art. *pleonektês ktl.*, dans Kittel, t. 6, p. 266-274. – H. Braun, *Spätjüdisch-häretischer und frühchristlicher Radikalismus. Jesus von Nazareth und die essenische Qumransekte*, 2 vol., Tübingen, 1957, surtout t. 2, p. 73-83. – L.W. Countryman, *The Rich Christian in the Church of the Early Empire : Contradictions and Accommodations*, New York, 1980.

Concernant les rapports avec l'ascèse chrétienne et l'état religieux : S. Légasse, *L'appel du riche. Contribution à l'étude des fondements scripturaires de l'état religieux*, Paris, 1966. – J.M.R. Tillard, *Le fondement évangélique de la vie religieuse*, NRT, t. 91, 1969, p. 916-954 ; *La communauté religieuse*, NRT, t. 94, 1972, p. 488-519. – J.M. van Cangh, *Fondements évangéliques de la vie religieuse*, NRT, t. 95, 1973, p. 635-647. – J. Galot, *Le fondement évangélique du vœu religieux de pauvreté*, dans *Gregorianum*, t. 56, 1975, p. 441-467. – J.M.R. Tillard, *Le propos de pauvreté et l'exigence évangélique*, NRT, t. 100, 1978, p. 207-232, 359-372. – F.J. Moloney, *Disciples and Prophets. A Biblical Model for the Religious Life*, Londres, 1980. – Th. Matura, *Le radicalisme évangélique et la vie religieuse*, NRT, t. 103, 1981, p. 175-186. – L. Boisvert, *La pauvreté religieuse*, Paris, 1981.

4° Pauvreté spirituelle et métaphorique. – Une « pauvreté » exclusivement spirituelle, c'est-à-dire un détachement d'esprit vécu dans l'opulence, n'est jamais envisagée dans le Nouveau Testament. Le détachement n'y est conçu qu'au prix de sacrifices concrets des biens que l'on possède. Par contre, les mêmes écrits attestent l'emploi ambivalent du vocabulaire de pauvreté que l'on a enregistré dans l'Ancien Testament. Ainsi, le Magnificat (*Luc* 1,

51-53) oppose les pauvres (*tapeinoi*) et les affamés à des riches qui sont aussi des impies orgueilleux (cf. 1 *Sam.* 2, 3.5.8-9). Le même contraste apparaît en *Jacq.* 5, 1-6, où il est pareillement l'avantage des pauvres (cf. *supra*, col. 626). L'auteur de l'Apocalypse joue sur les deux notions à propos de l'Église de Smyrne (2, 9) et de celle de Laodicée (3, 17-18). La première est persécutée et pauvre, la seconde ne manque de rien. En réalité, c'est la première qui est riche spirituellement et la seconde qui est pauvre à cause de sa tiédeur.

Mais le phénomène amorcé dans les textes qu'on vient de citer atteint son point maximum chez Matthieu. Sa version des béatitudes, profondément remaniée, ne fait plus aucune place à la pauvreté économique. Ici, il ne s'agit pas seulement de pauvres qui accepteraient patiemment leur pauvreté en mettant leur confiance en Dieu, mais l'expression « pauvres en esprit », en elle-même et d'après le contexte, nous oriente dans un tout autre sens. A Qumrân, on l'a vu, la même expression n'a aucun rapport avec le renoncement aux possessions individuelles. Dans *Mt.*, conforme à plusieurs formules bibliques (*Ps.* 34, 19 ; *Prov.* 29, 23 ; *Is.* 57, 15 etc. Cf. J. Dupont, *Les béatitudes*, t. 3, p. 386-393), pareille expression transforme une notion physique en attitude morale, et l'ensemble des béatitudes matthéennes appuie cette interprétation : les affamés (et assoiffés) le sont « de justice », c'est-à-dire de rectitude devant Dieu (cf. Mt. 5, 20) ; Matthieu ajoute à la série les « purs de cœur » (cf. 6, 21-23), qui spiritualisent l'idée de pureté extérieure et cultuelle, ainsi que la béatitude des « doux », désignation de portée uniquement morale, comme celles, également additionnelles, des miséricordieux et des artisans de paix. Dans ces conditions, les « pauvres – ou 'courbés' – d'esprit » sont des humbles (ainsi déjà d'après bon nombre de Pères de l'Église : voir J. Dupont, *Les béatitudes*, t. 3, p, 399-411), un idéal sur lequel Matthieu insiste par ailleurs (18, 1-4 ; 23, 5-12) et que réalise Jésus lui-même, maître « doux et humble de cœur » (11, 29 ; cf. 9, 13 ; 12, 7.19-20 ; 21, 5). Voir art. *Humilité*, DS, t. 7, surtout col. 1142-1152 ; art. *Enfance spirituelle*, t. 4, col. 688-696.

5° Pauvreté de Jésus. – C'est bien encore à Jésus que s'applique l'idée de pauvreté métaphorique quand Paul écrit : « Vous connaissez la générosité de notre Seigneur Jésus Christ, comment de riche il s'est fait pauvre pour vous, afin de vous enrichir par sa pauvreté » (2 *Cor.* 8, 9). Les formules de ce verset sont inspirées par le contexte, où Paul exhorte les Corinthiens à imiter leurs frères de Macédoine qui se sont dépouillés au profit de la collecte pour l'Église de Jérusalem (cf. 8, 2). On reconnaît ici un parallèle de l'hymne au Christ en *Phil.* 2 (v. 6). Sans doute, à la différence de ce dernier passage, la dimension sotériologique est explicite en 2 *Cor.* 8, 9, où elle rejoint l'usage paulinien du vocabulaire de la richesse pour traduire l'abondance des dons de Dieu (*Rom.* 2, 4 ; 9, 23 ; 10, 12 ; 11, 33 etc. ; cf. H.-M. Dion, *La notion paulinienne de « richesse de Dieu » et ses sources*, dans *Sciences ecclésiastiques*, t. 18, 1966, p. 139-148). Mais des deux côtés c'est la démarche du Christ renonçant volontairement à ses prérogatives divines, à la gloire qu'il tient de son Père, pour apparaître comme un homme passible et voué à la mort (voir également 2 *Cor.* 13, 4).

Il n'y a pas de raison suffisante d'attribuer à Paul l'idée d'une pauvreté matérielle du Christ durant sa vie terrestre, quitte à l'adjoindre par compromis au point de vue précédent. En fait, les conditions de vie du Christ sur terre échappent à l'intérêt de Paul, qui ne considère que l'essentiel des faits du salut. Il reste que pour lui l'abaissement suprême du Christ, parce qu'il révèle une « générosité » (*charis*) au-delà de toute mesure à l'égard des hommes (cf. *Gal.* 2, 20), doit stimuler la même disposition chez les Corinthiens envers leurs frères (2 *Cor.* 8, 7.9 ; cf. 9, 11). Voir S. Zedda, *La povertà di Cristo secondo s. Paolo (2 Cor. 8, 9 ; Fil. 2, 7-9 ; Col. 1, 24 ; 2 Cor. 13, 3-4)*, dans *Evangelizare pauperibus*, p. 343-369.

Néanmoins Jésus n'a-t-il pas vécu en pauvre avant d'en arriver au dénuement total du Calvaire ? Sans tomber dans l'excès inverse (ainsi G.W. Buchanan, *Jesus and the Upper Class*, dans *Novum Testamentum*, t. 7, 1964, p. 195-209, suggère de voir en Jésus une sorte de *businessman* et de prendre à la lettre 2 *Cor.* 8, 9), les certitudes de certains courants chrétiens au sujet de la pauvreté de Jésus sont tempérés par un regard attentif sur les textes. Si l'on fait confiance à *Marc* 6, 3, Jésus, avant d'entreprendre son ministère, était un « artisan » à son compte, non un ouvrier salarié soumis à l'arbitraire d'un employeur. La famille de Jésus vivait dans des conditions analogues. Au dire d'Hégésippe (Eusèbe, *Hist. eccl.* III, 20, 1-6), certains parents de Jésus, les petits-fils de Jude, déclaraient à l'empereur Domitien qu'ils possédaient à deux une terre de 39 plèthres de la valeur de 9000 deniers, et qu'ils la cultivaient pour vivre. Ces témoignages excluent l'appartenance de Jésus et des siens au prolétariat de l'époque. Certes, au cours de son ministère, Jésus mène avec ses disciples une vie itinérante sans domicile fixe (*Mt.* 8, 20 par. ; cf. M. Hengel, *Nachfolge und Charisma*, Berlin, 1968 ; G. Theissen, *Le Christianisme de Jésus*, p. 26-35). Mais les évangiles nous apprennent aussi que Jésus acceptait que de pieuses femmes l'assistent de leurs biens (*Luc* 8, 2-3) et qu'il ne refusait pas l'hospitalité qui lui était offerte, même celle de personnes aisées (*Luc* 10, 38-42 ; 19, 1-10). Le groupe possédait une bourse commune (*Jean* 12, 6 ; 13, 29) qui ne pouvait être alimentée que par des dons spontanés (Jésus, comme les prophètes et les anciens rabbins, « travaillait » gratuitement). Mais, outre l'aspect économique, Jésus, en raison de sa mission et sans préjudice de la contestation qu'elle a suscitée, a joui indiscutablement d'un prestige et d'une influence qui l'élevaient au-dessus du commun. Le titre de « rabbi » qu'on lui décernait en est la preuve. S'il est vrai que Jésus a accordé ses préférences aux pauvres, aux déclassés, et s'est fait proche de toute misère humaine, rien, à travers les données évangéliques, ne nous indique qu'il ait appartenu à la basse société israélite de son temps.

*Bibliographie générale.* — H. Bolkestein et A. Karlsbach, art. *Armut*, RAC, t. 1, col. 698-709. — F. Hauck et W. Kasch, art. *ploutos ktl.*, TWNT, t. 6, p. 316-330. — F. Hauck et E. Bammel, art. *ptôkhos ktl.*, TWNT, t. 6, p. 885-915. — P. Grelot, *La pauvreté dans l'Écriture sainte*, dans *Christus*, n. 31, 1961, p. 306-330. — A. George, art. *Pauvre*, DBS, t. 7, col. 387-406. — A. George, etc., *La pauvreté évangélique*, Paris, 1971. — M. Schwantes, *Das Recht der Armen*, coll. Beiträge zur biblischen Exegese und Theologie 4, Francfort-Berne, 1977. — *Evangelizare pauperibus. Atti della* XXIV *Settimana Biblica*, Brescia, 1978. — S. Légasse, art. *Richesse*, DBS, t. 10, col. 645-687.

*Ancien Testament* : I. Loeb, *La littérature des pauvres dans la Bible*, Paris, 1892. — W. Baudissin, *Die alttestamentliche Religion und die Armen*, dans *Preussische Jahrbücher*, 1912, p. 209-224. — A. Causse, *Les « pauvres » d'Israël*, Paris, 1922. — H. Bruppacher, *Die Beurteilung der Armut im Alten Testament*, Gotha-Stuttgart, 1924. — A. Kuschke, *Arm und Reich im Alten Testament*, dans *Zeitschrift für die alttestamentliche Wissenschaft*, t. 57, 1939, p. 31-57. — J. van der Ploeg, *Les pauvres d'Israël et leur piété*, dans *Oudtestamentische Studiën*, t. 7, 1950, p. 236-270. — A. Gelin, *Les pauvres de Yahvé*, Paris, 1953 (3e éd. 1956). — S. van Leeuwen, *Le développement du sens social en Israël avant l'ère chrétienne*, coll. Studia Semitica Neerlandica 1, 1955. — H. Brunner, *Die religiöse Wertung der Armut im alten Ägypten*, dans *Saeculum*, t. 31, 1961, p. 319-344. — R. Martin-Achard, *Yahvé et les Anawim*, ThZ, t. 21, 1965, p. 349-357. — O. Bächli, *Die Erwählung der Geringen im Alten Testament*, ThZ, t. 22, 1966, p. 385-395. — J.M. Liano, *Los pobres en el Antiguo Testamento*, dans *Estudios bíblicos*, t. 25, 1966, p. 117-167. — E. Bianchi, *Le statut des « sans-dignité » dans l'Ancien Testament*, dans *Concilium*, n. 159, 1979, p. 15-23.

*Nouveau Testament* : B. Trémel, *Dieu ou Mammon*, dans *Lumière et Vie*, n. 39, 1958, p. 9-31. — R. Schnackenburg, *Le message moral du Nouveau Testament*, tr. fr., Le Puy-Lyon, 1963, p. 111-120, 187-191. — J. Dupont, *Les béatitudes*, 3 vol., Paris, 1969-1973. — N. Greinacher et A. Müller (éd.), *The Poor and the Church*, New York, 1977. — Th. Matura, *Le radicalisme évangélique*, Paris, 1978. — D.L. Mealand, *Poverty and Expectation in the Gospel*, Londres, 1980. — E. Hernando García, *Los pobres y la Palabra de Dios en el Nuevo Testamento*, dans *Burgense*, t. 22, 1981, p. 9-43. — M. Donzé, *La pauvreté évangélique : une provocation ?*, dans *Nova et vetera*, t. 56, 1981, p. 149-160. — W. Stegemann, *Das Evangelium und die Armen*, Munich, 1981.

Simon Légasse.

## II. PÈRES DE L'ÉGLISE ET MOINES DES ORIGINES

1. **Pères de l'Église.** — Dans l'art. Église *Latine*, DS, t. 7, col. 371-375, nous avons exposé la pensée des Pères *latins* sur les rapports entre riches et pauvres, en l'insérant dans le contexte social de l'époque et notant des rapprochements avec les vues des Pères *grecs*. C'est donc à ces derniers que nous limiterons notre enquête, remontant cette fois jusqu'aux origines, c'est-à-dire au temps où l'Église latine ne se distinguait pas encore de l'Église grecque.

1° LES DEUX PREMIERS SIÈCLES. — La *koinônia* qui, selon saint Paul et les *Actes* (2, 42 ; 4, 34-35), caractérisait la communauté primitive et comportait, entre autres choses, une certaine « mise en commun » des biens (cf. DS, t. 8, col. 1745-1750), reste encore l'idéal des chrétiens aux deux premiers siècles, autant qu'on peut en juger par de brèves allusions chez les auteurs de cette époque. Il n'est sans doute pas question d'un partage total entre riches et pauvres, mais d'une attitude fraternelle (cf. art. *Fraternité*, t. 5, col. 1149-1150), qui exige du riche un souci constant des pauvres et du même coup le détachement à l'égard des richesses : les biens matériels sont des *dons* de Dieu, et ils doivent être « redonnés » ; la *koinônia* effective va de pair avec la *koinônia* affective.

« Que le fort prenne soin du faible..., que le riche fournisse le pauvre, et que le pauvre rende grâces à Dieu de lui avoir donné quelqu'un pour combler son indigence » dit déjà Clément de Rome (*Aux Corinthiens* 38, 2, SC 167, 1971, p. 162-163 ; les traductions citées sont parfois légèrement remaniées). La *Didachè* explicite l'idée de « communion » : « Tu ne te détourneras pas de l'indigent, mais tu mettras tes biens en commun avec ton frère : tu ne diras pas qu'ils te sont propres, car si vous ' communiez ' (*koinônoi este*) dans le bien immortel, combien plus devez-vous le faire dans les biens mortels » (4, 8, SC 248, 1978, p. 160-161 ; même formule dans l'*Épître de Barnabé* 19, 8, SC 172, 1971, p. 206 ; *2ᵉ Lettre* de Polycarpe, 4, 1, SC 10, 4ᵉ éd., 1969, p. 180-181).

« Fais le bien, et du produit du labeur que Dieu t'accorde, donne à tous les indigents avec simplicité, sans t'inquiéter de savoir à qui tu donneras... Donne à tous, car Dieu veut qu'on fasse profiter tout le monde de ses propres largesses », prescrit Hermas (*Le Pasteur* 27, 4, SC 53, 1958, p. 146-147) ; et dans la parabole de la vigne et de l'ormeau (51, SC 53, p. 214-219 ; cf. DS, t. 7, col. 727), il symbolise le rapport idéal entre le riche et le pauvre.

Justin le martyr † 167 voit dans la mise en commun des biens un des effets de la conversion au christianisme : « Nous aimions et recherchions plus que tout l'argent et les richesses ; aujourd'hui nous mettons en commun ce que nous avons, et nous le partageons avec les pauvres » (*Iᵉ Apologie* 14, 2 ; éd. et trad. L. Pautigny, Paris, 1904, p. 26). Si Minucius Félix dit seulement que pour les chrétiens « la pauvreté n'est pas une honte mais une gloire » (*Octavius* 36, 3-6, éd. et trad. J. Beaujeu, Paris, 1964, p. 62 ; DS, t. 10, col. 1271), l'auteur de la lettre *A Diognète* voit dans le don libéral l'imitation même de Dieu : « Être riche, là n'est pas le bonheur. Mais celui qui donne libéralement à ceux qui en ont besoin les biens qu'il détient pour les avoir reçus de Dieu..., celui-là est imitateur de Dieu » (10, 5-6, SC 33 bis, 1965, p. 77).

2º CLÉMENT D'ALEXANDRIE († avant 215) est le premier à développer pour elle-même la doctrine chrétienne sur la richesse et la pauvreté. Dans le *Pédagogue*, il fonde la mise en commun sur le dessein de Dieu : « Dieu a produit notre race pour la ' communion ', nous ayant partagé le premier de ses biens et rendu commun à tous les hommes son propre Logos, ayant fait toutes choses pour tous. Toutes sont donc communes, et les riches ne doivent pas avoir en surplus... Dire : c'est à ma disposition et j'ai en surabondance, pourquoi n'en jouirais-je pas ? cela n'est ni humain ni social ; mais voici plutôt ce qui est conforme à la charité : c'est à ma disposition, pourquoi n'en ferais-je point part à ceux qui manquent ? » (II, 12, 120, SC 108, 1955, p. 228-229 ; cf. III, 34-36, SC 158, 1970, p. 76-81 : seul le chrétien est riche, car il possède les vraies richesses).

L'opuscule *Quis dives salvetur ?* (PG 9, 603-652 ; éd. critique O. Stählin, GCS, 1909, p. 157-191 ; trad. franç. Fr. Quéré-Jaulmes, *Riches et pauvres*, p. 24-55), commentant *Marc* 10, 17-31, mérite une étude approfondie. Clément y adopte une position nuancée, car il s'adresse à de riches notables alexandrins qu'il ne faut pas écarter du christianisme par une doctrine trop abrupte. Il cite *Mt.* 19, 21 et les autres textes évangéliques qui invitent à la pauvreté totale. Mais, puisque des philosophes antiques (Anaxagore, Démocrite, Cratès) l'ont aussi pratiquée, l'enseignement du Christ doit conduire plus loin. Le Christ ne prescrit pas un dépouillement extérieur, qui pourrait être occasion d'orgueil, mais bien de « dépouiller l'âme et les mœurs des passions et de

couper à la racine tout ce qui nous est étranger » (ch. 12). D'ailleurs, d'autres paroles du Seigneur (*Luc* 16, 9 ; *Mt.* 6, 19 ; 25, 35, etc.) supposent la possession des biens, tout en recommandant d'en user pour le service d'autrui (13). Le ch. 14 dit l'essentiel : « Il ne faut donc pas rejeter les biens qui peuvent servir au prochain : ce sont en effet des possessions (*ktèmata*) et des biens utiles (*chrèmata*) préparés par Dieu pour le service des hommes ». Les richesses sont comme un instrument (*organon*) et tout dépend de la manière dont on les utilise ; elles sont faites « pour servir, non pour dominer... Par elles-mêmes, elles ne sont ni bonnes ni mauvaises, mais c'est l'homme qui, agissant librement, s'en sert bien ou mal ».

La renonciation aux richesses s'impose cependant dans la mesure où elles font obstacle au bien intérieur de l'âme : « celui qui a l'âme pure, celui-là suit le Seigneur ». Dès lors, la vente des biens, non pour en garder le prix mais pour acquérir en leur place les richesses divines, le « trésor dans le ciel » (15), peut devenir une solution préférable. C'est celle qu'a choisie Pierre : « il suit le Seigneur en vérité, communiant à son absence de péché et à sa perfection ; il embellit son âme et l'harmonise à celle du Seigneur qu'il contemple comme dans un miroir, et il imite sa conduite en toutes choses » (21). On le voit, tout en légitimant une honnête possession des biens en raison de leur bon usage, Clément maintient en même temps l'idéal d'un dépouillement total, pour qui veut suivre le Christ en plénitude.

3º LES CAPPADOCIENS traitent surtout de la pauvreté en s'adressant aux riches de leurs cités. Ils parlent de la fugacité des richesses, de l'imminence de la mort qui risque de les en priver. Mais, à côté de ces thèmes de rhétorique, apparaissent des points de vue nettement évangéliques : luxe des riches en contraste scandaleux avec la misère des pauvres ; devoir des riches de se considérer comme « gérants » ou « économes » de leurs biens, qui doivent servir aux pauvres, à tel point que le superflu est en vérité propriété des pauvres et doit en conséquence leur revenir.

Basile de Césarée † 379 consacre au sujet les homélies 6 et 7 (éd. et trad. Y. Courtonne, *Homélies sur la richesse*, Paris, 1935, avec commentaire historique et doctrinal). La première a pour thème la parabole de l'homme riche et du pauvre Lazare (*Luc* 12, 16-21).

Basile expose d'abord le « principe de gérance » : « Souviens-toi de toi-même : qui tu es, ce que tu gères, de qui tu l'as reçu, pourquoi tu es mieux loti que beaucoup d'autres... Tu es devenu le serviteur d'un Dieu bon, l'économe de tes compagnons de service. Traite comme biens d'autrui ceux qui sont entre tes mains » (6, 2, éd. citée, p. 18). Il invective l'avare qui se dit pauvre pour refuser de donner : « Pauvre, tu l'es en effet, et dépourvu de tout bien : pauvre de charité, de philanthropie, de foi en Dieu, d'espérance éternelle... C'est le comble de l'avarice de ne pas partager ce qu'on peut aux indigents » (6, 6, p. 32). « Qui est l'avare ? Celui qui ne se contente pas du nécessaire. Qui est le spoliateur ? Celui qui prive chacun de ses biens... Il appartient à celui qui a faim le pain que tu gardes ; à celui qui est nu le manteau que tu conserves dans tes coffres... Tu es injuste envers autant de personnes que celles à qui tu pourrais donner » (6, 7, p. 35).

La seconde homélie commente la scène du jeune homme riche. Il est faux que celui-ci ait aimé son prochain comme lui-même ; l'abondance de ses biens le contredit : « Autant tu abondes en richesses, autant tu manques de charité, car depuis longtemps tu aurais fait passer tes biens dans les mains d'autrui si tu avais aimé ton prochain » (17, 2,

p. 41). Au terme de l'homélie, évoquant la mort comme dépouillement inévitable, Basile recommande à ses auditeurs de l'anticiper en imitant la pauvreté du Christ (7, 9, p. 70): « Prends donc les devants et prépare toi-même ton ensevelissement... Crois-en un bon conseiller, le Christ qui t'a aimé et qui a été pauvre à cause de nous, afin que nous fussions riches de sa pauvreté (2 *Cor.* 8, 9), qui s'est donné lui-même comme rançon pour tous (1 *Tim.* 2, 6) ».

Le 14e *Discours* de Grégoire de Nazianze † 390 traite directement de l'amour des pauvres (PG 35, 857-909 ; trad. F. Quéré-Jaulmes, *Riches et pauvres*, p. 105-134): « la charité est le premier et le plus grand des commandements et le sommet en est l'amour des pauvres » (5, 864b). « Nous sommes tous un dans le Seigneur, riche, pauvre, esclave, homme libre... ; unique est la Tête de tous, le Christ » (8, 868c). Suit une longue description de la misère des lépreux (9-15, 868c-876d), en contraste avec le luxe des riches (16-18, 876d-881a). Grégoire évoque ensuite le « principe de gérance » (24, 889d) et l'imitation de Dieu : « Soyez des dieux pour les pauvres, en imitant la miséricorde de Dieu », car « l'homme n'a rien de plus commun avec Dieu que la faculté de faire le bien » (892d-893a). Pensant peut-être à Basile et à Grégoire de Nysse, il ajoute : « Les hommes inspirés par l'Esprit ne se sont pas contentés d'un seul sermon sur la pauvreté. Mais tous, d'une seule voix, ils ont prêché inlassablement sur la pauvreté dont ils faisaient leur thème essentiel, ou presque, prodigues en encouragements et en blâmes » (27, 904d-905a).

A qui alléguerait *Prov.* 22, 2, pour prétendre que la distinction entre riches et pauvres est voulue de Dieu, Grégoire répond que cette excuse est douteuse, car « nous sommes les uns et les autres œuvre de Dieu d'une manière égale » (36, 905c). Et il invite, pour finir, à voir le Christ dans les pauvres : « Serviteurs du Christ, ses frères et ses cohéritiers..., prêtons assistance au Christ, secourons le Christ, nourrissons le Christ, habillons le Christ, accueillons le Christ, honorons le Christ... Le Seigneur de l'univers désire notre miséricorde plutôt que les sacrifices, notre compassion plutôt que des milliers d'agneaux » (40, 909bc).

Les deux homélies de Grégoire de Nysse † 394 sont particulièrement insistantes (PG 46, 454-489 ; éd. critique A. van Haeck, *Opera*, t. 9. Leyde, 1967, p. 83-127, que nous suivons). La première, *Sur la bienfaisance*, synthétise avec bonheur les motivations chrétiennes de l'amour des pauvres : dignité des pauvres comme « visage du Christ », imitation de la charité divine, obligation du partage, jugement sévère sur les riches.

Après avoir recommandé un « jeûne spirituel », Grégoire, citant *Isaïe* 58, 6-7, demande d'en appliquer le fruit aux pauvres dont il décrit la misère (p. 96-98) et dont il exalte la dignité : « Ils ont revêtu le visage de notre Sauveur. Car l'Ami des pauvres leur a donné son propre visage, afin de faire rougir les insensibles et les ennemis des pauvres » (p. 99). Il s'appuie d'abord sur la scène du jugement dernier (*Mt.* 25), puis il propose en exemple la charité divine : « Que tout ne soit pas nôtre, mais partagez avec les pauvres, amis de Dieu. Car tout est de Dieu, notre Père commun. Nous sommes des frères, comme les membres d'une même famille » (p. 103). « Use, n'abuse pas (cf. 1 *Cor.* 7, 31), comme Paul te l'a enseigné » (p. 104). Que nul n'imite le mauvais riche qui chasse Lazare de sa porte tandis que sa maison retentit du rire des festoyants : « Ils s'en vont

alors les amis du Christ, en qui se résument les commandements, sans avoir reçu un peu de pain, rassasiés au contraire d'injures et de coups... Si Dieu voit cela, et il le voit en effet, quel changement ne réserve-t-il pas aux ennemis des pauvres ? » (p. 106).

La seconde homélie prend pour thème *Mt.* 25, 40 : « ce que vous avez fait à l'un d'entre eux, c'est à moi que vous l'avez fait ». Comme son homonyme, l'évêque de Nysse décrit, avec plus d'insistance encore, la misère et l'abandon des lépreux (p. 112-118). A leur égard, une compassion de sentiments ou de paroles ne suffit pas : il faut des actes (p. 119). Ce n'est même pas assez de leur porter de la nourriture en un lieu retiré, « car cette solution ne fait preuve ni de pitié ni de compassion ; sous couleur de bonté, elle éloigne ces hommes de notre propre vie » (p. 119-120). Grégoire propose donc l'accueil des lépreux au sein de la communauté chrétienne ; il nie le caractère contagieux de la maladie, à la différence d'épidémies comme la peste, qui d'ailleurs, pense-t-il, n'est pas transmise par les hommes (p. 124). De toute manière, « nul n'a rien à craindre lorsqu'il sert Dieu », et il existe des gens « qui ont donné leur vie aux malades depuis la jeunesse jusqu'à leurs vieux jours, sans que leur santé corporelle ait souffert dommage d'une telle sollicitude » (p. 124).

Notons ce témoignage sur les vocations chrétiennes au service des malades (cf. Jean Chrysostome, *In Ephes.* 13, 3, PG 62, 98). Grégoire de Nazianze signale l'existence d'une léproserie fondée par Basile (*Or.* 43, 63, PG 36, 58c) ; Jean Chrysostome en mentionne une autre aux portes d'Antioche (*Consolatio ad Stagyrium* III, 13, PG 47, 490-491) et, selon Pallade, il avait construit un grand hôpital-hospice aux portes de Constantinople (*Dialogue...* 6, PG 47, 29b). Cf. H. Leclercq, art. *Hôpitaux, hospices, hôtelleries*, DACL, t. 6, 1925, col. 2765-2770 ; *Lèpre*, t. 8/2, 1929, col. 2586. – Art. *Aussatz*, RAC, t. 1, 1950, col. 1026-1028. – *Hospitalité*, DS, t. 7, col. 816. – B. Kötting, *Peregrinatio religiosa*, Regensburg-Münster, 1950, p. 373-386.

4° JEAN CHRYSOSTOME revient maintes fois sur les devoirs des riches envers les pauvres (cf. DS, t. 8, col. 339-340 ; bibliographie, col. 343 ; P. Christophe, *Les devoirs moraux des riches...*, p. 134-154 et notes p. 236-239). Relevons seulement quelques aspects.

Jean insiste sur l'économie divine de la communauté des biens : « Tout nous est commun, dans les biens naturels comme dans les biens divins (la table sainte, le Corps du Seigneur, son Sang précieux...). Il est donc absurde de se montrer si rapace quand il s'agit des richesses : faisons donc preuve d'une grande miséricorde, car c'est la reine des vertus » (*In Ps.* 48, hom. 2, 17, 4, PG 55, 517-518). Il émet le souhait d'un partage des biens dans la communauté de Constantinople, à l'exemple de celle de Jérusalem ; par là serait résolu le problème de la pauvreté, et « la terre deviendrait le ciel » ; « c'est ainsi d'ailleurs qu'on vit maintenant chez les moines, comme autrefois l'on vivait dans l'Église » (*In Acta* 11, 3, PG 60, 97-98). Il imagine encore deux villes, dont l'une serait exclusivement composée de riches, l'autre de pauvres : la première ne saurait durer, car elle devrait faire appel au travail des artisans pauvres ; la seconde pourrait survivre par elle-même (*In 1 Cor.* 34, 5, PG 61, 292-293). Il soulève ensuite, peut-être le premier, la question de *l'origine* des richesses : leur accumulation vient souvent du péché (34, 6, 293-295) ou de l'injustice (*In 1 Tim.* 12, 4, PG 62, 562-563) ; il y aurait lieu d'étudier l'influence possible de cette idée sur le traité pélagien *De divitiis* (cf. DS, t. 9, col. 373-374), puisque Chrysostome fut abondamment lu et traduit dans les cercles pélagiens (*ibidem*, col. 337).

Les vues de Chrysostome ne sont pas cependant systématisées ; il donne parfois l'impression de céder à son enthousiasme d'orateur, sans pousser jusqu'au bout la logique de ses réflexions. Retenons toutefois son insistance : « Donnez aux indigents ; je ne cesserai pas de le répéter » (*In 1 Cor.* 43, 2, PG 61, 369c).

On pourrait aisément prolonger cette enquête au-delà du 4e siècle. Les textes mentionnés ci-dessus suffisent néanmoins à montrer à quel point les Pères, tout en respectant le droit de propriété, restent cependant préoccupés de justice sociale et esquissent parfois des solutions concrètes pour atténuer le paupérisme généralisé de leur époque (voir l'art. *Liberté-Libération*, t. 9, col. 820-824).

H.C. Graef, *La vertu de pauvreté chez les Pères grecs*, VSS, n. 40, 1957, p. 127-131. – S. Giet, *La doctrine de l'appropriation des biens chez quelques-uns des Pères. Peut-on parler de Communisme ?* (critique de G. Walther, *Histoire du Communisme*. I. *Les origines*, Paris, 1931). – P. Christophe, *Les devoirs moraux des riches. L'usage du droit de propriété dans l'Écriture et la tradition patristique*, coll. Recherches et synthèses 14, Paris, 1964. – J. Leclercq, « *Il s'est fait pauvre* ». *Le Christ modèle de pauvreté volontaire d'après les Pères...*, VS, t. 117, 1967, p. 501-518. – M. Todde, *La povertà nel pensiero dei Padri*, dans *Servitium*, n. 25-26, 1971, p. 323-341. – *Riches et pauvres dans l'Église ancienne*. Textes recueillis et présentés par A. Hamman, trad. par France Quéré-Jaulmes, coll. Lettres chrétiennes 6, Paris, 1962.

S. Giet, *Les idées et l'action sociale de S. Basile*, Paris, 1941. – D.F. Winslow, *Gregory of Nazianzen and the Love for the Poor*, dans *Anglican theological Review*, t. 47, 1967, p. 348-359. – A. Puech, *S. Jean Chrysostome et les mœurs de son temps*, Paris, 1891. – A.-J. Festugière, *Antioche païenne et chrétienne*, Paris, 1959.

Pour les Pères latins, *Index de paupertate*, PL 220, 725-730. – A la bibliographie fournie en DS, t. 9, col. 375, ajouter : P. Vismara Chiappa, *Il tema della povertà nella predicazione di S. Agostino*, Milan, 1975. – J. Fernández González, *La pobreza en S. Agustín : vocabulario y contenidos lógicos*, dans *Revista agustiniana de espiritualidad*, t. 18, 1977, p. 135-154.

Art. *Armut*, RAC, t. 1, col. 698-709. – DS, art. *Ascèse, Dépouillement, Fuite du monde*.

**2. Moines des premiers siècles.** – Les origines du monachisme restent obscures (cf. DS, t. 10, col. 1536-1541, 1547-1551) ; néanmoins la rupture avec le monde qui le caractérise a comporté dès le début, même chez les ascètes vivant dans les villes et au sein des communautés ecclésiales, parallèlement au propos de virginité ou de continence, celui d'une renonciation aux biens personnels ou d'un usage très restreint de ces biens. Les premiers moines ont été marqués par l'appel du Christ au jeune riche : « Si tu veux être parfait, vends ce que tu possèdes..., puis viens et suis-moi » (*Mt.* 19, 21) ; en outre, par l'exemple de dépossession et de mise en commun des biens chez les premiers chrétiens de Jérusalem (*Actes* 4, 32-34 ; cf. DS, t. 10, col. 1551-1552). Ces traits généraux se nuancent pourtant de tonalités diverses selon les initiateurs des divers courants monastiques.

1° EN ORIENT. – 1) La vocation d'*Antoine*, le premier moine connu avec quelque précision, est déjà significative : il se sent appelé à une renonciation radicale, en souvenir des chrétiens de Jérusalem, et cet appel est confirmé par la lecture de *Mt.* 19, 21 au cours de la liturgie eucharistique (*Vita Antonii* 2, PG 26, 841cd ; cf. DS, t. 10, col. 1551). Les *Lettres* qu'on peut lui attribuer évoquent d'autre part

l'exemple du Christ « qui a pris la forme de la pauvreté en raison de notre pauvreté » (4, 14 ; trad. latine de G. Garitte, CSCO 149, 1955, p. 12 ; cf. 5, 41 et 6, 28, p. 23, 26) et placent « la renonciation au monde » et « la pauvreté d'esprit » au nombre des exigences ascétiques dans lesquelles le moine doit persévérer (1, 77, p. 4). D'autre part, Antoine travaillait de ses propres mains, pour suivre le précepte de saint Paul (2 *Thess.* 3, 10 : « celui qui ne travaille pas, qu'il ne mange pas non plus »), et le produit de son travail servait « en partie à son entretien personnel, en partie aux aumônes » (*Vita* 3, 844d-845a).

2) Dans les fondations de *Pachôme* (DS, t. 12, col. 7-15), pratiquement contemporain d'Antoine, la pauvreté est intimement liée aux exigences de la « sainte koinônia » qui les caractérise de manière fondamentale (cf. DS, t. 8, col. 1754-1757). Aucun des membres de la communauté ne peut rien posséder comme un bien propre : vêtements, nourriture et instruments de travail lui sont fournis par le préposé de chaque « maison », sous le contrôle du supérieur de l'ensemble ; cette distribution se fait selon le principe d'une *stricte égalité*, sauf exceptions justifiées uniquement par la maladie (*Praecepta* 38, 41, 81 ; éd. A. Boon, *Pachomiana latina*, Louvain, 1932, p. 22-23, 37).

Pachôme introduit aussi la loi du travail, avec une quadruple visée : éviter la paresse et les tentations qui s'ensuivent, rendre possible la prière continuelle par la « méditation » de l'Écriture (cf. art. *Méditation*, DS, t. 10, col. 909-910), subvenir aux besoins de la communauté, enfin rendre possible l'assistance aux pauvres, qui relève toutefois des supérieurs (*Praecepta* 36-37, 59-60, Boon, p. 22, 31-32. Cf. H. Bacht, *Das Vermächtnis des Ursprungs*, Wurtzbourg, 1972, Excursus III, p. 225-243 *Das Armutsverständnis des Pachomius und seiner Jünger*). Horsièse rattache plus étroitement la pauvreté aux exigences évangéliques : « Renuntiamus mundo ut perfecti perfectum sequamur Iesum » (*Liber* 27, éd. Boon, *ibidem*, p. 129) ; l'égalité dans l'humilité et la concorde est l'accomplissement du commandement nouveau : « Nos invicem amare debemus et ostendere quod vere sumus famuli Domini Iesu Christi et filii Pachomii » (23, p. 125) ; le dépôt des vêtements entre les mains du cellérier est le signe de la liberté chrétienne (26, p. 127, citant *Phil.* 4, 5-6 et *Gal.* 5, 13). C'est le genre de vie que Théodore appelle « vie apostolique » (*Catéchèse*, éd. L.-Th. Lefort, *Œuvres de S. Pakhôme et de ses disciples*, CSCO 160, p. 28). Cf. B. Büchler, *Die Armut der Armen...*, Munich, 1980.

3) Les documents concernant *le monachisme syriaque primitif* sont difficiles à interpréter ; ils insistent d'ailleurs beaucoup plus sur la continence que sur la pauvreté.

J. Gribomont, *Le monachisme au sein de l'Église en Syrie et Cappadoce*, dans *Studia monastica* = Stmo, t. 7, 1965, p. 7-17 (nuance les affirmations de A. Vööbus, *History of Asceticism in the Syrian Orient*, CSCO 184-185, 1958-1960) ; DS, art. *Encratisme, Éphrem, Eusèbe d'Émèse, Eustathe de Sébaste*, t. 4, col. 628-642, 796-797, 1690-1695, 1708-1711.

4) Les *messaliens*, mouvement originaire de Mésopotamie selon Épiphane (*Panarion*, haer. 60), renonçaient à la propriété mais aussi refusaient le travail et vivaient d'aumônes pour se vouer entièrement à la prière (DS, t. 10, col. 1074-1083). Le *Liber graduum*, « précieux témoin de la spiritualité la plus archaïque de l'Église de Mésopotamie » (DS, t. 9, col. 750), distingue deux catégories de chrétiens : les *justes*, qui accèdent au salut par la pratique des commandements ; les *parfaits*, qui vivent en conti-

nence totale et rejettent toute propriété et tout commerce avec le monde pour se donner uniquement à la prière et au ministère de la parole (III, 6 ; éd. M. Kmosko, *Patrologia syriaca*, t. 1, 1, 1926, p. 55-60), suivant l'exemple du Christ « qui n'avait pas de pierre où reposer sa tête » (XV, 13, p. 367-368). Cf. DS, t. 9, col. 750-752.

C'est également des cercles monastiques de Mésopotamie et d'Asie mineure que proviennent les écrits du Pseudo-Macaire (DS, t. 10, col. 20-43). La pauvreté y est rigoureuse : le moine ne possède qu'un seul vêtement et se contente d'un régime très fruste ; il renonce totalement aux biens, parce que ce monde qui passe disperse les pensées, détourne de Dieu et ne permet pas l'unification de l'âme dans la prière ; il faut même « renoncer à son âme », c'est-à-dire « ne plus chercher sa volonté propre et faire ce que veut le Verbe de Dieu » ; cf. les textes cités en DS, t. 10, col. 28-29.

5) En plus des *Homélies sur la richesse,* Basile de Césarée expose d'autres vues sur la pauvreté dans les documents destinés aux « fraternités » qui relèvent de lui. D'après le *Grand Ascéticon* (artificiellement divisé en *Regulae fusius* et *brevius tractatae*), la pauvreté est un aspect d'une renonciation plus générale au monde et à soi-même (J. Gribomont, *Le renoncement au monde dans l'idéal ascétique de S.B.,* dans *Irénikon,* t. 31, 1958, p. 282-307, 460-475) qui, avec la charité, forme la base même de la charte des fraternités. Celui qui s'y agrège renonce « à toutes les richesses, qu'il doit considérer comme étrangères, car elles le sont en effet » (*Regulae fusius...* 8, PG 31, 930cd ; cf. *Petit Ascéticon* 4, version latine de Rufin, PL 103, 496b-497b). Il doit en conséquence distribuer tous ses biens, par lui-même ou par des hommes d'expérience, et ce n'est pas sans risques qu'il en fait bénéficier ses proches (*Reg. fusius* 9, 941bc).

Les prescriptions de détail précisent que les biens de la communauté appartiennent au Seigneur et sont à traiter comme tels : on utilisera les outils de travail comme choses consacrées ; les détériorer par négligence est un sacrilège (*Reg. brevius* 143-144, 1177bc) ; nul ne doit s'approprier quelque chose, car c'est du préposé que relève la distribution (145, 1177c). Notons encore la définition des « pauvres en esprit » : ce sont ceux qui sont devenus pauvres pour répondre à l'invitation du Seigneur, « Va, vends ce que tu as... » ; ou encore ceux qui acceptent la pauvreté qui leur échoit selon la volonté divine, comme le pauvre Lazare (205, 1217cd).

6) Les *Vies* de moines, les recueils d'apophtegmes, les Histoires monastiques diverses offrent de nombreux traits sur la pratique de la pauvreté, dans les monastères d'Égypte, de Palestine, de Syrie, de Constantinople, etc. On y discerne en gros quatre aspects : a) la pauvreté s'inaugure par une renonciation totale (c'est un des aspects de l'*apotagè*) ; b) elle est vécue concrètement dans l'austérité du logement, du vêtement, de la nourriture ; c) elle est associée le plus souvent au travail manuel qui permet au moine d'assurer sa subsistance (anachorètes) ou celle de la communauté (cénobites) ; d) enfin, elle comporte le souci d'une assistance aux pauvres du voisinage. Il suffira de glaner quelques exemples.

La *Vie d'Hypathios,* rédigée par Callinicos peu après la mort du saint (trad. franç. A.-J. Festugière, *Les moines d'Orient* = MO, t. 2, Paris, 1961),

souligne la frugalité de son régime alimentaire (17, p. 32 ; 26, p. 47), son dévouement au service des malades (4, p. 19-20), des orphelins et des veuves (22, p. 34) ; il distribue des aliments en temps de famine, avec parfois des multiplications miraculeuses du pain et du blé (17, p. 32 ; 31, p. 54-55). L'*Historia monachorum in Ægypto* (MO, t. 4, 1, 1964) souligne l'austérité des moines, dont beaucoup ne mangent que le soir, voire une ou deux fois par semaine (1, p. 14, Jean de Lycopolis ; 3, p. 34-35, Ammoun ; 7, p. 45, Élie ; 8, p. 49, Apollo ; 15, p. 99, Pityrion) ; il est question de plantations pour les besoins des moines (2, p. 30, Ôr), de cultures de blé dont le surplus est distribué aux pauvres (18, p. 104-105, Sérapion).

Les *Verba seniorum,* recueils d'apophtegmes conservés dans la traduction latine de Pélage et Jean, et qui se recommandent par l'ancienneté des sources, contiennent un chapitre suggestif : *Le moine ne doit rien posséder* (PL 71, 888b-893a ; trad. franç. *Les Pères du désert,* Solesmes, 1966, p. 87-94). Ceux qui s'étaient réservé subrepticement quelque chose après la vente de leurs biens se trouvent toujours contraints par quelque épreuve au renoncement intégral (1, 888bc ; 10, 890c).

Les vrais moines refusent l'argent qu'on leur offre en raison de leur âge ou même pour le distribuer en aumônes : ils préfèrent se confier à la Providence (20, 892a ; 22, 892d) et laisser au donateur le soin de la distribution (17-18, 891d-892a). Pour aider le prochain, certains vendent des livres spirituels (6, 889b), et l'un d'eux jusqu'à son évangile : « J'ai vendu la Parole même qui m'ordonne : vends tout, et donne-le aux pauvres » (5, 889ab). Par contre, le moine est invité à vivre de son travail (au besoin selon l'exemple d'un lépreux et d'une veuve, 18, 892cd) ; il doit le continuer sans agitation, si le produit dépasse ses besoins (11, 890cd). Bref, réserver pour soi-même quoi que ce soit, ne pas songer à se dégager de tout quand le prochain est dans la gêne, manier de l'argent en gardant fût-ce les apparences seulement de la propriété, ce sont là choses impensables, littéralement, pour le vrai moine. Typique est la réponse d'Arsène, ancien fonctionnaire de l'empire, au notaire qui venait lui présenter un testament par lequel un sénateur le faisait son légataire universel : « Je suis mort avant lui ; comment peut-il me faire son héritier ? » (2, 888d).

Sur l'extrême austérité des *moines de Syrie* dont parle Théodoret de Cyr dans son *Histoire philothée* (SC 234 et 257, 1977 et 1979), voir P. Canivet, *Le monachisme syrien selon Th. de C.,* Paris, 1977, p. 215-226.

7) Le traité de *Nil d'Ancyre* (cf. DS, t. 11, col. 349), *De la pauvreté volontaire* (PG 79, 968-1060), offre une synthèse conclusive pour le monachisme oriental des origines. Si l'on ne peut accéder à la « pauvreté sublime », cet état de pureté spirituelle qu'Adam possédait avant la chute, du moins peut-on éviter « la pauvreté la plus basse » qui, en raison de la multiplicité des occupations, empêche de « trouver un temps pour Dieu », et pratiquer la « pauvreté moyenne ». Malgré son nom, celle-ci ne consiste pas à s'établir dans une « honnête médiocrité » ; c'est bien plutôt une attitude intérieure d'ordre dynamique qui, tout en maintenant la « discrétion » à l'égard du corps et l'obligation du travail manuel, libère des tentations et des soucis, permet de contempler la beauté de la création et la sagesse du Créateur, rend obéissant, bienveillant et pacifique (ch. 66-67). Dans cet écrit, la pauvreté est présentée comme un condensé des exigences évangéliques et de

l'idéal proposé au moine ; adressé à Magna, diaconesse d'Ancyre, le traité vaut d'ailleurs pour d'autres chrétiens.

2° En Occident. – Les renseignements sont imprécis sur la pratique de la pauvreté dans les communautés instaurées par Eusèbe de Verceil (Ambroise, *Epist.* 63, 71-82, PL 16, 1209-1211, parle seulement à leur propos de solitude et de fuite du monde). Dans sa *Vita Martini*, Sulpice Sévère atteste que dans le monastère de Marmoutier « personne n'avait rien en propre ; toutes choses étaient mises en commun » ; il y était interdit d'acheter ou de vendre (mais Sulpice ajoute que d'autres moines le faisaient) ; le travail des copistes était réservé aux plus jeunes, les autres vaquant à la prière ; le régime et le vêtement étaient austères (10, 6-8 ; SC 133, 1967, p. 274). En outre, Martin propose à Sulpice l'exemple de Paulin de Nole, « qui, s'étant débarrassé de biens immenses pour suivre le Christ, avait été presque le seul de son temps à pratiquer complètement les préceptes de l'Évangile » (25, 4-5, p. 310). De même, dans les *Lettres* de Jérôme, on lit maints appels à « vendre ses biens » pour « suivre nu la croix nue » (cf. les textes cités dans l'art. *Nudité*, t. 11, col. 509).

1) C'est chez *Augustin* que l'on trouve une doctrine originale de la pauvreté. L'authenticité substantielle de sa *Regula* est admise aujourd'hui (cf. L. Verheijen, *La Règle de S.A.*, 2 vol., Paris, 1967) ; elle aura une influence notable sur les Règles occidentales postérieures et sera adoptée plus tard, avec quelques modifications, par de nombreux instituts : chanoines et religieux augustins, chanoines réguliers, Prémontrés, Dominicains, Servites, etc. Pour être pleinement compris, le texte de la *Regula* doit pourtant être éclairé par d'autres thèmes de l'œuvre.

Augustin a d'abord une conception personnelle de la vie monastique, basée principalement sur *Ps.* 132, 1 et *Actes* 4, 32-35 : « Ceux qui vivent *en un* de manière à faire *un seul homme*, en sorte que soit vrai pour eux le mot de l'Écriture : *une seule âme en un seul corps* – plusieurs corps, mais non plusieurs cœurs ; plusieurs corps, mais non plusieurs âmes –, ceux-là, on peut à juste titre les dire *monos* (moine), c'est-à-dire un seul » (*Enarratio in Ps. 132*, 6, citant *Actes* 4, 32). La vie monastique (du moins dans sa visée idéale, car Augustin n'ignore pas qu'il y a de « mauvais moines » ; cf. *In Ps. 99*, 12) est donc comprise comme une sorte d'*unité plurielle*, comme « vie en commun » de frères ou de sœurs qui « ne font qu'un ».

Les directives sur la pauvreté s'inscrivent dans cette visée ; elles viennent normalement au début de la *Regula*, condensées en deux formules dont la première expose la conception fondamentale de la vie monastique et dont la seconde en fait l'application à la pauvreté : « *Unianimes* habitetis in domo et sit uobis anima una et cor unum in Deum. Et *non dicatis aliquid propium*, sed sint uobis *omnia communia* » (I, 1-2).

Cette seconde formule, outre l'aspect négatif de désappropriation, contient un aspect positif : *sint uobis omnia communia*. Éclairée par d'autres textes, cette phrase ne prescrit pas seulement de considérer comme « communs », c'est-à-dire « non appropriables », des objets matériels. Il s'agit plutôt de « mettre en commun » ce que chacun possède en propre, et d'abord les richesses spirituelles, les charismes donnés par l'Esprit. L'Église en effet, pour Augus-

tin, – et cette conception vaut *a fortiori* pour une communauté religieuse –, est un seul Corps animé par l'Esprit du Christ ; or c'est par cet Esprit, « *commun* au Père et au Fils, que le Père et le Fils ont voulu que nous *ayons communion avec eux et entre nous* » (*Sermo* 71, 12, 18). Il en résulte que les dons de l'Esprit, bien qu'*exercés* par un seul, *appartiennent* en réalité à tous (cf. DS, t. 9, col. 350-351) : « Tout ce qu'a mon frère, si je ne l'envie pas et si je l'aime, *est mien* » (*Sermo* Denys 19, 4, dans *Miscellanea agostiniana*, Rome, 1930, t. 1, p. 101-102). Cet aspect positif sera quasiment oublié dans la suite, mais il mérite d'être retrouvé de nos jours.

La Règle continue : « et distribuatur unicuique uestrum a praeposito uictus et tegumentum, *non aequaliter omnibus*, quia non aequaliter ualetis omnes, sed potius unicuique sicut cuique opus fuerit ». Augustin, qui a retrouvé l'idée de la *koinônia* pachômienne, n'admet pas cependant le principe de stricte égalité qui y régnait. Cette différence peut s'expliquer par les conditions sociales du recrutement ; mais la raison principale en est sans doute une « attention aux personnes », dont Augustin entend respecter la diversité. Dans la suite cependant, il s'efforce de substituer une *égalité qualitative* à l'égalité *quantitative* de Pachôme : les pauvres ne se flatteront pas d'avoir plus qu'ils n'auraient eu dans le monde tandis que les riches se féliciteront de « vivre en commun » avec les pauvres (*Regula* I, 6-7). D'où la conclusion : « Omnes ergo *unianimiter* uiuite, et honorate in uobis inuicem Deum cuius templa facti estis » (8). Augustin rappelle ailleurs comment il a lui-même pratiqué par avance sa Règle (*Sermo* 355, 2), et précise qu'il entend toujours se soumettre à cette loi : ainsi, il n'acceptera pas le cadeau d'un « byrrhus (vêtement de dessus) pretiosus » ; en effet, même si cela convient à un évêque, cela « ne convient pas à Augustin, homme pauvre » (*Sermo* 356, 13).

2) *Jean Cassien* † 432, qui fait le lien entre le monachisme oriental et le monachisme occidental, voit dans l'*abrenuntiatio*, avec ses implications, la synthèse de l'idéal monastique. La troisième *Conférence*, mise sous l'autorité de l'abbé Paphnuce, en décrit les trois degrés :

« Prima est qua corporaliter universas divitias mundi facultatesque contemnimus ; secunda qua mores ac vitia affectusque pristinos animi carnisque respuimus ; tertia qua mentem nostram de praesentibus universis ac visibilibus evocantes, futura tantummodo contemplamur et ea quae sunt invisibilia concupiscimus » (III, 6).

Les *Institutions* évoquent la pauvreté comme acceptation de l'austérité du monastère (IV, 3, 2), et comme antidote à l'avarice (VII, 14, 1 ; 22 ; 27) ; elles proscrivent aussi chez les moines toute formule de propriété : « *mon codex, mes tablettes, mon crayon* » (IV, 13). Mais c'est dans les deux derniers paragraphes du livre que Cassien donne tout son relief à l'*abrenuntiatio*, en montrant à la fois ses fondements évangéliques et ses effets spirituels. L'*abrenuntiatio vera*, qui consiste dans le dépouillement de toute possession et dans la nudité d'esprit, se fonde sur l'amour du Christ ; avec l'obéissance, elle conduit « l'athlète du Christ » à renoncer à sa volonté propre, le fait mourir au monde et à lui-même, le rend capable de supporter les humiliations et les traitements affligeants, grâce à la contemplation constante des souffrances du Christ et des saints ; et cette contemplation est le remède décisif de l'orgueil et de tous les vices (XII, 32-33). Bien que la pauvreté soit ici apparemment ramenée à une attitude personnelle, elle permet cependant à chaque moine, en vertu de son fondement évangélique, de réaliser pleinement sa vocation dans l'Église et le monde (cf. A. de Vogüé, *Monachisme et Église dans la pensée de Cassien*, dans *Théologie de la vie monastique*, p. 212-240).

3) A la différence des moines orientaux (Pachôme et Basile mis à part) dont la discipline était réglée plutôt par les coutumes, les exemples et les directives des « pères spirituels », les moines d'Occident ont eu

très vite le goût des codifications écrites. D'où l'existence d'un grand nombre de *Règles,* valables pour un ou plusieurs monastères. Nous ne pouvons étudier ici en détail leurs prescriptions, d'ailleurs peu originales, en matière de pauvreté (voir *Règles monastiques d'Occident, 4ᵉ-6ᵉ siècle,* trad., introd. et notes par V. Desprez, coll. Vie monastique 9, Bellefontaine, 1980 : index à « Désappropriation et communauté des biens »). Nous retiendrons cependant deux Règles plus marquantes.

4) La *Règle du Maître* (éd. et trad. A. de Vogüé, SC 105-107, 1964), rédigée sans doute au sud-est de Rome dans le premier quart du 6ᵉ siècle, traite du désintéressement des biens au ch. 82 : homme de passage en ce monde, le moine doit chercher uniquement le Royaume de Dieu et sa justice : il appartient à l'abbé de fournir à tous les choses nécessaires, et il est interdit à chacun de posséder quoi que ce soit en particulier (*peculiariter* ; 82, 5-18, SC 106, p. 336-338). Les domaines du monastère doivent être affermés, « afin que tout le travail des champs, le soin du domaine, les cris des tenanciers, les disputes avec les voisins retombent sur un fermier séculier », qui « ne sait pas se soucier uniquement de son âme » (86, 1-3, p. 350). Le monastère garde cependant la propriété et les fruits de ces domaines, pour servir aux besoins des moines, à l'accueil des étrangers, à la distribution des aumônes (86, 18-22, p. 352-354). L'exploitation par des *frères spirituels* est exclue : ce travail leur ferait « perdre l'habitude de jeûner » et les porterait à s'occuper « de leur ventre plus que des choses de Dieu » ; seuls leur sont permis les travaux d'artisanat ou de jardinage à l'intérieur du monastère (86, 25-27, p. 354).

On décèle dans ces prescriptions une note indéniable d'*élitisme,* qui n'a rien d'évangélique : les moines, sous prétexte de « garder haut les cœurs » en évitant de « divaguer dans des pensées terrestres » (86, 15, p. 352), se situent à un niveau supérieur, laissant à des séculiers les préoccupations d'un travail dont ils se réservent néanmoins le bénéfice.

C'est dans le chapitre suivant, à propos de l'admission des candidats, que le Maître traite longuement de la désappropriation et de la renonciation aux biens. La manière d'agir est particulièrement rigide et abrupte. Plusieurs hypothèses sont envisagées. Ou bien le candidat vend tous ses biens et en apporte le prix à l'abbé, qui le distribue aux pauvres en sa présence (87, 13-15, p. 358) ; dans ce cas, « on n'exigera pas de lui une charte de persévérance », la donation plénière étant « un gage de sa fidélité auprès de Dieu » (87, 28, p. 360). Ou bien le candidat « trouve dur de tout vendre », et dans ce cas, il doit tout apporter avec lui au monastère, « sans rien cacher à Dieu » (87, 19-24, p. 358) ; on exige alors de lui une garantie écrite de stabilité, jointe à l'inventaire de ses biens et contresignée par des témoins religieux ; cet acte comporte en outre la déclaration que, « si jamais il veut quitter le monastère, c'est sans ses biens qu'il le quittera » (87, 33-37, p. 360-362 ; cf. 90, 88-94 : le candidat quittant le monastère après l'année de probation n'emporte rien de ce qui a été « acquis, fabriqué ou donné par lui »). Quant au candidat qui assure ne rien posséder, on fera une enquête pour vérifier l'exactitude de ces affirmations, et on le recevra seulement après qu'il ait donné « la garantie d'un répondant avec une clause pénale » (87, 40-47, p. 362-363).

Ces prescriptions trahissent visiblement une défiance vis-à-vis du candidat, auquel on demande de « brûler tous ses vaisseaux » avant même qu'il ait commencé son année de probation ; on y discerne aussi une conception assurément excessive de la « sacralisation » des biens offerts au monas-

tère et par là-même à Dieu : « omni rei ingressae ad Deum in monasterio perseverantia opus est » (90, 88, p. 396).

5) La *Règle de saint Benoît* fait preuve de plus de mesure et de discrétion. Comme l'a remarqué A. de Vogüé (*La Règle...,* t. 7 Commentaire doctrinal et spirituel, SC hors série, 1977, p. 294-319 ; cf. t. 6, SC 186, 1971, p. 859-908), la doctrine de Benoît sur la désappropriation et la pauvreté s'inspire à la fois d'Augustin, de Cassien et de la Règle du Maître. Le ch. 33 prescrit, comme Cassien et Augustin, de ne rien tenir comme un bien propre : « Omniaque omnium sint communia, ut scriptum est (*Actes* 4, 32), ne quisquam suum aliquid dicat vel praesumet » (53, 1-6, SC 182, 1972, p. 562) ; l'idée de la communauté n'est pas ici prédominante, mais bien celle de la dépendance par rapport à l'abbé : « ne quis praesumat aliquid dare aut accipere sine iussione abbatis » (53, 2). Le ch. 34 emprunte à Augustin le principe de la distribution selon les besoins de chacun, en précisant toutefois qu'il n'est pas question de « faire acception des personnes, mais bien d'avoir égard aux infirmités » ; par suite, celui qui reçoit moins doit rendre grâces, et celui qui reçoit plus s'humilier en raison de sa faiblesse (33, 1-3, p. 564 ; cf. 55, 20-22, p. 622). Pour les vêtements et les chaussures, l'abbé doit tenir compte de « la nature des lieux et du climat » (55, 1-2) ; Benoît donne seulement des indications de principe pour les « mediocribus locis » (55, 4).

La désappropriation est traitée, comme dans la Règle du Maître, à propos de l'entrée au monastère ; mais ici la donation définitive se fait après le temps de probation et donc au moment de l'entrée officielle du candidat dans la communauté : « Res, si quas habet, aut eroget prius pauperibus, aut facta solemniter donatione conferat monasterio, nihil sibi reservans ex omnibus, quippe qui *ex illo die* nec proprii corporis potestatem se habiturum scit » (58, 24-25, p. 630-632). La liberté du candidat est ainsi sauvegardée durant tout le temps de la probation. En outre, à l'encontre du Maître, Benoît prescrit le travail manuel, pour éviter l'oisiveté sans doute, mais surtout pour imiter les anciens et les apôtres : « tunc vere monachi sunt si labore manuum suarum vivunt, sicut et Patres nostri et apostoli. Omnia tamen mensurate fiant propter pusillanimes » (48, 8-9, p. 600).

CONCLUSION. – Par rapport aux Pères, les moines représentent d'abord la *pratique,* poussée jusqu'aux extrêmes, des exigences évangéliques de la pauvreté chrétienne. Il faut noter cependant un accord remarquable entre Pères et moines, car *doctrine et pratique sont inséparables.* Les uns et les autres se fondent habituellement sur les mêmes textes : *Mt.* 19, 21 et autres versets évangéliques, *Actes* 4, 32-35 ; ces textes sont d'ailleurs complémentaires : la pauvreté chrétienne n'est pas seulement recul ou mise en garde par rapport aux richesses, et donc désappropriation ; elle est aussi libération du cœur et de l'esprit, condition d'un amour universel qui trouve son expression concrète dans la mise en commun, le partage, le souci des pauvres ; par là, elle met le simple chrétien, aussi bien que le moine, à des degrés divers et selon la mesure qui convient à chacun, sur la voie de l'imitation du Christ.

1. **Études d'ensemble.** – Consulter d'abord : J.M.R. Tillard, *La pauvreté religieuse.* ɪ. *L'appel à la pauvreté dans le projet de la « sequela Christi ».* L'enracinement dans

l'ascétisme des premières communautés, NRT, t. 92, 1970, p. 808-835, avec multiples références. – RAC, art. *Armut* (II, *freiwillige*), t. 1, 1950, col. 705-709 (A. Bigelmair). – DS, art. *Monachisme*, t. 10, col. 1546-1547, 1556 (bibliographie sur les origines et les motivations).

M. von Dmitrewski, *Die christliche freiwillige Armut vom Ursprung bis zum 12. Jahrhundert*, Berlin, 1913. – *Théologie de la vie monastique. Études sur la tradition patristique*, coll. Théologie 49, Paris, 1961 (table aux mots « Pauvreté », « Renoncement », « Séparation du monde »). – B. Steidle, *Die Armut in der frühen Kirche und im alten Mönchtum*, dans *Erbe und Auftrag*, t. 41, 1965, p. 460-481. – H. Bacht, *Die « Bürde der Welt ». Erwägungen zum frühmonastischen Armutsideal*, dans *Strukturen christlicher Existenz* (Festgabe F. Wulf), Wurtzbourg, 1968, p. 301-316. – K.S. Frank, *Vita apostolica, Ansätze zur apostolischen Lebensform in der alten Kirche*, dans *Zeitschrift für Kirchengeschichte*, t. 82, 1971, p. 145-166. – Ph. F. Mulhern, *Dedicated Poverty. Its History and Theology*, Staten Island (New York), 1973. – *Los consejos evangélicos en la tradición monástica* (XIV Semana de Estudios Monásticos, 1973), Silos, 1975. – J.M. Lozano, *The Doctrine and Practice of Poverty in early Monasticism*, dans *Claretianum*, t. 16, 1976, p. 5-32. – B. Büchler, *Die Armut der Armen. Ueber den ursprünglichen Sinn der mönchischen Armut*, Munich, 1980.

2. **Études particulières.** – E. Herman, *Die Regelung der Armut in den byzantinischen Klöstern*, OCP, t. 7, 1941, p. 406-460 (règlements impériaux à partir du 6e s., mais avec étude sur les origines). – Sur le monachisme oriental, voir aussi les études signalées dans le texte.

J.T. Lienhard, *Paulinus of Nola and Early Western Monasticism*, Cologne-Bonn, 1977, p. 38-81, 135-137.

*Saint Martin et son temps* = Studia anselmiana 46, Rome, 1961 : études de É. Griffe, *S. Martin et le monachisme gaulois*, p. 3-24 ; G. Folliet, *Aux origines de l'ascétisme et du cénobitisme africains*, p. 25-44 ; G. Penco, *La vita monastica in Italia...*, p. 67-83. – P. Andrieu-Guitrancourt, *La vie monastique à Rouen au temps de S. Victrice*, RSR, t. 40, 1951/1952, p. 90-106.

D. Sanchis, *Pauvreté monastique et charité fraternelle chez S. Augustin. Notes sur le plan de la Règle*, dans *Augustiniana*, t. 8, 1958, p. 5-21 ; *Pauvreté monastique et... Les commentaires... de Actes 4, 32-35*, Stmo, t. 4, 1962, p. 7-33. – L. Verheijen, *Les Sermons de S. A. pour le Carême*, dans *Augustiniana*, t. 21, 1971, p. 357-404 ; *Spiritualité et vie monastique chez S. A. L'utilisation des Actes...*, dans *Jean Chrysostome et Augustin* (Colloque de Chantilly, 1974), Paris, 1975, p. 93-123 ; *La Loi et la Grâce. La « date ancienne » et la « date récente » de la Règle...*, dans *Scientia Augustiniana* (Festschrift A. Zumkeller), Wurtzbourg, 1975, p. 76-91 (donne de bonnes raisons pour dater la Règle de 397 environ). Ces articles, et d'autres, ont été rassemblés dans L. Verheijen, *Nouvelle approche de la Règle de S.A.*, coll. Vie monastique 5, Bellefontaine, 1980.

A. de Vogüé, *Les conseils évangéliques chez le Maître et S. Benoît*, dans *Les consejos evangélicos...*, cité *supra*, p. 109-136 (repris dans A. de V., *Autour de S. Benoît*, Vie monastique 4, Bellefontaine, 1975, p. 109-136).

Aimé SOLIGNAC.

## III. MOYEN ÂGE

1. **Définitions et caractères généraux de l'évolution.** – La manière dont la spiritualité chrétienne occidentale a considéré la pauvreté et les pauvres, au cours du millénaire médiéval (5e-15e siècles), n'a pas évolué d'une façon continue. Cependant, considérée dans son ensemble, la période semble avoir été traversée par une sorte de trajectoire enracinée dans l'Évangile et la tradition patristique, et caractérisée par des efforts, sans cesse renouvelés, d'approfondissement de la signification spirituelle de la pauvreté, de prise de conscience des besoins des pauvres, de tentatives pour y répondre. L'inégalité du rythme de cette évolution, marquée par des phases d'accélération et de ralentissement, résultait du jeu des circonstances économiques, sociales, politiques, intellectuelles ; celles-ci ont agi comme des révélateurs accidentels – ou, si l'on veut, conjoncturels – de ressorts profonds et constants qu'on pourrait appeler des infrastructures spirituelles.

Les acquis de l'histoire sociale font constater que la pauvreté ne correspond pas à un milieu déterminé, même à une époque limitée, et que la diversité des pauvres fut grande à tous moments. Néanmoins, on discerne certains caractères généraux autorisant une définition de l'état de pauvreté, valable pour le moyen âge et peut-être pour d'autres périodes : le pauvre est celui qui, de façon temporaire ou permanente, souffre d'une situation de faiblesse, de dépendance, d'humiliation, résultant de la privation, à des degrés divers selon les temps et les sociétés, des moyens d'affirmer son autonomie et sa dignité personnelles : liberté, argent, science, qualification professionnelle, travail, santé, considération sociale. Cette pauvreté comportait des degrés, séparés par des seuils, attestés par la formule : tomber en pauvreté. La pauvreté réelle involontaire se situe dès lors à deux niveaux : d'abord, la précarité, à laquelle est réservée le plus souvent le terme pauvreté, situation où l'existence n'est assurée qu'au jour le jour ; ensuite l'indigence, dénuement d'où l'on ne peut sortir sans l'aide d'autrui. Quant à la pauvreté volontairement choisie par idéal ascétique, mystique ou charitable, elle était généralement réelle sur le plan individuel dans les ordres religieux et chez les ermites du moyen âge, sans l'être toujours sur le plan collectif, puisque le détachement des disciples de saint Benoît se distingue de la pauvreté communautaire de ceux d'un saint François d'Assise. Chez ces derniers, d'ailleurs, l'incertitude du lendemain dépassait rarement le seuil de l'indigence, si ce n'est en quelques couvents de Clarisses et déjà, auparavant, au 12e siècle, chez les moines de Grandmont (cf. DS, t. 4, col. 1507). Un dénuement analogue, par volonté pénitentielle, était la condition normale des pèlerins.

L'existence d'une pauvreté volontaire réellement vécue donnait lieu à une considération du pauvre, différente de celles qui résultent de leurs caractères sociaux et économiques. Noyau dur, dont on peut exploiter les ressources sans l'épuiser, la conception spirituelle de la pauvreté est nourrie des enseignements évangéliques et apostoliques : l'exigence du détachement, le refus de toute convoitise, la charité envers les pauvres (au sens le plus large), amis privilégiés et images, déformées peut-être mais substantiellement authentiques, du Christ qui s'est fait pauvre. Cela constitue un programme, constamment proposé, jamais accompli, dont il y a lieu de considérer les avatars.

La confrontation de l'idéal contenu dans les conseils évangéliques et les exemples apostoliques avec le scandale des misères vécues a stimulé les prises de conscience des problèmes de la pauvreté. La variété des formes et de l'intensité de ces problèmes d'un siècle à l'autre peut néanmoins se résumer en quelques besoins essentiels du pauvre ; une sorte de gradation chronologique, qui sera analysée plus loin, fit apparaître et interférer ces besoins : besoin de sécurité au milieu des guerres féodales, besoin de pain du fait des famines et de l'insuffisante extension des cultures, besoin de travail d'une jeunesse engendré par une démographie en croissance, besoin de stabilité et d'encadrement social chez les ruraux transplantés dans les villes naissantes, besoin de dignité contrarié par les dépenses mêmes de la bienfaisance, besoin d'amour et d'insertion sociale.

Les prises de conscience ne pouvaient pas se faire d'un seul coup, ni partout, ni chez tout le monde simultanément. Des foyers en furent naturellement l'esprit et le cœur des hommes, c'est-à-dire les milieux pensants et les cercles spirituels. Cependant tout étant mêlé, sinon frelaté, dans les affaires humaines, les prises de conscience ne furent pas toujours stimulées seulement par un élan de charité, mais par la peur : peur de Dieu, justicier des péchés, peur des pauvres eux-mêmes. Les freins n'étaient pas moins nombreux que les stimulants. Le moindre n'était certainement pas l'ambiguïté de l'état de pauvreté. Jamais personne ne l'a considéré comme un bonheur ; épreuve pour les plus spirituels, il passe pour une malédiction chez les autres. Pas davantage, tous les pauvres ne sont considérés comme des saints ; non seulement, ils sont constamment méprisés ou, dans les cas les moins mauvais, traités avec condescendance, mais ils sont très souvent confondus et compromis avec les malfaiteurs. Enfin, ils sont laids, sales, mal élevés. Il y a donc pauvres et pauvres ; même les chrétiens les plus bienfaisants pensaient devoir réserver aux « bons pauvres » leurs œuvres de miséricorde. Mais à quoi reconnaître les bons pauvres ? Et comment, en sens inverse, reconnaître les vrais bienfaiteurs des pauvres, car il y eut des hommes, sincères, illuminés ou aventuriers, pour les séduire par les mirages millénaristes, récupérer à leur profit le dynamisme de leurs colères et les entraîner vers de cruelles déceptions.

Ainsi, c'est à travers un dédale que chemine l'histoire médiévale de la pauvreté et des pauvres. S'il est difficile parfois d'y voir clair, combien doit-on comprendre les déviations intellectuelles et spirituelles, les hésitations et les lenteurs des démarches de la charité elle-même, ses retards sur l'évolution des problèmes. Pour mieux saisir leur complexité et essayer de les démêler, la période comprise entre la fin du 11ᵉ et le 15ᵉ siècle offre un champ d'observation révélateur.

**2. A la rencontre du Christ parmi les pauvres.** – La Chrétienté occidentale n'a évidemment pas attendu la fin du 11ᵉ siècle pour prêter attention à la pauvreté et exercer la charité envers les pauvres. L'enseignement des Pères n'était pas oublié à en juger par les écrits du haut moyen âge qui y font référence et leur donnent un écho. Les sermons de saint Césaire d'Arles † 543 en font foi (cf. DS, t. 2, col. 427-28) ; les écrits de Grégoire de Tours † 594 (DS, t. 6, col. 1020-25) et la littérature hagiographique (vie de saints, récits de miracles) abondent en exemples de la bienfaisance épiscopale. L'évêque qui ne veille pas à l'affectation d'une part (généralement 25 %) de la dîme aux pauvres et ne les protège pas est indigne du titre de *pater pauperum*, mais il est leur assassin (*necator*).

A l'époque mérovingienne, la matricule des pauvres, imitée des diaconies romaines et orientales, accordait aux pauvres inscrits sur ses listes le vivre et le couvert en échange de services matériels rendus au sanctuaire qui les accueillait. Les grands évêques du

9ᵉ siècle, tel Hincmar de Reims † 882, affirmèrent le droit des faibles et des indigents à la protection et à l'aumône des puissants et des riches, dont c'était le devoir et aussi l'intérêt, pour la rémission de leurs péchés. L'accueil monastique à la « porte » des abbayes bénédictines rénovées par saint Benoît d'Aniane † 821 prit, pour des siècles, le relais de la bienfaisance épiscopale.

Une hôtellerie est affectée aux pauvres et l'office d'aumônier spécialement institué pour assurer des distributions de vivres et de vêtements aux temps forts de la liturgie et à l'occasion de disettes, famines et autres calamités. Les bénéficiaires s'y pressaient par centaines, peut-être par milliers. Ceux qui avaient choisi le détachement individuel venaient au secours de ceux qui, sans l'avoir choisie (bien au contraire), subissaient l'adversité : la faim, la sujétion, la peur, la maladie, l'angoisse. Les premiers étaient couramment appelés « pauvres du Christ » (*pauperes Christi*) ; les seconds qualifiés seulement de pauvres (*pauperes*), n'en étaient pas moins considérés comme des représentants du Christ souffrant. A ce titre, ils méritaient l'accueil honorable qui convenait (*congruus honor*) et les appellations « pauvres de Dieu » ou « pauvres du Seigneur » (*pauperes Dei, pauperes Domini*) et *benedicti pauperes*. La pauvreté, volontaire ou non, constituait à l'égard du Seigneur Dieu une dépendance qui, sur le plan spirituel, donnait la réplique aux dépendances seigneuriales sur le plan temporel. Les capitulaires carolingiens tendaient déjà à considérer tous les pauvres comme une sorte de catégorie sociale (*ordo*) protégée par la loi et vivant des biens de l'Église. Telles sont en résumé les bases sur lesquelles, à partir de la fin du 11ᵉ siècle, l'attention aux pauvres allait se renouveler.

Ce renouvellement prit sa source en trois courants principaux : le mouvement érémitique, la réforme canoniale, l'éveil d'une spiritualité laïque. Les formes accoutumées de la charité monastique ne furent pas, pour autant, taries ni altérées, mais des orientations nouvelles correspondirent davantage aux conditions sociales et psychologiques du moment. L'attitude habituelle était de secourir les pauvres matériellement, et les moines, retranchés dans leurs monastères, déléguaient l'un d'entre eux aux gestes liturgiques d'accueil. Désormais, l'initiative changea de sens : au lieu d'attendre les malheureux on va vers eux et au milieu d'eux. L'esprit de charité ne s'altéra pas ; le geste est différent et sa portée plus longue. Le changement révéla la prise de conscience, par une élite, de ce qu'on appelle, de nos jours, les signes des temps.

Les actes d'un évêque de Liège, Anselme, au milieu du 11ᵉ siècle, attestent, de sa part, ou de celle de son biographe, une attention aux symptômes de la pauvreté rurale, aggravée sous l'effet des guerres, des calamités naturelles, de l'accaparement et, déjà, d'une surpopulation relative : défaut de réserves pour attendre la prochaine moisson, destruction des récoltes et du bétail, endettement, manque de travail, obligation de vendre, de déguerpir, de mendier, d'errer, sans oublier les cas, les plus banals de la marginalité : lèpre, prostitution, délinquance, criminalité.

La sécurité précaire promise aux paysans par la « paix de Dieu », la générosité des distributions monastiques, inévitablement limitées, ne suffisaient pas. Dans les forêts, les fugitifs furent rejoints par les ermites qu'attirait la solitude propice à la méditation. Les rejetés composèrent les troupes hétéroclites, et suspectes, d'un Robert d'Arbrissel, d'un Pierre l'Ermite et de leurs émules aux environs de 1100. Le succès des ermites venait moins de leurs aumônes que de leur propre dénuement qui les rendait crédibles et accessibles. Le biographe de Robert d'Aubrissel, Baudry de Dol, disait que cet *omnimodo pro Christo depauperatus* était entouré d'un « essaim d'auditeurs qu'il refusait d'appeler autrement que les pauvres du Christ » (*Vita* 3, PL 162, 1053). L'extension de cette appellation aux pauvres involontaires traduit une évolution. L'exemple donné par les ermites eût été sans lendemain si l'idéal qui les soutenait n'avait inspiré des initiatives structurées et durables. Il ne suffisait pas de transformer Fontevraud en foyer d'accueil et d'encadrement des marginaux, ni même d'instituer à Grandmont, avec Étienne de Muret, un modèle de pauvreté monastique absolue.

La remise en honneur de la règle de vie contenue dans une lettre de saint Augustin à des religieux devait inspirer la nouvelle orientation (*ordo novus, mos nova*) des chapitres canoniaux réformés, à l'exemple donné à Prémontré par saint Norbert † 1134 (DS, t. 11, col. 412-416), en quelques lieux célèbres, comme Saint-Ruf près d'Avignon et Saint-Victor à Paris. La restauration du détachement matériel s'accompagnait d'initiatives caritatives, dans le domaine hospitalier en particulier, au profit des pauvres et des pèlerins ; ce fut le rôle, par exemple, de congrégations nouvelles dont les foyers s'établirent dans les zones de passage difficiles, cols montagnards et fleuves impétueux, ainsi à Chalais, Aubrac, Pont-Saint-Esprit.

La charité active cessa, au 12ᵉ siècle, d'être l'apanage des clercs et des moines. Le courant de spiritualité qui s'était répandu parmi les laïcs depuis le siècle précédent a stimulé des initiatives individuelles et collectives au développement desquelles l'essor des villes et l'accélération des relations ne furent pas étrangers. Selon les conditions de fortune et le rang social, les œuvres de miséricorde (DS, t. 10, col. 1339-1345) furent des libéralités testamentaires, des fondations hospitalières, notamment de léproseries, sans oublier les simples aumônes. Le rôle des confréries naissantes (DS, t. 2, col. 1469-79) fut considérable et certaines allaient engendrer de véritables congrégations laïques, telle celle du Saint-Esprit, fondée à la fin du 12ᵉ siècle par Gui de Montpellier et qui essaima rapidement dans toute la Chrétienté, à commencer par Rome, grâce à la faveur d'Innocent III (cf. DS, t. 6, col. 789).

L'essor de la charité aux environs de 1200 fut le fruit de réflexions canoniques et théologiques sur la pauvreté. On ne peut pas évidemment parler d'innovations, mais d'approfondissements et de renouvellement, sous l'effet de tensions spirituelles et la pression des problèmes concrets de la pauvreté vécue. Il en résulta, inévitablement, un foisonnement de courants entrecroisés ou divergents, réformateurs ou révolutionnaires, orthodoxes ou hérétiques, entre lesquels les distinctions ne sont pas toujours faciles. La référence originale, commune dès la fin du 11ᵉ siècle, à la « vie apostolique » de l'église primitive de Jérusalem, a pris corps en des tendances diverses selon qu'elles insistaient sur la communauté égalitaire des premiers temps ou sur l'ordre hiérarchique, dans une perspective partagée de pureté, de pauvreté vécue et de charité.

L'exigence de pureté formulée naguère par les Patarins à l'égard du clergé postulait le détachement ; mais chez les Cathares, elle exprimait un manichéisme absolu qui, selon un propos d'Évervin, abbé de Steinfeld, à saint Bernard, s'exprimait dans une prétention suspecte : « De se dicunt : Nos pauperes Christi... Nos... de mundo non sumus ; vos autem mundi amatores (estis)... nos in gratia Christi permansimus » (PL 182, 677-678). La même revendication fut reprochée aux « Pauvres de Lyon » par l'inquisiteur Bernard Gui (*Manuel de l'Inquisiteur*, t. 1, Paris, 1926, p. 52), avec une certaine exagération, parce que la démarche de Pierre Valdès † 1218, initialement analogue à celle de François d'Assise, en différa fondamentalement par un défaut d'humilité.

La réflexion du 12ᵉ siècle sur la pauvreté fut complexe, malgré sa cohérence, surgie des profondeurs évangéliques et reflétée par les *Auctoritates* patristiques. Une distinction féconde a été formulée par Gerhoh de Reichersberg † 1169 (DS, t. 6, col. 303-308) entre les *pauperes cum Petro*, volontaires, et les pauvres involontaires, *pauperes cum Lazaro*, « quos necessitas vel nativitas posuit inter nihil habentes » (*Liber de Aedificio Dei*, 13 et 42, PL 194, 1232-33, 1299-1300). A ceux-ci, « membres du Christ », il ne répugnait pas à étendre la formule *pauperes Christi*. A l'égard des uns et des autres, les canonistes raisonnaient en termes de justice, les théologiens sur le plan de la charité. Une des originalités de leur pensée fut de dépasser la considération habituelle – et durable longtemps après eux – du pauvre en fonction du riche, et d'y ajouter l'attention portée au pauvre pour lui-même. Certes, le pauvre, c'est-à-dire le moine et plus encore celui qui souffre de l'indigence, de la maladie ou de toute autre peine physique ou morale, est considéré comme un représentant du Christ à la fois en tant que Juge et que Rédempteur. Mais la pratique pastorale séculaire s'adressait au justiciable et au racheté : « L'aumône éteint le péché », dit une formule courante. *Pauper Christi vicarius est*, écrit l'archidiacre de Bath, Pierre de Blois, en 1194, en menaçant du châtiment divin l'évêque peu charitable de Lisieux, Raoul de Wanneville (*Ep.* 91, PL 207, 286c). Le pauvre apparaît comme une sorte de « portier du ciel » (Raoul Ardent, PL 155, 190ra), une « utilité » pour le riche sur le plan spirituel comme il l'est, manant, artisan ou serviteur, sur le plan temporel : créé et mis au monde pour le salut du riche.

On ne s'en tint pas là. La conception organique de la société et du monde estimait, avec l'école chartraine, que « la chose publique est en quelque sorte déchaussée, lorsque les laboureurs et les artisans sont en proie à l'injustice » (Jean de Salisbury). Une telle idée postulait les principes fondamentaux déjà formulés de l'identité naturelle du riche et du pauvre « faits du même limon et portés par le même sol » (Yves de Chartres, *Panormia*, PL 161, 1096a), de la communauté naturelle des biens terrestres (Gratien) et de leur nécessaire « *communicatio* ». Absolument pas révolutionnaire au 12ᵉ siècle, cette théorie pouvait s'accorder avec les conceptions féodales du domaine divisé, du domaine éminent et du domaine utile, de l'aptitude de tout bien à être simultanément propre et commun. Considérée comme un usufruit, la possession n'est pas exclusive d'un droit reconnu au pauvre : droit à l'aumône, et même, en cas de nécessité comme sur un navire en perdition, droit à s'approprier sans pécher, le pain ou le vêtement qu'exige la survie. C'est ainsi qu'après Richard l'Anglais à la fin du 12ᵉ siècle et Huguccio † 1210, s'exprima le premier auteur qui fit de l'aumône le premier chapitre d'un traité de la justice, l'évêque de Paris Guillaume d'Auxerre † 1231 (*Summa aurea* III, tr. 7, 1).

La réflexion théologique ne fut pas moins rigoureuse aux environs de 1200, chez Hilduin, Pierre de Blois, Pierre le Chantre, Pierre le Mangeur, Raoul Ardent et Alain de Lille. La charité ne devait pas être en reste avec la justice. Envers le pauvre, la miséricorde est une exigence dont nulle situation ne dispense ni du côté du riche ni du pauvre, dont la personne importe peu (Pierre le Chantre, PL 205, 145). La relation du bienfaiteur et du pauvre est un échange entre l'aumône du premier et l'intercession du second. La vraie valeur doit s'enraciner dans l'amour. C'est le sens de la formule en usage chez les Hospitaliers de Saint-Jean : « Nos seigneurs les pauvres ». C'est ce que requérait Raoul Ardent prônant l'*eleemosyna negotialis*, l'aumône engagée, où le donateur donne de soi-même (*Speculum universale* ii, 74-85 ms *Paris*. BN lat. 3892, f. 81rv ; cf. G. Couvreur, *Pauvreté et droits des pauvres...*, p. 21-23). C'est enfin la signification du conseil de Pierre de Blois : « Être un parmi beaucoup de pauvres », dont Alain de Lille, quelques années auparavant, avait exprimé la raison d'être : « Où donc habitera le Christ ? seulement chez les pauvres » (ms *Paris*. BN lat. 3818, f. 42). Cette phrase a été écrite en 1189 ; à cette date, celui qui devait réaliser le mieux cet idéal n'avait pas encore atteint sa huitième année : François d'Assise.

3. **Avec et comme les pauvres.** – Les expériences et les spéculations fondées sur la charité et la justice n'auraient-elles donc servi à rien ? Contre elles les problèmes de la pauvreté, avec une acuité renouvelée, semblaient s'inscrire en faux aux environs de 1200. Les théologiens de la pauvreté étaient disparus tour à tour en dix ans ; la cause qu'ils avaient plaidée paraissait compromise.

L'enthousiasme populaire suscité en 1182 par un visionnaire du Puy, Durand, avait tourné en rebellion et fini par une sanglante répression ; il en fut de même à Londres quatorze ans plus tard au terme de troubles conduits par un « prophète » significativement nommé Guillaume Longuebarbe et qui, usurpant aux évêques le titre de « procurator des pauvres », annonçait à ces derniers la « doctrine du salut » et le « temps de la délivrance ». Partout la misère fut grande dans les années 90. Calamités naturelles et disettes se succédèrent. Les ressources des abbayes ne suffisaient pas pour secourir les affamés. Malgré l'interdiction du mortgage par le 3e concile du Latran (1179), l'endettement entraînait beaucoup de paysans à l'exode, l'errance, la criminalité. Dieu semblait être devenu « cousin aux gros », écrivait l'auteur du *Roman de Carité*, et le renouvellement, autour de 1200, des gestes séculaires des « prédicateurs errants » semblait échouer, malgré les efforts exemplaires, mais éphémères, d'un curé parisien, Foulque de Neuilly † 1202 et de ses émules. Les démarches des « Pauvres de Lyon » n'avaient pas reçu l'aval de l'Église.

Sur un autre plan, le zèle, pourtant fondé sur leur pauvreté personnelle, des prédicateurs cisterciens, ne parvenait pas à arracher de la terre languedocienne les germes des contestations radicales du Manichéisme. Les jeunes, sans travail, étaient particulièrement déçus. Les imitateurs des compagnons de Pierre l'Ermite devinrent les laissés pour compte de la quatrième croisade à Zara et à Constantinople. Quant aux « Enfants » embarqués à Gênes pour l'Orient une dizaine d'années plus tard, ils furent abandonnés sur les côtes de Sardaigne et contraints de revenir chez leurs parents, la « tête basse et en silence » (1212). A cette heure même, s'esquissait l'initiative de

« frères », « mineurs » comme eux, et « prêcheurs » d'une conciliation de la foi et de la raison. En quoi ces initiatives étaient-elles assez enracinées dans la tradition et assez novatrices pour offrir une réponse aux problèmes de la pauvreté en leur temps et pour réconforter les pauvres ?

Tradition et nouveauté se mêlent, et d'abord dans les Ordres mendiants. Comme Valdès, François Bernardone a rompu avec le milieu marchand, renoncé à ce qu'il possédait, embrassé une vie humble, cherché à entraîner son entourage vers la pénitence et le renoncement. Les différences cependant sont notables. Valdès arguait de la pauvreté pour fonder un ministère de la parole et de gestes sacramentaux sans délégation de l'Église ; mais il en tirait droit à la rémunération des ouvriers de la Bonne Parole. L'humilité franciscaine organisa une vie de travail dont le salaire, une fois prélevé le nécessaire quotidien, devait être donné aux pauvres chaque jour, sans souci du lendemain. La mendicité pure et simple intervient en cas de nécessité. De soi, la pauvreté n'autorise aucun ministère, car l'exhortation à la pénitence et l'exemple du renoncement n'en sont pas un ; néanmoins, le partage de la vie des pauvres constitue une disponibilité à leur égard.

Les véritables précédents du franciscanisme sont à chercher au début du 12e siècle, dans la solitude silencieuse des ermites, dans leur présence parmi les délaissés et les exclus, dans la pauvreté collective absolue des Grandmontains. Comme les adeptes de la « vie apostolique », François a cherché essentiellement la présence du Christ et tendu à se conformer à Lui. Sa conversion s'exprime plus authentiquement encore dans le baiser au lépreux que dans la rencontre des pauvres. De sa propre pauvreté, François ne tire aucun droit apostolique. Son renoncement va jusqu'à récuser un statut social et même religieux, qui le stabiliserait en un certain confort. Il refuse le sacerdoce, tout en le respectant même chez les prêtres indignes. Bien qu'en bons termes avec les bénédictins du Monte Subasio de qui il reçoit la Portioncule, il ne veut pas de l'encadrement monastique et, docile aux décisions pontificales, ne cède qu'aux nécessités pratiques et aux exigences de l'Église pour ébaucher une organisation adaptée au nombre croissant des Frères ; la « règle » de 1221 est plus un programme qu'une loi. Initialement hors statut, François est ainsi disponible à tout, ouvert à tous. Son action donne naissance à un mouvement foisonnant en diverses directions, apte à répondre aux problèmes et, de ce fait, inséré, sans en être, dans le monde de son temps (cf. DS, t. 5, col. 1277-92).

Dominique, étant clerc, puisque chanoine avant sa conversion à l'état de pauvreté, entendit concilier la « vie apostolique » avec son ministère. La pauvreté et la conformité à l'humilité du Christ constituaient pour lui des conditions nécessaires et lui fournirent les principes d'une règle et de structures jugées indispensables à l'efficacité de l'action comme à la cohésion de l'Ordre. En cela, il prolongea, adapta et rajeunit les réformes nées dans la foulée grégorienne, qui avaient ramené la vie canoniale à l'observance de la règle de saint Augustin (cf. DS, t. 3, col. 1519-32).

Le secret de cette présence des Mendiants et de leur recrutement en tous les milieux sociaux sans exception vient sans doute, surtout chez les Franciscains, de l'idéal de la vie évangélique, point de convergence apte à résorber tous les clivages humains, à offrir une rencontre aux pauvres et aux riches. Très tôt, c'est-à-dire en 1216 et 1220, Jacques de Vitry, alors évêque d'Acre, mais pas encore cardinal, témoigna de l'équilibre entre la contemplation et l'apostolat procuré aux Frères Mineurs par leur pauvreté. Cet idéal évangélique s'accompagnait, chez François et chez Dominique, d'une même anthropologie et d'une même conception de l'univers, où l'influence chartraine n'est pas absente. Le docte chanoine d'Osma et le Poverello qui se piquait d'être sans lettres (*idiota*) se rejoignaient dans la conception de la Nature comme un univers admirable destiné au bonheur commun des hommes, pauvres comme riches. La sérénité dominicaine et la joie franciscaine composent une perspective optimiste offerte à tous, sans discrimination, et à chacun, selon sa mesure.

Ainsi s'explique que la disponibilité des Mendiants ait trouvé son lieu d'élection là où, au 13e siècle, se trouvaient en plus grand nombre les hommes auxquels les conditions matérielles et morales d'une société en mutation posaient des problèmes : la ville, refuge et fabrique de pauvres. Ceux-ci, comme toujours, habitaient les faubourgs. C'est là, parmi les pauvres, que les Frères posèrent d'abord les bases de leur conquête morale, intellectuelle et spirituelle des consciences. Les germes apostoliques allaient y fermenter rapidement. Le principe de fraternité, essentiel aux Ordres mendiants, correspondait aux solidarités horizontales, en honneur particulièrement chez les pauvres, en milieu urbain. En Italie du nord, vers 1233-34, Fra Salimbene fut témoin de la « grande dévotion » qui, au cri d'*Alleluia*, propagea de ville en ville un courant purificateur. Trente ans plus tard, à partir de Parme et de Bologne, commença un vaste mouvement de pénitence, qui s'organisa en confréries (cf. art. *Italie*, DS, t. 7, col. 2212-16). Confréries, tiers ordres, béguinages allaient devenir les canaux de la spiritualité des Mendiants parmi les laïcs.

L'acuité des problèmes sociaux et économiques, même avant leur aggravation au dernier quart du 13e siècle, justifiait un éveil des consciences, stimulé par la diffusion de l'usage des Manuels de confesseurs et de cas de conscience. L'usure et les disettes, dont les pauvres pâtissaient inévitablement, firent l'objet de réflexions poussées. Ainsi le pape Innocent IV, † 1254, informé des mécanismes économiques qui, de son temps, engendraient la détresse, distinguait clairement le défaut de moyens (pauvreté) et le manque du nécessaire (misère), dénonçait l'usure comme un fléau et la famine qui tue les pauvres comme pire que la peste, car celle-ci frappe tous les hommes. Après lui, Thomas d'Aquin ne fut pas moins vigilant pour les pauvres.

De bonne heure cependant, le partage de la condition des pauvres et la présence parmi eux posèrent au sein des Ordres Mendiants de graves problèmes. Laissons de côté la concurrence entre eux et les Séculiers, bien que son apparence mesquine et parfois sordide voile des enjeux spirituels réels. Plus profondément se posait la question essentielle de l'imitation de la pauvreté du Christ, c'est-à-dire de sa nature et du degré de dénuement que comportait cette imitation. Les Franciscains furent les plus atteints par cette interrogation. Quelle devait être l'étendue du troisième vœu religieux, désormais promu à la première place, avant l'obéissance privilégiée par le monachisme bénédictin ? Thomas d'Aquin (*Somme Théologique* 2ª 2ᵃᵉ, q. 188) exprima clairement qu'en soi « la pauvreté n'est pas une perfection, mais un instrument de perfection ». En revanche, ni la bulle

*Quo Elongati* (1230) déniant force de loi au Testament de saint François, ni la voie moyenne de pauvreté proposée par saint Bonaventure (*Apologia pauperum* 7, 3-4 ; éd. Quaracchi, t. 8, 1898, p. 272-273) n'empêchèrent l'exaspération des tensions entre les Spirituels, attachés à une pauvreté absolue, et les Conventuels, partisans d'une adaptation de la pauvreté aux besoins de l'apostolat auprès des pauvres (DS, t. 5, col. 1306-07). Le rigorisme « spirituel », compromis au surplus par certains griefs d'adhésion aux vues eschatologiques de Joachim de Flore, finit par être condamné par le pape Jean XXII (cf. art. *Fraticelles*, DS, t. 5, 1167-88). Cette crise grave et longue, en affaiblissant l'Ordre franciscain, avait, en même temps, porté un coup assez dur à la cause des pauvres indigents.

4. **Des crises à l'Observance.** – Les crises de l'Ordre franciscain survenaient fâcheusement alors qu'une conjoncture longuement défavorable aggravait le sort des pauvres. Aux difficultés économiques et monétaires s'ajoutèrent des épidémies récurrentes dont la Peste de 1348 fut la plus grave. Les déficiences physiologiques des plus pauvres les rendaient particulièrement vulnérables. Outre cela, les esprits furent en retard sur les réalités de la pauvreté vécue. Un Ramon Llull † 1316 sans doute fut, à cet égard, comme à bien d'autres, une exception dès la fin du 13e siècle, dans son roman *Blanquerna*. Vers 1330-40 cependant, un carme catalan, Bernat Puig, et un dominicain florentin, Taddeo Dini, élevèrent la voix en faveur d'une pauvreté, dont on commençait alors à percevoir la détresse : la pauvreté travailleuse, celle des chômeurs et des artisans chargés de famille, insuffisamment payés et insolvables. Plus tard, en 1378, les « minuti » qui composaient la troupe des Ciompi révoltés trouvèrent appui chez les Camaldules et les Prêcheurs. D'autres, des Franciscains cette fois, soutenaient le courage des rebelles flamands en 1382. Tous les Mendiants n'offraient pas l'exemple du désintéressement du meilleur aloi. Certains, dans la ligne des Fraticelles, ont fourvoyé les pauvres en des voies qui les conduisirent parfois à de sanglantes répressions, car aux vrais pauvres se mêlèrent, au cours des troubles, des truands et des gueux. D'autre part, l'abus des quêteurs religieux finit par créer le type caricatural du frère mendiant, pansu et paresseux, stigmatisé par la littérature. Et il ne faut pas oublier les rêveurs et les illuminés, dont le plus brillant fut Jean de Roquetaillade.

En revanche, des courants d'authentique charité continuaient d'inspirer les gestes de la miséricorde ecclésiastique et laïque. La floraison des confréries au 14e siècle, l'institution, généralisée jusque dans les paroisses rurales, des Tables ou Plats des pauvres, et celle des aumôneries, assurant aux indigents distributions, soins et hospitalité, ne doivent pas être oubliées. De même, les courants de l'Observance passant à travers tous les Ordres, mendiants et monastiques, ranimèrent, avec la flamme de la pauvreté volontaire, celle de la charité envers la pauvreté involontaire. Cette flamme fut parfois si intempestive qu'elle se consuma dans le bûcher de Savonarole à Florence (1498). Mais plus contrôlée, elle fit jaillir des initiatives nouvelles ; celle des Monts de Piété par exemple, avait pour objet, dès son origine, d'épargner aux malheureux les ravages du prêt usuraire et de leur assurer une possibilité de relèvement. La réflexion médiévale sur la pauvreté s'achevait ainsi, par une coïncidence naturelle avec l'Humanisme, sur une certaine prise en compte de la dignité humaine du pauvre, bien nécessaire à un moment où une résurgence du mépris contrariait la considération de son « éminente dignité » au regard de Dieu.

**Études d'ensemble.** – F. Curschmann, *Hungersnöte im Mittelalter*, Leipziger Studien VI, 1 Leipzig, 1900. – L. Lallemant, *Histoire de la Charité*, t. 3, Moyen Age, Paris, 1906. – RHEF, t. 52, 1966, n. spécial sur la pauvreté, p. 5-126. – *La concezione della povertà nel Medioevo*, éd. O. Capitani, 2e éd., Bologne, 1979 (recueil d'articles). – *Études sur l'histoire de la pauvreté (Moyen Age-*XVIe *siècle)*, sous la direction de M. Mollat, 2 vol., Paris, 1974 ; cf. G. Severino Polica, *Storia della Povertà et Storia dei Poveri*, dans *Studi medievali*, t. 17, 1976, p. 363-391.

M. Mollat, *Études sur l'économie et la société dans l'Occident médiéval.* XIIe-XVe *siècles* (huit articles), coll. Variorum Reprints, Londres, 1977 ; *Les Pauvres au Moyen Age. Étude sociale*, Paris, 1978 (abondante bibliographie) ; *Povertà e Richezza nella Spiritualità dei secoli* XI *e* XII, dans *Convegno... sulla Spiritualità Medievale* (Todi 1967), Todi, 1969 ; *La Povertà nel secolo* XII *e Francesco d'Assisi*, dans *Atti del* IIe *Convegno Internazionale*, Assise, 1975.

*Poverty in the Middle Ages*, éd. D. Flood, Werl, 1975. – J.L. Goglin, *Les misérables dans l'Occident médiéval*, Paris, 1976. – J. Imbert, *Les hôpitaux en droit canonique*, Paris, 1947. – H. de Lubac, *Exégèse médiévale*, t. 2, 2 vol., coll. Théologie 42 et 59, Paris, 1961, 1964.

*L'Eremitismo in Occidente nei secoli* XI-XII, Atti della seconda Settimana Internazionale di Studio, La Mendola (1962), Milan, 1965 ; *I laici nella « Societas christiana » dei secoli* XI *e* XII, Atti... terza Settimana... (1965), 1968 ; *Il monachesimo e la riforma ecclesiastica (1049-1122)*, Atti... quarta Settimana... (1968), 1971. – *Cahiers de Fanjeaux* : n. 1, *S. Dominique en Languedoc*, Toulouse, 1968 ; n. 8, *Les Mendiants en pays d'Oc. Les Spirituels circa 1280-1324*, 1975 ; n. 13, *Assistance et charité*, 1978.

A. Vauchez, *La spiritualité du Moyen Age occidental.* VIIIe – XIIe *siècles*, Paris, 1975 ; *La Sainteté en Occident aux derniers siècles du Moyen Age, d'après les procès de la canonisation et les documents hagiographiques*, Rome, 1981.

**Études par périodes et régions.** – T. Manteuffel, *Naissance d'une hérésie. Les adeptes de la pauvreté volontaire au Moyen Age*, Paris-La Haye, 1960. – E. Werner, *Armut und Reichtum in den Vorstellungen ost- und westkirchlicher Haeretiker des 10.-12. Jahrhunderts*, dans *Povertà e Richezza*, Todi, 1969, p. 81-127. – C. Violante, *Riflessioni sulla Povertà nel secolo* XI, dans *Studi... R. Morghen*, t. 2, Rome, 1974, p. 1061-81. – G. Couvreur, *Les pauvres ont-ils des droits ? Recherches sur le vol en cas d'extrême nécessité depuis la « Concordia » de Gratien (1140) jusqu'à Guillaume d'Auxerre † 1231*, coll. Analecta Gregoriana 111, Rome-Paris, 1961 ; *Pauvreté et droits des pauvres*, dans *Recherches et débats*, n. 49, 1964, p. 13-37. – A. Spicciani, *Usura e carestie da un Canonista del* XIII *secolo (Sinibaldo da Fieschi, papa Innocenzo* IV*)*, dans *Istituzioni ecclesiastiche della Toscana Medioevale*, Galatina, 1980, p. 109-141. – M.-D. Chenu, *La théologie au* XIIe *siècle*, Paris, 1957 ; *L'éveil de la conscience dans la civilisation médiévale*, Conférence Albert le Grand 1968, Montréal, 1968.

N. Gonthier, *Lyon et ses pauvres au Moyen Age*, Paris, 1978. – *A Pobrezza e a Assistencia aõs Pobres na Peninsula Ibérica durante la Edad Media* (Actas Jornadas luso-espanholas de Historia Medieval, 1972), éd. V. Rau et E. Saez, 2 vol., Lisbonne, 1973.

**Ordres religieux.** – J. Châtillon, *« Nudum Christum nudus sequere »*, dans *S. Bonaventura (1274-1974)*, t. 4, Grottaferrata, 1974, p. 719-772 ; cf. DS, t. 11, col. 508-513. – Y. Congar, *Aspects ecclésiologiques de la querelle entre Mendiants et Séculiers dans la seconde moitié du 13e siècle et le début du 14e*, AHDLMA, t. 28, 1961, p. 35-168. – W. van Dijk, *Rapports de S. François d'Assise avec le mouvement spirituel au 12e siècle*, dans *Études franciscaines*, t. 12, 1962, p. 129-142. – K. Esser, *Anfänge und ursprüngliche Zielsetzungen des Ordens der Minderbrüder*, coll. Studia et documenta franciscana 4, Leyde, 1966. – M. Damiata, *Guglielmo d'Ockham : povertà e povere*, t. 1 : Il problema della povertà evangelica e francescana nel sec. XIII e XIV, Florence, 1978. – R. Manselli, *San Francesco*, 2e éd. révisée, Rome, 1980 ; *Nos qui cum eo fuimus. Contributo alla questione francescana*, Rome, 1980.

A.M. Lazzarino del Grosso, *Società e Potere nella Germania del* XII *secolo. Gerhoch di Reichersberg*, Florence, 1974. – J.-M. Bienvenu, *L'étonnant fondateur de Fontevraud : Robert d'Arbrissel*, Paris, 1981.

Michel MOLLAT.

## IV. VINGTIÈME SIÈCLE

On a dit que le 19e siècle avait été surtout marqué par la percée d'un nouvel élan missionnaire dans les Églises. Ce qui n'était pas sans lien avec l'ère des grandes entreprises colonisatrices. Or, si nous relisons – avec le peu de recul actuellement possible – le siècle qui s'achève, nous découvrons que sa note caractéristique aura sans doute été la redécouverte de la place de la pauvreté dans la mystique et l'engagement évangéliques. Ici encore cela se sera accompli en profonde osmose avec les changements, les idéologies, mais aussi les drames des sociétés séculières, travaillées par la prise de conscience des inégalités sociales qu'elles créaient et par la montée d'amples mouvements de revendication mobilisant les groupes défavorisés. L'Église du 20e siècle a trouvé là où incarner l'Évangile.

### A. Le point d'ancrage

Où commence le 20e siècle ? Le faire partir de l'année 1900 est, de toute évidence, artificiel. Il semble de plus en plus que, tout au moins pour la question qui nous préoccupe ici, notre siècle a son point d'ancrage dans les révolutions qui ont agité l'Europe en 1848-1849, donc au milieu du siècle précédent. Certes, il ne s'agit que d'un point d'ancrage, à partir duquel l'Église catholique face à la pauvreté évoluera lentement et au prix de durs affrontements, jusqu'aux enseignements de Paul VI (surtout *Populorum progressio*, Pâques 1967, et *Octogesimo adveniens*, 1971) ou aux déclarations des évêques latino-américains à Medellin (1968) et Puebla (1979), ou encore à la prise de position du Synode des évêques de 1971 : « Le combat pour la justice et la participation à la transformation du monde nous apparaissent pleinement comme une dimension constitutive de la prédication de l'Évangile ». C'est évidemment également le cas pour le Conseil œcuménique des Églises, officiellement créé en 1948, dont les interventions en faveur d'un engagement pour la libération des opprimés et la suppression des inégalités ont parfois suscité de violentes réactions de la part de l'ordre établi et provoqué des accusations sévères.

Il paraît nécessaire, pour comprendre cette attitude des Églises, de remonter à ce qu'on a appelé, non sans romantisme, « le printemps des peuples », ce nœud complexe de révolutions européennes s'allumant au moment où la civilisation industrielle prend son essor. Parfois en s'appuyant sur « l'Évangile de la fraternité », on se dresse alors contre l'injuste humiliation imposée à toute une portion de la société. N'oublions pas que, bien que Marx ait été mêlé à la révolution allemande, le *Manifeste du Parti communiste* ne paraît, à Londres, qu'en février 1848. Le « socialisme utopique », qu'Engels (préface à la 3ᵉ éd. du *Manifeste*) et Marx (*Les luttes sociales en France, 1848-1859*) critiqueront avec mépris, joue dans ce sursaut le rôle capital.

Mais l'impact de 1848 se situe à la rencontre de deux dynamismes impliquant l'Église, surtout dans le contexte français. Le premier de ces dynamismes, qui aboutit à l'union idyllique de février 1848, se caractérise par la mise en relief de l'harmonie profonde entre l'idéal d'une société fraternelle, soudée dans l'union pour l'amélioration des conditions de vie de tous, spécialement du *Peuple*, et l'idéal évangélique. C'est au *Peuple* que F. Lamennais (DS, t. 9, col. 150-156) dédie les *Paroles d'un croyant*. Et l'on connaît la façon dont Louis Blanc définit le socialisme dans son *Catéchisme des socialistes* : « Qu'est-ce que le socialisme ? C'est l'Évangile en action. – Comment cela ? Le socialisme a pour but de réaliser parmi les hommes les quatre maximes fondamentales de l'Évangile ». Justice sociale et charité évangélique vont de pair. Nourri par la littérature des grands romantiques, véhiculé par les vues d'un Saint-Simon † 1825, d'un Charles Fourier † 1837, ce courant, qui parfois préconise un retour à l'Évangile par-delà les « trahisons » de l'Église officielle, s'inscrira en profondeur dans les mentalités, en dépit des suspicions, voire des condamnations, qu'il suscitera. Nous l'appellerons le courant de l'Évangile populaire.

Car le second des dynamismes qui se croisent dans la crise européenne de 1848, à nos yeux déterminante, porte précisément sur la dissociation de l'alliance entre Évangile et justice. Les journées de mai et juin 1848, mettant en cause l'ordre établi, ont redonné toute sa force au vieux courant qui veut que l'Église soit agent de paix plus que de justice, qu'elle se range d'instinct du côté de l'ordre établi. Le Trône et l'Autel doivent compter l'un sur l'autre ! D'ailleurs, les inégalités sociales sont acceptées par le Créateur ! La charité évangélique fait que le riche assiste le pauvre et l'ouvrier, que le pauvre et l'ouvrier se résignent à leur sort en pensant à l'exemple du Christ. Au mérite de la générosité répond celui de la soumission silencieuse. La théologie du mérite permet de comprendre et d'accepter l'ordre social.

Le *Mandement* de 1849 du cardinal du Pont, archevêque de Bourges, pour montrer que le « il y aura toujours des pauvres parmi vous » est « dans l'ordre providentiel », commente : « Les uns manquent tandis que les autres sont dans l'abondance, c'est pour que tous puissent également mériter. Le malheureux qui est dénué de ressources doit se confier en la bonté d'un Dieu qui n'abandonne pas sa créature ; et tandis qu'il se soumet, qu'il se résigne, il trouve dans l'empressement charitable de ses frères plus heureux que lui tous les secours et tous les soins que réclame sa triste position. C'est cela la véritable fraternité » (cité dans P. Pierrard, *1848... les pauvres, l'Évangile et la Révolution*, p. 213). Ce courant, nous l'appellerons celui de l'Évangile gardien des institutions et du bon ordre. Le thème de la conformité au Christ pauvre et artisan, bien que s'appuyant sur des fondements scripturaires très légers et souvent exploité dans un sens fort peu évangélique, vient seul donner à ce courant quelque élévation.

L'Évangile du bon ordre dominera les Églises jusqu'au réveil, un peu moins de cent ans plus tard, de l'autre courant. Malgré tout, celui-ci continuait de s'infiltrer, « pauvrement », relayé parfois par des voix prophétiques, comme en France celle de Léon Bloy dont on sait par *Les grandes amitiés* de Raïssa Maritain (DS, t. 10, col. 606-610) l'impact profond, celle de Georges Bernanos ou, à un autre registre, celle d'Emmanuel Mounier (*ibidem*, col. 1809-1815). En Angleterre, l'action de certains *evangelical* anglicans, dans la ligne de la *Clapham Sect* (fondée dès les débuts du siècle précédent) et surtout de William Wilberforce † 1833, ardemment actifs dans la lutte contre l'esclavage, maintenait vive l'attention à la situation désespérée des pauvres. Entre 1877 et 1914, la confrontation avec l'industrialisme faisait même naître dans les diverses Églises d'Angleterre un *socialisme chrétien*, marqué à la fois par les principes de F.D. Maurice † 1872, qui, frappé par la crise de 1848, s'était engagé dans un effort pour l'application des principes évangéliques à la réforme sociale, et par les idées des français Ph. Buchez et F. Lamennais. Son influence passera les mers et se fera sentir aux États-Unis. Lors de la grève des dockers de Londres, en 1889, le cardinal Manning (DS, t. 10, col. 222-227), pourtant farouchement conservateur à d'autres plans, intervint en faveur des ouvriers (alors que l'évêque anglican William Temple ne se compromet pas) – et ce geste, qui s'inscrivait dans une des lignes majeures de sa pastorale, eut des résonances importantes, tout en orchestrant les idées présentées dans son ouvrage *The Rights and Dignity of Labour* (Londres, 1887).

En Allemagne, l'évêque de Mayence, Ketteler † 1877 (DS, t. 8, col. 1716-1717), un libéral qui durant les discussions de Vatican I prendra sur la question de la primauté et de l'infaillibilité papales le contre-pied des positions de Manning, partageait la même inquiétude que celui-ci face aux questions sociales. Son ouvrage, *Die Arbeiterfrage und das Christenthum* (1864), réclamait la transformation du régime de production et la création d'organismes professionnels : les œuvres de bienfaisance ne suffisent pas devant les problèmes causés par la nouvelle situation sociale. Il influencera l'École de Liège.

Aux États-Unis, pourtant rejoints par le *Social Gospel*, les groupes chrétiens évoluaient différemment mais en accentuant à leur façon l'odieux de la discrimination entre riches et pauvres, possédants et ouvriers, blancs et noirs : les catégories les moins favorisées socialement étaient tentées de se regrouper en sectes religieuses où, « *loin du mépris des Églises de la middle-class* », elles se donnaient un statut particulier où la fraternité pouvait être instaurée « *loin du péché de la société* ». Mais le problème débordait ces groupes. En 1887, le cardinal Gibbons, (DS, t. 4, col. 1440-1441) intervenait en faveur des *Knights of Labour*, redoutés de plusieurs évêques catholiques américains. Dans le nord de l'Italie, l'*Opera dei Congressi*, modestement mais non sans mérite, ouvrait les mentalités aux besoins économiques et sociaux des classes populaires.

Il est important de noter que très tôt les chrétiens engagés dans la quête de justice sociale et le service du monde ouvrier avaient pris l'habitude de se réunir. Dès 1884, ces réunions deviendront régulières sous l'égide de l'*Union catholique d'études sociales* et se tiendront à Fribourg, en Suisse, présidées par Mgr Mermillod (DS, t. 10, col. 1053-1055) : elles viseront à élaborer une vision de la société adaptée aux besoins du monde moderne. Signalons enfin que certaines des congrégations religieuses fondées pendant cette période charnière, la plupart dans un but caritatif, s'éveillaient à une vision de la charité débordant celle de la simple assistance et de l'aumône. Les Petites Sœurs de l'Assomption, fondées par Étienne Pernet, par exemple, dans leur volonté d'aider les « campagnards » devenant « ouvriers », percevaient l'enjeu du drame ouvrier.

De toute évidence, les initiatives que nous venons d'évoquer sont importantes. Nous en recueillons aujourd'hui les fruits. Elles se situaient cependant dans un contexte qui rendait impossible leur plein impact et sur bien des plans s'y opposait. L'Évangile de l'ordre établi était celui de la plupart des membres de la hiérarchie et des chrétiens bien pensants, cela dans la plupart des Églises et des pays. Le maintien de l'ordre social rendait inacceptables des idées ressenties comme « subversives », « socialistes ». L'Église, instinctivement, se rangeait du côté de ceux qui, s'opposant aux réformes des structures sociales, identifiaient comme une entreprise révolutionnaire tout effort pour modifier institutionnellement la condition ouvrière. En 1864, Pie ix lui-même, qu'on avait un moment cru « le pape libérateur », mettait sévèrement en garde contre le progrès économique et social dans le *Syllabus* (et l'encyclique *Quanta cura,* cf. Denzinger-Schönmetzer, n. 2901-2980), l'année même où Marx organisait sa Première Internationale ! La pensée de Pie ix se montrait, en ce domaine, à l'unisson de celle de la plupart des pasteurs.

En Angleterre, en 1912, la *Church Socialist League* blâmait, à Lambeth, le Primat anglican principalement parce qu'il « n'épouse pas la cause des ouvriers », et l'évêque de Bristol, lui, blâmait la *League* parce qu'elle risque de faire naître de la violence (textes dans Peter d'A. Jones, *The Christian Socialist Revival,* p. 270-273, cf. p. 222-224). En France, le grand parti de l'ordre se confondait avec le parti catholique. Le premier ennemi à débusquer devenait tout ce qui, lié de quelque façon à la vision socialiste, met en cause l'œuvre de celui que Mgr Dupanloup lui-même (DS, t. 3, col. 1821-1825), dans sa lettre pastorale de décembre 1848, appelait « le Dieu de l'ordre, le Père de la société humaine, le protecteur de la paix sociale ». Le principe d'autorité était exalté par l'épiscopat au détriment du principe de justice, le droit à l'assistance au détriment du droit au travail (nombreux textes dans P. Pierrard, *1848 ... Les pauvres, l'Évangile et la Révolution,* surtout p. 171-243). En Italie, la *Civiltà cattolica* prônait des vues identiques.

Il en résulte, partout, un progressif éloignement, un lent délaissement, puis une rupture entre l'Église officielle et les classes populaires. Le marxisme, qui après 1848 gagne de plus en plus d'influence, table sur l'appel à la justice, alors que l'Église s'en méfie. Quand celle-ci renouera avec ce que nous avons appelé l'Évangile populaire – mais déjà l'expression apparaîtra désuète – elle n'aura plus l'oreille des pauvres. Pour plusieurs, ses paroles sonneront faux. Parfois elle se verra contrainte – au moins en certains de ses militants et de ses penseurs – d'en référer à l'harmonie de son « message évangélique » avec l' « idéologie marxiste » là où elle voudra mordre sur le monde ouvrier « conscientisé » et sur une certaine classe intellectuelle. L'attitude face à la pauvreté sociale et à son enracinement dans l'injuste répartition des fruits du travail constitue, sans nul doute, un des enjeux essentiels de la vie de l'Église au 20ᵉ siècle.

Parmi une bibliographie considérable, nous retenons : A. Cornu, *K. Marx et la Révolution de 1848,* Paris, 1948. –

S.H. Scholl, éd., *150 ans de mouvement ouvrier en Europe Occidentale,* Bruxelles, 1966. – G.M. Bravo, *Les socialistes avant Marx,* 3 vol., Paris, 1970. – J. Sigmann, *1848, les révolutions romantiques et démocratiques de l'Europe,* Paris, 1970. – D. Desanti, *Les socialistes de l'Utopie,* Paris, 1970. – R. Godechot, *Les Révolutions de 1848,* Paris, 1971. – J. Le Yaouanq, *1848 en Europe,* coll. Dossiers Clio, Paris, 1974.

W. Rauschenbusch, *Christianity and the Social Crisis,* New York, 1907, 1964. – J. Lewis, K. Polanyi et D.K. Kitchin, *Christianity and the Social Revolution,* Londres, 1935. – T. Christensen, *Origins and History of christian Socialism,* Aarhus, 1962. – R. Aubert, *Le pontificat de Pie ix, 1846-1878,* coll. Fliche-Martin 21, Paris, 1952, 1963 ; *L'Église dans le monde moderne,* Paris, 1975.

R. Coupland, *Wilberforce,* Oxford, 1923, 1945. – G.P. Mc Entee, *Social Catholic Movement in Great Britain,* New York, 1927. – J.H.M. Burgess, *The Chronicles of Clapham,* Londres, 1929. – S.C. Carpenter, *Church and People 1789-1889. A History of the Church of England,* Londres, 1937. – J. Fitzsimons, *Manning and the Workers,* dans *Manning: Anglican and Catholic,* Londres, 1951. – E.M. Howse, *Saints in Politics: the 'Clapham Sect' and the Growth of Freedom,* 2ᵉ éd., Londres, 1960. – R.S. Inglis, *Churches and the Workers Classes in Victoria England,* Londres, 1961. – V.A. Mc Clelland, *Cardinal Manning: His Public Life and Influence,* New York-Londres, 1962. – D. Newsome, *The Parting of Friends. A Study of Wilberforce and H. Manning,* Londres, 1966.

O. Chadwick, *The Victorian Church,* t. 1, Londres, 1966, p. 440-455. – S. Mayor, *The Churches and the Labor Movement,* Londres, 1967. – P. d'A. Jones, *The Christian Socialist Revival, 1877-1914,* Princeton, 1968. – F.M. Mc Clain, *Maurice, Mann and Moralist,* Londres, 1972. – J. Pollock, *Wilberforce,* Bristol, 1977.

J. Leflon, *L'Église de France et la Révolution de 1848,* Paris, 1948. – *Histoire du Catholicisme en France,* t. 3, par R. Rémond, Paris, 1962. – J.-B. Duroselle, *1848, révolution créatrice,* Paris, 1948 ; *Les débuts du catholicisme social en France, 1822-1870,* Paris, 1951 ; *L'Europe de 1815 à nos jours,* Paris, 1967. – F.A. Isambert, *Christianisme et classes ouvrières,* Paris, 1961 ; *Buchez ou l'âge théologique de la sociologie,* Paris, 1967. – P. Pierrard, *L'Église de France face aux crises révolutionnaires (1789-1871),* Paris-Lyon, 1974 ; *1848... Les pauvres, l'Évangile et la Révolution,* Paris, 1977. – É. Poulat, *Église contre bourgeoisie,* Paris, 1977.

J. Rovan, *Le Catholicisme politique en Allemagne,* Paris, 1956. – K.H. Bruls, *Geschichte der Katholisch-sozialen Bewegung in Deutschland,* Münster, 1958. – E. Filthaut, *Deutsche Katholikentage 1848-1958 und Soziale Frage,* Essen, 1960.

C. Joset, éd., *Un siècle de l'Église Catholique en Belgique (1830-1930),* Courtrai, 1934. – R. Rezsohazy, *Origines et formation du Catholicisme social en Belgique,* Louvain, 1958.

R. Ruffieux, *Le mouvement chrétien social en Suisse romande, 1891-1949,* Fribourg/Suisse, 1969. – G. Silberbauer, *Oesterreichs Katholiken und die Arbeiterfrage,* Graz, 1966.

H.J. Browne, *The Catholic Church and the Knights of Labor,* Washington, 1942. – J.T. Ellis, *The Life of James Cardinal Gibbons...,* Milwaukee, 1952.

### B. La dimension mystique

L'engagement pour l'amélioration du sort des hommes – dont le comportement de Jésus et des apôtres face aux misères de leur temps montre l'enracinement évangélique – ne traduit pas à lui seul la réaction de l'Église face à la pauvreté. Puisque le Fils de Dieu incarné a choisi sinon une existence misérable du moins une vie simple, plus proche de celle des pauvres de son pays et de son époque que de celle des riches et des puissants, et puisqu'il a exigé de ses disciples des décisions radicales là où la possession des biens risque de diviser le cœur, la tradition chrétienne a lu dans la pauvreté *librement choisie à cause de l'Évangile* une dimension mystique. Il est remarquable qu'aux grands tournants de son histoire l'Esprit a toujours poussé l'Église à retourner à cette pauvreté *volontaire* comme à la source essentielle de son renouveau. Lorsqu'elle s'enrichit ou cesse d'être « un peuple de pauvres », la communauté chrétienne perd son témoignage évangélique et sa vigueur spirituelle. Chose étrange, c'est très souvent en s'efforçant de renouer avec sa propre pauvreté que l'Église redécouvre sa vocation d' « Église des pauvres », solidaire de ceux-ci à la fois dans leur souffrance et leurs efforts pour changer leur sort. Ceci se vérifie pour notre temps.

Le 20ᵉ siècle a été sur ce point profondément marqué par de grandes figures, lui rappelant cette mystique de la pauvreté *librement choisie,* inscrite au profond du mystère ecclésial. Ceci dans toutes les Églises. Dans la communion anglicane, le renouveau de la vie religieuse et monastique, surtout à partir de 1845, a remis à l'avant-plan de la « quête de sainteté » ce que Richard M. Benson † 1915, fondateur de la Société de Saint-Jean-l'Évangéliste, appelait le « témoignage d'une pauvreté désintéressée », c'est-à-dire ne se justifiant pas seulement par l'aide aux plus pauvres ou la prise en charge d'institutions sociales (grâce aux fonds économisés par un style de vie austère), mais « parlant par elle-même ».

C'est lui qui, au *Church Congress* de Manchester, en 1888, ajoutait : « Nous avons aujourd'hui besoin de communautés religieuses non pas tant pour qu'elles arrachent les pauvres à leur pauvreté mais pour qu'elles sauvent les riches de leur richesse... Une communauté religieuse parle de par sa simple existence... Le 19ᵉ siècle a besoin d'être interpellé dans son accumulation de jouissances matérielles » (*Church Congress Report, Manchester 1888,* p. 728-745). La même intuition se retrouve chez G. Congreve, autre religieux anglican. Dans une étude pleine de finesse, après avoir souligné fermement comment « la richesse matérielle et le pouvoir n'ont pas réussi à faire croître l'humanité et à l'unifier », il montre que la pauvreté *volontaire* choisie et vécue à cause de la communion au Christ Jésus met, dans le monde, « une puissance de Salut ». Ce n'est pas vers les riches que l'Église doit se tourner : elle doit regarder les *pauvres,* et parmi eux ceux et celles qui « à cause du Christ et par amour des pauvres ont désiré de se faire eux-mêmes pauvres ». Cette pauvreté mystique et gratuite a, par elle-même, valeur de témoignage et elle ensemence l'humanité du germe de la Rédemption acquise par le Christ (G. Congreve, *Christian Progress, with Other Papers and Addresses,* Oxford, 1910, p. 165-170). Une certaine touche d'agressivité à l'endroit des socialismes utopiques de l'époque pourrait voiler l'importance de ce témoignage. Mais il faut le comprendre en fonction de son contexte ecclésial. Hors du monde religieux, un prêtre anglican, Lincoln S. Wainright † 1929, entièrement donné au service du prolétariat dans le quartier londonien des Ponts, l'un des plus misérables, cherchera lui aussi à enraciner son ministère dans une vie de pauvreté, laissant la réputation d'un « authentique saint de Dieu » tout autant par son style d'existence dépouillée, baignée de prière, que par son action.

Il faut mentionner, venant d'un tout autre horizon, la vision de Dostoïevsky † 1881, profondément évangélique dans son inspiration fondamentale. La grâce du Salut brille dans l'écrin de la pauvreté, de la faiblesse, de l'extrême nudité. Certes, il ne s'agit plus des pauvres par choix personnel mais des pauvres *par choix de Dieu.* Peut-être, toutefois, touchons-nous de plus près encore au « mystère » évangélique de la pauvreté...

Les derniers paragraphes de *La femme pauvre* de Léon Bloy (paru en 1897) feront merveilleusement le lien : « Elle avait vendu tout ce qu'elle possédait, en avait donné le prix aux plus pauvres et, du jour au lendemain, était devenue une mendiante... A force de souffrir, cette chrétienne vivante et forte a deviné qu'il n'y a... qu'un moyen d'être en contact avec Dieu et que ce moyen, tout à fait unique, c'est la Pauvreté. Non pas cette pauvreté facile, intéressante et *complice,* qui fait l'aumône à l'hypocrisie du monde, mais la pauvreté difficile, révoltante et scandaleuse, qu'il faut secourir sans aucun espoir de gloire et qui n'a rien à donner en échange... Affiliée à toutes les misères, elle a pu voir en plein l'homicide horreur de la prétendue charité publique, et sa continuelle prière est une torche secouée contre les puissants ». Paroles excessives, mais à la façon dont le message des vrais prophètes trace une route de feu.

1. CHARLES DE FOUCAULD : DE LA COMMUNION AU CHRIST JÉSUS À L'EXPÉRIENCE DE LA PAUVRETÉ. — Foucauld (1858-1916) représente une des figures marquantes sur cette route de la pauvreté. Il ne paraît pas outré d'affirmer que sans lui l'Église de notre siècle ne serait pas exactement ce qu'elle est. Bien au-delà des communautés religieuses issues de lui (et qu'il n'eut pas la joie de voir naître), il a exercé une influence déterminante à la fois en réévangélisant l'Église à la « mystique de la pauvreté » et en réveillant sa vocation d' « Église des pauvres ». Chez lui, en effet, la volonté d'imiter le Christ pauvre n'est jamais coupée de l'amour des pauvres. Mais l'axe de sa vie est sans nul doute la mystique de l'imitation du Christ pauvre, considéré surtout (mais pas uniquement) dans le « mystère de Nazareth ». Une phrase de l'abbé H. Huvelin (DS, t. 7, col. 1200-1204) l'avait frappé : « Notre-Seigneur a tellement pris la dernière place, que jamais personne n'a pu la lui ravir » (citée par R. Bazin, *Charles de Foucauld,* p. 97, p. 165). Il construira son existence en fonction d'elle, jusqu'à vouloir refuser les études théologiques : « Si on me parle d'études, j'exposerai que j'ai... une répugnance extrême pour tout ce qui tendrait à m'éloigner de cette *dernière place* que je suis venu chercher, de cette abjection dans laquelle je désire *m'enfoncer toujours plus,* à la suite de Notre-Seigneur » (p. 121, lettre du 4 fév. 1892). A la Trappe, cela demeurera comme une obsession : « J'ai bien soif de mener enfin la vie que je cherche depuis sept ans..., que j'ai entrevue, devinée en marchant dans les rues de Nazareth que foulèrent les pieds de Notre-Seigneur, pauvre artisan, perdu dans l'abjection et l'obscurité » (p. 131, lettre du 24 juin 1896 ; cf. p. 141, lettre du 24 janv. 1897).

Arrivé à Nazareth, il explique, dans un des textes clés pour la compréhension de sa vocation : « Le bon Dieu m'a fait trouver ici, aussi parfaitement que possible, ce que je cherchais : pauvreté, solitude, abjection, travail bien humble, obscurité complète, l'imitation aussi parfaite que cela se peut de ce que fut la vie de Notre-Seigneur Jésus dans ce même Nazareth. L'amour imite, l'amour veut la conformité à l'être aimé ; il tend à tout unir, les âmes dans les mêmes sentiments, tous les moments de l'existence par un genre de vie identique : c'est pourquoi je suis ici. La

Trappe me faisait monter, me faisait une vie d'étude, une vie honorée. C'est pourquoi je l'ai quittée, et j'ai embrassé ici l'existence humble et obscure du Dieu ouvrier de Nazareth » (p. 146-147, lettre du 12 avril 1897). « Je jouis à l'infini d'être pauvre, vêtu en ouvrier, domestique, dans cette basse condition qui fut celle de Jésus Notre-Seigneur, et, par un surcroît de grâce exceptionnel, d'être tout cela à Nazareth » (p. 152, lettre du 25 nov. 1897). Lorsqu'il pense à s'établir en pays touareg, ce désir de conformité au Christ demeure le mobile principal : « Pourquoi m'établir dans ce pays ? Comment ?... Silencieusement, secrètement, comme Jésus à Nazareth, obscurément comme lui, pauvrement, laborieusement, humblement, doucement, désarmé et muet devant l'injustice comme lui, me laissant tondre et immoler comme lui, sans résister ni parler » (p. 290-291, diaire 17 mai 1904).

Ces citations, et d'autres pages nombreuses, montrent clairement que Foucauld n'est en rien la victime d'une théologie myope du mérite, pourtant répandue à son époque. Sa pauvreté, son « abjection » ne se situent pas dans le schème mercantile du prix à payer ici-bas pour le bonheur éternel, ni même dans la perspective d'une quête de perfection personnelle. Tout est centré sur la volonté de *communion* au Christ, à cause de l'amour qui veut « l'imitation aussi parfaite que cela se peut » de la personne aimée, la conformité la plus totale possible à elle. On se trouve en pleine mystique.

Foucauld apporte à l'Église du 20ᵉ siècle un sang nouveau. Il est un maître. Bien plus, un peu comme il croit que la simple présence d'un tabernacle exerce une influence salvifique en terre païenne, il est convaincu que cet ensemencement de la pauvreté du Christ au cœur de populations misérables a valeur rédemptrice, de par son lien avec la personne de Jésus. Le diaire du 1ᵉʳ juin 1903 porte ces lignes : « Faut-il, pour amener à Dieu les musulmans, chercher à se faire estimer d'eux en excellant dans certaines choses qu'ils estiment : par exemple, en étant audacieux, bon cavalier, bon tireur, d'une libéralité un peu fastueuse, etc., ou bien en pratiquant l'Évangile dans son abjection et sa pauvreté, trottant à pied et sans bagage, travaillant des mains comme Jésus à Nazareth, vivant pauvrement comme un petit ouvrier ? Ce n'est pas des Chambâa que nous devons apprendre à vivre, mais de Jésus » (p. 254-255). Il s'agit de beaucoup plus que d'un témoignage édifiant. La perspective est mystérique.

C'est en cet enfouissement dans la pauvreté, « en conformité » avec ce que fut l'attitude du Christ, que Foucauld puise son amour des pauvres. Et quoiqu'il ne pense pas en termes de justice sociale, sa conception de l'aide aux déshérités ne se confond pas avec la pure et simple assistance. Certes, il fait l'aumône. Son mémoire à Mgr Guérin, écrit de Béni-Abbès, mentionne les esclaves, les voyageurs pauvres, les infirmes, les vieillards (p. 220-221 ; cf. p. 230, diaire 13 août 1902 ; p. 341-342, récit du Frère Michel ; p. 352, supplique du préfet apostolique du Sahara au pape ; p. 397-398, lettre du 12 juillet 1912 ; p. 459, rapport du capitaine Depommier après la mort de Foucauld). Mais il entend aussi améliorer leurs conditions sociales. Il veut « ouvrir à la civilisation », élever le degré d'humanité des populations, les initier à certains travaux, leur enseigner l'hygiène, inculquer le respect de la femme (typique est, à ce sujet, la note qu'il envoie à l'une de ses parentes durant son voyage de 1913, p. 417-419 ; cf. p. 407-410, lettre du 11 déc. 1912). Bien que le cadre général de sa pensée soit évidemment celui du colonialisme de l'époque, celle-ci ne se confond en rien avec une volonté de mettre les populations du Maroc ou du Sahara au service du pays colonisateur, le sien. Les lettres et le diaire le montrent nettement.

L'amour ardent de la France et le désir de la servir sont eux-mêmes soumis à un autre amour et un autre désir : « Mes retraites du diaconat et du sacerdoce m'ont montré que cette vie de Nazareth, qui me semblait être ma vocation, il fallait la mener non pas en Terre Sainte tant aimée, mais parmi les âmes les plus malades, les brebis les plus délaissées. Ce divin banquet dont je devenais le ministre, il fallait le présenter non aux parents, aux voisins riches, mais aux boiteux, aux aveugles, aux pauvres » (p. 187, lettre du 8 avril 1905). « Vivre autant que possible comme eux ; tâcher d'être en amitié avec tous, riches ou pauvres, mais aller surtout et d'abord aux pauvres selon la tradition évangélique » (p. 294, *Observations sur les voyages des missionnaires dans le Sahara,* juin 1904) ; « je veux habituer tous les habitants, chrétiens, musulmans, juifs et idolâtres, à me regarder comme leur frère, le frère universel » (p. 218, lettre du 9 janv. 1902). De nouveau la perspective mystérique émerge.

A la charnière du 19ᵉ et du 20ᵉ siècle, Foucauld, dans le silence et l'effacement quasi absolu, remet ainsi l'Église face à la profondeur de la pauvreté évangélique. Surtout, il témoigne par l'exemple de sa propre vie et le rayonnement extraordinaire de sa personne, du fondement mystique de la véritable attitude de l'Église face à la pauvreté et aux pauvres. Il en est un vivant mémorial, au moment même où les chrétiens sentent la nécessité de s'engager dans l'effort pour plus de justice et la construction d'une société nouvelle. Il rappelle ainsi l'inspiration proprement évangélique de l'action ecclésiale. Église *pauvre*, Église *des* pauvres et Église *avec* les pauvres ne font qu'un dans le mystère du Christ.

René Voillaume, grâce auquel le projet de fondation religieuse rêvé depuis le séjour à la Trappe (p. 124, lettre du 4 oct. 1893) et dessiné dans le rude Règlement de 1896 (p. 132-133, lettre de H. Huvelin) prend forme, transmet ainsi aux Petits Frères l'esprit de Frère Charles : « Dans sa pauvreté le Petit Frère doit rester un contemplatif comme le Père de Foucauld dont le désir de pauvreté avait sa source première dans un immense besoin d'imiter le Christ et de partager la vie des plus délaissés » (*Au cœur des masses,* Paris, 1952, p. 307 ; cf. p. 503). Cela vaut pour l'Église entière : son engagement social lui-même puise son authenticité évangélique dans la contemplation.

2. SIMONE WEIL : DE L'EXPÉRIENCE DE LA PAUVRETÉ À LA COMMUNION AU CHRIST JÉSUS. — Sous une toute autre forme, dans un contexte totalement différent, Simone Weil (1909-1943), qui jamais ne franchira le seuil de l'entrée dans la communauté visible de l'Église, témoigne elle aussi de la dimension mystique de la pauvreté, en relation directe avec le problème du monde ouvrier.

Le trait marquant de la personnalité spirituelle de Simone Weil est son besoin d'identification à ces pauvres, d'entrée réaliste dans leur situation. Dès sa jeunesse, elle avait été frappée par la découverte de la misère. Très tôt – agressive à l'endroit de la religion et de la foi – elle se met en contact avec le mouvement syndicaliste et la Révolution prolétarienne, collaborant avec eux, sous l'effet d'une compassion dans laquelle la référence au Christ ne joue alors aucun rôle. Sa « militance » ardente la conduit à un vouloir toujours plus ferme de communion réaliste à la misère des autres : professeur de philosophie au Puy, elle s'associe au travail des ouvriers et ne garde pour sa subsistance que la somme correspondant à l'allocation de chômage, donnant le reste en aumônes. Mais obsédée par cette volonté de traduire par une communion *totale* sa compassion, en 1934 elle décide de devenir manœuvre en usine, mordant à la souffrance à la fois physique, psychologique et morale de la condition ouvrière (cf. S. Weil, *La condition ouvrière*). L'humiliation, l'angoisse du lendemain, la cadence machinale, l'épuisement entrent alors dans sa chair, pour toujours, même s'il lui faut bientôt renoncer au travail en usine. Plus tard, en 1941, elle cherchera encore à rejoindre le prolétariat, mais à la campagne, comme ouvrière agricole.

Le 15 mai 1942 elle écrit à J.M. Perrin : « (après mon année d'usine) j'avais l'âme et le corps en quelque sorte en morceaux. Ce contact avec le malheur avait tué ma jeunesse. Jusque-là je n'avais pas eu l'expérience du malheur, sinon le mien propre qui, étant le mien, me paraissait de peu d'importance, et qui d'ailleurs n'était qu'un demi-malheur, étant biologique et non social. Je savais bien qu'il y avait beaucoup de malheur dans le monde, j'en étais obsédée, mais je ne l'avais jamais constaté par un contact prolongé. Étant en usine, confondue aux yeux de tous et à mes propres yeux avec la masse moyenne, *le malheur des autres est entré dans ma chair et dans mon âme.* Rien ne m'en séparait, car j'avais réellement oublié mon passé et je n'attendais aucun avenir, pouvant difficilement imaginer la possibilité de survivre à ces fatigues. Ce que j'ai subi là m'a marquée d'une manière si durable qu'aujourd'hui encore, lorsqu'un être humain, quel qu'il soit, dans n'importe quelles circonstances, me parle sans brutalité, je ne peux m'empêcher d'avoir l'impression qu'il doit y avoir erreur et que l'erreur va sans doute malheureusement se dissiper. J'ai reçu là pour toujours la marque de l'esclavage, comme la marque au fer rouge que les Romains mettaient au front de leurs esclaves les plus méprisés. Depuis je me suis toujours regardée comme une esclave » (S. Weil, *Attente de Dieu*, coll. Le Livre de poche, Paris, 1963, p. 41-42 ; c'est nous qui soulignons).

C'est cette marque de la pauvreté prolétaire dans sa chair qui, au hasard d'une naïve célébration liturgique par de pauvres femmes de pêcheurs, au Portugal, la jettera dans la communion au Christ : « Là j'ai eu soudain la certitude que le christianisme est par excellence la religion des esclaves, que des esclaves ne peuvent pas ne pas y adhérer, et moi parmi les autres » (p. 42-43). Ce sera alors Assise (« Je me suis éprise de saint François dès que j'ai eu connaissance de lui », p. 40 ; cf. p. 43), puis la Semaine Sainte à Solesmes : « Au cours de ces offices la pensée de la Passion du Christ est entrée en moi une fois pour toutes » (p. 43). La *communion* à la pauvreté des plus pauvres la met en *communion* avec le mystère de la *communion* de Dieu lui-même à la pauvreté. Elle découvre une mystérieuse harmonie entre sa compassion et celle de Dieu : « Partout où les malheureux sont aimés pour eux-mêmes, Dieu est présent » (p. 137). « Toutes les fois que je pense à la crucifixion du Christ, je commets le péché d'envie » (p. 62).

L'itinéraire de Simone Weil est donc l'opposé de celui de Charles de Foucauld. Chez ce dernier, la foi au Christ et la volonté de communier à ce qui fut sa condition se traduisent par une existence menée dans la communion au sort des plus pauvres : il va du Christ, contemplé, aux pauvres dans lesquels il retrouve les traits du Fils incarné. Pour Simone Weil, au contraire, la compassion et la volonté de communier à la condition du prolétariat ouvrier débouchent soudainement sur la rencontre du Christ, Dieu incarné dans la pauvreté (cf. p. 46). Frère Charles est le grand témoin de l'appel à la communion aux pauvres que porte la foi au Christ Jésus ; Simone Weil est le témoin de l'appel à la foi au Christ qui se cache dans la communion aux pauvres. C'est pourquoi tous deux se complètent. Plus on lit leurs écrits et réfléchit sur leur vie, plus il devient clair que ces deux figures concrétisent de façon exemplaire deux grands dynamismes qui, dans notre siècle, marquent la redécouverte de la pauvreté évangélique. Celle-ci est tout à la fois épiphanie de la foi et chemin vers la foi.

Pour Simone Weil, l'amour des pauvres se confond avec la quête de justice. Cette note, également, la sépare de Frère Charles et plonge son témoignage en plein cœur des « luttes sociales » dans lesquelles elle se compromet : « j'ai eu dès la première enfance la notion chrétienne de charité du prochain à laquelle je donnais ce nom de justice qu'elle a dans plusieurs endroits de l'Évangile, et qui est si beau » (p. 40, cf. p. 124-125). Cette justice passe par le combat pour un changement de l'*inacceptable.* Or ce combat a comme deux dimensions. D'abord souffrir pour sauver. Alors qu'en 1935· elle n'a pas encore rencontré le Christ, elle a l'intuition de la valeur rédemptrice de la souffrance choisie par amour des autres : « Ces souffrances je ne les ressens pas comme miennes, je les ressens en tant que souffrances des ouvriers et que moi, personnellement, je les subisse ou non, cela m'apparaît comme un détail presque indifférent » (*La condition ouvrière*, p. 30-31). Pourtant, cela ne suffit pas. Il faut aussi dénoncer pour libérer, prêter sa voix et son intelligence aux pauvres pour qu'ils puissent crier leur malheur. Car la dignité des travailleurs se trouve en jeu. A l'usine, « la chair et la pensée se rétractent » (p. 244), l'âme se consume : « Combien on aimerait pouvoir déposer son âme, en entrant, avec sa carte de pointage, et la reprendre intacte à la sortie ! Mais le contraire se produit. On l'emporte avec soi dans l'usine, où elle souffre ; le soir, cet épuisement l'a comme anéantie, et les heures de loisir sont vaines » (p. 246). Une telle pauvreté est mauvaise parce qu'elle défigure l'homme. Sévère envers Marx, qu'elle accuse de distiller un nouvel « opium du peuple », « une religion au sens le plus impur de ce mot » (*Oppression et liberté*, p. 229, texte de 1943), d'élaborer « les conclusions avant la méthode » (p. 195), elle se méfie du progrès parce qu'il ne cesse de provoquer de nouvelles aliénations. Elle rêve d'une société où, comme ce fut le cas dans l'éclair du « Front populaire », il devient possible, « après avoir toujours plié, tout subi, tout encaissé en silence pendant des mois et des années, d'oser enfin se redresser. Se tenir debout. Prendre la parole à son tour. Se sentir des hommes » (*La Condition ouvrière*, p. 169).

Le Christ se rencontre dans cette entrée en pleine pauvreté et ce combat pour la chasser. Alors brille, dans la nuit, la pauvreté spirituelle où tout se nimbe d'amour : « C'est l'immense privilège que Dieu a réservé à ses pauvres. Mais ils ne le savent presque jamais. On ne le leur dit pas. L'excès de fatigue, le souci harcelant de l'argent et le manque de vraie culture les empêchent de s'en apercevoir. Il suffirait de changer peu de chose à leur condition pour leur ouvrir l'accès d'un trésor » (*Attente de Dieu*, p. 161-162), le trésor que possédaient ces femmes de pêcheurs du misérable village du Portugal chantant leurs cantiques « d'une tristesse déchirante » (p. 42). A cause de ce que Dieu a fait en Jésus Christ, « c'est dans le malheur lui-même que resplendit la miséricorde de Dieu. Tout au fond, au centre de son amertume inconsolable. Si on tombe en persévérant dans l'amour jusqu'au point où l'âme ne peut plus retenir le cri : 'Mon Dieu, pourquoi m'as-tu abandonné ?', si on demeure en ce point sans cesser d'aimer, on finit par toucher quelque chose qui n'est plus le malheur, qui n'est pas la joie, qui est l'essence centrale, pure, non sensible, commune à la joie et à la souffrance, et qui est l'amour même de Dieu. On sait alors que la joie est la douceur du contact avec l'amour de Dieu, que le malheur est la blessure de ce même contact quand il est douloureux, et que le contact lui-même importe seul » (p. 69-70). Or cette pauvreté trouve son sommet lorsqu'après avoir, dans sa mansarde, rencontré le Christ on comprend « qu'il était venu me chercher par erreur », et on se dit : « je sais bien qu'il ne m'aime pas. Comment pourrait-il m'aimer ? Et pourtant au fond de moi quelque chose, un point de moi-même, ne peut s'empêcher de penser, en tremblant de peur, que peut-être, malgré tout, il m'aime » (*Cahiers*, t. 3, p. 342). Simone Weil, la non-baptisée, la chrétienne du seuil (la place des pauvres) est en plein 20ᵉ siècle un témoin privilégié de la puissance mystique de la pauvreté-avec-le-Christ et du lien qui unit celle-ci à la lutte pour la justice.

3. La pauvreté « contemplative ». – La strate de la pauvreté évangélique ainsi rappelée de façon prophétique par Charles de Foucauld et Simone Weil, dans le double mouvement allant de la contemplation du Christ aux pauvres et des pauvres à la communion au Christ, représente l'une des caractéristiques de la vie évangélique du 20ᵉ siècle. Beaucoup de chrétiens incarneront dans cette ligne leur désir de suivre le Christ, ainsi Madeleine Delbrêl † 1966 et à sa façon Jacques Maritain † 1973, pour ne citer que deux cas typiques. La famille spirituelle du Père de Foucauld, rassemblera non seulement les Petits Frères de Jésus (fondés en 1945), les Petites Sœurs du Sacré Cœur (Montpellier, 1933), les Petites Sœurs de Jésus (fondées en 1939), les Petits Frères de l'Évangile (fondés en 1958), les Petites Sœurs de l'Évangile (fondées en 1965), mais des associations de laïcs et de prêtres. Ces groupes, nourris de l'esprit du Frère Charles, donneront à la vocation contemplative et monastique un nouveau visage, en montrant qu'elle a sa place « au cœur des masses ».

Des fondations, sans les copier, seront marquées par leur inspiration. Ainsi, dans l'Église catholique, les Sœurs de Bethléem (nées dominicaines mais évoluant d'abord dans un sens cistercien, puis dans un sens plus cartusien, en puisant à des sources orthodoxes), la communauté Saint-Gervais de Paris (monastique et ouvrière à mi-temps, en plein Paris), plusieurs groupes récents souvent influencés par le renouveau charismatique et recherchant une forme neuve de pauvreté monastique. On peut dire que cet esprit a également déteint sur certaines fondations protestantes, telles Taizé (fondé en 1940) et les Sœurs de Grandchamp : le lien entre contemplation et engagement pour les pauvres, que Roger Schutz ne cesse de rappeler par ses écrits, par des gestes prophétiques ou par des initiatives comme le « Concile des jeunes », est en harmonie avec l'idéal de Charles de Foucauld et l'intuition mystique de Simone Weil.

Les frontières entre les divers courants spirituels étant poreuses, cet évangélisme des pauvres sera à son tour marqué par la « petite voie » de Thérèse de Lisieux (morte en 1897, canonisée en 1925) et par l'attrait croissant de l'Occident pour la spiritualité orthodoxe. On verra apparaître dans les années 1970, non sans lien avec l'élévation du niveau de vie matérielle dans la société séculière, un fort accent sur la « pauvreté spirituelle » et un net recul du désir de « vivre comme les pauvres ». Les nouvelles Constitutions des Ordres religieux et des Congrégations, le comportement de nombreux religieux et de nombreuses religieuses s'en trouvent eux-mêmes influencés. D'une part, le pauvre n'est plus l'être dénué de tout qu'entendait imiter le Frère Charles ou le prolétaire auquel s'identifiait Simone Weil. D'autre part, la volonté de *vivre comme* les pauvres fait de plus en plus place à la volonté d'*être avec* eux dans leurs luttes pour la justice. La pauvreté devient surtout un mal à combattre à cause de l'Évangile, sans qu'on insiste autant sur la valeur évangélique d'une pauvreté épousée à cause du Christ. Il serait extrêmement grave que cette dernière en arrive à n'apparaître que comme secondaire ou accessoire.

C.P.S. Clarke, *The Oxford Movement and After*, Londres, 1932. – L. Menzies, *Father Wainright*, Londres, 1949. – A.P. Forbes, *For God and Our Sailors: a Short History of the Works of the Order of St Paul among Merchant Seamen*, Alton Abbey, s d (1953). – M.V. Woodgate, *Father Benson of Cowley*, Londres, 1953. – P.F. Anson, *The Call of the Cloister*, Londres, 1955 (bibl.). – A.M. Allchin, *The Silent Rebellion, Anglican Religious Communities 1845-1900*, Londres, 1958. – R. Kemsley, *Aspects of Father Benson's Teaching*, dans M. Smith, éd., *Benson of Cowley*, Oxford, 1980.

Sur Ch. de Foucauld, voir bibl. de l'art. du DS, t. 5, col. 729-741 ; *Les écrits spirituels de Ch. de F.*, éd. R. Bazin, Paris, 1923 ; *Lettres à mes frères de la Trappe*, Paris, 1976 ; *Œuvres spirituelles*, éd. B. Jacqueline (7 vol. parus, Paris, 1973-1980). – Voir surtout R. Bazin, *Ch. de F., explorateur du Maroc, ermite au Sahara*, Paris, 1921, 1959. – J.-F. Six, *Itinéraire spirituel de Ch. de F.*, Paris, 1958. – M.M. Preminger, *The Sands of Tamanrasset*, New York, 1961. – M. Carrouges, *Foucauld devant l'Afrique du Nord*, Paris, 1961 ; *Le P. de F. et les Fraternités aujourd'hui*, Paris, 1963. – R. Quesnel, *Ch. de F., les étapes d'une recherche*, Paris, 1966. – R. Aubert, art. Foucauld, DHGE, t. 17, 1971, col. 1394-1402.

Simone Weil † 1943, *La pesanteur et la grâce*, introd. G. Thibon, Paris, 1947 ; *Attente de Dieu*, préfacé et commenté par J.-M. Perrin, 1950 ; *La condition ouvrière*, 1951 ; *Cahiers*, 3 vol., 1951-1956 ; *Oppression et liberté*, 1955 ; *Écrits de Londres et dernières lettres*, 1957 ; *Pensées sans ordre concernant l'amour de Dieu*, 1962. – J.-M. Perrin et G. Thibon, *S. Weil telle que nous l'avons connue*, Paris, 1951. – P. Bugnion-Secrétan, *S.W., itinéraire politique et spirituel*, Neuchâtel, 1954. – E. Fleuré, *S.W. ouvrière*, Paris, 1955. – J. Cabaud, *L'expérience vécue de S.W.*, Paris, 1957 (bibl.). – V.-H. Debidour, *S.W. ou la transparence*, Paris, 1963. – Fr. Heidsieck, *S.W.*, coll. Philosophes de tous les temps, 2ᵉ éd., Paris, 1967. – S. Pétrement, *La vie de S.W.*, 2 vol., Paris, 1978.

Madeleine Delbrêl, *La joie de Croire*, Paris, 1964, 1968 ; *Nous autres gens des rues*, 1966 ; *Communautés selon l'Évangile*, 1973.

J.-M.-R. Tillard, *Le Salut, mystère de pauvreté*, Paris, 1976.

## C. Le lien avec la justice

Alors que des groupes nouveaux, surtout religieux (tels que Frères et Sœurs missionnaires des campagnes du P. Michel-D. Épagneul et de Sœur Ghislaine Aubé, Mission ouvrière Saints-Pierre-et-Paul du P. J. Loew), continuent de chercher un équilibre entre mystique de pauvreté et engagement pour les pauvres, et qu'en plein Concile de Vatican II la « Commission de l'Église des pauvres » se réunit régulièrement (dès la 2ᵉ session) pour trouver les voies « d'une reconversion de l'Église à l'ampleur du mystère de la pauvreté », la situation léguée par les suites de 1848 s'est clarifiée. Le courant qu'à la suite de certains penseurs de la fin du siècle dernier nous avons appelé celui de l'Évangile populaire a acquis droit de cité. Sans contredire en rien la mystique de la pauvreté évangélique, parfois même en tablant sur elle, l'Église a perçu que sa vocation la met au service de tout effort vers la justice sociale et l'avènement d'une société offrant à tout homme la possibilité d'une vie digne. L'évolution s'est opérée à trois registres : action de certains personnages prophétiques, – enseignement officiel de la hiérarchie catholique puis de certaines instances du *Conseil Œcuménique des Églises*, – prise de conscience de la situation absurde de nos sociétés par un nombre croissant d'individus et de groupes au-dedans et en dehors des Églises. Ces trois registres, contemporains ou tout au moins tuilant largement l'un sur l'autre, se sont compénétrés et conditionnés mutuellement. Nous avons déjà noté qu'en eux émergeait de nouveau une inquiétude qui s'était manifestée en 1848, puis était devenue l'objet de craintes, voire de suspicion.

1. Des apôtres du monde des pauvres. – Dans l'Angleterre industrielle, le problème du prolétariat et de son cortège de malheurs n'a jamais cessé d'inquiéter le clergé anglican. Alors que les communautés religieuses récemment fondées dans la *Church of England* insistent sur l'aspect mystique de la pauvreté et traduisent l'amour des pauvres surtout par des œuvres de bienfaisance, des prêtres de paroisse s'engagent dans un ministère plus social. Ainsi, dans les quartiers populeux de Londres, Charles F. Lowder † 1880, Lincoln Wainright † 1929, le chanoine S.A. Barnett † 1913, John Croser † 1966 et plus récemment le populaire Father Joseph Williamson. Ils inaugurent un nouveau style d'action paroissiale. D'autres continuent de marcher sur leurs traces. En France et en Belgique, des hommes à la forte personnalité, clercs et laïcs, opèrent une trouée dans l'opinion jusque-là méfiante.

Dans l'impossibilité de citer tous les noms qui devraient l'être, il faut cependant rappeler certains d'entre eux. Évoquons parmi les prêtres Antoine Chevrier † 1879 (fondateur du Prado dont A. Ancel maintiendra vif l'esprit jusque dans le dialogue avec le marxisme), J.-É. Anizan † 1928 (qui, avec les Fils de la Charité, pousse la pastorale paroissiale à mordre dans le vif des problèmes sociaux), P. Lhande † 1957 (qui alerte l'opinion sur le drame de la banlieue parisienne déchristianisée), J. Cardijn (fondateur en 1924 de la JOC), L.-J. Lebret † 1966 (qui, avec *Économie et Humanisme*, dote l'Église d'un instrument d'analyse et de réflexion en matières sociales). Dès les premières années du siècle, l'*Action populaire* des jésuites, fondée en 1903 par H.-J. Leroy † 1917 et dirigée ensuite par G. Desbuquois, offre aide et inspiration aux chrétiens éveillés aux problèmes sociaux. Parmi les laïcs, il convient de mentionner Albert de Mun † 1914 (dont l'ACJF, lancée en 1886, s'ouvrira de plus en plus aux questions sociales après avoir été réactionnaire en ce domaine), Marius Gonin † 1937 (qui avec Henri Lorin et Adéodat Boissard crée, en 1904, les *Semaines Sociales*), Joseph Folliet (dont les écrits marqueront toute une jeunesse).

1° *Henri Godin*. – Parmi ces « apôtres » du monde des pauvres et spécialement du monde ouvrier, une figure se dégage, celle de l'abbé Henri Godin, dont, dès 1943, le livre *La France pays de mission ?* (écrit en collaboration avec l'abbé Y. Daniel) exerça une

influence considérable sur l'opinion catholique française. Godin fut associé de très près à la création de la Mission de Paris comme son initiateur. En effet, trois mois après la publication de son livre, autour de lui, une équipe de prêtres se constituait d'abord à Combs-la-Ville puis au séminaire de la Mission de France à Lisieux. De là devait naître, avec l'approbation du cardinal Suhard, la Mission de Paris. Le 18 janvier 1944, Godin mourait, asphyxié, en plein sommeil, à trente-huit ans, aussi pauvrement qu'il avait vécu. Or, plus peut-être que son livre, somme de dix ans de réflexion apostolique, compte l'inspiration qu'il donna à cette Mission de Paris (suivant de deux ans la création de la Mission de France). Avec elle, allaient apparaître les premiers « prêtres ouvriers », initiative dont on avait déjà eu l'intuition au début du siècle (comme le montre le Journal de l'abbé Calippe, une autre figure prophétique).

La vision sur laquelle s'appuie la Mission de Paris semble bien exprimée dans quelques lignes, extraites de la présentation des vœux du Nouvel an 1944 au cardinal Suhard par le curé de Sceaux, au nom du clergé de Paris : « Nous savions bien déjà, et le pape Pie xi l'avait énergiquement souligné, que ' le grand scandale du 20ᵉ siècle, c'était l'apostasie des masses ouvrières '... Mais le milieu est si vidé de surnaturel qu'il semble qu'un converti venu de la masse n'y puisse plus vivre, tout comme un musulman est rejeté de son milieu quant il passe au Christ. D'autre part, nos milieux paroissiaux sont trop différents de la masse pour assimiler du premier coup ceux de nos frères qui ont été soulevés par le levain de l'Évangile. Nous avions fondé des espoirs splendides sur l'Action Catholique Ouvrière... ; dans le cadre paroissial (elle) a atteint le plafond : on l'accuserait presque de s'embourgeoiser. Le moment est grave, c'est la perplexité de Pierre avant la vision de Joppé. Alors, Éminence... vous avez couvert... les jeunes audacieux qui s'offrent à tenter quelque chose de neuf : la chrétienté ouvrière » (cité par P. Tiberghien, dans *Témoignages sur l'abbé Godin*, p. 117). Il est clair que l'accent n'est pas mis sur la communion à la *lutte* ouvrière mais sur un christianisme prenant forme dans la *masse* ouvrière. La nuance est importante. Mais il ne s'agit pas non plus de simple action pastorale en milieu ouvrier. Il faut incarner l'Église dans l'« humanité ouvrière ». Le terme même de *Mission* est ici hautement significatif. Dans *La France, pays de mission ?*, Godin renvoie à « la grande idée de Pie xi, celle qui a donné un si magnifique essor aux missions » et qui est : « faites des missions indigènes à tous points de vue, indigènes pour tout ce qui n'est pas un péché » (p. 113). Or cette « indigénisation » a comme condition primordiale l'existence d'un clergé indigène, selon la pédagogie même des Apôtres qui mettaient à la tête des chrétientés, non des ministres « importés d'ailleurs », mais des hommes élus et tirés de la population de la région. Le missionnaire de la masse ouvrière ne peut donc pas lier le christianisme à la « culture bourgeoise ». D'où la loi fondamentale de la mission ouvrière : « donnons l'Évangile tout pur à nos prolétaires païens, il entrera dans leurs âmes, puis, avec le temps, il s'épanouira dans une culture merveilleusement adaptée ; elle ne sera pas semblable à la nôtre, mais ce sera une culture chrétienne » (p. 114). Mais pour « s'indigéner » le missionnaire du monde ouvrier doit lui-même « se faire peuple avec le peuple », sans trop d'espoir de pouvoir se reprendre jamais. « Il est des départs en mission qui ne laissent pas penser au retour » (p. 119).

Est-on aussi loin qu'on le penserait de la vision de Charles de Foucauld et de Simone Weil ? Mais ici la visée est intégralement missionnaire. L'entrée dans la pauvreté que cette mission exige du prêtre ou de tout autre apôtre – et que Henri Godin a réalisée en sa propre vie – a pour but de rendre possible une église en parfaite osmose avec le monde des pauvres, surtout les prolétaires des milieux ouvriers. L'engagement dans les combats pour la justice s'inscrit dans cette osmose et ne trouve que là sa signification « missionnaire ». Il est saisi dans la volonté de « faire naître l'Église ». La pauvreté *à cause du Christ* apparaît ainsi sous un aspect particulier : elle permet à l'Évangile d'être vécu par tous, même par les classes sociales les plus pauvres.

2° *Dorothy Day*. – De l'autre côté de l'Atlantique, à la même époque, Dorothy Day (morte en 1980, à l'âge de 83 ans), fondatrice du *Catholic Worker Movement* (en 1933, avec Peter Maurin), s'engage elle aussi avec passion « pour l'amour des pauvres, des prolétaires, des sans logis » et au nom de sa foi. Elle choisit la pauvreté volontaire. Mais sa perspective est autre. D'une façon non violente mais néanmoins radicale, elle entend lutter pour l'avènement d'une société dans laquelle l'homme peut développer ce qu'il y a en lui de meilleur. La foi ne se confond pas avec « une affaire de sacristie ». Étroitement liée, avant sa conversion en 1927, avec le mouvement socialiste et quelques groupes marxistes, Dorothy Day préfère, dans son combat radical, s'attaquer moins au système capitaliste comme tel qu'à des maux plus existentiels, convaincue que « ceux-ci existent sous tous les régimes ».

Elle s'oppose violemment à la guerre américaine au Vietnam, recommandant la désobéissance à la loi américaine de la « conscription » ; elle défend avec vigueur les droits des noirs ; elle conteste la politique de l'État en matière d'emprisonnement et de détention ; elle s'oppose à Franco et critique l'appui que les catholiques américains lui donnent ; elle soutient les employés des cimetières catholiques dans leur grève et leur conflit avec les responsables ecclésiastiques ; elle milite pour la création de centres hospitaliers ouverts aux plus pauvres ; etc.

Selon la propre expression de Dorothy Day, il faut l'amour *autant que* la justice. Sa préoccupation est franchement humaniste. De plus, elle ne cherche pas par son action à « faire naître l'Église » : son « obéissance au second commandement » se veut gratuite, s'efforçant simplement de faire passer l'amour évangélique là où dominent la misère, le désespoir, la déchéance humaines. Elle accueille en outre toute personne, sans limiter son horizon à une classe sociale, et ses combats entendent chasser de la société les maux qui affectent, aliènent, « paupérisent » des hommes et des femmes de toute condition sociale. Enfin, elle croit qu'il y a encore place pour les institutions de bienfaisance, comme ses hospices ou ses « maisons d'hospitalité », pourvu qu'on s'engage par ailleurs pour que changent « les mœurs sociales qui provoquent les misères que l'on doit ainsi soulager ». Mais quelle société réussira à ce plan un changement radical ?

Certes, le contexte américain conditionne la vision et l'action de Dorothy Day. Il suffit de lire *La longue solitude* pour s'en convaincre. Pourtant, par sa vie qui s'étend presque sur le siècle entier, elle témoigne d'une forme typique de réaction évangélique face au drame de la pauvreté. C'est un peu dans la même ligne que se situera – avec de nombreuses nuances – un Jean Vanier avec l'Arche (fondée en 1964) et que de nombreux chrétiens (religieux, religieuses ou laïcs) œuvrant dans le monde de la santé concevront leur service de l'Évangile. On soulage les maux, on ne refuse pas de consacrer une part principale de son temps au registre de ce que l'on appelle les « relations courtes » de l'amour des pauvres et des souffrants. Mais dans le même moment on milite pour que la société élimine les sources de pauvreté sur lesquelles elle a prise. Et il est clair que ces sources ne se réduisent pas à l'injuste distribution des biens et au fossé séparant les classes sociales. La pauvreté contre laquelle l'Évangile mobilise les chrétiens a des racines très profondes. C'est pourquoi elle atteint d'une façon ou de l'autre toutes les catégories sociales. De plus, l'Évangile interdit de s'y attaquer uniquement dans le but de gagner ainsi des disciples : l'amour de Dieu manifesté en Jésus est pour tous les hommes, pour tous les pauvres, même si l'Église ne doit rien en retirer en retour. C'est d'ailleurs pour celle-ci une des façons de vivre son mystère de pauvreté.

3° *Les communautés de base en Amérique latine*. – Il n'est pas besoin d'exposer les convulsions de ce sous-continent et la violence qui s'y étend. On connaît les positions prises par nombre d'évêques, tels Herder Camara à Recife ou A.B. Fragoso à Crateus, les assassinats de militants chrétiens, de religieux (en particulier jésuites) et de religieuses, celui de l'archevêque de Salvador O.A. Romero † 1980, les sévices contre les théologiens (vg les dominicains du Brésil)... Il est devenu évident qu'il y a un lien nécessaire entre l'annonce de l'Évangile et le changement de structures sociales oppressives qui condamnent une large proportion des populations à une existence misérable.

L'identification avec les pauvres et la communion à leur sort se donnent ici pour but la communion à leur combat pour que triomphe la justice et que les régimes sociaux créateurs de misère disparaissent. La visée est donc différente de celle d'une Dorothy Day qui ne cherchait pas un changement de système, différente aussi de celle d'un Henri Godin qui pensait en termes de mission et voyait dans l'« indigénisation » du clergé ouvrier le moyen de donner « aux prolétaires des faubourgs et de la banlieue » des ministres qui soient vraiment leurs. Le contexte est autre – ne serait-ce que parce que la grande masse à libérer est tout autant celle des *campesinos* que celle des régions industrialisées – et le but l'est aussi. Il faut *libérer*, faire surgir un peuple nouveau. L'Évangile apparaît alors comme le ferment pour la libération de tous les pauvres et une force capable de faire sortir les peuples « d'une captivité souvent plus atroce que celle des pauvres hébreux esclaves du Pharaon ». Et il est clair qu'en Amérique latine la pauvreté matérielle est radicalement inséparable d'un faisceau d'autres pauvretés qu'elle entraîne : pauvreté intellectuelle (jusqu'à l'analphabétisation), pauvreté morale, pauvreté de l'angoisse perpétuelle, pauvreté de l'assassinat qui peut survenir à tout instant, pauvreté de responsabilité politique.

Il est pourtant un point sur lequel le désir de Henri Godin – « faire naître l'Église dans la masse ouvrière » – et la *praxis* des chrétiens latino-américains se rejoignent. L'accent sur la *conscientisation* a amené de nombreux pauvres – là où leur clergé et les religieux ou religieuses qui les guidaient étaient du groupe refusant de voir dans une charité paternaliste la solution du drame de la pauvreté – à se grouper dans des *communautés de base*, cellules d'une Église des pauvres. Ainsi se répand un christianisme authentiquement « populaire » non seulement parce qu'il répond aux besoins des masses les plus pauvres, ni même parce qu'il s'efforce de faire naître l'Église *dans* les classes défavorisées, mais surtout parce qu'il veut que l'Église renaisse de la solidarité des pauvres entre eux. On voit la nuance. Il y a là, sans nul doute, quelque chose de neuf, mais rejoignant par delà des siècles de chrétienté l'expérience de l'Église primitive. Les Béatitudes de Luc retrouvent leur impact, et avec elles l'Évangile « annoncé aux pauvres ». Ces *Communautés de base* – qui ne représentent pas toutes les communautés de base latino-américaines – donnent au mystère de la pauvreté évangélique en notre siècle l'un de ses traits les plus marquants et les plus fondamentaux. Surtout lorsque certains de leurs membres ajoutent à leur conviction l'éclat du martyre. Tout autant que de la puissance de l'Évangile au service de la justice – parce que « Dieu est du côté des pauvres » (J. Dupont) –, elles témoignent de la santé que le service des pauvres apporte à la foi. En effet, alors que la foi et la religion ont pu longtemps apparaître, dans une société où l'Église gardait les institutions et le bon ordre, comme un opium social, de plus en plus l'Évangile devient dans ces groupes une force explosive qui n'est pas sans inquiéter certaines instances civiles et même ecclésiastiques. Il est vrai que l'Église latino-américaine, profondément divisée aussi bien à l'intérieur de la communauté catholique qu'entre membres des diverses confessions, contredit parfois ce témoignage. Il est néanmoins, aujourd'hui, capital pour la vie de l'Église universelle. Car dans tous les pays les chrétiens ont dorénavant compris que le service évangélique des pauvres passe par la justice.

C.O.S., *The Charity Organisation Society, its Objects and Mode of Operation*, Londres, 1875. – M. Trench, *Charles Lowder. A Biography*, Londres, 1882. – H. Jones, *Attitude and Aims of the English Church in Social and Humanitarian Movements*, Londres, 1896. – H.O. Barnett, *Canon Barnett, His Life, Work and Friends*, Londres, 1918. – R. Hobhouse, *Mary Hugues, Her Life for the Dispossessed*, Londres, 1949. – L. Menzies, *Father Wainright*, Londres, 1949. – M.B. Reckitt, éd., *For Christ and the People*, Londres, 1968. – J. Williamson, *Father Joe*, Londres, 1973. – K. Brill, *John Croser, East London Priest*, Londres. – W. Fishman, *The Streets of East London*, Londres, 1979.

*Témoignages sur l'abbé Godin* (préface par G. Desbuquois, présentation Y. Daniel), Paris, 1945. – P. Glorieux, *L'abbé Godin*, Paris, 1946. – A. Dansette, *Destin du catholicisme français*, Paris, 1957. – É. Poulat, *Le Journal d'un prêtre d'après-demain (1902-1903), de l'abbé Calippe*, Paris, 1961 ; *Naissance des prêtres-ouvriers*, 1965 ; *Intégrisme et Catholicisme intégral*, 1969. – J. Cardijn, *Laïcs en première ligne*, Bruxelles, 1963.

J.-F. Six, *Un prêtre, Antoine Chevrier*, Paris, 1965 ; *Cheminements de la Mission de France*, 1967. – R. Talmy, *Le syndicalisme chrétien*, Paris, 1966. – F. Boulard et J. Remy, *Pratique religieuse urbaine et régions culturelles*, Paris, 1968. – Ch. Molette, *L'association catholique de la jeunesse française, 1886-1907*, Paris, 1968. – F. Malley, *Le P. Lebret. L'économie au service des hommes*, Paris, 1968. – P. Droulers, *Politique sociale et christianisme : le P. Desbuquois et l'Action populaire... (1903-1918)*, Paris, 1969. – J. Vinatier, *Le cardinal Liénart et la Mission de France*, Paris, 1978.

Dorothy Day, *La longue solitude*, Paris, 1955. – Jean Vanier, *La communauté lieu de pardon et de fête*, Paris, 1974.

W.V. D'Antonio et F.B. Pike, éd., *Religion, Revolution and Reform : New Forces for Change in Latin America*, New York, 1964. – E. Dussel, *Hipotesis para una historia de la Iglesia en América Latina*, Barcelone, 1967. – Paulo Freire, *La educacion como práctica de la libertad*, Santiago de Chile, 1969. – D. Barbé, *Demain les communautés de base*, Paris, 1970. – Gustavo Gutiérrez, *Théologie de la libération*, trad. franç., Bruxelles, 1974. – F. Francou, *L'Évangile d'abord*, Paris, 1980.

2. L'Enseignement officiel des Églises. – Le fait que la hiérarchie de l'Amérique latine n'ait pas, à Puebla,

condamné la théologie de la *libération*, en dépit de fortes pressions et d'une méthode de travail qui normalement devait y mener, est lourd de signification ; d'autant plus que la présence de l'évêque de Rome à l'inauguration de la Conférence n'a pas été sans effet sur ce jugement serein. Medellin et Puebla représentent une étape clé dans une longue évolution de l'enseignement officiel – au plan universel et au plan local – de l'épiscopat catholique.

1° *Le magistère romain.* – 1) Pie IX, dans *Quanta cura* et le *Syllabus* (1864), avait mis en garde contre le progrès des idées sociales à saveur de socialisme. En mai 1891, Léon XIII publie l'encyclique *Rerum novarum*. Celle-ci, s'éloignant des principes de l'« école d'Angers » opposée à toute intervention de l'État dans les questions sociales, surtout pour la distribution des richesses, se rapproche de ceux de l'« école de Liège » marquée par la pensée de Ketteler et influencée par les réunions de l'*Union catholique d'études sociales* tenues à Fribourg. Elle se montre dure à l'endroit du socialisme, reprend plusieurs thèmes chers aux tenants de la priorité de la bienfaisance sur la justice et, au lieu de s'attarder à une analyse des causes de la pauvreté du monde ouvrier, parle des remèdes moraux sans aller jusqu'à envisager la nécessité de réformes de structure. Néanmoins, elle affirme avec une netteté jusque-là jamais lue sous la plume d'un pape le droit des ouvriers et dénonce avec vigueur les injustices émanant du système économique régnant :

« Les travailleurs isolés et sans défense ont été peu à peu livrés à la merci de maîtres inhumains et à la cupidité d'une concurrence effrénée. Une dévorante usure pratiquée par des hommes avides de gain et d'une cupidité insatiable est venue accroître le mal. Il faut y ajouter le monopole de la production et du commerce, devenu le privilège d'une poignée de riches et d'opulents imposant un joug presque servile » (n. 2). Le jugement porté sur cette situation est incisif : « Il est honteux et inhumain d'user de l'homme comme d'un vil instrument de lucre, de ne l'apprécier qu'en fonction de la vigueur de ses bras » (n. 10). Les associations professionnelles de travailleurs trouvent là, dit l'encyclique, une justification. Si aujourd'hui ce texte paraît moins enthousiasmant qu'on l'a longtemps pensé et peut-être moins positif qu'on l'a cru, il reste qu'il opère une trouée et joue de ce fait un rôle clé. Il conditionne l'attitude de notre siècle face à la pauvreté.

2) Les idées cheminent lentement, surtout lorsqu'elles doivent abattre des murs d'opposition. En 1914, dans l'encyclique *Ad beatissimi*, Benoît XV n'a plus un ton prophétique. Il parle des ouvriers et des pauvres « brûlant de haine et d'envie parce que, participant à une même nature, ils ne partagent pas les mêmes avantages », « attaquant les riches comme si ceux-ci s'étaient emparés du bien d'autrui », alors qu'ils pourraient « par un travail honnête améliorer leur propre condition », agissant « contre la justice et la charité ».

3) En 1931 l'encyclique *Quadragesimo anno* de Pie XI plonge l'enseignement de Léon XIII dans un contexte nouveau qui amène la « doctrine sociale de l'Église » à se dépasser. Reprochant aux chrétiens qui critiquent Léon XIII leur entêtement, Pie XI met en avant la notion de « bien commun » et celle de *justice sociale* qui lui est connexe.

Sans condamner en lui-même le capitalisme (n. 40) dont il rappelle les excès inacceptables, il découvre en un certain socialisme (distinct du communisme) des revendications « parfois très proches de celles que proposent les réformateurs chrétiens » (n. 46), sans pour autant admettre que christianisme et socialisme puissent s'associer (n. 48-50). Il reconnaît qu'à condition de sauvegarder la valeur transcendante « des biens les plus élevés, sans en exclure la liberté » (cf. n. 49), l'amélioration du sort des ouvriers et des plus pauvres se trouve liée à la promotion de la justice sociale. Il ouvre ainsi une porte sur une action de l'Église dans l'ordre économique et social. Sa pensée puise sa vigueur dans l'odieux spectacle d'une pauvreté dont on commence à reconnaître qu'elle a sa cause non seulement dans des hommes mais dans des structures. Il est significatif qu'en 1937, dans *Divini Redemptoris*, le même Pie xi condamnera à la fois le nazisme et le marxisme (« intrinsèquement pervers »), tout en redonnant une excellente synthèse de la notion de *justice sociale* et de ses exigences (n. 51 et 52).

4) Avec l'élection de Jean xxiii (en 1958) et l'ouverture du Concile de Vatican ii (1962) une nouvelle étape est franchie. L'encyclique *Mater et Magistra* (1961) admet le phénomène de socialisation et l'assume (à l'occasion du 70ᵉ anniversaire de *Rerum novarum*). Et dans *Pacem in terris* (1963), adressée « à tous les hommes de bonne volonté », la justice est présentée comme l'un des éléments essentiels à une paix durable. On demande en outre « que les chrétiens ne considèrent pas leurs seuls intérêts et collaborent loyalement en toute matière bonne », portant un jugement serein sur les divers mouvements peut-être issus de fausses théories philosophiques mais « d'accord avec les sains principes de la raison et répondant aux justes aspirations de la personne humaine ». Plus loin, on parle même de « rencontres au plan de réalisations concrètes » (à des fins « utiles au vrai bien de la communauté ») dont l'opportunité et les modalités doivent être pesées et jugées par la prudence « régulatrice de toutes les vertus qui ordonnent la vie individuelle et sociale » (n. 157-160).

On a vu là un « style nouveau de l'Église » (P. Chenu). En effet, d'une part, le problème des pauvres et de la pauvreté se trouve dorénavant lié d'entrée de jeu au problème de la justice. D'autre part – et surtout par ce biais de la situation des pauvres, « premiers clients de l'espérance messianique » – l'Église entre dans la chair de l'effort humain d'organisation du monde pour y faire advenir (en communion *avec* tous les hommes de bonne volonté et *pour* tous les hommes) l'humanité que Dieu lui-même veut.

5) Durant Vatican ii, la constitution *Gaudium et spes* – sans doute optimiste dans sa vision du progrès – consacrera un long chapitre à « la vie économique et sociale » (n. 63-72). Elle insèrera là son jugement sur la pauvreté telle qu'elle existe en notre monde (n. 63), sur le devoir de corriger les inégalités (n. 66), sur le travail et ses conditions (n. 67), sur le droit d'association des travailleurs et les grèves (n. 68), sur la destination universelle des biens (n. 69), sur la redistribution des terres et la réforme agraire (n. 71). On est loin de ce que nous avons appelé l'Évangile gardien des institutions et du bon ordre. Et si le texte ne cesse de rappeler la grande loi évangélique de l'amour et de la réconciliation évangélique, son optique n'est plus celle d'une soumission inconditionnée aux pouvoirs établis.

6) Mais c'est Paul vi (élu évêque de Rome en 1963) qui, dans *Populorum progressio* (1967), *Octogesimo adveniens* (Lettre au cardinal Maurice Roy, 1971), l'exhortation apostolique sur l'évangélisation

(décembre 1975), comme aussi par la création d'organismes tels *Justice et Paix* (1967) ou l'approbation de SODEPAX, donnera à la pensée catholique toute sa netteté en matière de justice, de développement, de lutte contre la pauvreté. En ce domaine, le monde est à un tournant et « la question sociale a acquis une dimension mondiale », remarque *Populorum Progressio* (n. 3) qui n'hésite pas à affirmer : « La propriété privée ne constitue pour personne un droit inconditionnel et absolu ; nul n'est fondé à réserver à son usage exclusif ce qui passe son besoin quand les hommes manquent du nécessaire. En un mot le droit de propriété ne doit jamais s'exercer au détriment de l'utilité commune » (n. 23). L'expropriation, voire en cas extrême l'action révolutionnaire peuvent par là en arriver à être légitimes. De plus, la charité envers le pauvre prend un nouveau visage : « Payer davantage d'impôts pour que les pouvoirs publics intensifient leur effort pour le développement, acheter plus cher les produits importés pour rémunérer le producteur, s'expatrier au besoin... pour aider (la) croissance des jeunes nations » (n. 47).

*Octogesimo adveniens* (quatre-vingts ans après *Rerum novarum*) va plus loin. Les communautés chrétiennes ont à découvrir, en communion « avec tous les hommes de bonne volonté », les options, les engagements à prendre « pour opérer les transformations sociales, politiques et économiques qui s'avèrent nécessaires avec urgence en bien des cas ». L'enseignement social de l'Église peut les y aider, marqué qu'il est par « une volonté désintéressée de service et une attention aux plus pauvres », toujours prêt à « l'innovation hardie et créatrice que requiert la situation présente du monde », refusant de se figer dans « un modèle préfabriqué » (n. 42).

Un paragraphe de l'*exhortation apostolique* du 8 décembre 1975 mettra le point final à cette prise de conscience du lien entre pauvres, justice et Évangile : « L'Église a le devoir d'annoncer la libération de millions d'êtres humains, beaucoup d'entre eux étant ses propres enfants ; le devoir d'aider cette libération à naître, de témoigner pour elle, de faire qu'elle soit totale. Cela n'est pas étranger à l'évangélisation. Entre évangélisation et promotion humaine – développement, libération – il y a en effet des liens profonds. Liens d'ordre anthropologique, parce que l'homme à évangéliser n'est pas un être abstrait, mais qu'il est sujet aux questions sociales et économiques. Liens d'ordre théologique, puisqu'on ne peut pas dissocier le plan de la création du plan de la rédemption qui, lui, atteint les situations très concrètes de l'injustice à combattre et de la justice à restaurer. Liens de cet ordre éminemment évangélique qui est celui de la charité : comment, en effet, proclamer le commandement nouveau sans promouvoir, dans la justice et la paix, la véritable, l'authentique croissance de l'homme ? » (n. 30-31). Ici, le lent dynamisme que nous avons vu cheminer arrive à sa pleine expression. Ce que Jean-Paul ii expliquera des droits humains dans *Redemptor hominis* (1979) n'y ajoutera rien d'essentiel, tout au moins sous l'angle qui nous concerne.

Léon xiii, *Rerum novarum*, 15 mai 1891, ASS, t. 23, 1890/91, p. 641-670. – Benoît xv, *Ad beatissimi*, 1ᵉʳ nov. 1914, ASS, t. 6, 1914, p. 565-581. – Pie xi, *Quadragesimo anno*, 15 mai 1931, AAS, t. 23, 1931, p. 177-228 ; *Divini Redemptoris*, 19 mars 1937, t. 29, 1937, p. 65-106.

Jean XXIII, *Mater et Magistra*, 15 mai 1961, AAS, t. 53, 1961, p. 401-464 ; *Pacem in terris*, 11 avril 1963, t. 55, 1963, p. 257-304. – Vatican II, Const. *Gaudium et spes*, 7 déc. 1965 ; voir les principaux commentaires qui en ont été donnés.

Paul VI, *Populorum progressio*, 26 mars 1967, AAS, t. 59, 1967, p. 257-299 ; Lettre *Octogesimo adveniens* au cardinal Roy, 14 mai 1971, t. 63, 1971, p. 401-441 ; Exhortation sur l'évangélisation, 8 déc. 1975, t. 68, 1976, p. 5-76. – Jean-Paul II, *Redemptor hominis*, 4 mars 1979, AAS, t. 71, 1979, p. 257-324.

Voir aussi, A.F. Utz, *La Doctrine sociale de l'Église à travers les siècles*, 4 vol., Bâle-Rome-Paris, 1970 (textes principaux et trad. franç.). – G. Antonazzi, *L'Enciclica Rerum novarum, testo autentico e redazioni preparatorie dai documenti originali*, Rome, 1957. – G. Jarlot, *Pie XI, doctrine et action sociale*, Rome, 1973. – R.P. Burke, *The Social Teaching of Pius XII*, Boston, 1965.

J.-Y. Calvez, *Église et société économique*, Paris, 1963. – O. de la Brosse, *Vers une Église en état de mission*, Paris, 1965. – P. Arrupe, *Promouvoir la justice*, Supplément à *Vie chrétienne*, n. 200, juin 1977. – M.-D. Chenu, *La « doctrine sociale » de l'Église comme idéologie*, Paris, 1979. – G. Fessard, *Église de France, prends garde de perdre ta foi*, Paris, 1979.

2° *Le Conseil œcuménique des Églises*, de son côté, formellement constitué à Amsterdam en 1948, ne s'est jamais coupé des préoccupations du mouvement *Life and Work*, qui avec *Foi et Constitution* lui a donné naissance. A Stockholm (1925) et à Oxford (1937), *Life and Work* s'était efforcé de promouvoir l'influence du christianisme dans les questions sociales et économiques. L'ordre du jour de la Conférence de Stockholm incluait une discussion sur le rôle de l'Église dans les problèmes économiques et industriels ; la conférence d'Oxford se proposait d'étudier le lien entre Église et communauté humaine.

A Uppsala (1968), la 4ᵉ Assemblée du Conseil œcuménique évoquait le complexe problème de l'*humanum*, l'humanité telle que Dieu la veut, prolongeant ainsi ce que l'Assemblée d'Evanston (section IV) avait dit en 1954 du droit des peuples à l'auto-détermination. A Nairobi (1975), la 5ᵉ Assemblée (section VI) abordait de front nos questions en les situant dans le contexte « des besoins des deux tiers de l'humanité, de la faim et des problèmes écologiques qui concernent la génération présente et celles à venir, du mauvais usage du pouvoir et des luttes des démunis, de la mise en cause de la croissance des sociétés développées ». Elle demandait aux Églises non seulement de cesser d'être alliées des riches et les bénéficiaires implicites de ce qui corrompt l'humanité (n. 50), mais de s'engager activement pour l'avènement d'une humanité nouvelle (n. 37-38, 50, 56-60). Elle avait sans cesse soin de faire de la situation des pauvres un point d'appui de ses développements :

« Les conséquences de la justice se voient d'abord chez les pauvres, les humiliés, les exploités, les opprimés » (n. 5). « L'Évangile a été donné aux pauvres, aux sans pouvoir, aux opprimés, aux captifs, aux malades ; dans la personne de Jésus, Yahweh s'est mis décidément à la place du pauvre » (n. 37). Aussi, « la participation de la communauté chrétienne à la lutte contre la pauvreté et l'oppression est-elle un signe de sa réponse à l'appel de Jésus Christ pour la libération » (n. 50).

Quant à la commission *Foi et Constitution*, qui date de 1927, elle s'est vue amenée, malgré son but d'abord doctrinal, à consacrer une partie de ses recherches aux questions de la pauvreté et de la justice. A Bangalore (1978), elle a approuvé à l'unanimité une importante déclaration sur l'espérance montrant comment la foi au Christ s'inscrit dans les drames et les souffrances des hommes actuels, et dénonçant le fossé grandissant qui sépare pauvres et riches (en tant qu'individus ou nations), la faim et toutes les atteintes à la dignité humaine. En mai 1980, à Melbourne, la *Conference on World Mission and Evangelism* a été dominée par le thème de la « priorité aux pauvres » et par la prise de conscience des dimensions nouvelles de la pauvreté : « La plupart des personnes assassinées en Amérique latine sont des pauvres... dépendant de leur travail quotidien au point de ne rien pouvoir acheter pour le lendemain » (intervention de Julia Esquivel) ; on évoqua aussi la privation des droits politiques (R. Fung) et les richesses des jeunes nations « dévorées » par les nations riches (section IV).

C.K.A. Bell, *The Stockholm Conference 1925 ; the Official Report...*, Londres, 1926. – *The Report of the Oxford Conference 12-26 July 1937 on Church, Community and State* : t. 1 *The Church and its Function in Society*, par W.A. Visser't Hooft et J.H. Oldham ; t. 2 *The Christian Understanding of Man*, par T. E. Jessop, etc. ; t. 3 *The Kingdom of God and History*, par C.H. Dodd, etc. ; t. 4 *The Christian Faith and the Common Life*, par N. Ehrenström, etc. ; t. 5 *Church and Community*, par E.E. Aubrey, etc. ; t. 6 *Church, Community and State in relation to Education*, par F. Clarke, etc. ; t. 7 *The Universal Church and the World of Nations*, par Marquess of Lothian, etc. ; t. 8 *The Churches Survey their Task*, par J.H. Oldham, etc. (8 vol., Londres, 1937-1938).

L. Vischer, *A Documentary History of the Faith and Order Movement 1927-1963*, Genève, 1963 ; *Foi et Constitution*, Neuchâtel, 1968. – *Rapport officiel de la 4ᵉ Assemblée du Conseil œcuménique des Églises, Upsal 4-20 juillet 1968*, éd. N. Goodall, Genève, 1969.

*5ᵉ Assemblée du Conseil œcuménique...* (Djakarta, 1975) : *Jésus Christ libère et unit*, Genève, 1975 = préparation de l'Assemblée de Nairobi ; voir les travaux des sections III-VI. – *Briser les barrières : Rapport officiel de la 5ᵉ Assemblée... Nairobi 20 nov.-10 déc. 1975*, Paris, 1976. – *Sharing in One Hope, Commission on Faith and Order, Bangalore 1978*, coll. Faith and Order Papers 92, Genève, 1978.

3° *L'œcuménisme local*. – Il est bon de remarquer que, le plus souvent, au niveau local, ce sont les problèmes des pauvres qui incitent les responsables d'Église à s'exprimer et à agir en commun ; ils rendent ainsi témoignage de la préoccupation évangélique de la justice et de la solidarité chrétienne avec les drames humains.

Nous n'en donnerons que deux exemples : la lettre des Églises canadiennes sur la situation des Indiens du Nord-Canada, et le message commun du Conseil permanent de l'épiscopat français, du Comité des évêques orthodoxes de France et du Conseil de la Fédération protestante à l'occasion de la deuxième décennie du développement (25 octobre 1970). Ce dernier document demande que « les rapports de domination des pays industrialisés sur ceux du Tiers Monde, aussi bien que les structures des uns et des autres » soient remis en question ; il suggère aussi des mesures concrètes : aide publique, prêts financiers, ouverture des marchés, renonciation à la course aux armements, juste condition faite aux travailleurs immigrés, accès du Tiers Monde aux connaissances, etc. (texte dans R. Solé, *Les chrétiens en France*, Paris, 1972).

L'inquiétude devant la pauvreté croissante d'une large part de l'humanité habite aujourd'hui la conscience de nombreux chrétiens. On pourrait multiplier les enquêtes, accumuler les éléments qui font la misère et l'aliénation de l'homme. Mais une conclusion s'impose : les Églises chrétiennes du 20<sup>e</sup> siècle sont marquées par une saisie profonde du lien existant entre l'amour et le service du pauvre au nom de l'Évangile, d'une part, et de la justice, de l'autre ; elles trouvent là une inspiration déterminante de leur parole et de leur action. On peut même dire que les notions de mission, d'apostolat, capitales pour toute Église, sont relues à cette lumière (ainsi en 1975 la 32<sup>e</sup> Congrégation générale de la Compagnie de Jésus, décret 4 « Notre mission aujourd'hui : service de la foi et promotion de la justice ») ; elles y acquièrent une nouvelle dimension, celle de la responsabilité de l'Église envers l'avènement d'une société humaine dans laquelle, dès cette terre, le Dessein du Père s'accomplit : une multitude de fils se reconnaissent frères, en attente du Jour où le Seigneur Jésus « remettra la Royauté à Dieu le Père, afin que Dieu soit tout en tous » (1 *Cor.* 15, 24-28), après avoir détruit (avec l'aide des chrétiens) les Puissances démoniaques qui ne cessent de faire obstacle à l'œuvre de Dieu.

Ceci explique pourquoi le seul groupe d'Églises n'évoluant pas à l'unisson de ce que nous avons décrit est celui des Églises, orthodoxes surtout, vivant au-delà du Rideau de Fer : elles sont elles-mêmes des Églises de pauvres et portent le signe du martyre. Des chrétiens qui s'étaient consacrés à la lutte contre la pauvreté et à la victoire de la justice (tels Paul Florensky ou Alexandre Yelchaninov en Russie) comprirent, devant l'expérience de certains régimes politiques, que leur lutte devait se mener sur un autre front, celui de la liberté : la liberté n'est-elle pas l'un de ces biens fondamentaux sans lesquels l'homme devient le plus pauvre des êtres ?

3. L'AMBIGUÏTÉ DES SITUATIONS. – L'observation de la société humaine mondiale à la lumière de l'Évangile amène à deux conclusions qui ne doivent jamais être séparées : 1) l'inégalité et l'injustice conduisent une large fraction de l'humanité à un état de pauvreté humainement inacceptable. – 2) Les nations riches, les « sociétés de consommation », les classes les plus favorisées se donnent pour idéal un type de richesse tout aussi inacceptable. Ce n'est donc pas vers ce type de richesse qu'il faut songer conduire les pauvres. La position des Églises sera certainement dans l'avenir marquée par la rencontre de ces constatations.

1° Il n'est plus nécessaire d'insister longuement sur la première des conclusions. Quelques points doivent, toutefois, être soulignés. De plus en plus, c'est en fonction de la vie collective, à l'échelle de l'espèce humaine comme telle, que se pose le problème de l'inégalité des ressources, qui fait qu'à peu près le quart des hommes vit dans la « pauvreté absolue ». Le retard technique n'explique pas adéquatement le sous-développement. Celui-ci provient en bonne partie de ce que le « développement » de l'Occident (et du Japon) s'est accompli grâce à une destruction des autres pays. L'aumône ne suffit pas, même au plan international d'une redistribution des richesses. On parle d'un « Nouvel Ordre Économique International » permettant une gestion collective, donc d'une redistribution du pouvoir qui rende à tout le moins

difficile le maintien de la loi de la jungle qui gouverne nos sociétés, selon laquelle « la raison du plus fort est toujours la meilleure ». Le problème s'universalise. L'humanité doit s'atteler à une réorganisation de ce qui lui permet de vivre, se donner la législation internationale suffisante pour que la « pauvreté absolue » soit vaincue. Ce qui s'est réalisé, par exemple, au plan international, pour la Santé peut servir de modèle.

Or les Églises ont ici un rôle à jouer. Il est à prévoir que la prochaine étape dans l'évolution de leur doctrine sociale se fera en ce domaine. Ajoutons que leur ouverture croissante aux grands problèmes internationaux a été provoquée par l'attention aux pauvres. Lorsque les textes officiels – tant dans l'Église catholique qu'au Conseil œcuménique – parlent de participation à la construction d'une société nouvelle, à l'échelle nationale ou internationale, leur préoccupation n'est pas l'accomplissement du rêve prométhéen de l'homme enfin maître de son destin. Elle se ramène toujours, du moins en son inspiration fondamentale, à la volonté d'aider l'humanité à arracher de chez elle les racines de la pauvreté. Ceci, semble-t-il, caractérise l'engagement de l'Église « dans le monde ».

Autre aspect bien étudié par les spécialistes, il est nécessaire de permettre aux nations pauvres de vaincre leur situation par leurs propres moyens. On ne peut continuer de les laisser se considérer comme des assistés. Ceci pousse des Églises à renouer avec une des strates fondamentales de la vision de l'homme « image de Dieu ». Dans cette perspective, l'accent est maintenant mis sur les valeurs éducatives ; ainsi le rapport du Club de Rome *On ne finit pas d'apprendre* (Paris, 1980). Il importe de « développer » non seulement les ressources matérielles de la planète, mais les ressources encore inexploitées de l'intelligence humaine et des énergies morales. Il existe en tout homme et tout groupe humain des possibilités de compréhension, de créativité, d'imagination à mettre en œuvre. Sans ce « développement » qui appartient au registre de la culture (éducation, instruction, apprentissage, ajoutons « conscientisation »), comment les peuples pauvres et les couches pauvres des populations pourraient-ils prendre en main le changement et non plus le subir ? Sans lui, ils se verraient contraints d'adopter des modèles de développement imposés par l'extérieur, alors qu'il n'est d'avenir « à la mesure de l'homme » que si, tablant sur la diversité et la complémentarité des cultures, on préfère à ce schéma l'invention des formes de vie homogènes au génie des peuples. Au moment où beaucoup de jeunes nations redécouvrent avec ferveur leur héritage culturel, il est nécessaire d'en faire un ferment d'authentique progrès.

Ici, de nouveau, les traditions ecclésiales qui, dans le passé, furent attentives à la dimension culturelle de la vie humaine, et même (ne serait-ce que par la fondation de communautés religieuses destinées à enseigner aux plus pauvres) eurent parfois l'intuition du lien étroit unissant instruction et lutte contre la misère, ne peuvent pas ne pas se sentir appelées à une relecture de leur rôle.

2° La réévaluation positive des cultures et la découverte que les problèmes du développement ont une base très large sont inséparables d'un jugement critique porté sur l'état des peuples riches. Dans un livre prophétique, dont on n'a pas encore mesuré toute la valeur, *La pauvreté richesse des peuples* (Paris, 1978), Albert Tévoédjré, spécialiste des problèmes du développement, africain bien au courant de la culture occidentale, tout en proposant de nouvelles orientations pour un projet de société, dénonce la culture de l'opulence. Celle-ci, qui asphyxie l'Occident, risque de devenir l'idéal des « notables autochtones » et, à travers leur influence, d'intoxiquer les pays en voie de développement. La quête du superflu, le désir du « toujours plus » ne sauraient représenter les buts mobilisateurs de qui prétend « libérer les pauvres ». Il faut, selon une expression venue, semble-t-il, de François Perroux, « déshonorer l'argent », c'est-à-dire lui retirer sa place d'idole, cesser d'établir les hiérarchies sociales en fonction de lui. La « société de consommation », société de gaspillage et de suicide, est mauvaise en ce sens. Dans un tout autre style, Erich Fromm † 1980 démontrait dans *Avoir ou Être* (Paris, 1978 ; original anglais en 1976) que la survie de l'humanité dépend du choix qu'elle fera entre deux modes d'existence, l'un dominé par la passion d'acquérir, de posséder toujours plus en accroissant son agressivité, l'autre fondé sur l'accomplissement spirituel, la joie du partage, la communion dans les grandes valeurs humaines. Or « pour la première fois dans l'histoire, la survie physique de la race humaine dépend d'un changement radical du cœur humain » (p. 26).

Le Club de Rome dans son rapport *Halte à la croissance* (1972) a lancé un autre cri d'alarme. Ne sommes-nous pas en train d'épuiser (en les gaspillant) les ressources de la terre, nécessairement limitées, au détriment des générations futures mais aussi des régions encore sous-développées ? L'écologie et les questions d'environnement doivent devenir des préoccupations majeures, avec leur impact politique.

Le mythe de la « société de consommation » apparaît de plus en plus sous le jour d'un mythe destructeur. En outre, à un autre plan, on sait que l'accès à un niveau de vie opulent amène l'impossibilité de consentir à déprimer volontairement celui-ci pour secourir les misères pressantes : « Communistes ou capitalistes, progressistes ou ennemis du mouvement, nous en sommes tous au même point ; lorsque nous avons atteint un degré dans l'échelle des niveaux de vie, nous n'acceptons pas de descendre et nous oublions avec désinvolture celui qui souffre près ou loin de nous » (F. Perroux, *La pauvreté...*, p. 485). D'ailleurs, ce qu'alors on partagerait serait plus une restitution qu'un don généreux : souvent sans qu'on le sache ou qu'on y consente, les biens matériels dont jouissent les sociétés occidentales et les classes sociales favorisées viennent par des canaux dont plusieurs sont solidaires d'injustices, de frustrations des plus pauvres, d'exploitations éhontées, voire d'homicides involontaires. Notre richesse est meurtrière. On ne saurait d'aucune façon y conduire les pauvres. Ce serait les aliéner.

Même à l'intérieur d'elles-mêmes, les sociétés de consommation suscitent des maux qui y détruisent les possibilités de bonheur. L'idolâtrie de la richesse débouche sur une forme typique d'asservissement : tout devient matière à profit, la saturation des biens essentiels laisse libre jeu au foisonnement de désirs superficiels ou vils. Plus gravement encore, dans nos sociétés développées, là où le minimum biologique est dépassé, surgit ce qu'on appelle la pauvreté relative. A ce niveau, la pauvreté (durement ressentie pourtant) n'est plus l'incapacité de satisfaire aux besoins requis à une vie humaine décente, mais l'incapacité de se hausser jusqu'à la façon de vivre imposée par le milieu. Cette pauvreté est surtout dure à accepter là où une classe de la population sait ce que sont ses sueurs qui permettent à l'autre classe de savourer ses plaisirs, même si les besoins fondamentaux sont partout assurés.

La critique du monde de la richesse rejoint la mise en garde de l'Évangile au sujet du dieu Mammon, idole qui, lorsqu'elle s'empare du cœur de l'homme, divise la vie, rend insensible à la détresse des pauvres, conduit à l'égoïsme et à l'exploitation des

plus faibles. La pauvreté spirituelle, la pauvreté matérielle dans ce que nous appelions sa dimension mystique (en parlant de Charles de Foucauld) ne sont pas étrangères à l'édification d'un monde de justice, ne serait-ce que comme témoins prophétiques de l'authentique échelle des valeurs. Sans pauvreté spirituelle, aucune vraie nouveauté ne peut naître.

Fr. Perroux, *La pauvreté et la Parole*, dans *La pauvreté*, 40ᵉ Journées universitaires (*Cahiers Universitaires catholiques*, n. 9-10, 1963, p. 481-495). – E. Smolensky, *The Concept of Poverty*, Washington, 1965. – M. Harrington, *The Other America, Poverty in the United States*, Baltimore, 1971. – G. Myrdal, *Le défi du monde pauvre*, Paris, 1971.
J. Tinbergen, *Politique économique et optimum social*, Paris, 1972. – *Halte à la croissance ? Rapports sur les limites de la croissance du Massachusetts Institute of Technology*, Paris, 1972. – A. Bieler, *Le développement fou*, Genève, 1973. – S. Amin, *Le développement inégal*, Paris, 1973. – E.F. Schumacher, *Small is beautiful*, Londres, 1973. – R. Gendarme, *La pauvreté des nations*, Paris, 1973.
M.-L. Stoléru, *Vaincre la pauvreté dans les pays riches*, Paris, 1974. – L. Laot, *La croissance économique en question*, Paris, 1974. – *Le Club de Rome répond*, Paris, 1974. – *Stratégie pour demain, 2ᵉ Rapport du Club de Rome*, Paris, 1975. – G.F. Ert et V. Kallab, éd., *Beyond Dependency ; the Developing World speaks out*, Washington, 1975.
I. Jazairy, *Le concept de solidarité internationale pour le développement*, Genève, 1977. – C. Kendes, *Le mythe du développement*, Paris, 1977. – V. Cosmao, *Développement et foi*, Paris, 1972 ; *Nouvel ordre mondial : les chrétiens provoqués par le développement*, 1978 ; *Changer le monde, une tâche pour l'Église*, 1979. – *La dignité des sans-dignité*, dans *Concilium*, n. 150, 1979.

## D. La tendresse de Dieu

Pendant que l'enseignement hiérarchique, en harmonie avec l'engagement de nombreux chrétiens, laïcs et clercs, évoluait vers une affirmation de plus en plus explicite de la nécessité de combattre la pauvreté primordialement au plan des « relations longues » (celles qui changent les structures sociales), l'Église continuait de porter une attention particulière aux « relations courtes » de l'aide aux pauvres. Très souvent, il s'agissait de groupes déjà anciens – en particulier de communautés religieuses – surgis dans ce but à l'époque où l'Église ne concevait pas autrement son « action sociale ». Tout en l'adaptant au présent, ils demeurent fidèles à leur charisme. C'est le cas des diaconesses anglicanes, de congrégations catholiques telles que les Petites Sœurs de l'Assomption, de groupements du type Petits Frères des Pauvres, d'institutions telles que le Secours catholique, etc. Notre siècle a vu cependant naître des initiatives remarquables en ce domaine. En rappeler l'intention et le sens nous paraît essentiel pour une présentation équilibrée de la relation entre Évangile et pauvreté.

A Lambaréné, par exemple, dans l'Afrique équatoriale française d'alors, *Albert Schweitzer* † 1965, musicien, médecin, l'un des grands noms de l'exégèse en notre siècle, soigne les lépreux. En 1913 il a abandonné sa carrière de professeur et d'écrivain, pressé par un « appel évangélique ». La mobilisation le fait revenir à Strasbourg où, par la suite, il reprend son enseignement. Mais en 1924 il repart définitivement. Il est évident que cet appel à aller aux pauvres, dans un service purement caritatif, s'enracine en ce cas dans une foi bien éclairée, au courant des accents du nouveau Testament et bien au fait des implications exactes de l'enseignement biblique. Impossible de ramener cette décision à « une lecture myope de l'Évangile ». Il s'agit d'une volonté de communier concrètement à l'attitude de Jésus envers les pauvres, les affligés, les malades, comme témoin de la tendresse de Dieu. Et cela de façon totalement désintéressée, sans virer à l'apologétique défensive et sans utiliser cet apostolat comme moyen de conquête. On veut simplement perpétuer la présence de l'amour de Dieu pour les pauvres, signe de l'entrée de Dieu dans le drame humain, en Jésus Christ. L'œuvre de Schweitzer ne sera pas sans répercussion sur l'opinion mondiale et les politiques de la santé, par l'effet d'un rayonnement de la charité.

A Paris, à la fin de la deuxième guerre mondiale, la détresse des sans-logis est immense. Un prêtre, l'abbé Pierre, député dans la IVᵉ République, décide en 1949 de se mettre du côté de ceux que la société rejette dans les bidonvilles ou qui souvent doivent dormir dans la rue. Propriétaire d'une grande maison, il y accueille bientôt des déshérités de la vie. Ils deviendront les Compagnons d'Emmaüs. Ensemble ils achètent des terrains pour y bâtir des baraques avec l'argent qu'ils trouvent en se faisant chiffonniers : grâce aux papiers, aux ferrailles, aux meubles récupérés sur les détritus, se construisent de petites cités. L'abbé Pierre décrit son action caritative comme « le contraire de la bienfaisance » (*Bernard Chevallier interroge...*).

« Au lieu de dire à celui qui a voulu se suicider : tu es malheureux, je vais te donner un logement, du travail, de l'argent, il lui confie : je suis si las et ne peux répondre à tant d'appels. Mais toi, puisque tu veux mourir, tu n'as rien qui t'embarrasse. Alors est-ce que toi, tu ne voudrais pas me donner ton aide pour aider les autres ? » (p. 160-161). L'immense solidarité des pauvres recèle cette extraordinaire richesse : donner avant tout à chacun la possibilité de devenir par tout ce qu'il est (alors qu'il n'a rien) un créateur de vie, lui offrir comme cadeau la grâce de se savoir source de bonheur. Le *Manifeste universel du Mouvement Emmaüs* s'appuie tout entier sur « la conviction que c'est *en devenant sauveur des autres* que l'on se sauve soi-même ». Il se donne comme loi « servir premier le plus souffrant » avec la certitude que « le respect de cette loi doit animer toute recherche de justice et donc de paix entre les hommes ». Ceci s'actualise d'abord dans une « action d'urgence au secours des plus souffrants » mais aussi dans un partage « de leurs peines et de leurs luttes – privées et civiques – jusqu'à la destruction des causes de chaque misère » (p. 279-280). Le rayonnement de cette « solidarité des pauvres », avec son influence jusqu'au niveau de décisions politiques, témoigne de la valeur sociale de l'action centrée sur la tendresse de Dieu.

Lorsqu'en 1949 *George Pire*, dominicain, fonde l'*Aide aux Personnes déplacées* et lance ainsi un large mouvement d'*Europe du cœur*, l'allusion à l'Évangile de la « tendresse de Dieu » est explicite. Il y ajoute toutefois une référence au péché de l'homme : péché de la guerre qui sème malheur et larmes, péché tout aussi inexplicable de l'abandon dans lequel à l'époque l'Europe laisse les dernières victimes de la guerre. Car la foule des Personnes déplacées (enfants, femmes, vieillards), rassemblée dans des camps ou des casernes, apparaît à la fois comme un « résidu » d'humanité et comme un signe à « la frontière de l'égoïsme occidental ». Les problèmes moraux qui parfois surgissent au sein de cette misère et de ce désespoir montrent l'ultime fruit de ce refus d'amour et d'attention, « faute commise par d'autres envers ces gens, faute d'abandon ».

L'initiative du Père Pire, puis la vaste vague de solidarité qu'il suscite en construisant des villages pour y réimplanter des familles et y faire fleurir des vies humaines dignes, se veut réparation, expiation du péché des hommes heureux et libres. Le spectacle des pauvres renvoie l'homme à son propre péché mais en faisant monter en lui une possibilité de salut. L'économie et la politique ne suffisent pas. Il faut aussi l'amitié et le don. Faire naître l'amour, étrange privilège des pauvres ! Certes, il faut aussi la justice et l'effort des responsables politiques, « mais il est une chose que ces efforts ne pourront jamais donner, c'est la maison, la liberté, l'amitié. Cette amitié, le parrainage l'apporte ; et la maison, les villages la donnent. Et tous deux aident les Réfugiés à conquérir eux-mêmes, à retrouver au fond d'eux-mêmes leur propre liberté » (F. Weyergans, *Le Père Pire*, p. 211). Une certaine « assistance » devient ainsi le lieu d'un échange de générosités.

L'entreprise de *Mère Teresa* (née en 1910 dans la Macédoine) ne s'appuie sans doute pas sur une vision théologique aussi articulée que celle d'Albert Schweitzer et Georges Pire. Quand en 1946 (sœur de Loreto, professeur dans un collège pour haute bourgeoisie) elle entend « l'ordre de tout laisser et de suivre le Christ dans les *slums* pour le servir parmi les plus pauvres » (cité dans R. Serrou, *Mère Teresa*, p. 38) et en 1948 quitte une congrégation qu'elle aime parce qu'elle a perçu « une vocation dans la vocation », elle n'est poussée que par une irrésistible compassion. Ses crèches et ses mouroirs, son aide aux affamés et aux lépreux, veulent incarner l'amour de Dieu : « Gandhi a dit quelque chose de très beau : *Celui qui sert le pauvre sert Dieu*. Les gens n'ont aucun besoin de notre pitié ; ils ont besoin de notre compassion et de notre amour » (p. 75).

Dans son discours de remerciement pour le prix Nobel elle avoue : « Par ce prix, et à travers notre présence ici, nous voulons tous annoncer la bonne nouvelle aux pauvres : que Dieu les aime, que nous les aimons, qu'ils sont quelqu'un pour nous, que, eux aussi, ont été créés par la même main amoureuse de Dieu pour aimer et être aimés... Un amour, pour être vrai, doit faire mal... Et voici ce que je vous propose, nous aimer les uns les autres, jusqu'à en avoir mal... Et c'est cela que je vous souhaite : aimer les pauvres. Et ne jamais tourner le dos aux pauvres. Car, en tournant le dos aux pauvres, vous vous détournez du Christ. Parce qu'il s'est fait lui-même l'affamé, le misérable, le sans-logis, afin que vous, comme moi, ayez l'occasion de l'aimer » (p. 110-113). Et de même qu'il y a « une vocation dans la vocation », il y a « des pauvres parmi les pauvres », ceux « qui sont indésirables et privés d'amour » (*Constitution de l'association internationale des Coopérateurs de Mère Teresa, affiliée aux Missionnaires de la Charité, ibidem*, p. 122). « Aujourd'hui, c'est le même Christ, le même Jésus, qui se manifeste dans nos pauvres qui sont indésirables, inutiles à la société ; personne n'a de temps pour eux. Et c'est vous et moi, si notre amour est vrai, qui devons les découvrir... J'insiste pour que les gens se joignent à nos travaux, dans notre intérêt et dans le leur. Jamais je ne leur demande d'argent, ni rien de ce genre. Je leur demande simplement d'apporter leur amour, de prêter leurs mains pour servir ». Car « l'argent peut être acquis. Mais ils ont besoin de vos mains pour les servir et de vos cœurs pour les aimer » (p. 99-100).

Le service des pauvres compris comme expression de la tendresse de Dieu constitue donc, au 20ᵉ siècle comme toujours, une des assises de la vie ecclésiale.

Mais il est remarquable que l'opinion publique se montre unanime dans son appréciation de ce témoignage rendu à l'Évangile. Ici, en effet, plus directement et sans explication, la « société » est mise devant l'évidence : les pauvres lui révèlent le mal qui couve en elle. Mais l'engagement des chrétiens ne s'explique pas, dans ce cas, par le désir de « rendre témoignage ». Il n'a de source et de raison d'être que la communion aux paroles, aux gestes, aux démarches de bienveillance du Christ Jésus, qui est passé « en faisant le bien ». Or pour les traditions évangéliques les bénéficiaires de cette bonté ne sont autres que les pauvres, les petits, les sans-défense, les méprisés. Par là, Jésus révélait le Père et donnait à sa parole un contenu réaliste. La petite phrase de la tradition johannique « Dieu est Amour » aurait-elle le même sens, aujourd'hui encore, si les guérisons, les actes de tendresse de Jésus envers les affligés n'en faisaient pas l'exégèse ?

*Telle fut sa mission : Étienne Pernet, la genèse de son œuvre*, Paris, 1963.

*L'Évangile de la Miséricorde. Hommage au Dr. Schweitzer*, présenté par A. Goettmann, Paris, 1965. – *Rayonnement d'A. Schweitzer*, éd. par R. Minder, Colmar, 1975.

Abbé Pierre, *Vers l'homme*, Paris, 1956 ; *L'Abbé Pierre parle aux canadiens*, Montréal, 1959 ; *Le scandale de la faim interpelle l'Église*, Paris, 1968. – *Bernard Chevallier interroge l'Abbé Pierre : « Emmaüs ou venger l'homme »*, Paris, 1979. – H. Le Boursicaud, *Compagnons d'Emmaüs*, Paris, 1979. – L. Coutaz, *Avec les chiffonniers d'Emmaüs...*, dans *Faims et soifs des hommes*, Paris, 1979.

Fr. Weyergans, *Le P. Pire et l'Europe du cœur*, Paris, 1958.

Malcolm Muggeridge, *Something Beautiful for God*, Londres, 1971 (trad. franç., Paris, 1973). – G. Gorrée et J. Barbier, *Amour sans frontière, Mère Teresa de Calcutta*, Paris, 1972. – Mère Teresa, *A Gift for God*, Londres, 1975 (trad. franç., Paris, 1975). – Éd. Le Joly, *We do it for Jesus*, Londres, 1977 (= *Mère Teresa et les Missionnaires de la charité*, Paris, 1979). – R. Serrou, *Mère Teresa*, Paris, 1980.

J.-M.-R. Tillard, *Appel du Christ, appels du monde*, Paris, 1978.

CONCLUSION. – L'Église du 20ᵉ siècle adopte, face à la réalité et au « mystère » de la pauvreté, l'ensemble des attitudes qui courent tout au long de la Tradition vivante. Face à chacun des grands courants que nous avons décrits, il aurait été possible de dresser une liste de Pères de l'Église, de mystiques du passé, d'apôtres du monde des pauvres, même en ce qui concerne l'engagement pour la justice (compte tenu des contextes sociaux). En elle, ces courants se recoupent, se fécondent mutuellement, au point qu'il devient impossible de les isoler. Il est en effet remarquable que l'action purement « caritative » d'un Albert Schweitzer ou d'une Mère Teresa interpellent (sans qu'on l'ait cherché) la conscience politique de certains responsables et que des groupes fondés au siècle dernier dans le but d'aider les pauvres sentent (comme les Petites Sœurs de l'Assomption) qu'il leur devient impossible de vivre aujourd'hui cette vocation sans un certain recours à une analyse sociopolitique des situations qu'ils entendent corriger.

Néanmoins, dans ce tissu, deux fibres, à première vue difficilement conciliables et néanmoins toutes deux authentiquement évangéliques, constituent la trame sur laquelle le reste s'inscrit. Un regard global sur le siècle, situant les développements des dernières années sur un horizon plus large, oblige à reconnaître, si surprenant que cela puisse paraître, que la dimension mystique représente la plus importante des deux. Employant une autre image, celle qu'utilisait Dietrich Bonhoeffer, nous dirions qu'elle donne le *cantus firmus* avec lequel tout le reste compose. La contemplation du mystère de « Dieu fait pauvre », appelle la communion ardente aux formes que prend en Jésus l'amour des petits et des faibles et donne à l'attitude de l'Église non seulement ses traits propres mais son dynamisme jusque dans l'engagement pour la justice. C'est pourquoi, puisque les signes premiers de l'Évangile sont que « les aveugles voient, les boiteux marchent, les lépreux guérissent, les sourds entendent » (*Luc* 7, 22), ils demeurent inséparables de toute *évangélisation* (au beau sens que Paul VI a donné à ce mot). Si Charles de Foucauld reste, indubitablement, le témoin majeur de cette ligne mystique, elle perce pourtant partout : chez un Henri Godin, une Mère Teresa, une Madeleine Delbrêl et quantité d'apôtres anonymes, de missionnaires religieux ou laïcs partant dans des terres en voie de développement, de chrétiens d'Amérique latine risquant leur vie pour que « l'Évangile triomphe ». Beaucoup de jeunes, un peu las de certaines emphases sur l'action, y enracinent leur vocation évangélique. Si plus haut nous notions que la volonté de « vivre en pauvre » semblait, sous nos yeux, moins vive qu'il y a vingt ans, il faut cependant ajouter que cela ne met pas en cause le désir d' « entrer dans la communion à l'amour du Christ pour les déshérités ».

L'autre fibre essentielle de la pauvreté évangélique en notre siècle est, évidemment, l'entrée dans le vif de la quête de justice. Elle représente l'aspect le plus typique de la vie de l'Église depuis 1848. Tributaire des mouvements qui ont bouleversé nos sociétés occidentales, des prises de conscience des peuples sous-développés, des soubresauts politiques, mais aussi toujours portée par la conviction que « Dieu est du côté des pauvres », l'Église a relu sa mission sous une nouvelle lumière. Elle s'est mise – jusque dans les déclarations de sa hiérarchie – « du côté des pauvres » en se mettant « du côté de la justice ». Cela aussi bien pour l'Église catholique que pour l'ensemble des autres Églises. Certes, des poches de résistance ecclésiale demeurent, d'autres se forment là surtout où l'engagement pour la justice débouche sur des changements politiques. Mais une ligne ferme est tracée et il paraît clair qu'elle marquera l'avenir de la vie ecclésiale. Elle mobilise non seulement ceux et celles qui « sur le terrain » tâchent de « libérer » les pauvres des situations d'injustice, mais aussi des théologiens s'efforçant de faire percer les idées sans lesquelles ces efforts se stériliseraient ou bloqueraient à mi-chemin. Cette attention aux « relations longues » ne doit toutefois pas être évaluée indépendamment de l'effort des chrétiens portant, lui, sur les « relations courtes » d'entr'aide, de bienfaisance, de compassion. L'Église du 20ᵉ siècle ne serait pas vraiment Église des pauvres si en elle n'existait pas cette tension dialectique entre l'insertion dans les mouvements militant pour la justice (avec le changement de société que cela implique) et l'attention pleine de générosité et de dévouement aux misères immédiates qu'il faut panser et soulager. Une telle dialectique met en évidence la profondeur de l'Évangile. Impossible de le réduire à l'une ou l'autre des formes dans lesquelles s'incarne la relation aux pauvres et à la pauvreté qu'il enseigne. Notre temps n'échappe pas à cette loi.

Jean-Marie-R. TILLARD.

## V. PAUVRETÉ SPIRITUELLE

Laissant de côté les aspects spirituels de la pauvreté et du détachement par rapport aux biens de ce monde (pauvreté « extérieure »), nous n'envisageons ici que la pauvreté « spirituelle » dans le rapport de l'homme à Dieu. S'il y a des mouvements spirituels qui ont donné à cette pauvreté spirituelle une place importante, ce sont bien ceux que l'on nomme la mystique rhénane et la mystique des Pays-Bas ; c'est à ceux-ci que nous bornerons notre présentation. Encore faudra-t-il la situer dans le cadre plus général des chapitres consacrés à ces mouvements dans les articles suivants : *Dépouillement* (DS, t. 3, col. 471-478), Connaissance mystique de *Dieu* (col. 902-915), *Divinisation* (col. 1432-1445), *Image et ressemblance* (t. 7, col. 1451-1460).

1. **Eckhart** († v. 1327/28), en ce domaine comme en bien d'autres, exerce une influence primordiale ; sa pensée est vigoureuse et le tour incisif qu'il lui donne stimulera la réflexion de maint disciple.

On se reportera à l'art. *Eckhart* (DS, t. 4, col. 93-116), en particulier à ce qui y est dit de la structure de l'âme (col. 101-107), et à l'art. *Divinisation* (t. 3, col. 1432-1439). Voir aussi les art. *Fond de l'âme*, t. 5, col. 650-661 ; *Naissance divine*, t. 11, col. 29-30 ; *Néant*, col. 70-71.

Nous citons les sermons et les traités allemands d'après l'éd. de J. Quint, *Deutsche Werke* = DW (t. 1, Stuttgart-Berlin, 1958, etc.) et leur traduction française par J. Ancelet-Hustache (*Sermons*, 3 vol., Paris, 1974-1979 ; *Traités*, 1971).

Eckhart sait vanter la pauvreté « extérieure », par exemple à propos de François d'Assise : « Ce saint aimait tellement la pauvreté qu'il ne pouvait supporter que quelqu'un fût plus pauvre que lui » ; « Celui qui aime vraiment la pauvreté en éprouve un tel besoin qu'il n'accorde à personne de posséder moins que lui » (*Serm.* 74, DW, t. 3, p. 275 ; trad., t. 3, p. 95 ; cf. *Serm.* 52, t. 2, p. 486-487 ; trad., t. 2, p. 144).

Mais il insiste de manière plus personnelle sur la pauvreté intérieure, en esprit : « Plus l'homme est pauvre en esprit, plus il est détaché et considère toutes choses comme néant » (*ibidem*). « L'homme qui est le plus détaché et le plus retranché de toutes choses passagères et qui les a le plus oubliées est le plus agréable à Dieu et le plus proche de ce même Dieu » (*ibidem*, p. 279 ; trad., t. 3, p. 97). La pauvreté spirituelle exclut tout désir d'une récompense quelconque : « Si les gens avaient en vue eux-mêmes ou quelque chose de leur être, ils n'auraient rien laissé... Celui qui a en vue ce qu'il aura en échange, comment peut-il avoir tout laissé ? » (p. 286-287 ; trad., p. 99).

« L'homme juste n'aime en Dieu ni ceci ni cela, et si Dieu lui donnait toute sa sagesse et tout ce qu'il peut lui offrir, excepté lui-même, il n'y prêterait pas attention et n'y trouverait pas de saveur, car il ne veut rien et ne cherche rien, car en tout ce qu'il fait il agit sans pourquoi, de même que Dieu agit sans pourquoi et n'a pas de pourquoi » (*Serm.*

41, DW, t. 2, p. 288-289 ; trad., t. 2, p. 70-71). « Ceux qui désirent autre chose que la volonté de Dieu... font exactement comme s'ils vendaient Dieu... Ils aiment Dieu pour quelque autre chose que Dieu n'est pas. Et si alors ils obtiennent ce qu'ils aiment, ils ne se soucient plus de Dieu... Rien de ce qui est créé n'est Dieu » (*ibidem*, p. 291 ; trad., p. 71-72). « Comment devrions-nous être assez pauvres au point de laisser toutes choses ? Nous ne devrions pas désirer de récompense ? Soyez certains que Dieu ne néglige pas de nous donner tout... Il est beaucoup plus nécessaire pour lui de nous donner qu'à nous de recevoir, mais nous ne devons pas y viser, car moins nous le cherchons et le désirons, plus Dieu donne » (*ibidem*, p. 296 ; trad., p. 73).

Le sermon 52 « Beati pauperes spiritu » (DW, t. 2, p. 486-506) réunit la plupart des thèmes caractéristiques. Après avoir loué d'une phrase la pauvreté extérieure pratiquée pour l'amour du Christ, Eckhart avertit que sa doctrine ne sera compréhensible que par qui est déjà quelque peu pauvre en esprit. Puis il dégage trois points : 1) « Est un homme pauvre celui qui ne veut rien ». On se contente ordinairement de vouloir ce que Dieu veut. On interprète cette formule en ce sens que « l'homme doit vivre sans jamais accomplir en rien sa volonté et de plus qu'il doit s'efforcer d'accomplir toute la chère volonté de Dieu... Ces personnes ne sont pas des personnes pauvres..., ce sont des ânes qui n'entendent rien à la vérité divine !... Tout le temps que l'homme est tel que c'est sa volonté d'accomplir la toute chère volonté de Dieu, cet homme n'a pas la pauvreté dont nous voulons parler, car cet homme a une volonté par laquelle il veut satisfaire à la volonté de Dieu... Car si l'homme doit être véritablement pauvre, il doit être aussi dépris de sa volonté créée qu'il l'était quand il n'était pas... Seul est un homme pauvre celui qui ne veut rien et ne désire rien » (trad., t. 2, p. 145-146).

Eckhart signale ici la distance qui demeure entre la volonté humaine voulant la volonté divine et cette volonté même ; il enseigne que la vraie pauvreté d'esprit consiste en la fusion des deux volontés en une, la volonté de Dieu. Autrement dit, se reconnaître créature est encore se situer dans le devenir, faire de soi un lieu où Dieu peut opérer, bref s'objectiver. L'homme est pauvre de volonté dans la mesure où cet être objectif lui est ravi pour qu'il ne soit plus qu'en « acte d'éclosion » (*Durchbrechen*) « dans la Cause première ».

2) « Celui-là... qui doit être pauvre en esprit doit être pauvre en tout son propre savoir, en sorte qu'il ne sache rien d'aucune chose, ni de Dieu, ni de la créature, ni de lui-même » (trad., p. 147). Eckhart évoque ici la question de la béatitude discutée chez les théologiens : consiste-t-elle dans la connaissance, ou dans l'amour, ou dans les deux ? « Nous disons... plutôt qu'il existe dans l'âme quelque chose d'où fluent la connaissance et l'amour... Celui qui sait cela sait en quoi réside la béatitude... ce ' quelque chose ' jouit lui-même de lui-même selon le mode de Dieu. L'homme doit être quitte et dépris de Dieu, en sorte qu'il ne sache ni ne connaisse l'action de Dieu en lui ; c'est ainsi que l'homme peut posséder la pauvreté » (p. 147). On le voit, c'est ici la même fusion, transposée dans le domaine du savoir, que celle qu'Eckhart proposait plus haut à propos de la volonté.

3) « La pauvreté la plus claire : celle de l'homme qui n'a rien ». « L'homme doit être libéré de toutes

choses et de toutes œuvres, intérieures et extérieures, de telle sorte qu'il puisse être un lieu propre de Dieu où Dieu puisse opérer ». Mais Eckhart pousse plus loin : « L'homme doit être si pauvre qu'il ne soit ni n'ait en lui aucun lieu où Dieu puisse opérer. Tant qu'il réserve un lieu, il garde une distinction... C'est pourquoi je prie Dieu qu'il me libère de « Dieu », car mon être essentiel est au-dessus de « Dieu » en tant que nous saisissons Dieu comme principe des créatures... Alors Dieu ne trouve pas de lieu dans l'homme, car par cette pauvreté l'homme acquiert ce qu'il a été éternellement et ce qu'il demeurera à jamais. Alors Dieu est un avec l'esprit, et c'est la suprême pauvreté que l'on puisse avoir » (trad., p. 148-149).

Ainsi, « pauvre en esprit, c'est-à-dire : de même que l'œil est pauvre, vide de toute couleur et réceptif à toute couleur, de même celui qui est pauvre en esprit est réceptif à tout esprit. Or Dieu est l'Esprit des esprits » (Traité 1, *Das Buoch der götlîchen Troestunge*, DW, t. 5, p. 29 ; trad., p. 112). Une formule eckhartienne a fait fortune dans la littérature spirituelle : « Plus l'âme est pure, dépouillée et pauvre, moins elle possède de créatures, plus vide elle est de toutes choses qui ne sont pas Dieu, d'autant plus purement elle saisit Dieu et est saisie en Dieu, plus elle devient un avec Dieu » (*ibidem*, p. 32 ; trad., p. 113-114). C'est dire que pour Eckhart la pauvreté en esprit n'est pas un préalable ou une condition de l'union à Dieu, mais la forme même de cette union. Dès lors, « plus l'homme est pauvre en esprit et plus toutes choses lui appartiennent et sont son bien propre » (*Serm.* 74, DW, t. 3, p. 275 ; trad., t. 1, p. 95).

La pauvreté des fondateurs était-elle longtemps praticable ? Les Dominicains sont peu à peu amenés à posséder et à s'enrichir. Au 14e siècle, le Conseil de la ville de Cologne, en un geste retentissant, leur en conteste le droit et met en vente leurs biens. Jean de Dambach, leur confrère (DS, t. 8, col. 466-467), venu du couvent de Strasbourg, prend leur défense. Il connaît Eckhart, dont mainte réminiscence apparaît sous sa plume, notamment dans sa *Consolatio theologiae* (vers 1346). Cela ne rend que plus sensible la différence de ton : la dimension spirituelle est absente (cf. J. Auer, *Johannes von Dambach und die Trostbücher vom 11. bis zum 16. Jahrhundert*, Münster, 1928, p. 343). C'est que Jean de Dambach n'est ni un prophète ni un mystique, mais canoniste et casuiste. Son *Tractatus de proprietate mendicantium* (1362) explique que « la pauvreté ne consiste pas nécessairement à ne rien posséder ; elle consiste aussi à ne posséder que peu. Et cela doit s'entendre non pas absolument, mais relativement au grand nombre de frères » (G.M. Löhr, *Die Mendikantenarmut im Dominikanerorden im 14. Jahrhundert*, dans *Divus Thomas*, Fribourg, t. 18, 1940, p. 385-427 ; ici p. 403).

**2. Aux Pays-Bas.** — On ne trouve guère de traces de la pauvreté d'esprit chez Hadewijch d'Anvers (cf. DS, t. 7, col. 13-23), si ce n'est dans un poème « pseudo-hadewigien » (ou d'Hadewijch II) :

« Dans le pur abandon de l'amour
nul bien créé ne subsiste :
amour dépouille de toute forme
ceux qu'il accueille dans sa simplicité.

Libres de tout mode,
étrangers à toute image :
telle vie mènent ici-bas
les pauvres d'esprit.

Ce n'est point tout de s'exiler,
de mendier son pain et le reste :
les pauvres d'esprit doivent être sans idées
dans la vaste simplicité,

qui n'a ni fin ni commencement,
ni forme, ni mode, ni raison, ni sens,
ni opinion, ni pensée, ni intention, ni science :
qui est sans orbe et sans limite ».

(*Mengeldichten* 26 ; trad. J.-B. Porion, *Hadewijch d'Anvers, Écrits mystiques*, Paris, 1954, p. 173-174). La parenté de pensée avec Eckhart est claire. Mais qui dépend de l'autre ? On ne saurait le dire. Ou s'agit-il d'un voisinage indépendant l'un de l'autre et redevable à une source commune ? Cf. DS, t. 7, col. 19-20.

On peut glaner aussi chez Marguerite Porete († 1310 ; cf. DS, t. 5, col. 1252-1268 *passim*) quelques éléments épars de la pauvreté d'esprit. Ainsi : « Moi qui suis abîme de toute pauvreté. Et néanmoins en tel abîme de pauvreté, vous voulez mettre, si en moi ne tient, le don de telle grâce » (ch. 38, éd. citée, p. 552 ; cf. ch. 118, 6e état, p. 613). Mais, moins encore que Hadewijch II, Marguerite s'exprime en termes de mystique spéculative ; l'une et l'autre sont d'abord des mystiques de l'amour, quant à la doctrine comme dans l'expression (*Le Miroir des simples âmes*, éd. R. Guarnieri, dans *Archivio italiano per la storia della pietà*, t. 4, 1965, p. 501-635).

Diverses expressions eckhartiennes apparaissent chez Jean Ruusbroec († 1381 ; DS, t. 8, col. 659-697), mais dans un contexte critique : à propos d'un type de faux mystiques (*Die Gheestelike Brulocht* II, 4, dans *Werken*, éd. J.-B. Poukens et L. Reypens, t. 1, 2e éd., Tielt, 1944, p. 234). Quant à Jean de Leeuwen († 1378 ; DS, t. 8, col. 602-607), il s'inspire d'Eckhart dans son opuscule *Boeckxen wat dat een armen mensche van gheeste toebehoert* (dans OGE, t. 8, 1934, p. 30-38) : pour lui, la pauvreté d'esprit est plus qu'une étape, elle est le renoncement radical à sa propre vie qui se pratique dans la vie active, se poursuit dans la vie contemplative et s'accomplit dans la remise de soi à Dieu ; alors, comme Eckhart l'avait aussi noté, toutes choses sont au service du pauvre en esprit.

**3. Jean Tauler** † 1361 arrive au couvent de Strasbourg sept ans après Jean de Dambach. Prudent en matière de pauvreté, il distingue avec insistance entre pauvreté matérielle et pauvreté spirituelle, non pour dispenser de la première, mais pour proposer la seconde sans attendre que l'Ordre ait tranché les discussions relatives à la propriété. Il ne s'agit pas tant d'être déjà totalement dépouillé, mais d'être prêt à tout laisser (*Sermon* 8 ; *Die Predigten Taulers*, éd. F. Vetter, Berlin, 1910, cité Vetter ; trad. Hugueny-Théry-Corin, 3 vol., Paris, 1927-1935) : « Mes enfants, voilà la pauvreté véritable et essentielle à laquelle se doivent tous les hommes vertueux et que Dieu exige d'eux, afin qu'ils aient un vouloir foncier libre, vide et élevé, que rien ne captive, ni jouissance, ni affection, constamment prêt à tout abandonner » (trad., t. 1, p. 230).

Le maître strasbourgeois revient volontiers sur la liberté intérieure que procure l'indifférence à l'égard des biens matériels et spirituels (vg *Serm.* 11). C'est en associant pauvreté et épreuves qu'il trouve ses accents les plus personnels : quelle que soit la désolation qui étreint (*truck, getreng ;* vg *Serm.* 38, 41 et

63), la pauvreté spirituelle est disponibilité, abandon (*gelassenheit*).

Mais la liberté intérieure n'est pas toute la vie spirituelle ; elle n'en est qu'un aspect ou une étape. Il en est de même de la pauvreté : alors qu'Eckhart y voyait la dépendance radicale vis-à-vis de Dieu dans un dépouillement tout aussi radical, Tauler la présente volontiers comme une purification, une voie parmi d'autres (vg *Serm.* 36, trad., t. 2, p. 157 : « Dieu cherche et veut avoir un homme humble, un homme doux, un homme pauvre, un homme pur, un homme abandonné... »). Dans le Sermon 8, la pauvreté est le quatrième « portique » ; elle est ainsi distinguée de l'accueil de la grâce (5e portique), lequel pour Eckhart est l'essence de la pauvreté. Dans le Sermon pour la Toussaint, laissé de côté par Vetter mais estimé authentique par D. Helander (*Johannes Tauler als Prediger*, Lund, 1923, p. 351-361), la pauvreté est « une vertu, néanmoins la première et le commencement de la perfection ».

Chez Tauler, les expressions eckhartiennes restent proches, mais adoucies et humanisées : la « pauvreté essentielle » est celle à laquelle tous sont appelés (*Serm.* 8, cité *supra*) ; l'homme doit se tenir « dans la plus vraie, la plus absolue pauvreté, et dans un renoncement plénier, ... ne vouloir, n'avoir, ne désirer, ne rechercher que Dieu et rien de son intérêt propre » (*Serm.* 63 de Vetter = 42 de la trad., t. 2, p. 233). Tauler méconnaît-il pour autant la pointe de la pensée d'Eckhart, cette visée d'une pauvreté qui n'est pas seulement libération préalable, mais abandon à Dieu ? Non, mais le plus souvent il n'emploie plus pour l'évoquer le mot *Armùt* (il réserve celui-ci pour signifier le dépouillement des biens matériels et même spirituels), mais un autre mot eckhartien, *Blozheit*, qui exclut tout écran protecteur devant l'Infini, toute sécurité illusoire. Surius, dans sa traduction de Tauler, a parfois rendu ce mot par *simplicitas* et de façon plus fréquente et plus heureuse par *nuditas*.

Voir Eckhart, *Das Buoch der götlîchen Troestunge*, DW, t. 5, p. 32, ligne 8 ; *Die Rede der Underscheidunge*, n. 6, *ibidem*, p. 209, ligne 1 ; cf. table, p. 572, et les tables des autres vol. au mot *Bloz, Blozheit*.

Voici quelques textes de Tauler : « L'âme dans laquelle doit se refléter le soleil (qu'est Dieu) ne doit pas être troublée par d'autres images, mais être pure... Une seule image dans le miroir fait écran. Tous ceux qui n'obtiennent pas cette netteté (*Blozheit*) intérieure et en qui par conséquent le fond mystérieux de l'âme ne peut pas se découvrir et se manifester..., à ceux-là le joug est dur » (*Serm.* 6, Vetter, p. 26 ; trad., t. 1, p. 211).

« On doit... se tenir soumis à la volonté de Dieu. Dieu exige alors de l'homme un détachement plus grand que jamais (bien que d'une manière plus noble qu'auparavant), plus de pureté, de simplicité (*Blozheit*), de vraie liberté... C'est ainsi que l'homme devient le familier de Dieu, et de là naît un homme divin » (*Serm.* 11, Vetter, p. 55 ; trad., t. 1, p. 267-268).

« L'homme est alors dépouillé de lui-même, dans un absolu et véritable abandon, il plonge dans le fond de la volonté divine pour rester dans cette pauvreté et ce dénuement (*Blozheit*)... pour devenir capable de s'abandonner à fond... » (*Serm.* 26, Vetter, p. 108 ; trad., t. 2, p. 44).

« Pour les hommes... dont l'âme est unie et abandonnée, ils pénètrent, ainsi, droit devant eux, dans le fond, tout cela sans attache aucune et sans s'appuyer sur quoi que ce soit, et se tiennent dans la pauvreté, la nudité (*Blozheit*) et un véritable abandon » (*Serm.* 37, Vetter, p. 145 ; trad., t. 2, p. 169).

« Quand l'homme (intérieur et extérieur) est pleinement ramené dans l'homme le plus intérieur, dans le mystère de l'esprit, où se trouve la véritable image de Dieu, et quand l'homme ainsi recueilli s'élance dans l'abîme divin dans lequel il était éternellement en son état incréé, alors, si Dieu trouve l'homme venant à lui en toute pureté et nudité (*Blozheit*), l'abîme divin s'incline et descend dans le fond purifié qui vient à lui..., il l'attire dans l'incréé, de telle sorte que l'esprit n'est plus qu'un avec Dieu » (*Serm.* 66 de Vetter, p. 363 = *Serm.* 62, trad., t. 3, p. 82-83).

Dans la même ligne, on peut citer encore l'*Imitation de Jésus-Christ* ii, ch. 11, n. 16-17 : « Il est rare de rencontrer un homme spirituel au point d'être dépouillé de tout. Car le vrai pauvre en esprit, nu de toute créature, qui le trouvera ? » (cf. n. 26).

L'expression « nudité spirituelle » passera dans la langue des mystiques (cf. DS, t. 11, col. 515-517). Notre moderne « transparence » nie toute opacité. Plus radicale, la *Blozheit* exclut tout intermédiaire.

4. **Henri Suso** († 1366 ; DS, t. 7, col. 234-257) ne dit rien de plus que Tauler. S'il pratique une pauvreté matérielle rigoureuse, comme en témoigne sa *Vie* (Heinrich Seuse, *Deutsche Schriften*, éd. K. Bihlmeyer, Stuttgart, 1907, ch. 17, p. 46), c'est sur la pauvreté spirituelle qu'il met l'accent (ch. 47, p. 160) : « Celui qui veut arriver au but doit tout abandonner... Plus d'un s'imagine avoir tout compris quand il peut sortir de lui-même et se renoncer, mais il n'en est pas ainsi, car il n'a fait que se glisser sur les avancées de la forteresse qui n'est pas prise, jusqu'au rempart derrière lequel l'homme se dissimule et se cache et ne peut encore disparaître selon le dépouillement bien ordonné de son être spirituel, au sein d'une véritable pauvreté où, en quelque manière, tout objet étranger disparaît et à laquelle la Déité, éternelle et simple, répond elle-même... » (trad. J. Ancelet-Hustache, *Œuvres complètes*, Paris, 1977, p. 276 ; cf. ch. 52).

Chez lui, le mot *Armùt* à lui seul désigne, comme dans le Sermon pour la Toussaint (retenu par Helander ; trad., t. 3, p. 169 svv), une vertu qui voisine avec les vertus d'humilité, de pureté et d'obéissance (vg Lettre 23, Bihlmeyer, p. 475 ; trad., p. 513). Elle est dépendance radicale à l'égard de la grâce. Mais plus nettement encore qu'Eckhart et Tauler, pour évoquer cette pauvreté absolue devant Dieu, Suso préfère au mot *Armùt* celui de *Blozheit*, nudité ; ce dernier peut désigner aussi la simplicité de l'Être divin :

« Toi, plénitude infinie de tout amour, tu te répands dans le cœur de celui qui t'aime, tu t'épanches dans l'essence de l'âme, ô Toi, nudité de tout dans le tout... » (*Vie*, ch. 50 ; Bihlmeyer, p. 174 ; trad., p. 292-293). – « La récompense essentielle réside dans l'union par la contemplation, de l'âme avec la nue Déité, car l'âme ne trouve pas son repos avant d'être conduite, au-delà de toutes ses puissances et de ses facultés, dans l'essence... des Personnes et dans la nudité simple de l'Être » (*Livre de la Sagesse éternelle*, ch. 12, Bihlmeyer, p. 245 ; trad., p. 356).

5. **Textes pseudo-taulériens.** – 1° *Das Buch von geistlicher Armut*, longtemps attribué à Tauler (cf. DS, t. 1, col. 1976-1978) jusqu'à ce que H.S. Denifle montre qu'il n'en est rien (cf. son éd., Munich, 1877), est une œuvre très caractéristique de la mystique germanique de l'essence ; elle a été longtemps connue

sous le titre, peu représentatif de son contenu, d'*Imitation de la vie pauvre de Jésus-Christ* (cf. trad. publiée par E.-P. Noël, Paris, 1914). On y retrouve les aphorismes eckhartiens sans aucune atténuation, accentués plutôt dans une systématisation qui ne manque pas de grandeur.

Plutôt qu'à un dominicain, Denifle attribuerait cette compilation à un Fraticelle. Sans compter le fait que l'enseignement diffère en plus d'un point de celui de Tauler, on n'y fait aucune distinction entre les différents états de vie : la pauvreté matérielle absolue fait partie des préceptes du Christ auxquels tout chrétien doit obéir ; il n'y a pas diversité de vocations sur ce point. On n'y soulève aucun problème pratique ; seule la pauvreté spirituelle est envisagée.

D'entrée de jeu, le premier paragraphe de l'ouvrage situe son genre et la doctrine : « La plus haute perfection de l'homme a sa source dans la vraie et entière pauvreté d'esprit... La pauvreté d'esprit est elle-même la perfection..., la plus vraie et la plus haute... Cette pauvreté consiste à être semblable à Dieu. Dieu est un être indépendant de toutes les créatures, un être qui tient son essence de lui-même, une force libre (*ein fri vermügen*), un acte pur. Si donc la vraie pauvreté d'esprit est une ressemblance avec Dieu, elle aussi ne doit dépendre d'aucune créature, elle doit être une essence séparée de toutes les essences : un être qui n'est attaché à rien, qui ne dépend de rien, est un être séparé de tout. Telle est la vraie pauvreté d'esprit : elle tient au néant et le néant à la pauvreté » (n. 1 ; trad. remaniée, p. 25). A l'inverse, l'âme qui s'occupe de ce qui est temporel et périssable n'est plus libre, ni noble, mais serve (n. 15).

La pauvreté spirituelle inclut en particulier le renoncement aux images et formes inférieures, lesquelles constituent le mode naturel de la connaissance. Pour connaître Dieu, l'esprit doit en être dépouillé (n. 42 à 54) : le pauvre comprend la vérité sans images ni formes, mais dans l'être. Pour exprimer ce dénuement, l'auteur, comme Tauler et Suso, emploie le mot *blos*, nu, plus fréquemment que *arm*, pauvre.

2º Deux apologies de moindre importance et d'auteur également inconnu admettent pareillement que la pauvreté caractérise la relation vraie à Dieu : *Convivium Magistri Eckhardi de paupertate spiritus...* et *Colloquium theologi et mendici* (dans l'éd. de L. Surius des *Opera omnia* de Tauler, Cologne, 1548, p. CVII et CVIII). – Un cantique intitulé *De vera paupertate et nuditate spiritus* (même éd., p. XCVIII) chante la liberté du vrai pauvre : épreuves et croix, rien ne peut troubler celui-ci ; déjà détaché de tout, il reçoit ce qui lui advient comme des mains de Dieu.

3º Les *Divinae Institutiones*, compilation plus tardive dont l'influence sous le nom de Tauler a été considérable (texte dans Surius, p. I-LXXVII), restituent à la pauvreté en esprit une place plus conforme à l'enseignement des grands rhénans. Les emprunts à Eckhart et au *Buch von geistlicher Armut* sont nombreux. L'auteur explique que l'homme étant composé d'éternité et de temps (ch. 6, vers la fin), la pauvreté consiste à laisser les valeurs temporelles pour les éternelles. C'est pourquoi aussi elle est le fondement de la vie spirituelle : l'homme pauvre ne s'appuie que sur Dieu seul (ch. 34). Cela implique notamment de renoncer aux douceurs et aux consolations divines (thème souvent repris par la suite), tout comme aux

images « qui servent de matière à nos méditations » (ch. 35) : telle est la *nuda spiritus paupertas*. Ces développements suivent le ch. 32 qui distingue quatre sortes de pauvreté : le dépouillement des biens extérieurs, la *paupertas carnis*, la *paupertas animae* et la *paupertas spiritus* :

La première consiste en trois choses : aucune propriété, usage selon la nécessité de ce que la Providence offre, aucune inquiétude quant aux biens de ce monde. – La deuxième comporte le dégagement des affections de la chair et du sang, l'insouciance quant aux commodités, nulle attache pour tout ce qui fait le monde. – La pauvreté de l'âme, c'est le vide de nos propres pensées, la liberté par rapport aux affections et aux désirs, le renoncement aux douceurs et consolations divines. – La pauvreté de l'esprit suppose que notre mémoire ait perdu le souvenir des créatures, que l'entendement soit délivré des objets et images visibles, et la volonté sans prise ni recherche aussi bien vis-à-vis des créatures que de Dieu, dans la résignation à la volonté divine. Il est notable que le chapitre suivant (33) reprend l'essentiel de ces étapes sous un autre thème central, celui de la naissance de Jésus en l'âme.

6. La **Theologia Deutsch**, texte de la seconde moitié du 14e siècle, emploie aussi le mot pauvreté en un sens englobant qui recouvre l'essentiel de la vie spirituelle (ch. 17-18, éd. H. Mandel, Leipzig, 1908 = ch. 19-20 de la trad. par J. Paquier, *Le Livre de la vie parfaite*, Paris, 1928).

7. Chez **Henri de Herp** († 1477 ; DS, t. 7, col. 346-366), le thème de la pauvreté ne tient pas beaucoup de place. Cependant le franciscain n'oublie pas l'enseignement de ses prédécesseurs et contribuera à le diffuser, d'une manière quelque peu compilée, par le succès de sa *Theologia mystica*. Le *Miroir des contemplatifs*, qui en forme la deuxième partie, voit dans le renoncement à la volonté propre et le dépouillement des désirs « l'essence et la forme de la vraie pauvreté » (éd. Cologne, 1538, f. 88D), tandis que l'union sans intermédiaire (*contiguatio*) suppose l'abandon (*denudatio*) des images et des « moyens » ou intermédiaires (f. 180F). Mais là où Eckhart et même Tauler utilisaient volontiers le vocabulaire de la pauvreté, Herp emploie surtout celui de la mortification.

8. **La Perle évangélique** (début du 16e siècle), que nous citons d'après sa traduction française (Paris, 1602), compte jusqu'à dix aspects de la pauvreté en esprit (livre I, ch. 55) ; l'ouvrage utilise mainte notation eckhartienne. Relèvent de la pauvreté en esprit non seulement l'abandon des images, figures et formes, mais aussi l'introversion, notion-clef de l'œuvre. C'est dire l'extension qu'y prend le terme de pauvreté :

« Tels pauvres aussi doivent premièrement mourir à toutes les choses qui vivent sensuellement en eux. Secondement, désirer toujours Dieu insatiablement d'une faim toujours nouvelle. Troisièmement, souffrir la pauvreté et ne désirer à personne plus qu'à soy-même. Quatrièmement, se séparer eux-mêmes de toute créature en laquelle, hors Dieu, ils pourraient avoir quelque délectation. Cinquièmement, être grandement humbles intérieurement et extérieurement. Sixièmement, avoir toujours l'esprit élevé en Dieu. Septièmement, avoir une infatigable dévotion. Huitièmement, ne vouloir rien savoir fors que Dieu. Neuvièmement, ne chercher hors de soi aucune chose de celles qui leur sont nécessaires pour le salut, mais se retirer eux-mêmes en leur cœur, où Dieu est toujours présent. Dixièmement, ... ne se reposer en aucuns dons de Dieu... ne pas se glorifier en eux ni ne se les attribuer... » (p. 118rv).

Le mot pauvreté retrouve cependant son sens obvie lorsque le regard se pose sur le Christ né pauvre et mort méprisé (livre III, ch. 1) ; alors les accents sont ceux de la *Devotio moderna*. Mais cette perspective et la précédente sont juxtaposées sans être profondément harmonisées, comme elles le seront à la fin du 16e siècle par la réflexion sur la kénose.

M. Sandaeus reprend la distinction des quatre niveaux de la pauvreté qu'établit le ch. 32 des *Institutions* pseudo-taulériennes (*Pro theologia mystica clavis*, Cologne, 1640, p. 302). Ni A. Civoré (*Les secrets de la science des saints*, Lille, 1651), ni Mme Guyon (*Justifications*), ni Honoré de Sainte-Marie (*Tradition des Pères... sur la contemplation*, t. 1, Paris, 1708) ne retiennent la pauvreté spirituelle dans leurs explications des termes mystiques.

Outre les articles cités du DS et les études sur la doctrine spirituelle des auteurs évoqués, voir Pl. Kelley, *Poverty and the Rhineland Mystics*, dans *The Downside Review*, t. 74, n. 235, 1955-1956, p. 48-66.

Michel DUPUY.

**PAVELIĆ** (Milan), jésuite, 1878-1939. – Né le 30 novembre 1878 à Krivi Put, dans les montagnes dominant Senj, près de la côte croate, Milan Pavelić, fils de pauvres paysans, fut berger dans son enfance. Il fit ses études secondaires à Senj et entra au séminaire. Après sa théologie faite à Zagreb, il fut ordonné prêtre en 1902. Ses premières années de sacerdoce (1902-1912) furent affectées à divers vicariats et cures du diocèse de Senj. En 1912 il fut nommé rédacteur en chef du journal catholique de Rijeka, *Riječke Novine*. De 1915 à 1919, il fut directeur spirituel au grand séminaire de Senj, puis il assuma la charge du « Messager de saint Joseph » (*Glasnik Sv. Josipa*) publié à Zagreb, tout en assurant des ministères auprès des religieuses.

En 1924, Pavelić entra dans la Compagnie de Jésus. Après son noviciat, il fut le rédacteur en chef de la revue « Le Messager du Sacré-Cœur de Jésus » (1926-1932). Tombé malade, il consacra ses dernières forces à la poésie et mourut à Zagreb le 14 juin 1939.

De son enfance pastorale, Pavelić garda un sentiment très fort de la nature qui marque en partie sa poésie. Celle-ci, qu'il s'agisse de ses propres œuvres ou de ses traductions, s'orienta de plus en plus vers les réalités spirituelles (le Cœur du Christ, Marie, le Prêtre), tout en s'enracinant dans la poésie populaire croate. Par son œuvre poétique, Pavelić a exercé une influence importante. Il a joué un rôle notable dans le domaine liturgique par ses traductions en croate des hymnes du Bréviaire et de divers cantiques, traductions adaptées au chant grégorien.

Les principaux recueils poétiques sont : *Iz zakutka* (« De mon coin »), Zagreb, 1902 ; *Pjesme* (« Poèmes »), Rijeka, 1913 ; *Pjesme o Malom Isusu* (« Poèmes sur l'Enfant Jésus »), Zagreb, 1924 ; *Zvijezde Srca Isusova* (« Les étoiles du Sacré-Cœur »), Zagreb, 1937 ; *Pod okom Gospodnjim* (« Sous le regard de Dieu »), éd. posthume par J. Badalić, Zagreb, 1939. – Pavelić a encore écrit sur le poète mystique Marko Marulić (*Učitelj svete umjetnosti*, Zagreb, 1924) et a publié une biographie : *Sestra Leopoldina Čović* (Zagreb, 1941).
Traductions. – 1) Poètes : *Du diable à Dieu*, d'Adolphe Retté (Rijeka, 1916) ; *I promessi sposi*, d'A. Manzoni (Rijeka, 1918) ; « Quatorze poésies de la petite sainte Thérèse » (Zagreb, 1928) ; *Iz duhovne lirike* (« De la lyrique spirituelle », Zagreb, 1937 : surtout Verlaine). – 2) Textes

liturgiques : *Rituale romanum* (Zagreb, 1929), Petits offices de l'Immaculée Conception (dans *Kongreganist*, Zagreb, 1933) et du Sacré-Cœur (Zagreb, 1934), « Les Hymnes de l'Église » (Zagreb, 1936, 1945).

N. Bartulović, *Pjesme Milana Pavelića* (Savremenik, 1903). – A. Petravić, *Treće studije i portreti* (Split, 1917, p. 81-90). – J. Badalić, *Milan Pavelić, svećenik i pjesnik* (biographie, Zagreb, 1972) ; *Ja ljubim podveni ljetni žar Najljepše pjesme Milana Pavelića* (Zagreb, 1976). – NCE, t. 11, 1967, p. 32.

Josip BADALIĆ.

**PAVIE DE FOURQUEVAUX** (JEAN-BAPTISTE DE), 1693-1768. Voir *Fourquevaux*, DS, t. 5, col. 748-752.

**PAVONE** (FRANÇOIS), jésuite, 1569-1637. – 1. *Vie*. – 2. *Écrits*.

1. VIE. – Francesco Pavone, né à Catanzaro (Calabre) en 1569, entra dans la Compagnie de Jésus le 17 novembre 1585. Il fut appliqué à l'enseignement, d'abord des lettres, puis durant quinze années de la philosophie, durant quinze autres de l'hébreu, enfin durant cinq ans de l'Écriture sainte. N'ayant pu voir réalisé son désir d'être envoyé aux Missions, il eut la joie de voir naître de nombreuses vocations parmi ses élèves. A côté de son enseignement, il s'occupa de congrégations de jardiniers, de portefaix et de maîtres d'école, mais il faut surtout retenir son action pastorale et éducative, pendant vingt-cinq ans, auprès du clergé. Pavone mourut à Naples le 24 février 1637.

Après un premier essai, sans grands résultats, d'un cours biblique offert à une trentaine de prêtres (1609), Pavone apprit par une lettre du Général Cl. Aquaviva le grand fruit obtenu auprès des prêtres par le jésuite S. Caputi dans sa maison des Exercices du collège de l'Aquila. Il orienta son action dans le même sens. En 1611, il organisa une congrégation de prêtres, qui furent bientôt quatre cents. On se réunissait une ou deux fois par semaine sur des sujets d'étude, de vie spirituelle ou d'action pastorale. Cette formule de la congrégation et l'esprit qu'y infusa Pavone donnèrent à l'Église dans la région napolitaine un élan bienfaisant, non sans rencontrer de vives oppositions. La congrégation rassembla jusqu'à treize cents prêtres dans une centaine de groupes.

Pavone les forma à bien connaître et bien faire les Exercices spirituels, à étudier la Bible pour elle-même et en vue de la prédication, à se préparer aux missions rurales et aux ministères (catéchèse des enfants, sacrement de pénitence, secours spirituels aux malades et aux mourants, aux prisonniers) et aux monastères en difficulté. En 1622, plusieurs de ces prêtres donnaient les Exercices : Francesco Pellicinno, Mattia Guarracino, le conventuel Prospero d'Itri et Felice Antonio Salvio, qui dirigea pendant des années une congrégation.

2. ÉCRITS. – Pavone a beaucoup publié, et surtout en fonction de sa congrégation des prêtres. Ces derniers écrits, répondant le plus souvent au besoin du moment, ont une fin pratique et un ton pastoral. Malgré leur solide doctrine, ils gardent une certaine marque d'inachevé, de provisoire ; beaucoup d'entre eux seront repris au fil du temps dans des ensembles plus vastes. Nous retiendrons en particulier (éditions à Naples, sauf avis contraire) :

1) *Manuale di alcuni ricordi spirituali... per introdurre esercizi di pietà...*, Naples, 1608. – 2) *Instruzione per i maestri di scuola* (entre 1605 et 1612). – 3) *Statuti e Regole della congregazione de'chierici eretta in Napoli...*, 1614, 1722, 1723 : règles très précises et exigeantes pour la poursuite de la perfection sacerdotale ; un des censeurs les a jugées trop sévères (Arch. romaines S.J. = ARSI, *Fondo Gesuit.* 662, f. 125, 131-132). – 4) *Meditazione del Sacrificio incruento*, 1614.

5) *Meditazione della B. Vergine...*, 1614, 1616, 1630 : sur la dévotion mariale, avec une méthode pour méditer le Rosaire. – 6) *Parte prima delle meditationi, que s'esplicano e s'usano nella congregazione...*, 1616, 588 p. ; avec des compléments, 1630, 1667. L'éd. de 1630 est précédée d'une méthode pour faire oraison (p. 17-40) qui suit d'assez près les indications données par saint Ignace ; suit une série de méditations et d'instructions qui forment ce qu'on appelle « une grande retraite selon les Exercices ». On y retrouve divers opuscules parus d'abord à part : n. 5, 9, 10, 11. Voir la suite de l'ouvrage aux n. 14, 16 et 17.

7) *Meditationi del SS. Sagramento...*, 1622 : pour la communion ; considérations sur les titres et les noms du Christ (sera repris dans le n. 17). – 8) *Meditationi dell'amor divino. O vero arte d'amar Dio*, 1623 : recueil de pensées tirées de divers théologiens. – 9) *Novena degli angeli...*, 1627, pour la fête de la Pentecôte. – 10) *Meditazione dell'apparechio per la santa festa della nascita del Salvatore*, 1627. – 11) *Meditationi de i sacri gigli...*, 1627 : sur les beautés, les douleurs et les joies de Marie.

12) *Prima parte dell'instruttioni della congregazione...*, 1621 (à la Bibl. des Jésuites de Chantilly, anonyme ; adresse au lecteur datée du 25 mars 1619 ; 608 p. ; 1629, 1662, 1691 : ces trois éd. sont augmentées : 1167 p. formant deux vol.) ; 17 instructions traitent en détail des « exercices » de la congrégation, des divers ministères sacerdotaux, etc. C'est un traité sur la vie spirituelle personnelle et apostolique du prêtre. – 13) *Manuale di materie e di forme di meditationi...*, 1629 ; reprise partielle du n. 6. – 14) *Prima* et *Seconda della seconda parte delle Meditationi...*, 2 vol., 1630 : pour les prêtres, sur l'Eucharistie, les symboles et les rites du culte, les divers degrés du sacerdoce. – 15) *Meditazione della conformità alla volontà di Dio...*, 1630. – 16) *Terza della seconda parte delle Meditationi...*, 1631 ; sur les rites de la Messe. – 17) *Quarta della seconda parte...*, 1632 : méditations sur le texte de l'ordinaire de la Messe, pour avant et après la communion.

18) *Terza parte delle Meditationi...*, 1639, 1680 (reprend le n. 15) : sur les vertus théologales : l'ouvrage aborde des thèmes comme la conformité à la volonté de Dieu, « la somma della perfettione christiana » (p. 199), la présence de Dieu, la familiarité avec lui, la gloire de Dieu. – 19) *Contemplazione sopra la formola d'offerirsi a Dio*, 1637 (repris du n. 6) : comment correspondre aux bienfaits de Dieu dans une offrande adéquate ; le sujet est médité selon la seconde manière de prier de saint Ignace.
On peut ajouter trois ouvrages de ton plus didactique : *Introductio in sacram doctrinam* (3 vol., 1623-1626), qui veut aider à la prédication en fournissant des données doctrinales, morales, de controverse et de droit canon, *Commentarius dogmaticus sive theologica interpretatio in Pentateuchum* (1635) et *in Evangelia* (1636) où chaque chapitre est commenté littéralement et spirituellement.

ARSI, *Neap.* 73, f. 177 ; 75, f. 34v-35. – Sommervogel, t. 6, col. 390-395. – AHSI, t. 39, 1970, p. 80. – Dans les *Varones ilustres* de la Compagnie de Jésus, t. 3, par J.E. Nieremberg, Madrid, 1644, p. 673-676. – A. Barone, *Della vita del P.F. Pavone*, Naples, 1700, 434 p. – G.A. Patrignani, *Menologio... d'alcuni religiosi della Compagnia di Gesù*, t. 1, Venise, 1730, p. 210-213 (au 23 février). – S. Santagata, *Istoria della Compagnia di Gesù, appartenente al Regno di Napoli*, t. 3, Naples, 1756, p. 35, 418 svv, 508 ; t. 4, 1757, p. 161, 235, 433 svv, 574.
*Notizie istoriche delle congregazioni ecclesiastiche* (par G.B. Baroni), Naples, 1853 ; cf. *La Civiltà Cattolica*, 2e série, t. 5, 1854, p. 680-684. – É. de Guilhermy, *Ménologe... Assistance d'Italie*, t. 1, Paris, 1893, p. 246-249 (au 23 février). – J. de Guibert, *La spiritualité de la Compagnie de Jésus*, Rome, 1953, p. 289, 296, 320-21. – I. Iparraguirre, *Répertoire de la spiritualité ignatienne*, Rome, 1961, table, p. 202 ; *Historia de los Ejercicios de San Ignacio*, t. 3, Rome, 1973, p. 207-213. – DS. t. 1, col. 1707 ; t. 2, col. 1505-06 ; t. 10, col. 460.

Giuseppe MELLINATO.

**PAVONI** (Louis), prêtre, fondateur, 1784-1849. – Lodovico Pavoni naquit à Brescia le 11 septembre 1784, d'une famille d'ancienne noblesse. Au terme de ses études, il s'orienta vers le sacerdoce et fut ordonné prêtre le 21 février 1807. Secrétaire de l'évêque de Brescia, G. M. Nava (1812-1818), il l'aida à rétablir les congrégations et les ordres supprimés, à sauvegarder la liberté de l'Église et à dégager les fidèles du rigorisme janséniste. Il s'adonna ensuite à sa vocation propre et fonda, en 1821, un « Pio Istituto » qui devint finalement la congrégation des « Figli di Maria Immacolata ». Elle reçut l'approbation définitive du Saint-Siège en 1847 et Pavoni y fit profession avec ses premiers membres le 8 décembre de la même année. Il mourut à Saiano (Brescia), le 1er avril 1849. Le décret sur l'héroïcité de ses vertus a paru le 5 juin 1947.

Pavoni manifesta de bonne heure ses attraits en enseignant le catéchisme aux paysans, aux déshérités et aux abandonnés. Il se sentait une vocation particulière à l'égard de ces derniers (sourds-muets, orphelins, enfants trouvés, les plus pauvres dans la société) et organisa pour eux diverses œuvres de formation humaine et chrétienne, qui lui valurent d'être appelé un nouveau « Philippe Néri ». On le considère comme initiateur de l'édition moderne catholique.

Pour lui, l'édifice spirituel prend appui sur la profondeur des convictions religieuses pour réaliser pleinement les dons de Dieu. C'est donc sur la foi, l'espérance et la charité, que se base l'activité apostolique ; c'est la charité qui doit régler les rapports entre les membres de sa congrégation. Sa méthode éducative prélude à celle qu'exposera et développera bientôt don G. Bosco ; elle intègre aussi l'apostolat par la presse.

Particularité nouvelle de sa congrégation par rapport aux instituts similaires, elle associe à égalité à l'apostolat prêtres et non-prêtres. Le « magistero di lavoro » des seconds est un authentique apostolat de pré-évangélisation en vue de la promotion humaine et chrétienne de la classe ouvrière, pour laquelle Pavoni établit précisément des écoles professionnelles. La spiritualité proposée aux sœurs par Pavoni vise à l'imitation du Christ dans toutes leurs activités, avec une spéciale dévotion envers la Mère de Jésus, vue surtout comme guide et mère spirituelle des religieux. Les diverses composantes de l'enseignement spirituel de Pavoni (gloire de Dieu, imitation du Christ, abnégation de soi-même, zèle des âmes, communauté fraternelle) s'enracinent dans les grands auteurs post-tridentins : Jérôme Miani, Philippe Néri, A. Rodriguez, François de Sales, Alphonse de Liguori. Mais Pavoni a été attentif aux requêtes de son temps comme à ses ressources ; il a mis l'accent sur le développement de tout l'homme.

Écrits. – 1) *Raccolta ufficiale di documenti e memorie d'archivio* (3 vol., Brescia) : t. 1 (1947), Documents concernant la congrégation ; – t. 2 (1958), Correspondance d'affaires ; – t. 3 (1950), Correspondance personnelle. – *Lettere del servo di Dio... Pavoni*, Brescia, 1945. – Voir aussi les divers actes du procès romain de béatification (*Positio super introductione causae*, 1919 ; *Positio super virtutibus*, 1944 ; *Nova positio...*, 1945 ; *Novissima positio...*, 1946).

Études. – G. Scandella, *Vita di G.M. Nava, vescovo di Brescia*, Brescia, 1857. – G. Allegranza, *L'irradiazione spirituale di L.P.*, Brescia, 1947. – L. Traverso, *L.P.*, 3e éd., Gênes, 1949. – R. Bertoldi, *L.P. educatore*, Milan, 1949. – G. Garioni Bertolotti, *Verso il mondo del lavoro*, Milan, 1963. – M. Petrocchi, *Storia della spiritualità italiana*, t. 3, Rome, 1979, p. 90.
BS, t. 10, 1968, col. 422-424. – DIP, t. 6, 1980, col. 1295-1298 (art. *Pavoni* et *Pavoniani*). – DS, t. 1, col. 1710 ; t. 7, col. 2273, 2277.

Pietro Zovatto.


**PAWLOWSKI** (Daniel), jésuite, 1626-1673. – D'origine polonaise, né en Volhynie en décembre 1626, Daniel Pawlowski eut des parents de religion orthodoxe. Mis par eux dans un collège jésuite, il se convertit au Catholicisme et entre dans la Compagnie de Jésus en 1642. Après le noviciat et les études littéraires et philosophiques, il enseigna la grammaire pendant un an à Bydgoszcz. Il fit sa théologie à Poznan, et fut ordonné prêtre (1653). De 1655 à 1659, fuyant la guerre suédo-polonaise, il séjourna en Bavière, y faisant sa troisième année de noviciat et enseignant la philosophie.

Rentré en Pologne en 1660, il fait sa profession religieuse, enseignant mathématiques, philosophie et théologie dans les collèges de Kalisz et de Poznan. A la fin de sa vie, il fut instructeur du Troisième an à Jaroslaw. Il mourut le 21 août 1673 à Rawa Mazowiecka, revenant de Torun où il s'était réfugié, devant l'avance de l'armée turque.

Aux ouvrages signalés par Sommervogel, il faut ajouter des inédits conservés aux Archives de l'archevêché de Poznan. Retenons les principales œuvres : *Conceptus duo admirabiles. Concepta sine labe et concipiens Verbum Maria...* (Cravovie, 1668, etc.). – *Recollectiones decem dierum* (Cracovie, 1672, 1677). – *Locutio Dei ad cor religiosi... per decem vel octo dies exercitiorum spiritualium* (Kalisz, 1673 ; 23 éd. en latin ; trad. allemande, Cologne, 1692, etc. ; espagnole au Mexique, en Espagne, au Portugal, aux Phi-

lippines ; polonaise, Lwow, 1741 ; Vilna, 1741 ; Poznan, 1744). – Des extraits en ont été tirés, tel *Vita ex morte consueto servis Dei artificio collecta...* (Prague, 1717 ; permis d'imprimer daté de Cracovie, 1712).

La *Vita P. Gasparis Druzbicki...* (Cracovie, 1670 ; en polonais, Zamosc, 1700) est importante ; elle s'appuie sur les notes spirituelles personnelles de Druzbicki (voir DS, t. 3, col. 1723-1725, 1735).
Sont restés manuscrits : 1) *Exercitia Spiritualia quatuor hebdomadarum ad ideam Exercitiorum a S.P. Ignatio conscriptorum* ; c'est une retraite de trente jours ; une partie a été rédigée à Jaroslaw ; la seconde, à partir du 14e jour, à Sandomierz. La forme des méditations est caractéristique ; elles introduisent à un dialogue avec Dieu (« Audi Deum dicentem... »). Les méditations propres à Pawlowski (*De gestis Christi, De vocatione*, etc.) sont de grande valeur. L'influence de G. Druzbicki (thème de la Sagesse éternelle, dévotion au Cœur du Christ) est incontestable. – 2) *Lectiones asceticae pro patribus tertii anni probationis in exilio habitae*, sur les structures de la vie religieuse.

La retraite éditée, *Locutio Dei ad cor...*, suit assez fidèlement les *Exercices* ignatiens. Certains thèmes de méditations sont tirés de remarques de saint Ignace (ainsi la 3e méditation du 4e jour, sur l'éternité, inspiré du n. 52 des *Exercices*). Le premier jour commente le Fondement ignatien ; les 2e-5e jours, la première semaine ; le 6e ne retient de la deuxième semaine que les méditations du Règne, des Deux étendards et le choix de la vie parfaite ; le 7e médite la Passion et le dernier l'amour de Dieu et de Marie. La structure de chaque méditation est typiquement ignatienne, avec sa prière préparatoire, ses préludes, ses points et son colloque. Chaque jour, trois méditations, brièvement développées, et deux considérations, plus longues, sont proposées ; à la fin, une liste de lectures spirituelles possibles recourt surtout à l'*Imitation de Jésus-Christ*. On aura noté, par la répartition des thèmes journaliers, l'importance accordée (5 jours sur 8) au Fondement et à la première semaine des *Exercices*. Autre chose remarquable, mis à part la parabole de l'Enfant prodigue, aucun texte évangélique n'est directement proposé à la méditation. Par cette retraite largement répandue par ses éditions jusqu'au milieu du 18e siècle, on peut penser que Pawlowski a exercé une réelle influence.

Archives de la Compagnie de Jésus, Rome, *Catalogi romani* 1645, 1649, 1651, 1655, 1660, 1668 ; *Germ. sup.* 47, f. 203, 215, 248. – Archives de l'archevêché de Poznan, ms 668.
Sommervogel, t. 6, col. 396-400. – J. de Guibert, *La spiritualité de la Compagnie de Jésus*, Rome, 1953, p. 296, 332-333. – Wl. Janczak, *Daniel Pawlowski* (biographie ; ms au collège Bobola, Varsovie). – DS, t. 2, col. 1423, 1426, 1432 ; t. 4, col. 1402 ; t. 8, col. 1662, 1784.

Joseph Majkowski.

# TABLE DES ARTICLES DES FASCICULES LXXVI-LXXVII

# Les quatre fleuves

## *Cahiers de recherche et de réflexion religieuses*

Des hommes d'aujourd'hui, préoccupés de répondre aux questions que la situation de la culture contemporaine pose à la conscience chrétienne, à chacun, à l'Église, à tous les hommes, tels furent les fondateurs – Henri-Irénée Marrou et Paul Vignaux – et tels sont les continuateurs de la revue *Les Quatre fleuves.* Parce qu'ils ne sont investis d'aucune autorité magistrale, et ne prétendent en usurper aucune, ils peuvent se montrer très largement accueillants à tous les efforts de pensée et de recherche intellectuelle dans le monde contemporain.

CAHIERS 1-18

1. Dieu connu en Jésus Christ – 2. Espérance chrétienne et avenir humain – 3. Liberté du chrétien dans la société civile – 4. Le Christ visage de Dieu – 5. Peuple de Dieu – 6. Peut-on parler de Dieu ? – 7. Lectures actuelles de la Bible – 8. Chrétiens devant Marx et les marxismes – 9. Dieu révélé dans l'Esprit – 10. Un christianisme africain – 11. Transmettre la foi. La catéchèse dans l'Église – 12. Les théologiens et l'Église – 13. Pologne et Russie. Horizons nouveaux I/Pologne – 14. Pologne et Russie. Horizons nouveaux II/Russie – 15/16. Dieu l'a ressuscité d'entre les morts – 17. La foi à l'épreuve du XXᵉ siècle – 18. Liberté et Loi dans l'Église.

## BEAUCHESNE ÉDITEUR

ISSN 0339-8016                    *Imprimé en France*                    ISBN 2-7010
1073-X

# DICTIONNAIRE
## DE
# SPIRITUALITÉ
### ASCÉTIQUE ET MYSTIQUE
### DOCTRINE ET HISTOIRE

FONDÉ PAR M. VILLER, F. CAVALLERA, J. DE GUIBERT, S. J.

CONTINUÉ PAR A. RAYEZ, A. DERVILLE ET A. SOLIGNAC, S. J.

AVEC LE CONCOURS D'UN GRAND NOMBRE

DE COLLABORATEURS

*FASCICULES LXXVIII-LXXIX*

*Pays-Bas - Photius*

**BEAUCHESNE**
PARIS
1984

NIHIL OBSTAT
Paris, le 13 avril 1984
H. MADELIN, *S.J.*

IMPRIMATUR
Paris, le 24 avril 1984
Mgr E. BERRAR, *vic. ép.*

# LISTE DES COLLABORATEURS DES FASCICULES LXXVIII-LXXIX

MM.                       PP.

ACEBAL LUJÁN (M.), O.F.M., Grottaferrata (Quaracchi), Italie.

ADNÈS (P.), S.J., Université Grégorienne, Rome.

AMPE (A.), S.J., *Ruusbroecgenootschap,* Antwerpen, Belgique.

ANDREU (F.), Théatin, Rome.

ANDRIESSEN (J.), S.J., *Ruusbroecgenootschap,* Antwerpen, Bel gique.

APARICIO LÓPEZ (T.), O.S.A., Valladolid, Espagne.

BECKER (C.), S.J., Coblenz, Allemagne Féd.

BEDOUELLE (G.), O.P., *Albertinum,* Fribourg, Suisse.

BÉRIOU (N.), Prof., Université de Paris-IV, Paris.

BERNOS (M.), Prof., Université d'Aix-en-Provence.

BEYLARD (H.), S.J., Archiviste, Cormontreuil.

BICHON (G.), Archiviste, La Rochelle.

BRUAIRE (C.), Prof., Université de Paris-IV, Paris.

CABIÉ (R.), Prof., Institut Catholique, Toulouse.

CAUDRON (O.), École des Chartes, Paris.

CERESA-GASTALDO (A.), Prof., Université de Gênes, Italie.

COATHALEM (H.), S.J., Les Fontaines, Chantilly.

COSTE (J.), S.M., Rome.

COUILLEAU (G.), O.C.R., Abbaye des Gardes, Chemillé.

DARRICAU (R.), Prof., Université de Bordeaux.

DE BAERE (G.), S.J., *Berchmanianum,* Nijmegen, Pays-Bas.

DEMOMENT (A.), S.J., Archiviste, Francheville.

DERVILLE (A.), S.J., Les Fontaines, Chantilly.

DE SMET (S.), S.J., Heverlee, Belgique.

DEVAUX (A.), Prof., Université de Paris-IV, Paris.

DUPUY (M.), P.S.S., Séminaire Jean XXIII, Kinshasa, Zaïre.

DUVAL (A.), O.P., Archiviste, *Le Saulchoir,* Paris.

EDWARDS (F.), S.J., Archiviste, Londres.

FRANK (K.S..), O.F.M., Fribourg-en-Brisgau, Allemagne Féd.

FROST (F.), Prof., Institut Catholique, Lille.

GAGEY (J.), Prof., Université de Paris-VII, Paris.

GARRIDO (P.), O.C., *Institutum Carmelitanum,* Rome.

GERVAIS (J.), S.J., Institut d'Études Théologiques, Bruxelles.

GRAFFIN (F.), S.J., Prof., Institut Catholique, Paris.

GRÉGOIRE (R.), O.S.B., Monastère Saint-Silvestre, Fabriano (Ital.).

GROTH (F.), Dr., Université de Münster, Allemagne Féd.

GUILLAUME (P.-M.), diocèse d'Amiens.

HASENOHR (G.), C.N.R.S., Paris.

HOGG (J.), Prof., Université de Salzbourg, Autriche.

HUERGA (A.), O.P., *Angelicum,* Rome.

JEUDY (C.), C.N.R.S., Paris.

JOSEPH DE SAINTE-MARIE, O.C.D., *Teresianum,* Rome.

KRAJCAR (J.), S.J., *Istituto Orientale,* Rome.

KÜPPERS (K.), Dr., Prof., UniversitÉ de Regensburg, Allemagne Féd.

LAFON (M.), El Kbab, Maroc.

LEDEUR (E.), Chanoine, Besançon.

LÉGASSE (S.), O.F.M.Cap., Prof., Institut Catholique, Toulouse.

LYONNET (S.), S.J., Institut biblique, Rome.

MAJKOWSKI (J.), S.J., Varsovie, Pologne.

MARAVAL (P.), Prof., Université de Strasbourg.

MECH (P.), S.J., Francheville.

MELLINATO (G.), S.J., *Civiltà Cattolica,* Rome.

MIKKERS (E.), O.C.R., Abbaye Saint-Benoît, Achel, Belgique.

MOMMAERS (P.), S.J., *Ruusbroecgenootschap,* Antwerpen, Belgique.

MORETTI (R.), O.C.D., *Teresianum,* Rome.

MULLER (C.), Strasbourg.

NICOLAS (M.-J.), O.P., Toulouse.

NIERO (A.), Mgr, Séminaire, Venise.

NIKIPROWETZKY (V.), Prof., Université de Paris-IV, Paris.

OURY (G.-M.), O.S.B., Abbaye de Solesmes.

PÉANO (P.), O.F.M., Grottaferrata, Quaracchi, Italie.

PODSKALSKY (G.), S.J., Prof., Francfort/Main, Allemagne Féd.

POUZET (L.), S.J., Prof., Université Saint-Joseph, Beyrouth.

RAFFIN (P.), O.P., Paris.

RIETSCH (P.), S.J., Prof., Université *Sophia,* Tokyo.

ROBRES LLUCH (R.), Archiviste, Valencia, Espagne.

ROLLIER (J.), S.J., Courtrai, Belgique.

ROTUREAU (G.), Oratorien, Paris.

SAGNE (J.-C.), O.P., Lyon.

SAINT-JEAN (R.), S.J., Prof., Scolasticat St-Paul, Tananarive, Madagascar.

SAMPERS (A.), Rédemptoriste, Rome.

SAXER (V.), Mgr, Rome.

SCHNELL (B.), Dr., Prof., Université de Würzburg, Allemagne Féd.

SIGAL (P.-A.), Prof., Université de Montpellier.

SMET (J.), O.C., *Institutum Carmelitanum,* Rome.

SOLIGNAC (A.), S.J., Les Fontaines, Chantilly.

STARING (A.), O.C., *Institum Carmelitanum,* Rome.

STEPHANOU (P.), S.J., *Istituto Orientale,* Rome.

SULLIVAN (F.), S.J., Université Grégorienne, Rome.

TERMONT (M.-M.), Petite Sœur de l'Assomption, Rome.

THILS (G.), Mgr, Prof., Université de Louvain.

VAN CRANENBURGH (H.), O.S.B., Abbaye Saint-Paul, Oosterhout, Pays-Bas.

VAN DIJK (W.-C.), O.F.M.Cap., Paris.

VAUCHEZ (A.), Prof., Université de Haute-Normandie.

VEKEMAN (H.-W.), Dr., Prof., Université de Cologne, Allemagne Féd.

VERDEYEN (P.), S.J., *Ruusbroecgenootschap,* Antwerpen, Belgique.

VINATIER (J.), Château-du-Loir.

WARE (K.), Bishop of Diokleia, Oxford.

WEYNS (N.-J.), Prémontré, Abbaye de Tongerlo, Belgique.

WICKS (J.), S.J., Université Grégorienne, Rome.

ZARAGOZA PASCUAL (E.), O.S.B., Madrid.

ZOVATTO (P.), Prof., Université de Trieste, Italie.

**PAYS-BAS (ANCIENS).** – Le terme « Anciens Pays-Bas » (de Nederlanden, the Low Countries, Belgium) désigne en toute rigueur le territoire des 17 Provinces que Charles Quint a organisées en 1548-1549 en un ensemble territorialement et juridiquement délimité. Dans une acception plus large, principalement du point de vue de l'histoire de la culture et de l'Église, on peut parler des « anciens Pays-Bas » en y comprenant aussi la principauté ecclésiastique de Liège, parce que celle-ci, bien que politiquement distincte, n'en est pas moins restée continuellement en relations étroites avec les 17 Provinces en raison de sa situation géographique et de nombreux facteurs historiques.

Situé aux confins de l'Empire romain, puis de l'Empire franc, et orienté vers la Mer du Nord par le cours de ses grands fleuves, ce territoire s'est trouvé partagé par le morcellement féodal des 9e et 10e siècles en diverses petites principautés ; celles-ci s'opposèrent toujours énergiquement à l'autorité centrale émanant de l'empereur germanique et du roi de France, éprouvèrent progressivement le besoin de s'unir entre elles et finirent par être regroupées à partir du 14e siècle en un seul état par les ducs de Bourgogne et plus tard par Charles Quint. Même après la scission survenant à la fin du 16e siècle, les deux parties Nord et Sud conservent la même appellation : les Pays-Bas Réunis (Belgium Foederatum) et les Pays-Bas espagnols, plus tard autrichiens (Belgium Regium). Au cours de la seconde moitié du 17e siècle une partie du territoire méridional (comprenant entre autres les villes de Cambrai, Arras, Lille, Douai et Valenciennes) est annexée par la France.

Relativement aux « Anciens Pays-Bas » ainsi définis, on discerne sans peine, dans les domaines de l'art, de la culture et de la vie socio-économique, des traits communs qui les différencient des contrées environnantes ; et de même on peut parler à leur sujet d'une spiritualité qui leur est propre. Celle-ci, surtout à partir du 13e et jusqu'au 16e siècle, connaît une remarquable efflorescence et un large rayonnement en dehors de leurs frontières. Avec la Réforme protestante qui survient au 16e siècle et qui, repoussée vers les Provinces du Nord, s'y installe victorieusement à la fin de ce siècle, se constitue en ces provinces, parallèlement à la spiritualité catholique traditionnelle, une spiritualité spécifiquement protestante.

I. *Période de christianisation* (H. van Cranenburgh). – II. *Les grandes réformes monastiques* : 1. Bénédictins (H. van Cranenburgh) ; 2. Cisterciens (P. Verdeyen) ; 3. Chanoines réguliers (G. De Baere) ; 4. Le mouvement des béguinages (P. Verdeyen). – III. *Le siècle de Ruusbroec et la Dévotion moderne* (P. Verdeyen). – IV. *Les 16e et 17e siècles* (P. Mommaers). – V. *Le 18e siècle* (J. Andriessen). – VI. *La spiritualité de la Réforme* (H. Vekeman).

L'ouvrage de base en ce qui concerne l'histoire spirituelle des Pays-Bas anciens est celui de Stephanus Axters : *Geschiedenis van de vroomheid in de Nederlanden*, 4 vol., Anvers, 1950-1960 ; = cité Axters ; on peut y joindre, du même auteur, *La spiritualité des Pays-Bas* (Louvain-Paris, 1948 ; p. 135-182 : trad. franç. des auteurs néerlandais) et *Nederlandse mystieken in het Buitenland* (Kon. Vlaamse Academie voor Taal- en Letterkunde, Gand, 1965). Il faut ajouter les livraisons de la revue *Ons geestelijk Erf*, Anvers, 1927 svv.

## I. PÉRIODE DE CHRISTIANISATION

1. ÉPOQUE ROMAINE (jusqu'en 406). – Ceux qui cherchent des vestiges de spiritualité dans les temps où les Pays-Bas commencent à devenir chrétiens doivent se contenter de données fort rudimentaires. Celles-ci sont certes importantes, mais leur contenu ne peut être précisé. Un premier contact avec le christianisme se constate probablement en dehors de toute intervention missionnaire, en certains centres devenus lieux de résidence de légionnaires romains. Des fouilles opérées à Tongres et à Maastricht ont montré que les symboles chrétiens et les inscriptions tombales des anciennes nécropoles ne diffèrent en rien de ce que nous apprennent les catacombes romaines. Mais en d'autres régions des Pays-Bas, les nécropoles ne présentent aucune caractéristique spécifiquement chrétienne. Il est certain toutefois que, dès cette période, des églises ont été construites en plusieurs endroits, à savoir dans les deux villes déjà citées ainsi qu'à Arlon, et il est probable que de petites communautés chrétiennes ont existé dans des centres plus importants, tels que Cambrai, Tournai et Arras. Enfin aucune trace de vie chrétienne n'a été retrouvée à Nimègue ni en d'autres lieux des Pays-Bas où il est certain cependant que des colonies romaines ont existé.

Au 4e siècle, alors qu'en Gaule le monachisme se manifeste déjà clairement avec saint Martin, évêque de Tours † 397 (DS, t. 10, col. 687-94), et les moines vivant dans son entourage, aucun signe de vie monacale ne peut être décelé avec certitude. Nous savons toutefois par les *Confessions* de saint Augustin (VIII, 6) qu'à Trèves et à proximité de cette ville, donc aux frontières mêmes des Pays-Bas, une forme primitive de vie religieuse s'est déjà constituée. Augustin raconte en effet comment plusieurs personnes, des « pauvres en esprit », menaient une vie commune et trouvaient ensemble leur nourriture spirituelle dans la *Vita Antonii* (DS, t. 1, col. 702-08). De son côté, la *Vita Martini* montre que ce monachisme primitif était plus anachorétique que cénobitique ; on peut en déduire qu'aussi dans les Pays-Bas et dans une mesure plus ou moins générale, la forme la plus ancienne de vie monacale doit avoir été l'anachorétisme.

Le premier saint dont nous connaissions la vie avec quelque détail est saint Servais, évêque du diocèse de Tongres-Maastricht vers le milieu du 4e siècle. Des sources historiques sûres apprennent qu'il a participé vers les années 343-344 ou en 347 au Concile de Sardique dont il a personnellement signé les canons, et que par deux fois dans la suite, il a pris la défense de la foi catholique aux côtés de saint Athanase (cf. Axters, p. 14 et 409).

Plusieurs *Passiones* relatant le martyre subi par des hommes et des femmes en des régions très rapprochées des Pays-Bas rappellent que les persécutions continuent de sévir. En particulier, dans les Pays-Bas eux-mêmes, la foi des Francs récemment convertis fut soumise en 406 à une rude épreuve. Mais l'avènement des rois francs inaugure une nouvelle période historique : avec elle les Pays-Bas s'ouvrent à des influences nouvelles, bien différentes de celles qui, durant la période romaine, ont contribué à leur première christianisation.

2. PÉRIODE FRANQUE (jusqu'en 927). – 1° **La vie érémitique.** – L'enthousiasme suscité par la *Vita Antonii,* encore amplifié par le renom de sainteté dont a joui Martin de Tours, a eu pour conséquence que, dès les premiers temps de christianisation, l'idéal érémitique a été tenu en haute estime. Et toute cette période a pour caractéristique constante que la présence des ermites est ressentie par la foi populaire comme un bienfait et presque comme une nécessité. On en

trouve une remarquable confirmation dans le texte original du roman de chevalerie *Les quatre fils Aymon* : après avoir erré dans la forêt des Ardennes, les quatre frères reviennent en haillons auprès de leur mère qui les tient pour des ermites inconnus d'elle (vers 3388-3393). Parmi les ermites dont le nom a été transmis, nous nommerons saint Cunibert et son disciple saint Helerius dans la région de Tongres (6e siècle), saint Berthuin honoré plus tard comme le fondateur de l'abbaye de Malonne, saint Hadelin († vers 690) à Celles près de Dinant, père spirituel d'un grand nombre de pieux ermites. La vie érémitique a aussi été menée dès cette époque par des femmes : ainsi sainte Landrade († vers 690) sous la direction de saint Lambert dans la forêt de Munsterbilzen, et sainte Ode († vers 726) aveugle de naissance et guérie sur la tombe de ce même saint Lambert, venue ensuite habiter en recluse à Eerschot sur le Dommel. Dès que les monastères eurent commencé de se multiplier, beaucoup de pieuses femmes demandèrent de s'établir dans leur voisinage immédiat, pour assurer ainsi leur vie de prière et leur progrès spirituel. Plusieurs d'entre elles furent littéralement emmurées dans l'enceinte même d'une ville ou d'un monastère, et vécurent ainsi privées de toute liberté sous l'œil vigilant de l'évêque ou de l'abbé. Le pénitent Allowin, plus connu sous le nom de saint Bavon († vers 653), se laissa emmurer de cette façon sur le mont Blandin à Gand, sous la surveillance de l'abbaye de Saint-Pierre (cf. DS, t. 4, col. 957-59).

**2° La piété colombane.** – Saint Colomban † 615 (DS, t. 2, col. 1131-33) n'a pas eu d'influence personnelle sur le monachisme dans les Pays-Bas. Mais la vague de ses fondations y a pénétré dès avant le milieu du 7e siècle : il s'agit alors en chaque cas de monastère de moines cénobites fort préoccupés d'ascétisme, trouvant toutefois aussi leur inspiration dans l'observance de la Règle de saint Benoît.

Ainsi saint Éloi † 659 a fondé dans la Haute-Vienne le monastère de Solignac et placé celui-ci sous la direction de saint Remacle. La charte de fondation du monastère, qui dépendait de Luxeuil, date de 632. En 644 Remacle fut préposé à l'abbaye double de Stavelot-Malmédy récemment érigée. Plus encore que saint Éloi, saint Amand († après 675) a contribué à l'expansion de la piété colombane. Le grand apôtre et évêque itinérant fonda le monastère d'Elno, au confluent de la rivière portant ce nom et d'un affluent de l'Escaut, la Scarpe. L'abbaye de Saint-Pierre à Gand est, elle aussi, due à son initiative, ainsi que probablement le monastère de femmes de Nivelles (entre 640 et 652). Remarquons que ce sont les évêques qui se sont faits les promoteurs dans leurs provinces ecclésiastiques des règles de Colomban et de Benoît ; outre cela, ils ont adopté eux-mêmes dans leur vie personnelle le mode de vie et les attitudes spécialement recommandés par saint Colomban : la vie errante pour le Seigneur (« peregrinari propter Dominum »), le choix volontaire de l'exil en des contrées lointaines, la mise en pratique radicale du précepte : « Va et vends tout ce que tu possèdes ». Il faut y ajouter l'exercice des œuvres de miséricorde, en particulier l'assistance des pauvres, des malades et des prisonniers. Sur la vie de prière nous sommes renseignés, jusque dans le détail, par les vies des saints : récitation de l'office liturgique, place prépondérante que les Psaumes y occupent, prière personnelle silencieuse et continuelle. Celle-ci a été sans doute pratiquée par des moniales comme sainte Gertrude de Nivelles † 659 et sainte Aldegonde de Maubeuge † 684, mais aussi par des hommes tels que saint Lambert et saint Éloi ; elle présente des traits nettement contemplatifs où l'accent est mis sur la dévotion au Christ (l'Eucharistie, les saintes Plaies). Enfin les Visions de sainte Aldegonde sont les premiers témoins de cette mystique nuptiale qui sera plus tard aux Pays-Bas le trait caractéristique de la vie de prière de tant de consacrés.

**3° Le courant bénédictin.** – La Règle de saint Benoît † 547 a été introduite en Espagne, en France et en Angleterre dès le début du 7e siècle. En France elle prend son essor à partir de Luxeuil, suppléant en quelque sorte la Règle de Colomban par son plus grand équilibre. L'observance combinant les deux Règles s'est étendue rapidement peu après 630 dans tout le pays franc et jusque dans les Pays-Bas (cf. DS, t. 1, col. 1410).

La christianisation des Pays-Bas ne commence vraiment pour de bon qu'avec l'arrivée de saint Willibrord (658-739). Celui-ci débarque avec onze compagnons en 690 sur la côte de l'actuelle province de Hollande-Méridionale, chargé d'une mission reçue d'Egbert, abbé du monastère de Rathmelton en Northumbrie. Il finit par fixer son siège archiépiscopal à Utrecht, après de grandes difficultés. Il fonde à Echternach un monastère qui devient bientôt un centre de vie religieuse et d'évangélisation ; il y introduit la Règle de saint Benoît dès la fondation. L'apostolat missionnaire dans les Pays-Bas a été marqué dès le commencement non seulement par la piété bénédictine, mais aussi par le désir de se rattacher directement au pontife de Rome, successeur de Pierre. Ainsi les deux fêtes de la Chaire du prince des Apôtres sont présentes dans le calendrier personnel de saint Willibrord qui a été conservé ; en 695 il prend le chemin de Rome, pour recevoir du pape Serge la mission le constituant apôtre de la Frise ainsi que la dignité archiépiscopale. De ce même calendrier il ressort aussi que la Vierge Marie est l'objet d'une dévotion spéciale : la fête de l'« Adsumptio Sanctae Mariae » est mentionnée au 18 janvier, coïncidant avec celle de la « Cathedra Petri in Roma », et la « Nativitas Sanctae Mariae Hierosolymis » est fêtée le 9 septembre. De Rome Willibrord rapporte les reliques de plusieurs martyrs romains qui deviendront les patrons des églises qu'il va fonder, et leurs noms témoignent encore aujourd'hui de leur origine romaine.

Saint Boniface (675-754), anglais d'origine et chargé d'une mission papale, a commencé ses prédications sous la direction de Willibrord. Ils travaillèrent ensemble dans les Pays-Bas de 719 à 722. Ensuite Boniface partit une seconde fois pour Rome et y fut consacré évêque par Grégoire II. On lui assigna l'évangélisation des contrées frontalières de l'Allemagne. Il fonde, lui aussi, à Fulda en 744, un monastère destiné à devenir le centre de l'action évangélisatrice ; car presque tous les missionnaires anglo-saxons sont en fait des moines. Pendant qu'il tente une seconde fois de pénétrer en Frise pour y implanter l'Église, il est massacré avec ses trente compagnons par des païens à Dokkum le dimanche de Pentecôte, 5 juin 754.

C'est par la réforme de saint Benoît d'Aniane † 821 (DS, t. 1, col. 1438-42) que la Règle bénédictine devient la règle unique pour tous les moines de l'empire carolingien. Le *Capitulare monasticum* (MGH

*Leges*, sect. 2, t. 1, 1883, p. 344-49) fut sanctionné en 817 par le synode d'Aix-la-Chapelle. Cette réforme fait reposer la vie monastique sur le travail manuel et sur la prière, la pratique de cette dernière comportant l'*Opus Dei*, tel que la Règle de Benoît le décrit, et la prière personnelle, proposée sous la forme d'exercices et destinée à renforcer le caractère contemplatif de la vie monastique.

Les chroniques relatant l'histoire des monastères durant cette époque montrent en quoi la réforme carolingienne a enrichi la spiritualité. Tout d'abord les monastères vivent au rythme des fêtes et des féries de l'année liturgique. La piété des moines et des moniales s'inspire de l'exemple des saints que la liturgie célèbre. On montre un grand empressement pour la vénération des reliques, et la possession de celles-ci (point unanimement souligné par les chroniques) est considérée comme la plus enviable des richesses. On est surtout désireux de posséder des reliques ayant appartenu aux apôtres, et en tout premier lieu à saint Pierre ou à saint Paul ; ce qui ne va pas sans des excès proches de la superstition, des jalousies et des rivalités dégénérant parfois en violences et en pillages. Les moines bénédictins des Pays-Bas s'adonnent aussi avec grand zèle à l'hagiographie ; mais ils racontent le plus souvent la vie de saints ayant vécu au cours de la période mérovingienne antérieure, ce qui n'est pas sans influencer la valeur historique de leurs travaux. Toutefois, plus que dans les chroniques, c'est dans les livres liturgiques des monastères que l'on apprend à bien connaître la spiritualité propre à cette époque. On y perçoit une préférence marquée pour la méditation des souffrances et de la mort du Christ. Les deux fêtes de la sainte Croix (« Exaltatio » et « Inventio ») sont déjà présentes au calendrier. La vénération des reliques vient confirmer de façon fort convaincante l'existence d'une piété toute centrée sur le Christ. Nous entendons parler de reliques consistant non seulement en fragments de la sainte Croix, mais aussi en une quantité d'autres objets ayant été plus ou moins étroitement en relation avec la personne du Christ ou avec les lieux où il a séjourné. Une dévotion mariale naissante s'annonce de son côté par quelques signes bien clairs. La fête de l'Assomption, déjà inscrite au calendrier de saint Willibrord, devient avec certitude à partir du 9e siècle une fête universelle de l'Église franque. De même la fête de la Nativité. Il est fait mention de la fête de la Purification dès 837.

Enfin l'Église franque a célébré, à l'intérieur du culte liturgique, le mystère de la Trinité avec un zèle témoignant d'une foi théologique éclairée. La preuve en est la fermeté avec laquelle le *Filioque* a été introduit dans le Credo de la messe avant que ce soit devenu l'usage pour la messe du Pape à Rome. Déjà dans les dernières années du 8e siècle, Alcuin † 804 avait rédigé une « Missa Sanctissimae Trinitatis » pour les dimanches libres de l'année. Ceci donna lieu à la célébration d'une fête spéciale en l'honneur de la Trinité, décidée à Liège pour la première fois au commencement du 10e siècle par l'évêque Étienne, qui, chargé de la direction de deux monastères, se trouvait en relation avec l'ordre bénédictin. On voit la manière dont l'*Opus Dei* des moines a influencé la spiritualité du peuple chrétien. Finalement c'est avec l'appui de Cluny que la fête a été inscrite au calendrier universel de l'Église.

4° **La piété laïque.** — Assurément, une saine critique doit apprécier les renseignements sur les pratiques de piété que fournissent les sources du moyen âge ; il est permis toutefois de lire dans les documents des données trahissant les convictions de foi de leur auteur. De tels témoignages se rapportent bien souvent aux signes de vie chrétienne les plus élémentaires. Pour ce qui est de la prière, les fidèles laïques

– du moins ceux qui prennent leur engagement de foi au sérieux – ont l'habitude de la prière régulière. Ils la commencent par le signe de la croix, et de chaque chrétien on peut attendre – c'est saint Éloi qui nous le dit dans un sermon – qu'il connaisse par cœur le Notre Père et le symbole des Apôtres. Le saint exhorte ses diocésains à réciter ces deux prières, après avoir fait un signe de croix, au moment de partir en voyage ou de commencer le travail. Selon un canon du Concile de Francfort (794) et un capitulaire d'Hatto (Ahytonis), évêque de Bâle (819), la récitation de ces prières en langue vulgaire était non seulement permise mais encouragée. Les prêtres étaient censés instruire leurs ouailles dans la foi par leurs prédications hebdomadaires ; et plus d'une fois dans les recommandations adressées par les évêques à leurs prêtres, il est question de recueils de textes des Pères pouvant leur être utiles dans ce ministère. Les homélies de saint Grégoire y sont l'objet d'une recommandation spéciale. Pour les laïques plus instruits et d'une plus grande piété, le Psautier était depuis le 6e siècle le livre de prière par excellence.

Ainsi le Psautier manuscrit de Charlemagne conservé à la Bibliothèque Nationale de Paris (lat. 13159). En certains psautiers chaque psaume était suivi d'une oraison appropriée. On y trouve parfois aussi les Cantiques de l'ancien et du nouveau Testament chantés aux offices liturgiques. Pour les Pays-Bas de cette époque, on n'a que peu de données au sujet de la pratique des sacrements, l'usage des pénitentiels, les pratiques de pénitence privée ou publique, et le culte des saints. Mais on est autorisé à penser que ce qui nous est dit de la pratique religieuse dans la Gaule franque (cf. DS, t. 5, col. 812-27) s'applique aussi à nos régions. C'est surtout par la vie des saints évêques, abbés et ascètes, et par les décrets des synodes, comme celui d'Agde en 506, et celui d'Orléans en 541, qu'on peut se faire une idée de la pratique religieuse courante.

Voir surtout Axters, t. 1, p. 1-111 (bibl., en particulier des sources, p. 408-22) ; *La spiritualité des Pays-Bas,* p. 9-39. – M. Mähler, *Schetsen uit de Geschiedenis en de Spiritualiteit van de Monniken,* Oosterhout, 1980.

Henri van CRANENBURGH.

## II. LES GRANDES RÉFORMES MONASTIQUES

L'an mil marque pour l'Europe chrétienne le commencement d'une époque nouvelle, principalement sans doute en raison de l'évolution intérieure et spirituelle qui va s'y développer. L'excitation de la sensibilité troublée par l'approche de la fin du premier millénaire depuis la naissance du Christ n'a eu, somme toute, qu'une médiocre répercussion. Dans ces régions occidentales de l'Europe où la foi chrétienne est devenue le ciment social, Rome peut désormais jouer un rôle de premier plan. Les Papes, non sans difficultés ni luttes, exercent une domination spirituelle et influencent profondément la vie civile et sociale.

Les interventions papales dans la vie cléricale rencontrèrent naturellement de fortes résistances ; mentionnons aux Pays-Bas les conflits autour des prébendes et du concubinage des clercs (diocèse de Cambrai) ; à Liège, l'évêque se range aux côtés des adversaires de Grégoire VII †1085 ; à Thérouanne, un personnage indigne s'empare en 1082 du siège épiscopal. Grégoire VII s'opposa avec acharnement aux abus résultant de l'emprise du pouvoir séculier sur le clergé et les moines. Urbain II eut les mêmes préoccupations ; en érigeant le diocèse d'Arras (1094), il renforça l'influence romaine dans nos régions.

Dans le même sens, les Papes s'efforcent de soustraire les monastères au pouvoir des évêques locaux, souvent eux-mêmes engagés dans le système féodal. Si, déjà en 751, le pape Zacharie exempte l'abbaye de Fulda de toute juridiction ecclésiastique locale, l'exemple le plus connu et le plus important de cette politique est l'exemption accordée à Cluny dès sa fondation (910), même si ce décret n'a pu être appliqué que graduellement dans les très nombreux monastères clunisiens.

Il faut aussi mentionner l'influence des croisades, en particulier sur la chevalerie. En 1095 Urbain II appelle les chevaliers de Flandre à libérer la Terre sainte. Pour beaucoup de croisés, le départ à la croisade a été l'occasion d'une conversion personnelle et, souvent, celle d'un appel à entrer en religion dans un ordre militaire : ceux des Johannites et des Templiers accueillirent la plupart des chevaliers originaires des Pays-Bas. Mais les croisades eurent aussi leur impact sur la piété populaire : les meilleurs de ceux qui en revenaient pouvaient parler des lieux où le Christ avait vécu les jours de son humanité.

La littérature épique témoigne de l'évolution de la dévotion chrétienne : dans la *Chanson de Roland*, le héros va combattre les Musulmans ; à côté de la « Geste de Charlemagne » existe tout un ensemble de récits et de romans traitant des croisades et du Saint-Graal (DS, t. 6, col. 672-700).

Autre trait marquant de l'époque, la recrudescence des vocations religieuses féminines, qu'il s'agisse d'ordres nouveaux (comme l'ordre cistercien) ou de nouveaux mouvements (comme les Béguines). L'expansion fut rapide. C'est dans ces milieux que va s'épanouir la dévotion à l'humanité du Christ, surtout à sa Passion. Cette dévotion, avec la nouvelle sensibilité religieuse qui l'accompagne, prit dans les Pays-Bas des formes extatiques qui frappaient les étrangers visitant ces régions.

1. LA RÉFORME BÉNÉDICTINE JUSQU'EN 1300. – En réaction déclarée contre le relâchement général de l'observance à l'intérieur des couvents et contre l'emprise du pouvoir séculier à l'extérieur, le gentilhomme Gérard de Brogne transforma sa demeure seigneuriale du Namurois en un couvent vivant sous la règle bénédictine, qu'il avait appris à connaître en 915 à l'abbaye de Saint-Denis. A cette nouvelle fondation s'affilièrent bientôt plusieurs monastères et abbayes : Saint-Ghislain dans le Hainaut (913), Saint-Bavon et Saint-Pierre à Gand (vers 937), et enfin Saint-Bertin de Saint-Omer et Saint-Amand d'Elno. Cette réforme se fit en dehors de l'influence de Cluny. L'acte de donation porte comme date l'année 919, neuf ans après la fondation de Cluny. La seule règle reconnue est celle de saint Benoît. Dans un esprit de parfaite fidélité à celle-ci, l'*Opus Dei* y reçoit toute la place qui lui revient. A la mort de son fondateur en 959, ce mouvement de réforme n'a toutefois pas su se maintenir, faute de continuité dans la direction. Mais d'autres réformes semblables furent simultanément entreprises dans les Pays-Bas, par exemple le renouveau de l'observance qui débuta dans l'abbaye de Gorze près de Metz (933) et qui prit sa forme définitive, sous la direction de l'évêque Richer de Liège † 945, dans les abbayes de Stavelot et Malmédy et, probablement aussi, dans celle de Saint-Hubert. Tous ces monastères devinrent de grands centres de rayonnement spirituel. L'abbaye de Gembloux, elle aussi, a été prise dans ce

mouvement de réforme dès sa fondation en 922. Cf. DS, t. 5, col. 828-829.

On sait aussi par quelle voie ce même mouvement, à partir de l'abbaye Saint-Pierre de Gand, s'est étendu vers le Nord des Pays-Bas. C'est très probablement de cette dernière que l'abbaye Saint-Adalbert, fondée à Egmond vers 950 par le comte de Hollande Thierry II, a reçu ses premiers moines. « Vacare Deo » : telle est, selon la *Vie* de saint Adalbert † 741, la principale caractéristique du moine ; ce même trait, repris aussi à Egmond, rejoint parfaitement le souci du service de Dieu choisi par Gérard de Brogne comme but principal de sa fondation.

L'esprit de Gorze pénétra aussi dans les Pays-Bas, en particulier dans les monastères d'Eename, Orval, Grimbergen, Affligem, Bruges (Saint-André) et Bornhem. La réforme de saint Poppon de Stavelot † 1048 est, elle aussi, apparentée au mouvement de Gorze ; mais cette fois, il s'agit d'une réforme directement influencée par Cluny, et on peut la considérer comme le chaînon reliant les Pays-Bas au mouvement de réforme spécifiquement clunisien. Car, après l'échec d'un projet visant à placer l'abbaye de Saint-Bertin sous l'autorité de l'abbé de Cluny, jamais un véritable rattachement à la Congrégation de Cluny ne s'est opéré aux Pays-Bas, les abbayes s'y refusant en bloc à perdre leur propre autonomie. Ce qui ne signifie nullement que le nouveau courant de spiritualité monastique émanant de Cluny n'ait pas influencé profondément les monastères des Pays-Bas.

Concevoir la vie monastique comme un « temps de service », une *militia*, et accorder au Christ une place centrale, sont deux traits corrélatifs, déjà fortement soulignés par Benoît au début de sa Règle. Le futur moine s'y entend dire : « Mon fils, c'est à toi que mes paroles s'adressent..., à toi qui renonces à ta propre volonté pour entrer au service du vrai Roi, le Christ Seigneur, et qui prends dans ce but les armes fortes et glorieuses de l'obéissance » (Prologue 3). On retrouve ainsi l'ascèse de l'idéal monastique des origines : plus question de prébendes, la pauvreté personnelle est égale pour tous, ainsi que le souci commun de venir en aide aux vrais pauvres. Aussi l'obéissance, dans les limites fixées par la Règle, est retrouvée. Mais surtout l'*Opus Dei* reçoit à nouveau la place d'honneur que Benoît avait revendiquée : « Nihil Operi Dei praeponatur » (43, 3). Le style de Cluny s'impose sans doute à l'imitation de tous, même si l'exécution n'atteint nulle part la grandeur liturgique de l'abbaye-mère. Autant que l'Office divin, l'Eucharistie est l'objet d'une attention vigilante, les moines y trouvant sacramentellement l'actualisation de leur union au Christ, en même temps qu'un enrichissement théologique et spirituel.

Signalons ici deux figures représentatives de la spiritualité des Pays-Bas à cette époque. Rathier † 974, moine de Lobbes (Hainaut) et plus tard évêque de Vérone, qui dans ses *Praeloquia* et dans d'autres écrits s'efforce d'indiquer les remèdes à apporter aux abus dans l'Église de son temps. Ensuite Rupert, moine de l'abbaye Saint-Laurent de Liège, devenu vers 1120 abbé de l'abbaye de Deutz près de Cologne († 1129/1131), auteur de quelques Vies de saints, de Lettres et d'un commentaire de la Règle de saint Benoît. Il écrivit aussi un gros ouvrage *De divinis Officiis*, qui témoigne d'une connaissance approfondie de l'Écriture et des Pères. On a aussi de lui des commentaires bibliques, d'où ressortent sa grande vénération pour l'Eucharistie et des vues théologiques originales sur l'union du Christ avec Marie et, par elle, avec l'Église (*In Cantica Canticorum*). Ces moines n'étaient certes pas étrangers aux problèmes théologiques de leur temps ; mais, en tant que moines, ils se préoccupaient surtout de garder vivante la relation entre la connaissance et la prière, la foi et la vie. Plus d'une fois ils font allusion dans leurs œuvres à quelque expérience personnellement vécue. Ils sympathisent avec les pratiques pieuses des gens simples et se rallient volontiers aux formes de la dévotion moyenâgeuse. Ils tiennent en haute estime les personnes favorisées de grâces mystiques. Ainsi Guillaume d'Affligem † 1297 (DS, t. 6, col. 1178-81) traduit en langue vulgaire la *Vie de sainte Lutgarde*, écrite en latin par Thomas de Cantimpré, et retravaille en latin la *Vie de Béatrice de Nazareth* écrite par elle-même en néerlandais.

Autres témoins de la spiritualité bénédictine : Folcuin de Lobbes † 990 (DS, t. 5, col. 630-31) ; – Hériger de Lobbes †1007 (t. 7, col. 285-86) ; – Sigebert de Gembloux † 1112 ; – Francon d'Affligem †1135 (t. 5, col. 1131-36) ; – Hériman de Tournai († v. 1147 ; t. 7, col. 286-88) ; – Guibert de Gembloux † 1213 (t. 6, col. 1132-35).
Voir Axters, t. 1, cité *supra*, p. 113-165 ; bibl. p. 423-432. – Mähler, cité *supra*, p. 106-108.

Henri van Cranenburgh.

**2. La réforme cistercienne.** – A la fin du 11e siècle s'est manifesté un courant tendant à réformer la vie monastique de l'Occident, grâce à un retour à la vie ascétique et à l'austérité des premiers Pères du désert. Ceux qui, à cette époque, cherchaient Dieu avec un cœur sincère, tournaient leurs regards vers l'*Orientale lumen* (Guillaume de Saint-Thierry, début de l'*Epistola ad fratres de Monte Dei*) que leur montraient les premiers moines et solitaires des déserts d'Égypte et de Syrie. Les deux principaux groupes religieux issus de ce courant sont les chartreux et les cisterciens. La « Grande Chartreuse » est fondée par Bruno de Cologne en 1084, et Cîteaux par Robert de Molesme en 1098. S'il faut attendre 1315 pour voir les premiers chartreux s'établir aux Pays-Bas, à Hérinnes près d'Enghien, les cisterciens connurent dès le 12e siècle une grande extension dans ces régions.

Dix abbayes d'hommes virent le jour en l'espace de 40 ans : Orval (1132), Les Dunes (1138), Clairmarais (1140), Cercamp (1141), Villers (1146), Aulne (1147), Cambron (1148), Loos près de Lille (1149), Klaarkamp en Frise (1165) et Ter Doest près de Bruges (1176). Les moniales eurent leur première abbaye en 1182 à Herkenrode près de Hasselt. Cette fondation est suivie d'un véritable pullulement de couvents de cisterciennes. Une cinquantaine de nouvelles abbayes sont érigées au cours du 13e siècle, principalement en Flandre, au Brabant et dans la principauté ecclésiastique de Liège. Mais encore que dans les très nombreuses fondations nouvelles, l'épanouissement de la vie religieuse féminine s'affirme dans les remarquables témoignages de vie spirituelle qu'offre le siècle de l'amour courtois. Ce siècle est aussi le siècle des grandes mystiques (*Frauenmystik*), elles-mêmes parfois écrivains de premier plan ; et l'émancipation féminine caractéristique de cette époque ne reste pas sans écho dans les nombreux couvents de contemplatives.
Nous relevons ci-dessous l'héritage spirituel laissé par les moines et les moniales de Cîteaux, en nous arrêtant successivement aux écrits originaux, aux récits biographiques et à la vie spirituelle en général.

1° *Les moines de Cîteaux*. – Pour commencer, mentionnons l'activité littéraire de deux amis de saint Bernard : Guillaume de Saint-Thierry (DS, t. 6, col. 1241-63) et Guerric d'Igny (col. 1113-21). Ces moines ont vécu dans le Nord de la France, mais Guillaume est né à Liège et Guerric à Tournai. Tous deux ont laissé des œuvres spirituelles très importantes. Les nombreux manuscrits qui ont été conservés prouvent que leurs œuvres étaient présentes en beaucoup de couvents des Pays-Bas. Et on ne peut certainement pas attribuer au hasard le fait que Guillaume de Saint-Thierry ait trouvé aux Pays-Bas de nombreux admirateurs et imitateurs.
Les cisterciens des Pays-Bas eux-mêmes n'ont laissé que peu d'œuvres originales, à l'exception toutefois des vies des saints. Nous possédons deux sermons d'Élie de Coxyde † 1203, abbé de l'abbaye des Dunes, tous deux prononcés devant le chapitre général à Cîteaux (PL 209, 991-1006). Les moines de Villers écrivirent en 1175 une intéressante lettre à Hildegarde de Bingen, lui posant 38 questions ayant trait principalement au sens spirituel de l'Écriture (PL 197, 1093-1045). Il est probable qu'Hildegarde leur a répondu qu'il serait profitable de soumettre ces questions à l'avis d'un maître parisien (« alicui magistrorum Franciae peritissimo ad dissolvendas eas » ; cf. *Catalogus codicum hagiographicorum bibl. reg. Bruxellensis*, t. 1, Bruxelles, 1886, p. 497).

Les cisterciens des Pays-Bas ont été particulièrement féconds dans le domaine de l'hagiographie. Cela vaut surtout pour les abbayes de Villers et d'Aulne. Au cours du 13e siècle, sept vies de saints ont été écrites à Villers : *Vita Godefridi sacristae, Vita Caroli abbatis, Vita Abundi, Vita Goberti Asperimontis, Vita Franconis* et *Vita Arnulfi conversi*. Le chantre de Villers Thomas écrivit la vie de son propre frère : *Vita Godefridi Pachomii*. A l'abbaye d'Aulne ont été composées la *Vita Simonis conversi* et la très belle *Vita Werrici prioris* en vers (*Catalogus codicum hagiographicorum*, cité *supra*, t. 1, p. 445-63), qui décrit de manière fort pittoresque l'amour qu'il portait aux livres de spiritualité :

> Semper quaesivit scripturas aedificantes...
> Vix sinus illius unquam fuit absque libellis,
> Quos ita dilexit ut apis libamina mellis.
> Saepius et collo saccellum ferre solebat
> Codicibus tumidum, quae lata cuculla tegebat.

Ainsi, le bon prieur se promenait dans le cloître, portant une lourde sacoche pleine de manuscrits et les protégeant avec précaution de son froc contre la pluie ou d'autres dangers. Guerric n'est pas présenté comme un lecteur passif : il écrivait un nouveau sermon à chaque grande fête, même lorsqu'il n'avait pas à prêcher lui-même. Il écrivait ses textes sur les tablettes de cire et l'auteur de la biographie a vraisemblablement été son fidèle copiste :

> De magnis festis, quamvis non diceret illos,
> Sermones solito faciebat more novellos.
> Hos prius in tabulis conscriptos saepe videbam,
> Quos eius precibus in pelle notare solebam.

Quatre abbayes ont été, plus que d'autres, comme de véritables bastions de la spiritualité bernardine aux Pays-Bas. Ce sont les abbayes des Dunes (1138), de Villers (1146), d'Aulne (1147) et de Cambron (1148). Leurs bibliothèques possédaient les principaux ouvrages de saint Bernard. Les Dunes et Aulne possédaient aussi plusieurs ouvrages importants de Guillaume de

Saint-Thierry. De toute évidence, les premières générations de cisterciens se sont tournées très consciemment vers la spiritualité de Bernard. Elles ont aussi transmis ses écrits et son esprit aux abbayes de moniales. Toutefois cet âge d'or de la vraie théologie spirituelle n'a pas duré plus d'un siècle (environ de 1150 à 1250). En 1244 l'abbé de Clairvaux, Étienne de Lexington, fonde à Paris le collège théologique Saint-Bernard. A partir de cette date, les abbayes envoient à Paris les meilleurs de leurs étudiants pour y étudier la théologie scolastique. Cette décision a porté en fait le coup de grâce à la théologie proprement monastique, qui ne survit que dans les abbayes de moniales et qui reçoit en plus dans la mystique féminine (*Frauenmystik*) du 13ᵉ siècle des accents imprévus. Un catalogue de la bibliothèque de l'abbaye de Villers datant de 1309 (Malines, Archives de l'archidiocèse) montre clairement que, dès cette époque, les manuels de théologie scolastique ont pris le pas sur les œuvres spirituelles de l'école cistercienne proprement dite.

Quels accents la spiritualité bernardine a-t-elle reçus dans nos contrées ? Sans aucun doute, on y a fortement insisté sur l'ascèse et l'attention s'est portée de plus en plus sur l'Eucharistie.

Certains moines de Villers sont connus comme de véritables géants de l'ascèse. Arnulphe se flagellait parfois pendant des heures avec des instruments de torture particulièrement cruels. Le duc Henri III de Brabant, lors d'une visite à Villers un Vendredi saint, fut le témoin secret des flagellations que s'infligeaient les moines ; non sans émotion, il raconta à son tour qu'il avait assisté à un tournoi pathétique (ms, Bruxelles, Bibl. roy. 4459-70, f. 1672).

L'intérêt porté à l'Eucharistie ressort du désir toujours plus vif ressenti par les frères lais et les convers pour la communion hebdomadaire et même quotidienne. La plupart des fidèles ne communiaient alors qu'une fois l'an. Les moines de Villers ont encouragé le zèle eucharistique de Julienne de Cornillon (DS, t. 8, col. 1605). A sa mort, son corps a été déposé dans l'église abbatiale de Villers et son invocation a pris place dans les litanies après les saints de l'ordre de Cîteaux.

2° *Les moniales de Cîteaux*. – Tant d'abbayes de moniales cisterciennes ont été fondées au 13ᵉ siècle dans les Pays-Bas que l'on a comparé cet exode de femmes fuyant le monde au mouvement qui a attiré les hommes dans les Croisades. Dans la seule province actuelle du Brabant ont été fondées les abbayes suivantes : La Cambre (1201), Aywières (1215), La Ramée (1215), Valduc (1231), Val-Virginal (1219), Florival (1210), Wautier-Braine (1231), Oriënten à Rummen (1234), Val-Saint-Bernard à Diest (1235) et Parc-des-Dames à Rotselaar (1215). Une des cartes géographiques dessinées par J. Gielen, publiée en annexe au *Catalogus Jan van Ruusbroec* (Bruxelles, Bibliothèque Royale Albert I, 1981), donne un bon aperçu de ces nombreuses fondations.

Fait significatif pour l'histoire de la spiritualité, nombre de saintes moniales sont restées fidèles à la spiritualité monastique de Cîteaux, au moment où beaucoup de cisterciens subissent l'attirance de l'érudition universitaire et de la scolastique. Au 12ᵉ siècle, les figures de proue de l'ordre de Cîteaux appartiennent à la branche masculine de l'ordre (ainsi : Bernard, Guillaume de Saint-Thierry, Guerric d'Igny) ; mais au 13ᵉ, elles se trouvent surtout dans les abbayes de femmes (ainsi : Gertrude de Helfta, Lutgarde de Tongres et Béatrice de Nazareth). En même temps que les béguines, les cisterciennes ont déclenché dans les Pays-Bas un vaste mouvement de vie intérieure, en particulier par l'attention qu'elles ont portée aux grâces mystiques les plus élevées. En général, les moniales avaient pour confesseur un moine cistercien. Mais ces « directeurs » avaient en substance une tâche qui ne s'étendait pas au-delà de l'organisation et de l'administration des sacrements. Dans le domaine de la vie spirituelle, c'étaient bien souvent les moniales elles-mêmes qui dirigeaient et inspiraient les prêtres. Cela ressort non seulement des écrits laissés par plusieurs femmes écrivains, mais aussi de leurs *Vitae*, généralement composées par leur confesseur.

L'hagiographie nous a conservé les biographies détaillées de sept cisterciennes : Ide de Nivelles †1231 (DS, t. 7, col. 1239), Lutgarde de Tongres, ou d'Aywières † 1246 (t. 9, col. 1201), Alice de Schaerbeek † 1250 (t. 1, col. 1310), Ide de Gorsleeuw †1260 (t. 7, col. 1239), Béatrice de Nazareth † 1268 (t. 1, col. 1310), Ide de Louvain (t. 7, col. 1239) et Élisabeth de Spalbeek †1304 (DHGE, t. 15, col. 224).

De ces récits hagiographiques, S. Roisin a fait l'étude approfondie dans son mémoire universitaire *L'hagiographie cistercienne dans le diocèse de Liège au 13ᵉ siècle* (Louvain, 1947). Ces moniales ont vécu et prié dans l'esprit de saint Bernard. Mais leur spiritualité possède de plus certains traits qui, pendant longtemps, ont été caractéristiques de la vie spirituelle aux Pays-Bas. Elles ont un grand désir de dévotion sentie, de visions et extases, et des grâces paramystiques extraordinaires. Elles tiennent en haute estime les expériences sensibles et corporelles, qui constituent à leurs yeux une preuve et un signe visible de leurs épousailles mystiques. L'Eucharistie est le centre de leur vie spirituelle et leur grand attachement à l'Eucharistie est lui-même étroitement relié à des phénomènes expérimentaux. Elles recherchent avec force le sentiment de la présence eucharistique, et toutes sortes de phénomènes prodigieux rendent visibles les effets mystérieux de la messe et de la communion (d'où l'importance accordée au moment de l'« élévation »). Cette mentalité présentait assurément de sérieux dangers ; elle favorisait souvent le goût de la sensation et la contention hystérique, au détriment de l'abandon simple et sincère à Dieu. Mais beaucoup de moniales y découvrirent aussi le sens des réalités psychologiques de la vie d'union. Ceci ressort en particulier des biographies de sainte Lutgarde et de Béatrice de Nazareth.

La *Vita piae Lutgardis* a été écrite, peu après sa mort en 1246, par Thomas de Cantimpré (1201-1265). Le frère mineur Geraert en a fait une traduction versifiée en moyen-néerlandais. Cette biographie doit son importance au fait que Thomas a donné de larges développements aux épousailles que Lutgarde contracte avec le Christ crucifié. L'échange des cœurs entre le Christ céleste et son épouse terrestre est décrit par Thomas en des termes où l'on ne peut s'empêcher de voir une réminiscence d'un texte de Guillaume de Saint-Thierry.

Traduisons d'abord ce que dit la *Vita* : « Le Seigneur lui demanda : que désires-tu ? Elle répondit : Je désire ton cœur. Le Seigneur, à son tour : J'ai moi-même un désir plus grand encore du tien. Elle répondit : Qu'il en soit ainsi. Seigneur, verse l'amour de ton cœur en mon cœur et donne-moi de trouver mon cœur en toi, en sorte qu'il se sache toujours en sécurité sous ta protection. A partir de ce moment eut lieu un échange des cœurs, ou mieux une union entre l'Esprit incréé et l'esprit créé de Lutgarde par un privilège extraordinaire de la grâce (quin potius unio spiritus increati et creati per excellentiam gratiae) ». Voici maintenant comment Guillaume de Saint-Thierry s'exprime dans son *Commentaire sur le Cantique* : « In hoc siquidem fit coniunctio illa mirabilis et mutua fruitio... hominis ad Deum, creati spiritus ad increatum » (PL 180, 506). « Alors s'effectue cette union admirable et cette complaisance réciproque entre l'âme humaine et son Dieu, entre l'esprit créé et l'Esprit incréé de Dieu ». Lutgarde (ou Thomas) a donné de l'union mystique et de la rencontre mutuelle telles que Guillaume les décrit, une représentaton plus concrète : il y est question de l'échange des cœurs entre la moniale Lutgarde et son Époux bien-aimé.

Grâce à l'autobiographie qu'elle nous a laissée, *Béatrice de Nazareth* (1200-1268) est assurément la personnalité spirituelle la mieux connue parmi ses contemporaines du 13e siècle. Hadewijch (vers 1250 ; DS, t. 7, col. 13-23) possède sans conteste une personnalité plus forte et un talent littéraire unique en son genre ; mais son origine, son mode de vie et son activité restent plongés dans l'obscurité. La vie de Béatrice baigne dans la lumière. Le texte original de l'autobiographie, il est vrai, n'a pas été conservé ; nous possédons une adaptation latine, faite après sa mort par un confesseur anonyme de l'abbaye de Nazareth à Lierre.

La vie de Béatrice est intimement liée à celle de son père Bartholomé, notable de la ville de Tirlemont. A la mort de sa femme Gertrude en 1207, Bartholomé se consacre tout entier à l'éducation de ses enfants. Béatrice, alors âgée de sept ans et probablement la cadette, est confiée aux soins de « pieuses femmes », en l'occurrence les béguines de Léau. Après quelque temps elle est envoyée à l'école abbatiale de Florival à Archennes, au nord-ouest de Wavre. Entre-temps son frère aîné est devenu prémontré à Averbode, et sa sœur aînée cistercienne à l'abbaye de La Ramée. En 1215 Béatrice et deux de ses sœurs, décident de prendre l'habit en l'abbaye de Florival. Bartholomé le père et Wicbert le fils cadet prennent une résolution semblable : ils se font convers ou frères lais dans la même communauté de moniales.

Florival, à l'origine communauté bénédictine, adopte au cours des années 1215-1218 la règle plus stricte des cisterciennes et adhère officiellement à l'ordre de Cîteaux en 1218. Pendant ces années de transition, Bartholomé s'occupe, comme procureur, des intérêts temporels de la communauté. Vers la même époque (probablement depuis l'été 1216 jusque Pâques 1217), Béatrice séjourne pendant un an à La Ramée, pour s'y perfectionner dans l'art de la calligraphie et de la miniature. Elle y a comme amie Ide de Nivelles, qui a reçu chez les béguines de Nivelles les bases d'une solide formation spirituelle. Ces menus faits montrent bien qu'au 13e siècle béguines, recluses et cisterciennes des Pays-Bas sont unies entre elles par des liens d'affinité. Ces femmes cherchent, chacune selon son état, une vie d'union authentique à Dieu, et leurs expériences spirituelles présentent des caractéristiques communes. Elles sont manifestement en rapports très étroits les unes avec les autres, malgré les différences de langue et de règle de vie qui les séparent.

Bartholomé étant successivement devenu l'architecte et l'organisateur de deux fondations nouvelles : Virginal à Oplinter (1221) et Nazareth à Lierre (1235), ses trois filles le suivirent en ces abbayes nouvelles. En 1236 Béatrice devient prieure de la communauté de Nazareth et elle le restera pendant plus de trente ans jusqu'à sa mort en 1268. On peut regretter que l'autobiographie ne nous apprenne rien sur la manière dont elle s'est acquittée de cette tâche. Mais l'ouvrage contient de nombreuses conférences spirituelles que Béatrice a sans doute faites à ses jeunes consœurs.

Un des derniers chapitres de la *Vita Beatricis*, qui est heureusement parvenu dans son texte moyen-néerlandais original, a pour titre : *Van seven manieren van heiliger minnen* (De sept degrés de saint amour). Ce petit traité contient l'essence même de la doctrine spirituelle et mystique de Béatrice ; l'amour de Dieu (*die minne*) a été le thème central de sa vie spirituelle. Béatrice reçut, comme Lutgarde de Tongres, la grâce de l'échange des cœurs et elle conclut avec son Époux divin un pacte nuptial qu'elle consigna par écrit sur une tablette de cire. Elle appartient indubitablement à la race des amantes passionnées de Dieu, disposées à sacrifier leur vie plutôt que de renoncer à l'amour divin.

Dans la première partie du traité, Béatrice décrit les aspirations, désirs et purifications qu'éprouve un cœur qui se prépare à la venue du Bien-Aimé. Mais dans le quatrième degré, elle souligne que rien ni personne ne peut forcer Dieu de donner sa présence à l'âme aimante. Cette présence est un don gratuit, reçu sans l'intermédiaire de quelque activité humaine que ce soit. Guillaume de Saint-Thierry avait déjà écrit que Dieu se laisse souvent trouver, même quand on ne l'attend pas (inveniri solet etiam ubi non speratur, PL 180, 544). Avec un sens très fin de la psychologie, Béatrice décrit comment l'âme découvre et ressent cette présence amoureuse :

« A certaines heures, il semble que l'amour s'éveille doucement en elle et se lève radieux pour émouvoir le cœur sans nulle action de la nature humaine. Le cœur alors est excité si tendrement, attiré si vivement, si fortement saisi et si passionnément embrassé par lui, que l'âme est totalement conquise... Elle sent que toutes ses facultés sont à l'amour, que sa volonté est amour ; elle se trouve plongée et engloutie dans l'amour ; elle-même n'est plus qu'amour » (trad. de J.-B. M. Porion, dans *Hadewijch : Lettres spirituelles ; Béatrice de Nazareth : Sept degrés d'amour*, Genève, 1972, p. 237-238).

S. Roisin, *L'efflorescence cistercienne et le courant féminin de piété au 13e siècle*, RHE, t. 39, 1943, p. 342-378 ; *L'hagiographie cistercienne dans le diocèse de Liège au 13e siècle*, Louvain, 1947. – *Vita Beatricis*, éd. L. Reypens, Anvers, 1964. – Axters, t. 1, p. 165-237, 432-439 (bibl.).

Paul VERDEYEN.

3. LES CHANOINES RÉGULIERS. – La fin du 11e siècle et le 12e siècle sont pour les chanoines réguliers une période de grande prospérité (cf. DS, t. 2, col. 466-469). Ils se distinguent des chanoines séculiers par leur attachement au fondement apostolique de la vie canoniale : la communauté de biens. Leur spiritualité s'exprime dans la récitation de l'office au chœur, le travail manuel ou les travaux de copie, l'étude et la pénitence. Parmi les fondations importantes dans les Pays-Bas il faut citer Arrouaise et Kloosterrade.

C'est principalement sous l'influence de Norbert († 1134 ; DS, t. 11, col. 412-24) que les chanoines réguliers ont pris des développements très importants. Norbert intégra l'érémitisme dans la spiritualité des chanoines. Aussi les premiers Norbertins manifestèrent-ils des tendances nettement contemplatives. Aucun apostolat ne pouvait être pratiqué, si ce n'est dans le voisinage immédiat de l'abbaye.

Ce caractère contemplatif fut encore accentué par la contribution que les femmes apportèrent au mouvement de Prémontré. Leur affluence fut canalisée dans les abbayes dites doubles. Telles furent, en leurs commencements, les abbayes de Floreffe, Bonne-Espérance (près de Binche), Postel, Tongerlo et Averbode.

Le service pastoral des chanoinesses n'empêcha pas les Prémontrés de se dépenser aussi au service des laïques. Ainsi l'abbaye Saint-Michel à Anvers fut, selon le témoignage de contemporains dignes de foi, fondée en 1124 par saint Norbert pour soutenir le combat contre Tanchelm et ses sectateurs.

La tendance contemplative des chanoines réguliers est confirmée encore par les œuvres littéraires qu'ils ont créées. Ainsi on conserve la correspondance échangée entre Hildegarde de Bingen († 1179 ; DS, t. 7, col. 505-521) et Philippe † 1161, deuxième abbé de Park (Louvain). De son côté, Philippe de Harvengt †1183, deuxième abbé de Bonne-Espérance, écrivit un commentaire du *Cantique des Cantiques* où Marie, en grande contemplative, tient le rôle de l'Épouse. Enfin Hugo de Floreffe († après 1228) a laissé plusieurs vies fort importantes pour la connaissance des débuts du mouvement des Béguines : *Vita B. Ivettae viduae et reclusae apud Hujum, Vita B. Idae Nivellensis* et *Vita B. Idae Leuwensis* (cf. DS, t. 7, col. 1239-1242).

Autres auteurs : le prémontré Luc de Mont-Cornillon († v. 1182; DS, t. 9, col. 1124-1125) et le victorin Étienne devenu évêque de Tournai († 1203 ; t. 4, col. 1526-1527).

Voir C. Dereine, art. *Chanoines*, DHGE, t. 12, 1953, surtout col. 364-405. – Axters, t. 1, p. 238-293 ; bibl. p. 440-445.

Guido DE BAERE.

4. LES BÉGUINES (12e-14e s.). – Depuis la magistrale étude de A. Mens (cf. bibliographie), on admet généralement que le terme néerlandais *begijn* est dérivé du français « beige », et que c'est bien la couleur de la laine naturelle qui est à la base de cette dérivation. Les béguines portaient des vêtements de laine non teinte et leur nom signifie dès lors à peu près la même chose que « sœurs grises ». Mens prouve en cette même étude que le mouvement des béguines trouve son origine dans le statut accordé aux recluses. Ces femmes se laissaient emmurer à proximité d'une église ou d'un couvent, pour y mener, en toute sa rigueur, la vie érémitique. L'ermitage de ces « prisonnières du Christ » avait trois fenêtres. La première donnait sur le chœur d'un sanctuaire et rendait possible l'assistance aux offices et la réception de la communion. La deuxième permettait d'avoir avec le monde extérieur un certain contact, réduit au strict nécessaire. La troisième avait vue sur un petit jardin. Sainte Claire avait une cellule semblable près de San Damiano à Assise ; Jutta de Disibodenberg pouvait par la fenêtre de sa cellule donner des instructions à sainte Hildegarde (Mens, p. 328).

Au cours du 12e siècle, c'étaient principalement les Prémontrés qui se chargeaient de l'admission et de la direction des recluses. Mais ce genre d'abbaye double fut supprimé en 1198. Dès lors, la direction spirituelle des recluses fut confiée aux Cisterciens. L'expérience ayant appris que l'admission des femmes dans un couvent d'hommes présentait des dangers qu'il était préférable d'éviter, les moines de Cîteaux décidèrent de favoriser la fondation d'abbayes féminines séparées. Leur plan fut couronné de succès, comme le prouvent les cinquante abbayes de Cisterciennes fondées dans les Pays-Bas durant la première moitié du 13e siècle. Mais même ces nombreuses fondations se révélèrent impuissantes à absorber l'afflux toujours croissant de nouvelles vocations.

La suppression des abbayes doubles donna lieu en nos régions à une forme mitigée de vie cloîtrée. Beaucoup de veuves et de vierges s'installèrent à l'intérieur ou à proximité d'un hôpital ou d'une léproserie, pour y travailler et y prier dans la solitude. Le choix de ce genre de vie est signalé, pour la première fois dans l'histoire, au sujet d'Ivette de Huy (1157-1228), dont la *Vita* a été écrite par le moine norbertin Hugo de Floreffe. Ivette se retira en 1180 dans une pauvre et petite léproserie pour y soigner les malades. En 1190 ou peu après, elle échangea la part de Marthe pour celle de Marie et se fit emmurer par l'abbé d'Orval dans une cellule attenant à la chapelle de la léproserie. La béguine Marie d'Oignies (DS, t. 10, col. 519), favorisée de grâces mystiques, mena la vie érémitique dans des circonstances semblables. Elle séjourna, en recluse indépendante, de 1207 à 1213, à proximité du prieuré des Augustins (Saint-Nicolas) à Oignies-sur-Sambre (Aiseau). Sa vie est bien connue par la *Vita* que son confesseur Jacques de Vitry (1170-1240 ; DS, t. 8, col. 60-62) a écrite peu après sa mort. Jacques s'était laissé ordonner prêtre sur ses conseils et devint chanoine à Oignies. Des liens spirituels profonds s'établirent entre Jacques et la grande béguine ; Jacques devint son guide sur le chemin mouvementé de sa vie et elle-même initia son confesseur à l'aventure de la vie mystique.

La *Vita* de Marie d'Oignies est un document important pour l'étude de la première période du mouvement béguinal. En une lettre dédicatoire, l'auteur adresse son œuvre à l'évêque Foulque de Toulouse que les Albigeois avaient chassé de sa ville épiscopale et qui avait fait durant son exil un voyage à travers les Pays-Bas. Jacques rappelle au souvenir du prélat les remarquables formes de dévotion et de vie religieuse qu'il a pu alors constater dans le diocèse de Liège.

« Vous avez pu voir ici certaines femmes dont le cœur était si plein d'affection et d'amour pour Dieu, qu'elles en devenaient malades de désir, obligées de garder le lit souvent pendant des années. La seule cause de leur maladie était le Bien-Aimé qui faisait fondre leur âme de désir. Plus elles ressentaient de force en l'esprit, plus leur corps s'affaiblissait. Elles exultaient de joie en leur cœur, mais n'en exprimaient rien par pudeur en leurs paroles.

Une de ces femmes reçut le don des larmes avec une telle abondance qu'elle ne pouvait penser au Bien-Aimé en son cœur sans que les larmes ne coulent abondamment de ses yeux... Et cependant ces larmes n'affaiblissaient en rien son intelligence, mais elles remplissaient son esprit d'une lumière abondante.

D'autres femmes tombèrent en extase, prises d'*ivresse spirituelle* (DS, t. 7, col. 2322 svv), au point de ne pouvoir dire une parole pendant des journées entières. Car la paix du Seigneur s'emparait d'elles et paralysait leurs sens, en sorte qu'aucune voix humaine ne pouvait les tirer de leur extase. De même elles ne ressentaient aucune peine corporelle, quelque intenses que fussent les piqûres qu'on leur faisait. J'ai connu une femme qui était régulièrement ravie en esprit, jusqu'à vingt-cinq fois en un seul jour. Ce ravissement lui est arrivé plus de sept fois en ma propre présence. Quand elle retrouvait conscience, elle était toute joyeuse, parce qu'elle s'était trouvée en la présence du Bien-Aimé...

Certaines femmes, en recevant la sainte Eucharistie, n'étaient pas seulement fortifiées en leur cœur, mais elles ressentaient en même temps en leur bouche un goût d'une extrême douceur, véritable consolation sensible. Le Corps sacré de l'Agneau de Dieu ne rassasiait pas seulement l'âme intérieure ; leur corps aussi était envahi par un goût admirable. Certaines d'entre elles se sentirent attirées vers ce saint sacrement avec des désirs si forts qu'elles ne pouvaient rester longtemps sans le recevoir... J'ai connu une sainte femme qui désirait si ardemment se nourrir du Corps de Jésus que l'Agneau de Dieu vint lui-même mettre fin à sa langueur : Il lui donna Lui-même la sainte hostie et, ainsi rassasiée, elle recouvra la santé » (AS *Juin*, t. 4, Anvers, 1707, p. 637E-638B).

Jacques de Vitry a défendu et soutenu le mouvement des béguines. Ces femmes autonomes et indépendantes étant suspectes aux yeux de beaucoup de prélats, il obtint pour elles en 1216 le privilège papal de pouvoir habiter ensemble en leurs propres maisons. Il obtint ce privilège non seulement pour les femmes pieuses du diocèse de Liège, mais aussi pour celles de l'Empire et de la France. Et comme les béguines continuaient à être suspectées par beaucoup en raison de leur statut mal défini, il proclama à plusieurs reprises, comme évêque et cardinal, que ces femmes dévotes étaient fermes dans la foi et efficaces en leurs œuvres : « in fide stabiles et in operibus efficaces ». Jacques a décrit avec beaucoup d'admiration et d'estime le milieu spirituel dans lequel et pour lequel Hadewijch a écrit ses ouvrages.

Le mouvement des béguines a connu au cours des siècles beaucoup de mystiques et plusieurs écrivains particulièrement doués. Dans cet exposé nous nous limiterons à trois figures qui ont exercé sur Ruusbroec une influence directe : Hadewijch (vers 1250), la pseudo-Hadewijch (DS, t. 7, col. 13-23) et Marguerite Porete † 1310.

1° *Hadewijch*. – Du point de vue historique, Hadewijch reste une grande inconnue ; on ne connaît d'elle avec certitude ni son origine, ni son ascendance, ni le lieu ou la date de sa naissance, ni la formation reçue, ni le champ de son activité. On a des raisons de croire qu'elle a écrit entre 1230 et 1250. Elle a certainement été une femme de grande culture. Elle a lu les écrits latins de Guillaume de Saint-Thierry et de Richard de Saint-Victor. Elle était de taille à s'entretenir de théologie avec de savants théologiens. De plus, elle était au courant de la littérature courtoise et des chansons des troubadours français. On peut en conclure sans danger d'erreur qu'elle a grandi dans un milieu hautement aristocratique. Elle a mené une existence de béguine, dans le sens original du terme. Cela revient à dire qu'elle a voulu vivre pour Dieu seul, hors du mariage, mais au milieu du monde, sans se retirer dans un couvent et sans l'appui d'une communauté approuvée par l'Église.

Jan van Ruusbroec et Jan van Leeuwen ont tenu Hadewijch en très grande estime. Le Bon Cuisinier, en parlant d'elle en un de ses ouvrages, la nomme : « une sainte et glorieuse femme, du nom de Hadewijch, une vraie maîtresse (en spiritualité) ». Les livres de Ruusbroec ne comportent pour ainsi dire aucune citation d'auteurs ; seules l'Écriture et Hadewijch sont citées fort souvent et littéralement. Que Hadewijch ait exercé sur le prieur de Groenendaal une influence profonde, cela a déjà été démontré par les travaux de J.-B. Porion et S. Axters. Il nous paraît cependant que cette question mériterait de plus amples recherches.

Signalons ici deux thèmes mystiques, que Guillaume de Saint-Thierry a été le premier à mettre par écrit, auxquels Hadewijch a donné ensuite une forme poétique, et que Ruusbroec a enfin développés systématiquement. Les trois auteurs considèrent Dieu comme étant la « vivante vie » de toute la création ; et ils décrivent en termes identiques la force de renou-vellement déclenchée par le mouvement de l'amour (*minne*).

D'après Guillaume, Dieu est, en son être le plus profond, une source de vie éternellement jaillissante : vie vivante pour lui-même (*vita vivens* : PL 184, 353b), et en son Verbe éternel source de vie pour la création tout entière (« quod factum est, in Deo vita est » : PL 180, 425a). Ruusbroec cite le texte johannique (*Jean* 1, 3-4) dans la même version que Guillaume : « Tout ce qui a été créé, était vie en lui » (*Werken*, 2e éd., 4 vol., Tielt, 1944-1948 ; ici t. 3, p. 166, 9-10 ; *Miroir*, trad. de Wisques, Bruxelles-Paris, 1922, p. 87). Pour les deux auteurs mystiques, ce texte scripturaire résume la doctrine de l'exemplarisme chrétien : tous les hommes trouvent dans le Verbe incréé une vivante vie (*Werken*, t. 3, p. 198, 4-5 ; *Miroir*, p. 123) et une image divine exemplaire, fondement de toute existence en union avec Dieu. Pour Hadewijch, l'amour (*minne*) est lui-même une source vivante qui déverse des flots de vie vivante : « C'est là (dans l'amour) que nous recevons la douce Vie vivante que la Vie donne à la vivante vie. On l'appelle Source vive, parce qu'elle nourrit et garde en l'homme l'âme vivante » (trad. J.-B. Porion, *Hadewych d'Anvers*, Paris, 1954, p. 127).

L'expérience d'une vie nouvelle et la force de renouvellement de l'amour sont des thèmes longuement développés par Guillaume dans le *Commentaire sur le Cantique*. Nous y retrouvons déjà le procédé littéraire de la répétition : « Les jeunes filles t'aiment comme des plantes nouvelles destinées à ton service, âmes nouvelles de sens renouvelé, progressant dans la nouveauté de l'esprit » (PL 180, 487a). Hadewijch écrit des variations sur le même sujet dans ses *Poèmes strophiques* 1, 7 et 18. Ruusbroec dit plus sobrement que la venue de l'Époux est ressenti de manière toujours nouvelle : « (Il vient) d'une venue nouvelle parmi d'aussi nouvelles clartés, tout comme s'Il n'était jamais venu auparavant. Car son achèvement tient, hors du temps, dans un instant éternel qu'on saisit toujours avec un nouveau plaisir et de nouvelles joies » (*Werken*, t. 1, p. 243, 7-10 ; J.-A. Bizet dans son *Ruysbroeck, Œuvres choisies*, coll. Les Maîtres de la spiritualité chrétienne, Paris, 1946, p. 355).

2° *Pseudo-Hadewijch*. – J. van Mierlo s'est rendu compte dès 1952 que les « Nouveaux Poèmes » (*Mengeldichten*) 17 à 29 ne pouvaient pas être attribués à Hadewijch. Son argument principal était la nouvelle doctrine mystique de ces poèmes. Ceux-ci décrivent surtout la nudité d'esprit : l'âme doit se vider et s'abîmer dans un non-savoir sans fond. Ces idées ne se retrouvent nulle part dans les œuvres authentiques de Hadewijch. Pour ce motif, van Mierlo a attribué les Poèmes 17 à 29 à un auteur inconnu, ayant vécu à la fin du 13e siècle, probablement aux environs de Bruges (à cause du *Zwin* mentionné dans le Poème 25, 12).

Une étude comparative montre que Ruusbroec a considéré ces « Nouveaux Poèmes » comme des écrits authentiques de Hadewijch. Dans les premières pages de son traité *Des Douze Béguines*, il cite, outre des vers empruntés aux *Poèmes strophiques*, les vers suivants provenant du Poème 25 (cf. *Hadewych d'Anvers*, p. 170-1) : « Si je désire quelque chose, je l'ignore, –car dans une ignorance sans fond – je me suis perdue moi-même » (*Werken*, t. 4, p. 5 ; *Douze Béguines*, trad. de Wisques, 1938, p. 16).

Ruusbroec semble attacher une grande importance à la doctrine de ces derniers poèmes. Lorsqu'il décrit l'union essentielle avec Dieu, la terminologie employée semble provenir en grande partie de Pseudo-Hadewijch, comme par exemple : la vision nue sans intermédiaire (*het blote sien sonder middel*), se vider de toute pensée (*het ledig worden van gedachten*), être absorbé dans un simple regard (*verslonden zijn in een eenvuldig staren*).

3° *Marguerite Porete* † 1310 (DS, t. 10, col. 343) est une béguine ou une « mulier religiosa » de Valenciennes. Son nom n'a longtemps été connu que par les annales de l'inquisition française.

De fait, cette femme pieuse, courageuse et probablement d'une foi parfaitement orthodoxe, fut brûlée vive le 1er juin 1310 à Paris comme auteur d'un ouvrage réputé hérétique. Cet ouvrage a été identifié en 1946 par R. Guarnieri (*Osservatore Romano*, 16 juin 1946). Il s'agit du traité en moyen-français : « *Le Mirouer des simples ames aneanties et qui seulement demourent en vouloir et desir d'amour* ».

L'idée principale du *Mirouer* est bien exprimée par le titre du chapitre douzième : « Ce livre dit que l'Ame adnientie n'a point de voulenté ». L'âme unie à Dieu est anéantie dans l'amour au point de perdre tout être propre : la volonté personnelle cesse d'exister et laisse place à la volonté du Bien-Aimé. Sa nature n'est dès lors plus humaine, mais totalement divinisée. « Ceste ame est Dieu par condicion d'amour » (*Mirouer*, ch. 21, éd. R. Guarnieri, dans *Archivio italiano per la storia della pietà*, t. 4, Rome, 1965, p. 541, 13).

Des textes de ce genre peuvent être compris comme la description d'un processus d'identification panthéiste. Marguerite semble diviniser la nature humaine même. Mais pareille interprétation ne concorde pas avec la tendance générale de sa pensée. L'homme n'est pas immergé par nature dans l'océan divin, mais l'Amour (*Minne*) opère simultanément l'anéantissement de la volonté humaine et l'envahissement de la vie divine. Lorsque Ruusbroec décrit ce processus, il se sert du terme de transformation (*overvorming*) plutôt que d'anéantissement (*vernieting*).

De récentes recherches ont montré que Marguerite Porete a subi l'influence d'Eckhart et de Hadewijch (vg : rester en défaut au service de l'amour). Il existe aussi une affinité étroite entre Marguerite et la Pseudo-Hadewijch ; toutes deux attachent une grande importance à l'union essentielle avec Dieu. Il est difficile, en raison des informations historiques fort déficientes, de discerner la juste nature de la relation entre les deux auteurs. On peut supposer que Ruusbroec a lu le traité de Marguerite dans sa traduction latine : *Speculum simplicium animarum*. Il emprunte au traité l'idée d'« union sans intermédiaire » (*coniunctio sine intermedio*). Comme Marguerite, il a réfléchi longuement sur la place des vertus dans la vie mystique. Et comme la béguine il comprend fort bien que l'homme doit se garder de toute forme de sainteté se réclamant des œuvres. L'homme spirituel ne peut, de manière durable, s'installer dans le domaine propre aux mercenaires ou aux serviteurs (*Werken*, t. 3, p. 14-16 ; *Pierre brillante*, trad. de Wisques, 1928, p. 242). Marguerite défend toutefois la thèse extrême que l'âme douée de grâces mystiques doit renoncer à toutes les vertus et à toutes les bonnes œuvres. Ruusbroec s'oppose nettement à cette doctrine, qu'il considère comme une erreur caractéristique de l'hérésie du Libre Esprit. Il

est probable que le *Mirouer* a été lu et apprécié surtout à Bruxelles par des disciples hétérodoxes du Libre Esprit. Et c'est pour ce motif sans doute que Ruusbroec a fini par prendre position contre le *Mirouer*. Mais on ne peut nier que celui-ci n'ait contribué à déterminer le climat spirituel dans lequel Ruusbroec a travaillé et écrit.

A. Mens, *Oorsprong en Betekenis van de Nederlandse Begijnen- en Begardenbeweging*, coll. Verhandelingen van de Kon. Vlaamse Academie voor Wetenschappen, Letteren... van België, Anvers, 1947. – Axters, t. 1, p. 306-382, 447-456 (bibl.) ; t. 2, p. 152-178, 511-514 (bibl.). – J.-B. M. Porion, *Hadewijch d'Anvers*, Paris, 1954. – Voir aussi l'art. vieilli : *Béguins, béguines*, DS, t. 1, col. 1341-1352.

Paul VERDEYEN.

### III. RUUSBROEC ET SES DISCIPLES
(14e-15e siècles)

Ce chapitre sera traité d'une manière très synthétique, et cela pour deux raisons : d'une part, la spiritualité des 14e et 15e siècles est désormais bien connue ; d'autre part, les principaux spirituels et le mouvement de la *Devotio moderna* (DS, t. 4, col. 727-747) ont fait l'objet d'articles souvent développés dans ce dictionnaire. On s'y reportera, ainsi qu'à leurs bibliographies.

1. JAN VAN RUUSBROEC (1293-1381 ; DS, t. 8, col. 659-697). – On peut considérer à bon droit Groenendaal comme la première fondation d'une nouvelle congrégation de chanoines augustins. La fondation n'eut lieu en fait qu'en 1350, alors que Ruusbroec et ses compagnons avaient quitté Bruxelles déjà sept ans auparavant dans l'intention de bâtir un ermitage au fond de la forêt. Il est clair que ces prêtres bruxellois ont commencé par vouloir vivre en ermites. Ils voulaient se retirer « loin de la foule des hommes pour pouvoir mener une vie sainte et solitaire » (Prologue de Gérard de Saintes). Ce désir était né et avait mûri en eux, au cours des années 1338-1343, tandis qu'ils vivaient réunis en communauté dans la maison de Jan Hinckaert.

Pourquoi n'ont-ils pas songé au genre de vie que leur offrait la vie conventuelle régulière ? Probablement parce que les couvents de leur époque ne se présentaient pas à eux comme des centres d'une spiritualité authentique. Ruusbroec écrit à ce sujet :

« Ont-ils chez eux un bon religieux, simple, craignant Dieu et qui voudrait bien observer l'ancienne règle, ils l'oppriment et le méprisent et lui donnent plus à souffrir qu'à aucun autre. Vous pouvez constater par là que tous les ordres et toutes les institutions religieuses sont déchus de leur ancienne perfection et sont devenus semblables au monde ; à l'exception toutefois des religieux qui ne sortent pas, comme les Chartreux, et des vierges consacrées qui vivent en clôture : car là tout demeure conforme à ce qui s'est fait dès le début » (*Werken*, t. 2, p. 332, 21-30 ; *Tabernacle*, trad. de Wisques, 1930, p. 192).

Seuls les Chartreux et les religieuses cloîtrées trouvent grâce à ses yeux. Et cependant Ruusbroec et ses compagnons ne sont pas entrés chez les Chartreux, bien qu'ils connaissent certainement l'existence de la chartreuse de Hérinnes (fondée en 1315). Ils ne sont pas entrés dans un couvent existant et ils n'ont pas davantage désiré en 1343 fonder un couvent nouveau. Vraisemblablement ils nourrissaient quelque méfiance à l'égard des institutions établies. Ils n'ont pas non plus cherché à prendre une règle qui leur imposerait un mode de vie déterminé. Mais ils se sont laissé porter par le désir intense de découvrir par eux-mêmes le mode de vie qui convenait le mieux à leur vocation intérieure. Les trois compagnons bruxellois ne partirent pas à Groenendaal pour y vivre selon un modèle déjà fixé. Ils sont restés pendant sept ans ce qu'ils étaient déjà à Bruxelles : des prêtres séculiers vivant en communauté.

Cette méfiance à l'égard des structures extérieures et à l'égard d'obligations imposées du dehors est un trait caractéristique de la vie spirituelle des Pays-Bas. Les premières béguines ont été des femmes indépendantes, habitant seules, qui eurent l'audace de se jeter dans l'aventure d'une consécration personnelle et exclusive à l'amour divin et qui choisirent pour cela la vocation du célibat chrétien, sans émettre des vœux, ni habiter des béguinages clôturés, ni entretenir des liens spéciaux avec la hiérarchie. Elles ont vécu comme des femmes pieuses, « religieuses » dans le contexte normal de la vie en société. Les évêques et les curés ont alors mis en œuvre tous les moyens en leur pouvoir pour réunir ces femmes indépendantes à l'intérieur d'enceintes bien murées et pour les soumettre à leur autorité et à leur juridiction. Et à l'aide de décrets, comme ceux du concile de Vienne (1312), ils y ont parfaitement réussi.

Nous ne savons pas si Ruusbroec s'est trouvé en contact étroit avec les béguines de Bruxelles. Pomerius dit seulement que la mère de Ruusbroec a passé les dernières années de sa vie à l'hospice du béguinage bruxellois. Mais il est clair que Ruusbroec attachait, à l'exemple de Hadewijch, de Marie d'Oignies et d'Ivette de Huy, beaucoup plus de prix au goût de Dieu et de ses dons spirituels qu'à l'appartenance clairement définie à quelque institut ecclésiastique. Il faut souligner d'ailleurs que les premiers compagnons de Groenendaal ont joui, sept années durant, d'une confiance exceptionnelle de la part de l'évêque de Cambrai, du chapitre de Bruxelles et du duc Jean III.

Le 10 mars 1350, les ermites de Groenendaal reçurent l'habit des chanoines réguliers de Saint-Augustin des mains de l'évêque Petrus Andreae. Le lendemain, Frank van Coudenberg fut installé premier prévôt, et Jan van Ruusbroec premier prieur du nouveau couvent. Il semble bien que cet important changement de statut ecclésiastique s'est effectué sous la pression des exigences de la vie concrète plus que sous la poussée d'une inspiration nouvelle. La communauté, une fois constituée, ne pouvait guère se maintenir de manière durable sans adopter un statut canonique bien défini.

Au cours des années, trois questions demandaient de manière de plus en plus pressante à recevoir une solution claire : 1) L'ermitage de Groenendaal avait été offert en donation par le duc à Frank van Coudenberg. Qu'adviendra-t-il de la donation après la mort de ce propriétaire officiellement reconnu ? 2) A qui revenait le droit d'accepter dans la communauté de nouveaux candidats ou de nouveaux novices ? Ceux-ci devaient-ils éventuellement être formés comme le sont les prêtres séculiers ? 3) D'où la communauté tenait-elle le droit de recevoir de nouvelles donations matérielles et d'en justifier la propriété ? Il est compréhensible que plusieurs couvents de Bruxelles ne voyaient pas sans dépit que de riches donations étaient faites à des prêtres habitant la forêt. Toutes ces questions recevaient une solution acceptable par la fondation d'une communauté officiellement reconnue. La règle de saint Augustin offrait de plus l'avantage d'une grande souplesse permettant de fixer la mesure de la discipline et un style propre de vie.

On a affirmé pendant longtemps, sur l'autorité de Pomerius, que la communauté de Groenendaal s'est affiliée à la Congrégation de Saint-Victor à Paris (A. Ampe, DS, t. 8, col. 662). De récentes recherches ont établi que Pomerius s'est trompé, en attribuant une date erronée à une lettre écrite sur un ton bien sec par Pierre de Saulx, prieur de Saint-Victor. Cette lettre n'a pas été écrite avant 1350, mais seulement en 1366 (M. Dykmans, *Obituaire du monastère de Groenendaal*, Bruxelles, 1940, p. 394, note 1). Groenendaal a été dès les débuts une fondation brabançonne autonome. Celle-ci s'est unie en 1402 à quatre autres couvents du Brabant (Rouge-Cloître, Corsendonck, Bethlehem et Barberendal) pour former un seul chapitre. Et ce chapitre brabançon s'est finalement rallié en 1412 à la Congrégation de Windesheim.

Le récit de la fondation de Groenendaal et le cours ultérieur de la vie de Ruusbroec portent clairement la marque de sa propre spiritualité. Le « bon Prieur » souligne à coup sûr en ses œuvres l'importance de la réclusion et de la solitude intérieure. Mais sa spiritualité ne comporte pas l'existence d'une clôture monastique et n'oriente pas l'homme vers une vie exclusivement contemplative. Le but dernier de l'ascension spirituelle n'est pas la contemplation divine, mais l'activité double de l'homme adonné à la vie commune (*gemene mens*), de celui qui peut aussi bien rentrer en lui-même dans la prière à Dieu que sortir vers le dehors pour le service du prochain. Ruusbroec décrit cet idéal en quelques images très simples :

« L'esprit de Dieu nous pousse au dehors, pour l'amour et les œuvres de vertu, et il nous aspire et nous ramène en lui pour nous faire reposer et jouir, et cela est vie éternelle. C'est de même que nous expirons l'air qui est en nous et aspirons un air nouveau... Ainsi donc, entrer dans une jouissance oisive, sortir dans les bonnes œuvres et demeurer toujours uni à l'Esprit de Dieu, c'est là ce que je veux dire. De même que nous ouvrons nos yeux de chair pour voir et les refermons si vite que nous ne le sentons même pas, ainsi nous expirons en Dieu, nous vivons de Dieu et nous demeurons toujours un avec Dieu » (*Werken*, t. 3, p. 269 ; *Sept Degrés*, trad. de Wisques, 1922, p. 263).

L'idéal de l'homme adonné à la vie commune, Ruusbroec l'a pratiqué en écrivant ses ouvrages, en instruisant ses confrères, en accueillant les hôtes, en visitant une sœur au cloître et les chartreux désireux de recevoir ses conseils et sa direction. Il semble bien que ses confrères à Groenendaal – ainsi que la génération qui les suit – ont continué de tendre vers cet idéal spirituel. Mais plus tard la Congrégation de Windesheim s'est laissé fasciner par la totale réclusion des Chartreux, au point d'introduire la clôture stricte dans la plupart de ses couvents. C'était en tout cas rompre avec la spiritualité de Ruusbroec et on ne peut affirmer qu'une telle décision ait favorisé le rayonnement spirituel de la Congrégation. Toutefois l'idéal de l'homme de la vie commune s'était déjà imposé dans une mesure suffisante à la vie spirituelle des Pays-Bas. Grâce à l'influence de la *Devotio Moderna*, la « vie intérieure d'union à Dieu » avait cessé d'être considérée comme le privilège de personnes vivant au couvent : c'était devenu un mode de vie praticable par tout bon croyant.

Nous proposerons brièvement trois thèmes fondamentaux, qui sont caractéristiques de la *doctrine* de Ruusbroec et qui, de plus, marqueront de manière définitive la tradition mystique des Pays-Bas. Tous les grands mystiques de ces contrées décrivent le caractère trinitaire de la rencontre mystique de Dieu. Ils voient dans les dons mystiques, non un asservissement de la nature ou un obscurcissement de la raison, mais l'illumination la plus sublime de l'esprit humain et une révélation de la noblesse de la nature humaine. Ainsi s'explique aussi qu'ils se font de l'homme une image optimiste et résolument dynamique.

Il est étonnant que la Trinité, dogme central de notre foi, n'ait pas marqué davantage dès les premiers temps et de manière universelle la spiritualité et la mystique chrétiennes ; l'expérience spirituelle s'est plutôt attachée à suivre les traces du Verbe incarné ou à prendre davantage conscience des dons de l'Esprit. La vie secrète en Dieu lui-même et les relations entre les Personnes divines ont été plus généralement un objet de réflexion théologique qu'une source d'admiration ou qu'une lumière éclairant l'existence du croyant.

Les mystiques néerlandais ont été amenés, entre le 12e et le 14e siècle, à une expérience très personnelle de la doctrine trinitaire formulée par l'Église au cours des siècles précédents. L'expérience qu'ils avaient des trois Personnes divines, ils l'ont décrite dans leurs écrits et ce témoignage unique et sans pareil est sans doute leur contribution la plus importante à l'ensemble de la spiritualité chrétienne. Le caractère trinitaire de la rencontre de Dieu a déjà été affirmé par Guillaume de Saint-Thierry et par Hadewijch. Mais Ruusbroec fait de la rencontre des trois Personnes divines la pierre angulaire de sa doctrine mystique. Les relations d'amour entre les Personnes divines sont à la fois origine et archétype de la rencontre d'amour entre Dieu et l'homme. Ce thème fondamental se retrouve même dans le volumineux traité allégorique *Le Tabernacle Spirituel* :

« La troisième propriété que nous apercevons en Dieu s'appelle l'embrasement. Par là nous entendons l'unité de la nature divine, qui, en raison de sa fécondité et en tant que principe de son opération éternelle, porte le nom de Père. Car toute opération des personnes prend son origine en cette unité ; et cette même unité, parce qu'elle est toute aimable et en raison de sa propre perfection, attire en elle-même et consume et engloutit en elle-même toute opération d'amour, et tout ce qui se manifeste par l'altérité des personnes. Car cette unité est fondement et lien d'amour, qui attire tout ce qui aime et le revêt de ce qu'elle est elle-même ; par lui-même cet embrasement va toujours consumant et engloutissant toutes choses dans l'unité et il ne peut souffrir en soi aucune distinction. Néanmoins chaque propriété en Dieu conserve son activité propre qui ne saurait disparaître ». (*Werken*, t. 2, p. 34, 6-20 ; *Tabernacle*, trad. de Wisques, 1928, p. 61).

Ruusbroec voit dans la rencontre mystique l'illumination la plus sublime de l'esprit humain et une révélation de la noblesse de sa vocation. Le mystique perçoit clairement que la lumière mystique vient d'en haut et non de la raison : « au-dessus de la raison mais non en dehors d'elle » (*Werken*, t. 1, p. 221, 19-20 ; *Noces spirituelles*, trad. Bizet, p. 325).

Avec l'aide de la raison illuminée, le mystique peut connaître Dieu par Dieu. Cette illumination n'est pas le résultat d'un effort de compréhension mais bien d'une sagesse reçue en partage dans l'expérience intérieure. Cette sagesse et cette expérience invitent l'homme à se défendre et à combattre jusqu'à l'extrême limite de son pouvoir. « L'amour, en effet, nous arme de ses dons et illumine notre raison ; il nous donne commandement, conseil et avis de nous opposer, de lutter et de maintenir contre lui notre droit à l'amour, aussi longtemps que nous le pouvons, nous dispensant pour cela force, science et sagesse » (*Werken*, t. 3, p. 203, 21-26 ; *Miroir*, trad. de Wisques,

1922, p. 128). Ruusbroec ne propose pas sa spiritualité à des âmes timides, mais bien à des amants intrépides, désirant mettre tous leurs talents au service du Bien-Aimé.

Enfin la spiritualité de Ruusbroec possède un optimisme et un dynamisme extraordinaires. La nuit obscure de la vocation mystique n'est certes pas passée sous silence, mais cette nuit paraît courte en comparaison du jour rayonnant de soleil et de lumière. Cet optimisme se trahit avec le plus de force dans la manière dont Ruusbroec décrit la passion du Seigneur. On ne trouve chez lui aucune trace de dolorisme ni aucune complaisance dans la souffrance ou la douleur. Toute l'attention se porte sur les fruits salutaires du sacrifice de Jésus.

« Ce plant de balsamier (c'est-à-dire l'humanité de notre Seigneur) fut un jour élevé et lié au bois de la croix ; l'écorce en fut blessée par les clous de fer et par la lance aiguë ; et de ces incisions s'écoula le baume précieux qui devait guérir tous les péchés. L'odeur de ce baume était si pleine de douceur qu'elle pénétra le ciel, la terre et les enfers : et jamais elle ne pourra s'évanouir. Aujourd'hui encore, les ouvertures demeurent au plant précieux de balsamier, et nous devons y approcher, non le fer, mais les os aiguisés de nos puissances intérieures... Ce baume peut guérir tous les maux, sauver les pécheurs destinés à l'enfer et enivrer les vivants, en les faisant s'oublier eux-mêmes et se délecter d'amour, dans l'habitation des plaies de Notre-Seigneur. C'est ainsi que fait la colombe, qui souhaite toujours habiter dans les trous des rochers » (*Werken*, t. 2, p. 199, 20-29 – 200, 8-13 ; *Tabernacle*, trad. de Wisques, 1930, p. 40-41).

2. LES DISCIPLES DE RUUSBROEC. – On peut distinguer, en gros, trois groupes différents de disciples :

1° Dans le premier groupe prennent place quelques confrères de Groenendaal : Jan van Leeuwen (DS, t. 8, col. 602), Willem Jordaens (t. 6, col. 1214), Godfried van Wevel, Jan van Schoonhoven (t. 8, col. 724) et Jan Wisse.

On admet actuellement que le traité « Des Douze Vertus » (*vander XII dogheden*) a été écrit par Godfried van Wevel. La composition de cet ouvrage est extrêmement instructive. L'auteur, qui a beaucoup emprunté aux *Noces spirituelles* de Ruusbroec, mais tout autant aux *Reden der Unterscheidung* de Maître Eckhart, tient manifestement le mystique allemand en plus haute estime que ses confrères Ruusbroec et Jan van Leeuwen. Le traité « Des Douze Vertus » insiste plus sur l'ascèse et sur la pratique que les ouvrages de Ruusbroec. Pour cette raison il a pu être présenté comme une introduction à la vie spirituelle. Il a eu assurément une grande influence sur les écrivains de la Dévotion Moderne en général et sur Thomas a Kempis en particulier.

Jan Wisse a été le premier prieur du couvent de Eemsteyn, près de Dordrecht ; mais on le connaît aussi comme le disciple (*nacomelinc*) qui est venu copier à Groenendaal pour son couvent toutes les œuvres de Ruusbroec. Il a ainsi fait connaître les écrits de Ruusbroec en Hollande et dans la Gueldre (*Catalogus Jan van Ruusbroec*, Bruxelles, 1981, p. 141).

2° Au deuxième groupe appartiennent Geert Grote (DS, t. 6, col. 265), Hendrik Mande (t. 7, col. 222) et Gerlach Peters (t. 12, *infra*).

Les contacts personnels entre Geert Grote et Ruusbroec sont suffisamment connus. Mais on a trop peu souligné la grande influence exercée par Ruusbroec sur Grote dans la fondation des « Sœurs et

Frères de la Vie Commune». Cette appellation de « vie commune » ne rappelle pas seulement un genre particulier de vie communautaire ; elle se rapporte aussi à l'idéal spirituel de Ruusbroec. Grote a nourri à l'égard des couvents de son temps la même méfiance que celle exprimée par Ruusbroec dans ses ouvrages. Pour ce motif il a décidé que les Sœurs et Frères ne prononceraient aucun vœu ; ils s'affiliaient librement à l'une ou l'autre communauté et avaient la faculté de la quitter librement. La communauté leur offrait seulement un cadre favorable pour apprendre à vivre dans la « dévotion » sous la poussée d'une inspiration intérieure.

Hendrik Mande et Gerlach Peters ont appartenu au couvent de Windesheim, fondé peu après la mort de Grote et suivant son désir formel. Grote pensait que les « dévots » de ses communautés ne trouvaient pas auprès des Chartreux ou des Cisterciens le soutien nécessaire ; il désirait en conséquence qu'un couvent soit érigé aux environs de Deventer dans l'esprit de Groenendaal. Mande est un écrivain très fécond, mais sans originalité. Gerlach Peters (1378-1411) n'a écrit que fort peu au cours de sa courte vie, mais il surpasse Mande en profondeur et en originalité. Ayant les yeux très faibles, il ne put faire profession jusqu'à ce que Jan Scutken, son ami, lui offrit un livre de chœur dans lequel il avait retranscrit lettres et notes en les agrandissant fortement. L'ouvrage principal de Peters est son *Soliloquium*. En fait, il n'eut jamais l'intention d'écrire un vrai livre. Il se contentait de noter pour lui-même pensées ou inspirations à retenir, sur de petits morceaux de parchemin ou de papier. Ces fragments furent rassemblés après sa mort par Jan Scutken qui en fit un petit livre divisé en brefs chapitres. Le *Soliloquium* est un document très personnel qui prouve aussi à quel point Ruusbroec a marqué la vie spirituelle de plusieurs chanoines de Windesheim.

3º Le troisième groupe de disciples comprend les vulgarisateurs de la doctrine de Ruusbroec ; ce sont Denys le Chartreux (1402-1471 ; DS, t. 3, col. 430), Hendrik van Herp (1400-1477 ; t. 7, col. 346) et Thomas a Kempis (1379-1471), l'auteur présumé de l'*Imitatio Christi* (t. 7, col. 2338).

Denys a passé la plus grande partie de sa vie à la chartreuse de Roermond. Écrivain infatigable, il a repris toute la théologie médiévale dans ses 169 ouvrages et opuscules. Ses œuvres ont été imprimées au 16ᵉ siècle par les Chartreux de Cologne, qui les considéraient comme la meilleure défense à opposer à la Réforme. Denys, qui avait une grande admiration pour les œuvres de Ruusbroec, a été le premier à l'appeler « l'Admirable ».

Hendrik van Herp, d'abord recteur des Frères de la Vie Commune à Delft et à Gouda, devient frère mineur en 1450 et meurt en 1477 comme gardien du couvent de Malines. Son œuvre principale est le « Miroir de la Perfection » (*Spieghel der Volcomenheit*), traduit en latin en 1536 par le chartreux de Cologne Bloemeveen. Herp (en latin Harphius) a une doctrine spirituelle si proche de celle du prieur de Groenendaal qu'on l'a appelé « le héraut de Ruusbroec ».

L'ouvrage le plus lu et le plus universellement connu de la Dévotion Moderne est l'*Imitation de Jésus-Christ*. Le texte original latin est généralement attribué à Thomas Hemerken, originaire de Kempen, chanoine de Windesheim du couvent Sint-Agnietenberg près de Zwolle. Certains prétendent que l'*Imitation* ne contient quasi rien qui rappelle l'influence de Ruusbroec. Cette opinion n'est défendable que si l'on cherche dans l'*Imitation* des citations littérales des ouvrages de Ruusbroec. Celles-ci sont en effet absentes. Mais les idées fondamentales de l'*Imitation* sont presque toutes empruntées aux deux premières parties des *Noces spirituelles*, qui se rapportent à la vie active et à la vie intérieure. Il faut certes reconnaître que Ruusbroec et Thomas écrivent de points de vue différents. Le prieur de Groenendaal puise dans la plénitude de sa propre expérience et éclaire tous les aspects de la vie spirituelle à la lumière de sa propre vision mystique. Thomas adapte la vision mystique au cheminement de chrétiens désireux de se délivrer par l'ascèse de l'emprise des choses extérieures et de découvrir ainsi les douceurs du paradis intérieur. Les dialogues de l'âme dévote avec le Christ eucharistique sont en parfaite harmonie avec la doctrine eucharistique de Ruusbroec. L'*Imitation* est la parfaite réalisation de l'idéal mystique poursuivi par Ruusbroec : elle a mis la grâce de la vie spirituelle à la portée de tous les chrétiens, spécialement des laïques dans l'Église.

Outre les articles cités du DS : Axters, t. 2 « De eeuw van Ruusbroec », et t. 3 « De Moderne Devotie ». – R.R. Post, *The Modern Devotion. Confrontation with Reformation and Humanism*, Leiden, 1968. – G. Épiney-Burgard, *Gérard Grote et les débuts de la Dévotion moderne*, Wiesbaden, 1970. – A. Ampe, *Ruusbroec : traditie en werkelijkheid*, Anvers, 1975. – P. Verdeyen,. *Ruusbroec en zijn mystiek*, Louvain, 1981. – *Catalogus Jan van Ruusbroec 1293-1381*, Bruxelles, 1981.

Paul VERDEYEN.

### IV. LES XVIᵉ ET XVIIᵉ SIÈCLES

1. Durant LA PREMIÈRE MOITIÉ DU 16ᵉ SIÈCLE, l'organisation de la vie religieuse porte nettement l'empreinte de l'esprit de Windesheim. Beaucoup de maisons des Frères et des Sœurs de la Vie Commune renoncent à leur indépendance non conventuelle et se rallient aux structures solides qu'offre la congrégation des chanoines réguliers. On constate la même évolution dans nombre de maisons de tertiaires. Lorsque les ordres religieux traditionnels tentent une réforme, Windesheim leur sert de modèle.

L'influence prépondérante de la Dévotion Moderne oriente la spiritualité vers de nouveaux pôles. L'accent est mis désormais sur l'intériorisation et les méthodes capables d'y conduire ; exercices et ascèse occupent la première place. On s'attache si bien à décrire le chemin conduisant à l'union à Dieu qu'on n'en arrive que rarement à décrire l'union elle-même.

La vie de l'Église est alors dominée par la menace que constitue le Protestantisme naissant. Les pasteurs exhortent, plutôt qu'à se retirer dans une vie de contemplation, à s'engager dans la lutte active. Ils nourrissent souvent une grande méfiance envers les écrits mystiques des siècles précédents : les réformateurs ne se réclament-ils pas d'Eckhart et de Tauler ? On pourrait donc penser que l'inspiration mystique s'éteint, que les œuvres de Hadewijch et de Ruusbroec, de Gerlach Peters et de Herp tombent dans l'oubli. La réalité fut tout autre : il suffit de considérer ce qui se passe dans le Brabant septentrional et à Cologne. A Oisterwijk (sud de Bois-le-Duc), un noyau de pieuses femmes se groupe autour d'une authentique mystique ; à Cologne, les Chartreux combattent le Protestantisme en faisant connaître et en continuant la tradition mystique catholique. Par un concours de circonstances qu'on va exposer, ces deux centres spirituels sont entrés en étroit contact ; c'est là sans doute un des événements les plus marquants dans l'histoire spirituelle de la période qui nous occupe.

1º *Maria van Hout* († 1547 ; DS, t. 10, col. 519) commence par vivre dans le monde comme *mulier religiosa* (cf. P. Bloemeveen cité dans L. Le Vasseur, *Ephemerides ord. cartusiensis*, t. 3, Montreuil, 1891, p. 448), puis se retire avec quelques jeunes filles dans une maison communautaire (*Maagdenhuis*) : elle suit l'exemple des premières béguines. Sans chercher refuge dans un béguinage, elle pourvoit à sa subsistance par des travaux manuels. Elle écrit aussi : *Der rechte wech zo der Evangelischer volkomenheit* (Cologne, 1531) contient une quinzaine de lettres qui apportent d'intéressantes précisions historiques et nous renseignent quelque peu sur son expérience spirituelle (cf. J.B. Kettenmeyer, *Uit de briefwisseling van een Brabantse mystieke...*, OGE, t. 1, 1927, p. 278-93). Dans *Dat Paradijs der lieffhavender sielen vol inniger oiffingen des geistz* (1532), la mystique de Maria est devenue nettement apostolique : « Sachez... qu'il ne me reste rien de ma vie intérieure. Le désir de vivre en recluse et beaucoup d'autres choses m'ont été enlevés et... je commence une vie nouvelle » (p. 373). « Je ne trouve plus aucun goût aux plaisirs de l'esprit..., mais bien à me sentir totalement au service des autres conformément à sa Volonté et à mener une vie de parfaite disponibilité » (*und leven een gemein leven*, p. 371 ; cf. p. 376 : *und stain tzo behoiff van allen mynschen*).

L'appel intérieur à la vie commune (*gemeine leven*) et l'apostolat se conjuguent difficilement avec la nécessité de gagner sa vie : Maria se trouve dans une situation financière embarrassante lorsque les Chartreux de Cologne décident en 1530 de pourvoir à ses besoins et à ceux de deux autres béguines d'Oisterwijk, à condition qu'elles viennent s'établir à Cologne.

Autre trait de la vie mystique de Maria, la place centrale qu'occupe l'amitié spirituelle, comme l'attestent ses lettres. Elle écrit à un prieur : « Et (le Père) lui donna (à Marie) son Fils unique. Ainsi, conformément à cet exemple, votre fils m'a été donné. Oh, Père, vous avez été pressés tous deux contre mon cœur, plus que je ne puis l'écrire » (p. 375 ; cf. p. 376).

2º *Cologne.* – Plusieurs de ces amis de Maria ont pu être identifiés. Le prieur dont il vient d'être question, destinataire de quelques lettres, est Pieter Bloemeveen († 1536 ; DS, t. 1, col. 1738), originaire de Leiden, chargé de la chartreuse de Cologne de 1507 jusqu'à sa mort. Il a joué un rôle important dans la diffusion de la mystique néerlandaise par sa traduction de Herp (cf. J. Greven, *Die Kölner Kartause und die Anfänge der Katholischen Reformation...*, Münster, 1935, p. 14 svv). Le fils spirituel de Maria est Gérard Kalckbrenner († 1566 ; DS, t. 8, col. 1653) qui succède à Bloemeveen en 1536 ; procureur de la chartreuse de Cologne, il fait en 1530 un voyage d'affaires au cours duquel il fait la connaissance de Maria van Hout et de ses écrits ; il se trouve ainsi à l'origine des liens qui se tissent entre la mystique et la chartreuse ; c'est lui qui édite les ouvrages de Maria.

Dans le cercle des relations entre Bois-le-Duc et Cologne, il y a encore Nicolas van Essche (Eschius, † 1578 ; DS, t. 4,

col. 1060 ; A. Ampe, *Den Tempel onser sielen*, Anvers, 1968, p. 30-36), dont Maria ne fait nulle part mention dans ses lettres. Natif d'Oisterwijk, en relations amicales dès avant sa prêtrise (vers 1530) avec les béguines de sa ville natale il y fondera vers 1539 un béguinage. Il réside à Cologne de 1530 à 1538 et introduit à la chartreuse deux de ses disciples, Petrus Canisius et Laurentius Surius.

Saint Pierre Canisius, jésuite à partir de 1543, connaît personnellement Maria van Hout et ses amies (cf. lettres du 12 avril et du 17 juin 1547). Imitant ses amis chartreux, grands éditeurs de textes spirituels, il veut donner une édition de Tauler ; il recherche parmi les manuscrits de la chartreuse ce qui lui permettrait de reconstituer le texte authentique de ses sermons (cf. lettre du 3 juin 1543). Le fruit de ces recherches paraît à Cologne le 4 juin 1543 : *Der erleuchten D. Johannes Tauleri, von eym waren Evangelischen leben, Götliche Predig, Leren, Epistolen, Cantilenen, Prophetien* (avec la lettre du 3 juin 1543 en guise de dédicace). Il ne s'agit pas d'une édition critique : outre des textes de Tauler on y trouve des passages d'Eckhart, Suso, Ruusbroec, Groote, etc., et les « Instructions » (*Leren*) pseudo-taulériennes, connues sous le nom d'*Institutiones Taulerianae*. Si ces *Institutiones* ne contiennent pratiquement rien de Tauler, elles donnent des extraits de l'*Evangelische Peerle* et du *Tempel onser Sielen*. A. Ampe (*op. cit. infra*, p. 44-47) désigne Kalckbrenner comme le compilateur final de l'ouvrage (voir aussi J. Huijben, dans OGE, t. 3, 1929, p. 150-152).

En 1548 paraît la traduction latine de l'ouvrage de Canisius, réalisée par L. Surius, autre grand disciple de Van Essche. Entré en 1545 à la chartreuse de Cologne, il deviendra le plus important propagateur de la littérature spirituelle néerlandaise grâce à ses traductions. Les *Exercitia D. Ioannis Thauleri piissima super vita et passione Salvatoris...* (Cologne, 1548), compilation de Surius (publiée à son insu), contiennent des textes néerlandais et l'ouvrage d'Eschius, *Exercitia Theologiae Mysticae*. On n'est pas encore parvenu à savoir si la traduction latine de l'*Evangelische Peerle* publiée par Van Essche en 1545 est due, elle aussi, à Surius, mais il est certain que celle des œuvres complètes de Ruusbroec (1552) est de sa main.

3º *La Perle évangélique* est le texte mystique le plus important de notre période. L'auteur est anonyme. L'avant-dernière lettre de Maria van Hout est adressée à une « mère et amie chérie » qui est probablement l'auteur de l'*Evangelische Peerle* et du *Tempel onser Sielen* ; on donne pour argument de cette identification que la dernière lettre du recueil, qui n'est pas de Maria mais adressée à elle, coïncide entièrement avec le ch. 16 de la première version de la *Perle* et avec les ch. 50-51 de la deuxième version (voir J. Alaerts, *Gods tempel zijn wij*, Bonheiden, 1980, p. 10-15).

Si le nom, les lieux de naissance et de résidence de cet auteur énigmatique restent inconnus, on sait qu'elle naquit en 1463 et mourut en 1540, qu'elle était d'origine noble ou patricienne, qu'elle vécut dans le monde sans entrer en religion. « Elle habitait dans la maison paternelle et avait promis obéissance dès sa jeunesse à un père spirituel » (*Peerle*, éd. de 1542, prologue). Bien que Kalckbrenner la connaisse personnellement dès avant 1530, elle ne semble pas avoir fait partie du cercle d'Oisterwijk et de Cologne. D'autre part, Kalckbrenner la qualifie de « pèlerine » (*die pelgrim* ; épître dédicatoire de la *Peerle*, éd. 1535) et dédie l'ouvrage « aux très chères » qui, elles aussi, reçoivent le nom de « pèlerins » : fait-il allusion à un groupe de spirituels ainsi nommé ?

C'est un chartreux de Cologne, Dirk Loer († 1554 ; DS, t. 9, col. 961), qui donne la première édition de l'*Evangelische Peerle (oft margaryt)* (Utrecht, 1535 ; rééd. 1536) ; puis il découvre un texte plus complet qu'il publie : *Die groote evangelische Peerle* (Anvers, 1537, etc.). Van Essche donne une autre édition en 1542, avec un nouveau prologue qui donne des renseignements sur l'auteur, puis une traduction latine : *Margarita Evangelica* (1545). L'ouvrage a donc eu une rapide diffusion. On n'en peut dire autant du *Tempel onser Sielen,* composé « par une personne religieuse et éclairée qui est aussi l'auteur de l'*Evangelische Peerle* » (frontispice) ; avant son édition critique par A. Ampe (Anvers, 1968), il n'a connu qu'une impression en 1543 par les soins de Van Essche. Toutefois le ch. 36, inséré par Surius dans son édition des *Exercitia* pseudo-taulériens a été bien connu ; il s'agit d'un exercice sur la passion. A propos d'autres textes attribuables au même auteur, voir A. Ampe, *Den Tempel...*, p. 98-103.

Rappelons ici le rôle de Kalckbrenner ; on a dit qu'il avait mis Maria van Hout en rapport avec la chartreuse de Cologne et édité ses deux ouvrages en leur donnant leurs épîtres dédicatoires. Ses relations avec l'auteur de la *Peerle* semblent de même nature ; il la connaît personnellement, cache son identité, écrit la préface, l'épître dédicatoire et l'épilogue de la *Peerle* de 1535 (textes repris par les éd. suivantes) et du *Tempel*. Si l'on se souvient qu'il est le compilateur des *Institutiones Taulerianae*, il apparaît comme l'un des principaux soutiens de la tradition mystique des Pays-Bas.

Une même expérience spirituelle anime la *Peerle* et le *Tempel*. Si quelque trait n'est que sommairement présent dans l'un des deux ouvrages, il se retrouve largement développé dans l'autre ; ainsi le thème fondamental du *Tempel*, la vie personnelle et mystique au fil de l'année liturgique, est présent dans la *Peerle* (éd. d'Anvers, 1542, f. 66v-67r ; texte absent de l'éd. française de 1602). Le trait le plus original est assurément la manière dont le Christ est placé au centre de la vie spirituelle, comme L. Reypens l'a justement relevé (OGE, t. 2, 1928, p. 52-76, 189-213, 304-41). Les thèmes de l'imitation de Jésus et de la vie en conformité avec lui sont d'abord développés ; l'homme doit aux divers niveaux de sa personnalité partager les mêmes sentiments et faire les mêmes expériences que l'Homme par excellence, selon le mot de saint Paul : « Hoc sentite in vobis quod et in Christo Jesu » (*Phil.* 2, 5) ; qu'on lise les ch. 1-2 de la troisième partie. Mais le mystique est entraîné à faire l'expérience de la présence du Christ vivant en lui ; il expérimente comme une donnée simple et évidente que l'Homme-Dieu et lui-même sont un. Le Christ « naît » en lui et, en tant que mystique, il a de cette naissance une conscience claire.

Ce thème de la naissance du Christ dans l'âme n'est pas nouveau (cf. DS, t. 11, col. 24-34) ; on en retrouve les traces chez Hadewijch et Ruusbroec en fait un usage notable. Le propre de l'auteur de la *Peerle*, c'est qu'elle la montre s'effectuant dans les diverses couches de la personne humaine. La naissance a lieu d'abord dans le centre le plus profond de l'homme, en son *être* ou en son *fond* (*wesen, grond*), comme disait Ruusbroec, en son *esprit (geest),* comme dit le plus souvent notre auteur :

« Et lors l'homme dedans soy-mesme par dessus toutes forces est tiré en cette grande et large solitude de la divinité, l'esprit est par luy profondement plongé dans l'union divine, et toute l'essence de l'homme est baignée et trempée de la divine essence : et lors est celebree en nostre esprit l'eternelle nativité » (éd. franç., f. 272v).

Une seconde naissance a lieu dans l'âme, au niveau des puissances spirituelles (mémoire, intelligence, volonté ; cf. f. 274r) ; et enfin c'est au niveau du cœur, c'est-à-dire dans les puissances émotives et corporelles, que le mystique vit la troisième naissance du Christ (f. 277r). Ainsi le Christ se développe en l'homme dans une union à tous les aspects de son existence. L'Homme-Dieu « naist en iceluy, vit, chemine, opere, souffre, presuscite, estant ioyeux, et bien ayse d'avoir trouvé un homme selon son cœur. Et en cecy desia l'homme cesse à toute sienne propre action, ou delaissement, paroles et œuvres, et a perdu, non certes l'essence, mais l'apparence, et vit ja non luy, mais Iesus Christ vit en luy » (f. 155v).

Le texte original de cette dernière citation comprend le terme *te niet geworden* (= être annihilé), rendu ici par *cesse*, qui évoque un autre thème important de notre auteur. Comme d'autres avant elle, elle présente l'ascèse du renoncement au moi comme une annihilation de ce même moi. Mais elle n'a pas seulement en vue ces efforts de l'homme pour s'effacer le plus possible devant Dieu. Elle vise aussi l'*expérience* de l'annihilation proprement dite, qui est une conséquence de la présence du Tout Autre : « estre tellement remplis de sa divinité, que le moindre bien qui est en icelle ne se puisse nommer de nous : au moyen dequoy Dieu soit totalement fait en nous innominable, si que nous sentions que tout ce qu'on nous peut dire de luy n'est du tout rien, voire par delà rien, et postposans toute interieure action, iettons nous dedans le poinct de la divine essence, de sorte que nous n'en revenions iamais. Là lors l'essence est comprise de l'essence, là rien, c'est à dire Dieu, est trouvé de rien, c'est à dire, de l'ame : là rien, c'est à dire l'ame, est enveloppée de rien, c'est à dire de Dieu. Là finalement rien est absorbé de rien » (f. 76v).

Si donc Dieu est expérimenté comme un rien, ce n'est pas qu'il reste absent et, encore moins, que luimême ne soit rien. Il est au contraire pour la conscience mystique si réel qu'il n'est rien de tout ce que nous saisissons comme quelque chose. Et si l'âme est expérimentée comme un rien, c'est pour une raison semblable : la réalité de son fond est au-delà de tout ce qui peut recevoir un nom (cf. f. 35r). En sa réalité profonde, l'homme est non pas sans être, mais bien sans fond : il est un abîme qui n'apprend à se connaître comme tel que dans la rencontre d'un Autre, luimême Fond inépuisable (cf. f. 80v).

L. Reypens a signalé que l'auteur de la *Peerle* et du *Tempel* dut avoir une connaissance étendue de la littérature mystique. Elle cite nommément une douzaine d'auteurs, cependant que Ruusbroec, jamais cité, est sa source principale. La mystique rhénane lui est familière. Si l'étude exhaustive des sources de la *Peerle* reste à faire, le travail a été fait pour le *Tempel* par A. Ampe : il a identifié nombre d'emprunts faits à Jourdain de Saxe (de Quedlimbourg), Kraft de Boyberg, Ludolphe de Saxe, Marquard de Lindau, Jacob Roecx.

Nous avons dit le succès rencontré par la *Peerle* aux Pays-Bas (une dizaine d'éd. de 1535 à 1565) ; au-delà, le succès lui vient grâce à 3 traductions latines. Il y a la *Margarita Evangelica* de Van Essche (1545) ; il y a dès 1548 les *Institutiones Taulerianae* qui recèlent des passages de la *Peerle* et du *Tempel* (trad. en espagnol, 1551, en italien, 1568, en français, 1587), et l'*Institutio Spiritualis* (1551) de Louis de Blois qui, remplie d'idées et de passages de la *Peerle*, conquiert rapidement l'Europe de l'ouest. Il faut relever l'influence féconde exercée par la *Peerle* sur la spiritualité française au 17e siècle : Bérulle lui doit sa conception de l'union au Christ ; Benoît de Canfield lui emprunte les deux formes d'annihilation mystique, l'active et la passive.

Voir J. Huijben, *Nog een vergeten mystieke grootheid*, OGE, t. 2-4, 1928-1930 ; *Aux sources de la spiritualité française du 17e siècle*, VSS, t. 25-27, 1930-1931 (5 livraisons). –J.P. Van Schoote, *La Perle Évangélique*, RAM, t. 37, 1961, p. 79-92. – P. Mommaers, *Benoît de Canfeld et ses sources flamandes*, RHS, t. 48, 1972, p. 401-434 ; t. 49, 1973, p. 37-66. –Art. *Perle évangélique*, DS, t. 12, *infra*.

4° Le franciscain *Frans Vervoort* † 1555 est à Malines directeur spirituel des béguines et confesseur à l'hôpital. C'est un écrivain spirituel influent dont on pensait encore, il y a une dizaine d'années, qu'il était un digne successeur de Herp. Son ouvrage le plus répandu, *Bruygoms Mantelken* (1554) ne reprenait-il pas les principaux éléments de la tradition spirituelle des Pays-Bas ? Traduit en français (*Le Mantelet de l'Époux*, 1596), n'est-il pas la source où Jean de Saint-Samson a puisé son inspiration (DS, t. 8, col. 704), le vade-mecum des réformateurs du Carmel de France ? N'est-il pas encore lu à Port-Royal en 1616 ? Les recherches récentes de G.J. Peeters ont ramené Vervoort à de plus modestes proportions : il manque d'originalité, il n'est pas même un bon compilateur ; le *Bruygoms Mantelken* n'est qu'un plagiat de textes de Tauler et d'Alijt Bake † 1455 ; ses autres ouvrages sont des compilations maladroites. Il faut encore remarquer qu'il a malheureusement pour particularité de réduire les doctrines proprement mystiques aux aspects ascétiques et dévotionnels. Nous sommes ici en présence d'une tendance qui ne fera que croître dans la seconde moitié du 16e siècle et atteindra son point culminant au 17e : on admet que tout homme de bonne volonté est appelé à la vie spirituelle la plus haute et on dévalue en conséquence le langage de ceux qui en parlent d'expérience.

Voir G.J. Peeters, *Frans Vervoort O.F.M. en zijn afhankelijkheid*, Gand, 1968.

2. LE 16e SIÈCLE FINISSANT est pour les Pays-Bas la période connue sous le nom de « Guerre de quatre-vingts ans » (1568-1648). La Réforme protestante est entrée dans une phase de lutte et de violence. C'est l'époque où la poétesse catholique anversoise Anna Bijns †1575 écrit ses virulents *Refereinen*, mettant en garde contre la tempête qui monte et dénonçant les principales causes de la décadence : la corruption et le manque de culture du clergé. Le calme ne règne pas davantage dans le champ de la spiritualité.

1° *Les débats spirituels*. – Les premiers jésuites s'établissent à Louvain en 1542. L'ordre, essentiellement apostolique, voit rapidement naître en son sein de fortes tendances contemplatives. On a dit ailleurs (DS, t. 8, col. 978-979) comment le quatrième général, E. Mercurian † 1581 fut amené à intervenir pour éviter des déformations de l'esprit propre, soit vis-à-vis des espagnols A. Cordeses et B. Alvarez, soit en réglementant les lectures spirituelles (décret du 21 mars 1575) : il ne fait pas de doute que les auteurs rhénans et flamands y soient l'objet d'une méfiance évidente.

Mais ce sont les capucins qui, en Flandre, mettent le feu aux poudres dans les dernières années du 16e siècle. Leur premier couvent, fondé à Anvers en 1585, attire les recrues au point qu'on doit fonder des novi-ciats en plusieurs villes. Bientôt la presque totalité de ces capucins exceptionnellement jeunes lit et « pratique » les grands auteurs mystiques (l'édition de leur Règle comporte à partir de 1589 les *Duodecim mortificationes* de Herp). Un regard rétrospectif sur cette dernière période (daté de 1612) souligne l'influence des mystiques rhénans et flamands tout comme la fréquence des rapts et des extases (cf. P. Hildebrand, *Les premiers capucins belges et la mystique*, RAM, t. 19, 1938, p. 245-295 ; ici p. 248).

En 1594, le chapitre provincial de Gand promulgue un *Liber Ceremonialis* qui soumet la lecture de Herp, Tauler, Suso et de la *Theologia Deutsch* (trad. en néerlandais en 1590) à un sévère règlement ; une phrase en dit long : « ... ab eo tempore quo fratres Harphio et Thaulero et Rusbrochio et aliis auctoribus de vita superessentiali et laboriosa et continua introversione tractantibus usi sunt... » (p. 258). Il semble donc que l'introversion, qui chez les mystiques est un état passif, en vient à être conçue comme un « exercice ardu » et que ce mouvement vers le dedans, qui selon eux est toujours à mettre en corrélation avec un mouvement vers le dehors, devient un but unilatéralement recherché pour lui-même. Les conséquences ne tardent pas à apparaître : on répand des manières de s'exprimer qui restent, faute d'expérience authentique, incompréhensibles à ceux-là même qui les emploient ; on n'a que mépris pour les occupations extérieures (p. 259), y compris pour les prières ordinaires et l'office du chœur ; on souffre de maux de tête et de contention. Le *Liber Ceremonialis* prescrit qu'on devra désormais rechercher l'union à Dieu « per viam meditationis vitae et passionis D.N. Jesu Christi » et apprendre à prier « per viam mysteriorum... et per viam aspirationum » (p. 260). Voilà relevées les conséquences les plus inquiétantes des excès dénoncés : le Christ tend à disparaître de la vie de prière. Ainsi se trouve mise en lumière la question qui domine les débats spirituels de cette époque : comment une prière ainsi « abstraite », « vide d'images » peut-elle encore être chrétienne ?

En 1598, le supérieur général, Jérôme de Sorbo, présidant le chapitre de Bruxelles, rédige et signe un texte prohibant sévèrement la lecture des mystiques controversés et interdisant tout débat sur la question. Peu à peu, les supérieurs assoupliront la rigueur des décrets et la tempête se calmera au début du siècle suivant sans que le mouvement des « spirituels » ait été abattu. Il en résultera que la vie mystique continuera de faire partie intégrante de la spiritualité des capucins jusqu'au milieu du 17e siècle.

Mais de nouveaux adversaires apparaissent. Anne de Jésus installe le premier carmel réformé des Pays-Bas à Bruxelles en 1607. Elle nous dit ce qu'elle pense de la mystique telle qu'elle la voit pratiquée autour d'elle : « J'ai besoin qu'elles (ses novices) considèrent et imitent notre Seigneur Jésus Christ, car ici on se souvient peu de lui : tout se passe en une simple vue de Dieu. Je ne sais comment cela peut se faire. Depuis le séjour du glorieux saint Denys qui écrivit la Théologie mystique, tout le monde a continué de s'appliquer à Dieu par suspension plutôt que par imitation. C'est là une étrange façon de procéder ; en vérité, je ne l'entends point » (cf. J. Orcibal, *La rencontre du carmel thérésien avec les mystiques du Nord*, Paris, 1959, p. 13-14). Anne le relève avec justesse : l'union à Dieu consiste-t-elle en une contemplation à laquelle on parvient par suspension de l'activité normale des facultés, où tout se ramène à une « simple vue » ? S'il en est ainsi, quelle place conservent l'imitation de Jésus, l'amour de Jésus ? En fait, Anne comme tout espagnol de ce temps n'avait pas la connaissance exacte des textes authentiques des mystiques flamands, mais son témoignage porte sur ce qu'elle entendait et lisait.

Les attaques qui vont se déclencher dorénavant contre les capucins émanent de deux carmes espagnols. Le premier, Jerónimo Gracián (DS, t. 8, col. 920), séjourne au couvent des carmes chaussés de Bruxelles à partir de 1607. Se considérant comme le champion de l'orthodoxie, il lance à ses adversaires l'accusation de « perfectisme ». Sa *Vida del alma* (Bruxelles, 1609) s'en prend aux contempteurs de la véritable imitation du Christ : « La suma perfección non consiste en esta unión immediata, con dexación de las operaciones..., sino en el obrar con imitación a Cristo » (Prologue). Relevons le terme « immediata » (union directe, sans intermédiaire) qui fleure le panthéisme : comment peut-il y avoir différence entre Dieu et l'homme si l'union a lieu sans intermédiaire, « quando sin medio de ninguna creatura, y con anihilación total de todos los actos interiores y exteriores se junta con la Verdad incriada... » ? Ces « perfectistes » ne sont rien d'autre que des panthéistes.

La caricature est grossière et la riposte ne se fait pas attendre. Un capucin anonyme publie une série d'*Observationes* (texte dans J. Orcibal, p. 133-141) théologiquement solides. Une seule citation, à propos de la suspension de l'activité de l'homme, suffira ici : « Licet enim multi spirituales unionem ponant in qua homo nihil aut parum operetur, non tamen dicunt illam omni actu carere, sed solum proprio » (p. 134). Le mot-clef *proprius, eigen,* partout présent chez Ruusbroec (*eyghenscap*) comme chez Canfield (*propriété*) a échappé à l'attention du carme.

Gracián reprend le combat avec ses *Diez Lamentaciones del miserable estado de los Atheistas de nuestros tiempos* (Bruxelles, 1611) qui attaquent Canfield, Laurent de Paris et la *Theologia Deutsch,* sans plus de perspicacité que la *Vida del alma* ; il se fait réfuter par le capucin Cyprien Crousers d'Anvers (*Apologie générale de la vie spirituelle touchant l'union de l'esprit avec Dieu,* dans Orcibal, p. 143-173) qui s'appuie sur Thomas d'Aquin, Denys le Chartreux, Suarez, etc., et fait preuve de la pénétration d'un spirituel expérimenté.

Appelé par Anne de Jésus pour fonder le premier couvent de carmes réformés (Bruxelles, 1610), Thomas de Jésus, grand théologien, bon connaisseur des textes mystiques (y compris de Ruusbroec, Tauler et Herp) et vrai spirituel, entre en scène à son tour. Il est étonnant qu'il le fasse avec les idées et le ton tranchant de Gracián. Son *De variis erroribus spiritualium* (dans Orcibal, p. 174-177), daté de 1611, s'en prend à Tauler, Ruusbroec, Herp, Canfield et à la *Theologia Deutsch* ; il est repris et développé la même année dans la *Censura in libellum vulgo Theologia Germanica... nuncupatum* (dans Orcibal, p. 178-224) ; ces deux écrits ne sont pas publiés, mais le second est envoyé en manuscrit à divers personnages influents.

J. Orcibal a montré en quels points Thomas reste prisonnier de la manière « espagnole » de concevoir l'expérience mystique. Il pense que l'union mystique ne peut consister qu'en un état extatique, en une sorte de sommet d'expérience privilégiée qui ne peut être que passagère ; il ne comprend pas que, selon les mystiques de Flandre, la forme la plus haute – *volcomen,* ce qui doit s'entendre comme pleine et accomplie plus que comme parfaite – soit un état durable, une transformation (*overvorming*), certes non substantielle, par Dieu de tout l'homme, une forme nouvelle de vie humaine. D'autre part, si Thomas admet la prière passive, il juge impossible l'exercice passif des vertus ; or c'est là selon la tradition mystique des Pays-Bas une caractéristique essentielle de la vie transformée (*overvormd*) : le mystique accompli ne vit ni ne travaille autrement que tout bon chrétien, il mène l'existence commune, mais il expérimente que son activité procède d'un Autre.

2° *Pelgrim Pullen et Claesinne van Nieuwlant* (DS, t. 11, col. 344) se rencontrent dans ce climat en 1587 ; le premier rédige un opuscule, *Tsaemensprekinge,* dialogue relatant leur entretien (éd. L. Reypens, OGE, t. 13, 1939, p. 311-60).

Pullen, né en Limbourg, étudia la théologie à Cologne. Prêtre, il exerce son ministère auprès des chanoinesses régulières de Saint-Augustin à Venraai, puis à partir de 1573 au béguinage de Roermond ; il devient le conseiller de l'évêque Lindanus. Sa rencontre avec Claesinne (Gand, 27 novembre 1587) marque son évolution spirituelle. Rentré à Roermond en 1588, sa direction spirituelle rencontre un tel succès qu'il se voit obligé, pour échapper à l'admiration dont il est l'objet, de se retirer d'abord à Cologne, puis et pour la même raison à Liège. Il se fixe enfin à Bois-le-Duc, y vit très retiré et y meurt en 1608.

On a retrouvé au moins 21 écrits de sa main et on connaît les titres d'une trentaine d'autres qui doivent probablement lui être attribués. Trois seulement ont été édités : *Het Boecxken van een nieuwe creature* (éd. L. Reypens, OGE, t. 18, 1944, p. 158-213), *Die navolginghe Christi* (éd. A. Van Elslander, Gand, 1958), *Leven van die alderheylichste moeder Jesu Maria* (éd. J.M. Lachat, Louvain, 1977). Il est donc trop tôt pour porter un jugement d'ensemble. Cependant les trois traités édités ne contiennent pas beaucoup plus que ce que rapporte la *Tsaemensprekinge,* « l'entretien » avec Claesinne.

Son thème fondamental est certainement l'annihilation (*vernieting*). Le seul exercice auquel peut s'adonner le mystique dans l'état de passivité (*Godlijdenheid*) qui est le sien est « celui qui conduit l'homme loin de lui-même dans l'anéantissement et dans l'abaissement » (*in die nietheyt ende inden nederganc,* p. 319, 31). Remarquons qu'au temps où Claesinne et Pullen se rencontrent, deux ouvrages importants sont en gestation qui vont répandre la doctrine de l'annihilation : *La Règle de perfection,* de Benoît de Canfield (dès 1587, date de son entrée chez les Capucins, il la pratique) et le *Breve compendio* du jésuite Achille Gagliardi (DS, t. 6, col. 53) qui s'origine dans la retraite qu'il donne en 1585 à Isabelle Berinzaga. Remarquons d'autre part que l'auteur de la *Peerle* a déjà donné au thème de la *vernieting* une place prépondérante (cf. *supra*).

L'expérience du non-être (*nietheyt*) dont Claesinne et Pullen s'entretiennent n'est pas tant une préparation ou une condition préalable à l'union avec Dieu qu'un de ses aspects : c'est l'intensité de la présence du Tout Autre qui est la cause de l'anéantissement. Peu de textes affirment avec plus de force que l'« Entretien » le caractère irrévocable de la souveraine altérité de Dieu dans l'expérience même d'unité avec lui.

« Lorsque l'homme connaît quelque chose de Dieu, il se connaît lui-même et il ne connaît pas Dieu... Lorsque rien n'est connu, c'est alors que Dieu est connu. Cela veut dire : lorsque l'homme se voit privé de tout, au point de ne plus rien avoir et de ne plus rien connaître. Une telle connaissance ne peut entrer ni dans l'intelligence ni dans l'entendement... S'abaisser sous Dieu, voilà ce qu'est une telle connaissance ; elle est cela et rien d'autre que cela » (p. 349).

Cette connaissance, qui ne peut jamais devenir sienne, n'est possible que si le mystique, sans dédoublement, est capable de vivre à des niveaux psychiques différents. L'« Entretien » reprend ici une terminologie déjà présente chez Hadewijch et Ruusbroec (l'homme se trouve « dans l'esprit » ou « au-dessus de l'esprit » ou « sans l'esprit ») et suppose aussi l'expérience mise en lumière par Herp, la séparation de l'âme et de l'esprit (*Spieghel der volcomenheit*, c. 50, p. 319).

Révélations, visions, paroles se produisent dans l'esprit (cf. Ruusbroec, *Werken*, t. 1, p. 163-165), détournant l'attention de l'homme du monde extérieur mais lui laissant la disposition de ses facultés spirituelles. « L'intelligence et l'entendement » (*verstand ende begrip*) ne peuvent aller au-delà de ce niveau. C'est par la volonté, qui est « aveugle », que le mystique pourra pénétrer plus avant (cf. « Entretien », p. 326).

Extases et rapts se produisent au-dessus de l'esprit : l'activité des facultés spirituelles est suspendue et l'homme atteint son fond (*grond*), son essence (*wezen*) ; d'après Claesinne, c'est alors qu'on est « formé par Dieu », que l'activité se concentre dans l'essence et devient essence (*verwesent*). Enfin, lorsque le mystique est sans l'esprit, il a quitté son propre fond (essence) et fait l'expérience de passer entièrement en Dieu : il subit « le simple Amour qui consume son esprit et l'anéantit ». C'est le moment où « nous ne savons pas », où, « au-dessus de notre condition de créature, nous ne sommes que béatitude toute libre et vide avec Dieu », où « nous sommes tout ravis sans esprit et en dehors de notre esprit ». Chez Claesinne, « la vie contemplative est une adhésion toute nue à Dieu sans soi-même » ; à ce niveau on est « arraché à soi-même » (*ont sonchen hem selver*) et « ravi hors de son esprit » (*ontgeest*).

L'aspect le plus remarquable de l'« Entretien » est la manière dont est développé le leitmotiv de l'annihilation. « Par l'abaissement (*nederganck*) l'homme trouve une montée (*opganch*) toute pure en Dieu » (p. 319). Monter c'est être uni à Dieu ; c'est là l'essentiel pour Claesinne, mais elle est comme obsédée par le souci de monter en Dieu *purement* : de ne pas faire de l'expérience de Dieu une expérience du moi. A chaque « montée » en Dieu, l'homme doit donc « s'abaisser » (*neergaan*) aussitôt. Tout ce qui vient de Dieu en lui (l'expérience) doit être abandonné sur-le-champ. La présence de Celui qui est inépuisablement l'Autre exige nécessairement et par le fait même une place toujours plus grande et conduit à une annihilation incessante (cf. p. 349) : montée et abaissement doivent aller de pair. C'est là décrire l'expérience que d'autres mystiques explicitent à l'aide de l'image des deux abîmes s'appelant l'un l'autre (cf. Reypens, cité *infra*, OGE, 1929, p. 246).

La terminologie spatiale (« monter », « s'abaisser ») ne va pas sans difficulté. En fait, haut et bas sont employés l'un pour l'autre. Dieu n'est pas seulement représenté comme « en haut », mais encore (et plus souvent chez les mystiques des Pays-Bas) comme caché dans le fond de l'homme. Dès lors, être élevé vers Dieu, c'est être attiré dans les profondeurs ; monter au sommet, c'est descendre dans un abîme sans fond. Pour Claesinne, la vraie montée en Dieu

consiste dans une descente dans son propre fond et par là dans l'abîme que Dieu est ; il n'y a d'expérience de Dieu que par celle du vide et de la nudité de ce fond (expérience vécue comme un naufrage, mais en réalité transformante).

La conscience de la réalité de ce pur contact est toutefois continuellement menacée par l'activité accaparatrice des facultés ; il faut donc que « Dieu reste en son domaine et l'homme dans le sien », que la séparation de l'esprit et de l'âme soit maintenue (donc, constamment renouvelée) ; cela suppose que l'âme ne s'attarde pas à recueillir les miettes qui tombent en ses facultés de la table située « au-dessus de l'esprit », « en-dessous du fond » (cf. p. 312, 315).

Un des traits les plus attachants de l'« Entretien » est la façon dont Claesinne décrit comment le Christ est vécu par elle. Monter jusqu'à Dieu et en même temps descendre en son propre néant n'est en fait rien d'autre que de faire l'expérience de l'union à Dieu et à l'Homme : « Plus l'esprit monte en Dieu ou, en d'autres termes, plus haute est la région où il est assumé en Dieu..., plus profondément aussi l'homme extérieur descend dans l'Humanité du Christ. Le Christ est Dieu et Homme, et l'un n'est pas séparé de l'autre. De même ces deux mouvements ne peuvent être séparés... S'ils le sont quand même, l'homme devient un antéchrist : il s'oppose au Christ et ne parvient pas au Père » (p. 332).

Notons que *Van een nieuwe creature* de P. Pullen comporte un remarquable chapitre (12) dont le titre exprime heureusement l'essentiel : « Comment ces personnes contemplent Dieu et par là connaissent aussi le Christ ». « Cette connaissance et jouissance de la Divinité est le Christ, et pour cela ce qui y est connu c'est le Christ et qui il est, non seulement en tout ce qui concerne sa Divinité..., mais encore en tout ce qui concerne son Humanité... Il est aussi envahi par la plénitude de la Divinité et devient un avec lui et devient ce qu'il est. Et par tout ce qu'il dit, il reproduit le Christ et il le montre... » (OGE, t. 18, 1944, p. 205-206).

Il faudrait encore parler ici de l'exercice « essentiel » des vertus, de la manière dont on peut se rechercher soi-même dans l'imitation de Jésus annihilé (*verniet*), de la vie en communion que le mystique mène avec les autres hommes, les pécheurs en particulier, de l'usage des sacrements, etc.

Voir L. Reypens, *Pelgrim Pullen. Een heilig mystiek leider en zijn onuitgegeven geschriften*, OGE, t. 3, 1929, p. 22-44, 125-43, 245-77 ; *Markante mystiek in het Gentse begijnhof, Claesinne van Nieuwlant*, t. 13, 1939, p. 291-360, 403-44. -M.M.J. Smits van Waesberghe, *Het verschijnsel van de opheffing des geestes bij Jan van Ruusbroec en Hendrik Herp*, Nimègue, 1945.

3. LE 17ᵉ SIÈCLE. – Peu après 1620, un véritable renouveau spirituel est devenu discernable, grâce en particulier aux capucins « spirituels » que nous avons déjà vus à l'œuvre.

Les « Noces spirituelles » de Ruusbroec reparaissent en 1624 (éd. par le capucin Gabriel d'Anvers † 1656) ; en 1626, 62 ans après la précédente, paraît une nouvelle édition de la *Peerle* (Courtrai). Les traités de P. Pullen et l'« Entretien » circulent en manuscrit. De plus, des traductions néerlandaises paraissent : le *Camino* de Thérèse d'Avila (Bruxelles, 1613 et 1619) ; quarante chapitres de la *Subida* et de la *Noche* de Jean de la Croix (trad. ms du capucin Marcellien de Bruges, en 1621-1623) ; les *Institutiones* pseudo-taulériennes (Bruges, 1623) ; la *Règle de perfection* de Benoît de Canfield (Anvers, 1622 sans la 3ᵉ partie ; 1623 avec elle) ; le *Breve compendio*, sous le titre *Den Kortsten*

*Wech tot de Hoochste Volmaechtheyd* (Anvers, 1624). De plus existent, en français et en néerlandais, un grand nombre de petits traités qui sont de libres interprétations de la *Règle de perfection,* en particulier le fameux *Beworp van oeffeninghe des overschouwenden leven* (cf. *infra*).

1º Le traducteur de Jean de la Croix, *Marcellien de Bruges* (DS, t. 10, col. 295), qui a passé une bonne partie de sa vie dans la ville où Pullen est décédé en 1608, est l'auteur d'un bref mais remarquable *Het Geestelijc Pepelken* (éd. P. Gerlach, dans *Franciskaans Leven,* t. 16, 1933, p. 17-24), conservé dans un ms avec divers petits traités, dont plusieurs de Pullen. L'ouvrage, sorte de missive spirituelle, rédigé ou transcrit en 1628, témoigne des influences de Canfield, de Jean de la Croix et de Thérèse d'Avila. Il s'adresse à ceux qui, parvenus au seuil de la prière passive, n'osent pas s'y avancer, par crainte ou par ignorance. Il montre comment le sentiment d'être alors comme abandonné de Dieu peut receler une forme secrète de contact avec lui, et que certains exercices restent possibles. Pour chacun d'eux l'annihilation (*vernieting*), active ou passive, conçue selon Canfield, occupe une place centrale.

On a gardé plus d'un opuscule mystique de valeur se rattachant au même genre et à la même période ; ainsi une lettre anonyme d'une femme rendant compte à son directeur de la nature de sa prière (dans OGE, t. 27, 1943, p. 235-43) et dont l'inspiration se rattache à Claesinne et à Canfield.

2º *Constantin de Barbanson* (1582-1631: DS, t. 2, col. 1634), entré chez les Capucins en 1601, réside de 1612 jusqu'à sa mort en pays rhénan, tout en restant conseiller spirituel des bénédictines de Douai et des Capucines des Pays-Bas. Il rédige le texte primitif des *Secrets Sentiers de l'amour divin* pour les bénédictines. Sa préoccupation et sa méthode apparaissent bien dans la relation d'un entretien qu'il a avec sœur Ange de Douai (cité dans l'éd. Paris-Tournai, 1932, des *Secrets Sentiers,* p. xix). Notons qu'A. Baker (DS, t. 1, col. 1205) et la bénédictine de Cambrai Gertrude More (t. 10, col. 1722) connaissaient et estimaient fort l'ouvrage de Constantin (cf. l'éd., coll. The Orchard Books, Londres, 1928, p. viii-ix, de la trad. abrégée par le bénédictin Anselme Touchet, 17e s.).

Constantin sait que beaucoup désirent prier et se trouvent dans une impasse : impossibilité de méditer, solitude et abandon intérieur. Son enseignement vise plus particulièrement de telles personnes : « Bien que tout le long de son cours, (l'âme) se couvre du manteau d'amour divin, ... néanmoins et par concomitance, ce n'est autre que la voie négative, d'abstraction, de nudation et détachement, non seulement de toute chose terrestre, mais encore de tout ce qui par les sens et raison humaine, se pourrait penser ou former de Dieu en l'intérieur » (Prologue, éd. 1932, p. 28).

*Les Secrets Sentiers* sont rédigés en 1613 et publiés en français à Cologne en 1623 (trad. latine la même année) ; le succès est grand. Mais Constantin redoute, pour son œuvre comme pour ceux qu'il veut guider dans l'oraison, un double danger : une déviation de type quiétiste (comme cela se produit pour l'œuvre de Canfield) et une réaction anti-mystique. C'est pourquoi il rédige son *Anatomie de l'Ame et des opérations divines en icelle...* « addition au livre des *Secrets Sentiers...* Où les vérités fondamentales de la vie Mystique sont mises au jour et réduites aux règles et façons de parler de la Théologie Scholastique, et les abus découverts ». Terminé en 1631, l'ouvrage paraît à Liège en 1635. Les études de Théotime de Bois-le-Duc ont montré que Constantin veut avant tout donner de l'*Exercice de la volonté divine* de Canfield une interprétation exempte d'erreur et montrer que l'expérience mystique ne contredit pas la théologie scolastique. Comme exemples d'interprétations fausses de Canfield, Constantin a traduit et publié dans l'*Anatomie* deux opuscules flamands, dont l'un est le *Beworp van oeffeninghe des overschouwenden leven* (éd. D. Stracke, OGE, t. 18/2, 1944, p. 43-65).

De plus, il distingue dans l'état mystique d'union à Dieu deux expériences : d'une part, dans le « fond de l'âme » est donnée une conscience non contemplative de Dieu qui y est présent comme nouveau principe de vie : c'est la *présence fondamentale.* D'autre part, on reçoit dans la « pointe de l'esprit » la contemplation de Dieu comme terme final de la vie nouvelle qui s'exerce dans le fond de l'âme : c'est la *présence finale* ou *objective.* Le premier élément de l'expérience d'union – *union fondamentale,* dite aussi *essentielle* – est de nature durable. C'est une « participation solide et stable de l'être divin ». On y parvient par l'« anéantissement de soi-même ». L'autre élément – *l'union finale* – est de nature transitoire. Elle est le fruit de l'« opération déiforme que la première traîne avec soi ». La véritable union à Dieu se compose donc selon Constantin de l'alternance de ces deux mouvements dans un incessant va-et-vient de montée et de descente. Inutile de dire que nous sommes ici bien éloignés de Claesinne et de Pullen, et de la conception originelle propre aux auteurs flamands selon laquelle la rencontre *essentielle* comportant à la fois illumination et embrasement d'amour, a lieu dans le *fond* ou l'*essence.*

Grâce à cette manière de présenter les choses, le capucin peut mettre en pleine lumière les déficiences de la mystique « quiétiste » : prendre la *présence fondamentale,* à laquelle on peut de fait parvenir par une pure annihilation, pour la *présence finale.* Il peut d'autre part mettre en accord la conception scolastique expliquant l'union la plus haute à Dieu comme une contemplation de Dieu lui-même avec la conviction propre à la tradition mystique que Dieu se laisse rencontrer dans l'amour dans le fond caché et obscur de l'âme. Enfin Constantin réussit à donner de la désolation une explication satisfaisante : elle est la manière dont, par excellence, se fait l'expérience de l'*union fondamentale.* Après chaque moment fruitif d'*union finale,* il faut que l'homme redescende à nouveau pour intensifier sa conformité avec le principe de vie dans l'obscurité et la pratique de l'amour. En ce dernier point, Constantin est directement tributaire de Bérulle, dont il cite le *Brief discours de l'abnégation intérieure.*

Théotime de Bois-le-Duc, *Le P. Constantin de Barbanson et le préquiétisme,* CF, t. 10, 1940, p. 338-82 ; *La doctrine mystique du P. Constantin...,* dans *Études Franciscaines,* nouv. série, t. 2, 1951, p. 261-71 ; *Les œuvres du P. Constantin...,* ibidem, t. 11, 1960, p. 184-97.

3º *Jean-Évangéliste de Bois-le-Duc* (1588-1635 ; DS, t. 8, col. 827), entré chez les Capucins en 1613, est maître des novices de 1620 à 1626 ; il rédige alors *Het Ryck Godts inder zielen* (« Le Royaume de Dieu dans les âmes ») qui circule en manuscrit à partir de 1625 et est imprimé en 1637. En 1644 paraît *Het Eeuwich Leven* (« La vie éternelle ») traitant de l'Eucharistie et, en 1652, le petit traité *Divisio animae ac spiritus* (trad. néerlandaise publiée en 1677/78 : *Een gulden tractatjen tracterende vande scheydinghe der zielen ende des geests).* Signalons encore que la *Gheestelycke oeffeninghe voor de novitien* (imprimée à Louvain , 1718) circule dès 1623 : elle est due pour une large part à notre capucin ; c'est le manuel de vie spirituelle à l'usage des Capucins des Pays-Bas.

Jean-Évangéliste cherche à expliciter la doctrine des maîtres sur le passage de la prière active à la passive ; ces « docteurs » sont trop concis lorsqu'ils parlent de la voie d'annihilation (*vernieting*) : ils montrent bien « le début de cette voie et aussi son terme, mais non ce qu'il y a entre les deux, ni à quelle distance l'un se trouve de l'autre » (*Ryck*, ch. 4, p. 37). Dans « le droit chemin qui mène en ce rien et en cette mort, et de là en Dieu », il distingue quatre moments : « un renoncement radical à toutes les choses créées / et un abandon complet de soi-même / opérés par pur amour pour Dieu, / que, dans la foi nue, on rend présent intérieurement » (*Ryck*, ch. 10, p. 92-93).

Jean-Évangéliste fait appel à tout son talent pour décrire la *Divisio animae ac spiritus*, qui joue un rôle fondamental dans les formes supérieures d'oraison. Une fois l'âme vraiment abandonnée à Dieu, elle peut parvenir à la découverte de son « esprit » (*geest*), « une force intérieure... tout à fait inconnue d'elle auparavant... et qui a pourtant toujours été présente en elle... et il lui semble que c'est là la partie principale et la plus noble d'elle-même, tout entière spirituelle et divine, dans laquelle se trouve contenu de manière éminente le pouvoir partagé entre toutes les autres puissances » (trad. néerl., 1677, p. 101).

Le secret de la prière passive consiste en ce que l'âme adhère à cette force (*cracht*) avec le plus d'intensité et d'abandon possible ; elle se tient ainsi, « sans intermédiaire ouverte à l'action divine » (p. 107 ; cf. le beau passage p. 104-105). Elle doit se laisser emporter par la « conversion » (*toekeer*) de cette force profonde vers Dieu, sans rien faire par elle-même sinon y soumettre « toutes les autres activités et parties de la prière » (p. 106). On reconnaît ici l'équivalent de l'annihilation passive de Canfield. Bien que Jean-Évangéliste n'emploie nulle part cette formulation, il prescrit lui aussi, pour les périodes où le contemplatif doit être actif dans le monde, une véritable annihilation active, qu'il nomme « une élévation de cette force » (*verheffinghe deser cracht*, p. 143). Les six derniers chapitres du *Ryck* traitent du rapport entre contemplation et action.

Avant de revenir à cette « élévation », remarquons une particularité relative à la « conversion ». Tant dans le *Ryck* (ch. 19 et 20, p. 215-18 et 229-31) que dans la *Divisio* (p. 110-15), Jean-Évangéliste insiste déjà sur le fait qu'elle peut conduire à l'union par deux mouvements contraires : « ou bien en montant et en s'élançant au-dessus de toute chose et au-dessus d'elle-même, ou bien en descendant et en tendant au-dessous de toute chose et au-dessous d'elle-même... (Cette force cachée) peut accomplir aussi facilement la descente que la montée, et s'unir à Dieu aussi parfaitement par l'une que par l'autre » (p. 110-11). Il appelle la descente « une remémorisation de Dieu » et la montée « une suspension et adhésion à Dieu » (*Ryck*, ch. 19 ; *Divisio*, p. 131).

Quant à l'« élévation » (emploi de la « force » au temps des occupations extérieures ; cf. *Divisio*, p. 130-143), Jean-Évangéliste prend en compte l'annihilation active de Canfield ; on peut se demander s'il parvient à donner une synthèse cohérente, car on relève en outre ici les influences de Claesinne (*Ryck*, ch. 20, p. 231) et de Constantin de Barbanson (p. 230). Quoi qu'il en soit, pour lui, lorsque l'homme doit déployer son activité dans le monde extérieur, l'âme n'est pas capable de la concentration passive requise pour se trouver tournée vers Dieu avec la force (*cracht*) la plus profonde (*Ryck*, ch. 31, p. 357 ; *Divisio*, p. 137) ; par conséquent, « l'âme qui a la jouissance de Dieu doit acquérir encore une autre capacité que celle qui vient d'être décrite, dont elle puisse s'aider pour ne pas déchoir souvent de la simplicité de l'esprit dans la multiplicité de ses sens, et de l'union intérieure à Dieu en l'objet extérieur de son activité » (*Ryck*, p. 357).

Cette capacité consiste en ce que l'âme, sans essayer de « garder la jouissance de la présence de Dieu en elle », doit « faire tout ce qu'elle peut pour persévérer dans la jouissance de la lumière divine et, par celle-ci, dans l'union actuelle avec Dieu » (ch. 31, p. 358). Donc, au lieu de vouloir rencontrer la source lumineuse qui brille dans la force la plus profonde de l'esprit, il faut avec et dans cette lumière se tourner vers l'extérieur et faire ce qu'il y a à faire. Pour pouvoir être ainsi active, l'âme doit *s'élever* sans cesse, « dépasser jusqu'à l'activité des sens en laquelle elle est actuellement occupée » (*Divisio*, p. 135). L'élévation en question n'est pas le résultat d'un effort : elle est « si spirituelle et si élevée qu'elle ne peut être acquise comme d'autres habitudes ou coutumes par le savoir ou l'exercice ; elle est en effet indivisible et surgit en un seul instant... » (*Divisio*, p. 140) ; elle est « le fruit véritable... de la *conversion* susdite ».

Nous retrouvons ainsi l'idée qui domine toute cette période : l'annihilation (*vernieting*), ainsi que la conviction formellement exprimée dans la *Règle de Perfection*, que contemplation et action sont l'une et l'autre basées sur une seule et même annihilation ininterrompue et sans cesse renouvelée :

« Toutefois ces deux dispositions de l'esprit, tant celle de l'oraison silencieuse et des activités toutes simples que celle des activités multiples, ont ceci de commun que l'une et l'autre exigent une annihilation parfaite et ininterrompue de l'homme tout entier ; car aussi bien en cette dernière dans les œuvres extérieures qu'en cette première dans le repos, il est requis qu'au milieu de la multiplicité toutes les puissances et tous les sens exercent leur activité en un tel repos, nudité et vide que l'on pourrait croire que tout ce qui est en dehors d'eux est comme inexistant en soi-même » (*Ryck*, p. 367).

L'ordre des capucins, comme on le voit, a été d'une étonnante fécondité entre les années 1620 et 1660. Même le *Beworp van oeffeninghe des overschouwenden levens,* violemment critiqué par Constantin de Barbanson, semble devoir être attribué à l'un ou l'autre de ses membres. Non seulement cet opuscule quelque peu hétérodoxe se retrouve dans le même manuscrit que le *Cort begrijp van den staet van een ziele trachtende naer de volmaectheid* (« Bref aperçu de l'état d'une âme tendant à la perfection »), qui est une adaptation en néerlandais de la *Divisio animae ac spiritus* de Jean-Évangéliste ; mais l'Avertissement qui le précède est manifestement de la main même de ce dernier : la description des quatre sortes de vie propres à la nature corrompue se retrouve littéralement dans le *Ryck Godts* (ch. 10, p. 90-91).

L. Kampschreur, *Leven, werken en leer van Johannes Evangelista van 's-Hertogenbosch,* Rome, 1959 (thèse).

4° On peut joindre aux spirituels capucins le prêtre

séculier Michel *Zachmoorter* † 1660 (cf. DS, t. 2, col. 1385) dont le *Thalamus Sponsi oft t' Bruydegoms Beddeken* (Anvers, 1623 ; augmenté, 1625, 1627) est remarquable au moins à deux titres. Plus que les auteurs capucins, Zachmoorter pense que tout chrétien peut être appelé à une oraison supérieure (1re partie, p. 257 ; 2e partie, p. 300) ; même ceux qui débutent reçoivent parfois « le don de la prière de quiétude ». D'autre part, il veut aider les « personnes simples et d'humble condition... parmi lesquelles beaucoup sont capables de s'adonner aux exercices spirituels » (2e partie, p. 300).

Le *Thalamus Sponsi* est donc un livre de vulgarisation, rédigé en langue vulgaire, solidement appuyé sur les autorités spirituelles non seulement classiques, mais aussi récentes : Jean de la Croix, Benoît de Canfield. Qui lit ces derniers comme il convient découvrira qu'ils concordent entre eux : « Le premier apporte la connaissance du chemin dont le second explique les règles d'exercice et de pratique..., ils ne diffèrent en leur doctrine que par les mots et les expressions » (1re partie, p. 20). Zachmoorter se sert encore de Balthasar Alvarez pour éclaircir la question du passage à la prière passive (ch. 14-18 de la 2e partie traitant de sa vie et de sa doctrine), et de Jean-Évangéliste (sur la méditation, 1re partie, ch. 4-8 ; sur les mouvements de montée et de descente, 2e partie, ch. 4).

L'ouvrage est axé sur le passage de la prière active à la passive (belle description, 1re partie, ch. 13) et vise en particulier les âmes qui sont dans la sécheresse. Que faire lorsque les quatre dispositions données par Tauler et Jean de la Croix comme signes qu'elles sont prêtes pour le passage ne sont pas réalisées ? Surtout lorsque la quatrième manque, « à savoir qu'elles ne se découvrent pas communément attirées ou prévenues par l'attention amoureuse à Dieu et qu'elles ne trouvent aucune satisfaction à adhérer à Dieu en silence loin de toute multiplicité » (2e partie, ch. 4, p. 51 ; cf. ch. 17, p. 146) ? Zachmoorter trouve le remède dans la *Règle* de Benoît de Canfield (1re partie, ch. 19, plusieurs fois cités), c'est-à-dire dans une « via abnegativa » (*wegh der verstervinghe*) :

« Le remède est que ces personnes ont à se tenir tranquilles dans une parfaite soumission à la volonté de Dieu et qu'en adhérant à lui dans une paisible remémoration, elles acceptent sans aucun trouble de Dieu tout ce qu'il leur envoie... dégoûts, distractions, tourments ou quelque autre chose. Et si l'âme ne peut se tenir en paix et se trouve envahie par les distractions, elle doit tout doucement se redisposer au repos en se remettant en mémoire l'objet de ses désirs ou en y aspirant paisiblement deux ou trois fois » (2e partie, ch. 4, p. 53).

5° Autre spirituel capucin qu'il convient de signaler, le poète *Luc de Malines* † 1652, dont on lira la notice par K. Porteman (DS, t. 10, col. 1122 ; ajouter à la bibliographie : K. Porteman, *De mystieke Lyriek van Lucas van Mechelen*, 2 vol., Gand, 1977). En général, Luc souligne les aspects affectifs et psychologiques de la relation avec Dieu sans beaucoup insister sur son côté ontologique. Cette tendance, jointe à l'éclectisme de ses sources, a pour conséquence une dévaluation nette du vocabulaire mystique : termes et expressions qui, avant Luc, avaient une signification précise et renvoyaient à des situations explicitement mystiques sont employées dans un contexte moralisant et hyperbolique. Cependant sa terminologie rend un son parfaitement juste là où son témoignage touche à des points essentiels comme l'annihilation et la solitude (*afgescheidenheid*).

6° Chez les *jésuites*, il faut mentionner deux théologiens de la mystique qui seront très influents : Léonard Lessius † 1623 qui intervint dans la polémique évoquée plus haut entre les Capucins et Thomas de Jésus, et Maximilien Sandaeus (1578-1656).

Sur le premier, on lira la longue notice qu'A. Ampe lui a consacrée (DS, t. 10, col. 709-20) ; soulignons que la doctrine de Lessius est profondément pénétrée par celle de Ruusbroec tout comme par celle du Pseudo-Denys. Quant à Sandaeus, son ouvrage *Pro theologia mystica clavis* (Cologne, 1640) offre une clef, intelligemment présentée, donnant accès au langage des mystiques, rhénans et néerlandais en particulier ; cette sorte de « vocabulaire » donne le sens des termes en citant les mystiques eux-mêmes, sans chercher à donner des équivalents philosophiques et théologiques. Des termes comme *essentialis* ou *inactio*, souvent mal interprétés, sont clairement proposés. L'ouvrage de Sandaeus a exercé une influence considérable. Par exemple, Angelus Silesius † 1677 en a possédé un exemplaire qu'il a largement annoté de sa main (cf. *Catalogus Jan van Ruusbroec*, Bruxelles, 1981, n. 163).

7° Le rayonnement du Carmel réformé, dans la seconde moitié du 17e siècle, est dominé par une mystique originale, *Maria Petyt* (1623-1677), comme l'a montré A. Deblaere dans son étude que nous résumons ici (*De mystieke schrijfster Maria Petyt*, Gand, 1962 ; larges extraits de l'autobiographie).

Son autobiographie (Bruxelles, 1681 ; éd. définitive : *Het Leven Vande Weerdighe Moeder Maria A Sta Theresia, (alias) Petyt*, Gand, 1683) est publiée par Michel de Saint-Augustin, son directeur spirituel (cf. DS, t. 10, col. 1187). A la suite d'une expérience religieuse intense, elle prend la décision de vivre chez elle « en petite ermite » (*Eremytersken*), puis, à dix-huit ans, d'entrer au couvent à Gand. Mais sa vue trop faible ne lui permet pas de lire l'Office ; elle quitte son couvent et entre au Petit-Béguinage de Gand. Membre du tiers ordre carmélitain, vivant en fait la règle du Carmel, d'abord seule puis avec quelques compagnes, elle suivra à Malines son directeur Michel de Saint-Augustin lorsqu'il y sera nommé prieur (1657) et y mourra vingt ans plus tard. *Het Leven* est composé par son directeur, qui a reproduit l'autobiographie et les *rationes conscientiae* rédigés par Maria.

Les thèmes caractéristiques de la mystique du 17e siècle (annihilation, rôle du Christ) y sont traités de manière éclairante. Après s'être exercée pendant seize mois environ à se défaire de l'activité multiple des puissances, à se « désencombrer » (*ontmenghelt te worden*), Maria parvient à l'oraison de quiétude (*innig gebed*). « A certains moments je ne ressens rien d'autre qu'une inclination intérieure essentielle vers l'Objet divin sans image. Cette inclination ne consiste en rien d'autre qu'en une vue simple de cet Objet et en l'exclusion de toute autre activité ».

Mais l'oraison de quiétude n'est que de courte durée. Maria n'échappe pas à la *purification*. Peu à peu l'obscurité s'empare d'elle et, avant de bien s'en rendre compte, elle se trouve en un enfer corporel et psychique. Un tourment qui se prolonge pendant quatre années et paraît sans issue à celle qui le traverse : « Il semblait qu'il y avait un mur de fer entre Dieu et mon âme ». Maria décrit cette nuit sans espoir en termes saisissants :

« Je ne puis dire les souffrances et les peines que j'ai trouvées en tous les exercices spirituels... J'ai eu surtout à souffrir beaucoup pendant la prière et les offices divins : il me venait alors en l'esprit d'horribles idées de blasphème contre Dieu et ses saints, une disposition pleine de moquerie et de dédain à l'égard de la piété... Je ne croyais plus au saint Sacrement de l'autel ni qu'il y eût un Dieu, et tout cela avec des arguments si forts que je ne puis le dire. Le Bien-Aimé m'avait alors si bien enlevé le don de la prière que je ne savais plus ce qu'était prier ».

Dans ces tentations persistantes Maria commence de faire l'expérience de l'*annihilation*. Au début c'est l'aspect négatif de celle-ci qui l'occupe principalement. L'annihilation fait encore partie de la pratique de l'ascèse, elle est encore un moyen qui ne peut être employé sans une certaine conscience de soi :

« Comme je m'étais élevée par des illuminations les années précédentes..., il me paraissait maintenant que je descendais et tombais degré par degré. Non dans les créatures, les sens ou la nature, mais par une connaissance toujours nouvelle d'une plus grande annihilation, m'enfonçant toujours plus bas et connaissant de plus en plus profondément mon indignité. Dans ce rapetissement de moi-même, dans cette chute et cette descente sans fin, je me sentais insatiable. Plus je m'enfonçais en mon néant et plus j'établissais ma demeure dans le vide, plus aussi je me sentais portée à tout moment à descendre encore plus bas ».

Mais, comme les grands mystiques des Pays-Bas qui l'ont précédée, Maria connaît aussi la véritable *annihilation* mystique. Le pôle positif – la Présence « dévorante » – se présente maintenant au premier plan : Maria éprouve que tout sentiment propre est anéanti, absorbé, et que ce qui au commencement était moyen devient maintenant résultat :

« Là, j'ai appris intérieurement... comment je dois pratiquer... ce rapetissement et cette annihilation de moi-même d'une façon plus dénuée d'image et plus noble, en une plus grande unité, simplicité et intériorité. Celle-ci provoque sur-le-champ un véritable oubli, une réelle perte de moi-même et de toutes les autres choses en dehors de moi : je me trouve tout à coup comme dévorée par la grandeur incommensurable de Dieu, comme une petite étincelle que l'on n'aperçoit même plus, lorsqu'on la jette dans un grand feu ».

« Ce Néant tout pur, ou l'âme annihilée, s'écoule continuellement et s'incline vers son centre qui est Dieu. Elle a traversé toutes choses et aussi elle-même et les a dépassées. Et, avec les créatures, et se tenant sous elles, elle est comme engloutie en Dieu ; ou bien, volant par-dessus tout cela, elle est élevée en Dieu : le Néant a disparu dans le Tout divin ».

Après la purification Maria Petyt entre dans le stade de l'amour unifiant (mariage mystique au sens large). Dieu « touche » maintenant l'âme : ce que Ruusbroec appelle *gherinen*, Maria le nomme *toetsen*. Ces touches se font d'abord rapidement et par intermittence, ensuite de façon plus continue et plus pénétrante ; elles tirent l'âme en Dieu. Pour exprimer ce contact, Maria parle aussi de « baiser d'amour ». Il est digne de remarque que l'âme peut désormais rencontrer l'amour de son Dieu en toutes les créatures. Au commencement, cette expérience s'accompagne d'un certain désarroi du corps et de l'âme qui trouble le comportement extérieur, mais bientôt Maria parvient à s'y adapter : « En cette sorte d'annihilation, je perds rarement le plein usage de mes sens et de mes membres..., l'âme reste libre et capable de tout, car alors c'est l'esprit actif du Christ qui possède l'âme et c'est lui qui opère par elle tout ce qu'il désire ».

Dans la phase suivante, l'*union pleine*, la mystique perçoit « un rayon de lumière » en plus de la touche : l'intelligence a comme une intuition directe de l'action de Dieu dans l'âme. L'esprit « illuminé » contemple alors son propre fond (*grond*), dans la mesure précise où celui-ci est ce en quoi Dieu imprime son image :

« Parfois apparaît alors, soudainement et avec clarté, dans le fond le plus intérieur un rayon ou une lumière divine qui me révèle du même coup la face dénuée d'image de Dieu et m'attire encore davantage en lui. Dans cette sorte d'oraison, toutes les images disparaissent et les choses perdent leur nom... Par exemple, l'âme comprend, sans le comprendre, ce qu'elle comprend ; elle contemple, sans le voir, ce qu'elle contemple ; elle jouit d'un bien sans pouvoir dire ce qu'est ce bien ; elle aime et ne sait ni ce qu'elle aime ni comment, et de cette manière elle adhère à ce Bien suprême et infini en une insurpassable unité et une absorption de connaissance et d'amour ».

L'étape la plus avancée est la « vie transformée » (*overvormde leven*), le mariage mystique au sens strict. Maria Petyt semble être restée au seuil de cette étape, car la continuité de l'union, qui en est la principale caractéristique, n'a pas atteint chez elle son plein épanouissement. Ceci n'exclut pas qu'elle ait expérimenté par moments la « contemplation suressentielle » (*overwezenlijke schouwing*), la forme la plus haute de la connaissance mystique. Maria la suggère d'une manière conforme à la tradition mystique néerlandaise : Dieu seul contemple Dieu ; le mystique ne le voit que dans la mesure où il est lui-même pris dans ce regard intérieur à Dieu. Dieu qui contemple Dieu, c'est la relation réciproque du Père et du Fils. L'homme qui contemple Dieu en Dieu et avec lui, c'est l'homme qui, devenu un avec le Fils, voit le Père : l'image créée rendue semblable à l'Image Incréée rentre dans sa source.

Comme ses devanciers du moyen âge, Maria Petyt peut ainsi assigner, à tous les niveaux de l'union mystique, un rôle essentiel à l'imitation du Christ : plus l'âme est rendue semblable à l'Image, plus élevée aussi sera sa contemplation de Dieu ; puisque l'Image est aussi un homme, l'imitation et la contemplation de Jésus font partie de l'expérience de l'unité mystique. Mais les vues développées par Ruusbroec et l'auteur de la *Peerle* sont tombées dans l'oubli ; Maria est surtout marquée par son époque qui comprend mal comment l'union à Jésus, homme bien déterminé, est conciliable avec l'union au Tout Autre ; pour elle, comme pour beaucoup de ses contemporains, le problème est renforcé par des difficultés d'ordre psychologique : comment est-il possible de contempler Dieu sans image (*ontbeeld*) et de se trouver en même temps renvoyé à une image (*verbeeld*), celle de Jésus.

En 1652 Maria demande à son directeur : « Comment puis-je... être occupée par la Divinité sans image, laissant là tout ce qui est de l'imagination, et en même temps me représenter l'Humanité corporelle ? Cela revient à dire que je devrais en même temps voir et être aveugle ». Mais elle parviendra à découvrir une manière de vivre le Christ conforme à ce qu'en disent Ruusbroec et la *Peerle*, et cela surtout par sa propre expérience de la prière. Peu à peu le Christ fait partie habituellement de ce dont elle a conscience, et elle constate qu'elle n'en est pas gênée dans sa contemplation de Dieu ; elle ne rencontre plus l'Homme-Dieu comme un objet en face d'elle, mais comme Celui en qui elle est, en qui elle vit. Puis elle ressent de plus en plus que le Christ prend en elle sa propre place : « L'âme n'a plus souvenance d'elle-même, elle ne se perçoit plus comme quelque chose de distinct du Christ... ». « Deux vies ne pouvaient coexister en moi. Jésus voulait y vivre seul, souffrir seul, travailler et aimer son Père éternel. Jésus s'unit à mon esprit pour m'unir par lui et avec lui à son Père céleste, comme il est un avec le Père ».

Le lien entre annihilation et imitation du Christ ressort en toute clarté : le fait que Jésus est présent en elle ne s'oppose en rien au fait qu'elle a de Dieu une expérience dénuée d'image et immédiate. Il est lui-même l'Homme annihilé, c'est lui qui met la mystique dans l'état de non-être fondamental vers lequel elle tend : « L'Esprit de Jésus opère cette annihilation en moi, afin que, pour ce qui est de la partie supérieure..., je reste ainsi unie avec lui à Dieu, comme le Christ a été uni au Père et l'est resté toujours ».

Enfin Maria apprend comment un esprit qui vit dans la contemplation passive de Dieu contemple la passion du Christ : « Cette union à Jésus abandonné et souffrant commence par un mouvement simple et paisible de conversion (vers le Père) et par un regard jeté sur le Christ, comportant le simple souvenir de la manière dont (cette conversion) était aussi présente en lui. Ce souvenir survient calmement de lui-même et est donné d'en haut. Ensuite vient une conjonction tranquille, intérieure, de l'âme au Christ et une imprégnation de l'âme dans le Christ, comme un sceau que l'on applique dans la cire et qui y reste collé. Cela se fait avec une grande simplicité et tranquillité des puissances. Et alors vient l'union de l'âme avec Jésus abandonné et souffrant, en sorte que plus rien d'autre n'apparaît si ce n'est que l'âme est un avec lui. Par là vient qu'elle ne considère plus ou ne ressent plus son propre abandon ou ses propres souffrances comme étant en elle, mais elle les considère, les aime et les embrasse comme étant les souffrances du Christ avec qui elle est unie. Pendant tout ce temps, elle s'est oubliée elle-même ».

Il faudrait encore souligner deux intérêts des relations de Maria Petyt : la manière captivante dont elle rend compte de l'aspect visionnaire de son expérience et sa mystique mariale (cf. DS, t. 10, col. 461). Quant aux influences qu'elle a reçues, disons qu'elle a beaucoup lu, en particulier des auteurs étrangers. Encore à la maison paternelle, elle a lu la *Règle de Perfection* de Benoît de Canfield (dont A. Deblaere sous-estime peut-être l'influence) ; elle connaît les œuvres de Thérèse d'Avila, peut-être aussi celles de Jean de la Croix. Jean de Saint-Samson a grandement influencé sa conception de l'annihilation. Elle connaît la *Vita* de Marie-Madeleine de Pazzi. En dehors de Thomas a Kempis, elle ne mentionne aucun auteur néerlandais, mais il est peu probable qu'elle n'ait pas lu la *Peerle* et le *Spieghel der Volcomenheit* de Herp.

Nous n'avons donné ici qu'un aperçu rapide et incomplet de la spiritualité des Pays-Bas aux 16e et 17e siècles. Une chose ressort cependant à l'évidence : cette période ne présente pas que des fruits d'arrière-saison manquant de saveur et d'originalité. La tradition de Ruusbroec, de Herp et de la *Peerle* se maintient chez les mystiques que nous avons mentionnés ; mais ceux-ci ont aussi assimilé les courants spirituels venus de l'étranger. Tout en restant fidèles à des données bien précises de leur patrimoine spirituel et en les développant, ils ont élaboré une spiritualité bien adaptée à l'attente de leurs contemporains.

Pour plus de détails, voir Axters, t. 3 *De Moderne Devotie*, 1956, et t. 4 *Na Trente*, 1960. – Divers auteurs mineurs sont mentionnés dans l'art. *Dévotion moderne* (DS, t. 3, col. 735-741). – Pour les Croisiers : DS, t. 2, col. 2573-2576 ; pour les Franciscains et les Capucins, t. 5, col. 1381-1388 ; pour les Dominicains, t. 5, col. 1502-1509.

Paul MOMMAERS.

## V. LE 18e SIÈCLE

Pour ce qui est de la spiritualité au 18e siècle, on s'est bien souvent contenté, faute de recherches suffisantes et par habitude, de jugements sommaires, qui se ramènent à quelques déclarations générales. On porte certes, déjà depuis une cinquantaine d'années, un intérêt renouvelé à la spiritualité post-tridentine ; mais cet intérêt s'est centré principalement sur le 17e siècle et a mis justement en pleine lumière la richesse et l'intensité du sentiment religieux de cette époque ; et on a continué de présenter le 18e siècle dans son ensemble comme un temps d'affaiblissement et de déclin spirituels : tant dans le clergé que parmi les fidèles, disait-on, la ferveur religieuse du siècle précédent s'est muée peu à peu en une piété sans envol ni profondeur, ne dépassant guère une morale de bon sens, tandis que la foi perdait son élan et que gagnaient l'indifférence et le doute. Les causes de ce déclin apparaissaient nombreuses : conséquences des conflits violents opposant défenseurs et adversaires du jansénisme, méfiance à l'égard des tendances quiétistes, collusion de l'absolutisme d'État et du pouvoir ecclésiastique, « crise de la conscience européenne », rationalisme progressant et emprise croissante des idées propagées par le siècle des Lumières.

Cf. L.J. Rogier, *De Kerk in het tijdperk van Verlichting en Revolutie* (Geschiedenis van de Kerk 7), Hilversum-Anvers, 1964, p. 122-123. – G.A.M. Abbink, *De Kerk ten tijde van het vorstelijk absolutisme en de Verlichting (17e en 18e eeuw)* (Handboek van de kerkgeschiedenis 4), Nimègue-Utrecht, 1965, p. 134, 219, 239-240. – P. Optatus, *De spiritualiteit van de capucijnen in de Nederlanden gedurende de XVIIe en XVIIIe eeuw*, Utrecht-Bruxelles, 1948, p. 150-151.

Toutefois les recherches entreprises ces dernières années laissent entrevoir que ce jugement doit être nuancé et même corrigé en certains points. Cela ressort par exemple de l'étude des rapports des doyennés entreprise en 1979-1980 à la Katholieke Universiteit de Louvain par un groupe de travail sous la direction de M. Cloet (cf. M. Cloet, *Het gelovige volk in de 18de eeuw*, dans *Algemene Geschiedenis der Nederlanden*, t. 9, Haarlem, 1980, p. 396-412, 500-501, 535-536).

Les résultats de ces recherches montrent que le 18e siècle – certainement jusque dans les années 1750-1760 – se trouve en parfaite continuité avec la restauration catholique du 17e, et qu'il est précisément l'époque où se réalise en toute son ampleur la mise en pratique du renouvellement post-tridentin, du moins parmi les populations rurales. Car il faut faire la distinction entre les villes, surtout les plus importantes d'entre elles, où les réformes ont déjà pu être introduites dès le commencement du 17e siècle, et les campagnes où elles n'ont souvent pénétré que dans la seconde moitié de ce siècle. Et une distinction similaire s'impose d'ailleurs aussi en ce qui concerne les idées philosophiques, qui atteignent les villes et les classes supérieures à partir de 1730-1740, et n'ont d'influence sur les campagnes que quelques dizaines d'années plus tard. Ce n'est qu'au cours du dernier quart du 18e siècle que de nombreux témoignages attestent une baisse générale de la foi et de la pratique religieuse ; ce qui n'exclut nullement d'ailleurs que, même en cette fin de siècle, de nombreuses marques de foi profonde puissent être constatées.

L'accroissement du sens religieux dans la masse de la population au cours de la première moitié du 18e siècle se manifeste en des signes nombreux : clergé paroissial actif, dévoué et animé d'un grand zèle apostolique, enseignement du catéchisme largement répandu, fidélité au devoir pascal, à la messe dominicale et aux sacrements, application concrète des convictions chrétiennes dans la vie familiale et sociale, augmentation croissante des congrégations et fraternités (adoration perpétuelle, Sainte-Croix, Rosaire, Scapulaire, Notre-Dame des Sept-Douleurs, doctrine chrétienne, bonne mort, âmes du purgatoire, etc.), multiplicité des dévotions (débuts et extension du culte rendu au Sacré-Cœur, profonde dévotion mariale, vénération des saints, processions, pèlerinages), et enfin la prospérité de l'iconographie religieuse.

Il faut mentionner aussi le nombre croissant de vocations, du moins dans le clergé diocésain. Certains ordres religieux (les jésuites par exemple) sont numériquement en régression, mais d'autres augmentent encore ou restent relativement stables jusqu'en 1750. L'esprit du temps et certaines mesures prises par les autorités civiles ont vraisemblablement freiné par la suite le développement des vocations. Mais d'une étude partielle des rapports rédigés à l'occasion de la visite des évêques dans les couvents et béguinages, et d'autres données encore, on est porté à conclure que beaucoup de personnes ont malgré tout persévéré dans la volonté de pratiquer une vie religieuse authentique, sans se laisser arrêter par des abus locaux ou des déficiences individuelles.

E. Persoons, *De reguliere clerus : een statistische benadering*, dans *Algemene Geschiedenis der Nederlanden*, t. 9, Haarlem, 1980, p. 389-95. – C. van de Wiel, *De begijnhoven en de vrouwelijke kloostergemeenschappen in het aartsbisdom Mechelen (1716-1801)*, OGE, t. 44, 1970, p. 142-212, 241-327 ; t. 45, 1971, p. 179-214 ; t. 46, 1972, p. 278-344, 369-428. – J.M. Gijsen, « *Devotio moderna* » *in de achttiende eeuw. Het vroomheidsideaal van Hendrik Pisart (1662-1736), prior van Sint Elisabethsdal bij Roermond*, dans *Archief voor de geschiedenis van de katholieke Kerk in Nederland*, t. 13, 1971, p. 1-47.

Le climat religieux est encore attesté par la présence d'ermites et de « filles dévotes » (ou « filles spirituelles » : *geestelijke dochters*). Au sujet des ermites, il existe beaucoup de données encore éparses, mais aucune étude d'ensemble. Le plus connu d'entre eux est assurément le prêtre Karel Lodewijk Grimminck † 1728 : d'abord curé pendant quatorze années en Flandre occidentale dans le diocèse d'Ypres, il a vécu ensuite en reclus pendant quatorze autres années, laissant à sa mort de nombreux écrits, en grande partie encore inédits (cf. DS, t. 6, col. 1043-1047 ; A. Lowyck, *Grimminck en de kluizenaarsbeweging*, dans *Ons Heem*, t. 23, 1969, p. 233-38 ; L.M. Goegebuer, dans *Nationaal biografisch woordenboek*, t. 8, Bruxelles, 1979, col. 356-361).

Le 17e siècle comptait déjà plusieurs filles dévotes ; elles deviennent plus nombreuses au 18e. Nettement distinctes des béguines et des membres des tiers ordres, elles constituent un phénomène particulier à la restauration catholique : ce sont des femmes non mariées, faisant vœu de chasteté et travaillant comme aides laïques du clergé dans l'enseignement ou le service des pauvres et des malades. Elles recevaient la direction spirituelle d'un prêtre régulier (jésuite, orato-

rien, carme, augustin, etc.) ou séculier. Elles montraient un grand intérêt pour les livres spirituels (y compris la littérature mystique), comme le prouvent les inventaires de certaines de leurs bibliothèques qui ont été conservés. Des « règles » (ou manuels) qui leur étaient spécialement destinées ont été écrites dès le 17e siècle par L. Lessius, H. Rosweyde, V. Bisschop et A. Poirters.

Un petit livre semblable de C. Hazart, *Lof van den maeghdelijcken staet, naemelyck in de werelt*, a connu au moins six éditions successives entre 1678 et 1725. Ajoutons l'anonyme *Instructie voor een gheestelycke dochter* (1703, 1706 et 1714), l'anonyme *Onderwyzingen of maniere van leven voor de geestelyke dochters van het Oratorie* (1709 ; réimprimé plus d'une fois au cours du siècle), la *Regel* publiée par l'augustin F. Stevins en 1705, une *Godtvruchte maniere van leven* par un carme en 1717 ; outre cela, il a existé certainement des règles manuscrites composées pour des cas individuels, celle écrite par Grimminck en 1710, par exemple. A la littérature concernant les filles dévotes se rattachent encore les biographies édifiantes, comme par exemple celles de Johanna van Randenraedt (1690) et d'Agnes van Heilsbach (1691) ou encore *Het leven van de godtvruchtighe ende deughtsaeme Anna de Torres, Geestelyke Dochter, salichlijck in den Heere overleden binnen Antwerpen, op den 13 Januari 1698* (1710).

Les filles dévotes eurent de plus en plus tendance à se grouper en « réunions » (*vergaderingen*) ou en « communautés » (*verzamelingen*), et certaines de ces communautés se sont transformées par la suite en congrégations religieuses nouvelles. De même, suivant une évolution analogue, mais avec un certain retard, se formèrent aussi parfois des « réunions » d'hommes : ainsi, à l'initiative du prêtre J. van Dale en 1761 à Courtrai (cf. C. de Clercq, dans *Flandria nostra. Ons land en ons volk, zijn standen en beroepen door de tijden heen*, t. 4, Anvers-Bruxelles-Gand-Louvain, 1959, p. 155-56, 161-66).

Faute d'un travail de synthèse sur l'histoire des filles dévotes dans les Pays-Bas méridionaux, voir Pr. M. Janssens, *Geestelijke dochters in het Waasland*, OGE, t. 40, 1966, p. 306-42 (abondante bibliographie) ; – K. Berquin, *Grimminck's « Regels van eene geestelyke dogter »*, OGE, t. 52, 1978, p. 129-51 ; – A. Lottin, *Réforme catholique et instruction des filles pauvres dans les Pays-Bas méridionaux*, dans *Les religieuses enseignantes, 16e-20e siècles*, Angers, 1981, p. 21-30. Mais pour les Pays-Bas septentrionaux, où les filles dévotes sont généralement connues sous le nom de *klopjes*, on dispose d'un ouvrage fort utile : E. Theissing, *Over klopjes en kwezels*, Utrecht-Nimègue, 1935. – Voir aussi C. van Hulst, dans DIP, t. 5, Rome, 1978, col. 357 ; – E. Schulte van Kessel, *Geest en vlees in godsdienst en wetenschap* (Studiën van het Nederlands Instituut te Rome 7), La Haye, 1980, p. 51-115.

La continuité avec la spiritualité du 17e siècle et la persistance durant les premières décades du 18e d'un sentiment religieux vivace apparaissent encore à l'examen des livres spirituels édités pendant cette dernière période, du moins pour autant qu'on peut en juger par la *Bibliotheca catholica Neerlandica impressa 1500-1727* (La Haye, 1954) et par d'autres publications occasionnelles.

L'ensemble des ouvrages imprimés après 1700 continue d'être fort varié, tant pour le contenu que pour la forme : sermons, méditations, catéchismes, vies édifiantes, livrets de pèlerinage, statuts de fraternités, textes liturgiques, manuels pour la Messe ou la confession, livres de prière, considérations sur les fins dernières, etc. Une grande partie de ces impressions consiste en rééditions et traductions. Parmi les auteurs français dont les ouvrages sont régulièrement repris, on peut citer les noms de François de Sales, H. Boudon, J. Crasset, J. Croiset, J. de Gonnelieu, d'autres encore. Mais on retrouve aussi, souvent avec une certaine constance, des ouvrages d'Augustin, Bernard et Bonaventure, de J. Drexelius, L. de La Palma et J. Pinamonti, de L. Scupoli (le *Combat Spirituel, Geestelycke stryd, Pugna spiritualis),* du cardinal J. Bona et de l'augustin portugais Thomas de Jésus, ainsi que d'auteurs eux-mêmes originaires des Pays-Bas, tels que H. Balde, A. Poirters et P. van den Bossche ; relevons aussi l'édition posthume des sermons de M. Agolla † 1701 et de R. Backx † 1703. L'*Imitation de Jésus-Christ* continue de figurer parmi les lectures favorites. Parmi les livres de prière en usage, signalons *Het paradysken des hemels* et *Christelycke onderwysingen,* ainsi que *Lust-hof der zielen* de Merlo Horstius (DS, t. 10, col. 1051-53), mais surtout le *Caeleste Palmetum* de W. Nakatenus dont les éditions latine, néerlandaise et française jalonnent tout le 18ᵉ siècle (cf. K. Küppers, *Das Himmlisch Palm-Gärtlein des Wilhelm Nakatenus SJ...,* Ratisbonne, 1981, p. 311-48 ; DS, t. 11, col. 36-37).

Genre particulier de cette littérature pieuse, déjà fort en vogue au 17ᵉ siècle, les recueils de cantiques spirituels continuent d'être très prisés pendant une bonne partie du 18ᵉ siècle.

Les deux recueils de cantiques de Catharina vander Meulen, dominicaine d'Anvers, édités en 1687 (*Den aenghenaemen Rooselaer*) et en 1694 (*Het eensaem tortel-duyfken*) sont respectivement réimprimés en 1700 et 1707, et en 1703 ; un troisième recueil, *Het hemels lust-hofken,* paraît en 1705. Le talent de la dévote J. de Gavre n'est pas moins fécond : elle fait paraître successivement *Den goddelycken minnenpyl* en 1678, *Den gheestelycken echo* en 1694 (rééd. 1717) et *De geestelycke jacht* en 1722. *Het gheestelyck maeghdentuyltjen* d'une autre dévote Elisabeth van Wauwe paraît en 1708 et est réimprimé au moins trois fois par la suite (1716, 1722 et 1743). Même succès pour les livres de cantiques de Pieter Cauwe, François Foret, Jacobus de Ruyter et d'autres encore (cf. H. Verbeke, *Het geestelijk liedboek in de Zuidelijke Nederlanden (1675-1725),* OGE, t. 39, 1965, p. 337-93).

Le contenu et l'accent des recueils de cantiques de E. van Wauwe et surtout de J. de Gavre confirment que l'intérêt pour la mystique persiste dans certains milieux pendant encore quelques dizaines d'années après 1700. Pour s'en convaincre, il suffit d'ailleurs de constater qu'on réimprime aussi alors des œuvres de Thérèse d'Avila et de Jean de la Croix, de Gertrude et de Tauler, de Catherine de Sienne, de Gagliardi et de Surin, de Louis de Blois et de Zachmoorter. Prouvent encore la survie de la tradition mystique l'édition d'une vie de Ruusbroec (1717), les écrits du prêtre-ermite Grimminck (cf. *supra*), l'opuscule *Geestelycke oeffeninge voor de novitien* (1718) du capucin Antonin de Tirlemont (cf. P. Optatus, *De spiritualiteit van de capucijnen in de Nederlanden gedurende de XVIIᵉ en XVIIIᵉ eeuw,* Utrecht-Bruxelles, 1948, p. 165-172), certains ouvrages du franciscain Fulgence Bottens † 1717, défenseur convaincu de la théologie mystique (DS, t. 1, col. 1883-84 ; J.H.J. Paulissen, *Het leven en de werken van Fulgentius Bottens,* Utrecht-Nimègue, 1959) et l'ouvrage de 1729 *Gheestelycken handel vanden hemelschen brudegom met syne bruydt* (cf. L. Reypens, *Een berijmd Westvlaams mystiek dialoog uit de achttiendeeeuwse emblemata-literatuur,* OGE, t. 32, 1958, p. 353-411).

Toutefois à mesure que le siècle avance, l'intérêt pour la mystique diminue et la littérature spirituelle présente de plus en plus un caractère didactique, moralisateur et ascétique. Durant la seconde moitié du siècle, alors que l'esprit rationaliste, le style de vie et les idées nouvelles de l'*Aufklärung* se répandent et pénètrent profondément les couches de la société, qu'ils exercent sur le climat spirituel et l'opinion publique une influence de plus en plus déterminante, on voit l'Église réagir énergiquement contre l'indifférence croissante : sermons et écrits prennent une tournure résolument apologétique. Mais les idées nouvelles ont influencé les milieux ecclésiastiques eux-mêmes : qu'on lise par exemple les écrits, paraissant dans le dernier quart du siècle, d'un Simon Michiel Coninckx et d'un Jozef de Wolf.

Parmi les auteurs spirituels du 18ᵉ siècle on peut encore signaler : 1) Prêtres séculiers : A. van Loo † 1727, J.B. Verslype † 1735, W. van Roost († 1746 ; cf. *Biographie Nationale de Belgique,* t. 20, Bruxelles, 1908-1910, col. 78-83), I.A. de Vloo († 1775 ; cf. *Nationaal biografisch woordenboek,* t. 3, Bruxelles, 1968, col. 921-23), P.F. Valcke († 1787 ; cf. *Biographie Nationale...,* t. 26, 1936-1938, col. 41-42), J.B. van Roo († 1798 ; cf. *Biographie Nationale...,* t. 20, 1908-1910, col. 20-21), A.-L. Caytan († 1813 ; cf. *Nationaal biografisch woordenboek,* t. 3, col. 129-34), J.F.G. Huleu († 1815 ; DS, t. 7, col. 943 ; C. de Clercq, *J.F.G. Huleu en zijn tijd,* dans *Rolduc's Jaarboek,* t. 36, 1956, p. 74-110).

2) Réguliers. – H. Pisart, chanoine régulier († 1736 ; cf. J.M. Gijsen, cité *supra,* p. 1-47) ; – les augustins : B. Moors († 1731 ; DS, t. 10, col. 1696-97) et F. Hellynckx († 1767 ; cf. A. Lowyck, *Fulgentius Hellynckx, laatste Nederlandstalig predikant in Vlaams-Artesië,* dans *De Leiegouw,* t. 8, 1966, p. 297-312) ; – les capucins : Séraphin de Bruges † 1728, Albert de Bois-le-Duc († 1740 ; DS, t. 1, col. 283-84) et Bonaventure d'Ostende († 1771 ; DS, t. 1, col. 1857 ; P. Optatus, cité *supra,* p. 172-78) ; – le carme Timothée de la Présentation † 1710 ; – les dominicains : L. Meyere († 1729 ; DS, t. 10, col. 1153-54), T. Du Jardin († 1733 ; DS, t. 4, col. 1775-76), M. de Bie † 1738, J.B. van Ketwig † 1746 et P.J. Antonissen † 1808 ; – les franciscains : D. Delhaze († 1730-1, F. Claus † 1768 et W. Smits † 1770 ; – les jésuites : J. Coret († 1721 ; DS, t. 2, col. 2326-27), A. de Lije († 1754 ; cf. T. van Biervliet, « *De bekeeringe van den zondaar* » *door pater Albertus de Lije s.j.,* OGE, t. 35, 1961, p. 129-66), C. van den Abeele († 1776 ; cf. A. Keersmaekers, *Carolus van den Abeele,* Koekelare, 1977) et J. Delvigne † 1780 ; – le prémontré J. Moons († 1721 ; DS, t. 10, col. 1696).

Pour plus de détails au sujet de la plupart de ces auteurs : J. Smeyers, *De Nederlandse letterkunde in het Zuiden,* dans *Geschiedenis van de letterkunde der Nederlanden,* t. 6, Anvers-Amsterdam, 1975, p. 419-28, 439-44, 485-500. Pour l'histoire de la spiritualité : *Het religieuze leven in de 18de eeuw,* dans *Algemene geschiedenis der Nederlanden,* t. 9, Haarlem, p. 317-418, 499-501, 531-36 (publications de divers auteurs). – Axters, t. 4 *Na Trente,* Anvers, 1960. – J. Nouwens, *De veelvuldige H. Communie in de geestelijke literatuur der Nederlanden vanaf het midden van de 16ᵉ eeuw tot de eerste helft van de 18ᵉ eeuw,* Bilthoven-Anvers, 1952.

Ces considérations se rapportent en premier lieu aux Pays-Bas méridionaux. Mais elles valent dans leur ensemble aussi pour les catholiques des *Pays-Bas sep-*

*tentrionaux.* Ceux-ci occupaient, depuis la fin du 16ᵉ siècle, dans les Provinces-Unies, une position juridique minoritaire et dépendaient en grande partie des ressources spirituelles qui leur parvenaient d'au-delà des frontières. Cela vaut tout particulièrement des contrées dites « generaliteitslanden », au sud des grands fleuves, considérées par les États Généraux comme terrain conquis et traitées comme tel : la population en majorité catholique supportait mal les mesures discriminatoires dont elle était victime et vivait fortement unie de cœur avec les catholiques des Pays-Bas méridionaux. Mais tout acte public de religion était interdit aussi aux catholiques des Sept Provinces, regroupés, du point de vue de l'administration ecclésiastique, sous la direction du vicaire apostolique de la « Mission de Hollande ». Pour la célébration du culte, ils étaient contraints de recourir à des réunions secrètes, tenues sous l'œil plus ou moins tolérant des autorités civiles dans des maisons particulières ou dans des lieux de culte clandestins (*schuilkerkjes*). Cette pénible situation fut encore aggravée par des conflits intérieurs : à partir du 17ᵉ siècle, des divergences d'opinion opposent fréquemment clergé séculier et clergé régulier ; au cours du premier quart du 18ᵉ siècle, des sympathies jansénistes s'avivant en tensions amènent un conflit avec Rome : une partie des églises locales se soustrait à l'autorité papale et se constitue en « oud-bisschoppelijke clerezie » (église séparée connue plus tard sous le nom de Vieux-Catholiques), tandis que la majorité des fidèles se trouve désormais placée sous la dépendance directe du nonce à Bruxelles.

Ces diverses circonstances expliquent que la spiritualité des catholiques du Nord, bien qu'accordée dans ses grandes lignes à celle du Sud, présente aussi des traits particuliers. Les discriminations publiques dont ils sont l'objet et la clandestinité du culte ont favorisé l'individualisme religieux et un certain isolement spirituel. Fortement soudés les uns aux autres en petits groupes nettement conscients de leur identité catholique et animés d'une fidélité méticuleuse à leurs obligations et traditions religieuses, enclins par là aussi à un certain rigorisme, ils se montraient particulièrement sensibles aux initiatives de caractère local ou régional.

Ainsi, il est probable que l'usage des images mortuaires est né dans les milieux hollandais et qu'il s'est étendu de là graduellement au cours des dernières années du 18ᵉ siècle à d'autres provinces et d'autres pays (cf. K. van den Bergh, *Bidprentjes in de Zuidelijke Nederlanden*, Bruxelles, 1975, p. 1-9 ; J.A.J.M. Verspaandonk, *Het hemels prentenboek, Devotie- en bidprentjes vanaf de 17ᵉ eeuw tot het begin van de 20ᵉ eeuw*, Hilversum, 1975, p. 18-20). Deux autres points caractéristiques sont la vénération des saints ayant vécu sur le sol natal et le rôle important joué par les « klopjes » dans la vie pastorale de la Mission de Hollande.

Dans de telles circonstances, les publications spirituelles ont été évidemment pour la vie spirituelle d'une importance capitale, surtout les catéchismes, les recueils de sermons et de prières. La très grande majorité de ceux-ci a été plus ou moins clandestinement importée des Pays-Bas méridionaux, et aussi de Cologne ; une certaine partie toutefois a été composée, et même parfois imprimée, dans le Nord sous le couvert, fictif ou non, d'un éditeur étranger. Parmi les ouvrages plus d'une fois réimprimés au 18ᵉ siècle, il s'en trouve plusieurs qui ont paru pour la première fois au 17ᵉ : *Catholycke Catechismus*, composé par Christiaan vanden Berghe (un pseudonyme ; cf. P. Crescentius, *De catechismus van Rovenius*, OGE, t. 31, 1957, p. 5-50, 276-300), *Sondaechs-Schole* de Heijman Jacobsz., *Misse, Haar korte uytlegginge* de A. van der Kruyssen, *Den schat der ghebeden* de L. Makeblijde (DS, t. 10, col. 121-22), et surtout *Christelycke onderwysingen ende gebeden*. Parmi ceux qui furent composés au 18ᵉ, les quelques ouvrages suivants ont rencontré un grand succès : *Den kristelyken vader* de C. Boubereel † 1744, *Het Rooms misboek*, les publications liturgiques de W. Kemp † 1747, les sermons de J. Nanning † 1761, M. Fraats † 1767 et J. Mulder † 1770.

Parmi les auteurs catholiques des 17ᵉ et 18ᵉ siècles, il faut mentionner encore : le prêtre-poète J. Stalpart van der Wielen † 1630, le prince de la littérature néerlandaise Joost van den Vondel † 1679, converti à l'Église catholique en 1641, les vicaires apostoliques Ph. Rovenius † 1651 et J. van Neercassel († 1686 ; DS, t. 11, col. 83-86), les curés de béguinage L. Marius † 1652 à Amsterdam, et N. van Milst † 1706 à Breda, Abr. van Brienen † 1683, H.F. van Heussen † 1719, auteur de la *Batavia sacra*, le traducteur de la Bible A. van der Schuer † 1719, et deux immigrés venus du Sud, E. de Witte † 1721 et F. Verhulst † 1762.

Exposé de synthèse chez P. Polman, *Katholiek Nederland in de achttiende eeuw*, Hilversum, 1968, t. 1, p. 107-54, 234-49, 343-67 ; t. 2, p. 99-113, 287-318, 335-39 ; t. 3, p. 90-117, 152-84, 215-76, 306-11. – Autres travaux : P. Brachin et L.-J. Rogier, *Histoire du catholicisme hollandais depuis le 16ᵉ siècle*, Paris, 1974, p. 36-72 ; – P. Polman, *Het geestelijk leven der katholieken in Nederland onder de Apostolische Vikarissen*, OGE, t. 20, 1946, p. 215-34. – P. Gerlach, *Het geestelijk leven der katholieken in de Nederlanden onder de Apostolische Vicarissen*, OGE, t. 22, 1948, p. 387-403 ; t. 23, 1949, p. 413-26 ; t. 24, 1950, p. 313-24 ; t. 25, 1951, p. 197-214. – J.M.G. Thurlings, *De wankele zuil. Nederlandse katholieken tussen assimilatie en pluralisme*, Nimègue-Amersfoort, 1971, p. 58-81. – W. Frijhoff, *La fonction du miracle dans une minorité catholique : Les Provinces-Unies au 17ᵉ siècle*, RHS, t. 48, 1972, p. 151-77 ; *Vier Hollandse priesterbibliotheken uit de zeventiende eeuw*, OGE, t. 51, 1977, p. 198-302. – J. van Laarhoven, *Nederlandse kerkboeken in de negentiende eeuw*, dans *Archief voor de geschiedenis van de katholieke Kerk in Nederland*, t. 20, 1978, p. 14-30. – J.A. Bornewasser, *Die Aufklärung und die Katholiken in den Nördlichen Niederlanden 1780-1830*, dans *Archief voor de geschiedenis van de katholieke Kerk in Nederland*, t. 21, 1979, p. 304-18.

Jos Andriessen.

## VI. LES MILIEUX DE LA RÉFORME
### (1530-1800)

L'ampleur de ce chapitre s'explique par le fait qu'on y a inséré de nombreuses notices d'auteurs qui auraient dû figurer dans les volumes précédents du DS.

Jusqu'en 1560 l'histoire de la Réforme aux Pays-Bas coïncide globalement avec celle des Anabaptistes. Ensuite, lorsque le Calvinisme sera devenu la confession dominante, l'intérêt se portera sur la doctrine. Les idées de Luther n'ont trouvé dans nos régions que de faibles échos.

Nous pouvons répartir les courants spirituels réformés en deux grands ensembles, les Anabaptistes et les Calvinistes. Puis on présentera de nombreux courants spirituels en marge de la Réforme, qu'ils se soient maintenus à la périphérie d'une Église ou qu'ils aient évolué dans un sens individualiste, sans lien confessionnel.

1. LES ANABAPTISTES. – Le mouvement anabaptiste a pénétré dans les Pays-Bas à partir d'Emden, Strasbourg et Juliers. Il est né à Zurich dans un cercle de lecteurs du Nouveau Testament préoccupés de l'appliquer à la lettre ; dès l'origine il présente les caractéristiques suivantes : refus du baptême des enfants, de tout serment et de toute violence ; rejet du contrôle de l'État par l'Église ; intérêt modéré pour les définitions dogmatiques ; maintien du baptême et de la Cène comme confirmation extérieure de la conversion déjà accomplie et de l'amour enraciné dans les cœurs.

L'Anabaptisme s'est répandu à travers les Pays-Bas avec une rapidité et une force étonnantes. Plusieurs facteurs ont préparé cette explosion : le moralisme biblique d'Érasme, la piété orientée vers la pratique de la Dévotion moderne, les multiples critiques adressées à l'Église de ce temps, les agissements des sacramentaires (tel Wendelmoet Claesdochter † 1527) et la profonde crise économique autour de 1530. En ses débuts l'Anabaptisme est le Protestantisme des pauvres.

La spiritualité du mouvement est, dans une large mesure, déterminée par le dilemme qu'il porte en lui dès ses débuts : qu'est-ce qui a le plus d'importance, la vie nouvelle de l'individu régénéré ou la vie de la communauté existante ? L'obéissance à l'Écriture ou l'obéissance à Dieu qui parle à l'intérieur de chacun ? L'histoire de ce mouvement spirituel est de plus marquée par les événements qui, dès ses débuts, ont fait de l'Anabaptisme un mouvement révolutionnaire et ont conduit à la tragédie de Münster.

La spiritualité de ces laïques – Galenus n'a commencé qu'en 1681 à former des pasteurs à Amsterdam – est contenue en trois sources principales : les martyrologes et les recueils de cantiques, les écrits des « Anciens ».

1° *Les martyrologes*. – Les martyrs anabaptistes ont opposé à l'Inquisition une résistance calme et fière, pour laquelle il n'est d'autre explication satisfaisante que d'y voir la simple expression, prolongée jusque dans la mort, de la manière dont ils ont vécu dans leur communauté. Ils témoignent, face à la mort, du sens qu'ils donnent à leur vie. Ils ne meurent pas pour des dogmes, mais pour rester unis de cœur avec leur Seigneur ; c'est de Lui qu'ils ont appris la nécessité de la souffrance et du don radical de soi dans la non-violence. Ils ne meurent pas davantage pour rester fidèles à une Église ; ils n'ont d'autre maître que l'Évangile, d'autre force que la foi dont ils ont la vivante expérience. Affirmer que leur langage est celui de fanatiques entêtés jusque dans le désespoir, constitue, en tous les cas à l'exception d'un seul, une thèse que rendent indéfendable le souci qu'ils ont pour leurs proches, leur vigilance à bien informer ceux qui vivent encore en liberté de ce qui se passe dans les prisons, leur zèle à écarter tout soupçon de violence ou toute idée d'un retour à l'aventure de Münster et leur constante préoccupation pour leurs compagnons de captivité.

2° *Les recueils de cantiques* reflètent bien l'évolution de la spiritualité anabaptiste. Au 16ᵉ siècle, leur nombre est fort considérable. Persécutées et sans liens avec des communautés extérieures, plusieurs communautés se sont donné leur propre collection de cantiques : des chants populaires, simples, inspirés par l'Écriture ou par le souvenir des martyrs. Les Psaumes eux-mêmes gardent quelque chose de trop compliqué pour les fidèles peu cultivés qui chantent dans ces assemblées. Un très grand nombre de cantiques a pour thème la souffrance, conséquence inévitable d'une vie de foi sincère. Le dernier martyr périt en 1574. Après cette date les recueils contiennent plus souvent des traductions de psaumes en vers. Cette innovation, qui se prolonge durant tout le 17ᵉ siècle, s'explique par l'influence du calvinisme, la plus grande culture des « Anciens », et le caractère non sanglant de la résistance calviniste. Le chant des opprimés est devenu le chant de la communauté tout entière.

3° *Les « Anciens »*. – Du point de vue historique, on ne peut accorder qu'une place relativement modeste parmi les « Anciens » à Jan Matthijs et Jan van Leyden.

Matthijs, originaire de Haarlem, procéda en 1533 à l'envoi, deux par deux, de douze apôtres, à l'imitation du prophète chiliaste Melchior Hoffman † 1543, et fonda en 1534 à Münster la Jérusalem Nouvelle : tous les biens sont possédés en commun, les églises livrées au pillage, et les livres jetés au feu. A la mort de Matthijs sur le champ de bataille, Jan van Leyden prit la tête du mouvement. Il se couronne lui-même roi du Royaume de Dieu, délivre la ville de tout ce qui est catholique et luthérien et tombe dans le fanatisme le plus déréglé. Cette tentative insensée de fonder de manière visible le Royaume de Dieu sur terre se termine par la chute dramatique de la ville le 25 juin 1535.

Toutefois, au cours de ces menées révolutionnaires et au milieu des persécutions qu'elles suscitent, émergent peu à peu les noms de certains « Anciens » plus dignes de ce nom : Obbe Philips, Dirk Philips, David Joris, Leenaert Bouwens, Menno Simons, etc.

1) *David Joris* (1502/03-1556), d'origine flamande, peintre sur verre et poète de talent, épouse Willempje Dirks de Delft en 1524. En cette ville il est pris d'enthousiasme pour les sacramentaires groupés autour du dominicain Wouters. Sa conduite blasphématoire lors de la procession de l'Assomption en 1528 entraîne une condamnation à l'exil, où il apprend à connaître le mouvement anabaptiste. Il est ordonné Ancien par Obbe Philips probablement en 1535.

Vers 1536, une lettre, à lui adressée par Anneke Jans de La Brielle, lui apporte la vision de sa mission : il se découvre comme étant le Christ David, le dernier médiateur entre Dieu et l'humanité avant la fin des temps. Plusieurs tentatives pour gagner à sa personne le mouvement qui agite Münster, et divers traités envoyés sous forme de lettre aux grands de cette terre, font qu'il devient à la fois universellement célèbre et victime de continuelles persécutions.

A partir de 1540 il séjourne quelque temps à Anvers, où il écrit son ouvrage principal : *'t Wonder-boeck* (le Livre des Miracles ; Deventer, D. van Borne, 1542). Combattu par Menno Simons et toujours persécuté, il se réfugie à Bâle en 1544. Il vit là jusqu'à sa mort, marchand paisible et fortuné, grâce à l'appui financier de ses disciples, sous le pseudonyme de Johan van Brugge. Il rédige alors quelque deux cents traités. Sa véritable identité est découverte peu après sa mort.

Sa spiritualité fort confuse comporte sommairement les points suivants. Il faut faire table rase de tout ce qui a précédé son propre avènement comme troisième David apportant l'achèvement apocalyptique de l'œuvre du Christ, pour arriver ainsi en sa propre personne à l'unification avec Dieu. Ce salut n'étant réservé qu'à un petit reste, la prédication et le martyre sont des choses superflues (telle est la doctrine de ceux qu'on a appelés les Nicodémistes).

David Joris, qui a rejoint la fraternité anabaptiste par

l'intermédiaire des sacramentaires, a fini par tomber, lui aussi, dans l'exaltation sectaire.

2) *Obbe Philips* (vers 1500-1568) devient en 1530 à Leeuwarden, sa ville natale, membre d'un cercle de fervents à la recherche de quelque église nouvelle, animés du désir de servir Dieu paisiblement dans la sincérité de leur cœur. Il est baptisé en 1533 par deux missionnaires de Jan Matthijs et installé comme « ancien » par imposition des mains. Il imposera lui-même les mains à David Joris et à Menno Simons. Un placard le menaçant personnellement le fait fuir au Mecklembourg et à Rostock.

En 1540 il se démet de son ministère. Il a expliqué les motifs de cette décision quelque temps avant sa mort dans un petit livre intitulé : *Bekentenisse Obbe Philipsz* (Confession...). Ses contemporains la lui ont reprochée comme un reniement ; mais on incline actuellement à penser qu'Obbe Philips a voulu mettre son désir de conversion personnelle à l'abri des erreurs de Münster, et aussi à l'abri des ingérences d'une Église tendant de plus en plus à s'organiser hiérarchiquement.

Figure contestée, Obbe Philips a le mérite d'avoir imposé les mains à celui qui allait sauver le mouvement anabaptiste : Menno Simons.

3) *Menno Simons* (vers 1496-1561), dont les anabaptistes se plaisent encore aujourd'hui à porter le nom (mennonites), est né vers 1496 en Frise à Witmarsum. Ordonné prêtre en 1524, il exerça le ministère sacerdotal de 1524 à 1536 ; mais il finit par l'abandonner, assailli de doutes sur la transsubstantiation et le baptême des enfants. A la suite d'événements tragiques provoqués par des révolutionnaires à Oldeklooster, il se retira à la campagne aux environs de Groningue et composa des écrits attaquant Jan van Leyden et exhortant à l'imitation du Christ dans la régénération. C'est aussi à l'époque où il écrivit son ouvrage principal : *Dat Fundement des Christelycken leers* (1539 ; Le fondement de la doctrine chrétienne). Il s'y propose de donner aux autorités responsables et aux anabaptistes des informations sûres au sujet de la conversion, de la foi, du baptême, de la cène et de la fuite du monde. Beaucoup de martyrs ont puisé force et inspiration dans ses idées. Sa tête étant mise à prix, il commence en 1540 une vie itinérante, exposée à tous les dangers, au service des fidèles dans le ministère de la prédication, du baptême et de la cène. En 1544 il se retire à Oldesloe et meurt probablement le 31 janvier 1561.

Menno Simons a exercé sur l'anabaptisme une influence décisive. Il a détourné la marée de violence qui s'était déclenchée à Münster, il resta à son poste au moment où Obbe se désista et s'opposa, au risque de sa vie, au nicodémisme sectaire de David Joris.

Sur la base du Nouveau Testament, il offre aux laïques une spiritualité dans laquelle les dogmes transmis n'ont d'importance qu'en raison de leur valeur pour la vie pratique et la piété concrète. Il rejette résolument la doctrine de la prédestination. Le Christ est venu éteindre le péché originel.

Tous les fidèles de la communauté font l'expérience de la grâce divine dans le renouvellement de leur vie morale. Cette conversion ne laisse aucune place au baptême des enfants. Les fidèles accèdent à la régénération par l'obéissance à la parole de Dieu et par la mort avec le Christ. Appliquée au baptême et à la cène, la théologie de l'*ex opere operato* est rejetée : baptême et cène font référence à la communauté apostolique dont les participants ont la volonté de faire partie. Le refus du serment d'obéissance à l'autorité ne trouve pas son origine dans le mépris de l'autorité, mais dans *Mt.* 5, 33-38 et *Jean* 5, 2. Le service des armes est exclu.

4) *Les luttes pour la véritable communauté évangélique.* – Déjà du vivant de Menno Simons, une violente controverse s'engage au sujet de la véritable nature de la « pure communauté ». Entre frères anabaptistes, la division s'envenime au point qu'on se dénie mutuellement la valeur du baptême reçu. Il faut parler ici du rôle joué dans ce contexte par *Hans de Ries*.

Le groupe des Waterlandais, dont Hans de Ries a été une des figures dominantes, a exercé dans le conflit une influence salutaire. Né en 1553 à Anvers, de Ries, après avoir adhéré un temps à l'Église des Réformés, reçoit le baptême à De Rijp (Hollande septentrionale) en 1576. De 1598 à 1638 il est préposé à la communauté d'Alkmaar. Par sa spiritualité il annonce déjà Galenus : appartiennent à la communauté tous ceux en qui vit l'amour du Christ. Dans son *Lietboeck* (1582 ; Livre des Cantiques), il manifeste une préférence marquée pour les Psaumes. En 1615 paraît, largement complété et précédé d'une importante préface écrite par de Ries, un nouveau martyrologe : *Historie der Martelaren ofte waerachtighe Getuygen Jesu Christi* (Histoire des Martyrs...). De Ries y invite les diverses tendances à fonder leur unité dans les dispositions qui ont animé les martyrs : la confiance en Dieu et la pureté de vie.

5) *Abraham Galenusz* (1622-1706). – Le spiritualisme tolérant de l'anabaptisme du 17e siècle atteint son sommet en Abraham Galenusz. Né à Zierikzee, il étudie la médecine à Leyde, où la confrontation avec le labadisme et le cartésianisme l'amène à considérer de plus près les martyrologes : il y fait la découverte de la diversité des confessions dogmatiques et de l'unité fondamentale de l'inspiration religieuse. Il acquiert ainsi la conviction que Jésus-Christ est la seule autorité de la pratique vivante de la foi des anabaptistes. Après son mariage avec Sertghen Abraham Dircksdochter en 1646, il devient pasteur de la communauté d'Amsterdam dite « bij het Lam ». Le spiritualisme qui le caractérise s'exprime en plusieurs ouvrages :

*Bedenckingen over den toestant der sichtbare Kercke Christi op aerden, kortelijck in XIX artikelen voorghestelt* (1657 ; Méditations sur la situation de l'Église visible du Christ...), écrit imprégné de l'esprit de Franck et de Coornhert. Prenant appui sur le Nouveau Testament, Galenus reconnaît l'Église unique et indivisible du Christ à 3 caractéristiques : la multiplicité des dons de l'Esprit montre que le Seigneur l'a prise comme épouse ; les prédicateurs parviennent à donner à leur auditoire des convictions profondes ; même les fidèles des communautés n'ayant pas de pasteur sont remplis de l'Esprit saint. Personne ne peut donc soumettre les consciences à l'autorité de ministres, de cérémonies ou de dogmes.

*Nadere Verklaringe* (1659 ; Explication...) : chacun peut apprendre avec clarté par la vie de Jésus quelles sont les choses nécessaires au salut. Il ne peut exister une autorité hiérarchique. L'autorité dans la communauté est le Christ vivant en elle.

*Korte Verhandeling van de Redelijk bevindelijke godsdienst* (1677 ; Court traité de la religion telle qu'on peut l'expérimenter par la raison). Dans cet ouvrage mystique Galenus affirme que l'esprit de l'homme, « de ware wezentheid » (la vraie essence), est en lutte avec l'âme psychique. C'est le combat entre la soif du retour à l'origine et les désirs de la sensualité. En cette situation l'homme a pour devoir principal de désirer avec soumission la volonté de Dieu ; ce que Dieu veut est senti par le cœur : intelligence, imagination et volonté sont tirées vers leur origine et tombent parfois en extase.

*Verdediging der Christenen, die Doopsgezinde genaamd worden, beneffens Korte Grondstellingen van hun gelove en leere* (1699 ; Défense des Chrétiens dits Anabaptistes...) mentionne quatre traits par lesquels les anabaptistes se distinguent des autres chrétiens : ils attachent plus d'importance au Nouveau Testament qu'à l'Ancien ; ils rejettent les baptêmes d'enfants et les serments de fidélité ; ils préconisent la non-violence. Ces quatre traits, qu'ils possèdent en accord avec les Pères de l'Église, ont rapport à l'essence même de la foi et sont de nature à favoriser la tolérance dans le monde.

6) *Hendrik Niclaes* (1502-1580). – En marge de l'anabaptisme, il faut mentionner encore Hendrik Niclaes, fondateur de ce qui s'est appelé « Huis der Liefde ». De 1540 à 1560 ce mystique et poète séjourne principalement à Emden à la tête d'un commerce prospère. C'est là qu'il écrit la plupart de ses ouvrages, imprimés tous dans la clandestinité. Il dut finalement s'enfuir d'Emden et s'établit à Kampen et à Cologne. Dans ces écrits panthéistes il rejette dogmes et sacrements. La foi est pour lui une expérience de Dieu dans la contemplation mystique et la divinisation (cf. DS, t. 11, col. 231-233).

1. **Généralités et sources.** – De Hoop Scheffer, *Onze martelaarsboeken*, dans *Doopsgez. Bijdragen*, 1870, p. 45 svv. – F. Vander Haeghen, etc., *Bibliographie des martyrologes protestants néerlandais*, 2 vol., Gand-La Haye, 1890. – P. Kalkoff, *Die Anfänge der Gegenreformation in den Niederlanden*, 2 vol., Halle, 1903/04. – J. Meyhoffer, *Le martyrologe protestant des Pays-Bas, 1523-1597*, Nessonvaux, 1907. – W.J. Kühler, *Het Nederlandse Anabaptisme en de revolutionnaire woelingen der zestiende eeuw*, dans *Doopsgez. Bijdragen*, 1919, p. 124 svv.

F. Pijper, *De martelaarsboeken*, La Haye, 1924. – W.J. Kühler, *Geschiedenis der Nederlandsche Doopsgezinden in de zestiende eeuw*, Haarlem, 1932, 1961. – G. Grosheide, *Bijdrage tot de geschiedenis der Anabaptisten in Amsterdam*, Hilversum, 1938. – J. Scheerder, *De inquisitie in de Nederlanden in de zestiende eeuw*, Anvers, 1944. – J.H. Wessel, *De leerstellige strijd tusschen Nederlandsche Gereformeerden en Doopsgezinden in de zestiende eeuw*, Assen, 1945.

E. Valvekens, *De inquisitie in de Nederlanden in de zestiende eeuw*, Bruxelles, 1949. – W.J. Kühler, *Geschiedenis van de Doopsgezinden in Nederland. Gemeentelijk leven 1650-1735*, Haarlem, 1950. – N. van der Zypp, *Geschiedenis der Doopsgezinden in Nederland*, Arnhem, 1952. – A.F. Mellinck, *De Wederdopers in de Noordelijke Nederlanden 1531-1544*, Groningen, 1953 ; *Das niederländisch-westfälische Täufertum im 16. Jahrhundert*, dans *Umstrittenes Täufertum 1525-1975, Neue Forschungen*, éd. par H.J. Goertz, Groningen, 1976.

A.L.E. Verheyden, *Geschiedenis der Doopsgezinden in de Zuidelijke Nederlanden in de XVI eeuw*, Bruxelles, 1959 (trad. anglaise, Scottdale, 1961) ; *Le martyrologe protestant des Pays-Bas du Sud au 16ᵉ siècle*, Bruxelles, 1960. – J. Fast, *Der linke Flügel der Reformation*, Brême, 1962. – G.H. Williams, *The Radical Reformation*, Philadelphie, 1962. – W. Keeney, *The Development of Dutch Anabaptism Thought and Practise from 1539-1564*, Nieuwkoop, 1968. – A.J. Jelsma, *Adriaan van Haemstede en zijn martelaarsboek*, La Haye, 1970. – J. Decavele, *De dageraad van de Reformatie in Vlaanderen 1520-1565*, Bruxelles, 1975.

Pour les principaux écrits anabaptistes : S. Cramer et F. Pijper, *Bibliotheca reformatoria neerlandica* 2, 5, 7, 8, 10, La Haye, 1903-1914. – Publications récentes dans *Documenta Anabaptistica Neerlandica* n. 4-5, 1972/73, et 8, 1976.

2. **Principaux personnages.** – 1) *Hoffman* : P. Kawerau, *Melchior Hoffman als religiöser Denker*, Haarlem, 1954. – 2) *D. Joris* : F. Nippold, *F.D. Joris von Delft*, dans *Zeitschrift für die hist. Theologie*, 1863, p. 3-166 ; 1864, p. 483-673 ; 1868, p. 475-591. – A. Van der Linde, *D. Joris eene bibliografie*, La Haye, 1929. – G.C. Hoogewerff, *Liederen van Groot-Nederland*, s l, 1930. – R. Bainton, *D. Joris, Wiedertäufer und Kämpfer für Toleranz...*, Leipzig, 1937. – P. Burckhardt, *D. Joris und seine Gemeinde in Basel*, dans *Basler Zeitschrift*

*für Geschichte und Altertumskunde*, t. 48, 1949, p. 5-106. – N. van der Zypp, *Geschiedenis der Doopsgezinden in Nederland*, Arnhem, 1952, p. 376 svv. – A.F. Mellinck, *De Wederdopers in de Noordelijke Nederlanden*, cité *supra*. – J.A.L. Lancée, *D. Joris van Delft*, dans *Spiegel Historiael*, t. 15, 1980, 11, p. 594-601.

3) *Obbe Philips* : sa *Bekentenisse...* est éditée par S. Cramer dans *Bibl. reformatoria neerl.* 7, p. 89-138. – 4) *M. Simons* : *Opera omnia theologica, of alle Godtgeleerde Wercken*, Amsterdam, 1681. – K. Vos, *M. Simons*, Leiden, 1914. – H.W. Meihuizen, *M. Simons, ijveraar voor het herstel van de nieuwtestamentische gemeente*, Haarlem, 1961 ; *H. Simons*, Haarlem, 1964. – Chr. Bornhäuser, *Leben und Lehre M. Simons*, Neukirchen, 1973.

5) *H. Niclaes* : voir bibl. de sa notice (DS, t. 11, col. 233). – J.H. Hessels, *H. Niclaes, the Family of Love*, dans *The Bookworm*, t. 6, 1869, p. 81-91, 106-111, 116-119, 131-135. – J. Lindeboom, *Stiefkinderen van het Christendom*, La Haye, 1920, p. 201-209. – H.F. Bouchery, *Aantekeningen betreffende Plantin's Houding...*, dans *De Gulden Passer*, t. 18, 1940, p. 87-141. – H. de la Fontaine Verwey, *De Geschriften van H.N.*, dans *Het Boek*, t. 26, 1940/42, p. 161-221 ; *Het Huis der liefde en zijn publicaties*, dans *Uit de wereld van het boek*, t. 1, *Humanisten...*, Amsterdam, 1975, p. 86-111. – N. van der Zypp, *Geschiedenis der Doopsgezinden...*, cité *supra*, p. 388 svv.

6) *Galenus Abrahamsz* : H.W. Meihuizen, *G.A....*, Haarlem, 1954.

3. Sur le **luthéranisme**, voir : W.J. Pont, *Geschiedenis van het Lutheranisme in de Nederlanden tot 1618*, Haarlem, 1911 ; – J. Loosjes, *Geschiedenis der Luthersche Kerk in de Nederlanden*, La Haye, 1921 ; – W.J. Kooiman, *Luther's kerklied in de Nederlanden*, Amsterdam, 1943 ; – M.E. Kronenberg, *Verboden boeken en opstandige drukkers in de Hervormingtijd*, Amsterdam, 1948 ; – C.Ch.G. Visser, *Luther's geschriften in de Nederlanden tot 1546*, Assen, 1969.

2. LE CALVINISME NÉERLANDAIS *(De Nadere Reformatie)*. – 1º Dans l'état actuel des recherches un exposé synthétique de la spiritualité semble une entreprise ardue ; toutefois la publication, au cours des trente dernières années, de monographies et d'études particulières, souligne à nouveau et avec raison l'importance d'une période trop négligée : la Réforme, en ces deux siècles, n'a pas reculé devant le défi que lui adressait une culture en pleine émancipation et de plus en plus sécularisée. Elle n'a pas cessé de l'inviter, en paroles, en actes et par des écrits, à se convertir à Dieu. De plus, ce n'est pas l'abandon ou la suppression de l'« ecclesia reformata » qu'elle s'est proposé comme but, mais bien de placer le calvinisme au cœur même de l'Église traversant l'histoire.

L'historien Graafland a eu raison, semble-t-il, de prendre comme base de son ouvrage les thèses essentielles défendues par Calvin au sujet de la foi. Ce point de vue oriente les recherches historiques dans une voie nouvelle. Mais la manière dont S. van der Linde entreprend son étude est tout aussi éclairante. Il propose d'expliquer le développement historique du calvinisme néerlandais par les changements intervenus aux 17ᵉ et 18ᵉ siècles dans la relation entre vie intérieure et vie concrète quotidienne. Car les spirituels de cette époque sont précisément préoccupés de trouver la juste mesure dans l'union de l'une à l'autre. Dieu et le monde, le temps et l'éternité, le jour du Seigneur et les journées de travail, doivent rester en parfaite harmonie. Ce n'est qu'après un temps, lorsqu'il paraît qu'entre ces pôles extrêmes subsiste une opposition presque insurmontable, qu'un revirement s'opère en direction d'une intériorisation et d'un dualisme inquiétants, qui conduit certains à n'être plus sensibles qu'à leur microcosme individuel.

La réflexion sur la doctrine de Calvin fut sans doute portée et nourrie par la tradition chrétienne. Et bien que ce domaine n'ait guère encore été exploré, nous pouvons ici – dans l'ordre historique, tel que van der Linde le présente – mentionner les sources suivantes : la Bible et surtout les Psaumes, l'Évangile de Jean et le Cantique des Cantiques, saint Augustin (surtout sur la connaissance fruitive de Dieu et sur le conflit entre les deux Cités), la mystique du moyen âge : Bernard, Ruusbroec, Suso. Thomas a Kempis est certainement, lui aussi, présent ainsi que la *Theologia Deutsch*, et, bien sûr, Calvin lui-même, spécialement sa pneumatologie. Enfin, pour certains auteurs, le puritanisme anglais joue un rôle important. Mais il faut se garder d'exagérer son influence : les auteurs modernes découvrent de plus en plus l'originalité propre du protestantisme néerlandais des 17e et 18e siècles.

2° *Principaux spirituels*. – 1) *Guilielmus Amesius* (William Ames, 1576-1633). – C'est de ce grand théologien que le piétisme néerlandais a reçu les bases de sa théologie. Né à Ipswich et élevé dans le puritanisme le plus rigoureux, il fait ses études au Christ's College de Cambridge, encore sous l'influence de Cartwright ; il y est élève de Perkins. Devenu pasteur, il adopte une attitude inflexible qui l'oblige à émigrer vers le continent. Il séjourne successivement à Rotterdam, Leyde et La Haye. Il devient conseiller de Bogermann au synode de Dordrecht et est ensuite nommé à Leyde où il travaille à l'œuvre qui le rendra célèbre : *Medulla Theologiae* (Franeker, 1623 ; trad. néerl., Amsterdam, 1656). Il devient professeur à Franeker en 1622 et recteur en 1626. En 1630 paraît son *De conscientia et ejus jure vel casibus* (trad. néerl., 1652), qui replace la casuistique sur les bases de la foi. A partir de 1632, il est pasteur à Rotterdam.

Pour lui, la théologie est « doctrina deo vivendi ». Cette doctrine apportait aux Pays-Bas des accents nouveaux : connaissance et vie de foi doivent aller de pair ; *doctrina* et *disciplina* forment une unité. La vie de foi a une origine surnaturelle : c'est l'art de vivre d'après les règles prescrites par Dieu dans l'Écriture. Le croyant reçoit par elle la grâce de l'intelligence du salut et découvre ainsi la volonté de Dieu par rapport à la vie bienheureuse.

La dimension éthique de sa théologie s'exprime aussi dans la définition qu'il donne de la foi : « Fides est acquiescentia cordis in Deo tanquam in autore vitae vel salutis aeternae : id est, ut per ipsum ab omni malo liberemur et omne bonum consequamur ». Le centre de la vie de foi est situé dans la volonté. Cette volonté est « amor unionis ». Ce qui signifie que la conduite pratique n'est plus conçue comme l'accompagnement pédagogique du salut, mais comme l'action réciproque de Dieu et de l'homme. Dès lors l'Église n'est plus (comme chez Calvin) la communauté de tous les croyants que Dieu a prédestinés de toute éternité. Ce qui fonde l'Église, c'est la foi des hommes. Amesius s'efforce de se tenir dans l'orthodoxie en distinguant l'Église comme *materia* (l'initiative de Dieu) et comme *forma* (le résultat de cette initiative).

Amesius occupe une place importante parmi les piétistes en raison de ses efforts pour trouver l'équilibre entre l'obéissance à la foi et l'expérience intérieure.

2) *Johannes Conradus Appelius* (1715-1798), né dans le comté de Tecklenburg, a été pasteur à partir de 1738 dans diverses communautés, en dernier lieu à Zuidbroek où il est décédé. Son nom reste attaché à ses démêlés avec Hillebrandus Jansonius au sujet de la cène et à la controverse sur les sacrements en général. Cette controverse portait surtout sur la question suivante : le baptême et la cène sont-ils, par rapport aux élus régénérés, l'expression scellée et scellante de la volonté souveraine de Dieu, ou seulement l'expression de sa volonté révélatrice et ordonnatrice ?

3) *Theodorus Gerardus à Brakel* (1608-1669). – Les écrits de ce pasteur, né d'un père catholique à Enkhuizen, sont empreints d'une piété délicate rappelant certains auteurs du moyen âge. Jeune encore, il fut touché par un sermon portant sur 2 *Cor.* 6 et connut jusqu'à ses seize ans des moments d'union sensible à Dieu. Mais après cet âge il n'eut plus que le sentiment d'être abandonné de Dieu. De longues années de prière et de méditation persévérante mûrirent sa foi et il n'a jamais cessé de se sentir attiré par la mystique.

Il reçut sa formation universitaire à Franeker, et fut pasteur à Beers et Jellum en Frise (1638), à Burg dans l'île de Texel (1652) et en Frise à Makkum à partir de 1653. Parmi les écrits de ce pasteur sévère et infatigable, de ce catéchiste et apôtre fervent, signalons : *Het geestelyke leven ende de stand eens geloovigen menschen hier op aarde* (La vie spirituelle et l'état d'un croyant...), ouvrage écrit en 1648 à Jellum, dont la treizième édition paraît avant même la mort de l'auteur ; *Eenige Kentekens, waar uit een geloovig mensche hem kan verzekeren, dat hij van God gemind is* (Quelques caractéristiques où le croyant peut affirmer...), basé principalement sur *Rom.* 8, 29-30 et de la même époque que le précédent ; *De Trapen des geestelijken levens* (Les Degrés de la vie spirituelle ; 8e éd. en 1670).

Theodorus à Brakel, s'appuyant sur la dogmatique de la théologie réformée et sur ses propres expériences religieuses, fournit des réflexions profondes sur les lois de l'imitation et sur la lente croissance de l'action du Saint-Esprit dans la vie concrète.

4) *Wilhelmus à Brakel* (1635-1711), fils du précédent et né à Leeuwarden, s'est formé à l'université de Franeker et a suivi plus tard à Utrecht des cours de Voëtius et d'Essenius. Il a été nommé pasteur successivement à Exmorra (1662), Stavore (1665), Harlingen (1670), Leeuwarden (1673) et à Rotterdam à partir de 1683. Partisan déclaré de l'importance des conventicules, il s'est acquis une grande notoriété par son ouvrage édité à Rotterdam en 1700 : *Redelyke godtsdienst, in welke de goddelyke waerheden des genadenverbondts worden verklaert, tegen partyen beschermt, en tot de practycke aangedrongen* (Religion raisonnable, où sont expliquées...).

La foi est un acte de la volonté ; l'intelligence de la révélation et la confiance que l'homme lui accorde font qu'il se donne à elle dans l'amour. De plus, le cœur confiant espère que le Christ lui accordera le salut. Qu'en est-il dès lors de la certitude de la foi ? Elle réside dans l'abandon lui-même et dans la conviction, acquise par la réflexion, qui en est le fruit. Les deux attitudes d'accueil et de réflexion sont fort intimement reliées l'une à l'autre. Brakel écarte le goût plein de douceur que pourrait donner la certitude. La foi est certaine ; le croyant ne l'est jamais complètement. Il y a pourtant trois voies qui conduisent à la certitude de la foi : en se comparant lui-même à la Parole, l'homme constate qu'il est régénéré ; l'expérience de la lumière et de la joie qu'apporte le sceau du Saint-Esprit constitue la seconde voie ; la troisième est la confirmation que donne la persévérance dans les exercices spirituels.

5) *Johan de Brune, de Oude* (1588-1658). – Il était inévitable que la Renaissance et le Calvinisme se rencontrent tôt ou tard. Johan de Brune est un des premiers représentants d'une telle rencontre, sans grand éclat il est vrai, mais non sans mérite. Il débute avec des ouvrages mi-théologiques, mi-philosophiques, en traduction : *Spreucken van Salomon* (1619 ; Proverbes

de Salomon) ; viendront ensuite *Davids Psalmen* (1644 ; Psaumes de David) et *Salomons Hoogh-lied* (1647 ; Cantique de Salomon). Encore jeune, il publie un poème sur la cène *Hemelsfeest* (1621 ; Fête céleste). Citons encore : *Grondt-steenen van een vaste Regieringe* (1621 ; Fondations...), *Emblemata of Zinnewerck* (1624 ; Allégories), *Bancket-Werk* (1657-1660 ; Confiseries).

Très proche de mentalité de Cats et de Huyghens, lié d'amitié avec l'un et l'autre, il n'a ni la popularité du premier, ni la finesse du second. Mais, cherchant à inculquer à ses contemporains les valeurs fondamentales du christianisme, il a su donner à son œuvre une teinte humaniste fort attachante.

6) *Jacob Cats* (1577-1660), poète et fonctionnaire longtemps décrié, se trouve aujourd'hui réhabilité, même en dehors des cercles piétistes. Originaire de Brouwershaven, il fait, comme Johan de Brune, des études de droit à Leyde et est ensuite promu docteur à Orléans en 1598. Après un séjour de convalescence en Angleterre (1602), où il a l'occasion d'entrer en contact avec les idées de Perkins, commence pour lui une rapide et brillante carrière juridique. Son mariage avec Elisabeth van Valckenburg (1605), membre d'une famille d'Amsterdam émigrée d'Anvers, éveille en lui des sentiments de dévotion religieuse. En 1607 il devient membre de la communauté réformée de Middelburg.

Par ses premières œuvres poétiques, *Proteus* et *Maechdenplicht*, 1618 (Devoir des vierges ; réunies à partir de 1627 sous le titre de *Sinne- en Minnebeelden* : Tableaux idylliques) et par son *Selfstrijt* (1620 ; Combat avec soi-même), il parvient, en collaboration étroite avec le peintre-graveur Adr. van de Venne et non sans de forts accents d'érotisme, à proposer une vision chrétienne de la vie, qui, toute personnelle qu'elle soit, reçoit un accueil favorable des lettrés et des artistes. Il fréquente fidèlement les offices religieux et est l'ami des prédicants. Il est pensionnaire de Dordrecht de 1623 à 1636. En cette période paraît *Houwelyck* (1625 ; Mariage), le premier des trois grands ouvrages qui lui procureront une réputation nationale. On a vu en cet ouvrage, dont la popularité a été énorme au 17e siècle, l'encyclopédie de la morale conjugale calviniste ; toutefois son auteur, en bon juriste, y rend aussi la vie en société largement présente. Le *Spiegel van den ouden en den nieuwen Tyt* (Miroir du Temps...) paraît en 1632 ; il y est successivement question de l'enfance, de l'amour naissant, de ses périls, de la vie conjugale, du gouvernement de l'état et des exercices religieux. Ce livre achève d'apporter la célébrité à son auteur. Cats perd son épouse en 1631. De 1636 à 1652 il est pensionnaire de Hollande et de Frise occidentale ; en 1637 paraît l'ouvrage par lequel Cats atteint au sommet de la popularité : *'s Werelts begin, midden, eynde, besloten in den Trou-ringh, met den Proefsteen van den Selven* (Commencement, milieu et fin du monde, condensés dans l'Anneau nuptial...). Cats se retire dans sa campagne de Sorghvliet à La Haye en 1652. Il y termine ses jours dans la paix. Dans son dernier ouvrage *Ouderdom, buyten-leven en Hof-gedachten op Sorghvliet* (1656 ; Vieillesse... à Sorghvliet) il ne cache pas sa grande admiration pour Thomas à Kempis.
Cats n'est certes pas un auteur ascétique ; néanmoins il présente, de manière toute pratique, une conception de la vie indulgente, tolérante, et finalement vraiment calviniste.

7) *Johannes Coccejus* (1603-1669) est né à Brême où il fit ses études secondaires. Après des études à Hambourg et à Franeker, il devint « professor philologiae sacrae » à Brême en 1630. Ses publications exégé-

tiques et dogmatiques lui valurent une chaire d'enseignement supérieur à Leyde en 1650.

La foi ne peut être l'acte d'une seule faculté. Elle est la foi du cœur, de l'âme, de l'homme tout entier. On retrouve ici, comme chez Amesius, le point de vue volontariste, et une dépréciation du rôle joué dans la foi par la connaissance. La connaissance du témoignage de la sainte Écriture est requise pour découvrir les vérités qu'il est nécessaire de connaître. Mais cette connaissance ne devient foi que lorsqu'elle devient une connaissance certaine. Sans cela les démons croiraient, eux aussi. L'expérience intérieure enseigne l'homme plus clairement que la conduite morale.

8) *Alexander Comrie* (1706-1774), né à Perth (Écosse), se rendit dans la République des Provinces-Unies. Pour des raisons non encore élucidées, il se mit à l'étude de la théologie à Groningue et à Leyde. De 1738 jusqu'à sa mort, cet écossais fut pasteur à Woubrugge. Parmi ses nombreux ouvrages, citons : *Het A.B.C. des geloofs* (Leiden, 1739 ; L'A.B.C. de la foi), *Verhandeling van eenige eigenschappen des zaligmakenden geloofs* (Leiden, 1744 ; Dissertation sur quelques propriétés...), *Verzameling van leerredenen...* (Leiden-Amsterdam, 1749 ; Recueil de discours...), *Stellige en practikale verklaringe van den Heidelbergschen Catechsimus...* (Leiden-Amsterdam, 1753 ; Explication théorique et pratique...).

Comrie est un exemple frappant de théologien essayant de corriger les infléchissements donnés à la Réforme depuis W. à Brakel. La foi est davantage un *habitus* qu'un acte ; car, avant que le don de la foi ne devienne la part de l'homme, il faut qu'il y ait union avec l'Auteur des dons, le Christ. Comrie décrit la grâce comme étant, en sa substance même, la semence irrésistible de la régénération ; de la même façon, la faculté de foi dispose d'un pouvoir de développement propre, quelque nécessaire d'ailleurs que soit l'action accessoire de la Parole de Dieu.

9) *Petrus Datheen* (1530/32-1588), né à Kassel, quitte à 18 ans le couvent des Carmes d'Ypres pour devenir prédicant calviniste. Il reçoit sa formation à Londres et est pasteur à Francfort (1555-1562) et à Frankenthal (jusqu'en 1583). Enfin, il devient professeur au gymnase d'Elbing, alors ville allemande. Il a prêché à Gand en 1566 et en 1578-79.

En dehors de ses écrits de théologie polémique et apologétique, il est surtout connu pour sa publication *De Psalmen Davids, ende ander Lofsanghen* (Les Psaumes... ; 1re éd. Heidelberg, Chiraet, 1566). Les églises réformées des Pays-Bas ont accordé valeur officielle à sa version des psaumes jusqu'en 1773, malgré de nombreuses et croissantes critiques.
Datheen, préoccupé d'unité, traduisit dans cet ouvrage le psautier genevois de 1562, contenant 49 psaumes mis en vers par Clément Marot et 101 par Théodore de Bèze. Lenselink pense que cette illustre origine et le fait que l'édition contenait le psautier au complet, expliquent la popularité de l'ouvrage. En comparaison, la mauvaise harmonisation des textes et des mélodies n'avait que peu de poids. Quant aux communautés, elles jugeaient que la version rimée de Datheen ne manquait pas de beauté et surtout qu'elle était claire et compréhensible.

10) *Jan Eswijler* (dates inconnues), directeur d'orphelinat de Hoorn, se situe dans la tradition qui s'opposait au rationalisme imprégnant certains courants religieux. Avec chaleur et vivacité, armé de sérieux arguments, il s'attache à démontrer l'impuissance de l'homme à se procurer à lui-même le salut : l'âme ne peut qu'attendre que Dieu prenne l'initiative

de la sauver. Tel est le message contenu dans son *Nuttige zamenspraak tusschen een Heilbegeerigen en Evangelist, of Zielseenzame Meditatien* (Dialogue instructif... ou Méditations...), publié en 1685 et lu avec beaucoup d'assiduité dans les conventicules. Une réimpression (Rotterdam, 1734) donna lieu à un sérieux conflit ecclésiastique en Hollande méridionale, où ses adeptes prirent le nom de « Eswijlers ».

11) *Theodorus Jacobus Frelinghuysen* (1692-1747), né à Hagen, est un illustre exemple du rayonnement du calvinisme néerlandais au-delà des mers. Il a grandi dans les milieux réformés de Westphalie, sur lesquels le calvinisme néerlandais a eu une grande influence, en particulier par l'intermédiaire de Theodorus Undereyck et de Samuel Nethenus, et par la traduction d'ouvrages d'Udemans et de Willem Teellinck. Il a fait ses études secondaires au gymnase de Hamm (1709) où dominait l'esprit de Coccejus, et les compléta à l'université de Lingen (1711) qui était gagnée aux idées de Voëtius. Après avoir exercé le ministère à Loegumer Voorwerk (Frise orientale), il s'embarque pour le Nouveau Monde. Il arrive à New-York en janvier 1720.

Sa vie à Raritan Valley (New Jersey) se passe au milieu des conflits dûs aux difficultés de l'organisation de l'autorité locale et au mouvement de renouveau provoqué par le calviniste méthodiste Whitefield. Le premier de ces conflits se perpétua plus d'un quart de siècle en raison des difficultés de communication avec Amsterdam et de la formation de clans rivaux.

Frelinghuysen a publié des ouvrages qui ont remporté un grand succès auprès des colons néerlandais et anglais : *Drie Predicatien* (1721 ; Trois Sermons), *Spiegel die niet vleyt* (1729 ; Le Miroir qui ne flatte pas), *Een bundelken leerredenen* (1736 ; Recueil de discours...), *Versameling van eenige keur-texten* (1748 ; Testes choisis...). Tanis le considère comme un conciliateur voëtien entre l'Ancien Monde et le Nouveau, dans l'esprit de Willem à Brakel, de Johan Verschuir et de Herman Witsius.

12) *Jacobus Fruytier* (1659-1731), originaire de Middelburg, commença ses études chez lui, puis auprès de plusieurs prédicants. Lorsqu'un de ceux-ci, M. Leydekker, succéda à Voëtius, il l'accompagna à Utrecht et devint ainsi lui-même un voëtien convaincu. Porté d'abord à la modération et à l'irénisme, il se montra de plus en plus combatif dans sa résistance aux partisans de Verschuir, aux Remontrants et aux Cartésiens. Son œuvre principale est une histoire de l'église néerlandaise traçant un parallèle entre les Pays-Bas et Israël : *Sions worstelingen* (Les combats de Sion).

13) *Theodorus van de Groe* (1705-1784), pasteur aigri par la solitude, est un représentant de la théologie réformée à l'époque où elle va bientôt perdre la forte position qu'elle a occupée jusque-là. Graafland dit à son sujet : « Il perçut parfaitement l'abîme qui séparait la foi telle qu'il l'avait trouvée chez les Réformateurs et la foi telle que la vivait la communauté qu'il avait sous les yeux, et il ne réussit pas à construire le pont pouvant les rapprocher et conduire à un renouveau ». Pour lui, l'essence de la foi est d'être une certitude, mais le sentiment de sa propre perte et la découverte du Christ la précèdent. Il ressent à la fois un appel déchirant vers la certitude et l'angoisse de ne pas être sauvé. Parmi ses ouvrages citons : *Toetssteen der Ware en Valsche genade* (Pierre de touche...), *Over het aannemen en gebruik maken van de Beloften* (De l'acceptation et de l'usage des promesses), *Beschry-*

*vinge van het oprecht en zielzaligend geloove* (Description... de la foi), *Verzameling van Biddagspredikatien* (Recueil de ... sermons).

14) *Johannes Hoornbee(c)k* (1617-1666), né à Haarlem, étudie principalement à Leyde, et une année à Utrecht sous la direction de Voëtius. Il accepte en 1639 d'être pasteur de la communauté de réfugiés à Mühlheim, près de Cologne. Il y travaille jusqu'en 1643. Promu docteur auprès de Voëtius, il devient professeur à Utrecht, puis à partir de 1653 à Leyde. Disciple de Voëtius, Hoornbeek, philologue, historien ecclésiastique et exégète, s'est montré un défenseur convaincu de l'idée missionnaire. Son ouvrage le plus connu est *Summa controversiarum religionis* (1653).

15) *Jacobus Koelman* (1632-1695), né à Utrecht, y fait ses études à partir de 1650 auprès de Hoornbeek, Essenius et Voëtius. Après son doctorat, il est pendant plusieurs années pasteur de missions étrangères. En 1662, il reçoit sa nomination à l'Écluse. Résolument opposé à l'immixtion de l'État dans les affaires de l'Église et à l'uniformisation des textes ecclésiastiques (qui favorisent selon lui le formalisme), il est contraint de quitter la ville en 1675. Il séjourne à Middelburg, Rotterdam, Amsterdam, en Frise, à nouveau en Zélande et à Amsterdam. Pendant ce temps il se dépense sans répit pour l'organisation de conventicules. Mais cela est aussi interdit et il se retire à Utrecht où il travaille jusqu'à sa mort à des œuvres et à des traductions diverses.

Il a traduit de très nombreux écrits d'auteurs puritains, tels que Love, Gutry, Binning, Baxter, Rous ; ses traductions, révélatrices de sa pensée mystique, ont pris une grande importance pour la pratique de l'union à Dieu. Ses vues sur la grâce ne sont plus conformes à la pure doctrine de la Réforme.

16) *Gerardus Kuypers* (1722-1798). – Le nom de ce pasteur, devenu professeur à Groningue en 1765, est resté attaché aux événements qui ont agité Nijkerk en 1749. Il écrivit à ce sujet : *Getrouw verhaal en Apologie of verdediging der zaaken voorgevallen te Nieuwkerk op de Veluwe* (Récit fidèle et Défense...). De ce récit et d'autres écrits sur ces événements, il ressort que les phénomènes d'ordre physico-somatique qui s'y produisirent, suscitèrent une grande inquiétude dans les églises et attirèrent des sanctions de la part des conseils d'église. Il est facile de constater que ce mouvement est porté par le même esprit que le « christianisme intérieur » de Schortinghuis. De courte durée, il est en tout cas aussi apparenté aux mouvements de renouveau des cercles méthodistes anglo-saxons.

17) Sur *Friedrich Adolf Lampe* (1683-1729), voir sa notice, DS, t. 9, col. 172-174.

18) *Judocus van Lodenstein* (1620-1677), piétiste natif de Delft, forme, selon l'avis de Stoeffler, avec Willem Teellinck et William Ames, « the Illustrious Trio ». Il étudie la théologie chez Voëtius et ensuite à Franeker, où il est le commensal de Coccejus. Il est nommé pasteur successivement à Zoetermeer (1644), L'Écluse (1650) et Utrecht (1653).

Lodenstein a été à un haut degré un calviniste pratique, soucieux de rigorisme. Toute esthétique est jugée par lui superflue. L'Esprit se charge lui-même des résultats extérieurs. Il a été par excellence le prédicateur du repentir : « La Réforme de la doctrine a pour but de réformer les Mœurs ou de rendre l'Homme Saint et vertueux ; son but ne se situe pas dans la doctrine elle-même ». Et cela doit s'opérer en dehors de toute intervention de l'État. Lodenstein s'est de plus efforcé de contribuer à la formation de prédicants et de missionnaires. Il a défendu l'opinion que cette formation devait se faire en dehors des universités.

Pour ses catéchèses, Lodenstein a utilisé la *Medulla theologiae* d'Amesius et la *Sleutel der Devotie* (Clef de la Dévotie) de W. Teellinck. Il a influencé le langage de Willem Schortinghuis et des piétistes. Mais, comme pour beaucoup d'autres questions, c'est ici un vaste terrain encore peu exploré.

Voici quelques-uns de ses ouvrages : *Weegschale der onvolmaacktheden, ofte bedenckingen nopende 't gewigte of de regtmatige agtinge te maacken van de gebreken en struyckelingen der Geheyligden op der Aarden* (1664 ; Balance des imperfections...), *Beschouwinge van Zion : ofte aandagte en opmerckingen over den tegenwoordigen toestand van 't Gereformeerde Christen Volck. Gestelt in eenige t'samen-spraken* (1674-1677 ; Considération de Sion...), *Uyt-Spanningen, behelsende eenige stigtelycke liederen, en andere gedigten...* (1676 ; Récréations...).

19) *Matthias Nethenus* (1618-1686), auteur peu connu appartenant au cercle de Voëtius, prit son grade de docteur en théologie à Utrecht en 1654. En 1662 il se démit de sa charge de pasteur, probablement pour des raisons politico-religieuses. Il édita et préfaça en 1658 les œuvres d'Amesius. Le piétiste allemand Th. Untereyck a subi son influence.

20) *Samuel Nethenus* (1628-1700), né à Ress sur le Bas-Rhin, a été nommé pasteur à Gulpen en 1683. Prédicant de cour en 1691 à Binstein, il quitte ce poste en 1696 et passe le reste de sa vie à Amsterdam. Il est l'auteur de *Lux in tenebris, van de Nootsakelikheyt der geheyligde Kennisse* (... de la nécessité de la Connaissance sacrée) publié en 1671.

21) *Guilielmus Saldenus* (1627-1694), né à Utrecht, est l'un des grands savants piétistes de son temps. Ses écrits sont dans la ligne de Teellinck, Amesius et Lodenstein. Il étudia la théologie à Utrecht auprès de Voëtius et de Hoornbeek, et fut pasteur successivement à Renswoude (1649), Kokkengen (1652), Enkhuisen (1655), Delft (1664) et La Haye (1677).

Il est passé maître dans la description des doutes intellectuels et psychologiques. Ses œuvres s'efforcent de consoler les affligés, en les aidant à rechercher causes et remèdes de leurs peines. Dans cette tâche, il prend pour guides Augustin, Bernard, Thomas à Kempis, W. Perkins, etc. L'esprit des conventicules le porte toutefois vers l'exclusivisme : le prochain est le piétiste, « ecclesiola in ecclesia ».

Il a publié, entre autres ouvrages : *De droevichste staet eens Christen. Bestaende in de doodigheyt ofte ongevoeligheydt syns herten ontrent geestelijcke dingen* (1661 ; Le plus triste état d'un chrétien...), *Weg des Troostes* (1662 ; Chemin de la consolation), *Weeklagen der heiligen over Sions ellende* (1665 ; Lamentations...), *Otia theologica...* (1684).

22) *Wilhelmus Schortinghuis* (1700-1750), natif de Winschoten, où il fréquente le gymnase, fait ensuite des études à Groningue dans un milieu imprégné d'empirisme et de rationalisme. Nommé pasteur à Weener en 1723, il se convertit, sous l'influence de son collègue Klugkist, au « christianisme intérieur ». Le thème principal de son enseignement est la régénération, formulée dans la symbolique de la terre de Canaan. Il devient pasteur à Middelburg en 1734.

*Het innige Christendom tot overtuiginge van onbegenadigde, bestieringe en opwekkinge van begenadigde sielen, in deselfs allerinnigste en wesentlike deelen gestaltelik en bevindelik voorgestelt in t'samenspraken tusschen een geoefende, kleingeloovige en onbegenadigde* (1740 ; Le Christianisme intérieur, pour la persuasion des âmes non encore touchées par la grâce, pour la direction et l'exhortation des âmes déjà touchées par elle, présenté... dans un entretien entre trois personnages : le premier d'une foi exercée, le deuxième d'une foi chancelante, le troisième non encore touché par la grâce) : avec ce programme piétiste, Schortinghuis atteste que, pour être vraiment digne de la Réforme, la confession de foi doit être vécue expérimentalement. Une connaissance selon la seule lettre est stérile et porte atteinte à la réalité surnaturelle. La lumière divine est absolument requise. Le vrai croyant doit connaître les saintes vérités expérimentalement (« bevindelijk »), il doit en jouir cordialement (« gemoedelijk ») et les vivre dignement (« waardig »). La lumière de l'Écriture ne peut suffire : celle de l'Esprit est requise. Schortinghuis s'en prend aux prédicants sans vocation intérieure, aux partisans de formules de prières, aux tenants d'un certain formalisme à observer dans la prédication, la catéchèse et la visite domiciliaire. Une juste appréciation de l'œuvre de Schortinghuis doit en tout cas tenir compte des dangers que présentait à l'époque le rationalisme croissant.

23) *Willem Sluiter* (1627-1673), né à Neede, fit ses études à Deventer, puis à Utrecht sous la conduite de Voëtius. Nommé pasteur à Eibergen, il doit prendre la fuite à deux reprises devant Bernhard von Galen, évêque de Münster. Après deux années de bonheur, il perd sa femme en 1664 et vit retiré à Eibergen. Il accepte d'être nommé à Rouveen l'année même de sa mort.

L'œuvre de Sluiter porte la marque de Voëtius, du puritanisme et de l'*Imitatio Christi*. L'auteur cherche à donner avis et encouragements pour toutes les situations de la vie, et aussi à faire pièce à l'engouement pour les chansons mondaines. Œuvres principales : *Psalmen, Lof-sangen ende geestelike liedekens* (1661 ; Psaumes, Cantiques...), *W. Sluiters Buitenleven* (1668 ; La vie à la campagne...), *W. Sluiters Eenzaem huis- en winterleven* (1668 ; La vie solitaire...), *Jeremia's Klaagliederen* (1682 ; Lamentations de Jérémie).

24) *Bernardus Smytegelt* (1665-1739), originaire de Goes, étudie à Utrecht et est nommé pasteur à Goes (1692) et Middelburg (1695). Il était réputé pour ses sermons dans les conventicules. Entre 1720 et 1734 il prêcha plus de 145 fois sur le roseau froissé (*Mt.* 12, 20-21), y décrivant les expériences spirituelles de l'âme croyante. L'édition de ses sermons connut un grand succès, surtout en Zélande. Son nom est resté attaché principalement à l'analyse des sentiments intérieurs du croyant. Ouvrages : *Zes uitmuntende praktikale leerredenen* (1740 ; Six discours...), *Het gekrookte riet in 145 predikatsien over Matt. 12, 20 v.* (1744 ; Le roseau froissé...).

25) *Jan Taffin* (1529-1602), né à Tournai, devint vers 1554 le bibliothécaire de Granvelle, évêque d'Arras. Il rencontre régulièrement le prince d'Orange et Christophe Plantin. En 1557/58 il passe au calvinisme, séjourne à Anvers et quitte cette ville pour Aix-la-Chapelle et Strasbourg, à la suite du différend suscité par le pasteur Adriaan van Haemstede. Il se lie d'amitié avec Bèze. A partir de 1561 il est pasteur à Metz, où la communauté connaît un grand épanouissement malgré la résistance des catholiques. A la suite de conflits politiques et de la peste, il se réfugie en 1569 à Heidelberg où il reçoit l'appui de Zanchius, de Ramus et d'autres encore. Il prend part au synode

d'Emden ; mais les communautés persistent à se diviser entre rigoristes et modérés. Vers 1572 il devient prédicant à la cour d'Orange et l'accompagne à Delft. Middelburg et Anvers. Il soutient le prince dans sa politique de tolérance. Après la chute d'Anvers, il quitte cette ville pour Emden en 1585. En 1586 il accepte d'être nommé pasteur de la communauté francophone de Haarlem. A partir de 1579 il était prédicant à Amsterdam, où de solides liens d'amitié l'unissent à Arminius.

*Des Marques des enfants de Dieu... Aux fidèles des pais bas* (1585-86 ; trad. : *Van de Merck-teeckenen der kinderen Gods*, 1588) ; *Introduction contre les erreurs des Anabaptistes* (1589 ; en néerl. : *Onderwijsinghe teghens de dwalinghe der Wederdooperen*, 1590) ; *Vermaninghe Tot Liefde en Aelmoese* (1591 ; Exhortation à l'amour et à l'aumône) ; *Traité de l'amendement de vie* (1594), *Grondich bericht van de Boetveerdicheyt des Levens* (1597).

Taffin est convaincu de l'importance de l'Écriture et des Sacrements pour l'épanouissement de la vie de foi. Mais il met l'accent sur le rôle de l'Esprit : c'est lui qui produit la paix dans la conscience du croyant. C'est par lui qu'il trouve la force de résister au doute et à la persécution. Mais Taffin rejette toute passivité, il situe la certitude de la foi dans les bons désirs et les saintes aspirations. Mettre ainsi l'accent sur l'importance de l'expérience intérieure dans la piété n'était pas courant à l'époque.

26) *Eeuwood Teellinck* (1571-1629) est originaire de Zierikzee ou de Middelburg. Il fut fonctionnaire : avocat et bourgmestre de Zierikzee, puis Receveur général de Zélande. Il est avec son frère Willem l'un des premiers piétistes de Zélande. Son ouvrage *Vyer ende wolck-calomne...* (1622 ; Colonne de feu et nuée...), un manuel du piétisme, a été réédité par Voëtius en 1649.

27) *Johannes Teellinck* (1623-1673/74), fils de Willem Teellinck, a été pasteur successivement à Maidstone (Angleterre, 1645), Middelburg (1646), Wemeldinge (1647), Flessingue (1649), Utrecht (1655), Arnemuiden (1660), Kampen (1661), Leeuwarden (1674). En 1660 paraît son *Den vruchbaermakenden Wijnstock Christus* (La vigne féconde...). Son œuvre est caractérisée par un remarquable équilibre entre la fidélité rigoriste à la Loi divine dans l'Écriture et le souci mystique de l'union à Dieu, dans l'esprit des spirituels du moyen âge.

Pour lui aussi, la doctrine n'a de sens qu'en fonction de la vie. Le Christ est plus médiateur que rédempteur. A l'Esprit qui meut la volonté, revient une part importante. La fécondité de la vie chrétienne dépend de l'expérience que l'on a faite de l'union au Christ. Le fondement de cette union et la nécessité de la sauvegarder par des supplications et des prières, sont largement expliqués.

Johannes Teellinck a des vues étonnamment nouvelles sur la foi : le salut est plus certain dans la promesse (l'affaire de Dieu) que dans sa réalisation (l'affaire de l'homme, qui en perd facilement la jouissance sensible). Au sujet de la grâce, il a cette vue libératrice : Dieu donne sa grâce inconditionnellement et l'homme n'a donc pas à se préoccuper des conditions pour l'obtenir.

28) *Willem Teellinck* (1579-1629), né à Zierikzee dans une famille gagnée à la cause du prince d'Orange, a été un fervent défenseur de la « pratique de la béatitude » (*practijcke der godtsalicheydt*). Il étudia le droit à St. Andrews en Écosse et fut promu docteur à Poitiers en 1603, après quoi il retourna en Écosse et en Angleterre. Pendant son séjour à Bambury, il fit connaissance avec les cercles puritains groupés autour de John Dodd et d'Arthur Hilderson et décida d'étudier la théologie sous l'influence de la piété toute concrète qui y régnait. A Leyde, il a comme professeur Telcratius, Arminius et Gomarus ; Voëtius est son compagnon d'étude. Après son mariage avec l'anglaise Martha Grijns (Greendon), il devient pasteur à l'île de Schouwen (1606), où il est le deuxième successeur d'Udemans. Il accepte d'être nommé pasteur à Middelburg en 1613 et y reste 16 ans. Il s'élève contre un christianisme qui n'est réformé que de nom. Doctrine et vie doivent être en parfaite harmonie. Il consacre aussi beaucoup de temps à la catéchèse des enfants et des jeunes gens, ainsi qu'à l'enseignement religieux dans le cercle familial ; il est très actif dans les conventicules : « réunions d'hommes aussi bien que de femmes (mais séparément) pour s'exercer aux choses divines ».

Avec sa spiritualité inspirée par le piétisme puritain, Willem Teellinck se trouva bientôt pris entre le marteau et l'enclume. Les Contre-Remontrants scolastiques, fidèles au calvinisme originel, se défiaient de lui qui proposait l'amour comme norme tant pour le croyant que pour la communauté, voyant dans l'attention accordée à la pratique de la béatitude un danger pour la fidélité aux vérités de la foi. Et lui-même ne pouvait se ranger du côté des Remontrants, qui jugeaient peu important d'affirmer que la nature n'est pas libre ou que l'offre de la grâce est absolument gratuite.

La foi est à ses yeux une connaissance certaine et une confiance du cœur par laquelle le Christ est sans réserve accepté comme Rédempteur et Source de force active. La foi et l'amour sont de fait inséparables. La vie chrétienne est comparable à l'amour conjugal, vécu dans une mutuelle relation d'amour. L'émotion du cœur, qui conduit à la conversion, précède la grâce opérant le salut. Ainsi s'explique le rôle qui revient à la volonté. Car après la chute originelle, l'homme est encore capable de vouloir librement. Seule l'action est blessée par la force du péché. Dans la régénération, la liberté d'agir est toutefois reçue à nouveau et renforcée.

De cette manière, la rémission des péchés va de pair avec la guérison des péchés. La foi est comme une main qui reçoit et qui agit, non par sa propre force ni par ses propres mérites. Willem Teellinck ne nie aucunement les deux points essentiels : *sola fide, sola gratia*. Mais du point de vue de la doctrine de Calvin, un certain flottement subsiste. Si Dieu ne fait ses promesses qu'à tous ceux qui se convertissent, ces promesses restent limitées par certaines conditions et à certains destinataires. Une déviation semblable de la doctrine orthodoxe ressort encore de la haute estime en laquelle il tient l'opération « toute spéciale » du Saint-Esprit, en dépit de toute l'attention donnée à la sanctification par Dieu.

Ainsi Teellinck fait comme un pont entre les deux berges que sont l'orthodoxie calviniste et le piétisme puritain. L'influence de Willem Teellinck a été considérable, sur Voëtius d'abord qui a parlé de lui comme d'un nouveau Thomas à Kempis, et sur d'autres encore : Nethenus, Lodenstein, Untereyck, Lampe, Fruytier.

Ses ouvrages piétistes et mystiques sont nombreux. Signalons les plus remarquables : *Sleutel der Devotie ons openende de Deure des Hemels* (2 vol., 1624 ; La clef de la Dévotion...), *Huys-boeck ofte eenvoudighe verclaringhe ende toeeygheninghe van de voornaemste vraeghstucken des Nederlandtschen Christelycken Catechismi* (1639 ; Manuel domestique ou simple explication...), *Noordsterre, aenwyzende de rechte streecke van de waere godtsalicheydt* (1629 ; Étoile polaire...), *Het nieuwe Jerusalem, vertoont in een t'samensprekinghe tusschen Christum ende Mariam, sittende aen sijn voeten* (1635 ; La nouvelle Jérusalem... ), *De Toetssteen des geloofs, waerin de gelegentheyt des waren Salighmakende geloofs nader ontdeckt wordt...* (1662 ; La Pierre de touche de la foi...).

29) *Godfried Cornelis Udemans* (1581/82-1649), né à Bergen-op-Zoom, a été pasteur à Haamstede (1599) et à Zierikzee (1604). Il est avec Willem Teellinck le représentant principal de la première période du piétisme zélandais.

Ouvrages principaux : *Christelijcke Bedenckingen, die een geloovige siele dagelijcx behoort te Betrachten* (1608 ; Méditation chrétienne...) : livre de méditations pratiques pour chaque jour de la semaine, complétées par des conseils pour des cas de conscience difficiles et par la description des devoirs des divers états de vie. *Practijcke, dat is werkelijcke oeffeninghe vande Christelijcke hooftdeuchden, gheloove, hope ende liefde* (1612 ; Pratique... des vertus de foi, espérance et charité) : ce livre fait penser aux pratiques domestiques des puritains ; il contient une mise en garde formelle contre un christianisme tout extérieur et formel. *De leeder van Jakob* (1628 ; L'Échelle de Jacob) : dans cette exhortation à la piété intérieure, Udemans trace l'itinéraire de la vie spirituelle : humilité, reconnaissance de Jésus-Christ Seigneur, foi sincère en Dieu par le Christ, confession sincère de foi, pratique de la béatitude, patience chrétienne, expérience de la joie spirituelle, persévérance des saints.

30) *Johannes Verschuir* (1680-1737), originaire de Zeerijp, exerce le ministère de pasteur de 1714 à 1737 à Groningue. Il est devenu le porte-parole des « tourmentés » (*bekommerden*), de ceux qui ne parviennent pas à orienter leur vie exclusivement vers Dieu et qui, en conséquence, jugent illégitime leur participation à la cène ; ils ne peuvent qu'attendre un signe de Dieu dans la tristesse et l'obscurité. En dehors de son œuvre poétique : *Honiggraatje van gesangen tot verquickinge van Zions trueringe in veelderlei zielsgestalten* (1726 ; Rayon de miel...), il faut signaler son ouvrage principal : *Waerheydt in het Binnenste of Bevindelijke Godtgeleertheit...* (1735 ; La vérité intérieure...).

31) *Gisbertus Voëtius* (1589-1676) est né à Heusden et a reçu sa formation théologique à Leyde. C'est le dogmatique Gomarius – et non Arminius – qui gagna son cœur. Sur la recommandation du premier, il devient pasteur à Vlijmen et Engelen (1611). Il étudie plus particulièrement W. Perkins et J. Hayward. Il est nommé pasteur à Heusden en 1617. Alors qu'il s'était déjà déclaré adversaire résolu des Remontrants, il prend part activement au synode de Dordrecht en qualité de délégué et se dépense pour faire appliquer les décisions du synode. Par intervalles il est aussi prédicateur de campagne auprès des troupes de Guillaume de Nassau.

En 1634, il devient professeur à Utrecht ; son discours inaugural est resté célèbre : *De pietate cum scientia conjugenda*. A partir de 1637 il ajoute à son professorat de nombreuses prédications. Il défend la formation à la fois théologique et pratique des théologiens et des pasteurs, l'union de la science et de la vie d'union à Dieu, et aussi le rôle subordonné des sciences auxiliaires dans l'exercice de la théologie. Les travaux scientifiques de Voëtius se situent dans le domaine de l'encyclopédie théologique, des controverses, de l'ascétisme et du droit canon. En dehors de ses travaux universitaires, Voëtius a été très actif dans la catéchèse des enfants et des jeunes gens et au conseil d'église d'Utrecht. Il a été l'ami personnel de Lodenstein, Essenius, Teellinck et Anna Maria van Schuerman.

Sa doctrine peut être définie comme apportant un complément piétiste à la tradition scolastique du calvinisme. Voëtius pense que la racine de la foi est implantée en l'homme au moment de la régénération : la foi en est la conséquence et le but dernier. Dans la conversion se forme un *habitus* de foi, d'où les actes de foi proviennent ; dans ces actes, l'intelligence joue un rôle plus important que la volonté. En réfléchissant sur cette évolution, le croyant parvient à la confiance sereine et joyeuse.

32) *Hermanus Witsius* (1636-1708), né à Enkhuizen, reçoit sa formation théologique à Utrecht auprès de Voëtius, Hoornbeek et Maresius, mais y subit aussi l'influence de van den Bogaard. Pasteur à Westwoud (1657), Wormer (1661), Goes (1666) et Leeuwarden (1668), il devient professeur à Franeker en 1675 ; c'est là que paraît en 1677 son ouvrage principal : *De oeconomia foederum*. Il est professeur à Utrecht de 1680 à 1698. Le thème de son discours inaugural est significatif : *In necesariis unitas, in non necessariis libertas, in omnibus prudentia et charitas*. Délégué des États Généraux lors de l'accession au trône de Jacques II, il se prend d'intérêt pour la théologie anglaise. En 1698 il accepte une chaire à Leyde.

Les exercices et la pratique de la béatitude sont souvent qualifiés par Witsius de « mystique », – ce qui se situe dans la ligne de la définition donnée par Lodenstein : « La théologie mystique est la sainte vérité de la doctrine réformée, enseignée par l'Esprit de Dieu en l'âme humaine. Elle décrit l'homme ' caché ', le cœur, les expériences intérieures d'un homme en qui le Christ habite et que le Saint-Esprit conduit ».

La conception que Witsius se fait de la foi est une tentative de conciliation entre Voëtius et Coccejus. La discussion lui paraît d'ailleurs superflue. La foi a rapport à l'intelligence aussi bien qu'à la volonté, parce que l'homme tout entier y est concerné. Witsius attribue toutefois, de manière originale et pressante, un caractère mystique expérimental à la certitude de la foi. L'influence de Bernard, de Thomas à Kempis et du puritain Rous est ici sensible. Le mariage mystique n'est pas sans lois morales : la jouissance de l'amour ne peut être détachée du service de l'amour.

Graafland a décrit ce chemin mystique menant à la certitude comme suit : « L'Esprit intervient directement dans la vie consciente de la foi de l'homme, et par là les caractéristiques présentes dans la foi apparaissent avec éclat au cœur croyant et nos yeux s'ouvrent pour veiller avec une infaillible justesse sur nous-mêmes. Cela s'accompagne d'une certaine insufflation intérieure qu'aucune parole humaine ne peut exprimer et qui donne directement aux ' amis ' de Dieu l'assurance de leur adoption filiale, parce qu'ils reçoivent celle-ci, de la bouche même de Dieu par un oracle divin clair et explicite. Finalement les croyants ressentent par là de généreux mouvements et de très douces extases, qu'ils peuvent considérer comme autant de preuves de leur adoption filiale ».

33) *Petrus Wittewrongel* (1609-1662), pasteur connu surtout pour s'être opposé au théâtre, en particulier à la représentation du *Lucifer* de Vondel, est originaire de Middelburg. Il a été pasteur à Amsterdam de 1638 à 1662. Tout en défendant la pure doctrine, il s'est efforcé aussi d'atteindre la noblesse de vie propre au puritanisme. On en trouve la preuve dans ses écrits : *Christelicke Huyshoudinghe* (1655 ; Économie chrétienne) et *Oeconomia Christiana ofte Christelicke Huyshoudinghe* (1660).

1. **Sigles et ouvrages principaux.** – AGN : *Algemene Geschiedenis der Nederlanden*, t. 6-9, Bussum, 1979-1980. – BWPG : J.P. de Bie et J. Loosjes, *Biografisch Woordenboek van Protestantische Godgeleerden in de Nederlanden*, 5 vol. parus, La Haye, 1919-1949. – CE : *Christelijke Encyclopedie*, 2e éd., dirigée par F.W. van Grosheide et G.P. van Itterzon, 6 vol., Kampen, 1956-1961. – NNBW : *Nieuw Nederlandsch*

*Biografisch Woordenboek*, de P.C. Molhuysen et P.J. Blok, 10 vol., Leiden, 1911-1937 (réimpr. Amsterdam, 1974).

Pour faciliter le repérage des références (généralement réduites, dans la suite, au seul nom de l'auteur), nous citons les principaux ouvrages selon l'ordre alphabétique des noms d'auteurs.

J. de Boer, *De verzegeling met de Heilige Geest volgens de opvatting van de Nadere Reformatie*, Rotterdam, 1968. – I. Boot, *De allegorische uitlegging van het Hooglied voornamelijk in Nederland* (Dissert. d'Utrecht), Woerden, 1971. – T. Brienen, *De prediking van de Nadere Reformatie*, Amsterdam, 1974.

W. Goeters, *Die Vorbereitung des Pietismus in der reformierten Kirche der Niederlande bis zur labadistischen Krisis*, Leipzig-Utrecht, 1911. – C. Graafland, *De zekerheid van het geloof*, Wageningen, 1961. – P. Heppe, *Geschichte des Pietismus und der Mystik in der Reformierten Kirche, namentlich der Niederlande*, Leiden, 1897. – J. Huizinga, *Nederland's beschaving in de zeventiende eeuw*, dans *Verzamelde Werken*, t. 2, Haarlem, 1948, p. 412-507. – C.B. Hylkema, *Reformateurs. Geschiedkundige Studiën over de godsdienstige bewegingen uit de nadagen onzer Gouden Eeuw*, 2 vol., Haarlem, 1900-1902 (réimpr. Groningen-Amsterdam, 1978).

O.J. de Jong, *Nederlandse Kerkgeschiedenis*, Nijkerk, 1972. – L. Knappert, *Geschiedenis der Nederlandsche Hervormde Kerk*, 2 vol., Amsterdam, 1911-1912. – S. van der Linde, *Mystiek en Bevinding*, dans *Mystiek in de Westerse Kultuur*, Kampen, 1973, p. 87-98; *Opgang en voortgang der reformatie*, Amsterdam, 1976 (recueil d'art. sur la *Nadere Reformatie*, p. 139-218).

P.J. Meertens, *Letterkundig leven in Zeeland in de 16e en de eerste helft der 17e eeuw*, Amsterdam, 1943. – J. Reitsma et J. Lindeboom, *Geschiedenis van de Hervorming en de Hervormde Kerk der Nederlanden*, 5e éd., Utrecht, 1949. – A. Ritschl, *Geschichte des Pietismus in der reformierten Kirche*, 3 vol., Bonn, 1880 (réimpr. Berlin, 1966). – C.W. Roldanus, *Zeventiende-eeuwse geestesbloei*, Utrecht-Anvers, 1961.

F.E. Stoeffler, *The Rise of Evangelical Pietism*, Leiden, 1971. – J.R. Tanis, *Dutch calvinistic pietism in the Middle Colonies. A Study in the Life and Theology of Th. J. Frelinghuysen*, La Haye, 1967. – M.J.A. de Vrijer, *Schortinghuis en zijn analogieën*, Amsterdam, 1942. – A. Ypey et I.J. Dermout, *Geschiedenis der Nederlandsche Hervormde Kerk*, 4 vol., Bréda, 1819-1827.

La revue *Documentatieblad Nadere Reformatie* (Lindenberg-Rotterdam) paraît depuis 1976.

**2. Sur l'expérience de la foi.** – A. van Ruler, *De Bevinding in de Prediking*, dans *Schrift en Kerk*, Nijkerk, 1953, p. 161-86; *Licht en schaduwzijden in de bevindelijkheid*, dans *Kerk en Theologie*, t. 5, 1955, p. 131-47; *De Bevinding*, ibidem, t. 6, 1956, p. 71-90. – S. van der Linde, *Het werk van de H. Geest in de gemeente*, dans *Nieuw Theologisch Tijdschrift*, t. 10, 1955/56. – A. van der Meiden, *De zwartekousen kerken*, Utrecht, 1968. – C. van de Ketterij, *De weg in woorden, een systematische beschrijving van pietistisch woordgebruik na 1900*, Assen, 1972.

**3. Sur le « langage de Canaan ».** – P.J. Buijnsters, *Wensen*, dans *De Nieuwe Taalgids*, t. 58, 1965, p. 196-97. – C. van de Ketterij, *Christen zijn in de tale Kanaäns*, ibidem, t. 64, 1971, p. 382-90. – M.A. Schenkeveld-van der Dussen, *Bruiloftsdichten in de tale Kanaäns...*, ibidem, t. 75, 1982, p. 50-60. – K. Schilder, *Kerktaal en leven*, Amsterdam, 1923.

**4. Sur les divers auteurs présentés.** – *Amesius:* H. Visscher, *G. Amesius, zijn leven en werken*, Haarlem, 1894; – K. Reuter, *W. Amesius, der führende Theologe des erwachenden reformierten Pietismus*, Neukirchen, 1940; – Graafland, p. 138-50. – De Boer, p. 110-15; – Stoeffler, p. 134-41.

*Appelius:* NNBW, t. 7, p. 15; – Graafland, p. 234-37; – Ypey-Dermout, t. 3, p. 614-17. – *Th. G. à Brakel:* Ritschl, t. 1, p. 268-76; – Heppe, p. 173-85; – Goeters, p. 93-97; – Stoeffler, p. 148-51; – De Boer, p. 103-10.

*W. à Brakel:* F.J. Los, *W. à Brakel*, Leiden, 1892; – Graafland, p. 190-200; – Stoeffler, p. 153-57. – *J. de Brune:*

C.H.O.M. von Winning, *J. de Brune de Oude...*, Groningen, 1921; – Meertens, p. 306-15.

*J. Cats:* Meertens, p. 244-99; – D. Ten Berge, *De hooggeleerde en zoetvloeiende dichter J. Cats*, La Haye, 1979; – De Boer, p. 160-63. – *J. Coccejus:* G. Schrenk, *Gottesreich und Bund im älteren Protestantismus...*, Gütersloh, 1923; – Graafland, p. 156-61. – *A. Comrie:* A.G. Honig, *A. Comrie* (Dissert.), Utrecht, 1892; – J.H.R. Verboom, *A. Comrie, predikant van Woubrugge...*, Utrecht, 1964; – J.G. Woelderink, *De rechtvaardiging uit het geloof*, Aalten, s d; – Graafland, p. 218-34.

*P. Datheen:* J. Ruys, *P. Datheen* (Dissert.), Utrecht, 1919; – W.A.P. Smit, *Dichters der Reformatie in de zestiende eeuw*, Groningue, 1939; *Samenhang tussen de Psalmberijmingen van Utenhove Datheen en Marnix*, dans *Album Prof. Dr. Frank Baur*, Gand, 1948; – G.A. van Es, art. dans *Geschiedenis van de Letterk. der Nederlanden*, t. 3, 1944; – S.J. Lenselink, *De Nederlandse Psalmberijmingen van de souterliedekens tot Datheen...*, Assen, 1959.

*J. Eswijler:* Ypey-Dermout, t. 3, p. 322-26; – Knappert, t. 2, p. 27-28; – De Vrijer, p. 144-50. – *Th. J. Frelinghuysen:* voir Tanis. – *J. Fruytier:* BWPG, t. 3 et CE, t. 3, p. 89-90; – J.W. Beerekamp, *De jeugddienst, zijn geschiedenis, principe en opzet*, Nijkerk, 1952.

*Th. van de Groe:* Graafland, p. 237-44. – *J. Hoornbeek:* J.A. Cramer, *De theologische faculteit te Utrecht ten tijde van Voetius*, Utrecht, 1932; – CE, t. 3, p. 513. – *J. Koelman:* A.F. Krull, *J.K. Sneek*, 1901; – BWPG, t. 5, p. 91-107. – *G. Kuypers:* W.G. Goeters, *Züge aus der grossen Erweckungsbewegung zu Nijkerk 1750*, dans *Reformerte Kirchenzeitung*, 1906; – Chr. Sepp, *Johannes Stinstra en zijn tijd*, t. 2, Leiden, 1866, p. 226-43; – S.D. van Veen, *Uit de vorige eeuw*, Utrecht, 1887, p. 1-40; – De Vriger, p. 194-205; – J. van de Berg, *Een opwekking te Nijkerk in 1821*, dans *Nederl. Arch. Kerkgesch.*, nouv. série, t. 48, 1968.

*Fr. A. Lampe:* De Vrijer, p. 153-55; – G. Snijders, *Fr. A. Lampe* (Dissert.), Hardewijk, 1954. – *J. van Lodenstein:* P.J. Proost, *J. van Lodenstein*, Amsterdam, 1880; – De Vrijer, p. 117-43; – K. Heeroma, *Protestantse poëzie der 16de en 17de eeuw*, t. 2, Amsterdam, 1950, p. XV-XVI, 80-96; – J. Trimp, *J. van Lodenstein als piëtistisch Dichter*, Groningen, 1952; – G.A. van Es, art. dans *Geschiedenis van de Letterk. der Nederl.*, t. 5, 1952, p. 345-57; – P.J. Buijnsters, *J. van L. Uit-Spanningen*, Zutphen, 1971; – Stoeffler, p. 141-48; – C.P. van Andel, *Ontmoeting met J.v.L.*, Kampen, s d.

*M. Nethenus:* CE., t. 5, p. 191. – *S. Nethenus:* Stoeffler, p. 175. – *G. Saldenus:* Heppe, p. 406-08; – Goeters, p. 100-06; – NNBW, t. 10, p. 866-67; – Stoeffler, p. 157-60. – *W. Schortinghuis:* De Vrijer; – De Boer, p. 136-37. – *W. Sluiter:* C. Blockland, *W. Sluiter* (Dissert.), Assen, 1965; – De Boer, p. 149-51. – *B. Smytegelt:* M.J.A. De Vrijer, *B. Smytegelt en zijn ' Gekrookte Riet '*, Amsterdam, 1947.

*J. Taffin:* S. van der Linde, *J. Taffin. Hofprediker en raadsheer van Willem van Oranje*, Amsterdam, 1952. – C. Boer, *Hofpredikers van Willem van Oranje*, La Haye, 1952; – Stoeffler, p. 121-24; – Graafland, p. 165-71; – De Boer, p. 50-60. – *J. Teellinck:* Goeters, p. 99; – Graafland, p. 180-86; – Stoeffler, p. 151-53; – De Boer, p. 133-39. – *E. Teellinck:* P.J. Meertens, *E. Teellinck, de pamflettist van het Zeeuwse Piëtisme*, dans *Nederl. Arch. van Kerkgeschiedenis*, 1936, p. 212-35. – *W. Teellinck:* Heppe, p. 106-40; – W.J.M. Engelberts, *W. Teellinck* (Dissert.), Amsterdam, 1898; – Meertens, p. 168-78; – W.T. Bouwman, *W. Teellinck en de practijk der godzaligheid*, Kampen, 1928; – Stoeffler, p. 127-34; – Graafland, p. 171-80; – De Boer, p. 77-98.

*G.C. Udemans:* P.J. Meertens, *G.C. Udemans*, dans *Nederl. Arch. van Kerkgesch.*, 1936, p. 65-106; – Stoeffler, p. 124-26. – *J. Verschuir:* G.A. Wümkes, *De gereformeerde Kerk in de Ommelanden tussen Eems en Lauwers*, Groningen, 1904, p. 115-19; – De Vrijer, p. 155-57; – Tanis, p. 116-18.

*G. Voëtius:* A.C. Duker, *G. Voetius*, 3 vol., Leiden, 1897-1914; – Ritschl, t. 1, p. 102-11; – J.A. Cramer, *De Theologische Faculteit te Utrecht ten tijde van Voetius*,

Utrecht, 1932 ; – C. Steenblok, *Voetius en de sabbat,* Hoorn, 1941 ; *G. Voetius, zijn leven en werken,* Rhenen, 1942 ; – Graafland, p. 150-56 ; – De Boer, p. 116-24. – *H. Witsius :* J. van Genderen, *H. Witsius* (Dissert.), La Haye, 1953 ; – J. Kwekkeboom, *H.W. als dichter,* dans *Nederl. Arch. van Kerkgesch.,* t. 41, 1956, p. 162-67 ; – Graafland, p. 161-65.

Voir P.L. Eggermont, *Bibliografie van het Nederlandse Piëtisme in de zeventiende en achttiende eeuw,* dans *Documentatieblad werkgroep 18' eeuw,* t. 3, Nimègue, 1969.

### 3. Les Remontrants : une spiritualité horizontale ?

Le calvinisme néerlandais a présenté, dès l'origine et dans ses développements, un caractère nettement pluriforme. On peut en dire autant de l'Église réformée en général, qui s'est largement ouverte dès le commencement, sachant qu'il est possible de subsister au milieu de tensions même vives. Un exemple frappant en est fourni par le conflit qui conduisit à la Fraternité des Remontrants.

Le conflit débuta par la lutte entre supralapsaires et infralapsaires à propos de la relation entre l'intangible souveraineté de Dieu (pierre angulaire de la Réforme) et la responsabilité et la liberté de l'homme dans le développement de son histoire. La prédestination est-elle antérieure, oui ou non, à la chute dans le péché ? A la lumière des événements qui vont se produire, on remarque que c'est Jacob Harmensz (Arminius, 1560-1609) qui fut prié de défendre l'opinion la plus sévère sur cette question. Les résultats de son étude sur ce que la Bible enseignait à propos de la prédestination suscitèrent bien quelque inquiétude. Mais le conflit n'éclata toutefois qu'après sa nomination comme professeur à Leyde (1603), où il devint le collègue de Gomarus (1563-1641). L'occasion directe du conflit fut la décision prise par Arminius de proposer la doctrine de la prédestination comme sujet de discussion publique. Nijenhuis (AGN, t. 6, p. 419) énonce comme suit les thèses en présence : selon Arminius « la prédestination est une décision du bon plaisir de Dieu dans le Christ par laquelle Dieu a décidé de toute éternité de justifier les croyants auxquels il s'est proposé de donner la foi, de les adopter comme ses enfants et de leur accorder la vie éternelle pour la louange de sa grâce de gloire. La réprobation est une décision de la colère ou de la sévérité de Dieu par laquelle il s'est proposé de toute éternité, pour montrer sa colère et sa puissance, de livrer à la mort éternelle, comme se trouvant en dehors de la communion du Christ, les incroyants qui par leur faute et par un juste jugement de Dieu n'accèderont pas à la foi ». Gomarus affirmait, par contre, que « Dieu en sa prédestination a destiné d'avance certaines créatures à la vie éternelle et aux voies et moyens qui conduisent à la béatitude (création en un état de bonté originelle) et à l'obéissance des saints. Et que d'autre part Dieu a destiné d'avance certaines créatures ou certains hommes à la mort éternelle ainsi qu'aux voies et moyens qui y conduisent, à savoir la création en un état de bonté originelle, la permission de la chute de l'homme dans le péché, la perte de la justice originelle et l'abandon de l'homme en ce misérable état ».

On en arrivera à une polarisation fanatique des positions, Gomarus s'engageant toujours davantage dans la spéculation et la philosophie, en partie sous l'influence de Zanchius et de la Réforme en Angleterre. Les considérations théoriques prirent le pas sur la pratique. Gomarus, auquel on attacha plus tard dans la République une importance plus grande qu'à

Calvin lui-même, parlait de la foi comme d'un *habitus* infus, par lequel la grâce était malgré tout plus une propriété de l'homme que la libre relation de Dieu à l'homme. La puissance de la régénération est, elle aussi, quelque chose de propre à l'homme. Et cela le conduit à la thèse de la « persévérance des saints » : celui qui a reçu la foi, ne la perd plus ; celui qui ne l'a jamais reçue, ne peut y accéder. De cette manière, Gomarus dissociait la connaissance de foi et l'expérience personnelle. Toute l'histoire du calvinisme néerlandais aux 17e et 18e siècles s'est comme polarisée sur cette question. La lutte qui se déclencha après le décès d'Arminius au sujet de son successeur accentua encore les oppositions. De plus, le conflit sur la prédestination se compliqua encore davantage en se combinant avec un autre problème de grande actualité : la question de l'administration de l'Église, et des relations entre Église et État. Après le synode d'Emden, ce furent les Églises de Hollande et de Zélande (estimant pouvoir admettre une intervention de l'État dans certaines questions ecclésiastiques) qui entrèrent à leur tour dans l'opposition.

Tout cela conduisit à la *Remontrance* rédigée par Uyttenbogaert sur la base de la déclaration d'Arminius devant les États de Hollande (1608). Nijenhuis en résume le contenu de la manière suivante (AGN, t. 6, p. 419) : « 1) Élection dans le Christ de ceux qui croient en Jésus-Christ par la grâce du Saint-Esprit et qui persévèrent dans la foi, et réprobation des non-convertis et des incroyants ; 2) la mort en croix du Christ pour tous les hommes, par laquelle toutefois seul l'homme qui croit en Lui reçoit la rémission des péchés ; 3) la foi comme don de l'Esprit, par laquelle l'homme est régénéré en son intelligence et sa volonté (*in verstand, affectie oft wille*), et sans laquelle 4) il ' ne peut ni penser ni vouloir ni faire le bien ' ; 5) le caractère résistible de la grâce divine, par lequel l'homme peut résister au Saint-Esprit ». Sur ce dernier point, les adversaires opposèrent opiniâtrement la thèse de la persévérance des saints.

On ne peut affirmer plus longtemps que les Remontrants ont recruté leurs adeptes principalement dans les couches aisées et libéralisantes de la population, et les Contre-Remontrants dans les classes inférieures. Cette thèse indique bien une piste' intéressante à suivre, mais demande à être fortement nuancée.

La question en litige a été tranchée définitivement par le synode de Dordrecht. Les Remontrants sont désapprouvés, sur la base de considérations étroitement spéculatives. A la fin du 17e siècle, ils comptaient trente communautés.

Le conflit se prolongera au cours du 17e siècle, comme le montrent l'ouvrage du professeur de Leyde, Jacobus Trigland : *Den krachteloosen Remonstrant vermorseld door de kracht van de leere der waerheyt, die na de godtsaligheyt is* (1632 ; Le Remontrant... écrasé par la force de la doctrine de vérité...), et la réponse d'Episcopius : *De war-religie ofte de verwarde, valsche en redenloose religie Jacobi Triglandii* (1636 ; La religion confuse... et fausse...). – Voir aussi les histoires de l'un et l'autre parti : Uyttenbogaert, *De kerckelicke historie,* 1646 ; – Trigland, *Kerckelycke geschiedenissen,* 1650.

K. Dijk, *De strijd over infra- en supralapsarisme in de Gereformeerde Kerken van Nederland,* Kampen, 1912. – *De Remonstranten. Gedenkboek bij het 300-jarig bestaan der Remonstrantsche Broederschap,* Leiden, 1919. – G.P. Van Itterson, *Franciscus Gomarus,* La Haye, 1929. – G. Oorthuys, *De leer der praedestinatie,* Wageningen, s d. – D.

Nobbs, *Theocracy and toleration*, 1938. – A.H. Haentjens, *Fragmenten uit de geschiedenis van de Remonstrantse Broederschap*, dans *Oriëntatie* IX, 1959. – G.J. Sirks, *Arminius pleidooi voor de vrede van de Kerk*, ibidem, XI, 1960. – D. Tjalsma, *Leven en strijd van Jacobus Arminius*, ibidem, XII-XIII, 1960. – G.J. Hoedendaal, *Verklaring van Jacobus Arminius afgelegd in de vergadering van de Staten van Holland op 30 October 1608*, 1960. – E. Conring, *Kirche und Staat nach der Lehre der niederländischen Calvinisten in der ersten Hälfte des 17. Jahrhunderts*, Neukirchen, 1965. – C. Bangs, *Arminius. A study in the Dutch Reformation*, Nashville-New York, 1971. – W. Nijenhuis, dans AGN, t. 6, p. 325-43, 397-411 ; *Varianten binnen het Nederlandse Calvinisme in de zestiende eeuw*, dans *Tijdschrift voor geschiedenis*, t. 89, 1976, p. 358-72.

4. LE MOUVEMENT DES COLLÉGIANTS. – En 1672 paraît à Rotterdam un opuscule : *Aenmerkingen over het Verhael van het eerste Begin en Opkomen der Rynsburgers* (Remarques sur le récit des origines...). Son auteur, Joachim Oudaen (1628-1692), poète collégiant, cite parmi les personnes qui ont exercé une grande influence sur le mouvement des Collégiants Sébastien Castellion, Jacob Aconcio et Dirk Coornhert. Ces noms sont, à eux seuls, tout un programme. Que s'est-il passé ?

Le premier « collège », celui de Rijnsburg, qui devint comme la figure modèle de beaucoup d'autres, s'est formé le jour où Gijsbert van de Kodde a refusé en 1619 de céder la fonction de direction qu'il exerçait dans un cercle remontrant, au pasteur que la Fraternité des Remontrants venait de lui désigner comme successeur. Van de Kodde protestait ainsi contre la mise en application des décrets du synode de Dordrecht ; mais c'était aussi une attitude contestant les instances ecclésiastiques hiérarchiques.

On en arriva peu à peu à considérer les réunions tenues ainsi de manière clandestine et sous la pression des circonstances par des croyants pleins de zèle, comme l'expression la plus authentique de la vie chrétienne. Et cette appréciation portait aussi bien sur l'organisation extérieure que sur le contenu même de ces réunions.

Il était prévisible qu'un tel mouvement se sentirait fort attiré par le spiritualisme et l'individualisme. Et comme ces deux tendances, une fois réunies, mènent tout naturellement à une diversification infinie, on fit de la pluriformité illimitée une règle fixe, qui allait mettre à une rude épreuve les limites de la tolérance.

1) *Galenus Abrahamsz* (1622-1706), dont on a déjà parlé plus haut (col. 760-61), a probablement voulu mettre les Collégiants au service de l'Anabaptisme. Il est certain qu'il a partagé, du moins de façon modérée, leur conception de la vie chrétienne. Il entra vers 1640 en contact avec un collège d'Amsterdam où Adam Boreel et Daniel de Breen jouaient un rôle actif.

Certains aspects de la doctrine de Galenus sont caractéristiques du mouvement des Collégiants : la conversion de Constantin marque la fin et la ruine de l'Église apostolique du Christ. Depuis lors, aucune église ne peut plus se prévaloir d'une autorité ou d'une mission divine. Mais il existe encore des vrais chrétiens disséminés de par le monde ; ce sont eux qui, avec les élus, forment l'Église invisible.

2) *Adam Boreel* (1603-1666), né à Middelburg d'une famille patricienne, a été baptisé dans l'Église réformée. Au cours de ses études théologiques et philosophiques à Leyde (à partir de 1628) il montre un grand intérêt pour l'hébreu et le grec. Au cours d'un voyage en Angleterre, où il entre en contact avec les platonisants de Cambridge, il fut quelque temps emprisonné à cause de ses conceptions anticonfessionnelles. Il organise ensuite des collèges à Rotterdam, Vlaardingen et Zwolle. Il forme en 1646 avec Daniel de Breen, Michiel Comans et d'autres, le collège d'Amsterdam dont Galenus devient membre.

Son opuscule *De Christen guldenschakel* (Le Chaînon d'or chrétien) est un exemple remarquable de la manière dont, dans la seconde moitié du 17e siècle, on mêlait cartésianisme et mystique. Le rationalisme est visible dans le développement en syllogisme de la preuve que Dieu seul est la fin ultime des questions et des désirs de l'homme ; de l'inspiration mystique relève la description, appuyée sur le Nouveau Testament, de la manière dont l'homme peut atteindre l'« unio constans atque perseverans cum Deo ».

3) *Daniel de Breen* (1594/99-1664), né à Haarlem, y fit aussi ses études sous la conduite d'Episcopius. D'abord Remontrant convaincu (au synode de Dordrecht il est le secrétaire des Remontrants inculpés), il donne sa démission avant octobre 1619 et séjourne à Strasbourg jusqu'en 1621. Il entre probablement en contact dans cette ville avec les partisans de Schwenckfeld. Il rompt définitivement avec les Remontrants en 1621 à Haarlem et se rallie aux Collégiants. Il est avec Boreel un des membres les plus en vue du collège d'Amsterdam.

De Breen est avant tout un chiliaste. Il est l'annonciateur prophétique de la parousie qui restituera sur la terre la véritable Église du Christ. Jésus reviendra lui-même pour établir le règne du peuple chrétien. Et cette Église se maintiendra jusqu'à la fin des temps. Toute puissance lui sera donnée. Jésus ne reviendra d'ailleurs pas de manière visible : c'est du ciel qu'il exercera sa puissance spirituelle. Pour participer à cette parousie, il est nécessaire de sortir de toute église concrète. L'homme en effet n'est pas plus capable d'améliorer l'Église que le monde.

Les *Opera omnia* de de Breen ont été publiées par l'éditeur Frans Kuyper, lui-même collégiant, qui s'était aussi chargé de l'édition des ouvrages de Boreel.

4) *Pieter Balling* † 1661. – On est mal informé au sujet de la vie de ce marchand polyglotte d'Amsterdam ; il connaissait l'espagnol, le latin et le grec. En 1662 il a publié : *Het licht op den Kandelaar Dienende tot opmerking van de voornaamste dingen ; in het boekje genaamt De verborgentheden van het Rijke Ghodts, etc. tegen Galenus Abrahamse en zijn Toestemmers, etc. verhandelt en beschreven door William Ames* (La lumière sur le Candélabre...).

Balling appartenait, en même temps que Jarig Jelles, au cercle amsterdamois d'amis du jeune Spinoza. Son ouvrage décrit la rencontre avec Dieu par le moyen de la lumière intérieure, qui rend l'homme capable de porter des jugements et d'acquérir des vues infaillibles. Cette lumière naturelle est présente en chaque homme, mais elle doit être protégée contre les désirs terrestres. Il n'est pas question ici d'une expérience passive de Dieu ou d'une déification par la grâce. La découverte de Dieu est un processus naturel.

5) *Jarig Jelles* †1683, marchand d'épices amsterdamois, commença par vouer un intérêt particulier aux sciences de la nature, mais décida vers le milieu des années 1650 de se livrer à des études religieuses et métaphysiques. Il apporta son appui à la première édition des ouvrages de Spinoza et des traductions néerlandaises de l'œuvre de Descartes. Cet anabaptiste, s'étant défait de son commerce pour se vouer à l'étude

de la spiritualité, entra en contact avec le cercle groupé autour de Galenus. Ses idées sont connues par les lettres que Spinoza lui écrivit en réponse à ses demandes et par l'apologie que Rieuwertz publia en 1684 : *Belydenisse des algemeenen en Christelyken Geloofs vervattet in een Brief aan N.N.* (Amsterdam ; Confession de la foi universelle et chrétienne...).

Jarig Jelles est un exemple frappant de l'emprise croissante exercée par la pensée rationaliste. Il subit l'influence de divers auteurs, probablement aussi celle de Lodenstein. Au centre de sa pensée se place l'image très particulière qu'il se fait de Jésus : Fils historique de David en qui a séjourné la Sagesse divine (Dieu lui-même), Jésus nous a révélé le salut. Mais la connaissance du Jésus historique n'est pas nécessaire en elle-même, seule la participation à la Sagesse divine qui a séjourné en lui est requise. Lorsque l'intelligence a acquis cette Sagesse, celle-ci ne peut plus jamais être perdue. Et pour l'acquérir, la grâce de Dieu est nécessaire, non les directives des synodes ou des conciles. La terminologie de Jelles est manifestement influencée par Spinoza ; mais les mêmes concepts, placés dans un contexte nouveau, semblent prendre une signification nouvelle.

6) *Joachim Oudaen* (1628-1691). – Par sa mère le poète Oudaen est apparenté à la famille van der Kodde qui est à l'origine du premier collège à Rijnsburg. Après de sérieuses études secondaires au gymnase de Leyde, il devint diacre des anabaptistes waterlandais à Rotterdam et en même temps collégiant actif. Son aversion pour une église orientée vers le monde extérieur se manifeste plus par une profonde intériorité personnelle que par le rejet absolu de toute appartenance ecclésiastique. On peut dire de lui qu'il est un intellectuel inspiré.

7) *Johannes Bredenburg* † 1703, marchand de Rotterdam, marié à une sœur de Joachim Oudaen, est appelé par Kolakowski (p. 250) « un sujet de laboratoire ». Ce qui doit se comprendre en ce sens : sans être un auteur fort important, Bredenburg illustre de manière exemplaire le conflit surgissant entre le désir d'une église apostolique et l'envahissement du rationalisme.

Le collégiant passionné qu'a été Bredenburg a écrit en 1679 : *Verhandeling van de Oorsprong van de Kennisse Gods, en van deselfs dienst...* (Discussion sur l'origine de la connaissance de Dieu et de son service). Dans cet ouvrage, l'homme occupe la place centrale. Le secret de l'existence réside en l'homme, mais il provient de Dieu. Et Dieu se doit d'assurer sa réalisation. La vraie vie n'est rien d'autre qu'un contrat moral entre l'homme et Dieu. Il est clair que le rationalisme offre ici un danger particulièrement menaçant. En 1684 paraît *Wiskundige Demonstratie, dat alle verstandelijke werking, noodzakelijk is* (Démonstration mathématique, que toute activité de l'entendement est nécessaire). Dans une introduction autobiographique, Bredenburg reconnaît le terrible conflit qui l'agite : la foi et la raison lui apparaissent comme deux choses inconciliables. Pressé par les attaques de ses adversaires, il cherche une solution et tente de se défendre dans la *Wederlegging van de Verdeediging van J.B. tegen die Aanmerkingen... van F.K.* (Réfutation de la Défense...). Il y adopte la formule : « credo quia absurdum », ou la doctrine de la double vérité : « foi et raison constituent ensemble l'unique royaume de la vérité, mais de manière différente ».

P. De Fijne, *Kort, waerachtigh, en getrouw Verhael van het eerste Begin en opkomen van de Nieuwe Seckte der Propheten ofte Rijnsburgers*, Waer-stadt, 1671. – J. Oudaen, *Aenmerkingen over het Verhael van het eerste Begin en Opkomen der Rijnsburgers*, Rotterdam, 1672. – E. van Nijmegen, *Historie der Rijnsburgsche Vergadering*, Rotterdam, 1775. – J.C. van Slee, *De Rijnsburger Collegianten*, Haarlem, 1895. – K.O. Meinsma, *Spinoza en zijn Kring*, La Haye, 1896 ; réimpr. Utrecht, 1980. – C.B. Hylkema, *Reformateurs. Geschiedkundige Studiën over de godsdienstige bewegingen uit de nadagen onzer Gouden Eeuw*, 2 vol., Haarlem, 1900-1902 ; réimpr. Groningen-Amsterdam, 1978. – J. Lindeboom, *Stiefkinderen van het Christendom*, La Haye, 1929. – L. Kolakowski, *Chrétiens sans Église. La conscience religieuse et le lien confessionnel au 17e siècle*, Paris, 1969. – S.B.J. Zilverberg, *Geloof en geweten in de zeventiende eeuw*, Bussum, 1971.

*Galenus Abramsz* : voir bibl. *supra*, col. 762. – *P. Balling* : Kolakowski, p. 206-17 ; – tables des ouvrages d'Hylkema, Meinsma et Lindeboom. – *A. Boreel* : Kolakowski, p. 197-99 ; – BWPG, t. 1, p. 500-01 ; – tables des ouvrages d'Hylkema, Meinsma et Lindeboom ; – G. Arnold, *Kirchen und Ketzer-Historie*, 4 vol., Francfort/Main, 1700, p. 9-10 ; – W. Schneider, *A.B. Sein Leben und seine Schriften*, Giessen, 1911.

*D. de Breen* : Kolakowski, p. 199-206 ; – BWPG, t. 1, p. 604-06 ; – tables des ouvrages d'Hylkema, Meinsma et Lindeboom. – *J. Oudaen* : G. Penon, dans *Bijdragen tot de gesch. der Ned. Letterk.*, t. 2, Groningen, 1881, p. 109-154 ; t. 3, 1884, p. 76-79 ; – J. Karsemeijer, *J.O. als chiliast*, dans *De Nieuwe Taalgids*, t. 37, 1943, p. 231-37 ; – C.C. de Bruin, *J.O. in de lijst van zijn tijd*, Groningen, 1955 ; – A. van Duinkerken, *Beeldenspel van Ned. dichters*, Utrecht-Anvers, 1957, p. 123 svv ; – J. Melles, *J.O., Heraut der Verdraagzaamheid*, Utrecht, 1958 ; – A. van Mourik, *Het loflied van O. op Antonides'Ystroom*, dans *De Nieuwe Taalgids*, t. 54, 1961, p. 17-23.

*J. Bredenburg* : Kolakowski, p. 250-76. – *J. Jelles* : Kolakowski, p. 217-25 ; – tables des ouvrages d'Hylkema, Meinsma et Lindeboom.

5. AVEC L'ÉVANGILE, MAIS SANS ÉGLISES. – 1) *Dirck Volckertszoon Coornhert* (1522-1590). – La vie de Coornhert, originaire d'Amsterdam, poète, prosateur, graveur, humaniste et moraliste, se développe en parallèle avec les malheurs des anabaptistes, leur lutte pour une vraie communauté et leur réflexion sur les martyrologes, aussi bien qu'avec les premiers germes du mouvement des Remontrants. Malgré toute sa sympathie pour les mennonites waterlandais, Coornhert ne donnera jamais son adhésion à l'une quelconque des communautés de la Réforme.

Dans le contexte de cet article, il faut signaler parmi ses œuvres : *Proces van 't Ketterdooden* (Procès de la condamnation à mort des Hérétiques) ouvrage plaidant pour la tolérance et dirigé contre Justus Lipsius ; *Verschooninge van de Roomsche Afgoderye* (De l'Idolâtrie Romaine..., 1562), ouvrage où s'affirme définitivement le rejet de Calvin ; et surtout *Zedekunst, dat is Wellevenskunste* (1585 ; Éthique ou Art de vivre), dédié à H.L. Spiegel.

Coornhert se situe dans la tradition de ceux qui pensent qu'aucune Église n'est capable de démontrer sa supériorité sur les autres, qu'il s'agisse de dogmes ou de structures, car aucune ne soutient victorieusement la confrontation avec le critère de l'attitude morale. Le salut ne peut être lié ou confié à une seule Église à l'exclusion des autres. En tant que moraliste, Coornhert est en partie sous l'influence de la *Theologia Deutsch*, dans la tradition du spiritualisme ; il n'y a ni prédestination, ni péché originel, ni hiérarchie de clercs.

En tant qu'humaniste, Coornhert a de l'homme une conception optimiste. Tout homme est capable d'accomplir la volonté de Dieu, car chacun dispose d'une étincelle (« een klein wederglansken ») de la lumière divine. La promesse du salut vient de Dieu ; que l'on y parvienne dépend de la libre disposition de l'homme. Dans ce processus, les deux partenaires sont pour ainsi dire égaux : l'offre vient de Dieu, la réponse de l'homme. C'est précisément pour ce motif qu'il ne peut être question de péché originel ou de « persévérance des saints ».

J. Ten Brink, *Dirck Volckertsen Coornhert en zijne Welle-venskunst*, Amsterdam, 1860 ; – B. Becker, *Bronnen tot de kennis van het leven en de werken van Coornhert*, 1928 ; *Coornhert, de 16-de eeuwsche apostel der volmaaktheid*, coll. Ned. Archief voor Kerkgeschiedenis ; *D.V. Coornhert. Zede-kunst dat is Wellevenskunste* (Leidsche Drukken en Her-drukken, Grote Reeks 3), Leiden, 1942 ; – H. Bonger, *De motivering van de godsdienstvrijheid bij D.V. Coornhert*, Arnhem, 1954 ; – O. Noordenbos, *In het voetspoor van Eras-mus*, La Haye, 1941 ; – L. Kolakowski, p. 72-77.

2) *Dirk Raphaels Camphuysen* (1586-1627), poète et théologien, né à Gorcum, y fait aussi comme bour-sier ses études secondaires, en se préparant à devenir prédicant dans l'Église réformée. Son inscription à Leyde (1608) marque le début de ses rapports ami-caux avec la Fraternité des Remontrants, qui le conduiront à s'opposer aux décrets du synode de Dor-drecht. Après avoir occupé pendant quelques années un poste de précepteur, il accepte finalement d'être nommé pasteur à Vleuten en 1617. Deux ans plus tard, il refuse de se soumettre aux décrets du synode. Il choisit de vivre au pied de la croix et de supporter la persécution. Il séjourne successivement d'abord à Amsterdam comme imprimeur, ensuite en Frise orientale à Norden (1620-22), à Harlingen (1623), dans l'île d'Ameland, et finalement comme marchand de lin à Dokkum (1624-27). A Norden il a des contacts avec des cercles sociniens, mais refuse en 1626 – pour des raisons familiales ? – une nomination comme pasteur à Rakow, centre où règne le socinia-nisme. Toutefois il accepte de traduire des œuvres de Valentinus Smaltius et de Faustus Socinus. A Ame-land il écrit *Van 't onbedriegelijk oordeel...* (De l'in-faillible Jugement...). La clef de son œuvre et de sa vie, du moins à partir de 1619, est le refus d'adhérer à l'une quelconque des structures de christianisme organisé.

Œuvres : *Stichtelycke rijmen, om te lezen of te zingen* (Hoorn, 1624 ; Rimes édifiantes...) ; *Stichtelijke rijmen, om te lezen of te zingen. Onderscheyden in IV. deelen. Den twaalfden druk neerstiglijk overzien, en met verscheyde gedichten vermeerdert* (Rotterdam, 1658 ; Rimes édifiantes...) ; *Uytbreiding over de psalmen des propheten Davids. Na de Fransche dichtmate van C. Marot en T. de Beze* (Amsterdam, 1630 ; Explication des Psaumes...) ; *Theo-logische werken, bestaende in drie deelen : t. 1, Van 't onbe-driegelijk oordeel ; t. 2, In predicatien ; t. 3, In brieven en extracten. Deze laetste druk met eenige brieven, kantteeke-ningen, en registers vermeerdert* (Amsterdam, 1672).

Camphuysen va encore plus loin que Coornhert. La foi n'est selon lui que la motivation intérieure de l'action ; elle est plus importante que les actes de vertu. De même, l'intensité de la connaissance de foi est plus importante que son contenu.

L'alliance de grâce est conçue de la même manière que par Coornhert, mais plus radicalement encore : tous les hommes doivent prendre en main leur libre responsabilité en raison de leur dignité humaine. Mais intention et acte doivent à chaque reprise à nouveau être comme recréés.

La lecture de l'Évangile remue l'homme, parce que la révélation de Dieu lui est nécessaire. La raison naturelle ne peut parvenir à la connaissance de Dieu.

L'Évangile suffit pour indiquer à l'homme la voie du bien, et c'est à lui de marcher lui-même en cette voie, de par sa propre décision et sa responsabilité personnelle.

J. Vloten, *Uitgelezen stichtelijke rijmen van D.R. Kamp-huyzen...*, Schiedam, 1861. – L.A. Rademaker, *D. Camp-huysen*, Gouda, 1898. – J.C. van der Does, *D.R. C. Bloem-lezing uit zijn gedichten met inleiding*, Purmerend, 1934. – K. Heeroma, *C. en zijn Stichtelijke rijmen*, dans *Tijdschrift voor nederl. taal- en letterkunde*, t. 68, 1951, p. 1-30. – H.G. van Doel, *Daar moet veel strijds gestreden zijn. Camphuysen en de contraremonstranten* (Dissert. Amsterdam), Meppel, 1967 ; *Ik hoor trompetten klinken. De dichters J. Revius en D. Camphuysen*, Leiden, 1969. – Kolakowski, p. 87-90.

6. LABADIE ET LES LABADISTES NÉERLANDAIS. – Voir l'art. du DS, t. 9, col. 1-7. Ajouter à la bibliographie :

J. Hepkema, *Wiewerd en zijn historie. De merkwaardige grafkelder, de geschiedenis der Labadisten en het leven van A.M. Schuerman*, Heerenveen, 1932. – G. Oorthuys, *J. de Labadie en het Labadisme*, dans *Kruispunten op den weg der Kerk, Zwingli-De Labadie-Kohlbrugge*, Wageningen, 1935, p. 105-153. – A.J.M. Lamers, *Hendrik van Deventer...*, Assen, 1946. – H.J. Meijerink, *Reformatie en mystiek, over J. de Labadie en het Labadisme*, Goes, 1956. – F.E. Stoeffler, *The Rise of Evangelical Pietism*, Leiden, 1971. – S. van der Linde, art. sur le Saint-Esprit chez Labadie, dans *Opgang en voortgang der Reformatie*, Amsterdam, 1976, p. 171-88.
Sur W.W. Cancrinus : S.D. van Veen, *Slappe tucht in de 17de eeuw*, dans *Historische Studiën en Schetsen*, Groningen, 1905, p. 339-63. – Sur divers disciples de Labadie, voir l'art. de T. Cannegieter dans *Ned. Archief voor Kerkgesch.*, t. 6, 1897, p. 161-73.
Sur Anna Maria van Schurman (1607-1678) : H.C.M. Ghijsen, art. dans *De Gids*, 1826, t. 1, p. 380-402 et t. 2, p. 105-28. – G.D.J. Schotel, *A.M. van S.*, Den Bosch, 1855. – P. Tschakert, *A.M. von S., der Stern von Utrecht...*, Gotha, 1876. – U. Birch, *A.M. van S., Artist, Scholar, Saint*, Lon-dres, 1909. – A.M.H. Douma, *A.M. van S. en de studie der vrouw*, Amsterdam, 1924. – E. Mülhaupt, *A.M. von S., eine Rheinländerin...*, dans *Monatshefte für Evangelische Kir-chengeschichte des Rheinlandes*, t. 19, 1970. – M. van der Does, *M.A. Bourignon...*, Amsterdam, 1974. – J. Irwin, *A.M. van S. : from Feminism to Pietism*, dans *Church History*, t. 46, 1977, n. 1, p. 48-62.

7. RATIONALISME ET MYSTIQUE. LE SECTARISME SPINOZIEN. – 1) *Willem Deurhof* (1650-1717), autodidacte d'Ams-terdam, ayant lu en traduction des ouvrages de Des-cartes et s'étant aussi intéressé à l'*Éthique* de Spinoza, organisait des soirées où il philosophait au sujet de l'Écriture et de questions métaphysiques. Il interpréta ainsi le livre de Job en 394 réunions successives au cours des années 1708-1717. Le conseil d'Église l'avait déjà exclu de la communauté ecclésiastique à l'occa-sion de son ouvrage *Verhandeling van des Menschen Verlossing* (Traité de la Rédemption...) publié en 1694. Le projet d'une édition posthume de son inter-prétation de Job suscita de violentes réactions de la part de la Faculté de Théologie de Leyde (J. van den Honert) et du synode de la Hollande septentrionale (1741). Ses disciples, les Deurhoffiens, furent très actifs durant presque tout le 18e siècle en Hollande méridionale, à Utrecht et en Frise.
2) *Frederik van Leenhof* (1647-1712), né à Middel-burg, étudia probablement à Utrecht et à Leyde et fut nommé pasteur à Abbeville (1670) et à Nieuwvliet (1672). Après des travaux dans les milieux de la diplo-matie, il exerce encore le ministère à Velsen (1680) et

à Zwolle (1681). Personnalité fort contestée, van Leenhof se démit de ses fonctions en 1711.

Sa vision optimiste, voire libertine, apparaît dans son ouvrage *Den Hemel op Aarden* (1703 ; Le Ciel sur Terre). Ses protestations contre un christianisme inquiet et sombre et contre les prédicants semeurs de terreur et d'angoisse soulevèrent un scandale national, qui trouva sa solution en 1711. Van Leenhof interprète les deux derniers chapitres de l'Apocalypse comme le programme de la vie céleste sur terre.

3) *Pontiaan van Hattem* (1641-1706). – J. Roggeveen édita après la mort de ce grand penseur l'ouvrage en 4 parties qu'il a laissé : *Den Val van 's Werelts Af-God ofte het gelove der Heyligen* (1727 ; La Chute de l'Idole du Monde...). Né à Bergen-op-Zoom, van Hattem s'acquit des disciples dans toutes les provinces. Il devint instructeur à Philipsland et manifesta sa sympathie pour les idées des disciples de Verschoor (dits « Hebreën ») par sa manière toute coccéjenne d'aborder l'Écriture. Bien informé de l'œuvre spinozienne, il plaida pour la liberté de pensée et de confession. Ses thèses furent condamnées en 1680 à Leyde et à Utrecht. En 1683 il fut chassé de la Zélande.

Van Hattem enseigne que l'éternel doit être découvert à partir du temporel, dans une lente croissance où l'homme devient « Parole ». Avant la loi, celui-ci ne connaissait pas la justice de Dieu. Par la loi, cette connaissance est devenue dualiste. Après la loi, la justice se trouve dans le Christ. Désormais le créé révèle Dieu. L'histoire est essentiellement le changement de tout en « Parole ». Comprendre cela, c'est être régénéré. Le péché cesse alors d'exister, si ce n'est au niveau de la nature adamique ; et cet état de péché est détruit par Dieu à la mort. Le régénéré est uni au Christ par la pensée, en laquelle Dieu agit par l'intermédiaire de sa création et son inspiration. Le vrai chrétien est passif et sans passion, plein de confiance reconnaissante ; sa vie tout entière n'est plus qu'un sabbat prolongé.

4) *Les Hattemistes.* – *Jacob Brill* (1639-1700) développa le système de van Hattem, probablement sous l'influence de Jacob Böhme. *Marinus Adriaansz. Booms* prit la tête du mouvement après la mort de Brill et de van Hattem, au temps où les Hattemistes furent condamnés et exilés ; il mourut à Breda en 1728. *Gosuinus van Buitendijk,* d'abord prédicant à Schore et Vlaque dans l'île de Zuid-Beveland, fut suspendu de ses fonctions et fit des études de médecine à Utrecht ; il habita successivement à Roozendaal, Breda, Veere, Utrecht, Amsterdam, et partout chassé, finit par mener une existence errante.

Outre BWPG et CE : A. Ypey et I.J. Dermout, *Geschiedenis der Nederlandsche Hervormde Kerk,* 4 vol., Bréda, 1819-1827. – Borsius, dans *Ned. Archief voor Kerkgesch.,* 1841, p. 267-362 (sur J. Roggeveen). – J. van Leeuwen, *De Antinominianen of de sekten der Verschoristen of Hebreën, Hattemisten, en aanverwante Buitendijkers,* dans *Archief voor kerk. geschied. inz van Nederland,* t. 19, 1848, p. 59-169. – A. Linde, *Spinoza, seine Lehre und deren erste Nachwirkungen in Holland,* Göttingen, 1862. – H. Heppe, *Geschichte des Pietismus und der Mystik...,* Leiden, 1879. W.C. van Manen, *De procedure tegen P. van Hattem,* dans *Ned. Archief voor Kerkgesch.,* 1885, p. 273-384 ; *P. van Hattem,* Amsterdam, 1885. – A.W. Wijbrands, dans *Ned. Archief voor Kerkgesch.,* 1885, p. 51-128 (sur Booms). – K.O. Meinsma, *Spinoza en zijn kring...,* 1896 ; réimpr. Utrecht, 1980. – C.B. Hylkema, *Reformateurs...,* Haarlem, 1900 ; réimpr. Amsterdam, 1978. – W. Meyer, *Wie sich Spinoza zu den Collegianten verhielt,* dans *Archiv für Gesch. der Philosophie,* t. 15, 1902, p. 1-31. – W. Goeters, *Die Vorbereitung des Pietismus in der reformierten Kirche der Niederlande...,* Leipzig, 1911.

L. Knappert, *Geschiedenis der Nederlandsche Hervormde Kerk,* 2 vol., Amsterdam, 1911-1912. – J. Reitsma et J. Lindeboom, *Geschiedenis van de Hervorming en de Hervormde Kerk der Nederlanden,* Utrecht, 1916 (5e éd. 1949). – J. Severijns, *Spinoza en de gereformeerde theologie zijner dagen,* Utrecht, 1919. – J. Lindeboom, *Geschiedenis van het vrijzinnig protestantisme,* t. 1, Assen, 1929. C. Gebhardt, *Die Religion Spinozas,* dans *Archiv für Gesch. der Philosophie,* t. 41, 1932. – C. Graafland, *De zekerheid van het geloof,* Wageningen, 1961 (p. 216-18 : van Hattem). – Kolakowski, cité *supra.*

8. L'ATTRACTION DU SOCINIANISME, aux Pays-Bas, s'est exercée sur certains cercles de Remontrants et de Collégiants, et sur des chrétiens évangéliques en marge des Églises. Cette influence s'est peu à peu effacée au cours du 18e siècle, au profit d'autres courants rationalistes ; elle n'eut d'ailleurs jamais une grande ampleur.

O. Focke, *Der Sozinianismus...,* Kiel, 1847 ; réimpr. Aalen, 1970. – W.J. van Douwen, *Socinianen en Doopsgezinden... (1559-1626),* Leiden, 1898. – W.J. Kühler, *Het Socinianisme in Nederland,* Leiden, 1912. – J.C. van Slee, *De geschiedenis van het Socinianisme in de Nederlanden,* Haarlem, 1914. – H.W. Meihuizen, *Galenus Abrahams...,* Haarlem, 1954. – A. de Groot, *Zur Charakteristik des Sozinianismus,* dans *Nederl. Theol. Tijdschrift,* t. 24, 1970, p. 373-84.

9. ANTOINETTE BOURIGNON et sa communauté domestique. – A. Bourignon (1616-1680 ; DS, t. 1, col. 1915-1917) est depuis quelques années l'objet d'un intérêt renouvelé. Sa biographie présente encore quelques énigmes. Rompant résolument avec sa vie passée à partir de 1634, elle a conscience d'être l'élue privilégiée de Dieu et marche par des chemins où la dimension ecclésiale de la vie spirituelle et la lecture de la Bible vont peu à peu perdre toute importance. A partir de 1650, elle mène une vie errante ; à Malines elle subjugue l'oratorien Christian de Kort et conçoit le rêve utopique de l'île de Noordstrand : fuir le monde de la Contre-Réforme ; elle fonde la communauté domestique d'Amsterdam (1667), mais la Réforme n'apporte pas davantage la réponse qu'elle attend. En 1671, elle gagne les pays de langue allemande, rencontre Pierre Poiret à Hambourg (1676), puis se réfugie à Lutzburg et à Franeker, où elle meurt.

On peut se demander si Kolakowski a raison de juger que l'importante œuvre littéraire d'Antoinette Bourignon manifeste une étonnante ignorance, bien qu'elle se prétende inspirée. Le fait est qu'Antoinette mentionne et réfute en détail, mais avec beaucoup de tolérance, les Pères de l'Église et les différentes confessions ; partout elle trouve quelque lumière éparse, mais aucune confession n'offre la lumière totale. On l'a soupçonnée de haïr la sexualité et les femmes. Il est certain qu'elle se représentait Adam comme un hermaphrodite, sur l'autorité de J. Böhme et à la stupéfaction de Poiret. Sa conception du mariage suit celle qu'elle a de l'homme comme auteur du mal sur la terre. On lui a reproché aussi de céder à l'attrait du socinianisme, mais sa vision trinitaire des trois forces de Dieu (Bonté, Justice, Vérité) opérant en tout de manière cohérente témoigne d'une pensée solide.

1) *Christian Hoburg* (1607-1675), après ses études universitaires à Königsberg, devient pasteur anabaptiste à Lanenburg. Un conflit à propos de son orthodoxie provoque son départ pour Hambourg et Keppelbinnen (1652). Ses sympathies pour les écrits de David Joris entraînent sa destitution ;

il se joint pendant quelque temps aux Labadistes à Amsterdam, ensuite à Antoinette Bourignon, pour s'établir finalement à Middelbourg. Après la mort de sa femme, il revient à Hambourg et à Altona. Il a collaboré à l'édition et à la traduction des œuvres d'Antoinette Bourignon. Ses propres écrits ont eu une influence considérable aux Pays-Bas.

2) *Christian de Cort*, oratorien et curé de la paroisse Saint-Jean à Malines, rencontra Antoinette Bourignon à Malines en 1662. Il se créa entre eux une entente parfaite, cimentée par des sympathies jansénistes communes. Lorsque des difficultés surgirent autour de la publication de *La Lumière du Monde,* livre basé sur leurs entretiens durant ces années, tous deux partirent pour Amsterdam et plus tard dans l'île de Noordstrand, où de Cort possédait de grandes propriétés. Après l'échec du projet d'établissement à Noordstrand, de Cort passa un certain temps en prison. Van der Does estime probable que ce prêtre rigoriste et désabusé abandonna son projet d'adhérer au labadisme sur les instances d'Antoinette Bourignon.

3) *Petrus Serarius* (1600?-1669), chiliaste anabaptiste, d'origine française, a été en bonne relation avec Comenius et Galenus. Parmi ses principaux ouvrages, citons *De Vertreding des Heyligen Stadts* (Amsterdam 1662 ; La Cité sainte foulée aux pieds) et *Een blijde Boodschap aan Jerusalem* (1665 ; Joyeuse nouvelle...). Bien que Antoinette Bourignon partageât beaucoup de ses idées chiliastiques, ils rompirent lorsque Antoinette refusa d'admettre – ce dont Petrus Serarius était convaincu – que la prédication de Sabbatai Levi inaugurait le commencement du Royaume de Dieu.

4) *Quirinus Kuhlmann* (1651-1680/89), après une jeunesse visionnaire, devint un chiliaste disciple de Böhme. Il s'établit à Amsterdam en 1673 où il est l'ami de J. Rothe et se trouve quelque temps en contact avec Antoinette Bourignon. Un voyage à travers l'Europe l'amène à Moscou où il est condamné pour blasphème à être brûlé vif. Il aurait défendu la thèse qu'il faut se représenter Dieu comme la réunion de quatre Personnes. Parmi ses ouvrages, citons *Himmlische Liebes-Küsse* (1671) et *Neubegeisterter Böhme* (Leiden, 1674).

5) *Johannes Rothe*, chiliaste irénique, a subi, lui aussi, l'influence des écrits de Böhme. Un de ses ouvrages a pour titre *Een Nieuwe Hemel en Aerde.* La rupture avec Bourignon vint lorsqu'il prétendit connaître le temps précis du commencement de la « 5e monarchie » (le Royaume du Christ sur terre). Antoinette Bourignon avait des idées précises sur les conditions devant mener à ce Royaume, mais s'opposait à toute indication quant au temps précis de son avènement.

6) *Pierre Poiret*, né à Metz dans une famille réformée, découvrit jeune encore les œuvres de Descartes, tout en s'intéressant à Tauler et à d'autres auteurs mystiques. Il étudia à Bâle et fut nommé pasteur à Anweil. En 1676, il entra dans une crise de conscience à laquelle certaines œuvres d'Antoinette Bourignon ne sont pas étrangères. En partie pour échapper à la guerre, il s'enfuit à Amsterdam et à Hambourg, où il devient le serviteur de confiance d'Antoinette. Après la mort de celle-ci, il revient à Amsterdam puis à Leyde, où il vécut encore une trentaine d'années. Il travailla sans répit à la publication des œuvres d'Antoinette et écrivit sa vie en vue de la réhabiliter. Lui-même a été un métaphysicien de valeur. L'influence exercée par ce mystique tolérant, aux formules d'une précision toute cartésienne, demande à être étudié de plus près. Voir la notice qui lui sera consacrée par le DS.

7) *Jan Swammerdam* (1637-1680), né à Amsterdam, est un des plus grands naturalistes du 17e siècle. Après des études de médecine à Leyde (1661-1663), il entreprit un voyage d'étude en France ; il y rencontra l'ambassadeur des Pays-Bas Coenraad van Beuningen (1622-1693) et devint l'ami de M. Thévenot (1620-1692). En 1667 il est promu

docteur à Leyde. La thèse soutenue est un exposé cartésien sur la respiration qui devient sur-le-champ un ouvrage classique. Revenu à la maison paternelle, il publie en 1669 son *Historia insectorum generalis, ofte algemene verhandeling van bloedeloose Dierkens,* et en 1672 *Miraculum Naturae.* Des tensions dans le milieu familial et des dépressions personnelles l'amènent, par l'intermédiaire du marchand Jan Tielens, à recourir aux conseils d'Antoinette Bourignon, qu'il salue comme la Femme de l'Apocalypse. En 1675 il rejoint la communauté de Noordstrand. La rencontre avec Antoinette Bourignon fut une désillusion. Elle eut en tout cas une part importante dans la composition de l'ouvrage : *Ephemeri Vita of afbeeldingh van 's Menschen Leven, vertoont in de Wonderbaarelijcke en nooyt gehoorde Historie van het vliegent en een-dagh-levent Haft of Oever-Aas* (1675 ; Histoire de la Vie humaine... illustrée par l'Histoire de l'Éphémère...) ; dans cet ouvrage la tendance mystique de Swammerdam s'exprime largement.

*A. Bourignon* : Kolakowski, p. 640-689 ; M. van der Does, *A. B. La vie et l'œuvre d'une mystique chrétienne...,* Amsterdam, 1974 (bibl.). – *Hoburg* : BWPG, t. 4, p. 49-51 ; – Van der Does, table. – *De Cort* : Van der Does, table. – *Serarius* : NNBW, t. 10, p. 911-13 ; – tables de van der Does, Hylkema (*Reformateurs*), Meinsma (*Spinoza*) ; – K. Meeuwesse, *Een teruggevonden werkje van P. S.,* dans *Studia Catholica,* t. 25, 1950, p. 241-59 ; *Jan Luyken als dichter van de Duytse Lier...,* Groningen-Amsterdam, 1977, p. 10-15 et *passim.*

*Kuhlmann* : Van der Does, tables ; – R.L. Beare, *Q. K. Kühlpsalter,* Tübingen, 1978. – *Rothe* : Van der Does, table ; – Hylkema, p. 164-65. – *Poiret* : M. Wiesen, *P. P., der Vater der romantischen Mystik in Deutschland...,* Munich, 1932 ; – R. Amadou, *Un grand mystique protestant français, P.P.,* dans *Revue de la Soc. de l'histoire du protestantisme français,* janvier-mars 1950 ; – C.P. van Andel, *Gerhard Tersteegen* (Dissert.), Wageningen, 1961 ; – M. Chevallier, *P.P. Métaphysique cartésienne et spiritualité...,* La Haye, 1975 ; – Van der Does, table. – *Swammerdam* : Van der Does, table ; – G.A. Lindeboom, *Ontmoeting met J.S.,* Kampen, 1980 (bibl.).

10. INFLUENCE DE JACOB BÖHME. – Cette influence a été importante aux Pays-Bas, comme le montrent les figures vivant dans l'entourage d'A. Bourignon, et deux autres liées à l'histoire d'Amsterdam.

1) *Johann Georg Gichtel* (1638-1710), avocat luthérien ayant étudié à Strasbourg, est saisi en 1664 (sans doute au sein de crises obsessionnelles d'ordre sexuel) d'une illumination qui dominera toute sa vie : au cours d'un séjour auprès de Friedrich Breckling (1629-1711), il reçoit une vision qui lui découvre que l'homme ne peut trouver Dieu qu'en lui-même ; il faut opposer au monde un refus radical et se retirer dans l'intériorité. Revenu à Ratisbonne, Gichtel entreprend de réformer l'Église et la doctrine luthériennes ; d'où emprisonnement et exil. A partir de 1666, il séjourne aux Pays-Bas, à Zwolle puis à Amsterdam ; dans cette dernière ville se forme le fameux cercle des « Gichteliens » auquel appartient le théologien Albert de Raedt ; un des principaux liens qui unissent le groupe est l'intérêt porté à Böhme. Après la période de bon fonctionnement du groupe (1674-1684), le cercle éclate à propos d'un conflit entre Gichtel et de Raedt sur sa direction. Johann Wilhelm Ueberfeld, resté fidèle à Gichtel, s'est chargé de la publication posthume de ses écrits de la période 1668-1709 : *Theosophia practica* (4 vol., 1701).

Gichtel a rejeté radicalement toute forme de vie ecclésiale et d'organisation extérieure de la vie spirituelle, car Dieu habite dans le fond de l'âme et ne peut être trouvé nulle part ailleurs. Pour le trouver, il faut laisser toutes les facultés naturelles (intelligence et volonté) pour se livrer à l'expérience mystique de la présence de Dieu. Pour cela, l'homme spirituel doit se délivrer du souci du quotidien et vivre en mendiant de l'abondance des riches. Sous l'influence de Böhme, Gichtel construisit sa conception de Dieu et de l'homme autour de trois principes : l'obscurité, le feu et la lumière. Selon Kolakowski, que nous résumons, il ne se serait pas libéré du dualisme extériorité-intériorité.

2) *Jan Luyken* (1649-1712), poète, graveur, a connu une évolution qui le conduisit, à partir du renoncement à toute Église, tout sacrement, confession de foi et prédestination, à ne plus vouloir être qu'un pèlerin de l'Église universelle et cachée. Poète de talent, il écrivit d'abord des poèmes d'une veine érotique et pastorale souvent d'une grande beauté. Selon Meeuwesse, il serait entré en contact avec les « parnassiens » du groupe de Jan Zoet † 1674 et ainsi avec l'humanisme évangélique inspiré de Coornhert ; cela ressort de son recueil *De Duytse Lier,* où il abandonne l'érotisme pour donner large place aux thèmes de l'amour et de la foi. Veuf, après dix ans d'un heureux mariage, en 1682, il se rapproche d'hommes pieux d'Amsterdam tels que Galenus et Serari ; c'est ce que dit un bref récit de sa vie et de sa mort (*Kort Verhaal*). Bien que Serari soit mort en 1669, cette information nous oriente vers le milieu ascétique et spiritualiste du mouvement des Collégiants. La conversion de Luyken ne se produisit pas d'un coup, mais à partir de 1675 sa vie change manifestement : les thèmes de l'éros et de la fragilité, de l'amour et de la foi s'effacent devant ceux de la foi et de l'ascèse ; Tauler, l'*Imitation,* Herp et surtout Böhme inspirent son recueil de poèmes emblématiques *Jezus en de Ziel* (1678 ; Jésus et l'âme). Par la suite, Luyken abordera des thèmes comme la prêtrise universelle, la cène cosmique, le couronnement de l'amitié et de l'amour humains dans l'amitié divine. Luyken illustre remarquablement comment des éléments étrangers ont pu se greffer aux Pays-Bas sur les mouvements anabaptiste, remontrant et collégiant. Il n'a été redécouvert que dans la seconde moitié de ce siècle ; beaucoup reste encore à apprendre à son sujet.

Sur Böhme et les Pays-Bas : W. van Heijting, *Hendrick Beets* (†1708), *publisher to the German adherents of J. Böhme in Amsterdam,* dans *Quaerendo,* t. 4, 1973, p. 250-80 (bibl.).
*Gichtel :* Fr. Tanner, *Die Ehe im Pietismus,* Zurich, 1952 ; – Kolakowski, p. 689-94 ; – Hylkema, *Reformateurs,* t. 2, p. 408-61.
*Luyken :* P. van Eeghen, *J.L. en zijne bloedverwanten* (hors commerce), Amsterdam, 1889 ; – P. van Eeghen et J.Ph. van der Kellen, *Het werk van Jan en Casper Luyken,* 2 vol., Amsterdam, 1905 ; – G.A. van Es, *J.L.,* dans *Geschiedenis van de Letterkunde der Nederlanden,* t. 5, Anvers-Bruxelles, 1952, p. 358-75 ; – G. Stuiveling, *J.L. Het beste deel,* Hasselt, 1965 ; – K. Porteman, *Inleiding tot de Nederlandse emblemataliteratur,* Groningen, 1977 ; – K. Meeuwesse, *J.L. als dichter van de Duytse Lier,* Groningen-Amsterdam, 1977 ; – P. Trouillez, « *De grond van mijnen grond ». De gedichten van J.L....,* dans *Tijdschrift voor geestelijk leven,* t. 31, 1975, p. 217-32 ; – J.W. Schulte-Nordholt, *Ontmoeting met J.L.,* Kampen, 1978 ; – H.W.J. Vekeman, *Jezus en de Ziel. J.L. tussen essentie en existentie,* dans *Tijdschrift voor nederl. taal- en letterkunde,* t. 95, 1979, p. 177-203, 297-322 ; *Jezus en de Ziel. Een nabloei van de Rijnlandse mystiek ?,* dans *De Nieuwe Taalgids,* t. 73, 1980, p. 142-56 ; *Jezus en de Ziel. De zinnebeelden 1 en 5, ibidem,* t. 74, 1981, p. 54-70 ; *J.L. Brieven zonder censuur. Met een bloemlezing uit de gedrukte brieven,* t. 1/1, Cologne, 1983.

Herman W.J. Vekeman.

**PAZ Y FIGUEROA** (Marie-Antoinette de la), 1730-1799. Voir la paz y figueroa, t. 9, col. 251-52.

**PAZMANY** (Pierre), jésuite, évêque, 1570-1637. Voir DS, t. 7, col. 692-93.

**PECHAM** (Jean), frère mineur, évêque, † 1292. Voir Jean Pecham, DS, t. 8, col. 645-49.

**PÉCHÉ - PÉCHEUR.** – I. Écriture. – II. Réflexion théologique et spirituelle.

## I. ÉCRITURE

Si l'Écriture est d'abord une révélation sur Dieu, un Dieu d'amour dès l'Ancien Testament (*Ex.* 34, 6 etc.) et que le Nouveau Testament définira par l'amour (1 *Jean* 4, 8), elle est aussi une révélation sur l'homme, particulièrement dans sa relation à ce Dieu d'amour. Créé à son image (*Gen.* 1, 26), il est appelé, en vertu de cette relation qui le distingue de toutes les créatures, à un degré d'intimité avec son Créateur dont l'Ancien Testament suggérera peu à peu la profondeur à travers les alliances successives (Noé, Abraham, Moïse, David), déjà représentées comme des noces de Dieu avec son peuple (*Ps.* 45 ; *Cant.* ; *Éz.* 16, 8-14), jusqu'à la « Nouvelle Alliance » annoncée en *Jér.* 31, 31-34 et *Éz.* 36, 25-27, mais dont le Nouveau Testament révèle qu'elle s'accomplit dans l'intimité insoupçonnée et insoupçonnable du mystère de l'Incarnation.

Or, ce que nous appelons du terme générique de péché est comme l'envers ou le négatif de cette initiative de l'amour de Dieu ; il est essentiellement le refus par l'homme d'accepter cette relation à Dieu, bien qu'elle constitue son être, et l'histoire du salut consignée dans l'Écriture est celle des tentatives inlassablement répétées par l'amour de Dieu pour le restaurer quand l'homme l'a rompue. Voir par exemple dans les Psaumes comment la constante fidélité de Dieu répond à la non moins constante infidélité d'Israël (*Ps.* 78 ; 105 ; 106, etc.).

C'est donc à travers cette histoire qu'apparaîtra le plus clairement la vraie nature du péché, sa malice et ses dimensions. Quant aux termes extrêmement variés dont l'Ancien Testament se sert pour désigner cette rupture d'avec Dieu qui constitue le péché, la plupart, d'ailleurs, empruntés aux relations humaines, nous renvoyons à l'étude minutieuse d'Évode Beaucamp (DBS, t. 7, 1964, col. 407-471). Nous signalerons seulement certains de ceux qu'utilisent le judaïsme et le Nouveau Testament.

1. *Ancien Testament.* – 2. *Judaïsme contemporain du Nouveau Testament.* – 3. *Nouveau Testament.*

**1. Ancien Testament.** – 1º Le péché du couple primordial. – Pour la Bible, le récit de ce qui s'est passé au commencement de l'histoire offre une signification pour cette histoire elle-même. On ne s'étonnera donc pas de la richesse exceptionnelle de l'enseignement qu'offre le récit du premier péché, tel qu'il a été lu et compris, indépendamment de sa « pré-histoire » dont tel ou tel détail peut être discuté.

On notera ainsi que la Genèse parle explicitement de « l'homme » en un sens collectif, c'est-à-dire en fait de l'espèce humaine incluant une pluralité d'êtres humains : « Faisons l'homme à notre image... et qu'*ils* dominent... Homme et femme il *les* créa » (*Gen.* 1, 26-27). Ce n'est qu'à partir de *Gen.* 2, 19 que la Septante et à sa suite la Vulgate personnalisent cet homme en l'appelant Adam.

1) *Nul n'est à l'abri du péché.* – A propos de cet « homme », l'Écriture enseigne une première vérité. Au terme de l'œuvre créatrice il en est établi Seigneur et Roi (*Gen.* 1, 26-27 ; cf. *Ps.* 8, 6-9). Il jouit de la familiarité de ce Dieu (2, 25) qui en sa faveur ne s'est rien réservé, pas même le privilège divin de la vie (3, 3), à la différence des anciens mythes où « les dieux ont assigné la mort aux hommes, gardant pour eux seuls l'immortalité » (Gilgamesh x, 3). En décrivant comment il va s'opposer à ce Dieu qui l'a comblé de la sorte, le récit de la Genèse veut nous apprendre que nul être humain n'est, en vertu de ses propres forces, à l'abri du péché ; il l'est même d'autant moins qu'il s'imaginerait l'être plus que les autres, comme Pierre lui-même le pensera (*Marc* 14, 29 et 31).

La Bible nous apprend en même temps comment se commet le péché et le rôle joué par le « tentateur », qu'elle évoque discrètement en se gardant d'en faire un « second dieu » (cf. art. *Démon*, DS, t. 3, col. 144-45). Celui-ci se présente en ami et conseiller, sachant d'ailleurs utiliser à ses fins les hommes qu'il espère faire « entrer en dialogue avec lui », ce que l'Écriture appellera « entrer en tentation » (*Marc* 14, 38 et par.).

2) A travers ce premier péché de l'humanité, manifestement présenté comme le prototype de tous les autres, la Bible entend surtout révéler la *vraie nature du péché.*

Il est assurément la violation consciente et volontaire d'un précepte donné par Dieu et accompagné de sa sanction : « De l'arbre de la connaissance du bien et du mal tu ne mangeras pas, car le jour où tu en mangeras tu deviendras passible de mort » (*Gen.* 2, 17). Mais le caractère peccamineux de l'acte extérieur apparaît surtout dans le comportement intérieur qui en est la source : avant de provoquer le geste, le péché a corrompu l'esprit. Comme le rappellera le Christ, il est « au-dedans, dans le cœur des hommes » (*Marc* 7, 21). La femme, puis l'homme s'opposent à une volonté particulière de Dieu parce qu'ils ont consenti à « convoiter » un privilège exclusivement présenté comme divin (l'hébreu utilise successivement en *Gen.* 2, 9 et 3, 6 les deux racines désignant la « convoitise ») : ils ont voulu être « comme des dieux qui connaissent le bien et le mal » (*Gen.* 3, 5), c'est-à-dire, selon l'interprétation la plus commune, « s'ériger en juge du bien et du mal » (Bible de Jérusalem = BJ sur *Gen.* 3, 22), en tout cas, prétendre conquérir ce qu'ils ne peuvent qu'accueillir. Ils refusent cette dépendance qui pourtant constituait leur être même. Saint Paul, en se référant très probablement au récit de la Genèse, discernera dans « cette convoitise » le résumé de tous les péchés (*Rom.* 7, 7-11 ; cf. *infra*, col. 810).

Bien plus, une telle prétention implique que ce Dieu a cessé d'être à leurs yeux le Père souverainement désintéressé qui ne leur a rien refusé ; il devient une sorte de rival jaloux de ses privilèges, tout occupé à les défendre et comme à se protéger contre sa créature : caricature la plus achevée du Dieu de la Bible. Doutant à la fois de sa véracité et de son amour, l'homme cesse de « croire » en Dieu, c'est-à-dire, au sens biblique que nous retrouvons à travers tout l'Ancien Testament, lui « faire confiance », « devenir solide en lui ». Refusant de s'appuyer sur Dieu il se trouve sans autre appui que lui-même (art. *Foi*, DS, t. 5, col. 530 ; cf. *infra*, col. 794).

Ainsi le péché atteint l'homme dans cela même qui fait de lui un être distinct de tous les autres, à savoir dans sa relation immédiate à Dieu : perversion radicale dont les conséquences manifesteront encore davantage la profondeur.

3) *Les conséquences du péché* nous en révèlent toute la réalité en attendant la réparation que la Bible tient à évoquer dès ce premier récit (3, 14-19).

Première conséquence, source de toutes les autres, le péché arrache l'homme à Dieu. Avant même qu'intervienne le châtiment, les coupables, de leur propre initiative, « se cachent devant Dieu parmi les arbres » (3, 8). Ce n'est pas Dieu qui chasse l'homme, mais l'homme qui volontairement se détache de Dieu. La peine est d'abord immanente et l'expulsion du paradis (3, 24) ne fera que ratifier la volonté profonde de se passer de ce Dieu d'amour dont venait cet amour, désintéressé comme le sien, qui faisait de l'homme et de la femme « une seule chair » (2, 24).

Déjà la « convoitise », qui est essentiellement amour de soi, montre que l'amour de l'autre pour lui-même avait fait place dans leur cœur à son contraire. Or voici que l'homme va imiter la caricature que le serpent a présentée de Dieu : pour se protéger contre la sanction divine, il rompt lui-même la merveilleuse unité que Dieu avait conçue pour le prototype de la famille humaine : se désolidarisant de celle où il avait reconnu « l'os de ses os, la chair de sa chair » (2, 23), il reporte sur elle la responsabilité de sa propre désobéissance : « C'est la femme que tu as mise auprès de moi qui m'a donné de l'arbre, et j'ai mangé ! » (3, 12).

Là encore la peine est immanente. A deux amours, âme et ressort de la vie familiale, vont se substituer deux égoïsmes : « Ta convoitise te poussera vers ton mari et lui dominera sur toi » (3, 16). Le véritable amour qu'avant le péché révélait la pureté même de leur regard et de leur cœur, discrètement évoquée en 2, 25, a fait place à l'instinct « animal » de l'être humain qui, refusant tout autre appui que lui-même, se laisse guider par la violence et la sexualité ; Paul nous apprendra que par ses propres forces il ne peut accomplir cela même à quoi il aspire comme à son bien (*Rom.* 7, 18 ; cf. *infra*, col. 811).

Cependant, si l'homme a voulu se passer de Dieu, celui-ci ne l'abandonne pas. Établi chef de la création, il conserve l'honneur et la charge de la conduire à son achèvement. Ce ne sera pourtant pas sans devoir s'user lui-même et aboutir à la mort en échange de la vie éternelle (sur le sens de la *mort*, voir DS, t. 10, col. 1747-58). De même la souffrance désormais attachée à l'enfantement n'empêche pas qu'Ève, à la naissance de Caïn, devenue « de servante d'un époux mère d'un homme » pousse ce « cri de jubilation » (BJ) : « J'ai acquis un homme de par Yahvé ! » (4, 1).

Mais le péché poursuit son œuvre destructrice dans sa propre famille avec le meurtre d'Abel par son frère Caïn (4, 8), que Dieu toutefois consent à protéger contre la vengeance du sang (4, 15), puis dans la société toute entière avec le règne de la violence et de la loi du plus fort célébré par Lamech : « Caïn est vengé sept fois mais Lamech septante sept fois » (4, 24), sauvage exaltation, fruit de l'égoisme dont seul pourra triompher un amour capable de pardonner non pas sept fois mais septante sept fois (*Mt.* 18, 22).

En effet, l'Écriture évoque par plus d'un indice que Dieu ne cesse pas de songer au bien de celui-là même qui refuse son appui. Avant d'entendre sa propre condamnation, l'homme avait appris que la victoire finale n'appartiendrait pas au « lignage du tentateur », mais à « un descendant de la femme qui lui écrasera la tête » (3, 15). A la sombre description de l'invasion du péché dans le monde qui aurait dû aboutir à « l'extermination de tout être vivant » (*Gen.* 6, 17) succède le choix gratuit de Noé, que Dieu préserve de la corruption générale et avec lequel « il établit son *alliance* » (6, 18 ; première mention du terme dans la Bible). Il reprend ainsi avec l'homme, « si mauvais que soit son cœur », l'œuvre de la création qu'il saura, lui, conduire où il veut (comparer *Gen.* 8, 21-22 à 3, 17-18).

De nouveau, avec l'épisode de la tour de Babel (*Gen.* 11, 1-9) se manifeste la volonté de l'homme de se suffire à lui-même, faute également collective comme celle de nos premiers parents : « Faisons des briques, cuisons-les au feu ; bâtissons-nous une ville et une tour dont le sommet pénètre les cieux ! » (11, 3-4), symbole de sa prétention à organiser le monde par ses propres forces sans avoir besoin de Dieu et qui aboutit à « l'organiser en fin de compte contre l'homme », en en détruisant l'unité, elle-même fondée sur l'amour (cf. Paul VI, Encyclique *Populorum progressio*, n. 42, citant H. de Lubac, *Le drame de l'humanisme athée*, Paris, 1944, p. 10).

Mais, quand « unanimes en leur perversité, les nations eurent été confondues » (*Sag.* 10, 5), Dieu appelle Abraham, l'arrache à sa famille et à son pays où « l'on servait d'autres dieux » (*Gen.* 12, 1 ; cf. *Jos.* 24, 2-3, 14 ; *Éz.* 16, 3), pour faire de lui, âgé de 75 ans (*Gen.* 12, 4), époux d'une femme stérile (*Gen.* 11, 30), « un grand peuple » et le père de tous ceux qui accepteront de l'imiter dans cet « acte absolu de foi » (BJ) : « Je bénirai ceux qui te béniront... Par toi se béniront tous les clans de la terre » (*Gen.* 12, 2-3).

2° L'ALLIANCE SINAÏTIQUE ET LE PÉCHÉ D'ISRAËL. – C'est à imiter l'acte de foi absolu d'Abraham qu'Israël est explicitement appelé dès sa naissance comme peuple, libéré de la servitude égyptienne en tant que « fils premier né de Dieu » (*Ex.* 4, 22) pour « sacrifier à Yahvé » (15, 3), c'est-à-dire recevoir directement de Dieu le don de son alliance au Sinaï. Désormais Dieu sera, parmi tous les peuples (19, 5), le Dieu d'Israël et Israël le peuple de Dieu ; la cause de l'un s'identifiera avec celle de l'autre ; atteindre Israël, c'est atteindre Dieu (cf. *Zach.* 2,12). Le rite sacrificiel par lequel Moïse au nom de Dieu scelle officiellement cette alliance offre un symbolisme aussi naturel qu'expressif : le sang des victimes répandu à la fois sur l'autel qui représente Dieu et sur le peuple qui s'engage librement à accepter le don de Dieu, signifie que, à l'avenir, un même sang (c'est-à-dire pour les Hébreux une même vie) circulera dans les deux parties contractantes en faisant des deux comme un seul être vivant (24, 6-8). A la Cène, en instituant le sacrifice de l'alliance nouvelle, le Christ, selon Matthieu (26, 28) et Marc (14, 24), reprendra la même formule pour signifier que son sang accomplit ce que figurait celui des victimes lors de l'alliance sinaïtique.

1) *Alliance et Promesse.* – Or l'alliance sinaïtique ne se comprend elle-même qu'à la lumière de la « Promesse » dont elle est « la première expression et réalisation » (A. Gelin, *Les idées maîtresses de l'Ancien Testament*, Paris, 1948, p. 28). Elle « achève l'élection d'Israël en Abraham » (art. *Exode*, DS, t. 4, col. 1959). La Bible est très explicite : si Yahvé « a délivré Israël de la maison de servitude » et conclu avec lui l'alliance (*Ex.* 24, 8 ; 34, 20), c'est parce qu'il « s'est souvenu de son alliance avec Abraham, Isaac et Jacob » (2, 24 ; cf. *Gen.* 15, 18 ; 26, 3 ; 28, 13), « pour garder le serment juré à leurs pères » (*Deut.* 2, 8 ; cf. *Gen.* 22, 16). Dieu devenait ainsi comme le garant de sa propre promesse (cf. *Eccli.* 22, 16 ; *Hébr.* 6, 16-18), serment rappelé vingt fois dans le Deutéronome. C'est en invoquant le même serment que Moïse implore le pardon divin et le renouvellement de l'alliance avec le peuple qui vient de sacrifier au veau d'or (*Ex.* 32, 13).

A son tour le psalmiste célébrant « l'histoire merveilleuse d'Israël », souligne à quel point l'alliance du Sinaï est liée à la promesse qu'elle assume et dont elle dépend : « Yahvé notre Dieu se rappelle à jamais son alliance, pacte conclu avec Abraham, serment qu'il fit à Isaac ; il l'érigea en loi pour Jacob, pour Israël en alliance à jamais, disant : je te donne une terre, Canaan, votre part d'héritage » (*Ps.* 105, 9-11, repris dans 1 *Chron.* 16, 15-18).

2) *Le refus de « croire ».* – Tel est le contexte qui permet de préciser en quoi consista le péché d'Israël à l'égard de l'alliance : celle-ci exigeait en effet exactement le même comportement que fut celui d'Abraham à l'égard de la Promesse, comportement que l'Écriture appelle « croire » (*Gen.* 15, 6), au sens que toute l'histoire d'Abraham donne à ce terme : confiance personnelle au Dieu qui se révèle, promet, et, excluant toute assurance purement humaine, se charge lui-même d'accomplir la promesse. Aussi ne se réalise-t-elle pas par Ismaël, « né selon la chair », comme l'avait d'abord pensé Abraham (*Gen.* 17, 18), mais par Isaac né, voire rené, « en vertu de la promesse » (17, 21 ; 21, 12 ; cf. *Gal.* 4, 23 ; *Hébr.* 11, 18).

De même la proclamation au Sinaï des « Dix Paroles » par Dieu lui-même, en quoi consiste l'alliance, *Mattan Torah* ou don de la Loi selon l'expression juive, est d'abord une révélation sur ce Dieu qui choisit Israël, qui est « son Dieu » (*Deut.* 7, 6) et peut seul le sauver à l'avenir comme il l'a sauvé dans le passé. C'est la première Parole : « Je suis, moi, Yahvé, ton Dieu, qui t'ai fait sortir du pays d'Égypte, de la maison de servitude », et la seconde en est le corollaire : « Tu n'auras pas d'autres dieux devant moi » (*Ex.* 20, 2-3). Le « Je suis » évoque même sans doute le « Nom » divin révélé à Moïse au Buisson ardent (*Ex.* 3, 13-14) et commenté par le « Je suis, Je suis, Dieu de tendresse et de pitié, riche en grâce et en fidélité » (*Ex.* 34, 6 ; cf. *infra*), qui sert de préambule au renouvellement de l'alliance (v. 10-16) après l'épisode du veau d'or, renouvellement considéré souvent comme « le récit yahviste de l'alliance » elle-même (BJ, notes à *Ex.* 32, 1 et 34, 1).

Comment ne pas discerner là un appel très explicite à mettre sa confiance en ce Dieu et à exclure tout autre appui, en particulier celui des faux dieux, c'est-à-dire à « croire » en Lui selon le sens précis du verbe hébreu que nous traduisons ainsi ? Dérivé d'une racine qui exprime stabilité, fermeté, solidité, il signifie « être stable » *'aman*, à la forme passive, et à la forme causative « rendre stable, ferme, solide », forme causative que traduit précisément toujours le verbe « croire ». En vertu de l'étymologie même du terme, « je crois » signifie donc « je rends stable » quelque chose qui ne l'était pas et j'acquiers cette stabilité précisément de l'appui à qui je fais confiance, je me rends « solide en Dieu » ; de même avec le verbe *batah*, « je me trouve en sécurité à cause de Dieu » (art. *Foi*, DS, t. 5, col. 531 et 533, qui cependant ne souligne pas l'emploi de la forme causative du verbe *'aman*). Quand cet appui est Dieu lui-même, ou sa Parole, comme c'est le cas dans l'emploi biblique du terme, on ne saurait concevoir « stabilité » plus grande. Ainsi Isaïe, pour affirmer qu'Israël doit son existence même à sa foi en Yahvé, écrit en jouant sur les deux formes du verbe, causative, puis passive : « Si vous ne croyez pas » en Yahvé, c'est-à-dire si vous ne « vous rendez pas stables », acquérant de lui cette stabilité, « vous ne vous maintiendrez pas », c'est-à-dire vous ne « serez pas stables » (*Is.* 7, 9 ; cf. 2 *Chron.* 20, 20). Par lui-même l'homme ne l'est pas ; par l'acte de foi, il en prend conscience et l'affirme explicitement ; mais en même temps il se rend docile à l'action de Dieu qui le fait participer à sa propre stabilité ; il se rend « solide en Dieu ». D'où les formules sans cesse répétées des Psaumes : « Yahvé, mon rocher, mon bouclier, ma citadelle, mon refuge » (*Ps.* 18, 2-3, etc.) et les allusions constantes à la solidité de Dieu ou, selon d'autres traductions, à sa vérité (en tant que s'opposant au mensonge : *Ps.* 89, 34, etc.).

3) *Le veau d'or.* – Or, loin de répondre à l'appel de Dieu sauveur et de « croire », au sens précisé, en Celui qui vient de lui donner la preuve de sa puissance et de son amour, voire au moment même où Moïse recevait « les tables de l'alliance que Dieu concluait avec Israël » (*Deut.* 9, 9-11), celui-ci demande à Aaron : « Fais-nous un dieu qui aille devant nous » (*Ex.* 32, 1).

Même si l'initiative provient seulement d'un groupe « concurrent de celui de Moïse » (BJ, p. 191, note a), ce « péché » est présenté comme celui de tout le peuple (*Ex.* 32, 7-11), comme un refus de Yahvé lui-même, dont « il échangea la gloire (selon le texte probablement primitif, conservé dans plusieurs mss et reproduit en *Rom.* 1, 23), pour l'image du bœuf mangeur d'herbe » (*Ps.* 106, 20 ; cf. la note de BJ). Il est en tout cas un refus explicite de se laisser conduire par lui : Israël préfère « un Dieu dont on dispose à son gré tout en paraissant le suivre » (Traduction œcuménique de la Bible = TOB, *Ex.* 32, 1), ce que précisément le Deutéronome appelle, à propos de l'épisode de Cadès, « un refus de croire » : « Yahvé votre Dieu marchait à votre tête... Il te soutenait comme un homme soutient son fils tout au long de la route que vous avez suivie jusqu'ici. Mais... *aucun d'entre vous ne crut en Yahvé votre Dieu*, lui qui vous précédait... dans le feu pendant la nuit... et dans la nuée pendant le jour » (*Deut.* 1, 30-33 ; cf. 9, 23).

Cette volonté d'être soi-même l'unique artisan de sa propre histoire, ce refus de voir en Dieu celui dont on tient son destin et son existence même, est l'exact opposé du comportement d'Abraham et renouvelle non moins exactement celui d'Adam.

Or, comme « la délivrance de l'Égypte est devenue le type de toutes les interventions de Yahvé » (DS, t. 4, col. 1960), l'épisode du veau d'or, ce péché auquel Paul se réfère pour décrire la malice du péché d'idolâtrie (*Rom.* 1, 23, citant *Ps.* 106, 20 ; cf. col. 811), est en quelque sorte le type des « rébellions » dont la source est l'« endurcissement du cœur » (*Ps.* 95, 8), plus précisément un « mépris de Yahvé » et finalement un « refus de croire » (*Nomb.* 14, 11 ; cf. *Deut.* 9, 23), comme pour le veau d'or (*Ps.* 106, 24).

3° Foi, crainte de Dieu et Loi de l'alliance. – 1) *Crainte de Dieu et foi.* – A côté de la foi et en rapport plus direct encore avec l'alliance et sa loi, la crainte de Dieu joue un rôle essentiel sans cesse rappelé dans l'Ancien Testament, beaucoup plus souvent même que la foi. Il importe d'en préciser exactement le contenu pour déterminer ce qu'était le péché d'infidélité à l'alliance et à sa loi.

Résumant l'enseignement, en particulier des livres de Sagesse, la Bible de Jérusalem note que la crainte de Dieu est « le principe (*Prov.* 9, 10, etc.) et le cou-

ronnement (*Eccli.* 1, 18, etc.) d'une sagesse foncièrement religieuse où se développe une *relation personnelle* avec le Dieu de l'alliance, de sorte que crainte et amour, soumission et confiance coïncident (*Ps.* 25, 12-14 etc.) ». L'article *Crainte* du DS ajoute des précisions éclairantes : la crainte « désigne l'impression complexe de l'homme qui, *au contact de Dieu, sent son néant et son péché...*, mais qui *se sait aimé de lui* et garde espoir en sa bonté..., l'essence même du sentiment religieux » (t. 2, col. 2464). C'est donc en ce sens précis qu'elle « caractérise le régime de la loi » (*ibid.*) et que, pour Israël lui-même, « craindre Yahvé c'est observer les commandements », non par « un geste d'esclave, arraché par *la seule peur du châtiment* » (col. 2467) ou « la menace de la sanction » (col. 2463), mais parce qu'il n'a pas d'autre « Sauveur » que celui qui l'a fait sortir d'Égypte (col. 2467) ; bien plus, le châtiment a pour but de faire que « l'homme *renonce à sa propre justice* » et « s'abandonne » (col. 2468).

Autant de caractéristiques qui sont celles mêmes de la foi. La crainte de Dieu ajoute de façon explicite l'obéissance aux commandements, mais une obéissance qui a pour fondement la stabilité divine et non la seule peur purement humaine d'un châtiment, fût-il connu grâce à la foi.

2) *Crainte de Dieu et pardon divin.* – Loin de rattacher la crainte de Dieu à la menace du châtiment, le psalmiste la fonde sur le pardon divin : « Si tu retiens les fautes, Seigneur, qui subsistera ? Mais le *pardon* est près de toi pour que demeure ta *crainte* » (litt. pour qu'on te craigne, *Ps.* 130, 4). De même la grande prière de Salomon pour le peuple d'Israël : « Écoute au ciel où tu résides, *pardonne* et agis... en sorte qu'ils te *craignent* tous les jours qu'ils vivront sur la terre que tu as donnée à nos pères » (1 *Rois* 8, 39-40).

Le fondement de la crainte est la confiance en Dieu. Ainsi en *Jos.* 24, 14, « maintenant craignez Yahvé et servez-le » conclut la longue énumération de tout ce qu'Israël lui doit depuis l'appel d'Abraham. La peur de la sanction, si elle existait, loin d'inciter Israël à « craindre Yahvé et à le servir », l'empêcherait plutôt de s'engager (24, 19-21). Voir en particulier *Eccli.* 2, 11-20 que la BJ intitule « la crainte de Dieu » en notant que « l'idée de crainte physique, de terreur devant la puissance redoutable de Yahvé a pratiquement disparu de la théologie juive » (note f). De même, selon *Ex.* 20, 20, la terreur devant les manifestations sensibles de la grandeur divine qu'Israël est invité à « ne pas craindre » était une épreuve ménagée par Dieu pour que « sa crainte demeure présente à Israël afin qu'il ne pèche pas ».

La crainte de Dieu définissait déjà le suprême acte de foi d'Abraham, acceptant de remettre à Dieu le fils qu'il lui avait donné « contre toute espérance » : « Je sais maintenant que *tu crains Dieu :* tu ne m'as pas refusé ton fils, ton unique » (*Gen.* 22, 12). Renonçant au don même de Dieu, il s'appuie sur Dieu seul, « certain qu'il est assez puissant pour accomplir tout ce qu'il a promis » (*Rom.* 4, 21). Il ne sait pas comment, mais il sait que « Dieu pourvoiera » (*Gen.* 22, 8). Aussi, selon la remarque très profonde d'Origène (*Homélies sur la Genèse* 8, 5 ; SC 7bis, 1976, p. 220-22) inspirée de l'épître aux Hébreux, est-ce parce qu'il « croit que Dieu était capable de ressusciter les morts » (cf. Hébr. 11, 19) qu'Abraham, bien que décidé à « saisir le couteau pour immoler son enfant » (*Gen.* 22, 10), a pu déclarer au serviteur sans proférer un mensonge : « Moi et l'enfant nous irons là-bas, nous adorerons », et ajouter, toujours au pluriel : « puis, *nous* reviendrons vers vous » (v. 5).

3) *L'obéissance à la loi de l'alliance*. – Tel est le contexte qui permet de comprendre ce qu'est l'obéissance à la loi de l'alliance et en conséquence le péché qui en est la violation. Comme la foi qu'elle implique, la crainte de Dieu est le fruit de l'humilité (*Prov.* 22, 4). « Craindre Dieu », c'est renoncer à tout appui humain (*Ps.* 33, 16-17) pour « espérer son amour » (v. 18-22), « l'attendre, lui, notre secours et notre bouclier » (v. 20), mettre « notre foi en son nom de sainteté » (v. 21), ou encore « le chercher » (*Ps.* 22, 26-27 ; 34, 10-11), « le prendre pour abri » (*Ps.* 31, 20).

Or, si la notion de « crainte de Dieu » ajoute de façon explicite au simple « croire en Dieu » l'obéissance à sa loi, de son côté « la foi n'est jamais considérée comme réelle si elle ne se prolonge dans l'obéissance » (L. Bouyer, *Dictionnaire théologique*, Tournai, 1963, art. Péché, p. 504). Ainsi ce fut déjà en vertu d'une foi « prolongée dans l'obéissance » qu'Abraham « partit pour un pays inconnu comme le lui avait dit Yahvé » (*Gen.* 12, 4), « observa l'alliance de Dieu » avec « le signe de la circoncision » (17, 9-14), puis renonça à Ismaël (17, 19) et « en vertu d'une foi sans défaillance » engendra de la femme stérile, Sara, « le fils de la promesse » (*Rom.* 4, 19-21 ; *Gal.* 4, 23) que finalement « la puissance de cette même foi » lui donna la force de ne pas « refuser à Dieu » (*Gen.* 22, 12).

L'obéissance à la loi de l'alliance offre donc un aspect proprement religieux que ne comporte pas le simple accomplissement humain de préceptes moraux. En conséquence toute authentique désobéissance à la loi est un « péché » au sens propre et non « une simple faute morale » (L. Bouyer, *ibid.*). Aussi les formules habituelles, avant de demander à Israël de « garder les commandements », de « suivre les voies de Dieu et le servir », mentionnent-elles souvent explicitement la crainte, l'amour et, au moins implicitement, la foi ; de même les « Dix Paroles » commencent par exiger d'Israël pour entrer dans l'alliance de « croire au seul Dieu sauveur ». Ainsi : « craindre et servir » (*Jos.* 24, 14), « aimer et garder les observances » (*Deut.* 11, 1 ; « un appel à la foi et à l'obéissance », TOB, note au v. 2) ; ou encore : « craindre, observer ses lois » (6, 2), « craindre, suivre ses voies..., garder les commandements » (10, 12 ; 12, 1), « craindre et suivre » (2 *Chron.* 6, 31), etc.

En hébreu la conjonction *wᵉ* offre souvent la nuance de « et en conséquence » ; bien plus, le sens est parfois explicitement précisé par un « *lᵉ* » suivi de l'infinitif (sens du gérondif latin) : « craindre pour observer » ou « en observant ». Ainsi *Deut.* 6, 2, non pas : « si tu crains Yahvé, *si tu observes* toutes ses lois » (BJ), mais : « afin que tu craignes (*lᵉ maᶜan* + indicatif)... *en gardant* (*lᵉ* + infinitif) toutes ses lois » (TOB, Osty). De même, 2 *Chron.* 6, 31, non pas : « pardonne... afin qu'ils te craignent *et marchent* dans tes voies », mais : « pardonne... afin qu'ils te craignent *en marchant* dans tes voies ».

Ainsi l'obéissance à la volonté de Yahvé est explicitement conçue comme le moyen de « le craindre », exactement comme il est dit en *Deut.* 10, 18 que « Dieu aime l'étranger, auquel il donne pain et vêtement », litt. « en lui donnant » (TOB) ou « pour lui donner » (Chouraqui), c'est-à-dire, selon la traduction de la Bible du Rabbinat : « témoigne son amour à l'étranger en lui assurant le pain et le vêtement ». L'accomplissement des préceptes de la loi devient une expression de la « crainte de Dieu » et de la « foi », comme pour saint Thomas les sacrifices de l'ancienne loi étaient une *protestatio*

*fidei* qui leur donnait une valeur proprement religieuse (*Somme théologique*, Iᵃ IIᵃᵉ, q. 103, a.2 ; cf. J. Lécuyer, *Réflexions sur la théologie du culte selon saint Thomas*, dans *Revue thomiste*, t. 55, 1955, p. 339-62).

4° LE PÉCHÉ OFFENSE DE DIEU. – 1) *Mépris et ingratitude*. – Si l'observation de la loi est pour Israël une expression de la « foi » et de la « crainte de Dieu », toute violation implique le refus de reconnaître en Yahvé « l'unique suffisant ». C'est rechercher en d'autres que lui son appui. D'abord dans les dieux des autres peuples que vise la prohibition du Décalogue (*Ex.* 20, 3) et qu'Israël fut si souvent tenté d'associer à Yahvé, dès Salomon (1 *Rois*, 11 1-11) et jusqu'à l'exil (*Osée* 4, 10-13 ; 8, 11-13 ; *Is.* 57, 3-9 ; 66, 1-4, etc.), cultes souvent accompagnés de la prostitution sacrée et de pratiques magiques jusqu'aux sacrifices d'enfants (*Lév.* 18, 21 ; 2 *Rois* 16, 3 ; *Is.* 30, 33 ; *Jér.* 7, 31, etc.). Mais aussi ce sont « ces formes d'idolâtrie » que constitue la confiance dans les alliances étrangères et dans la puissance militaire des chevaux (*Osée* 14, 4 ; *Ps.* 33, 16-17, etc.) substituée à la confiance en Yahvé seul sauveur. Enfin, tentation plus subtile (celle précisément signalée par Paul en parlant de « chair », *Phil.* 3, 3, etc.), c'est la prétention illusoire de conquérir par ses propres forces une « justice » que Dieu seul peut communiquer à ceux qui l'accueillent humblement par la foi (*Job.* 31, 1-37 ; 42, 1-6 ; cf. *Deut.* 9, 3-6) : « Maudit qui se confie en l'homme » (litt. « en la chair »)... Béni qui se confie en Yahvé et dont Yahvé est la foi » (*Jér.* 17, 5-7).

Bien plus, pour Israël un tel mépris devient la suprême ingratitude, dont, par exemple, sans compter tant de psaumes, la réponse du peuple à Josué lors du renouvellement de l'alliance à Sichem montre qu'il a pleine conscience : « loin de nous d'abandonner Yahvé qui nous a fait monter de la maison de servitude..., nous a gardés tout le long du chemin..., a chassé devant nous toutes les populations » (*Jos.* 24, 16-18, 21, 24). Tout ce que Dieu a fait pour Israël, et d'abord la promesse elle-même, est en réalité le fondement de sa foi : on conçoit que le refus d'obéir à Yahvé, de suivre ses voies, soit une « offense » envers un tel bienfaiteur.

2) *Refus de suivre les voies de Dieu*. – La violation des préceptes de la loi atteint même en quelque sorte la personne de Dieu, bien plus en tout cas que la désobéissance à l'ordre d'un chef n'atteint la personne de celui qui l'a donné. La formule si fréquente « suivre les lois de Yahvé », ou plus littéralement « marcher dans ses voies » ou « ses chemins » le montre clairement, si elle est bien comprise.

L'image d'un chemin qu'on parcourt est familière à bien des peuples et en particulier au monde sémitique pour désigner la conduite morale, plus précisément peut-être dans la Bible le comportement particulier de quelqu'un, comme son *style de vie*. Le psalmiste oppose ainsi « la voie des justes » à « la voie des impies » (*Ps.* 1, 6). « La voie (ou les voies) de Yahvé », ce sera donc son comportement avec les hommes, notamment avec Israël, sa façon de conduire les événements pour sauver son peuple, lui qui est « justice en toutes ses voies, amour en toutes ses œuvres » (*Ps.* 145, 17). Tel est précisément le comportement qu'Israël adopte en obéissant à la loi de l'alliance, si bien que le psalmiste identifie « ceux qui marchent dans la loi de Yahvé » et « ceux qui marchent dans ses voies » (*Ps.* 119, 1 et 3).

Assurément la formule pourrait signifier un comportement « qui mène à Dieu », comme la voie de la justice et de la paix peut désigner celle qui conduit à la justice et à la paix ; ou bien encore un comportement « que Dieu commande à l'homme » de suivre, une « volonté de Dieu». Mais l'usage constant de la Bible s'y oppose : quand il s'agit de « la voie d'une personne », la formule désigne toujours le comportement de cette personne, donc ici de Dieu lui-même, les « mœurs divines ». De l'homme juste, il est dit que « sa justice demeure à jamais », qu'il « est pitié et tendresse » et « dans la ténèbre, la lumière des cœurs droits » (*Ps.* 112, 3-4), exactement comme il est dit de Dieu : « sa justice demeure à jamais », qu'il est « tendresse et pitié » (111, 3-4) et « ma lampe qui éclaire ma ténèbre (18, 29). En revanche, en refusant de suivre les voies de Dieu, Israël méprise le comportement d'un Dieu dont chaque Israëlite fidèle à l'alliance devait être l'image en un sens insoupçonné.

3) *La seconde table de l'alliance.* – Quant à ces « mœurs divines », Yahvé lui-même les a révélées à Moïse quand, avant de renouveler l'alliance, il a proclamé son Nom en se définissant comme « le Dieu de tendresse et de pitié, riche en grâce et en fidélité » (*Ex.* 34, 6 ; cf. col. 794). Aussi ne peut-on s'étonner que les « Dix Paroles », charte de l'alliance, les seules promulguées par Yahvé lui-même et gravées sur les tables de pierre, comportent une seconde table édictant au même titre les devoirs des hommes les uns envers les autres, en particulier ceux des membres du peuple de Dieu, et assurant ainsi sa cohésion interne.

La même préoccupation se retrouve dans les codes du Lévitique et plus encore chez les prophètes. Ainsi la notion de « sainteté » n'exige plus seulement la séparation du profane. En *Lév.* 20, 8, la déclaration : « Vous garderez mes lois... car c'est moi qui vous rends saints », introduit l'exposé des « fautes contre la famille » (v. 9-21). En *Lév.* 19, c'est au nom du : « Soyez saints parce que je suis saint » qu'il est prescrit en premier lieu de « craindre son père et sa mère » (v. 2, avant l'observation du sabbat) ; puis, après l'interdiction de l'idolâtrie et diverses prescriptions d'ordre rituel, suivent de nombreux préceptes d'ordre proprement moral (v. 9-17), avec pour conclusion celui « d'aimer son prochain comme soi-même » (v. 18), sans exclure de cet amour « l'étranger résidant chez vous, car vous avez été étrangers au pays d'Égypte » (v. 33). Bien plus, en *Deut.* 10, 19, cet amour de l'étranger appuyé sur le même motif, celui de Yahvé pour Israël, est l'unique précepte concret explicitement mentionné, et cela pour expliquer ce que signifie la « circoncision du cœur » (v. 16).

Aussi les seuls péchés que dénonceront les prophètes et les livres de Sagesse sont-ils, en référence plus ou moins directe avec le Décalogue, à côté des pratiques d'idolâtrie, les désordres moraux et sociaux que résume par exemple Osée : « Il n'y a ni sincérité, ni amour, ni connaissance de Dieu dans le pays (cf. *Is.* 11, 9 ; *Jér.* 22, 15-16), mais parjure et mensonge, assassinat et vol, adultère et violence, meurtre sur meurtre » (*Osée* 4, 2 ; cf. *Is.* 1, 17 ; 59, 12-13 ; *Ps.* 50, 16-22 ; *Prov.* 6, 16-19, etc.). Le caractère essentiellement moral du Dieu de la Bible ne pouvait que se refléter dans la loi d'Israël et dans l'obéissance à cette loi, « expression de sa foi ». Il explique parallèlement le caractère spécifiquement moral que revêt le péché.

4) *Le péché offense de Dieu dans son amour.* – Assurément Dieu ne saurait être en lui-même ni amoindri ni agrandi ; l'homme ne peut ni l'enrichir ni lui nuire effectivement. La Bible a trop le souci de la transcendance divine pour ne pas le rappeler à l'occasion : « Si j'ai péché, qu'ai-je pu te faire ? » (*Job* 7, 20) ; « Tire-t-il profit d'une conduite intègre ? » (22,

3). Sans doute attribue-t-elle parfois au pécheur l'intention d'atteindre Dieu par son péché, en particulier celui d'idolâtrie : « On verse des libations à un dieu étranger afin de me blesser » ou « contrister » (*Jér.* 7, 18 ; l'intention est clairement indiquée ici par la conjonction « afin que », *lemaᶜan* ; ailleurs elle l'est par *le* précédé de l'infinitif du verbe : « pour me blesser » ou « en me blessant », 11, 17 ; 32, 32, etc. ; cf. col. 797). Mais la Bible s'empresse d'ajouter que, si le péché blesse quelqu'un, ce sont les pécheurs eux-mêmes « pour leur propre confusion » (v. 19), comme on le verra.

Cependant les péchés qui, sans blesser Dieu lui-même, blessent les hommes que Dieu aime, lui qui s'est fait garant de leurs droits, atteignent en réalité Dieu dans son amour. Or tels sont ceux qu'avec l'idolâtrie la Bible condamne le plus souvent, péchés de celui qu'elle nomme « l'impie » ou « le méchant » (deux traductions du même terme hébreu *raschaᶜ*, le plus usité pour dire le pécheur) et qu'elle oppose au « juste » (*Ps.* 1, 6), l'ennemi par excellence de la « justice » que Dieu veut instaurer avec la réalisation des promesses de l'alliance (cf. É. Beaucamp, DBS, t. 7, col. 424 svv) : « Abomination pour Yahvé, la mauvaise conduite (litt. la voie du méchant), mais il chérit qui poursuit la justice » (*Prov.* 15, 9). Le *raschaᶜ* est, d'une part, l'homme qui « oublie Dieu » (*Ps.* 9, 18), refuse de « connaître ses voies » (*Job* 21, 14), le « méprise », car « pas de Dieu, voilà toute sa pensée » (*Ps.* 10, 3-4) ; d'autre part, celui qui « pourchasse le malheureux » (v. 2), « massacre l'innocent », « épie le misérable » (v. 8) ; qui exploite les faibles dont Yahvé est seul à protéger les droits, « l'étranger, l'orphelin et la veuve » (*Ps.* 94, 6 ; cf. 146, 9, etc.), ceux-là justement qu'Israël a le devoir d'aimer parce que Dieu les aime et a aimé Israël « étranger en terre d'Égypte » (*Deut.* 10, 18-19).

C'est d'un péché de ce genre dont, sans s'en rendre compte, s'est rendu coupable David (2 *Sam.* 12). Le prophète Natân ne lui en découvre pas seulement l'aspect humainement odieux (v. 5-6) ; au nom de Dieu il lui apprend qu'il n'a pas seulement lésé un homme, voire un non-Israélite, comme David se l'imaginait sans doute : « en frappant par l'épée Urie, le Hittite, et en lui prenant sa femme », il « a méprisé » non seulement la parole de Yahvé, mais « Yahvé lui-même » (v. 10) ; il « a péché contre Yahvé » (v. 13), il « a outragé Yahvé en cette affaire », et sera puni en conséquence (v. 14).

Rien ne révèle plus clairement la gravité du péché comme offense de Dieu dans son dessein d'amour que le dialogue pathétique entre les deux partenaires de l'alliance évoqué sans cesse par les prophètes et les Psaumes : « Que pouvais-je faire encore pour ma vigne que je n'ai pas fait ? » (*Is.* 5, 4). « Tournez-vous vers moi et vous serez sauvés..., car je suis Dieu et il n'y en a pas d'autre » (45, 22). « Écoute, mon peuple, je t'adjure, ô Israël, si tu pouvais m'écouter !... Mon peuple n'a pas écouté ma voix... Ah ! si mon peuple m'écoutait !... » (*Ps.* 81, 9. 12-14). « Mon peuple a échangé sa gloire contre l'impuissance... Ils m'ont abandonné, moi la source d'eau vive, pour se creuser des citernes, citernes lézardées qui ne tiennent pas l'eau » (*Jér.* 2, 11-13). Et si l'amour même de Yahvé l'invite à corriger son peuple « pour qu'il ne se blesse pas lui-même » (cf. *Jér.* 7, 19), ce n'est pas sans déchirement : « Mon cœur en moi est bouleversé, toutes mes entrailles frémissent » (*Osée* 11, 8).

Plus la Bible nous découvre les profondeurs de cet amour, mieux nous saisissons en quel sens réel on a pu dire que le péché était une « atteinte au cœur de Yahvé » (A. Gelin), qui chérit son enfant (*Jér.* 31, 22), plus que David ne chérissait Absalom, si ingrat se fût-il montré : « Que ne suis-je mort à ta place, Absalom, mon fils ! » (2 *Sam.* 19, 1), d'un amour aussi tendre que celui d'une mère qui ne saurait « oublier le fruit de ses entrailles, quand bien même les mères oublieraient » (*Is.* 49, 15), voire l'amour d'un époux indéfectiblement fidèle à celle qui se prostitue à tout venant : « Reviens, rebelle Israël... Je n'aurai plus pour toi un visage sévère, car je suis miséricordieux » (*Jér.* 3, 6-12 ; voir *Osée* 2, 4-25 ; *Éz.* 16, 8-62).

Considérée dans le contexte de toute la Bible, ce dialogue entre Dieu et Israël vaut pour chaque homme : la volonté de Dieu étant identiquement le bien de l'homme comme elle était celui d'Israël, peuple de Dieu, et « la gloire de Dieu » étant « que l'homme vive », comme elle était le salut d'Israël : « Yahvé a racheté Jacob, il s'est glorifié en Israël » (*Is.* 44, 23 ; cf. 66, 5 ; *Éz.* 28, 22, etc.). Le péché apparaît clairement comme la violation de rapports personnels, comme le refus de l'homme, ainsi qu'il en fut d'Adam et en sera du fils prodigue de la parabole évangélique, de se laisser aimer efficacement par Dieu et de procurer réellement sa gloire en acceptant d'accueillir de Dieu, par un acte de liberté conforme à sa nature d'homme, un amour et une vie que Dieu, son créateur, est seul à pouvoir lui donner.

5º LE REMÈDE AU PÉCHÉ. - Le péché étant le refus de l'amour, il est clair que le seul remède possible est que l'homme accepte, comme le fils prodigue, d'être aimé efficacement par celui dont le péché l'a séparé. Dieu qui n'a jamais cessé de l'aimer et « n'a de dégoût pour rien de ce qu'il a créé » (*Sag.* 11, 24), fera tout pour l'y aider. Non, certes, en se contentant d'ignorer les péchés des hommes, ce qui serait renoncer à les en délivrer. S'il « ferme les yeux », c'est « pour qu'ils se repentent » (11, 23) ; s'il « n'accorde jamais l'impunité » (*Nahum* 1, 3), c'est afin d'annihiler cette puissance de mort qu'est en eux le péché.

1) A cette fin, souvent Dieu *laisse agir le péché*, beaucoup plus qu'il n'agit lui-même, permettant à l'homme de découvrir le tort qu'il s'est fait en le commettant et l'invitant ainsi au repentir : « Mon peuple n'a pas écouté ma voix..., je l'ai laissé à leur cœur endurci ; ils marchaient ne suivant que leurs conseils » (*Ps.* 81, 13). En effet, même si elle est présentée comme une sanction, il s'agit le plus souvent, pour Israël comme pour Adam (cf. col. 792), d'une « peine immanente ». Ayant préféré trouver sa force dans les puissances humaines ou auprès des autres dieux plutôt qu'en Yahvé, il en subira les conséquences : « Vous pécherez contre Yahvé et sachez que votre péché vous trouvera » (*Nombr.* 32, 23 ; cf. *Osée* 8, 8-9, etc.).

2) *Jalousie et colère.* - La Bible recourt souvent, comme les religions païennes, à ces deux notions empruntées aux relations humaines et habituellement liées l'une à l'autre, la colère étant l'effet de la jalousie. La nature même du Dieu d'Israël leur donne pourtant une signification profondément différente. Yahvé est un « Dieu jaloux » (*Deut.* 4, 24) et, en conséquence, punit les péchés (5, 9 ; *Ex.* 20, 5) ; mais cette jalousie est un effet de « son amour » et de « sa pitié » jadis témoignés à Israël et qu'Israël implore : « Regarde du ciel et vois... Où sont ta jalousie et ta puissance ? » (*Is.* 63, 9 et 15) ; elle est « l'amour très jaloux » que Yahvé « éprouve pour Jérusalem » (*Zach.* 1, 14), combien différent de la jalousie de Zeus qui punit Prométhée pour « avoir trop aimé les hommes » (Eschyle, *Prométhée enchaîné*, vers 123). Le dieu des païens est jaloux de l'homme, celui d'Israël est jaloux parce qu'il aime l'homme (cf. H. de Lubac, *Le Mystère du Surnaturel*, Paris, 1965, p. 163 svv).

Pareillement la colère divine traduit toujours la réaction d'un Dieu que l'homme a méprisé. Dans l'Ancien Testament elle a pour but d'assurer à Israël le bonheur que Dieu, fidèle à ses promesses, veut lui assurer. Ainsi est-elle dirigée soit contre les ennemis d'Israël, et ainsi associée à la jalousie (*Éz.* 35, 11 ; 38, 18-19, etc.), soit contre Israël lui-même, mais précisément afin que les promesses de salut se réalisent : « Moi, je vais les rassembler de tous les pays où je les ai chassés dans ma colère, ma fureur et ma grande indignation... Alors, ils seront mon peuple et moi je serai leur Dieu » (*Jér.* 32, 37-38 ; l'exil avait pour but le retour d'un Israël renouvelé fidèle à l'alliance). Enfin *Zach.* 8, 2 montre comment s'unissent en Dieu « amour jaloux » et « colère » : « J'éprouve pour Sion une ardente jalousie et en sa faveur une grande colère » (contre ses ennemis ; litt. « et avec une grande colère je suis jaloux pour elle »).

Le contexte est psychologique beaucoup plus que juridique, « l'amour particulier, exclusif de l'époux pour son épouse » (Osty). De fait, s'il revendique le droit de procurer, lui seul, le bonheur de son peuple, c'est par amour, lui seul en étant capable. Quand la Bible parle du « Saint Nom de Yahvé qu'Israël a profané devant les nations au milieu desquelles il a été disséminé », c'est parce que les nations attribuaient leur victoire à l'impuissance de Yahvé à protéger le peuple qu'il s'était choisi (voir *Éz.* 20, 9 ; 36, 15-24, ainsi que les motifs invoqués par Moïse pour obtenir le pardon divin, *Ex.* 32, 11-13 ; *Nomb.* 14, 16-19 ; *Deut.* 9, 26-29).

6º DIEU TRIOMPHE DU PÉCHÉ. - Avant le Nouveau Testament, le *Miserere* (*Ps.* 51), tout en rappelant les aspects les plus essentiels du péché dans l'Ancien Testament, montre avec autant de clarté que de précision comment Dieu dans le Mystère de sa miséricorde sait en triompher.

1) Le péché est d'abord un *acte contre Dieu* (v. 5-6), la rupture d'une relation personnelle entre l'homme et Dieu et non pas la simple violation d'un ordre moral ou social, rupture qui supprime la communion avec Dieu et, en conséquence, livre l'homme à lui-même, abandonné à ses propres forces (cf. *supra*, col. 791-92, à propos du péché d'Adam).

2) Mais le péché est aussi non moins essentiellement *le mal de l'homme* : il faut que dans le pécheur il soit non pas « oublié » mais « effacé » (v. 3 et 11, *mḥh*), qu'il cesse d'exister, comme l'homme que Dieu se propose « d'effacer de la surface du sol » (*Gen.* 6, 7), qu'il soit « lavé » (v. 4 et 9, *kbs*), évoquant la « lessive au natron et à la potasse » (*Jér.* 2, 22), affaire des foulons. Il faut que le pécheur soit « purifié » (v. 4, *thr*), « épuré comme or et argent » (cf. *Mal.* 3, 3), « purifié avec l'hysope » (v. 12), comme dans les aspersions rituelles, notamment la purification du lépreux (*Lév.* 14, 4-7), maladie considérée comme un châtiment divin par excellence (*Deut.* 28, 27), signe du péché qui exclut de la communauté (*Lév.* 13, 45-46). Bien plus, cette purification consiste à « créer » dans le pécheur « un cœur pur » (v. 12, *br'*) ; le verbe est réservé aux œuvres créatrices de Dieu et utilisé dans quatre cas seulement : la création du monde (*Gen.* 1, 1), le choix d'Israël, peuple que « Dieu créa » (*Is.* 44, 1 et 22), comme il avait « créé l'homme sur la terre » (*Deut.* 4, 32-34), la nouvelle alliance (*Jér.* 31, 31-34), que le prophète semble bien viser en annonçant au

v. 22 « Yahvé crée du nouveau sur la terre » (surtout rapproché de *Osée* 2, 20-22), enfin la création des « cieux nouveaux » et de la « terre nouvelle » (*Is.* 65, 17).

3) Or si tel est le remède du péché, le pécheur se sent évidemment impuissant à le fournir, comme Dieu le rappelait dans le texte évoqué de Jérémie 2, 22 : « Quand tu te lessiverais à la potasse, ton iniquité resterait marquée devant moi », et comme le psalmiste le constate : « Nos fautes sont plus fortes que nous » en ajoutant : « mais toi tu les effaces » (*Ps.* 65, 4). En effet, l'offensé, et l'offensé seul, est capable de réparer l'offense, de combler l'abîme causé par le péché entre Dieu et l'homme. L'extraordinaire est que l'offenseur ose le lui demander.

4) C'est qu'il s'agit de ce Dieu dont le premier verset du psaume rappelle les trois attributs par lesquels, dans la scène du pardon après le veau d'or (*Ex.* 34, 6, cf. col. 795), il s'était lui-même défini : la « pitié », évoquant le geste de bienveillance toute gratuite du plus fort qui s'incline vers le plus faible (*ḥnn*), la « fidélité » irrévocable à une alliance cent fois violée (*ḥsd*), la « tendresse » de la mère qui, par une exigence de son cœur et comme de ses entrailles (*rḥm*), ne saurait oublier l'enfant qu'elle a mis au monde (cf. *Is.* 49, 15).

Dans sa miséricorde ce Dieu va lui-même « effacer », « laver », « purifier », par une rénovation intérieure, une véritable création qui évoque l'alliance nouvelle (*Jér.* 31, 31-34 ; *Éz.* 36, 27) et la « circoncision du cœur opérée par Dieu lui-même » (*Deut.* 30, 6). Confondu devant un tel amour, le psalmiste ne songe qu'à en « publier la louange » ; mais, là encore, à Dieu seul il appartiendra de lui « ouvrir les lèvres » (v. 17).

5) Le psaume évoque un ultime aspect non moins important que suggère dans le dernier verset (les v. 20-21 sont une addition postérieure) l'allusion au seul « sacrifice » auquel Dieu « prenne plaisir » : le sacrifice « réel » et non celui exclusivement « rituel », si souvent condamné par les prophètes (*Is.* 1, 11-17 ; *Jér.* 7, 21-24, etc.), le sacrifice de l'homme lui-même et non d'un animal. Car cette activité de Dieu dans l'homme pour effacer, purifier, créer, etc., s'opère au cœur même de la liberté humaine. Il ne suffit pas que le pécheur demande à Dieu d'intervenir, il faut aussi qu'il accepte librement de se laisser ainsi renouveler, transformer intérieurement pour, comme dira le Nouveau Testament, « se laisser réconcilier à Dieu » (2 *Cor.* 5, 20). Cela veut dire qu'il doit renoncer à toute « auto-suffisance », comme Job a fini par le faire (*Job* 42, 1-6). C'est avoir le « cœur broyé », comme celui de Job, que de se reconnaître incapable d'aimer et en souffrir. Alors Dieu peut faire du neuf, « créer un cœur nouveau ». Cf. DS, art. *Metanoia, Pénitence*.

2. **Judaïsme contemporain du Nouveau Testament.** – Le Nouveau Testament adopte assez souvent, notamment dans la catéchèse synoptique, des formules courantes chez les Juifs de cette époque mais inconnues de l'Ancien Testament. Il importe de les examiner ici.

1° LA VERSION DES SEPTANTE, en ce qui concerne la notion même du péché, semble introduire une nouvelle catégorie, d'origine juridique, celle de *dette*. Le terme se rencontre dans l'Ancien Testament pour désigner un dû, (*Éz.* 18, 7), une culpabilité (*Dan.* 1, 10), une responsabilité (1 *Sam.* 22, 22, selon les anciennes versions) à l'égard des hommes ou du roi, mais jamais à l'égard de Dieu ; à l'exception cependant d'un seul exemple (*Eccli.* 8, 5) où, d'après l'hébreu, on invite à « excuser le pécheur repentant » parce que « nous sommes tous coupables » (grec : « nous sommes tous dans les châtiments »). De même dans la Septante, le terme ὀφείλημα désigne toujours une dette à l'égard d'un homme (*Deut.* 24, 10) ou du trésor royal (1 *Macc.* 15, 8) ; cependant elle utilise le verbe ἀφιέναι « remettre » à propos du péché, par exemple dans la formule technique concluant les « sacrifices d'expiation pour le péché », où « et il leur sera pardonné » est toujours traduit « et le péché leur sera remis » (*Lév.* 4, 20 ; 5, 10. 18, etc.).

L'assimilation du péché à une dette contractée en souligne assurément le caractère religieux d'offense de Dieu, la remise ne pouvant dépendre que de la libéralité divine. Par contre, elle tend à laisser dans l'ombre l'aspect de transformation intérieure opérée par Dieu et librement acceptée par le pécheur, si fortement souligné par le *Miserere*, et compromet le caractère intrinsèque de la justification.

Toutefois dans la Septante les exemples sont relativement rares et un passage comme *Eccli.* 28, 2-5 (s'il est traduit exactement selon la lettre du texte grec seul connu) montre combien l'Ancien Testament se préoccupait de distinguer le péché d'une simple dette à l'égard d'un homme : « Remets à ton prochain ses torts ; alors à ta prière tes péchés disparaîtront (*luthèsontai* = seront dissous). Si un homme nourrit de la colère contre un autre, comment peut-il demander la guérison (*iasin*) ? Qui... effacera (*exilasetai, expiabit* au sens de *emundabit*) ses péchés ? ». L'injustice commise envers un homme est dite « remise » mais non « guérie » ; par contre, le péché est dit guéri, dissous, effacé.

Dans le judaïsme au contraire, en connexion d'ailleurs avec la notion de rétribution qui marque si fortement les relations entre l'homme et Dieu, le terme même de « dette » est devenu l'un des noms les plus courants du péché en araméen comme en hébreu.

2° LA LITTÉRATURE DE QUMRÂN a des rapports indéniables avec le Nouveau Testament, d'autant plus qu'elle se réclamait, comme celui-ci, de ce que Jérémie (31, 33) avait appelé la « nouvelle alliance ».

Il convient d'abord de signaler la notion du péché, au singulier, non plus comme acte peccamineux mais comme une *puissance* qui dans l'homme inspire et dirige sa conduite morale : elle caractérise ce qui est appelé « l'esprit des ténèbres » ou « l'esprit d'iniquité », opposé à « l'esprit de vérité » ou « de justice » (cf. notamment *Règle* III, 18-21), source de tous les vices, en particulier ceux de « l'impie-méchant » que l'Ancien Testament appelle *rascha*ᶜ (*Règle* IV, 9 ; *Hymnes* 14, 15 svv ; cf. col. 800). Il s'agit d'une puissance certainement immanente à l'homme, mais derrière laquelle on entrevoit une autre puissance présentée comme personnelle, « l'ange des ténèbres » gouvernant des « fils d'iniquité » (*Règle* III, 21), souvent nommée Bélial (I, 18 etc. Cf. *Deut.* 13, 14, etc. ; 2 *Cor.* 6, 15).

A cet « esprit d'iniquité » s'oppose « l'esprit de sainteté » qui joue un rôle essentiel dans le remède apporté au péché et, par le fait même, en précise la notion. Le passage suivant des *Hymnes* est sans doute le plus significatif : « J'ai su que l'homme n'est pas juste en dehors de toi, et j'ai apaisé ta face par *l'esprit que tu as mis en moi* pour concilier ta faveur à tes serviteurs à perpétuité, pour *me purifier dans ton esprit de sainteté* » (16, 11-12). On peut songer au *Miserere* (cf. *supra*), mais aussi à l'oracle d'Ézéchiel : « Je mettrai mon esprit au-dedans d'eux » (36, 27), parallèle à celui de Jérémie qui définit la nouvelle alliance : « Je mettrai ma loi au-dedans de vous » (31, 33) ; l'un et l'autre étant liés au « pardon des péchés » (*Jér.*) ou à la purification d'Israël (*Éz.*), dont le judaïsme à l'époque du Nouveau Testament attendait l'accomplissement pour les temps messianiques (Voir les « dits » de Rabbi Jéhuda et Rabbi Néhémia rapportés dans le Midrasch de *Cant.* 1, 2 et cités dans H.L. Strack et P. Billerbeck, *Kommentar zum NT aus Talmud und Midrasch,* Munich, 1922-1928, t. 3, p. 704 ; t. 4, p. 482).

### 3. Nouveau Testament. – 1º La catéchèse synoptique. – 1) *La rémission des péchés.*

– A considérer la seule terminologie du péché, la catéchèse synoptique pourrait suggérer une régression par rapport à l'Ancien Testament. En effet, les termes désignant le péché comme *hamartia* ne s'emploient que pour l'acte peccamineux, le plus souvent au pluriel, notamment dans les formules stéréotypées « confesser les péchés » et « remettre les péchés » auxquelles les auditeurs de Jésus étaient habitués. Bien plus, l'emploi exclusif de la formule « remettre les péchés » suggère que le péché est une simple dette dont il suffit au pécheur d'obtenir de Dieu qu'il renonce à la réclamer.

Sans doute, les Synoptiques utiliseront cette assimilation ; Matthieu emploiera même une fois le terme de *dette* (ὀφείλημα) pour désigner le péché, usage inconnu tant de l'Ancien Testament que de la Septante. Mais leur intention est claire : ils veulent souligner l'importance du « pardon des offenses » entre les hommes et Matthieu désigne même l'offense envers le prochain par un des termes désignant le péché, παράπτωμα « Remets-nous nos dettes (*opheilê-mata*), comme nous-mêmes nous avons remis à nos débiteurs... Oui, si vous remettez aux hommes leurs *fautes* (*paraptômata*)... Sinon... votre Père céleste ne vous remettra pas vos *fautes* » (*Mt.* 6, 12-15). La même intention est manifeste, toujours chez Matthieu, dans la parabole du serviteur impitoyable qui assimile le pardon des péchés à une dette remise par un homme (18, 23-35). Enfin, dans le Logion sur le « pardon des offenses » à réitérer « jusqu'à soixante-dix-sept fois » (18, 21-22) ou « sept fois le jour » (*Luc* 17, 3-4), l'emploi du verbe « pécher » vise sans doute à rappeler que Dieu nous remettra nos dettes, comme nous aurons nous-mêmes remis à nos débiteurs (*Mt.* 6, 12).

Mais la catéchèse synoptique a soin de souligner que cette « remise des péchés » a pour condition indispensable la *metanoia* et la foi (*Marc* 1, 15) et que le baptême conféré par Jean le Baptiste pour la rémission des péchés est un « baptême de *metanoia* » (1, 4) impliquant un changement radical de l'esprit et la disposition à accueillir la faveur de Dieu en se laissant agir par lui (cf. art. *Metanoia*, DS, t. 10, col. 1093-99).

2) *L'iniquité.* – A côté des termes désignant les actes peccamineux, seule la catéchèse de Mathieu offre le terme *anomia*, traduit avec raison par « iniquité » : il n'est nulle part dans la Bible rattaché à la Loi ; employé toujours au singulier, il signifie un état général d'hostilité à Dieu, plus particulièrement dans un contexte nettement eschatologique, exactement comme à Qumrân.

Ainsi la citation de *Ps.* 6, 9 placée sur les lèvres du Christ au Jugement dernier : « Écartez-vous de moi, vous qui commettez l'iniquité » (*Mt.* 7, 23) ; de même les « fauteurs d'iniquité » (13, 41) ou encore « l'iniquité croissante » qui caractérisera les derniers temps (24, 12). Seule la mention des « scribes et pharisiens pleins d'hypocrisie et d'iniquité » (23, 28) semble faire exception, bien que, dès le verset 33, l'annonce des « châtiments prochains » introduise déjà au discours eschatologique du ch. 24.

En outre, la finale de Marc dans le ms W utilise le terme *anomia* en liant cette iniquité à la « domination de Satan », de même qu'à Qumrân les « fils d'iniquité » étaient gouvernés par Bélial.

3) *Le péché au-dedans du cœur.* – L'exemple de *anomia* en Matthieu montre que, pour la catéchèse synoptique elle-même, la notion de péché ne se limitait pas aux actes peccamineux. Au-delà elle discernait une réalité plus profonde. C'est ce qu'indiquent nombre d'affirmations du Christ.

« L'homme bon de son trésor tire de bonnes choses et l'homme mauvais de son trésor en tire de mauvaises » (*Mt.* 12, 34-35). Aux pharisiens qui « se donnent pour justes devant les hommes » il déclare : « Dieu connaît vos cœurs » (*Luc* 16, 15). La violation extérieure d'un précepte de Dieu, comme celui d'honorer son père et sa mère, est sans doute un péché ; le Christ reproche précisément aux pharisiens de l'« annuler par la tradition qu'ils se sont transmise » (*Marc* 7, 13), mais il explique aussitôt qu'une telle violation est un péché en tant qu'elle procède d'un cœur mauvais dont elle révèle la malignité. Le péché est « au-dedans du cœur », d'où sortent « les desseins pervers : débauches, vols, meurtres, adultères, cupidités, méchancetés, ruse, impudicité, envie, diffamation, orgueil, déraison » (*Marc* 7, 21-23 ; seul « catalogue des vices » dans les évangiles avec *Luc* 18, 11 et *Mt.* 15, 19). Ce sont autant de « desseins pervers » qui « sortent du cœur ». Une « rémission des péchés » sans « purification du cœur » n'aurait aucun sens.

4) *Le péché, esclavage de Satan.* – Sans fournir de formule analogue à celles de Qumrân sur l'iniquité « domination de Bélial » (sauf l'incise postérieure de *Marc* 16, 14), la catéchèse des Synoptiques présente toute la vie publique du Christ venu pour « remettre les péchés » (*Marc* 2, 5.7.10 et par. ; *Mt.* 26, 28 ; *Luc* 24, 47) comme une lutte contre Satan (voir art. *Démon,* DS, t. 4, col. 141-52) depuis l'affrontement de la tentation (*Mt.* 4, 1-11 et par.) jusqu'à celui de la passion (cf. *Luc* 4, 13 et 22, 3.53).

Tel est également le sens des guérisons opérées par le Christ, sens parfois explicitement formulé (*Marc* 2, 9 et par.), souvent implicitement par l'emploi du verbe « sauver » (σώζειν), qu'il s'agisse d'une guérison (ainsi *Marc* 5, 34 ; 10, 52 et par.) ou de la remise des péchés (*Luc* 7, 50). A plus forte raison tel est le sens de la délivrance des esprits mauvais (*Marc* 1, 23-27 ; 5, 1-17 ; 7, 25-30 ; 9, 17-25 et par.) ; le Christ inaugurait ainsi le rôle du Serviteur de Yahvé en « se chargeant de nos maladies » (*Mt.* 8, 17, citant *Is.* 53, 4 ; le grec avait d'ailleurs traduit « nos péchés »), avant de dire à ses apôtres : « Buvez-en tous, car ceci est mon sang, le sang de l'alliance qui va être répandu en rémission des péchés » (*Mt.* 26, 27-28). La « nouvelle alliance » nous communique l'esprit même de Yahvé, selon *Éz.* 36, 37, dont les chrétiens qui entendaient ces paroles savaient déjà qu'il était le Saint Esprit, amour du Père et du Fils. La rémission des péchés n'avait plus guère de rapport avec la remise d'une dette.

5) *Le pardon du Père miséricordieux* (Luc 15, 11-32). – Le récit de la catéchèse synoptique qui aide le mieux à comprendre à la fois ce qu'est le péché et en quel sens il constitue une réelle offense de Dieu est la parabole de « l'enfant prodigue » ou, mieux peut-être, du « père miséricordieux » (L. Cerfaux), – c'est précisément dans le mystère de sa miséricorde que se révèlent l'un et l'autre, – ou encore du « fils perdu » et du « fils fidèle » (Bible de Jérusalem ; Osty), – car l'opposition manifestement voulue entre les deux fils n'est pas moins éclairante.

Pour l'aîné, le péché est la violation d'un ordre extérieur : « étant toujours avec son père » (v. 31), « il n'a jamais transgressé un seul de ses ordres » (v. 29), et il en est fier comme ceux qui « se flattent d'être des justes et n'ont que mépris pour les autres » (18, 9). Mais il n'a ni un « cœur » de fils, ni un « cœur » de frère : l'amour du père pour le prodigue lui est une énigme, voire un scandale, et le rend jaloux de celui qu'il évite même d'appeler son frère et dont le péché le plus grave à ses yeux serait d'avoir « dissipé l'héritage » (v. 30).

Le prodigue, lui, reconnaît son péché : « J'ai péché contre le ciel et envers toi », un péché qui lui ôte sa prérogative d'être fils ; il ne sera plus dans la maison familiale qu'un « mercenaire » (v. 18-21). On ne dit pas qu'il ait violé un ordre formel de son père ni en lui demandant sa « part d'héritage » ni même en « partant pour un pays lointain » et en y « dissipant son bien » (v. 12-13), non plus d'ailleurs qu'Adam en « voulant être comme Dieu » (cf. *supra*). Précisément, son péché a été, comme celui d'Adam, de refuser d'être fils, c'est-à-dire de tout recevoir de son père, de prétendre ne plus dépendre de soi, refus et prétention qui se sont extériorisés par l'éloignement de la maison familiale. Peu à peu le fils prend conscience de ce que signifie pour lui cet éloignement et à quelle servitude conduit ce qu'il croyait être l'acquisition de la liberté (v. 14-16) : première condition pour que le retour devienne possible (v. 17-20).

Mais il faudra l'accueil du père pour lui révéler un amour dont il n'avait encore aucune idée et lui dévoiler à quel point son départ avait pu « affliger » son père, le « blesser au cœur » ; il l'a « offensé » en le privant de sa présence de fils, en refusant d'être aimé efficacement. Certes, depuis toujours le père avait pardonné : la parabole le décrit guettant le retour de son fils. C'est lui qui de loin aperçoit son fils, est pris de pitié, court se jeter à son cou et l'embrasse tendrement (v. 20), avant même que le fils ait pu confesser son péché (v. 21). Mais il fallait ce retour, qui dans le cas du pécheur est suscité par Dieu dès l'origine, pour que le pardon redonne au fils les insignes de fils (v. 22) et que, dans cette découverte de l'amour paternel, le fils retrouve ou même éprouve peut-être pour la première fois des sentiments de fils.

Quant à l'aîné, le père n'a jamais cessé de l'aimer : « Tu es toujours avec moi et tout ce qui est à moi est à toi » (v. 31), de même qu'à Israël, peuple de Dieu, « appartenaient l'adoption filiale, la gloire, les alliances, ... » (*Rom.* 9, 4-5). Aussi, au lieu d'être jaloux de son frère, qu'il entre donc dans la joie de son père et accueille avec un cœur aussi large que le sien « celui qui était perdu et qui est retrouvé » (v. 28 et 32) ! Ainsi le Christ invitait les pharisiens, « observateurs zélés de la loi », à accueillir « ces pécheurs de païens » (*Gal.* 2, 15) au lieu d'en être jaloux : ils étaient eux aussi en quelque sorte des « fils retrouvés », car les promesses s'adressaient également à eux. Voir art. *Pardon, supra*, col. 210-14.

2° LES ÉCRITS JOHANNIQUES. – 1) *Terminologie du péché.* – Une première élaboration de la notion de péché apparaît clairement dans les écrits johanniques du fait que le mot péché (*hamartia*) ne désigne plus, comme dans la catéchèse synoptique, un acte peccamineux, mais la réalité mystérieuse qui l'engendre : une puissance d'hostilité à Dieu et à son règne (presque toujours dans l'évangile et assez souvent dans les épîtres). De même le verbe « remettre » n'apparaît qu'une fois dans l'évangile à propos du pouvoir de « remettre les péchés » (20, 23) et dans 1 *Jean* 2, 12 : « Vos péchés vous sont remis ».

Cette puissance d'hostilité à Dieu est également appelée *anomia*, au même sens qu'à Qumrân et chez Matthieu. Elle définit même le péché : « Le péché est l'iniquité » (1 *Jean* 3, 4). La même nuance eschatologique appartient également à *adikia*, à traduire aussi par « iniquité » (1, 9), car le terme désigne dans l'Écriture selon la TOB « l'hostilité foncière envers Dieu qui pousse à tous les péchés et notamment l'opposition à la vérité qui mène à l'incrédulité (*Rom.* 1, 18 ; 2, 8 ; 1 *Cor.* 13, 6 ; 2 *Tim.* 2, 18-19) et caractérise les temps eschatologiques (2 *Tim.* 2, 10-12) ».

2) « *Celui qui enlève le péché du monde* ». – Dès le début de l'évangile Jean-Baptiste présente le Christ comme « celui qui enlève le péché du monde » (1, 29). Le contexte en manifeste clairement le sens, bien qu'il n'ait pas toujours été compris. En effet, quatre versets plus loin, le Précurseur reprend son affirmation concernant la mission de Jésus en déclarant qu'elle consistera à « baptiser dans l'Esprit Saint » (1, 33 ; cf. *Actes* 1, 5).

Le Christ enlève le péché du monde en tant qu'il communique l'Esprit, symbolisé par « les fleuves d'eau vive qui devaient couler de son sein » (7, 39) et sans doute aussi par l'eau jaillie de son côté transpercé, comme la source dont parlait Zacharie « ouverte à la maison de David pour laver le péché et la souillure » après la mort de « celui qu'ils ont transpercé » (19, 34-37 ; *Zach.* 12, 10 et 13, 1), don de l'Esprit de Yahvé qui devait caractériser la nouvelle alliance (*Éz.* 36, 27).

3) *Le péché détruit la communion avec Dieu.* – C'est ce qu'enseigne l'épître : elle explique que le Christ enlève les péchés (ici au pluriel) parce que « en lui il n'y a pas de péché » et que « quiconque demeure en lui ne pèche pas » (1 *Jean* 3, 5-6), et cela parce que « il est né de Dieu et que sa semence demeure en lui » (3, 9) ; la semence est vraisemblablement « l'onction reçue du Saint », qui donne à chacun « la science » et que chacun « possède » (2, 20-21). C'est exactement « la tâche attribuée au Saint Esprit dans les discours d'adieu » (TOB). C'est pourquoi la semence divine aussi bien que l'onction sont interprétées soit du Saint Esprit lui-même, soit de la parole reçue du Christ, cette « parole » qui, gravée sur le cœur, devait donner « la connaissance de Dieu » (*Jér.* 31, 34 : « tous me connaîtront ») et qu'Ézéchiel, on l'a vu, identifiait précisément à « l'esprit de Yahvé » (36, 27).

On comprend également que la semence divine demeurant en l'homme détruise en lui jusqu'à la possibilité de pécher : « Il ne peut pécher, étant né de Dieu » (3, 9), c'est-à-dire dans la mesure où semence divine et parole de Dieu demeurent en lui, autrement dit, où il ne cesse de les accueillir dans sa liberté (cf. *Gal.* 5, 16). Cette impossibilité ne vient pas de sa nature ; il doit se reconnaître pécheur (1 *Jean* 1, 10) ; elle vient d'un don purement gratuit de Dieu qu'il lui faut sans cesse accueillir librement.

4) *L'esclavage du péché.* – « Quiconque commet le péché est esclave » (*Jean* 8, 34). Plusieurs témoins ajoutent « du péché », mais en réalité le contexte montre qu'au-delà du péché le Christ songe au diable lui-même qu'il nommera au v. 44 : « Vous êtes du diable, votre père, et ce sont les désirs de votre père que vous voulez accomplir », lui qui est « homicide dès le commencement..., menteur et père du mensonge », ennemi de la vérité, infligeant la mort à l'humanité par le moyen d'un mensonge (*Gen.* 2, 4-5). L'épître explique : « Quiconque est né de Dieu ne commet pas le péché », « qui le commet est né du diable » (3, 8-9). Le juste est sous l'influence de Dieu qui demeure en lui, le pécheur sous celle de Satan ; de même que le premier « se conduit comme le Christ » (2, 6), le second se conduit comme Satan qui inspirait aux Juifs de mettre à mort le Christ parce qu'il leur disait la vérité : « Vous voulez me tuer, moi qui vous dis la vérité » (*Jean* 8, 44). Le péché est essentiellement refus de la parole de vérité (15, 21-22 ; 16, 9).

Bien plus, il s'agit d'une hostilité positive. Homicide et mensonge ne s'expliquent en Satan que par la haine. La Sagesse (2, 24) parlait d'« envie » : « C'est par l'envie du diable que la mort est entrée dans le monde ». Jean parle de haine : les hommes n'ont pas seulement « mieux aimé les ténèbres que la lumière » mais « quiconque commet le mal hait la lumière » (3, 20). Le Christ le déclare à ses apôtres : « Si le monde vous hait, sachez que moi il m'a pris en haine avant vous » (15, 22).

5) *Le triomphe du Christ.* – C'est de ce péché du monde dans toute sa dimension qui va jusqu'à la haine que le Christ triomphe. Car « il n'y a pas de péché en lui » (1 *Jean* 3, 5), « lui et le Père sont un » (*Jean* 10, 30), il est « la lumière du monde » et « qui le suit aura la lumière de la vie » (8, 12) ; enfin et surtout, à Dieu « qui est amour » (1 *Jean* 4, 8), le Christ avant d'entrer en sa passion a demandé « que l'amour dont tu m'as aimé soit en eux et moi en eux » (*Jean* 17, 26). C'est pour cela qu'il meurt, ou plus exactement « donne sa vie pour ceux qu'il aime » : « il n'y a pas d'amour plus grand » (15, 13). Ce même amour, il le communiquera aux hommes précisément en leur communiquant l'Esprit, amour trinitaire du Père et du Fils ; cet amour, devenu en lui également humain, le Christ le communique aussi dans l'Eucharistie, sacrement de la « nouvelle alliance », à qui « mange sa chair et boit son sang » pour lui permettre d'aimer du même amour dont il nous a aimés (cf. 13, 34).

Le tragique de la destinée de l'homme est qu'il doive choisir entre l'amour ou la haine, la vie ou la mort, « le Véritable ou le Mauvais » (1 *Jean* 5, 19-20).

3° LES ÉPÎTRES PAULINIENNES. – 1) La tendance à distinguer par le vocabulaire les *actes peccamineux* comme tels du péché considéré comme un état général d'hostilité envers Dieu, ou même comme une force personnifiée, apparaît plus nettement encore chez saint Paul, notamment en *Rom.* 5-8 où il étudie le lien entre péché, loi et mort.

Pour les actes peccamineux, en dehors des formules liturgiques (« rémission des péchés », « mort pour nos péchés ») ou des citations de l'Ancien Testament, il recourt de préférence, même dans ces formules, à un autre terme : *hamartêmata* (*Rom.* 3, 25) ou *paraptômata* (fautes ; littéralement : chutes ; *Éph.* 1, 7 ; *Col.* 2, 13). Ailleurs il recourt aussi, et lui seul, à « transgression » (*parabasis* ; *Gal.* 3, 19 ; *Rom.* 5, 14, etc.). Non

qu'il s'agisse de péchés moins graves : le péché d'Adam est dit transgression, faute, désobéissance en *Rom.* 5, 14.17.19 ; mais ce vocabulaire souligne le sens spécifique de *hamartia,* qui rejoint celui de l'iniquité (*anomia*) chez Matthieu et Jean.

Paul n'a pas retenu la notion juive de « *dette* » : là où est conservée la formule traditionnelle « rémission des péchés », il a soin de préciser que cette « rémission » est une « rédemption » (*Col.* 1, 14 ; *Éph.* 1, 7) ou une « expiation-propitiation » (*Rom.* 3, 25).

2) *Les listes de péchés.* – L'acte peccamineux n'occupe pas une moindre place chez Paul que chez les Synoptiques, comme le prouve la variété des termes pour le désigner et plus encore les « listes de péchés » que présentent les épîtres ; au moins douze : 1 *Cor.* 5, 10-11 ; 6, 9-10 ; 2 *Cor.* 12, 20-21 ; *Gal.* 5, 19-21 ; *Rom.* 1, 29-31 ; 13, 13 ; *Col.* 3, 5-8 ; *Éph.* 4, 31 ; 5, 3-5 ; 1 *Tim.* 1, 9-10 ; *Tite* 3, 3 ; 2 *Tim.* 3, 2-5 (la plus longue avec celle de *Rom.* 1), parallèles aux « listes de vertus » selon l'usage de la littérature populaire païenne et de Qumrân. Mais celles de Paul s'en distinguent notamment par la sobriété des « vertus » (le terme *aretê* est absent, sauf en *Phil.* 4, 8 avec un sens différent) qui se réduisent pratiquement à l'amour fraternel et à ses expressions. De même, parmi les vices, on note l'insistance, à côté des désordres sexuels, sur les péchés contre la justice et la charité, comme dans les listes de l'Ancien Testament (*Deut.* 27, 15-26 ; *Éz.* 18, 5-9, etc.).

3) *Le péché au-dedans du cœur.* – Ces listes de péchés sont plus exactement des listes de « vices », car à côté des actes peccamineux (meurtres, injustices, débauches, etc.) elles mentionnent plus souvent encore les tendances profondes qui en sont la source et dont les actes sont le signe extérieur. Le péché est « au-dedans du cœur » selon l'enseignement du Christ.

Parmi ces vices Paul attache une gravité spéciale à la cupidité (*pleonexia,* tendance à avoir toujours davantage, naturellement au mépris du droit des autres). Elle est mentionnée dans au moins cinq listes, à quoi on peut ajouter « l'amour de l'argent, racine de tous les maux » (1 *Tim.* 6, 10). Les Grecs associaient le cupide au violent, au voleur, au brigand (Xénophon), au méchant et au malfaiteur (Plutarque). Bien plus, Paul l'identifie à l'idolâtre (cf. *Col.* 3, 5 ; *Éph.* 5, 5) ; pour lui la cupidité est l'antithèse de l'amour qui consiste à se mettre au service des autres, à « s'en faire l'esclave » (*douleuein, Gal.* 5, 13) au lieu de s'en servir comme instrument de profit ou de plaisir.

Très voisine de la cupidité, la convoitise (*epithumia*) résume aux yeux de Paul tous les péchés des « pères » au désert : « N'ayons pas de convoitises mauvaises comme ils en eurent » (1 *Cor.* 10, 6 ; les v. 7-10 signalent les manifestations concrètes). Il fait également du précepte du Décalogue « Tu ne convoiteras pas » un résumé de toute la loi, voire de toutes les volontés du Seigneur (*Rom.* 7, 7), de même que la tradition juive caractérisait les païens comme « ceux qui convoitent » (Targum de *Ex.* 20, 17 et *Deut.* 5, 21). La convoitise ne se restreint pas aux désirs sexuels, même dans le précepte du Décalogue, et le grec de la Septante ne les désigne jamais de ce nom sauf en deux passages de Daniel en raison du contexte (11, 37 et 13, 8). La convoitise fut le péché du couple primordial qui a corrompu l'esprit avant de provoquer le geste de rupture et qui concrètement était une volonté de se suffire à soi-même, une auto-suffisance.

Or c'est ainsi que Paul décrit le péché d'idolâtrie (*Rom.* 1, 21-23) identifié, on vient de le voir, à une cupidité. Il consiste à « ne pas rendre à Dieu gloire ou actions de grâce » (v. 21 ; litt. glorifier ou remercier) ; c'est le contraire de l'attitude de l'homme qui reconnaît tout devoir à Dieu et ne s'appuie que sur lui, comme le lépreux samaritain qui vient remercier Jésus, et « qui s'est trouvé le seul pour rendre gloire à Dieu ! » (*Luc* 17, 16-18), ou comme Abraham dont Paul déclare que « avec une foi puissante il rendit gloire à Dieu » (*Rom.* 4, 20). Et Paul évoque l'adoration du veau d'or par Israël (*Rom.* 1, 23).

Au-delà de la convoitise, Paul nomme la chair, réalité à quoi cette convoitise se rattache. Il parle de la « convoitise de la chair » (*Gal.* 5, 16 ; etc.) – chair qui « convoite contre l'esprit » (5, 17) –, mais aussi des « convoitises du cœur » (*Rom.* 1, 24). Il connaît surtout l'emploi du terme « chair » pour désigner la condition humaine naturelle, indépendamment de ce « supplément » qu'apporte Dieu (ainsi, celui qui par la foi s'appuie sur lui en reçoit une stabilité que sa nature ne comporte pas) ; dans ce sens l'Ancien Testament oppose « chair » à « esprit » comme « homme » à « Dieu » (*Is.* 31, 3). Avant sa conversion, Paul, même en pratiquant la loi en vertu de ses propres forces, « se confiait dans la chair » (*Phil.* 3, 3). Désormais « le Christ vit en lui » et « sa vie présente dans la chair » (à savoir la condition humaine), il la vit « dans la foi au Fils de Dieu » (*Gal.* 2, 20).

4) *Le Péché personnifié.* – Pour savoir ce qu'est ce « péché au-dedans du cœur », il faut remonter au-delà même de la chair et de sa convoitise, à ce que Paul nomme « le Péché ».

Employé au singulier, *hamartia* désigne, comme *anomia* (l'iniquité) chez Matthieu et Jean, un état ou une puissance d'hostilité à Dieu qui est à la source de tout acte peccamineux. Le terme avec cette signification apparaît peut-être dès 2 *Thess.* 2, 3 où l'Antichrist est appelé « l'Homme du péché », s'il faut lire *hamartia* à la place d'*anomia*, avec beaucoup de ms. L'exposé le plus riche se trouve en *Rom.* 5-8. Le péché y est présenté comme une puissance « entrée dans le monde avec la transgression d'Adam » et qui « a passé dans tous les hommes » (5, 12) ; elle atteint en quelque sorte jusqu'à l'univers matériel (8, 20-22). Un commandement extérieur à l'homme, comme celui de la loi, ne suffit pas par lui-même à l'empêcher d'agir, mais l'oblige à se démasquer en lui fournissant l'occasion de s'extérioriser en actes peccamineux (7, 13).

Le péché révèle aussi ce qu'il est dans la « mort » qu'il entraîne pour l'homme. En *Rom.* 5-8 le lien entre péché et mort est affirmé quinze fois en termes formels. Bien plus, en déclarant qu'elle est « le salaire du péché » (6, 23), Paul suggère pour le moins qu'elle n'est pas seulement un châtiment à recevoir à la fin de la vie, mais une « paye » versée dès maintenant. Le parallèle avec « la vie éternelle » permet sans doute d'appliquer, en sens opposé, à l'« état de péché » ce que Paul dit de la condition du « juste » : dès cette vie il jouit de l'union à Dieu, ce que la théologie appellera la grâce, *inchoatio gloriae* ; pareillement ici-bas l'état de péché est *inchoatio* de la séparation définitive d'avec Dieu. C'est pourquoi il emploie le terme « achèvement » (*telos* : ce qui achève et non seulement ce qui termine ; *Rom.* 6, 21-22). Or, pour Paul, cette mort est certainement la « mort éternelle » qui inclut la mort biologique et surtout la « deuxième mort » (*Apoc.* 2, 11, etc.). Ici le parallélisme avec la vie éternelle ne laisse aucun doute, mais ailleurs aussi, comme en *Rom.* 7, 24 et même en 5, 12-14 (cf. DBS, t. 7, col. 536-40).

5) *L'esclavage du péché.* – En *Rom.* 7, 14-24 Paul décrit cette condition de l'homme « vendu au pouvoir du péché » (v. 14). Qu'il s'agisse ici du pécheur et non

du juste, quasiment tous les exégètes en sont aujourd'hui d'accord : à la différence de *Gal.* 5, 17-24 qui décrit la lutte que se font dans l'homme régénéré la chair et l'esprit, ici l'esprit (*pneûma*) n'est nommé une seule fois, mais seulement la raison (*noûs*, v. 25). Bien plus, voulant préciser le rôle du Christ dans la rédemption, il décrit ici (comme en *Rom.* 1, 18 svv et, à plus forte raison, 5, 12-21) l'homme abandonné à ses seules forces, abstraction faite des effets que le Christ a opérés dès l'origine du monde, puisque « par l'incarnation le Fils de Dieu s'est uni d'une certaine manière à tout homme » (Vatican II, *Gaudium et spes*, n. 22).

Nul passage sans doute ne révèle plus exactement ce qu'est cette puissance du péché en elle-même en nous montrant ce qu'est – ce que serait – le pécheur sans le Christ : une énigme pour lui-même. D'une part, il demeure capable de sympathiser avec le bien, de le reconnaître comme bien et d'y aspirer (7, 5-18a ; selon le sens de *thelein* qui indique un vouloir de tendance et non de décision comme *boulesthai*) – tout en lui n'est donc pas corrompu –, mais d'autre part il est absolument « incapable de l'accomplir » (v. 18b), et partant voué à la « mort éternelle » (v. 24) – dans l'hypothèse où le Christ ne serait pas venu.

6) *Le triomphe du Christ.* – Si Paul a osé de telles affirmations, c'est pour mettre en relief le rôle du Christ, de même qu'il avait parlé de la solidarité avec Adam pour révéler une solidarité supérieure, celle de l'humanité entière avec Jésus Christ, solidarité première dans la pensée divine, Adam n'étant que « la figure de celui qui devait venir » (5, 14).

Le pardon de Dieu par le Christ dans l'Esprit implique dans l'homme un changement radical ; ce changement exige l'activité divine jusque dans l'accueil de la liberté humaine, notamment par la foi don de Dieu (*Éph.* 2, 8) et par le rite baptismal mentionné avec la foi (*Gal.* 3, 26-27 ; *Col.* 2, 11-12 ; en *Rom.* 6, 3-11 la foi est manifestement supposée). Le chrétien, uni à l'être même du Christ mort et ressuscité (*sumphutoi, Rom.* 6, 5), a totalement rompu avec le péché (v. 10-11) ; « nouvelle créature » (2 *Cor.* 5, 17), « créé dans le Christ Jésus » (*Éph.* 2, 10), « revêtu de l'Homme nouveau créé selon Dieu dans la justice et la sainteté de la vérité » (4, 24 ; cf. l'emploi de créer dans le *Miserere, supra*), ayant retrouvé dans le Christ la vraie connaissance morale (*Col.* 1, 9-10), il peut pratiquer toutes les vertus (3, 10-14 ; cf. *Éph.* 4, 25-32) ; « il n'est plus dans la chair, mais dans l'esprit, puisque l'Esprit de Dieu habite en lui » (*Rom.* 7, 5 ; 8, 8). Il peut cependant, tant qu'il vit « dans un corps mortel », retomber sous l'empire du péché et « se plier à ses convoitises » (6, 12), s'il refuse de « se laisser mener par l'Esprit » (*Gal.* 5, 16 ; cf. *Rom.* 8, 4).

C'est précisément ce que fait le pécheur, comme l'enseignait Paul dès sa première lettre : « Il rejette non pas le précepte d'un homme », ni même celui de Dieu, mais « Dieu lui-même qui... donne (au présent, selon le texte à préférer sans doute) son Esprit Saint » ; de même, « c'est de Dieu que vous avez personnellement appris à vous aimer (*eis to agapân* ; pas seulement : que vous devez vous aimer) les uns les autres » (1 *Thess.* 4, 8-9 ; cf. *Éz.* 36, 27 et *Jér.* 31, 33-34).

On le voit, le rôle attribué à l'Esprit n'est pas moins important pour Paul que pour Jean ; il est relié chez les deux apôtres aux mêmes oracles d'Ézéchiel et de Jérémie ; il est comme résumé par cette expression : « la loi qu'est l'Esprit donnant la vie dans le Christ Jésus » (*Rom.* 8, 2). Il en est de même du rôle de l'amour.

7) *Le péché et la sagesse de Dieu.* – Dieu ne triomphe pas seulement du péché. « Sa sagesse infinie en ressources » (*Éph.* 3, 10) obtient cette victoire en utilisant même le péché. Selon Paul, en effet, l'obstacle par excellence au règne de Dieu et au salut de l'homme joue un rôle dans l'histoire de ce règne et de ce salut.

C'est dans le pardon du péché que se révèle le mystère de la miséricorde divine, si bien que Paul peut écrire : « Dieu a enfermé tous les hommes dans la désobéissance *pour* faire à tous miséricorde » (*Rom.* 11, 32 ; cf. *Gal.* 3, 22). Bien plus, il y contemple un « abîme de la sagesse divine », dont « les décrets sont insondables et les voies incompréhensibles » (v. 34), de même qu'il avait discerné une disposition de « la sagesse de Dieu » (selon le sens paulinien du terme, 1 *Cor.* 2, 7 ; *Éph.* 3, 10) dans le fait que « le monde n'a pas reconnu Dieu, à qui il a plu de sauver les croyants par la folie du message » (1 *Cor.* 1, 21). En méditant sur l'infidélité du peuple élu (*Rom.* 9-11), péché qui fut sans doute pour son cœur la blessure la plus poignante et un scandale pour son esprit (9, 1-5), il a compris que cette infidélité, d'ailleurs partielle (11, 1-6) et provisoire (11, 11-15 et 25-29), entrait dans le dessein salvifique de Dieu sur le genre humain (voir l'admirable commentaire que fait saint Irénée du v. 32, *Adversus haereses* III, 20, 2).

Mais ce mystère de la sagesse divine, assez « habile » (*sophos*) pour utiliser au profit de l'homme jusqu'à son péché, ne se révèle nulle part plus clairement que dans la passion de Jésus. Selon Paul, « la preuve que Dieu nous aime, c'est que le Christ est mort pour nous, alors que nous étions encore pécheurs » (*Rom.* 5, 8) ; à cette fin, le Père, dans l'excès de son amour, « n'a pas refusé son propre Fils », comme jadis Abraham « n'avait pas refusé le sien » (*Gen.* 22, 12), « mais il l'a livré pour nous tous » (*Rom.* 8, 32), « non certes contre son gré – ce qui eût été impie et cruel », mais « en lui communiquant un amour tel qu'il le veuille lui-même » (Thomas d'Aquin, *Summa theol.* III^a, q. 47, a. 3 et ad 1). Aussi Paul dit-il habituellement : « Le Christ nous a aimés et s'est livré pour nous » (*Gal.* 2, 20 ; cf. 1, 4 ; *Éph.* 5, 2.25 ; *Tite* 2, 14).

Or sa mort et chacune des circonstances particulières de cette mort, médiation de son acte d'amour et d'obéissance reçu du Père, furent toutes l'effet du péché de l'homme, jusqu'à l'humiliation de passer pour un de ces criminels dont le cadavre était « suspendu au gibet comme une malédiction de Dieu » et « devait être enterré le jour même » pour « ne pas rendre impure la terre d'Israël » (*Deut.* 21, 23 ; cf. *Gal.* 3, 13 ; *Jean* 19, 31) : symbole et pour ainsi dire incarnation aux yeux des Juifs du « péché », à l'image du Serviteur que « nous considérions comme puni, frappé par Dieu et humilié » (2 *Cor.* 5, 21 ; *Is.* 53, 4).

Autrement dit, Dieu a utilisé le péché, qu'il n'a certes pas voulu mais qu'il a cependant toléré, pour que « son Fils bien-aimé » (*Col.* 1, 13 ; *Éph.* 1, 6) fût placé dans des conditions telles qu'il pût aimer comme jamais personne n'a aimé (cf. *Jean* 15, 13) et, par cet acte d'amour, passer, lui le premier, « tête » indissociable du « corps » (*Col.* 1, 18 ; *Éph.* 1, 22-23), de la condition de « chair » à la condition « spirituelle » et rendre chacun de ses « membres » participant de l'amour du Père devenu en lui à la fois divin et humain.

Aussi, quelles que soient les épreuves que nous ren-
contrions sur notre route, « tribulations, angoisses, persécution », etc., et que Dieu permet à cette fin, sommes-nous « les grands vainqueurs par Celui qui nous a aimés » (*Rom.* 8, 37), de même que, en vertu de l'amour reçu du Père, le Fils, dans sa passion et le don de sa vie par amour, avait été, lui le premier, « le grand vainqueur ».

**Études générales.** – W. Eichrodt, *Theologie des A.T.*, t. 3, Berlin, 1948, p. 81-148. – E. Jacob, *Théologie de l'A.T.*, Neuchâtel-Paris, 1955, 1968, p. 226-39. – P. Van Imschoot, *Théologie de l'A.T.*, Paris-Tournai, 1956, t. 2, p. 278-338. – G. von Rad, *Theologie des A.T.*, t. 1, Munich, 1958, p. 157-64, 261-71 (plusieurs rééd.) ; trad. franç., t. 1, Genève, 1963, p. 138-44. 230-39. – M. Meinertz, *Theologie des N.T.*, 2 vol., Bonn, 1950 (tables). – C. Spicq, *Théologie morale du N.T.*, 2 vol., Paris, 1965 (tables). – K.H. Schelkle, *Theologie des N.T.*, t. 2, Düsseldorf, 1970, p. 116-26. – M. García Cordero, *Teología de la Biblia*, t. 1, Madrid, 1970, p. 657-709 ; t. 2, 1972, p. 491-565.

J. Guillet, *Thèmes bibliques* (Théologie 18), Paris, 1951, p. 94-129. – *Teología bíblica sobre el pecado* (XVIII Semana Bíblica española), Madrid, 1959. – P. Grelot, *Théologie biblique du péché*, VSS, t. 61, 1961, p. 203-41 ; repris dans *De la vie à la mort éternelle* (Lectio divina 67), Paris, 1971, p. 13-50. – É. Beaucamp, *Données bibliques pour une réflexion théologique sur le péché*, dans *Problèmes du confesseur* (collectif), Paris, 1963, p. 11-29 ; *Le problème du péché dans la Bible*, dans *Laval théologique et philosophique*, t. 25, 1969, p. 88-114. – S. Lyonnet et L. Sabourin, *Sin, Redemption and Sacrifice. A Biblical and Patristic Study*, Rome, 1970.

H. Thien, *Studien zur Sündenvergebung im N.T. und seinen alttestamentlichen und jüdischen Voraussetzungen*, Göttingen, 1970. – F. Bussini, *L'homme pécheur devant Dieu* (Cogitatio fidei 91), Paris, 1978 (réflexion théologique appuyée sur la Bible). – *Peccato e santità* (collectif), Rome, 1979 : articles de G. Bolzoni (péché originel et vie spirituelle) ; G. Helewa (prophètes) ; V. Pasquetto (évangiles) ; S. Virgulin (Paul).

Kittel, t. 1, art. ἄδικος ; ἁμαρτάνω ; ἀφίημι ; t. 3, art. εἰδωλολατρία ; t. 4, art. νόμος ; t. 5, art. παράβασις ; πλεονέκτης ; t. 7, art. σάρξ – DBS, t. 7, 1966, art. *Péché* : A.T. (É. Beaucamp) ; Judaïsme, Qumrân (S. Lyonnet) ; N.T. (S. Lyonnet) ; bibliographies. – VTB, col. 931-46 (S. Lyonnet).

**Ancien Testament.** – A. Lefèvre, *Ange ou bête ? La puissance du mal dans l'A.T.*, dans *Satan*, coll. Études carmélitaines, Paris, 1948, p. 13-27 ; *Péché et pénitence dans la Bible*, dans *La Maison-Dieu*, n. 55, 1958, p. 7-22. – A. George, *Le sens du péché dans l'A.T.*, dans *Lumière et vie*, n. 55, 1952, p. 21-40. – A. Gelin, *Le péché dans l'A.T.*, dans *Théologie du péché* (Bibliothèque de Théologie 11.7), Paris-Tournai, 1960, p. 23-47. – S. Porúbčan, *Sin in the Old T.*, Rome, 1963. – R. Knierim, *Die Hauptbegriffe für Sünde im A.T.*, Gütersloh, 1965. – M. García Cordero, *Noción y problemática del pecado en el A.T.*, dans *Salmanticensis*, t. 17, 1970, p. 3-55. – R. Koch, *Il peccato nel V.T. La rottura dell'Alleanza*, Rome, 1973.

J. Delorme, *Conversion et pardon selon le prophète Ézéchiel*, dans *Mémorial J. Chaine*, Lyon, 1950, p. 115-44. – É. Beaucamp, *Justice divine et pardon (Ps. LI, 6)*, dans *A la rencontre de Dieu* (Mémorial A. Gelin), Lyon, 1961, p. 129-44. – P.E. Bonnard, *Le vocabulaire du Miserere*, ibidem, p. 145-65. – M.N. Loss, *La terminologia e il tema del peccato in Lv 4-5*, dans *Salesianum*, t. 30, 1968, p. 437-61. – V.J. Elmiñana Lloret, *El pecado en el Deuteronomio*, dans *Estudios bíblicos*, t. 29, 1970, p. 267-85.

**Judaïsme tardif. Qumrân.** – A. Büchler, *Studies in Sin and Atonement in the Rabbinic Literature of the first Century*, New York, 1928 ; 2^e éd. augmentée, 1967. – E. Sjöberg, *Gott und die Sünder im palästinischen Judentum*, Stuttgart, 1938. – S. Schulz, *Zur Rechtfertigung aus Gnaden in Qumrân und in Paulus*, dans *Zeitschrift für Theologie und Kirche*, t. 56, 1959, p. 155-56. – J. Becker, *Das Heil Gottes.*

*Heils- und Sündenbegriffe in den Qumran-texten und in N.T.*, Göttingen, 1964. – A. Dupont-Sommer, *Culpabilité et rites de purification dans la secte juive de Qumran,* dans *Semitica,* t. 15, 1965, p. 61-70.

**Nouveau Testament.** – J. Haas, *Die Stellung Jesu zu Sünde und Sünder nach den vier Evangelien,* Fribourg/Suisse, 1954. – J. Murphy O'Connor, *Péché et communauté dans le N.T.,* dans *Revue biblique* = RB, t. 74, 1967, p. 161-93. – A. Strö-bel, *Erkenntnis und Bekenntnis der Sünde in der neutesta-mentlichen Zeit,* Stuttgart, 1968. – J. Michl, *Sündenbe-kenntnis und Sündenvergebung in der Kirche des N.T.,* dans *Münchener theologische Zeitschrift,* t. 24, 1973, p. 189-207. – H. Leroy, *Die Vergebung der Sünden. Die Botschaft der Evangelien,* Stuttgart, 1974. – art. *Luc,* DS, t. 9, col. 1108-11 (bibliographie).

I. de la Potterie, *Le péché, c'est l'iniquité (1 Jo, 3, 4) ; L'im-peccabilité du chrétien d'après 1 Jean 3, 6-9,* dans I. de la Potterie et S. Lyonnet, *La vie dans l'Esprit condition du chré-tien* (Unam sanctam 55), Paris, 1965, p. 65-83, 197-216. – F.M. Braun, *Le péché du monde selon S. Jean,* dans *Revue thomiste,* t. 65, 1965, p. 181-201. – N. Lazure, *La convoitise de la chair en 1 Jean 2, 16,* RB, t. 72, 1969, p. 161-205. – J.M. Casado Suque, *La teología moral en san Juan,* Madrid, 1970. – E.J. Cooper, *The Consciousness of Sin in I John,* dans *Laval théologique et philosophique,* t. 28, 1972, p. 237-48.

E.E. Schneider, *Mysterium iniquitatis. Das heilige Geheim-nis der Sünde,* dans *Theologische Zeitschrift,* t. 19, 1962, p. 113-25. – S. Lyonnet, *Les étapes de l'histoire du salut selon l'épître aux Romains* (Bibliothèque œcuménique 8), Paris, 1969. – E.J. Cooper, *Sarx und Sin in Pauline Theology,* dans *Laval théologique et philosophique,* t. 29, 1973, p. 243-55. – A. Feuillet, art. *Romains (Épître aux),* DBS, t. 10, 1981, col. 739-863.

Stanislas LYONNET.

## II. RÉFLEXION THÉOLOGIQUE ET SPIRITUELLE

1. *Présentation systématique.* – 2. *Expérience spirituelle.* – 3. *Questions contemporaines.*

### 1. Présentation systématique

1° LA MALICE DU PÉCHÉ. – 1) Le péché est un donné constitutif de l'existence chrétienne. Le baptême qui incorpore à l'Église en purifie. Le sacrement de péni-tence qui y réintègre en libère. Gestes de pardon, ces deux sacrements rappellent que, si le péché est objet de révélation, cette révélation est faite dans l'acte même par lequel le Christ en opère la rémission. Mort et résurrection avec le Christ, ces sacrements mon-trent en outre que, si le péché est offense à Dieu, sa confession fait entrer le pénitent dans l'acte par lequel Dieu le rend participant de sa propre vie.

Péché et grâce sont donc intimement liés dans l'ex-périence chrétienne. La grâce du Christ dévoile à l'homme ce dont elle le sauve, à savoir son péché. En retour, la confession de ses péchés donne à l'homme d'accueillir sa propre existence comme don et grâce du Dieu de miséricorde. Ce lien entre péché et grâce ne constitue pas pourtant une réalité dialectique, au point qu'un terme entraîne l'autre. En effet, le fait de pécher n'appelle pas de soi l'expérience de la grâce. Le pardon n'est lié par aucun lien de nécessité à la faute commise ; il relève dans sa gratuité de la seule liberté divine.

2) Le péché garde en soi une *opacité irréductible.* Possibilité en l'homme de se fermer inexorablement sur lui-même, il est « mort », « corruption », ou encore « retour au néant » (cf. Athanase, *De Incar-natione* 34, 4-5 ; SC 199, p. 272-74). Liant la récidive à l'endurcissement du cœur, qui pour les Pères consti-tuait le péché contre l'Esprit, l'Église des premiers siècles excluait toute réitération de la pénitence ecclé-siastique. Ce faisant, elle ne préjugeait certes pas du jugement ultime de Dieu (Hermas, *Le Pasteur,* Préc. IV, 3, 6 ; SC 53bis, p. 161). Dans sa discipline péniten-tielle, anticipation sacramentelle de ce jugement sur terre, elle entendait signifier tout à la fois le caractère inaliénable de la liberté humaine et l'énigme que sera toujours le mystère d'iniquité dans notre condition pérégrinante.

La liberté a donc la possibilité de se nier dans sa propre décision. Générateur de mort, retour à la mort, le péché ne peut se changer de lui-même en un bien. Toute nouvelle initiative de vie ne peut provenir que de celui qu'il offense et dont il est en lui-même le refus. Une théologie du péché qui prend en compte cette opacité intrinsèque à la faute se construit dans le seul mouvement d'une espérance qui voit en Dieu celui pour qui l'impossible demeure possible : donner vie à ce qui était mort, retrouver ce qui était perdu (K. Rahner, *Verharmlosung der Schuld in der traditio-nellen Theologie?,* dans *Schriften zur Theologie* = SzT x, 1972, p. 145-63).

3) *Péché, pécheur.* – Le péché est un acte. Néan-moins, l'homme ne pose pas seulement des actes moralement qualifiables. Les actes qu'il pose le ren-dent bon ou mauvais. Autrement dit, la liberté de l'homme n'est pas seulement liberté d'actes ; elle est liberté d'être. Ainsi, en commettant le péché, l'homme devient pécheur, il est pécheur. Plus que liberté de choix d'un objet, la liberté humaine est cet acte origi-naire par lequel l'homme se situe par rapport à lui-même et se définit comme personne dans sa relation constitutive à Dieu, pour ou contre lui. Le fait de pou-voir pécher relève de l'absolu qui est au cœur de cette liberté. L'homme pèche en ce qu'il a d'éternel.

C'est en ces termes que se pose le problème du mal dans le monde, aussi bien au plan personnel que social (cf. art. *Mal,* DS, t. 10, col. 122-36). Il y a le mal qui affecte toute existence individuelle. Antérieur à l'acte libre, ce mal n'est pourtant pas étranger à la liberté. En effet, l'homme est cet être qui est d'ores et déjà librement engagé dans sa propre histoire. Il est celui qui a toujours déjà pris position par rapport à lui-même, en bien ou en mal. C'est donc dans la mesure où, se confessant pécheur, il se pose à l'origine du mal qui l'agresse qu'il se situe dans son être per-sonnel face à Dieu.

Il faut pouvoir en dire autant du mal tel qu'il s'objective dans les structures du monde. Même dans sa dimension sociale, ce mal n'est jamais purement extérieur à la liberté personnelle. Celle-ci demeure le lieu de sa manifestation, à la manière dont elle est touchée par lui et y réagit. Ainsi est-ce ultimement dans l'unique mesure où, par-delà toutes les démissions possibles, la liberté ose se reconnaître à l'origine de ce qui la dénie, s'avouer l'auteur de ce dont elle est en même temps la victime, assumer les conséquences de ses actes passés en confessant son péché, qu'elle renoue avec elle-même et fonde l'avenir. En théologie catholique, un tel événement où la liberté assume son passé dans un présent réconcilié qui libère l'avenir de la promesse est un événe-ment de grâce. En effet, seule la présence restauratrice de l'Autre peut rendre la liberté intérieure à son propre assenti-ment, d'étrangère qu'elle était devenue à elle-même.

4) La théologie chrétienne du péché se déploie sur *un triple registre* d'affirmations : moral, eschatologique et théologal.

*Dans l'affirmation morale* le péché est perçu en référence à la loi. Il se définit alors comme « transgression ». Cette loi est tout à la fois la loi naturelle, telle que la réfléchit la règle de la raison, et la loi éternelle de la « double charité », amour de Dieu et amour du prochain, dont dérive la première. D'où la définition classique : « Le péché est une action, une parole ou un désir opposés à la loi éternelle. Or cette loi éternelle est la raison divine ou la volonté de Dieu qui ordonne de maintenir l'ordre naturel et défend de le troubler » (Augustin, *Contra Faustum* xxii, 27 ; PL 42, 418 ; cf. Thomas d'Aquin, *Summa theologica* iᵃ iiᵃᵉ, q. 71, a. 2, ad 4).

La thématisation chrétienne a privilégié cet aspect du péché. Celui-ci est un acte. Or tout acte humain se mesure à une norme qui en dit la bonté intrinsèque. C'est le propre de la loi d'énoncer cette mesure. En effet, si la loi exprime un « devoir faire », elle est aussi l'indicatif d'un « pouvoir faire ». Elle révèle la liberté à elle-même, en lui traçant son exigence intrinsèque. Il y a donc péché là où l'homme entre en contradiction avec lui-même en posant un acte qui va à l'encontre de la loi. Dans cette perspective, c'est en référence à la loi, plus précisément au décalogue, que s'opère la diversification des espèces de péchés.

Dans *l'affirmation eschatologique* le péché est défini en référence aux conséquences qu'il entraîne. Celles-ci sont de l'ordre de la souffrance. Instaurant une contrariété avec l'ordre des choses voulu par Dieu, le péché suscite en retour la juste réaction de l'ordre violé, ressentie comme châtiment. C'est au terme de l'histoire personnelle et collective, dans le jugement de Dieu, que se trouve définitivement dévoilée et sanctionnée dans ses conséquences la malice intrinsèque au péché. Du point de vue eschatologique, le péché est un acte passible de la damnation éternelle.

Ce châtiment n'est pas la sanction extérieure qui vient s'ajouter à la faute. Il est la pleine et définitive manifestation de la nature du péché : offense faite à Dieu qui met l'homme en contrariété avec lui-même. C'est à la lumière de cette vision anticipée du terme que se sont élaborées dans l'Église les premières théologies de la discipline pénitentielle. La peine qu'entraîne le péché est aussi celle qui, assumée dans la pénitence, libère du péché en restaurant l'ordre perturbé. S'attachant davantage à la figure du Christ médecin des âmes (DS, t. 10, col. 892), Origène, et la tradition orientale à sa suite, verront la pénitence comme le feu intérieur du jugement qui brûle et qui purifie. Prenant davantage en compte la notion de juge, Cyprien et la tradition occidentale concevront la pénitence en terme d'expiation où se fait le décompte des fautes (cf. art. *Pénitence, infra*).

Entre l'affirmation morale et l'affirmation eschatologique, il y va comme du rapport qui, au niveau de la symbolique de la faute, relie l'acte coupable au châtiment mérité. Ce rapport relève du caractère historique de l'agir humain, le péché de l'homme dans sa condition pérégrinante n'étant pleinement rendu manifeste qu'au terme de son histoire. Ce rapport témoigne aussi du caractère à la fois personnel et social, pour ne pas dire cosmique, de l'acte coupable dans ses conséquences, celui-ci n'étant pleinement dévoilé qu'au jugement dernier.

Les deux premiers registres d'affirmation se rapportent à la liberté dans son effectuation historique. *L'af-firmation théologale*, indissociable des deux autres, rejoint la liberté chrétienne dans sa réalité ontologique. A ce niveau, le péché est « perte de la grâce », « atteinte au sceau du baptême », « atteinte à la vie de l'Esprit ». Par-delà tout acte moralement qualifiable, l'homme est saisi ici dans son essence comme personne : à l'intérieur du rapport dialogal qui le fonde où Dieu se révèle à lui origine de son être, et où l'homme se reçoit toujours à nouveau dans le don transformant de Dieu. Le péché rompt un lien d'amitié et de communion. Ce faisant, il blesse l'homme. La privation de la grâce qu'il entraîne fait de sa liberté une non-liberté. Plus encore, il blesse Dieu. Le péché n'est plus seulement transgression de la loi ; il est « peccatum in Deum », offense faite à la personne de Dieu, et, dans l'atteinte qu'il porte à l'Esprit en l'homme, blessure infligée à l'être même de Dieu (cf. K. Rahner, *Schuld als Gnadenverlust in der frühkirchlichen Literatur*, SzT xi, 1973, p. 46-93).

C'est aussi à ce niveau que le péché se manifeste le plus radicalement dans sa dimension sociale et communautaire. L'Esprit auquel il est porté atteinte est celui-là même qui vivifie l'Église et qui, créant toutes choses nouvelles, rassemble les hommes en la personne du Christ. Ainsi, toute faute, si secrète soit-elle, est aussi atteinte à la personne de ses frères. Le péché blesse l'Église, corps du Christ et communion dans l'Esprit. C'est pourquoi la réconciliation avec Dieu est aussi réconciliation avec l'Église, cette dernière pouvant même être considérée du point de vue sacramentel comme le signe visible et efficace de la réconciliation retrouvée avec Dieu. A travers le mystère de l'Église dans sa relation au monde, cette dimension interpersonnelle de la faute s'élargit en co-responsabilité du chrétien pécheur par rapport à l'injustice dans le monde (*Célébrer la pénitence et la réconciliation. Nouveau rituel*, Paris, 1978, n. 7).

5) *Non-être et puissance de mort.* – La théologie du péché se trouve toujours confrontée à une double exigence en apparence contradictoire. D'une part, contre tout dualisme ontologique, il lui faut affirmer la négativité du péché, c'est-à-dire, son caractère de non-être. D'autre part, contre tout moralisme réducteur, il lui faut reconnaître la positivité du péché, comme puissance qui investit et asservit. Tel fut en son temps le combat d'Augustin, tour à tour contre le manichéisme et contre le pélagianisme. Cette double exigence ne peut être honorée que par une théologie qui rattache le péché à l'acte mauvais de la liberté.

Le péché n'est pas une substance. Le mal n'est pas dans l'objet, mais dans la manière d'agir. Il est essentiellement dans le mouvement de l'âme qui se pervertit, faisant de sa liberté un usage contraire à son orientation foncière. A cet acte insensé, il n'y a pas d'explication en dehors d'une défaillance de la liberté elle-même, pour la simple raison que toute explication est toujours la recherche d'une cause d'être. Or le péché n'est pas production d'être. Il est déchéance dans l'être et ainsi retour vers le néant. « Vouloir découvrir la cause de cette déchéance, alors qu'elle est, comme je l'ai dit, non efficiente mais déficiente, c'est comme si on voulait voir les ténèbres et entendre le silence » (Augustin, *De civitate Dei* xii, 8).

Défaut d'être, le péché néanmoins n'est pas simple privation. Il est de la part de la liberté un acte positif de révolte, « non pas une substance, mais la perversion d'une volonté » (*Confessions* vii, 16, 22). Il tire tout son pouvoir de l'ordination constitutive de la liberté vers Dieu, mais dans sa perversion il détourne ce pouvoir contre Dieu et contre la liberté elle-même, devenant ainsi une puissance d'asservissement et une force de mort. Pour Dieu, remarque avec justesse Jean de la Croix, « purifier l'âme est plus que la créer de rien, car le péché est plus que le simple néant qui, lui, ne lui résiste pas » (*La Montée du Carmel* I, 6).

2° L'ACTE DU PÉCHÉ. - Le péché met devant un autre paradoxe : il est tout à la fois acte et nature, action imputable et état subi.

1) *Le péché comme acte personnel.* - La théologie morale précise que tout péché mortel implique à la fois matière grave, connaissance suffisante et plein consentement. Ce qui sur le plan théorique s'énonce clairement ne se produit en fait le plus souvent que dans le clair obscur de l'ambiguïté et du mensonge, du fait que le péché, de par sa nature même, aliène l'homme qui le pose, brouillant son jugement et asservissant son libre vouloir.

Il faut une *matière grave*. L'acte le plus personnel qui situe l'homme face à Dieu passe toujours par la médiation des choses créées. Même la faute la plus secrète s'accomplit dans un donné de représentations. Ce donné est à la fois nécessaire à l'accomplissement de l'acte peccamineux et distinct de lui, de même que le corps et l'esprit ne font qu'un sans être pour autant identiques. Ainsi, l'acte objectivement répréhensible est signe constitutif de ce qui se passe au-dedans de celui qui le pose, en ce sens que l'engagement de sa personne passe par cet acte. Il y a donc place pour un jugement moral objectif, tel que l'entend la théologie morale. Mais si décisif soit-il, cet acte n'est pourtant pas identique au tout de la personne qui le pose. De ce point de vue, il n'a toujours qu'un caractère indicatif par rapport à la situation spirituelle réelle de la personne devant Dieu (cf. *infra*).

Il faut une *connaissance suffisante*. Or là où il y a occasion de péché, la référence à Dieu est souvent occultée par l'attrait qu'exerce immédiatement l'objet convoité. Ainsi une faute réellement commise peut fort bien ne pas être objet de connaissance dûment réfléchie. Elle peut même être le résultat d'une faute oubliée, cachée ou refoulée, qui perdure à travers la situation faussée qu'elle a créée. Quoi qu'il en soit de ce coefficient d'ambiguïté qui affecte le jugement dans l'acte concret du péché, l'exigence de la théologie morale quant à la connaissance suffisante garde toute sa valeur. Elle rappelle que l'homme ne pourra jamais se trouver responsable d'un péché qu'il aurait inconsciemment commis.

Il faut un *plein consentement*. En effet le péché implique un acte où se trouve engagée la liberté, même si par la suite le même péché se transforme en un état subi. « Il n'y a pas péché, si on ne pèche par sa propre volonté » (Augustin, *Contra Fortunatum* 2, 21, PL 42, 122d). En toute rigueur de termes, l'homme devrait donc pouvoir se reconnaître dans une identité absolue comme cause et auteur de son état. Concrètement, cette possibilité lui est toujours déniée jusqu'à un certain point. Au moment d'agir, celui-ci se trouve déjà dans une disposition spirituelle déterminée, non totalement objectivable à ses yeux, pécheur ou racheté par grâce ; il n'est jamais en mesure de distinguer en toute clarté l'état moral qui le pousse à agir et ce qui, dans la faute commise, relève de sa seule décision actuelle. En tout acte libre, il y a toujours un mélange d'action et d'état.

1) *Le péché continué.* - L'homme est un être fragile et obscur à lui-même, jusque dans l'acte peccamineux où il engage irrévocablement sa liberté. S'il est dans l'instant auteur du péché, il est aussi celui qui continue une faute déjà devant lui. Acte éminemment personnel, son péché ne s'inscrit pas moins à l'intérieur d'un « nous » qui est celui de l'humanité pécheresse à laquelle il appartient. Antécédente à toute faute personnelle et entérinée par elle, il y a une solidarité dans le péché qui ne se comprend qu'en relation à une faute première à laquelle la théologie occidentale a donné à la suite d'Augustin le nom de « péché originel ».

Il y aura toujours une difficulté noétique inhérente à la notion de péché originel. Il s'agit en effet d'une notion qui tente de cerner l'envers du salut en Jésus-Christ, c'est-à-dire l'énigme du mal dans le monde. C'est l'universalité du salut qui fonde l'affirmation de l'universalité du péché. C'est dans le terme que nous est révélée l'origine : puisque le Christ est venu sauver tous les hommes, c'est donc que tous, sans exception, sont pécheurs (cf. Augustin, *De peccatorum meritis et remissione* 26, 39, et le dossier scripturaire qu'il rassemble ensuite, 27, 40-54, PL 40, 131-140). En affirmant cette universalité du péché, la notion pointe vers une dimension obscure de la faute qui fait partie de l'affirmation chrétienne, celle du mal comme un « déjà-là », dont l'individu n'est pas l'auteur mais la victime, et qui apparente le péché à un état de nature où le vouloir se trouve faussé en son mouvement premier. Par suite, si le péché est un acte volontaire, il est aussi une impuissance native, « peine du péché, peine dont est sortie cette mortalité comme une seconde nature de laquelle la grâce du Créateur nous délivre » (Augustin, *De Quaestionibus ad Simplicianum* I, 1, 11, PL 40, 107).

Les deux sacrements de la conversion chrétienne, le baptême et la pénitence, ou encore « l'eau et les larmes » (Ambroise, *Lettre* 41, 12 ; PL 16, 1116), reprennent à l'intérieur de leurs symboliques respectives cette double dimension du mystère d'iniquité. Le baptême signifie la totale gratuité de Dieu qui arrache au péché comme force de mort originaire en purifiant de sa souillure « par un bain d'eau qu'une parole accompagne » (*Éph.* 5, 26). En passant par les larmes de la pénitence personnelle, le sacrement de réconciliation assume la faute propre à l'individu. D'où le lien intime entre ces deux sacrements. Le Christ n'est pas seulement l'éducateur de la conscience par sa doctrine et son exemple. C'est la totalité de l'homme qu'il renouvelle en recréant sa liberté jusque dans son mouvement premier par le don transformant de sa grâce.

En lui donnant son point d'ancrage historique et personnel, la notion du péché originel situe cette solidarité native au sein même de la liberté humaine et de son destin. En effet la personne du second Adam qui rassemble en elle l'humanité accomplie donne de discerner aux origines la figure à la fois anticipative et déficiente du premier Adam avec lequel fait corps l'humanité pécheresse. Dans la faute d'Adam, ce qui est le plus soustrait à la responsabilité personnelle s'avère personnel, ce qui apparaît le plus an-historique trouve sa détermination historique. La faute du premier homme que nul ne peut s'imputer se révèle ainsi le prototype de toute faute librement commise. La solidarité de tous dans le péché relève d'un ordre de personnes.

La théologie tente de préciser le lien entre péché originaire (*peccatum originale originans*) et péché originel (*peccatum originale originatum*), entre ce qui est « un dans son origine » et ce qui est « propre à chacun » (Concile de Trente, Denzinger n. 1513). Augustin en appelle tantôt à une sorte de « traducianisme » (« nous étions tous en lui », cf. *De civitate Dei* XIII, 14 ; *De Genesi ad litteram* X, 11, 18-24, 40 ; voir les notes complémentaires 44 et 45 dans l'éd. de la Bibliothèque Augustinienne, t. 49, Paris, 1972, p. 534-45), tantôt à une transmission héréditaire par génération en référence à l'expérience de la concupiscence (*De nuptiis et concupiscentia* I, 24, 27). Thomas d'Aquin, se fondant sur les notions aristotéliciennes de nature et d'unité d'espèce, conçoit l'humanité comme la personnalité unique des membres d'une immense communauté (*Summa théol.* Iª IIªᵉ, q, 81, a. 1).

De nos jours, certains privilégient les catégories d'existence. Ainsi le péché originel peut-il être défini comme un « existential » d'origine historique certes, mais relevant désormais des structures fondamentales de l'homme dans son être situé face à Dieu et face au monde (cf. P. Grelot, *Péché originel et rédemption à partir de l'épître aux Romains. Essai théologique*, p. 114-54). P. Schoonenberg (*Mysterium Salutis*, t. 2, Einsiedeln, 1967, p. 899-938, trad. franç., t. 8, Paris, 1970, p. 63-130) propose le recours à l'expression biblique de « péché du monde » ; tout en ne recouvrant pas la notion traditionnelle de péché originel, cette expression lui apporte un complément nécessaire en attirant l'attention sur son effectuation historique à travers les relations qui lient les hommes entre eux. Plus ambiguë par contre est la notion moderne de « péché collectif », dans la mesure où elle injecte la notion, déjà problématique en elle-même, d'une culpabilité collective dans un péché d'origine dont l'homme qui vient au monde n'est nullement responsable (cf. J. Sommet, *Péché collectif*, dans *Christus*, t. 19, 1972, p. 147-58 ; R. Théry, *La responsabilité collective, étude juridique*, dans *La Culpabilité fondamentale*, Gembloux, 1975, p. 130-52). Quoi qu'il en soit, la théologie doit éviter de dissocier ce qui au plan de l'expérience spirituelle est vécu comme un tout. La liberté est toujours engagée dans son propre devenir. Si le péché personnel trouve sa source dans une attitude fondamentale de péché, en retour cette source de péché est toujours assumée par la faute personnelle. En définitive, état et acte, corruption transmise et péché personnel constituent en son entier le péché originel.

Son état originel de péché est révélé au croyant dans le baptême qui l'en purifie. Mais même pour le baptisé, désormais mort au péché, cette révélation garde toute son actualité. Elle l'engage à descendre dans les profondeurs de son être pour y assumer et confesser comme péché ce qu'il n'attribuerait spontanément qu'au désordre de sa nature. Le péché est alors intimement perçu comme cette corruption originaire qui affecte chacun de ses actes, comme ce retard et cette pesanteur qui pénètrent la liberté et le vouloir, et y demeurent même une fois la conversion accomplie. Il y a là une sorte de perception expérimentale de ce qu'est le péché originel où, dans la lumière même de la grâce, l'amertume du péché devient reconnaissance de la douceur et de la gratuité de Dieu, et où l'homme se découvre tout à la fois sanctifié et débiteur insolvable (cf. P. Agaësse, *L'anthropologie chrétienne selon saint Augustin. Image, liberté, péché et grâce*, Centre Sèvres, Paris, 1980, p. 75). C'est dans cette saisie de la faute originelle que s'inscrit aussi le « tragique » inhérent à la compréhension chrétienne de l'existence. En effet, dans la mesure où tout acte bon produit dans la grâce de Dieu s'insère inévitablement dans une situation individuelle et collective de péché, il risque toujours d'être marqué d'un coefficient d'ambiguïté, du moins aux yeux des autres, dans son objectivation sociale et culturelle. C'est ainsi que le croyant se trouve constamment renvoyé dans la foi et l'espérance à la seule personne du Christ qui le justifie (K. Rahner, art. *Sünde*, LTK, t. 9, col. 1180).

Il y a un mystère d'iniquité qui passe l'individu. Ce mystère passe aussi l'humanité tout entière. Et c'est ici que prend tout son sens la figure énigmatique du serpent dans le récit de la Genèse qui fait porter sur la liberté humaine la cause du mal dans le monde. Si le mal est dans l'homme, c'est d'abord qu'il est hors de lui. Si l'homme est responsable de l'entrée du mal dans le monde, il n'en est pas à lui seul l'origine. S'il commet la faute, il est celui qui y succombe. L'origine du mal pointe vers un au-delà de l'homme. Ainsi se trouve exorcisé de l'intérieur même de la conscience chrétienne tout « vœu de toute-puissance » par lequel l'homme s'érigerait auteur du mal tout aussi bien que cause du bien. L'homme ne peut se poser en principe absolu du mal. Jusque dans son péché se trouvent ainsi signifiées sa finitude et sa fragilité.

3) *Orgueil et convoitise.* – Les figures les plus soustraites à son libre vouloir – le mauvais ange et Adam – sont précisément celles qui révèlent en toute clarté à l'individu la nature et la portée de ses péchés personnels, par-delà le clair-obscur de son agir concret. En effet, c'est en méditant le péché des anges que la théologie chrétienne a saisi le péché en son essence comme réalité de l'esprit, à savoir orgueil qui oppose l'homme à Dieu (Augustin, *De civitate Dei* XII, 6). C'est en méditant le récit de la chute dans la Genèse qu'elle a perçu la modalité propre à la faute commise par l'homme, cet être à la fois chair et esprit, à savoir, séduction qui pousse à la convoitise (*De Genesi ad litteram* XI, 30, 39 ; PL 34, 445). Ces deux événements qui surplombent toute existence déterminent en même temps la situation spirituelle de tout homme qui pèche librement. Ils sont l'origine toujours présente en toute faute actuelle. Tout péché personnel reprend le passé de son histoire.

L'acte du péché est donc tout à la fois orgueil et convoitise, *aversio a Deo* et *conversio ad creaturas* : « le péché est désordre et perversité, c'est-à-dire éloignement du créateur qui est le bien le plus excellent, et conversion vers les choses créées inférieures » (*De diversis quaestionibus ad Simplicianum* I, 2, 18 ; PL 40, 122).

L'orgueil est une « grandeur perverse », la volonté « d'abandonner le principe auquel l'esprit doit adhérer pour se faire en quelque manière son principe à soi-même » (*De civitate Dei* XIV, 13). Au lieu de se rendre relative à Dieu, la créature rend Dieu relatif à elle-même dans un amour propre qui est refus de Dieu. Au lieu de devenir Dieu par Dieu, elle entend devenir Dieu par elle-même dans une « perverse imitation de Dieu » (*Confessions* II, 6, 14).

Cette vaine affirmation de soi engendre la convoitise, ou encore l'avarice spirituelle, la soif d'absolu en l'homme se transforment en volonté insatiable de s'approprier pour soi-même ce qui est du domaine de tous. En voulant exclure Dieu de sa place, l'homme exclut de fait les autres de la leur (cf. *De Genesi ad litteram* XI, 15, 19-20). De part et d'autre, il y a refus d'amour pour Dieu et pour les autres, atteinte à la « double charité ». Néanmoins, lorsque la convoitise s'empare de l'homme, le péché n'est plus forcément acte d'orgueil. Pélage, toujours, identifie péché et orgueil ; mais Augustin lui répondra que beaucoup de péchés sont le fait « d'hommes ignorants, faibles, et souvent d'hommes qui pleurent et gémissent » (*De natura et gratia* 29, 33 ; cité dans l'art. Église *Latine*, DS, t. 9, col. 357-58).

3º Lᴇ sᴜᴊᴇᴛ ᴅᴜ ᴘᴇ́ᴄʜᴇ́. – Le péché commis reflue inévitablement sur celui qui le commet. Non seulement il le rend pécheur, mais encore l'incite à pécher, le rendant toujours plus insensible à son égarement. Cet aspect psychologique de la faute n'a pas échappé à la théologie chrétienne.

1) *Une concaténation.* – Alors que le péché devrait engendrer trouble et souffrance, il donne un plaisir et une satisfaction qui ancrent toujours plus dans une attitude de péché. Il y a un dynamisme interne à la faute : « Du péché vient le péché, et au péché s'ajoute le péché, et cela en raison même du péché » (Augustin, *Enarr. in Ps.* 57, 4). Ce n'est plus alors la symbolique

de la chute qui rend compte de l'expérience de l'homme pécheur. C'est celle de la captivité.

Le péché « enchaîne » les puissances de l'âme, entraînant l'homme irrésistiblement à pécher. « J'étais enchaîné non par des fers étrangers, mais par les fers de ma propre volonté... Oui, de la volonté perverse naît la passion (*libido*), de l'esclavage de la passion naît l'habitude, et de la non-résistance à l'habitude naît la nécessité. Ainsi, de ces anneaux insérés l'un dans l'autre – d'où le nom de chaîne que je lui ai donné – me tenait attaché une dure servitude » (*Confessions* VIII, 5, 10). Cette servitude, Augustin la compare à la mort de Lazare : le pécheur est enseveli dans le tombeau de l'habitude acquise. Son agir n'est plus de l'ordre de la liberté, mais de la compulsion (*Sermo* 67, 1, 2 PL 38, 434).

2) *Les péchés capitaux*. – La théologie spirituelle a explicité cette dynamique interne au péché en se référant aux passions qu'éveille le péché et qui en retour troublent le regard, émeuvent la volonté. C'est la doctrine des péchés capitaux (cf. art. *infra*). La liste de ces « vices fondamentaux » a pris naissance dès le quatrième siècle dans les cercles monastiques, avec les premières élaborations d'une théologie des trois voies, purgative, illuminative et unitive. Elle devient par la suite une référence constante dans la tradition spirituelle (cf. Jean de la Croix, *La nuit obscure* I, 1-7).

3) *La concupiscence*. – La concupiscence est à l'espèce ce que l'habitude est à l'individu. « Elle vient du péché et incline au péché » (Denzinger, n. 1515). Elle n'est pas elle-même péché. Chez le baptisé, elle perdure comme suite du péché « pour le combat » (*ibid.*), signe non seulement de la fragilité propre à la condition de créature, mais encore d'une existence désormais blessée.

La concupiscence est de l'ordre du désir. L'homme est en effet un être de désir. Il doit constamment assumer et intégrer le désir qu'il est dans la libre décision par laquelle il dispose de son existence devant Dieu. Le désir est son être, chair et esprit, dans sa réaction spontanée, immédiate aux valeurs, antécédemment à toutes réflexion et libre décision. Ainsi l'homme est-il tension constante entre ce qu'il vit comme donné à lui-même dans le désir et ce qu'il fait de sa vie en lui imprimant sa marque personnelle.

La concupiscence est perversion du désir. Tendance et ordination désordonnées, elle est à la fois désir et souffrance, c'est-à-dire passion. Elle précède l'acte libre. Non seulement elle sollicite le vouloir, mais encore lui résiste, faisant peser sur lui le poids d'une connivence avec le péché pour le détourner de son souverain bien. La tension qui s'ensuit traverse l'homme à la verticale de son être, même si au niveau de l'expérience concrète elle est ressentie dans la résistance qu'oppose le sensible à l'esprit.

Sur terre, l'homme n'a toujours qu'une souveraineté relative sur cette inclination au mal en lui. Dans sa fidélité à la grâce transformante de Dieu, il peut jusqu'à un certain point étouffer la passion mauvaise en son point de naissance et atteindre cette « apatheia » qui est soumission active de tout soi-même à Dieu. Incapable de s'en rendre maître totalement et de l'éteindre, il peut l'intégrer comme blessure et comme souffrance dans une attitude qui, pénétrant les profondeurs de son être, fait de sa vie un acte de foi et d'espérance. L'homme entre alors mystérieusement dans le combat même du Christ, fort de sa force, non seulement contre la faiblesse mais dans la faiblesse, partageant sa joie, non seulement malgré la

souffrance mais dans la souffrance (cf. K. Rahner, *Zum theologischen Begriff der Konkupiszenz*, SzT I, 1954, p. 377-414 ; trad. franç. dans *Écrits théologiques* = ETh IV, 1966. Art. *Concupiscence*, DS, t. 2, col. 1334-73).

Tout désir cependant n'est pas fruit du péché et propension au péché. Il y a un désir qui est prévenance de Dieu allant à la rencontre de l'homme. Là où, recréé dans la grâce de Dieu, l'homme est sous la mouvance de celle-ci, la tendance spontanée et immédiate de son être peut s'avérer parole de Dieu à l'intime de lui-même qui appelle sa réponse et conforte son libre acquiescement. Il y a ainsi une passivité spirituelle qui donne à la liberté de se déployer (cf. art. *Passivité*). Mais dans son existence concrète, sur terre, le désir de l'homme sera toujours marqué d'un coefficient d'ambiguïté, motion du malin ou motion de Dieu qui élève.

4° LE JUGEMENT SUR LE PÉCHÉ. – 1) *L'acte fondamental de la liberté, secret de Dieu*. – La théologie du péché met encore devant un dernier paradoxe. Alors même que l'homme doit répondre de ses actes, il ne lui revient pas de porter un jugement définitif sur lui-même. Ce jugement relève de Dieu seul. En effet, si l'homme mûrit sa liberté dans le temps, il lui est impossible de l'objectiver à soi-même en toute clarté. Dieu seul « sonde les reins et les cœurs » (*Ps.* 7, 10), c'est-à-dire rejoint l'option fondamentale où se nouent secrètement les actes particuliers d'une vie, dans le bien comme dans le mal (cf. Denzinger, n. 1534, sur l'impossibilité en cette vie d'avoir la certitude d'être dans la grâce de Dieu). Ici encore, en son terme tout comme en son origine, l'homme est contré dans son vœu de toute-puissance. Il reçoit d'un Autre la révélation de ce qu'il a fait librement de sa vie, car c'est en cet Autre que se trouve ultimement la vérité de celle-ci.

Si important qu'il soit pour le chrétien de savoir ce qui est péché mortel et péché véniel, la tradition ne peut que faire sienne l'impuissance d'un Augustin à tracer une frontière précise en ce domaine : « quae sint levia, quae gravia peccata, non humano sed divino pensanda judicio » (*Enchiridion* 78, PL 40, 269). L'homme est renvoyé ultimement, dans la crainte et la confiance, au seul jugement de Dieu. Certes, il est capable d'un jugement réfléchi sur sa disposition morale, à la lumière de la loi et du décalogue. De même, l'Église a la mission prophétique de rappeler les péchés qui excluent du Royaume ; elle a le droit d'exclure de la table eucharistique celui qu'elle juge pécheur devant Dieu. Finalement, toute personne peut en arriver à reconnaître devant Dieu en son âme et conscience que telle faute déterminée est péché mortel. Mais précisément, s'il est véridique, ce jugement n'est pas le sien. Œuvre de la grâce, il est anticipation au présent de son existence du jugement de salut opéré en Jésus-Christ.

2) *Péché mortel et péché véniel : différence*. – Dès les temps apostoliques, la distinction entre péché mortel et péché véniel s'affirme en référence à la peine due au péché. Il y a un péché « qui conduit à la mort », un autre qui n'y conduit pas (1 *Jean* 5, 16). Le premier mérite la peine éternelle ; le second, une peine temporelle. La distinction s'affermit par la suite dans la discipline pénitentielle. Le péché mortel est celui qui doit être soumis au pouvoir des clefs, parce qu'il prive de la vie dans le Christ et rompt la communion avec l'Église. Le péché véniel, celui qui obtient le pardon, s'expie ici-bas par le jeûne, la prière et l'aumône. C'est avec Augustin que s'élabore la distinction qui commandera tous les développements ultérieurs. Il y a

d'une part les fautes graves : « letalia », « mortifera », qu'il appelle aussi « crimina ». Il y a d'autre part les fautes légères : « levia », « quotidiana » ; celles-ci impliquent sans aucun doute un certain consentement ; elles n'en sont pas moins inévitables en cette vie (*Sermo* 56, 7, 11-9, 12 ; *Epist.* 167).

Mais c'est Thomas d'Aquin qui a formalisé la distinction, en référence non seulement à la peine, mais plus directement, à la loi et à sa transgression. Cette loi est celle de la double charité. Est péché mortel l'acte qui est produit « contra legem » ; véniel, celui qui est « praeter legem ».

En effet, celui qui pèche véniellement ne va pas à l'encontre de la loi ; « il agit *à côté* de la loi, parce qu'il n'observe pas la mesure raisonnable que la loi a en vue » (*Summa theol.* Iª IIᵃᵉ, q. 88, a. 1, ad 1). Il ne fait pas de la créature sa fin ultime mais, dans l'amour démesuré qu'il lui porte, il est comme celui qui s'attarde trop en chemin sans néanmoins sortir de la voie. Le péché mortel est « irréparable » (Tertullien avait parlé de péchés « irrémissibles », Origène, de péchés « inguérissables »), car il porte sur la fin elle-même ; le péché véniel est « réparable », parce que le désordre porte sur les moyens alors que la fin demeure toujours en vue (S. Thomas, *ibid., solutio*). Il y a donc une différence essentielle entre péché mortel et péché véniel. Seul le péché mortel – en tant que transgression proprement dite – vérifie pleinement la notion de péché comme offense faite à Dieu. La faute vénielle n'est appelée péché que par analogie (cf. M. Huftier, *Péché mortel et péché véniel*, dans *Théologie du Péché*, p. 363-451).

Le nouveau rituel du sacrement de pénitence évite le terme de « péché mortel ». D'un point de vue pastoral, il préfère celui de « péché grave » parce qu'il parle de la gravité d'un acte, ce qui n'est pas le cas lorsque l'on parle de mortalité. C'est en appréciant en référence à la Parole de Dieu le degré de gravité de son acte d'après les conséquences qu'il entraîne, que l'homme peut être conduit intérieurement à le reconnaître devant Dieu dans son caractère mortel.

3) *Péché mortel et péché véniel : unité*. – En fondant sur la notion de transgression la distinction entre péché mortel et péché véniel, la théologie morale privilégie la référence à la « matière » pour déterminer objectivement ce qui est péché mortel. Le chrétien pourrait en déduire, en s'en reportant à la seule *parvitas materiae*, que là où il n'y a pas matière grave, il n'y a que faute légère. Il oublierait alors qu'à eux seuls des manquements légers peuvent masquer en lui une attitude fondamentale qui est en rupture avec Dieu.

Il y a les actes particuliers ; il y a aussi la façon dont la liberté se détermine progressivement à travers eux dans le temps. Ainsi, par-delà chaque acte pris individuellement, il y a l'option fondamentale autour de laquelle se noue, se structure et s'oriente une vie dans sa relation avec Dieu. Des fautes légères, répétées et excusables en soi, peuvent être le fait d'une insensibilité qui conduit à se demander à bon droit si cette vie a encore quelque chose à voir avec Dieu. Ses fautes quotidiennes demeurent pour le chrétien comme autant de questions sur ce qu'il est en vérité au plus profond de lui-même dans sa relation à Dieu et sa fidélité de l'Esprit. Ainsi, si juste et si décisive soit-elle, la distinction entre péché mortel et péché véniel est toujours dépassée dans la vie concrète. Nul ne dispose d'une norme extérieure qui lui permette de rendre compte pour lui-même en toute certitude de sa relation véritable avec Dieu.

5° CONCLUSION. – 1) « *Simul peccator et justus* ». – La théologie catholique récuse cette formule de la Réforme dans la mesure où l'expérience chrétienne y

est ramenée au paradoxe d'un homme qui demeure en état de péché dans l'acte même où il est justifié par sa foi confiante en la seule personne du Christ. Or, la justification pose en l'homme une détermination nouvelle, qui ne peut coexister avec son état antérieur de pécheur. Dans la grâce transformante et divinisante du Christ, le chrétien a franchi les portes de la mort. Mort au péché, il n'est donc pas tout à la fois pécheur et juste. Il est justifié, sans plus.

Ce point acquis, la formule peut revêtir un sens proprement catholique. La concupiscence demeure en l'homme renouvelé par le baptême puissance de péché, même si ce n'est que pour le combat spirituel. Ses fautes quotidiennes posent au chrétien une question constante sur sa fidélité effective à l'Esprit qui habite en lui et l'enseigne intérieurement. Sa certitude d'être sauvé dans la grâce de Dieu n'a toujours chez lui pour fondement que son espérance en la fidélité de Dieu et sa confiance dans le Christ qui justifie. Enfin, pèlerin sur la terre, le chrétien est en situation d'exode, marchant du pays de perdition vers la terre promise.

La formule protestante risque de faire de l'état de péché un état an-historique, d'ores et déjà dépassé dans la grâce victorieuse du Christ. Elle occulte ainsi le patient travail de conversion et de pénitence qui revient au croyant dans sa réponse effective à la grâce qui le justifie. En revanche, une théologie catholique trop axée sur les péchés, leur confession et leur absolution sacramentelle, risque de sous-estimer la tendance au péché qui affecte toute vie humaine dans sa relation avec Dieu, tant au plan individuel qu'au plan collectif (A. Dumas, *Péché en théologie protestante*, dans *Vocabulaire œcuménique*, éd. Y. Congar, Paris, 1970, p. 73-89 ; K. Rahner, *Gerecht und Sünder zugleich*, SzT VI, 1965, p. 262-76).

2) *Une Église pécheresse ?* – Tout en contemplant dans l'Église l'Épouse du Christ et le Temple de l'Esprit, les Pères n'ont pas hésité à lui appliquer les menaces qu'adressaient les prophètes d'antan à la Jérusalem infidèle, pour en stigmatiser les misères (cf. H. Urs von Balthasar, *Casta meretrix, Sponsa verbi*, dans *Skizzen zur Theologie* II, Einsiedeln, 1961, p. 203-305). Tout en évitant les termes « Église pécheresse » ou « Église des pécheurs », le concile Vatican II parle d'une Église qui « embrasse dans son sein des pécheurs » (*Lumen gentium* 14) et que « le péché blesse ». « Tout à la fois sainte et appelée à se purifier », l'Église ne cesse de poursuivre « son effort de pénitence et de renouvellement » (8), tandis que le Christ, lui, n'a pas connu le péché (*Célébrer la Pénitence...*, n. 6).

Tout sacrement signifie, pour celui qui le reçoit, un aspect essentiel du lien qui unit l'Église à son Seigneur. Ce qui se passe au cœur du pénitent qui se tourne vers Dieu dans le sacrement de réconciliation, concerne donc aussi le mystère de l'Église dans sa configuration à la mort et à la résurrection du Christ. Ainsi, dans sa condition pérégrinante, l'Église n'est-elle pas seulement la dispensatrice de la réconciliation acquise dans le Christ. Elle est, à travers ses membres, « sujet » de cette réconciliation.

Et pourtant l'Église n'est pas « tout à la fois pécheresse et juste », même dans l'acception proprement catholique que l'on peut donner à la formule. L'Église est sainte. La sainteté est une de ses notes constitutives. Précisément parce qu'elle est sainte de la présence indéfectible de l'Esprit en elle, l'Église peut réagir au péché de ses membres et accomplir le ministère de réconciliation qui lui est confié. A l'intérieur de cette affirmation première, l'Église peut en retour se confesser pécheresse ; elle est cette communauté de pécheurs que le Christ a rachetés par son sang pour en faire l'instrument de son salut (cf. K. Rahner : *Kirche der Sünder*, SzT VI, p. 301-20 ; *Sündige Kirche nach den Dekreten des Zweiten Vatikanischen Konzils*, p. 321-47).

**Études d'ensemble.** - *Lumière et Vie*, n. 5, 1952 : *Le sens du péché et sa perte dans le monde actuel*. - J. Pieper, *Ueber den Begriff der Sünde*, Munich, 1953 ; 7e éd. 1977 ; trad. espagn., Barcelone, 1979. - J. Régnier, *Le sens du p.*, Paris, 1954. - H. Rondet, *Notes sur la théologie du p.*, Paris, 1957. - *Il peccato*, Rome, 1959 (collectif). - Sous la direction de Ph. Delhaye : *Théologie du p.*, Tournai-Paris, 1960 ; *Pastorale du p.*, 1961 (coll. Bibliothèque de Théologie II/7-8). - P. Schoonenberg, *De macht der zonde*, Bois-le-Duc, 1962 ; trad. franç. *L'homme et le p.*, Paris, 1967 (autres trad.). - L. Monden, *La conscience du p.*, Paris, 1965. - É. Roche, *La condition de l'homme pécheur*, Lyon-Le Puy, 1967. - M. Adam, *Le sentiment du p. Étude de psychologie*, Paris, 1967. - P. Ricœur, *Le conflit des interprétations*, Paris, 1969, p. 416-30 : Culpabilité, éthique, religion.

J.-Cl. Sagne, *Péché, culpabilité, pénitence*, Paris, 1971. - P. Watté, *Anthropologie théologique et hamartologie*, dans *Bilan de la théologie au 20e siècle*, t. 2, Paris, 1971, p. 290-308. - *Revista de espiritualidad*, t. 32/2, 1973, p. 131-205. - L. Ligier, *Die Offenbarung der Sünde im Mysterium Christi*, dans *Communio* (éd. allem.), 1973, p. 503-34. - M. Oraison, *La culpabilité*, Paris, 1974. - É. Cothenet, *Sainteté de l'Église et péchés des chrétiens*, NRT, t. 96, 1974, p. 449-70. - *Theologische Quartalschrift*, t. 155/1, 1975 : Schuld und Sünde in einer säkularisierten Welt. - F. Oehly, *Der Verfluchte und der Erwählte. Vom Leben mit der Schuld*, Opladen, 1976. - F. Bussini, *L'homme pécheur devant Dieu. Théologie et anthropologie*, Paris, 1978. - *Peccato e santità*, Rome, 1978 (collectif). - Joseph de Sainte-Marie, *Peccato e vita mistica*, dans *Rivista di vita spirituale*, t. 33, 1979, p. 257-76. - Ph. Avril, « *Délivre-nous du mal* », Paris, 1981. - O. Mochti, *Das Wesen der Sünde*, Ratisbonne, 1981. - B.-D. Marhangeas, *Culpabilité, péché, pardon*, Paris, 1982.

**Pères de l'Église.** - G. Teichtweier, *Die Sündenlehre des Origenes*, Ratisbonne, 1958. - J. Goffinet, *Péché et corps mystique d'après S. Jean Chrysostome*, dans *Revue ecclésiastique de Liège*, t. 45, 1958, p. 3-17, 65-87. - E.F. Durkin, *The theological Distinction of Sins in... S. Augustin*, Mundelein, 1952. - A. Solignac, *La condition de l'homme pécheur d'après S. Aug.*, NRT, t. 78, 1956, p. 359-85. - M. Huftier, *Le tragique de la condition chrétienne chez S. Aug.*, Tournai, 1964 ; *Libre arbitre, liberté et p. chez S. Aug.*, RTAM, t. 33, 1966, p. 187-281. - S. Visintainer, *La dottrina del peccato in S. Girolamo* (Analecta Gregoriana 117), Rome, 1962. - F. Gastaldelli, *Prospettive sul peccato in S. Gregorio Magno*, dans *Salesianum*, t. 28, 1966, p. 65-94.

**Moyen Âge.** - R. Blomme, *La doctrine du p. dans les écoles théologiques de la 1re moitié du 12e siècle*, Louvain, 1958. - Ph. Delhaye, *Le p. dans la théologie d'Alain de Lille*, dans *Sciences ecclésiastiques*, t. 17, 1965, p. 7-27. - M. de Wachter, *Le péché actuel selon S. Bonaventure*, Paris, 1968.

A. Landgraf, *Das Wesen der lässlichen Sünde in der Scholastik bis Thomas v. A.*, Bamberg. 1923. - A.M. Horwath, *Heiligkeit und Sünde im Lichte der thomistischen Theologie*, Fribourg/Suisse, 1952. - J.J. Leahy, *The Remission of Sin in Baptism according to St. Th. of A.*, dans *Lasallianum*, t. 9, 1968, p. 7-132. - J. Delumeau, *Le péché et la peur*, Paris, 1983.

**Auteurs modernes.** - K. Barth, *Dogmatik*, t. 4/1, *Die Lehre von der Versöhnung*, Zurich, 1953 ; trad. franç., Genève-Paris, 1973. - L. Malevez, *La pensée d'Émile Brunner sur l'homme et le péché. Son conflit avec la pensée de Karl Barth*, RSR, t. 34, 1947, p. 407-53. - Karl Rahner, *Schuld und Schuldvergebung als Grenzgebiete zwischen Theologie und Psychotherapie*, dans *Schriften zur Theologie* = SzT II, Einsiedeln, 1955, p. 279-97 ; trad. franç. dans *Écrits théologiques* = ÉTh V, Paris, 1966, p. 199-220 ; *Schuld, Verantwortung, Strafe...*, SzT VI, 1965, p. 17-42 ; trad. ÉTh XII, 1972, p. 17-44 ; voir aussi *Rahner-Register*, éd. K.H. Neufeld et R. Bleistein, 1974, index, p. 158 (Sünde).

**Encyclopédies.** - DTC, t. 12/1, 1933, col. 140-275 (Th. Deman) ; t. 16, Tables, col. 3512-18. - RGG, t. 6, 1962, col. 494-500 (W. Joest). - LTK, t. 9, 1964, *Sünde*, etc., col. 761-79. - *Encyclopédie de la foi* (= *Handbuch theologischer Grundbegriffe*), t. 8, 1966, p. 382-91 (L. Scheffczyk). - *Sacramentum mundi*, t. 4, 1969, p. 771-79 (K. Rahner ; P. Schoonenberg). - *Encyclopaedia Universalis*, t. 12, 1972, p. 661-64 (*péché* ; J.-M. Pohier) ; p. 664-67 (*p. originel* ; A.-M. Dubarle). - DES, t. 2, 1975, p. 1414-21 (B. Zomparelli). - *Nuovo Dizionario di Spiritualità*, Rome, 1979, p. 1175-1205 (T. Goffi ; O. Bernasconi).

**Péché originel.** - Les études sont nombreuses depuis 1950 ; voir dans *Theological Studies* les bulletins critiques de J.L. Connor, *Original Sin : Contemporary Approaches*, t. 29, 1968, p. 215-40 ; de B.O. Mc Dermott, *O. S. : Recent Developments*, t. 38, 1977, p. 478-512.

H. Rondet, *Le péché originel*, Paris, 1967. - H. Rondet, G. Bourdes, G. Martelet, *P. o. et péché d'Adam*, Paris, 1969. - Ch. Baumgartner, *Le p. o.*, coll. Le Mystère chrétien, Tournai-Paris, 1969. - U. Baumann, *Erbsünde? Ihr traditionnelles Verständnis in der Krise heutiger Theologie*, Fribourg/Brisgau, 1970. - K.H. Weger, *Theologie der Erbsünde...*, Fribourg/Brisgau, 1970. - A. Vanneste, *Le dogme du p. o.*, Louvain, 1971. - M. Flick, Z. Alszeghy, *Il peccato originale*, Brescia, 1972. - O. Fernández, *El pecado original, mito o realidad?*, Valence, 1973. - P. Grelot, *P. o. et rédemption à partir de l'Épître aux Romains*, Paris, 1973. - P. Watté, *Structures philosophiques du p.o. S. Augustin, S. Thomas, Kant*, Gembloux, 1974. - *La culpabilité fondamentale, p. o. et anthropologie moderne*, étude inter-disciplinaire sous la direct. de P. Guilluy, Gembloux-Lille, 1975.

## 2. L'expérience spirituelle

Le sens chrétien du péché ne se laisse pas circonscrire dans une seule considération systématique. Il s'éclaire ultimement à partir des différents temps spirituels qui situent le chrétien dans sa relation concrète à la personne du Christ ; on peut les ramener au nombre de quatre.

Les deux premiers se rattachent à la symbolique biblique de la chute : d'une part, le relèvement du pécheur dans la confession de la faute qui le rendait étranger à lui-même (A) ; d'autre part, l'état d'aliénation dans lequel l'entraîne la faute qu'il commet (B). Les deux autres puisent à une autre symbolique du mal, tout aussi archaïque, celle du combat qu'engagent entre elles les forces du bien et les forces du mal. Traduite en termes chrétiens, cette symbolique associe le chrétien au labeur du Christ prenant sur lui le péché du monde, soit à travers la ténèbre de la passion (C), soit dans la lumière de la résurrection (D). Les deux premiers temps sont d'ordre davantage anthropologique : ils concernent l'individu dans son rapport au Christ. Les deux derniers sont d'ordre résolument christologique : ils font entrer avec le Christ dans un combat de portée cosmique et universelle.

Ces temps ne sont pas à envisager comme autant d'étapes successives. Il s'agit plutôt de dominantes spirituelles qui, à l'intérieur de situations déterminées, conduisent à des affirmations diversifiées sur le péché. Ils impliquent donc une certaine circularité. Ainsi celui qui a déjà fait l'expérience de la réconciliation dans la miséricorde de Dieu peut fort bien par la suite connaître l'errance qu'engendre le manque de fidélité à la grâce reçue. Ces temps n'en demeurent pas moins liés entre eux selon une ordonnance. L'expérience première de l'homme pécheur est celle d'un non-savoir sur lui-même : « Je ne voyais pas cet abîme de honte dans lequel j'étais projeté » (Augustin, *Confessions* I, 19, 30). Laissé à lui-même, asservi à sa faute, l'homme vit tout au plus sous le mode du trouble et de l'inquiétude diffuse l'aliénation où l'enferme son péché. La portée de sa faute ne lui est révélée que dans la grâce du Christ qui l'en sauve. Tel est le mouvement des « Confessions » d'Augustin : confession de ses péchés dans la confession de la miséricorde de Dieu par celui qui reconnaît n'avoir répondu que tardivement à sa prévenance (A). Or, dans cette parole de pardon qui le restaure en sa liberté, le chrétien peut comprendre ce qu'est sa ratification personnelle de la faute d'Adam, soit comme passé déjà révolu, soit comme éventualité jamais exclue (B). Surtout, c'est dans la seule miséricorde de Dieu qu'il peut assumer librement avec le Christ la souffrance qu'entraîne le péché pour transformer le mal du châtiment en chemin de réconciliation pour lui-même et pour tous (C-D).

**A. La confession des péchés.** — 1° LA CONFESSION DES PÉCHÉS, ACTE DE L'HOMME. — 1) *L'état de pécheur.* — Acte volontaire, le péché se voile à la liberté qu'il aliène. Aussi sa reconnaissance est-elle événement de liberté suscité par la vérité jugeante de Dieu. L'expérience de la faute est toujours une expérience aveugle où l'homme se trouve pris dans la gangue de l'émotion, de la peur et de l'angoisse. Elle est une réalité complexe où interviennent les différents registres d'expression que sont la souillure, la faute et la culpabilité. Elle donne surtout lieu dans son caractère énigmatique à un langage particulier, celui de la confession des péchés, d'où jaillit comme en creux l'interrogation la plus radicale sur Dieu et sur soi-même (cf. P. Ricœur, *Finitude et culpabilité*, t. 2, Paris, 1960, p. 15).

La première semaine des *Exercices spirituels* d'Ignace de Loyola exemplifie la façon dont cette expérience humaine de la faute est reprise à l'intérieur de la foi chrétienne (cf. pour une démarche analogue, François de Sales, *Introduction à la vie dévote*, 1re partie). Trois grandes méditations y circonscrivent un même lieu, celui de l'homme pécheur : c'est seulement de l'intérieur de sa faute ressentie et traversée que s'ouvre à lui la voie par laquelle Dieu le rejoint dans son infinie proximité.

Au point de départ, il y a donc la situation insurmontée de l'homme qui ne fait qu'un avec son péché. Situation de captivité et d'exil (*Exercices spirituels* = *Ex.* 47). La symbolique de la captivité renvoie à cette condition de pécheur où l'« acte » retombe en « état », le corps devenant le signe tangible d'une liberté oblitérée et du mal que l'âme s'inflige. La tension entre le corps et l'esprit met le pécheur en présence de sa propre contradiction interne. La symbolique de l'exil dit par ailleurs l'errance sans fin du pécheur, hors de sa propre demeure qui est Dieu, livré ainsi sans défense à une sourde violence. La parole libératrice de confession prend corps du sein de cette situation de captivité et d'exil, à mesure que, d'insensible qu'il était à son état, l'homme se laisse affecter par lui devant Dieu, dans « la honte et la confusion » certes (*Ex.* 48), mais surtout dans « une immense et intense douleur » et dans « les larmes » (*Ex.* 55).

Les trois méditations ignatiennes sur le péché balisent cette démarche spirituelle. La révélation objective du péché (méd. 1) conduit à l'intériorisation des propres péchés (méd. 2) qui, éprouvée jusque dans les sens par l'anticipation de la souffrance dont Dieu sauvegarde (méd. 3), mûrit et éclate en action de grâce du pécheur devant l'infinie miséricorde de Dieu dans sa propre vie. L'homme tout entier, chair et esprit, est ainsi rendu présent à Dieu dans son péché, à la mesure même de la miséricorde qui le restaure : ses puissances spirituelles certes, effigie du Dieu trinitaire ternie par la faute (une mémoire qui a sombré dans l'oubli de ses origines, une intelligence qui s'est fourvoyée et une volonté retombée sur elle-même), mais aussi son corps et ses sens qui ne savent plus distinguer le « lumineux sentier de l'amour » des « ténèbres de la convoitise » (Augustin, *Confessions* II, 2, 2).

2) *La réalité objective du péché.* — Le péché est offense faite à Dieu. Seul celui auquel il porte atteinte peut donc en révéler la portée. Lui, et non la conscience humaine, en manifeste l'en-soi car, avant d'être donné de conscience, l'état de péché est d'abord révélation de Dieu. Le regard objectif de Dieu sur le péché en dévoile la mesure véritable. Or ce regard ne dépouille pas l'homme en le réduisant à la condition d'objet. Arrachant le pécheur à l'irréalité de son existence, il lui rappelle la générosité d'une relation première, éveillant du coup dans la spontanéité des sens le premier sursaut de la conscience éthique : honte et confusion « pour avoir offensé celui dont il a reçu auparavant beaucoup de dons et de faveurs » (*Ex.* 74).

Ce regard trahit jusqu'à quel point Dieu est touché dans son être par le péché. C'est un regard de colère, qui s'exprime dans la « juste condamnation » qu'entraîne le péché de la part de la « Bonté infinie » (*Ex.* 52) : péché des anges « qui passèrent de la grâce à la malice et furent expulsés du ciel en enfer » (*Ex.* 50), péché d'Adam et Ève aux conséquences si lourdes, « tant de peuples allant en enfer » (*Ex.* 51), enfin péché particulier de tout homme qui a repris à son compte l'histoire de la faute et « qui est allé en enfer pour un seul péché mortel » (*Ex.* 52). Cette vue de « tous ceux qui ont été damnés pour un seul péché mortel », alors que « je mériterais combien de fois d'être condamné à jamais pour mes si nombreux péchés », ne peut qu'éveiller « honte et confusion » (*Ex.* 48) chez celui qui prend conscience de la gravité de ses actes dans le sentiment d'une prévenance qui jusqu'ici l'a protégé de la juste condamnation.

Mais, en Dieu, la colère n'est que le signe de la vulnérabilité de l'amour. La souffrance qu'entraîne le péché sur la face de la créature n'est que l'envers d'une douleur qui est en Dieu. C'est ainsi qu'entraînant celui qui les médite dans leur sillage, les figures diverses du péché se recueillent finalement dans la seule et unique figure du Christ portant dans son corps la blessure du péché. Plus que l'homme, c'est Dieu que le péché atteint. Plus qu'en l'homme, c'est en Dieu qu'il accomplit son œuvre de mort : « Imaginant le Christ notre Seigneur devant moi, placé sur la croix » (*Ex.* 53). Ce face à face avec le Christ n'est pas compassion. Dans l'effondrement de toutes les évidences antérieures, il est ce qui fait advenir à la parole l'interrogation la plus radicale : sur Dieu d'abord qui se révèle tout autre que le pécheur ne se le représentait : « comment lui, le Créateur, il en est venu à la mort temporelle, et à mourir ainsi pour mes péchés » ; sur l'homme lui-même en retour, laissant tout son agir, passé, présent et avenir, en suspens au regard du

Dieu qui se révèle ainsi sur la croix : « me regardant moi-même : ce que j'ai fait pour le Christ, ce que je fais pour le Christ, ce que je dois faire pour le Christ » (*Ex.* 53). Les profondeurs de Dieu révélées à travers la réalité objective du péché ouvrent en retour l'homme, étonné, sur ses propres profondeurs.

3) *L'intériorisation du péché.* – La culpabilité constitue le moment subjectif de la faute, celui où le « devant toi » du péché se redouble dans le « par devant moi » de la prise de conscience des fautes personnelles. L'homme bat sa coulpe. Il s'impute la responsabilité de ses fautes. Il en assume le poids, c'est-à-dire déjà par anticipation en accepte les conséquences et les conduites de réparation qu'elles imposent. « Me voir comme un grand pécheur, enchaîné, avançant pour paraître devant le souverain juge éternel. Prendre pour comparaison ces prisonniers, enchaînés et déjà dignes de mort, qui paraissent devant leur juge temporel » (*Ex.* 74). S'avancer devant le tribunal de Dieu, c'est accepter de se soumettre devant lui au tribunal intérieur de la conscience qui pèse la nature des fautes commises au regard de la loi, en soupesant l'expiation en proportion de la gravité du délit. « Me remettre en mémoire tous les péchés de la vie, revoyant année par année ou époque par époque » (*Ex.* 56). « Peser mes péchés » (*Ex.* 57).

La foi chrétienne radicalise l'expérience humaine de la culpabilité en faisant éclater sa logique interne. Alors que la conscience morale intériorise la faute en se référant à la loi et à sa transgression, le chrétien ne trouve d'autre mesure pour peser ses péchés que la démesure d'une relation éminemment personnelle fondée non sur l'interdit, mais sur la gratuité. Tout appui lui est soustrait pour juger de ses actes hors de son rapport au Dieu vivant : « voir la laideur et la malice que contient en soi tout péché mortel que je commets, même s'il n'était pas défendu » (*Ex.* 57). Mais par contre, là où, pour se décharger du poids qui pèse sur elle, la culpabilité humaine appelle de ses vœux le juste châtiment qui proportionne l'expiation à la faute, le chrétien, dans l'acte même où il reconnaît ses péchés, découvre une logique du pardon, la surabondance du don se substituant à la balance du juge, et c'est dans l'amour retrouvé que viennent en lui les larmes et la douleur pour ses péchés (*Ex.* 316).

L'intériorisation de ses péchés équivaut à saisir combien le moi s'identifie à l'« en-soi » de tout péché. Déjà la prise de conscience de sa juste mesure comme créature démasque la prétention qu'il y a au cœur de tout péché : « qui suis-je, moi, en comparaison de tout le créé et de Dieu ? » (*Ex.* 58, 1-3). Mais cette prise de conscience de sa propre finitude dans l'être ne rend que plus manifeste un « pouvoir-être » en soi-même qui produit cette distorsion de la faute : « et moi seul, que puis-je être ? » (*Ex.* 58, 3). La réponse ne peut être que : « je suis puissance de péché ». Cette puissance ténébreuse de mal qu'il est, l'homme y a été rendu présent de tout temps, dans sa réalité quasi-ontologique, à travers la symbolique de la souillure.

Paul Ricœur attire l'attention sur la force expressive de cette symbolique du mal, langage le plus archaïque de la faute certes, mais aussi langage indépassable dans la vérité qu'il implique sur le péché (Ricœur, *Finitude et Culpabilité*, t. 2, p. 148-50). Il en dégage les trois schématismes, c'est-à-dire les trois intentions. Schème de la positivité d'abord : le mal n'est pas seulement un manque, une privation, mais une puissance obscure, active et anonyme, qui investit et per-

vertit. Schème de l'extériorité ensuite : si intérieure que soit la culpabilité, elle ne peut se réfléchir que dans le symbole de sa propre extériorité. Le corps en devient le lieu d'inscription, le mal étant instinctivement ressenti comme une puissance qui vient du dehors et agresse, à la manière d'une souillure qui entache et qui infecte : « regarder toute la corruption et la laideur de mon corps » (*Ex.* 58, 4). Schème de l'intériorité enfin. La puissance qui investit est en définitive une production qui vient de l'intime de soi-même, affection de soi par soi, auto-infection : « me regarder comme une plaie et un abcès d'où sont sortis tous ces péchés, toutes ces méchancetés et tout ce poison infect » (*Ex.* 58, 5). Mais ici encore, le symbole donne à penser. Infecter n'est pas détruire. Ternir n'est pas ruiner. La flétrissure est l'enlaidissement d'une beauté originaire qui demeure sous la souillure. Jusque dans son péché, l'homme demeure à l'image de Dieu.

Ressenti à l'intérieur du rapport que l'homme entretient avec lui-même, le péché a toute la laideur de la souillure. Le pécheur est lui-même cette laideur. Mais dans son en-soi le péché dépasse le plan de cette saisie expérimentale. Il se situe dans la contradiction qu'il instaure avec Dieu. Dans son mouvement d'intensification croissante, l'intériorisation chrétienne du péché ne trouve donc son terme que là où elle met devant Celui à qui s'oppose le péché de tout son poids : non pas seulement « Qui suis-je ? », mais « Qui est Dieu contre qui j'ai péché ? » (*Ex.* 59). C'est alors que, comparant tour à tour Dieu à ce qu'il est en lui-même, le pécheur en vient à se reconnaître pure contrariété : « sa bonté » me révèle « ma malice » (*Ex.* 59). Dans la confession de ses péchés, il ne fait qu'un avec l'acte posé dans son « en-soi ».

Toute intériorisation de ses péchés est par anticipation intériorisation du châtiment justement mérité. Sanction et transgression se renvoient l'une à l'autre selon un rapport de proportionnalité. L'expérience chrétienne du péché, quant à elle, s'intensifie dans la découverte de la disproportion entre le péché et le pardon. Là où devrait s'exercer sur lui la juste vengeance, le chrétien découvre, étonné et stupéfait, une prévenance insoupçonnée : « cri d'admiration étonnée avec un amour accru » (*Ex.* 60). Cette prévenance est inscrite, irrécusable, dans le seul fait de son existence, malgré son péché. Elle a un caractère éminemment personnel :

« Parcourir toute la série des créatures : comment m'ont-elles laissé en vie et m'y ont-elles conservé ? Les anges : eux qui sont le glaive de la justice divine, comment m'ont-ils supporté, m'ont-ils protégé, ont-ils prié pour moi ? Les saints : comment ont-ils pu intercéder et prier pour moi ? Et les cieux, le soleil, la lune, les étoiles et les éléments, les fruits, les oiseaux, les poissons et les animaux ? Et la terre : comment ne s'est-elle pas ouverte pour m'engloutir, créant de nouveaux enfers pour que j'y souffre à jamais ? » (*Ex.* 60).

La « bonté » de Dieu est tout à la fois « jugement » qui met à découvert la malice du péché et « miséricorde » qui dans sa surabondance sauvegarde du châtiment justement mérité et restaure. « La douleur immense de ses péchés » s'avère le fruit « de l'amour immense » qu'éveille la reconnaissance de la miséricorde de Dieu attestée dans le seul fait de l'existence. Déchargeant l'homme du poids de son péché, cette reconnaissance libère en lui la parole : dans un « colloque de miséricorde », celui qui était péché peut à nouveau s'entretenir spontanément avec Dieu, « lui rendant grâce parce qu'il m'a donné la vie jusqu'à aujourd'hui » (*Ex.* 61). En passant tour à tour par la prière de Notre Dame et par celle de son Fils pour

aller au Père, ce libre entretien ancre dans la connaissance intérieure de ses péchés, en avive l'horreur et
confirme dans la volonté de s'amender (*Ex.* 62-63).

4) *L'exténuation du péché.* – Après s'être intériorisée dans la pesée de son être pécheur, la confession
des péchés se dénoue ultimement dans le corps et les
sens pour se révéler l'œuvre de miséricorde d'un Dieu
de « tendresse » (*Ex.* 71). C'est la méditation de
l'enfer. L'homme y ressent dans ses sens la souffrance
dont Dieu le sauvegarde. Il touche ainsi au présent de
son existence la proximité recréatrice du Dieu de
bonté. En le rejoignant jusque dans sa chair souffrante, Dieu le restaure dans les profondeurs mêmes
de son affectivité.

La méditation sur l'enfer s'inscrit dans la découverte de l'infinie miséricorde de Dieu. « La crainte des
peines qui m'aide à ne pas tomber dans le péché »
(*Ex.* 65) qu'elle suscite est déjà un fruit de l'amour en
celui qui, dans la mémoire de son péché passé,
demeure conscient de sa fragilité native. Elle devient
par la suite une modalité de l'amour – la crainte de ne
pas savoir aimer comme on est aimé est la plus crucifiante et la plus féconde des craintes ; c'est celle des
saints – pour, finalement, toute tournée vers Dieu, se
transformer en l'expression la plus pure de l'amour :
la crainte filiale (cf. Jean de la Croix, *Cantique spirituel,* strophe 18).

5) *Un événement de liberté.* – La démarche de la
triple méditation sur le péché s'inscrit à l'intérieur
d'une « grâce à demander » (*Ex.* 46 ; 63), grâce de
caractère sacramentel qui trouve son accomplissement dans « la confession générale et la communion »
(*Ex.* 44). L'homme se dispose à cette grâce dans
l'obéissance de la foi, en se référant aux commandements de Dieu et de l'Église (*Ex.* 42 ; 238-248), et par
une vigilance consentie qui s'exerce dans l'« examen
particulier » (*Ex.* 24-31). Il n'en dispose pas.

La confession de ses péchés est un événement de
grâce : que je me connaisse comme je suis connu de
Dieu. La parole de confession naît toujours d'une
parole intérieure, singulière, de l'Esprit. D'où le sens
et la portée de l'« examen général de conscience » (*Ex.*
32-42), et des « règles de discernement » qui s'y rattachent (*Ex.* 313-327). En se laissant instruire par les
motions qui se produisent en lui – tristesse qui afflige
(*Ex.* 317) et qui est anticipation de la tristesse de l'enfer (*Ex.* 69), liesse qui libère intérieurement (*Ex.* 316)
et qui est déjà participation au présent de son existence à la joie du Christ ressuscité d'entre les morts
(*Ex.* 221) –, l'homme apprend à reconnaître son péché
dans la miséricorde de Dieu (cf. *Célébrer la Pénitence
et la Réconciliation. Nouveau rituel,* Paris, 1978,
n. 19, 22), « touché par la sainteté et la charité de
Dieu » (*ibid.,* n. 15).

Ignace de Loyola, *Exercices spirituels,* Paris, 1960 ; éd.
critique du texte original, MHSJ 100, Rome, 1969. – E. Przywara, *Deus semper major,* t. 1, Fribourg/Brisgau, 1938,
p. 121-202. – G. Fessard, *La dialectique des Exercices Spirituels de saint Ignace de Loyola,* t. 2, Paris, 1966, p. 47-123.

2° LA CONFESSION DES PÉCHÉS, ŒUVRE DE DIEU. – Ce
qu'Ignace de Loyola présente dans les *Exercices*
comme « grâce à demander », Marie de l'Incarnation
l'ursuline le décrit comme « grâce reçue » (*Écrits spirituels et historiques,* éd. A. Jamet, t. 2, Paris, 1930,
p. 181-85). La confession des péchés est ainsi réaffirmée chez elle comme œuvre de l'agir souverain de
Dieu. La distension dans le temps de la triple méditation ignatienne se trouve rassemblée dans le tout indivis d'un instant qui, tout ineffable qu'il soit, n'engendre pas moins une discursivité spirituelle analogue, et
qui trouve finalement son accomplissement dans la
confession sacramentelle (p. 181, 10).

Ce « coup de grâce » tire subitement Marie de l'Incarnation de ses ignorances pour la mettre dans la
voie où Dieu veut lui faire miséricorde (p. 181, 11).
En effet, jusque dans ses confessions, Marie de l'Incarnation contristait l'Esprit (p. 166-67) et n'arrivait pas
à se convaincre intérieurement de son péché pour ne
trouver qu'en Dieu sa justice (p. 172, 10-15). Alors
qu'elle portait le poids de cette impuissance, mettant
toute son espérance en la fidélité indéfectible de Dieu
(p. 181, 16), « En un moment les yeux de mon esprit
furent ouverts et toutes les fautes, péchés et imperfections que j'avais commises depuis que j'étais au
monde, me furent représentées en gros et en détail...
Au même moment, je me vis toute plongée en du
sang, et mon esprit, convaincu que ce sang était le
Sang du Fils de Dieu, de l'effusion duquel j'étais coupable par tous les péchés qui m'étaient représentés, et
que ce Sang précieux avait été répandu pour mon
salut » (p. 182, 5-15).

Plongée dans la mort du Christ, Marie découvre sa
propre œuvre de mort. A la symbolique du péché
comme souillure dans sa puissance quasi-physique,
fait place le réalisme du sang qui inonde et purifie. La
puissance recréatrice du sang vient recouvrir l'opacité
intrinsèque du mal et, dans sa lumière, mettre à
découvert « avec une distinction et une clarté plus certaine que toute certitude que l'industrie humaine pouvait exprimer » (p. 182, 9) l'infime détail des actes
coupables enfouis dans les profondeurs de l'oubli.
Dans le sang du Christ se trouve à la fois assumé et
aboli le mystère d'iniquité jusqu'en ce qui résiste le
plus à la rationalité humaine. Cette plongée dans le
Sang reprend pourtant, en un moment indivis, les
trois temps de la confession des péchés.

D'abord l'en-soi du péché. La connaissance du péché
qu'acquiert Marie de l'Incarnation en cet instant est telle
qu'elle l'aurait laissée morte de frayeur si la Bonté de Dieu
ne l'eût soutenue. Voir en effet un Dieu d'infinie Bonté
« offensé par un vermisseau de terre » et « un Dieu fait
homme pour expier le péché et répandre son Sang précieux »,
voir en outre « que personnellement on est coupable, et que
quand on eût été seule qui eût péché, le Fils de Dieu aurait
fait ce qu'il a fait pour tous, c'est ce qui consomme et comme
anéantit l'âme » (p. 182, 19-183, 4).

Ensuite son intériorisation. « Ces vues et opérations sont si
pénétrantes qu'en un moment elles disent tout et portent leur
efficacité et leurs effets » (p. 183, 4-6). L'amour même de
Dieu, qui à la fois vient de lui et se porte vers lui, engendre la
douleur véritable pour ses péchés : « en ce moment, mon
cœur se sentit ravi à soi-même et changé en l'amour de celui
qui lui avait fait cette insigne miséricorde, lequel lui fit, dans
l'expérience de ce même amour, une douleur et regret de
l'avoir offensé la plus extrême qu'on se la puisse imaginer »
(p. 183, 6-11).

Enfin son exténuation qui met sous la mouvance de
l'Esprit. La « vue » qui se situait au niveau de l'intelligence et
la « douleur » qui émouvait le cœur se recueillent finalement
dans le corps et ses sens, où s'opère la transmutation des
réalités qu'indique la méditation ignatienne de l'enfer. Marie
de l'Incarnation parle alors d'un trait d'amour si inexorable
qu'elle se serait jetée dans les flammes pour en relâcher la
douleur, trait qui pourtant est doux dans sa rigueur même
(p. 183, 12-15). La symbolique de la captivité peut dorénavant resurgir. Désormais c'est l'amour qui constitue les

« charmes et chaînes » et qui lie en sorte l'âme « qu'il la mène où il veut, et elle s'estime ainsi heureuse de se laisser captiver » (p. 183, 18). Désormais Marie de l'Incarnation se trouve non plus sous la loi du péché mais sous celle de l'amour de Dieu.

En rejoignant l'homme et en le guérissant à la jointure de son être et de son désir, Dieu suscite en lui cette complaisance et cette délectation qui le dilatent intérieurement et sans lesquelles « on n'agit pas, on n'entreprend pas, on ne se met pas à bien vivre » (Augustin, *De spiritu et littera* 3, 5 ; PL 44, 203). L'effet de sa miséricorde est la *delectatio victrix* (*De peccatorum meritis et remissione* II, 19, 32, PL 44, 170). L'âme n'est plus alors qu'acquiescement volontaire à un accord foncier que Dieu a imprimé en elle, à la fois dans la douceur et la force. Sa suite du Christ devient acquiescement aux « pentes » et « inclinations » de son être dans l'Esprit (p. 186, 1-10).

La grâce décisive où Thérèse d'Avila se voit « enfoncée dans l'enfer » pour ses péchés, y ressentant l'atroce douleur de l'âme qui se déchire, est exemplaire de ce point de vue. Cette expérience mystique tout à la fois de l'enfer et de la miséricorde de Dieu qui en libère est chez elle au point de départ de sa vocation de réformatrice du Carmel. Mue de compassion pour ceux qui se perdent et prête désormais à braver toutes souffrances pour leur venir en aide, Thérèse ressort de cette plongée dans l'enfer avec l'unique et vibrant désir de « faire quelque chose pour le Christ » (*Autobiographie*, chap. 32).

**B. L'aliénation dans le péché.** – Au regard du pécheur encore enlisé dans sa faute, l'appel à la conversion fait voir le péché dans son essence théologique comme refus de Dieu. « Le commencement de tout péché est l'orgueil » (*Sir.* 10, 15 Vulg. ; cf. Augustin, *De civitate Dei* XIV, 13). Seul peut renouer avec Dieu celui qui prend conscience de ce qu'est son péché comme rupture. Ainsi est-ce en mettant devant la réalité de l'enfer que la triple méditation ignatienne situe le pécheur face au Christ en croix (1), pour l'ouvrir au Dieu de miséricorde (2) et de tendresse (3).

Perçu dans la perspective de celui qui est sur le point de tomber dans la faute, le péché apparaît néanmoins sous un jour sensiblement différent. L'homme ne cherche pas pour elle-même la rupture avec Dieu. Même lorsqu'il croit se révolter contre lui, il est le plus souvent en butte au Dieu de ses représentations. Dans l'ordre de l'intention, l'objet immédiat de son vouloir est un bien particulier, même si, dans l'ordre des faits, ce bien choisi le met en contradiction avec Dieu. Au niveau de l'exécution aussi, c'est davantage la « conversion » désordonnée à un bien créé qui commande l'acte que l'« aversion » contre Dieu. Pécher n'est pas vouloir le mal, mais mal vouloir le bien ou mal en user (cf. M. Huftier, *Le péché actuel*, dans *Théologie du péché*, p. 345). L'attrait déréglé d'un bien l'emporte chez lui sur la seule opposition à Dieu. Je voudrais à la fois Dieu et autre chose. Ce faisant, je m'enferme dans une contradiction qui est offense à Dieu. Si le péché est orgueil en son essence, il est en sa racine cupidité, selon 1 *Tim.* 6, 10 (cf. Augustin, *De Genesi ad litteram* XI, 15, 19 ; Thomas d'Aquin, *Summa theol.* Iª IIae, q. 84, a. 1).

Mettant l'accent sur la relation foncière de l'homme à Dieu, Augustin voit d'abord l'orgueil qui est en tout péché. A l'intérieur d'une ontologie qui conçoit la création dans sa consistance propre, Thomas d'Aquin tient davantage compte de l'aspect psychologique de la faute : « en elle-même et à proprement parler, la cause du péché doit se prendre de la conversion au bien muable ; de ce point de vue, tout acte de péché vient d'une tendance désordonnée vers un bien temporel » (*Summa théol.* Iª IIae, q. 77, a. 4).

En outre, si le diable est « homicide dès l'origine », il est aussi le « père du mensonge » (*Jean* 8, 44). Il voile sous l'apparence du bien convoité son intention perverse et sa malice intrinsèque. Démasquant les « tromperies » (*Ex.* 139) de l'« ennemi de la nature humaine » (*Ex.* 334), Ignace de Loyola en expose la stratégie : « tenter d'abord par la convoitise des richesses, comme c'est le cas le plus fréquent, afin qu'on en vienne plus facilement au vain honneur du monde et enfin à un orgueil immense. De la sorte, le premier échelon est la richesse, le second l'honneur, et le troisième l'orgueil. Et par ces trois échelons, il amène à tous les autres vices » (*Ex.* 142).

1° LA CHUTE DANS LE PÉCHÉ. – 1) *L'analyse formelle de l'acte.* – L'acte de pécher se définit à la lumière de l'acte humain et de ce qui constitue sa qualification morale intrinsèque. Vu sous cet angle, le péché est essentiellement un manque, ou encore une privation : « *privatio boni debiti* ». L'on choisit quelque chose qui est bon en soi, mais on ne le fait pas en conformité avec la norme qui doit régler l'agir. L'origine du péché n'est donc pas dans la chose voulue, mais dans le choix désordonné. Il ne s'agit pas au point de départ d'un défaut d'intelligence qui prendrait un mal pour un bien, mais d'une éclipse, d'une défaillance dans la volonté qui pose l'acte sans se référer à la règle qui confère à tout acte sa bonté morale, à savoir, la Loi et la Sagesse divine, dont la raison humaine participe : « *peccatum nihil aliud quam deficere a bono quod convenit alicui secundum naturam* » (Thomas d'Aquin, *Summa theol.* Iª IIae, q. 109, a. 2, ad 2).

Ainsi l'acte peccamineux est-il essentiellement « deviatio », « deordinatio ». Certes, en se portant sur un bien particulier, cet acte vise quelque chose de positif dans son ordre, mais il ne rapporte pas ce bien à l'ordre supérieur qui seul, en l'informant, peut lui conférer sa bonté intrinsèque et sa perfection. C'est le propre de l'homme de pouvoir se conduire lui-même, en prenant conscience, en tant qu'être raisonnable, de sa règle de conduite, pour y mesurer ses actes et les y ordonner. En cela, il s'apparente précisément à Dieu, mais à condition de ne pas manquer sa fin ultime qui est Dieu lui-même.

Il y a donc un manque, défaillance. « Cependant ce n'est pas la défaillance qui est péché ; mais le péché s'ensuit du fait que l'on passe à l'acte avec cette défaillance » (*Summa theol.* Iª, q. 49, a. 1, ad 3). La faute ne consiste donc pas à ne pas toujours avoir devant les yeux la règle d'action, mais à passer à l'acte sans s'y référer. C'est en ce sens que le péché se situe dans la volonté : sa cause consiste en ce que « la volonté met à la tête de son action un manque de considération de la règle, une faille, un rien, et quelque chose se passe durant cette éclipse (M. Huftier, *Le péché actuel*, dans *Théologie du péché*, p. 342 ; cf. Thomas d'Aquin, *De Malo*, q. 1, 3).

Là se situe la malice propre au péché dans son caractère « privatif ». Mais parce que cet acte est mauvais, il implique une malice « positive ». Il instaure une contrariété, et c'est cette contrariété qui le constitue dans sa malice positive comme offense faite à Dieu (Th. Deman, art. *Péché*, DTC, t. 12/1, col. 149-153).

2) *L'acte en situation.* – L'analyse formelle de l'acte humain ne suffit pas pour rendre compte de l'homme

dans son existence concrète. Celui-ci se trouve toujours engagé dans une histoire qui est à la fois histoire de salut et de perdition. Sa liberté, aux prises avec les forces démoniaques du mal, rendue à elle-même dans la seule grâce du Christ, n'en répond pas moins de ses actes, dans le bien comme dans le mal. Dans sa libre détermination à travers ses choix, la volonté est passive tantôt du malin, tantôt de la grâce de Dieu ; mais, et c'est là le point décisif, elle ne l'est pas de la même façon dans les deux cas.

A la suite de la tradition spirituelle (cf. art. *Discernement des esprits*, DS, t. 3, col. 1222-75), Ignace de Loyola a relevé ce fait avec précision. Le bon ange et le mauvais ange « consolent ». De part et d'autre, la volonté se trouve sollicitée par un bien. Mais le bon ange console « pour le progrès de l'âme, afin qu'elle croisse et s'élève de bien en mieux » (*Ex.* 331). La grâce actuelle donne précisément à l'âme de croître librement, de par sa propre spontanéité, en ce qui constitue son bien et sa perfection. Le mauvais ange console l'âme « pour le contraire, et ensuite pour l'entraîner dans son intention maudite et dans sa malice » (*ibid.*). En s'insinuant dans l'âme sous l'apparence d'un bien, le mauvais ange l'aliène. En entrant dans sa mouvance, la liberté s'asservit, précisément dans l'acte qu'elle pose, à un agir qui en est la négation. C'est cette situation spirituelle que traduisent les affirmations bibliques sur l'esclavage du péché, de même que le concept théologique apparemment contradictoire de « liberté serve ».

3) *La séduction et la chute*. – Ne pouvant solliciter le libre vouloir qu'en lui proposant quelque chose de positif en son ordre, l'ange de ténèbres se transforme donc en ange de lumière. Il vient ainsi à la rencontre de la tendance foncière de l'âme vers le bien, pour ensuite l'attirer dans sa propre direction : « il propose des pensées bonnes et saintes, en accord avec l'âme juste, et ensuite, peu à peu, il tâche de l'amener à ses fins en entraînant l'âme dans ses tromperies secrètes et ses intentions perverses » (*Ex.* 332). C'est ainsi qu'en toute faute actuelle, l'homme réitère la faute du paradis.

Tout en paraissant confirmer l'âme dans son assentiment foncier, sous l'apparence d'un bien, le propre de la séduction du mauvais ange est d'infléchir le mouvement d'adhésion pour finalement l'invertir totalement. Le bien particulier, qui devait médiatiser le rapport vivant de l'homme à son Dieu, s'avère alors ce qui se substitue à Dieu, lui faisant écran et enfermant dorénavant l'homme dans une vaine et fausse autonomie. Plutôt que d'être ce par quoi l'homme se reçoit toujours à nouveau de la libre disposition de Dieu, il devient, absolutisé, ce par quoi l'homme s'affirme contre Dieu. Sa liberté s'est enténébrée, pervertie dans son mouvement originaire, sous l'apparence d'un bien recherché. Il y a là, on l'a vu, « une perverse imitation de Dieu » (Augustin, *Confessions* II, 6, 14 ; *De Genesi ad litteram* VIII, 14, 31). Par une fausse et criminelle ressemblance, l'homme a cru pouvoir obtenir par lui-même ce qu'il ne peut recevoir que de Dieu. La « deviatio » par rapport à la règle d'action s'avère pour la liberté « deviatio » intérieure à elle-même dans son rapport constitutif à Dieu.

2° LES EFFETS DU PÉCHÉ. – Ayant pour objet quelque chose de positif en son ordre, le péché voile sur le moment à celui qui le commet sa nature véritable. Il n'est donc reconnu tel qu'aux conséquences qu'il entraîne. Or celles-ci sont de l'ordre de la souffrance et de la peine. « Si le déroulement de nos pensées nous amène finalement à quelque chose de mau-

vais, de distrayant ou de moins bon que ce que l'âme projetait d'abord, ou qui affaiblit, inquiète et trouble l'âme en lui enlevant la paix, la tranquillité et le repos qu'elle avait auparavant, c'est un signe clair qu'il procède du mauvais esprit, ennemi de notre progrès et de notre salut éternel » (*Ex.* 333). Chacune de ses conséquences, prise individuellement, pointe vers une déviation de la volonté dans son assentiment et vers une détermination du péché. Il y a l'action moins bonne qui affaiblit l'âme dans son mouvement d'adhésion ; il y a celle qui en la distrayant, lui fait perdre son centre de gravité ; il y a enfin l'action mauvaise qui comme telle en invertit le mouvement, causant le trouble.

1) *Le péché d'omission* n'est repérable et imputable qu'en référence à un dynamisme spirituel. Il n'est pas de l'ordre d'un moins bon par rapport à un bien supérieur théoriquement conçu, mais d'un moins bon par rapport à la volonté actuelle de Dieu telle qu'elle s'exprime à travers l'exigence intérieure qui sous-tend une vie. L'omission est manque de considération active de cette règle d'action ; affectant la volonté dans sa marche, elle est donc péché, ainsi que l'atteste toute la tradition spirituelle. L'homme reconnaît l'omission à la tiédeur et à l'affaiblissement qui s'ensuivent dans sa pleine adhésion à ce vers quoi il tend (cf. Thomas d'Aquin, *Summa theol.* Iª IIae, q. 71, a. 5).

2) *Le péché comme dispersion dans le multiple*. – L'homme est un point en équilibre mouvant entre Dieu et le monde, l'un et le multiple. Dans la mesure où il se centre en Dieu, son souverain bien, il s'unifie et s'intériorise. Dans la mesure où il relâche ce lien vivant, il retombe sur lui-même pour se répandre dans le multiple : « L'âme s'est éloignée de (Dieu), il n'est pas restée en elle-même ; elle est chassée loin de soi, exclue de soi, et elle se répand au dehors » (Augustin, *Sermo* 142, 3). D'où cette inquiétude sans nom, cette insatisfaction diffuse qui sont le signe d'une distraction coupable, alors même que l'homme n'a pas d'actes répréhensibles caractérisés à se reprocher.

3) *Le péché comme arrêt au signe*. – Ici l'homme pose objectivement l'acte mauvais, substituant un bien créé à Dieu, face à lui et contre lui. Il s'arrête au signe et en fait sa norme. L'idole prend la place du Dieu vivant et la liberté se trouve pervertie dans son mouvement foncier. Là où la rupture est vécue dans la mémoire des fidélités premières, elle est ressentie au trouble qu'elle produit, et ce trouble est déjà appel à la conversion. Là où la rupture est renforcée par l'habitude, l'âme s'ancre dans son endurcissement. Elle a fait sienne la malice du mauvais ange. Désormais celui-ci entre chez elle « de façon silencieuse, comme chez soi, toutes portes ouvertes » (*Ex.* 335).

**C. La souffrance du péché.** – 1° LE PÉCHÉ DU MONDE. – 1) *Un combat avec le mal*. – Les deux premiers temps spirituels se situent à l'intérieur de la symbolique biblique de la chute. Mais le mal garde toujours une irréductible extériorité par rapport à la seule liberté humaine. En affrontant cette extériorité, la théologie du péché rencontre sur son chemin l'autre grande symbolique qui de tout temps a rendu l'homme présent à l'énigme du mal, celle d'un combat archétypal où s'affrontent les forces du bien et celles du mal.

En posant la liberté à l'origine du mal, la symbolique biblique de la chute dénonce ce mythe du combat, mais seulement dans le sens où il implique un dualisme ontologique et pose à la genèse des choses un affrontement nécessaire entre puissances adverses. Le combat, en effet, n'est pas évincé de la révélation. Présent au récit de la chute sous forme résiduelle dans la figure énigmatique du serpent, il est repris dans la lutte que le Dieu d'Israël mène avec son peuple contre les nations païennes. Il trouve finalement son sens plénier dans la victoire du Christ sur les puissances et principautés de ce monde, victoire qui est l'issue d'un combat dont l'insondable « nécessité » (le « ne fallait-il pas ? » de *Luc* 24, 26) plonge dans les profondeurs de la liberté divine, et dont le héros ne sort victorieux qu'en étant touché par l'adversaire. La victoire du Christ passe de fait par une souffrance et une mort d'où naissent les cieux nouveaux et la terre nouvelle.

L'intelligence chrétienne du mal se situe ultimement, non pas dans la liberté humaine, mais dans la liberté divine, ou plus précisément, dans la manière dont Dieu livre en Jésus Christ le combat victorieux contre lui. Elle est d'ordre christologique. Elle s'exprime, non pas dans le geste triomphant du Dieu vainqueur qui terrasse l'ennemi, mais, par un renversement complet du donné symbolique originaire, dans la figure du « serviteur souffrant » où la plénitude du don instaurateur s'opère dans la vulnérabilité consentie à la souffrance.

2) Ce combat est un *travail d'engendrement*. De par une « nécessité » qui est la loi spirituelle de l'univers, il est, non pas « cosmogénèse », mais « théogénèse », c'est-à-dire, « genèse qui crée en quelque sorte Dieu en nous et nous rétablit nous-mêmes en Dieu » (M. Blondel, *Les exigences philosophiques du christianisme*, Paris, 1950, p. 231). Déjà en lui-même l'acte créateur suppose en quelque sorte que Dieu s'annihile malgré son omniprésence et sa toute-puissance pour faire place souveraine à la liberté humaine, de sorte que celle-ci, aussi libre acquiescement au bon vouloir divin, se dessaisisse à son tour d'elle-même pour faire place à Dieu, l'instaurant en elle-même pour vivre désormais de son être et de sa vie. Dieu s'annihile de fait en Jésus-Christ dans la kénose de la croix (*Phil.* 2, 7-8), prenant sur lui non seulement la condition de créature mais aussi le péché du monde, et cette obéissance du Fils ouvre en retour l'univers créé à l'intériorité du Père dans le don de l'Esprit ; de la sorte, en assumant librement à la suite du Christ la souffrance du péché, il est donné à tout homme d'œuvrer dans le Christ à ce que Dieu soit tout en tous. Ce combat touche les assises même de la création « qui gémit dans les douleurs de l'enfantement » (*Rom.* 8, 22 ; cf. *Jean* 16, 20-22), combat où Dieu vainc le mal en étant librement livré à sa puissance afflictive.

Il y a donc une expérience chrétienne du péché qui déborde le domaine de la faute personnelle et de son expiation. En rejoignant le péché jusqu'en ce qu'il a d'extérieur à la seule défaillance humaine, cette expérience prend un caractère à la fois universel et cosmique. Elle relève de la parturition et de l'avènement du Royaume. L'homme s'y trouve associé au labeur du Christ, établi en lui dans son état victimal, et c'est ainsi que par-delà la déchirure du moment présent il œuvre à l'enfantement du monde nouveau. A l'encontre du Christ qui, lui, n'a pas commis le péché, la douleur ressentie aura aussi pour cause les fautes personnelles : « c'est pour mes péchés que le Seigneur va à la passion » (*Ex.* 193). Mais plus que la douleur de celui qui se reconnaît le bourreau, elle sera celle de la victime à laquelle l'homme se découvre associé : « la douleur avec le Christ douloureux, le déchirement avec le Christ déchiré, les larmes, la souffrance intérieure de tant de souffrances que le Christ supporte pour moi » (*Ex.* 203).

3) « *Être fait péché* ». – Au cœur de l'expérience chrétienne de la faute, il n'y a donc pas seulement le fait de pécher ; il y a aussi un « être fait péché ». L'homme y éprouve pour elles-mêmes la malice et la force afflictive du péché. Transporté en Dieu au cœur de la réalité objective du péché, touché et affecté par elle par-delà sa seule culpabilité personnelle, il devient alors dans le Christ instrument de la justice divine et du salut qu'elle opère. « Celui qui n'avait pas connu le péché, Dieu l'a fait péché pour nous, afin que nous devenions par lui justice de Dieu » (2 *Cor.* 5, 21). Éprouvant l'amertume du péché et sa puissance de mort, l'homme ne fait plus qu'un ici avec l'exigence divine qui s'accomplit en lui.

Ce que la confession des péchés personnels avait desserré désormais se resserre. En effet, dans cette confession, une logique du pardon faisait éclater l'exigence de justice qui proportionne l'expiation à la faute commise. La révélation de la malice du péché se transformait en étonnement devant le Christ en croix ; le jugement de culpabilité se dénouait en admiration et en action de grâces dans la découverte d'une prévenance miséricordieuse ; et l'anticipation des souffrances de l'enfer rendait présent à une tendresse recréatrice (cf. *supra* A, 1º 2-4). « Être fait péché », ce sera désormais connaître la haine et le désespoir qui sont inhérents au péché, appeler de ses vœux le châtiment qui seul en libère, ressentir la vacuité qui est absence de Dieu en tout péché (C, 2º, 2-4). Dans cette soumission à la logique interne du péché, l'homme ne fait qu'un dans la foi avec la Bonté divine. En effet, cette Bonté n'est pas seulement miséricorde restauratrice ; elle est aussi justice qui opère le salut, en se portant garante de la vérité inaliénable de la création et en mettant à découvert le désordre qu'y instaure le péché.

Il y a ici une réalité spirituelle qui, exprimée en clair par la mystique chrétienne (cf. art. *Passion*), est aussi le fait de toute existence humaine aux prises avec le mal, que celui-ci l'atteigne comme désordre subi au plan de son être psychique ou l'affecte sous forme de calamités naturelles. Il y a là une souffrance qu'étant donné sa condition pécheresse l'homme assume toujours plus ou moins mal, sans être soustrait pour autant au combat du Christ.

2º LE DÉSORDRE PSYCHIQUE. – 1) *Un « dedans la croix* ». – La vocation apostolique et missionnaire de Marie de l'Incarnation a ici un caractère exemplaire. Elle ouvre celle dont le Verbe Incarné a déjà faite son Épouse (*Écrits spirituels*, t. 2, p. 251-54) sur l'universalité du salut (p. 309-13). Elle se traduit par un abandon de tout soi-même, scellé par un vœu (p. 373, 13), « à souffrir et à faire » (p. 371, 20), la conjonction des deux verbes indiquant qu'il y a au plan de la foi un « souffrir » qui porte en lui-même l'efficace d'un « faire ».

Cet abandon de tout soi-même s'effectue sous la forme d'un abandon apparent de la part de Dieu. Marie de l'Incarnation se trouve laissée à elle-même (p. 348, 6-25), en proie à une tension insurmontée entre le volontaire et l'involontaire, l'assentiment foncier de foi d'une part et le désordre qui envahit tout le champ de son psychisme d'autre part. Alors même qu'elle vaque normalement à ses travaux, elle se voit dépouillée de tous les dons et de toutes les grâces reçues, manquant de confiance en elle-même et dans les autres chez qui elle suscite des sentiments d'aversion, incapable de communiquer son épreuve intérieure (p. 376). La paix de Dieu se retire, imperceptible, au centre de l'âme (p. 375), la livrant impuissante, à sa misère.

Marie de l'Incarnation vit cet état comme un juste châtiment pour ses fautes personnelles (p. 379, 1) et pour celles de ceux dont elle a la charge spirituelle

(p. 382, 23), tout en restant consciente de ce qu'il y a d'involontaire dans ses mouvements de rébellion (p. 402, 19). Et surtout, elle le vit comme configuration au Christ. Elle ne porte pas seulement sa croix (p. 380, 21) ; elle est « en l'état de croix » (p. 397, 3), et à vrai dire, « dedans la croix » (p. 380, 1). Or ce « dedans la croix » est précisément un « dedans la réalité même du péché ».

2) *L'enfer comme haine de Dieu.* – Submergée par la tristesse et l'amertume qu'engendre une « tentation de désespoir », Marie de l'Incarnation se sent intérieurement portée à se précipiter dans les flammes de l'enfer « pour faire déplaisir à Dieu, contre lequel cette disposition me portait de l'haïr » ; mais elle poursuit :

« Lors, en un moment, par sa bonté et miséricorde, par un écoulement secret de son Esprit, il excitait la partie supérieure de mon âme à vouloir en effet être précipitée dans l'enfer, pour ce que la Justice divine fût satisfaite dans le châtiment éternel de mes indignités, qui lui avaient dérobé mon âme, que Jésus-Christ avait par son infinie miséricorde rachetée de son Sang, et non pour lui déplaire. Cet acte était une simple vue de foi qui me tirait de ce grand précipice. Je voyais que je méritais l'enfer et que la Justice de Dieu ne m'eût point fait de tort de me jeter dans l'abîme, et je le voulais bien, pourvu que je ne fusse point privée de l'amitié de Dieu » (p. 378, 12-25 ; cf. p. 380, 12-21).

Par une motion divine, Marie de l'Incarnation veut ce qu'opère la Justice divine. Elle est livrée ainsi à la réalité proprement spirituelle du péché comme puissance volontaire de haine et de mépris de Dieu. Mais cette union au jugement de Dieu sur le péché qui la projette jusqu'aux bords de l'abîme est en même temps union à ce jugement qui l'en sauve en l'établissant dans l'amitié avec Dieu.

3) *Le purgatoire comme satisfaction.* – Si l'acte divin qui juge le péché le révèle dans sa malice intrinsèque comme haine de Dieu, ce même acte éveille en l'homme pécheur qui se tourne vers Dieu le vœu de la juste expiation qui le libère. C'est l'amour qui alors, inexorable de pureté, exige « entière satisfaction » (p. 379, 6) dans l'état où met la justice divine, l'Esprit de Dieu détruisant ainsi par un feu intérieur tous les recoins de la nature corrompue :

« Et quand il veut et qu'il lui plaît d'y travailler, c'est un purgatoire plus pénétrant que la foudre, un glaive qui divise et fait des opérations dignes de sa subtilité tranchante. Dans ce purgatoire, on ne perd point la vue du sacré Verbe Incarné, et Celui qui n'avait paru qu'Amour et qui auparavant consommait l'âme dans ses divins embrassements est Celui qui la crucifie et la divise d'avec l'esprit dans toutes ses parties, excepté en son fond où est le cabinet et le siège de Dieu, qui en cet état paraît un abîme et un lieu séparé » (p. 379, 20-30).

Le Christ se révèle ici juge des vivants et des morts. L'homme prend activement à son compte l'exercice de ce jugement qui divise l'âme d'avec elle-même, s'accusant de ses fautes passées et se condamnant lui-même (p. 381, 10). C'est l'amour qui le pousse ainsi à s'examiner et à s'accuser (p. 383-86), tout en se déclarant digne du châtiment éternel : « tant je vois de justice que votre amour soit satisfait » (p. 382, 19). Mouvement impérieux d'auto-inculpation qui rejoint finalement l'être jusqu'en ce point obscur où précisément se noue en l'homme le volontaire et l'involontaire. « Je ne puis vouloir vous avoir offensé » (p. 400, 3), s'écrie Marie de l'Incarnation, pour ajouter aussitôt : « je sais bien que je ne suis que souillure et imperfection, mais je ne veux pas l'être » (p. 400, 6). La partie supérieure de l'âme qui, il y a un instant, était volonté de haine devient protestation contre sa propre nature pécheresse, protestation qui du sein de cette contradiction où l'homme touche son impuissance devient invocation : « O Amour, exterminez tout ! » (p. 400, 8). Dieu seul peut procurer à l'homme ce qu'il lui donne de vouloir en l'exterminant comme néant de péché pour le recréer dans son être foncier.

4) *Une vacuité dans le Christ.* – Il y a donc une expérience chrétienne du péché qui est acquiescement dans le Christ au jugement de Dieu sur le péché. L'homme y vit au présent de son existence ces réalités que révèle le jugement à son dernier jour : l'enfer et le purgatoire. Il s'agit là d'un acquiescement, mais où l'homme se découvre dépossédé jusqu'en son propre vouloir, d'une union aussi, mais qui est vécue par lui comme solitude, d'une ouverture sur l'universel du Royaume enfin, mais qui est effectivement ressentie comme pure vacuité. Dieu semble par moments se retirer même du fond de l'âme :

« Moments que je pâtissais cette vacuité, car ils ne portent que des ténèbres qui ne permettent aucune autre vue que ce qu'on pâtit, qui est d'être entièrement contraire à Dieu. Et ne pouvais lui demander d'en être délivrée, étant revenue à moi-même, me semblant que mes croix devaient être éternelles et moi-même me condamnant à cette éternité » (p. 380, 28-381, 4). Dépouillé de son propre vouloir, l'homme se découvre sans espérance active. La vacuité ressentie se conjugue avec l'éternité de l'absence. Livré au péché, l'homme est pure passivité à ce que Dieu opère en lui, passivité qui est de fait un acte de salut.

Être fait péché consiste à ne faire qu'un dans le Christ avec la malice du péché et la souffrance que celui-ci entraîne. Toute souffrance, il est vrai, n'est pas féconde *a priori*. Dans la mesure où le désordre perdure par-delà le péché qui en a été la cause, jouant contre une liberté retrouvée dans le pardon de Dieu, il revient à l'homme de lutter contre lui avec toutes les ressources humaines et spirituelles dont il dispose. Mais s'il y a au cœur de l'expérience chrétienne du péché un nécessaire combat contre la souffrance, il y a aussi en elle un combat dans la souffrance. Ce combat est une entrée dans le jugement de Dieu sur le péché. A la suite du Christ et en lui, il est victoire dans l'impuissance. Il ouvre l'individu sur une communion universelle qu'il opère. Ce combat, fait d'un homme qui est lui-même pécheur, sera toujours plus ou moins mal vécu par lui. Néanmoins, le mal qui l'affecte ainsi ne saurait être ramené à sa seule responsabilité morale ; il relève du mystère d'iniquité qui déborde toujours la seule liberté humaine.

Ce troisième temps spirituel libère la théologie chrétienne du péché de tout discours exclusivement moralisateur. Il y a des mouvements de haine contre Dieu et contre soi-même, des impuissances radicales à intégrer les différentes composantes de son être psychique, des structures objectives d'injustice et d'oppression dans le tissu social, voire une absence et un silence de Dieu dans le monde, qui, tout en relevant du mystère d'iniquité au sens strict du terme, ne relèvent pas immédiatement du jugement personnel de culpabilité et de la confession des péchés. Ils sont moins du domaine de la nécessaire conversion personnelle que de celui de la parturition du Royaume. Livré contre son gré ou dans un acquiescement muet au péché du monde, l'homme ne fait mystérieusement qu'un, jusque dans son impuissance, avec le jugement de salut qu'opère le Christ par sa croix sur le péché.

3° LE MAL PHYSIQUE. – On peut concevoir que, dans sa dualité de volontaire et d'involontaire, le mal moral puisse être repris à l'intérieur de l'affirmation chrétienne sur le péché. Peut-on en dire autant des malheurs qui frappent l'homme ? Il semble que l'intelligence chrétienne touche ici une limite qu'elle ne saurait enfreindre sous peine de confondre l'ordre de la nature et l'ordre moral. Et pourtant, si tel était le cas, une des manifestations les plus tangibles de la violence dont l'homme est la victime serait soustraite au mystère d'iniquité. On établirait entre le mal physique et le mal moral une dichotomie en tout point étrangère à l'affirmation biblique sur l'unité de destin entre l'homme et son univers. Dans la grâce du Christ, l'expérience chrétienne du péché assume jusqu'à un certain point cette dimension du mal naturel, que celui-ci ait pour cause l'inadvertance de l'homme ou encore les lois de l'univers physique.

1) *Le mal causé par la négligence humaine.* – Ici encore l'attitude de Marie de l'Incarnation face à l'incendie de son monastère due à l'inadvertance d'une novice est éclairante (p. 431-37). Une certitude intérieure lui fait voir dans ses péchés « la seule cause » du désastre, et en celui-ci « le châtiment d'un bon père et époux » qui exerce sa Justice :

« Mon âme n'eut jamais une si grande paix que je l'expérimentais en cette occasion. Je ne ressentis pas un mouvement de peine, de tristesse ni d'ingratitude, mais je me sentais intimement unie à l'Esprit et à la main qui permettait et qui faisait en nous cette circoncision, comme étant une même chose avec sa très sainte volonté » (p. 434-35).

La théologie distingue entre ce que Dieu permet et ce qu'il veut positivement. Dans notre univers de représentations, cette distinction s'impose pour éviter de reporter sur Dieu le mal qui frappe l'homme et ainsi sauvegarder sa Sainteté et sa Bonté. Dieu n'est pas la cause du mal. Cette distinction n'en reste pas moins insuffisante. Elle l'est déjà au plan ontologique, car rien de ce qui est ne peut être soustrait à la volonté divine. Elle l'est surtout au plan spirituel, car toute épreuve porte en soi une disposition secrète de salut.

Dans l'incendie de son monastère, Marie de l'Incarnation voit un acte positif de jugement qui a pour cause ses péchés. Non seulement elle s'y plie, mais elle ne fait qu'un avec lui. Elle est non seulement dans la paix, mais encore dans la joie, bénissant Dieu avec tous les saints de l'Ancien et du Nouveau Testament, sûre aussi du dessein particulier de Dieu en cet accident.

2) *Les calamités naturelles.* – Peut-on rattacher de façon analogue à la Justice de Dieu les calamités naturelles ? C'est ce que fait sainte Jeanne Delanoue devant l'éboulement qui non seulement réduit à néant son œuvre naissante mais laisse un enfant sous les décombres. Elle est « dans la joie intérieure de voir que la Volonté de Dieu s'accomplit ». Le Seigneur a « la puissance de rétablir ce qu'il avait détruit » ; il s'agit donc d'une même acte formel de part et d'autre. « Elle disait que Dieu était juste et juge, et qu'il savait bien pourquoi Il faisait tous ces grands renversements ». Et c'est dans cette foi en la Providence que Jeanne Delanoue s'engage à vivre et à mourir avec ses chers frères, les Pauvres (*La Mère des Pauvres : Jeanne Delanoue 1666-1736, Texte du manuscrit de Marie Laigle,* Saint-Hilaire-Saint-Florent, 1968, p. 57-58).

Il y a un lien entre l'univers de la faute et le mal naturel. Ce lien échappe néanmoins à la seule intelligence humaine qui, en unifiant ordre moral et ordre naturel, risque de tomber dans le fatalisme. La saisie de ce lien est un événement de grâce et de liberté. Tout homme n'en est pas capable ; il serait donc indiscret de présenter à quiconque le malheur qui le frappe comme une volonté expresse, voire une punition de Dieu. Seules des âmes entrées profondément dans le mystère du salut sont à même de réaliser cette expérience. Les critères d'authenticité en seront toujours la paix, la joie, la communion accrue au corps du Christ qu'est l'Église, une disponibilité renouvelée au dessein salvifique de Dieu.

**D. La finitude retrouvée.** – 1° LA CONDITION DE CRÉATURE, FRUIT DE LA MISÉRICORDE DE DIEU. – Le Christ n'a pas seulement été fait péché. Il a vaincu la mort, restaurant l'homme dans sa condition originaire de créature. Thérèse de Lisieux a le mérite de rappeler par sa vie et son message la force libératrice de cette détermination de l'existence chrétienne. Dans la lumière du « beau Ciel » que Jésus nous acquiert, la ténèbre du péché se dissout et, dans sa finitude retrouvée et assumée, l'homme s'ouvre plein de confiance et d'amour sur l'océan de la miséricorde divine. C'est la petite voie de l'enfance spirituelle (*Manuscrits autobiographiques = Mss,* Lisieux, 1957, p. 244-45).

L'esprit humain sera toujours porté à confondre finitude et péché, faillibilité et faute. Si ontologique soit-elle par nature, cette distinction est d'abord de l'ordre d'une détermination spirituelle. Posée au point de départ du récit de la création dans la Genèse comme cet en-deçà à la fois inaccessible et pourtant essentiel à la juste compréhension de la faute, la condition originaire de créature est confirmée et accomplie dans la résurrection du Christ, constituant du coup un temps spirituel précis et sans équivoque de l'existence chrétienne. Être heureux d'être soi parce qu'heureux que Dieu soit, trouver sa joie à être aimé et à aimer, vouloir les autres pour eux-mêmes, constitue un don de la seule miséricorde restauratrice de Dieu, victoire du Christ sur l'orgueil et la convoitise qui sont au cœur de l'homme.

2° LA FAUTE, ÉCOLE DE CONFIANCE ET D'AMOUR. – La confession des péchés produisait un certain nombre d'affirmations fondamentales sur le péché. Reprises dans la grâce victorieuse du Christ, ces mêmes affirmations s'avèrent dépassées, sinon « abolies ».

1) *L'ineffable prévenance.* – S'il y a miséricorde de Dieu à pardonner la faute commise, il y a non moins grande miséricorde à en préserver (*Mss,* p. 92). La confirmation qu'elle reçoit du Père Almire Pichon (20 janv. 1893) lance Thérèse de Lisieux à pleines voiles sur les flots de la confiance et de l'amour : « Croyez-moi sur parole, jamais, jamais vous n'avez fait un seul péché mortel » (*Correspondance générale,* Paris, 1973, t. 2, p. 677 ; cf. *Mss,* p. 175). Au point de départ de l'élan spirituel de Thérèse, il y a non pas la conscience douloureuse de la distance, mais l'immédiateté d'une prévenance et d'une miséricorde. Cette prévenance ne change rien à la relation foncière de l'homme à Dieu. Aurait-elle commis tous les crimes possibles, Thérèse aurait la même confiance (*Derniers Entretiens,* Lisieux, 1971, p. 272), tant la multitude des offenses n'est qu'une goutte d'eau dans le brasier ardent de l'amour de Jésus (*ibid.,* p. 254).

« Ce n'est pas parce que le bon Dieu, dans sa prévenante miséricorde a préservé mon âme du péché mortel que je m'élève à lui par la confiance et l'amour » (*Mss.*, p. 313). C'est tout simplement parce qu'il est miséricorde. Rachetée à qui ses péchés ont été pardonnés avant même qu'elle ait pu les commettre, Thérèse peut ainsi s'identifier à l'enfant prodigue, à Marie Madeleine et au publicain (*ibid.*).

2) *La fidélité de Dieu*. – L'analyse de la chute manifestait le péché comme une éclipse de la volonté (cf. *supra*). Or la faillibilité humaine est désormais appuyée sur la fidélité de Dieu pour être résolument niée : « Jésus ne vous a jamais trahi. Il ne vous trahira jamais » (A. Pichon, dans *Correspondance générale*, t. 2, p. 677). La fidélité indéfectible de Dieu fonde désormais la fidélité foncière de l'homme à travers ses fragilités.

3) *Des fautes qui n'offensent pas Dieu*. – Dans la miséricorde restauratrice de Dieu, Thérèse en arrive ainsi à une perception de la faute qui, dans son assimilation à l'essentielle finitude humaine, s'avère négation de ce qu'en affirme la confession des péchés comme offense faite à Dieu. « Il me semble que Jésus peut bien faire la grâce de ne plus l'offenser, ou bien de ne faire que des fautes qui ne l'offensent pas, mais qui ne font que d'humilier et de rendre l'amour plus fort » (*Correspondance générale*, t. 1, p. 567 ; lettre du 3 sept. 1890). Intuition que par la suite le P. Pichon : « Il me dit que mes fautes ne faisaient pas de peine au Bon Dieu, que tenant sa place, il me disait de sa part qu'Il était très content de moi... » (*Mss.*, p. 201). La faute devient rappel de la condition de créature, pour que s'y fortifie l'amour dans la confiance et l'abandon à la miséricorde de Dieu.

Ces affirmations relèvent de la grâce victorieuse du Christ sur le péché. Dans la mesure où le chrétien est déjà ressuscité avec lui, elles sont un contre-poids nécessaire aux affirmations que produisaient les trois temps spirituels précédents. Néanmoins, elles ne sauraient en être dissociées. Isolées, elles pourraient témoigner d'un manque de compréhension existentielle du péché originel et de ses suites et méconnaître la distance incommensurable qui séparera toujours la condition de racheté propre au chrétien et celle de la Vierge Marie préservée de tout péché (cf. H. Urs von Balthasar, *Thérèse de Lisieux, histoire d'une mission*, Paris, 1972, p. 410-28).

4) *Une joie de souffrir*. – Mort et résurrection sont sur terre les deux temps d'un même combat du Christ contre le péché. Dans sa solidarité avec les pécheurs et en se substituant à eux devant Dieu, que l'homme se reconnaisse coupable (3e temps) ou pardonné (4e temps), instrument de la justice divine (3e temps) ou chantre de sa miséricorde (4e temps), il s'agit toujours d'une joie de souffrir prise en charge de la souffrance de la réalité objective du péché, ouvrant le chrétien sur l'universalité de la mission et du salut. Afin d'obtenir le pardon pour le péché d'incroyance, Thérèse de Lisieux accepte de manger « le pain de la douleur » à « cette table d'amertume où mangent les pauvres pécheurs » (*Mss.*, p. 251), jusqu'au jour marqué par le Seigneur. Ainsi établie en état de victime et d'holocauste, elle rejoint une Marie de l'Incarnation. C'est l'épreuve de foi qui traverse la dernière année de sa vie, « heureuse de ne pas jouir de ce beau Ciel sur terre, afin qu'Il l'ouvre pour l'éternité aux pauvres incrédules » (p. 253).

Néanmoins, le lien entre péché et expiation, si fort là où il est perçu dans la justice divine, se trouve ici rompu, ou plutôt repris à l'intérieur de la gratuité et de la joie. « Je regrette mon péché, mais je suis contente d'avoir cette souffrance à vous offrir » (*Der-*

*niers Entretiens,* p. 235). La souffrance n'est plus conduite de réparation qui décompte ses propres fautes. Elle est joie de souffrir pour empêcher ou réparer, ne serait-ce que la seule faute d'un homme contre la foi, « car est-il une joie plus grande que de souffrir pour votre amour ? » (*Mss.*, p. 253).

CONCLUSION. – Pris dans leur ensemble, les quatre temps spirituels ici esquissés circonscrivent la notion chrétienne du péché. Selon la relation singulière au Christ propre à chacun, ils donnent lieu tour à tour à des affirmations différenciées sur sa réalité.

Les deux premiers renvoient à la figure du « premier Adam » ; les deux derniers, à celle du « second Adam », le Christ. Puisant à l'Écriture et aux sacrements de l'Église, ils rassemblent ainsi en la vie de tout chrétien la totalité des temps de l'histoire du salut. En outre, ils reprennent les symboliques les plus puissantes et les plus universelles où s'est formulée l'énigme du mal, en les transformant radicalement à la lumière de la Révélation : celles de la chute et de la captivité qui s'y rattache, pour ce qui regarde la destinée personnelle, celles du combat archétypal et de l'engendrement qui lui est connexe, pour ce qui regarde la constitution des mondes.

La notion de péché est une notion proprement chrétienne. Et pourtant, si l'on considère le fond d'expérience humaine auquel celle-ci fait appel et si l'on prend en compte que tout homme fait partie d'une histoire qui dans le Christ est une histoire de perdition et de salut, on peut à bon droit affirmer que, même là où la référence au Christ et à son Église n'est pas explicite, beaucoup d'hommes font l'expérience de ce que, à la lumière du pardon de Dieu reçu et partagé, la théologie chrétienne appelle péché.

### 3. Questions contemporaines

Les mutations que connaît la pensée contemporaine, notamment sous l'influence des sciences humaines, affectent directement la notion de péché que le chrétien reçoit de sa tradition. Dans la mesure où ces mutations conduisent à un athéisme pratique ou théorique, elles dépassent le cadre de cet article. Excluant la possibilité d'une relation personnelle entre Dieu et l'homme, elles récusent le registre proprement théologal de la faute et ferment toute voie d'accès à la notion chrétienne de péché. Par ailleurs, dans la mesure où elles rencontrent le péché dans sa concrétion humaine et historique ainsi que dans l'univers de représentations que celle-ci met en œuvre, c'est la sensibilité et la compréhension du croyant qu'elles affectent directement. A ce titre, la théologie du péché se doit de les prendre en compte. Or les remises en cause qu'entraînent ces mutations concernent à la fois l'« en-soi » du péché, c'est-à-dire la faute sous son double registre moral et eschatologique en tant que transgression de la loi et acte passible de châtiment (cf. II, 1°, 4), et son « pour-soi », c'est-à-dire son intériorisation dans le jugement personnel de culpabilité (cf. II, B, 1°, 3).

D'où les trois grands chefs autour desquels se regroupent les remises en question contemporaines : 1) la sociologie pour qui la loi n'est pas une règle d'action objective mais une exigence qui n'advient à la conscience que dans un travail de transformation où l'homme se trouve engagé en société, 2) la philosophie du droit pénal et les apories que soulèvent une logique de l'expiation, 3) la psychanalyse, dans sa mise en lumière des ambiguïtés inhérentes au sentiment de culpabilité dans la structuration du psychisme.

1° LA SOCIOLOGIE. – 1) *Morale et éthique.* – La disjonction que tend à opérer la pensée contemporaine entre morale et éthique touche la notion traditionnelle de péché, la morale pensant l'homme comme subjectivité, l'éthique le posant d'abord comme être de relations.

La morale est alors conçue comme la tâche qui revient à l'homme comme sujet autonome de liberté. La loi morale lui formule la vérité de son être en termes de devoir-être. La conscience est pour lui l'instance intérieure de cette loi. Immuable, celle-ci est spontanément perçue comme identique à une définition reçue de la nature humaine. En portant son regard sur elle, l'homme confère à ses actes leur bonté intrinsèque. Ainsi, là où il se conforme à la règle d'action, il atteint sa perfection ; là où il la transgresse, il faillit à sa tâche.

Or, pour celui qui pense l'homme en termes éthiques, la vérité de l'homme n'est donnée que dans la reconnaissance réciproque qui lie et construit chacun à l'intérieur du corps social, et la loi de son agir s'explicite seulement dans la réalité que l'homme instaure en donnant corps aux virtualités de son existence. Dans cette perspective, la réussite subjective s'avère moins importante que la réalisation concrète de l'essence humaine. Il ne s'agit pas d'assurer la conformité du sujet à un ordre préétabli. Il s'agit d'assurer son effectuation. La loi n'est plus norme intangible qui mesure l'agir. Elle devient principe qui ne s'éclaire que dans le risque de l'engagement. La conscience n'est plus la contemplation d'un ordre immuable à reproduire ; elle s'avère projet.

2) *Déplacements significatifs.* – Dans cette compréhension éthique de l'homme, la loi perd son caractère immuable et impératif, la notion de transgression se trouve perturbée, et du coup la définition du péché comme transgression de la loi, mise en question ; d'où la désuétude dans laquelle tombent aux yeux de plusieurs les anciens catalogues précis de péchés. La notion de péché n'est plus reprise par la conscience croyante que moyennant des déplacements importants.

Le péché par excellence devient l'individualisme et le fatalisme. Le désordre qu'il entraîne se situe dans l'ordre économique, politique et social, avant d'être du domaine affectif. Sa prise de conscience se produit à l'écart perçu entre ce qui est et ce qui ne devrait pas être : situations de mensonge et de violence où l'homme opprime l'homme, suscitant le sentiment de l'injustifiable. Le sursaut de la conscience chrétienne sera le non d'une indignation qui refuse toute connivence avec l'injustice, qui la dénonce et engage une action conséquente sous le signe de la fidélité à soi-même. Ainsi les affirmations essentielles sur le péché tendent-elles à refluer dans le domaine du péché collectif, alors même que la notion de péché prend une connotation résolument anthropocentrique ; il y a péché là où il y a atteinte à la dignité de l'homme.

Cette transformation de la notion de péché ne va pas néanmoins sans une certaine méfiance à l'égard du péché comme acte personnel et repérable. Intériorisée dans l'aveu d'actes déterminés, la conscience du péché risque en effet de masquer les causes réelles d'une aliénation qu'il revient à l'homme d'analyser, ou encore de sacraliser un ordre moral souvent au service tacite d'idéologies dominantes.

A la distinction péché et péchés, on substitue donc, mais dans une acception bien précise, la distinction péché et faute. Ainsi parlera-t-on volontiers de péché là où il y va de l'attitude foncière de l'homme dans sa relation à Dieu ou des structures objectives d'injustice dont l'homme est à la fois auteur et victime. Par ailleurs, on parlera spontanément de faute là où il y va d'actes personnels déterminés. Le terme péché engage affectivement le tout du sujet dans l'acte posé. Le terme faute quant à lui en reste au registre de la seule pertinence de l'acte posé. A celui qui commet une faute, reste toujours ouverte la possibilité d'une clarification éventuelle de son agir. En référence à l'interpellation d'autrui, il est de son ressort et de sa responsabilité d'apprécier le bien-fondé de ses conduites, de les corriger le cas échéant, pour s'engager dans une stratégie conséquente et concertée face aux problèmes auxquels il est confronté. Beaucoup de croyants qui confessent volontiers le péché du monde répugnent à dire péché devant Dieu un acte donné.

3) *Évaluation.* – La notion chrétienne de péché ne cadre ni avec l'un ni avec l'autre de ces deux modèles.

La loi morale dont le péché est transgression n'est pas la norme abstraite, expression d'un ordre immuable, à laquelle le sujet doit se conformer. Elle est une médiation qui établit un rapport de communion entre personnes. A l'intérieur de ce rapport vivant, elle est appel lancé par Dieu à l'homme et réponse effective de celui-ci à Dieu. Quelle que soit son explicitation en préceptes multiples d'un ordre inscrit dans l'univers créé, cette loi est en son essence celle de la double charité, envers Dieu et envers le prochain, et c'est en référence à la charité qu'elle acquiert pour tout individu son caractère impératif.

La conception éthique de l'agir humain libère la prédication chrétienne d'un moralisme et d'un individualisme qui ont pu la grever. Elle donne de réentendre certaines affirmations essentielles de l'Ancien comme du Nouveau Testament : l'Alliance d'un Dieu qui agit dans l'histoire et fait de l'homme son partenaire, la protestation des prophètes qui révèlent Dieu comme le défenseur du pauvre et de l'orphelin. Pourtant cette perception renouvelée des rapports de l'homme à son histoire et au monde n'est féconde qu'en reprenant à son compte l'expérience chrétienne du péché.

En effet, par lui-même, le sursaut d'indignation devant l'injustifiable entraîne dans le cercle de la violence celui qui ne se reconnaît pas personnellement oppresseur accueilli et pardonné par Dieu. Il y a une accusation d'autrui qui n'est que disculpation de soi-même. Ce refus de culpabilité engendre à son tour l'agressivité du justicier qui, pour ne point s'accuser, s'indigne, dénonce et châtie. Seul l'homme qui se reconnaît sauvé dans la miséricorde de Dieu peut dans la générosité du pardon déjà reçu rejoindre son oppresseur dans sa valeur inaliénable, sans fermer les yeux sur sa faute, et briser ainsi le cercle de la violence réciproque.

De même, si à un certain niveau d'analyse, l'homme reste maître de son geste manqué et peut juger de sa plus ou moins grande rectitude, il n'en est pas moins touché et atteint dans son être par l'acte posé. Tout acte humain est susceptible d'engager le tout de l'homme dans sa relation constitutive à Dieu et à autrui. Péché, l'acte manqué rend alors pécheur. Tout refus d'une morale de l'intention au profit d'une conception purement éthique de l'agir humain serait déni de l'intériorité chrétienne, d'une présence même de Dieu et de nos frères à la naissance de nos propres actes.

2° LE DROIT PÉNAL. – 1) *Transgression et sanction.* – A toute faute commise revient la peine qui lui est due. Transgression et sanction sont liées l'une à l'autre selon un rapport de proportionnalité. Appliqué au péché et à son châtiment, ce discours fait difficulté à l'homme contemporain. Il éveille la représentation d'un Dieu vengeur qui se plaît à ajouter le mal de la peine au mal de la faute commise. La théologie pénale traditionnelle devient pierre d'achoppement, et à la loi du talion d'une équivalence entre mal commis et mal subi, on opposera une logique du pardon qui fait appel à la miséricorde de Dieu.

On peut fonder le lien intrinsèque entre la transgression et sa sanction sur la dimension essentiellement relationnelle de tout acte humain. Tout acte posé met des libertés en relation. Il « produit » en quelque sorte l'individu au milieu du corps social auquel il appartient, l'acte posé s'avérant facteur de cohérence ou de désordre pour ce corps. Rétribution et réprobation ne sont jamais ce que l'individu se donne à lui-même, alors même qu'elles relèvent de la nature de son acte et le situent par rapport à la communauté à laquelle il appartient ; elles sont ce qu'il reçoit en termes de reconnaissance ou de blâme de ceux qui sont concernés par sa décision personnelle.

Au plan ontologique, le châtiment infligé n'est autre que le délit commis dans ses conséquences. En déviant dans sa relation aux autres, la volonté s'est déniée dans son identité, et cette contradiction interne est souffrance. Néanmoins, au niveau de l'existence concrète et de l'exercice effectif du droit qui établit les hommes en société, la sanction revêt toujours un caractère d'extériorité au regard de celui qui la subit. Autre est celui qui commet le délit, autre celui qui punit. Autre le coupable, autre le juge, alors même que par une juste réparation du tort causé à un tiers ou dans une défense légitime du corps social face à la violence qui lui est faite, le châtiment n'a pour but que la réintégration du coupable à l'ordre de relations lésé. L'agir qu'est le délit et le pâtir qu'est le châtiment imposé apparaissent ainsi dans un rapport d'extériorité. Le coupable ressent la sanction comme le fait d'une volonté étrangère sous le mode d'un « faire subir ».

La théologie du péché intègre la notion de sanction ; car la relation de l'homme à Dieu est rapport de libertés à l'intérieur d'un contrat d'Alliance. Mais la sanction doit être comprise en dépassant le mode de représentation propre au tribunal dans la société. A l'intérieur du rapport constitutif qui lie la créature à son Créateur, la peine n'est pas le fait d'une volonté punitive s'imposant à une volonté rebelle. Dieu n'inflige la peine qu'en se portant garant des structures objectives du monde créé. La peine du péché est le péché lui-même comme peine. Son caractère vindicatif est donné avec le caractère indestructible de l'homme comme créature. C'est ainsi que la liberté pécheresse expérimente la réaction « punitive » d'un monde qu'elle ne peut, même dans sa perversion, totalement détruire ou abolir. Dans sa déviance, sa grandeur inaliénable demeure inscrite en elle comme souffrance.

Dire que le châtiment dû au péché relève d'une libre disposition divine, c'est dire, par-delà tout anthropomorphisme, que Dieu « punit » de par la bonté intrinsèque d'un monde qu'il a créé. Cette réaction punitive de la bonté des choses est appel à la conversion. Du point de vue de Dieu, la peine a donc toujours un caractère « médicinal » : elle est en vue du relèvement. Elle ne perd ce caractère que lorsqu'elle se heurte à l'endurcissement du cœur.

2) *Expiation et pardon.* – Une saine théologie du péché n'oppose pas une logique du pardon à une logique de l'expiation. Expiation et pardon se situent à des registres à la fois différents et complémentaires de la faute. L'expiation relève de l'ordre des actes et des conduites qui mettent des personnes en rapport les unes avec les autres ; le pardon, quant à lui, est de l'ordre de l'intériorité des personnes les unes aux autres. Autrement dit, le péché n'est pas seulement transgression de la loi. Plus fondamentalement, il est rupture de relations, bris d'une communion.

A ce niveau, conscience de son péché et accueil du pardon sont plus intérieurs l'un à l'autre que ne peut le laisser entendre toute succession dans le discours. En dernière instance, ce n'est pas la sanction, mais bien le pardon, qui atteste l'atteinte mortelle qui est au cœur du péché. Mais alors même que l'expiation répare l'ordre violé par mode de décompte en établissant une proportion entre la faute et son châtiment, le pardon restaure par surabondance. Ce faisant, il fait plus que restaurer ce qui était rompu. Il crée toutes choses nouvelles, ouvrant sur les profondeurs insoupçonnées d'une relation première.

Dans son ordre, la logique du pardon est donc tout aussi rigoureuse que celle de la sanction. Elle n'est pas indulgence. Elle n'occulte pas la faute. Elle la traverse pour faire jaillir la reconnaissance réciproque. La blessure ouverte devient voie d'accès à l'intériorité de Dieu et en elle l'homme reçoit sa propre vie comme grâce inattendue. L'expérience chrétienne du péché relève ainsi d'un domaine qui est irréductible au seul registre de la sanction. C'est celui où la liberté renaît non pas de l'expiation consenti, mais d'un pardon gracieusement offert (cf. art. *Pardon*).

Irréductible à l'expiation, le pardon donné fonde néanmoins celle-ci comme conduite consenti de réparation. L'exigence d'expiation prend alors sa source dans la gratuité de la communion restaurée. La satisfaction ne vient pas s'ajouter à la faute comme prix à payer ; elle traduit au niveau d'une conduite responsable une force régénératrice dont le seul lieu assignable est la parole recréatrice du Dieu de miséricorde. Ce faisant, elle s'avère communion au pardon reçu, à cette souffrance infligée par le péché qui en Dieu a fructifié en don renouvelé de la vie. La théologie chrétienne du péché relativise et fonde tout à la fois l'expiation en la ramenant à une relation première entre Dieu et l'homme, relation de gratuité et d'intériorité qui trouve dans le pardon accordé et accueilli son point d'instauration.

3° LA PSYCHANALYSE. – 1) *Le sentiment de faute.* – La psychanalyse apprend à voir en toute conduite humaine un compromis entre les exigences de l'*inconscient* (cf. DS, t. 7, col. 1645-52) et la réalité extérieure. Déviances et conflits deviennent symptômes d'une réalité psychique plus profonde ; ainsi en est-il du sentiment de faute et de ses ambiguïtés.

Le sentiment de faute est « la perception qui dans le moi correspond à la critique exercée par le sur-moi » (S. Freud, *Le moi et le ça*, dans *Essais de Psychanalyse*, trad. franç., Paris, 1959, p. 211). Il a son origine dans le conflit œdipien. Dans son désir qui le porte vers la mère, l'enfant se heurte au père qui dans l'interdit qu'il énonce devient pour lui l'instance de la loi. Ce moment de crise est celui de l'éveil de la conscience morale et de ses structurations premières. Or ce heurt est aussi ressenti par l'enfant comme réprobation de la part du père. Intériorisé, il devient source d'angoisse pour lui. L'enfant croit perdre l'estime de celui qui est pour lui l'objet sécurisant. D'où la stratégie que met en œuvre le désir pour récupérer l'objet de sa gratification. La déclaration de culpabilité est alors une manière de se faire reconnaître par le père, en l'apaisant et en le séduisant par l'hommage du renoncement au désir dont la satisfaction le mettrait en cause. Le sentiment de culpabilité devient ainsi ce qui menace ou renforce la propre valeur du moi au regard de l'autre. Le « pécheur » vit désormais dans l'angoisse, non de ce qu'il a fait, mais de ce qu'il s'imagine être pour l'autre. En dernière instance, le sentiment de faute peut se détacher de toute exigence morale ; il n'existe plus que pour lui-même, se nourrissant et s'amplifiant à partir d'un fond d'insécurité et d'angoisse désormais inassignable.

La psychanalyse concède que le sentiment de culpabilité constitue un moment nécessaire de la structuration de l'être psychique : là où il s'intériorise en se sublimant, il devient fécond. Mais elle y voit aussi ce qui constitue pour l'individu son arrêt de mort. Introjecté et transformé en auto-accusation, l'interdit conduit par mode de désintégrations et de restructurations aberrantes à la mise en place d'un univers narcissique où jouent tour à tour la prévention et la conjuration. La perception négative et menaçante de l'interdit se traduit alors en conduites autopunitives où s'exerce une agressivité dirigée tantôt contre soi-même tantôt contre les autres. C'est « l'univers morbide de la faute », celui de la névrose aussi.

La psychanalyse repère facilement dans la religion un renforcement de cette conscience névrotique : prédication culpabilisante sur le péché où entrent en jeu les mises en garde contre la transgression, la terreur du châtiment et l'univers menaçant de la souillure ; morale de la diffamation de l'instinct, de la haine de soi, de la fuite du monde ; recherche compulsive de la disculpation, face à un Dieu censeur et vengeur, par l'observance rituelle et les conduites de pénitence. Autant de critiques qui jettent le soupçon sur la notion chrétienne de péché.

2) *Sentiment et jugement de culpabilité.* – Si l'homme naît pécheur, il ne naît pas spontanément « coupable » au sens chrétien du terme : un jugement de culpabilité doit chez lui redresser le sentiment primitif de culpabilité (cf. P. Ricœur : *« Morale sans péché » ou péché sans moralisme ?*, dans *Esprit*, t. 22, 1954, p. 305). L'homme n'intègre que difficilement la valeur de la personne qui énonce l'interdit à la réaction spontanée que celui-ci suscite en lui. Là où la loi se substitue comme réalité abstraite à la personne qui la profère, s'amorce un processus de déstructuration.

La confession chrétienne du péché risque toujours d'être parasitée par cette fragilité native du psychisme humain, sinon détourné par elle de son intention véritable. C'est pourquoi il y a toujours à discerner dans cette confession le vecteur narcissique qui est de l'ordre de l'intériorité obsessionnelle et le vecteur intersubjectif qui ouvre sur une intériorité de l'assentiment. Or pareil discernement n'est possible qu'à la lumière des déplacements décisifs qu'opère le jugement chrétien de culpabilité par rapport au sentiment de faute qu'éveille la transgression de l'interdit, et cela, tant au niveau du contenu de l'accusation que de la position de l'accusateur et de l'intention poursuivie par ce dernier (P. Ricœur, *ibid.*, p. 303-10).

a) *Le contenu de l'accusation.* – Tandis que l'accusation repérée par la psychanalyse surprend l'homme dans sa vie sexuelle, l'accusation chrétienne touche le point d'où jaillit la relation à autrui, le « cœur ». Le péché est orgueil et avarice. Plus que le principe de plaisir, le « ça », c'est le principe de vouloir, le « surmoi », qu'elle remet en question, à savoir la prétention du juste qui croit pouvoir rendre compte par lui-même de l'exigence infinie qui est en lui en s'acquittant dûment du précepte fini. De même, elle rejoint l'homme là où il ne se sent pas naturellement coupable, car s'il est vrai que l'homme se sent très tôt accusé dans sa sexualité, il ne se fait pas spontanément un complexe de culpabilité en ce qui

regarde l'avoir et la justice. La morale évangélique est anti-possessive.

b) *La position de l'accusateur.* – L'accusation de la psychanalyse se rattache à la figure du père. C'est lui l'instance étrangère qui contre l'élan du désir. Or tout autre est la position du Christ juge dans sa dénonciation du péché. Homme partageant la condition d'homme, il est plus intime à l'âme que ne l'est la figure du père qui survient dans le champ du désir. Et pourtant, dans sa référence et son obéissance filiale au Père, le Christ est en même temps plus étranger à l'âme que ne l'est la figure toute proche du père qui bloque l'horizon : il laisse passer le Tout Autre.

Telle est la parole qui dit le péché dans l'Église. Elle remplit une indispensable fonction de révélateur, car la faute authentique est toujours une faute dissimulée. La culpabilité morbide masque l'accès à la faute réelle en investissant d'un poids affectif énorme une faute qui en dernière instance est irréelle. De par sa position insolite, intime et étrange à l'homme pécheur, l'accusation chrétienne rejoint l'homme jusque dans les couches silencieuses de son être pour y faire surgir le jugement à la fois clair et libérateur de culpabilité.

c) *L'intention poursuivie.* – L'interdit proféré renvoie l'homme à lui-même, jette le soupçon sur ses motivations et l'enferme sur son angoisse. L'accusation chrétienne, par contre, libère ce qui était emprisonné. C'est ainsi qu'elle ouvre sur les profondeurs de l'Esprit. Don de l'Esprit et fruit de la charité, le jugement de l'Église sur le péché est ce discernement des esprits qui est « connaissance intime de l'œuvre de Dieu au cœur de l'homme » (*Nouveau rituel du sacrement de réconciliation*, texte romain, n. 10). Le Père auquel il renvoie n'est pas le père castrateur de la culpabilité pathologique, mais celui qui, parce qu'il est vie, offre et donne la vie (cf. art. *Paternité de Dieu*).

3) Il y a un lien intrinsèque entre *pardon et guérison.* Ce lien ne peut être néanmoins affirmé que dans le respect des ordres respectifs. La détresse qu'entraîne la fausse culpabilité est de l'ordre du mal psychique. Mais la cause en est d'ordre spirituel : le péché. Or réalité spirituelle et réalité psychique ne se recouvrent pas totalement. L'homme qui est aux prises avec son angoisse mortifère ne peut à vrai dire être recréé que dans une parole puissante qui vient d'un ailleurs. Le « je t'absous de tes péchés » du prêtre est cette parole libératrice. Mais, si décisive soit-elle dans tout ministère de guérison, cette parole est aussi transcendante à la réalité psychique que la faute elle-même. C'est pourquoi, alors même qu'elle est au principe de toute guérison, elle ne produit pas nécessairement à elle seule cette guérison. En effet, pardon et guérison ne se recouvrent pas totalement. Il y va entre eux du rapport qui lie le péché et la souffrance qu'il entraîne. Inscrite dans la réalité psychique et physique, cette souffrance garde une autonomie relative par rapport à la faute. Elle peut rendre incapable d'entendre en vérité la parole de foi qui libère ; elle peut continuer à peser de son poids sur une existence déjà réconciliée. C'est à ce titre que trouve sa justification l'intervention du psychiatre, à côté du prêtre, dans sa lutte contre les maladies du psychisme, soit pour aider à dépasser les dissimulations sous lesquelles se dérobe le véritable moi, soit pour soutenir dans l'intégration progressive de sa vie à une liberté retrouvée dans le pardon de Dieu.

**Sociologie.** – J. Rémy, *La faute et la culpabilité dans la perspective de l'analyse sociologique*, dans *Concilium* (éd. franç.), n. 61, 1971, p. 11-23. – F. Bussini, *L'homme pécheur devant Dieu*, Paris, 1978. – P. Rémy, *Et le péché, qu'en dire?*, Paris, 1979.

**Droit pénal.** – K. Rahner, *Sündenstrafen*, LTK, t. 9, 1964, col. 1985-87. – P. Ricœur, *Le conflit des interprétations,*

Paris, 1969, p. 348-69 : Interprétation du mythe de la peine.

**Psychanalyse.** – A. Hesnard, *L'univers morbide de la faute*, Paris, 1949 ; « *Morale sans péché* », Paris, 1954 ; remarques critiques de P. Ricœur, *Morale sans péché ou péché sans moralisme ?*, dans *Esprit*, t. 22, 1954, p. 294-312. – P. Vergote, *Apport des données psychanalytiques à l'exégèse : Vie, loi et clivage du moi*, dans *Exégèse et herméneutique* (collectif), Paris, 1971 ; *Dette et désir*, Paris, 1978. – Art. *Culpabilité*, DS, t. 2, col. 2632-54. – J. Laplanche et J.-B. Pontalis, *Vocabulaire de la psychanalyse*, Paris, 1957, p. 440-41 : art. *Sentiment de culpabilité*.

Les ouvrages de René Girard (*La violence et le sacré*, Paris, 1972 ; *Des choses cachées depuis la fondation du monde*, Paris, 1978 ; *Le bouc émissaire*, Paris, 1982) touchent des questions envisagées dans notre 3e partie ; nous ne pouvons en discuter ici ; voir J. Guillet, *R. G. et le sacrifice*, dans *Études*, t. 351, 1979, p. 91-102 ; P. Valadier, *Bouc émissaire et Révélation chrétienne selon R. G.*, *ibidem*, t. 357, 1982, p. 251-60 ; F. Chirpaz, *Enjeux de la violence. Essai sur R. G.*, Paris, 1980.

Pierre GERVAIS.

**PÉCHÉS CAPITAUX.** – Les péchés capitaux ne sont pas des péchés au sens où ce terme implique une action consciente et volontaire ; il s'agit plutôt de « tendances » fondamentales qui portent au mal. On les a tout d'abord appelés « pensées » (au sens péjoratif du terme *logismos*, équivalent du *yêser hâra'*, le « penchant mauvais » du judaïsme tardif ; cf. DS, t. 9, col. 957), « esprits » (*pneumata, spiritus*), avec l'idée que leur origine est démoniaque, ou simplement « vices » (*vitia*). Si le terme *péchés* a fini par prévaloir au 13e siècle, c'est parce que ces tendances se réalisent le plus souvent en états d'âme ou habitudes qui ne sont pas sans culpabilité plus ou moins consciente et, en outre, parce qu'ils conduisent à des actes réellement peccamineux. Évagre suggérait déjà cet aspect et Hugues de Saint-Victor apportera les précisions décisives. Nous ne pouvons envisager ici une étude complète de la question (voir les études d'ensemble signalées dans la bibliographie) ; nous suivrons seulement les principales étapes de la classification des vices capitaux pour tirer ensuite, à partir des auteurs mentionnés, quelques enseignements relatifs à la vie spirituelle. – 1. *Les classifications des vices capitaux.* – 2. *Lutte contre ces vices dans la vie spirituelle.*

1. LES CLASSIFICATIONS DES VICES CAPITAUX. – La tradition sur cette question, du moins dans le monde chrétien, est d'origine monastique ; la doctrine sera cependant assez vite appliquée à l'ensemble des fidèles. L'appellation, l'ordre et le nombre des vices présentent une certaine diversité selon les auteurs, mais les constantes sont plus significatives que les différences. Le passage des *huit* vices au *septénaire* qui finira par s'imposer s'explique lui-même, sans négliger d'autres facteurs, par une précision progressive dans l'analyse morale et psychologique.

1° *Évagre et Cassien.* – C'est dans le *Practicos* d'Évagre † 399 qu'apparaît la première systématisation :

« Huit sont en tout les pensées génériques (οἱ γενικώτατοι λογισμοί) qui comprennent toutes les pensées : la première est celle de la *gourmandise*, puis vient celle de la *fornication*, la troisième est celle de l'*avarice*, la quatrième celle de la *tristesse*, la cinquième celle de la *colère*, la sixième celle de l'*acédie*, la septième celle de la *vaine gloire*, la huitième celle de l'*orgueil*. Que toutes ces pensées troublent l'âme ou ne la troublent pas, cela ne dépend pas de nous ; mais qu'elles s'attardent ou ne s'attardent pas, qu'elles déclenchent les passions ou ne les déclenchent pas, voilà qui dépend de nous » (6, éd. critique et trad. A. et Cl. Guillaumont, SC 171, 1971, p. 506-09).

Les ch. 7-14 du *Practicos* décrivent chacun des *logismoi*, et les ch. 15-33 montrent comment engager la lutte à leur égard. Cette lutte est plus longuement décrite par Évagre dans l'*Antirrheticos*, conservé seulement en syriaque, et plus brièvement dans le *Traité des huit esprits de malice* (PG 79, 1145a-1164a ; sous le nom de Nil) ; cf. art. *Démon*, DS, t. 3, col. 200-05 ; *Évagre*, t. 4, col. 1733-34.

Les sources de cette classification ont été diversement expliquées. Il est certain qu'Évagre s'inspire d'Origène qui, en diverses homélies, présente diverses listes de vices ; on y trouve tous les termes repris par Évagre, mais avec d'autres et jamais rassemblés dans cet ordre (*In Mt.* 15, 18 ; *In Ex.* 8, 5 ; *In Num.* 27, 12 ; *In Jerem.* 5, 2 ; *In Ezech.* 6, 11 ; surtout *In Jos.* 15, 4-5, où les vices à extirper sont assimilés aux sept peuples que les Hébreux expulsèrent de la Terre promise, selon *Deut.* 7, 1 : on verra que ce texte, avec *Ex.* 23, 22-23, a joué un rôle important dans la tradition). Il est possible que le chiffre de *huit* vices vienne de l'éthique stoïcienne, par combinaison des quatre *passions* fondamentales (tristesse, crainte, convoitise, plaisir) et des *vices* opposés aux quatre vertus cardinales (déraison, lâcheté, injustice, intempérance) ; les termes cependant ne coïncident pas. La classification évagrienne est plus proche d'un apocryphe d'origine juive, les *Testaments des douze patriarches* (*Ruben* 3, 3-6 ; éd. H. Charles, Oxford, 1908 ; Origène renvoie aussi à ce passage dans *In Jos.* 15, 5) ; il n'y est toutefois question que de *sept* « esprits ».

Plus discutable est l'opinion de R. Reitzenstein, reprise cependant par H. W. Bloomfield, qui rattache la liste évagrienne à la théorie des sept « démons » gouverneurs des sept planètes, transmise par la tradition hermétique (*Poimandrès* I, 9 ; éd. Nock-Festugière, t. 1, Paris, 1945, p. 9). Pour plus de détails, voir A. Guillaumont, introd. à l'éd. du *Traité pratique*, SC 170, 1971, p. 63-84.

Jean Cassien († vers 425) a transmis à l'Occident la liste évagrienne (*Institutions* 5, 1 ; SC 109, 1965, p. 190 ; *Conférences* v, 2, SC 42, 1955, p. 190). Il en transcrit plusieurs termes, qui passeront ainsi en latin, mais donne aussi leurs équivalents dans cette langue ; il place d'autre part la colère avant la tristesse. L'ordre des « huit vices principaux » (*principalia vitia*), contre lesquels le moine doit « engager la lutte », est ainsi présenté dans les *Institutions* :

« *Primum* **gastrimargiae**, quod interpretatur *gulae concupiscentia* (*Conf.* : *ventris ingluvies*) ; *secundum* **fornicationis** ; *tertium* **filarguriae**, quod intelligitur *avaritia* vel, ut proprius exprimatur, *amor pecuniae* ; *quartum* **irae** ; *quintum* **tristitiae** ; *sextum* **acediae**, quod est *anxietas* sive *taedium cordis* ; *septimum* **cenodoxiae**, quod sonat *inanis gloria* ; *octavum* **superbiae** ».

Les ch. 5-14 des *Institutions* détaillent la lutte à mener contre chacun des huit « esprits » (ce terme apparaît dans les titres) ; il en est de même dans les ch. 2-27 de la *Conférence* V (abbé Sérapion). Tandis que les *Institutions* (qui correspondent au *Practicos*) s'adressent plutôt à des commençants et à des cénobites, les *Conférences* concernent toutes les étapes de la vie monastique et s'adressent aussi aux anachorètes (les ch. 16 et 18 tentent de concilier les *huit* vices avec les *sept* peuples de *Deut.* 7, 1 : le premier ennemi vaincu est le peuple d'Égypte). En outre, les *Conf.* VII-VIII de l'abbé Sérénus reviennent sur l'action des démons (cf. DS, t.3, col. 208-10).

En Orient, la classification évagrienne est reprise par Jean Climaque (cf. *infra*) ; puis dans le *Traité des huit pensées de malice* (PG 79, 1436-72, à distinguer du traité évagrien des huit *esprits*), compilation de Cassien, Climaque et Évagre datant du 7ᵉ siècle ; et encore dans deux opuscules de Jean Damascène (PG 95, 80a-84b ; 85b-97b ; cf. DS, t. 8, col. 454). La série systématique des *Apophtegmes*, traduite du grec par Paschase de Dume, est intitulée *De octo principalibus vitiis* ; les termes de la liste évagrienne y sont traités, mais avec d'autres sujets connexes. Lire désormais ces textes dans l'éd. de J.G. Freire, *A versão latina...*, Coïmbre, 1971, t. 1, p. 169-224 (cf. l'art. *Paschase, supra*).

2° *Grégoire le Grand* † 604 introduit une nouvelle classification qui s'inspire sans doute de celle de Cassien mais en diffère sur trois points importants. D'abord, sous l'influence d'Augustin (*De Genesi ad litteram* XI, 14, 18), il met à part la *superbia* comme « racine de tout mal » (cf. *Sir*. 10, 15), et en fait dériver les sept *vitia principalia* qui en sont la descendance (*soboles*). Ensuite, il supprime l'*acedia*, dont il intègre les effets à ceux de la *tristitia* (Cassien notait déjà qu'*acedia* est « adfinis tristitiae » ; *Inst*. 10, 1, p. 384), et introduit à la place l'*invidia* qu'Augustin rattachait étroitement à l'orgueil (*De Genesi, ibidem*). Enfin, il modifie l'ordre de Cassien en commençant par les vices plus subtils (cf. R. Gillet, introd. à l'éd. des *Moralia*, SC 32, p. 89-102), sans doute parce qu'il ne s'adresse plus à une communauté monastique. Cependant, la liste des vices s'inscrit toujours dans la perspective d'un combat spirituel :

« *Radix quippe cuncti mali superbia est, de qua Scriptura attestante (Sir. 10, 15) dicitur : Initium omnis peccati est superbia. Primae autem ejus soboles, septem nimirum principalia vitia, de hac virulenta radice proferuntur, scilicet : inanis gloria, invidia, ira, tristitia, avaritia, ventris ingluvies, luxuria. Nam, quia his septem superbiae vitiis nos captos doluit, idcirco Redemptor noster ad spirituale liberationis praelium spiritu septiformis gratiae plenus venit* » (*Moralia in Job* XXXI, 87 ; PL 76, 621a).

Chacun des « vices principaux », comme un « général » (*dux*), constitue à son tour sa propre « armée » (*exercitus*) de « vices secondaires » (88, 621ac). Ici encore Grégoire dépend des *Conférences* de Cassien ; voir les parallèles signalés par J. Longère, *Œuvres oratoires des maîtres parisiens au XIIᵉ siècle*, t. 1, Paris, 1975, p. 284.

La classification de Grégoire jouira d'une grande autorité durant tout le moyen âge en Occident. C'est d'elle que s'inspire Ambroise Autpert † 784 dans le *De conflictu vitiorum atque virtutum* (éd. R. Weber, CCM 27B, 1979, p. 909-31) où il oppose à chacun des vices principaux et secondaires la vertu qui leur est contraire (cf. *infra*) ; de même dans son *Oratio super septem vitia*, transmise en deux recensions différentes (*ibidem*, p. 935-44, 945-59). Cette classification est introduite, au début du 12ᵉ siècle, dans la *Glossa ordinaria*, à propos d'*Ex.* 23, 22 et *Deut.* 7, 1, cette fois avec les vices secondaires (éd. Léandre de Saint-Martin, t. 1, Anvers, 1634, col. 723, 1515-16).

La liste grégorienne ne s'impose pas universellement. Isidore de Séville † 636 reprend les huit vices de Cassien, dans le même ordre, mais en substituant comme Grégoire l'*invidia* à l'*acedia* (*Differentiae* II, 161, PL 83, 96-97). Un court traité *De octo vitiis principalibus*, dont l'attribution à saint Colomban † 615 reste douteuse, reprend la liste de Cassien en remplaçant *avaritia* par *cupiditas* (*S. Columbani*

*Opera*, éd. G.S.M. Walker, coll. Scriptores Latini Hiberniae 2, Dublin, 1957, p. 210-12). Le *Poenitentiale* de Cummean † 662 est ordonné d'après les péchés commis en relation avec les *octo principalia vitia*, qui doivent être corrigés par leurs contraires ; l'ordre est encore celui de Cassien : « gula, fornicatio, filargiria, ira, tristitia, accidia, iactantia, superbia » (*The Irish Penitentials*, éd. L. Bieler, même coll. 5, 1963, p. 110-24). Le *Poenitentiale Bigotianum* (9ᵉ s. sous sa forme définitive) met sous le nom d'Isidore la liste de Cassien (n. 39) et la complète par les vices secondaires tirés de *Conf.* V, 16 (n. 40-47) ; suit la liste des fruits de l'Esprit d'après *Gal.* 5, 22-24 (n. 48) ; un peu plus loin viennent les pénitences proposées comme « remèdes » aux huit vices (éd. L. Bieler, *ibidem*, p. 206-08 ; 214-38).

Les auteurs de l'époque carolingienne retiennent le chiffre huit, mais la dénomination des vices varie ; l'ordre reste en général celui de Grégoire.

Alcuin † 804, *Liber de virtutibus et vitiis ad Widonem comitem* 27-34, PL 101, 632-37 : « Octo sunt principalia vel originalia vitiorum... : superbia, gula, fornicatio, avaritia, ira, acedia, tristitia, cenodoxia, vana gloria ». – Halitgaire † 830, *De poenitentia*, PL 105, 657-70 : liste de Grégoire avec des commentaires empruntés à ce dernier et à Julien Pomère (*De vita contemplativa*, sous le nom de Prosper d'Aquitaine). – Jonas d'Orléans † 843, *De institutione laicali*, PL 106, 244-47 : « superbia, gula, fornicatio, avaritia, ira, acedia id est *otiositas*, tristitia, cenodoxia id est vana gloria ». – Raban Maur † vers 856, *De ecclesiastica disciplina* III, PL 112, 1240-53 (reprend l'*invidia*, garde l'*acedia* et la *tristitia*, mais englobe la *vana gloria* dans la *superbia*) ; *De vitiis et virtutibus* III, PL 112, 1347-82 : ici Raban cite Grégoire et Cassien et tente de les concilier ; il aboutit ainsi à une liste de neuf termes : « superbia, inanis gloria, invidia, ira, tristitia, avaritia, gastrimargia, luxuria, acedia ».

3° *Le septénaire des vices*. – La classification grégorienne restait ambiguë : elle comptait en fait huit vices mais accréditait le chiffre sept. Or, le « septénaire » était considéré comme le chiffre de la plénitude, de la totalité (cf. Augustin, *De civitate Dei* XI, 31), et ce chiffre était confirmé par des textes scripturaires en relation avec le problème des vices : les sept ennemis du peuple hébreu (*Deut*. 7, 1), les sept démons mentionnés dans les évangiles (*Mt*. 12, 45 ; *Luc* 11, 26 ; *Marc* 16, 9). Déjà la *Glossa ordinaria* sur *Mt*. 12, 45 oppose, mais sans les énumérer, les sept vices aux sept vertus (sans doute foi, espérance, charité ; prudence, force, justice, tempérance) et aux sept dons de l'Esprit (éd. citée, t. 5, col. 231-32).

En Orient, Jean Climaque († vers 650) manifeste une hésitation sur le nombre traditionnel. Comme Évagre, il en distingue d'abord huit (*Scala* XIII, PG 68, 860) et traite de chacun d'entre eux (VIII-XXIII ; V et XXVII sur la tristesse). Mais ensuite, parlant de la vaine gloire, il propose de l'intégrer à l'orgueil, ce qui permet de réduire à sept le chiffre des *logismoi* « comme l'affirment Grégoire le théologien et d'autres » (XXII, 948d-949a ; cf. DS, t. 8, col, 376 ; il convient de garder la référence à Grégoire *de Nazianze* proposée par J. Rousse en DS, t. 6, col. 963 ; l'*Oratio* 39, 10, PG 36, 345a, oppose en effet les sept *esprits* du mal aux sept vertus ; par contre, les *Moralia* de Grégoire le Grand ne pouvaient guère être connus au Sinaï).

En Occident, Hugues de Saint-Victor † 1141 semble être le premier à privilégier le septénaire. Vers 1130, dans le *De quinque septenis*, il met en parallèle les sept vices (*superbia, invidia, ira, tristitia, avaritia, gula, luxuria*), les sept demandes du *Pater*, les sept dons de l'Esprit, les sept vertus (ici celles qui sont mentionnées dans le premier membre des versets de *Mt.* 5,

3-9) et les sept béatitudes (second membre de ces versets ; éd. critique R. Baron, *Six opuscules spirituels,* SC 155, 1969, p. 100-19). La réduction à sept du nombre des béatitudes s'explique par l'opinion d'Augustin, considérant la huitième comme celle de « l'homme parfait » qui atteint déjà la vie céleste (*De sermone Domini in monte* I, 4, 12).

La systématisation que Hugues propose, au terme de sa carrière (vers 1140), dans la *Summa de sacramentis christianae fidei* connut une plus large diffusion. Au début de la 13e partie du livre II, intitulée *De vitiis et virtutibus,* Hugues définit avec netteté la nature des vices capitaux et montre comment, en tant que « corruptions de l'âme », ils inclinent à de véritables péchés :

« Septem capitalia vitia sive principalia sive originalia sacra Scriptura commemorat, quae ideo capitalia vel principalia vel originalia dicuntur quia reliquorum omnium caput sunt et principium et origo. Hoc autem interesse videtur inter peccata et vitia, quod vitia sunt corruptiones animae, ex quibus, si ratione non refrenentur, peccata, id est actus injustitiae, oriuntur. Quando autem tentanti vitio consensus adhibetur, actus injustitiae est, quod peccatum dicitur... Sunt autem haec: prima *superbia,* secunda *invidia,* tertia *ira,* quarta *acidia,* quinta *avaritia,* sexta *gula,* septima *luxuria* » (II, 13, 1 ; PL 176, 525ac).

Dans la brève description de chaque vice qui suit, Hugues présente l'*acidia* comme « une tristesse née de la confusion de l'esprit, un dégoût ou une amertume immodérée de l'âme ». Il distingue ensuite deux sortes de *superbia* : une intérieure, qui est la *superbia* proprement dite ; l'autre extérieure, qu'il appelle *jactantia* et se substitue à la *vana gloria* de Grégoire : « superbia in elatione cordis ; jactantia is ostentatione operis » ; l'une et l'autre cependant sont une complaisance en soi-même, une recherche désordonnée de la gloire (526ab). Le terme traditionnel d'*acidia* peut donc être repris au sens de tristesse, et la vaine gloire est intégrée à l'orgueil. Le *septénaire* est ainsi logiquement justifié. En outre, Hugues consacre la formule « vitia capitalia » (premier qualificatif) et analyse le processus qui conduit des *vitia* aux *peccata* : en ce sens, il est l'initiateur de la théorie des « sept péchés capitaux ».

La *Summa sententiarum* d'Otton de Lucques † 1146 (cf. F. Gastaldelli, dans *Salesianum,* t. 39, 1980, p. 337-46) fournit la même liste, en précisant « acidia *vel tristitia* » (PL 176, 113-114). L'anonyme *Eisagoge in Theologiam* (1150-1152), tout en prétendant suivre Grégoire, donne en fait la liste de Hugues, en remplaçant *gula* par *ingluvies* (éd. A. Landgraf, *Écrits de l'École d'Abélard,* coll. Spicilegium sacrum lovaniense 14, Louvain, 1934, p. 104-06).

Cependant, les *Libri IV Sententiarum* de Pierre Lombard (après 1139), qui deviendront le *liber textus* des Scolastiques, énumèrent à nouveau les « septem vitia capitalia » d'après Grégoire (II, dist. 42, 6 ; 3e éd., Grottaferrata, 1971, t. 1/2, p. 570 ; le § 7 parle de la *superbia* comme racine de tout mal). La référence *Super Exodum* montre que l'auteur ne s'est pas reporté au texte des *Moralia* mais bien à l'extrait transmis par la *Glossa ordinaria* à propos d'*Ex.* 23, 22 (cf. *supra*) ; deux termes de la liste sont cependant modifiés : *accidia vel tristitia* (au lieu de *tristitia*), *gastrimargia* (pour *ventris ingluvies*).

Le recours à la *Glossa* explique aussi la confusion que Pierre Lombard introduit ensuite : « quae ut ait *Iohannes*

*Chrys.* significata sunt in septem populis... » ; de fait la *Glossa* sur *Ex.* 23, 23 met sous le nom de *Chrysost.* un texte qui est une adaptation de Jean *Cassien, Conf.* V, 23-24. Cette confusion, qui tient peut-être à la mauvaise lecture d'un ms de la *Glossa,* se retrouve dans la suite, par exemple chez Alain de Lille (*De virtutibus et de vitiis et de donis Spiritus Sancti,* écrit vers 1160 ; éd. O. Lottin, *Psychologie et morale aux 12e et 13e siècles,* t. 6, Gembloux, 1969, p. 69) ; celui-ci donne la même liste que Pierre Lombard, sauf qu'il nomme l'*acedia* sans y ajouter *vel tristitia.*

Au 13e siècle, l'auteur le plus important est Guillaume Peyraut, dont la *Summa de virtutibus et vitiis* (cf. DS, t. 6, col. 1231) sera souvent exploitée dans la suite, notamment dans *La Somme le Roi* de Laurent d'Orléans (1280 ; DS, t. 9, col. 405 ; résumé dans Ch. V. Langlois, *La vie en France au Moyen Âge,* t. 4, Paris, 1928, p. 147-66), l'*Oculus sacerdotis* de Guillaume de Pagula (DS, t. 6, col. 1228), la *Pupilla oculi* de Jean de Burgo et les *Instructions for parish Priests* de Jean Mirk (DS, t. 8, col. 316 et 628).

Après quelques considérations générales sur vices et péchés (tr. I), Guillaume Peyraut traite de la gourmandise, de la luxure, de l'avarice et de l'acédie (tr. II-V), ensuite de l'orgueil, de l'envie et de la colère (tr. VI-VIII). C'est en abordant la *superbia* qu'il apporte une certaine logique à son exposé : les quatre premiers vices atteignent le sujet en lui-même et sont d'ordre « charnel » et les trois derniers concernent aussi les rapports avec autrui et sont d'ordre spirituel (tr. VI, pars 1 ; éd. de Paris, 1629, p. 213). A propos de chaque vice, il indique généralement leurs méfaits, leurs espèces ou « satellites », les remèdes qui conviennent pour les amender. Guillaume ajoute un traité IX sur « le péché de la langue » ; il ne le considère pas explicitement comme un péché capital, mais comme un péché « qui reste après les autres » et dont beaucoup d'hommes ne cherchent pas à se prémunir (p. 371). Notons encore qu'à propos des diverses espèces d'acédie, Guillaume consacre un long chapitre à l'oisiveté (V, pars 2, c. 4, p. 177-82).

Thomas d'Aquin traite brièvement des vices capitaux dans la *Somme théologique* 1a 2ae, q. 84 (il revient sur tel ou tel dans la 2a 2ae, par exemple q. 35 sur l'*acedia*), beaucoup plus longuement dans la question disputée *De malo* qui est de la même époque (1269-1272). Ce dernier exposé suit la liste de Grégoire, en reprenant *accidia* au lieu de *tristitia* ; il consacre d'abord une question à la *superbia* (q. 8), suivie par sept autres sur *inanis gloria* (9), *invidia* (10), *accidia* (11), *ira* (12), *avaritia* (13), *gula* (14), *luxuria* (15). Très riche en distinctions d'ordre théologique, l'enseignement de saint Thomas ne touche guère l'aspect proprement spirituel.

Voir encore pour les 13e-14e siècles : Bonaventure, *In II Sent.* dist. 42, dubia 3-4. – *Centiloquium,* ch. 15-24 (anonyme franciscain ; éd. A.C. Peltier, *Opera* de Bonaventure, t. 7, Paris, 1866, p. 358-66). – *Pharetra,* florilège patristique qui utilise surtout Grégoire, II, ch. 6-13 (même éd., p. 69-78 ; l'auteur n'est pas forcément Guibert de Tournai, cf. DS, t. 6, col. 1141). – Raoul de Biberach † 1350, *De septem donis Spiritus Sancti,* I, 3 (même éd., p. 588-89 ; suit le *De quinque septenis* de Hugues). – Guillaume de Lanicia, *Diaeta salutis,* ch. 3-9, même éd., t. 8, 1866, p. 251-62 (DS, t. 6, col. 1218-19) ; chaque vice est comparé à divers animaux, d'où l'influence de l'ouvrage sur l'art figuratif des 14e-15e siècles.

On trouve cependant dès le 12e siècle d'autres listes de vices et de vertus contraires, en nombre variable, notamment chez les prédicateurs (cf. J. Longère,

*Œuvres oratoires de maîtres parisiens au 12ᵉ siècle*, t. 1, p. 278-335 ; notes dans le t. 2, p. 221-61). Dès cette époque, le conflit des vices et des vertus est souvent représenté dans les sculptures ou les vitraux des édifices religieux, dans les enluminures des mss, par exemple ceux de *La Somme le Roi*. Du 14ᵉ au 17ᵉ siècle, les traités sur les vices et les vertus se multiplient (voir quelques exemples dans l'art. *Florilèges*, DS, t. 5, col. 447-54) ; les théologiens, les canonistes, les moralistes s'intéressent à cette question, qui est aussi abordée dans maints ouvrages en langue populaire. La plupart des *catéchismes* ont un chapitre sur les péchés capitaux.

La liste des *sept* vices ou péchés capitaux, telle que l'avait proposée Hugues de Saint-Victor, occupe une place prédominante et elle finit par s'imposer. On remarque seulement un flottement au sujet de l'*acédie*. Ce terme convenait bien pour désigner une tentation spécifique dans le long itinéraire de la vie monastique ; il s'appliquait plus malaisément à la vie des laïcs, et la forme savante du mot en voilait la signification. Déjà, on l'a vu, Jonas d'Orléans éprouvait le besoin d'en donner un équivalent : « acedia, id est otiositas ». A la fin du moyen âge, le terme tend à se « séculariser » dans le sens de la *paresse*, soit comme répugnance au travail, soit comme relâchement dans la piété (cf. S. Wenzel, *The Sin of Sloth*, ch. VII, p. 164-87 The deterioration of acedia). En ancien français, le passage se fait avec *La Somme le Roi* de Laurent d'Orléans, qui met au quatrième rang des « péchés mortels » la *peresce*, « que l'on apele en clerjois (= en langage savant) Accide » (cf. Ch. V. Langlois, *La vie en France...*, t. 4, p. 147).

Les péchés capitaux sont en effet parfois appelés *mortels*, et *La Somme le Roi* les compare aux « sept têtes de la Bête » (*Apoc.* 13, 1) ; l'adjectif n'est pas pris au sens de la théologie morale ; il suggère seulement que les vices capitaux peuvent conduire effectivement à des fautes mortelles. L'origine et la diffusion de cette appellation mériteraient cependant d'être étudiées.

2. La lutte contre les vices capitaux dans la vie spirituelle. – La doctrine classique des péchés capitaux devrait sans doute être revisée aujourd'hui d'après l'apport des sciences humaines. Une analyse psychologique permettrait de vérifier le rapport de chacun d'entre eux avec les tendances foncières de l'homme, de les relier à la constitution biologique, au tempérament et au caractère. Ils apparaîtraient ainsi comme un dérèglement, par excès ou par défaut, dans le dynamisme de ces tendances, parfois aussi comme l'effet d'un désordre pathologique individuel ou le résultat de conditions d'ordre sociologique (la violence collective, par exemple, comme forme de la colère). On verrait en outre que la prédominance de tel ou tel vice s'explique par les traits propres à chaque individu, qu'elle est fonction de son *idiosyncrasie* et des relations avec le milieu social.

Les vices capitaux présentent plusieurs aspects qui évoquent les « pulsions » (*Triebe*) de la psychanalyse freudienne. « La théorie des pulsions est pour ainsi dire notre mythologie. Les pulsions sont des êtres mythiques, grandioses dans leur indétermination ». Ces deux phrases de S. Freud (*Neue Folge zur Vorlesungen zur Einführung in die Psychoanalyse*, 1932 ; *Gesammelte Werke*, t. 15, p. 101) rappellent le caractère « démoniaque » des *logismoi* chez Évagre, et les *spiritus* de Cassien. Elles sont tirées d'une conférence sur « la vie pulsionnelle », où Freud rappelait qu'il avait d'abord ramené les pulsions à « nos deux principaux besoins : la faim

et l'amour » (*Nouvelles conférences sur la psychanalyse*, trad. franç., 6ᵉ éd., Paris, 1936, p. 131 ; cette traduction rend encore l'allemand *Trieb* par « instinct » ; on préfère aujourd'hui « pulsion ») ; or, la *gastrimargia* et la *porneia* sont précisément en tête de la liste évagrienne. Sans parler de la luxure, qui relève de la *libido*, d'autres vices capitaux correspondent, au moins partiellement, à ce que Freud appelle « pulsions d'agression » (colère), « d'emprise » (orgueil, avarice, envie), « d'autoconservation » (gourmandise), « de mort » (acédie comme mélancolie) ; voir J. Laplanche et J.-B. Pontalis, *Vocabulaire de la Psychanalyse*, 6ᵉ éd., Paris, 1978, p. 359-85.

A partir d'un *savoir* expérimental et théorique sur l'homme, savoir qui est loin d'être définitivement établi, les sciences humaines peuvent sans doute proposer des techniques et des pratiques capables d'assurer, dans une certaine mesure, le bien-être humain. Cet apport ne supprime pas cependant la nécessité de l'effort moral (cf. art. *Morale*, DS, t. 10, col. 1697-1717) et de l'ascèse spirituelle. Sans répéter ce qui a déjà été dit dans plusieurs articles du DS (*Colère, Défauts, Envie*, Vaine *Gloire, Orgueil*), nous nous limiterons à quelques réflexions d'ordre général.

1° La lutte contre les vices capitaux correspond principalement, chez Évagre et Cassien, à *une étape de la vie spirituelle* : celle du combat contre les passions ; elle relève ainsi de la « voie purgative » et s'impose surtout chez les « commençants » (DS, t. 2, col. 1143-56), pour laisser place ensuite à la « voie contemplative ». Il serait toutefois dangereux de considérer que cette étape est dépassée une fois pour toutes. Le *combat spirituel* (DS, t. 2, col. 1135-42) ne cesse jamais complètement ; la *katharsis* (DS, t. 8, col. 1664-83) n'est définitivement achevée qu'au moment de l'entrée dans la béatitude céleste. Les vices capitaux peuvent même prendre une forme « spirituelle » d'autant plus dangereuse qu'elle se voile sournoisement sous les apparences d'un meilleur bien (cf. art. *Avarice spirituelle, Gourmandise spirituelle, Luxure spirituelle*). Il reste que la lutte contre les vices n'est ni le tout, ni le but final de la vie spirituelle ; elle n'en est qu'un aspect, qu'un moyen nécessaire mais encore insuffisant.

2° La doctrine des vices capitaux, chez la plupart des auteurs mentionnés, est en fait l'occasion de développer une véritable *pédagogie spirituelle*. Évagre et Cassien n'exhortent pas le moine à les vaincre seulement par un effort individuel d'ordre volontariste. La lutte est située dans une perspective plus large, qui lui enlève son caractère solitaire : exemples et enseignements des « anciens », du Christ qui a été lui-même tenté, citations de l'Écriture et surtout du Nouveau Testament. Pour Cassien, Grégoire le Grand et les auteurs qui en dépendent, l'effet néfaste des vices est compensé par l'attrait des vertus opposées. Le *De conflictu* d'Ambroise Autpert est un modèle en ce genre. L'attaque des vices n'est qu'un aspect de cette « persécution » à laquelle doivent s'attendre ceux qui « veulent pieusement vivre dans le Christ » (1, citant 2 *Tim.* 3, 12). Tous les chapitres sont bâtis selon un schéma identique : « *Superbia* dicit... Sed *humilitas vera* respondet » (2) ; « *Invidia* dicit... Sed *congratulatio fraterni profectus* respondet » (6), etc. Le « discours » des vertus est plus long et mieux assuré que celui des vices ; l'issue du conflit est décidée à l'avance : c'est la vertu qui triomphe. De même, chez Hugues de Saint-Victor, le septénaire des vices est efficacement combattu par les quatre autres septénaires. Pour tout dire, la lutte contre les vices capitaux n'est jamais située dans une perspective pessimiste : elle représente sans doute le pôle négatif de la vie spirituelle, mais le dynamisme du courant va nettement vers le pôle positif.

3° Finalement, le combat contre les vices a pour but d'assurer *la victoire de la charité*, et de restaurer ainsi la santé de l'âme. Cette orientation est particulièrement nette dans la *Summa de sacramentis* de Hugues. « L'âme (*anima*) raisonnable dans sa santé est un instrument solide et intègre sans aucune corruption ». Les vices capitaux viennent sans doute « la corrompre » (II, 13, 1 ; PL 176, 525d). Mais la vertu et les œuvres de justice qu'elle produit réparent, au sens propre du terme, cette corruption : « La vertu est en effet comme la santé et l'intégrité de l'âme. Et l'œuvre de justice consiste en un mouvement de l'esprit (*mens*) raisonnable, qui va de l'avant selon Dieu, en commençant par la résolution du cœur et en progressant au-dehors jusqu'à l'accomplissement de l'action corporelle » (3, 526d). Or, ce mouvement du cœur est double : crainte et amour (3, 527bc). La crainte elle-même suit quatre degrés qui l'amènent à coïncider avec l'amour : crainte servile, mondaine, « initiale » (c'est-à-dire qui *commence* à ne plus dépendre de la perspective des peines), filiale. C'est avec le troisième degré que naît la *charité* ; celle-ci « tourne notre cœur vers Dieu » et produit la crainte filiale, « qui n'est autre que la volonté de ne pas perdre le bien que nous goûtons dans la charité » (5, 528ad). Et la charité ne sépare pas amour de Dieu et amour du prochain à cause de Dieu : « Le prochain doit être aimé à cause de Dieu, car avec lui nous avons notre bien en Dieu... Nous l'aimons pour courir avec lui et parvenir à Dieu avec lui » (6, 528d-529a). Chez saint Thomas la charité est aussi la *forme* de toutes les vertus (*Somme* 2a 2ae, q. 23, art. 8).

La théorie des vices ou péchés capitaux, chez les auteurs spirituels, n'est donc pas la rémanence obscure d'un dualisme gnostique ou manichéen ; elle reconnaît seulement qu'existent en tout homme (le Christ et sa Mère mis à part) des forces obscures qui le conduisent au mal et aliènent sa liberté ; elle vise ensuite à discerner les traits fondamentaux de ces forces pour lutter contre elles et restaurer la liberté, la capacité d'aimer d'un amour authentique. C'est l'homme lui-même qui est un être double, divisé entre le mal et le bien. Mais cette dualité originaire demande à être surmontée : le progrès spirituel, et déjà le progrès moral, n'est pas autre chose qu'un effort incessant vers l'unité intérieure. Dans cet effort, la nécessité permanente du combat est elle-même bénéfique : en luttant contre ses propres limites et défauts, l'homme apprend à rester humble vis-à-vis de lui-même et du même coup indulgent pour les faiblesses d'autrui. Nous évoquerons pour finir un mot du jésuite Jérôme Nadal † 1580 (DS, t. 11, col. 3-15) ; excédé par un compagnon de voyage qui lui demandait des « industries » pour vaincre ses défauts, il finit par lui répondre : « les défauts conservent la vertu » (MHSI 66, *Fontes narrativi*, t. 1, Rome, 1943, p. 622).

**Études d'ensemble.** – O. Zöckler, *Lehrstück von den sieben Hauptsünden. Beitrag zur Dogmen- und Sittengeschichte insbesondere der vorreformatorischen Zeit*, Munich, 1893. – H. Fichtenau, *Askese und Laster in der Anschauung des Mittelalters*, Vienne, 1948. – M.W. Bloomfield, *The Seven Deadly Sins. An Introduction to the History of a Religious Concept, with special Reference to Medieval English Literature*, East Lansing, Michigan, 1952 ; en collaboration avec divers auteurs, *Incipits of Latin Works on the Virtues and Vices*, Cambridge, Mass., 1979. – S. Wenzel, « *Acedia* » *700-1200*, dans *Trad.*, t. 22, 1966, p. 73-102 ; *The Sin of Sloth : « Acedia » in Medieval Thought and Literature*, Chapel Hill, 1967 ; *The Seven Deadly Sins : Some Problems of Research*, dans *Speculum*, t. 43, 1968, p. 1-22. – K.A. Olsson, *Seven Sins and Seven Virtues*, New York, 1962. –*The Seven Deadly Sins*, éd. I. Fleming, New York, 1962.

**Écriture et Patristique.** – A. Vögtle, *Die Tugend- und Lasterkataloge im Neuen Testament exegetisch, religions- und formgeschichtlich untersucht*, Münster, 1936 ; *Woher stammt das Schema der Hauptsünden?*, dans *Theologische Quartalschrift*, t. 122, 1941, p. 217-38. – *Index de peccatis*. III. De peccatis capitalibus, PL 220, 808-830 (Pères latins et auteurs médiévaux). – I. Hausherr, *L'origine des huit péchés capitaux*, OC, t. 30/3, 1933, p. 164-75. – L. Wrzol, *Die Hauptsündenlehre des J. Cassianus und ihre historischen Quellen*, dans *Divus Thomas*, 3e sér., t. 1, 1923, p. 385-404 ; t. 2, 1924, p. 84-91. – S. Marsili, *Giovanni Cassiano ed Evagrio Pontico*, coll. Studia Anselmiana 5, Rome, 1936. – S. Bettencourt, *Doctrina ascetica Origenis*, même coll. 16, 1954, Appendix III, p. 133-43. – E. Oyola, *Los peccados capitales en la literatura medieval española*, thèse dactyl. Colledge Park, Maryland, 1974. – G. de Martel, *Un nouveau témoin de la liste des vices au Moyen Âge*, RHS, t. 53, 1977, p. 65-80 (ms Paris, B.N. lat. 3713, f. 24r-27r : castrimargia, libido, philargiria, ira, loquacitas, accidia, superbia).

**Sciences humaines.** – J. Laumonier, *La thérapeutique des péchés capitaux*, Paris, 1922. – P. Alphandéry, *De quelques documents médiévaux relatifs à des états psychasthéniques*, dans *Journal de psychologie...*, t. 26, 1929, p. 763-87. – D. Lagache, *La jalousie amoureuse*, 2 vol., Paris, 1947. – G. Delpierre, *La jalousie*, Paris, 1954. – E. Fromm, *The Heart of Man*, New York, 1964 ; trad. franç. *Le cœur de l'homme, sa propension au bien et au mal*, Paris, 1979. – H. Amoroso, *Les sept péchés capitaux vus par un psychiatre*, Paris, 1965. – L. Millet, *L'agressivité*, Paris, 1970.

**Représentations dans l'art.** – É. Mâle, *L'art religieux en France au 13e siècle*, 5e éd., Paris, 1923, p. 99-131 ; *L'art religieux de la fin du M. A...*, 2e éd., 1922, p. 309-46, spécialement p. 328-36. – J. Houlet, *Le combat des vertus et des vices, les psychomachies de l'art*, Paris, 1969. – *Lexikon der christlichen Ikonographie*, t. 3, Fribourg-en-Br., 1971, col. 15-27 (M. Evans).

A. Tanquerey, *Précis de théologie ascétique et mystique*, 9e éd., Paris-Tournai-Rome, 1928, n. 818-99, p. 524-72. – DTC, *Capital* (péché), t. 3, col. 1688-92 (E. Dublanchy). – NCE, t. 16, 1967, p. 253-54 (U. Voll).

DS, art. *Acedia, Avarice spirituelle, Colère, Défauts, Démon, Direction spirituelle, Discernement des esprits, Envie, Vaine Gloire, Gourmandise, Katharsis, Logismos, Mélancolie, Orgueil*.

Aimé SOLIGNAC.

**PEDOUE** (FRANÇOIS DE), prêtre, 1603-1667. –Né à Paris le 29 mars 1603, élève des Jésuites à La Flèche, puis à Orléans, François de Pedoue fait quelque théologie à Paris et obtient une prébende de chanoine à la cathédrale de Chartres en 1623. Durant une douzaine d'années, Pedoue sera un poète léger, quelque peu libertin et dont la conduite scandalise ; il n'en reçoit pas moins les ordres. Le 10 août 1635, il échappe à un grave accident et se convertit. A son confessionnal, d'anciennes de ses amies ont recours à lui, si exigeant qu'il soit devenu ; parmi ces pénitentes, un petit groupe – cinq d'abord – se sent appelé à se consacrer aux œuvres de Dieu. Après un essai infructueux auprès des « filles débauchées », Pedoue les oriente vers les orphelines. Ainsi naît la congrégation des

Filles de la Providence, instituée au diocèse de Chartres le 22 décembre 1653. Grand pénitencier, supérieur des Ursulines de Vendôme et de Blois, Pedoue déploye une grande activité. En 1662, il donne à sa congrégation ses Constitutions, son coutumier et son cérémonial. Il meurt saintement à Chartres le 5 avril 1667.

Éd. Jeauneau a attiré l'attention sur les écrits spirituels inédits de Pedoue, dont seuls jusqu'alors étaient connus les recueils poétiques. Le fonds de la Providence à la Bibliothèque du grand séminaire de Chartres (mss 1-38) rassemble ces écrits avec de nombreuses pièces concernant la congrégation ; on y trouve deux biographies (mss 6-7), le *Sommaire de la naissance et du progrès de la congrégation...* (ms. 9 ; p. 152-76 : *Statuts ou Règlements*), le *Testament d'Amour* (ms 13), le *Directoire spirituel* (ms 14), des exercices pour les retraites, des prières et pratiques de dévotions, des cantiques spirituels, des sermons, conférences, lettres, maximes, etc. Jeauneau a relevé l'influence spirituelle de Bérulle dans le *Directoire* : l'esprit des Filles de la Providence est un esprit de servitude, communiqué par Jésus Christ, par lequel elles « continuent sa sainte vie et lui servent de supplément pour l'accomplissement de ses désirs ».

Chanoine Lefebvre, ami de Pedoue, *Recueil des actions les plus mémorables de la vie de M. Pedoue*, Bibl. du grand séminaire de Chartres, ms 7, 885 p. –*Abrégé de la vie et conversion de M. Pedoue, ibidem*, ms 6. – L. Merlet, notice biographique en tête de son éd. des *Premières œuvres du sieur Pedoue*, Chartres, 1866. – Éd. Jeauneau, *Une sincère conversion*, dans *Revue des Deux Mondes*, septembre 1957, p. 134-40 ; surtout *Fr. de Pedoue auteur spirituel*, RAM, t. 33, 1957, p. 273-301. – R. Sauzet, *Discours et réalité de la conversion. Fr. de Pedoue...*, dans *La conversion au XVIIᵉ siècle* (Actes du 12ᵉ colloque de Marseille), Marseille, 1983, p. 235-43 + 243-46 (discussion).

André DERVILLE.

**PEDROLO** (MICHEL), carme, vers 1574-1608. – Originaire de Valls (Tarragone), Miguel Pedrolo naquit vers 1574, s'il est vrai qu'il mourut âgé de trente-six ans, comme le disent les bibliographes. Il fit profession au couvent des carmes de sa ville natale, ou peut-être à celui de Barcelone, où il fit ses études.

Neveu de Juan Pedrolo, carme lui aussi, professeur à l'université de Barcelone et provincial de Catalogne, Miguel accompagna son oncle lorsqu'il fut nommé en 1594 visiteur du couvent de Majorque par le Général de l'Ordre J.B. Chizzola, et y resta quatre ans pour enseigner les arts et la théologie ; il poursuivit ces enseignements au couvent de Barcelone. Il s'y trouve déjà en 1598, assistant Miguel Alfonso de Carranza, commissaire et visiteur apostolique, au chapitre provincial de Catalogne.

Au chapitre de 1601, il fut choisi comme prieur du couvent de Barcelone ; celui de 1604 le nomma troisième définiteur de la province. Entre temps, sans doute en 1602, il était devenu docteur en théologie de l'université de Ciudad Condal et y occupa la chaire de métaphysique jusqu'à sa mort, le 8 mars 1608, alors qu'il était pour la seconde fois prieur de Barcelone.

Le Général de l'Ordre lui avait conféré, le 7 mars 1603, le titre de maître et le lui avait confirmé lors de sa visite en Espagne, le 27 septembre 1606 (Rome, Archives Gén. O. Carm., II C.O. 1 (9) : *Reg. Silvii 1598-1602*, f. 331v ; II C.O. 1 (12) : *Reg. Silvii in visitatione Hispaniae*, f. 127v.

Pedrolo a laissé un *Descubrimiento de los tesoros y riquezas que tiene Dios escondidos en las Indias de su divino Cuerpo y Sangre* ; sa mort l'empêcha d'en assurer l'impression, tâche qui fut assumée par son confrère Cirilo Ximénez ; cette édition (Barcelone, 1608) est très rare ; nous n'avons vu aucun exemplaire. Une lettre du carme catalan Cirilo Casamayor nous renseigne sur son contenu ; l'ouvrage comprend deux tomes, le premier divisé en neuf étapes, le second en sept ; c'est « un exposé très savant sur la dignité du prêtre, ministre du sacrement de l'autel ». Le titre semble indiquer que Pedrolo s'est laissé entraîner au genre baroque, qui commençait alors à s'imposer. Miguel et Juan, son oncle, sont des représentants du renouveau spirituel tridentin dans la province de Catalogne ; l'ouvrage de Miguel s'inscrit dans la tradition eucharistique chère à l'Ordre des Carmes.

Barcelone, Archivo de la Corona de Aragón, Fondos monacales procedentes de la Universidad, vol. 21 : *Acta capitulorum provincialium Carmelitarum Cathalauniae, 1567-1711*. – Rome, Archives gén. O. Carm., II C.O. II 4 (2) : *Scriptorum O.C. codex 4*, f. 41r-44v (documents sur Pedrolo, dont une lettre autographe à Chizzola, 8 octobre 1596) ; I C.O. II 20 : *Miscellanea historica L. Pérez de Castro*, f. 43r et 79v (lettre de Cirilo Casamayor) ; II C.O. II 7 : Augustino Biscareto, *Palmites Vineae Carmeli*, f. 169v.
M.A. Alegre de Casanate, *Paradisus carmelitici decoris*, Lyon, 1639, p. 458. – C. de Villiers, *Bibl. carmelitana*, t. 2, Orléans, 1752, col. 460-461. – N. Antonio, *Bibl. hispana nova*, t. 2, Madrid, 1788, p. 144.

Pablo M. GARRIDO.

**PEGNA** (PEÑA ; JEAN), théatin, 1548-1599. –Né à Yerba (diocèse de Tolède) en 1548, Juan Peña entra chez les théatins à Rome le 21 mars 1582, âgé de 34 ans. Toute sa carrière s'étant déroulée en Italie, il figure habituellement sous le nom de Pegna.

Destiné à la nouvelle fondation de Crémone, il y fit son noviciat, y prononça ses vœux et y fit ses études. En 1587 on le trouve à Plaisance où il est ordonné diacre ; il est ordonné prêtre l'année suivante à Rome. A partir de 1591, il vécut à la maison romaine de S. Andrea della Valle, où il surveilla les travaux de la nouvelle église. Il y mourut le 4 septembre 1599.

On lui a attribué la paternité de l'*Itinerario della perfezione cristiana diviso in sette giornate* (Florence, 1607 ; Crémone, 1608 ; Palerme, 1614, 1627) ; une copie manuscrite se trouve à la Bibl. Naz. de Rome (fondo manoscritti minori VII, S. Andrea della Valle, ms 1631/42). Il s'agit en réalité de la traduction italienne d'un ouvrage espagnol du jésuite Antonio Cordeses † 1601 (DS, t. 2, col. 2310-22 ; cf. 2311) qui n'a pas encore été édité en espagnol (ajouter aux mss cités col. 2311 : Palerme, Bibl. Naz. II-B-8). B. Bravo décrit son contenu (dans *Manresa*, t. 31, 1959, p. 115-38). Voir I. Iparraguirre, *Répertoire de spiritualité ignatienne (1556-1615)*, Rome, 1961, n. 489.

Sur Pegna : Archives gén. des Théatins, Rome : ms 110, f. 6, 8, 17-18, 88, 90, 95 et 104. – G.B. Del Tufo, *Historia della Religione de'Padri Cherici Regolari*, Rome, 1609, p. 221, 293-96. – M. Musco, *Il Regolare overo della Perfettione Religiosa*, Venise, 1644, t. 1, p. 56-57 ; t. 2, p. 96, 153. – J. Silos, *Historia Congr. Clericorum Regularium...*, 3 vol. Rome-Palerme, 1650-1666 (t. 2, p. 88-90 ; t. 3, p. 584). – A. Vezzosi, *I scrittori de'Cherici Regolari detti Teatini*, t. 2,

Rome, 1780, p. 164-65. – DS, t. 6, col. 44 : corriger l'attribution de l'*Itinerario* à Pegna.

Francesco ANDREU.

## PÉGUY (CHARLES), 1873-1914. – 1. *Vie et œuvre.* – 2. *Itinéraire intellectuel et spirituel.* –3. *Pensée religieuse.*

1. VIE ET ŒUVRE. – Fils de la « sévère et sérieuse » Orléans, Charles Péguy y naquit le 7 janvier 1873, dans une famille pauvre. Son père, Désiré Péguy, ouvrier menuisier, devait mourir, dès le 18 novembre 1873, des suites de son engagement parmi « les mobiles du Loiret qui firent le siège de Paris ». Sa mère, Cécile Quéré, gagnait le pain du foyer en rempaillant des chaises.

Charles fut élevé par deux femmes : sa mère et sa grand'mère, Étiennette Quéré. A celle-ci le poète dédiera sa *Chanson du Roi Dagobert* en ces termes : « A la mémoire de ma grand'mère paysanne, qui ne savait pas lire et qui première m'enseigna le langage français ». Dans *Pierre, commencement d'une vie bourgeoise,* esquisse inachevée d'autobiographie, Péguy, dont le second prénom était Pierre, évoque « l'épaisse maison » où se déroula son enfance orléanaise et il confesse : « Je commençai de bonne heure à travailler, et cela me faisait un très grand plaisir. Je n'aimais pas beaucoup jouer parce que cela n'est pas utile et même n'est guère amusant ».

A six ans, il entra à l'école primaire, annexe de l'École normale d'instituteurs du Loiret. Il y fréquente ceux qu'il nommera les jeunes « hussards noirs de la République ». Bientôt, il va suivre les leçons du catéchisme en sa paroisse Saint-Aignan. Plus tard, il affirmera qu'à douze ans, « les jeux sont faits » et aussi qu'en matière de religion, il ne sait vraiment que ce qu'il y avait en son catéchisme d'enfant. Il a onze ans quand, en octobre 1884, il entre à l'École professionnelle d'Orléans et son destin semble alors fixé mais, grâce à la vigilance de M. Naudy, le directeur de l'École normale, qui l'avait remarqué et lui avait obtenu une bourse municipale de demi-pensionnaire, il est admis, à la rentrée de Pâques 1885, au Lycée d'Orléans, où il se révèle excellent élève.

En octobre 1891, il va préparer le concours de l'École normale supérieure de la rue d'Ulm au Lycée Lakanal. Ayant échoué au concours de 1892, il fait son service militaire dans l'infanterie : il y prendra le goût de la vie militaire et des manœuvres au grand air. Rendu à la vie civile, il prépare de nouveau le concours de Normale au Lycée Louis-le-Grand (octobre 1893). Il est, alors, interne au Collège Sainte-Barbe et y rencontre ceux qui resteront ses amis les plus chers : Joseph Lotte, futur fondateur du *Bulletin des Professeurs catholiques de l'Université ;* Louis Baillet, qui deviendra moine bénédictin et ne cessera, jusqu'à sa mort, de veiller sur l'âme de son ami ; Marcel Beaudouin, dont Péguy épousera la sœur, Charlotte ; les deux frères Tharaud. C'est à Sainte-Barbe qu'il entre en relation avec l'aumônier, l'abbé Batiffol, et s'inscrit à la Conférence Saint-Vincent de Paul. Mais, à cette date, il a, déjà depuis quelques années, renoncé à toute pratique religieuse et il se proclame volontiers « athée de tous les dieux ».

Reçu sixième à l'École, en août 1894, il est licencié ès lettres en novembre de la même année, dans la section de Philosophie. Rue d'Ulm, il occupe la turne « Utopie » avec ses camarades Lévy, Mathiez et Weulersse. De cette époque date sa « conversion » résolue au socialisme, – un socialisme surtout hérité des Républicains de 1848. Il s'engage fermement dans le mouvement socialiste en mai 1895 et, en novembre, obtient un congé qu'il va passer à Orléans : il se familiarise, alors, avec la typographie, anime un groupe d'études socialistes et commence d'écrire un drame en vers, sa première *Jeanne d'Arc,* la *Jeanne d'Arc* socialiste, qu'il publie en décembre 1897. Cette œuvre inaugurale est dédiée à toutes celles et à tous ceux qui s'efforcent de « porter remède au mal universel humain » et « à toutes celles et à tous ceux qui auront connu le remède, c'est-à-dire l'établissement de la République socialiste universelle ». Il écrit dans *La Revue socialiste* d'août 97 son article *De la Cité socialiste,* exposé du programme de la « moins imparfaite possible des cités humaines possibles ».

Revenu à l'École, pour sa deuxième année d'études, Péguy démissionne bientôt pour pouvoir se marier, le 28 octobre 1897, et fonder un foyer que peupleront quatre enfants, ce qui l'autorisera à déclarer que le père de famille nombreuse est le véritable « aventurier du monde moderne ». Gratifié d'une bourse d'agrégation, Péguy a la permission de suivre les cours qui l'intéressent à l'École. C'est ainsi qu'il pourra, à partir de février 98, entendre ceux de Bergson, éprouvant tout de suite pour celui-ci une admiration et une affection qui ne se démentiront point en dépit de certaines traverses.

En cette même année 98, l'Affaire Dreyfus mobilise les consciences : Péguy prend parti pour le capitaine juif victime d'une injustice et paie de sa personne dans les combats suscités par cette bataille morale : « Ce que nous défendions, ce n'est pas seulement notre honneur. Ce n'est pas seulement l'honneur de tout notre peuple dans le présent, c'est l'honneur historique de notre peuple, l'honneur historique de toute notre race, l'honneur de nos aïeux, l'honneur de nos enfants ».

Après avoir fondé, avec l'argent apporté en dot par sa femme, une librairie socialiste, rue Cujas, aux abords de la Sorbonne, Péguy publie, en 98 toujours, son *Premier Dialogue de la Cité harmonieuse,* qui restera unique et qu'il intitule *Marcel,* du prénom de son premier enfant. Le livre entier est inspiré par l'idée qu'« aucun vivant animé n'est banni de la cité harmonieuse » et que toutes les âmes, y compris les « âmes adolescentes » que sont les animaux, doivent y trouver leur plein épanouissement. Toute l'œuvre à venir de Péguy est en germe en cette « utopie » fort lucide et concrète, où l'héritage hellénique, platonicien et aristotélicien, est fécondé par l'espoir socialiste d'instauration d'une cité sans frontières, où régnerait la justice.

Après son échec à l'agrégation de philosophie, Péguy se lance dans le journalisme et il publie, de février à novembre 99, dans *La Revue blanche,* onze articles, dépourvus de toute complaisance, sur les questions politiques et sociales les plus disputées à l'époque. La verve polémique de Péguy s'y donne libre cours (il traite, par exemple, Barrès de « Tartuffe moisi » et Coppée de « gâteux tisanier »), et en même temps que s'y manifeste un anarchisme virulent qui s'en prend volontiers à l'armée et au clergé : « les soldats et les prêtres ne sont pas respectables ». Mais, pour défendre librement ce qu'il considère comme l'authentique socialisme, Péguy décide de fonder son propre « journal vrai » où il pourra à son aise « gueuler la vérité ». Sa visée était de « sauvegarder la liberté de la pensée et la sincérité de l'action dans le mouvement socialiste ». Les *Cahiers de la Quinzaine* naissent en janvier 1900 : désormais, la vie de Péguy se confond avec la destinée de cette revue.

Il y donnera, surtout au début, le maximum de « renseignements sincères sur le mouvement socialiste », des articles de sa main tels que *De la grippe, Encore de la grippe, Toujours de la grippe. Entre deux trains, Réponse brève à Jaurès, Demi-réponse à Cyprien Lantier*, pour ne citer que ceux de la première série, mais aussi des œuvres de ses compagnons de route : Jaurès, les Tharaud, René Salomé, Romain Rolland, Daniel Halévy, Julien Benda, Antonin Lavergne, Sorel, entre autres. C'est là qu'à partir de 1905 paraîtront les grands textes de Péguy, où vont éclater son ardent patriotisme et la ferveur de sa foi chrétienne recouvrée : *Notre Patrie* (1905), *Situations* (1906-1907), *Le Mystère de la Charité de Jeanne d'Arc*, la *Jeanne d'Arc* catholique (1910), *Notre Jeunesse* (1910 ; fière réponse à Daniel Halévy à propos de l'Affaire Dreyfus, en laquelle Péguy continue de voir l'émergence de la mystique républicaine en sa pureté), *Victor-Marie, comte Hugo* (1910), *Un nouveau théologien, M. Laudet* (1911), *Le Porche du Mystère de la deuxième Vertu* (1911 ; hymne sans pareil à l'espérance), *Le Mystère des Saints Innocents* (1911), *L'argent* et *L'argent suite* (1913), les grandes *Tapisseries* (1912-1913), *Ève* (1913 ; vaste épopée de deux mille quatrains, où Jésus parle à l'homme) et, enfin, la *Note sur M. Bergson* (1914) que devait suivre la *Note conjointe sur M. Descartes*, interrompue, le 1er août 1914, par l'annonce de la mobilisation générale.

Parallèlement à ces œuvres publiées, Péguy travaille à d'autres livres qui demeureront inédits pendant près de cinquante ans : *Par ce demi-clair matin* (1905-1906) ; *La Thèse*, esquissée de 1906 à 1909 alors que Péguy songe à se faire consacrer docteur en Sorbonne, sur « la situation faite à l'histoire dans la philosophie générale du monde moderne » ; *L'Esprit de Système* (1905-1908) ; *Un Poète l'a dit* (1907-1909) ; *Deuxième Élégie XXX* (1908) ; *Clio I* (1909), dialogue de l'histoire et de l'âme « charnelle », c'est-à-dire chrétienne, appelé aussi parfois *Véronique* ; *Clio II* (1912), dialogue de l'histoire et de l'âme païenne. En outre, il conte, en ses *Quatrains* (1911-1912), le drame de sa vie sentimentale, la tentation surmontée de son amour pour Blanche Raphaël (« Le jeune enfant bonheur / Était charmant / Pourtant le rude honneur / Seul fut amant »).

Exténué par une vie de labeur et de déceptions, mais ragaillardi par la perspective de pouvoir effacer l'injustice faite à la France privée, après 1870, de l'Alsace et de la Lorraine, le lieutenant Péguy part faire la guerre avec la conviction que celle-ci sera la dernière et préludera enfin au désarmement universel. Au cours de la retraite qui le conduisit de la Lorraine à la Marne, Péguy entend, avec ses hommes, la messe de l'Assomption, le 15 août 1914, à Loupmont, petit village des Hauts de Meuse. Il tombe, atteint d'une balle en plein front, dans les champs de Villeroy, près de Meaux, le 5 septembre 1914.

2. ITINÉRAIRE INTELLECTUEL ET SPIRITUEL. – Le 28 août 1913, Péguy, le Péguy de 40 ans songeant au Péguy de 20 ans, confiait à sa grande amie, Geneviève Favre, mère de Jacques Maritain : « J'avais 20 ans, j'étais socialiste, en pied. Je voudrais bien être, devant Dieu, l'être de pureté que j'étais alors ». Dans le *Laudet*, en septembre 1911, il évoque avec la même nostalgie ces années-là : « Un socialisme jeune, un socialisme nouveau, un socialisme grave, un peu enfant (mais c'est ce qu'il faut pour être jeune), un socialisme jeune homme venait de naître. Un christianisme ardent, il faut le dire, profondément chrétien, profond, jeune, grave, venait de renaître ». L'adhésion de Péguy à l'idéal socialiste fut entière, enthousiaste, contagieuse.

Il s'en explique à son camarade Théo Woehrel, qu'il essaie d'entraîner en cette direction : « Socialistes, nous le sommes tout entiers, et pour la vie. Pour moi, cette conversion demeure peut-être le plus grand événement de ma vie morale ». Péguy voit sa génération appelée à réaliser un renouvellement des cœurs et il a, d'abord, cru que, le christianisme étant mort, le socialisme était son héritier désormais promu à une vie autonome affranchie des dogmes surannés et ouverte à une création infiniment diversifiée. A la révolution chrétienne doit succéder la révolution socialiste : « Le socialisme est une vie nouvelle et non point seulement une politique », écrit-il au Dr Camille Bidault, en 97.

D'emblée, le socialisme de Péguy se distingue radicalement de celui de Marx et d'Engels dont il raille volontiers la prétendue scientificité et l'obsession du « luttisme-de-classisme ». Jamais il ne fera profession de matérialisme, moins encore de matérialisme dialectique. Toute la volonté socialiste de Péguy s'exprime en cette formule inscrite au fronton des *Cahiers de la Quinzaine* : « La révolution sociale sera morale, ou elle ne sera pas », c'est-à-dire qu'elle sera sociale, parce que, d'abord, elle sera *morale*, imprégnant les mœurs de la vie quotidienne. Vivre en socialiste pour penser en socialiste, telle fut la première ambition de Péguy dont la sincérité fut certainement la vertu majeure.

Sa déception fut immense de voir que certains de ses amis socialistes, Jaurès en tête, étaient infidèles à cette règle de vie, puisqu'ils acceptaient de mentir pour sauver les apparences aux yeux des militants abusés et consentaient à l'exploitation politique de la mystique dreyfusienne. Péguy se fit socialiste afin que nul homme ne soit, du fait de la misère, exclu du « pacte social », afin que la dignité de chaque homme soit respectée partout dans le monde. Aussi le socialisme de Péguy est-il foncièrement libertaire.

C'est pourquoi Péguy ne pouvait demeurer longtemps accordé à un parti quel qu'il soit. En revanche, jusqu'au terme de sa brève existence, il demeurera fidèle à son socialisme de base, originel et original. En 1911, dans son *Cahier* voué à la réfutation des erreurs du « nouveau théologien », M. Laudet, coupable d'avoir laissé François Le Grix publier un article incompréhensif sur sa deuxième *Jeanne d'Arc*, il pouvait s'écrier : « Notre socialisme était un socialisme mystique et un socialisme profond, profondément apparenté au christianisme, un tronc sorti, littéralement déjà (ou encore) une religion de la pauvreté ». En 1913, pour fustiger le culte funeste de l'argent, il a des accents qui rappellent le polémiste des années 98 : « Je ne veux rien savoir d'une charité chrétienne qui serait une capitulation constante devant les princes et les riches, et les puissances d'argent. Je ne veux rien savoir d'une charité chrétienne qui serait un constant abandonnement du pauvre et de l'opprimé ». Il conservera au syndicalisme révolutionnaire estime et confiance, car ce que visait ce socialisme neuf, c'était « l'assainissement du monde ouvrier, par l'assainissement du travail et du monde du travail, par la restauration du travail et de la dignité du travail, par un assainissement, par une réfection organique, moléculaire, du monde du travail, et par lui de tout le monde économique, industriel ».

Mais Péguy a progressivement pris conscience de la véritable nature de son socialisme. Il a compris que celui-ci était, en réalité, d'*essence évangélique* et que, par conséquent, le christianisme demeurait vif sous l'écorce durcie : « Dans tout notre socialisme même, il y avait infiniment plus de christianisme que dans toute la Madeleine ensemble avec Saint-Pierre-de-Chaillot, et Saint-Philippe-du-Roule et Saint-Honoré-d'Eylau ». Son dreyfusisme, rétrospectivement, lui apparaît également comme un « mouvement religieux d'essence chrétienne, d'origine chrétienne ». Dès lors, puisque c'est en fait le christianisme qui inspire le socialisme, il devenait vain de continuer à imaginer que le socialisme pouvait constituer une nouvelle religion, la religion de l'avenir. Le socialisme est un dérivé, non un substitut du christianisme. La vérité et la justice, objectifs du combat de Péguy, reprirent peu à peu, à ses yeux, leur vraie figure incarnée dans Celui qui a dit : « Je suis la Vérité, la Vie et la Route ».

Philosophe, Péguy sentit de mieux en mieux que toute éthique a besoin de s'enraciner dans une métaphysique. La solidarité socialiste réclame un fondement ontologique : dès *De Jean Coste* (1902), Péguy place la fraternité bien au-dessus de toute revendication égalitaire, car « la fraternité est un sentiment vivace, impérissable, humain, un vieux sentiment », à côté duquel « le sentiment de l'égalité paraîtra petit ; moins simple aussi ». Peu à peu s'imposa à lui l'idée que la fraternité n'a de portée réelle que si elle dérive de la commune paternité de Dieu qu'il va bientôt chanter, si familièrement et si profondément, en ses *Mystères*.

En 1910, dans *Notre Jeunesse*, il constate : « Pour tout homme philosophant, notre socialisme n'était et n'est pas moins qu'une religion du salut temporel. Et aujourd'hui encore, il n'est pas moins que cela ». Mais, à cette date, il sait que le temporel ne peut être coupé de l'éternel, que le salut ne se laisse pas diviser. Il n'en maintient pas moins que le christianisme, « religion du salut éternel », ne doit pas se laisser embourber « dans la boue des mauvaises mœurs économiques, industrielles », qui sont les mœurs d'une bourgeoisie assoiffée de profit matériel. De cette boue, le christianisme, dans lequel Péguy voit désormais l'unique doctrine capable de sauver l'humain et l'humanité, ne se sortira qu'à la condition de faire « les frais économiques, les frais sociaux, les frais industriels, les frais temporels ». Tout se paie et les tricheries sont criminelles. Le spirituel ne peut se passer du temporel. « C'est pour cela », conclut Péguy, « que notre socialisme n'était pas si bête et qu'il était profondément chrétien ». C'est en marchant infatigablement dans la voie droite où l'avait introduit son engagement socialiste et en s'enfonçant, en géologue averti, dans les couches du réel vivant que Péguy retrouva la source profonde et alla toujours plus résolument d'un *christianisme implicite* à son *christianisme explicite*. Si le socialisme est « une sorte de christianisme du dehors », c'est parce que l'imprègne le fondamental « christianisme du dedans » enfin redécouvert par Péguy.

Dans cet approfondissement intime, qui le force à dire, en septembre 1908, à Joseph Lotte, au sortir de graves épreuves physiques et morales : « Je ne t'ai pas tout dit... j'ai retrouvé ma foi... je suis catholique », – véritable cri de l'âme ressuscitée –, Péguy fut puissamment aidé par la méditation de la philosophie de son maître Henri Bergson, qui lui enseigna le prix de la durée, la consistance et tout ensemble la précarité du présent, et par la prière inlassable de son « ami en Dieu », Louis Baillet. Au premier, Péguy lançait, le 2 mars 1914 : « C'est vous qui avez réouvert en ce pays les sources de la vie spirituelle », et d'abord en lui-même. Au second, il pouvait écrire, le 28 septembre 1913 : « Dites-vous donc, une fois pour toutes, que je ne cours aucun danger en matière de foi. Au fond je ne cours que le danger d'être temporellement très malheureux ». Péguy croyait fermement à la médiation des saints, et singulièrement à celle des saints de France. Ce qui fait l'unité de sa vie, c'est l'attention qu'il a portée, du début à la fin, à ce que « signifie » Jeanne d'Arc : en celle-ci pouvaient s'unifier les deux vocations – celle du chrétien et celle du socialiste – qui dominaient son cœur.

Mais tous les croyants de son entourage, à commencer par Jacques Maritain, s'inquiétaient de voir qu'il ne donnait pas à son retour à la foi la sanction publique d'une pratique sacramentelle. Or, il était empêché de le faire parce qu'il avait contracté avec Charlotte Beaudouin, alors athée, un mariage simplement civil, n'avait point fait baptiser ses enfants et refusait obstinément de faire violence à la liberté de son épouse. Placé dans cette situation difficile, il donnait à l'oraison dans sa vie une place considérable. En 1912, il va à Chartres en pèlerinage d'action de grâces pour la guérison de son fils Pierre et aussi pour demander à Marie la force nécessaire au triomphe de la fidélité conjugale.

Les cinq *Prières dans la Cathédrale*, – prières de « résidence », de « demande », de « confidence », de « report » et de « déférence » –, portent témoignage de cette démarche décisive : « Voici le lieu du monde où tout rentre et se tait / Et le silence et l'ombre et la charnelle absence, / Et le commencement d'éternelle présence, / Le seul réduit où l'âme est tout ce qu'elle était ». Lentement, irrésistiblement, Péguy est devenu tout l'être qu'il était. Il peut désormais s'avancer, à visage découvert, à la rencontre de Dieu.

A la façon dont Péguy a su parler de Polyeucte en sa *Note conjointe* et, plus généralement, de la grâce, des irruptions de la grâce, on peut conjecturer qu'il a lui-même connu une de ces expériences mystiques qui bouleversent une vie. Il évoque « ce qui arrive, ce qui se produit dans la réalité de l'usage de la grâce » en homme qui sait de quoi il s'agit. Dans *Clio*, il assure que « ceux que Dieu veut avoir, il les a ». N'y a-t-il point aussi quelque confidence indirecte en ce constat : « L'homme peut oublier Dieu, Dieu n'oublie pas l'homme » ? Ou encore dans l'énoncé de cette loi spirituelle : « c'est avec les bons athées et ceux qui ne s'y attendaient pas que la grâce fait les bons chrétiens » ?

3. PENSÉE RELIGIEUSE. – Péguy passait plaisamment, un jour, cette consigne à Joseph Lotte : « il importe extrêmement de ne pas m'affubler en Père de l'Église. C'est déjà beaucoup d'en être le fils ». Certes ! Pourtant, Péguy « théologien » est d'une étonnante sûreté de vue, tant il a avec les réalités spirituelles une sorte d'affinité intuitive directe. Il est allé au cœur du christianisme en voyant dans le mystère de l'Incarnation la clef de toute l'histoire des hommes. Il n'est rien de plus « inchrétien » selon Péguy que de prétendre ignorer la temporalité, la matière, le charnel. Car l'Incarnation, « l'événement de Dieu », est aventure conjointement arrivée à Dieu et à la terre : « *Et homo factus est*. L'éternité a été faite, est devenue temps. L'éternel a été fait, est devenu temporel. Le spirituel a été fait, est devenu charnel », mais, réciproquement, le « point d'incarnation » se présente comme « une fleur et comme un fruit temporel, comme une fleur et comme un fruit de la terre, comme un aboutissement temporel, comme un coup de suprême fécondité temporelle ». En ce point, convergent le mouvement infini par lequel Dieu réalise le « saut éternel » en se faisant homme et le mouvement fini par lequel Dieu, en Jésus Christ, « continue de se mouvoir vers le monde et vers le siècle ». L'Incarnation est *incorporation* du divin dans l'humain de telle sorte que l'on peut dire que c'est la Terre qui a enfanté Dieu : « Jésus charnel est sorti de la lignée de David. Jésus spirituel est sorti de la lignée de David et de la lignée des prophètes », et ces deux lignées n'en font plus qu'une en Jésus, « dernier des prophètes et premier des saints ».

Réaliste intégral, Péguy souligne l'importance du « berceau temporel » pour l'insertion du surnaturel dans le monde et pour la « récapitulation » de la trajectoire humaine : « il semble que chaque race temporelle ait apporté au Créateur un fruit propre et non interchangeable ». La chrétienté est à la confluence de trois sources essentielles : « les Grecs ont fourni la Cité, les Juifs la Race, les Romains l'empire, la voûte ». Jésus est l'héritier de tout le travail des hommes : « Il allait hériter de l'école stoïque / Il allait hériter de l'héritier romain / Il allait hériter du laurier héroïque / Il allait hériter de tout l'effort humain ».

Nul n'a plus que Péguy mis en évidence ce fait que l'articulation centrale du christianisme et du « mystère de la destination de l'homme » tient dans l'emboîtement mutuel du charnel dans le spirituel et du spirituel dans le charnel, de la nature dans la grâce et de la grâce dans la nature : « Car le surnaturel est lui-même charnel / Et l'arbre de la grâce est raciné profond / Et plonge dans le sol et cherche jusqu'au fond / Et l'arbre de la race est lui-même éternel (...) Et l'arbre de la grâce et l'arbre de nature / Ont lié leurs deux troncs de nœuds si solennels / Ils ont tant confondu leurs destins fraternels / Que c'est la même essence et la même stature ». « Même essence » ? Il est vraisemblable qu'ici le poète se permet d'aller plus loin que n'irait le philosophe. Toujours est-il que s'impose à Péguy l'idée d'un *monde plein*, où « tout est lié à tout et à tous et réciproquement, mutuellement ; mais tout est ainsi lié directement, personnellement. Il y a retentissement plein de tout, sur tout. Et dans la personne de Jésus ». Il suit de là également que « le pécheur tend la main au saint, donne la main au saint, puisque le saint donne la main au pécheur. Et tous ensemble l'un par l'autre, l'un tirant l'autre ils remontent jusqu'à Jésus ». Telle est l'indissociable chaîne qui compose le « chrétienté », à travers le temps comme à travers l'espace.

Sensible aux « discontinuités » qui structurent l'histoire, Péguy discerne dans le « chrétien » un *cinquième règne* ajouté aux règnes minéral, végétal, animal et humain. Avec le chrétien, commence quelque chose d'inédit quoique relié à tout ce qui le précède : « L'homme est autant une *création* dans l'animal et le chrétien dans l'homme que l'animal ou que le végétal sont une création dans la matière brute ». Le christianisme, en effet, « est à un certain étage, occupe un certain étage, non pas intermédiaire, mais axial, mais central, un certain étage au centre ». C'est cette originalité propre du christianisme qui était, aux yeux de Péguy, gravement menacée par le *modernisme* alors à la mode.

Péguy a horreur de celui-ci : il parle de la « superstition moderniste », qui mène à l'oubli du sacré, à la perte du sens du mystère et du merveilleux. Le modernisme aboutit à une véritable et scandaleuse déification de l'histoire. Contaminé par l'orgueil luciférien, le monde « moderne » tend à se faire « autothée » et, finalement, à s'adorer soi-même sous les espèces du « Dieu intellectuel, historien et sociologue ». Aussi Péguy n'a-t-il que sarcasmes pour ceux qui prétendent « perfectionner le christianisme » : « C'est un peu, même tout à fait, comme si on voulait perfectionner le Nord, la direction du Nord ». Péguy n'en démordra plus : « Il ne s'agit pas de perfectionner le christianisme. Il s'agit de tenir, de garder le point fixe ». Le christianisme est indépassable, car il est purement « une religion mystique », la « religion du salut ».

Mais, si pernicieux que soit « le modernisme de l'intelligence », il est bien moins redoutable que « le modernisme du cœur », le « modernisme de la charité », qui est la négation même de l'esprit chrétien. Frappé de cette maladie, le christianisme n'est plus « socialement qu'une religion de bourgeois, une religion de riches » et devient « tout ce qu'il y a de plus contraire à son institution ; à la sainteté, à la pauvreté, à la forme même de son institution, à la lettre et à l'esprit de son institution ». C'est à un retour aux sources évangéliques que Péguy ne cesse de faire appel pour que, dans cet ordre comme dans les autres, la *mystique* ne dégénère point en *politique*.

Car la fidélité est, pour lui, la vertu par excellence. Dans le socialisme embrassé à l'aurore de sa vie d'adulte avec tant d'ardeur, il reconnaissait, après coup, « une préfidélité invincible aux mœurs chrétiennes, à la pauvreté chrétienne, aux plus profonds enseignements des Évangiles ». Fidélité antérieure donc, et préparatoire à l'entière fidélité chrétienne à Dieu et à l'Église, qu'il a exaltée en ses dernières œuvres, en particulier dans le *Laudet*, où, mesurant les ravages de la déchristianisation et de l'inchristianisation, il s'écrie que « rien n'est plus beau qu'une fidélité dans l'épreuve ». Avoir honte de son Dieu est la faute inexpiable. La « tribulation » vient donner à la fidélité, – qui n'est rien d'autre que foi, créance –, « un statut nouveau » et « un perpétuel avivement ». Péguy répète « qu'une maison ne périt jamais que du dedans » : Dieu a voulu remettre son sort à la liberté des hommes, il a voulu « avoir besoin des hommes », de leur consentement. Aux hommes de répondre à cette confiance en nourrissant de leur propre vie les paroles que le Christ leur a laissées.

Inquiétude et espérance vont donc de pair et se partagent le cœur du chrétien, pécheur appelé à la sainteté : « Le propre de la mystique est une inquiétude invincible » et l'homme est par nature « un monstre d'inquiétude ». Mais cet impossible repos s'accompagne d'une espérance pareillement invincible fondée sur la paternité de Dieu : « Celui qui est père est surtout père. Celui qui a été une fois père ne peut plus être que père ». Les deux derniers *Mystères* ne sont qu'un même hymne à la prédilection de Dieu pour la théologale vertu d'espérer : « La foi que j'aime le mieux, dit Dieu, c'est l'espérance ». Pourquoi ? Parce que « L'Espérance voit ce qui n'est pas encore et qui sera / Elle aime ce qui n'est pas encore et qui sera / Dans le futur du temps et de l'éternité ». Aussi est-elle le vrai ressort de nos espoirs temporels. Réagissant contre les tentations du découragement, Péguy, en 1911, rappelle avec force que « des pans entiers de christianisme, de chrétienté sont debout aux quatre coins de la terre, de vieilles souches bourgeonnent, et fleurissent et poussent et feuillissent et fructifient partout ». Une déperdition en quantité n'exclut pas un progrès en qualité.

Cette spiritualité de plein vent, enracinée en pleine terre, est aussi refus du moralisme et de tout ce qui menace de scléroser l'homme. A la suite de Bergson, Péguy montre que le souple, à condition d'être ferme, est beaucoup plus exigeant que le raide. Il y a une morale mal entendue qui « enduit l'homme contre grâce », l'empêche de « mouiller à la grâce », parce qu'elle lui fait une carapace de principes rigides. La vie chrétienne est infiniment plus qu'un code éthique : « la morale a été inventée par les malingres. Et la vie chrétienne a été inventée par Jésus-Christ ». De cette assurance procède la virulente critique péguyste de l'Index, – fabrication romaine contre laquelle il s'insurge publiquement le jour où, en juin 14, les livres de Bergson sont inscrits à cet Index. Dans son catéchisme « il y avait le Bon Dieu, la création, l'histoire sainte ; la sainte Vierge, les anges, les saints. Il n'y avait pas l'Index ».

« Anarchiste fidèle » : ainsi a-t-on pu assez paradoxalement définir Péguy l'indéfinissable. Lui-même s'avouait « grand fils, demi-rebelle, entièrement docile et d'une fidélité sans nombre et d'une solidité à toute épreuve ». C'est cet alliage singulier qui rend la spiritualité de Péguy à la fois si attachante et si exceptionnelle. Sa fidélité *intérieure* à l'Église, – « la vieille mère Église infiniment aïeule » –, lui faisait désirer, avec une nuance de gallicanisme qui est bien dans sa manière, qu'un jour « la foi chrétienne et les exigences modernes se fondent au cœur de quelques Français ». A la France, en effet, il tient à conserver le titre de « fille aînée », avec toutes les responsabilités qui en découlent, car il ne doute pas que, « dans le chrétien, dans le sacré, la France a la garde de la foi et peut-être plus encore de la charité ; et certainement encore plus de l'espérance ». Ce n'est pas en vain que « l'Église a reçu des promesses éternelles » contre lesquelles vient se briser l'universel vieillissement.

Péguy a livré son secret le jour où il a dit à Lotte : « Je suis de ces catholiques qui donneraient tout saint Thomas pour le *Stabat Mater,* le *Magnificat,* l'*Ave Maria* et le *Salve Regina* ». Le culte de Marie est au foyer de son être, accordé à sa certitude que le catholicisme est essentiellement la « religion du cœur » et que « la tendresse est la moelle du catholique au sens où l'amour est la moelle du chrétien ». Les prières à la Vierge sont prières de réserve et de recours que tout pécheur peut dire sans trembler. Marie est tout ensemble « ardente et pure », « infiniment céleste » et « infiniment terrestre », « infiniment loin » et « infiniment près ». Voilà pourquoi elle est, pour Péguy, l'avocate suprême. « Mère des septante et des septante fois septante douleurs », elle seule peut nous enseigner la voie de la transmutation de la souffrance en joie.

**Œuvres.** – La plupart sont rassemblées dans les 3 vol. de la Bibliothèque de la Pléiade : *Œuvres en prose,* t. 1 (1898-1908), 1959 ; t. 2 (1909-1914), nouv. éd. augmentée, 1961 ; *Œuvres poétiques complètes,* nouv. éd. enrichie, 1975. – Ces vol. ne contiennent pas 5 ouvrages qu'on trouve dans la Collection blanche de Gallimard (Paris) : *Par ce demi-clair matin,* 1952 ; – *L'Esprit de système,* 1953 ; – *Un poète l'a dit,* 1953 ; – *Deuxième Élégie XXX,* 1955 ; – *La Thèse,* 1955. – La collection des 229 *Cahiers de la Quinzaine* est une rareté bibliophilique (en cours de rééd. chez Slatkine).

Textes complémentaires (articles et correspondance) : *Lettres et Entretiens* (Paris, L'Artisan du Livre, 1927 ; Albin Michel, 1955) ; – correspondance entre Ch. Péguy et R. Rolland : *Une amitié française* (coll. Cahiers Romain Rolland 7, Paris, 1955) et *Pour l'honneur de l'esprit* (même coll. 22, 1973) ; – *Notes politiques et sociales,* recueil d'articles parus dans *La Revue Blanche* de 1899 (dans *Cahiers de l'Amitié Charles Péguy* = CACP, n. 11, 1957) ; – *Charles Péguy-André Suarès* (CACP, n. 14, 1961) ; – *Correspondance Péguy-Pierre Marcel* (CACP, n. 27, 1980) ; – *Œuvres posthumes de Ch. P.* (CACP, n. 23, 1969).

**Études.** – D'une abondante bibliographie (cf. Pia Italia Vergine, *Studi su Ch. Péguy, Bibliografia critica ed analitica, 1893-1978,* 2 vol., Lecce, 1982), on retiendra ici les ouvrages s'occupant de la spiritualité de Péguy : A. Béguin, *La Prière de P.* (coll. Cahiers du Rhône, 1942) et son commentaire de *L'Ève de P.* (CACP, n. 3-4, 1948). – J. Onimus, *Incarnation, essai sur la pensée de Ch. P.* (CACP, n. 6, 1952) ; *Péguy et le mystère de l'histoire* (CACP, n. 11, 1958). – P. Duployé, *La religion de P.* (Paris, 1965). – J. Petit, *Bernanos, Bloy, Claudel, Péguy, quatre écrivains catholiques face à Israël* (Paris, 1972). – B. Guyon, *Ch. P. devant Dieu* (Paris, DDB, 1974). – J. Bastaire et H. de Lubac, *Claudel et Péguy* (Paris, Aubier-Montaigne, 1974). – S. Fraisse, *Péguy,* coll. Écrivains de toujours, Paris, 1979.

*Actes du Colloque international d'Orléans* (CACP, n. 19, 1966). – *Revue d'histoire littéraire de la France,* n. spécial, mars-juin 1973. – *Rencontres avec P.,* Actes du Colloque de Nice 1973 (Paris, DDB, 1975). – *Péguy écrivain,* Actes du Colloque d'Orléans 1973 (Paris, 1977). – *Charles Péguy,* recueil d'études sous la direction de J. Bastaire (Paris, Éd. de l'Herne, 1977). – *Polémique et théologie : le « Laudet »,* Les *« Cahiers de la Quinzaine »,* textes réunis par S. Fraisse (*Revue des Lettres modernes,* n. 588-593, 1980 et n. 664-668, 1983). – G. Leroy, *Les idées politiques et sociales de P.,* thèse, 2 vol., Lille, 1980. – *Foi et vie,* t. 81/2, 1982 (numéro spécial). – *Feuillets de l'ACP* (216 numéros) et *Bulletin trimestriel de l'ACP* (depuis 1978).

A ce jour la meilleure introduction générale à Péguy reste le *Péguy* de B. Guyon, coll. Connaissance des Lettres, Paris, 1973.

DS, t. 2, col. 1149, 1155, 1328, 2645 ; – t. 4, col. 1829 ; – t. 5, col. 796-97 ; – t. 6, col. 670-71 ; – t. 7, col. 837 ; – t. 8, col. 853, 1065, 1289 ; – t. 9, col. 870 ; – t. 10, col. 174.

André A. DEVAUX.

**PEIKHARDT** (PEIKHART ; FRANÇOIS), jésuite, 1684-1752. – Né à Vienne le 14 janvier 1684, fils du bourgmestre de la ville, Franz Peickhardt entra le 31 décembre 1698 au noviciat de la province autrichienne de la Compagnie de Jésus. Il enseigna la grammaire, la rhétorique et la philosophie dans divers collèges. Après avoir obtenu le doctorat en théologie, il se consacra à la prédication, attaché d'abord à Linz, puis au collège de Vienne ; pendant vingt-cinq ans il fut prédicateur attitré à la cathédrale Saint-Étienne avec grand succès. Il fut aussi un confesseur et un directeur spirituel recherché et s'occupa de l'assistance spirituelle aux malades et aux mourants. Il mourut à Vienne le 29 mai 1752.

Peikhardt est l'un des grands prédicateurs de son temps ; il a donné et fait imprimer nombre de panégyriques, sermons de la Passion et des fêtes, instructions diverses et oraisons funèbres, comme celle du prince Eugène de Savoie qui fut largement répandue en Europe (trad. italienne, latine, néerlandaise). Deux volumes recueillent la plupart de ces prédications isolées : *Lob-Danck- und Leich-Reden verschiedener Jahren...* (Vienne, 1743 ; Oberammergau, 1748 ; Vienne, 1749), – *Lob-Geheimniss- und Ehren-Predigen...* (Vienne, 1748 ; Oberammergau, 1750).

Les prédications dominicales de Peikhardt à la cathédrale de Vienne ont été rassemblées et publiées selon les quatre évangiles ; elles commentent les textes selon les sens littéral et moral : *Matthaeus, oder Erklärung der evangelischen Beschreibung...* (Vienne, 1752), *Marcus...* (1752), *Lucas...* (1754) ; le volume sur saint Jean n'a pas été retrouvé ; autre éd., 4 vol. in-fol., Munich-Ingolstadt, 1753 : *Erklärung der evangelischen Beschreibung der IV Evangelischen.* Dans le domaine de la vie chrétienne, Peikhardt a publié, caché sous ses initiales, des *Exercitia christianae devotionis,* série d'élévations inspirées des Psaumes et destinées à aider le chrétien à suivre la Messe, à se confesser et à communier ; y sont joints divers petits offices (Augsbourg-Ingolstadt, 1742, 1748, etc.) ; l'ouvrage fut traduit en allemand : *Auserlesene Andachts-Uebungen eines frommen Christen* (Bamberg, 1756, 1759 ; Vienne, 1762, 1776 ; Augsbourg, 1764, 1797 ; etc.).

Peikhardt fut un prêtre d'une profonde piété, un apôtre cultivé et cependant proche du peuple chrétien ; sa prédication fut le fruit d'un travail patient et sérieux, mais elle porte la marque de son époque.

Sommervogel, t. 6, col. 424-37. – J. Stöger, *Scriptores Prov.
Austriacae S.J.,* Vienne, 1855, p. 259. – C. von Wurzbach,
*Biographisches Lexikon des Kaiserthums Oesterreich,* t. 21,
Vienne, 1870, p. 430-31. – B. Duhr, *Geschichte der Jesuiten
in den Ländern deutscher Zunge,* t. 4/1, Fribourg/Brisgau,
1921, p. 366-67. – W. Kosch, *Das Kath. Deutschland,*
Augsbourg, sd, col. 3458.

Constantin BECKER.

**PEINES INTÉRIEURES.** Voir les art. du DS :
*Anéantissement,* t. 1, col. 560-65 ; *Aridité,* col.
845-55 ; *Dégoût,* t. 3, col. 99-104 ; *Déréliction,* col.
504-17 ; *Désolation,* col. 631-45 ; *Épreuves spirituelles,*
t. 4, col. 911-25 ; *Nuit,* t. 11, col. 519-24.

**PÉLAGE, PÉLAGIANISME.** On trouvera cet
article à la fin du t. 12.

**PELAYO** (ALVARO), franciscain, évêque, 1275-1350.
– 1. *Vie.* – 2. *Œuvres.* – 3. *Doctrine.*

1. VIE. – Le vrai nom de Pelayo est Alvaro Peláez
Gómez Charino ; au cours des temps, on lui donnera
divers autres prénoms (Alvaro Francisco, Francisco,
Francisco Alvaro) et noms (Alfano, Alfaro, Alvarez,
Hispano, Páez, Pais, Pajo, Payo, Pelagio, Sampajo,
San Payo).

Fils illégitime du Grand Amiral de Castille, Payo Gómez
Charino † 1295, qui eut un autre fils légitime de mêmes nom
et prénom, il naquit, semble-t-il, le 5 juillet 1275 dans l'archi-
diaconé de Salnés, près de Cambados (Pontevedra, Espagne),
dans la paroisse de San Juan au diocèse de Compostelle. Il
n'est donc pas issu d'une humble famille, comme certains
l'ont dit. Il reçut sa formation à la Cour de Castille au temps
de Sanche IV.

Clerc du diocèse de Compostelle, il y obtint divers
bénéfices et prébendes. On ignore quand il fut
ordonné prêtre, mais ce fut en tout cas avant de partir
pour l'Italie (1299), où il passa près de trente ans.
Docteur *in utroque jure* à Bologne, où il fut disciple de
Guido Basio † 1313, sans doute est-ce aussi là qu'il
étudia la théologie au couvent des Franciscains (c'est
une erreur de dire qu'il l'étudia à Paris ou à Pise). Il
enseigna les deux disciplines à Bologne. Au chapitre
général d'Assise de 1304, il fut admis dans l'ordre
franciscain par le premier général espagnol Gonzalo
de Valboa † 1313 et rattaché à la province ombrienne
de San Francesco. La province de Santiago et la
custodie de Séville l'ont réclamé comme leur, soit à
cause de sa naissance, soit pour le fait qu'il y passa ses
dernières années.
Pelayo ne remplit dans l'Ordre aucune charge. Fervent Spirituel, il parcourt l'Italie de 1309 à 1317. En
1321, il assiste au chapitre général de Pérouse où est
discuté le problème de la pauvreté. L'année 1325 à
Avignon, il s'oppose à Olieu (DS, t. 11, col. 751-62)
pour qui la Règle équivaut à l'Évangile. En 1326, il est
à Assise, de 1327 à 1329 à Rome (Aracoeli), voyageant entre-temps pour aplanir les problèmes soulevés
entre le Pape et les Franciscains (en 1328 à Anagni
pour la condamnation du supérieur général rebelle
Michel de Césène). Puis il sera à la Cour d'Avignon
secrétaire particulier de Jean XXII † 1334 et pendant
trois ans grand pénitencier apostolique avec pouvoir
de confesser les cardinaux.

En 1332, Jean XXII (bulle *Quam sit onusta,* 16 juin)
le nomma évêque résidentiel de Coron (Péloponèse)
où, semble-t-il, il n'alla jamais. En 1333, le Pape le
transféra au siège de Silves (aujourd'hui Faro,
Portugal), suffragant de Séville (bulle *Romani Ponti-
ficis,* 9 juin). Son action juridique et canonique, ses
difficultés avec le clergé et aussi avec les rois de
Portugal Alphonse IV et Pierre I en guerre avec
l'Espagne, l'amenèrent à démissionner en 1348 ; il
avait d'ailleurs été expulsé et avait failli être assassiné
en 1346. Pelayo résida dès lors à Séville.

Il rédigea son testament le 29 novembre 1349 et mourut
au couvent de Sán Francisco de Séville, vraisemblablement
le 25 janvier 1350. Le *Martirologio Francescano* (jusqu'à
l'éd. de Vicence, 1939, p. 249) rappelle sa mémoire à la date
du 5 juillet.
Pelayo est un des personnages importants du 14e siècle
franciscain. Il eut le renom d'un grand intellectuel et d'un
saint. Protestants et rationalistes l'ont mal jugé. Dans tous
ses offices, il garda une dignité qui savait dépasser l'orgueil et
les vanités, comme aussi le mépris et les calomnies des
adversaires. Les luttes où il s'engagea ne le durcirent pas ; en
pratique, il resta tolérant. Sa personnalité est cependant
complexe et offre des aspects contrastés : par nature violent,
irascible, égoïste selon les uns ; pour d'autres, doux et insinuant ; triste et mélancolique, certes, craintif et prudent,
mais non pas opportuniste, il ne fut pas un religieux
adulateur du pouvoir ni un évêque courtisan.

2. ŒUVRES. – Pelayo fut un écrivain célèbre pour sa
doctrine et ses polémiques ; sans avoir du génie, il eut
un vrai talent théologique et canonique. La diffusion
géographique et le nombre des manuscrits de ses écrits
attestent son importance. Cependant ses œuvres sont
des compilations, qui généralement n'indiquent pas
les sources ; on y trouve beaucoup de données
autobiographiques ; il reprend volontiers de vastes
tranches d'une œuvre dans l'autre. Son érudition est
large : il cite Raban Maur, Bède le Vénérable, Isidore,
Boèce, Pierre Comestor, Martin le Polonais, Bernard
de Compostelle, Barthélemy de Brescia, Guillaume
Durand, mais aussi Flavius Josèphe, Virgile, Cicéron,
Salluste, Sénèque.

Son style est volontiers prophétique, biblique, mais sur-
chargé de citations qui interrompent le rythme de la phrase.
Les images apocalyptiques voisinent avec les affirmations
nettes et précises du canoniste ; il sait être clair, sententieux
ou maniéré, et développer un raisonnement logique tout en
le nuançant de réserves prudentes.

1) *De Statu et Planctu Ecclesiae,* rédigé à Avignon
entre 1330 et 1332 (6 août) à l'occasion du conflit
entre Jean XXII et l'empereur Louis de Bavière.
D'après saint Antonin, Pelayo le retoucha jusqu'à la
fin ; on en connaît trois rédactions : celles de 1332
(avec 30 ch. de moins dans la première partie), 1335
et 1340 (rédigées respectivement à Villa Ramra et à
Compostelle). La dernière rédaction a servi de base à
presque toutes les éditions importantes. Parlant en
général, on peut dire que sa structure est celle du
*Tractatus de paupertate Christi et Apostolorum* de
Bonagrazia de Bergame (DS, t. 1, col. 1766-67), lequel
n'est pas cité.
Ce n'est ni une somme théologique, encore qu'on y
trouve des exposés de doctrine et de droit, ni un traité
systématique d'ecclésiologie, bien que les structures de
l'Église y tiennent une bonne place. C'est l'ouvrage
principal de Pelayo et l'un des plus importants à son
époque sur les questions ecclésiologiques. On y trouve

une foule de renseignements sur la société du 14ᵉ siècle, sur les abus et la manière de les réformer. Le tableau de la décadence du clergé est effrayant. L'ouvrage est comparable à ceux, analogues, de Gilles de Rome et de Jacques de Viterbe.

Principaux manuscrits : Salamanque, BU 2390-91 ; Paris, BN, lat. 3197 ; Valence, Cathédrale 234 ; Madrid, BN, R/19612 ; Vatican, Urbin. lat. 4280. – Éditions : Ulm, 1474 (très rare et pleine d'erreurs) ; Lyon, 1517 ; Venise, 1560.

L'ouvrage comprend deux parties. La première, *De Statu*, en 70 ch., traite de la constitution et des privilèges de l'Église, de la légitimité de Jean XXII, des controverses canoniques et politico-religieuses sur le Pape et l'Église ; on y trouve l'apologie de Jean XXII contre Marsile de Padoue, Guillaume d'Ockham et Jean de Jandun. La suprématie du pouvoir spirituel sur le civil est affirmée, appuyée sur les arguments de l'histoire, du droit et de la théologie. Les ch. 43-60 sont les plus personnels. Les ch. 44-50 sont un exposé canonique, les ch. 64-67 un traité de l'Église, les ch. 68-70, la célèbre *Apologie*.

La seconde partie, *De Planctu* (93 ch., 913 col.), dépeint les maux de l'Église et montrent les remèdes à y apporter ; Pelayo ici est plus moraliste et ascète. On peut penser que l'excès de son amertume le conduit à outrer quelque peu le réel (cf. la description des vices de la Curie pontificale ; en Espagne, Pelayo ne connaît qu'un évêque qui ne soit pas simoniaque; la noblesse n'est pas mieux traitée).

Sont successivement passés en revue les maux de la société (ch. 19-47), des religieux et du clergé (ch. 48-83) ; au milieu de ce dernier bloc, s'insèrent des chapitres sur la pauvreté (55-58) : le Christ et les Apôtres, y est-il dit, n'ont possédé aucun bien, ils n'ont fait qu'en user. En 1332, les ch. 56-63 furent corrigés de manière à remplacer les vues conformes au chapitre général de Pérouse de 1322, appuyées sur Bonaventure, Thomas d'Aquin, Ockham et Nicolas III, par celles de Jean XXII. Les ch. 66-67 déplorent les adoucissements apportés à la règle ; Pelayo parle là non en simple franciscain, mais en chef de parti.

2) *Collyrium fidei adversus haereses,* écrit vers 1348 et achevé à Tavira, contre les hérésies anciennes et nouvelles, espagnoles ou non, notamment l'averroïsme, le judaïsme, le spiritualisme, les béguins et les bégards, etc. C'est à la fois une collection d'hérésies et de leurs réfutations philosophique, théologique, scripturaire et canonique. Inquisiteurs et magistrats utilisèrent l'ouvrage, y trouvant bien des renseignements sur les thèses hérétiques, les courants hétérodoxes et schismatiques. L'auteur est sévère pour Mahomet.

Le *Collyrium* est le fruit de l'activité de Pelayo contre les hérétiques à Lisbonne et à Coïmbre, notamment contre Tomas Escoto, ex-dominicain et ex-franciscain qu'il traite de panthéiste, anti-christ, impur, hérétique, concubinaire, et contre Alfonso Geraldes de Montemor, Geraldo Portugalense. Parmi les erreurs qu'il relève, certaines sont de type théologique (l'Église se trompe ; la Trinité s'est incarnée en Marie ; le Christ n'a pas existé avant l'Incarnation, il n'est pas Dieu ; les sacrements ne peuvent remettre les péchés ; rejet de l'Eucharistie, des anges, des démons, etc.) ou philosophique (l'âme est mortelle ; le monde est éternel ; la philosophie est plus haute que la théologie ; Aristote dépasse Moïse et le Christ, etc.).

Manuscrits : Madrid, BN 4201 ; Paris, BN, lat. 3372 ; Vatican, lat. 2324 ; Venise, San Marco, G. 210 ; Guadalajara, BP 8 ; etc. – Éd. en latin et portugais par M. Pinto Meneses, 2 vol., Lisbonne, 1954-1956.

3) *Speculum Regum,* écrit de 1341 à juillet 1344, à Tavira, dédié à Alphonse XI de Castille et au cardinal chancelier Gil de Albornoz † 1367 ; c'est un « miroir des princes » (cf. DS, t. 10, col. 1303-1312) dont le programme et les exigences sont fort sévères, le premier du genre au Portugal. Les vertus du prince sont la prudence, la tempérance, la continence, la clémence, la modestie, la sobriété, la fidélité dans le mariage ou l'exemple de la virginité ; patience, constance, force, persévérance, magnanimité, etc., complètent cette liste abondante. Ensuite Pelayo discute de la guerre juste, revendique le pouvoir temporel du Pape sur les Rois, préfère l'absolutisme à l'anarchie, la monarchie à la démocratie.

Manuscrits : Vienne, BP, lat. 1632 ; Munich, BN 3568 ; Saint-Omer, BM, lat. 123 ; Troyes, lat. 91 ; Bruxelles, BR 9596 ; etc. – Éd. en latin et portugais par M. Pinto Meneses, 3 vol., Lisbonne, 1955-1963 (le 3ᵉ à paraître), d'après le ms du Vatican, Barber. lat. 1447.

4) On connaît environ 28 *lettres* écrites de 1317 à 1349 (la plupart en Ombrie, en 1327-1328) ; certaines montrent un Pelayo très différent de celui de ses ouvrages, un ascète qui pourrait prendre place parmi les spirituels du moyen âge. En réalité, il s'agit alors moins de lettres que de petits traités sur la pauvreté, l'obéissance, etc., dont un certain nombre est repris dans le *De Planctu*.

*a) Epistulae ad Alphonsum IV*, roi de Portugal, 1335 (Bruxelles, BR 9596/7, f. 116-117) : conseils au sujet de la guerre. – *b)* Dans le ms de Padoue (BU 596, f. 84-372, 15ᵉ s.) découvert par C. Cenci, 13 lettres sont adressées à des franciscains (1-3, 5-11, 22-24), une à Angelo Tignosi évêque de Viterbe et abbé de Subiaco, une au cardinal Gómez Barroso (sur la situation morale de l'Église et de Rome), 9 à des flagellants de Pérouse dont il avait été le directeur (14-21 et 29), une à un inconnu, une à une femme.

Les lettres 10-11 traitant de problèmes franciscains sont adressées au frère Odon, mais visent Angelo Clareno (les réponses de ce dernier dans AFH, t. 39, 1946, p. 63-200). Les lettres 13 et 26 à Tignosi et à Gómez Barroso traitent de la décadence du clergé. Les 22 lettres restantes s'occupent de questions ascétiques ; ainsi celle écrite au frère Juvénal (publiée en dialecte des Marches dans AFH, t. 10, 1917, p. 575-582) traite des loisirs et des exercices de pénitence ; Pelayo y recommande de faire trois cents génuflexions par jour.

On parle d'autres lettres à A. Clareno, à Gentil de Foligno, à Guy, chapelain du cardinal Colonna, à divers Mineurs se trouvant au concile œcuménique de Vienne (1312).

5) *Autres œuvres.* – a) *Comment. in Matthaeum,* inédit, signé « fr. Alvaro », attribué probablement à tort à Pelayo (Orléans, BM, lat. 69 ; Paris, BN, lat. 12024). – b) *Commentarium in 4 libros Sententiarum,* cité par Wadding et perdu. – c) *Quaestiones quodlibetales,* inédites (Padoue, BU 295).

d) *Sermo de visione beatifica* (autrefois Tolède, San Juan de los Reyes, Y. 66 ; perdu) : long sermon donné devant Jean XXII le jeudi saint 1333 (?) qui devait soutenir les opinions de ce pape. – e) *Quinquagesilogium ou Sermones,* inédit (ms Oxford, Bodleian, Misc. can. 529) : on y trouve des homélies et des considérations sur la règle, l'observance, et 50 manières d'agir contraires à la pauvreté franciscaine, etc.

f) *Gradus humilitatis,* court traité ascétique (= lettre 25 dans V. Meneghin, *Scritti inediti,* cité à la bibl.). – g) *Tractatus de fide,* inédit (ms Guadalajara, BP 7). – h) *Tractatus de sacrilegio,* inédit attribué à Pelayo (mss : Orléans, BM 69 ; Paris, BN, lat. 12024 ; Escorial OSA, lat. e. I. 5). – i) *Errores Beghardorum* (ms Escorial OSA, lat. e. I. S.).

Signalons que divers extraits du *De Planctu* sont conservés en mss sous divers titres : vg *De potestate Ecclesiae* ou *Potestas Papae* (= *De Planctu* I, ch. 40), *Tract. de Ecclesia* (= I, ch. 64-67), *Apologia pro Ioanne XXII* (= I, ch. 68-70), *Summa theologica* (= II).

3. DOCTRINE. – 1º Dans le domaine de la *théologie politique,* Alvaro Pelayo a exercé une assez grande

influence sur son siècle et tomba assez vite dans l'oubli. Pour la plupart des historiens, il est un modèle achevé de l'homme de curie, théocrate absolu à la manière de Gilles de Rome, Jacques de Viterbe ou Agostino Triunfo ; dans la ligne de la bulle *Unam Sanctam* de Boniface VIII, il enseigna que le Pape possède les deux pouvoirs. Par contre, N. Iung (*Un franciscain, théologien du pouvoir pontifical..., Alvaro Pelayo,* Paris, 1931) situe notre auteur dans une *via media* entre les théocrates et les régalistes tels Jean de Paris (*De potestate regia et papali*), Marsile de Padoue, bien qu'il reconnaisse les ambiguïtés de Pelayo (vg *De Planctu* II, ch. 57, contredit I), ses subtilités gratuites. Selon Iung, Pelayo est en somme partisan du pouvoir indirect du Pape sur le temporel et serait donc un précurseur en cela de la théologie moderne faisant prévaloir l'augustinisme sur le thomisme. En fait, les théories politiques de Pelayo ne sont ni claires, ni définitives.

2° *La pauvreté.* – Sur ce sujet si controversé à son époque, notre franciscain est augustinien ; la pauvreté est subordonnée à l'obéissance ecclésiale (pour Clareno, c'est le contraire). Mais les ambiguïtés demeurent : il accepte saint Bonaventure, Gonzalo Hispano, Ubertin de Casale et le chapitre général de Pérouse (1322), pour qui le Christ et les apôtres pouvaient posséder comme personnes publiques, non comme personnes privées (pour Michel de Césène, d'aucune manière), et en même temps il suit Jean XXII (*Ad Conditorem,* 8 décembre 1322) grâce à cette distinction subtile que, si le Christ en sa vie mortelle n'a ni possessions ni pouvoir temporel, il les a de fait depuis sa résurrection. Au début, il fut moins modéré. S'il utilise les expressions d'Ubertin de Casale, c'est avec discrétion ; il reproche aux Spirituels de n'avoir pas le sens de l'Église, de pratiquer une pauvreté pharisaïque et non charitable (la fin essentielle étant la charité et non la pauvreté).

Pelayo fut observant ; non pas fraticelle (comme l'en accuse saint Antonin), ni dulciniste (Dolcino traitait Thomas d'Aquin et Jean XXII d'hérétiques ; Pelayo qualifie les dulcinistes de misérable secte à assimiler avec les béghards et le Libre esprit), ni joachimiste, ni Spirituel hétérodoxe, ni disciple du frère Élie. Il travailla surtout, en fait, à la concorde entre le Pape et l'Ordre et à la conciliation du charisme et de l'institution. Ses jugements les plus sévères, et historiquement les mieux fondés, tombent sur les béghards et les béguins : ils ne sont ni pauvres, ni obéissants, ni chastes, ils sont la négation même de la vie religieuse, ils dédaignent le travail (Pelayo, comme les Pères du désert, insiste fortement sur le travail manuel).

3° Quant à la *vie spirituelle*, les pages les mieux inspirées se trouvent dans les lettres et dans la fin du *De Planctu* qui offre un exposé assez complet des vues de Pelayo. Il s'y révèle plus ascète que mystique. Les normes générales retiennent son attention. Il s'exprime en petites phrases courtes, du genre des sentences. La pauvreté tient une place prépondérante. Il traite l'obéissance en rappelant les cinq remarques de saint Antoine, les sept degrés de saint Bernard et distingue cinq sortes selon qu'on obéit aux inspirations divines, aux lois divines et ecclésiastiques, aux supérieurs, à un ordre précis ou à sa propre raison. Pour la paresse, il rapporte les seize formes données par Jean Cassien ; pour l'orgueil, saint Bernard lui fournit les douze degrés et leurs douze remèdes ; il y a quatre genres de contemplation, huit degrés de méditation, trois types de visions, douze conditions pour la plus haute contemplation. Cependant ses méditations sur la Croix et la Passion sont très belles.

Relevons encore que Pelayo est l'un des rares franciscains qui refuse l'Immaculée Conception de Marie (*De Planctu* II, ch. 52, f. 110), n'admettant que la sanctification dans le sein de sa mère ; il prêcha cette position à Rome, à Sainte-Marie-Majeure (en 1327 ?).

On le voit, Pelayo, esprit curieux, juriste, théologien, très mêlé aux affaires de l'Église et de l'ordre franciscain, n'est pas un auteur spirituel original ; il n'en demeure pas moins un témoin et un acteur important de son époque.

P.R. Tossignano, *Historiarum Seraphicae religionis...,* t. 3, Venise, 1586, p. 306-07. – Marc de Lisbonne, *Chroniche,* t. 2, Naples, 1680, p. 480-88. – *Crónica de la provincia de Santiago,* 1214-1614, Madrid, 1971, p. 52. – J. de Castro, *Arbol cronológico de la provincia de Santiago,* t. 1, Madrid, 1976, p. 43, 108, 151.

J.T. de Rocaberti, *Bibliotheca maxima pontificia,* t. 3, Rome, 1698, p. 223-66. – Juan de San Antonio, *Bibliotheca universa franciscana,* t. 1, Madrid, 1732, p. 53-54. – *Bullarium franciscanum,* t. 4, Rome, 1768, p. 270, 326, 581 ; t. 5, 1898, p. 378, 520-21, 529, 549 ; *Supplementum,* 1780, p. 49-51. – N. Antonio, *Bibliotheca hispana vetus,* t. 2, Madrid, 1780, p. 149-52. – Wadding-Sbaralea, *Scriptores,* Rome, 1906, p. 14 ; *Supplementum,* t. 1, p. 31-32. – L. Wadding, *Annales minorum,* t. 5, Quaracchi, 1931, p. 255, 359, 400 ; t. 6, p. 44, 319-324 ; t. 7, 1932, p. 55, 101, 116, 157, 276, 525.

H. Bayländer, *Alvaro Pelayo. Studien zu seinem Leben und seinen Schriften,* Aschaffenburg, 1910, 54 p. – R. Scholz, *Unbekannte kirchenpolitische Streitschriften,* t. 1, Rome, 1911, p. 197-207 ; t. 2, 1914, p. 491-529. – A. Amaro, *Fr. A. P.,* Madrid, 1916, 77 p. – M. Menéndez Pelayo, *Historia de los heterodoxos españoles,* t. 3, Madrid, 1917, p. CXXX-CXXXIII.

J.M. Pou y Martí, *Visionarios, beguinos y fraticelos catalanes,* Vich, 1930, p. 17, 56, 452. – F.G. Ogando Vázquez, *Fr. A. P. franciscano, jurista gallego...,* dans *Boletín de la Comisión provincial de... Orense,* t. 12, 1940, p. 327-44 ; t. 13, 1941, p. 1-11. – T.J. Carreras Artau, *Historia de la filosofía española,* t. 2, Madrid, 1943, p. 475-77. – L. Oliger, *De secta Spiritus libertatis im Umbria,* Rome, 1943, p. 4 ; *Expositio Quatuor Magistrorum super Regulam Fr. Minorum,* Rome, 1950, p. 90-91.

G. Rubio, *La Custodia franciscana de Sevilla,* Séville, 1953, p. 185-96. – M. Martins, *Estudos de Literatura medieval,* Braga, 1953, p. 285-305. – M.B. Amzalac, *D. A. Paise e o Pensamento economico em Portugal...,* Lisbonne, 1954. – M. I. Díaz y Díaz, *Index scriptorum latinorum medii aevi hispanorum,* t. 2, Salamanque, 1959, p. 406-07. – W. Kölmel, *Paupertas und Potestas, Kirche und Welt in der Sicht des A.P.,* dans *Franziskanische Studien,* t. 46, 1964, p. 57-101.

A. Domingues de Sousa Costa, *Estudos sobre A. Pais,* Lisbonne, 1966 ; *Theologia et Jus canonicum juxta canonistam A. P.,* Vatican, 1970, p. 39-50. – J. Calvet de Magalhães, *A nacionalidade de A. Pais,* dans *Revista de Facultad de Letras,* t. 11, Lisbonne, 1967, p. 29-50. – V. Meneghin, *Scritti inediti di Fr. A. Pais,* Lisbonne, 1969, 195 p. – C. Cenci, *Manoscritti francescani della Bibl. Naz. di Napoli,* t. 1, Quaracchi, 1971, p. 50 ; t. 2, Grottaferrata, 1971, p. 574.

J. Morais Barbosa, *A teoria política de A. Pais no « Speculum Regum »,* Lisbonne, 1972. – M. de Castro, *Manuscritos franciscanos de la Bibl. Nac. de Madrid,* Valence, 1973, p. 284-86.

DHGE, t. 2, 1914, col. 857-61 ; t. 15, 1963, col. 923. – *Dictionnaire de sociologie,* t. 1, 1931, p. 488-91. – *Bibliografía Geral Portuguesa,* t. 2, Lisbonne, 1952, p. XIV-XVIII, 398-435. – *Repertorium fontium historiae medii aevi,* t. 2, Rome, 1967, p. 205-06. – *Lexikon des Mittelalters,* t. 1, Munich, 1978, col. 497-98.

Voir les périodiques : *Analecta Franciscana*, t. 2, 1887, p. 149, 153, 189 ; t. 11, 1970, p. 75\*. – *Antonianum*, t. 3, 1927, p. 551 ; t. 9, 1934, p. 334-35 ; t. 40, 1965, p. 469-70 ; t. 42, 1967, p. 320 ; t. 47, 1972, p. 656-81 ; t. 48, 1973, p. 310-11 ; t. 50, 1975, p. 599-600 ; t. 54, 1979, p. 506-08. – *Archivio storico italiano*, t. 89/2, Florence, 1931, p. 38-41.

*Archivo Ibero Americano*, t. 35, 1933, p. 209 ; t. 37, 1934, p. 298-301 ; nouv. série, t. 15, 1955, p. 146, 393 ; t. 35, 1975, p. 665. – AFH, t. 3, 1910, p. 299 ; t. 7, 1914, p. 351 ; t. 10, 1917, p. 575-82 ; t. 14, 1921, p. 568 ; t. 24, 1931, p. 539-41 ; t. 28, 1935, p. 181 ; t. 39, 1946, p. 72-200 ; t. 57, 1964, p. 408 ; t. 67, 1974, p. 351 ; t. 72, 1979, p. 562 ; t. 73, 1980, p. 420.

*Biblos*, t. 28, Coïmbre, 1951, p. 141-247. – *Bollettino della Regia Deputazione di storia patria per l'Umbria*, t. 5, 1899, p. 240. – *Broteria*, Lisbonne, t. 55, 1957, p. 322-27 ; 1964, t. 79, p. 141-47 ; 1965, t. 81, p. 654-73. – CF, t. 2, 1932, p. 544-47 ; t. 41, 1971, p. 449-50 ; t. 48, 1978, p. 40 ; *Bibliographia*, t. 10, 1951-1953, p. 26 ; t. 11, 1954-1957, p. 531 ; t. 12, 1958-1960, p. 23 ; t. 13, 1961-1963, p. 75.

*Crisis*, t. 2, Madrid, 1955, p. 33-45. – *El Eco Franciscano*, t. 26, Santiago, 1909, p. 480-83. – *Itinerarium*, t. 1, Braga, 1950, p. 173-90 ; t. 4, 1953, p. 209-48 ; t. 7, 1961, p. 107-62. – *Rassegna di Scienze Filosofiche*, t. 10, Bari, 1957, p. 213-71. – RSR, t. 21, 1931, p. 582-89. – *Revista portuguesa de filosofia*, t. 8, Braga, 1952, p. 29-49 ; t. 11, 1955, p. 403-11. – *Studi Francescani*, t. 8, 1936, p. 133-43 ; t. 9, 1937, p. 47-50.

DS, t. 1, col. 1333 ; t. 4, col. 1120-1121, 1816 ; t. 5, col. 1250-1251, 1256, 1307, 1344 ; t. 8, col. 387.

Mariano ACEBAL LUJÁN.

**PELAYO DE SAINT-BENOÎT**, bénédictin, † vers 1635. – Pelayo naquit à Jadraque (prov. de Guadalajara) et prit l'habit au monastère de San Pedro d'Arlanza (congrégation de Valladolid) vers 1595. Il vécut successivement à Eslonza (1601), dans un ermitage près du monastère d'Arlanza (1603-1609) et au monastère récollet San Millán de Suso (1610-1614) ; l'abbé général l'en retira pour une fondation de récollets à Séville, qui en fait n'aboutit pas. Il remplit les fonctions de sacristain (1614-1616), puis d'abbé (1616-1617) à San Martín de Madrid. Il fut également abbé à Arlanza (1617-1621, 1625-1629) et définiteur général (1633 svv). Il était excellent copiste, calligraphe et musicien. Il mourut au monastère de Valvanera, vers 1635.

On garde de lui *Memoria de lo que tiene el monasterio de Arlanza en la villa de Sta. Inés* (ms. British Museum, Londres) et *Sumario de oración en que para mañana y tarde se pone en práctica dos exercicios della, sacado todo de la Divina Scriptura y de lo que doctores sagrados... con un modo fácil de rezar con provercho el oficio divino mayor y menor y el rosario y corona de Nuestra Señora* (Burgos, 1626). L'ouvrage s'adresse aux commençants qui manquent de formation et veut leur montrer que l'exercice de la contemplation surnaturelle active est à leur portée ; il s'écarte en cela de sainte Thérèse de Jésus, ce qui provoqua les attaques de divers auteurs, dont le capucin Félix de Alamín (DS, t. 5, col. 128-29), et fit qu'il fut peu suivi ; parmi ses disciples, Martin de Zeaorrote, clerc régulier mineur, fut condamné par l'Inquisition.

Le volume comprend deux parties. La première traite de la nécessité de la méditation et de la contemplation, de ce qui y fait obstacle et de ce qui y dispose ; suivant de près la doctrine de Thomas d'Aquin, elle propose une méthode de contemplation active, qui consiste à « recueillir toutes les puissances et à rester en présence de Dieu avec l'œil de la foi...,

soit en se fixant sur l'un de ses mystères ou de ses attributs, soit de façon générale ». Cette oraison est « un acte de foi, où l'entendement demeure en repos, dans l'ignorance de tout le reste, entraînant à sa suite la mémoire et la volonté, elles aussi sans actes particuliers, attentives à la vérité de foi que contemple l'entendement » (I, ch. 13).

Il s'agit d'après l'auteur d'une dialectique ascendante dans la connaissance de Dieu. La première étape est discursive ; c'est la contemplation des perfections divines, en passant de l'une à l'autre comme par saut. La seconde est appelée positive ; elle est de simple intelligence et l'entendement s'y fixe sur l'essence divine. Il y a une autre voie d'accès à Dieu, la *via ignorantiae*, avec suspension de toute activité de l'intelligence ; celle-ci s'élève au-dessus de tous les concepts positifs et s'établit dans une considération de Dieu négative et parfaite.

Comme préparation pour la contemplation, Pelayo réclame le recueillement et le silence intérieur, le vide des puissances sensibles et intellectuelles, la remise de la volonté propre à celle de Dieu, de l'entendement à tout ce que la foi propose. Il recommande l'examen de conscience deux fois le jour et les oraisons jaculatoires.

Son exposé montre une connaissance particulière de Bartolomé de los Mártires, de Francisco de Osuna et tout spécialement de la *Mística teología* du minime Juan Bretón, qu'il avait personnellement connu durant son séjour à Madrid. Le travail est peu original ; c'est plutôt une compilation d'idées et de textes, à laquelle s'ajoute une expérience personnelle de l'oraison au reste voilée par le recours à la doctrine des saints et des maîtres spirituels, notamment des mystiques espagnols du 16ᵉ siècle. Pour Pelayo, la volonté « est au-dessus de l'entendement, étant donné qu'elle s'élève pour s'unir à Dieu tel qu'il est en lui-même..., tandis que l'entendement ne s'unit à lui que par l'entremise de la foi » (I, ch. 30).

Dans la seconde partie, l'auteur traite de la contemplation infuse ou passive ; elle diffère de l'active en ce que cette dernière n'est pas toujours en « absorption intérieure », comme c'est le cas pour la première. Il parle aussi de la suspension des puissances, donne des avis concernant la vie spirituelle, offre une série de méditations pour une semaine (matin et soir), une méthode très simple pour fixer l'attention spirituelle pendant la récitation de l'Office divin. Il parle aussi des phénomènes mystiques et du degré de grâce requis pour parvenir à la « théologie mystique » ; ses trois propriétés principales sont le rapt et ravissement, l'union transformante et la jouissance qu'entraîne avec elle la pleine quiétude. L'amour mystique, qu'il appelle connaissance expérimentale de Dieu, est parfait, et c'est en lui que consiste l'essence même de la théologie mystique (f. 309-310).

Comme on le voit, l'ouvrage est une synthèse concise et sans grande originalité de la doctrine des *recogidos* et des principaux maîtres spirituels espagnols du 16ᵉ siècle.

Archives de la congrégation de Valladolid, *Actas de los capítulos generales* II, f. 52r, 64r, 116v, 131v, 166r, 170r. – A. de Yepes, *Corónica general de la Orden de San Benito*, t. 4, Valladolid, 1613, f. 358v-59r. – A. de Heredia, *Vidas de santos, beatos y venerables de la S. Religión de N.P.S. Benito*, t. 4, Madrid, 1686, p. 528-29.

F.B. Plaine, *Series chronologica scriptorum OSB hispanorum*, Brünn, 1884, p. 9. – M. Martínez, *Intento de Diccionario... de autores de la prov. de Burgos*, Madrid, 1890, p. 453. – *Enciclopedia universal ilustrada*, t. 66, Barcelone, 1929,

p. 961. – L. Ruiz, *Escritores burgaleses,* Alcalá, 1930, p. 532. J.M. Moliner, *Historia de la literatura mística en España,* Burgos, 1961, p. 195. – J. Pérez de Urbel, *Varones insignes de la Congregación de Valladolid,* Pontevedra, 1967, p. 75. – I. Rodríguez, *S. Teresa de Jesús y la espiritualidad española,* Madrid, 1972, p. 167, 217-21, 396, 398, 566, 571. – M. Andrés, *Los recogidos. Nueva visión de la mística española,* Madrid, 1976, p. 527-34 et table. – E. Zaragoza Pascual, *Músicos benedictinos españoles,* dans *Tesoro sacro musical,* n. 645, 1978, p. 89 ; *Los generales de la Congr. de San Benito de Valladolid,* t. 4, Silos, 1982. – DS, t. 1, col. 1428. – DS, t. 1, col. 1428 ; t. 4, col. 1168.

Ernesto Zaragoza Pascual.

**PELCZAR** (Joseph Sébastien), évêque, 1842-1924. – Né le 17 janvier 1842 à Korczyna, près de Krosno (Pologne), Joseph Sébastien Pelczar, issu d'une famille paysanne, fit ses études secondaires à Rzeszów, puis entra au séminaire de Przemyśl en septembre 1860. Ordonné prêtre le 17 juillet 1864, il passa une année en paroisse à Sambor, puis gagna Rome où il acquit les doctorats en théologie et en droit après trois années d'université. De retour en Pologne, il occupe divers postes successivement à Wojutysze, Sambor (où il fonde une association de S. Vincent de Paul), Przemyśl (professeur au séminaire), jusqu'à ce qu'il soit appelé à l'université des Jagellons à Cracovie pour y enseigner l'histoire et le droit.

Les années de Pelczar à cette université sont celles de la publication de ses principaux ouvrages (vg trois livres sur Pie IX) ; il est successivement pro-recteur, recteur et doyen de la faculté de théologie, qu'il réorganise et dont il porte le nombre des chaires de quatre à sept. Il fonde aussi des associations diverses, devient rédacteur au journal catholique « La Vérité », préside la « Société cracovienne d'éducation populaire », etc.

Le 27 février 1899, Pelczar était nommé évêque coadjuteur de Przemyśl ; un an plus tard, il devenait évêque de ce diocèse et en janvier 1901 était introïsé. En 1902, il fonda un petit séminaire. Lors de la guerre mondiale, il dut quitter la ville, se replier à Cracovie, d'où il gagna Rome. Lors de l'indépendance de la Pologne, il y était revenu. Pelczar mourut le 28 mars 1924. Ses années d'épiscopat, surtout avant la guerre mondiale, ont marqué d'un renouveau spirituel le diocèse de Przemyśl.

Dans le domaine spirituel, Pelczar a publié de nombreux écrits ; nous retenons ici les principaux : 1) *Zycie duchowne...* (« La vie spirituelle... »), 2 vol., Przemyśl, 1873 (8 éd.). – 2) *Rozmyślania o zyciu kapłanskim...* (« Méditations sur la vie sacerdotale... »), Cracovie, 1892 (3 éd.). – 3) *Rozmyślania o zyciu Pana naszego Jezusa...* (« Méditations sur la vie de N.S. Jésus... »), Cracovie, sd (avec des considérations sur le péché, l'acquisition des vertus et la prière). – 4) *Rozmyślania o zyciu Pana... dla zakonnic* (« Méditations sur la vie de N.S.... pour les religieuses »), Cracovie, 1898 (2 éd.). – 5) *Jezus Chrystus wzorem i mistrem kapłana* (« Jésus Christ exemple et maître du prêtre »), Przemyśl, 1909 (2 éd. ; trad. en tchèque). – 6) *Pasterz według Serca Jezusowego...* (« Berger selon le Cœur de Jésus, ou Ascèse sacerdotale »), Lwow, 1913 : manuel pastoral pour le prêtre. Malgré l'influence des écoles ignatienne et salésienne qui sont manifestes dans ces ouvrages, il est difficile d'y relever une doctrine nettement char-

pentée ; Pelczar diffuse un enseignement traditionnel et des pratiques de piété saines, sans omettre de s'appuyer sur la Bible.

En 1894, il avait fondé à Cracovie les Ancelles du Sacré-Cœur de Jésus (DIP, t. 1, 1973, col. 597-99).

Biographie de P. par K.M. Kasperkiewicz, Rome, 1972. – DIP, t. 6, 1980, col. 1330-31 (bibl. polonaise).

Józef Majkowski.

**PELECYUS** (Pelletius, Pelecius ; Jean), jésuite, 1545-1623. – Né à Ulm en 1545, Johannes Pelecyus entra dans la Compagnie de Jésus à Rome le 3 mai 1567. Il enseigna d'abord la grammaire durant quatre ans, puis la philosophie (1573-1576) et la théologie (1579-1599, sauf en 1592) à l'université jésuite de Dillingen. Parallèlement à ces enseignements, il donnait les exercices spirituels et des instructions dans de nombreux couvents, et prêchait dans les paroisses (il en a noté 120 en six ans) et à la Cour de Bavière. Ensuite, il dirigea la Troisième année de probation, à Ebersburg, durant quatorze ans. Vers la fin de sa vie, il fut quatre ans supérieur à Altötting. Il mourut à Munich le 31 décembre 1623.

Durant son enseignement universitaire, Pelecyus fit soutenir dans des disputes académiques quatre thèses philosophiques, puis dix-huit théologiques ; parmi celles-ci, certaines touchent au domaine spirituel : *De fide ; De spe ; De caritate ; De justificatione hominis ; De merito proprio hominis* (cf. Sommervogel, t. 6, col. 441-43). La Lyzealbibliothek de Dillingen conserve deux traités mss de type exégétique : *In librum Apocalypseos* et *In librum Geneseos,* datés de 1595.

Dans les dernières années de sa vie, Pelecyus a publié à Munich quatre gros in-12° : *Malum summi mali sive De infinita gravitate peccati mortalis* (1615 et 1617 ; trad. par M. Hueber, *Ubel alles Ubels,* Munich, 1617) ; – *De humanorum affectuum morborumque cura* (1617 ; Strasbourg, 1715 ; trad. par C. Vetter, *Seelen-Cur,* Munich, 1618 ; cf. Sommervogel, t. 8, col. 633, n. 82) ; – *Turris Babel. Universitas iniquitatis sive de mortifero linguae humanae veneno* (1620 ; trad., *Zungen-Cur,* Munich, 1622) ; – *De officio hominis religiosi* (1622).

Dans ces ouvrages, Pelecyus donne la part prépondérante au combat ascétique, solidement appuyé sur les citations de la Bible et des Pères. Le dernier, *De officio hominis religiosi,* paraît plus remarquable et, en tout cas, touche de plus près à la vie spirituelle ; il s'organise en trois parties : le religieux doit tendre à la perfection, comment y parvenir quant à l'âme et à ses facultés, et enfin quant au corps (sens, comportement extérieur). Cette dernière partie met en lumière les rapports entre l'utilité naturelle des diverses parties du corps et leurs possibilités spirituelles et charitables.

On n'a malheureusement conservé aucun des sermons de Pelecyus ; Thoelen dit que sa prédication était riche d'intériorité et de psychologie pratique. Sa notice nécrologique souligne son expérience dans l'ascèse qu'il enseignait plus encore par son exemple que par ses paroles (Arch. Prov. Germaniae Superioris S.J., Cod. V, 57, p. 148).

Sommervogel, t. 6, col. 440-45. – Hurter, *Nomenclator...,* t. 3, col. 636. – H. Thoelen, *Menologium,* Ruremonde, 1901, p. 738. – Th. Specht, *Geschichte der ehem. Universität Dillingen (1549-1804),* Fribourg/Brisgau, 1902. – B. Duhr, *Geschichte der Jesuiten in den Ländern deutscher Zunge,*

t. 1, Fribourg/Brisgau, 1907, table. – DS, t. 1, col. 339 ; t. 4, col. 1548.

Constantin BECKER.

**PÈLERIN RUSSE** (RÉCITS D'UN). – L'origine et le contenu de ce petit ouvrage, largement diffusé en langue russe et en diverses traductions, posent des problèmes qu'il est impossible de résoudre actuellement.

Son *apport essentiel* a été déjà étudié dans l'art. Prière à *Jésus* (DS, t. 8, col. 1143-46). Les *Récits* montrent en effet comment « le pèlerin » s'imprègne de plus en plus de la « Prière de Jésus », qu'il appelle souvent simplement « la prière ». Il en pénètre le sens spirituel toujours plus profondément, en recourant aux textes du *Drobotoloubié* (adaptation en slavon de la *Philocalie* grecque de Macaire et Nicodème ; cf. DS, t. 10, col. 1599 et art. *Philocalie, infra*). Il lit chaque jour quelques passages de ce livre, dont il s'est procuré l'édition et qu'il porte toujours dans son sac de voyageur ; il occupe des journées entières de halte ou de retraite dans les forêts à le méditer plus longuement ; il le cite et en recommande la lecture aux diverses personnes qu'il rencontre. Prière de Jésus et *Philocalie* constituent ainsi les deux centres d'intérêt complémentaires des *Récits*. Ceux-ci offrent en outre une description précieuse de la société russe après la guerre de Crimée et avant l'abolition du servage (1856-1861 ; le 4ᵉ récit fait allusion à un lendemain de Pâques 4 avril, date qui convient seulement à l'année 1860). Les données concrètes des *Récits* sont assez précises pour que l'on ne puisse guère douter de l'existence historique du « pèlerin ».

Sur *l'origine* de l'ouvrage, deux témoignages de Serge Bolshakof apportent quelques lumières (*I mistici russi,* trad. ital. Edvige Delgrosso, Turin, 1962, p. 228-37 ; l'original russe ne semble pas avoir été publié) ; l'auteur apporte quelques compléments dans *Na vysotach ducha* (« Sur les cimes de l'esprit »), Bruxelles, 1971 ; trad. franç., *Rencontres avec la prière du cœur,* Genève, 1981, p. 106-08. Durant un séjour au monastère de Saint-Pantaléimon sur l'Athos (printemps 1957), Bolshakof découvrit dans la bibliothèque un ms des *Récits,* d'une très belle écriture, rédigé ou dicté par le pèlerin lui-même, au cours d'un passage à l'Athos, et remis au moine Jérôme Solomentsev † 1885, confesseur des russes du monastère depuis 1841 (selon Bolshakof, le pèlerin serait ensuite devenu moine à l'Athos, mais ce n'est là qu'une hypothèse). Ce ms comporte seulement quatre récits ; leur contenu est cependant plus développé que celui des éditions postérieures.

On y trouve en effet cinq épisodes où il est question de rencontres avec des femmes : par exemple, dans la scène avec la servante de la maison de poste (fin du 4ᵉ récit), le pèlerin aurait succombé à la tentation sans l'irruption soudaine de la troïka dans l'auberge ; ces épisodes soulignent que « la prière » devient pratiquement impossible dans le cas de graves tentations charnelles. En outre, dans quelques passages, le pèlerin s'attaque assez vivement à la doctrine savante enseignée dans les écoles théologiques, et même aux évêques qui en sont issus.

Des copies de ce ms furent très vite importées en Russie. Le starets Ambroise d'Optina † 1891 (cf. DS, t. 10, col. 1599) parle dans sa correspondance de l'un d'entre eux, alors entre les mains d'une prieure de monastère, qui était daté de 1859 et rédigé par un paysan de la province d'Orel (sud-ouest de Moscou) ; textes dans *I mistici...,* p. 235-36.

*Les éditions* des *Récits* se multiplièrent. Une première, aujourd'hui introuvable, semble avoir été publiée vers 1870 ; une deuxième, sans doute remaniée et adaptée par Théophane le Reclus † 1894, parut à Kazan en 1881. Une troisième, encore à Kazan en 1884, porte le titre *Oktrovennye rasskazy strannika...* (« Récits candides du Pèlerin à son père spirituel ») ; elle a été reprise à Paris (YMCA Press) en 1930, sous la direction de B. Vycheslavtsev. L'introduction de l'éd. de 1884 affirme que l'ouvrage reproduit un ms copié à l'Athos par le moine Païssy, abbé du monastère Saint-Michel des Tchérémisses ; l'éd. comporte en appendice une série de textes empruntés aux auteurs spirituels de la *Philocalie* sous le titre « Trois clefs pour découvrir le trésor de la prière intérieure » (fréquence de l'invocation du Nom du Christ ; concentration durant l'invocation ; descente en soi-même ou « entrée de l'esprit dans le cœur »).

Ces éditions russes se limitent aux quatre premiers récits. Mais en 1911 les moines de la Trinité-Saint-Serge en publièrent trois nouveaux (« Seconde partie des récits d'un pèlerin »), trouvés dans les papiers du même starets Ambroise. S. Bolshakof juge ces compléments apocryphes (*I mistici,* p. 264). Le 5ᵉ récit paraît sans doute une continuation des précédents ; le pèlerin y parle toujours à la première personne, mais l'intérêt principal porte sur trois enseignements donnés par d'autres personnages : un confesseur qui lui fournit une méthode d'examen de conscience, un moine grec de l'Athos qui lui explique la *Philocalie* en relation avec la Prière à Jésus, enfin un « professeur » qui lui fait recopier ses propres notes sur la prière dans le nouveau Testament. Les 6ᵉ et 7ᵉ récits présentent une structure encore plus différente. Ici le pèlerin est seulement un interlocuteur mineur dans des entretiens où les premiers rôles sont tenus par « un vénérable *schimnik* » (moine parvenu à un haut degré de vie spirituelle) dans le 6ᵉ récit, puis par un « ermite des forêts » dans le 7ᵉ. Ces trois derniers récits ont été ajoutés aux textes publiés en 1930 dans les nouvelles éd. d'YMCA Press, Paris, 1948 et 1973.

Les *traductions* (en allemand, anglais, français, italien, grec, japonais, etc.) vont elles aussi se multiplier dès le second quart du 20ᵉ siècle. Nous signalons seulement les principales (parfois rééditées) d'après les traducteurs : R. von Walther, Berlin, 1925 ; – R.M. French, Londres, 1930 ; – J. Laloy, Neuchâtel, 1943 (sous le pseudonyme de Jean Gauvain, coll. Cahiers du Rhône, série blanche 12) ; Paris, 1966 (coll. Livre de vie), 1978 (coll. Points-Sagesses) ; – Divo Barsotti, Florence, 1949 ; A. Pescetto, Milan, 1972 (avec les « Trois clefs » et une étude de P. Pascal).

Les trois récits complémentaires ont été traduits plus récemment : R. von Walther (extraits seulement, à la suite des quatre premiers), *Russische Mystik. Eine Anthologie,* Düsseldorf, 1957, p. 104-78 ; – R.M. French, Londres, 1973 ; – E. Jungclaussen, Fribourg-Bâle-Vienne, 1974 ; – Bellefontaine, 1973 (coll. Spiritualité 10, avec introd. d'O. Clément). – Une trad. italienne complète des sept récits, avec les « Trois clefs » et un appendice tiré d'une instruction de Théophane le Reclus, a été publiée par M. Martinelli, *Racconti di un Pellegrino russo,* Milan, 1973.

Les éditions et traductions de l'ouvrage attestent par elles-mêmes sa diffusion et son influence, en Occident comme en Orient. Les *Récits du Pèlerin russe* ont contribué à répandre dans un large public la pratique de la « Prière à Jésus » (cf. DS, t. 8, col. 1146-50), et à faire connaître un des aspects de la spiritualité *hésy-chaste* (DS, t. 7, col. 381-89).

Des articles sur les *Récits* ont paru en diverses langues dans des périodiques destinés plutôt au grand public. Signalions seulement : Th. Spidlík, *Il metodo esicastico*, dans *Rivista di vita spirituale*, t. 32, 1978, p. 506-24 ; repris dans *A la ricerca di Dio...*, éd. E. Ancilli, Rome, 1978, p. 197-215 (cf. DS, t. 11, col. 999). – V. Rochcau, *Étude analytique des « Récits du pèlerin russe »*, dans *Plamia* (Meudon, France), n. 45, sept. 1976 ; *Lecture de la Philocalie, ibidem*, n. 48, oct. 1977. – Voir aussi les introd. aux diverses trad. mentionnées ci-dessus.

Aimé SOLIGNAC.

**PÈLERIN DE VERMENDOIS**, bénédictin, première moitié du 16ᵉ siècle ? – Deux éditions du 16ᵉ siècle attribuent à ce personnage énigmatique un *Chapelet d'amours spirituelles*, composition allégorique des plus traditionnelles : les cinq vertus de l'âme dévote y sont comparées à cinq fleurs champêtres (fleur de lys = virginité, violette = humilité, rose = amour de Dieu et charité envers le prochain, souci = patience, muguet = foi) que doit relier en une couronne nuptiale le lien du mépris du monde et de la persévérance. Le *Chapelet* établit un parallèle minutieux entre la constitution de chaque fleur (longueur de la tige, disposition des pétales, couleur et odeur de la fleur, pistil), ses propriétés particulières (ainsi le souci s'ouvre au soleil comme la sainte âme « s'euvre du tout en tout tant comme elle peut a recevoir les influences des rays du vray souleil Jhesu Crist ») et les caractéristiques de la vertu correspondante. Il se dégage de cette composition allégorique un enseignement ascétique conventionnel (les auteurs invoqués, outre l'Écriture, sont Augustin, Jérôme et Grégoire) dont il est difficile de mettre en relief un thème plutôt que l'autre (*contemptus mundi*, méditation de la Passion et des fins dernières, componction...). La dominante me semble toutefois être un souci d'intériorisation.

L'identification du prétendu auteur pose une énigme irritante car, s'il s'avère impossible de confirmer aucune des données biographiques qu'il a eu lui-même l'obligeance de fournir dans la lettre de dédicace qui figure en tête de ces deux éditions, il est tout aussi impossible de les infirmer, étant donné l'état lacunaire de la documentation dont nous disposons. Pèlerin de Vermendois serait donc originaire de Dijon, docteur en théologie, clunisien et prieur de Notre-Dame de Mons : or, nous n'avons conservé de listes d'étudiants et de maîtres ni pour la faculté de théologie de Paris ni pour celle de Dole à cette époque ; il ne subsiste pas d'archives du prieuré de Mons (diocèse de Clermont, Puy-de-Dôme) et je n'ai trouvé aucune mention utile dans les obituaires publiés. Il aurait pour sœur une certaine « Moinginne » de Vermendois et pour beau-frère Humbert « de Perradinis », procureur de la ville de Louhans (Saône-et-Loire) : c'est invérifiable, mais Pradines est un toponyme fréquent dans tout le Massif Central. Enfin, il aurait composé le *Chapelet d'amours spirituelles* à « Bargeste » (plusieurs Bargette ou Bargettes dans la Loire, la Haute-Loire et le Puy-de-Dôme) (a.s.) – soit donc 1527 n.s. – au retour d'une mission en Allemagne au cours de laquelle, envoyé spécial de Clément VII, il aurait si bien confondu François Lambert, Guillaume Farel et « Jehan Ley » (Jean d'Esch ?) au cours d'une dispute publique que le premier n'aurait plus eu d'autre issue que de se retirer « aux ... plus iniques communaultés et cités impériales d'Alemaigne » et les deux autres de disparaître « pour plus n'apparoir devant

la face des hommes » : or, si nous n'avons conservé aucune trace de dispute à Strasbourg pendant le séjour qu'y effectuèrent François Lambert (avril 1524-juillet 1526) et Guillaume Farel (avril 1525-octobre 1526), il est de fait que les deux réformateurs se sont trouvés ensemble à Strasbourg durant le printemps 1526 et qu'ils quittèrent définitivement la ville l'un en juillet pour la Hesse, l'autre en octobre pour la Suisse.

Quoi qu'il en soit, une seule chose est et reste certaine : Pèlerin de Vermendois – ou le personnage qui se cache sous son nom – est un faussaire et le *Chapelet d'amours spirituelles* ne date pas de 1527. Il s'agit d'un remaniement, effectué dans le courant du 15ᵉ siècle, d'une œuvre anonyme du 14ᵉ siècle connue sous le titre de *Chapelet de virginité*.

Il reste trois mss du *Chapelet de virginité* : Paris, Arsenal 2047 (fin 14ᵉ s.), Paris, Mazarine 946 (fin 14ᵉ s.), et Hambourg, Staats- und Univ. Bibl., Gall. 1 (15ᵉ s.) ; Inc. : « A commencier le chapelet la première fleur est la fleur de lis... ».

Du *Chapelet d'amours spirituelles*, également appelé *Chapelet d'amour divine*, subsistent deux mss : Paris, BN, fr. 19247 (15ᵉ s.) et Metz, BM 678 (15ᵉ s.) ; abrégé en deux folios : Paris, Arsenal 3386 (fin 15ᵉ s.). – Quatre éditions : Paris, Michel Le Noir, sd = 1505 (Pellechet, n. 3515) ; Lyon, Claude Nourry, sd = vers 1510 (Pellechet, n. 3514) ; Paris, Alain Lotrian, 1526 a.s. ; Toulouse, Nicolas Vieillard, 1536 a.s. Il faudrait y ajouter les deux premières et la quatrième des éd. signalées par Brunet (cf. *infra*) dont il semble qu'aucun exemplaire n'ait été conservé. Soit, au total, deux éd. du 15ᵉ siècle et cinq du 16ᵉ. Les éd. antérieures à celle de Lotrian ne font pas mention de Pèlerin de Vermendois ; le texte est présenté comme anonyme. Lotrian donne le titre exact, tandis que Vieillard et G. Soquand (cf. Brunet) combinent les deux titres : *Le chapelet de virginité dit d'amours spirituelles*, Inc. : « Veni in ortum meum, soror mea... Ceste doulce voix, ceste chançonnete amoureuse recite Salomon... ».

L'allégorie du « chapel » de fleurs est d'ailleurs typique de la tradition courtoise des 13ᵉ-14ᵉ siècles, et le *Chapelet de virginité* présente plus que des affinités avec un petit poème du 13ᵉ siècle, le dit *Dou capiel a vii flours* (Paris, BN, fr. 1553, 1555 et 24432 ; cf. *Histoire littéraire de la France*, t. 23, 1856, p. 249-50). En dépit de la pérennité inévitable de certains thèmes ascétiques, on reste surpris de l'audience que semble avoir connue cet exposé un peu insipide dans le contexte culturel et spirituel si différent des débuts de la Réforme. La langue est trop neutre pour permettre une localisation assurée du texte ; quelques indices du vocabulaire orienteraient néanmoins plutôt vers le Nord-Est français.

J.-Ch. Brunet, *Manuel du libraire*, 5ᵉ éd., t. 1, Paris, 1860, col. 1795. – M. Pellechet, *Catalogue général des incunables...*, t. 2, Paris, 1905, n. 3514-15.

Geneviève HASENOHR.

**PÈLERINAGES**. – Le phénomène religieux des pèlerinages a une dimension très large dans le temps et dans l'espace ; ses origines remontent bien au-delà de l'antiquité chrétienne et il reste vivant de nos jours ; il apparaît dans la plupart des religions, avec des différences mais aussi des traits communs. En outre, les lieux de pèlerinage sont liés à des personnes ou des événements repérables dans l'histoire, ou à l'*aura* légendaire qui a très tôt enveloppé les fondateurs de religions ou les saints personnages. Aussi ce phénomène a-t-il attiré l'attention des spécialistes en histoire religieuse et profane, en sociologie, en phénoménologie, en psychologie, voire en économie ; il en est résulté une abondante littérature dans les dernières décennies : ouvrages d'ensemble, monographies particulières et recueils de documents, congrès et colloques, numéros spéciaux de revues. Dans l'optique propre du DS, cet article se limitera cependant aux pèlerinages comme événement spirituel, les autres aspects n'étant qu'incidemment évoqués. Même dans ce cadre restreint, on a choisi des domaines ou des moments plus représentatifs :

I. *Pèlerinages non chrétiens :* A. *Bouddhisme.* – B. *Islam.* – II. *Pèlerinages chrétiens :* A. *Orient jusqu'au 7e siècle.* – B. *Rome.* – C. *Moyen Age occidental.* – D. *19e-20e siècles.*

Une *introduction* traitera cependant du terme *peregrinatio* et, à cette occasion, du genre des *pèlerinages spirituels.*

La bibliographie est considérable ; les études importantes seront signalées après chaque section. Nous signalons ici quelques ouvrages fondamentaux (dont le contenu dépasse parfois le titre) et les articles des grandes encyclopédies.

J. Gretser, *De sacris et religiosis peregrinationibus,* Ingolstadt, 1602 ; rééd. dans *Opera omnia,* t. 4/2, Ratisbonne, 1734 (toujours à consulter). – L. de Civry et M. Champagnac, *Dictionnaire géographique, historique, descriptif, archéologique des pèlerinages anciens et modernes,* coll. J.-P. Migne, Petit-Montrouge, 1850-1851. – *Wallfahrt und Volkstum in Geschichte und Leben,* éd. G. Schreiber, Düsseldorf, 1934. – B. Kötting, *Peregrinatio religiosa. Wallfahrten in der Antike und das Pilgerwesen in der alten Kirche,* Regensburg-Münster, 1950. – P. Cabanne, *Les longs cheminements. Les pèlerinages de tous les temps et de toutes les croyances,* Paris, 1958 (pas de notes justificatives, mais intéressant pour les appendices : liste des pèlerinages régionaux et des Guides de pèlerins). – *Les Pèlerinages. Égypte ancienne, Israël, Islam, Inde, Perse, Tibet, Indonésie, Chine, Japon, Madagascar,* coll. Sources orientales 3, Paris, 1960. – *Pellegrinaggi e culto dei Santi in Europa fino alla 1ª Crociata* (colloque de Todi, 1961), Todi, 1963. – *Les Pèlerinages. De l'antiquité biblique et classique à l'occident médiéval* (Études d'histoire des Religions 1), Paris, 1973.

Numéros de Revues. – *Lumen vitae,* t. 13, fasc. 2, 1958, *Pèlerinage et formation religieuse.* – *Lumière et vie,* n. 79, 1966. – *Lettre de Ligugé,* t. 12, 1972, p. 729-34.

DACL, t. 14/1, 1939, col. 40-176. – EC, t. 9, 1952, col. 1080-86. – *Dictionnaire de droit canonique,* t. 6, 1957, col. 1313-17. – RGG, t. 6, 1962, col. 1537-42. – LTK, *Peregrinatio,* t. 8, 1963, col. 268-69 ; *Wallfahrt,* t. 10, 1965, col. 941-48. – DBS, t. 7, 1966, col. 567-605 (Ancien Orient, Israël, Lieux saints chrétiens). – NCE, t. 11, 1967, p. 362-74. – *Encyclopaedia Judaica, Holy Places,* t. 8, 1971, col. 920-40 ; *Pilgrimage,* t. 13, col. 510-19. – *Encyclopaedia Universalis,* t. 12, 1972, p. 729-34 (A. Dupront). – DIP, t. 6, 1980, col. 1424-36.

Sur les pèlerinages dans l'Orthodoxie (non traités dans l'article) : P. Pascal, dans *Lumen vitae,* 1958, p. 258-66. – Kl.-D. Seemann, *Die altrussische Wallfahrtsliteratur. Theorie und Geschichte eines literarischen Genres,* Munich, 1976.

**Introduction.** – 1. PEREGRINATIO. – Le sens de ce terme a été étudié avec précision par E. Lanne (DIP, t. 6, col. 1424-32, que nous utilisons largement). L'adjectif *peregrinus* (souvent substantivé) dérive de *per-agrare* (cf. A. Ernout, A. Meillet, *Dictionnaire étymologique de la langue latine,* 3e éd., Paris, 1956, p. 25-26, *ager*), qui signifie « parcourir », avec le sens intensif d'aller « au loin » (*peregre*). *Peregrinus* désigne donc « celui qui voyage au loin, qui se rend en pays étranger et y séjourne », puis par extension

« étranger ». Les mêmes significations apparaissent dans le verbe *peregrinari* et le substantif d'action *peregrinatio*; ce dernier mot est utilisé par Cicéron au sens de « séjour à l'étranger » et rapproché d'exil (*Tusculanes* v, 37, 107 ; cf. *Ad familiares* II, 12, 2). Tertullien est le premier auteur chrétien à employer le terme au sens de « voyage » (*De carne Christi* 7, 7, SC 216, 1975, p. 244 : il s'agit de Marie venant voir Jésus avec « ses frères » ; cf. *Luc* 8, 20).

Pour ces divers sens, le grec emploie des mots de familles différentes : le déplacement loin de son peuple est rendu par le verbe ἀποδημεῖν et le substantif ἀποδημία (plus rarement ἐκδημεῖν et ἐκδημία) ; « étranger » est rendu par ξένος et le substantif ξενιτεία désigne le « dépaysement » (on trouve aussi πάροικος, παροικία, duquel le latin chrétien formera le mot *parrochia,* « paroisse » pour désigner la communauté locale).

C'est progressivement que cette terminologie deviendra celle du *pèlerinage,* comme déplacement vers des lieux saints, dans un but religieux. Grégoire de Nysse parle encore de « partir vers Jérusalem » (ἀπελθεῖν εἰς Ἱεροσόλυμα ; *Epist.* 2, éd. Pasquali, p. 16), mais déjà Jean Chrysostome assure qu'il ferait volontiers une ἀποδημία pour « voir » la prison et les chaînes de Paul (*In Eph.,* hom. 8, 2, PL 62, 57a). Nous ignorons le titre du « voyage » d'Égérie, l'unique ms étant acéphale ; mais *peregrinus* y est employé une fois pour désigner des « pèlerins » (8, 4 : l'évêque de Ramessen accueille bien « les pèlerins »), une autre fois dans un sens très proche (45, 4 : l'évêque de Jérusalem n'admet pas facilement au baptême un « étranger », probablement un « pèlerin », si aucun de ses compagnons ne peut attester ses bonnes dispositions). Deux cent cinquante ans plus tard, l'*Itinerarium Antonini Placentini* ne laisse plus d'hésitation sur l'emploi du terme au sens de « pèlerin » (1 ; 23 ; 26-27 ; 33 ; CCL 175, p. 129, 141, 143, 145).

Mais, en contexte chrétien, les termes mentionnés ci-dessus prennent aussi des sens dérivés qui évoquent des attitudes intérieures et spirituelles. On peut globalement en distinguer trois, qui, d'ailleurs, se recouvrent partiellement :

1) *Le départ au loin,* avec l'idée de « détachement de la patrie », de « dépaysement volontaire ». Chez les auteurs grecs, cette attitude ascétique est caractérisée par le mot *xeniteia,* et elle est rattachée au départ d'Abraham pour aller d'Ur, sa patrie, vers la terre que Dieu lui promet (*Gen.* 12, 1, développé en *Hébr.* 11, 8-10). Ce thème apparaît chez Philon d'Alexandrie (cf. le *De migratione Abrahami*), puis chez Clément de Rome et surtout Irénée (*Adversus haereses* IV, 5, 364 ; 25, 1-3 ; *Epideixis* 24 ; 35 ; 44).

2) La perception de *la vie terrestre comme un exil* « loin du Seigneur », car cette vie n'est pas la vraie vie, ni la terre la vraie patrie. Déjà présente dans l'Ancien Testament (*Lév.* 19, 34.36 ; *Job* 19, 15 ; 31, 32 ; *Ps.* 38, 13 ; 118, 54, etc.), cette idée s'affermit dans le Nouveau (*2 Cor.* 5, 6.8 ; *1 Pierre* 2, 11 ; *Hébr.* 11, 14-15). Inversement, par la foi et l'espérance, les chrétiens sont déjà « concitoyens des Saints, membres de la maison de Dieu » (*Éph.* 3, 19). Ce paradoxe de l'existence chrétienne est bien décrit dans l'*A Diognète* : les chrétiens « résident chacun dans sa propre patrie, mais comme des étrangers... Toute terre étrangère est leur patrie et toute patrie une terre étrangère » (5, 5 ; SC 33 bis, 1965, p. 62).

3) *Le cheminement vers la Jérusalem céleste,* la véritable patrie (*Hébr.* 13, 14 ; *Apoc.* 23 ; cf. DS, t. 8, col. 944-58). L'*Exode,* longue marche d'Israël vers la

Terre promise, est interprété chez les Pères comme figure de ce cheminement du chrétien individuel et de l'Église entière (DS, t. 4, col. 1974-90, 1993-95). Augustin, dont les *Confessions* ont été définies comme une *peregrinatio animae* (G.N. Knauer, dans *Hermès*, t. 85, 1957/58, p. 216-48), développe à maintes reprises le double thème du chrétien *peregrinus* et de l'*Ecclesia peregrina* (*Enarrat. in Ps.* 38, 21 ; 49, 22 ; 64, 2 ; 87, 15 ; 118, s. 8, 2 ; 119, 6-9 ; 125, 1-5 ; *Sermo* 4, 9 ; 346, etc.).

H. von Campenhausen, *Asketische Heimatlosigkeit*, coll. Sammlung... aus dem Gebiet der Theologie..., n. 149, Tübingen, 1930. – B. Kötting, cité *supra*, p. 7-11. – A. Guillaumont, *Le dépaysement comme forme d'ascèse dans le monachisme ancien*, dans *Annuaire de l'École des Hautes Études*, 5e sect., t. 76, 1968/69, p. 31-58 ; repris dans *Aux origines du monachisme*, Bellefontaine, 1979, p. 90-116. – E. Lanne, *La « xeniteia » d'Abraham dans l'œuvre d'Irénée*, dans *Irénikon*, t. 47, 1974, p. 163-87 ; cf. art. *Monachisme*, DS, t. 10, col. 1553. – P. Borgomeo, *L'Église de ce temps dans la prédication de S. Augustin*, Paris, 1972, p. 146-50 *Ecclesia peregrina*.

2. LES PÈLERINAGES SPIRITUELS. – Au moyen âge, du 11e au 13e siècle, le « pèlerinage intérieur » est d'abord une conjonction entre le monachisme et le dépaysement, le plus souvent dans le but de prêcher la pénitence et la conversion (cf. *infra*, col. 919), plus tard en vue d'une suppléance du pèlerinage réel par la vie monastique (cf. J. Leclercq, *Aux sources de la spiritualité occidentale*, Paris, 1963, p. 35-90). Mais, au 14e siècle s'inaugure un genre nouveau, dans lequel il convient d'ailleurs de distinguer deux catégories différentes : les « pèlerinages *en esprit* » aux lieux saints, les « pèlerinages de la vie humaine ». Les premiers se rattachent évidemment à la tradition des pèlerinages réels, ce sont aussi des « pèlerinages de suppléance » ; les seconds dérivent de la troisième attitude spirituelle décrite plus haut : la *peregrinatio* comme cheminement vers la patrie céleste. Nous nous limiterons à quelques témoins de ces traditions.

1º *Les pèlerinages en esprit*. – On pourrait déjà classer dans cette catégorie les *Meditationes Vitae Christi* pseudo-bonaventuriennes (DS, t. 1, col. 1848-53 ; t. 8, col. 324-26) et la *Vita Christi* du chartreux Ludolphe de Saxe (DS, t. 9, col. 1133-38, avec mention d'ouvrages similaires) qui proposent de contempler le Christ en pensée dans les « mystères » de sa vie (DS, t. 10, col. 1874-80) ; en relèvent aussi, à leur manière, les expériences mystiques d'Angèle de Foligno † 1309, de Brigitte de Suède † 1373, et les « bilocations » de Lydwine de Schiedam † 1433 (DS, t. 10, col. 1838). Au 15e siècle, la tradition se relie de plus près aux pèlerinages réels à Jérusalem ; les fidèles empêchés de s'y rendre cherchent à les remplacer par des visites aux sanctuaires locaux et diverses pratiques de piété. C'est aussi l'époque où apparaît la dévotion aux « chutes », aux « marches » et « stations » du Christ, qui débouchera finalement dans le « chemin de croix » aux quatorze stations (cf. DS, t. 2, col. 2578-2602, où est étudiée l'histoire de cette tradition avec ses auteurs représentatifs ; voir aussi l'art. *Pascha*, t. 12, col. 291-94).

L'instauration des *jubilés romains* en 1300 (DS, t. 8, col. 1482-85), dont le bénéfice sera étendu en 1390 et 1400 aux fidèles qui ne peuvent se rendre à Rome, provoque une littérature analogue. Un *Pelerinaige espirituel* figure dans les éditions anciennes de Jean Gerson (t. 4 des *Opera* par J.

Wimpheling, Strasbourg, 1502 ; E. Du Pin, t. 2, col. 523a-524b ; cf. E. Vansteenberghe, *Quelques écrits de J. G.*, dans *Revue des sciences religieuses*, t. 14, 1934, p. 387-91 ; l'éd. récente de P. Glorieux ne le reprend pas) ; cette attribution est rejetée par M. Lieberman (*Gersoniana*, dans *Romania*, t. 78, 1957, p. 158-66), qui voit plutôt dans cet opuscule l'adaptation d'un écrit anglais, composé peut-être à Oxford vers 1423. On y trouve une série de pratiques disposées d'après le nombre de journées requises pour un voyage à Rome. Geiler de Kaisersberg † 1510 (DS, t. 6, col. 174-79) attribue cependant l'ouvrage à Gerson, et adapte son contenu pour un pèlerin censé partir de Strasbourg (*Christenlich Bilgerschaft*, Bâle, 1513 ; trad. lat. *Peregrinus*, Strasbourg, 1513).

2º *Les pèlerinages de la vie humaine*. – Cette tradition semble commencer avec le cistercien Guillaume de Digulleville († après 1358) et sa trilogie en vers : *Pèlerinages de la vie humaine, Pèlerinage de l'âme, Pèlerinage de Jésus-Christ* ; les deux premiers ouvrages seront mis en prose dès le 15e siècle et plusieurs fois imprimés (cf. DS, t. 6, col. 1201-03). Du même siècle date le poème *Piers Plowman* de William Langland, qui eut grand succès auprès de ses contemporains (DS, t. 9, col. 219-21). Un siècle plus tard, vient le *Livre du chemin de la perfection* de Robert Ciboule † 1458, qui fait d'Abraham « le type du pèlerin spirituel sur la voie de la perfection » et suit les étapes de la vie spirituelle selon la distinction commençants, progressants, parfaits (DS, t. 2, col. 887-90). Le *Passe-temps du pèlerin de la vie humaine*, composé par le récollet Jean Glapion † 1522 et publié seulement en traduction néerlandaise, est plus généralement un traité de vie spirituelle destiné aux humbles fidèles (DS, t. 6, col. 419-21).

Au 17e siècle, l'ouvrage capital est celui du jésuite Jacques Gretser, *De sacris et religiosis peregrinationibus libri IV* (Ingolstadt, 1606). Les trois premiers livres traitent des pèlerinages réels (I : définition de la *peregrinatio* ; lieux saints de Palestine et d'Orient ; II : Rome et lieux saints d'Occident, surtout pèlerinages marials ; III : arguments pour et contre les pèlerinages, devoirs des pèlerins et envers eux). Le livre IV est consacré à la *peregrinatio spiritualis* : nature (ch. 1) ; application à toute vie chrétienne (2-3) ; route, difficultés, équipement du pèlerin spirituel (4-14) ; la patrie céleste comme terme du pèlerinage (15) ; la doctrine, nourrie de citations scripturaires et patristiques, reste valable pour notre temps.

En 1628, Boetius A. Bolswert publie à Anvers le *Duyfkens ende Willemynkens pelgrimagie*, que l'auteur orna de gravures en taille-douce (comme il l'avait fait pour des ouvrages des jésuites Antonin Sucquet et Jean Bourgeois) ; cet écrit fut largement répandu et traduit en français (*Pelerinage de Colombelle et Volontairette vers leur bien-aimé*, Anvers, 1636, etc.), en allemand et en anglais (cf. DS, t. 1, col. 1761-62). Destiné à des jeunes filles (cf. avant-propos), cet ouvrage leur présente, sous les traits de Colombelle (qui se veut épouse du Christ) et de Volontairette (qui se perd dans les attraits du monde), un guide de vie chrétienne.

Malgré leur titre, deux autres ouvrages relèvent du pèlerinage de la vie : *Le Pèlerin véritable de la Terre Sainte, auquel soubs le discours figuré de la Jérusalem antique et moderne est enseigné le chemin de la céleste* (Paris, 1615 ; nous n'avons pas vu cet ouvrage, mentionné sans nom d'auteur) ; *Peregrinus Hierosolymitanus, sive tractatus de quintuplici notitia peregri-*

*nantibus per mundi huius eremum in supernam Hierusalem necessaria,* publié à Cologne en 1652 sous le nom de Celidonius Nicasius, pseudonyme de Jean Sinnich †1666 ; c'est un traité sur la connaissance de soi-même, l'appartenance du chrétien à la cité céleste et son cheminement vers la Jérusalem d'en haut.

La tradition se poursuit jusqu'à nos jours ; il suffit de mentionner quelques titres : J.-B. La Sausse † 1826 (DS, t. 9, col. 318-20), *Les pèlerins, ou voyage allégorique à Jérusalem,* Falaise-Paris, 1807 ; *Itinéraire de l'exil à la Patrie, ou Aventures de Théophile dans le cours de son pèlerinage sur la terre,* anonyme, Paris, 1856 ; M. Marshall, évêque anglican de Woolwich, *Pilgrimage and Promise,* Londres, 1981.

J. Hofinger, *Le pèlerinage, symbole de la vie chrétienne,* dans *Lumen Vitae,* 1958, p. 277-90. – W. Harms, « *Homo viator in bivio* ». *Studien zur Bildlichkeit des Weges,* Munich, 1970. – F.C. Gardiner, *The Pilgrimage of Desire. A study of Theme and Genre in medieval Literature,* Leyde, 1971.

Aimé SOLIGNAC.

## I. PÈLERINAGES NON CHRÉTIENS

### A. Pèlerinages bouddhistes

Pas plus que le pèlerinage chrétien, le pèlerinage bouddhiste ne se ramène à une définition unique. Les faits observables ne correspondent souvent que de loin à un pèlerinage idéal qui serait fondé en bouddhologie. D'entrée de jeu, deux questions se posent : qui était le Bouddha ? Que pensait-il, lui-même, des pèlerinages ? Le Bouddha historique (560 ? à 480 ? av. J.C. ; cf. art. *Inde,* DS, t. 7, col. 1675) ne s'est jamais voulu l'objet d'un culte. Comme l'écrit A. Foucher, son biographe le plus sobre : « Pendant quarante-cinq ans, le Prince Siddharta, devenu moine, a été prêcheur itinérant dans une région pas plus grande que la moitié de la France. Pendant la saison des pluies, il était immobilisé dans l'un ou l'autre des monastères qu'il avait fondés » (*La vie de Bouddha d'après les textes et les monuments de l'Inde,* Paris, 1949).

Il existe cependant, mise dans sa bouche, une déclaration, trop belle pour être vraie, dans un texte tardif : « Il y a quatre places, ô Ananda, qu'un fils de famille croyant doit visiter avec une profonde émotion. Quelles sont ces quatre ? (Celles où il peut dire :) C'est ici que le Prédestiné est né (Lumbini)... c'est ici que le Prédestiné a atteint le suprême et parfait Éveil (Bodh Gaya)... c'est ici que le Prédestiné a fait tourner la roue de sa Loi (Sarnath)... c'est ici que le Prédestiné est entré dans le Nirvâna (Koucinagara), *sans reste ni retour* » (cité *ibidem,* p. 272).

Mais telle était la vénération dont l'entouraient ses disciples qu'on s'est partagé sur place et au loin ses reliques et qu'on a construit des *stoupas* en son honneur. Ceux-ci, symboles du *Tâthagata* « ainsi venu, ainsi allé », sont devenus lieux de culte et de pèlerinage. Puis les premières spéculations (et ce ne seront pas les seules) l'imagineront comme Celui qui reviendra après des myriades de Kalpas (éons) pour remettre en mouvement la roue de la Loi, endormie !

1. INDE. – De nos jours, des quatre hauts-lieux cités plus haut, Bodh Gaya et Sarnath (près de Bénarès) sont les plus fréquentés, parce que les plus accessibles. A Bodh Gaya, les ligues officielles des différents pays bouddhistes ont tenu à élever chacune son sanctuaire

national. On y voit, de temps à autre, sans qu'on puisse parler d'affluence, des groupes de pèlerins-touristes venus de Ceylan, du Tibet, de Birmanie, de Thaïlande et du Japon.

En Inde même, le Bouddhisme est à peu près éteint. On y compte à peine 100 000 adeptes. L'Inde cependant, mais du seul point de vue culturel, est fière de préserver les monuments d'un temps où elle fut en grande partie bouddhiste, grâce à l'impulsion que donna Açoka, monarque converti (3e s. av. J.C.), souvent appelé le Constantin du Bouddhisme. Ces monuments sont : Sanchi, Ajanta et Ellora, Nagarjuna-konda dans la vallée de la Krishna, mais surtout l'Université (excavée) de Nalanda (non loin de Bodh Gaya), laquelle a joué jusqu'au 12e siècle, après l'invasion islamique, un rôle éminent dans la formation des moines qu'elle envoyait comme traducteurs en Chine ainsi que dans l'accueil des fameux moines-pèlerins venus du Céleste Empire ou du Tibet pour y étudier les sources.

2. CEYLAN (Sri Lanka). – Pourquoi d'abord Ceylan ? Il y a de cela deux raisons. La première, c'est que le Bouddhisme, au temps de son expansion en Inde, celui d'Açoka, y a été introduit par le fils de ce dernier, le prince Milinda, dès le 3e s. avant notre ère, donc avant qu'il ne le soit en Chine (1er s. de notre ère), au Japon (6e s.) et au Tibet (8e s.). La deuxième, et non la moindre pour les bouddhistes fondamentalistes, c'est que les plus anciens textes bouddhiques, en pâli et en provenance du Bassin du Gange, y ont été apportés, conservés et étudiés. Ils représentent ce qu'on appelle le bouddhisme des Anciens (appelé ultérieurement et avec une nuance de dédain : le Petit Véhicule ; cf. DS, t. 7, col. 1673). Il faut cependant les décaper de bien des scories légendaires pour connaître quelque peu la vie et l'enseignement du Bouddha. Il n'en est pas de même des pures fictions qui se sont accumulées dans la suite des siècles. Des seize lieux de pèlerinage (y compris Kandy) qu'on peut signaler, il n'y en a pas un qui ne prétende posséder soit une dent, soit la clavicule droite, soit l'os frontal du Parfait Illuminé, ou qui ne montre encore un arbre sous lequel il aurait médité au cours de trois prétendues visites à Ceylan, ou enfin la trace imprimée, géante, de la plante de son Pied, à la mesure de sa taille légendaire : plus de 9 mètres.

Dans la trace qui se trouve dans un enclos, rarement ouvert, au célèbre Pic d'Adam, Hindouistes, Bouddhistes, Musulmans et même Chrétiens croient reconnaître, dans l'ordre, la plante du pied (avec inscriptions bouddhiques) de Vichnou, de Bouddha, d'Adam et de saint Thomas, apôtre de l'Inde. Quoi qu'il en soit, tous ces croyants s'y retrouvent en masse en avril, avant la mousson. Le Pic est à 2 500 m. On se purifie dans le torrent qui sépare le pic proprement dit du reste de la montagne ; mais le grand événement, c'est l'invocation, mains jointes, au Soleil Levant, aux cris de Sâdu, Sâdu, Sâ !

Ce que le Bouddhisme du « Petit Véhicule » (*Hînayâna*) est à Ceylan, il l'est plus ou moins, du moins du point de vue doctrinal, en Thaïlande et dans la péninsule indochinoise.

3. BIRMANIE. – Les hauts-lieux tels que le Shweh Dagon à Rangoon et la Pagode Arakan à Mandalay, tout comme le moindre temple de village birman, posent à l'enquêteur occidental le problème de la pureté du Bouddhisme qui se dit volontiers « originel ». En Birmanie, le Bouddha est-il adoré en personne ou simplement considéré comme un idéal de vie vécu par lui ? Les réponses sont diverses selon l'interlocuteur interrogé. Les démonstrations de piété

ne manquent certes pas et il est certain qu'au niveau de la religion populaire, gestes et prières s'adressent à un Être surhumain, incarnation d'une sagese transcendante. Mais ce bouddhisme coexiste avec la croyance aux *nats*, esprits et génies locaux. Il ne s'agit d'ailleurs ici que de visites aux temples et non de pèlerinages proprement dits.

4. TIBET. – Le Bouddhisme du Tibet, comme ceux que nous verrons dans la suite, relève du Grand Véhicule (*Mahâyâna*, cf. DS, t. 7, col. 1673). Ce Bouddhisme a introduit le culte des *bodhisattvas* (t. 7, col. 1679-80). Le bodhisattva est un « être sensible » (ce que nous appellerions une créature), qui a pris le chemin du Bouddha vers le *nirvana* (béatifiant), mais, à la différence du Bouddha, parvenu à sa porte se retourne vers ses semblables et reprend le chemin avec eux, pour les aider à se sauver.

Avec le Tibet mahâyâniste, le Bouddhisme change de paysage et d'horizons comme la géographie même de ce pays, pittoresque et mystérieux. Son isolement ne l'en a rendu que plus séduisant pour les voyageurs et les savants. Nous ne manquons donc point de littérature, encore que son interprétation soit sujette à caution. Les Tibétains, jusqu'à leur mise au pas par l'administration communiste chinoise de Péking (1959) et l'expulsion ou l'exil d'un grand nombre de lamas, ont toujours passé pour des pèlerins modèles, en raison de leur nomadisme et de leur pauvreté.

Parlant d'un groupe de Tibétains, empêchés par manque d'argent de poursuivre la route vers les lieux saints et établis dans le nord de l'Inde, A.-M. Large-Blondeau écrit : « (Ce fait) dépeint bien le peuple tibétain à l'esprit aventureux, pour qui partir à la recherche d'un paradis est chose raisonnable, peuple en constant dialogue avec l'invisible, pour qui le pèlerinage est un des moyens de maintenir ce dialogue » (*Les pèlerinages...*, p. 240-41).

Bouddhisme d'ailleurs très à part, *tantrique* (cf. DS, t. 7, col. 1671-72), magique et shamaniste, dit du *Vajra* (Diamant), mais dans lequel la plus ésotériste des sectes japonaises (Shingon ou Tendai) aurait peine à trouver son fil d'Ariane. Témoin cette généalogie de Jo-Bo Manjuvajra (le Monju des Japonais) : « Issu du germe de la grande connaissance de Vajradhara et de son épouse, il est comme le joyau Cintâmani qui exauce tous les désirs exprimés dans cette vie et dans l'au-delà » (*ibidem*, p. 215). Jamais Japonais ne confondra Monju avec Kannon au joyau Cintâmani (Nyoirin-Kannon) ; encore moins parlera-t-il d'épousailles. Le Japonais sait bien qui est Kannon, mais jamais il ne croira que le Dalaï-Lama soit son incarnation vivante, ni que son palais soit de ce fait le Paradis (Potala, devenu Fudaraku au Japon). Mêmes mots, autres croyances !

Plus compréhensible, dans le peuple, la pratique des 108, 1 080, 10 800 prosternations consécutives, à trois pas de distance, autour des lieux sacrés, surtout aux confins du Tibet, de la Mongolie et de la Chine du Nord, région « émaillée de lacs et de montagnes, de temples fameux et de tours reliquaires » (J. Blofeld). Le nombre 108 et ses multiples représentent les mauvais désirs dont il faut se purifier avant de parvenir au nirvana.

5. CHINE. – Brûler de l'encens sur la montagne, n'omettre de faire ses dévotions à aucun des sanctuaires secondaires trouvés en cours de route, semble être l'essentiel des pèlerinages chinois bouddhistes, lesquels n'ont d'ailleurs jamais été vus d'un bon œil par les autorités, imprégnées de confucianisme. Il est possible que les quatre sanctuaires les plus vénérés constituent les points cardinaux, au sens géographi-

que, marquant les limites extrêmes atteintes par le Bouddhisme en Chine.

Ce sont Wu-tai (les cinq terrasses) au nord-ouest ; O-mei au sud-ouest dans le Seutchuan ; Puto, dans une île rocheuse à l'est, non loin de Shang-haï, et Chiu-hua, au sud, plus loin de Shang-haï. Les bodhisattvas qui y sont vénérés sont, dans l'ordre : Manjusri (le Monju des Japonais) et Samantabhadra (Fugen des Japonais), le premier chevauchant un lion, le second un éléphant blanc. Les deux autres, peu ésotériques et très populaires, sont : Kwan-in (Kannon) et Jizô, le pèlerin par excellence, guide et protecteur de ceux qui voyagent, animaux compris, dans les six directions qui mènent aux mondes supérieurs ou inférieurs.

6. Le JAPON, dans la perspective duquel on nous accusera peut-être de nous être trop situés, n'est guère comparable aux pays dont nous venons de parler. Ce pays n'est pas prêt à sacrifier quoi que ce soit de son héritage culturel, voire religieux. Les pèlerinages bouddhistes y sont conçus comme des circuits de 88 ou de 33 lieux saints. Les circuits à 33 ont tous comme objet de vénération Kannon (cf. DS, t. 8, col. 162), le plus populaire des bodhisattvas, puisqu'il représente le Recours et le Secours Perpétuel, reconnaissable à ses mille bras ou ses onze têtes, plus rarement à la tête de cheval qui surmonte son front. Les plus connus de ces pèlerinages à Kannon sont celui de la région de l'Ouest (Saikoku), celui de la région de l'Est (Bandô), et celui de Chichibu, à l'ouest de Tokyo.

Mais alors que, dans ces pèlerinages à Kannon, on trouve assez rarement le pèlerin classique avec son habit blanc, le chapeau conique à inscriptions et le bâton, il n'en est pas de même dans celui de l'île de Shikoku, plus typiquement japonais en ce que le Saint qu'on y vénère tout au long des 88 sanctuaires du circuit est un personnage historique, grand génie religieux Kûkai (785-832) ou Kôbô Daishi (le Grand Maître de la Propagation de la Loi ; DS, t. 8, col. 163-64). C'est en sa compagnie que le fidèle accomplit son pèlerinage. Tout pèlerin, aujourd'hui comme autrefois, connaît la prière souvent répétée : « Vénérable Grand Maître, Éclaire notre errance (vers) le Monde Stable ».

Les pèlerins de Shikoku ont cette supériorité sur d'autres qu'ils ont été assez sérieusement instruits par des bonzes de la secte Shingon, leurs « curés », qui vont régulièrement se ressourcer au Mont Kôya, fondé par Kûkai. En effet, il s'agit là surtout de pèlerinages paroissiaux.

*Les Pèlerinages...* Inde, Tibet..., Chine, Japon, coll. Sources orientales 3, Paris, 1960 (auteurs divers). – *Présence du Bouddhisme = Revue France-Asie*, n. 153-157, février-juin, 1959.
*Inde* : H. Valentino, *Le voyage d'un pèlerin chinois dans l'Inde des Bouddhas*, Paris, 1932. – *Ceylan* : L.A. de Silva, *Buddhism. Beliefs and Practices in Sri Lanka*, Colombo, 1974. – *Birmanie* : W.L. King, *A Thousand lives away Buddhism in Contemporary Burma*, Oxford, 1964.
*Tibet* : A. Ferrari et L. Petch, *mK'yen-brtse's. Guide to the Holy Places of Central Tibet*, Rome, 1958. – J. Blofeld, *The Tantric Mysticism of Tibet*, New York, 1970, p. 192-93. – *Geographic Magazine*, t. 157, n. 2, Febr. 1980, p. 228-40.
*Chine* : Homes Welch, *The Practice of Chinese Buddhism*, Harvard, 1967, p. 305-10, 370-75, 493-94 ; *Buddhism under Mao*, p. 310-11. – J. Gernet, *Le monde chinois*, Paris, 1972, p. 197-99, 243-45, 254-55.

*Japon* : Takashi Maeda, *Junrei no Shakaigaku. A Sociological Study of the Religious Pilgrims. Saikoku and Shikoku Areas* (sous-titres et préface en anglais), Tokyo, 1971. – Mayumi Banzai, *A Pilgrimage to the 88 Temples in Shikoku Island*, Tokyo, 1973. – O. Statler, *The Buddhist Pilgrimage*, New York, 1983.

Paul RIETSCH.

## B. Pèlerinage en Islam

Il faut distinguer, en Islam, *le Pèlerinage (al-Hadjdj)* à la Mekke, pièce maîtresse de la pratique officielle (*Dîn*) de la religion islamique, et *les pèlerinages (ziyârât)* effectués en général aux tombes de certains pieux personnages, et qui ne sont que des pratiques secondaires, recommandées, parfois suspectes à l'Islam orthodoxe.

1. LE PÈLERINAGE (*al-Hadjdj*). – Le pèlerinage à la Mekke, à la Ka'ba, « maison de Dieu » (*Bayt Allah* ou simplement, *al-Bayt*), est une des cinq bases fondamentales de la pratique religieuse islamique (*arkân al-Dîn* ; cf. DS, t. 7, col. 2117). Cette pratique qui s'impose juridiquement au moins une fois dans la vie à tout musulman pubère et sain d'esprit, homme et femme, est cependant conditionnelle ; elle suppose en effet que le pèlerin (*al-Hâdjdj*) ait la possibilité matérielle, – financière et de santé –, de l'accomplir. Cette obligation découle d'un certain nombre de textes du Coran (versets 27 à 30 et 36-37 de la sourate XXII qui porte son nom, sourate *al-Hadjdj* ; v. 196 à 203 de la sourate II, *al-Baqara* ; v. 97 de la sourate III, *al-'Umrân*), de plusieurs hadiths ou « logia » du Prophète qui en signalent l'importance et l'obligation, de la pratique enfin du Prophète Muhammad lui-même qui l'effectua le premier de Médine à la Mekke vers la fin de sa vie.

Le Pèlerinage officiel de l'Islam s'effectue à un moment précis (entre le 8 et le 12) du mois de l'année hégirienne qui lui est consacré : le mois de *Dhû al-Hidjdja*. Il se contre-distingue en cela d'une autre forme du pèlerinage à la Mekke, appelé parfois « le pèlerinage mineur », *al-'Umra*, qui peut s'effectuer individuellement, à n'importe quelle période de l'année et dont les rites sont empruntés à ceux du « grand » pèlerinage, *al-Hadjdj*.

1° *Les rites du Pèlerinage (al-Hadjdj).* – Ces rites sont actuellement, à part quelques exceptions préconisées par le Prophète, ceux qu'effectuaient, durant la période anté-islamique, les habitants de la péninsule arabique au sanctuaire cubique de la Ka'ba (c'est le sens de ce mot), la « maison de Dieu », dans le coin de laquelle était enchâssée la pierre noire dont une tradition islamique dit que, blanche à l'origine, elle devint noire du fait des péchés des hommes. C'est ainsi que le Pèlerinage islamique actuel comporte quatre rites fondamentaux et constitutifs, reconnus par les quatre écoles juridiques officielles de l'Islam, et autour desquels gravitent un certain nombre d'autres rites secondaires qui, avec le temps, ont pris parfois une importance extérieure plus grande, risquant de masquer les quatre rites essentiels :

1) L'entrée en « état de sacralisation » (*ihrâm*). Ce premier rite s'effectue à l'arrivée des différentes routes qui mènent à la Mekke et avant d'y entrer ou avant de prendre l'avion qui mène à Djedda, aéroport de la ville. Il comporte une face positive. D'abord la récitation de la « prière de présentation » (*talbiya*) :

« Me voici, Seigneur, me voici !
Tu n'as pas d'associé. Me voici !
A Toi, louange, grâce et puissance.
Tu n'as pas d'associé. Me voici ! »

Ensuite la formulation de l'intention (*niyya*), nécessaire à la validité du Pèlerinage, et la vêture d'un habit uniforme (pagne et châle blancs). Négativement, ce premier rite se traduit par un certain nombre d'interdits (rapports sexuels, chasse, coupe des cheveux et des ongles) à observer durant au moins les deux premiers jours du *Hadjdj*.

2) A la Mekke même, et sous un long portique actuellement couvert, le rite de la « marche » ou *sa'y* effectué sept fois entre deux points primitivement marqués par deux pierres : *Safâ* et *Marwa*. Ce rite est la reprise symbolique de la course effectuée par Agar, femme d'Abraham, à la recherche d'eau pour son fils Ismaël sur le point de mourir de soif dans le désert (cf. *Gen.* 21, 17-19).

3) La « station debout » (*wuqûf*) sur le plateau de Arafât, face au mont de la Miséricorde (*djabal ar-Rahma*), à quelque 25 km à l'est de la Mekke. Cette « station » collective entre midi et le coucher du soleil, qui est en réalité le rite le plus important du Pèlerinage et en constitue en quelque sorte le sommet, est un rite collectif d'intercession pour le pardon des péchés (*istighfâr*). C'est aussi celui où se manifeste le mieux le caractère massivement communautaire du *Hadjdj*.

4) Enfin, la « circumambulation » (*tawâf*) autour de la Ka'ba ; elle s'effectue normalement sept fois, d'une marche rapide, le cœur tourné du côté de la Pierre Noire que le pèlerin doit viser de son regard et qu'il peut toucher de la main à chacun de ses passages. Sans être le rite le plus essentiel du *Hadjdj*, comme on le croit parfois, le *tawâf* est probablement un des plus anciens, enraciné qu'il est dans le vieux fond religieux de l'Orient sémitique ; c'est également un des plus populaires du Pèlerinage.

A ces quatre rites fondamentaux, dont il ne faut pas perdre de vue qu'ils forment en quelque sorte le noyau du *Hadjdj*, s'en ajoutent plusieurs autres qui, pour être moins importants, n'en sont pas moins très connus. Citons entre autres l'*Ifâda*, sorte de « course » en masse effectuée au coucher du soleil par les pèlerins, après le *wuqûf* à 'Arafât, vers la station proche de Muzdalifa, première étape de leur retour à la Mekke dont elle est distante d'environ 14 km et où ils passent la nuit du 9 au 10 Dhû al-Hidjdja ; le « jet rituel » de cailloux ou rite de « lapidation » qui a lieu à Minâ (6 km environ de la Mekke, deuxième étape sur le chemin de retour à la ville sainte), le matin du 10 Dhû al-Hidjdja ; ce rite, également très ancien, vise le « Démon qui doit être lapidé » (*al-Shaytân ar-radjîm*). Enfin, toujours à Minâ, l'immolation (*nahr*) d'une victime, brebis ou chèvre, souvenir de celle d'Abraham, et qui a donné à ce jour particulièrement solennel dans l'Islam, la Fête majeure (*al-'Îd al-Kabîr*), le nom de Fête des Victimes (*'Îd al-Adhâ*).

Les deux derniers jours officiels du Pèlerinage, 11 et 12 Dhû al-Hidjdja se passent normalement à Minâ ; les pèlerins y quittent l'état de sacralisation (*ihrâm*) par la coupe des cheveux et des ongles et retournent à la Mekke effectuer le *tawâf* (circumambulation) autour de la Ka'ba. Le Pèlerinage terminé, ils vont souvent à Médine en « visite » à la tombe du Prophète *Muhammad* et au cimetière du Baqî' qui contient les corps de plusieurs des premiers personnages de l'Islam.

2° *Signification spirituelle du Pèlerinage.* – Grand moment de rassemblement international de la communauté islamique, le *Hadjdj* tient sa force d'attraction du fait qu'il intègre en quelque sorte la personnalité du croyant musulman à un triple niveau ou à une triple profondeur :

1) Au niveau que l'on pourrait appeler *cosmique* et *adamique* : outre le fait que la Tradition musulmane a parfois vu dans la signification du nom de 'Arafât, lieu du rite privilégié du *wuqûf*, une allusion à la reconnaissance (*ta'arraf*) d'Adam et d'Ève aux origines de l'humanité, la mise en état de sacralisation (vêtement blanc symbole de la nudité primitive et les différents interdits) met le pèlerin dans un état « paradisiaque », celui de l'origine des temps où les fidèles, dans l'innocence un moment retrouvée, sont tous égaux devant Dieu.

2) Au niveau *abrahamique* : le nom et les épisodes de la vie du père des croyants reviennent dans plusieurs rites du *Hadjdj*, les deux traditions (celle d'Abraham/Isaac et d'Agar/Ismaël) étant mêlées : le *maqâm*, lieu de la « station » d'Abraham en vue de la Ka'ba au nord-est de celle-ci ; le rite du sacrifice à Minâ ; la tradition relatant qu'Abraham aurait relevé la Ka'ba à moitié détruite ; le rite fondamental du *sa'y* évoquant, ainsi que la source sainte de Zemzem, les malheurs d'Agar et de son fils Ismaël, etc.

3) Au niveau *muhammadien* enfin, le *Hadjdj* actuel n'étant rien d'autre que la répétition de celui qu'exécuta officiellement Muhammad à la fin de sa vie (pèlerinage de l'Adieu ; *hidjdjat al-wadâ'*). En cette dernière phase en effet, Muhammad, abandonnant la direction de la prière (*qibla*) vers Jérusalem (tradition judaïque), se retourne délibérément vers la Mekke, sa propre ville autrefois infidèle, capitale des Arabes et, par suite, de l'Islam.

Ainsi, sans en avoir toujours conscience, le pèlerin ne refait-il pas seulement communautairement les gestes anciens (adamiques et surtout abrahamiques) ; il revit également la « geste muhammadienne», héritière elle-même de tout l'acquis religieux préislamique que le Prophète a définitivement assumé, après l'avoir en quelque sorte dé-paganisé.

Certains auteurs musulmans, mystiques ou autres, ont voulu, dans un souci d'approfondissement mais en s'écartant parfois de l'orthodoxie classique, donner au pèlerinage un sens purement spirituel. Selon certains (al-Tawhîdî † 1009 ou Ibn Taymiyya †1328, par exemple) le *Hadjdj* purement spirituel (*al-Hadjdj al-'aqlî*) pourrait être accompli n'importe où et à n'importe quelle époque, un dépassement du rite matériel, voire son abolition, s'avérant nécessaire pour en garder le seul sens spirituel. Dans un contexte un peu différent certains mystiques à la limite de l'orthodoxie ont prôné également une pratique « existentielle » et supra-rituelle du *Hadjdj* ; ainsi al-Hallâdj († 922), dans un distique célèbre où il fait allusion à deux des rites importants du Pèlerinage :

« Les gens vont en pèlerinage, moi je vais en pèlerinage (spirituel) vers mon Hôte bien-aimé ; s'ils s'offrent en sacrifice des agneaux, moi, j'offre le sang de mes veines.
Il en est qui processionnent autour du Temple sans y être corporellement, car c'est en Dieu qu'ils processionnent, et Il les a dispensés du *Haram* » (enclos sacré de la Mekke ; *Dîwân*, éd. et trad. de L. Massignon, Paris, 1955, p. 85-86).

3° *Impact socio-culturel du Hadjdj.* – Il est immense à l'intérieur du monde musulman tant par le nombre de pèlerins toujours plus considérable qu'il rassemble (812 892 en 1981, sans compter ceux de la péninsule arabique), que par le sentiment communautaire

d'appartenance à une religion égalitaire et internationale qu'il développe chez les croyants de Islam.

Du fait de l'obligation et de la pratique du *Hadjdj*, la Mekke et, par suite, Médine sont devenues le pôle annuel du monde de l'Islam, le lieu de passage obligé d'innombrables pèlerins venus, au cours des siècles, de l'Extrême-Orient comme de l'Extrême-Occident du monde musulman, et le point de rencontre privilégié des hommes, des idées et des marchandises. Ainsi, c'est par le biais du Pèlerinage que des personnalités aussi différentes que les voyageurs Ibn Djubayr (12e siècle) et Ibn Battûta (14e), le grand mystique moniste Ibn 'Arabî (13e), les philosophes Ibn Sab'în (mort lui-même à la Mekke en 1269) et Ibn Khaldûn, ont quitté leur pays et connu l'Orient musulman pour s'y fixer souvent ; ou le dépasser même tel Ibn Battûta †1368 qui prit contact, lors de ses Pèlerinages à la Mekke, avec des personnalités du monde musulman grâce auxquelles il put poursuivre son périple jusqu'en Chine et en Indonésie.

2. *Les « pèlerinages » (ziyârât) en Islam.* – En dehors du *Hadjdj* étudié jusqu'ici, pièce fondamentale de la pratique islamique (dîn) tant sunnite que chiite (DS, t. 7, col. 2119-20), l'Islam connaît un certain nombre de « pèlerinages » qui ne portent pas le nom de *Hadjdj* mais généralement celui de « visites » (*ziyârât*). Ils s'effectuent, pour la plupart, sur les tombes des personnages connus de l'Islam primitif, parents ou compagnons du Prophète de la première génération, imâms ou chefs spirituels chiites, fondateurs des quatre grandes écoles juridiques de l'Islam sunnite, enfin « pieux personnages » (*sâlihûn*) ou « amis de Dieu » (saints ou santons : *walî*, pluriel *awliyâ'*).

Ces pèlerinages, qui sont de pure dévotion, ne comportent pas le caractère officiel et obligatoire du *Hadjdj* à la Mekke. Dans l'Islam sunnite et particulièrement dans le mouvement réformiste de la fin du siècle dernier (*Salafiyya*), ils ont même été considérés parfois comme hétérodoxes, posant abusivement des intermédiaires ou intercesseurs humains entre Dieu et l'homme, et portant ombrage, de ce fait, au dogme fondamental de l'Unicité divine (*al-tawhîd*). Ces *ziyârât*, fort diversifiées, sont pourtant encore très populaires dans les différentes aires cultuelles de l'Islam actuel.

Dans le chiisme, les pèlerinages les plus connus sont situés en Irak : ce sont ceux de Nadjaf (tombeau de Alî, gendre du Prophète et premier imâm chiite) et de Karbalâ' (tombeau de l'imâm Husayn, son fils, tué là-même en 680) ; le souvenir douloureux de son « martyre » s'y célèbre chaque année le 10 du mois de *muharram*, jour de 'Ashoura. Viennent ensuite ceux des autres imâms chiites, dans la banlieue de Bagdad (al-Kâzimayn), ainsi qu'à Qumm et à Meshhed en Iran.

Nous avons signalé plus haut, dans l'orbite du *Hadjdj*, la visite recommandée au tombeau du Prophète à Médine et aux cimetières d'al-Rawda et du Baqî' où sont enterrées les épouses du Prophète et plusieurs membres de sa famille. Parmi les compagnons du Prophète qui sont l'objet d'une « visite », citons Bilâl, le premier muezzin du Prophète, enterré à Damas au cimetière de Bâb al-Saghîr, Sidi 'Uqba à Kairouan, Abû Ayyûb vénéré à Istanbul au fond de la Corne d'Or.

Quant aux pèlerinages aux « saints personnages » ou

« amis de Dieu », ils sont innombrables : certains se réfèrent à des événements historiques ou nationaux comme celui de Moulay Idrîs, au Maroc, fondateur des Idrissides ; d'autres à des fondateurs de confréries, comme celui du sheikh'Abd al-Qâdir al-Djilânî à Bagdad, ou encore de véritables « mystiques » comme celui d'Ibn'Arabî à Damas, de Sidi Bou Madyan aux environs de Tlemcen en Algérie, d'Ibrahim Ibn al-Adham à Djabala en Syrie, de l'imâm Awzâ'î à Beyrouth, de « mawlâna » Djalâl al-Dîn al-Roumi à Konya en Turquie, de Si Abdallah Ben Hassoun à Salé/Rabat, de Sidi'Abd al-Raḥmân dans la casba d'Alger, etc.

La « visite » peut s'y faire à des jours fixes, différents pour les hommes et les femmes en général, et comporter un certain nombre de prières fixes qui font parfois songer à une sorte d'« office » à base de lectures du Coran et de prières circonstanciées lues ou psalmodiées.

*Encyclopédie de l'Islam*, 2e éd., art. *Hadjdj*, t. 3, Leyde, 1971, col. 33-40 (A.J. Wensinck, J. Jomier, B. Lewis), avec bibliographie. - L'ouvrage de base en français reste : M. Gaudefroy-Demombynes, *Le pèlerinage à la Mekke* (Annales du Musée Guimet 33), Paris, 1923. - Consulter aussi les récits des anciens voyageurs musulmans, surtout Ibn Djubayr (trad. franç. Gaudefroy-Demombynes, Paris, 1949-1950) et Ibn Baṭṭûta (trad. franç. Defrémery et Sanguinetti, Paris, 1922). - T. Fahd, *Le Pèlerinage à la Mekke*, dans *Les Pèlerinages de l'antiquité... à l'Occident médiéval*, cité *supra*, p. 63-93.

Sur le *Hadjdj* actuel et les « récits de pèlerins » ; voir J. Jomier, *Le pèlerinage musulman vu du Caire en 1960*, dans MIDEO (Mélanges de l'Institut Dominicain d'Études Orientales du Caire), t. 9, 1967, p. 1-72. - Abdel Magid Turki et Hadj Rebah Souami, *Récits de pèlerinage à la Mekke*, Paris, 1979 (étude sur le genre littéraire des Récits de pèlerins et sur les voyageurs occidentaux à la Mekke). - M. Arkoun et E. Guellouz, *Pèlerinage à la Mecque*, Paris, 1977 (avec reportage photographique). - *Pellegrinaggio alla Mecca*, Turin, 1981.

Sur les *ziyârât*, consulter l'ouvrage de Harawi †1212, dans la trad. franç. annotée de J. Sourdel-Thomine : *Guide des lieux de pèlerinage*, Damas, 1957.

En langue arabe, on consultera utilement, en plus des références au *Coran* : la Concordance du *hadith* de A.J. Wensinck (aux mots *Hadjdj*, *'Umra*, *manâsik*, *sa'y*) ; les différents ouvrages de *fiqh* (jurisprudence islamique) ; le livre de Al Ghâzâlî † 1111, *Ihyâ' 'ulûm al-Dîn*, au chapitre sur le *Hadjdj* ; les manuels distribués aux pèlerins au moment du Pèlerinage, appelés parfois *manâsik* (vg. *Risâlat al-Hadjdj*, supplément-cadeau au numéro de Dhû al-Qa'da de la revue koweitienne *al-wa'y al-islâmî*, 1393 H.) ; enfin l'ouvrage de Muhammad Labîb al-Batanûnî, *Al riḥla al-hidjâziyya*, Le Caire, 1329 H.

Louis POUZET.

## II. PÈLERINAGES CHRÉTIENS

### A. En Orient des origines au 7e siècle

1. LES PRINCIPAUX PÈLERINAGES. – Deux pôles principaux d'attraction, en Orient, pour les pèlerins : les sites bibliques (marqués par un événement ou une relique), les tombeaux des martyrs ou des saints. Un troisième n'est pas à négliger : les lieux de résidence des moines célèbres, lesquels attirent, de leur vivant, beaucoup de visiteurs ; quelques-uns deviendront d'authentiques sites de pèlerinage.

La *Palestine* regroupe les sites bibliques les plus importants. Les pèlerinages n'y commencent vraiment qu'au 4e siècle, avec la paix de l'Église (les rares cas antérieurs sont peu significatifs), mais ils ne cesseront plus, malgré les vicissitudes politiques du pays. Jéru-

salem en est le point central, avec les sanctuaires bâtis au 4e siècle sur les lieux de la Passion et de la Résurrection (*Anastasis* et *Martyrium*), de l'Ascension (*Eléona*, puis rotonde de la *Sainte Ascension*) et de la Pentecôte (*Sion*), auxquels il faut ajouter la basilique de la Nativité à Bethléem. Dès la seconde moitié du 4e siècle, l'ensemble de la Palestine est couvert de « lieux saints », tant de l'Ancien que du Nouveau Testament ; la région du Bas-Jourdain et celle du Sinaï sont, après Jérusalem, parmi les plus visitées. La Galilée compte aussi de nombreux sites.

Les tombeaux des martyrs se rencontrent dans toutes les régions d'Orient. La vénération qui s'y attache est tôt attestée, puisque les premiers témoignages renvoient à la seconde moitié du 2e siècle (cf. art. *Martyre*, DS, t. 10, col. 723-24). Ils se multiplieront dans la seconde moitié du 4e siècle. Beaucoup resteront des lieux de pèlerinage régionaux ; quelques-uns acquerront une renommée quasi universelle.

L'*Asie Mineure*, dès le 4e siècle, possède plusieurs sites réputés : Éphèse (avec le tombeau de l'apôtre Jean, auquel s'ajouteront très tôt ceux des Sept Dormants), Chalcédoine (sainte Euphémie), Euchaïta (saint Théodore), Césarée de Cappadoce (saint Mamas), Séleucie d'Isaurie (sainte Thècle). Au 6e siècle, le tombeau d'un évêque du 4e siècle, saint Nicolas de Myre, acquerra aussi un renom considérable ; il sera transféré à Bari en 1087. En *Syrie-Mésopotamie*, dès le 4e siècle, Antioche possède un grand nombre de tombeaux de martyrs ; les plus célèbres sont ceux de saint Babylas et surtout des Sept Frères Macchabées, dont les pèlerins diffuseront le culte. A Édesse, on vénère les reliques de l'apôtre Thomas, à Resapha celles de saint Serge, à Tripoli celles de saint Léonce : tous ces tombeaux, quoique à des degrés divers, ont un renom plus que régional.

C'est dans cette région qu'apparaît au 5e siècle un lieu de pèlerinage d'un type nouveau : celui qui s'établit autour de la colonne d'un stylite. Syméon l'Ancien (389-459) est, de son vivant, un centre d'attraction universelle ; après sa mort, sa colonne, au centre d'une basilique cruciforme, voit accourir les pèlerins à Telanissos (aujourd'hui Qalat Seman). Même phénomène au 6e siècle au Mont Admirable près d'Antioche, où Syméon Stylite le Jeune (521-591) fait édifier de son vivant, autour de sa colonne, une basilique pour accueillir les pèlerins.

L'*Égypte*, au 4e siècle, a peu de tombeaux connus, sauf peut-être celui de saint Marc à Alexandrie. Deux centres de pèlerinage y sont créés au 5e : Saint-Ménas, à 15 km au sud-ouest d'Alexandrie, dans le désert ; Saints-Cyr-et-Jean à Ménouthis (les reliques de ces deux saints alexandrins y sont installées pour s'opposer au culte rendu sur les lieux à la déesse Isis). Le succès de ces deux centres sera grand aux 6e-7e siècles. En *Palestine*, au 6e siècle, un martyrium important est celui de saint Georges à Diospolis.

En *Grèce*, le sanctuaire de Saint-Démétrius de Thessalonique, construit au début du 6e siècle, deviendra le centre de pèlerinage le plus réputé du pays ; le tombeau de l'apôtre André à Patras aura aussi quelque célébrité.

*Constantinople* enfin, dès le 4e siècle, devient un réceptacle de reliques venues de toutes les régions de l'Orient, et ses nombreux sanctuaires deviennent à ce titre des lieux de pèlerinage ; au 6e, quelques-uns auront une réputation particulière : les Saints-Côme-et-Damien, Saint-Jean-Baptiste dans le quartier

d'Oxeia, celui-ci à cause des reliques de saint Artémius ; ces deux sanctuaires seront fréquentés pour les
nombreuses guérisons qui s'y accomplissent.

Bon nombre de ces sanctuaires subsisteront au-delà
du 7ᵉ siècle. La conquête par les Arabes, dans les
années 630, de la Syrie, de la Palestine et de l'Égypte
portera un coup à la fréquentation de ceux de ces
régions, qui finiront pour la plupart par dépérir, à
l'exception toutefois d'un grand nombre des lieux
saints de Palestine.

2. LES MOTIFS DES PÈLERINS. – Quels motifs poussent
les pèlerins anciens à se mettre en route ? On peut en
relever plusieurs, non exclusifs les uns des autres.

1º *Voir*. – Ce motif est lié à la nature même du
pèlerinage, déplacement vers un lieu où « l'on montre » quelque chose (l'expression est fréquemment
utilisée par Eusèbe de Césarée dans son *Onomasticon*,
où sont énumérés plusieurs des lieux saints visibles à
son époque). Le pèlerin veut voir un lieu, une relique,
un personnage. La simple curiosité y a sa part : la
colonne de sel de la femme de Loth ou le stylite sur sa
colonne piquent l'imagination. Mais aussi l'intérêt
historique, celui du pèlerinage savant fait « pour
connaître les lieux » (Eusèbe, *Dem. evang.* VII, 2, 14 ;
éd. I.A. Heikel, GCS 6, 1913, p. 330), tel celui d'Origène, qui a parcouru quelques régions de Palestine « à
la recherche des traces de Jésus, de ses disciples et de
ses prophètes » (*In Ioh comm.* VI, 40). Cette recherche
vise cependant un but spirituel, qui légitime le pèlerinage : la vision des lieux saints doit conduire à la
contemplation des réalités spirituelles et à l'accroissement de la charité. Paula, à Bethléem « contemple
avec les yeux de la foi l'enfant enveloppé de langes et
vagissant dans la crèche... » (Jérôme, *Epist.* 108, 10).

Ce n'est pas, comme l'explique Théodoret de Cyr, que le
pèlerin croie que Dieu soit circonscrit dans un lieu ; s'il visite
les lieux « où se sont passées les souffrances salvatrices,
(c'est) afin de nourrir ses yeux de la contemplation de l'objet
de ses désirs et que ce ne soit pas seulement le regard de
l'âme, mais aussi celui de la vue, qui jouisse par la foi du
plaisir spirituel » (*Hist. des moines de Syrie* 9, 2, SC 234,
1977, p. 409). Et parce que « pour les amants passionnés,
non seulement les êtres aimés sont trois fois désirés, mais
encore les endroits qu'ils aiment et qui ont souvent joui de
leur présence », la visite de beaucoup de lieux saints permet
« d'allumer à tous les foyers le feu de l'amour divin » (6, 8,
p. 357 ; 29, 7, SC 257, 1979, p. 239). Même Grégoire de
Nysse, qui recommande pourtant aux moines de son pays
de sortir plutôt « de leur corps pour aller vers le Seigneur »
que de Cappadoce pour aller à Jérusalem (*Epist.* 2, éd. G.
Pasquali, Leyde, 1959, p. 18), sait voir dans les lieux saints
de cette ville – il cite Bethléem, le Golgotha, l'Anastasis, le
Mont des Oliviers – « les marques de la grande philanthropie
de Dieu à notre égard », « les symboles salutaires du Dieu
qui nous a vivifiés » (*Epist.* 3, p. 20).

2º *Prier, adorer*. – La contemplation des lieux
saints conduit à la prière. Aussi bien est-ce la motivation la plus constamment mentionnée par les textes :
on va en pèlerinage « pour prier » (*orationis causa*,
εὐχῆς ἕνεκεν ; l'expression est classique : cf. par
exemple l'*Itinerarium* d'Égérie). Cette prière attachée
à un lieu prend une modalité particulière, le plus souvent exprimée, dans les textes grecs, par le verbe
προσκυνεῖν (qui qualifie déjà le pèlerinage à Jérusalem de l'eunuque de la reine Candace, en *Act.* 8,
27) : on va en Palestine « adorer les lieux saints et la
croix précieuse » (Marc le Diacre, *Vie de Porphyre* 15,
5-6, éd. H. Grégoire et M.-A. Kugener, Paris, 1930,

p. 12 ; nombreuses expressions proches ou semblables
dans les *Vies* monastiques de Cyrille de Scythopolis
ou le *Pré spirituel* de Jean Moschus) ; mais on va aussi
« adorer » au sanctuaire de Cyr et Jean (*Mirac. Cyri et
Ioannis* 33, PG 87/3, 3532c ; 51, 3613c) et en d'autres
lieux de pèlerinage.

« Adoration » des lieux ou des reliques que l'on distingue
bien cependant de celle qui s'adresse à Dieu. Jean Damascène explique avec précision comment « nous adorons
(προσκυνοῦμεν) des créatures dans lesquelles et par lesquelles Dieu a accompli notre salut, soit avant la venue du
Seigneur, soit après son « économie » dans la chair » (il
énumère plusieurs lieux saints et reliques). « Ces choses-là, je
les vénère (σέβω) et les adore (προσκυνῶ) ainsi que tout
temple de Dieu et tout ce sur quoi Dieu est nommé, non à
cause de leur nature, mais parce qu'ils sont des réceptacles de
l'énergie divine, et parce que Dieu, à travers eux et en eux, a
bien voulu faire notre salut » (*Oratio de imaginibus* III, 4, éd.
B. Koter, Berlin, 1975, p. 139.

3º *Accomplir un vœu*. – Bien que les exemples
connus soient peu nombreux et concernent surtout
des personnages importants, ce motif a certainement
inspiré bien des pèlerins dont l'histoire n'a pas retenu
les noms. Ces exemples montrent, d'autre part, que le
sens de tels pèlerinages est l'action de grâces ou la
pénitence. L'impératrice Eudocie vient en pèlerinage à
Jérusalem en reconnaissance pour le mariage de sa
fille (Socrate, *Hist. Eccl.* VII, 47, PG 67, 840ab) ; de
même Hypatios, neveu de l'empereur Anastase, à la
suite d'un vœu fait probablement pendant sa captivité
auprès de Vitalien (Cyrille de Scythopolis, *Vie de
Sabas* 56, éd. E. Schwartz, TU 49, 2, Leipzig, 1939,
p. 151). Par contre, vers 560, des Édesséniens y vont
en habits noirs de pénitents, à la suite d'épreuves
diverses que leur a values leur mauvaise conduite
(*Chronique de Michel le Syrien* 9, 22, éd. J.-B. Chabot,
Paris, 1903, p. 268). Ce type de pèlerinage à visée
pénitentielle prendra une grande importance chez les
Occidentaux à partir du 6ᵉ siècle (cf. *infra*, col. 912).

4º *Résider jusqu'à la mort*. – Cette motivation n'est
pas exceptionnelle. Elle inspire de nombreux candidats à la vie monastique qui – tels Jérôme et bien
d'autres après lui – viendront la vivre près de lieux
saints. Ainsi le Mont des Oliviers, dès le 4ᵉ siècle,
est-il couvert de monastères, mais aussi Bethléem, le
désert de Judée et les environs du Jourdain, le Sinaï
et beaucoup de localités où se trouvent de célèbres
tombeaux de martyrs. Leurs occupants viennent
souvent de loin, d'Occident, d'Asie Mineure, d'Armé-
nie et de Géorgie, etc. Mais ce n'est pas seulement un
phénomène monastique : de simples chrétiens aime-
ront aussi habiter auprès de ces sanctuaires, souvent
après avoir été guéris par leur titulaire.

Derrière ce désir s'en cache un autre : celui d'être enseveli,
à sa mort, auprès du lieu saint. Jérôme est déposé tout près
de la grotte de Bethléem (Antonini Plac. *Itinerarium* 29, 2,
éd. Milani, p. 180-81) ; un moine dont Jean Moschus
raconte l'histoire part en voyage à Jérusalem « car c'est là
que le Seigneur viendra (le) prendre » (*Pré spirituel* 91, PG
87/3, 2949a). On a retrouvé d'importantes nécropoles auprès
des sites de pèlerinages, telles celles de Saint-Ménas ou des
Saints Dormants d'Éphèse. On sait aussi que la pratique de
l'ensevelissement « auprès des saints » est très prisée par les
chrétiens de cette époque.

5º *Obtenir une faveur, en particulier la guérison*. –
La prière du pèlerin, c'est aussi la demande. Demande
de faveurs diverses : citons la conversion d'un époux,

JUSQU'AU 7ᵉ SIÈCLE

la libération d'une situation d'otage, le retour d'un mari volage, la redécouverte d'objets volés, que rapportent quelques-uns des *Miracles de Thècle* (14 ; 19-22, éd. Dagron, p. 326, 340 svv.). Mais la plus courante est celle de la guérison. Beaucoup de sanctuaires célèbres ont acquis leur renom en raison des nombreux miracles qui s'y opèrent en faveur des malades. Nous possédons pour plusieurs d'entre eux les collections de Miracles qui en assuraient la publicité : Miracles des saints Ménas, Cyr et Jean de Ménouthis, Georges de Diospolis, Thècle de Séleucie, Démétrius de Thessalonique, Côme et Damien et Artémius à Constantinople. Mais tous les lieux de pèlerinage voient des malades accourir en quête de guérison.

Quelques-uns sont spécialisés dans le traitement de certaines maladies : au tombeau de Jean-Baptiste à Sébaste en Samarie on conduit les possédés (cf. Jérôme, *Epist.* 108, 13, éd. J. Labourt, t. 5, p. 174) : les lépreux vont au Jourdain ou dans la fontaine de Moïse de Livias (Grégoire de Tours, *Mir.* I, 18, éd. B. Krusch, MGH *Scriptores rerum merovingicarum*, t. 1, Hanovre, 1884/85, p. 499-500), le sanctuaire d'Artémius à Constantinople est spécialisé dans les maladies du bas-ventre, etc.

6° *Se procurer des reliques* est une motivation importante, et certains pèlerinages ne sont entrepris que dans ce but. Le pèlerin est venu dans un lieu *saint*, il veut emporter de cette sainteté. Dans le meilleur des cas il obtiendra des reliques directes (bois de la croix, la relique la plus précieuse, fragments d'ossements du saint, de la colonne du stylite, etc.) ; plus souvent, il se contentera de reliques indirectes, des *eulogies* (le terme dit bien ce qu'il veut dire : c'est la *bénédiction* de ces lieux que l'on veut emporter) ; eulogies faites avec la terre de l'Anastasis ou la manne qui sort du tombeau de Jean à Éphèse (Grégoire de Tours, *Mir.* I, 6 et 29, éd. Krusch, p. 492, 505), les gouttes de sang que l'on retire du tombeau d'Euphémie de Chalcédoine (Évagre, *Hist. Eccl.* II, 3, éd. J. Bidez et L. Parmentier, Londres, 1898, p. 41), la poussière de Syméon Stylite le jeune ou l'eau de sa fontaine (*Vie de S. Syméon Stylite le Jeune*, 231 et 100, éd. P. Van den Ven, t. 1, Bruxelles, 1962, p. 169 et 99). Les « ampoules » de Terre Sainte ou celles de saint Ménas sont également très connues.

3. LES RÉTICENCES VIS-A-VIS DU PÈLERINAGE. - La pratique du pèlerinage n'acquiert vraiment droit de cité dans le christianisme qu'au 4ᵉ siècle ; ce n'est pas, à cette époque, sans réticences de la part de quelques théologiens et spirituels. Réticences qui portent d'abord sur le fond, mettant en cause, ou du moins relativisant, la pratique elle-même. Jérôme, se référant explicitement à *Jean* 4, 20-23, note que « les vrais adorateurs, ce n'est pas à Jérusalem ni au Mont Garizim qu'ils adorent le Père, car Dieu est esprit, et ses adorateurs doivent l'adorer en esprit et en vérité ; or l'Esprit souffle où il veut ». Le pèlerinage ne sanctifie donc pas par lui-même, par le simple fait de se rendre dans le lieu saint : « Ce n'est pas d'avoir été à Jérusalem, mais d'avoir bien vécu à Jérusalem qui mérite louange » (Jérôme, *Epist.* 58, 2-3, éd. Labourt, t. 3, p. 75-76). Même son de cloche chez Théodoret de Cyr, qui souligne à plusieurs reprises que les moines pèlerins recherchaient les lieux saints tout en sachant bien que Dieu n'y était pas enfermé (*Hist. des moines de Syrie* 6, 8 ; 9, 2 ; etc., SC 234, p. 357, 409 ; la pointe

de cet argument vise d'ailleurs les moines anthropomorphites).

A ces réticences sur le fond viennent s'en ajouter d'autres sur la forme, qui soulignent les inconvénients du pèlerinage pour la vertu des pèlerins. Jérôme rappelle que dans la ville où se trouvent la Croix et l'Anastasis, il y a aussi « des courtisanes, des mimes, des baladins » (*Epist.* 58, 3, p. 76), et Grégoire de Nysse surenchérit, dans une lettre célèbre : « Il n'est aucune espèce d'impudicité que l'on n'ose pratiquer chez eux (à Jérusalem) : fornications, adultères, vols, idolâtries, empoisonnements, haines et meurtres » (*Epist.* 2, éd. Pasquali, p. 16). Grégoire souligne aussi que les conditions de voyage des pèlerins présentent de nombreux dangers pour la vertu des moines, et surtout des moniales : mixité, promiscuité, distractions diverses (p. 14-15). Il n'est pas cependant un adversaire de tout pèlerinage : s'il souligne avec vigueur que le pèlerinage à Jérusalem ne fait pas partie des commandements du Seigneur, il recommande à ses correspondants de se rendre aux lieux saints de leur région, en l'occurrence les nombreux tombeaux des martyrs que possède la Cappadoce.

Mais Grégoire veut surtout faire ressortir, comme Jérôme, que ce n'est pas le pèlerinage en lui-même, mais les dispositions qui l'accompagnent, qui importent : « Les emplacements de la Croix et de la Résurrection ne sont utiles qu'à ceux qui, chaque jour, portent leur Croix et ressuscitent avec le Christ » (Jérôme, *Epist.* 58, 3, p. 76 : cf. Grégoire de Nysse, *Epist.* 3, p. 19-20). De telles réflexions n'apparaissent plus guère chez les écrivains postérieurs, bien qu'on puisse trouver ici et là des échos de la relativisation du pèlerinage : à un moine qui veut se rendre en pèlerinage au Sinaï, mais qui en est empêché par la maladie, Jean-Baptiste apparaît et déclare que la grotte où il se trouve est « plus grande que le Mont Sinaï », car lui-même y a résidé ; il n'est donc pas nécessaire de s'exténuer en accomplissant un pèlerinage qui soit au-dessus de ses forces (Jean Moschus, *Pré spirituel* 1, PG 87/3, 2853ab).

4. LES PRATIQUES DES PÈLERINS. - 1° *Pratiques de dévotion*. - Le pèlerin, on l'a dit, vient pour prier et adorer. Il trouvera souvent, en particulier lors des fêtes des sanctuaires, une structure liturgique destinée à l'y aider. A Jérusalem, lors des grandes fêtes de l'année (Épiphanie, Semaine sainte, Dédicace), qui attirent un grand nombre de pèlerins, se déploie une liturgie particulièrement solennelle, qui va de lieu saint en lieu saint en fonction des mystères que l'on veut évoquer (cf. Égérie, *Itinerarium* 24 svv ; les *Lectionnaires arménien* et *géorgien* ; cf. A. Renoux, *Le codex arménien Jérusalem 121*, PO 35/1, 1971). Dans les grands sanctuaires comme auprès des plus humbles tombeaux de martyrs, les fêtes annuelles des martyrs rassemblent les pèlerins pour la veillée nocturne et la synaxe eucharistique. Des sanctuaires très fréquentés ont des réunions de prière quotidiennes ou hebdomadaires. Mais il arrive souvent que le pèlerin vienne sur le lieu de son pèlerinage en dehors des temps fixés et des cérémonies officielles. Sa dévotion s'exprime alors de plusieurs manières.

Égérie a laissé le récit de ses propres stations sur les lieux saints bibliques, où elle adopte une liturgie personnelle (inspirée de la liturgie stationnale de l'église de Jérusalem) qui comporte une prière, la lecture du passage biblique et du psaume adaptés à l'endroit, encore une prière (*Itinerarium* 10, 7) ; quand c'est possible, cette liturgie est intégrée dans une eucharistie. Mais c'est là pratique de grande dame, instruite de la Bible et accompagnée de moines ou de prêtres.

La prière du pèlerin moyen sur les lieux saints est beaucoup plus informelle. Il faut en souligner le côté très physique : pour vénérer le lieu saint, on le touche, on l'étreint, non sans verser des larmes ; on baise les reliques qui sont offertes à la vénération – à Jérusalem la vraie croix, la colonne de la flagellation, la pierre du tombeau du Christ, etc., ailleurs le tombeau ou les ossements des saints ; on frotte ses yeux de la poussière du lieu, on s'oint de l'huile de la veilleuse du sanctuaire, on boit l'eau de la fontaine qui en est proche... Si l'on sait écrire, on inscrit son nom et celui de ceux que l'on veut recommander sur quelque pierre de l'édifice (les récits des pèlerins confirment ici les découvertes épigraphiques : cf. Antonini Plac. *Itinerarium* 4, 4, éd. Milani, p. 94-95).

Notons aussi que la dévotion des fidèles en pousse plusieurs à se faire baptiser aux lieux saints, ou à y faire baptiser leurs enfants : Sévère d'Antioche sera baptisé au martyrium de saint Léonce de Tripoli ; en Palestine, Jérusalem et le Jourdain sont des endroits particulièrement prisés pour cela (cf. Jean Moschus, *Pré spir.* 3 ; 165, PG 87/3, 2856a, 3032b).

2° *Les pratiques ascétiques*. – Même si l'on ne trouve que peu d'exemples, à cette époque, de pèlerinages entrepris dans un but de pénitence, il n'en reste pas moins que des pratiques ascétiques accompagnent nombre d'entre eux. C'est le cas pendant le trajet du pèlerin.

Les conditions de voyage des pèlerins antiques sont souvent difficiles : la plupart voyagent à pied, seuls les gens fortunés, telle Égérie, disposent de montures, quand ce n'est pas de la poste impériale ; les épreuves de la route sont nombreuses, de la faim et de la soif aux brigands et aux bêtes sauvages (cf. la liste des dangers auxquels ont échappé les pèlerins de l'*Histoire des Moines d'Égypte* 26, éd. A.-J. Festugière, Bruxelles, 1971, p. 135-38). Les pèlerins n'hésitent pas à entreprendre des circuits particulièrement éprouvants, tel celui du Sinaï, qui comporte des étapes de désert et l'ascension de montagnes escarpées (ce pèlerinage est bien vu comme une œuvre difficile, qui demande beaucoup d'efforts, de fatigue ; cf. Jean Moschus, *Pré spir.* 105, 2964b).

Mais, ce qui est le plus remarquable, beaucoup ajoutent aux difficultés propres du voyage des pratiques pénitentielles diverses. Le jeûne est la plus fréquente : citons le cas extrême de ces solitaires du Bas-Jourdain qui se rendent au Sinaï, puis à Alexandrie (au tombeau de saint Marc), puis à Jérusalem, et qui ne mangent qu'à chacun de ces trois endroits, ce qui suppose des étapes de jeûne de 15 à 20 jours (*ibidem* 100, 2960ab) ; les exemples de tels records, comme ceux de jeûnes plus raisonnables, pourraient être multipliés. Au jeûne, certains ajoutent la mendicité, en route ou sur les lieux, strictement réservée à leur subsistance : ainsi Marie, religieuse d'Amida, durant son séjour à Jérusalem, vit-elle de la charité publique, mais elle n'accepte pas plus qu'une certaine somme par jour, assez pour un peu de pain et quelques légumes (cf. Jean d'Éphèse, *Vie des Saints Orientaux* 12, PO 17, p. 168-69). D'autres subsistent grâce au travail de leurs mains (*ibidem* 55, PO 19, p. 160-61). Dans cette perspective, le pèlerinage perpétuel, ou du moins de très longue durée, a été choisi comme un mode d'ascèse par certains moines. Autre pratique ascétique : l'abstinence sexuelle, dont on rencontre un exemple lors de la fête de Mambré

(Sozomène, *Hist. Eccl.* II, 4, 4, éd. G. Ch. Hansen, GCS, 1960, p. 55). La vigile nocturne lors de la fête est également ressentie comme telle. On y ajoutera l'habitude qu'ont les pèlerins de faire des offrandes aux sanctuaires auxquels ils se rendent : offrandes d'argent, de biens divers, voire de travail : ainsi de nombreux pèlerins, les Isauriens en particulier, qui se rendent auprès de Syméon Stylite le jeune y restent-ils un certain temps pour travailler à la construction du monastère (*Vie de S. Syméon Stylite le Jeune* 96, éd. Van den Ven, p. 74-75).

3° *Les pratiques curatives*. – Les pèlerins qui viennent aux lieux saints dans un but de guérison adoptent le plus souvent une pratique qui était déjà en usage dans les sanctuaires païens, celle de l'*incubation*. Le malade vient s'établir à demeure dans le sanctuaire, ou dans l'atrium de celui-ci, et il y reste couché durant des jours, des semaines, parfois des années, attendant l'intervention miraculeuse qui le délivrera. Celle-ci, à en croire les récits de miracles, a lieu généralement de la façon suivante : les saints titulaires des lieux apparaissent au malade, le plus souvent en songe, parfois en vision réelle, et lui indiquent le remède à adopter. On n'énumèrera pas l'infinie variété de ces remèdes ; relevons du moins l'usage qui est fait de l'huile, soit celle de la veilleuse qui se trouvait au-dessus de la relique, soit celle que l'on faisait passer sur les reliques (il existe des reliquaires aménagés à cet effet). Ces pratiques, il faut le souligner, ne sont pas réservées à quelques sanctuaires spécialisés : on peut citer des cas d'incubation jusque dans l'église de l'Anastasis (cf. Marc le Diacre, *Vie de Porphyre* 7, éd. Grégoire-Kugener, p. 7 ; *Miracles de Bar Sauma* 55, éd. F. Nau, p. 115).

5. LA LITTÉRATURE DESTINÉE A AIDER LES PÈLERINS. – Il faut d'abord évoquer le rôle premier de la Bible, qui guide et inspire les pèlerins de Palestine. Quelques ouvrages topographiques peuvent également les assister, tels l'*Onomasticon* d'Eusèbe de Césarée (vers 320), le *Breviarius de Hierosolyma* et le *De situ Terrae Sanctae* de Theodosius (5e s.). Les sanctuaires des martyrs font leur propagande grâce aux collections de Miracles (cf. *supra*). Cette littérature, qui entend d'abord exalter la puissance thaumaturgique des saints, a aussi une fonction pédagogique : elle veut « faire du bien à ceux qui les écoutent » (*Mir. Cyri et Ioh.* 20, 1 ; PG 87/3, 3480c). Sa catéchèse reste cependant sommaire, insistant essentiellement sur le caractère absolu de la foi du pèlerin mais en tentant d'en dénoncer les déviations possibles, aussi bien l'hérésie que le fait de s'arrêter au pouvoir des saints sans le rapporter à celui de Dieu (cf. P. Maraval, *Fonction pédagogique de la littérature hagiographique d'un lieu de pèlerinage : l'exemple des Miracles de Cyr et Jean*, dans *Hagiographie. Cultures et société (4e-12e siècles)*, Paris, 1981, p. 383-97).

1. **Récits de pèlerins, ouvrages topographiques**. – Eusèbe de Césarée, *Onomasticon*, éd. E. Klostermann, GCS 3/1, 1904. – *Itinerarium Burdigalense*, éd. P. Geyer et O. Cuntz, dans *Itineraria et alia geographica*, CCL 175, 1965. – *Egeriae Itinerarium*, éd. Ae. Franceschini et R. Weber, *ibidem* ; éd. O. Prinz, Heidelberg, 1960 ; texte et trad. franç. par P. Maraval, SC 296, 1982. – Jérôme, *Epitaphium S. Paulae* (= Lettre 108), dans *Lettres*, éd. J. Labourt, t. 5, Paris, 1955. – *Breviarius de Hierosolyma*, éd. R. Weber, dans *Itineraria...*, CCL 175. – Theodosius, *De situ terrae sanctae*, éd. P. Geyer, in *Itinera Hierosolymitana saec. IIII-VIII*, Vienne, 1898 (CSEL 39 ; reproduit en CCL 175). – *Antonini Placentini Itinerarium*, éd. C. Milani, Milan, 1977. – H. Donner, *Pilgerfahrt ins Heilige Land. Die ältesten Berichte... (4.-7. Jahrhundert)*, Stuttgart, 1979.
2. **Collections de Miracles** (les plus importantes et les plus

accessibles). – L. Deubner, *Kosmas und Damian*, Leipzig, 1907. – N. Fernández Marcos, *Los Thaumata de Sofronio. Contribución al estudio de la « incubatio » cristiana*, Madrid, 1975 (éd. ancienne PG 87/3). – G. Dagron, *Vie et Miracles de Sainte Thècle*. Texte grec, trad. et commentaire, Bruxelles, 1978. – P. Lemerle, *Les plus anciens recueils de Miracles de Saint Démétrius*, 2 vol. (texte et commentaire), Paris, 1979-1981. – Vue d'ensemble dans H. Delehaye, *Les recueils antiques de miracles de saints*, Bruxelles, 1925. – Trad. de nombreux textes dans A.-J. Festugière, *Collections grecques de Miracles...*, Paris, 1971.

**3. Études.** – E. Lucius, *Les origines du culte des saints dans l'Église chrétienne*, Paris, 1908. – H. Delehaye, *Les origines du culte des martyrs*, Bruxelles, 1933. – B. Kötting, *Peregrinatio religiosa*, cité *supra*. – M. Simon, *Les pèlerinages dans l'Antiquité chrétienne*, dans *Les Pèlerinages, de l'Antiquité biblique et classique à l'Occident médiéval*, Paris, 1973, p. 95-115. – J. Wilkinson, *Jerusalem Pilgrims before the Crusades*, Warminster, 1977 (plusieurs des textes cités en 1. y sont traduits et annotés). – E. Pietrella, *I Pellegrinaggi ai Luoghi Santi e il culto dei martiri in Gregorio di Nissa*, dans *Augustinianum*, t. 21, 1981, p. 135-51. – E.D. Hunt, *Holy Land Pilgrimage in the Later Roman Empire AD 312-460*, Oxford, 1982. – P. Maraval, *Les Pèlerinages chrétiens en Orient. Histoire et géographie des lieux saints de l'Orient byzantin des origines à la conquête arabe*, Paris, 1984 (à paraître).

Pierre MARAVAL.

## B. Le pèlerinage aux apôtres Pierre et Paul
### (des origines à l'an 800)

Les apôtres Pierre et Paul ne sont morts à Rome ni le même jour ni la même année ni au même endroit et ils furent enterrés en deux lieux différents. Aussitôt cependant que nous parviennent les échos littéraires de leur culte, nous les voyons unis dans une commune célébration en tant que premiers martyrs et fondateurs de l'Église romaine. Il est vrai qu'avec le temps Pierre prit le pas sur Paul dans la dévotion des fidèles. Cette évolution est particulièrement celle du pèlerinage à leur tombeau. Dès le 3e siècle, en effet, mais surtout à partir de 313, le pèlerinage devint la forme la plus populaire de leur culte. Pour faire apparaître ce qu'il signifie, nous en distinguerons les temps et les lieux, nous séparerons le pèlerinage des affaires qui l'accompagnent et nous détaillerons ses démarches et ses rites.

1. LES TEMPS ET LES LIEUX. – A dire vrai, il ne peut être question de retenir comme pèlerins la plupart des voyageurs chrétiens qui prirent le chemin de Rome pendant les deux premiers siècles.

Ni Ignace d'Antioche qui y fut martyrisé, ni Polycarpe de Smyrne qui y vint sous Anicet, ni Irénée de Lyon que son Église y envoya au temps d'Eleuthère, n'étaient des pèlerins. De même l'épitaphe d'Abercius, évêque de Hiéropolis en Phrygie à la fin du 2e siècle, dit qu'il fut « envoyé à Rome (par un saint pasteur, le Christ) pour contempler la majesté souveraine et admirer une reine aux vêtements et chaussures d'or » (DACL, t. 1, 1907, col. 74). Qu'en était-il des hérétiques auxquels Cyprien de Carthage reprochait de « prendre la mer pour se rendre à la chaire de Pierre et à l'Église qui est la source de l'unité entre les évêques » (*Ep*. 59, 14) ? Ressemblaient-ils aux professeurs qui tenaient école dans la capitale ou aux chefs de secte du 2e siècle qui y cherchaient une audience plus universelle pour leur doctrine ? ou à ces pèlerins d'outre-mer qui ont laissé leurs graffiti à Saint-Sébastien ? Ceux-ci sont les premiers pèlerins que nous connaissons. Les quelque 640 griffonnages qu'ils ont écrits sur les parois de la *triclia* sous la basilique de la voie Appienne au cours de la seconde moitié du 3e siècle, nous apprennent qui ils étaient (un Bénéventais, la plupart ayant navigué sur mer, beaucoup étant venus d'Afrique), quelles

prières ils avaient adressées aux deux apôtres et quels rites ils avaient accomplis en leur honneur (A. Ferrua, *Rileggendo*).

C'est donc à Saint-Sébastien que s'arrêtèrent ces premiers pèlerins pour vénérer les apôtres. Une église d'époque constantinienne s'élèvera plus tard à cet endroit et portera le nom de *basilica apostolorum*. Le pape Damase y fera mettre une inscription pour rappeler que les apôtres « y avaient habité » (Ferrua, *Epigrammata*, n. 20). Que signifient ces témoignages de culte ?

Il n'est pas question d'entrer ici dans le détail des explications proposées depuis Mgr L. Duchesne par ses émules et ses contradicteurs, les premiers optant pour l'hypothèse d'une translation de reliques réelles, non attestée par les documents, les seconds, pour une simple commémoraison des apôtres, sans présence de reliques sinon supposées, au temps de la persécution de Dèce. Une chose est certaine : ce lieu fut le théâtre d'un culte des deux apôtres à partir de 258 (*Depositio martyrum*) jusqu'au 4e siècle (basilique, inscription damasienne), époque où celui du martyr local Sébastien en prit le relais. Quoi qu'il en soit, dans l'histoire générale du pèlerinage apostolique, la *basilica apostolotum* n'a joué qu'un rôle épisodique.

A partir du 4e siècle s'affirment définitivement deux autres lieux de culte, tenus depuis toujours pour ceux des tombes apostoliques, ornés depuis peu de basiliques : le Vatican et la voie d'Ostie. L'hymne pseudo-ambrosien *Apostolorum passio* se fait sans doute encore l'écho de la situation immédiatement antérieure, en plaçant « le concours des foules de l'univers sur trois itinéraires » (U. Chevalier, *Repertorium hymnologicum*, n. 1231). Au début du 5e siècle, Prudence ne parle plus que de deux sanctuaires, attirant plus que de coutume, le 29 juin, l'affluence empressée et joyeuse des pèlerins (*Peristephanon* XII, 1-4). S'il énumère parmi eux les habitants d'Albe, des Abruzzes, de l'Étrurie, du Samnium, de Capoue et de Nole à propos d'Hippolyte (*Perist*. XI, 199-208), à plus forte raison peut-on les supposer présents pour la fête des apôtres. Aux 4e et 5e siècles ils affluent en effet de partout, d'Orient, mais surtout d'Occident. Plus tard, les peuples nouvellement convertis fournissent les contingents les plus fréquents : Francs, Celtes, Saxons, Frisons. Parmi eux, « nombreux sont les Anglais, nobles ou sans qualité, laïcs ou clercs, hommes ou femmes, qui prirent l'habitude de faire à l'envi le pèlerinage de Rome » (Bède, *Historia ecclesiastica* V, 7). Les moines scots, en particulier, missionnaires sur le continent, manqueront rarement l'occasion de descendre à Rome pour prier sur la tombe des apôtres. Il suffit de nommer parmi eux Benoît Biscop, Willibrord, Boniface.

En même temps cependant une autre évolution se dessine qui, des deux apôtres, met Pierre en relief. A l'origine, la dévotion des fidèles et la liturgie de l'Église s'adressaient aux deux apôtres conjoints (V. Saxer, *Le culte des apôtres*, p. 202-06). Leur culte ne perdra jamais complètement cette connotation originelle. Mais dès 325 environ, la prééminence de Pierre sur Paul s'affirme dans les dimensions comparées de leurs basiliques. Celle du Vatican, comme *domus regalis* voulue par Constantin en l'honneur de Pierre (*Liber Pontificalis*, éd. Duchesne, t. 1, p. 176) était, non seulement la plus grande des deux, mais encore la plus vaste de Rome, alors que la basilique constantinienne de Saint-Paul n'avait qu'environ le tiers de sa concurrente. A la fin du 4e siècle seulement, elle fut rebâtie sur le modèle et avec des dimensions de cette dernière (P. Testini, *Archeologia cristiana*, Rome, 1958, p. 193). Cette situation a nécessairement conditionné l'accueil des pèlerins, de même que leur afflux a nécessité l'agrandissement de Saint-Paul.

Or, en même temps et au temps suivant, le Siège romain, que l'on s'habitue à nommer Apostolique, affirme ses dimensions universelles par l'organisation de la primatie italienne, du patriarcat occidental et d'une certaine primauté dans l'*orbis* chrétien. Ce courant d'idées s'exprime dans l'iconographie de la *Traditio legis* (Pierre nouveau Moïse), dans les formulaires liturgiques du 29 juin, dans la romanisation des *Acta Petri* et l'enracinement topographique de divers épisodes de sa légende, dans la prédication patristique à Rome et en-dehors de Rome. Les mêmes motifs contribuent à multiplier les sanctuaires apostoliques et en particulier pétriniens dans la ville : la basilique des Douze Apôtres (à l'origine de Pierre et Paul), la prison Mamertine, le *Quo vadis ?*, Saint-Pierre-ès-Liens, le *titulus Fasciolae*, Sainte-Pétronille à la catacombe de Domitille (Saxer, *Le culte des apôtres*, p. 214-26 ; Ch. Piétri, *Roma christiana*, Paris, 1976, p. 1413-1626 ; U.M. Fasola, *Pierre et Paul à Rome*, p. 57-75). Ainsi s'exprime une nouvelle idée de Pierre qui ne manque pas d'imprégner l'esprit des pèlerins. En sont témoins ceux qui, comme Paulin de Nole, viennent à Rome pour le 29 juin ; qui, comme Maxime de Turin, Gaudence de Brescia ou Augustin d'Hippone, consacrent aux apôtres leurs homélies du 29 juin ; qui rapportent de Rome des reliques des apôtres ou édifient chez eux des églises en leur honneur (E. Josi, *La venerazione degli apostoli*, p. 167-90 ; E. Delaruelle, *Il martirio di S. Pietro*, p. 287-300).

De plus lointaines conséquences, mais non moindres pour la formation de l'Occident, furent le fruit de l'engouement des « roméés » pour tout ce qu'ils avaient vu et admiré à Rome. La liturgie et la *cantilena* (chant grégorien) de Rome supplantent les usages liturgiques des Gaules, des îles et plus tard de l'Espagne. Le prestige de son droit explique la formation des collections canoniques. Ses manuscrits de toute sorte peuplent encore aujourd'hui les grandes bibliothèques d'Europe et sans eux il n'y aurait pas eu de Renaissance carolingienne. Cette ferveur romaine culmine dans la création d'un État pontifical comme nouveau Patrimoine de Saint-Pierre vers la fin du 8e siècle et, à Noël de l'an 800, dans la restauration de l'empire dont Léon III pose la couronne sur la tête de Charlemagne dans la basilique Saint-Pierre. Ainsi les pèlerins de Rome ont-ils été des artisans de la civilisation occidentale.

2. LE PÈLERINAGE ET LES AFFAIRES. – Les pèlerins n'ont pas toujours fait connaître les motifs qui les poussaient sur les routes de Rome, mais il y a des chances que ceux-ci n'aient guère varié dans le temps. Voici ceux que nous révèlent les textes.

*La dévotion aux martyrs* a été l'un des premiers motifs. Jérôme évoque ses visites aux catacombes lors de sa jeunesse studieuse à Rome :

« J'avais coutume, avec des camarades de même âge et de mêmes dispositions, de visiter le dimanche les tombeaux des apôtres et des martyrs. Nous entrions souvent dans les cryptes profondément creusées sous terre et présentant au promeneur, de chaque côté le long des parois, des corps ensevelis. Tout y est si obscur qu'on y voit presque réalisée la parole prophétique : Qu'ils descendent vivants aux Enfers ! (*Ps.* 54, 16). Une lumière venue d'en-haut tempérait à peine çà et là l'horreur des ténèbres : c'était moins une fenêtre qu'une ouverture laissant descendre le jour. Puis on se

remettait en marche à petits pas, immergés dans une nuit noire qui rappelait le vers de Virgile (*Énéide* II, 775) : Partout l'horreur et le silence même terrifient nos âmes » (*Comm. in Ez.* XII, 40, 5, PL 25, 375).

S'il est vrai que ce témoignage peut être corroboré par celui de Paulin de Nole qui venait tous les ans faire son pèlerinage romain (DACL, t. 14, 1939, col. 43-45), on y a noté, comme dans *Les martyrs* de Châteaubriand, le goût de la rhétorique, l'attirance romantique du mystère, le frisson recherché de la peur, mêlés aux élans de la dévotion. Sauf à Saint-Sébastien où des galeries souterraines entourent effectivement la *memoria apostolorum* et à Domitille où on vénérait une Pétronille qui passera bientôt pour être la fille de Pierre, les pèlerins anciens se rendaient davantage aux sanctuaires souterrains des martyrs qu'à ceux des apôtres : à Saint-Paul, l'accès à la tombe n'a apparemment jamais été aménagé ; à Saint-Pierre, la confession était visible en surface au centre du transept. Quoi qu'il en soit, dès le 4e siècle, le pèlerinage aux tombes apostoliques était inséparable de celui aux tombes des martyrs.

*Le pèlerinage pénitentiel* constitue une catégorie à part. Il était en effet imposé par l'autorité ecclésiastique aux pécheurs coupables de certaines fautes graves dont ils n'obtenaient l'absolution qu'une fois leur pèlerinage accompli. Il entre dans les mœurs sur le continent avec l'apparition de la pénitence tarifiée insulaire, c'est-à-dire à partir du 6e siècle, pour atteindre au 8e le premier sommet de sa faveur. A l'époque carolingienne, il provoque la méfiance du clergé et la réglementation des conciles ; il continuera néanmoins à occuper une place dans le système pénitentiel médiéval. Dans ce cadre général s'insère le pèlerinage pénitentiel à Rome.

Il n'apparaît qu'au 8e siècle dans les textes hagiographiques (Grégoire de Tours, *Gloria confessorum* 87, chap. interpolé au 8e s. ; *Vitae SS. Austremonii, Opportunae, Bercharii*), les pénitentiels (*Poenitentiale* du Ps. Egbert 4, 6 ; DS, t. 4, col. 340), la correspondance entre évêques et papes (Boniface à Grégoire III et à Zacharie ; Hosbald, Thado et Salomon à Nicolas I ; inversement Benoît III à Salomon ; Nicolas I à Rivoladrus et à Ratalde ; Jean VIII à Wido ; Étienne V à Lambert) et les textes canoniques (Concile de Ver, en 755 ; *Admonitio generalis* de Charlemagne, en 789 ; *Capitulare* d'Aix-la-Chapelle, en 802 ; Concile de Chalon, en 813) ; mais c'est presqu'aussitôt pour être réprouvé ou règlementé par les autorités (C. Vogel, *Le pèlerinage pénitentiel*).

On le comprend, car aux motifs de dévotion ou de pénitence s'en étaient très vite ajoutés d'autres, moins religieux : le goût de l'aventure, la soif de l'inconnu, l'instabilité ; ou pseudo-religieux : la quête et le commerce des reliques, quand ce n'est pas le commerce tout court. C'est pourquoi, de tout temps, des abus se glissèrent dans la pratique du pèlerinage. Augustin s'en prenait aux moines, vagabonds plutôt que pèlerins :

« Hypocrites sous l'habit religieux, ils parcourent les provinces, sans mission, sans maison, sans règle ni siège. Les uns vendent les membres des martyrs... D'autres 'font bien larges leurs phylactères et bien longues leurs franges' (*Mt.* 23, 5). D'autres encore prétendent qu'ils ont entendu parler de parents ou de proches dans tel ou tel pays et disent faussement qu'ils vont les voir. Tous quémandent, tous commandent une aumône pour leur fructueuse pauvreté ou le prix d'une prétendue sainteté » (*De opere monachorum* 28, 36).

Plus tard, synodes et conciles en viennent à interdire aux moines le pèlerinage à Rome ; de même aux moniales, en raison des dangers supplémentaires que courait leur vertu (Concile d'Aquilée, en 796, Mansi,

t. 13, 830). Boniface s'en était d'ailleurs déjà exprimé clairement à Cuthbert de Cantorbéry au début du 8ᵉ siècle : « Peu nombreuses étaient les villes de Lombardie, de Francie et des Gaules, sans adultère ou courtisane, venue d'Angleterre comme pèlerine » (*Ep.* 78, MGH *Epist.*, t. 3, p. 354). L'anonyme du *Codex Boernerianus* (9ᵉ s.) résume une opinion alors assez générale : « Aller à Rome, grand labeur, petit profit... C'est grande folie, grande frénésie, grande perte de sens et grande déraison, en t'acheminant sûrement vers la mort, d'exciter le déplaisir du Fils de Marie » (DACL, t. 14, col. 63).

Le pèlerinage romain s'est accompagné chez certains de motifs qui étaient souvent d'ordre ecclésiastique. C'est le cas en particulier des évêques. Pour ne pas revenir sur Polycarpe, Irénée, Abercius, nous ne savons pas si les clercs africains du temps de Cyprien, ou les donatistes déférés en 313 par Constantin au tribunal du pape (Ch. Piétri, *Roma christiana*, t. 1, p. 159-67), ont prié sur la tombe des apôtres et des martyrs. Nous ignorons si la délégation alexandrine envoyée pour accuser Athanase, et lui-même qui vint s'y défendre en 338-340, accompagnèrent leur démarche de visites de piété. Il y a cependant, aux 4ᵉ et 5ᵉ siècles, des indices que les affaires n'excluaient pas le pèlerinage. Nous nous limitons à deux exemples.

Quand l'eunuque Eusèbe, envoyé de Constance, vint à Rome en 355 pour amener Libère aux vues de l'empereur par la condamnation d'Athanase, ne l'ayant pas obtenue, c'est au *martyrion* de Pierre qu'il va porter les présents destinés au pape (Athanase, *Historia arianorum* 35-37, PG 25, 733-37). La réaction indignée d'Athanase donne à penser qu'il considérait le pèlerinage à la tombe de l'apôtre comme une fausse garantie d'orthodoxie, et « l'offrande illicite » comme comparable à la prévarication de Saül (1 *Sam.* 15, 24). Optat de Milève, de son côté, remontait aux donatistes que l'accès aux *memoriae apostolorum* leur était interdit, précisément en raison de leur schisme (*De schismate donatistarum* II, 4, CSEL 26, p. 38). Le pèlerinage apostolique, particulièrement à Saint-Pierre, était donc considéré comme un critère de communion avec le Siège de Rome et n'était possible qu'à ceux qui en jouissaient (M. Maccarone, *Il pellegrinaggio a S. Pietro*, p. 394 et n. 106).

Hilaire d'Arles vint à Rome en 444-445 pour l'affaire de Chelidonius de Besançon, où la foi n'était pas en jeu mais seulement la discipline ecclésiastique. Il commença par faire ses dévotions aux basiliques des apôtres et des martyrs, puis il se présenta chez le pape pour lui rendre ses devoirs et lui demander de bien vouloir régler le statut des Églises gauloises selon les règles traditionnelles (*Vita Hilarii* 22, PL 50, 123). Ces deux cas paraissent d'autant plus significatifs qu'ils proviennent de l'Orient aussi bien que de l'Occident.

3. LES DÉMARCHES ET LES RITES. – Les pèlerins, nous le savons déjà, parcouraient la Ville de sanctuaires en catacombes. Ils étaient guidés par des *Itinéraires* précis. Bien que ces documents n'apparaissent qu'aux 6ᵉ-7ᵉ siècles, il y a des chances que leurs prototypes soient plus anciens.

Le premier connu date de Grégoire le Grand (590-604). Un prêtre nommé Jean fit alors, pour le compte de la reine Théodolinde, le tour des églises de martyrs, en y prélevant comme reliques de l'huile brûlant sur les tombes vénérées. La liste de ces reliques (conservée à Monza) ne concerne pas toutes les églises, mais seulement les sanctuaires effectivement visités, en commençant par les deux basiliques des apôtres ; elle ne constitue pas un Itinéraire proprement dit. Les *Cymiteria totius urbis Romanae*, malgré le titre ambitieux, donnent seulement le compte des catacombes connues à l'époque (dix-sept).

La *Notitia ecclesiarum urbis Romae* est, en revanche, le premier *Itinéraire* véritable. Composé sous Honorius I (625-638), il indique les églises suburbaines des martyrs et une en ville, Saints-Jean-et-Paul, selon les voies sur lesquelles elles se trouvent. Le *De locis sanctorum martyrum*, qui remonte à Honorius et Théodore I (635-645), fait parcourir les sanctuaires suburbains, à partir du tombeau de Pierre, dans le sens inverse des aiguilles d'une montre, et s'achève par une liste de 21 églises urbaines. L'*Itinéraire de Malmesbury* date de 648-682 ; il est inséré par Guillaume de Malmesbury (d'où son nom) dans ses *Gestes des rois d'Angleterre* IV, 352. Lui aussi part du Vatican, mais dans le sens opposé du précédent. L'*Itinéraire d'Einsiedeln*, conservé dans un ms de cette ville (9ᵉ-10ᵉ s.), date du 8ᵉ siècle. Son intérêt est multiple : non seulement il offre onze itinéraires urbains partant d'un point central, mais il conserve encore divers documents épigraphiques et historiques, importants pour l'histoire de Rome (Saxer, art. *Itinerari*). Nous sommes ainsi en mesure de suivre les pèlerins dans leur parcours romain.

*Les rites* qu'ils accomplissaient aux lieux saints ont varié dans le temps. Les plus anciens pèlerins y ont accompli le *refrigerium*. Une description classique de cet usage se lit dans les *Confessions* (VI, 2) d'Augustin à propos des visites que sa mère faisait aux *memoriae* des saints, défunts et martyrs. Il consistait à absorber d'abord et à distribuer ensuite aux morts les offrandes (*epulis praegustandis et largiendis*) sous forme de libations. Il a souvent donné lieu aux excès (*comissationes et ebrietates* ou *vinolentiae*) qu'Augustin avait combattus dans le culte des martyrs et qu'il signalait comme pratiqués encore vers 392 dans la basilique Saint-Pierre de Rome (Saxer, *Morts, martyrs, reliques*, p. 133-47). Les catacombes romaines offrent de fréquentes représentations de ces banquets funéraires (E. Jastrzebowska, *Les scènes de banquet*). C'est de ce rite que portent témoignage les graffiti de la triclia à Saint-Sébastien (Jastrzebowska, *Untersuchungen*).

Une dizaine d'entre eux comportent expressément le terme *refrigerare* (ou *refrigerium facere*) : une fois, il s'agit du repos éternel souhaité aux défunts (ICVR, t. 5, 12975), sept fois est désigné le banquet funéraire (*ibidem*, 12932, 12942, 12961, 12974, 12981, 13003, 13091), une autre fois l'expression nous paraît ambiguë (13048). Parmi les sept mentions de banquets, l'une dit : « At (= Ad) Paulum et Petrum refrigeravi » (13003), ce qui n'est qu'une indication topographique : « J'ai fait le *refrigerium* auprès de Paul et de Pierre » ; une autre fois il est expressément fait « pour Pierre et Paul » : « Petro et Paulo Tomius Coelius refrigerium feci » (12981). Qu'ils aient été pratiqués précédemment près de la tombe même de Pierre au Vatican, le fait est attesté par l'aménagement de la tombe Γ, toute proche de celle de l'apôtre, qui pourrait être encore du 1ᵉʳ, mais que H.-I. Marrou préfère dater du 2ᵉ siècle (DACL, t. 15, 1953, col. 3317, fig. 11280, 11282). Nous nous demandons s'il ne faut pas aller plus loin. La tablette, que les explorateurs ont proposé de restituer au-dessus des colonnettes du trophée, n'aurait-elle pas été, elle aussi, en relation avec le culte funéraire pour servir au dépôt des offrandes destinées à l'apôtre lui-même ?

Que cette supposition n'est pas téméraire résulte d'études plus ou moins récentes sur les *cathedrae* funéraires (Th. Klauser, *Kathedra im Totenkult der heidnischen und christlichen Antike*, Münster, 1927 ; U.M. Fasola, *Natale Petri de Cathedra...*). La célébration liturgique du 22 février en l'honneur de la Chaire de saint Pierre, inscrite pour la première fois dans le *Depositio martyrum* romaine, coïncidait avec la fin des *parentalia* païens, le jour de la *cara cognatio* (ce qui laisse déjà supposer l'origine funéraire de cette fête de l'apôtre) ; de plus, on a interprété plus tard une *cathedra* funéraire du Cimetière Majeur (il existe d'autres exemples, là et ailleurs, de *cathedrae* qui étaient d'abord symboliquement destinées aux morts associés au banquet offert par les vivants en leur honneur) comme « le siège que Pierre avait d'abord occupé » (*ubi prius sedit*), comme s'exprime le prêtre Jean envoyé à Rome par Théodelinde. On en a conclu que le *prius* supposait une autre chaire occupée par Pierre *après*. Fasola n'est pas loin de penser que la deuxième se trouvait au Vatican. Nous proposons d'aller plus loin dans l'hypothèse. Cette chaire du Vatican n'était-elle pas à l'origine une *cathedra* funéraire, placée dans le voisinage du trophée apostolique, lui-même destiné aux offrandes faites à l'apôtre pour sa commémoraison annuelle le 22 février dans le cadre de la commémoraison générale des morts (cf. P.-A. Février, *Natale Petri de cathedra*) ? Cela suppose aussi, bien sûr, que la vraie date de son martyre était oubliée : chose faite en 258, comme le montre la notice du 29 juin de la même *Depositio martyrum*. Cette chaire, dont il n'est pas resté de traces, était-elle en bois ? On s'expliquerait mieux alors que, bien des siècles plus tard, ce soit un siège de bois que Charles le Chauve avait offert au pape en souvenir de la *cathedra* primitive. Notre proposition cumule les hypothèses. Elle n'a d'autre prétention que de donner une explication cohérente à des faits et textes apparemment disparates.

Les rites funéraires, même ceux qui se célébraient en l'honneur des apôtres, disparurent, à Rome comme ailleurs, avec l'éclosion d'une mentalité nouvelle. Ils furent alors remplacés par des rites nouveaux, plus significatifs de la mentalité chrétienne et qui avaient pour objet les *reliques* des martyrs.

Nous avons déjà vu le prêtre Jean en collectionner pour sa reine. Or, il s'agissait, non de reliques véritables *ex corpore*, mais de reliques représentatives *ex contactu*. C'était, en effet, le vieil usage romain de ne pas démembrer les corps saints pour en faire des reliques. Grégoire le Grand se fit encore l'écho de cette tradition dans une lettre à l'impératrice Constantine : « Les Romains n'ont point pour coutume de prélever des reliques sur le corps (des martyrs) » (*Registr.* IV, 30). En revanche, ils distribuaient comme telles les objets qui avaient été ou qu'on supposait avoir été en contact avec leur tombe : huile, étoffes (*brandea, palliola*), chaînes de saint Pierre, voire de saint Paul, ou limaille en provenant. Signalons qu'aujourd'hui encore le *pallium*, envoyé aux archevêques en signe de juridiction, a reposé dans un coffret de bronze placé dans la confession de Saint-Pierre. Ces objets étaient censés remplis de la vertu du martyr.

D'après le récit de son diacre Agiulfus, qui avait fait le pèlerinage de Rome où il était resté près d'un an en 589-590 et avait assisté à l'ordination épiscopale de Grégoire le Grand le 3 septembre 590, Grégoire de Tours décrit le processus de cette sanctification par contact :

« Le tombeau (de Pierre), placé sous l'autel, est un ouvrage des plus rares. Celui qui veut y adresser des prières ouvre la grille qui l'entoure, s'approche du sépulcre, et, passant sa tête par une petite fenêtre (*fenestrella*) qui s'y trouve, il demande ce dont il a besoin ; ses prières sont aussitôt exaucées, pourvu seulement qu'elles soient justes. Désire-t-il rapporter du tombeau quelque relique, il y jette un morceau d'étoffe (*palliolum*) qu'il a d'abord pesé ; ensuite, dans les veilles et le jeûne, il prie avec ardeur que la vertu apostolique daigne exaucer son désir. Chose admirable ! si la foi de celui qui agit ainsi est suffisante, l'étoffe, quand on la retire du tombeau, se trouve si remplie de la vertu divine, qu'elle pèse beaucoup plus qu'auparavant. Par là, celui qui la reprend peut être assuré que sa prière a été exaucée. Bon nombre de fidèles apportent des clefs d'or pour ouvrir la grille, prenant celles qui s'y trouvaient et qu'ils remplacent ainsi ; ils s'en servent pour guérir diverses infirmités. C'est ainsi qu'en effet une foi vive peut tout obtenir » (*Gloria mart.* 28, trad. H. L. Bordier, Paris, 1857, p. 75).

Que cette histoire de linge imbibé physiquement de la vertu du saint n'est pas du crû de Grégoire de Tours, ni une invention de son diacre, nous est confirmé par un récit analogue qui circulait en Orient dans les premières années du 7e siècle et que son éditeur attribue à Jean Moschus.

Des Francs avaient demandé au pape Grégoire le Grand et obtenu de lui des reliques de l'apôtre, enfermées dans un coffre de bois scellé. Quand ils ouvrirent le coffre, ils y découvrirent un morceau d'une vieille nappe d'autel. Furieux, ils retournèrent chez le pape et lui reprochèrent de les avoir trompés. Celui-ci, sans s'émouvoir, leur redemanda le coffre avec son contenu, le scella et le déposa de nouveau sur le tombeau de l'apôtre. Quand les Francs revinrent le lendemain et que le coffre fut rouvert en leur présence, du sang coulait de la nappe. La vue du miracle persuada les Francs de la réalité de la relique et elle leur fut finalement rendue. Le narrateur continue alors comme suit : « Quand quelqu'un venait demander quelque chose du corps de l'apôtre Pierre... il venait avec une étoffe ou tout autre objet qu'il déposait sur le sépulcre du saint. Il veillait toute la nuit en prière ; au lever du soleil, il reprenait ce qu'il avait déposé et le pesait : si le poids de l'objet avait augmenté (car il avait été pesé avant d'être déposé), alors il le reprenait ; sinon en revanche, il se remettait à prier nuit après nuit jusqu'à ce que l'objet pesât davantage » (J.-M. Sauget, *Grégoire le Grand et les reliques de S. Pierre dans la tradition arabe chrétienne,* dans *Rivista di archeologia cristiana,* t. 49, 1973, p. 301-09).

Sans vouloir tirer des conclusions exagérées de ces récits d'origine si diverse, ils témoignent d'une même croyance, que la foi obtient la présence physique de la vertu du martyr dans sa relique représentative, d'une même conviction en son pouvoir thaumaturgique, quel que soit l'endroit où elle est ensuite déposée. Ils témoignent aussi de la mentalité des Francs, avides de posséder des reliques de l'apôtre. Il est vrai qu'ils n'étaient pas les seuls à faire preuve de cette avidité.

De toute façon, et ce sera notre conclusion, le pèlerin vient à Rome, certes par dévotion, mais cette dévotion a pris, avec le temps, des formes plus matérielles. Elle a besoin d'entrer en contact avec le saint et de garder de ce contact une preuve tangible. Celle-ci est le support, la garantie, voire l'objet de la foi. Cette foi elle-même n'inspire habituellement au pèlerin que des demandes concrètes, comme la guérison ou la sécurité physique. Même le pécheur, venu à Rome en pèlerinage pénitentiel, découvrira le signe de son pardon dans ses chaînes rompues, fût-ce par leur usure. C'est qu'en effet, ces pèlerins ne vivent pas seulement en des temps troublés où le besoin de sécurité est quotidien, mais leur horizon s'est restreint, leur vue ne s'élève guère au-delà de ce qu'ils atteignent par leur démarche et touchent de leurs mains. Leur esprit lui-même s'est rétréci aux besoins du moment. Cette myopie spirituelle se voit déjà chez les gens que sermonne Augustin. A plus forte raison est-elle le fait des pèlerins du temps de Grégoire de Tours et de Grégoire le Grand ou des hagiographes mérovingiens. Il faudra attendre Charlemagne pour que leur horizon s'élargisse de nouveau aux dimensions de l'empire restauré. Encore cet élargissement ne profitera-t-il qu'à une élite. Les humbles resteront encore longtemps attachés à des préoccupations beaucoup plus terre à terre.

*Inscriptiones Christianae Vrbis Romae saeculo VII anti-*

quiores = ICVR, éd. J.B. de Rossi, A. Silvagni, A. Ferrua, Rome, 1867 svv. - J, Gay, *Bibliographie des ouvrages relatifs aux pèlerinages...*, Turin, 1876.

**Études historiques.** - J. Guiraud, *Rome ville sainte au 5e siècle*, dans *Revue d'histoire et de littérature religieuse*, t. 3, 1898, p. 55-70. - J. Zettinger, *Die Berichte über Rompilger aus dem Frankenreich bis zum Jahr 800*, dans *Römische Quartalschrift*, Suppl. Heft 13, Rome, 1900. - G.H. Jones, *Celtic Britain and the Pilgrims Movement*, Londres, 1912. - L. Gougaud, *Sur les routes de Rome et du Rhin avec les 'peregrini insulares '*, RHE, t. 29, 1933, p. 253-76. - J.W. Moore, *The Saxon Pilgrims to Rome and the Schola Saxonum*, Fribourg/Suisse, 1937. - G. Bardy, *Pèlerinages à Rome vers la fin du 4e siècle*, AB, t. 67, 1949, p. 224-35. - B. Kötting, *Peregrinatio religiosa*, cf. *supra*, p. 228-45. - *Pellegrinaggi e culto dei santi in Europa...*, cf. *supra*. - C. Vogel, *Le pèlerinage pénitentiel*, dans *Revue des sciences religieuses*, t. 38, 1964, p. 113-53 (reprise d'une communication du recueil précédent).

A. Hamman, *Le voyage à Rome du 1er au 3e siècle : raisons officielles et motifs inavoués*, dans *Pèlerins de Rome = Visages de Rome*, t. 2, éd. O. de La Brosse, Rome-Paris, 1976, p. 27-40 ; J. Guyon, *Le pèlerinage à Rome dans la Basse-Antiquité et le Haut-Moyen-Age, ibidem*, p. 41-70 ; A. Vauchez, *Pour ou contre le pèlerinage à Rome : un débat médiéval*, p. 71-82. - Ch. Piétri, *Roma christiana*, 2 vol., Paris, 1976.

E. Jastrzebowska, *Les scènes de banquets dans les peintures et sculptures chrétiennes des 3e et 4e siècles*, dans *Recherches augustiniennes*, t. 14, 1979, p. 3-90 ; *Untersuchungen zum christlichen Totenmahle aufgrund der Monumente des 3. und 4. Jahrhunderts unter der Basilika des hl. Sebastianus in Rom*, Francfort/Main, 1981. - V. Saxer, *Morts, martyrs, reliques en Afrique chrétienne aux premiers siècles*, coll. Théologie historique 55, Paris, 1980.

**Pierre et Paul.** - E. Ruggieri, *Dell'antico pellegrinaggio in Roma ai sepolcri apostolici*, Rome, 1867. - A. Ferrua, *Rileggendo i graffiti di S. Sebastiano*, dans *Civiltà cattolica*, 1965, t. 3, p. 428-37 ; t. 4, p. 134-41. - E. Delaruelle, *Il martirio di S. Pietro e le Chiese della Gallia dalle origini all'VIII secolo*, dans *Pietro e Paolo nel XIX centenario del martirio*, éd. P.L. Vanicelli et B. Mariani, Naples, 1969, p. 285-316. - *Petrus et Paulus martyres*. Commemorazione del XIX Centenario del martirio degli Apostoli..., Milan, 1969. - U.M. Fasola, *Natale Petri de Cathedra e la Memoria di S. Pietro nella regione salario-nomentana*, dans *Saecularia Petri et Pauli* (Studi di Antichità cristiana 28), Rome-Vatican, 1969, p. 107-28 ; E. Josi, *La venerazione degli apostoli Pietro e Paolo nel mondo cristiano antico, ibidem*, p. 151-97 ; V. Saxer, *Le culte des apôtres Pierre et Paul dans les plus vieux formulaires romains de la messe du 29 juin*. Recherches sur la thématique des sections XV-XVI du Sacramentaire Léonien, *ibidem*, p. 201-40. - U.M. Fasola, *Orme sulla roccia. Pietro e Paolo a Roma*, Rome, 1980.

**Primauté et tombeau de Pierre.** - E. Kirschbaum, *Die Gräber der Apostelfürsten*, 2e éd. (avec complément de E. Dassmann), Francfort/Main, 1957 ; 3e éd., 1974. - *Esplorazioni sotto la Confessione di S. Pietro in Vaticano eseguite negli anni 1940-1949* par B.M. Apollonj-Ghetti, A. Ferrua, E. Josi, E. Kirschbaum, Rome-Vatican, 1951. - A. Prandi, *La tomba di S. Pietro nei pellegrinaggi dell'età medievale*, dans *Pellegrinaggi e culto dei santi*, cf. *supra*, p. 285-447 et 159 figures. - *Studi petriani*, Rome, 1968. - M. Maccarrone, *Apostolicità, episcopato e primato di Pietro. Ricerche e Testimonianze* (Lateranum, n. sér. 42), Rome, 1976 ; *Il pellegrinaggio a S. Pietro e il giubileo del 1300*, dans *Rivista di storia della Chiesa in Italia*, t. 34, 1980, p. 363-429. - P.-A. Février, *Natale Petri de Cathedra*, dans *Académie des Inscriptions et Belles Lettres. Comptes rendus de l'année 1977*, p. 514-31. - M. Guarducci, *Pietro in Vaticano*, Rome, 1983.

DACL, *Itineraria*, t. 7, 1927, col. 1902-21 (H. Leclercq) ; *Pèlerinage à Rome*, t. 14, 1939, col. 40-65 (H. L.) ; *Sébastien* (catacombe et basilique), t. 15/1, 1950, col. 1111-28 (H. L.) ; *Vatican* (fouilles), t. 15/2, 1953, col. 2291-3346 (J. Carco-pino ; H.-I. Marrou) ; nombreux autres art. sur les sanctuaires romains, voir au nom des saints. - *Dizionario di patristica e di antichità cristiana*, art. *Itinerari* (V. Saxer), à paraître.

Victor SAXER.

## C. Moyen âge occidental

1. BUTS SPIRITUELS DU PÈLERINAGE. - Dégager le but spirituel du pèlerinage médiéval est chose difficile dans la mesure où plusieurs objectifs étaient poursuivis simultanément par la plupart des pèlerins, objectifs eux-mêmes riches de significations multiples ; chose difficile aussi dans la mesure où, dans les dix siècles du moyen âge, ces buts ont plus ou moins évolué. Il semble cependant qu'on puisse différencier deux grandes catégories de pèlerins : ceux qui partaient pour obtenir la guérison du corps grâce à un miracle et ceux qui partaient dans l'espoir de trouver le salut de leur âme. C'est à cette dernière catégorie que nous nous attacherons surtout pour tenter de définir une spiritualité du pèlerinage médiéval.

1° *Le pèlerinage comme ascèse.* - Un des aspects permanents du pèlerinage médiéval, celui qui est sans doute le plus visible dans le haut moyen âge, est la recherche du salut à travers l'errance et l'exil volontaire, comme on le voit dans l'étymologie même du mot *peregrinus* qui signifie à l'origine l'étranger, celui qui a quitté sa patrie. La *peregrinatio*, c'est donc l'exil et, à travers celui-ci, une forme de rupture avec le monde, comme le monachisme et surtout l'érémitisme. Cette assimilation était encore visible au 11e siècle : Pierre Damien † 1072 répartit les ermites entre ceux qui vivent dans des cellules et ceux qui « errent au hasard à travers le désert de leur héritage » (*Opusculum* 15, 3, PL 145, 338b). Il faut noter cependant que pèlerinage et monachisme s'opposèrent de plus en plus au cours du moyen âge en raison de l'importance de plus en plus grande donnée au pèlerinage intérieur, notamment à partir du 12e siècle (cf. G. Constable, *Monachisme et pèlerinage au moyen âge*, dans *Revue Historique*, t. 258, 1977, p. 3-27 ; E. Delaruelle, *Le pèlerinage intérieur au 15e siècle*, réédité dans *La piété populaire au moyen âge*, Turin, 1975, p. 555-61).

Pour le pèlerin, l'essentiel était donc de partir et c'est à travers une errance plus ou moins prolongée, à travers les dangers et les fatigues de celle-ci, que l'idéal de purification par l'ascèse se réalisait. Pour beaucoup c'était un moyen de « suivre nu le Christ nu » (cf. DS. t. 11, col. 509-13), mais l'idée de suivre le Christ était aussi présente dans l'imitation de l'errance du Christ et des apôtres.

2° *La pérégrination missionnaire.* - Le thème de l'évangélisation missionnaire s'ajoute, dès le haut moyen âge, à celui de l'expatriation. On le trouve, au 7e siècle, chez saint Colomban et ses compagnons mais aussi chez les prédicateurs itinérants du 12e siècle, distribuant la parole de salut à travers une errance perpétuelle (cf. DS, t. 4, col. 962-63). C'est ce modèle de la pérégrination missionnaire évangélique que saint Dominique et, à sa suite, les Prêcheurs et les autres ordres mendiants adoptèrent de façon permanente au 13e siècle, enrichissant ainsi d'une nouvelle dimension le thème de la pérégrination. Mais il y a encore une autre façon de suivre le Christ, c'est de se rendre dans les lieux où il a vécu et où il a subi sa Passion. De là découle une troisième idée présente dans le pèlerinage médiéval, la recherche des lieux sacrés et, avant tout, de ceux sanctifiés par la présence et par le souvenir du Christ.

3° *La recherche des lieux sacrés.* – Même lorsque le pèlerin ne sollicite qu'une grâce spirituelle, le salut de son âme, il estime, au moyen âge comme à d'autres périodes (cf. *supra*), que sa prière sera mieux entendue si elle est soutenue par l'aide d'un saint. Les saints sont en effet les intercesseurs des hommes auprès de Dieu et on a pensé, pendant la plus grande partie du moyen âge, que leur action était plus efficace là où reposaient leurs restes mortels, c'est-à-dire leurs reliques. Les lieux sacrés vers lesquels se dirigeaient les pèlerins étaient donc les églises dans lesquelles se trouvaient les tombeaux ou les sarcophages des saints, et, accessoirement, les lieux sacralisés par leur passage ou par leur action (les sources sacrées, par exemple, dont le jaillissement était souvent attribué à un saint).

L'habitude de diviser les reliques, qui prévalut en Occident à partir des 8e-9e siècles, et la soif de reliques des églises de Gaule et de Germanie amenèrent, à partir de cette époque, une multiplication des sanctuaires à reliques, incitant les pèlerins à se diriger vers des destinations précises, tandis qu'au contraire le pèlerinage *ex patria* perdait de son importance. Pourtant le tombeau le plus prestigieux, celui qui suscitait la plus profonde émotion chez les chrétiens d'Occident, était un tombeau vide, celui du Christ. Ce qui attirait alors les pèlerins à Jérusalem était un souci de curiosité historique, le désir de voir les lieux marqués par la présence du Christ et, plus encore, l'intention de voir sous leurs yeux se dérouler à nouveau, dans un présent éternel, la Passion du Sauveur.

Jérusalem apparaissait ainsi comme une sorte d'immense reliquaire où les pèlerins retrouvaient, à défaut du corps du Christ, les marques que l'on imaginait laissées dans le roc par ses pieds et par ses mains, et revivaient chaque instant du grand drame de la Passion (cf. C. Deluz, *Prier à Jérusalem. Permanence et évolution d'après quelques récits de pèlerins occidentaux du 5e au 15e siècles*, dans *La prière au moyen âge* (*Senefiance* n. 10), 1981, p. 187-210). Le pèlerinage aux Lieux Saints avait aussi une valeur eschatologique. Beaucoup croyaient en effet, au 11e siècle le moine Raoul Glaber s'en fait nettement l'écho, que la résurrection des morts au dernier jour commencerait d'abord à Jérusalem et que là aurait lieu le Jugement dernier. Ainsi celui qui avait suivi le Christ jusque sur les lieux de son ascension pensait avoir plus de chance de le suivre vers le ciel. De là vient l'idée, présente chez un certain nombre de pèlerins, que le voyage de Jérusalem était le dernier pèlerinage, un pèlerinage sans retour.

4° *Le pèlerinage comme pénitence.* – L'idée de pénitence est présente dans les motivations de beaucoup de pèlerins médiévaux. Les difficultés du voyage, les souffrances endurées constituaient un moyen d'expier ses péchés et beaucoup de grands firent comme l'archevêque Poppon de Trêves qui, vers 1025, partit à Jérusalem car il craignait d'être damné pour avoir persécuté un certain monastère féminin (*Gesta Treverorum*, MGH *Scriptores*, t. 8, p. 176). De la pénitence volontaire, on passa assez vite à la pénitence imposée. Le pèlerinage pénitentiel se place dans le cadre de la pénitence tarifée qui se développa au cours du haut moyen âge dans les monastères celtes et anglo-saxons, puis dans les autres régions d'Occident. A côté de mortifications variées, de jeûnes et d'amendes, une des peines prévues fut l'exil temporaire ou définitif. A partir du 9e siècle,

cette errance reçut un objectif précis : des lieux devenus célèbres par des reliques ou des tombeaux de saints, ceux-ci étant considérés comme des intercesseurs efficaces pour la rémission des péchés. Le pèlerinage pénitentiel était né.

A l'époque carolingienne, la tentative de restauration de la pénitence antique menée par les clercs réformateurs aboutit à distinguer pénitence publique et pénitence privée. Le pèlerinage pénitentiel devint ainsi un succédané de la pénitence publique. A partir des 12e-13e siècles, il fut considéré comme une pénitence publique non solennelle et il fut imposé pour les péchés particulièrement scandaleux commis par les clercs ou pour les péchés moins scandaleux des laïcs (cf. C. Vogel, *Le pèlerinage pénitentiel*, dans *Revue des sciences religieuses*, t. 38, 1964, p. 113-53). Au 13e siècle, le pèlerinage pénitentiel connaît un nouvel essor en raison de son utilisation par l'inquisition et surtout par les tribunaux civils. Le pèlerinage expiatoire remplace ainsi les amendes pécuniaires héritées de l'ancien droit germanique et jugées alors insuffisantes. Bien entendu, les délits susceptibles d'amener une telle condamnation devinrent à ce moment-là plus variés et plus légers, tels que contraventions aux règlements, atteintes aux droits du seigneur, vol, adultère, ou même le simple crime d'oisiveté. Ce système fut utilisé dans plusieurs pays d'Europe jusqu'à la fin du moyen âge, mais c'est aux Pays-Bas qu'il eut incontestablement le plus de succès (cf. R. Van Cauwenberghe, *Les pèlerinages expiatoires et judiciaires dans le droit communal de la Belgique au Moyen Âge*, Louvain, 1922 ; J. Van Herwaarden, *Opgelegde bedevaarten*, Assen, 1978).

5° *Pèlerinage et indulgence.* – A l'idée de pénitence est liée celle d'indulgence. En effet la pratique des indulgences dans l'Église catholique semble trouver son origine dans la réconciliation anticipée des pénitents publics. Dès le haut moyen âge, on rencontre des rédemptions individuelles mais ce n'est qu'au milieu du 11e siècle qu'on trouve des rémissions générales de peines, accordées à tous les fidèles qui auraient satisfait à certaines conditions : pèlerinage, aumône, assistance à une consécration d'église, etc. ; ce n'est qu'en 1095 qu'apparaît l'indulgence plénière, accordée par Urbain II aux croisés. A partir du 12e siècle on voit donc se multiplier les indulgences et, de plus en plus, les pèlerinages en bénéficient. Tous les grands sanctuaires sont dotés d'indulgences à la fin du moyen âge : indulgences partielles lors des fêtes des saints et lors des grandes fêtes chrétiennes ; indulgence plénière, absolvant le pécheur à la fois de la peine et de la faute, pour les *jubilés* romains à partir de 1300 (cf. DS, t. 8, col. 1482-87). Le but du pèlerinage en fut nettement transformé : au lieu d'aller à Rome pour y honorer des reliques, les pèlerins vinrent surtout y chercher des grâces d'indulgence.

2. PRATIQUES DÉVOTIONNELLES ET CULTUELLES. – Sur les pratiques adoptées par les pèlerins au cours de leur voyage et sur leur comportement pendant le pèlerinage, nous sommes assez mal renseignés. Il est vraisemblable que ce comportement variait en fonction du type de pèlerinage entrepris et aussi de la distance à parcourir. Nous savons, par exemple, que lors des pèlerinages à longue distance, de nombreux pèlerinages secondaires se greffaient sur l'objectif principal. Au 12e siècle, le *Guide du pèlerin de Saint-Jacques* (éd. J. Vielliard, Mâcon, 1938 ; 4e éd. 1969) énumère presque à chaque page les sanctuaires qu'il faut visiter sur les routes menant à Compostelle. Dans ces sanctuaires, les pèlerins accomplissaient sans doute les mêmes pratiques de piété qu'à l'issue de leur voyage spirituel. Nous connaissons donc essentiellement les pratiques des pèlerins au départ et à l'arrivée.

1° *Au départ.* – Au moment où le pèlerin prenait la route et quittait son entourage habituel, il se plaçait délibérément en marge de la société ; c'est pourquoi cette rupture était marquée par un rite de séparation, la bénédiction des insignes du pèlerin. Le plus ancien témoignage de cette pratique se trouve au 10ᵉ siècle, dans le pontifical romano-germanique de Mayence. On la trouve ensuite attestée, tout au long du moyen âge, à la fois par des textes liturgiques et par des textes littéraires. La cérémonie avait lieu très simplement, dans chaque église de paroisse : les pèlerins se rassemblaient dans l'église et entendaient la messe dite à leur intention. Au cours de celle-ci, ils se confessaient et recevaient la pénitence. La deuxième phase de la cérémonie, celle qui était en relation avec le pèlerinage, commençait alors : les pèlerins agenouillés devant l'autel chantaient des oraisons et des psaumes avec le reste de l'assistance, puis le prêtre bénissait et remettait à chaque pèlerin les insignes caractéristiques de l'*ordo peregrinorum*, la besace et le bâton, en prononçant les invocations prévues. Des textes spéciaux étaient parfois employés pour les pèlerins se rendant en Terre Sainte, mais des messes spéciales pour les pèlerins ne se rencontrent qu'à la fin du moyen âge (messe de saint Raphaël, messe des Rois Mages).

Sur les origines des insignes du pèlerin, les historiens ne sont pas très fixés. Selon les uns, les premiers utilisateurs en auraient été les moines d'Égypte ; selon les autres, ce seraient les pèlerins insulaires du haut moyen âge. En tout cas, l'iconographie a popularisé l'image du pèlerin équipé du bourdon (*baculus, fustis* ou *burdo*) et de la besace (*pera, capsella* ou *sporta* en latin, *escherpe, escharpe* ou *eskerpe* en ancien français). Grâce à ces insignes, le pèlerin était reconnu comme tel et bénéficiait d'un statut juridique particulier, élaboré dès l'époque carolingienne. A la fin du moyen âge, se développa toute une symbolique des insignes du pèlerinage. Dès 1125, pour l'auteur du sermon *Veneranda dies*, la besace est la symbole de l'aumône car elle est trop petite pour contenir beaucoup d'argent, si bien que le pèlerin qui la porte vit de charité, et le bourdon, destiné à écarter loups et chiens, est le symbole de la lutte contre les pièges du démon. D'autres interprétations symboliques se multiplièrent à la fin du moyen âge : la pèlerine devint le symbole de l'humanité du Christ et le bourdon rappela le bois de la croix.

2° *A l'arrivée.* – Au fur et à mesure que le pèlerin se rapprochait du but de son voyage, il sentait plus proche la sacralité du lieu sanctifié et modifiait en conséquence son comportement. Une coutume, attestée en plusieurs endroits, voulait que la dernière partie du pèlerinage fût faite à pied (certains pèlerins, par désir de mortification, accomplissaient d'ailleurs tout leur pèlerinage à pied, comme le firent, au 10ᵉ siècle, l'empereur Otton III, au 11ᵉ saint Guillaume de Verceil, au 12ᵉ Hélène de Skedevi, qui alla en cet appareil de Scandinavie à Jérusalem, ou encore saint Albert et ses deux compagnons, certains faisant même le voyage pieds nus). L'endroit où le pèlerin considérait que commençait la dernière étape de son expédition était souvent celui à partir duquel on apercevait le sanctuaire. Là le pèlerin exprimait son émotion, laissait éclater sa joie, se prosternait en pleurant et remerciant Dieu. La dernière colline sur la route vers le sanctuaire était d'ailleurs appelée, en beaucoup d'endroits, *montjoie*.

Avant l'arrivée se place parfois un rite de purification : peu avant Compostelle, les pèlerins se plongeaient dans les eaux d'un petit cours d'eau. Ce bain, qui les lavait de la saleté accumulée pendant le voyage, avait aussi une valeur symbolique de purification.

Cette valeur purificatrice est encore plus nette dans le bain que les pèlerins de Terre Sainte avaient l'habitude de prendre dans le Jourdain, pas nécessairement d'ailleurs au début du pèlerinage. Un témoignage précis sur cette coutume nous est fourni, entre autres, par le récit du pèlerinage de l'higoumène Daniel de Tchernigov, au 12ᵉ siècle (cf. E.-R. Labande, *Recherches sur les pèlerins dans l'Europe des 11ᵉ et 12ᵉ siècles*, dans *Cahiers de civilisation médiévale*, t. 1, 1958, p. 341-42).

L'idée d'une purification à l'issue du pèlerinage est d'ailleurs implicitement contenue dans la signification de celui-ci. Pourtant, il ne semble pas que la confession ait été très fréquente, au moins jusqu'au 13ᵉ siècle. On a l'impression que, pour beaucoup de pèlerins, le fait de parvenir au but de leur expédition, de se trouver auprès des reliques qu'ils étaient venus honorer, constituait une purification suffisante. Le *topos* du péché écrit sur une feuille de parchemin déposée sur l'autel d'un saint et que l'on trouve effacé après une prière est significatif. Ce miracle a été, entre autres, attribué à saint Gilles (*Vita S. Aegidii*), à saint Jacques (*Liber S. Jacobi*) et à sainte Marie-Madeleine (*Légende dorée*).

La prière est certainement la pratique la plus universellement répandue dans les sanctuaires de pèlerinage. C'est d'abord la prière individuelle, mentionnée dans un grand nombre de textes. Si l'on connaît très mal les paroles prononcées et qui parfois se réduisaient à l'unique invocation du nom d'un saint (cf. J. Paul, *Miracles et mentalité religieuse populaire à Marseille au début du 14ᵉ siècle*, dans *La religion populaire en Languedoc. Cahiers de Fanjeaux*, n. 11, 1976, p. 73-78), les gestes et les attitudes peuvent être un peu mieux appréhendés ; au moins jusqu'au 13ᵉ siècle, l'attitude la plus fréquente était celle de la prière antique : prosternation à terre ou position de l'orant, bras levés vers le ciel. Quant à la position à genoux, les mains jointes, elle ne semble s'être imposée qu'assez tard. La durée des prières était évidemment fort variable, mais au 13ᵉ siècle, et peut-être de façon épisodique au 12ᵉ, apparaît la neuvaine, série de neuf jours de prière, qui devint très populaire par la suite. Enfin les prières étaient souvent ponctuées de manifestations émotives exacerbées : larmes, cris, gesticulations.

La prière était également collective, notamment sous la forme de la veillée de prières dont l'usage était très répandu, en particulier la nuit du samedi au dimanche ou celle précédant la fête d'un saint : les fidèles se rassemblaient dans l'église, débordant parfois même à l'extérieur les jours de grande affluence, allumaient des cierges et suppliaient Dieu et les saints d'exaucer leur vœu.

Y avait-il célébration liturgique pendant ces veillées ? Les maigres renseignements fournis par les textes à ce sujet nous montrent, à côté de la célébration des offices réglementaires, le développement, au moins dans certains sanctuaires, d'une liturgie à l'usage des pèlerins. Ce développement liturgique avait peut-être pour but de concurrencer une pratique fort ancienne des pèlerins malades ou infirmes, l'incubation. Bien que certains historiens, comme l'éminent bollandiste H. Delehaye, aient nié la persistance de l'incubation dans les églises d'Occident au moyen âge, les recueils de miracles montrent qu'en fait on a pratiqué la recherche du sommeil guérisseur pendant tout le moyen âge et même au-delà (cf. P.A. Sigal, *Le miracle aux 11ᵉ et 12ᵉ siècles dans le cadre de l'ancienne Gaule d'après les sources hagiographiques*, thèse dactylographiée, Univ. de Paris I, 1981).

Une dernière pratique collective est l'assistance à la grand-messe lors des fêtes des saints, moment particulièrement attendu par les pèlerins car le saint était censé être plus présent à cet instant. A la fin du moyen âge, les messes en l'honneur des saints se multiplièrent et on prit l'habitude de célébrer des messes basses sur des autels secondaires.

Le but du pèlerinage n'était cependant atteint que lorsque le pèlerin avait franchi le seuil du sanctuaire ou de la crypte et avait touché de ses mains le tombeau du saint ou la relique honorée dans l'église. C'est ce contact intime avec le tombeau, accompagné de larmes et de déclarations pieuses, que décrivent les hagiographes en évoquant des pèlerins modèles (ex. : *Vie de saint Gérard de Corbie*, AS, *Avril*, t. 1, Anvers, 1675, p. 412). « Baiser le sépulcre » signifie donc, en abrégé, s'être acquitté des obligations du pèlerinage.

Selon les époques et selon la disposition des églises, on parvenait jusqu'aux reliques par divers dispositifs. Dans le haut moyen âge, on utilisait souvent des orifices creusés dans la confession où se trouvait le corps du saint ; c'est la *cataracta* des autels de cette époque (cf. DACL, t. 2/2, col. 2526-27 ; t. 3/2, col. 2503-08 ; t. 14/2, col. 2294-2359 ; DTC, t. 13, col. 2312-76). Plus tard se développèrent des dispositifs permettant de circuler autour des reliques (déambulatoire) ou de passer sous le sarcophage surélevé par des colonnes.

Vers la fin du moyen âge, cependant, une évolution est sensible : au désir de toucher les reliques se substitue peu à peu celui de voir. La piété devient davantage visuelle ; les images de saints se multiplient dans les églises et dans les chapelles ; les reliquaires sont agencés comme des monstrances eucharistiques, de façon à permettre la vue de la relique et, au 15ᵉ siècle, se déroulent, dans les églises, de grandes ostensions de reliques, privilégiées par diverses indulgences. De ce déclin du désir de contact découle une autre évolution du pèlerinage : le vœu est de plus en plus fait et exaucé à distance des reliques et les pèlerins viennent au sanctuaire essentiellement pour remercier le saint.

3ᵉ *Rome et Jérusalem*. – Dans ces deux centres de pèlerinage les plus prestigieux, la simple visite du lieu sanctifié fut rapidement jugée insuffisante. A Jérusalem, mus par le désir de voir tous les endroits marqués par la présence du Sauveur et de mettre, selon la formule classique, « leurs pas dans les pas du Christ », les pèlerins parcouraient un circuit plus ou moins étendu. Une évolution se manifesta cependant au cours du moyen âge : jusqu'aux 14ᵉ-15ᵉ siècles, on voit les pèlerins allant et venant au gré de leur dévotion ; à partir de cette période, le circuit de pérégrination devint beaucoup plus ritualisé et les pèlerins suivirent un véritable *ordo peregrinationis* dans leur visite des Lieux Saints. Ceci est dû, entre autres, à la multiplication d'indulgences attachées aux différentes stations (cf. C. Deluz, *Prier à Jérusalem*...).

A Rome, la chasse aux reliques et la présence d'autres lieux saints que les tombeaux des apôtres Pierre et Paul amenèrent aussi les pèlerins, dès le haut moyen âge, à multiplier les stations dans la ville sainte. Dès le 9ᵉ siècle, des guides rédigés à leur intention décrivaient les églises et les catacombes à visiter.

Au 12ᵉ, ces guides s'enrichirent de détails nouveaux relatifs aux divers monuments de Rome et notamment ceux relatifs à son passé prestigieux (cf. H. Taviani, *Les voyageurs et la Rome légendaire au moyen âge*, dans *Voyage, quête, pèlerinage*, Senefiance n. 2, 1976, p. 7-23). Il s'agit alors de voir les « merveilles » de Rome et tout naturellement ces opuscules s'intitulèrent les *Mirabilia urbis Romae*. On en composa jusqu'à la fin du moyen âge. Le développement, à partir du 12ᵉ siècle, des indulgences accordées aux stations dans les diverses églises de Rome trouva son écho dans les *Mirabilia* qui, d'ailleurs, au 15ᵉ, prirent souvent le nom d'*Indulgentiae*. Comme à Jérusalem, les pratiques de piété des pèlerins furent donc nettement influencées, à la fin du moyen âge, par l'essor des indulgences.

4° *Offrandes et ex-voto*. – Un dernier aspect important de la pratique des pèlerins concerne le dépôt d'objets votifs. Cet usage apparaît très général pendant tout le moyen âge. Certes, les ex-voto étaient avant tout déposés par les malades guéris ou désireux de guérir ; mais, pour beaucoup de pèlerins, toute demande faite à un saint ne pouvait être obtenue qu'en échange d'un don même symbolique. L'offrande la plus courante était effectivement symbolique ; il s'agit du cierge votif qu'on déposait sur le tombeau ou sur l'autel du saint, mais les grands personnages apportaient des cadeaux de prix et donnaient des domaines, des serfs, des bijoux. Dans certains sanctuaires, comme à Compostelle à partir du 13ᵉ siècle, on vit même se fixer un rituel des offrandes en rapport, ici aussi, avec le développement des indulgences. Mais si le pèlerinage suscitait, dans un sanctuaire, l'apport de divers objets précieux ou symboliques, il suscitait aussi un mouvement en sens inverse qu'il faut évoquer brièvement dans le cadre des suites du pèlerinage.

3. LES SUITES DU PÈLERINAGE. – 1° Une fois le pèlerinage accompli, les fidèles étaient animés par deux désirs : celui d'emporter avec eux quelque objet revêtu de la puissance thaumaturgique des saints et celui de rapporter un témoignage concret, une preuve de leur pèlerinage. Pour satisfaire le premier, ils emportaient des objets ou des liquides ayant touché les reliques (cire des cierges, huile de la lampe du tombeau, poussière prélevée sur celui-ci, pain, eau, vin, etc.), constituant ce qu'on appelle des reliques représentatives. Pour répondre au deuxième, ils rapportaient des objets caractéristiques, à valeur plus ou moins symbolique.

De Jérusalem on rapportait des palmes que l'on cueillait d'abord dans un lieu appelé « le jardin d'Abraham », à Jéricho, puis que l'on trouvait, à partir du 12ᵉ siècle, sur le marché de la ville. Il s'agit, semble-t-il, à la fois d'un signe de victoire et d'un symbole de la palme du martyre, martyre dont le pèlerinage était une sorte de succédané. A Compostelle, les pèlerins ramassaient sur les grèves les fameuses coquilles Saint-Jacques mais on pouvait aussi acheter devant la basilique des reproductions métalliques de ces coquilles.

Il s'agit alors d'*enseignes* de pèlerinage. Ces enseignes (du latin *insigne*) étaient de petits objets, généralement des médailles, frappées à l'effigie d'un saint ou rappelant la principale caractéristique de son sanctuaire. Leur fonction était triple : fournir un souvenir du pèlerinage et un témoignage concret de son accomplissement, renfermer éventuellement des fragments de reliques, attester la qualité de pèlerin de celui qui les portait et lui éviter ainsi de mauvais traitements. La période de plus grande diffusion des enseignes se situe entre le 13ᵉ et le 15ᵉ siècle, puis le développement de la xylographie et de l'imprimerie amena l'essor d'images sur papier appelées « drapelets de pèlerinage », plus fragiles mais moins chers.

2º *Les confréries de pèlerins.* – Une autre suite du pèlerinage était souvent, aux derniers siècles du moyen âge, l'entrée dans une confrérie de pèlerins. Ces confréries avaient pour objectif de regrouper les anciens pèlerins selon les saints qu'ils avaient implorés. Leur activité s'ordonnait autour de deux pôles : entr'aide et assistance auprès des confrères et des pèlerins ; célébration du culte du saint patron, notamment lors de sa fête annuelle. Les premières confréries semblent dater de la fin du 12e siècle ; elles regroupèrent d'abord les pèlerins de Compostelle et les confréries de saint Jacques furent nombreuses et florissantes du 13e au 15e siècle en France, en Allemagne, en Suisse, aux Pays-Bas. On connaît aussi l'existence, dès 1172, d'une confrérie des pèlerins de Notre-Dame de Rocamadour. En principe, seuls ceux qui avaient fait le pèlerinage personnellement pouvaient être membres d'une confrérie mais, à la fin du moyen âge, ceux qui pouvaient verser une somme égale aux frais du pèlerinage y furent admis. Les confréries de pèlerins et, de façon plus générale, les pèlerins rentrés chez eux après l'achèvement de leur pèlerinage jouèrent un rôle important dans la diffusion du culte des saints et dans l'essor de courants de pèlerinage.

4. LES PRINCIPAUX PÈLERINAGES. – Si les trois centres de pèlerinage majeurs furent incontestablement Rome, Jérusalem et Compostelle, il ne faut pas perdre de vue l'activité d'un grand nombre de petits et de moyens sanctuaires qui attiraient aussi vers eux une masse considérable de fidèles.

Faute de documents, nous ignorons malheureusement presque tout de ces petites églises dont seuls quelques visiteurs occasionnels troublaient la tranquillité au long des saisons et qui ne s'animaient véritablement que quelques jours par an, au moment des grandes fêtes chrétiennes et surtout le jour de la fête du saint local (bonne évocation de la vie d'un de ces petits sanctuaires locaux, Notre-Dame d'Altbronn, en Alsace, au cours du 15e siècle par F. Rapp, *L'Occident médiéval*, dans *Les pèlerinages de l'Antiquité biblique et classique à l'Occident médiéval*, Paris, 1973, p. 148-60). De façon générale, l'un des caractères principaux de ces petits centres est l'alternance de périodes d'afflux des fidèles et de période de relatif déclin. Il en allait différemment des grands sanctuaires de réputation internationale où un courant continu de pèlerins se maintenait, bien qu'avec des hauts et des bas, sur d'assez longues périodes. Toutefois leur rayonnement était soumis à l'action de différents facteurs d'évolution comme nous allons le voir à propos de Jérusalem, Rome et Compostelle.

1º *Jérusalem.* – Dès le lendemain de la mort du Christ, Jérusalem devint un lieu de pèlerinage mais ce n'est qu'à partir du 4e siècle que le mouvement prit de l'ampleur, comme en témoignent Jérôme et Grégoire de Nysse (cf. *supra*). Nous connaissons, grâce aux récits qu'ils ont laissés, les voyages de plusieurs pèlerins occidentaux au cours du haut moyen âge (cf. art. *Éthérie*, DS, t. 4, col. 1448-53) mais ceux-ci furent relativement peu nombreux et un premier coup d'arrêt au pèlerinage vers les Lieux Saints fut donné au 7e siècle avec la prise de Jérusalem par Chosroès II et surtout avec la conquête musulmane. Un certain courant de pèlerinage subsista malgré tout et se gonfla même dans les années 980-1010, car à la voie maritime traditionnelle vint s'ajouter la voie terrestre, ouverte par la conversion au catholicisme du roi de Hongrie Waïk, devenu saint Étienne.

Cet essor fut à nouveau paralysé en 1010 par la destruction du Saint Sépulcre sur l'ordre du calife Al Hakim et par les persécutions qui frappèrent les chrétiens à la suite de celle-ci. L'arrêt quasi absolu ne dura pourtant pas très longtemps car dès 1020 se place une nette reprise du pèlerinage avec un caractère nouveau : l'*iter hierosolymitanum* devint une entreprise collective, réalisée sous forme de grandes expéditions, comme celle entreprise en 1025-1026 par plusieurs centaines de pèlerins dont le comte d'Angoulême Guillaume Taillefer II et l'abbé Richard de Saint-Vanne.

Un troisième ralentissement se place en 1040-1050, peut-être en raison de luttes internes en Hongrie et de guerres en Méditerranée. Vers 1050, les conditions semblent s'améliorer, au moins en ce qui concerne la voie de terre, et le courant de pèlerinage reprend pour ne plus cesser jusqu'à la première croisade, regroupant des pèlerins de plus en plus nombreux, originaires en particulier d'Allemagne, d'Italie et de France.

Pendant les croisades, le pèlerinage ne cessa pas. Il est certes difficile de distinguer entre croisés et pèlerins puisque les chroniqueurs des croisades emploient souvent les mêmes mots pour désigner les uns et les autres, mais ils montrent bien qu'à côté des guerriers, arrivaient en Terre Sainte une foule de pauvres et de gens désarmés (cf. E. R. Labande, *Pellegrini o crociati ? Mentalità e comportamenti a Gerusalemme nel secolo XII,* dans *Aevum,* t. 54, 1980, p. 217-30). Malheureusement de nouveaux obstacles se dressèrent devant les pèlerins et les tracasseries des musulmans recommencèrent après la prise de Jérusalem en 1187. A la fin du 13e siècle, le nombre de pèlerins diminua donc sensiblement.

Il faut attendre le début du 14e pour voir un contexte nouveau, plus favorable au pèlerinage : l'accès aux Lieux Saints fut amélioré grâce à l'installation de religieux dominicains à Jérusalem dès 1322 et surtout de franciscains en 1337. Désormais les Frères Mineurs furent les gardiens par excellence du Saint Sépulcre et constituèrent la « custodie » franciscaine de Terre Sainte. En même temps, l'organisation matérielle du pèlerinage s'améliora grâce à la mise en œuvre, par les vénitiens, de véritables « voyages organisés ».

Dès leur arrivée en Palestine, les pèlerins étaient accueillis et guidés par les franciscains qui s'occupaient aussi de leur hébergement et de la visite proprement dite des lieux marqués par la présence et le souvenir du Christ. Le pèlerinage à Jérusalem aux deux derniers siècles du moyen âge a donc été fortement influencé par la spiritualité franciscaine. Le pèlerinage prit la forme d'une *devotio moderna*, axée sur une « méditation méthodique » de la vie du Christ et scandée par le parcours d'un itinéraire sacré. Cela paraît avoir été l'une des causes profondes du renouveau du pèlerinage à cette époque. Ce pèlerinage nous est d'ailleurs bien connu, dans sa pratique quotidienne, par les récits de plus de quarante pèlerins. Nous y trouvons beaucoup de religieux mais aussi un assez grand nombre de nobles. Il semble, en effet, que le pèlerinage à Jérusalem ait pris, à cette époque, la relève de la croisade dans la mentalité de nombreuses familles seigneuriales.

2º *Rome.* – Il n'existe aucune étude d'ensemble sur le pèlerinage romain au moyen âge et certains aspects de celui-ci restent encore mal connus. Son importance fut cependant considérable, particulièrement au début et à la fin de cette période. Rome était la seule ville d'Occident qui pût se vanter de posséder le tombeau de deux apôtres, Pierre et Paul. Mais elle contenait aussi les restes de beaucoup d'autres saints martyrs auxquels un culte fut rendu très tôt. A partir de la reconnaissance officielle du christianisme dans l'empire romain, ces pèlerinages prirent un cours plus régulier et la célébrité des reliques romaines s'étendit à tout le monde chrétien.

Le pèlerinage romain apparaît ainsi dès le début axé sur le culte des reliques. Les magnifiques basiliques qui contenaient celles des principaux saints furent concurrencées pendant plusieurs siècles par les catacombes et les cimetières suburbains où l'on honorait de nombreux martyrs. A partir du 7ᵉ siècle cependant, les papes entreprirent de transférer *intra muros* ces reliques trop exposées, ce qui amena une concentration du pèlerinage. Dès cette époque, et plus encore à partir de l'époque carolingienne, on alla autant à Rome pour en ramener des reliques que pour y prier et on connaît le fructueux trafic organisé au 9ᵉ siècle par le diacre Deusdonna (cf. P. Geary, *Furta sacra. Thefts of relics in the central Middle Ages,* Princeton, 1978). Princes, abbés et religieux affluent alors à Rome, venant en majeure partie des régions d'au-delà des Alpes et notamment des pays anglo-saxons et irlandais. Pour héberger les pèlerins, divers hospices, réservés en principe à des groupes nationaux précis, existent au moins depuis le 9ᵉ siècle ; ce sont les *scholae* destinées aux francs, aux frisons, aux lombards et peut-être aussi aux irlandais.

Après la chute de l'empire carolingien, le pèlerinage romain semble décliner bien qu'une certaine reprise se dessine au cours du 10ᵉ siècle. Au 12ᵉ, le pèlerinage est encore actif mais il est concurrencé par Saint-Jacques de Compostelle et gêné par les luttes du Sacerdoce et de l'Empire. Il faut attendre le début du 14ᵉ siècle pour voir une vigoureuse reprise du pèlerinage grâce à la pratique des jubilés (cf. DS, t. 8, col. 1478-87). Celui de 1300 attira une foule de fidèles difficile à chiffrer mais dont les chroniqueurs de l'époque soulignent le nombre extraordinaire. D'autres jubilés eurent lieu en 1350, 1390, 1400, 1423, 1450, 1475 avec plus ou moins de succès, mais le fait important est la transformation de l'esprit du pèlerinage : les fidèles n'allèrent plus à Rome pour vénérer des reliques mais pour bénéficier des indulgences papales. Comme l'écrit É. Delaruelle, le pape a remplacé saint Pierre (*La piété populaire à la fin du moyen âge*, dans *La piété populaire...*, p. 419).

3° *Saint-Jacques de Compostelle.* – Les origines du pèlerinage restent entourées de mystère. C'est probablement au début du 9ᵉ siècle que des reliques furent découvertes dans une ancienne nécropole chrétienne, le *compostum* dont Compostelle tire son nom. Ces reliques furent attribuées à l'apôtre Jacques le Majeur dans des circonstances mal définies et un culte à caractère local se développa au cours du siècle.

Malgré l'insécurité entretenue par les raids musulmans (en 997 la ville de Compostelle fut brûlée et la basilique rasée), la renommée du pèlerinage grandit au 10ᵉ siècle et quelques pèlerins étrangers vinrent honorer saint Jacques à Compostelle, parmi lesquels Godescalc, évêque du Puy, et Hugues de Vermandois, archevêque de Reims. Au 11ᵉ, le danger sarrasin s'éloigne et le pèlerinage compostellan connaît un grand essor. Son caractère international est alors bien marqué : le premier pèlerin wallon connu apparaît en 1005 ; à la même époque arrivent les premiers flamands et allemands ; à la fin du siècle, on recense les premiers anglais et les premiers italiens.

L'apogée de Compostelle se situe probablement au 12ᵉ siècle. Dans la première moitié du siècle se constitue tout un réseau d'établissements hospitaliers destinés à héberger les pèlerins le long des quatre grandes routes bien connues énumérées par le *Guide du Pèlerin de Saint-Jacques* (composé entre 1130 et 1140 par un français qui s'appelait peut-être Aimery Picaud, de Parthenay-le-Vieux) : *via tolosana, via podensis, via lemovicensis, via turonensis,* convergeant vers les Pyrénées pour former ensuite le *camino frances.* Le rôle de Cluny, certes très important dans l'organisation et la diffusion du pèlerinage, a sans doute été exagéré par certains historiens ; d'autres ordres monastiques et hospitaliers ont aussi favorisé le pèlerinage compostellan (cf. art. *Hospitaliers*, DS, t. 7, col. 786-92).

Aux 13ᵉ et 14ᵉ siècles, Compostelle continue à rayonner, non seulement dans l'Occident chrétien mais même au-delà. Les pèlerins viennent de France, d'Italie, d'Europe orientale, mais surtout des Pays-Bas, d'Angleterre, d'Allemagne. Un signe de la popularité du sanctuaire est la grande fréquence des pèlerinages pénitentiels qui y aboutissent. Au 15ᵉ, la renommée de Compostelle est toujours importante ; la proclamation d'années jubilaires amène, certaines années, des flots de pèlerins particulièrement abondants, ainsi en 1445 et en 1479. Pourtant le déclin est proche : au 16ᵉ siècle, la Réforme porte un coup très dur au pèlerinage compostellan car elle intervient surtout dans les pays qui fournissaient les plus gros contingents de pèlerins. Ce fait s'ajoute à une certaine dévalorisation du pèlerinage à cause de la multiplication de faux pèlerins (les coquillards).

Bien entendu, d'autres sanctuaires ont attiré, au moyen âge, des courants de pèlerinage importants, mais nous ne pouvons que les évoquer brièvement ici : Saint-Martin de Tours (dans le haut moyen âge surtout), les sanctuaires consacrés à saint Michel : le Mont Gargan et le Mont-Saint-Michel, les nombreux sanctuaires mariaux dont l'essor se manifesta un peu partout en Occident à partir du 12ᵉ siècle et surtout à la fin du moyen âge. Citons en particulier Notre-Dame du Puy, Notre-Dame de Rocamadour, Walsingham, Mariazell, Notre-Dame de Lorette.

La bibliographie est énorme et il n'est pas possible de la signaler exhaustivement. Nous nous bornerons aux ouvrages généraux et aux références essentielles ou récentes. Les indications données dans le texte ne seront pas reproduites ici.

1. **Ouvrages d'ensemble.** – B. Kötting, *Peregrinatio religiosa*, cité *supra*. – R. Oursel, *Pèlerins du Moyen Âge*, Paris, 1963, 2ᵉ éd. 1978. – *Pellegrinaggi e culto dei santi fino alla prima crociata*, Todi, 1963. – A. Dupront, *Pèlerinages et lieux sacrés*, dans *Mélanges Braudel*, Toulouse, 1972, t. 1, p. 190-206. – E.-R. Labande, *Spiritualité et vie littéraire de l'Occident. 10-14ᵉ siècles*, coll. Variorum Reprints, Londres, 1974 (six articles essentiels sur le pèlerinage médiéval). – P.A. Sigal, *Les marcheurs de Dieu. Pèlerinages et pèlerins au Moyen Âge*, Paris, 1974 (bibliographie critique, p. 149-59). – J. Sumption, *Pilgrimage. An image of mediaeval religion*, Londres, 1975. – R. C. Finucane, *Miracles and pilgrims*, Londres, 1978. – *Le pèlerinage = Cahiers de Fanjeaux*, n. 15, 1980. – D. R. Howard, *Writers and Pilgrims. Medieval Pilgrimage, Narratives and their Posterity*, Berkeley-Londres, 1980. – W. et E. Turner, *Image and Pilgrimage in Christian Culture. Anthropological Perspectives*, Columbia University, 1980. – J. Richard, *Les récits de voyage et de pèlerinages* (Typologie des sources du M.A. occidental 38), Turnhout, 1981. – *Les chemins de Dieu*, éd. J. Chelini et H. Branthome, Paris, 1982.

2. **Études spécialisées.** – N. Paulus, *Geschichte des Ablasses im Mittelalter*, Paderborn, 1923. – F. Garrisson, *A propos des pèlerins et de leur condition juridique*, dans *Mélanges G. Le Bras*, t. 2, Paris, 1965, p. 1165-89. – C.

Vogel, *Le pêcheur et la pénitence au Moyen Âge*, Paris, 1969. – N. Hermann-Mascard, *Les reliques des saints. Formation coutumière d'un droit*, Paris, 1975. – G. Constable, *Opposition to Pilgrimages in the Middle Ages*, dans *Studia Gratiana*, t. 19, 1976 (Mélanges G. Fransen), p. 123-48. – A.-M. Bautier, *Typologie des ex-voto mentionnés dans des textes antérieurs à 1200*, dans *Actes du 99e Congrès des Sociétés Savantes (Besançon 1974)*, Paris, 1977, t. 1, p. 237-82. – H. Gilles, *Lex peregrinorum*, dans *Le pèlerinage (Cah. de Fanjeaux* n. 15), p. 161-89. – L. Polak, *Un récit de pèlerinage de 1488-89*, dans *Le Moyen Âge*, t. 88, 1981, p. 71-88.

G. Bresc-Bautier, *Le Saint Sépulcre de Jérusalem et l'Occident au Moyen Âge*, thèse dactyl., École des Chartes, 1971. – B. Dansette, *Les pèlerinages occidentaux en Terre Sainte : une pratique de la Dévotion moderne à la fin du Moyen Âge ? Relation inédite d'un pèlerinage effectué en 1486*, AFH, t. 72, 1979, p. 106-33, 330-428. – C. Zrenner, *Die Berichte der europäischen Jerusalempilger (1475-1500). Ein literarischer Vergleich im historischen Kontext*, Francfort/Main, 1981. – *Itinera Hierosolymitana crucesignatorum (saec. XII-XIII)*, éd. par S. De Sandoli, 4 vol. prévus, 2 vol. parus, Jérusalem, 1978-1980.

M. Romani, *Pellegrini e viaggiatori nell'economia di Roma del XIV° al XVII° secolo*, Milan, 1948. – B. Kötting, *Le pèlerinage et le dévouement à l'Église*, dans *Lumen Vitae*, t. 13, 1958, p. 241-48. – Luca da Monteraldo, *Storia del culto e del pellegrinaggio a Loreto* (14e-15e s.), 2e éd., Lorette, 1979. – J. Rocacher, *Rocamadour et son pèlerinage*, 2 vol., Toulouse, 1979.

L. Vasquez de Parga, J.M. Lacarra, J. Uria Riu, *Las peregrinaciones a Santiago de Compostela*, 3 vol., Madrid, 1948-1949. – J. Warcollier, *Les confréries des pèlerins de Saint-Jacques*, dans *Pèlerins et chemins de Saint-Jacques en France et en Europe du Xe siècle à nos jours*, Paris, 1965. – Y. Bottineau, *Les chemins de Saint Jacques*, Paris, 1966. – B. Bennassar, *Saint-Jacques de Compostelle*, Paris, 1970. – A. Georges, *Les pèlerinages à Compostelle en Belgique et dans le Nord de la France*, Bruxelles, 1971. – *Dicc. de España*, art. *Santiago*, t. 4, 1975, p. 2188-91 (bibliogr.).

Pierre André Sigal.

## D. 19e et 20e siècles

Lorsqu'un événement spirituel important a été vécu par une personne ou un groupe privilégié, les témoins en gardent mémoire et en deviennent les messagers. Naissent alors des rassemblements périodiques sur les lieux qui en conservent comme l'empreinte, afin de célébrer la commémoration de ces signes d'en-haut. La méditation éclaire peu à peu le sens de l'événement. Finalement, les célébrations communautaires deviennent les repères d'une « histoire sainte » alimentant à cette source la foi de qui y fait pèlerinage. Au cours des 19e et 20e siècles, de telles genèses ont été observables. C'est sur ces pèlerinages contemporains, qui drainent les chrétiens de notre temps que nous bornerons cette étude. Bien sûr, les pèlerinages plus anciens, tels la Terre Sainte et Rome, continuent, souvent renouvelés dans les formes. Nous ne nous y attarderons pas.

1. Pèlerinages du 19e siècle. – 1° *Pèlerinages marials*. – 1) *La Médaille miraculeuse* (1830). – Le 27 novembre 1830, sainte Catherine Labouré (1806-1876), Fille de la Charité, à la maison de la rue du Bac à Paris, voit durant son oraison la Vierge Marie « vêtue d'une robe blanche, d'un manteau bleu argenté, avec un voile aurore ». Il sortait de ses mains comme un faisceau de lumières. « Ces rayons, disait une voix, sont le symbole des grâces que Marie obtient pour les hommes ». Autour de ce tableau vivant, Catherine lit une inscription gravée en lettre d'or : « O Marie, conçue sans péché, priez pour nous qui avons recours à vous ». Puis le tableau se retourne et la voyante distingue un grand *M* surmonté d'une croix nue. Au-dessous sont gravés les Cœurs – couronné d'épines ou transpercé – de Jésus et de Marie. La voix reprend : « Il faut faire frapper une médaille sur ce modèle. Les personnes qui la porteront jouiront d'une protection spéciale de la Mère de Dieu ». La même apparition se renouvellera au mois de décembre.

Le 30 juin 1832, sont frappées les 1 500 premières médailles qu'on appellera « miraculeuses ». Dès 1839, plus de dix millions seront répandues dans le monde entier. Le pèlerinage à la chapelle de la rue du Bac ne cessera plus. L'archiconfrérie de Notre-Dame des Victoires, fondée en 1836 par le curé Ch. Dufriche-Desgenettes († 1860 ; DS, t. 3, col. 1757-59), contribue beaucoup à son essor. En 1915, J.A. Skelly introduit une neuvaine au Sanctuaire de Notre Dame de la Médaille miraculeuse de Philadelphie ; la dévotion s'y est continuée depuis lors.

2) *La Salette* (1846). – Le samedi 19 septembre 1846, veille de la fête de Notre-Dame des Sept Douleurs, deux jeunes bergers du village de Cors en Dauphiné, Maximin Girard, 11 ans, et Mélanie Calvat, 15 ans, gardent leur troupeau sur la montagne de la Salette. Une femme leur apparaît, assise sur un rocher, le visage dans ses mains. Quand elle se redresse, ils découvrent qu'elle est en pleurs : « Depuis le temps que je souffre pour vous autres ! Si je veux que mon Fils ne vous abandonne pas, je suis chargée de le prier sans cesse pour vous ». Elle leur rappelle alors l'importance du repos du dimanche, de la prière, du Carême, tout cela pour la conversion des pécheurs. En cette période de disette elle ajoute : « Si les hommes se convertissent, les pierres, les rochers deviendront des monceaux de blé ». Avant de s'éloigner « celle qui pleure » donne mission aux bergers de « faire passer » ce message à tout son peuple. Une source, jusque-là intermittente, jaillit avec abondance et dès lors ne cesse plus de couler.

Dès le printemps de 1847 les premiers groupes de pèlerins se succèdent sur les lieux. En 1851 l'évêque de Grenoble authentifie l'apparition et crée, un an plus tard, le corps des chapelains qui deviendront les Missionnaires de Notre-Dame de la Salette. En 1879, 15 000 pèlerins assistent à la consécration de la Basilique.

3) *Issoudun* (1857). – Quelques mois avant la proclamation de l'Immaculée Conception (8 décembre 1854), un ancien ouvrier tonnelier devenu prêtre, Jules Chevalier (1824-1907 ; DS, t. 2, col. 829-831), vicaire à Issoudun (Indre), promet à Marie de la faire honorer « d'une façon toute spéciale » si elle lui donne un « signe ». Le 8 décembre précisément, un bienfaiteur lui fait remettre un don substantiel, « pour créer une œuvre destinée au bien des âmes, en Berry ». Il y voit le « signe » imploré et les Missionnaires du Sacré-Cœur sont approuvés dès l'année suivante. En 1857, le fondateur propose à ses confrères de donner à la Vierge Marie le nom de *Notre-Dame du Sacré Cœur*.

La première image diffusée alors montre Marie les mains étendues vers la terre, comme sur la Médaille Miraculeuse. L'Enfant Jésus est debout devant elle : d'une main il montre son cœur, de l'autre il montre sa mère. Cette nouvelle dévotion paraîtra un moment ambiguë, par crainte de glorifier plus la Mère que le Fils. Le Saint-Office demandant quelques modifications (cf. DS, t. 3, col. 785-86), on créera une nouvelle image : Marie, portant l'Enfant sur son bras gauche, montre le Cœur de son Fils ; Jésus montre son propre cœur et de l'autre main désigne celui de sa mère. Le 8 septembre 1869 Pie IX érige une archiconfrérie et fait couronner la statue d'Issoudun, devant 20 000 fidèles. C'est l'origine du Pèlerinage et des *Annales de Notre-Dame du Sacré Cœur* qui auront un rayonnement mondial.

4) *Lourdes* (1858). – Le 11 février 1858, une adolescente de 14 ans à la santé fragile, Bernadette Soubirous, va ramasser du bois mort au bord du Gave de Lourdes ; elle aperçoit dans une niche sur le flanc d'une grotte profonde, une belle dame qui lui fait signe d'approcher. Quelques jours plus tard, au même endroit, et dans le dialecte d'oc du pays, la dame dit à Bernadette : « Voulez-vous avoir la grâce de venir ici pendant quinze jours ? ». Le 25 février l'adolescente gratte la terre, sous le rocher, et l'eau d'une source jaillit progressivement. Le 25 mars, la Dame se nomme : « Je suis l'Immaculée Conception ». Elle avait déjà demandé qu'on vienne là en procession et qu'on y bâtisse un sanctuaire.

Le pèlerinage de Lourdes, commencé autour de Bernadette pendant le temps des apparitions, approuvé le 18 janvier 1862 par l'évêque de Tarbes, devait connaître bien vite un rayonnement mondial. L'affluence des malades et les nombreuses hospitalités créées pour les accueillir donne aux pèlerinages un caractère particulièrement significatif. Le nombre de 4 millions de pèlerins annuels a été dépassé après 1976.

5) *Pontmain* (1871). – Le 17 janvier 1871, alors que l'armée allemande vient d'atteindre Laval, entre six et neuf heures du soir, quatre enfants du village de Pontmain en Mayenne (Eugénie et Joseph Barbedette, François Riché et Jeanne-Marie Lebossé) voient apparaître, dans le ciel étoilé, une femme vêtue d'une robe bleue qui leur sourit. Un moment elle tient un crucifix où l'on distingue nettement le Christ. Ce crucifix rouge disparu, la dame apparaît avec une petite croix blanche sur chaque épaule. Alors que les parents, les voisins, deux religieuses, le vieux curé se rassemblent autour des enfants pour prier, ceux-ci épellent lentement des lettres qui s'inscrivent près de la dame et qui forment successivement ces trois phrases : « Mais priez mes enfants, Dieu vous exaucera en peu de temps, mon fils se laisse toucher ». A 9 heures du soir, tout est fini. Mais presqu'aussitôt le pèlerinage commence. Il n'a cessé de grandir, dépassant largement les trois départements qui avoisinent Pontmain.

6) *Autres pèlerinages*. – Dans le canton de Gignac (Hérault), Auguste Armand, de Saint-Bauzille, travaille à sa vigne, le 8 juin 1873. Dans le dialecte du pays, il entre en dialogue avec une femme, de blanc vêtue, qui lui demande de remplacer une vieille croix et lui promet de venir le remercier un mois plus tard. Le 8 juillet, il revoit en effet la Vierge, qui lui recommande de ne plus travailler le dimanche et d'aller en procession à Notre-Dame de Gignac. Un mois plus tard, le 8 août, plus de cinq mille personnes se pressent à Saint-Bauzille. Mgr de Cabrières, évêque de Montpellier, donnera en 1877 le titre de Notre-Dame du Dimanche à ce pèlerinage.

En 1876, à Pellevoisin près de Châteauroux (Indre), Estelle Faguette, femme de chambre, se meurt à 33 ans. Marie lui apparaît et la rassure : « Ne crains rien. Tu sais bien que tu es mon enfant ». Le 19 février elle est guérie et fait le signe de croix avec son bras paralysé. Elle reverra plusieurs fois la Vierge, tenant un scapulaire où est gravé le cœur du Christ,

entouré d'épines : « les trésors de mon Fils sont ouverts », ajoutera la Vierge.

L'antique pèlerinage à Notre-Dame de Fourvière connut un regain d'affluence, lorsqu'après un vœu public la basilique fut reconstruite.

En 1884, Paul Buquet (1843-1918), curé de La Chapelle-Montligeon (Orne), fonde une association de prières à Marie « libératrice des âmes du Purgatoire ». La basilique Notre-Dame de l'Espérance ne sera consacrée qu'en 1911. Mais le pèlerinage a commencé dès la fondation.

7) *Hors de France*, rien de comparable. Lourdes influencera de nombreux missionnaires qui implanteront des « grottes » de Massabielle un peu partout et créeront ainsi des pèlerinages locaux.

En 1879, à Khock en *Irlande*, naît un pèlerinage national, afin de vénérer un tableau où l'on découvre autour de Marie saint Joseph et saint Jean, avec, à l'arrière plan, l'image de l'Agneau de Dieu.

En *Afrique*, Mgr Louis Pavy (1846-1866) achète un promontoire dominant la baie d'Alger. Pour faire pendant à Notre-Dame de la Garde à Marseille, il édifie un sanctuaire dédié à *Notre-Dame d'Afrique*. Un pèlerinage où se côtoient musulmans et chrétiens commencera en 1876. Le vicaire apostolique d'Oran avait, dès 1849, inauguré un autre pèlerinage à Notre-Dame de Santa Cruz.

2° *Pèlerinages au Sacré-Cœur : Paray-le-Monial et Montmartre*. – La diffusion de la dévotion au Sacré-Cœur de Jésus s'amplifie à la suite des apparitions à Marguerite-Marie Alacoque (1673/1675 ; cf. DS, t. 2, col. 1033-36 ; t. 10, col. 349-55). Mais ce n'est qu'après la défaite française de 1870 que commence réellement le pèlerinage de Paray-le-Monial ; cent mille personnes s'y rassemblent en 1873 pour consacrer la France au Sacré-Cœur. Longtemps marqué d'une note de royalisme et de nationalisme, le pèlerinage trouvera peu à peu sa véritable voie avec les encycliques de Pie XI et de Pie XII sur la place de cette dévotion dans la piété chrétienne. Après le concile Vatican II, Paray est devenu, en outre, un centre de rassemblement pour les groupes du Renouveau dans l'Esprit.

Montmartre naîtra presque en même temps que Paray. Devant le désastre qu'est la défaite de 1870, Monsieur Legentil propose aux catholiques de France, le 18 décembre 1870, de matérialiser par une basilique nationale édifiée sur la butte parisienne la consécration du pays au Cœur de Jésus. Cette basilique fut érigée entre 1875 et 1914. L'adoration perpétuelle du Saint-Sacrement, commencée en 1885, n'a jamais cessé depuis lors, ni jour ni nuit. D'innombrables visiteurs, touristes ou pèlerins, se succèdent au sanctuaire.

3° *Autres pèlerinages*. – 1) *Ars*. – Faire naître dans un petit village du diocèse de Belley, autour de lui et comme malgré lui, un pèlerinage, c'est ce que réalisa le saint curé, Jean-Marie Vianney (1776-1859 ; DS, t. 8, col. 840-44, bibl.). Son rayonnement spirituel et son charisme de confesseur attiraient dans son église des foules considérables. Le pèlerinage commença en 1826. En 1845, on comptait cinquante mille pèlerins ; ils étaient le double en 1858, un an avant la mort du saint. Le pèlerinage continuera autour de son tombeau, spécialement après que Pie X eut proclamé en 1905 cet humble prêtre bienheureux et patron des curés de France.

2) *Saint-Joseph de Montréal*. – Dans le parc national qui domine la ville, le frère André (Albert Bessette, 1845-1937), de la congrégation de Sainte-Croix, décida d'ériger un sanctuaire dédié à saint

Joseph, sanctuaire construit entre 1896 et 1904. Diverses guérisons firent affluer les pèlerins. Le premier édifice fut remplacé par une grande basilique. Chaque année, plus de deux millions de fidèles viennent à Mont-Royal, le plus important pèlerinage du monde dédié à saint Joseph.

2. Pèlerinages du 20e siècle. – 1° *En France*. – 1) Le pèlerinage de *Nevers*, sur le tombeau de Bernadette a pris un nouvel essor avec la canonisation de la voyante de Lourdes (1933).

2) Le pèlerinage de *Lisieux* s'est fortement développé après la canonisation, en 1925 par Pie XI, de Thérèse de l'Enfant Jésus (Thérèse Martin) morte au Carmel de cette ville en 1897, à l'âge de 24 ans. Le pape, qui proclamait cette sainte « l'étoile de mon pontificat », devait la déclarer « patronne des Missions », à l'instar de saint François Xavier, puis « patronne secondaire de la France » avec Jeanne d'Arc. La basilique, élevée sur la colline voisine, a été consacrée en 1954. On compte plus d'un million de pèlerins chaque année, dont, comme à Lourdes, de nombreux malades. Les écrits de Thérèse, publiés dans leur intégralité, sont la source d'une spiritualité originale concernant aussi bien les actes de la vie quotidienne la plus humble (« la petite voie d'enfance ») que les épreuves dramatiques de la « nuit de la Foi ».

3) *Domremy*. Jeanne d'Arc † 1431 (DS, t. 9, col. 851-54) a été canonisée en 1920 par Pie XI et déclarée patronne de la France. Une basilique a été élevée au Bois-Chenu, près de Domremy entre 1881 et 1931. Cent mille personnes assistèrent à sa consécration et donnèrent à ce pèlerinage son essor.

D'autres pèlerinages à Jeanne d'Arc ont lieu à Orléans. De plus, des pèlerinages de quinze jours permettent de suivre successivement : « la route de l'espérance », de Domremy à Vaucouleurs ; « la route de la gloire », d'Orléans à Reims ; enfin « la route de la souffrance » de Compiègne au bûcher de Rouen.

4) *Blois, Notre-Dame de la Trinité*. – Prêchant des missions paroissiales, au début du 20e siècle, un capucin de Blois, Jean-Baptiste de Chémery († 1918 ; DS, t. 8, col. 794-95) répandit la dévotion ancienne des trois *Ave Maria* en l'honneur de la Trinité, pratique approuvée par Léon XIII et Benoît XV. Marie est invoquée comme « Fille du Père Éternel, Mère du Fils Unique, Épouse chérie de l'Esprit Saint ». Pie XI approuva en 1934 le titre de « Notre-Dame de la Trinité » et l'on décida de construire une basilique moderne en son honneur, afin d'accueillir les pèlerins qui venaient à Blois. Le concile Vatican II reprendra les articulations de cette dévotion : « Marie reçoit la charge et la dignité d'être la mère du Fils de Dieu, et pour cela la fille de prédilection du Père et le sanctuaire de l'Esprit Saint » (*Lumen Gentium*, n. 53).

2° *Hors de France*. – 1) *Fatima* (Portugal, 1917). Deux millions de pèlerins de toute nationalité se rendent chaque année, les 12 et 13 de chaque mois, de mai à octobre, à la Cova da Iria, près de Fatima. Une série d'apparitions y ont eu lieu du 13 mai au 13 octobre 1917. François † 1919 et Jacinthe † 1920 Marto, frère et sœur, avaient alors 9 et 7 ans. Lucie dos Santos, la troisième voyante, avait 10 ans. Elle seule a survécu, et depuis 1920 a répondu seule aux divers interrogatoires ; elle a rédigé de plus quatre mémoires successifs.

Sur les apparitions, sur l'essentiel du message reçu, les trois enfants ont été pleinement d'accord. Comme à Lourdes, de nombreux témoins, dont plusieurs prêtres, se sont trouvés sur les lieux au moment des dernières manifestations. Le 13 mai, dans une lumière resplendissante, une « belle dame » a demandé aux enfants de réciter leur chapelet et de revenir chaque mois, ce qu'ils firent fidèlement (sauf le 13 août, empêchés par les autorités civiles). Le 13 octobre, devant cinquante mille personnes, la dame demanda que l'on construise une chapelle, en ajoutant : « Je suis Notre Dame du Rosaire ». Au moment de son départ, ses mains se réfléchirent sur le soleil, et un certain nombre de pèlerins virent l'astre lancer de toutes parts des gerbes de feu et « danser ». Les « secrets » ultérieurs, dévoilés en partie par Lucie, et concernant en particulier la conversion de la Russie, ont contribué à donner à ce pèlerinage une coloration très particulière, en alimentant des controverses sur les « mémoires » de Lucie postérieurs à l'événement.

2) *Beauraing* (1932) *et Banneux* (1933), en Belgique. – A Beauraing, le soir du 29 novembre 1932, cinq enfants voient, auprès d'une aubépine et devant un viaduc de chemin de fer, une Dame avec un cœur d'or entouré de rayons. Elle les invite à beaucoup prier et leur demande : « Aimez-vous mon Fils ? ». A trois reprises, ils la retrouvent dans les jours suivants. Chaque fois, à son arrivée comme à son départ, elle leur ouvre les bras et annonce enfin : « Je suis la reine des cieux ». La reconnaissance officielle et l'approbation du pèlerinage aura lieu en 1949.

A Banneux, dans les Ardennes Belges, le 15 janvier 1933, Mariette Beco, âgée de quinze ans, aperçoit dans le jardin une belle Dame, environnée de lumière. Elle récite devant elle trois dizaines de chapelet. Elle aura quatre apparitions, et la Dame lui dira : « Je suis la Vierge des Pauvres ». L'évêque de Liège viendra en pèlerinage, dès 1942, accompagné de treize mille personnes. Il reconnaîtra solennellement l'authenticité du message transmis par l'enfant, le 22 août 1949. Les foules de pèlerins viennent de France et de Belgique, mais surtout d'Allemagne et des pays de L'Est. Une hospitalité importante y accueille les malades.

3) *Goli-Toulia* (Cameroun), *Dassa-Zoumé* (Dahomey). – Plusieurs pèlerinages africains sont nés au 20e siècle, un peu comme des « succursales » de lieux d'Europe les plus connus, spécialement Lourdes.

A 200 km de Fouala (Cameroun), Mgr Mongo a créé un pèlerinage à la Vierge dans le site de l'impressionnant rocher de Goli-Toulia. Une grotte naturelle est située à vingt mètres au-dessus du sol : de là serait sortie, selon la tradition populaire, la tribu Bassa. Comme cela s'était si souvent produit à l'époque mérovingienne, on trouve ici un pèlerinage de substitution. Les fidèles y affluent en janvier et février, s'abritant sous des huttes de feuillages. A Dassa-Zoumé, une grotte de Lourdes a été inaugurée en 1952 sur une montagne où l'on vénérait jadis le « dieu des chasseurs ». Le 29 août les chrétiens y viennent en foule pour prier dans un climat de fête joyeuse. Le lien avec les coutumes religieuses anciennes y reste vivace, comme au Cameroun.

3° *Créations nouvelles et significatives*. – 1) *Notre-Dame de Chartres* a été une étape pour les pèlerins depuis des temps très reculés. Un poète hors du commun allait être à l'origine d'une « route » nouvelle vers sa cathédrale. Du 14 au 18 juin 1912, après la guérison inespérée d'un de ses fils, Charles Péguy se mit en marche à travers la Beauce vers les « flèches irréprochables ». Il y arriva au bout de trois jours : « Je ne sentais plus rien, ni la fatigue, ni mes pieds. J'étais un autre homme. J'ai prié comme je n'avais jamais prié... Mon gosse est sauvé. Je les ai donné tous les trois à Notre-Dame ». Il renouvellera trois fois ce pèlerinage avant sa mort sur le front, au début de la guerre de 1914 (cf. sa notice, *supra*, col. 865-74). Dans son sillage et à son exemple se sont créés depuis 1935 les pèlerinages d'étudiants.

2) *Taizé*, sur une colline proche de Cluny, est maintenant un village connu du monde entier. Résolument œcuménique, la communauté de prière fondée par R. Schutz voit venir vers elle des jeunes de toutes les confessions, et même de toutes les religions. Un « concile des jeunes » a pris là son envol, suscitant des rassemblements similaires en Asie, en Amérique latine, à Rome.

3) *Tamanrasset*, dans le Hoggar, est devenu un lieu de pèlerinage, d'abord pour les disciples immédiats de Charles de Foucauld, Petits Frères ou Petites Sœurs de Jésus, puis pour tous ceux qui sont attirés par la « spiritualité du désert » et la « spiritualité de Nazareth », si bien mises en lumière par ce « frère universel » (voir sa notice, t. 5, col. 729-41).

4° *Pèlerinages temporaires et itinérants.* - 1) *Notre-Dame de Boulogne et le Grand Retour.* - Vénérée au moyen âge par les marins de la côte, la statue de la Vierge, qui selon la tradition aborda dans ce port sur une barque de pêcheurs, devait devenir itinérante pendant la guerre 1940-1945. Portée de village en village et de ville en ville, on venait la prier pour le retour de la paix et celui des prisonniers de guerre. Elle fit ainsi escale au Puy et à la grotte de Lourdes où, le 8 septembre 1942, les évêques consacraient la France à Marie. C'est de là qu'elle repartit, au cours du *Grand Retour*, le 28 mars 1943, traversant soixante dioceses et visitant huit mille paroisses. Partout les foules l'accompagnèrent. Le 25 octobre 1945, après la victoire des armées alliées, elle fit une de ses dernières haltes à Notre-Dame de Paris.

2) *La châsse reliquaire de Thérèse de Lisieux*, sur l'initiative du cardinal Suhard, rassembla également des foules de pèlerins lors du voyage qu'elle accomplit depuis le Calvados jusqu'à Notre-Dame de Paris (à Paris du 28 février au 4 mars 1945).

3) *La statue de Notre-Dame de Fatima*, escortée par 180 pèlerins a fait le tour du monde en avion (1978). Elle fit escale non seulement dans des pays chrétiens, comme à Lourdes, mais également au Caire, chez les musulmans, à Jérusalem et Bethléem, en Palestine, accueillie partout avec un grand respect.

Notons enfin, pour terminer ce survol historique des pèlerinages des 19e et 20e siècles, qu'afin d'accueillir les foules qui se rassemblent par dizaines ou centaines de milliers il a fallu construire pour les abriter des sanctuaires nouveaux ou plus spacieux : la basilique souterraine de Lourdes, les basiliques d'Ars, Domremy et Lisieux. A Ronchamp, sur les lieux d'un ancien pèlerinage, l'architecte Le Corbusier a construit un des sanctuaires les plus résolument modernes : Notre-Dame du Haut. En outre, la pratique des pèlerinages a été largement facilitée par les chemins de fer, les transports routiers, le développement de l'hôtellerie ; il en est résulté parfois un mélange ambigu entre le tourisme et la vraie piété, avec des excès de mercantilisme.

L'Église n'a pas approuvé divers mouvements liés à des « apparitions » de la Vierge ; entre autres : San Damiano en Italie et Garabandal en Espagne (depuis 1961), le mont Schiwtschak en Tchécoslovaquie (1948), Kérizinen en Bretagne (à partir de 1936).

R. Laurentin (avec une équipe de Filles de la Charité et la collaboration de B. Billet), *Vie authentique de Catherine Labouré*, 2 vol., Paris, 1980 ; la première relation a été publiée par C.M. Le Guillou, *Mois de Marie*, Paris, 1834, p. 315-24.

Léon Bloy, *Celle qui pleure*, Paris, 1908. - L. Bassette, *Le fait de la Salette*, Paris, 1950. - J. Stern, *La Salette. Documents authentiques*, t. 1, Paris, 1980 (à suivre).

J. Chevalier, *Notre-Dame du Sacré Cœur d'après l'Écriture Sainte, les Saints Pères et la Théologie*, Paris, 1893 (rééd. d'écrits antérieurs). - P. Gigon, *Notre-Dame du Sacré-Cœur*, Issoudun, 1939. - A. Rosi, *N.-D. du S.-C.*, 1942. - Les *Annales* ont fait un louable effort pour diffuser l'enseignement de Vatican II.

R. Laurentin et B. Billet, *Lourdes. Documents authentiques*, 7 vol., Paris, 1957-1966. - R. Laurentin, *Histoire authentique des apparitions*, 6 vol., Paris-Lourdes, 1961-1964. - A. Ravier, *Bernadette Soubirous*, Paris, 1974 (diverses trad.). - *Les écrits de Bernadette*, éd. A. Ravier, éd. enrichie, Paris, 1980.

R. Laurentin et A. Durand, *Pontmain. Histoire authentique*, 2 vol., Paris, 1970. - *Notre-Dame du Dimanche. Les apparitions de St-Bauzille-la-Sylve*, Commission historique du Centenaire, Paris, 1973. - G. Bernoville, *Pellevoisin. Le village de la Vierge*, Paris, 1931. - M.R. Vernet, *La Vierge de Pellevoisin*, Paris, 1978.

J. Ladame, *Les faits de Paray-le-Monial*, Paris-Fribourg/ Suisse, 1970. - P. Boutry et M. Cinquin, *Deux pèlerinages au 19e siècle. Ars et Paray-le-Monial*, Paris, 1980. - M. Charles, *Sacré-Cœur de Montmartre*, Paris, 1975.

Ph. Boutry, *Un sanctuaire et son saint... J.-M. Vianney...*, dans *Annales*, t. 35, 1980, p. 353-77. - Thérèse de l'Enfant-Jésus, *Manuscrits autobiographiques*, Lisieux, 1957 ; *Correspondance*, 2 vol., Paris, 1972.

R. Pernoud, *Jeanne d'Arc par elle-même et les témoins*, Paris, 1962 ; *Vie et mort de Jeanne d'Arc*, Paris, 1953, 1980. - P. Marot, *Le culte de Jeanne d'Arc à Domremy*, Nancy, 1956. *Notre-Dame de la Trinité. Son histoire, sa place dans la piété mariale*, Blois, 1965.

C. Barthas et J. de Fonseca, *Fatima*, Toulouse, 1969. - *Lucie raconte Fatima*, éd. Cl. Jean-Nesmy, Paris, 1975 (trad. des quatre Mémoires). - Cl. Jean-Nesmy, *La vérité de Fatima*, Paris, 1980. - P. Alonso (qui doit éditer les Documents authentiques), *Fatima. Historia y mensaje*, 3e éd., Madrid, 1977.

A. Monin, *Notre-Dame de Beauraing*, Bruges, 1952 ; les *Dossiers de Beauraing* sont en cours de publication, Namur, 1981 svv. - *Banneux. Documents*, 3 vol., Liège, 1954-1959 ; rassemblés en 1 vol., 1968 (éd. L.J. Kerkhofs).

3. Signification spirituelle des pèlerinages. - Bon nombre de pèlerinages des 19e et 20e siècles conservent la signification des pèlerinages plus anciens (qui continuent d'être fréquentés : Lieux saints, Rome, Compostelle, Tours, Padoue, etc.) : la vénération d'un saint dans les lieux qu'il a sanctifiés par sa vie et sa mort. Il en est ainsi pour Ars, Lisieux, Nevers ; on peut y ajouter Turin, où l'on garde mémoire des saints Jean Cafasso, Jean Bosco, Joseph Cottolengo, le tombeau de saint Charbel Makhlouf au Liban, Lucques avec sainte Gemma Galgani, etc. Les pèlerinages marials présentent cependant des caractéristiques propres, qu'il est utile de prendre en considération.

1° *Contrastes et constantes dans les apparitions de la Vierge Marie.* - 1) Elle s'adresse à des personnes humbles, de préférence à des enfants, des adolescents. Catherine Labouré, fille de paysans, était encore novice au temps des apparitions ; elle se dévoua ensuite au soin des vieillards et son identité ne fut connue qu'après sa mort. Auguste Arnaud était un modeste vigneron, Estelle Faguette une femme de chambre. Quand il s'agit d'enfants ou d'adolescents, seuls (Lourdes, Banneux), ou en groupe (La Salette, Pontmain, Fatima, Beauraing), ils appartiennent à des familles simples, qui ne se distinguent nullement par leur piété, ou même, c'est le cas des Soubirous, ont une réputation douteuse.

L'initiative vient d'En Haut ; la Vierge se manifeste à qui elle veut, dans les lieux les plus divers : nature sauvage, comme à Massabielle et la montagne de la Salette, la grande prairie de Fatima, la forêt de sapins de Banneux, petit village comme à Pontmain, devant un viaduc de chemin de fer comme à Beauraing. Les apparitions se situent au cœur de la vie quotidienne des humbles, et Marie leur parle dans leur dialecte, avec les tournures de phrases qui sont celles de leur milieu.

2) Mais le message reçu par les voyants, même s'il est accompagné de « secrets » personnels, est toujours destiné à un peuple. Les voyants ne sont que des intermédiaires choisis précisément pour le communiquer. Ces messages divers, qui vont devenir comme « l'âme » des pèlerinages, n'ajoutent rien à la Révélation. Ils soulignent seulement l'une ou l'autre vérité évangélique, une exigence normale de la vie chrétienne, au moment où elles risquaient d'être oubliées ou minimisées. L'insistance sur la prière, la pénitence, le signe de la source (Lourdes, La Salette, Banneux) évoquent les textes évangéliques sur Jésus priant et maître de prière, sur les pécheurs pardonnés, l'eau vive.

3) La vie des voyants, après les apparitions, rentre habituellement dans la voie normale des chrétiens. Catherine Labouré et Bernadette ne sont qu'une exception apparente ; si la première est déjà religieuse et si la seconde le deviendra, elle ne se glorifient jamais du choix dont elles ont été l'objet ; elles ont été canonisées pour leur fidélité à la grâce, leur vie religieuse exemplaire, et non pour avoir bénéficié d'apparitions. Les voyants de Beauraing sont entrés dans la voie du mariage et ont exercé des métiers ordinaires. Les deux bergers de la Salette ont même pu, par leur comportement, inquiéter un moment le curé d'Ars. Ainsi est mise en lumière une loi de la vie spirituelle qu'une certaine hagiographie avait quelque peu voilée : lorsque Marie intervient (ce pourrait être un autre saint, le Christ ou Dieu lui-même), elle n'entrave nullement le jeu des libertés humaines.

4) La nouveauté des apparitions mariales des deux derniers siècles consiste dans le fait que Marie s'est présentée *seule*, ce qui eût été presque impensable dans les siècles antérieurs.

Les premières images des catacombes représentent déjà la *Theotokos*, la Mère et son Fils. Les icônes d'Orient comme les Vierges romanes manifestent le souci de montrer en Marie celle qui nous donne Jésus ; il en est de même pour les Madones des porches de nos cathédrales gothiques, et les Pietà pathétiques des siècles postérieurs. L'apparition de Marie seule correspond sans doute à la piété populaire de l'époque, influencée particulièrement par les *Gloires de Marie* d'Alphonse Liguori (cf. DS, t. 10, col. 467) et d'autres écrits semblables qui, en exaltant légitimement la Vierge Mère, ont pu faire quelque peu oublier son Fils. D'ailleurs, l'enseignement doctrinal restait pauvre, à la suite du rationalisme des « Lumières » et de la rupture avec les traditions plus anciennes provoquées par la Révolution ; les « dévotions » avaient pris le pas sur la doctrine.

Pourtant, dans les apparitions mentionnées, le Christ est présent, quoiqu'indirectement. A Blois, le titre même du pèlerinage, Notre-Dame de la Trinité, renvoie à l'essentiel de la foi. A Pontmain, à la Salette et à la rue du Bac, le crucifix est présent dans les appari-

tions. Jésus est nommé plusieurs fois : « Mon Fils se laisse toucher » ; « Aimez-vous mon Fils » ; à Lourdes, la Dame dit avec Bernadette les *Notre Père* et les *Gloire au Père* du Chapelet. En outre, comme on l'a vu, le message de Marie renvoie implicitement au message évangélique. Les demandes répétées pour qu'on « construise une chapelle », qu'on « vienne en procession », se traduisent aussitôt par des célébrations et processions eucharistiques. En réalité, comme le langage qu'entendent les voyants, la manière dont Marie est perçue a une signification précise : pour ainsi dire, elle s'adapte à la mentalité d'une époque, tout en invitant sans cesse à la dépasser. D'ailleurs, lorsque l'Église approuve le pèlerinage et prend en charge le message transmis, elle infléchit l'orientation première et situe la dévotion mariale dans le contexte total de la foi et de la vie. Jean-Paul II a bien exprimé ce projet ecclésial dans un discours à des recteurs de sanctuaires (22 janvier 1981) : « Chacun d'eux (lieux de pèlerinage) est un mémorial du mystère de l'Incarnation et de la Rédemption » ; aussi convient-il d'instaurer une « pastorale christocentrique », afin « d'aider les chrétiens à rejoindre vraiment le Christ » (*Documentation catholique*, t. 78, 1981, p. 160-61).

2º *La connaissance historique des événements fondateurs*. – La publication critique des documents concernant les faits de Lourdes, de Pontmain, de la rue du Bac, de la Salette (cf. bibliographie, *supra*), les colloques scientifiques à l'occasion des centenaires, diverses études historiques ou théologiques, ont apporté au développement des pèlerinages un élément nouveau. Ils permettent de constater l'authenticité de l'événement fondateur : tout chercheur honnête, croyant, agnostique ou athée, peut désormais la vérifier, quels que soient par ailleurs son jugement et ses propres conclusions. La mise en lumière de ces sources historiques aura deux conséquences.

1) Les pèlerinages anciens connaissent eux aussi de ce fait un rajeunissement. Les historiens scrutent les origines de Rocamadour ou Compostelle ; ils situent avec précision les « lieux saints » de Palestine et de Rome. On redécouvre l'importance des « légendes » et des « récits de miracles » (voir, par exemple, l'éd. commentée par J. Fontaine de la *Vita Martini*, SC 133-135, 1967). Ces recherches permettent de mieux saisir la mentalité religieuse d'une époque lointaine ; avec l'apport de l'archéologie, elles renouvellent l'approche des événements historiques qui ont été à l'origine des pèlerinages. Ainsi est souligné le réalisme du fait chrétien qui, depuis l'Incarnation, fait saisir, par des signes, l'irruption de Dieu dans notre histoire humaine et l'influence permanente des saints, modèles de toujours.

2) Le chercheur est en mesure de privilégier les témoignages directs et d'accorder plus de crédit à ceux qui sont proches de l'événement. Si Jeanne Lebossé, une des voyantes de Pontmain, s'est rétractée lors du second procès d'information (en 1920, cinquante ans après l'apparition), ou si inversement Lucie de Fatima a considérablement, non pas modifié, mais amplifié son premier témoignage dans ses divers « mémoires », dans les deux cas les historiens peuvent opérer un travail critique, en se basant sur les témoignages primitifs.

3º *Importance des lieux et des signes*. – Les pèlerinages, fondés sur un événement dont l'initiative est divine (même si elle se fait par l'intermédiaire de Marie ou d'un saint), constituent un lieu privilégié où le croyant peut affirmer ou renouveler sa vie de foi ; les plus grands miracles de Lourdes sont les conversions qui s'y produisent. Mais, correctif nécessaire, les croyants ne sauraient borner leur attention aux lieux, même les plus saints ; ils doivent les considérer comme des appuis, des tremplins pour vivre ensuite leur foi dans le cadre ordinaire de leur existence : « L'heure vient où ce n'est plus sur cette montagne ni à Jérusalem que vous adorerez le Père... » (*Jean* 4, 21-24).

Les pèlerins sont sensibles à la médiation des signes. Comme les personnages de l'Évangile qui voulaient voir Jésus, toucher son manteau, entendre sa parole, etc., les pèlerins modernes veulent voir à la Salette la pierre où était assise la Dame en pleurs, toucher le rocher de Massabielle et le pauvre lit du curé d'Ars, boire l'eau des sources, entendre le message communiqué aux voyants, chanter et manger ensemble, bref communier à l'événement fondateur par-delà le temps.

4° *Vatican II et le renouveau des pèlerinages.* – Sans traiter directement des pèlerinages, les Pères du dernier concile ont donné des orientations qui permettent la « mise à jour » de ces manifestations populaires (cf. *Lumen Gentium*, n. 7, 50, 51 ; *Constitution sur la Liturgie*, n. 4, 37, 104, 108, 111).

1) *La Parole de Dieu* est remise au premier plan : on l'a vu au Congrès international de Lourdes en 1981. Chaque dimanche à Pontmain, par exemple, les fidèles participent à la même liturgie que celle de leurs paroisses, élargissant leur prière aux besoins de l'Église entière ; l'après-midi, ils reviennent pour le chapelet, dont ils méditent les mystères après avoir écouté des textes bibliques. Les recueils de Cantiques ont été renouvelés avec les Psaumes et les hymnes plus proches des Écritures.

2) *Les fêtes des mystères du Christ* retrouvent la première place ; le culte de la Vierge Marie et celui des saints trouvent ainsi leur vraie place, qui est de conduire au Christ, unique Sauveur et Médiateur, de présenter des modèles pour le suivre, d'intercéder avec lui auprès du Père.

3) *Les traditions spirituelles des pèlerinages ont été purifiées,* parfois élargies. Les coutumes de chaque groupe humain sont respectées, ou même intégrées à la Liturgie. Ainsi, lors des dernières « ostensions » des grands saints du Limousin, les pèlerins ont pu suivre un jeu scénique qui permettait de revivre « la grande geste » de la foi, tout en rappelant que le théâtre chrétien du moyen âge était né dans la ville de saint Martial (Limoges). De même, la marche des étudiants vers Chartres s'accompagne d'échanges sur un des grands thèmes de la foi : Corps mystique, Esprit saint, Résurrection, etc.

Les lieux de pèlerinage ont été dépouillés de maintes fioritures ; dans leur simplicité originelle retrouvée, les pèlerins reviennent plus aisément au sens premier du message et trouvent la voie d'une prière plus vraie.

5° Le pèlerinage devient ainsi le lieu d'une *catéchèse populaire et collective* pour notre temps. Proposé à tous, imposé à personne, il offre un lieu de liberté pour les cheminements d'un monde en attente et en recherche. Des hommes de tous milieux et souvent de toute culture s'y côtoient. La Parole de Dieu remet chacun en face de ses propres responsabilités spirituelles. On rejoint ainsi la démarche par laquelle l'Église des premiers temps conduisait les catéchumènes au baptême, et assurait aussi la formation doctrinale des baptisés dans la liturgie. Le pèlerinage offre donc une catéchèse collective pour les personnes désireuses de trouver une réponse aux questions de l'existence. D'où l'importance de *l'accueil* des pèlerins, et celle aussi de *l'envoi* au terme du séjour. Le pèlerinage modifie souvent les attitudes : beaucoup d'hommes,

venus en touristes, repartent en pèlerins ; venus en curieux, ils repartent après avoir pris des décisions parfois héroïques.

S'ils ne sont qu'un des éléments, modeste et transitoire, de l'évangélisation du Peuple de Dieu, les pèlerinages permettent cependant de faire le passage entre la nouveauté d'un monde en mutation et la continuité des questions fondamentales pour les hommes. Face aux foules qui se demandent si les disciples de Jésus Christ ont quelque chose à leur proposer, ils jouent un rôle de révélateur. Ces rassemblements d'un peuple qui chante sa foi symbolisent et inaugurent le rassemblement dernier des nations, annoncé dans les derniers chapitres d'Isaïe et les grandes visions de l'Apocalypse. Depuis Abraham, tous les hommes de foi sont d'ailleurs des pèlerins, en marche dans le désert vers la Terre promise ; ils prennent peu à peu conscience que le Christ les rejoint sur la route et les invite à le reconnaître « dans la fraction du Pain » (*Luc* 24, 35).

J. Folliet, *La spiritualité de la route,* Paris, 1936. – J. Madaule, etc., *Pèlerins comme nos pères* La Tourelle, 1950. – R. Roussel, *Les pèlerinages à travers les siècles,* Paris, 1954. – H. de Julliot, *Routes martiales,* Paris, 1954. – I. Couturier de Chefdubois, *Mille pèlerinages à N.-D.,* 3 vol., Paris, 1954. – H. Maréchal, *Mémorial des apparitions de la Vierge,* Paris, 1957. – J. Hofinger, *Le pèlerinage, symbole de la vie chrétienne,* dans *Lumen Vitae,* t. 13, 1958, p. 277-90. – H. Bernard, *Le pèlerinage dans la pastorale d'aujourd'hui,* Montréal, 1967. – R. Auclair, *Les épiphanies de Marie,* Paris, 1967. – *Permanence et renouveau des pèlerinages,* Paris-Lyon, 1976. – A.-M. Besnard, *Pour un long chemin vers Toi,* Paris, 1978. – J.-J. Antier, *Le pèlerinage retrouvé,* Paris, 1979. – M. Nil, *Les apparitions de la Vierge en Égypte, 1968-1969,* Paris, 1980 (Zeitoun, près du Caire). – J. Vinatier, *Le renouveau de la religion populaire,* coll. Croire aujourd'hui, Paris-Montréal, 1981, p. 85-108. – A. Colin-Simard, *Les apparitions de la Vierge,* Paris, 1981.

*Maria. Études sur la sainte Vierge,* éd. H. du Manoir, 8 vol., Paris, 1949-1964 : T. 4, p. 111-36, 271-380 (France) ; p.561-65 (Angleterre), P. 325-27, 718 (Orient chrétien) ; t. 5, p. 535-76 (Allemagne) ; p. 577-93 (Autriche) ; Tables, t. 8, p. 171. – L. Leroy, *Histoire des pèlerinages de la S. Vierge en France,* 3 vol., Paris, 1873-1875. – A. Salvini, *Santuari mariani d'Italia,* 5e éd., Rome, 1954. – M. Zalecki, *Theology of a Marian Shrine : Our Lady of Czestochowa,* Dayton, U.S.A., 1976 ; adaptation franç. de B. Billet, *N.-D. de Cz.,* Paris, 1981. – Fr. Bourdeau, *La Route du pardon. Pèlerinage et réconciliation,* Paris, 1982.

Jean VINATIER.

**PELLICIER** (GUILLAUME), abbé de Grandmont, † 1336. Voir DS, t. 4, col. 1511.

**PELLOUX** (LOUIS), prêtre, 1906-1959. – D'ascendance noble et bourgeoise, Luigi Pelloux reçut une excellente éducation chrétienne. Docteur en médecine (Gênes, 1930), en philosophie (université catholique de Milan, 1932), il fut ordonné prêtre en 1933 par l'archevêque de Gênes C.D. Minoretti, après une préparation théologique dirigée par le futur cardinal G. Lercaro.

Pelloux fut professeur au séminaire de Gênes (philosophie thomiste, morale, patrologie), assistant diocésain de la branche féminine de l'Action catholique (1937-1945), puis du groupe gênois des *Laureati* de l'Action catholique, de 1945 à sa mort. Il collabora à l'« Apostolat de la communion fréquente des malades » fondé par sa mère et qui avait des ramifications dans toute l'Italie. A partir de 1947, il fut conseiller de l'Association des médecins catholiques.

Dès 1946, Pelloux enseigna l'histoire de la philosophie ancienne à l'Université catholique de Milan, publiant une bonne partie de ses articles dans la *Rivista di Filosofia Neoscolastica* et dans *Studium*. La problématique religieuse fut toujours au centre de ses intérêts, qu'il s'agisse d'Aristote, Plotin, Augustin, Leibnitz, Malebranche, Kant, Hegel, Laberthonnière, Blondel, jusqu'aux philosophes existentialistes ; on le voit dans deux ouvrages importants : *La Logica di Hegel* (Milan, 1938), *L'Assoluto nella dottrina di Plotino* (1941).

Son apostolat, par exemple dans les milieux intellectuels de Gênes et de Milan, le mit en rapport avec des personnalités marquantes : G. B. Montini, futur Paul VI, G.D. Pini, F. Guano, futur évêque de Livourne, F. Costa qui deviendra évêque assistant national de l'Action catholique, I. Righetti, etc. Il vécut en profonde union spirituelle avec Itala Mela et Adriano Bernareggi, évêque de Bergame et assistant national des *Laureati*.

Ses *Diari*, commencés à l'âge de huit ans, témoignent de la claire conscience qu'il avait de lui-même, de son combat dans la ligne ignatienne et salésienne, et manifestent assez tôt des orientations contemplatives. Durant ses études universitaires, il traversa une crise grave de la foi dont la prière et la pénitence l'aidèrent à sortir. Cette croix, et celle de ses frères, semble l'avoir profondément marqué. Assez indifférent aux prestiges des constructions systématiques comme aussi aux émotions faciles, il cherchait la vérité de l'homme et celle de Dieu, le « Toi » vivant qui parle au cœur de l'homme et à qui on peut se donner ; cette double vérité se développait en charité.

A peine ordonné prêtre, il fit les vœux de pauvreté et d'obéissance (plus tard, celui d'abandon) à son directeur spirituel et, pour ce faire, utilisa l'offrande de L. de Grandmaison : « En tout, je ne veux que Vous... » (dans *La Tradition ignatienne,* coll. Prières de tous les temps 20, Chambray, 1981, p. 71). Sous l'influence de I. Mela et de A. Bernareggi, Pelloux fut ensuite marqué par l'inhabitation trinitaire et la vie d'union à Dieu, dans une ligne à la fois carmélitaine et liturgique ; Dom Marmion l'influença alors, ainsi que ses contacts personnels avec E. Caronti et G. Moglia, initiateurs du mouvement liturgique. Pelloux a connu d'expérience la présence divine, avec ses sécheresses, ses joies intérieures, sans se retirer de la vie active ; il se sentait appelé à se laisser transformer dans le Christ et saisir par Dieu. La mort, au terme d'une longue maladie, le prit en pleine conscience dans la prière le 3 avril 1959. Il fut enseveli à Bordighera, près de San Remo.

S. Vanni Rovighi, notices nécrologiques dans *Rivista di Filosofia Neoscolastica* (t. 51, 1959, n. 1, p. 190) et *Studium* (1959, n. 7-8, p. 503-07). – E. Guano, *Don Pelloux,* dans *Coscienza,* 1959, n. 10, p. 7. – G. Viola, *Un contemplativo nel mondo D.L. P.,* Brescia, 1965 ; art. *Pelloux,* dans *Dizionario storico del Movimento Cattolico in Italia,* t. 3, Turin, 1984.
Voir aussi D. Lucciardi, *Itala Mela nella sua esperienza e nei suoi scritti,* Rome, 1963 ; – D. Richetti, *Amore supernae charitatis inclusa. La serva di Dio Itala Mela,* Parme, 1974 ; – A. Bernareggi, *Scritti di Spiritualità,* Bergame, 1978, p. 125-38.

Pietro ZOVATTO.

**PEMBLE** (JOSEPH), jésuite, 1717-1784. – Né le 13 décembre 1717 à Innsbruck (Tyrol), Josef Pemble entra dans la Compagnie de Jésus (province de Germanie supérieure) le 26 décembre 1734. Il fut ordonné prêtre en 1748. Pendant neuf ans il enseigna les humanités et la rhétorique. Ensuite, succédant à Fr. X. Gachet, il dirigea la *Congregatio latina* de Munich, de 1758 jusqu'à ce que, probablement en 1766 (cf. Sommervogel, t. 6, col. 468, n. 15), il soit remplacé par Christophe Frölich. Il se consacra ensuite à la prédication et mourut à Hall (Tyrol), non pas en 1781 (Sommervogel et Guibert), mais le 24 septembre 1784 (date donnée par L. Seccard, d'après Fr. S. von Zallinger, *Verzeichniss der u. Jesuiten 1773-1838 verstorbenen,* ms à Innsbruck).

Pemble succède à Franz Lang († 1725 ; DS, t. 9, col. 202) et à Franz Neumayr († 1765 ; t. 11, col. 156), dont il poursuivit avec succès les représentations de « théâtre ascétique » dans la congrégation mariale de Munich. De 1758 à 1766, il publia onze volumes regroupant une quarantaine de pièces (il n'existe pas d'édition complète). Le théâtre de Pemble mit d'abord en scène les divers sentiments humains, amour, haine, désir, joie, tristesse, espoir, désespoir, espérance, les sens et les puissances de l'âme, les divers thèmes majeurs des *Exercices spirituels* ignatiens (1758-1762) ; ensuite il traita de la manière exemplaire de vivre en chrétien dans les Cours princières, les administrations publiques, les camps militaires, la famille, etc.
Toujours pour la congrégation mariale de Munich, Pemble donna de nouvelles éditions de la *Pietas quotidiana erga Jesum crucifixum* de Fr. Molindes †1768 (2 vol., 1759-1760) et de la *Pietas quotidiana erga SS. Dei Matrem* de Gabriel Hevenesi † 1715 (2 vol., 1764-1765 ; cf. Sommervogel, t. 4, col. 348). Il publia en 1761 (et non en 1737) le *Theatrum asceticum* de son confrère Georges Arnold †1737, avec treize pièces sur divers personnages du Nouveau Testament.

Anonymement, Pemble offrit en étrennes à ses congréganistes un petit ouvrage spirituel, *Bona voluntas... seu De sequendo in omnibus ductu Divinae Providentiae* (1762, 230 p. in-12°), divisé en quatre parties : la Providence divine régissant le monde entier, les plus petites choses et se souciant surtout de l'homme ; la volonté bonne (qui acquiesce à Dieu et à ce qu'il permet, qui fait confiance dans une vraie indifférence) ; les aides de la volonté bonne ; enfin ses fruits (conformité à la volonté de Dieu, tranquillité de l'âme, mérites). Si un sain humanisme chrétien règne dans ces pages, si des accents stoïciens n'y manquent pas, cependant l'inspiration de fond, le fondement de la pensée et les perspectives ouvertes sont essentiellement l'amour dont Dieu aime l'homme et la providence par laquelle il mène tout au bien de ceux qui l'aiment.

Sommervogel, t. 6, col. 466-468. – *Dictionnaire des ouvrages anonymes et pseudonymes...,* Paris, 1884 (index). – J. de Guibert, *La spiritualité de la Compagnie de Jésus,* Rome, 1953, p. 421. – Les ouvrages de J. Müller (Augsbourg, 1930) et de J.-M. Valentin (3 vol., Berne-Francfort, 1978) sur le théâtre jésuite en Allemagne ne vont pas jusqu'au temps de Pemble ; leur consultation est cependant utile pour préciser les évolutions qu'a connues ce genre scénique et littéraire.

Constantin BECKER.

**PÉNÉTRATION DES ESPRITS.** Voir art. *Clairvoyance spirituelle* (DS, t. 2, col. 922-29) et *Discernement des esprits* (t. 3, col. 1222-91).

**PÉNITENCE** (REPENTIR ET SACREMENT). – Le substantif *pénitence* vient du latin *paenitentia*, dérivé du verbe impersonnel *paenitet*, qui tend à devenir personnel dans la langue parlée, *paeniteor* (cf. *Marc* 1, 15).

Ce verbe, apparenté à *paene* (= « presque »), mais de dérivation obscure, signifie premièrement « je n'ai pas assez de », « je ne suis pas content », d'où l'on est passé au sens, le plus souvent attesté, qui est « avoir du regret », « se repentir ». La graphie ancienne et aujourd'hui abandonnée de *poenitet*, a été influencée par *poena* (cf. Isidore de Séville, *Étymologies* VI, 19, 71, PL 82, 258). De bonne heure on trouve le participe *paenitens*, avec le sens de « qui se repent » (A. Ernout et A. Meillet, *Dictionnaire étymologique de la langue latine*, 3e éd., Paris, 1951, p. 840).

Ce n'est donc pas à l'idée de punition ou d'œuvres pénibles faites en vue d'expier les fautes que renvoie d'abord le mot de pénitence, comme le suggère trop exclusivement le langage courant, mais à celle de repentir, que comporte essentiellement le terme latin originel, dont le contenu s'est en outre, à travers la version de la Vulgate, enrichi du point de vue religieux des diverses harmoniques propres à la notion néotestamentaire de *metanoia*, qu'il a servi à traduire.

Le verbe grec *metanoeô* signifie « changer d'avis ». De là on en est spontanément venu au sens de « regretter », « se repentir de quelque chose ou d'avoir fait quelque chose », si bien que le mot est employé par les auteurs profanes avec une signification très semblable à celle du *paeniteor* latin, quoique l'étymologie et le sens premier soient différents (cf. Plutarque, *Timoleon cum Aem. Paul. parall.* II, 8 ; Lucien, *De saltatione* 83-84 ; et les considérations de Lactance sur le terme *metanoia, Divinae Institutiones* IV, 24, CSEL 19, 1890, p. 571-77). Cela ne préjuge pas toutefois du sens exact qu'il faut lui attribuer dans le Nouveau Testament. L'état de la question a été étudié à l'article *Metanoia* (DS, t. 10, col. 1093-99).

Prenant ses distances par rapport à l'opinion selon laquelle il y aurait une continuité de fond et une homogénéité pratique de contenu entre la *metanoia* du Nouveau Testament et la conversion de l'Ancien exprimée par le verbe hébreu *shûb* (= revenir, retourner), cet article tend à préserver l'originalité de la *metanoia* néotestamentaire et chrétienne, laquelle est fondamentalement repentir et correspond linguistiquement au verbe hébreu *niham*. A l'aspect de regret douloureux propre à ce verbe, la *metanoia* néotestamentaire joint toutefois l'idée de changement marqué par la particule grecque *meta*. Si l'on ne peut pas séparer totalement la conversion de l'Ancien Testament et le repentir du Nouveau, car les appels de celui-ci à la *metanoia* sont bien dans le prolongement des appels des prophètes à la conversion, on ne peut pas non plus les confondre entièrement, car la conversion prêchée à Israël est un retour qui le fait revenir à ses origines et à l'Alliance avec Dieu, tandis que le repentir du Nouveau Testament est un changement radical de cœur qui, rompant avec le passé et le péché, s'ouvre sur une existence nouvelle, dont il est le point de départ. Il n'est sans doute pas interdit de parler à cet égard de « conversion », mais dans un sens spécifique, et qui n'oblitère pas le caractère fondamental de regret douloureux inhérent à la *metanoia*.

Ce repentir se situe à l'entrée de la vie chrétienne car il est présenté comme lié à l'accueil de la foi au début de l'Évangile (*Mt.* 3, 2 ; 4, 17 ; *Marc* 1, 15) et à la réception du baptême dans la prédication de l'Église naissante (*Actes* 2, 38). Mais les avertissements de l'Apocalypse aux Églises, qui ne sont guère qu'une longue exhortation à la pénitence (2, 5 et 16 ; 3, 3 et 19), montrent que dans la vie chrétienne le repentir est parfois à reprendre, car il y a encore possibilité de tentation et de chute.

On comprend dès lors qu'il puisse y avoir un rite liturgique spécial dont le but est de sacramentaliser le repentir post-baptismal. Le nom le plus ancien de ce rite, d'ailleurs complexe, est celui d'*exomologèse*, mot grec qui veut dire *confession*, et qu'emploient les Pères apostoliques, puis saint Irénée, Clément d'Alexandrie (voir plus loin). On le rencontre aussi dans les premiers auteurs latins comme Tertullien (*De paenitentia* 9, 2, CCL 1, p. 336) et saint Cyprien (*Epist.* 18, 2, éd. L. Bayard, coll. Budé, 1925, p. 51). Mais l'appellation la plus traditionnelle est celle même de *pénitence*, que l'on trouve déjà tout au début du 3e siècle chez Tertullien, qui a soin toutefois de préciser qu'il s'agit d'une « seconde pénitence », la première se référant au baptême (*De paenitentia* 7, 10, CCL 1, p. 334). Dès cette époque et jusque dans le haut moyen âge, le terme *paenitentia* désigne l'ensemble des démarches auxquelles sont astreints les pénitents pour obtenir la « réconciliation », qui constitue l'acte final et le moment culminant du processus pénitentiel. Le sacramentaire Gélasien antique parle à ce propos de *sacramentum reconciliationis* (*Liber sacramentorum Romanae Aecclesiae...*, éd. L.C. Mohlberg, Rome, 1960, n. 363). Le mot a été repris par le nouvel *Ordo* de la pénitence, publié en 1974, pour désigner l'absolution sacramentelle (cf. les titres de chaque chapitre et l'introduction, n. 15, 22, 31). Chargé de résonance biblique, il met en relief l'effet positif de la pénitence dans sa double dimension de rentrée en grâce avec Dieu et de paix retrouvée avec l'Église, mais il ne saurait abolir les autres vocables.

On se propose ici de retracer, pour en dégager les enseignements utiles, la manière dont la pénitence a été non seulement pensée et conçue mais concrètement vécue dans le passé et jusqu'à nos jours, ce qui amènera naturellement à rappeler les transformations, adaptations et crises qu'a traversées au cours de sa longue existence un sacrement dont la pratique a toujours été difficile.

On s'attachera surtout à mettre en valeur certains aperçus qui ont particulièrement contribué au renouveau de la théologie récente du sacrement de pénitence, et présentent un intérêt spirituel bien plus marqué : redécouverte de la dimension sociale et ecclésiale de ce sacrement ; effort pour surmonter les théories antithétiques de l'attritionisme et du contritionisme ; approfondissement de l'idée de satisfaction comme conversion continuée. L'article trouvera là quelques-unes de ses lignes de force.

Mais il ne faudra jamais perdre de vue que la vie pénitentielle dans l'Église est en directe et constante dépendance du Baptême (DS, t. 1, col. 1218-40) et en référence à l'Eucharistie (t. 4, col. 1553-86). La pénitence comme sacrement ne se comprend que dans ce cadre.

I. *L'Écriture.* – II. *Les trois premiers siècles.* – III. *Les 4e et 5e siècles.* – IV. *Vers une nouvelle forme de Pénitence.* – V. *Doctrine médiévale.* – VI. *Le concile de Trente et son époque.* – VII. *Attritionisme-contritionisme.* – VIII. *L'époque contemporaine.*

## I. L'ÉCRITURE

On trouve dans l'Ancien Testament toute une doctrine vécue sur le comportement spirituel de l'homme pécheur devant Dieu, dont héritera en grande partie le christianisme, et un ensemble d'usages pénitentiels qui ont pu, à divers titres, préparer sa pratique sacramentelle.

**1. Les rites de pénitence dans l'Ancien Testament.** – Parmi les moyens rituels ayant pour but de procurer l'effacement du péché et le rétablissement de l'amitié avec Dieu, méritent d'être signalées en premier lieu les liturgies collectives de pénitence, qui sont une des formes du culte les mieux attestées, et se rencontrent à toutes les époques. Elles ont lieu à l'occasion de calamités publiques (sécheresse, famine, épidémie, tremblement de terre, invasion étrangère), que l'on considère comme les signes de la colère de Dieu à l'égard du peuple infidèle à l'Alliance.

On jeûne toute la journée, on se ceint les reins de toile de sac, se couvre la tête de cendre. Durant les réunions cultuelles organisées en quelque lieu sacré et présidées par un notable, soit un juge comme Josué ou Samuel dans les temps anciens (*Josué* 7, 6-9 ; *1 Sam.* 7, 5-9), soit le roi en personne à l'époque de la monarchie (*2 Chron.* 20, 3-13), soit un chef de la communauté comme Esdras quand il n'y a plus de roi après l'Exil, on implore le pardon divin par des prières de supplication et des lamentations aux formules plus ou moins stéréotypées, dont quelques exemples existent encore dans le psautier (*Ps.* 60 ; 74 ; 79 ; 80 ; 83). Mais surtout on fait une confession collective des péchés (*Juges* 10, 10 ; *1 Sam.* 7, 6), qui, dans la période post-exilique, devient très développée, et revient pour s'en accuser devant Dieu sur tous les péchés commis dans le passé depuis les débuts de la nation (*Esdras* 9, 6-15 ; *Néh.* 9, 1-37 ; *Ps.* 106 ; *Daniel* 9, 4-19 ; 3, 25-45 ; *Baruch* 1, 15 à 3, 8). Souvent on offre un sacrifice, et la cérémonie s'achève parfois par une réponse du Seigneur, qui prend généralement la forme d'un oracle de salut que prononce un prophète ou quelque prêtre inspiré (*2 Chron.* 20, 13-17). Elle annonce que Dieu pardonne au peuple ses transgressions et lui rend sa faveur. Un exemple typique est la première partie du livre de Joël (1, 2-2, 27).

E. Lipinski, *La liturgie pénitentielle dans la Bible*, coll. Lectio divina 52, Paris, 1969. – A. Marcen Tihista, *Liturgias penitenciales en el Antiguo Testamento*, dans *El sacramento de la Penitencia* (XXX Semana española de teologia : Madrid, 1970), Madrid, 1972, p. 85-104. – R. Koch, *La rémission et la confession des péchés selon l'Ancien Testament*, dans *Studia moralia*, t. 10, 1972, p. 219-247.

Chaque année, le calendrier comporte une journée par excellence de pénitence, le dixième jour du mois de tishri (septembre-octobre), qui est le grand jour de l'Expiation (*Kippur*), dont le rituel, décrit dans le Lévitique (ch. 16), contient des éléments très anciens, bien que la fête elle-même ne semble pas antérieure à l'Exil. Le Grand Prêtre, après avoir immolé un bouc, dont il porte le sang derrière le voile qui ferme le Saint des Saints, doit publiquement « confesser toutes les fautes des Israélites, toutes leurs transgressions et tous leurs péchés » (16, 22), les deux mains posées sur la tête d'un autre bouc, qui sera ensuite conduit et abandonné dans le désert. Le rite du bouc émissaire impliquait sans doute à l'origine la croyance magique que, par la confession, on se déchargeait sur l'animal du mal commis, qu'il est censé emporter au loin, mais plus tard ce n'est plus qu'un rite symbolique exprimant de manière sensible que le peuple est libéré et purifié des péchés de l'année écoulée parce que Dieu lui pardonne (DS, t. 4, col. 2031-32). Chacun doit se livrer au jeûne et à la pénitence personnelle (*Lév.* 23, 27-32). Aux approches de l'ère chrétienne les confessions privées au Jour de l'Expiation paraissent avoir déjà pris une grande extension (J. Bonsirven, *Le Judaïsme palestinien au temps de Jésus-Christ*, t. 2, Paris, 1935, p. 99-100, 126-28). A la fin de la cérémonie le Grand Prêtre donnait la bénédiction solennelle, en prononçant le nom sacré de Yavhé. C'est cette bénédiction que décrit le Siracide 50, 20-21.

En cours d'année, dans diverses circonstances, des sacrifices expiatoires doivent être offerts pour les péchés de la communauté et des individus en particulier (*Lév.* 4, 1-5, 26 ; 6, 17-23 ; *Nomb.* 15, 15, 22-31). La victime varie selon la nature du péché et la qualité du coupable. L'existence d'un rituel moins coûteux pour les pauvres (*Lév.* 5, 7-13) montre que ce qui compte, ce sont les bonnes dispositions du sujet, qui s'expriment symboliquement par l'offrande du sacrifice. A cette occasion, certains péchés déterminés sont confessés par le coupable avant que le prêtre fasse sur lui le rite expiatoire. Ainsi pour les péchés énumérés en *Lév.* 5, 1-4. « Quand un individu est coupable en l'un de ces cas, il doit confesser en quoi il a péché » (5, 5-6). De même pour les péchés qui imposent réparation ou restitution, dont il est parlé en *Nomb.* 5, 5-8. Des personnes, homme ou femme, qui s'en sont rendus coupables, il est dit : « Ils confesseront le péché qu'ils ont commis » (5, 7). Le texte ne précise pas comment se faisait cette confession. Mais aux approches de l'ère chrétienne on sait que « le prêtre recevant un fidèle venant offrir un sacrifice pour le péché devait d'abord s'enquérir de quelle faute il voulait obtenir le pardon ; il en exigeait la confession et pouvait, à cette occasion, adresser des remontrances ou des exhortations » (J. Bonsirven, *op. cit.*, t. 2, p. 94).

**2. L'appel des prophètes à la conversion.** – Si les prophètes ont parfois critiqué ces moyens rituels d'effacement du péché, en particulier les liturgies collectives de pénitence, c'est parce qu'ils y voyaient un danger de ritualisme superficiel et vide, qui croit se concilier à bon marché la grâce et le pardon de Dieu. La vraie pénitence ne consiste pas dans les observances purement extérieures, comme le jeûne, mais dans la pratique des œuvres de justice, charité et miséricorde, qui plaisent à Dieu (*Is.* 58, 1-14). Il ne suffit pas que les Israélites confessent leur péché en pleurant et en se lamentant (*Jér.* 3, 25) ; ils doivent aussi et avant tout « circoncire, ôter le prépuce de leur cœur » (4, 4), autrement dit changer complètement de conduite et de vie.

C'est surtout en effet aux prophètes que l'on doit l'approfondissement et la spiritualisation des grandes idées bibliques de péché, pénitence et pardon. L'appel à la conversion est un aspect essentiel de leur prédication, qu'ils s'adressent à la nation tout entière ou aux individus. Osée, qui est le premier à faire de l'union conjugale le symbole révélateur de l'Alliance d'amour de Dieu avec son peuple, compare les égarements d'Israël aux trahisons répétées d'une épouse infidèle (ch. 1-3), et insiste sur le caractère spirituel de la conversion (6, 6), qui doit procéder d'un repentir sincère et de la volonté d'appartenir entièrement à Dieu (14, 2-3). Mais à partir au moins de Jérémie les prophètes savent que le « retour » du pécheur à Dieu dépasse les forces de l'homme laissé à lui-même. C'est une grâce qu'il faut humblement demander à Dieu (31, 18 ; cf. *Ps.* 80, 4.8.20 ; *Lam.* 5, 21), qui répondra miséricordieusement, car dans l'Alliance nouvelle, qu'il conclura un jour avec la communauté d'Israël, il écrira sa Loi sur leur cœur, la mettra au fond de leur être (31, 33). Plus que les prophètes antérieurs, Ézéchiel insiste sur le caractère strictement personnel de la conversion : chacun ne répond que pour lui-même, et sera jugé selon sa manière d'agir (18, 22). Ce cœur nouveau et cet esprit nouveau, qu'il faut se faire (18, 20-32), sont toutefois un don de Dieu, qui seul peut donner comme une grâce ce qu'il exige : alors les enfants de la maison d'Israël rougiront de leur conduite passée : (36, 25-32).

De cette prédication on retrouve l'écho dans certains psaumes où s'exprime, avec un sens réel de la responsabilité individuelle, la nécessité de l'aveu qui libère (*Ps.* 32, 1-5 ; 38, 5 ; 130, 3-4 ; 143, 2). Le plus remarquable est le Psaume 51 (ou *Miserere*), dans lequel la doctrine prophétique de la pénitence s'est transformée en prière : confession du péché qui est offense contre Dieu (v. 5), acceptation de son juste jugement (v. 6), humble demande d'effacement de la faute et de purification intérieure (v. 3.4.9), invocation de la grâce qui a seule le pouvoir de recréer le cœur de l'homme (v. 12) porté au mal dès sa naissance (v. 7), ferme propos de vie fervente (v. 15-17), confiance en la bonté et miséricorde de Dieu (v. 3), car le sacrifice qui lui plaît, c'est un esprit contrit, et il ne rejette pas un cœur brisé, broyé par le regret (v. 18-19).

**3. La pénitence dans le judaïsme post-exilique et tardif.** — C'est en réalité après l'Exil, époque où la prédication prophétique a produit ses fruits et empreint profondément la spiritualité juive d'un sentiment persistant de pénitence et d'une constante tension à la conversion, que les moyens rituels d'effacement du péché, loin de disparaître, prennent au contraire le plus grand développement. Les sacrifices expiatoires se multiplient et revêtent, grâce à divers remaniements, la forme définitive qu'ils ont dans le Lévitique, qui nous décrit la liturgie du second temple.

Parallèlement, les ablutions rituelles, que la Loi mosaïque prescrivait déjà en certains cas pour rendre l'homme pur et apte au culte (*Ex.* 30, 19-21 ; *Lév.* 22, 4-6 ; *Deut.* 23, 10-12), parfois sous forme d'une aspersion d'eau lustrale (*Nomb.* 19, 17-22), croissent en nombre et en minutie. Elles relèvent souvent d'un ritualisme scrupuleux sans portée morale, mais peuvent aussi, lorsqu'elles sont pratiquées par désir sincère de s'approcher du Dieu saint en toute pureté et s'accompagnent d'une disposition habituelle de repentir ou componction, s'élever jusqu'à symboliser la purification du cœur et contribuer à l'obtenir. Les excès de la tradition pharisienne dénoncés par l'Évangile (*Marc* 7, 1-7 ; *Mt.* 15, 1-9) ne doivent pas faire méconnaître la valeur que de tels gestes ont la possibilité de revêtir dans un univers humain de signes.

A ces ablutions se rattache le bain du baptême. Durant le 1er siècle avant notre ère, on se met à le conférer avec la circoncision, ou même à la place de la circoncision, aux « prosélytes ». Purifiant le païen de son appartenance au monde pécheur, il l'agrège à la communauté juive et en fait un autre homme, soumis désormais à la Loi de Dieu.

A la même époque apparaît un usage caractéristique du Judaïsme de la Synagogue : l'excommunication, prononcée par les chefs de la communauté ou un rabbin de grande autorité. Simple (ou *nidduy*) elle dure généralement trente jours. Durant ce temps, l'excommunié est tenu de vivre comme quelqu'un qui se trouve en état de deuil. On ne peut l'approcher à moins de quatre coudées. Seuls sa femme et ses enfants peuvent avoir avec lui des rapports habituels et manger en sa compagnie.

Le Talmud parle de 24 fautes susceptibles d'être ainsi punies. L'excommunication n'est levée, à expiration de la durée fixée, que si l'excommunié fait preuve de repentir et d'amendement. Cette durée est même parois abrégée en considération d'une bonne volonté manifeste. Mais en cas d'obstination, on renouvellera l'excommunication une ou deux fois pour une période de trente jours. Au-delà, c'est la forme aggravée (ou *herem*), qui consiste dans une mise au ban de la communauté beaucoup plus sévère. Sa durée est indéfinie. Mais elle n'est pas irrévocable. Cette pratique, réaction vitale de défense, a pour but de préserver l'intégrité morale et religieuse de la communauté, qui risquerait autrement de perdre son caractère spécifique, car Israël est par vocation un peuple saint (*Lév.* 11, 44 ; 17, 1 ; 19, 2 ; 21, 8, etc.), et c'est en même temps un moyen disciplinaire d'induire le pécheur grave à la pénitence personnelle. S'il s'amende, il n'y a plus de raison de le maintenir à l'écart ; il est alors réadmis à la pleine participation de la vie communautaire.

Différente de ces formes d'excommunication est la complète exclusion de la Synagogue, qui rejette entièrement l'endurci hors de la société des fidèles, l'abandonne au jugement de Dieu et à la perte finale. Elle est réservée aux renégats et aux hérétiques. Avec ceux-ci est interdite toute espèce de rapport personnel et social (cf. *Luc* 6, 22 ; *Jean* 9, 22 ; 16, 2, où il est fait allusion à ce genre d'exclusion, qui frappera les disciples de Jésus).

*The Jewish Encyclopedia*, 1901-1906, art. *Anathema*, t. 1, col. 559-61 ; art. *Excommunication*, t. 5, col. 285-87. – H.L. Strack-P. Billerbeck, *Kommentar zum neuen Testament aus Talmud*, t. 4/1, 2e éd., Munich, 1956, p. 293-333 (Der Synagogenbann). – H. Gross, art. *Bann*, LTK, t. 1, 1957, col. 1225-27 (bibliographie). – DS, art. *Expiation*, t. 4, col. 2026-38.

**4. Au seuil du Nouveau Testament.** — A l'approche de l'ère chrétienne, chez beaucoup dans le Judaïsme s'exaspère le sentiment du péché et le désir d'une plus grande pureté morale sous l'influence d'idées eschatologiques que favorisent de nouvelles calamités nationales. Il faut se préparer à l'avènement du Règne de Dieu, désormais imminent, par un effort renouvelé de pénitence. Les sectateurs de Qumrân se retirent dans le désert pour chercher Dieu de tout leur cœur et de toute leur âme (*Manuel de discipline* I, 1-2) et lui « frayer la voie » (VIII, 13). En entrant dans la communauté, ils s'engagent à se détourner de tout mal (v, 1) et à se convertir en commun à l'Alliance de Dieu, dont ils veulent observer ensemble les préceptes (v, 22). Ils s'appellent eux-mêmes les pénitents ou « les convertis d'Israël » (*Écrit de Damas* IV, 2 ; VI, 5 ; VIII, 16).

De cette ambiance le principal témoin est toutefois Jean le Baptiste, dont la prédication peut se résumer ainsi : « Repentez-vous, car le Royaume des Cieux est tout proche » (*Mt.* 3, 2). Tous doivent se reconnaître pécheurs, et produire « un fruit digne de repentir » (3, 7-10). La *metanoia* à laquelle exhorte le Baptiste n'implique pas en effet seulement le regret intérieur, mais une volonté efficace de changer de conduite (*Luc* 3, 10-14), et en signe de cette conversion, il donne à ceux qui viennent à lui un baptême d'eau, qui s'accompagne de la confession des propres péchés (*Mt.* 3, 5 ; *Marc* 1, 5). Celle-ci se fait manifestement par la parole, et non simplement par le geste accompli. Cf. DS, t. 8, col. 175-84.

**5. La prédication évangélique du repentir et du pardon.** — Au début de son ministère public Jésus reprend presque dans les mêmes termes l'appel eschatologique lancé par Jean le Baptiste. « Le temps est accompli, et le Royaume de Dieu est tout proche : repentez-vous et croyez en l'Évangile » (*Marc* 1, 15 ; sous une forme plus lapidaire, *Mt.* 4, 17). Le repentir, qui suppose l'accueil de la foi, est mis ainsi en étroite connexion avec l'annonce du royaume, c'est-à-dire le règne de Dieu s'exerçant en plénitude sur la terre et arrachant les hommes à la servitude du péché pour les faire participer aux dons divins que le Messie dispensera.

Plus éclairants que toutes autres considérations sont certains récits de l'Évangile même. On s'adressera particulièrement à Luc, qui offre quelques-unes des paraboles les plus expressives et des scènes les plus émouvantes touchant la conversion du pécheur et la miséricorde de Dieu à son égard.

L'acte même de repentir est illustré par le fils prodigue qui, « rentrant en lui-même », part et s'en retourne vers son père, et lui dit : « Père, j'ai péché contre le Ciel et contre toi, je ne mérite plus d'être appelé ton fils » (15, 17-21), et par le publicain qui, se tenant à distance et n'osant même pas lever les yeux au ciel, se frappait la poitrine, en disant : « Mon Dieu, aie pitié du pécheur que je suis » (18, 13).

La conversion est d'ailleurs avant tout une grâce, due à la libre initiative de Dieu, qui prévient le pécheur : le pasteur s'en va après la brebis qui s'est égarée, la femme cherche avec soin la drachme qu'elle a perdue, jusqu'à ce qu'ils les aient retrouvées (7, 41-42). Et c'est un don absolument gratuit que le pardon : le créancier remet leur dette aux débiteurs qui n'ont pas de quoi rembourser (7, 41-42). La Bonne nouvelle du Royaume contient un effet cette révélation admirablement déconcertante : « Il y aura plus de joie dans le ciel pour un seul pécheur qui se repent que pour quatre-vingt-dix-neuf justes, qui n'ont pas besoin de repentir » (15, 7).

Aussi Jésus fait-il bon accueil aux pécheurs quand ils s'approchent de lui, et accepte même de manger avec eux (15, 1-2). Il provoque par là le scandale des scribes et des pharisiens, mais opère des conversions dont deux au moins sont racontées en détail : celle de Zachée le publicain (19, 1-10) et celle de la pécheresse publique, « tout en pleurs », à qui ses nombreux péchés sont remis « parce qu'elle a montré beaucoup d'amour » (7, 47). Cf. art. *Pardon*, DS, t. 12, col. 208-14, surtout 210-14.

6. **Le Fils de l'homme et la rémission des péchés.** – Jésus ne se contente pas de prêcher la *metanoia*. Il revendique pour lui-même le pouvoir de remettre les péchés, ce que personne avant lui n'avait fait, ni les prophètes, ni Jean le Baptiste. « Aie confiance, mon enfant, tes péchés sont remis » (*Mt.* 9, 2). La formule passive employée ici pourrait signifier seulement : « Dieu te remet tes péchés ». Mais les scribes présents à la scène l'entendent au sens de : « *Je* te remets tes péchés », comme indique leur réaction. « Celui-là blasphème » (*Mt.* 9, 3). « Qui peut remettre les péchés sinon Dieu seul ? » (*Marc* 2, 7 ; *Luc* 5, 21). La suite du récit montre qu'ils ont bien compris les paroles de Jésus, car celui-ci, pour prouver qu'il détient bien en effet ce pouvoir, rend la santé physique au paralytique (*Mt.* 9, 6 ; *Marc* 2, 10 ; *Luc* 5, 24), se révélant ainsi comme le « Fils de l'homme », qui doit présider les assises du jugement dernier (*Mt.* 25, 31). Souverain juge, déjà virtuellement en possession de son autorité suprême, il peut anticiper l'heure du jugement, non en punissant, mais en remettant dès maintenant sur la terre les péchés de qui s'ouvre à son action salvifique

par la foi. Car le temps actuel est un temps de grâce et de miséricorde. « A cette vue, les foules furent saisies de crainte et glorifièrent Dieu d'avoir donné un tel pouvoir aux hommes », réflexion qui ne se lit que chez Matthieu (9, 8), et veut probablement insinuer que le pouvoir divin de remettre les péchés, dont jouit Jésus en sa qualité de Fils de l'homme, continue à s'exercer dans la communauté chrétienne par les hommes auxquels il l'a communiqué.

J. Dupont, *Le paralytique pardonné*, NRT, t. 82, 1960, p. 940-58. – A. Vargas-Machura, *El paralítico perdonado en la redacción de Mateo (Mt. 9, 1-8)*, dans *Estudios eclesiásticos*, t. 44, 1969, p. 15-43.

Ce n'est peut-être qu'une simple allusion au baptême, qui n'agrège pas seulement à l'Église, communauté des croyants de la Nouvelle Alliance, mais confère la rémission des péchés, dont il est le sacrement par excellence (*Actes* 2, 38). L'allusion, toutefois, pourrait concerner aussi les péchés commis après le baptême. Certes, le changement d'esprit et de conduite auquel le baptisé est appelé réclame une sincère et irrévocable renonciation au passé (*Luc* 9, 62). Il ne faut pas s'affadir (14, 34-35). Une conversion purement velléitaire n'est pas valable (*Mt.* 13, 22). L'état de l'homme qui retombe est pire qu'avant la remise en ordre de sa maison (12, 43-45). Mais telle est la faiblesse humaine qu'une rechute demeure toujours possible, même là où la volonté était d'abord bien déterminée, et divers textes attestent que Dieu ne dénie pas sa miséricorde à celui qui pèche de nouveau, et que des actes répétés de pardon ne sont nullement impensables (*Mt.* 6, 12 ; 6, 14-15 ; 18 ; 21-22 ; *Luc* 11, 4). La rémission des péchés chez le chrétien requiert-elle la seule pénitence intérieure du pécheur, ou bien en outre, au moins pour les fautes plus graves, quelque intervention spécifique de l'Église ? La question a dû se poser très tôt dans le christianisme primitif.

7. **Les péchés post-baptismaux et l'intervention de l'Église.** – L'Évangile de Matthieu rapporte la promesse, faite par Jésus à Pierre, d'un pouvoir qui consistera à lier et délier (16, 17-19). Interprétée à la lumière de l'usage rabbinique, cette expression a, semble-t-il, une double signification : déclarer une chose permise ou défendue par rapport à la Loi divine ; exclure de la communauté et y réintégrer.

Ce second sens, disciplinaire et judiciaire, ressort particulièrement du discours composite que la rédaction matthéenne adresse aux « disciples » (18, 1), c'est-à-dire d'abord aux chefs de la communauté, et qui étend à ceux-ci le pouvoir de lier et délier (18, 18). Le contexte traite en effet de la manière dont il faut procéder à l'égard d'un pécheur récalcitrant (18, 15-17). A première vue, la pratique attestée par ces textes ne paraît guère différente de l'excommunication pénitentielle en usage dans le Judaïsme du temps. L'Église, comme la Synagogue, ne peut considérer avec indifférence le péché grave d'un de ses membres, qui offusque la sainteté de la communauté : elle le « lie » ou l'exclut pour l'induire à la pénitence, puis elle le « délie » ou le réadmet une fois repenti et amendé.

Ne voir toutefois dans ce processus qu'un ensemble de mesures au for purement juridique et externe sans incidence sur le for intérieur du pécheur serait sans doute une simplification anachronique, qui ne vaut même pas pour la Synagogue, car dans la pensée des Hébreux c'est fondamentalement par son appartenance et son union au peuple élu que l'homme entre en communion avec Dieu. Combien plus vrai ce sera quand il s'agit de l'Église. Israël définitif, communauté messianique, elle est le lieu du règne salvifique de Dieu dans le monde et de la communication de sa grâce aux hommes. Être séparé de l'Église, c'est se trouver hors de la voie du salut. L'homme lié « sur la terre » par une sentence d'exclusion que prononce l'Église l'est pareillement « au ciel », devant Dieu, qui ratifie cette sentence et la fait sienne. Au contraire, l'homme délié « sur la terre » par décision de l'Église le réadmettant à sa communion l'est pareillement « au ciel », devant Dieu, dont le royaume lui est ouvert à nouveau, ce qui implique le pardon divin du péché.

Dans l'évangile de Jean, l'épisode du lavement des pieds des apôtres par le Christ a sans doute une plénitude de sens qui ne se limite pas à l'exemple d'humble charité que Jésus donne aux siens (13, 1-17). Mention y est faite de deux purifications. Le bain dont on sort tout entier purifié symbolise manifestement le baptême (13, 10). Et cependant, il y a place encore pour un autre bain, partiel, celui des pieds, auquel Pierre doit se soumettre s'il veut avoir part avec le Seigneur (13, 8). Sont peut-être par là suggérées la possibilité et la nécessité d'une purification post-baptismale chez le chrétien.

P. Grelot, *L'interprétation pénitentielle du lavement des pieds,* dans *L'homme devant Dieu,* Mélanges H. de Lubac, coll. Théologie 56, Paris, 1963, t. 1, p. 75-91. En sens divers : M.-É. Boismard, *Le Lavement des pieds,* dans *Revue biblique,* t. 71, 1964, p. 6-24.

A quelles pratiques pénitentielles alors en usage Jean fait-il ici allusion ? On ne peut dire exactement. Il pourrait bien s'agir d'une forme d'exercice de ce pouvoir de remettre les péchés que plus loin, en 20, 19-23, le Christ ressuscité conférera par l'Esprit Saint à l'Église en la personne des apôtres pour continuer sa mission, qui consiste précisément à enlever le péché (1, 29) et à sauver (3, 17). Les Synoptiques rapportent diverses apparitions où l'on voit le Christ après sa résurrection envoyer ses disciples et leur donner ses instructions concernant la mission qu'il leur confie : proclamer en son nom le repentir en vue de la rémission des péchés (*Luc* 24, 46-47) et baptiser ceux qui auront accueilli dans la foi et la conversion l'annonce de l'Évangile (*Marc* 16, 14-16 ; *Mt.* 28, 18-20). Du récit de ces apparitions le texte de Jean reçoit une certaine lumière, tout en gardant des particularités distinctes qui ne permettent pas une totale assimilation, car dans ce texte il n'est pas seulement question de « remettre » les péchés, ce qui peut se faire par la prédication en tant qu'elle meut à la *metanoia* et par le baptême, mais aussi de les retenir, ce que ne peut faire ni la prédication, ni le baptême, et implique un pouvoir supplémentaire et spécifique quant au péché.

Selon une opinion assez répandue Jean aurait adapté ici Matthieu à l'usage de ses lecteurs grecs qui n'auraient pu comprendre le sens technique de l'expression « lier-délier ». Mais C. H. Dodd (*Historical Tradition and the Fourth Gospel,* Cambridge, 1963, p. 348-49) a montré que Jean n'est pas dépendant de Matthieu, et transmet une forme spéciale de la tradition orale commune (du même, *Some Johannine « Herrenworts »,* dans *New Testament Studies,* t. 2, 1955/56, p. 75-86).

La connexion entre Jean et Matthieu est cependant évidente. Deux actions contraires s'opposent corrélativement l'une à l'autre en un parallélisme antithétique, dont il n'y a guère d'autres exemples dans le Nouveau Testament : remettre-retenir, lier-délier. Le verbe *retenir* chez Jean, qui ne peut pas simplement signifier qu'on s'abstient de remettre les péchés à cause des mauvaises dispositions du sujet, car *kratein* en grec a toujours un sens fort et positif, ne devient en réalité intelligible que quand on le confronte avec le verbe *lier* de Matthieu. Il s'agit de la même action, mais exprimée par une métaphore différente. L'Église retiendra le péché en excluant le pécheur, qui se trouve par là comme maintenu et confirmé dans son péché tant qu'il n'a pas accepté de se soumettre aux conditions de pénitence qu'on lui prescrit pour sa pleine conversion, et qu'il n'a pas été réadmis à la communion de l'Église. Mais à son tour le verbe *délier* chez Matthieu s'éclaire lorsqu'on le compare avec le verbe *remettre* de Jean. C'est de la même chose qu'il s'agit mais sous une autre image et un autre aspect. Quand l'Église « délie », en réadmettant le pécheur, maintenant amendé et converti, à sa pleine communion, elle « remet » le péché, car personne n'est de nouveau uni à l'Église, dont le Saint-Esprit est l'âme, sans recevoir en droit la vie de la grâce, et donc la rémission de son péché. L'union intérieure avec Dieu et la communion externe avec l'Église, communauté visible où la vie invisible de la grâce est communiquée aux hommes, sont par nature intimement conjointes. L'une ne peut normalement exister sans l'autre. La réconciliation du pécheur repentant avec l'Église exige de soi et porte avec soi la restitution de la grâce du Saint-Esprit perdue par le péché grave, la rémission du péché, la réconciliation avec Dieu. Jean et Matthieu décrivent ainsi le même fait, mais de deux points de vue divers et complémentaires. Chez l'un apparaît surtout l'aspect ecclésial et disciplinaire de la pénitence chrétienne, chez l'autre son aspect spirituel et pneumatique, ce qui correspond à la perspective caractéristique de leur évangile respectif.

J.-D. Didier, *D'une interprétation récente de l'expression « lier-délier »,* dans *Mélanges de Science religieuse,* t. 9, 1952, p. 55-62. – H. Vorgrimler, *Matthieu 16, 18 s. et le sacrement de pénitence,* dans *L'homme devant Dieu,* Mélanges H. de Lubac, coll. Théologie 56, Paris, 1963, t. 1, p. 51-61. – B. Rigaux, *« Lier et délier ». Les ministères de réconciliation dans l'Église des Temps apostoliques,* dans *La Maison-Dieu,* n. 117, 1974, p. 86-135. – G. Ghiberti, *Il dono dello Spirito e i poteri di Giov. 20, 21-23,* dans *Segni e sacramenti nel Vangelo di Giovanni,* éd. P. R. Tragan, coll. Studia Anselmiana 66, Rome, 1977, p. 183-220.

8. **La pratique pénitentielle apostolique.** – Du processus que l'on vient d'examiner, les lettres de saint Paul, bien que chronologiquement antérieures, nous donnent une intéressante illustration. Les désordres moraux ne manquent pas dans les communautés auxquelles il s'adresse (1 *Cor.* 3, 3 ; 11, 18 ; 2 *Cor.* 12, 20), et les « catalogues » de péchés qu'il lui arrive de dresser semblent bien conditionnés par les fautes actuelles ou possibles des croyants (*Gal.* 5, 19-21 ; 1 *Cor.* 6, 9-10 ; *Éph.* 5, 3 ; *Col.* 3, 5). Ce ne sont pas des péchés légers. « Ceux qui commettent ces fautes-là n'hériteront pas du Royaume de Dieu » (*Gal.* 5, 21 ; 1 *Cor.* 6, 9). L'Apôtre cependant ne paraît pas regarder les baptisés comme définitivement perdus parce qu'ils sont retombés dans le péché. On ne comprendrait pas autrement pourquoi il supplierait ces chrétiens, au

nom du Christ, de se laisser « réconcilier avec Dieu » (2 *Cor.* 5, 20) et les exhorterait à la *metanoia*, se réjouissant que certains, attristés par sa lettre précédente, aient été portés à un repentir salutaire (7, 8-11), mais exprimant aussi la crainte qu'il ait à constater, lors de sa prochaine visite, que d'autres ne se sont pas encore repentis « pour leurs actes d'impureté, de fornication et de débauche » (12, 21).

De toute manière, l'Église ne peut rester indifférente et passive devant le péché grave d'un de ses membres. On commencera par l'admonition ou correction, parfois publique, du pécheur, faite normalement par le chef (ou les chefs) de la communauté (1 *Tim.* 5, 20), mais aussi fraternellement, en public ou en privé, par les plus « spirituels » de la communauté (*Gal.* 6, 1). Dans certains cas, l'Église a le pouvoir et le devoir d'intervenir avec autorité, en excluant le pécheur. Le degré mineur de l'exclusion consiste à tenir le coupable à l'écart, au moins pendant quelque temps, pour le pousser au repentir (2 *Thess.* 3, 14-15). Le degré majeur est la livraison de l'individu à Satan, dont on a un exemple très clair dans le cas de l'incestueux de Corinthe, qui vivait avec la femme de son père (1 *Cor.* 5, 1-5), et dans celui d'Hyménée et Alexandre, qui avaient fait naufrage dans la foi (1 *Tim.* 1, 19-20). Ceux qui n'appartiennent pas à l'Église, c'est Dieu qui les jugera ; ceux du dedans, c'est à la communauté de les juger. « Enlevez le mauvais du milieu de vous » (1 *Cor.* 5, 9-13). Exclus de la communion ecclésiale par un acte solennel de l'Église, ces pécheurs retombent sans protection sous l'empire des forces sataniques et des ténèbres auxquelles ils avaient été arrachés par leur baptême. Mais c'est « afin que l'esprit soit sauvé au Jour du Seigneur » (1 *Cor.* 5, 5), et « pour leur apprendre à ne plus blasphémer » (1 *Tim.* 1, 20). La mise au ban du pécheur n'a donc pas seulement un but vindicatif, mais avant tout médicinal et spirituel. On cherche et on espère son repentir et son amendement. C'est d'autre part une mesure qui vise à éviter la contamination de la communauté qui est sainte par nature.

De l'acte par lequel se faisait la réintégration, on rencontre vraisemblablement un exemple dans le cas de l'homme qui a grandement contristé Paul et les Corinthiens, mais que ceux-ci doivent maintenant recevoir après lui avoir pardonné, car « il ne s'agit pas d'être dupes de Satan », dont on n'ignore pas les « desseins » (2 *Cor.* 2, 5-11). Quels peuvent-ils être, sinon de retenir cet homme dans la sphère de la perdition ? C'est pourquoi, repenti et amendé, il sera réadmis dans la communauté ecclésiale, où se trouve le salut, l'amitié du Christ et de Dieu. Peut-être l'imposition des mains de 1 *Tim.* 5, 22, fait-elle aussi allusion, non à l'ordination ministérielle, mais à la réadmission des chrétiens pécheurs, compte tenu du contexte qui parle de péchés. Ce serait ainsi la première trace du rite antique de la réconciliation.

### 9. Confession néotestamentaire.

– Dans certaines Églises de l'époque apostolique ou subapostolique un moyen ordinaire et normal de rémission des péchés semble avoir été la confession. Celle-ci est demandée à tout chrétien. Elle pouvait sans doute se faire humblement devant Dieu, mais elle était aussi extérieurement manifestée dans le cercle de la communauté. C'est ce que suggère Jacques 5, 16 : « Confessez donc vos péchés les uns aux autres et priez les uns pour les autres, afin que vous soyez guéris », où l'expression « les uns les autres » doit être prise dans son sens obvie de « réciproquement », « mutuellement ». Il

s'agit probablement d'une confession publique et communautaire, que la *Didachè* (fin du 1er s. ou début du 2e) aide à comprendre, car elle montre qu'il existait dans les Églises de Palestine ou de Syrie un rite de confession qui se pratiquait dans l'assemblée des fidèles, et par lequel on obtenait la purification nécessaire pour participer à la prière commune (4, 14, SC 248, 1978, p. 164), et spécialement à l'eucharistie le jour du Seigneur (14, 1, p. 192). Mais il y a des pécheurs récalcitrants avec lesquels il faut rompre les relations de vie commune pour les contraindre à la pénitence (15, 3, p. 194). Ils sont apparemment dans un état d'exclusion temporaire de la communauté. La confession prescrite n'aurait donc concerné que les péchés légers ou moins graves, les autres étant soumis à une procédure ecclésiale plus onéreuse (10, 6, p. 182).

La 1re épître de Jean exhorte de même à confesser ses péchés (1, 8-9). Mise en opposition avec l'attitude orgueilleuse et la fausse justice de soi-disant spirituels qui s'aveuglent, cette confession est donc avant tout la reconnaissance humble, sincère et contrite des fautes commises. Elle comporte manifestement le désir du pardon et la prière de demande pour la rémission des péchés, qui se fait par l'intercession de Jésus Christ, le Juste (2, 1-2). Par comparaison avec Jacques, on a peut-être le droit de conjecturer que chez Jean la confession en question ne s'adresse pas qu'à Dieu seul dans le secret du cœur, mais prend place dans le cadre public des réunions cultuelles.

Il serait abusif de recourir à ces textes pour prouver la nécessité de notre actuelle confession sacramentelle. Il est toutefois certain que la pratique, privée ou publique, de confesser les péchés n'est pas propre seulement à l'Ancien Testament et au Judaïsme ; elle appartient aussi au Christianisme primitif.

### 10. Des péchés irrémissibles ?

– Il n'est pas douteux que quelques textes du Nouveau Testament fassent, à cet égard, problème.

Les sectes rigoristes des premiers siècles (Montanistes et Novatiens ; DS, t. 10, col. 1670-76 ; t. 11, col. 479-83) y feront appel pour refuser la réconciliation à certaines catégories de pécheurs. Une interprétation similaire a été accréditée par des historiens du dogme. Après le baptême, un pardon pour les fautes légères, de fragilité, peut encore trouver place. Mais si un chrétien commet une faute grave, l'Église ne peut plus rien pour lui, sinon l'écarter et l'exclure définitivement de sa communion. Telle aurait été la conception originelle de la sainteté chrétienne dans toutes les communautés ou la plupart au moins, idéal qui a été progressivement abandonné au cours des temps (M. H. Windisch, *Taufe und Sünde im ältesten Christentum bis auf Origenes,* Tübingen, 1908 ; M. Goguel, *La doctrine de l'impossibilité de la seconde conversion dans l'épître aux Hébreux et sa place dans l'évolution du christianisme,* dans *Annuaire de l'École des Hautes Études* (Paris), 1931-1932, p. 3-8). Plus nuancés sont divers auteurs récents, qui s'accordent pour reconnaître une pluralité d'attitude et de réactions devant les péchés post-baptismaux soit dans les communautés apostoliques soit dans celles qui ont immédiatement suivi. Mais le rigorisme serait indéniable dans la sensibilité de fond de l'Église primitive. Ce rigorisme pouvait être soit d'ordre négatif et carentiel, en ce sens qu'on ne savait pas ce qu'il fallait faire jusqu'à ce que finisse par s'imposer le système de l'excommunication pénitentielle hérité du judaïsme tardif, soit d'ordre positif, mais plus pratique que conceptuel, parce que certains aspects du message et de l'œuvre du Christ n'avaient pas été encore pleinement assimilés ou mis en valeur (C. Collo, *Bibliografia ragionata su libri e articoli riguardanti il sacramento della penitenza pubblicati dal 1970 al 1975,* dans

*La Penitenza, Quaderni di Rivista liturgica*, Nuova serie, n. 3, Turin, 1976, p. 415-25, qui analyse cette tendance).

En fait, les textes auxquels on se réfère principalement sont au nombre de trois : le blasphème contre l'Esprit Saint dans les Synoptiques (*Marc* 3, 28-29 ; *Mt.* 12, 31-32 ; *Luc* 12, 10), l'impossible rénovation de ceux qui sont tombés dans l'épître aux Hébreux (6, 4-6), et le péché conduisant à la mort, et pour lequel il ne faut pas prier, de la 1ʳᵉ épître de Jean (5, 16). Ce dont il s'agit dans ces textes, compte tenu du contexte, ce n'est pas de l'impossibilité de la pénitence pour des fautes commises après le baptême, que l'Église primitive aurait considérées comme irrémissibles parce que trop graves, mais de la nécessité d'adhérer au Christ par la foi pour recevoir la rémission des péchés. Y est dénoncée comme un état de perdition la situation de ceux qui, fermant les yeux à la lumière de la vérité, refusent de reconnaître Jésus pour le Messie investi par la vertu de l'Esprit Saint (= Synoptiques), ou qui, le reniant après avoir embrassé la foi chrétienne, tombent dans l'apostasie (= épître aux Hébreux) et même dans des formes d'hérésie de type gnosticisant négatrices de la réalité de l'Incarnation parce qu'elles ne voient dans le Jésus de l'histoire qu'un homme distinct du Fils transcendant de Dieu (= 1ʳᵉ ép. de Jean). Il ne suffit pas d'ailleurs de dire que ce qui fait de cette situation un état de perdition, c'est l'aveuglement, la malice et l'endurcissement irréductibles que supposent le refus de la lumière et la perte coupable de la foi, dispositions humainement parlant sans remède. Ce qui est fondamentalement en cause, c'est le caractère essentiellement christologique d'un tel refus et d'un tel rejet. Jésus, messie et Fils de Dieu, Verbe incarné et rédempteur, est l'unique médiateur de la nouvelle Alliance. Dans la mesure où l'on refuse et rejette le Christ, et aussi longtemps qu'on le refuse et le rejette, on choisit soi-même de se placer hors de la sphère du salut.

A.-M. Denis et J. Giblet, art. *Pénitence*, DBS, t. 8, 1966, col. 628-87. – J. Giblet-P. Grelot, art. *Pénitence-Conversion*, VTB, 2ᵉ éd., 1970, col. 949-59.

J. Murphy-O'Connor, *Péché et communauté dans le Nouveau Testament*, dans *Revue biblique*, t. 74, 1967, p. 161-93. – É. Cothenet, *Sainteté de l'Église et péchés des chrétiens. Comment le NT envisage-t-il leur pardon ?*, NRT, t. 96, 1974, p. 449-70. – P. Adnès, *Les fondements scripturaires du sacrement de Pénitence*, dans *Esprit et Vie* (L'Ami du clergé), t. 93, 1983, p. 305-10, 383-92, 497-508.

## II. LA PÉNITENCE
## DURANT LES TROIS PREMIERS SIÈCLES

Jusqu'au milieu du 2ᵉ siècle on ne trouve, en ce qui concerne la pratique pénitentielle, que des indications épisodiques, sinon de simples allusions. Dans des communautés encore petites, constituées de convertis qui s'étaient engagés à l'âge adulte, et ne sont qu'une infime minorité au milieu d'un monde païen, on peut supposer que la ferveur de la foi et la rigueur des mœurs faisaient du péché grave une chose exceptionnelle. Les documents de cette époque mettent souvent en relief l'idéal chrétien de la sainteté, dont ils font la description.

Il s'agit surtout des Pères dits apologistes (Justin, *Apologie* I, 14, 1-3, éd. L. Pautigny, Paris, 1904, p. 24-26 ; *Dialogue avec Tryphon* 114, 4, éd. G. Archambaud, t. 2, Paris, 1909,

p. 188 ; Théophyle d'Antioche, *A Autolycus* III, 9-15, SC 20, 1948, p. 222-34 ; *Lettre à Diognète* V-VI, SC 33 bis, 1965, p. 62-66). On aurait tort toutefois de trop idéaliser ces communautés. Le prouvent déjà les « Lettres aux Églises d'Asie » du début de l'*Apocalypse* (fin du 1ᵉʳ siècle), qui sont en grande partie une exhortation à la pénitence, où le mot : « repens-toi » ne cesse de revenir (2, 5 ; 3, 3 ; 3, 19...). L'Église a ainsi expérimenté très tôt que le péché est également le fait du baptisé, et qu'elle était une Église de pécheurs. C'est ce dont témoignent Clément de Rome (DS, t. 2, col. 962) dans son *Épître aux Corinthiens* (vers 95-98), écrite pour mettre un terme aux divisions de la communauté de Corinthe, et l'homélie dite *2ᵃ Clementis* (DS, t. 2, col. 962-63), de la première partie du 2ᵉ siècle, où est faite une place notable à la pénitence pour les péchés commis après le baptême.

1. **Premiers témoignages.** – Les écrits des Pères dits apostoliques (DS, t. 1, col. 790-96), qui sont les plus anciens après ceux, canoniques, du Nouveau Testament, ne montrent sans doute pas encore l'existence d'une institution pénitentielle aussi organisée que celle qu'on rencontrera plus tard. Cependant, on y trouve déjà épars de nombreux éléments caractéristiques de la doctrine et de la pratique antiques de la pénitence dans son aspect ecclésial : souci que tous doivent avoir du salut du prochain (*2ᵃ Clementis* XVII, 1-2, éd. H. Hemmer, 2ᵉ éd., Paris, 1926, p. 162-64) ; prière d'intercession auprès de Dieu pour les pécheurs (Clément de Rome, *Épître aux Corinthiens* 56, 1, SC 167, 1971, p. 188), dont Jésus Christ a le pouvoir de convertir même les plus endurcis (Ignace d'Antioche, *Aux Smyrniotes* IV, 1, SC 10 bis, 1951, p. 158) ; correction fraternelle, « dont personne ne doit s'indigner », car « les avertissements que nous nous donnons les uns aux autres sont bons et extrêmement utiles » (Clément de Rome, 56, 2, p. 188), et « ce n'est pas un petit mérite de ramener au salut une âme égarée et en train de se perdre » (*2ᵃ Clementis* XV, 1, p. 160). De la part des pécheurs par contre, s'ils veulent être sauvés, le repentir-conversion du fond du cœur (VIII, 1-3, p. 146), qui exige la rupture avec le péché et l'obéissance à la volonté divine (IX, 7-11, p. 150), constitue une grâce due au sang répandu par le Christ pour notre salut (Clément de Rome, 7, 4, p. 110), et représente un enseignement fondamental de la tradition scripturaire (7, 5 à 8, 5, p. 110-14) ; puis l'exomologèse ou confession des péchés, qui paraît revêtir la forme d'un rite extérieur (51, 3, p. 182 ; 52, 1, p. 184), qu'il faut accomplir pendant que nous en avons encore le temps, « car après être sortis du monde, nous ne pouvons plus là-bas faire l'exomologèse ni la pénitence » (*2ᵃ Clementis* VIII, 3, p. 146) ; et enfin les œuvres satisfactoires par lesquelles on cherche à apaiser Dieu : prière, jeûne, aumône (XVI, 4, p. 162).

A quoi s'ajoute, dans les cas les plus graves, l'exclusion momentanée, semble-t-il, de la vie communautaire (Ignace d'Antioche, *Aux Smyrniotes* IV, 1, p. 158, qui met en garde contre les hérétiques, judaïsants et docètes, qu'il ne faut pas recevoir ni même rencontrer jusqu'à ce qu'ils se convertissent ; Polycarpe de Smyrne, *Aux Philippiens* XI, 1-4, SC 10 bis, 1951, p. 218-20, qui demande que le presbytre Valens, coupable de prévarication, et son épouse soient « rappelés », autrement dit réadmis dans la communauté).

Tels qu'ils apparaissent, les chefs de la communauté, évêques et presbytres, sont à la fois pasteurs, juges et ministres de la miséricorde : ils peuvent « pardonner » (Polycarpe VI, 1-3, p. 210-12) et réintégrer dans la communauté les pécheurs pénitents (Clément de Rome, 57, 1, p. 190). Rien ne nous est dit explicitement sur les rapports de ce pardon ecclésiastique avec le pardon de Dieu. Mais l'importance accordée à l'Église comme communauté de salut, en particulier chez Clément (57, 2, p. 190) et Ignace (*Aux Philadelphiens* III, 2, p. 142), laisse supposer que la garantie d'être pardonné par Dieu est donnée au pécheur pénitent par sa réadmission dans la communauté ecclésiale.

Il n'y a en tout cas aucun indice dans ces textes que l'Église se serait considérée comme une intransigeante communauté de purs excluant pour toujours de la réconciliation certains pécheurs à cause de la gravité de leurs fautes. Des chrétiens coupables de péchés aussi graves que le schisme, l'hérésie, la prévarication dans les fonctions ecclésiastiques, sont instamment exhortés à la pénitence ; on prie pour eux, espère leur retour, est prêt à les accueillir. C'est d'ailleurs tous les chrétiens que Clément exhorte à la fidélité à leur vocation (30, 1, p. 148) et la *2ᵃ Clementis* à la pénitence (XIII, 1, p. 154 ; XVI, 1-2, p. 162).

Le *Pasteur d'Hermas* (vers 140 ?), qui fait de la communauté romaine un triste tableau, appartient au genre apocalyptique. Les problèmes posés par cet étrange écrit ont été étudiés dans le DS (t. 7, col. 316-34). Son objet est la réforme morale de l'Église et la prédication d'une solennelle pénitence dont l'urgence s'explique par l'imminence présumée de la Parousie. La *metanoia* à laquelle exhorte le *Pasteur* est sans doute la pénitence subjective et personnelle, mais la dimension ecclésiologique de celle-ci est symbolisée par la tour de la *Parabole* IX, figurant l'Église actuelle, mélange de justes et de pécheurs, qui doit être purifiée et renouvelée. C'est pour être réintégré dans la tour d'où l'on a été exclu qu'il faut faire pénitence alors qu'il en est encore temps (DS, t. 7, col. 327-34).

**2. Vers une progressive organisation institutionnelle.** – Qu'est exactement l'exomologèse dont saint Irénée (entre 180-200) parle à plusieurs reprises mais par allusion seulement ? Ainsi à propos de femmes chrétiennes séduites par des gnostiques (I, 6, 3, SC 264, 1979, p. 96), ou de l'épouse d'un diacre qui « passa tout le temps à faire l'exomologèse de sa faute, pleurant et se lamentant » (I, 13, 5, p. 200). Le mot, qu'on a déjà rencontré, signifie au sens strict confesser ses péchés, en faire l'aveu, mais il paraît avoir ici, comme il avait probablement déjà chez les Pères apostoliques, un sens large pour désigner l'ensemble des démarches par lesquelles le pécheur expie son péché et fait pénitence publiquement à la face de l'Église.

Qu'il y ait une « seconde pénitence » par laquelle on obtient le pardon des fautes commises après le baptême, c'est ce qu'explique Clément d'Alexandrie (qui enseigne au Didascalée de cette ville entre 180-200). Mais ce pardon diffère de la rémission des péchés conférée par le baptême parce qu'il réclame une purification douloureuse et une lente guérison, grâce à ces remèdes que sont la prière, le jeûne et les œuvres de charité. C'est l'exomologèse qui, de même que pour Irénée, semble se référer à une pratique déterminée, s'accomplissant dans un contexte ecclésial et embrassant les divers actes pénitentiels (*Stromates* II, 12, 55, 6 ; 13, 56, 1-2 ; 13, 58, 1 ; 13, 59, 3, SC 38, 1954, p. 79-82). Aucun péché, même des plus graves, n'est exclu (*Quis dives salvetur* 42, 1-15, éd. O. Stählin,

GCS 17, 1909, p. 187-91 : histoire du jeune brigand converti par l'apôtre Jean).

Irénée et Clément laissent entrevoir une ébauche d'institution pénitentielle plus ou moins organisée, mais ne permettent pas de se faire une idée précise de ce qu'était, à leur époque, la pénitence ecclésiastique.

En fait, Tertullien, qui traite successivement dans son *De paenitentia* (203) de la pénitence en général, de la purification du baptême et de la pénitence post-baptismale ou « seconde pénitence », est le premier à donner un exposé détaillé de cette pénitence, appelée ausi par lui « exomologèse », dont il décrit en termes saisissants et pathétiques les œuvres satisfactoires (jeûnes, prières, prostrations...), et à laquelle il exhorte de ne pas se soustraire par crainte de la mortification du corps ou par honte et respect humain, car elle est publique (ch. 7-12). « Vaut-il mieux être condamné en secret que d'être absous au grand jour ? » (X, 8, CCL 1, p. 337). L'universalité objective du pardon est clairement affirmée (IV, 1, CCL 1, p. 326). Mais passé plus tard à la secte prophétique des Montanistes, d'un rigorisme outrancier, Tertullien soutiendra dans le *De pudicitia* que certains péchés d'une gravité exceptionnelle (idolâtrie, apostasie, adultère, fornication, homicide...) ne peuvent être remis par le ministère ecclésial des évêques même à ceux qui ont fait pénitence toute leur vie. En ce sens, « irrémissibles » sont de tels péchés (DS, t. 10, col. 1674-75).

Toujours au 3e siècle, une des sources les plus précieuses pour la connaissances de la pénitence est la *Correspondance* de saint Cyprien : confronté à Carthage avec la dramatique question des *lapsi*, ces chrétiens qui, après avoir apostasié en grand nombre durant la persécution de Dèce (249-250), voulaient, le danger passé, retourner à l'Église, il cherche à garder, non sans tâtonnements, un juste milieu entre un rigorisme qui ne laisserait aux malheureux faillis aucun espoir de réconciliation avec l'Église et le laxisme de certains qui auraient voulu qu'ils soient réconciliés immédiatement et sans pénitence (DS, t. 2, col. 2665-66).

Apparaît en effet à l'occasion de cette persécution une nouvelle secte rigoriste, celle des Novatianistes, disciples du prêtre romain puis antipape Novatien, laquelle commença par opposer aux *lapsi* une sévérité inflexible, et en vint ensuite à dénier à l'Église le pouvoir de remettre les péchés graves, dont le pardon ne pouvait être espéré que de Dieu après la mort. Elle se répandit dans tout le monde chrétien, et subsista près de deux siècles. Ce fut le premier grand schisme qui ait divisé l'Église. Poursuivant un utopique élitisme, ses membres se donnaient le nom de « purs » (DS, t. 11, col. 480).

En Orient, très instructif est le témoignage de la *Didascalie des Apôtres*, ouvrage canonico-liturgique de la première moitié du 3e siècle, non seulement parce qu'on y voit le rôle de l'évêque, père et chef de la communauté, dans le traitement des pécheurs qu'il doit éloigner des autres fidèles avec fermeté et ramener ensuite avec bonté, mais parce qu'on y lit la plus ancienne et la plus complète description connue de la réconciliation des pénitents (DS, t. 3, col. 863-64).

### III. LA PÉNITENCE AUX 4e ET 5e SIÈCLES

C'est principalement aux 4e et 5e siècles que la pénitence ecclésiale se développe, se perfectionne et atteint son degré d'organisation le plus remarquable, pour ne pas dire le plus rigide, qu'explique peut-être une réaction vitale de la part de l'Église : le besoin de préserver son identité morale et spirituelle face à un certain fléchissement général des communautés chrétiennes favorisé, surtout après la paix constantinienne, par l'arrivée en masse de nouveaux convertis. L'Église risquait d'être victime de son propre succès. Les canons disciplinaires de divers conciles (par exemple, ceux d'Elvire, en Espagne, vers 306, et d'Ancyre, en Asie mineure, de 314), les décrétales de plusieurs papes (Sirice † 399, Innocent 1er † 417, Léon le Grand † 461), des recueils d'instructions, composées d'abord à titre de consultation privée par certains évêques jouissant d'une considération spéciale et qui vont acquérir avec le temps en Orient valeur de norme juridique (ce sont les lettres « pénitentielles » ou « canoniques » de Grégoire le Thaumaturge † 270, Basile † 378, Grégoire de Nysse † 394) réglementent alors la pratique pénitentielle, dont les écrits théologiques et pastoraux de différents Pères présentent d'autre part un tableau clair et suggestif : Ambroise † 397 et Pacien de Barcelone † 392, qui combattent les Novatianistes, mais en particulier Augustin † 430. Si l'on veut connaître l'antique pénitence de l'Église, il faut la considérer à cette époque-là, quand elle est à son apogée et dans sa forme la plus évoluée.

Il s'agit d'une institution complexe, à la fois juridique, car elle assigne au pécheur un statut particulier dans l'Église ; liturgique, car elle implique un ensemble de rites, plus ou moins stables, célébrés par l'évêque au milieu de la communauté ; pastorale enfin parce qu'elle impose des exercices variés, accomplis sous la conduite de l'évêque agissant comme pasteur d'âmes et directeur de conscience. Cette pénitence, les historiens du dogme l'appellent souvent « publique ». Elle se déroulait en effet, partiellement au moins, à la vue de tout le peuple chrétien assemblé. Mais les anciens la nommaient de préférence « canonique », du fait de sa réglementation par des canons, décrétales ou coutumes ayant valeur de lois. Quant aux péchés « légers », « quotidiens », conséquence de l'humaine fragilité, ils étaient effacés par la prière, le jeûne, l'aumône, les bonnes œuvres faites en esprit de foi, charité et humilité.

Saint Augustin énumère ainsi trois espèces de pénitence : la baptismale, la journalière ou quotidienne, qui n'est au fond qu'un aspect commun à toute existence chrétienne, et celle pour les péchés graves (scelera, crimina, peccata mortifera), qui ne devrait pas, en droit, trouver place dans la vie du chrétien, appelé par vocation à la sainteté. C'est la pénitence major et insignis (Epist. 151, 9, PL 33, 650 ; Sermo 351, 2, 2, PL 39, 1537 ; Sermo 352, 1, 2, PL 39, 1550 ; De Symbolo 7, 15 ; 8, 16, PL 40, 836).

Mais la difficulté était précisément d'établir un catalogue des péchés graves. Augustin, tout en reconnaissant que certains n'estiment comme mortels que l'idolâtrie, l'impudicité et l'homicide (De fide et operibus 19, 34, PL 40, 220), repousse cette manière de voir (Speculum de Sacra Scriptura, ad Act. 15, PL 34, 994) et fournit dans son Sermon 56 la liste suivante : idolâtrie, astrologie, magie, hérésie, schisme, homicide, adultère, fornication, vol, rapine, faux témoignage, blasphème, qu'il ne considère certainement pas comme exhaustive (8, 12, PL 38, 282-283 ; cf. Sermo 351, 4, 7, PL 39, 1542). Ambroise paraît admettre qu'il puisse y avoir péché grave dans des excès concernant le manger et le boire (De Elia et jejunio 22, 81, 83, PL 14, 727). L'idée que les anciens se font de ce qui est en soi péché grave ne recouvre d'ailleurs pas toujours et entièrement ce que les moralistes d'aujourd'hui seraient portés à classer objectivement dans la

catégorie des péchés mortels. Il suffit pour s'en rendre compte de lire les listes de péchés « menus » (= minuta) données par Césaire d'Arles vers la fin de l'âge patristique (Sermo 64, 2, CCL 103, 275-276 ; Sermo 179, 3, CCL 104, 725-726 ; cf. DS, t. 2, col. 425-26). Il n'y a rien là qui doive surprendre. La conscience morale s'affine peu à peu.

1. **Imposition de la pénitence.** – L'évêque pouvait, quand il a eu connaissance du péché de quelque chrétien, soit par la rumeur publique, soit par une dénonciation qui n'est que la mise en pratique du « Dis-le à l'Église » de Mt. 18, 17, prendre l'initiative d'imposer la pénitence à un pécheur qui ne l'a pas sollicitée, et ne l'accepte même que plus ou moins forcé (voir par ex. Augustin, Sermo 82, 8, 11, PL 38, 511 ; Sermo 392, 4, PL 39, 1711 ; Quaestiones in Heptateuchum III, q. 1, CSEL 28/2, 1895, p. 233). Mais normalement on la demande à l'évêque après lui avoir secrètement ouvert sa conscience. Léon le Grand, dans son ordonnance adressée aux évêques de Campanie (459), s'élève avec indignation contre la coutume répandue en cette province de rendre publics, en en lisant officiellement la liste détaillée, les péchés de ceux qui veulent la pénitence, alors qu'il suffit d'indiquer l'état de son âme à l'évêque seul « par une confession secrète » (Epist. 168, 2, PL 54, 1210 ; Denzinger, n. 323).

Les pénitents forment une catégorie spéciale de chrétiens dont les obligations et les droits ne sont pas les mêmes que ceux des autres fidèles. En particulier, et c'est le plus important, ils ne peuvent ni participer à l'oblation ni communier. Cette exclusion de l'Eucharistie est une interdiction formelle qui constitue la note la plus caractéristique de leur état. Ils sont « retranchés de l'autel », dit saint Augustin (Sermo 56, 8, 12, PL 38, 582-583 ; Sermo 352, 3, 8, PL 39, 1558), séparés « a Christi etiam corpore » (Enchiridion 17, 65, CCL 46, 1969, p. 84).

Il est donc permis de parler à leur propos d'excommunication, même si elle diffère beaucoup de l'excommunication du Code de Droit canonique (Rome, 1983, can. 1331) ; « peine », « censure », elle suppose un état de « contumace » : averti, ayant reçu le temps de venir à résipiscence, le coupable ne se repent pas de son délit et n'en répare pas les suites (can. 1347/1-2).

Le pénitent ancien, au contraire, ne reçoit la pénitence que parce qu'il se soumet à l'Église, donne déjà des preuves suffisantes de son repentir et veut être réconcilié avec Dieu par l'Église. L'état de séparation extérieure par rapport à la communauté ecclésiale dans lequel il se trouve ne fait qu'attester sensiblement et signifier visiblement l'état de séparation interne d'avec Dieu et d'avec l'Église que son péché a introduit en lui : ce n'est pas une peine à proprement parler, mais bien plutôt un moyen salutaire qui le dispose progressivement à la réconciliation avec Dieu dans l'Église. Il existait cependant déjà une excommunication du type de la censure ou sanction, moyen de discipline et de correction, qui n'était pas liée de soi à la procédure pénitentielle ecclésiastique, et que les évêques pouvaient employer dans le cas de pécheurs publics récalcitrants pour les amener à demander et à accepter volontairement la pénitence (Augustin, Sermo 232, 7, 8, PL 38, 1111).

On est normalement incorporé par l'évêque à l'ordo paenitentium par un rite, dont l'essentiel consiste dans une imposition des mains (Léon le Grand, Epist. 167, inquis. 2, PL 54, 1203), mais il peut aussi se faire que tel ou tel pécheur, pour une raison relevant du jugement prudentiel de l'évêque, ne soit pas publiquement agrégé au groupe des pénitents ni contraint de se tenir avec les autres dans le lieu spécial qui leur est assigné à l'église (par ex. le cas des femmes adultères, dont on ne doit pas, dit Basile, trahir la faute, *Epist.* 199, 34, PG 32, 728). La simple exclusion de la communion eucharistique, décrétée par l'évêque et acceptée par le pécheur, même si elle est secrètement notifiée et observée, équivaut à une agrégation morale à l'ordre des pénitents et a les mêmes effets.

2. **Accomplissement de la pénitence.** – Les pénitents, tout le temps que dure leur pénitence, doivent s'adonner à des œuvres variées d'expiation : longues prières à genoux, jeûnes fréquents et prolongés, aumônes proportionnées à leur condition. D'une manière générale, ils doivent mener une vie retirée et mortifiée, s'abstenir des banquets et des bains publics, renoncer aux affaires du monde et à la recherche des dignités temporelles (Ambroise, *De paenitentia* II, 10, 96, SC 179, 1971, p. 192). Ils ne peuvent se marier (2ᵉ concile d'Arles, can. 21, CCL 148, p. 118), et s'ils sont mariés les rapports conjugaux leur sont interdits (Sirice, *Epist.* 1, 5, PL 13, 1137). Dans certains endroits, on leur impose un vêtement spécial, le cilice en poil de chèvres (Césaire d'Arles, *Sermo* 67, 1, CCL 103, p. 285). Ils doivent se couper totalement les cheveux (concile d'Agde, de 506, can. 15, CCL 148, p. 201), ou bien au contraire se les laisser pousser avec la barbe (Isidore de Séville, *De eccl. off.* II, 17, 3, PL 83, 802). Ils pourront aussi trouver dans une tenue négligée et même malpropre confusion et mortification (Ambroise, *De paenitentia* I, 8, 37, p. 84). Ces étranges prescriptions sont loin d'ailleurs d'être universelles. Mais devant la communauté réunie la principale humiliation est sans doute pour les pénitents de se voir mis à part, et donc reconnus de tous comme pécheurs graves, même si de leurs péchés on n'a généralement pas connaissance (Augustin, *De symbolo* 7, 15, PL 40, 636).

Il y avait en Orient, tout au moins en Asie mineure, des classes diverses établies parmi les pénitents, dont témoignent plusieurs documents (Grégoire le Thaumaturge, *Epist. can.* 11, PG 10, 1048 ; Basile, *Epist. can.* 2, 75, PG 32, 804 ; concile d'Ancyre de 314, can. 5-9, Mansi, t. 2, col. 516-517). On en comptait quatre, et il fallait en principe passer successivement de l'une à l'autre. Pour L'Occident, on ne possède aucune indication certaine sur l'existence de classes similaires. J. Grotz (*Die Entwicklung des Busstufenwesens in vornicänischen Kirche*, Fribourg/Brisgau, 1953) a essayé de prouver cette existence depuis les temps les plus anciens, mais n'a pas été suivi par tous. Il ne semble pas non plus qu'en Occident les pénitents aient été, d'une manière générale, renvoyés avec les catéchumènes avant l'offertoire (J.-A. Jungmann, *Missarum sollemnia*, t. 2, Paris, 1952, p. 251 ; H. Leclercq, art. *Pénitents (renvoi des)*, DACL, t. 14, 1939, col. 251-58). Ils assistent au Saint Sacrifice sans communier, mais doivent, à la différence des autres fidèles, rester à genoux, même aux fêtes de caractère joyeux (*Statuta Ecclesiae antiqua*, can. 67, CCL 148, p. 177).

Partout, tant en Orient qu'en Occident, existe un rite spécial, durant la messe, qui prend place avant l'offertoire, avant la communion ou à la fin de la messe, et qui consiste dans une oraison de l'évêque accompagnée d'une imposition de la main, implorant la grâce de la miséricorde de Dieu sur les pénitents pour hâter leur purification. Augustin les montre se présentant en longue file devant l'évêque (*Sermo* 232, 7, 8, PL 38, 1111). D'autre part, la communauté prie pour les pénitents dans l'*Oratio fidelium*, qui comporte toujours une prière à leur intention, ou sous forme litanique, ou sous forme d'oraisons solennelles (P.-M. Gy, *La pénitence*, dans *L'Église en prière*, de A. G. Martimort, 3ᵉ éd., Tournai, 1965, p. 588-89).

3. **Durée de la pénitence.** – C'est à l'évêque qu'il appartient de déterminer les modalités et la durée de la pénitence, car il a le *judicium culpae*, comme dit un décret du pape Gélase (PL 59, 142). Il doit la proportionner à la gravité de la faute. A fautes plus grandes, pénitence plus grande, explique Ambroise (*De paenitentia* I, 3, 10, SC 179, p. 60). Mais il tiendra compte aussi des dispositions du pénitent. Ce qui est à considérer, c'est moins la longueur du temps que l'intensité du repentir, écrit Augustin (*Epist.* 159, 5, PL 54, 1138). L'évêque peut hâter ou différer le terme de la pénitence selon le comportement des pénitents. Il l'arrête quand il la juge suffisante et convenable (Innocent Iᵉʳ, *Epist.* 27, 7, 10, PL 20, 559).

Il existe cependant dans chaque Église des règles et des coutumes concernant la durée de la pénitence à prescrire pour tel ou tel péché. Elle se compte généralement par années. Le concile d'Elvire exige selon les fautes trois, cinq, sept, dix ans (can. 5, 14, 22, 59, 64, 69, 70, 72, 76, 78, Mansi, t. 2, col. 6 svv). La Lettre canonique III de saint Basile prévoit un ou deux ans pour le vol, sept pour la fornication, dix pour le meurtre non prémédité et le parjure, quinze pour l'adultère (*Epist.* 217, PG 32, 797-800). Ces prescriptions n'avaient peut-être qu'une valeur générale d'indication, l'évêque conservant le pouvoir d'en faire, dans chaque cas particulier, l'application concrète qu'il estimait opportune. La pénitence tendra du reste de plus en plus à se raccourcir, et à Rome, dès le 6ᵉ siècle, elle se borne déjà probablement à la quarantaine quadragésimale (L.-C. Mohlberg, *Liber sacramentorum Romanae Aecclesiae anni circuli*, Rome, 1960, n. 78-83), le carême, lors de son organisation aux 4ᵉ et 5ᵉ siècles, étant apparu comme un temps privilégié, non seulement de retraite collective, mais de préparation des catéchumènes au baptême et des pénitents à la réconciliation (DS, t. 2, col. 136-52).

4. **Réconciliation du pénitent.** – Lorsqu'il a achevé le temps de sa pénitence, le pénitent se voit accorder le *sacramentum reconciliationis*, comme dit une oraison du Sacramentaire gélasien (compilé au 7ᵉ siècle, mais contenant des éléments plus anciens). Le rite, qui se déroule en présence de toute la communauté chrétienne, commence par une *postulatio* que l'archidiacre adresse à l'évêque. Celle-ci exprime le repentir des pénitents, prosternés à terre, et lui demande de vouloir bien prendre en considération les œuvres de pénitence qu'ils ont accomplies. Puis l'évêque, ou un prêtre désigné par lui, exhorte les pénitents à se garder désormais du péché. Vient enfin le rite même de la réconciliation, qui comporte essentiellement une prière de l'évêque, implorant pour les pénitents le pardon de Dieu, et une imposition de la main faite sur chacun d'eux (Mohlberg, n. 352-363 ; trois autres postulations diaconales romaines se trouvent dans CCL 9, p. 335-63). C'est la *supplicatio sacerdotalis* et l'*impositio episcopalis manus*, dont parle Léon le Grand (*Epist.* 108, 3 et 119, 6, PL 54, 1012 et 1138). L'assemblée s'associe à l'action liturgique en priant à haute voix pour les pénitents (Jérôme, *Dial. contra Luciferianos* 5, PL 23, 159).

Une seule cérémonie de réconciliation par an a lieu dans les Églises d'Occident : le jeudi saint, à Rome (Innocent Iᵉʳ, *Epist.* 25, 7, 10, PL 20, 559) ; le vendredi saint, à Milan (Ambroise, *Epist.* 20, 26, PL 16, 1002) et en Espagne (*Le Liber Ordinum en usage dans l'Église Wisigothique et Mozarabe d'Espagne...*, éd. M. Férotin, Paris, 1904, col. 199-204), mais en cas de danger de mort, le pénitent est réconcilié en forme simplifiée à n'importe quel moment de l'année, « afin qu'il ne quitte pas ce monde sans communion » (Innocent I, *Epist.* 25, 7, 10, PL 20, 559).

La réconciliation réintègre le pénitent dans la communauté ecclésiale et lui rend le droit de participer activement à l'eucharistie. Il a reçu, comme dit Augustin, l'*altaris reconciliationem* (*Epist.* 153, 3, 7, PL 33, 655). Il est « délié » de cet état de séparation où l'Église l'avait mis pour son bien et celui de la communauté, qui est sainte par essence. Il n'a pas pour autant retrouvé l'intégrité de ses droits de baptisé, qu'il ne récupérera jamais complètement, car la pénitence laisse derrière soi des séquelles qui durent toute la vie. Non seulement il ne peut être admis aux ordres sacrés (*Statuta Ecclesiae antiqua*, can. 84, CCL 148, p. 179), mais des interdictions qui pesaient sur lui continuent à valoir : ainsi, il ne peut contracter mariage ni user du mariage déjà contracté. C'est à une vie quasi monastique dans le monde qu'il est condamné. Cette discipline post-pénitentielle, que l'Orient ne semble pas avoir connue, est attestée pour l'Occident par certains textes des 4ᵉ et 5ᵉ siècles (Sirice, *Epist.* 1, 5, 6, PL 13, 1137 ; Léon le Grand, *Epist.* 167, inquis. 10-13, PL 54, 1206-1207).

5. **Irréitérabilité.** – C'est ce qui caractérise le plus l'antique pénitence canonique. On n'y est admis qu'une seule fois dans sa vie. Cette doctrine de la pénitence unique, que le *Pasteur* d'Hermas au 2ᵉ siècle est le premier à faire connaître (Mand. IV, 3, 6, SC 53 bis, p. 160), est déjà considérée comme un principe intangible par Clément d'Alexandrie (*Stromates* II, 13, 57, 1, SC 38, p. 80), Tertullien (*De paenitentia* 7, 10, CCL 1, p. 334), Origène (*In Leviticum*, Hom. 15, 2 ; éd. W. A. Baehrens, GCS 29, 1920, p. 489, 19-20). Ambroise l'énonce en termes catégoriques, comparant sur ce point la pénitence au baptême (*De paenitentia* II, 10, 95, SC 179, p. 192), et Augustin la justifie en expliquant que le remède au mal risque, s'il est trop fréquent, de s'avilir et de devenir moins utile aux malades : il sera d'autant plus salutaire qu'on l'aura pris plus au sérieux. Le pénitent réconcilié qui vient à retomber dans le péché grave, et qui se voit refusé tout second recours à la pénitence canonique, va-t-il pour autant désespérer de son salut ? Non, il peut et doit faire encore pénitence, mais privément cette fois. On l'exhortera à une vie de repentir intense, de mortification continuelle et de bonnes œuvres. Elle lui servira devant Dieu, duquel seul désormais il attendra immédiatement son pardon, car Dieu, dans son infinie miséricorde, pardonne à qui il veut et comme il veut (*Epist.* 153, 3, 7-8, PL 33, 655-657).

L'Église accordait-elle au moins à ces malheureux la consolation du viatique à l'heure de la mort ? les historiens en discutent (affirmatif est P. Poschmann, *La pénitence...*, Paris, 1966, p. 93 ; d'un avis plutôt négatif É. Amann, art. *Pénitence*, DTC, t. 12, col. 805). Qu'elle ait refusé en tout cas parfois de le faire, le concile d'Elvire le montre (can. 3 ; 7 ; 47, Mansi, t. 2, col. 6 svv).

6. **Sacramentalité.** – La nature proprement sacramentelle de l'antique pénitence canonique découle d'une double série d'affirmations qu'on retrouve souvent chez les Pères :

1° Cette pénitence est analogue au baptême par son effet de rémission des péchés, et donc de salut. Ainsi s'expriment Ambroise (*De paenitentia* I, 8, 36,

SC 179, p. 84) et Pacien de Barcelone (*Epist.* 3, 7, PL 13, 1068) dans leur polémique contre les Novatiens, Jérôme (*Dialogus adversus pelagianos* I, 33, PL 23, 527) et Augustin (*De conjugiis adulterinis* II, 16, PL 40, 482). L'expression de « seconde planche après le naufrage », dont la paternité remonte à Tertullien qui parle du baptême et de la « seconde pénitence » comme des « deux planches de salut de l'homme » (*De paenitentia* 12, 9, CCL 1, p. 340), deviendra traditionnelle pour désigner la pénitence ecclésiastique post-baptismale (Jérôme, *Epist.* 84, 6, PL 22, 748 ; *Epist.* 130, 9, PL 22, 1115 ; *Comment. in Isaiam* II, 3, 56, PL 24, 65 ; Pacien de Barcelone, *Epist.* 1, 5, PL 13, 1056 ; pseudo-Ambroise, *De lapsu virginis consecratae* 8, 38, PL 16, 379).

2° Le Saint-Esprit, reçu dans la régénération baptismale, et ensuite perdu par le péché grave, est rendu par l'acte rituel de la réconciliation qui termine le processus pénitentiel : « En recevant la paix de l'Église, on recouvre l'Esprit du Père », écrit Cyprien (*Epist.* 57, 4, 2, éd. Bayard, p. 157) ; « soit par l'imposition des mains (en signe de réconciliation), soit par le baptême, on reçoit communication du Saint-Esprit », explique la *Didascalie des douze Apôtres* (II, 41, 1-2, éd. F.X. Funk, *Didascalia et Constitutiones apostolorum*, t. 1, Paderborn, 1905, p. 128-130). Décrivant la réconciliation du pénitent, Jérôme dit que l'évêque lui impose la main et « reditum Sancti Spiritus invocat » (*Dialogus contra luciferianos* 5, PL 23, 159).

Mais par le moyen du même acte l'Église rendait aussi sa paix au pénitent, le réadmettait à sa communion et le réconciliait avec elle-même. D'où la question : dans l'esprit des anciens le pénitent est-il réconcilié avec l'Église parce qu'il est d'abord réconcilié avec Dieu (comme pense P. Galtier), ou bien au contraire est-il réconcilié avec Dieu parce qu'il est en premier lieu réconcilié avec l'Église (comme croient, à la suite de B. M. Xiberta, divers auteurs dont on parlera plus loin) ? Notons que pour cette seconde opinion il s'agit évidemment ici d'une *priorité de nature*, et non de temps, et que d'autre part la réconciliation avec Dieu n'est pas pour autant un simple conséquence de la réconciliation avec l'Église, mais en effet infaillible que l'on en attendait : cette réconciliation appelle, exige et procure de soi la réconciliation avec Dieu.

Le témoignage d'Augustin est, à cet égard, particulièrement éclairant. Sa théologie de la justification a un caractère essentiellement ecclésiologique. La rémission des péchés est produite par l'infusion du Saint-Esprit, qui nous purifie intérieurement et fait de nous sa demeure (*Sermo* 71, 20, 33, PL 38, 463). La charité, qu'il répand dans nos cœurs, opère cette rémission (*Sermo* 71, 12, 18, PL 38, 454) et n'est donnée que dans la véritable Église, qui seule possède la présence du Saint-Esprit (*Sermo* 71, 20, 33, PL 38, 463). Hors de l'Église catholique, le Saint-Esprit ne vivifie personne (*Epist.* 185, 50, PL 33, 815). La *paix* de l'Église, qui est la réconciliation accordée après pénitence, remet les péchés. « Pax Ecclesiae dimittit peccata » (*De baptismo contra Donatistas* III, 18, 23, PL 43, 150). Celle-ci en effet réintègre le pécheur pénitent dans la communauté ecclésiale. Or, « la charité, qui par le Saint-Esprit est répandue dans nos cœurs, remet les péchés de ceux qui font partie de la communauté ecclésiale » (*In Joan.*, tr. 121, 4, PL 35, 1958). Ceux que l'Église accueille, elle les rend innocents en les recevant à sa communion, « recipiendo efficit innocentes » (*Contra Cresconium Donatistam* II, 13,

16, PL 43, 476). Ces textes semblent bien insinuer que, si le pécheur est réconcilié avec Dieu, c'est en vertu de sa réconciliation avec l'Église, où se trouve le Saint-Esprit dont l'infusion cause la charité rémissive des péchés.

**7. Participation de la communauté.** – Le pénitent ne reste pas seul dans le long et laborieux accomplissement de sa pénitence. Il est aidé par toute la communauté ecclésiale, qui prie avec lui et pour lui, et fait elle-même pénitence pour venir en aide au frère pécheur. Selon Origène, l'Église des Saints (il faut entendre par là en premier lieu les « pneumatiques » ou spirituels, mais aussi tout chrétien en état de grâce) prend sur elle le péché de ses membres, pour en obtenir la rémission. Les « saints » n'ont pas en tant que tels le pouvoir de *délier* pris au sens de levée d'excommunication pénitentielle et de réincorporation sacramentelle dans l'Église, fonction propre de l'évêque. Mais par leurs prières et leurs sacrifices ils exercent une influence expiatrice, réparatrice et purificatrice qui a une véritable portée salvifique (K. Rahner, *La doctrine d'Origène sur la pénitence,* RSR, t. 37, 1950, p. 273-86, 427-33).

Le corps s'afflige du mal qui arrive à l'un de ses membres et travaille tout entier à le guérir, dit Tertullien (*De paenitentia* X, 5-7, CCL 1, p. 337). Tous ont été rachetés par un seul, le Christ, qui a donné à son Église de pouvoir faire que maintenant un seul soit racheté par tous, explique Ambroise (*De paenitentia* I, 15, 80, SC 179, p. 118). Il invite donc le pécheur à rechercher le patronage et l'intercession du peuple saint. « Que pleure pour toi l'Église notre mère et qu'elle lave ta faute avec ses larmes ! » (II, 10, 91-92, p. 188-90 ; *Expositio in Lucam* V, 92, SC 45 bis, 1971, p. 216). « Le prêtre, déclare Jérôme, ne rend pas un membre à la santé avant que tous les membres aient pleuré ensemble. Car le Père pardonne facilement au fils lorsque la mère prie pour ses entrailles » (*Dialogus contra luciferianos* 5, PL 23, 159). Augustin exhorte ses auditeurs hésitants à faire la pénitence qui se fait dans l'Église, « ut oret pro vobis Ecclesia » (*Sermo* 392, 3, 5, PL 39, 1711), et dans un de ses sermons il présente à la communauté un pécheur qu'il vient d'admettre à la pénitence, le recommandant non seulement à la prière mais à la surveillance de tous (*Enarr. in Ps.* 61, 23, CCL 39, p. 792).

Enfin, lors de la liturgie de réconciliation, l'assemblée, qui se tient debout derrière les pénitents et face à l'évêque, participe activement à cette liturgie en s'unissant à la demande de réconciliation que formulent les pénitents, prostrés à terre, et en prenant part, en vertu de la solidarité compatissante et secourante qui lie le Corps mystique du Christ, à la douleur et au repentir qu'ils doivent manifester. Elle contribue par là à provoquer la réponse favorable de l'évêque et son intervention ministérielle qui sert d'instrument à l'action de Dieu (F. Bussini, *L'intervention des fidèles au moment de la réconciliation des pénitents, d'après les trois « postulationes » d'un archidiacre romain du Vᵉ-VIᵉ siècle,* dans *Revue des sciences religieuses,* t. 41, 1967, p. 29-38).

**8. Faits parallèles.** – Ces faits sont curieux. L'entrée dans la vie monastique pouvait se substituer à la pénitence jusqu'ici décrite, et le pécheur devenu moine recevait immédiatement la communion eucharistique, en raison probablement de l'idée, alors admise, selon laquelle la profession religieuse que l'Église sanctionne de son autorité est comme un second baptême, qui efface les péchés, même les plus graves, commis dans le siècle (Pseudo-Fauste de Riez, *Ad monachos*, de paenitentia, PL 58, 875-876 ; cf. *Clavis Patrum Latinorum,* 2ᵉ éd., n. 981). D'autres, revêtus d'un habit austère imposé par l'évêque, continuaient à vivre dans leur famille, surtout s'ils avaient des obli-

gations à y remplir, mais tout en menant une existence de mortification et parfaite continence. Ce sont les *conversi* (DS, t. 2, col. 2218-24). A eux aussi il est permis de communier tout de suite (Gennade de Marseille, *De ecclesiasticis dogmatibus* 53, PL 58, 994). Quant aux clercs majeurs (évêques, prêtres et diacres), l'usage universel à partir du 4ᵉ siècle, contrairement à ce qui se faisait auparavant, les exclut de la pénitence canonique. Dégradés, ils doivent se recommander à la miséricorde divine (Léon le Grand, *Epist.* 167, inquis. 2, PL 54, 1203-1204) et ne reçoivent la communion eucharistique qu'au terme de leur vie, encore qu'on puisse parfois leur permettre, après une longue pénitence faite en privé, de communier avec les laïcs (Grégoire le Grand, *Epist.* 7, PL 77, 728-729). La rigueur de la discipline, dit Augustin, doit s'exercer avant tout à l'égard des clercs tombés (*Epist.* 185, 10, 45, PL 33, 812).

## IV. VERS UNE NOUVELLE FORME DE PÉNITENCE

Au 6ᵉ siècle, la pratique pénitentielle jusque-là en usage a fini par entrer dans une phase critique que l'Église ne réussit plus à contrôler. Certes, il y a toujours eu des pénitents fervents. Augustin paraît en avoir connu qui étaient comme enragés contre eux-mêmes (Sermon Caillau-Saint-Yves, 2, 11, 5, PLS 2, 429). Fabiola en son temps fit l'édification de tous (Jérôme, *Epist.* 77, 4-6, CSEL 55, p. 40-44). Mais nombre de chrétiens n'avaient pas le courage de se soumettre à cette pénitence, et d'autres, qui l'avaient entreprise, la faisaient indéfiniment traîner en longueur, sachant bien qu'une fois réconciliés ils n'auraient plus rien à attendre de l'Église s'ils venaient à retomber. On se met, en règle générale, à ne plus l'accorder avant l'âge mûr (Concile d'Agde de 506, can. 15, Mansi, t. 8, col. 327), et sans le consentement de l'autre conjoint pour les personnes mariées (3ᵉ concile d'Orléans de 538, can. 24, Mansi, t. 9, col. 18).

Alors qu'au 3ᵉ siècle on refusait la réconciliation et la communion aux chrétiens peu fervents qui attendaient l'article de la mort pour demander la pénitence, comme témoigne au moins Cyprien (*Epist.* 55, 23, 4, éd. Bayard, p. 147), – ce qu'interdisent d'ailleurs plus tard de faire le concile de Nicée, les papes Innocent Iᵉʳ, Célestin Iᵉʳ, Léon le Grand, – la coutume s'introduit de différer la pénitence et de la renvoyer régulièrement à la dernière maladie, quand il n'y a plus risque de guérison, car autrement, rétabli, le fidèle ainsi réconcilié aurait à prendre place pendant un certain temps parmi les pénitents publics (unique cas dans l'antiquité où ce que nous appelons aujourd'hui la satisfaction peut s'accomplir après la réconciliation). Réduite à la confession et à la réconciliation, la pénitence fait figure de sacrement des mourants (C. Vogel, *La « paenitentia in extremis » chez s. Césaire d'Arles (503-542),* dans *Studia patristica,* t. 5, 1962, p. 416-23). Le fait de ne pouvoir recourir à la pénitence de l'Église qu'au prix de grandes difficultés explique aussi le retard apporté à la réception du baptême par beaucoup de catéchumènes adultes, craignant des rechutes dans le péché grave, et le déclin de la communion fréquente, qui commence déjà au 5ᵉ siècle, mais prend des proportions désolantes à partir du 6ᵉ (DS, t. 2, col. 1243-48). Une cause plus immédiate du changement qui se prépare est l'influence des moines.

**1. La confession monastique.** – Depuis le temps des Pères du désert, une certaine forme de confession privée est un des éléments fixes de la discipline monastique. Elle n'est pas toutefois à l'origine un acte sacramentel dans le sens actuel et strict du mot, mais un moyen ascétique de perfection. Le moine ouvre sa conscience à un « ancien » qui se distingue par sa « diacrisis » ou don de discernement, en vue de recevoir de lui la direction spirituelle dont il a besoin. Celle-ci sera d'autant plus efficace que le moine avec plus d'ouverture aura communiqué au père spirituel tous ses manquements, même les plus petits, jusqu'à ses pensées mauvaises les plus secrètes. Médecin des âmes, le père spirituel indique les remèdes nécessaires. C'est souvent l'higoumène ou supérieur du monastère. Mais ce peut être aussi quelqu'un d'autre. Il n'est pas nécessairement prêtre (DS, t. 3, col. 1008-51).

Pachôme † 346, fondateur du monachisme cénobitique, serait un des premiers à avoir recommandé ce genre de confession (F. Halkin, *Sancti Pachomi vitae graecae*, Bruxelles, 1932, Vita prima, n. 96, p. 64), et l'on voit comment son disciple Théodore l'exerçait (n. 132, p. 83). Basile † 379 y fait allusion comme à une chose bien connue dans les Règles monastiques qui portent son nom (*Reg. brev.* 110 et 228, PG 31, 1157 et 1284 ; *Reg. ad monachos* 200, PL 103, 552). Caractéristique de la spiritualité orientale, cette pratique passera en Occident. Jean Cassien, qui s'est formé à l'école des solitaires d'Égypte avant de fonder à Marseille deux monastères, l'un d'hommes, l'autre de femmes, l'enseigne explicitement (*Institutions* 4, 9, SC 109, 1965, p. 132 ; *Conférences* II, 10-11, SC 42, 1955, p. 120-23), et saint Benoît † 547 la prescrit dans sa Règle (7, 4, SC 181, 1972, p. 484 ; 46, 5-6, SC 182, 1972, p. 596). Enfin, des cercles monastiques elle sera introduite, mais avec les adaptations requises, près des fidèles eux-mêmes. C'est en Grande-Bretagne et en Irlande que le fait se produisit de la manière la plus singulière.

2. **La pénitence celtique.** – Par certaines particularités les chrétientés celtes des îles Britanniques ont constitué, depuis leurs origines aux 4e-5e siècles et pendant les six ou sept siècles suivants, un monde religieux à part, dont l'un des traits distinctif consiste dans le développement prodigieux et la prédominance, notamment en Irlande, du monachisme (DS, t. 2, col. 400-03). Jusqu'au 12e siècle l'épiscopat ne joue qu'un rôle assez effacé dans l'organisation de l'Église irlandaise, qui s'ordonne autour des monastères. De puissants abbés-prêtres exercent leur juridiction sur de vastes « paroisses » et des moines font fonction de curés. Ainsi se crée une véritable symbiose entre spiritualité monastique et vie chrétienne de la population (DS, t. 7, col. 1972). La pénitence canonique, avec son ordre des pénitents et sa réconciliation solennelle, n'existe pas, comme constate le pseudo-Théodore de Cantorbéry (*Poenitentiale* I, 13, éd. H. J. Schmitz, *Die Bussbücher und die Bussdisciplin der Kirche*, t. 1, Mayence, 1883, p. 535). On est habitué à une forme de pénitence assez simple, qui comprend une confession faite secrètement au prêtre, avec accusation détaillée des péchés, de leur fréquence et de leurs circonstances. Le prêtre impose une satisfaction à faire en privé. Tant qu'elle n'est pas achevée, le pénitent doit s'abstenir de la communion. Puis il retourne auprès du prêtre pour recevoir la réconciliation ou l'absolution, comme on finira par dire, laquelle s'administre hors de la présence du peuple, et donc, en un sens, privément.

Dans certains cas le prêtre donne immédiatement l'absolution après la confession, s'il s'agit par exemple d'un malade grave, ou si le pénitent habite trop loin pour revenir facilement, ou s'il est trop frustre pour comprendre ce qu'on

demande de lui. Ce type de pénitence, qui dérive dans sa forme externe de la confession d'ascèse en usage parmi les moines, se retrouve chez les Anglo-Saxons. Ils en sont probablement redevables à l'Église celte.

Mais ce qu'il y a de caractéristique, c'est l'existence de sortes de « tarifs » qui déterminent pour chaque espèce de péchés la satisfaction à prescrire par le confesseur. D'où le nom de pénitence « tarifée » appliqué souvent à cette pénitence celtique. Ces tarifs, fort onéreux, sont contenus dans de petits livres appelés « pénitentiels ». Ils consistent principalement en jours de jeûne, de sorte que le mot *paenitere* (= faire pénitence), quand il se rencontre dans les pénitentiels sans autre précision, signifie « jeûner ». Le Pénitentiel de saint Colomban (vers 612-615) prescrit un an de jeûne pour la masturbation, six mois pour un désir impur volontaire ; celui du pseudo-Théodore (vers 690-740), dix ans de jeûne pour un homicide dans une rixe, quatre ans pour un acte de fornication... (cf. C. Vogel, *Le pécheur et la pénitence au moyen âge*, Paris, 1969, p. 69 ; 2e éd. 1982 ; présente des textes choisis concernant les pénitentiels). La pénitence est différente pour le même péché s'il est commis par un laïc ou par un clerc. Celui-ci est taxé plus lourdement. Les divers pénitentiels ne sont d'ailleurs pas d'accord, et il y en a de plus accommodants. Mais il s'agit toujours de semaines, de mois, d'années. Est toutefois prévu un système de « rédemptions » ou de commutations qui permettent de remplacer les jours de jeûne par une pénitence plus pratiquable : aumônes, récitation répétée du psautier, messes à faire dire... A la différence de la pénitence canonique, la pénitence tarifée est ouverte à tous les péchés, non seulement graves, mais quotidiens et véniels. Elle peut en outre être répétée chaque fois que c'est nécessaire, même dans le cas de rechute. Les clercs y sont admis sans subir de déposition. Enfin, elle ne connaît ni interdits ni séquelles. Certaines étrangetés ne doivent pas cacher le sérieux avec lequel on considérait le péché et son expiation.

3. **Diffusion de la pratique pénitentielle celtique.** – Chassés par les invasions ou poussés par le zèle missionnaire, des moines celtes en nombre notable émigrent des îles Britanniques vers le continent au cours des 6e-7e siècles. On les rencontre en Gaule, en Allemagne, en Suisse, en Espagne, dans l'Italie septentrionale. Plusieurs deviennent supérieurs de monastères ou évêques (DS, t. 1, col. 626-29). Le plus célèbre est saint Colomban † 615, abbé de Luxeuil et de Bobbio (DS, t. 2, col. 1131-33). Là où ils s'établissent, ces moines introduisent la forme de pénitence propre à leur pays d'origine. Le premier indice de l'apparition de cette pénitence sur le continent se trouve dans le 3e concile de Tolède, en 589, qui la condamne en fait comme « une exécrable et présomptueuse manière d'agir », à cause de sa réitérabilité qui aurait pour conséquence de favoriser la rechute des pécheurs dans leurs anciens errements (can. 11, Mansi, t. 9, col. 995). Mais la pénitence secrète et réitérable devait triompher parce qu'elle était réclamée par la vie même. Quelque soixante ans plus tard, les évêques réunis en concile à Chalon-sur-Saône (644-656) la jugent utile et l'approuvent à l'unanimité (can. 8, Mansi, t. 10, col. 1191). Durant les 7e et 8e siècles elle devient le mode normal de faire pénitence.

Au début du 9e siècle, en une période de réforme religieuse, plusieurs conciles dans l'empire de Charlemagne

(Chalon, Arles, Reims, Tours) tentent de restaurer la pratique de la pénitence canonique. Mais comme il est difficile de revenir en arrière, on établit alors le principe suivant : la pénitence publique sera seulement exigible pour les péchés publics les plus graves (parricide, homicide, inceste, adultère, parjure), tandis que les péchés qui ne sont pas publiquement connus seront justiciables, quels qu'ils soient, de la pénitence secrète. Le même péché se trouvait donc passible d'un double traitement selon qu'il était public ou commis secrètement. On le voit par le *Capitulaire* de Théodulfe d'Orléans (PL 105, 215). On ignore en fait ce qu'il en fut dans la réalité de cette discipline dichotomique.

#### 4. Évolution ultérieure.

– La pénitence privée étant réitérable, celui qui est coupable de fautes graves est naturellement obligé de recevoir maintenant de l'Église la pénitence non seulement une fois durant sa vie, comme on faisait dans le christianisme antique, mais chaque fois qu'il a gravement péché. D'autre part, beaucoup de chrétiens pieux avaient pris l'habitude de pratiquer par dévotion cette nouvelle forme de pénitence alors qu'ils n'avaient que des manquements mineurs à accuser. Pour secouer les indifférents, des considérations d'ordre pastoral induisirent certains évêques à faire de l'usage de la confession régulière un devoir pour tous.

Chrodegang de Metz († 766 ; DS, t. 2, col. 877-78) prescrit qu'au moins deux fois par an ses clercs se confessent à leur évêque et les pauvres assistés par l'Église à un prêtre (*Regula* 14 et 34, PL 89, 1104 et 1118). Théodulfe d'Orléans † 821 atteste qu'en Gaule vers l'an 800 la confession au début du Carême était obligatoire (*Capitula* 36, PL 105, 203). Parfois il est question de trois confessions durant l'année, à Noël, Pâques, Pentecôte. Ces prescriptions ne rencontrèrent généralement pas d'opposition. Mais souvent elles restaient lettre morte à cause de la tiédeur des fidèles. Au 12e siècle, le théologien Alain de Lille se plaint que c'est à peine si laïcs et clercs se confessent annuellement (*De arte praedicatoria* 31, PL 210, 173). Ainsi s'explique le décret du 4e concile du Latran de 1215, qui fait de la confession au moins une fois l'an un précepte pour tous les fidèles (Denzinger, n. 812).

Entre-temps, il était devenu ordinaire (sans doute vers l'an 1000) de donner l'absolution immédiatement après l'accusation des péchés et sans attendre l'accomplissement de la satisfaction en raison de la difficulté d'obtenir que les fidèles reviennent et du danger d'en voir se passer de la réconciliation sacramentelle. Une réaction s'est également amorcée contre la sévérité et l'automatisme des tarifs pénitentiels. Au confesseur lui-même appartient de choisir en chaque cas la pénitence qu'il impose, et qui reste à sa discrétion. Il doit pour cela s'inspirer davantage de la miséricorde et des possibilités du pénitent que d'un texte juridique. Quand les tarifs pénitentiels, simplifiés, sont maintenus, c'est à titre indicatif (Ph. Delhaye, *Deux textes de Senatus de Worcester sur la pénitence*, RTAM, t. 19, 1952, p. 203-22). On en vient d'ailleurs à considérer que l'aveu des fautes, parce qu'il est un acte pénible, humiliant, qui cause honte et confusion, a déjà en soi une valeur satisfactoire (*Liber de vera et falsa poenitentia*, anonyme du 11e siècle, x, 25, PL 40, 1122). Pierre le Chantre †1197 écrit : « Oris confessio est maxima pars satisfactionis » (*Verbum abbreviatum* 143, PL 205, 342). Il est donc naturel d'en tenir compte dans la détermination de la satisfaction. Les pénitentiels qui, nés dans les îles Britanniques, avaient par la suite proliféré sur le continent en une littérature confuse, tendent du fait même à tomber en désuétude.

Les derniers, comme le *Décret* de Burchard de Worms, avec son 19e livre intitulé *Corrector et medicus* (début du 11e siècle), le *Pénitentiel* de Barthélemy d'Exeter (vers 1160-1170), le *Liber poenitentialis* du Victorin Robert de Flamborough (vers 1210-1215), s'orientent vers un genre moins étriqué et, en dépit de leur nom, annoncent déjà les *Summae confessorum* ou « manuels à l'usage des confesseurs », qui seront des ouvrages de pastorale et de consultation destinée à aider le prêtre chargé d'entendre les confessions et qui se multiplieront jusqu'à l'époque du concile de Trente (P. Michaud-Quentin, *A propos des premières* « *Summae confessorum* », RTAM, t. 26, 1959, p. 264-306).

#### 5. La « paenitentia solemnis » et la « peregrinatio ».

– En principe, la pénitence publique, à laquelle on donne à présent le nom de *paenitentia solemnis*, a toujours sa place dans le système pénitentiel. Un rite solennel de l'exclusion et de la réconciliation publique des pénitents, que l'on trouve au 10e siècle en Rhénanie, et qui n'a que de lointains rapports avec l'ancêtre patristique, entrera même à la fin du 15e siècle dans le pontifical romain, où il est resté jusqu'à présent, sans pour autant s'être implanté dans la pratique romaine et y avoir été, semble-t-il, réellement utilisé (P.-M. Gy, *Histoire liturgique du sacrement de pénitence*, dans *La Maison-Dieu*, n. 56, 1958, p. 15-17). Des documents médiévaux opposent parfois à la *paenitentia solemnis* une pénitence qui est aussi « publique », mais « non solennelle » : la *peregrinatio* ou pèlerinage pénitentiel, qui donna lieu du reste à divers abus (C. Vogel, *Le pèlerinage pénitentiel*, RSR, t. 38, 1964, p. 113-53 ; cf. *supra*, art. *Pèlerinages*, col. 919-920).

Au 13e siècle, ces deux formes de pénitence sont déjà anachroniques. Saint Thomas ne leur consacre qu'un article en passant dans son traité sur la pénitence du Commentaire des *Sentences* (In IV, dist. 14, q. 1, art. 5 ; cf. *Supplément* de la *Somme théologique*, q. 28). On peut dire qu'à partir du 13e siècle la pénitence est devenue ce que nous la connaissons encore. Elle ne se modifiera guère jusqu'à nos jours.

### V. LA DOCTRINE MÉDIÉVALE DU SACREMENT DE PÉNITENCE

On est d'accord à partir de la seconde moitié du 11e siècle pour ranger la pénitence au nombre des sacrements de l'Église. Certains cependant tendront jusqu'à la fin du 12e siècle à ne considérer comme sacramentelle que la pénitence publique solennelle et non réitérable, dont l'évêque est le ministre, et l'imposition de la main le rite. Mais par la suite on ne fera plus de différence du point de vue sacramentel entre pénitence publique et privée (P. Anciaux, *La théologie du sacrement de pénitence au XIIe siècle*, Louvain, 1949, p. 145-54). La pénitence figure ainsi dans les listes septénaires des sacrements, qui apparaissent au milieu du 12e siècle (p. 163).

À cette époque, on parle parfois de *sacramentum confessionis* (p. 376). Mais c'est l'appellation de *sacramentum paenitentiae* qui prévaudra. Pierre Lombard † 1160 l'adopte dans ses *Sentences*, destinées à rester le livre de base de l'enseignement théologique jusqu'au 16e siècle. Il est le premier à noter explicitement que la pénitence est non seulement un sacrement, comme le baptême, mais aussi une vertu, car elle comporte deux aspects fondamentaux, intérieur et extérieur, qui sont l'un et l'autre une cause de justification et de salut (IV, d. 14, c. 1, n. 2, t. 2, Grottaferrata, 1981, p. 316). La pénitence-vertu est

PÉNITENCE

une attitude de l'homme plus large que le sacrement, et coextensive à l'existence chrétienne. Il y a en effet – l'affirmation est de provenance augustinienne – une pénitence prérequise au baptême, une pénitence pour les péchés graves post-baptismaux, et la pénitence quotidienne des péchés véniels, que pratiquent humblement même les parfaits (d. 16, c. 4, n. 1, p. 340). La deuxième est sacramentalisée par le sacrement de pénitence ; la troisième peut l'être, mais n'est pas nécessairement liée à la fréquentation du sacrement (c. 6, n. 2, p. 342). Contrition, confession et satisfaction, ce sont les actes principaux du pénitent, dont la triple modalité correspond respectivement au sentiment du cœur, à l'expression orale et à l'action opérative (c. 1, n. 1, p. 336). Ces trois démarches successives, qui s'intègrent mutuellement, on les appellera « parties » subjectives de la pénitence (Alexandre de Halès, *Glossa in quatuor libros Sententiarum* IV, d. 16, t. 4, Quaracchi, 1957, p. 252, avec la note des éditeurs), terme qu'on retrouvera jusque dans le concile de Trente (Denzinger, n. 1673, 1704).

**1. La notion de contrition.** – Les termes de componction, contrition et attrition, qui sont des métaphores, dérivent étymologiquement le premier du verbe *compungere*, « piquer fortement, profondément » ; le deuxième, du verbe *conterere*, « broyer » ; le troisième, du verbe *atterere*, « briser ».

La componction est une notion à l'histoire complexe (DS, t. 2, col. 1312-21). En usage dans la tradition occidentale depuis au moins Jérôme et Cassien, ce mot servira à exprimer, entre autres choses, les humbles sentiments de l'âme pécheresse qui, avec crainte, se souvient de ses péchés, les regrette et les pleure. Isidore de Séville, le dernier des Pères latins, en donne cette définition : « Compunctio cordis est humilitas mentis cum lacrymis, exoriens de recordatione peccati et timore judicii » (*Sententiae* II, 12, 1, PL 83, 613).

Bien que dans la littérature patristique le terme de *contritio* apparaisse parfois en relation au repentir intérieur, il n'a pas encore le sens technique de regret parfait des péchés qu'il acquerra dans le langage théologique médiéval. Ce sens s'affirme seulement dans les traités sur la pénitence sacramentelle composés dans la seconde moitié du 12e siècle (V. Loi, *Influssi dell' esegesi biblica nello sviluppo del termine « contritio »*, dans *Vetera christianorum*, t. 3, 1966, p. 69-83). Les expressions *contritio animi, contritio cordis* se présentent peut-être pour la première fois chez Pierre Abélard † 1142 à propos de la vraie pénitence qui réconcilie instantanément le pécheur avec Dieu (*Ethica* 19, PL 178, 664d ; cf. l'*Epitome* de l'école d'Abélard, 35, col. 1750). Pierre Lombard alterne les vocables de componction et de contrition, comme si les deux choses étaient pratiquement identiques. Cela amènera plusieurs de ses commentateurs à se poser la question des rapports entre contrition et componction (J. de Guibert, *La componction du cœur*, RAM, t. 15, 1934, p. 231).

Selon la *Summa theologiae* portant le nom d'Alexandre de Halès, la contrition est la douleur seule des péchés, la componction en est la douleur elle-même et son signe extérieur sensible, à savoir les larmes (Pars IV, q. 17, mb. 1, a. 2, Venise, 1575, f. 282r, cette partie étant postérieure à Alex. de Halès même). Se référant indirectement à Grégoire le Grand, le docteur par excellence de la componction, dont il décrit les espèces ou degrés (DS, t. 6, col. 893-94), Albert le Grand (*In IV Sent.*, dist. 16, a. 8, éd. A. Borgnet, t. 29, Paris, 1894, p. 560) et Bonaventure (*In IV Sent.*, dist. 16, dub. 3, éd.

Quaracchi, t. 4, 1889, p. 398) estiment que la componction est plus vaste que la contrition, car elle se base non seulement sur le souvenir des péchés commis et la pensée du jugement de Dieu, mais aussi sur la considération de la misère de ce monde présent, de l'exil qui se prolonge, de la gloire céleste différée. Thomas d'Aquin, au contraire, semble supposer le plus souvent une équivalence entre componction et contrition, car lorsqu'il rencontre dans les *Sentences* de Pierre Lombard le mot « componction » pour désigner une partie de la pénitence, il lui substitue purement et simplement dans son commentaire le terme de contrition (P. Régamey, *La componction du cœur*, VSS, septembre 1935, p. 183). Par la suite, la théologie de la pénitence cessera définitivement de parler de componction, vocable trop imprécis parce que trop riche, pour ne retenir que le couple contrition-attrition.

**2. La notion d'attrition.** – Sans passé patristique connu, c'est dans la seconde moitié du 12e siècle que le terme « attrition » fait son apparition dans le contexte du repentir. Il se trouve par exemple dans les *Regulae de sacra theologia* (65, PL 210, 665) d'Alain de Lille † 1202. Durant la première scolastique le signe distinctif entre contrition et attrition reste indécis. Selon le maître parisien Simon de Tournai † 1203, à qui on doit, semble-t-il, l'introduction de ce terme, l'attrition est par définition une douleur sincère du péché mais non suffisante à sa rémission parce qu'elle ne comporte pas, comme la contrition, le propos de la confession ou la volonté de ne plus commettre le péché. Beaucoup suivront cette idée. D'autres paraissent supposer qu'un certain degré d'intensité est requis pour que le repentir soit contrition et remette le péché, autrement il n'y a qu'attrition, ou bien l'attrition est la douleur, insuffisante, des péchés en général, tandis que la contrition est le regret, efficace, de chaque faute en particulier (P. Anciaux, *op. cit.*, p. 473-80).

Au 13e siècle, à l'époque où la grande scolastique élabore les notions de grâce sanctifiante et de vertus infuses, on cherchera la différence spécifique dans une autre ligne. On appellera contrition le parfait repentir qui procède du libre arbitre « informé » par la grâce *gratum faciens* ou sanctifiante, qu'accompagne naturellement la vertu infuse de charité, et qui pour cette raison remet le péché, alors que l'attrition est un repentir qui provient seulement d'une grâce prévenante ou *gratis data* (H. Dondaine, *L'attrition suffisante*, Paris, 1943, p. 5-6). En même temps que l'infusion de la grâce, enseigne saint Thomas, se produit le mouvement de contrition, « simul cum gratiae infusione est motus contritionis » ; dans ce mouvement même s'opère la justification du pénitent, « in ipso motu contritionis justificatur poenitens ». L'attrition n'est que le repentir imparfait et préparatoire qui précède normalement l'infusion de la grâce et la contrition, « motus attritionis praecedit quasi praeparatorius » (*In IV Sent.*, dist. 17, q. 1, a. 4, qu. 2).

Plus tard, on en viendra à chercher le fondement de la distinction entre contrition et attrition dans leur motif respectif, ce que le nominaliste Durand de Saint-Pourçain † 1334 aurait été un des premiers à faire (*In IV Sent.*, dist. 17, q. 2, 5, Venise, 1571, f. 339r). La contrition est un regret du péché qui a pour motif la charité envers Dieu, et l'attrition un motif humain, tel que la pensée du châtiment mérité. Ici, c'est avant tout l'amour légitime de soi-même qui inspire le regret. Celui-ci n'est pas pour autant mauvais, il est même bon, quoique imparfait, et prépare de loin au pardon s'il exclut toute volonté actuelle de pécher.

Cette conception sera au fond celle du concile de

Trente qui, après avoir établi une notion de la contrition prise au sens générique de vrai repentir et définie comme « une douleur de l'âme et une détestation du péché commis avec la résolution de ne plus pécher à l'avenir » (Sess. XIV, cap. 4, Denzinger, n. 1676), distingue deux espèces de contrition, l'une « parfaite », non à cause de sa grande intensité ou pureté, mais parce que la charité, de toutes les vertus la plus haute, en fait la perfection et l'efficacité particulière (n. 1677), l'autre imparfaite, ou attrition, « parce qu'elle naît communément de la considération de la laideur du péché ou de la crainte de l'enfer » (n. 1678). On est parvenu là à la doctrine moderne et classique.

La différence de points de vue entre les modernes, qui définissent l'attrition et la contrition à partir de leurs motifs psychologiques, et les médiévaux, comme saint Thomas, qui les distinguaient fondamentalement par leurs principes ontologiques, ne comporte pas en soi d'opposition. La distinction des principes, chez saint Thomas, impliquait celle des motifs (Dondaine, *op. cit.*, p. 8-9, note 5). Il n'y avait pas dichotomie entre le plan psychologique et le plan ontologique. Cette dichotomie, qui s'est introduite avec Scot, puis les nominalistes, sera une des caractéristiques de la théologie post-tridentine dite « attritioniste ». L'attrit pourra ainsi, dans le sacrement, être justifié par la simple infusion de la grâce et des habitus surnaturels sans changement du motif de son repentir.

**3. Rapport des « parties » de la pénitence.** – Certaines questions se posent, dont la première est celle du lien de ces parties entre elles. Après Abélard, qui a eu le mérite de faire prendre conscience du rôle fondamental de la contrition dans la pénitence, et Pierre Lombard, qui a précisé et nuancé certaines de ses idées, la majorité des théologiens du 12e siècle affirment que les péchés sont remis dans la contrition même avant la confession. Regret de la faute par amour de Dieu, la contrition procure en effet aussitôt le pardon. A quoi bon alors la confession ? Non indispensable en elle-même à la rémission de la faute, la confession n'en est pas moins nécessaire en tant qu'elle permet au prêtre, médecin des âmes, de juger de l'état du malade et de lui prescrire le remède convenable de la satisfaction, dont dépend l'expiation des suites du péché (en particulier, les peines temporelles qui demeurent une fois remises par la contrition la faute et la peine éternelle qui l'accompagne). Et parce que le pénitent pour obtenir le pardon de ses péchés doit vouloir en expier les suites, il n'y a pas en réalité de vraie contrition rémissive de la faute sans le propos ou vœu de la confession qui conditionne la satisfaction (P. Anciaux, *op. cit.*, p. 176-85, 223-31, 480-90). Cette conception médicinale propre aux maîtres médiévaux ne dit sans doute pas le dernier mot sur la nécessité de la confession, mais elle n'est pas non plus dénuée de valeur, car, bien comprise, elle implique le caractère irremplaçable de la fonction pastorale du prêtre dans la conversion plénière du pénitent et son entière libération. Le concile de Trente ne l'ignorera pas complètement (Denzinger, n. 1680 in fine ; 1692).

**4. Rapport de la contrition et de l'absolution.** – Plus complexe à expliquer est la manière dont les actes du pénitent, et spécialement la contrition, se nouent avec l'absolution. Quelle portée reconnaître à celle-ci si la contrition, par elle-même, obtient le pardon de Dieu et réconcilie avec lui ?

Abélard, exaltant la prépondérance de la contrition, en venait à restreindre l'intervention du ministre à l'imposition de la satisfaction et à la réconciliation du pécheur avec l'Église au for externe. Il sera accusé au concile de Sens en 1140 de n'avoir pas reconnu le pouvoir de remettre les péchés (Denzinger, n. 732).

Hugues de Saint-Victor † 1141 (*De sacramentis*, lib. III, pars 14, c. 8, PL 176, 565), puis Richard de Saint-Victor † 1173 (*Tractatus de potestate ligandi et solvendi*, c. 10, PL 196, 1166), qui sont en vive réaction contre Abélard et voudraient attribuer une véritable efficacité sacramentelle à l'action du prêtre, pensent pouvoir séparer la rémission de la faute et celle de la peine éternelle. Ils enseignent que Dieu remet la faute dans la contrition, et le prêtre, par l'absolution, la peine éternelle annexée à la faute. Mais l'opinion des Victorins n'aura guère, et à bon droit, de succès.

Si l'on veut fermement maintenir la nécessité de la contrition par laquelle l'homme est toujours et immédiatement justifié devant Dieu, il ne reste, à première vue, qu'une possibilité : réduire l'absolution à une simple déclaration du péché remis. La théorie de l'absolution déclarative sera proposée par nombre de théologiens du 12e siècle à la suite de Pierre Lombard (*Sententiae* IV, d. 18, c. 5, n. 5 ; c. 6, n. 1, p. 360-61). La rémission du péché est due à la contrition seule ; le prêtre déclare de façon officielle et authentique le pardon accordé par Dieu, pour que l'Église puisse reconnaître la conversion du pécheur. C'était, en fait, vider l'absolution de toute efficience réelle.

Dans la première moitié du 13e siècle, une appréhension plus claire de l'unité que forment ensemble l'action du ministre et la démarche du pénitent va permettre d'échapper à la logique de cette solution simplificatrice. On se servira pour cela de la distinction entre contrition et attrition.

Le pénitent qui, de bonne foi, se présente à la confession simplement attrit alors qu'il devrait être contrit, pourra recevoir la grâce de la contrition, et donc la rémission des péchés, dans le sacrement lui-même, car le sacrement, et spécialement l'absolution, peut produire l'achèvement du repentir et la contrition rémissive des péchés.

C'est l'enseignement de Guillaume d'Auvergne † 1248 (*De sacramento paenitentiae*, c. 4-8, *Opera*, Venise, 1591, p. 440-49), et du dominicain Hugues de Saint-Cher † 1263 (*In IV Sent.*, d. 14), chez qui se rencontre explicitement pour la première fois, semble-t-il, l'adage : *de attritione fit contritio*, ou comme on dira aussi plus exactement : *paenitens ex attrito fit contritus* (P. Anciaux, *Le sacrement de pénitence chez Guillaume d'Auvergne*, dans *Ephemerides theologicae lovanienses*, t. 24, 1948, p. 98-118 ; A. Vanneste, *La théologie de la pénitence chez quelques maîtres parisiens de la première moitié du 13e siècle, ibidem*, t. 28, 1952, p. 24-58).

L'idée est reprise et approfondie par Thomas d'Aquin † 1274, qui se trouve en possession d'une théologie de la grâce, de la justification et de la causalité des sacrements plus ferme et mieux élaborée. Certes, l'attrition est suffisante pour recevoir le sacrement, mais elle ne suffit pas pour y être justifié. Il faut que d'attrit le pénitent devienne contrit. Car il n'y a jamais rémission des péchés et justification sans contrition. Ce changement de disposition intérieure sera l'effet même de la réception du sacrement, et en particulier de l'absolution, qui en est la forme, et donc l'élément constitutif plus important. Sous l'influence vitale de l'infusion de la grâce le pénitent purement attrit est mû à éliciter l'acte de contrition, qui procède de la vertu infuse de pénitence, impérée par la charité. Il obtient ainsi la rémission de ses péchés et se trouve librement justifié (*Sum. theol.* III, q. 84, a. 1, ad 3 ; q. 86, a. 6, ad 1 ; *In IV Sent.*, d. 17, q. 2, a. 5, qu. 1 ; cf. *Supplem.*, q. 5, a. 1). Cet effet ne se produit pas nécessairement à l'instant même où le sacrement est reçu. Il peut être retardé si le pénitent oppose quelque obstacle à la motion de la grâce, qui toutefois lui fera infailliblement poser l'acte de contrition lorsque cessera cette résistance (*In IV Sent.*, d. 17, q. 3, a. 4, qu. 1 ; cf. *Supplem.*, q. 9, a. 1).

Il est donc impossible de déterminer concrètement quand s'accomplit le passage, toujours invisible, de l'état imparfait d'attrition à celui de contrition. Mais ce passage, qui est le fruit immédiat du sacrement, n'en demeure pas moins absolument requis. Le pénitent accède-t-il contrit au sacrement, comme cela devrait être normalement le cas, sa contrition est déjà l'effet du sacrement, car le sacrement de pénitence, comme le baptême, opère la rémission du péché « vel in voto, vel in actu se exercens » (*In IV Sent.*, d. 18, q. 1, a. 3, qu. 1 ; cf. *Supplem.*, q. 18, a. 1). Il y a un moment ponctuel de l'absolution, mais l'efficience du sacrement ne lui est pas liée ; la grâce de l'absolution agit dès qu'on regrette son péché.

Saint Thomas marque un point d'équilibre qui sera bientôt dépassé. Avec Jean Duns Scot † 1308 apparaît une théorie jusque-là inconnue de la théologie : celle des deux voies de justification, l'une extra-sacramentelle, considérée comme plus difficile et incertaine, l'autre sacramentelle, plus facile et plus sûre. En dehors du sacrement le pécheur doit mériter devant Dieu au titre d'une certaine convenance (= *de congruo*) la grâce habituelle et la justification par le moyen d'une attrition que Scot appelle « suffisante », et que caractérisent une durée et une intensité particulières, mais qu'on cherchera plus tard, en raison de sa haute tenue morale, à identifier à la contrition parfaite des modernes. Dans le sacrement, au contraire, n'est requise qu'une attrition médiocre, qui consiste dans l'intention de le recevoir et dans l'absence d'attachement actuel au péché mortel, ce qui ne saurait évidemment se faire sans quelque regret des fautes commises et un propos de les éviter désormais. L'incapacité intrinsèque de cette attrition à mériter la justification est compensée par l'efficacité de l'absolution, qui provient d'un « pacte » avec l'Église où Dieu s'est engagé à infuser la grâce qui efface le péché chaque fois que l'absolution serait donnée à un pénitent attrit de la sorte. N'est nullement nécessaire l'intervention d'une disposition plus parfaite, comme serait la contrition.

En réalité, exiger celle-ci pour la justification dans le sacrement équivaudrait à refuser au sacrement de jamais procurer le salut. L'attrition du pénitent n'en devient pas moins contrition par la simple coexistence ou concomitance dans l'âme, avec l'acte même d'attrition, de la grâce habituelle et de la charité reçues en vertu de l'absolution, mais sans aucune modification de la réalité psychologique de cet acte. Scot conserve donc l'adage « *ex attrito fit contritus* », tout en le prenant dans un sens neuf et très spécial, qu'adoptera par la suite, en même temps que la théorie des deux voies, l'« attritionisme » post-tridentin (*Opus oxoniense*, IV Sent., d. 14, q. 2, n. 14, *Opera*, Lyon, 1639, t. 9, p. 45 ; d. 14, q. 4, n. 6-7, p. 92 ; d. 17, q. unica, n. 13-14, p. 300-01 ; *Reportata parisiensia*, IV Sent., d. 14, q. 4, n. 11-12, t. 11, II, p. 717).

Sur les simplifications que peut comporter un résumé de la doctrine du Docteur « subtil », voir la discussion entre V. Heynck, « *Attritio sufficiens* », dans *Franziskanische Studien*, t. 31, 1949, p. 76-134, et H.-F. Dondaine, *Bulletin de théologie*, RSPT, t. 36, 1952, p. 665-68.

De ces exposés simplificateurs et plutôt péjoratifs du scotisme, les nominalistes seront du reste les premiers responsables (cf. Guillaume d'Occam † 1349, *In IV Sent.*, q. 9, *Opera*, Lyon, 1494-1496, lettre P). Réagissant contre Duns Scot, dont certaines formules les heurtent, et qu'ils jugent exiger trop peu, ils retournent au vieux contritionisme des premiers scolastiques. Le pénitent doit se présenter au sacrement déjà contrit, et donc justifié. Le prêtre ne peut que déclarer absous celui que Dieu a déjà absous à cause de sa contrition. Ainsi Gabriel Biel † 1495, *Collectorium* IV, d. 18, q. 1, a. 2, Tübingen, 1977, p. 522-25. Les correctifs apportés par Biel à la théorie de Pierre Lombard restent en fait marginaux. Ici il n'y a plus qu'une seule voie de justification. Mais le sacrement ne trouve pas de rôle véritable à jouer. Il n'est nécessaire qu'en vertu de la décision divine qui l'a institué, et se contente d'augmenter la grâce chez le pénitent déjà justifié. Quant à la contrition, les nominalistes la demandent à l'effort humain avant la grâce, et l'amour de Dieu par-dessus tout qui en est le motif provient des seules forces de l'homme laissé à lui-même. C'est dans les ouvrages de Gabriel Biel et de son école que Luther en sa jeunesse s'initiera à la théologie. Il en gardera une idée de la pénitence à laquelle il s'opposera violemment, sans pouvoir se débarrasser de l'absolution déclarative, dont il fera sienne à son tour le concept, bien que dans un autre contexte.

**5. Environnement socio-culturel des doctrines.** – On aimerait savoir dans quelle mesure ces théories d'école ont influencé la pratique, ou comment la pratique a pu au contraire engendrer les théories. Mais ce serait s'engager sur un terrain en grande partie inexploré. En tout état de cause, on peut dire sans risque de beaucoup se tromper que théorie et pratique sont l'une et l'autre redevables à un environnement social et culturel que la littérature en langue romane – poèmes, fabliaux, romans, chansons de geste – aide, en ce qui concerne la pénitence, à reconstituer. Aux 12e et 13e siècles, repentir et confession sont littéralement partout, jusque dans le roman le plus profane.

Cf. J. C. Payen, *Le motif du repentir dans la littérature française médiévale*, Genève, 1967 ; *La pénitence dans le contexte culturel des XIIe et XIIIe siècles. Des doctrines contritionistes aux pénitentiels vernaculaires*, RSPT, t. 61, 1977, p. 399-428.

Il n'est pas niable que les choix doctrinaux soient parfois conditionnés par le moment historique. Le « contritionisme » d'Abélard, de Pierre Lombard et des maîtres du 12e siècle reflète peut-être quelque chose d'un certain idéal chevaleresque et aristocratique de la féodalité naissante qui valorise l'individu, attire l'attention sur la spécificité de la personne, et met l'accent sur l'engagement personnel. L'importance que revêt progressivement le rôle du prêtre dans la pénitence, qui n'a plus seulement à prendre acte d'une rémission du péché déjà acquise, mais devient le dispensateur réel de la grâce, va probablement de pair avec la hiérarchisation et structuration de la société, l'affermissement des pouvoirs civils et ecclésiastiques, qui se produit au 13e siècle. L'apparition de l'« attritionisme » scotiste, à une époque où les ordres mendiants, en particulier les franciscains, prennent en charge la prédication pénitentielle, n'est, semble-t-il, qu'une tentative pour aligner la théorie sur la pratique qui a dû, instruite par l'expérience, se résigner à un minimum de disposition pour rendre la confession plus facile et accessible à tous. Nous ignorons d'ailleurs comment le peuple chrétien dans son ensemble acceptait l'obligation de la confession annuelle promulguée par Latran IV, et jusqu'à quel point la confession fréquente était entrée dans les habitudes. Les manuels de pénitence en langue vernaculaire destinés aux laïcs, qui apparaissent autour de 1250, et promeuvent un examen de conscience actif et personnel, sont toutefois révélateurs de la volonté d'éducation chrétienne dont la confession fournissait l'occasion et le moyen (J. C. Payen, art. cité, p. 423-27).

Il faudrait mentionner aussi les rapports entre confession et prédication médiévale, dans la mesure où celle-ci propose un modèle moral dont la confession vérifie l'intériorisation, et cherche à persuader les fidèles de confesser leurs fautes. Cf. *Faire croire. Modalités de la diffusion et de la réception des messages religieux du XIIe au XVe siècle*, Table ronde..., dans *Mélanges de l'École française de Rome, Moyen âge*, 1981, avec les communications de R. Rusconi (p. 67-85), L.K. Little (p. 87-99), J. Berlioz (p. 299-335).

6. **La confession aux laïcs.** – Lorsque commença à se répandre dans l'Église latine la pénitence privée et réitérable, on la considéra comme tellement bénéfique du point de vue spirituel que souvent on recommanda aux fidèles de pratiquer, outre la confession devant le prêtre pour les péchés graves, la confession entre laïcs pour les fautes quotidiennes plus légères, ce qu'on légitimait en faisant appel à Jacques 5, 16 : « Confessez donc vos péchés les uns aux autres... ».

Le premier témoin de ce genre de confession pour effacer les péchés véniels est Bède le Vénérable † 735 (*Super divi Jacobi epistolam* 5, PL 93, 39-40). Au 11e siècle, la confession aux laïcs s'étend aux péchés mortels en cas de nécessité et manque de prêtre. C'est la doctrine du *De vera et falsa paenitentia* (vers 1050), dont l'influence fut grande en raison de sa fausse attribution à saint Augustin. Mais le pouvoir d'absoudre n'y est pas reconnu aux laïcs. Celui qui se confesse ainsi est pardonné en vertu de son désir d'avoir un prêtre (c. 10, n. 25, PL 40, 1122). Au 12e siècle, Pierre Lombard enseigne de même que la confession faite à un laïc est obligatoire quand on ne peut recourir à un prêtre (*Sent.* IV, d. 17, c. 4, n. 2, p. 351). Il est plus sûr cependant d'avouer même les fautes vénielles à un prêtre (n. 7, p. 353). Au 13e siècle, Albert le Grand et Thomas d'Aquin admettent aussi l'obligation de cette confession, dans laquelle Albert le Grand voit un sacrement, dont le laïc serait le ministre vicaire (*In IV Sent.*, d. 17, a. 59, dans *Opera omnia*, t. 29, Paris, 1894, p. 755), mais c'est manifestement dans un sens large et impropre, car il affirme ailleurs clairement que seule la confession faite à un prêtre est le véritable sacrement de pénitence, qui réconcilie non seulement avec Dieu, mais avec l'Église : celui qui s'est confessé à un laïc est tenu de refaire sa confession à un prêtre (*In IV Sent.*, d. 17, a. 39, p. 719-20). Pour Thomas, la confession faite à un laïc n'est pas un sacrement complet parce qu'il y manque l'absolution du prêtre. Elle a néanmoins quelque chose de sacramentel, « est quodammodo sacramentalis ». Le Christ, souverain prêtre, supplée en effet au défaut de prêtre, et celui qui se confesse dans ces conditions, ayant fait pour sa part tout ce qu'il pouvait en posant les actes qui servent de matière au

sacrement, obtient le pardon de Dieu, mais il ne peut par la suite être admis aux sacrements de l'Église (l'eucharistie, en particulier) avant d'avoir reçu l'absolution d'un prêtre, car le pécheur ne doit pas seulement être réconcilié avec Dieu, mais aussi avec l'Église, ce que seul le prêtre peut faire (*In IV Sent.*, d. 17, q. 3, a. 3, qu. 3 ; cf. *Supplem.*, a. 8, a. 2, ad 1 et 3).

L'école franciscaine, avec Alexandre de Halès et Bonaventure, pense au contraire que la confession à un laïc en cas de nécessité n'est ni sacramentelle, ni obligatoire, mais louable et utile : elle humilie le pécheur et excite en lui les dispositions requises pour recevoir de Dieu la rémission des péchés. Jean Duns Scot a une opinion plus réservée, et même négative. Partant du principe, qui lui est propre, que le sacrement de pénitence consiste uniquement dans l'absolution du prêtre, il dénie à la confession faite au laïc n'ayant pas le pouvoir d'absoudre toute valeur sacramentelle et toute efficacité. Loin d'être obligatoire et même utile, cette confession serait plutôt nuisible au salut, car il y a des révélations qui ne sont pas à faire à un laïc (*Opus oxoniense*, IV Sent., d. 14, q. 4, n. 5, dans *Opera*, Lyon, 1639, t. 9, p. 90 ; d. 17, q. unica, n. 27, p. 331). Il suffit de se confesser à Dieu avec le ferme propos de s'adresser à un prêtre dès que l'occasion s'en présentera (n. 31, p. 339).

Attestée par de nombreux documents littéraires (chansons de gestes, chroniques, mémoires, récits édifiants), la confession aux laïcs pouvait être faite à tout chrétien, homme ou femme. Les navigateurs en péril, les soldats avant la bataille se confessaient entre eux en l'absence de prêtre. Encore au début du 16e siècle, Ignace de Loyola militaire se confesse à un compagnon d'armes (*Autobiografía*, c. 1, n. 1, dans *Obras completas*, Madrid, 1975, p. 89).

La principale raison de la disparition de cette pratique fut la réaction catholique à la doctrine protestante qui, niant la nature proprement sacramentelle du sacerdoce ministériel des prêtres et exaltant le sacerdoce universel des fidèles, étendaient à ceux-ci le pouvoir d'absoudre. Ce que réprouvera le concile de Trente, ce n'est pas la confession à un laïc en tant que telle, mais l'interprétation donnée par les protestants des paroles du Christ concernant l'absolution et la remise des péchés, qu'ils considéraient comme adressées à tous et à chacun des chrétiens indistinctement (Denzinger, n. 1684 ; 1710). L'idée est étrangère à la confession médiévale aux laïcs ; elle était un moyen d'exciter la contrition, de s'humilier par manière de satisfaction, et de faire son possible dans l'impossibilité de trouver un prêtre. Les théologiens catholiques après le concile de Trente la déconseillèrent sans l'interdire, et elle tomba en désuétude.

7. **La vertu de pénitence.** – La théologie scolastique s'est occupée de la pénitence surtout en fonction du sacrement, mais elle a donné aussi à la pénitence en tant que vertu sa place dans le système théologique. Le repentir est un acte moralement bon, et en ce sens vertueux. Lorsqu'on emprunta à l'éthique aristotélicienne le concept philosophique de vertu ou d'*habitus*, on se demanda si cet acte procédait d'une vertu proprement dite et spéciale. Variées furent les réponses. Nient, sinon toujours en paroles, du moins en fait, la réalité spécifique d'une telle vertu ceux qui, comme Guillaume d'Auxerre (*Summa aurea*, lib. 4, tr. 6, q. 3) et Alexandre de Halès (*Summa theologiae*,

4ᵃ p., q. 12, m. 1), la réduisent à une condition générale de toutes les vertus, ou bien l'identifient à une
autre vertu : la charité (d'anciens théologiens énumérés par la *Summa* d'Alexandre, 4ᵃ p., q. 54, m. 1,
a. 2) ; la justice naturelle et acquise mue par les vertus théologales (Durand de Saint-Pourçain, *In 4 Sent.*,
d. 14, q. 2, n. 7) ; la religion (Cajetan, *In 3ᵃᵐ*, q. 85,
a. 2, éd. Léonine de la *Somme*, n. 3) ; la crainte filiale
(G. de Contenson, *Theologia mentis et cordis*, lib. XI,
pars 3, dissert. unica, c. 1, corol. 1). Duns Scot rattache la pénitence à la « justice vindicative » : on se
punit soi-même des péchés commis (*Opus Oxoniense*
IV, d. 14, q. 2, n. 2-3 ; 6-8). Suárez semble en faire
plus ou moins une « partie subjective » ou espèce du
genre « justice commutative » (*De poenitentia*, disp. 2,
sect. 3 ; disp. 7, sect. 1 ; *De religione*, lib. 2, c. 7).

La doctrine classique restera celle de saint Thomas,
qui ne mentionne d'ailleurs pas la pénitence dans le
catalogue des vertus morales et de leurs annexes, et
n'en traite qu'en étudiant le sacrement. C'est une
vertu morale surnaturelle qui incline au regret du
péché, non à cause des supplices éternels, mais uniquement parce que le péché est une offense de Dieu
(*Sum. theol.*, 3ᵃ, q. 85, a. 5, ad 1).

Si la vertu de pénitence ne comprenait que la seule détestation du péché, elle serait englobée dans la vertu théologale
de charité. Mais elle va plus loin : inspirée par l'amour de
Dieu, dont elle dérive en quelque sorte (a. 2, ad 1), elle
consiste non seulement à regretter le péché de façon souveraine et universelle, mais elle veut aussi avec fermeté travailler à sa réparation autant que cela est possible, et c'est là
son acte spécifique (a. 2). Cet acte est un acte de justice à
l'égard de Dieu qu'on a offensé (a. 3). La pénitence, grâce à
laquelle l'offenseur répare volontairement l'ordre lésé en restaurant lui-même le droit de l'Offensé en vue de retrouver
son amitié (q. 90, a. 2), pourrait donc être rattachée à la justice commutative. Mais au sens strict la justice ne peut exister qu'entre égaux et il est impossible que l'offense faite à
Dieu soit jamais adéquatement compensée par une personne
créée. La pénitence ne vérifie donc pas la raison parfaite de
la justice, et pour cela on dira, selon la terminologie scolastique, qu'elle en est seulement une « partie potentielle » (*In 4
Sent.*, d. 14, q. 1, a. 1, qᵃ. 5).

L'attrition, qu'inspire la crainte « servile » des châtiments,
est antérieure à la vertu surnaturelle de pénitence. Celle-ci,
comme toutes les autres vertus morales surnaturelles, est
infusée par Dieu en même temps que la grâce sanctifiante et
la vertu théologale de charité. Elle ne peut donc se trouver
que chez l'homme justifié (*Summa theol.*, 3ᵃ, q. 85, a. 6).
Saint Thomas ne nie du reste pas qu'il puisse y avoir une
vertu naturelle et acquise de pénitence. Simplement il ne s'en
occupe pas.

Le siège de la vertu de pénitence est la faculté volitive
(a. 4). Mais l'ébranlement parti de la volonté pourra se
transmettre aux autres facultés (ad 4). Il irradiera parfois
profondément dans la sensibilité. Voir art. *Larmes*, DS, t. 9,
col. 287-303. C'est tout l'homme qui se repent.

Prise au sens strict, la vertu de pénitence ne peut
résider que chez celui qui a péché ou est encore susceptible de pécher, parce que cette vertu a pour objet
le péché personnellement commis, ou qu'on pourrait
commettre et qu'on renie par avance. Mais dans un
sens plus large elle peut s'étendre à des offenses commises contre Dieu par d'autres, dont on s'afflige, et
qu'on désire réparer dans la mesure du possible. Le
Christ ne peut être appelé, au sens strict, « pénitent »,
car son humanité était impeccable. Cf. le décret du
Saint-Office, 15 juillet 1893, parmi les « dévotions
prohibées », DS, t. 3, col. 751. On peut cependant lui

donner ce titre si on l'entend dans un sens large. Saint
Thomas parle de la douleur intérieure que lui causait
la pensée de tous les péchés du genre humain, pour
lesquels il satisfaisait en sa passion (*Sum. theol.*, 3ᵃ,
q. 46, a. 6). Cette douleur dépassa chez lui toute douleur de n'importe quel « contrit » (ad 4). Il est le plus
grand modèle des pénitents. « Christus dedit maximum exemplum paenitentibus, dum non pro peccato
proprio, sed pro peccatis aliorum voluit poenam
subire » (3ᵃ, q. 15, a. 1, ad 5).

L'« esprit de pénitence » sera une expression employée par
certains auteurs modernes. Cet esprit, selon P. Galtier, qui le
décrit longuement, « n'est pas autre chose que l'acte intérieur
de pénitence passé à l'état d'habitude. Il consiste dans une
tendance, toujours ou fréquemment agissante, à poursuivre
la réparation du péché » (*Le péché et la pénitence*, Paris,
1929, p. 192-201).

Que comporte une telle réparation ? Le regret lui-même
qui veut compenser la faute et qui, intense, est déjà compensation pour celle-ci, l'amendement de la vie qui rachète le
passé, enfin la satisfaction soit sacramentelle, fixée par le
confesseur, soit librement et spontanément choisie sous l'inspiration de la grâce.

La vertu de pénitence constitue la vertu du repentir
qui offre satisfaction. Elle entraîne naturellement à la
pratique d'actes non seulement intérieurs, mais extérieurs d'ascèse, auxquels le DS a consacré différents
articles (voir bibliographie finale).

Pour avoir exercé la vertu de pénitence à un degré spécial,
des saints ont mérité la dénomination de « pénitent » ou de
« pénitente », comme sainte Marguerite de Cortone (DS,
t. 10, col. 337-38), ou sainte Marie-Madeleine, identifiée à la
pécheresse de Luc (DS, t. 10, col. 559-75).

É. Amann, art. *Pénitence*, DTC, t. 12, col. 743-48. –
E. Doronzo, *De Poenitentia*, t. 1, De sacramento et virtute,
Milwaukee, 1949, p. 278-35. – E. Neveut, *La vertu de pénitence*, dans *Divus Thomas* (Piacenza), t. 30, 1953, p. 169-78.
– B. de Vaux Saint-Cyr, *Revenir à Dieu. Pénitence, conversion, confession*, Paris, 1967, p. 181-234. – J.-M. Pohier, *La
pénitence, vertu de la culpabilité chrétienne*, dans *Psychologie
et théologie*, Paris, 1967, ch. 8, p. 283-332.

## VI. LE CONCILE DE TRENTE ET SON ÉPOQUE

Avec ses neuf chapitres et ses quinze canons pro-
mulgués le 25 novembre 1551, après six semaines
d'intenses travaux, la 14ᵉ session du concile de Trente
est un jalon très important dans l'histoire doctrinale
de la pratique pénitentielle, car c'est la première fois
qu'un concile traite de la pénitence avec une telle
ampleur. Ces textes, où s'exprime le témoignage de
conscience que le catholicisme d'alors avait de sa foi
et de sa discipline, sont le point d'arrivée d'une longue
évolution qui ne regarde pas seulement le passé mais
engage aussi l'avenir. Ils marqueront profondément la
mentalité et la piété catholiques, et demeurent encore
aujourd'hui un pôle de référence pour tout développement ultérieur. Il n'est pas toutefois niable que les
Pères du concile aient été en grande partie conditionnés par les connaissances historiques limitées
qu'on avait au 16ᵉ siècle et leur préoccupation quasi
exclusive de défendre la pratique contemporaine de
l'Église considérée comme normative contre les thèses
du protestantisme naissant.

**1. Les Réformateurs protestants et la pénitence.** –
Luther a souvent parlé de la pénitence et de la confession, en particulier dans ses sermons (dont cinq au

moins y sont consacrés). Au début de son *De captivitate Babylonica* (1520), il admet encore, semble-t-il, que la pénitence est un sacrement et la nomme avec le baptême et le pain (éd. de Weimar, t. 6, p. 501). Mais à la fin de l'ouvrage, il penche nettement pour la négative. Le rite de la pénitence n'a pas été institué par Dieu mais par l'Église. On peut toutefois y trouver comme une voie de retour aux sentiments du baptême. C'est une réactivation de la foi justifiante par le moyen de l'absolution qui est en même temps l'exercice du pouvoir d'annoncer l'Évangile du pardon et de déclarer en privé au pécheur que ses péchés lui sont remis à cause de sa foi, inséparable de la justification (p. 572). Luther ne rejette donc pas la confession. Il la recommande au contraire vivement, et s'est lui-même confessé jusqu'à la fin de sa vie. Il en nie seulement la nécessité objective pour la rémission des péchés, bien qu'on puisse la dire subjectivement nécessaire chez certaines personnes inquiètes, auxquelles elle apporte, unie à l'absolution, la paix et la consolation dont elles ont besoin, en les assurant du pardon de Dieu. Entièrement libre en elle-même, elle l'est aussi quant aux péchés à accuser, qu'il n'y a aucune obligation d'énumérer tous, autrement la confession devient pour l'esprit tourment et torture. Il suffit de confesser les péchés dont on se sent le plus opprimé (*Confitendi ratio* 8, éd. de Weimar, t. 6, p. 162 ; *De captivitate Babylonica*, t. 6, p. 546-48 ; *Deutsch Katechismus : Ein kurtze Vermanung zu der Beicht*, t. 30/1, p. 233-38). Quand Dieu pardonne, c'est d'ailleurs gratuitement et sans rien exiger d'autre que la foi. L'idée même d'une satisfaction à fournir par le pécheur fait injure à la rédemption du Christ, dont elle obscurcit la signification et la portée. Le Christ en effet a pleinement satisfait pour les péchés du monde entier, et en a totalement expié la peine. On n'y saurait rien ajouter. La confession sera par conséquent sans satisfaction. A moins qu'on ne préfère dire que la vraie satisfaction est le ferme propos mis en acte de mener une vie meilleure, plus chrétienne, et de cesser de pécher (*De captivitate Babylonica*, t. 6, p. 548-49).

La conception luthérienne de l'absolution n'est peut-être qu'un surgeon tardif poussé, à travers le nominalisme, sur le vieux tronc de l'absolution déclarative des premiers maîtres médiévaux, avec cependant des différences patentes. Ceux-ci enseignaient que la rémission du péché se fait non seulement à cause de la foi du pécheur, mais de sa contrition, qui est véritable regret du péché par amour de Dieu. Selon Luther, au contraire, le poids de la nature viciée est tel qu'il est impossible à l'homme déchu de regretter librement le péché en tant que péché ; il ne peut que prendre conscience avec effroi, à la lumière de la Parole de Dieu, du misérable état de condamnation dans lequel il se trouve plongé et se livrer alors par un mouvement de foi-confiance au Dieu qui sauve et le tient pour justifié en raison des mérites du Christ. Car aux menaces du jugement l'Évangile joint la promesse et consolation de la grâce. Terreurs de la conscience et foi confiante, telles sont les deux parties subjectives de la pénitence, dont seule la seconde est active et justifiante (*Confessio Augustana*, art. 12, dans J. T. Müller, *Die symbolischen Bücher der evangelisch-lutherichen Kirche*, Gütersloh, 1912, p. 41 ; *Articuli Smalcaldici*, pars III, art. 3, dans Müller, p. 312). Cf. DS, t. 9, col. 1231-39.

Mélanchton, qui se réclame de Luther sur la nature de l'absolution et de la pénitence, ne voit pas d'inconvénient à retenir celle-ci au nombre des sacrements (*Apologia confessionis*, art. 13, dans Müller, p. 202). Calvin, tout en admettant utile et légitime la pratique de la confession à condition qu'elle ne soit obligatoire pour personne et reste libre dans son contenu comme dans son exercice, refuse catégoriquement d'y reconnaître un vrai sacrement. On ne trouve nulle part dans l'Écriture que Dieu ait institué ce rite. C'est une institution d'origine ecclésiastique, qui remonte, pense-t-il, au 4e concile du Latran de 1215 (*Institution chrétienne*, liv. III, ch. 4, n. 7 et n. 16-17). Ce n'est pas, comme on le prétend, « une seconde planche de salut après le naufrage ». A proprement parler, il n'y a pas d'autre sacrement de pénitence que le baptême (liv. IV, ch. 19, n. 17). Cela n'empêchera pas Calvin directeur d'âmes de conseiller la confession faite « l'un à l'autre » et plus normalement au pasteur, comme un moyen d'entretenir la vie de foi et l'esprit de repentance (DS, t. 2, col. 31-34).

**2. La doctrine pénitentielle de Trente.** – Le concile commence par définir que la pénitence est dans l'Église vraiment et proprement un sacrement institué par le Christ pour réconcilier avec Dieu les fidèles chaque fois qu'ils tombent, après le baptême, dans le péché (can. 1 ; Denzinger, n. 1701), et que c'est de ce sacrement que doivent être entendues les paroles du Christ en Jean 20, 23 (can. 3 ; n. 1703), ce qui ne veut pas dire pour autant que ce soit là le sens exclusif de ces paroles, ni que ce sens puisse être certainement compris sans recourir à l'interprétation de la Tradition, à laquelle le concile fait du reste appel (ch. 1 ; n. 1670). Il affirme en outre que le sacrement de pénitence est aussi nécessaire au salut pour ceux qui sont tombés après le baptême que l'est le baptême lui-même pour ceux qui ne sont pas encore régénérés (ch. 2 ; n. 1672). Le désir ou vœu de recevoir le baptême pouvant suppléer sa réception effective quand celle-ci n'est pas actuellement possible, on en conclut que la nécessité de la pénitence-sacrement est du même ordre. Il est d'ailleurs plus loin explicitement question du vœu de recevoir le sacrement de pénitence qui, inclus dans la contrition parfaite, suffit avec elle pour réconcilier l'homme à Dieu avant la réception même du sacrement (ch. 4 ; n. 1677).

1° La « forme » du sacrement, « où réside principalement sa vertu », est dans les paroles de l'absolution, tandis que les actes du pénitent (contrition, confession, satisfaction) en sont la « quasi matière » (ch. 3, n. 1673 ; can. 4, n. 1704).

L'expression vient de saint Thomas (*De articulis fidei et Ecclesiae sacramentis*, éd. P. Mandonnet, *S. Thomae Aquinatis opuscula omnia*, t. 3, Paris, 1925, p. 16, d'où a été tiré en grande partie le « Décret aux Arméniens » du concile de Florence en 1439, Denzinger, n. 1323). Elle met en valeur, sous une terminologie scolastique, l'importance de l'engagement personnel du pénitent, dont les démarches concourent, d'une manière subordonnée mais très réelle, à la constitution essentielle du sacrement, et donc à la rémission du péché, qui en est l'effet spécifique. Le mot « quasi » indique le caractère analogique de cette composition hylémorphique, qui n'est pas physique, mais morale. Pour Scot, au contraire, les actes du pénitent demeurent extrinsèques au sacrement lui-même, dont l'essence au sens strict consiste dans l'absolution du prêtre, et s'y concentre entièrement. Ils ne sont requis qu'à titre de conditions pour sa digne administration et sa réception fructueuse (*Opus oxoniense*, IV Sent., d. 16, q. 1, n. 7, dans *Opera*, Lyon, 1639, t. 9, p. 247 ; *Reportata parisiensia*, Sent. IV, d. 15, q. 4, n. 6, t. 11, p. 716). Le concile n'entendait certainement pas trancher le débat, et il était loisible aux scotistes de ne voir dans la « quasi matière » qu'une figure métaphorique de style pour désigner les conditions *sine qua non* du sacrement, ce qui a du reste pour conséquence de minimiser l'idée d'une sacramentalisation de la conversion chrétienne par le sacrement.

Parmi les actes du pénitent, la première place revient à la contrition, que rien ne peut remplacer, et qui est définie d'une manière générique comme « une douleur de l'âme et une détestation du péché commis avec la résolution de ne plus pécher à l'avenir » (ch. 4 ; n. 1676). Elle se distingue spécifiquement en contrition « rendue parfaite par la charité » (n. 1677), et en contrition imparfaite, « qu'on appelle attrition parce qu'elle naît communément de la considération de la laideur du péché ou de la crainte des peines de l'enfer ». Pour être valable, l'attrition doit exclure la volonté de pécher et s'accompagner de l'espoir du pardon. « Bien qu'elle ne puisse, par elle-même, sans le sacrement de pénitence, conduire le pécheur jusqu'à la justification, elle le dispose pourtant à obtenir la grâce de Dieu dans le sacrement » (n. 1678).

2° Mais c'est l'enseignement du concile sur le *caractère judiciaire de l'absolution* qui va fournir, de façon peut-être trop unilatérale, l'idée-clef à partir de laquelle se trouve spécifiée la nature propre de la pénitence-sacrement (can. 9, n. 1709 ; ch. 6, n. 1685). Ce que veut en réalité le concile, c'est affirmer l'efficacité de l'absolution à l'encontre de la théorie luthérienne qui, la réduisant au simple ministère d'annoncer l'Évangile ou de déclarer que les péchés sont remis au pénitent en vertu de sa foi, la vidait de toute capacité objective de produire un effet réel par rapport à la rémission des péchés.

Ce serait cependant à coup sûr une erreur que de vouloir restreindre la conception que Trente se fait de l'absolution en tant qu'acte judiciaire aux normes précises de la science juridique d'aujourd'hui. Il faut se souvenir en effet de l'évolution qu'ont subie depuis la fin du 18e siècle les notions de pouvoir et d'actes judiciaires. Anciennement on considérait comme juges non seulement ceux qui réglaient les litiges entre particuliers, et condamnaient ou acquittaient les personnes inculpées d'infraction aux lois en vigueur (ordre judiciaire au sens strict et actuel), mais ceux aussi qui, au nom du souverain, dispensaient indults et bénéfices dont la concession ne va pas toutefois sans la vérification de conditions déterminées chez le bénéficiaire (ordre judiciaire au sens large, relevant maintenant du pouvoir administratif). C'est ainsi que le concile peut dire d'une part que l'absolution du prêtre est « la dispensation d'un bienfait qui ne vient pas de lui », parce qu'elle confère la grâce rémissive du péché, et d'autre part, dans la même phrase, que cette absolution est « comme un acte judiciaire dans lequel une sentence est prononcée par le prêtre comme par un juge » (ch. 6 ; n. 1685). Il n'y a pas incompatibilité mais complémentarité entre ces deux affirmations si on tient compte des idées du temps. C'est ce que montre le cardinal Sforza Pallavicino † 1667 dans son *Istoria del Concilio di Trento*, Parte seconda, libro XII, c. 14, n. 8 (Rome, 1664, p. 346-47), la première histoire scientifique du concile. L'absolution est la collation d'un bienfait administré par mode de jugement. Celui-ci porte non seulement sur les péchés que le prêtre a besoin de connaître pour savoir ce qu'il pardonne, mais aussi sur les dispositions du pénitent qui conditionnent sa sentence de grâce.

3° Quand le concile parle de la *nécessité de la confession*, il ne s'agit pas de la nécessité du sacrement lui-même, qui a déjà été affirmée, mais de celle d'une accusation des péchés faite par le pénitent pour que le sacrement puisse être effectivement administré et exister. Cette nécessité, le concile la déduit de la nature même du pouvoir sacramentel de remettre et retenir les péchés, confié par le Christ à son Église, qui s'exerce précisément sous forme d'un jugement que le ministre du sacrement ne saurait prononcer sans en connaître l'objet de manière exacte et complète. Or il n'y a que le pénitent qui soit capable de l'en informer par le moyen de son propre aveu, et seul il peut donner la preuve de son authentique repentir. En instituant le sacrement de pénitence, le Christ n'a pas pu ne pas vouloir tout ce qui est la condition intrinsèque de l'administration de ce sacrement, et donc l'accusation personnelle du pénitent. C'est en ce sens que la confession a été instituée par le Christ et qu'elle est de « droit divin » (can. 6, n. 1706 ; ch. 6, n. 1684).

Le pénitent ne peut se contenter d'une confession purement générique ; est nécessaire une confession non seulement détaillée, mais intègre, dans laquelle le pénitent s'accuse, sans en omettre aucun, de tous les péchés commis, et spécifique, dans laquelle il explique les circonstances qui peuvent changer l'espèce de ces péchés (can. 7, n. 1707). Il s'agit d'ailleurs beaucoup plus d'une intégrité formelle que matérielle, car est uniquement exigée l'accusation des péchés dont après un diligent examen on a retrouvé le souvenir. Ceux dont on ne se souvient pas sont remis avec les autres (ch. 5, n. 1682). De la nécessité de la confession intègre sont toutefois exemptés les péchés véniels, qui ne font pas perdre la grâce, et peuvent être remis de bien d'autres manières. Il est néanmoins bon, utile et recommandé de s'en confesser (ch. 5, n. 1680).

K.-J. Becker, *Die Notwendigkeit des vollständigen Bekenntnisses in der Beichte nach dem Konzil von Trient*, dans *Theologie und Philosophie*, t. 47, 1972, p. 161-228. – A. Duval, *Le concile de Trente et la confession*, dans *La Maison-Dieu*, n. 118, 1974, p. 131-80 ; *Le « droit divin » de l'intégrité de la confession selon le canon 7 « De Poenitentia » du Concile de Trente*, RSPT, t. 63, 1979, p. 549-60. – P. Adnès, *« La pénitence »*, dans *Trente*, t. 2, coll. Histoire des conciles œcuméniques 11, Paris, 1981, p. 74-84, 88-102.

3. **Les catéchismes.** – Les décisions tridentines feront sentir leur influence dans le peuple chrétien par l'intermédiaire en particulier des catéchismes, dont le genre littéraire, théologiquement mineur si on le considère en soi mais d'une grande importance pour la christianisation du peuple, est en plein essor au lendemain du concile dans plusieurs pays d'Europe.

Issu directement du concile et promulgué en 1566 par Pie v, le *Catéchisme romain*, qui a un remarquable et substantiel chapitre sur la pénitence (Pars II, cap. 5), est l'un des ouvrages qui vont orienter le plus nettement la pastorale du 17e siècle à nos jours. Il se présente comme un manuel destiné aux curés pour guider leur prédication et leur enseignement. A la suite du cardinal Robert Bellarmin † 1621 (*Dottrina cristiana breve... Istruzioni pe' sacramenti : Della penitenza*, dans *Opera omnia*, Naples, 1872, t. 8, p. 151-52), on substitue presque toujours à partir de 1650, dans les catéchismes de langue française, à la division théologique tripartite des actes du pénitent (contrition, confession, satisfaction) une division plus pédagogique dans son intention, qui compte cinq actes : examen, contrition, ferme propos, aveu, satisfaction. La place matérielle donnée à l'examen pourrait laisser l'impression qu'il est le plus important de ces actes, et la contrition, que le *Catéchisme romain* définissait encore avec le concile de Trente : « une douleur et une détestation des péchés qu'on a commis, jointe à la volonté de n'en plus commettre à l'avenir », voit le ferme propos se dissocier d'elle pour constituer un acte à part. Cette tendance à multiplier les actes du pénitent ne relève pas seulement d'un moralisme scrupuleux, mais d'un propos spirituel : mettre en valeur la part du pénitent dans l'exercice sacramentel de la pénitence et compenser, semble-t-il, grâce à l'exigence chez lui d'une activité plus grande et même laborieuse ce qu'il pouvait y avoir apparemment de trop facile dans une conception simplificatrice de l'action *ex opere operato* du sacrement (J.-Cl. Dhôtel, *Les origines du catéchisme moderne d'après les premiers manuels imprimés en France*, Paris, 1967, p. 337-44).

4. « **Institutions morales** » **et manuels.** – A l'âge des « Sommes pour confesseurs », qui avaient elles-mêmes remplacé les pénitentiels, succède celui des « Institutions morales ». Ce sont des traités solides, mais sans érudition superflue et aux ambitions intellectuelles limitées, qui visent à donner une suffisante et méthodique initiation aux questions de morale, non pas tant du reste en fournissant la simple solution des cas qu'en apprenant l'art de résoudre ceux-ci en référence aux principes. Cette formule, qu'illustreront plusieurs jésuites du 17e siècle, et qui trouvera sa forme la plus autorisée dans la *Théologie morale* de saint Alphonse de Liguori au milieu du 18e siècle, répondait à un besoin précis du temps : préparer d'une manière efficace les prêtres, formés maintenant selon un cycle relativement court d'études dans les séminaires institués par Trente, au ministère de la confession devenu, à l'époque post-tridentine, une des tâches pastorales les plus importantes de la vie sacerdotale (L. Vereecke, dans *La Loi du Christ*, de B. Häring, trad. fr., t. 1, Tournai, 1956, p. 71-73).

Mais on rencontre aussi à la fin du 16e et au début du 17e siècle des manuels à l'usage des confesseurs d'un type encore plus pratique, qui seront, preuve de leur utilité, souvent réédités, telle l'*Instructio sacerdotum* du jésuite espagnol François Tolet † 1596 (DTC, t. 15, col. 1124) ou la *Praxis fori paenitentialis ad directionem confessarii in usu sacri sui muneris* du jésuite français Valerius Reginaldus † 1623 (DTC, t. 13, col. 2115-17). Plus tard, dans la seconde moitié du 18e siècle, Alphonse de Liguori à son tour en composera trois : l'*Homo apostolicus* (118 éd. ; paru d'abord en italien sous le titre de *Istruzione e pratica per un confessore*), la *Praxis confessarii ad bene excipiendas confessiones* et *Il confessore diretto per le confessioni della gente di campagna*, qui sont parmi les œuvres les plus notables du genre (cf. DS, t. 1, col 373-74).

5. **La confession générale.** – Pratique relativement secondaire, mais bien caractéristique de l'époque post-tridentine, et dont l'histoire reste à faire, la confession générale consiste à se confesser des péchés de toute une période de sa vie, si ce n'est pas de la vie entière, alors que ceux-ci ont déjà été accusés dans de précédentes confessions particulières. Recommandée entre autres par saint Ignace de Loyola † 1556 dans ses *Exercices spirituels* (n. 44 ; cf. P. Gervais dans *Communio*, t. 8/5, 1983, p. 69-83), saint François de Sales † 1622 dans son *Introduction à la vie dévote* (1re partie, ch. 6, éd. d'Annecy, t. 3, p. 28-29), Saint-Cyran † 1643 dans ses *Lettres chrétiennes et spirituelles* (t. 1, Lettre 1, 12 octobre 1639, Paris, 1645, p. 14-15), cette confession s'accomplit par dévotion en des circonstances spéciales, à l'occasion d'une « conversion » spirituelle ou d'une retraite, mais aussi par nécessité quand il y a risque, ou certitude, que telle ou telle confession antérieure ait été nulle (Philippe d'Outreman, *Le nouveau Pédagogue chrétien*, t. 1, part. 2,

ch. 14, sect. 6, Mons, 1645, p. 351). On la fait pratiquer avec fruit au cours des missions paroissiales (P. Coste, *Monsieur Vincent*, t. 1, Paris, 1932, p. 88-90). Léonard de Port-Maurice † 1751 est l'auteur d'un Traité ou *Direttorio della confessione generale* (Rome, 1737), plusieurs fois traduit et réédité jusqu'au 19e siècle (Avignon, 1826), qu'il composa à l'usage des missions populaires, auxquelles il se consacra durant quarante ans en Italie (DS, t. 9, col. 646-47).

On connaît aussi de curieux petits opuscules du 16e et 17e siècles destinés à faciliter l'examen de conscience du pénitent en vue de la confession, ordinaire ou générale (L. Ceyssens, *La pratique de la confession générale : « La confession coupée » suivant le P. Christophe Leutbrewer*, dans *Jansénius et le Jansénisme dans les Pays-Bas*, Mélanges Lucien Ceyssens, éd. par J. van Bavel et M. Schrama, Louvain, 1982, p. 93-113). Ce n'est pas d'ailleurs que la confession offrit alors plus d'attrait qu'aujourd'hui. Elle se heurtait souvent en fait à la réluctance des fidèles, qui l'éprouvaient comme une contrainte (J. Delumeau, *Un chemin d'histoire. Chrétienté et christianisation*, Paris, 1981, « Missions de l'intérieur au XVIIe siècle : L'obstacle de la confession », p. 173-80).

## VII. ATTRITIONISME - CONTRITIONISME AUX 17e-18e SIÈCLES

Le problème des dispositions qu'il importe d'exiger avant l'absolution va focaliser l'intérêt de la théologie et de la pastorale du sacrement de pénitence dans la période postérieure à Trente. Le concile, en définissant que le sacrement est la cause efficace de la rémission des péchés, avait écarté pour toujours la théorie du caractère simplement déclaratif de l'absolution enseignée par les premiers maîtres scolastiques, et avait affirmé en outre, ce qui va à l'encontre de cette théorie, que l'attrition, impuissante à procurer la justification par elle-même en dehors du sacrement, suffit cependant pour s'en approcher, le recevoir fructueusement et obtenir par son intermédiaire la rémission des péchés (Sess. XIV, ch. 4, Denzinger, n. 1678). Mais il s'était abstenu de préciser si l'attrition dispose dans le sacrement à la justification d'une manière immédiate ou seulement éloignée en tant que le pénitent a, d'attrit, à devenir contrit sous l'influence même du sacrement, car il ne se proposait pas de dirimer les questions controversées entre théologiens scolastiques. Vouloir lui faire prendre parti rétrospectivement serait le solliciter abusivement. Évitant, comme le *Catéchisme romain*, d'employer le mot technique d'attrition, le *Rituel romain* de 1614, se contentait d'ailleurs de demander que le prêtre s'efforce, par d'efficaces paroles, d'amener les pécheurs à la douleur de leurs fautes et à la contrition, « ad dolorem et contritionem efficacibus verbis adducere » (tit. IV, cap. 1, Praenotanda de Sacramento Poenitentiae, n. 18).

1. **L'attritionisme post-tridentin.** – Après le concile, la théorie d'origine scotiste sur les deux voies de justification, l'une extra-sacramentelle, l'autre intra-sacramentelle, va réussir à s'imposer dans l'enseignement théologique d'une manière universelle. Les thomistes eux-mêmes en étaient venus à perdre de vue la conception originale de saint Thomas.

Parmi les docteurs de Salamanque, au temps même du concile, François de Vitoria † 1546, traitant des conditions de préparation à l'absolution, cite à la fois Scot et saint

Thomas, et paraît avoir hésité entre les deux opinions (J. Göttler, *Der heilige Thomas von Aquin und die vortridentinischen Thomisten über die Wirkungen des Busssakraments*, Fribourg/Brisgau, 1904, p. 262-65). Ses disciples Dominique de Soto † 1560 et Melchior Cano † 1560 tiennent, l'un et l'autre, que l'attrition ou repentir inspiré par des motifs intéressés, surtout par la crainte, suffit non seulement à la réception du sacrement mais à la justification dans le sacrement, le premier n'admettant la chose que dans le cas où le pécheur croit, de bonne foi, être parfaitement contrit (*De natura et gratia* II, ch. 15, Venise, 1584, p. 167), le second étant d'avis que l'attrition, même connue comme telle, suffit toujours : il ne semble pas croire nécessaire en effet que le pénitent fasse un acte de contrition au moment où il est justifié (F. Diekamp, *Melchioris Cani, de contritione et attritione dictrina*, dans *Xenia thomistica*, t. 3, Rome, 1925, p. 423-40).

Le renom de Cano ne contribua pas peu à la diffusion de cette opinion, qui sera ensuite défendue par plusieurs théologiens jésuites espagnols, comme Gabriel Vásquez † 1604 (*In III^am partem S. Thomae*, tomus 4, q. 92, a. 1, dub. 2, Alcala, 1615, p. 343) et François Suárez † 1617, qui l'estime « omnino vera » (*De sacramento paenitentiae*, disp. 20, sect. 1, n. 9, éd. Vivès, t. 22, Paris, 1861, p. 423). Son succès est sans doute dû à une double cause : d'une part, elle avait l'avantage de mettre en relief vis-à-vis des protestants l'efficacité du pouvoir des clefs, et d'autre part elle répondait à l'esprit du temps, imprégné de l'humanisme de la renaissance et enclin, pour ne pas rebuter les pécheurs, aux solutions plus conciliatrices. Qu'une forme de laxisme sacramentel ait pu parfois s'en suivre, cela n'a rien de surprenant. Certains se seraient même satisfaits d'une attrition à motifs naturels (comme sont les inconvénients graves qui auraient résulté pour le coupable de la faute commise), position extrême que condamnera Innocent XI en 1679 (Denzinger, n. 2157), parmi d'autres propositions laxistes concernant directement la pratique de la confession (É. Amann, art. *Laxisme*, DTC, t. 9, col. 83-84).

### 2. La réaction janséniste.

– C'est du côté du jansénisme que l'attrition de pure crainte se heurtera aux adversaires les plus résolus. Jansénius † 1638 a lui-même longuement étudié cette question dans son *Augustinus* (t. 3, liv. v, ch. 21 à 35, lesquels sont en réalité par une erreur d'impression les ch. 13 à 27, comme montre la table en tête du volume). Il ne nie pas l'utilité de la crainte des peines. La pensée de l'enfer fait réfléchir. Mais il nie que la crainte puisse effectivement détacher du péché. « Elle retient la main, mais non pas le cœur », « continet manum non animum » (cap. 30, Paris, 1641, p. 242d). On fuit le péché et on s'en abstient, mais à regret et à contre-cœur, car on lui demeure attaché. C'est cet attachement qui explique que l'attrition de crainte ne puisse être regardée comme suffisante à la réception du sacrement et à la justification devant Dieu. Seule la charité peut produire une aversion sincère du péché et tourner le pécheur vers Dieu. L'attrition dont parle le concile de Trente, qui prépare au sacrement et à la justification, est selon les termes du concile une contrition vraie quoiqu'imparfaite, parce qu'elle comporte un repentir où il y a de l'amour de charité envers Dieu, mais à l'état imparfait ou faible (cap. 34, p. 249-51).

Les Jansénistes des Pays-Bas, l'ex-oratorien français Quesnel † 1713, le Synode de Pistoie de 1768, qui est comme le chant du cygne du jansénisme, ne font que reprendre cette doctrine (cf. les propositions condamnées par Alexandre VIII, décret du Saint-Office du 7 décembre 1690, par Clément XI dans la bulle *Unigenitus* du 8 septembre 1713 et par Pie VI dans la constitution *Auctorem fidei* du 28 août 1794 ; Denzinger, n. 2314-15, 2460-62, 2625).

Ces condamnations romaines ont en commun de proscrire les assertions jansénistes niant que la crainte des peines soit bonne, surnaturelle, capable de détacher le cœur du péché, mais dans aucune n'est abordé directement le problème de la suffisance de l'attrition de pure crainte, qui reste théologiquement ouvert. Il importe en effet de distinguer la question de la bonté surnaturelle du regret de crainte quand il procède de la foi et celle de sa suffisance. Par contre, la bulle *Auctorem fidei* condamne comme fausse et perturbatrice de la paix des âmes la doctrine du synode de Pistoie qui exigeait des pécheurs pour les admettre au bénéfice de l'absolution « la ferveur d'une charité dominant dans le cœur, attestée par une longue persévérance en la pratique des bonnes œuvres » (Prop. 36 ; Denzinger, n. 2636). Ce qui est en réalité visé ici par la bulle, ce n'est pas la thèse de la nécessité d'une certaine contrition de charité avant l'absolution, mais l'extrémisme du synode janséniste en matière de contritionisme.

### 3. Exacerbation de la polémique.

– Il n'y avait pas toutefois que les jansénistes qui fussent opposés à l'idée de la suffisance de l'attrition que motive la seule crainte des peines. Beaucoup, qui ne sauraient être taxés de jansénisme au moins dogmatique, tenaient que l'attrition pour être suffisante devait contenir un commencement d'amour. Mais de quel amour était-il question ? Quand on parle d'attrition de « pure crainte », il ne faut pas oublier qu'on ne peut craindre une chose sans désirer, au moins implicitement, son contraire. Si je redoute les peines de l'enfer, c'est parce que je désire ma béatitude, qui ne se trouve qu'en Dieu. Détester le péché en tant que péché par crainte uniquement de l'enfer implique donc un réel amour de Dieu, quoiqu'intéressé. Y eut-il jamais attritioniste qui le niât ? Ce que niaient en revanche formellement les attritionistes, c'était la nécessité, pour l'absolution, d'un repentir contenant un amour de Dieu qui fût déjà, à quelque degré ou sous quelque forme que ce soit, de la charité, car ils ne voyaient pas comment ce repentir pouvait être encore qualifié d'attrition. Cela revenait en réalité à exiger du pénitent demandant l'absolution une contrition « parfaite » au sens tridentin et moderne du terme. D'où l'appellation de contritionistes donnée par leurs adversaires aux tenants de cette position.

La polémique fut très vive à une époque où probabilisme et « morale relâchée » provoquaient des controverses passionnées. La querelle prit une tournure particulièrement acerbe dans la partie des Pays-Bas devenue aujourd'hui la Belgique. L'opinion dite contritioniste était en faveur à l'Université de Louvain, et dominait dans le clergé paroissial. Un catéchisme anonyme, publié à Gand en 1661 et propagé par les Jésuites, causa grand émoi : il enseignait l'opinion dite attritioniste. Des professeurs de l'Université de Louvain – les augustins Christian Wolf ou Lupus et François Farvaques – en attaquèrent la doctrine. Les jésuites, par l'intermédiaire de Maximilien Le Dent, ripostèrent en termes peu amènes. L'Internonce de Bruxelles, Jacques Rospigliosi, recourut à Rome. Pour rétablir la paix, Alexandre VII intervint le 5 mai 1667 par un Décret du Saint-Office, qui rappelait les deux partis à la modération (Denzinger, n. 2070). Ce décret s'abstenait de trancher la question de fond, tout en reconnaissant que l'opinion des attritionistes semblait la plus commune dans les écoles de ce temps. Sans condamner personne, il se contentait d'interdire aux théologiens de se censurer mutuellement de notes théologiques et de décrier l'opinion opposée « par aucun terme injurieux ou offensant » (A. Beugnet, art. *Attrition. Décret d'Alexandre VII*, DTC, t. 1, col. 2258-62 ; L. Ceyssens, *Le décret du Saint-Office concernant l'attrition (5 mai 1667)*, dans *Ephemerides Theologicae Lovanienses*, t. 25, 1949, p. 83-91). Au siècle suivant, l'un et l'autre parti avait toujours ses représentants dans l'enseignement théologique comme dans le ministère pastoral, ainsi qu'en témoigne Benoît XIV † 1758 (*De synodo diœcesana*, lib. VIII, c. 13, n. 9, dans *Opera omnia*, t. 11, Prato, 1844, p. 228-29).

4. « **Diligere incipiunt** ». – Les esprits s'étant relativement calmés, le problème agité va se déplacer quelque peu. Le concile de Trente, parlant des dispositions qui préparent à la justification, avait dit des pécheurs en voie de conversion qu'« ils commencent à aimer Dieu », « illum diligere incipiunt » (Sess. VI, ch. 6 ; Denzinger, n. 1526). Les contritionistes opposaient ce texte aux attritionistes. Ceux-ci en réalité ne refusent pas de faire droit à l'idée que l'attrition doit être accompagnée d'un certain amour de Dieu. Mais voici toute la question : de quelle espèce faut-il que soit cet amour commençant ?

1º *Les contritionistes* demandent un amour *désintéressé* de Dieu, dont la gamme varie selon les auteurs : ou bien une charité initiale, faible et rémissive, qui suffit avec le sacrement tandis qu'en dehors est nécessaire pour la justification une charité intense (l'oratorien G. Juénin † 1713, *Institutiones theologicae*, pars VIII, diss. V, De Poenitentia, q. 3, c. 4, n. 4, t. 2, Lyon, 1736, p. 430 ; l'augustin G.-L. Berti † 1766, *De theologicis disciplinis*, lib. 34, c. 5, t. 8, Rome, 1743, p. 518 ; le dominicain P.-M. Gazzaniga † 1799, *Praelectiones theologicae*, Tract. de sacramentis, diss. VI, De Poenitentia, c. 7, a. 3, t. 9, Venise, 1803, p. 148-51), ou bien un amour souverain de bienveillance auquel, contrairement à la charité qui réalise les trois conditions indispensables de l'amitié, à savoir bienveillance, réciprocité, communauté, manque précisément cette troisième note.

C'est la théorie fameuse du dominicain Ch.-R. Billuart † 1757. Notre amour de bienveillance pour Dieu n'est lui-même qu'un effet de sa bienveillance pour nous. Mais tant que Dieu ne nous a pas donné la grâce et les vertus surnaturelles, qui établissent entre lui et nous une communauté de vie, notre amour pour lui n'est pas encore charité. En dehors du sacrement il faut, pour que Dieu donne la grâce justifiante, un amour de bienveillance intense et pur, sans mélange de crainte ; avec le sacrement un amour de bienveillance faible et mêlé d'un motif de crainte (*Summa S. Thomae hodiernis Academiarum moribus accomodata*, Tract. de sacramento poenitentiae, diss. IV, a. 7, t. 9, Paris, 1886, p. 310-27 ; cf. M.-B. Lavaud, *Attrition d'amour et charité*, VSS, t. 17, décembre 1927, p. 113-26, trad. franç. des parties essentielles). Quant à Bossuet † 1704, *De doctrina concilii Tridentini circa dilectionem in sacramento poenitentiae requisitam*, pars II, c. 26 (*Œuvres complètes*, éd. F. Lachat, t. 5, Paris, 1885, p. 440-42), « on ne voit pas assez comment il se sépare des contritionistes rigides » (M.-B. Lavaud, *art. cit.*, p. 111).

2º **Les attritionistes** tiennent au contraire que n'est requis aucun autre amour que celui, intéressé, par lequel j'aime Dieu parce qu'il est mon propre bien, que je désire, et auquel je tends comme à la réalité suprême qui comble mon indigence et satisfait mes aspirations (ce qu'on appelle généralement l'amour de concupiscence, ou encore d'espérance, par opposition à l'amour de bienveillance et d'amitié).

Selon certains, cet amour doit être explicite (H.

Tournely † 1729, *Praelectiones theologicae*, IX De sacramentis paenitentiae et extremae unctionis, q. 5, a. 3, Venise, 1731, p. 130 ; Wirceburgenses, *Theologia dogmatica...*, x Tractatus de sacramentis paenitentiae et extremae unctionis, disp. 2, c. 3, a. 4, Paris, 1880, p. 154). Selon d'autres, il suffit qu'il existe d'une manière virtuelle (Salmanticenses, *Cursus theologicus*, Tract. XXIV De paenitentia, disp. 7, dub. 1, n. 50, t. 20, Paris, 1883, p. 70 ; Alphonse de Liguori † 1787, *Theologia moralis*, lib. VI, tract. 4, cap. 1, dub. 2, paragr. 1, n. 442, t. 3, Rome, 1909, p. 447). Il est, de fait, toujours implicitement contenu dans une attrition sincère qui exclut la volonté de pécher avec l'espérance du pardon, comme requiert Trente (Sess. XIV, ch. 4 ; Denzinger, n. 1678), car cette espérance inclut un certain amour de la justice, à laquelle j'aspire, et un certain amour de Dieu en tant que Dieu est l'auteur de ma justification, et qu'il est bon pour moi. Le concile (Sess. VI, ch. 6 ; n. 1526) entendait-il exiger davantage ?

H. Bremond a compris l'intérêt de cette controverse pour la spiritualité (*Histoire littéraire du sentiment religieux en France*, t. 11, Paris, 1933, p. 293-324 « Le problème de l'attrition dans la littérature spirituelle de l'Ancien régime »), mais a-t-il bien saisi la signification proprement théologique et l'enjeu pastoral ?

Le contritionisme au sens large était la doctrine officielle de l'Église gallicane, comme on peut le voir par l'Assemblée générale du Clergé de France de 1700, à laquelle Bossuet participa de façon très active. Après avoir censuré la proposition qui affirme que « l'attrition produite par la seule crainte de l'enfer, sans aucun amour de Dieu, sans aucun égard à l'offense à lui faite, suffit parce qu'elle est honnête et surnaturelle » (*censura 86*, dans *Recueil des Actes, Titres et Mémoires concernant les affaires du Clergé de France*, t. 1, Paris, 1768, col. 733), l'Assemblée déclare qu'il faut enseigner, d'après le concile de Trente, qu'aucun adulte ne doit se croire assuré de sa justification, ni par le baptême, ni par le sacrement de pénitence, s'il n'apporte à ces sacrements, outre la foi et l'espérance, un commencement d'amour de Dieu, source de toute justice, puis elle ajoute que les confesseurs doivent dans la pratique s'en tenir à cette doctrine (*Declaratio de dilectione in poenitentiae sacramento requisita*, col. 741-42).

L'attritionisme dégénéra parfois en laxisme. Mais le contritionisme a eu en fait partie lié avec le rigorisme. Bien oublié aujourd'hui, celui-ci fut pourtant à partir du milieu du 17e siècle une des notes dominantes de la mentalité de l'Église de France pendant près de deux siècles.

5. **Le rigorisme pénitentiel**. – Rédigés après le synode de 1603, les *Avertissements aux confesseurs* de François de Sales (*Œuvres*, éd. d'Annecy, t. 23, 1928, p. 261-97) n'ont laissé que peu de traces dans l'histoire de la pastorale sacramentaire. Et c'est bien dommage, car il s'agissait de directives pleines de finesse psychologique et de sagesse (P. Broutin, *La réforme pastorale en France au 17e siècle*, t. 1, Paris, 1956, p. 90-93). En revanche, les *Instructions aux confesseurs* de saint Charles Borromée eurent une fortune étonnante. L'Assemblée du Clergé de France de 1655-1657 les fit imprimer, avec une lettre circulaire, pour servir de norme sûre dans l'administration du sacrement. Les éditions se succédèrent jusqu'à la fin du 18e siècle. Cet opuscule est ainsi devenu le directoire du clergé français d'ancien régime. Il a sans doute fait barrage au laxisme, mais favorisa certainement, sinon provoqua, la sévérité des moralistes gallicans des 17e et 18e siècles (cf. P. Broutin, *op. cit.*, t. 2, p. 378-98).

Dès 1643, Antoine Arnauld, qui est le représentant le plus marquant et le vrai chef de l'école janséniste, s'était mis sous le patronage de saint Charles Borromée pour justifier ses thèses sur la pénitence publique et sur le délai de l'absolution dans son célèbre ouvrage *De la fréquente communion*. Ce n'est pas qu'il entendît prôner un retour pur, simple et universellement obligatoire à la discipline de l'Église antique avec ses canons pénitentiels, celle en particulier des 4e et 5e siècles, mais cette discipline qui écartait sagement le pécheur de la réconciliation et de la communion eucharistique durant un laps de temps plus ou moins long jusqu'à ce qu'il ait fait la preuve de sa sincère conversion, demeurait selon lui l'idéal sur lequel tout confesseur zélé et désireux de sauver les âmes doit avoir les yeux fixés. En différant l'absolution on dispose de nombreux pécheurs par l'exercice des bonnes œuvres à se rendre dignes un jour de la recevoir et on empêche que la concession d'un pardon trop facile ne les maintienne dans leur vie immorale (DS, t. 1, col. 881-87).

La même année 1643, dans un libelle intitulé *Théologie morale des Jésuites, extraite fidèlement de leurs livres*, Arnauld soumettait à une dure critique le comportement au confessionnal des Jésuites, dont les excès commis contre le sacrement de pénitence sont, dit-il, infinis (*Œuvres*, t. 29, 1779, p. 84) : non seulement contrition au rabais, intégrité de l'aveu ruineuse, satisfaction dérisoire, mais absolution indûment prodiguées à ceux qui retombent, ont contracté l'habitude du péché grave ou vivent dans l'occasion prochaine de le commettre (p. 86-87). Ni l'un ni l'autre de ces écrits ne fut jamais blâmé par Rome.

Il n'en a pas été de même pour deux autres livres, mis à l'Index, qu'il convient de mentionner ici – encore qu'ils ne soient qui de second plan parmi les classiques du jansénisme – à cause de la notable influence qu'on peut leur attribuer sur la pastorale de la pénitence : *Les instructions du rituel du diocèse d'Alet* (1667) de l'évêque Nicolas Pavillon † 1677, ami d'Antoine Arnauld, qui estime, comme lui, que la pratique actuelle est une condescendance fâcheuse à la faiblesse des pénitents, regrette la sévérité de la pénitence des premiers siècles, souhaite que la satisfaction soit comme alors accomplie avant l'absolution, préconise enfin le délai d'absolution dans divers cas (P. Broutin, *op. cit.*, t. 2, p. 399-411), et l'*Amor poenitens* (1683) de l'évêque Jean de Neercassel † 1686, oratorien et vicaire apostolique de Hollande, dont l'ouvrage, destiné à engager les chrétiens « dans la voie étroite du salut », défend dans la première partie un contritionisme radical et, dans la seconde, la pratique du délai de l'absolution, surtout à l'égard des récidivistes (DS, t. 11, col. 83-86).

Or le rigorisme, qui s'était affirmé à partir des années 1640, grâce surtout à l'impulsion d'Antoine Arnauld, se trouva conforté en fait par le décret de 1679, où Innocent XI s'efforce de mettre un terme à l'intempérance d'une casuistique débridée ; curieusement ce décret, à travers d'ailleurs une liste de censures dressée par l'Université de Louvain, reprend mot à mot pour les condamner plusieurs propositions laxistes déjà dénoncées par Arnauld dans sa *Théologie morale des Jésuites* et concernant l'occasion du péché, la récidive ou l'habitude (prop. 60, 61, 62, 63 ; Denzinger, n. 2160 svv). Les propositions condamnées par Innocent XI seront de nouveau censurées par l'Assemblée générale du Clergé de France de 1700, dont les décisions vont asurer dans l'Église gallicane le succès des tendances rigoristes en matière de pénitence (J. Guerber, *Le ralliement du clergé français à la*

*morale liguorienne. L'abbé Gousset et ses précurseurs*, Rome, 1973, p. 29-52).

S'est ainsi créé un système de morale que caractérisent les traits suivants : contritionisme sous ses diverses modalités, rejet sans compromission du « probabilisme » confondu avec laxisme, délai ou refus d'absolution. Réservée jusqu'alors à des situations exceptionnelles, cette grave mesure est maintenant présentée comme le moyen normal d'amener les pécheurs, principalement récidivistes et habitudinaires, à une authentique conversion.

A ce système adhèrent aussi bien les partisans de Port-Royal que des anti-jansénistes ou des hommes parfaitement étrangers au jansénisme dogmatique des Cinq propositions. Un exemple illustre le fait, celui de Mgr de Saint-Vallier, deuxième évêque de Québec, pasteur zélé et autoritaire, dont les prescriptions regardant le sacrement de pénitence invitaient fréquemment au délai prolongé, sinon au refus d'absolution. Il n'était nullement janséniste, mais participait au rigorisme de la pastorale du temps (G. Plante, *Le rigorisme au 17e siècle : Mgr de Saint-Vallier et le sacrement de pénitence*, Gembloux, 1971).

Les tendances rigoristes pénétreront l'enseignement des séminaires par l'entremise des manuels de théologie morale qui à la fin du 17e siècle et au 18e siècle en sont imprégnés, et prépareront des générations de rigides pasteurs (A. Degert, *Histoire des séminaires français jusqu'à la Révolution*, t. 2, Paris, 1912, p. 209-75 ; *Saint Charles Borromée et le clergé français*, dans *Bulletin de littérature ecclésiastique*, t. 4, 1912, p. 145-59, 193-213 ; *Réaction des « Provinciales » sur la théologie morale en France*, ibidem, t. 5, 1913, p. 400-20, 442-53).

Cette orientation pastorale ne prendra fin que dans la première moitié du 19e siècle. Elle cédera, sans apparente résistance, tant ses bases théologiques étaient faibles, à l'offensive de toute une littérature antirigoriste d'origine italienne, dont la traduction et l'impression étaient dues à l'initiative du prêtre piémontais Bruno Lanteri (DS, t. 9, col. 240-41), mais surtout à l'action exercée par l'œuvre de l'abbé Gousset, plus tard cardinal et archevêque de Reims † 1866, dont la *Justification de la théologie morale du B. Alphonse-Marie de Ligorio* (Besançon, 1832) marqua l'introduction en France de la morale liguorienne, à laquelle le clergé français devait se rallier dans son ensemble au cours du 19e siècle (J. Guerber, *op. cit.*, 2e et 3e parties).

Alphonse de Liguori † 1787 avait d'ailleurs été en Italie un des adversaires les plus déterminés du rigorisme des jansénistes. Si le jansénisme a eu son épicentre en France, ce fut en effet un phénomène européen (DS, t. 8, col. 124-27), qui a particulièrement intéressé l'Italie (DS, t. 7, col. 2266-72).

Le synode de Pistoie en Toscane (1786) est dans le droit fil des idées jansénistes quand il déclare professer « qu'il ne peut pas ne pas admirer cette vénérable discipline de l'antiquité, qui n'admettait pas facilement ou parfois n'admettait point du tout à la pénitence celui qui, après un premier péché et après une première réconciliation, était retombé dans une faute », car « par cette crainte d'une perpétuelle exclusion de la communion et de la paix, même à l'article de la mort, l'Église a opposé un frein puissant à ceux qui considèrent peu le mal du péché et ne le craignent point » (propos. 38, condamnée par Pie VI, bulle *Auctorem fidei* de 1794 ; Denzinger, n. 2638).

Nous ne saurons du reste jamais dans quelle mesure ce rigorisme pénitentiel, en France et en Italie, a eu effectivement pour résultat de réduire la fréquentation du sacrement. La sociologie rétrospective est ici de peu de secours. La pratique a pu être souvent infidèle à la théorie, et le sens évangélique des pasteurs l'emporter sur leur théologie morale. Mais rendre les sacrements moins accessibles aux fidèles ne peut avoir pour conséquence que de les en déshabituer.

**6. Vers la confession fréquente.** – Le rigorisme pénitentiel s'est trouvé lié à un rigorisme eucharistique qui, dans sa forme extrême, a surtout été le fait du jansénisme. Il fallait des dispositions telles pour communier dignement que bien peu, subjectivement, pouvaient se croire autorisés à le faire.

La communion, en effet, requérait non seulement une préparation prochaine, mais déjà un certain niveau de stabilité dans l'union à Dieu. Ce n'était pas un remède à l'humaine débilité, mais une récompense, sinon à la perfection, du moins à la vertu mûrement éprouvée. Le titre du livre d'Antoine Arnauld, *De la fréquente communion*, ne doit pas tromper : c'est en réalité la non-fréquence de la communion qu'il prône pour le plus grand nombre des fidèles. Mais ceux qui combattaient les excès jansénistes n'étaient pas pour autant partisans de la communion quotidienne. Aux 17e et 18e siècles, celle-ci est une exception. On ne la permet que difficilement. La pratique normale est la communion hebdomadaire pour les religieux et les chrétiens fervents. Cette tendance restrictive, que l'on a qualifiée parfois de rigorisme mitigé, est commune chez presque tous les moralistes et spirituels du temps, lors même qu'ils ne sont pas portés au rigorisme pénitentiel, comme par exemple Alphonse de Liguori.

Dans le courant du 19e siècle, se dessine toutefois un courant en sens contraire. Il aboutira avec Pie x au décret *Sacra Tridentina Synodus* du 20 décembre 1905 (Denzinger, n. 3375-3383), qui ouvre la porte non plus seulement à la communion hebdomadaire, mais plusieurs fois par semaine et même quotidienne, dont elle détermine les dispositions requises minimales : état de grâce et intention droite (DS, t. 2, col. 1273-88).

Une conséquence naturelle de l'introduction de la communion fréquente parmi les fidèles fut l'augmentation notable de la fréquence de la confession au cours des soixante premières années de ce siècle en raison du lien qui s'est créé entre confession et communion car, bien qu'obligatoire pour communier en cas seulement de péché mortel, ainsi que le déclare le concile de Trente (Sess. xiii, ch. 7, Denzinger, n. 1646-1647, et can. 11, n. 1661), la confession représente depuis le haut moyen âge dans la piété catholique un moyen privilégié de purification des péchés véniels, et par là de préparation à la communion. Même si routine et conformisme ont pu en certains milieux grever sa pratique, la confession fréquente a eu certainement, jusqu'à une époque encore récente, les effets les plus bénéfiques sur le sérieux de la vie chrétienne et l'affinement des consciences.

### VIII. L'ÉPOQUE CONTEMPORAINE

Le 20e siècle a été une période féconde au point de vue de la réflexion théologique et pastorale sur le sacrement de pénitence. Ne pouvant tout embrasser, on se limitera ici à quelques aspects plus significatifs de cette réflexion.

**1. La dimension ecclésiale du sacrement de pénitence.** – Plus vivement senti qu'aujourd'hui était durant les premiers siècles le rapport de la pénitence à l'Église : d'abord visiblement séparé de la communauté ecclésiale, le pécheur repenti recevait, au terme d'un long processus pénitentiel, « la paix » de l'Église, et se voyait réconcilié avec elle et avec Dieu.

Pendant le haut moyen âge et jusqu'au 13e siècle se maintint la conscience que l'absolution du prêtre a une portée de réintégration à la pleine communion de l'Église. L'effet de réconciliation avec l'Église était même pratiquement le seul effet vraiment positif que les premiers scolastiques, qui tenaient la théorie de l'absolution déclarative, reconnaissaient à l'absolution : déclaré réconcilié avec Dieu à cause de sa contrition, le pénitent était réadmis à la plénitude de ses droits ecclésiastiques et à l'Eucharistie. Au temps de la grande scolastique, Bonaventure écrit encore que la confession est ordonnée à la réconciliation du pécheur avec l'Église (*In IV Sent.*, d. 17, p. 3, a. 3, q. 2) et saint Thomas enseigne que le pécheur justifié par la contrition parfaite ne doit pas accéder à la communion eucharistique avant d'avoir été réconcilié avec l'Église par l'absolution du prêtre ministre de l'Église, seul capable de conférer cette réconciliation (*In IV Sent.*, d. 17, q. 3, a. 3, qu. 5, ad 3 ; *Suppl.*, q. 8, a. 2, ad 3).

Puis, la notion même d'une réconciliation avec l'Église tendra, de quelque manière qu'on se la représente, à tomber dans l'oubli. Un rite extrêmement simplifié, où tout se passe en privé et dans le plus grand secret entre pénitent et prêtre, ne met plus en relief la dimension ecclésiale du sacrement. L'Église n'est visible que par l'intermédiaire du prêtre, qui apparaît d'ailleurs au pénitent plutôt comme le représentant direct de Dieu au nom de qui il absout que comme celui de l'Église. Quand le concile de Trente parle des effets du sacrement de pénitence, il n'indique qu'un effet essentiel : « la réconciliation avec Dieu, à laquelle viennent généralement s'ajouter la paix et la tranquillité de la conscience avec une forte consolation spirituelle » (Sess. xiv, ch. 3 ; Denzinger, n. 1674). Mais une vérité oubliée n'est pas pour autant une vérité niée.

A une connaissance renouvelée de l'histoire de la pratique antique et à certains progrès théologiques en matière d'ecclésiologie est due certainement, durant ces dernières décennies, la remise en lumière de l'aspect ecclésial du sacrement de pénitence. B. M. Xiberta a eu le mérite d'attirer à nouveau l'attention sur la notion de réconciliation avec l'Église. Dans une thèse élaborée sous l'inspiration de M. de la Taille (cf. *Mysterium Fidei*, Paris, 1921, p. 581, note 1) et intitulée *Clavis Ecclesiae. De ordine absolutionis sacramentalis ad reconciliationem cum Ecclesia* (Rome, 1922 ; reproduite dans *Analecta Sacra Tarraconensia*, t. 45, 1972, fasc. 2, appendice, p. 241-341), il soutenait que « la réconciliation avec l'Église est le fruit propre et immédiat de l'absolution sacramentelle » (p. 11). Les Pères auraient vu dans cette réconciliation l'effet intermédiaire entre le signe sensible externe et la grâce spécifique du sacrement que notre théologie appelle « res et sacramentum ». Si la réconciliation avec l'Église est première par rapport à la réconciliation avec Dieu, c'est seulement par nature. Le prêtre pose un effet d'ordre juridique (la réintégration du pécheur à la pleine communion avec l'Église) qui exige et porte infailliblement l'infusion de la grâce, la rémission du péché et la restauration de l'amitié avec Dieu. Il remet ainsi vraiment le péché bien que son action ne tombe pas premièrement et immédiatement sur la faute commise contre Dieu.

La réaction de certains théologiens fut réticente ou négative. Voir, par exemple, A. d'Alès (RSR, t. 12, 1922, p. 372-77), auquel répondit M. de la Taille (dans *Gregoria-*

*num*, t. 4, 1923, p. 591-99). L'idée fondamentale de la thèse de Xiberta n'en devait pas moins par la suite exercer une notable influence, qui est directe pour des auteurs comme : B. Poschmann, *Paenitentia secunda. Die kirchliche Busse im ältesten Christentum...*, Bonn, 1940, p. 12, note ; *Die innere Struktur des Busssakramentes*, dans *Münchener Theologische Zeitschrift*, t. 1/3, 1950, p. 12-30. – M. Schmaus, *Reich Gottes und Busssakrament, ibidem*, t. 1/1, 1950, p. 20-36 ; *Katholische Dogmatik*, t. 4/1, 5ᵉ éd., Munich, 1957, p. 591 svv. – O. Semmelroth, *Die Kirche als Ursakrament*, Francfort, 1953, p. 64 svv. – P. Palmer, *The theology of the « res et sacramentum » with particular emphasis of its application to penance*, dans *Proceedings of the fourteenth annual convention of the Catholic Theological Society of America, 1959*, New York, 1960, p. 120-41. – Surtout K. Rahner, *Vergessene Wahrheiten über das Busssakrament*, dans *Schriften zur Theologie*, t. 2, Einsiedeln, 1955, p. 143-84 ; *Kirche und Sakramente*, 2ᵉ éd., Bâle, 1963, p. 83-85 ; *Das Sakrament der Busse als Wiederversöhnung mit der Kirche*, dans *Schriften...*, t. 8, 1967, p. 447-71 ; *Reconciliantur cum Ecclesia*, dans *Populus Dei*, Studi in onore del Card. Ottaviani, Rome, 1969, t. 2, p. 1087-1113.

Chez d'autres l'influence est, semble-t-il, plus indirecte : É. Amann, art. *Pénitence*, DTC, t. 12/1, 1933, col. 787-89. – É. Mersch, *La théologie du corps mystique*, 2ᵉ éd., t. 2, Paris, 1946, p. 304. – H. de Lubac, *Catholicisme. Les aspects sociaux du dogme*, 5ᵉ éd., Paris, 1952, p. 61-163. – B. Leeming, *Principles of sacramental Theology*, New York, 1956, p. 361-66.

Certains théologiens continuent à refuser la doctrine de la réconciliation avec l'Église comme « res et sacramentum » de la pénitence. Ainsi, de manière franche : P. Galtier, *De paenitentia*, Rome, 1957, n. 396, p. 339-40 ; Cl. McAuliffe, *Penance and reconciliation with the Church*, dans *Theological Studies*, t. 26, 1965, p. 1-39 ; de façon plus nuancée : H.-F. Dondaine, RSPT, t. 36, 1952, p. 659-60 ; Z. Alszeghy, dans *Gregorianum*, t. 44, 1963, p. 5-31.

Dans sa Constitution dogmatique sur l'Église, Vatican ii énumère parmi les éléments qui constituent la pleine incorporation à cette société qu'est l'Église non seulement le baptême, la profession publique de foi, l'obéissance au gouvernement ecclésiastique, mais aussi la possession intérieure de « l'Esprit du Christ » ou de la grâce, et affirme en outre que les pécheurs demeurent dans le sein de l'Église « de corps, mais non pas de cœur » (*Lumen gentium*, n. 14). Ces derniers mots sont une citation de saint Augustin (*De bapt. contra Donat.* v, 28, 29, PL 43, 197). Le péché grave modifie donc la situation du membre pécheur par rapport à l'Église sans lui faire perdre complètement l'appartenance à celle-ci. Il s'est lui-même intérieurement retranché de l'union vive avec elle, et de ce point de vue il a créé entre lui et elle un état interne de brisure, de séparation invisible mais réelle, qui est une blessure cachée dont l'Église, Corps du Christ, subit le dommage. C'est pourquoi le concile, parlant du sacrement de pénitence, enseigne que celui-ci ne concerne pas seulement l'ordre de nos relations avec Dieu, mais est un ministère de « réconciliation » qui a une portée éminemment ecclésiale.

« Ceux qui s'approchent du sacrement de pénitence, obtiennent de la miséricorde de Dieu le pardon de l'offense qu'ils lui ont faite, et en même temps sont réconciliés avec l'Église, qu'ils ont blessée par leur péché, et qui par sa charité, son exemple, sa prière, collabore à leur conversion » (*Lumen gentium*, n. 11). Exposant ailleurs les diverses activités inhérentes au ministère sacerdotal dans le Décret sur le ministère et la vie des prêtres, le concile dira d'eux : « Par le baptême, ils font entrer les hommes dans le peuple de Dieu ; par le sacrement de pénitence, ils réconcilient les pécheurs avec Dieu et avec l'Église » (*Presbyterorum ordinis*, n. 5).

Mais le concile ne va pas plus loin. Il ne précise pas le lien qui unit réconciliation avec Dieu et réconciliation avec l'Église. Il doit exister entre ces deux effets, qui ne sont certainement pas totalement indépendants, une ordonnance déterminée, une coordination et une structure. La question n'a pas été tranchée par le concile. Elle reste ouverte et librement discutée entre théologiens. On pourrait toutefois faire observer que la Constitution dogmatique sur l'Église présente l'Église comme étant dans le Christ « le sacrement, c'est-à-dire le signe et l'instrument de l'union intime avec Dieu » (*Lumen gentium*, n. 1). De là il serait logique d'inférer que la réconciliation avec l'Église est le signe efficace de la réconciliation avec Dieu et de la rémission des péchés (ce qui est l'essentiel de la thèse « xibertienne » sur la « res et sacramentum » de la pénitence).

Au sujet des implications théologiques de la dimension ecclésiale du sacrement de pénitence, voir C. Dumont, *La réconciliation avec l'Église et la nécessité de l'aveu sacramentel*, NRT, t. 81, 1959, p. 577-97 ; Fr. Coccopalmiero, *Sacramento della penitenza e communione con la Chiesa*, dans *Communio*, éd. ital., n. 40, 1978, p. 54-64.

**2. Une résurgence de la querelle attritionisme-contritionisme** se produit autour du livre de J. Périnelle (cf. *infra*, col. 1158-59), *L'attrition d'après le concile de Trente et d'après s. Thomas d'Aquin* (Le Saulchoir, 1927). Reprenant les idées de Billuart, il tient que la justification requiert, avec et dans l'attrition de crainte, un amour de bienveillance qui n'est pas encore charité, et parle résolument d'« attrition d'amour » pour signifier que l'amour de bienveillance constitue le motif formel et immédiat de cette attrition, dont le sentiment de crainte n'est que l'amorce, un premier pas à dépasser. Quand l'attrition d'amour est assez intense, Dieu justifie dès avant l'absolution. Si elle reste faible quoique véritable, la réception du sacrement est indispensable (p. 143).

Sont favorables à Périnelle : M.-B. Lavaud, VSS, t. 17, décembre 1927, p. 105-33 ; E. Hugueny, dans *Revue thomiste*, t. 55, 1930, p. 128-43. – Très critique, P. Galtier, dans *Gregorianum*, t. 9, 1928, p. 373-416. Cf. *Bulletin thomiste*, t. 2, 1927-29, p. 355-58, 454-56 ; t. 3, 1930-33, p. 908-10.

Quelques années plus tard, H. Dondaine (*L'attrition suffisante*, Paris, 1943) dénonce le présupposé sous-jacent à cette théorie : elle se fonde sur la problématique scotiste des deux voies de justification et ne compte pas sur le sacrement pour parfaire le repentir, que l'on conçoit comme un préalable, un minimum requis et suffisant pour une absolution fructueuse. La théologie de la pénitence doit faire « retour à saint Thomas » ; pour lui il n'y a pas de justification possible pour l'adulte pécheur sans un acte de contrition proprement dite, donc un acte de charité. L'attrition, sur le plan pratique et prudentiel, est une disposition suffisante au sacrement, mais doit tendre à s'achever dans la contrition, la charité ; le rôle efficace du sacrement est de produire cet acte par le moyen de la grâce opérante.

Cf. *Bulletin thomiste*, t. 7, 1943-46, p. 595. – Critique de J. de Blic, dans *Mélanges de science religieuse*, t. 2, 1945, p. 329-36. – Suivent Dondaine : A.-M. Henry, dans *Pénitence et pénitences*, Bruxelles, 1953, p. 123-68 ; M. Trémeau, dans *L'Ami du clergé*, t. 70, 1960, p. 289-94 ; B. de Vaux Saint-Cyr, *Revenir à Dieu. Pénitence, conversion, confession*,

Paris, 1967, p. 405-67. – Indépendamment de Dondaine, M. Flick était arrivé à une position très proche de la sienne (*L'attimo della giustificazione secondo s. Tommaso*, Rome, 1947).

P. De Vooght, qui avait déjà développé le plus clair de ces idées (dans *Ephemerides theologicae lovanienses* = ETL, t. 5, 1928, p. 225-56 ; t. 7, 1930, p. 663-75), fait remarquer (t. 25, 1949, p. 72-82) les qualités très hautes que les attritionistes exigent en réalité pour l'absolution : l'attrition est une vraie détestation du péché ; elle hait l'offense faite à Dieu et regrette la faute commise contre sa volonté. La crainte qui l'inspire n'est pas « servilement servile », mais une crainte qui rompt l'attache au péché, y compris intérieurement, et qui n'exclut pas de soi l'amour. Si on regrette l'offense en tant qu'offense, on aime en quelque manière l'offensé (ETL, t. 25, p. 81). Cet amour n'a pas besoin d'être purement désintéressé pour être charité (t. 5, p. 256). Une telle attrition est assimilable à la contrition justifiante dont parle saint Thomas.

P. De Letter a tenté une conciliation des diverses positions (*Perfect contrition and perfect charity*, dans *Theological Studies*, t. 7, 1946, p. 507-24 ; *Two concepts of attrition and contrition*, t. 11, 1950, p. 3-33 ; « *Vi clavium ex attrito fit contritus* », t. 16, 1955, p. 424-32). Réaction de Dondaine, RSPT, t. 36, 1952, p. 669-74. – Panorama des opinions par F. Franco, *Un nuevo contricionismo*, dans *Estudios ecclesiásticos*, t. 36, 1961, p. 323-34.

### 3. Autour de la confession fréquente de dévotion. –

On appelle confession de dévotion celle d'un pénitent qui n'a à confesser que des péchés véniels. Elle est dite fréquente quand elle obéit à une certaine périodicité. Inconnu dans l'antiquité, cet usage s'est peu à peu répandu avec la pénitence dite privée et a pris aux temps modernes une notable importance, au point d'être regardé comme un moyen de vie spirituelle. Le mot de « dévotion », qui n'est pas des plus heureux, veut dire qu'une telle confession n'est ni nécessaire ni obligatoire, mais libre quant à son exercice et quant à la matière sur laquelle elle porte.

A propos des péchés véniels en effet, le concile de Trente déclare : « Bien qu'il soit raisonnable, utile et nullement présomptueux de les dire dans la confession..., on peut cependant les taire sans commettre de faute et les expier de bien d'autres façons » (Sess. XIV, ch. 5 ; Denzinger, n. 1680) ; par exemple, par la vertu de l'eucharistie (Thomas d'Aquin, *Summa theol.* 3ᵃ, q. 79, a. 4 ; Trente, Sess. XIII, ch. 2, Denzinger, n. 1638).

L'utilité de la confession de dévotion – et non pas sa légitimité – a suscité une controverse durant les années 1930, surtout dans les pays de langue allemande (cf. Fr. Utz, dans *Bulletin thomiste*, t. 5, 1937-39, p. 553-64 ; E. Ruffini, *La prassi della « confessione frequente di devozione »*..., dans *La Scuola cattolica*, t. 104, 1976, p. 307-38). Selon Fr. Zimmermann (*Lässliche Sünde und Andachtsbeichte*, Innsbruck, 1935), qui fut à l'origine de la controverse, s'il y a un sacrement ordinairement destiné à la rémission des péchés véniels, c'est l'eucharistie. La controverse eut pour la pratique pastorale des conséquences.

Pie XII intervint : « Nous tenons à recommander vivement... la confession fréquente qui augmente la vraie connaissance de soi, favorise l'humilité chrétienne, tend à déraciner les mauvaises habitudes, combat la négligence et la tiédeur, purifie la conscience, fortifie la volonté, se prête à la direction spirituelle et, par l'effet propre du sacrement, augmente la grâce. Que ceux donc qui diminuent l'estime de la confession fréquente... sachent qu'ils font là une œuvre contraire à l'Esprit du Christ et très funeste aussi au Corps mystique... » (*Mystici Corporis*, AAS, t. 35, 1943, p. 235 ; cf. *Mediator Dei*, t. 39, 1947, p. 585).

Parce qu'il justifie la confession de dévotion à l'aide de raisons ne relevant pas exclusivement de la psychologie religieuse et de la simple spiritualité, Karl Rahner est à citer. Son idée de fond est qu'il faut partir d'une réflexion sur la nature de l'économie sacramentaire et sur le caractère spécifique du sacrement de pénitence dans cette économie.

L'homme, esprit incarné, se développe dans le temps et l'espace. Il a besoin d'exprimer, d'objectiver et de concrétiser ses sentiments et ses pensées, qui autrement resteraient à l'état de germes et d'ébauches. Dieu, pour se communiquer, a pris de même dans le Christ la voie de l'incarnation ; en lui la vie divine s'est rendue visible en un lieu et un temps déterminés. Cette communication s'est ultérieurement délimitée, concentrée et concrétisée dans les actions sacramentelles. Le sacrement de pénitence, comme les autres sacrements, a son fondement dans cette loi de l'historicité incarnée. On peut certes se repentir de ses péchés véniels dans de secret de son cœur et obtenir le pardon. Mais quand on s'en confesse, on donne à son propre repentir intérieur une forme concrète, visible et audible ; il croît et se fortifie dans la mesure où il s'exprime. D'autre part, dans l'homme qui se confesse, l'action de Dieu acquiert aussi une forme en quelque sorte tangible : elle s'adresse à lui d'une manière sensible par un acte spécial de l'Église. Quand je me repens intérieurement, le pardon de Dieu reste caché. Ici, il est exprimé et formulé dans les paroles mêmes de l'absolution.

Il y a sans doute d'autres moyens ecclésiaux, l'eucharistie en premier lieu, auxquels se trouve annexée une certaine efficacité rémissive du péché véniel. Mais ils ont une autre fin principale. Seul le sacrement de pénitence par sa signification intrinsèque est ordonné à la rémission des péchés, et symbolise la rencontre de l'homme repentant et de Dieu qui pardonne. L'homme qui s'approche de ce sacrement se reconnaît consciemment pécheur, accepte de se soumettre au jugement que Dieu prononce sur lui, entend la parole de pardon qui émane de Dieu, et expérimente que finalement seule l'intervention de Dieu remet le péché et donne librement la grâce. Cette expérience, quand elle est répétée, ne peut pas ne pas s'imprimer dans la vie personnelle du sujet et dans son attitude spirituelle générale. L'usage fréquent du sacrement de pénitence, même pour les péchés légers et véniels, maintient dans le chrétien le sentiment du péché et de sa condition de pécheur, et en même temps le confirme dans le sentiment qu'il tient de Dieu tout ce qu'il possède en fait de justice, de sainteté et de vie surnaturelle.

Ajoutons que l'homme, être social, ne se réalise pleinement qu'en société. Sur ce point encore la grâce s'adapte à la nature de l'homme. Elle a un caractère socio-ecclésial, auquel correspond un aspect ecclésiologique du péché véniel. Qui pèche véniellement reste un membre vivant de l'Église. Cependant, ses péchés véniels sont dans un sens vrai « taches et rides », comme dit saint Paul, de l'épouse du Christ (*Éph.* 5,

27). Ils empêchent l'amour de Dieu, la charité, de se développer librement et pleinement chez ce chrétien, et du fait même dans tout le corps ecclésial, dont la sainteté se trouve freinée. Ils sont par là un dommage spirituel, une injustice faite à tout le corps du Christ. Or la réparation de ce dommage communautaire prend sa forme la plus expressive quand le pécheur confesse sa faute vénielle au prêtre, représentant non seulement de Dieu, mais de la communauté des fidèles, et qui l'absout non seulement au nom de Dieu, mais au nom de l'Église.

*Vom Sinne der häufigen Andachtsbeichte*, dans *Schriften zur Theologie*, t. 3, Einsiedeln, 3e éd., 1959, p. 211-25 ; trad. fr., *Quel est le sens de la confession fréquente de dévotion ?*, dans *Éléments de théologie spirituelle*, coll. Christus 15, Paris, 1964 ; – *Personale und sakramentale Frömmigkeit*, dans *Schriften zur Theologie*, t. 2, 5e éd., 1961, p. 115-41 ; trad. fr., *Piété personnelle et piété sacramentelle*, dans *Écrits théologiques*, t. 2, Paris, 1960, p. 113-45). – *Vergessene Wahrheiten über das Busssakrament*, dans *Schriften...*, t. 2, 5e éd., 1961, p. 157-61 ; trad. fr. dans *Écrits théologiques*, t. 2, p. 165-70. – Cf. J. F. Dedek, *The Theology of Devotional Confession*, dans *The Catholic Theological Society of America. Proceedings of the Twenty-Second Annual Convention...*, t. 22, 1967, p. 215-22.
Quant à lui, A.-M. Roguet justifie la confession de dévotion par des réflexions sur la nature du péché véniel lui-même (*Le sacerdoce du Christ, la rémission des péchés et la confession fréquente*, dans *La Maison-Dieu*, n. 56, 1958, p. 50-70 ; *La confession des péchés véniels*, n. 90, 1967, p. 209-22).

Depuis les années soixante, c'est en réalité la confession privée elle-même qui est mise en question. De divers côtés, on voudrait généraliser la célébration pénitentielle communautaire suivie de l'absolution collective comme le mode ordinaire d'administration du sacrement. Certains promeuvent ainsi l'idée d'une absolution collective sans obligation ultérieure de confession personnelle, puisque les péchés sont déjà remis, tandis que d'autres voudraient maintenir le principe de cette obligation que motive, disent-ils, le bénéfice apporté par le dialogue avec le prêtre. Les décisions du magistère ne vont guère jusqu'ici dans le sens de la première proposition.

4. **L'absolution collective.** – En Orient, les liturgies possèdent des prières pénitentielles très anciennes, soit dans l'Office divin comme chez les byzantins, soit dans la messe comme chez les coptes. Ont-elles eu valeur vraiment sacramentelle ?

L. Ligier le pense, au moins quant à certaines prières plus solennelles (*Pénitence et Eucharistie en Orient...*, OCP, t. 29, 1963, p. 5-78 ; *Dimension personnelle et dimension communautaire de la pénitence en Orient*, dans *La Maison-Dieu*, n. 90, 1967, p. 155-88). Y. Congar n'y voit qu'une possible vraisemblance (*ibidem*, n. 104, 1970, p. 82). J.M.R. Tillard interprète les faits différemment (*La pénitence sacramentelle : une théologie qui se cherche*, dans *Studia moralia*, t. 21, 1983, p. 12-13).

En Occident, durant le haut moyen âge, surtout au 11e siècle, existait la coutume selon laquelle l'évêque, à la fin de ses sermons ou dans des occasions particulières, accordait aux fidèles présents une absolution collective après leur avoir demandé une confession générique de leurs fautes.

B. Poschmann réduit ces absolutions à de simples rémissions de peines temporelles ou ecclésiastiques (*Die abendlän-dische Kirchenbusse im frühen Mittelalter*, Breslau, 1930, p. 224-26 ; *La pénitence et l'onction des malades*, Paris, 1966, p. 130, 185-88). J. Jungmann y voit quelque chose de plus (*Die lateinischen Bussriten in ihrer geschichtlichen Entwicklung*, Innsbruck, 1932, p. 269-88).
« L'absence de doctrine claire et consciente au sujet du sacrement de pénitence et du pouvoir des prêtres à cette époque rend malaisée la détermination du sens exact et de la portée de ces absolutions » (P. Anciaux, *La théologie de la pénitence au 12e siècle*, Louvain, 1949, p. 51). Lorsque s'élabore la théologie de la pénitence, elles seront combattues par les théologiens à cause des confusions auxquelles elles prêtaient (p. 51, n. 3).

Lorsque le concile de Trente affirmait la nécessité de la confession intègre dans le sacrement de pénitence, il n'a pas envisagé le cas du pénitent qui, par impuissance physique ou morale, ne peut faire qu'une accusation générique. On appelle « générique » une confession dans laquelle aucun péché n'est accusé en particulier, et par laquelle le prêtre ne peut apprendre du pénitent autre chose sinon qu'il a péché, et que, repentant, il demande l'absolution.

Ce cas, qui se vérifie surtout chez les malades, donna lieu à controverse. Certains théologiens (comme Cano, Soto) niaient qu'il y ait alors possibilité de donner une absolution valide, les conditions requises pour l'exercice du jugement sacramentel n'étant pas, pensaient-ils, réalisées. D'autres (comme Suárez, Vásquez) admettaient au contraire que la confession générique peut suffire à la validité de l'absolution, qui n'est pas la sentence de peine d'un tribunal civil, où la sanction doit répondre au délit, mais une sentence de grâce et de pardon qui, compte tenu de circonstances exceptionnelles peut s'exercer même avec une connaissance imparfaite de la cause (cf. F. Cappelli, *Confessio generica et judicium sacramentale*, Venise, 1939, p. 22-70). Le Rituel Romain de 1614, qui prescrivait d'absoudre le pénitent moribond ne pouvant se confesser que d'une manière générique et même par le seul moyen de signes, apporta à l'opinion positive une approbation explicite (III, cap. 1, n. 25).

A l'époque contemporaine on est passé de cette confession générique du pénitent qui ne peut faire une accusation spécifique à la confession générique d'un groupe avec absolution générale en cas de grave nécessité. L'absolution collective proprement sacramentelle est entrée en usage durant les deux grands conflits mondiaux de notre siècle, quand le Saint-Siège accorda diverses facultés aux ordinaires des pays belligérants. Le premier document officiel remonte à l'année 1915 (AAS, t. 7, 1915, p. 72). Puis une Instruction de la Sacrée Pénitencerie (25 mars 1944) a réordonné toute la matière. Selon ce document, l'absolution sacramentelle collective est permise en cas de danger de mort quand le prêtre ne peut entendre en confession chaque fidèle. Étant donné sa date de rédaction, l'Instruction visait avant tout le danger de mort en période de guerre (Denzinger, n. 3833). Mais le document étend cette faculté d'absoudre collectivement au cas d'afflux extraordinaire de pénitents, s'il y a nécessité grave et urgente, comme par exemple si les pénitents – non par leur faute – devaient rester longtemps en état de péché et sans possibilité d'accès à l'Eucharistie (n. 3834). Les fidèles absous de la sorte sont toutefois tenus d'accuser dans une confession postérieure, quand ils le pourront, les péchés graves déjà remis (n. 3835-3836). Après la dernière guerre mondiale, cette possibilité d'absolution sacramentelle collective a été actuée, selon les dispositions établies par les ordinaires, dans certains pays manquant de prêtres.

Devant certaines initiatives tendant à étendre l'usage de l'absolution collective en dehors du cas de nécessité, plusieurs évêques interrogèrent le Saint-Siège sur la question. La Congrégation pour la Doctrine de la foi a publié des *Normae pastorales circa absolutionem sacramentalem generali modo impertiendam* (AAS, t. 64, 1972, p. 510-14) qui, sans changer la substance du document de 1944, affirment le caractère extraordinaire de l'absolution sacramentelle collective. Celle-ci n'est licite que dans les cas de grave nécessité : pénurie de confesseurs ; grand nombre de pénitents ; si ceux-ci, sans faute de leur part, se trouveront privés longtemps de la grâce du sacrement ou de la communion (p. 511). En dehors de ce cas, l'absolution sacramentelle collective est un abus (p. 514). L'intention de confesser, en temps voulu, chacun des péchés graves qui ne sont pas actuellement confessés, est une condition requise de la part des fidèles pour la validité de l'absolution sacramentelle collective, ce dont les fidèles doivent être avertis par les prêtres (p. 512).

Le Code de Droit canonique de 1983 ne fait que condenser ces normes pastorales (can. 961-963), après avoir déclaré que la confession intègre et l'absolution individuelle constituent l'unique mode ordinaire de réconciliation avec Dieu et avec l'Église lorsqu'on a conscience d'un péché grave (can. 960).

### 5. Les célébrations pénitentielles communautaires.

– Celles-ci seraient apparues après la dernière guerre mondiale en Belgique, où dès 1947-1948 on les avait mises en pratique dans une paroisse de travailleurs. De là elles se sont répandues dans les pays voisins, puis dans l'ensemble de la chrétienté (F. Funke, *Panorama bibliographique*, dans *Concilium*, n. 61, 1971, p. 125). Il n'y a pas lieu de les décrire ici, car elles sont aujourd'hui bien connues. Elles font penser à ces liturgies pénitentielles de l'Ancien Testament, dont on a parlé plus haut, ou encore à ces confessions collectives en usage dans la Synagogue et dans les communautés judéo-chrétiennes de Palestine, auxquelles fait vraisemblablement allusion l'épître de Jacques 5, 16, et peut-être la première épître de Jean 1, 9. Mais l'Église du temps des Pères ne présente rien de vraiment analogue.

Les *Normae pastorales* citées plus haut soulignent la valeur de ces célébrations, mais veulent que soient distincts les rites communautaires de pénitence et le sacrement en ce qui regarde la confession et l'absolution. Il est possible d'insérer ce sacrement à l'intérieur d'une célébration communautaire. Si durant une telle célébration les fidèles font leur confession individuelle, ils doivent être absous chacun personnellement par le confesseur auquel ils s'adressent (p. 513-14). Autrement dit, ils ne peuvent recevoir une absolution communautaire d'un confesseur ou de divers confesseurs ensemble.

### 6. Le nouvel « Ordo Paenitentiae ».

– Le cadre tripartite du rituel de la pénitence (Décret de promulgation daté du 2 décembre 1973 ; *Editio typica*, Rome, 1974) a été conditionné par les *Normae pastorales* de 1972. Cet *Ordo* distingue trois modes de réconciliation : 1) le rite pour la réconciliation individuelle des pénitents ; 2) le rite pour la réconciliation de plusieurs pénitents avec confession et absolution individuelles, qui s'insèrent dans une célébration communautaire ;

3) le rite pour la réconciliation de plusieurs pénitents avec confession et absolutions générales dans les cas où il est nécessaire de donner l'absolution collective : celle-ci prend place à l'intérieur d'une célébration communautaire qui, si le temps urge, pourra être abrégée.

1º Il y a une certaine STRUCTURE COMMUNE aux trois rites. Ils commencent tous les trois par l'accueil de pénitents fait par le ministre du sacrement. Puis vient la lecture de la Parole de Dieu, sans doute un des points les plus remarquables de ce nouveau rituel. Pour introduire le signe de la réconciliation dans un véritable contexte de foi, il propose et exige même que le sacrement de la pénitence soit célébré en étroit contact avec cette Parole. Le moment central est constitué par la réconciliation sacramentelle. La célébration se conclut par l'action de grâces et le congé des pénitents.

2º La FORMULE D'ABSOLUTION SACRAMENTELLE doit particulièrement retenir l'attention. Elle est composée de deux parties. La première, qui est nouvelle, a deux rédactions, une commune aux trois rites, l'autre proposée seulement pour le troisième rite. Le caractère de cette prière est avant tout trinitaire. Elle indique que la réconciliation provient de la miséricorde du Père, est l'œuvre du Christ en son mystère pascal de mort et résurrection, se trouve communiquée par le Saint-Esprit donné en rémission des péchés, et parvient au pénitent par le ministère de l'Église. La rédaction proposée pour le troisième rite est plus développée, et l'aspect trinitaire y est mis en évidence avec encore plus de clarté soit à cause de la triple invocation adressée à chacune des personnes divines, soit à cause du lien dynamique qui montre comment leur action s'enchaîne : le Père envoie le Fils pour le salut du monde, qui à son tour répand le Saint-Esprit pour la rémission des péchés.

La seconde partie présente dans les trois rites les mêmes paroles requises pour la validité du sacrement. Déjà en vigueur dans le rituel précédent, cette partie de la formule remonte au 13e siècle. Il s'agit d'un agencement de textes bibliques. L'expression *ego te absolvo* dérive de *Mt.* 16, 19 et 18, 18 (= « quaecumque solveritis ») ; *a peccatis tuis* vient de *Jean* 20, 23 (« quorum remiseritis peccata »). La locution trinitaire *in nomine Patris et Filii et Spiritus Sancti* est prise de la formule du baptême (*Mt.* 28, 19). Il y a ainsi une espèce de parallélisme entre la forme sacramentelle du baptême (« Ego te baptizo in nomine Patris et Filii et Spiritus Sancti ») et celle de la pénitence. Est marquée par là l'affinité de nature et d'effets qui existe entre la pénitence et le baptême.

3º Le nouvel *Ordo* propose divers SCHÉMAS DE CÉLÉBRATIONS pénitentielles communautaires, dans lesquelles peut s'insérer le sacrement de pénitence, mais qui ne le requièrent pas nécessairement. Ces célébrations pénitentielles sans absolution sacramentelle aident à approfondir le repentir et acheminent vers la contrition parfaite qui jaillit de la charité, laquelle, avec le vœu de la future pénitence sacramentelle, obtient la grâce de Dieu et le pardon des péchés (*Praenotanda*, n. 37).

### 7. La satisfaction : son sens.

– Le péché ne passe pas sans laisser de traces. Il a des effets connaturels qui peuvent demeurer et demeurent généralement après que la faute a été remise et que le pécheur, justifié, a retrouvé l'état de grâce. La « pénitence » imposée par le ministre du sacrement, dont l'accomplissement est reporté par un usage bientôt millénaire après la réception de l'absolution, vise à l'effacement de ces effets. Le terme technique de *satisfaction* pour désigner cette pénitence se trouve déjà chez Tertullien et Cyprien (M. Brück, « *Genugtuung* » *bei Tertullian*, dans *Vigiliae christianae*, t. 29, 1975, p. 276-90). Emprunté peut-être au droit romain, il suggère l'idée de compensation, réparation, expiation.

On parle parfois de la satisfaction comme si son seul but était d'expier la peine temporelle due après la rémission de la faute elle-même et de la peine éternelle qui lui est connexe. Mais la tradition antique la considérait à la fois comme expiatoire et médicinale. Cette conception curative, familière à l'Orient chrétien, est aussi traditionnelle en Occident (cf. P. Galtier, art. *Satisfaction*, dans DTC, t. 27, col. 1146-1152). Le concile de Trente l'a faite sienne.

S'il insiste sur l'aspect de « vindicta et castigatio » (= punition et châtiment) pour les péchés passés, par réaction contre la doctrine luthérienne qui ne voulait comme satisfaction que « la vie nouvelle », c'est-à-dire la correction spontanée du pécheur, il n'ignore pas que la satisfaction est aussi « medicamentum infirmitatis » (Sess. XIV, ch. 8 ; Denzinger, n. 1692) ; il souligne qu'elle contribue grandement à « guérir » les « restes du péché » et à détruire, en faisant faire des actions vertueuses qui leur sont contraires, les habitudes vicieuses (n. 1690). Saint Thomas appelait *reliquiae peccati* les dispositions ou inclinations, plus ou moins fortes, au péché causées par les actes peccamineux précédents, surtout s'ils furent fréquemment répétés ; elles restent ordinairement, comme la peine temporelle, après le pardon de la faute (*Summa theol.* III, q. 86, a. 5).

De la peine temporelle le concile de Trente fait plusieurs fois mention (Denzinger, n. 1543, 1689, 1712, 1715). Mais le magistère de l'Église ne s'est jamais prononcé sur sa nature. Diverses sont les explications proposées par les théologiens. Selon Duns Scot, Dieu, en vertu de son droit souverain, commue en peine temporelle la peine éternelle de l'enfer due au péché mortel lorsque celui-ci vient à être pardonné (*Opus oxoniense*, IV Sent., d. 14, q. 4, n. 10, dans *Opera*, Lyon, 1639, t. 9, p. 93 ; d. 21, q. 1, n. 6, p. 417). Suárez explique cette commutation par la substitution conditionnelle d'une peine à l'autre : Dieu, de toute éternité, a établi d'infliger une peine éternelle dans le cas où le péché n'aurait pas été remis, une peine temporelle dans le cas contraire, laquelle est diversement déterminée pour chaque péché selon le bon plaisir de la volonté divine (*De paenitentia*, disp. 10, sect. 3, n. 15, éd. Vivès, t. 22, Paris, 1861, p. 190). Dans la théologie contemporaine cette conception purement volontariste n'a plus de partisans (cf. E. Quarello, *Peccato e castigo nella teologia contemporanea*, Turin, 1958).

La tendance commune est de rechercher, à la suite de saint Thomas, le fondement de la peine temporelle dans la conversion désordonnée au bien créé qu'implique tout péché, mais spécialement le péché mortel, et qui subsiste encore, à moins que la contrition ne soit d'un repentir intense, après la justification et le retour du pécheur à Dieu quand a disparu, en même temps que l'obligation de la peine éternelle, l'état d'aversion vis-à-vis de Dieu (*Summa theol.* III, q. 86, a. 4, ad 1). Ce texte fameux, mais difficile, sur la permanence de l'« inordinata conversio ad bonum creatum », pro qua debetur reatus poenae temporalis », est généralement interprété à la lumière de l'idée d'ordre lésé à réparer et en conformité avec le principe qui veut que le désordre de la faute ne soit ramené à l'ordre que par la peine.

Selon Cajetan † 1534, ce qui reste, ce n'est pas la conversion désordonnée elle-même en tant qu'acte ou habitude, mais le désordre coupable qu'introduisit cette conversion, et qui demeure aussi longtemps qu'il n'a pas été suffisamment réordonné par une peine (*In III*, q. 86, a. 4, dans *Editio Leonina operum S. Thomae*, t. 12, Rome, 1906, p. 312).

Précisant la pensée de Cajetan, les Carmes de Salamanque (17e siècle) expliquent que la conversion au bien créé, une fois passée physiquement avec l'acte peccamineux, persiste moralement tant qu'elle n'est pas rétractée complètement. Cette rétractation s'opérera par le moyen d'un déplaisir mortifiant grâce auquel la volonté du pécheur retranche l'équivalent de ce qu'elle s'était abusivement accordée (*Cursus theologicus*, De Poenitentia, disp. 10, dub. 1, n. 7-9, t. 20, Paris, 1883, p. 584). A cette explication se réfèrent Th. Deman (art. *Péché*, dans DTC, t. 12, col. 222-223) et E. Doronzo (*De Poenitentia*, t. 3, De satisfactione et absolutione, Milwaukee, 1952, p. 207-08).

D'une manière analogue, Jean-Baptiste Gonet † 1681 fait de la peine temporelle une compensation pour la délectation illicite que le pécheur, trop complaisant envers soi-même, a goûté par sa conversion désordonnée au bien créé (*Clypeus theologiae thomisticae*, t. 6. tract. 5 De Poenitentia, disp. 3, a. 5, n. 69, éd. Vivès, Paris, 1876, p. 551). Argument similaire chez H. Hugueny (*Saint Thomas d'Aquin, Somme théologique, La pénitence*, t. 1, Éd. de la Revue des Jeunes, Paris, 1931, note 27; p. 243).

D'autres, élargissant le discours, proposent de voir dans la peine temporelle comme l'effet d'une loi de rééquilibration de l'univers. Par son attachement déréglé à un bien créé de ce monde, le pécheur a introduit ici-bas un désordre, un déséquilibre, dont il ne peut pas ne pas subir le contre-coup dans son être et ses facultés. L'ordre providentiel de la création tend à réagir contre la violence faite. Cette réaction, qu'on pourrait appeler « peine cosmique » ou « peine de la création » parce qu'elle concerne la relation de l'homme à l'univers, n'est pas de soi abolie par la conversion du pécheur à Dieu car, justifié, il n'est pas pour autant réinséré dans l'ordre providentiel de la création, ce qui ne pourra s'accomplir que par une juste compensation du désordre, restauratrice de l'équilibre rompu par le péché, sous la forme soit d'une libre satisfaction ici-bas, soit d'une « satispassion » subie en purgatoire. C'est la théorie de J. Maritain (*Neuf leçons sur les notions premières de la philosophie morale*, Paris, 1951, p. 72, 184) et Ch. Journet (*La peine temporelle du péché*, dans *Revue thomiste*, t. 32, 1927, p. 20-39 ; *Théologie des indulgences*, dans *Nova et Vetera*, t. 41, 1966, p. 81-111).

Certains thomistes s'avouent toutefois embarassés par cette grande vue d'un ordre objectif de justice, extérieur à la personne et de dimension cosmique. Où peut donc s'établir cette balance entre « désordre » et « peine » ? Ils préfèrent se placer dans la perspective de cet univers en développement qu'est une vie humaine et son histoire personnelle (elle-même d'ailleurs fragment de cette Histoire totale inscrite, pour ainsi dire, dans la mémoire de Dieu, et dont nous aurons la révélation au jour du Jugement). L'acte du péché a été un échec à Dieu, à son amour et à sa gloire qui voulait se refléter en moi. L'événement posé est à jamais indestructible. Mais mon histoire continue à se faire et, par la grâce du Christ, elle a les moyens de protester contre cet échec en le jugeant selon la vérité et en inscrivant dans la suite de sa trame des actes qui soient expressément négateurs du désordre passé. On peut entendre ainsi la satisfaction. Il s'agit de changer, dans le tout de mon histoire, la signification de la somme de mes actes antérieurs par des actes nouveaux, compensateurs et réparateurs ; pour parler un langage moins quantitatif, on comparera ma vie à une courbe qui se trace progressivement, et dont les nouveaux points donnent à la partie déjà tracée une signification tout à fait nouvelle.

H. R. Dondaine, *Réparer ses fautes. Pourquoi une satisfaction dans la pénitence ?*, VS, t. 106, 1962, p. 564-78. – M. B. de Vaux Saint-Cyr, *Revenir à Dieu. Pénitence, conversion, confession*, Paris, 1967, p. 270-87. – C. Duquoc, *Note sur les indulgences*, dans *Lumière et Vie*, t. 13, n. 70, 1964, p. 103.

Différente est la ligne de pensée des théologiens qui mettent en connexion la peine temporelle et les « restes du péché », dont les opinions jusqu'ici exposées ne paraissent guère faire de cas. Guillaume de Contenson † 1674 (DS, t. 2/2, col. 2193-2196) est-il le père de cette forme d'explication ? D'après lui, la conversion désordonnée au bien créé dont parle saint Thomas n'est pas autre chose que les dispositions permanentes causées par les actes peccamineux précédents, auxquelles, en raison de ces actes, est due une peine temporelle. Mais il ne dit pas explicitement en quoi consiste cette peine (*Theologia mentis et cordis* XI, pars 3, dissert. unica, cap. 1, corollarium 3, t. 2, Lyon, 1687, p. 356).

Plus près de nous, P. De Letter voit la peine temporelle dans le pénible processus de libération de cet attachement désordonné, bien qu'involontaire, aux créatures qui persiste après le pardon du péché, et provient de la complexité de la nature humaine avec son appétit sensitif et l'inertie qu'elle oppose à la volonté libre. Il s'agit bien d'une remise en ordre, mais intérieure, du pécheur pardonné qui doit par un laborieux retour rectifier son attitude à l'égard des créatures et s'établir dans un état de détachement et de liberté. Voilà à quoi tend la satisfaction. Les expressions juridiques qu'on emploie (dette de peine, punition, acquittement de peine) sont légitimes,mais sa réalité est avant tout ontologique, et la peine n'est pas imposée du dehors (*Theology of satisfaction*, dans *The Thomist*, t. 21, 1958, p. 1-28, spéc. 9-11). Cf. P. Anciaux, *Le sacrement de la pénitence*, 2ᵉ éd., Louvain-Paris, 1960, p. 185, note 34.

K. Rahner a développé de la manière la plus suggestive ces considérations, en s'inspirant d'une ontologie existentielle de la personne humaine. Il considère la peine temporelle du péché comme un effet de la loi d'incarnation propre à l'homme, être pluri-dimensionnel, esprit dans un corps, élément lui-même d'un monde matériel constituant un tout indivisible. Dans l'homme concret, le centre originaire de la personne libre ne coïncide pas avec toutes les zones et les sphères psychologiques et somatiques qui entourent ce centre. Quand l'homme se convertit à Dieu dans l'intime de lui-même par une décision de sa liberté personnelle, il arrive que la conversion ne touche que le noyau spirituel de la personne, sans qu'elle transforme tout l'homme. Il reste un long et douloureux chemin à parcourir avant que son adhésion à Dieu surmonte toutes les réserves et résistances opposées par les dispositions de la nature, non seulement innées, mais acquises à travers les fautes commises, et que le libre amour dont il aime Dieu prenne totale possession de son être, de ses tendances et de ses énergies à tous les niveaux. Cette intégration de toutes les dimensions de l'homme dans la décision foncière de la personne sera le résultat d'un lent processus temporel de purification et de maturation. L'effort à accomplir pour nous délivrer des reliquats, souvents lourds, de notre passé est à la fois conséquence et juste peine de notre péché.

*Ueber den Ablass*, dans *Stimmen der Zeit*, t. 156, 1954-1955, p. 345-50 ; *Bemerkungen zur Theologie des Ablasses*, dans *Schriften zur Theologie*, t. 2, Einsiedeln, 1956, p. 204-08 ; trad. fr., *Remarques à propos de la théologie des indulgences*, dans *Écrits théologiques*, t. 5, Paris, 1966, p. 133-37 ; *Beichtprobleme*, dans *Schriften zur Theologie*, t. 3, 1956, p. 240-44 ; trad. fr., *Problèmes relatifs à la confession*, dans *Éléments de théologie spirituelle*, coll. Christus 15, Paris, 1964, p. 175-79. Cf. Z. Alszeghy et M. Flick, *Il sacramento della Riconciliazione*, Turin, 1976, p. 189-93.

**8. La satisfaction : pratique actuelle.** – L'antiquité chrétienne, qui ne distinguait pas encore clairement dans le péché la faute proprement dite et les suites connaturelles de celle-ci, était convaincue que la parfaite et complète conversion suppose temps et patients progrès. Ainsi s'explique la durée apparemment si longue de la pénitence des anciens. La satisfaction sacramentelle, de nos jours, s'est réduite à si peu qu'on pourrait croire qu'elle n'a plus, à la limite, qu'une valeur symbolique. Le *Rituale Romanum* de 1614 recommandait, en donnant des exemples, d'enjoindre des pénitences contraires aux péchés commis (tit. III, cap. 1, n. 20). L'*Ordo Paenitentiae* de 1973, moins explicite, n'ignore pas ce point de vue quand il insiste sur le caractère médicinal de la satisfaction qui doit être telle que le pénitent, « pro morbo quo laboravit, contraria medicina curetur » (Praenotanda, n. 6). Si les œuvres de pénitence obligent à exercer les vertus directement opposées aux fautes commises, elles produiront un effet de guérison des dispositions causées par le péché et lèveront l'obstacle qui empêche l'amour de Dieu d'envahir à fond, jusque dans leurs zones plus périphériques, nos facultés et puissances, et permettront par là à cet amour de rayonner dans les moindres actions de notre vie quotidienne.

Sans vouloir retourner au rigorisme jansénisant des 17ᵉ et 18ᵉ siècles, certains ont proposé vers les années 1930 de revaloriser la satisfaction en demandant un effort personnel sérieux, qui favorise un véritable effet curatif (M. C. Claeys-Boúúaert, *L'effort personnel dans le sacrement de pénitence*, NRT, t. 49, 1922, p. 185-204, et *La pénitence salutaire*, t. 57, 1930, p. 860-68 ; J. Salsmans, *Pour votre salutaire pénitence*, t. 57, 1930, p. 215-22). P. Galtier montrait toutefois que les principes et préoccupations dont s'inspire la pratique actuelle ne sont pas dépourvus de racines primitives. Aux âges de la rigueur pénitentielle, les grands pasteurs de l'Église (Cyprien, Chrysostome, Augustin) se reconnaissaient le droit et le devoir d'adoucissements occasionnels que la prudence leur suggérait et que l'état d'esprit des pécheurs requérait pour ne pas étouffer l'étincelle de foi qui survit au fond des âmes (*La pénitence à imposer ? Inquiétudes d'aujourd'hui et de jadis*, NRT, 50, 1923, p. 1-22). Ces adoucissements, en réalité, nous paraîtraient maintenant bien sévères.

P. Charles plaida pour la pratique habituelle car, pense-t-il, la satisfaction n'est guère autre chose, dans son acceptation par le pénitent, qu'un acte de docilité à l'Église et peut donc être accomplie aussi bien par une courte prière que par une pénible mortification, sans compter qu'il est légitime, pour la plupart de ceux qui se confessent aujourd'hui, de porter à leur crédit comme « opus poenale » l'acte même de se confesser (*Doctrine et Pastorale du sacrement de Pénitence*, NRT, t. 75, 1953, p. 466-70). K. Rahner contesta ces considérations. Il faut sans doute s'en tenir à la pratique actuelle de l'Église, mais ne pas croire que l'imposition d'une grande pénitence soit à écarter toujours et à tous égards, même de nos jours (*Beichtprobleme*, dans *Schriften zur Theologie*, t. 3, Einsiedeln, 1956, p. 240-41, note ; trad. fr., *Problèmes relatifs à la confession*, dans *Éléments de théologie spirituelle*, coll. Christus 15, Paris, 1964, p. 175-76, note).

C'est peut-être à partir du temps de Pie X et de la communion fréquente que furent introduites ces faciles pénitences, parfois sans proportion avec le péché commis (A. M. Carr, *What is a Grave Penance ?*, dans *The Homiletic and Pastoral Review*, t. 62, 1961, p. 368-70). Mais comment sortir des sentiers battus ? L'expérience prouve combien il est difficile de prescrire à chacun une satisfaction adaptée (R. G. Wesselmann, *Grave Penance, ibidem*, t. 62, 1962, p. 788-92). La pénitence réduite à quelque prière courante serait en somme une « indulgence », qui devrait intensifier l'esprit de pénitence et l'animer en profondeur, estime P. Anciaux, *De relatione inter sacramentalem satisfactionem et exercitium virtutis paenitentiae*, dans *Collectanea Mechlinensia*, t. 44, 1959, p. 178-81. La satisfaction sacramentelle ne se mesure du reste pas seulement à l'importance objective de l'œuvre prescrite. Il est traditionnel de dire qu'elle opère proportionnellement aux dispositions actuelles du sujet (E. Hugon, *La doctrine catholique de la satisfaction et la vie spirituelle*, VS, t. 14, 1926, p. 382).

Partie intégrante du sacrement, l'accomplissement de la satisfaction est doté d'une efficacité spéciale. Mais ont aussi valeur satisfactoire toutes les œuvres pénibles que le chrétien en état de grâce assume spontanément, selon le terme du concile de Trente (Sess. XIV, ch. 9, Denzinger, n. 1693), dans l'intention de réparer ses péchés passés, et toutes les épreuves de l'existence qu'il supporte avec patience. Il n'y a personne qui n'ait péché ou ne pèche au moins véniellement. L'esprit de pénitence s'impose à tous. Il devrait s'étendre à toute la vie (cf. J. Badini, *La Constitution apostolique « Paenitemini » dans la ligne du Concile*, dans *La Maison-Dieu*, n. 90, 1967, p. 47-98).

9. **Pénitence et mortification.** – La pénitence prise au sens restreint de satisfaction, que l'on considère seul ici, est souvent confondue dans le langage courant avec la mortification (DS, t. 10, col. 1791-99). Leur notion ne coïncide pas toutefois entièrement. L'une et l'autre ont sans doute en commun certains moyens d'ascèse que la tradition d'origine patristique a ramenés à trois principaux : le jeûne (DS, t. 8, col. 1164-79), l'aumône et la prière, qui sont les œuvres par excellence de ce temps privilégié de purification et de croissance spirituelle que constitue le Carême (DS, t. 2, col. 136-52). Mais la mortification et la pénitence se différencient par leur finalité respective : la première aspire au contrôle et à la maîtrise des tendances naturelles déréglées, la seconde à l'expiation du péché personnel et de ses suites. Jeûner pour se dominer est mortification ; jeûner pour expier est pénitence (E. Ancilli, art. *Ascesi*, dans *Dizionario enciclopedico di spiritualità*, Rome, t. 1, p. 162-63). La pénitence fait effort pour éliminer les dispositions acquises qui naissent du péché commis, et demeurent dans l'être psycho-somatique de l'homme, même une fois que la faute n'est plus en lui (propension renforcée au mal, plis mauvais, commencements d'habitudes, vraies habitudes lorsque le péché a été répété). Un seul péché

peut laisser des traces difficilement effaçables. La mortification, elle, cherche à discipliner ce désordre inné des instincts et des appétits qui est le lot héréditaire de l'humaine condition, et que recouvre ordinairement le mot de concupiscence chez les théologiens, avec ses diverses formes (DS, t. 2, col. 1343-47). A cet égard, la mortification va plus profond que la pénitence, la complète et la parfait. « La mortification met la cognée à la racine de l'arbre, pour achever l'œuvre du repentir, en supprimant la cause du péché... Elle vise à enlever toute force au désir peccamineux, en éteignant jusqu'à cette première complaisance qui l'éveille et amorce son mouvement » (DS, t. 10, col. 1794-95).

10. **La dimension christologique.** – Les considérations précédentes risquent de s'attarder au niveau des catégories éthiques et ascétiques, et par là de laisser échapper peut-être l'essentiel du sacrement de pénitence : sa dimension christologique et, disons, « mystérique » (DS, t. 10, col. 1886-89).

Trente déclarait que, « lorsqu'en satisfaisant nous souffrons pour nos péchés, nous devenons conformes au Christ Jésus qui a satisfait pour nos péchés, lui de qui vient toute notre capacité » (Sess. XIV, ch. 8, Denzinger, n. 1680) ; Vatican II dit que « les ministres de la grâce sacramentelle s'unissent intimement au Christ Sauveur et Pasteur lorsqu'ils reçoivent avec fruits les sacrements, spécialement par la confession sacramentelle fréquente » (*Presbyterorum Ordinis*, n. 18). Ce qui vaut, non seulement des prêtres, mais de tous fidèles. L'idée se retrouve dans l'*Ordo Paenitentiae* de 1973 : « In hujusmodi confessionibus paenitentes, dum de venialibus culpis se accusant, curent praesertim ut penitius Christo conformentur et Spiritus voci attentius obsequantur » (*Praenotanda*, n. 7).

Peu nombreux sont les théologiens qui, sous une forme ou une autre, ont mis en relief cette dimension christologique de la pénitence : E. Hocedez, *La Pénitence chrétienne*, NRT, t. 54, 1927, p. 192-205 ; M. Schmaus, *Katholische Dogmatik* IV, 6e éd., Munich, 1964, p. 598-603 ; R. L. Oechslin, *Le pardon du Seigneur dans le sacrement de pénitence*, VS, t. 117, 1967, p. 139-55 ; G. Moioli, *Per determinare la natura del sacramento della Penitenza cristiana. Appunti di metodo*, dans *La Scuola cattolica*, t. 103, 1975, p. 26-72 ; L. Scheffczyck, *La específica eficacia santificadora del sacramento de la Penitencia*, dans *Scripta theologica* (Pamplona), t. 10, 1978, p. 581-99.

Actes du culte, les sacrements sont des mystères par lesquels l'homme est spirituellement configuré au Christ et fait participant de son œuvre salvifique, dont l'événement pascal est le centre rayonnant. Chaque sacrement produit une ressemblance spéciale au Christ qu'il n'est d'ailleurs pas toujours possible de déterminer avec certitude de façon précise. Cette ressemblance peut néanmoins généralement être cernée dans ses contours à partir du signe sacramentel externe contemplé et appréhendé dans la foi. Or la pénitence est en même temps conversion (signifiée par les actes du pénitent) et parole de réconciliation (prononcée par le ministre). On serait porté par là à penser que l'acte cultuel de la pénitence représente et rend virtuellement présent l'événement pascal en tant que le Christ a accepté la Croix pour le salut des hommes dans un mouvement d'obéissance et d'amour qui est le contraire même de celui du péché, et auquel répond le Père « qui dans le Christ se réconciliait le monde, ne tenant plus compte des fautes des hommes » (2 *Cor.* 5, 19). Le baptême est sans doute aussi, en un certain sens, conversion et réconciliation. Mais ce qui est directement symbolisé par le rite baptismal d'immersion dans l'eau et d'émersion, c'est, comme explique Paul, la mort au péché et la naissance à une vie nouvelle (*Rom.* 6, 1-11). Le sacrement de pénitence, par contre, met au premier plan l'acceptation de la Croix qui répare le péché et la miséricorde de Dieu qui réconcilie. Baptême laborieux, disaient les Pères, la pénitence ne s'incarne dans aucun rite corporel physiquement déterminé, mais dans l'attitude spirituelle de l'homme qui, manifestant sa douleur du péché qu'il confesse et affirmant sa volonté de satisfaire pour en abolir les suites, accepte humblement de se soumettre à la sentence de grâce par laquelle il sera pardonné. Cette participation intime et vécue au mystère de la Croix rédemptrice conforme le baptisé au Christ qui a souffert pour le péché, obtenu miséricorde et réconcilié les hommes avec Dieu. Apparaissent ainsi dans la physionomie intérieure du baptisé des traits qui n'étaient pas jusqu'alors si nettement dessinés et qui le configurent au Christ d'une manière neuve et particulière. Il n'est pas interdit de croire que le caractère baptismal en reçoit une certaine modification, et que la grâce sanctifiante restituée (ou augmentée dans le cas des fautes vénielles) est elle-même toute imprégnée par ce mode nouveau de ressemblance. C'est la grâce d'un homme qui est passé à travers le mystère réconciliateur de la Croix. Le Christ n'a pas souffert pour nous dispenser de réparer et d'expier nos péchés, mais pour nous donner les moyens de le faire avec lui et en lui (cf. Trente, Sess. XIV, ch. 8, Denzinger, n. 1691). Dans le sacrement de pénitence nous vivons notre propre rédemption, qui n'est jamais complètement achevée, toujours à parfaire sinon à reprendre.

La **bibliographie** de la pénitence est très vaste. On en a donné des échantillons dans le corps de l'article. On se contente ici de quelques titres plus fondamentaux ou plus utiles.

DTC, t. 12, 1933, col. 722-48 (Pénitence-repentir), 748-1138 (Pénitence-sacrement ; voir en particulier la théologie au moyen Age). – DBS, t. 7, 1966, col. 628-87. – DES, t. 2, 1975, p. 1427-37. – *Nuovo dizionario di spiritualità*, Rome, 1979, p. 1175-83, 1205-25. – *Lexikon des Mittelalters*, t. 2, 1982, col. 1118-22 ; 1123-51.

P. Poschmann, *Busse und letzte Oelung*, Fribourg/Brisgau, 1951 ; trad. fr., *La pénitence et l'onction des malades*, Paris, 1966. – C. Vogel, *Le pécheur et la pénitence dans l'Église ancienne*, Paris, 1966 ; *Le pécheur et la pénitence au moyen âge*, Paris, 1969. – *Sacramentum mundi*, t. 1, 1967, col. 652-79. – H. Vorgrimler, *Busse und Krankensalbung*, dans *Handbuch der Dogmengeschichte*, t. 4/3, Fribourg/Brisgau, 1978.

A. Mayer, *Storia e teologia della Penitenza*, dans *Problemi e orientamenti di teologia dommatica*, t. 2, Milan, 1957. – P. M. Gy, *Histoire liturgique du sacrement de la pénitence*, dans *La Maison-Dieu*, n. 56, 1958, p. 5-11. – C. Vogel, *Le péché et la pénitence. Aperçu sur l'évolution historique de la discipline pénitentielle dans l'Église latine*, dans *Pastorale du péché* (en collaboration), Paris, 1961, p. 147-235. – M. B. Carra de Vaux Saint-Cyr, *Histoire du sacrement de pénitence*, dans *Lumière et Vie*, n. 13, 1964, p. 8-50. – P.-M. Gy, *Les bases de la pénitence moderne*, dans *La Maison-Dieu*, n. 117, 1974, p. 63-85. – M.-Fr. Berrouard, *La pénitence publique durant les six premiers siècles. Histoire et sociologie, ibidem*, n. 118, 1974, p. 92-130. – A. Verheul, *Le sacrement de réconciliation à travers les siècles*, dans *Questions liturgiques*, t. 58, 1977, p. 27-49. – K. Dooley, *From Penance to Confession : The Celtic Contribution*, dans *Bijdragen*, t. 43, 1982, p. 390-411. – Groupe de la Bussière, *Pratiques de la confes-*

*sion. Des Pères du désert à Vatican II. Quinze études d'histoire*, Paris, 1983.

D. Papathanassiou-Ghinis, *Théologie et pastorale des pénitences selon l'Église orthodoxe*, Strasbourg, 1981 (bibl.). – A. Amato, *Il Sacramento della Penitenza nella Teologia Greco-Ortodossa...* (16e-20e s.), coll. Analecta Vlatadon 38, Thessalonique, 1982.

*Sin and Repentance*, Papers of the Maynooth Union Summer School 1966, éd. D. O'Callaghan, Dublin-Sydney, 1967. – *El Sacramento de la Penitencia*. XXX Semana española de Teología (Madrid, 14-18 sept. 1970), Madrid, 1972. – *Valore e attualità del sacramento della Penitenza*, éd. G. Pianazzi et A. M. Triacca, Zurich, 1974. – *Liturgie et rémission des péchés*, Conférences Saint-Serge. XXe Semaine d'études liturgiques (Paris, 2-5 juillet 1973), Rome, 1975. – *La penitenza*, Studi biblici, teologici e pastorale. Il nuovo rito della Riconciliazione, dans *Quaderni di Rivista Liturgica*, Nuova serie 3, Leumann (Torino), 1976. – *Ephemerides liturgicae*, t. 97, 1983, p. 281-407.

P. Anciaux, *Le sacrement de la pénitence*, 3e éd., Louvain-Paris, 1963. – B. de Vaux Saint-Cyr, *Revenir à Dieu. Pénitence, conversion, confession*, Paris, 1967. – G. Flórez García, *La reconciliación con Dios*, Madrid, 1971. – D. Tettamanzi, *Conversione e riconciliazione*. Milan, 1974. – J. A. Reig Pla, *El sacramento de la Penitencia*, Valence, 1980. – P. Adnès, *La Penitencia*, Madrid, BAC, 1981.

« *Convertissez-vous et faites pénitence* », dans *Christus*, n. 39, 1963. – Cl. Jean-Nesmy, *Pratique de la confession*, Paris, 1962 ; *L'éducation du comportement spirituel du pénitent*, dans *La Maison-Dieu*, n. 89, 1967, p. 189-208 ; *La joie de la pénitence*, Paris, 1968 ; *Pourquoi se confesser aujourd'hui*, Paris, 1968. – J.-H. Nicolas, « *Tes péchés sont remis* », VS, t. 116, 1967, p. 501-24. – *Le sacrement de la réconciliation*, t. 1. Les difficultés de la confession aujourd'hui, par G. Defois, H. Denis et J. Le Du, Paris, 1969 ; t. 2, Vers une pastorale pénitentielle aujourd'hui, par G. Defois, H. Denis et N. Fabre, Paris, 1970.

Y. Congar, *Points d'appui doctrinaux pour une pastorale de la pénitence*, dans *La Maison-Dieu*, n. 104, 1970, p. 73-87. – P. Tripier, *La réconciliation. Un sacrement pour l'espérance*, Paris, 1976. – Pratique pénitentielle et péché, dans *Le Supplément*, n. 120-121, mars 1977. – *La réconciliation*, n. spécial, *Communio*, t. 8/5, 1983. – B. Bro, *Le secret de la confession*, Paris, 1983.

Les renvois aux principaux articles connexes du DS ont été faits en cours de texte ; voir aussi art. *Péché-Pécheur*, *supra*.

*Pratiques de pénitence* : art. *Abstinence*, t. 1, col. 112-33 ; – *Ceintures et chaînes de pénitence*, t. 2, col. 375-77 ; – *Cendres*, col. 403-04 ; – *Chameunie*, col. 451-54 ; – *Chapitre des coulpes*, col. 483-88 ; – *Chevelure*, col. 832-34 ; – *Cilice*, col. 899-902 ; – *Correction fraternelle*, col. 2402-14 ; – *Cuirasse*, col. 2630-32 ; – *Discipline*, t. 3, col. 1302-11 ; – *Flagellants*, t. 5, col. 392-408 ; – *Indulgences*, t. 8, col. 1713-28 ; – *Jeûne*, t. 8, col. 1164-79 ; – *Mortification*, t. 10, col. 1791-99.

Pierre ADNÈS.

**PÉNITENTIELS.** Voir art. PÉNITENCE, *supra*, col. 967-69 ; C. Vogel, *Les 'Libri paenitentiales'*, coll. Typologie des sources du moyen âge occidental 27, Louvain, 1978.

**PÉNITENTS** AU MOYEN ÂGE. – Le terme même de pénitent a revêtu à l'époque médiévale des significations diverses et il n'est pas toujours aisé d'en définir le contenu avec précision. Au sens large, on désigne sous ce nom l'ensemble des laïcs qui ont cherché à mener une vie pieuse (*laici religiosi*) sans adopter pour autant l'état monastique : reclus et recluses, siècle, la législation ecclésiastique devient à peu près muette au sujet des pénitents. Cela ne signifie pas pour autant qu'ils aient disparu et certains actes béguins et béguines, membres des tiers ordres, vierges et veuves vouées au Seigneur, etc. Selon une acception plus restreinte, il s'applique parfois aux seuls membres de l'*Ordo de poenitentia* qui est apparu et s'est structuré dans un certain nombre de régions d'Occident, et tout particulièrement en Italie, à la fin du 12e et au 13e siècle. En fait, même si l'on privilégie l'étude de cette forme originale de vie religieuse, il est impossible de la séparer du contexte général dans lequel elle s'inscrit, qui est celui d'une aspiration largement répandue au sein du laïcat à définir une spiritualité et des formes de vie chrétienne adaptées à sa situation spécifique dans le monde et dans l'Église. Aussi la notion d'état pénitentiel recouvre-t-elle toute une série d'expériences tant individuelles que communautaires dont les contours sont d'autant plus difficiles à cerner qu'elles ont souvent laissé peu de traces documentaires et que nombre d'entre elles ont abouti à la fondation d'ordres religieux qui ont évolué ensuite dans un sens très différent. C'est dire toute la complexité d'une question dont certains aspects demeurent obscurs mais qui a connu, au cours des dernières décennies, un important renouvellement sur le plan historiographique. – 1. *Jusqu'au 12e siècle*. – 2. *Du 13e au 15e siècle*. – 3. *La spiritualité pénitentielle*.

1. **De l'Antiquité au 12e siècle.** – Dans l'Antiquité chrétienne, la discipline pénitentielle de l'Église en Occident était très différente de ce qu'elle est devenue par la suite. Le sacrement de pénitence n'était pas réitérable et ceux qui l'avaient reçu devaient mener un genre de vie particulier, caractérisé par le port d'un habit spécial et par un certain nombre d'interdits qui pesaient sur eux dans leur existence quotidienne. Il leur était défendu par exemple de participer aux spectacles et à la vie publique ou de pratiquer le commerce. Étant en quelque sorte « morts au monde », ils s'astreignaient à une grande sobriété dans la nourriture et à la pratique de la continence absolue s'ils étaient mariés.

A l'origine ce genre de vie n'était imposé qu'aux pécheurs qui avaient été publiquement réconciliés par l'évêque après avoir commis des fautes très graves : apostasie, assassinat, adultère notoire et prolongé. Du fait de son caractère permanent et irrévocable, la majorité des fidèles retardaient autant que possible la réception de la pénitence qu'ils se faisaient généralement administrer *in articulo mortis*. Mais aux 6e et 7e siècles ce régime pénitentiel fut étendu à d'autres pécheurs et en même temps assoupli, dans la mesure où l'imposition de la pénitence n'entraînait l'entrée dans l'*ordo poenitentium* que pour un temps plus ou moins long. Au cours du haut moyen âge, il tomba en désuétude, la pénitence tarifée et réitérable diffusée par les moines irlandais ayant progressivement remplacé la discipline antique. Voir art. *Pénitence, supra*, ch. III-IV.

A côté de ces pécheurs publics réconciliés, il existait dès le 5e siècle des chrétiens qui acceptaient volontairement de se soumettre à un régime ascétique sévère dans un esprit de pénitence. Ils sont désignés dans les textes conciliaires sous des termes variés (*poenitentes, conversi, viri religiosi* ou *mulieres religiosae* ; cf. DS, t. 2, col. 2218-24) et vivaient isolément dans leurs maisons sous le contrôle de l'évêque ou d'un abbé. Sous les Carolingiens, ce genre de vie religieuse connut une éclipse, car les réformateurs ecclésiastiques se montrèrent hostiles aux formes privées et individuelles de pénitence. Surtout l'exaltation de la cléricature et du monachisme qui caractérise cette époque aboutit à identifier les pénitents et les continents aux cénobites, cependant que les laïcs étaient voués (par Jonas d'Orléans par exemple) à constituer un *ordo conjugatorum* axé sur le mariage, la vie familiale et la sphère de l'action temporelle. A partir du 10e siècle, la législation ecclésiastique devient à peu près muette au sujet des pénitents. Ils n'ont pourtant pas disparu et certains actes mentionnent encore vierges ou veuves, surtout nobles, qui, ayant pris le voile sans entrer dans une communauté monastique, menaient chez elles une vie dévote et conservaient la chasteté (*devotae Dei famulae*). En 1139, le 2e concile du Latran, aboutissement institutionnel de la Réforme grégorienne, s'inscrivit dans le droit fil de l'Église carolingienne en condamnant (can. 26) « la détestable coutume de certaines femmes qui prétendent être moniales, mais ne se soumettent à aucune des trois règles reconnues, refusent le régime du réfectoire et du dortoir commun et continuent à préférer leurs propres habitations » (Mansi, t. 21, col. 532-33). Cette hostilité est à mettre en relation avec l'idéal communautaire de la Vie apostolique que la Réforme avait imposé aux moines et qu'elle recommandait vivement aux clercs (chanoines réguliers). Mais dans le cas des pénitentes ou des moniales domestiques, les injonctions de Latran II demeurèrent dépourvues d'effets : la plupart des femmes ne pouvaient, l'eussent-elles souhaité, entrer dans un monastère tant en raison du petit nombre de maisons religieuses féminines que de la dot souvent importante qui était requise pour y être admise.

B. Poschmann, *Die abendländische Kirchenbusse im Ausgang des christlichen Altertums*, Munich, 1928 ; *Die abendländische Kirchenbusse im frühen Mittelalter*, Breslau, 1930. – P. Galtier, *Pénitents et « convertis », de la pénitence latine à la pénitence celtique*, RHE, t. 33, 1937, p. 5-26, 277-305. – C. Vogel, *Le pécheur et la pénitence dans l'Église ancienne*, 2e éd., Paris, 1982 ; *Le pécheur et la pénitence au Moyen Âge*, 2e éd., Paris, 1982 ; I. Feusi, *Das Institut der Gottgeweihten Jungfrauen. Sein Fortleben im Mittelalter*, Fribourg (Suisse), 1917. – H. Schaefer, *Die Kanonissenstifte im deutschen Mittelalter. Ihre Entwicklung und innere Einrichtung im Zusammenhang mit den altchristlichen Sanktimonialen*, Stuttgart, 1907. – G.G. Meersseman, *I penitenti nei secoli XI e XII*, dans *Ordo Fraternitatis. Confraternite e pietà dei laici nel Medioevo*, t. 1, Rome, 1977, p. 265-304.

Au début du 12e siècle, le cadre juridique de l'état pénitentiel, tel que l'avait établi l'Église antique, subsistait donc pour l'essentiel, comme en témoigne son insertion dans le Décret de Gratien vers 1140 (*Decretum*, P. 2, C. 33, q. 3-5, éd. E. Friedberg, Leipzig, 1879, col. 1241-42). Mais il ne s'agissait plus que d'une structure résiduelle mal vue de l'Église hiérarchique et ne concernant qu'un petit nombre de femmes qui ne pouvaient ou ne voulaient pas s'insérer dans les institutions monastiques.

Au cours du siècle, elle devait reprendre vie sous l'influence du mouvement religieux qui poussait alors un nombre croissant de laïcs des deux sexes à rechercher des formes de vie leur permettant de concilier les exigences du service de Dieu et celles que leur imposait leur condition de chrétiens vivant dans le monde. Dans un premier temps, ces expériences se développèrent principalement dans le cadre d'une association d'individus ou de groupes laïcs à des communautés religieuses.

Ce fut le cas des nombreux oblats ou serfs d'église qui faisaient don de leurs terres et de leur personne à un monastère en échange de sa protection temporelle et spirituelle, étroitement liés aux ordres religieux nouveaux (Hirsau, Grandmont, Cîteaux) auxquels ils apportaient leur force de travail, formant avec les moines une seule communauté tout en ayant leur dortoir et leur réfectoire propres. Mais ces formes de vie ne convenaient pas à ceux qui, étant mariés et ayant charge de famille, ne pouvaient renoncer à leur état pour entrer dans la vie religieuse.

Les innovations introduites par le pape Alexandre III dans la définition de l'état religieux allaient permettre de débloquer la situation sur ce point : dans une importante bulle de 1175 (PL 200, 1024) confirmant les statuts de l'ordre militaire de Saint-Jacques de l'Épée, qui venait de se constituer en Espagne pour favoriser la reconquête chrétienne, le pontife affirma qu'il fallait considérer comme des conseils, et non comme des préceptes, les antiques canons relatifs à la continence qui devait être observée par les époux chrétiens pendant les jours de jeûne, et que l'état de perfection n'était pas lié à la virginité. Mariés ou non, les chevaliers qui entraient dans cet ordre pouvaient à bon droit être considérés comme menant une vie religieuse, dans la mesure où ils avaient prononcé les vœux d'obéissance et où ils s'exposaient aux périls du combat dans un esprit de pénitence. L'importance de ce texte, qui fut confirmé par Innocent III en 1209, est considérable : en déplaçant le centre de gravité de la vie religieuse du célibat à l'obéissance et à la pratique du genre de vie pénitentiel, il écartait le principal obstacle qui empêchait les fidèles mariés d'y accéder. L'idéal de la « fuite du monde » s'intériorise : il cesse de s'identifier à un refus de la vie charnelle pour devenir une lutte contre le péché sous toutes ses formes, dans laquelle aucune catégorie de chrétien ne se trouve disqualifiée a priori du fait de son genre de vie.

Les canonistes tireront les conséquences de ce tournant quelques décennies plus tard, comme on peut le constater chez Henri de Suse (Hostiensis, † 1271) qui écrit dans sa *Summa Aurea*, en 1253 (livre III, Venise, 1570, p. 193) : « Au sens large on appelle religieux ceux qui vivent saintement et religieusement chez eux, non parce qu'ils se soumettent à une règle précise, mais en raison de leur vie plus dure et plus simple que celle des autres laïcs qui vivent de façon purement mondaine ».

Aussi assista-t-on, dans les dernières décennies du 12e siècle, à l'éclosion spontanée de toute une série de formes de vie religieuse laïque, qui eurent des prolongements institutionnels très divers mais qui se référaient toutes à la spiritualité pénitentielle. C'est le cas des pénitents ruraux communautaires d'Italie du Nord, bien attestés dans les environs de Vicence dès 1185/88, qui se regroupaient autour d'une église ou d'un hôpital pour exploiter des terres en mettant en commun leurs biens et leur travail, après avoir fait vœu de pénitence entre les mains de l'évêque. C'est aussi celui du tiers ordre des Humiliés de Lombardie, dont la règle fut approuvée par Innocent III en 1201. Ce dernier groupe rassemblait des laïcs, mariés ou non, vivant dans leur propre maison selon une règle de vie (*Propositum*) qui leur permettait d'associer le travail et la vie familiale à la pratique de l'idéal évangélique (Innocent III, *Incumbit nobis*, éd. H. Tiraboschi, *Vetera Humiliatorum monumenta*, Milan, 1766, t. 2, p. 128 svv ; cf. art. *Humiliés*, DS, t. 7, col. 1129-36). Des constitutions très proches seront accordées par le même pape aux groupements laïcs des Pauvres Catholiques de Durand de Huesca et des Pauvres de Lombardie de Bernard Prim autour de 1208/10.

A la même époque on voit se multiplier, dans les régions correspondant à l'actuelle Belgique et au Nord de la France, les femmes laïques appelées béguines qui vivaient seules ou en communauté sous la direction de l'une d'entre elles, sans prononcer de vœux religieux proprement dits mais en combinant le travail manuel, l'assistance aux pauvres et la vie de prière. Dans ces groupes piétistes, qui avaient leur pendant du côté masculin avec les bégards, la méditation assidue des souffrances du Christ débouchait sur une vie pénitente et sur une aspiration au dépouillement total, comme on le constate chez une sainte comme Marie d'Oignies († 1213 ; DS, t. 10, col. 519), bien connue grâce à la célèbre biographie que lui consacra en 1215 son directeur de conscience, l'évêque puis cardinal Jacques de Vitry. Voir DS, t. 1, col. 1341-52.

A travers tous ces mouvements se faisaient jour à la fois le désir d'autonomie des laïcs sur le plan religieux et leur aspiration à devenir les émules des moines ou des chanoines réguliers en matière de perfection chrétienne. Innocent III se montra ouvert à leurs requêtes et manifesta sa faveur à leur égard en canonisant en 1199 un pénitent de Crémone, Homebon († 1197 ; cf. bulle de canonisation, PL 214, 483), un marchand qui s'était signalé par sa charité envers les pauvres, son action en faveur de la paix dans le cadre de sa cité et son extrême dévotion.

*I laici nella « Societas Christiana » dei secoli XI et XII*, Milan, 1968. – M.-D. Chenu, *Moines, clercs et laïcs au carrefour de la vie évangélique* (12e siècle), RHE, t. 49, 1954, p. 59-89. – H. Grundmann, *Religiöse Bewegungen im Mittelalter*, 2e éd., Hildesheim, 1961. – L. Zanoni, *Gli Umiliati nel loro rapporto con l'eresia*, 2e éd., Rome, 1970. – E. W. Mc Donnell, *Beguines and Beghards in Medieval Culture, with special emphasis on the Belgian scene*, New Brunswick, 1954. – A. Mens, *Les béguines et les bégards dans le cadre de la culture médiévale*, dans *Le Moyen Âge*, t. 64, 1958, p. 305-15. – A. Vauchez, *La spiritualité du Moyen Âge occidental (8e-12e siècles)*, Paris, 1975, p. 105-45.

**2. Du 13e au 15e siècle.** – « Autant les groupements religieux populaires sont nombreux au 13e siècle, autant leur histoire est obscure », écrivait en 1903 H. Mandonnet dans son étude pionnière sur *Les règles et le gouvernement de l'« ordo de poenitentia » au 13e siècle* (dans *Opuscules de critique historique*, t. 1, Paris, 1903, p. 143-250). Malgré les progrès enregistrés depuis par la recherche historique, la situation est loin d'être parfaitement claire dans ce domaine, ne serait-ce qu'en raison des imprécisions de la terminologie dans les textes de l'époque. En outre, la typologie des pénitents est extrêmement variée puisqu'ils pouvaient être solitaires ou communautaires, ruraux ou urbains, domestiques, convictuels ou même conventuels, etc. Pour la commodité de l'exposé, nous distinguerons d'un côté les confréries mixtes de pénitents, qui se rattachent à ce que les documents contemporains appellent la *regula conjugatorum*, et de l'autre les pénitentes, isolées ou groupées, dont l'importance, difficile à apprécier sur le plan quantitatif, semble avoir été considérable dans le domaine spirituel. Tous appartenaient à un même *ordo* qui ne se définissait pas comme une structure juridique (bien que certains canonistes de l'époque aient employé à son propos le terme de *religio*), mais comme une forme de vie intermédiaire entre celle des moines et l'état purement séculier des simples fidèles.

1° L'« ORDO DE POENITENTIA ». – Grâce aux travaux de G.G. Meersseman (cf. *infra*), nous connaissons bien maintenant l'histoire des fraternités de pénitents qui se sont développées au 13ᵉ siècle en Italie. L'existence et l'importance de ces groupements de laïcs dévots est attestée pour la première fois officiellement en 1221 par une bulle d'Honorius III plaçant sous sa protection les pénitents de la ville de Faenza, en Romagne. Leur vie religieuse était réglée par un *propositum*, dont la première version fut composée, sans doute vers 1215, pour une fraternité locale, assez proche sur certains points de celui du tiers ordre des Humiliés. En 1221, une seconde version, intitulée *Memoriale propositi fratrum et sororum de Penitentia in domibus propriis existentibus*, fut adoptée par l'ensemble des Pénitents de Romagne et enrichie de diverses adjonctions et gloses entre 1221 et 1228 (éd. et commentaire par G.G. Meersseman, *Dossier de l'ordre de la pénitence au 13ᵉ siècle*, 2ᵉ éd., Fribourg (Suisse), 1982, p. 88-112). Elle ne constitue pas à proprement parler une règle et ne fut pas approuvée par le Saint-Siège, puisque l'état pénitentiel volontaire, reconnu par l'Église depuis toujours, n'avait pas besoin d'une approbation solennelle ; mais les nombreuses interventions des papes de l'époque en faveur des Pénitents (*op. cit.*, p. 41-81) prouvent assez l'intérêt qu'ils portaient à ce mouvement.

Le *propositum* des Pénitents, dans le *Memoriale* de 1221, se présente comme une promesse publique de consécration à Dieu. Les pénitents et pénitentes volontaires s'engagent à porter des vêtements modestes : un habit de laine grise, non teinte, d'une seule pièce et d'une seule couleur. Il ne s'agit pas d'un uniforme à proprement parler : l'essentiel est que la tenue soit simple et reconnaissable, puisque c'est le fait de la revêtir (*mutacio habitus*) qui constitue, au moins pour les hommes, l'équivalent d'une profession religieuse, l'imposition rituelle de la pénitence par un prêtre n'étant pas obligatoire. Ils devaient s'abstenir de participer aux banquets, aux spectacles et aux danses, se contenter de deux repas par jour, observer des jeûnes plus fréquents et plus rigoureux que ceux auxquels étaient astreints les simples fidèles. Pendant ces périodes ou ces jours de jeûne, les époux étaient tenus de s'abstenir de relations sexuelles, d'où le nom de *continentes* sous lequel les pénitents étaient parfois désignés, qui doit être interprété dans le sens d'une continence périodique, non d'une interdiction permanente des relations sexuelles entre époux.

En matière de pratiques de dévotion, les pénitents s'engageaient à réciter chaque jour les sept heures canoniales, quitte pour les illettrés à les remplacer par la récitation de sept *Pater* à chaque heure et de douze à midi, auxquels s'ajoutaient le *Credo* et le *Miserere* à Prime et à Complies ; ils devaient se confesser et communier au moins trois fois l'an (pour Noël, Pâques et Pentecôte), et se réunir une fois par mois dans l'église que leur indiqueraient leurs « ministres », c'est-à-dire les responsables laïcs de la confrérie, pour y assister à l'office divin et écouter une exhortation faite par un « homme religieux instruit dans la parole de Dieu ».

Mais c'est sur le plan des rapports avec la société ambiante que les dispositions du *Memoriale propositi* sont les plus originales : les frères et les sœurs ne sont admis dans la communauté qu'après avoir restitué les biens mal acquis et renoncé aux activités déshonnêtes ; ils refusent de porter les armes et donc d'accomplir tout service militaire ; enfin ils doivent s'abstenir de jurer et de prêter des serments solennels. Dans ces derniers articles, on retrouve l'influence de la spiritualité évangélique qui avait imprégné la plupart des mouvements laïcs de la seconde moitié du 12ᵉ siècle, tant hérétiques qu'orthodoxes.

Particulièrement significatifs à cet égard sont le refus de la violence, contraire au message des Béatitudes, et du serment qui va contre l'injonction du Seigneur : « Que votre oui soit oui ! ». Ces dernières dispositions furent d'ailleurs à l'origine de conflits qui devaient se prolonger tout au long du 13ᵉ siècle, les pouvoirs publics, en particulier les communes italiennes, se refusant à exempter les pénitents de leurs obligations militaires. A la suite de multiples interventions d'évêques et de papes en leur faveur, on parvint dans la plupart des cas à un compromis, les autorités civiles respectant le refus des pénitents de porter les armes et de verser le sang, mais ces derniers acceptant de remplir à titre bénévole des fonctions au service de la commune dans le domaine de la gestion financière et économique, ainsi que de la bienfaisance (visites aux prisonniers, distributions de vivres aux indigents en cas de disette, etc.). Enfin il convient de préciser que, en l'absence de vœux, les manquements à ces diverses obligations ne constituaient pas des péchés et que ceux qui les avaient enfreints devaient être simplement sanctionnés par les dirigeants de la fraternité locale (« nemo obligetur ad culpam sed ad poenam »).

2° LES PÉNITENTS ET LES ORDRES MENDIANTS. – Personne ne croit plus aujourd'hui que la formule de vie des pénitents ait été inventée par François d'Assise (DS, t. 5, col. 1271-1303) et les travaux de Meersseman ont levé sur ce point les dernières ambiguïtés qui pouvaient subsister. La meilleure preuve réside dans le fait qu'après sa conversion, en 1207, le Pauvre d'Assise s'engagea dans l'état de pénitent volontaire (cf. *Testament* 1 : « Le Seigneur me donna ainsi à moi, frère François, de commencer à faire pénitence ») ; bientôt rejoint par un groupe de disciples, dont un prêtre, il forma avec eux le groupe des Pénitents d'Assise (« viri poenitentiales de Assisio oriundi ») qui allaient deux par deux dans les villes et les villages d'Ombrie prêcher la pénitence. Mais quand en 1209, François eut demandé à Innocent III l'approbation de son genre de vie, ce dernier l'obligea à recevoir la tonsure et la fraternité franciscaine primitive, de confrérie laïque qu'elle était jusque-là, devint, en principe du moins, un institut clérical bientôt rattaché à un *titulus* : la petite église de Sainte-Marie des Anges ou de la Portioncule située dans la plaine qui s'étend au bas d'Assise.

Lorsqu'en 1212, Claire et ses premières compagnes vinrent rejoindre François, ce dernier leur coupa les cheveux et leur imposa le voile des vierges consacrées à Dieu. Elles formèrent bientôt une communauté de pénitentes cloîtrées installées dans l'église du saint Damien, adoptant les normes générales de saint Benoît sans prétendre à l'état juridique des moniales bénédictines. Mais du fait du régime claustral auquel elles furent astreintes, les Pauvres Dames d'Assise passèrent, comme les Mineurs, à l'état religieux proprement dit (DS, t. 5, col. 1401-10).

Pour ceux ou celles qui, ayant des charges de famille ou des obligations sociales auxquelles ils ne pouvaient renoncer, désiraient cependant répondre à l'appel à la conversion lancé par le Poverello et ses disciples, l'état pénitentiel s'offrit comme une solution idéale. Aussi l'essor remarquable que connut en Italie cette forme de vie entre 1215 et 1230 doit-il être mis en relation avec le succès de la prédication des Frères Mineurs qui propagèrent parmi les laïcs ce programme ascétique, moral et religieux qu'ils n'avaient pas inventé, mais qui reçut grâce à eux une large diffusion. La *Légende de Pérouse* (n. 27, éd. Th. Desbonnets et D. Vorreux, *Saint François d'Assise, Documents*, Paris, 1968, p. 902-3) nous a transmis le récit d'une « conversion » de ce type concernant un couple de nobles qui vécurent en pénitents après avoir rencontré le Pauvre d'Assise.

C'est à ces derniers en tout cas qu'il semble avoir adressé sa *Lettre aux fidèles* (éd. dans *François d'Assise, Écrits*, SC 285, Paris, 1981, p. 228-43) où l'on trouve un ensemble d'exhortations destinées à ceux qui avaient entrepris de faire leur salut « in domibus propriis » : « Ayons donc la charité et l'humilité ; et faisons des aumônes, car l'aumône lave les âmes des souillures des péchés... Nous devons aussi jeûner et nous abstenir des vices et des péchés, et du superflu dans les aliments et dans la boisson, et être catholiques... ».

La question des rapports institutionnels ayant pu exister entre ces groupes de pénitents et le tiers ordre franciscain est extrêmement complexe et le débat historiographique, malgré les progrès enregistrés dans ce domaine depuis une vingtaine d'années, est loin d'avoir abouti à des conclusions définitives. S'il est établi désormais que François n'a jamais institué un ordre pour les laïcs ni rédigé une règle à leur intention – puisque les fraternités de Pénitents italiennes sont demeurées soumises à l'autorité de l'ordinaire, c'est-à-dire de l'évêque du lieu, jusqu'en 1247 et que les mesures prises alors par Innocent IV pour les soumettre à la visite et à l'autorité des Frères durent être révoquées par Alexandre IV en raison des protestations des intéressés –, on ne saurait nier pour autant les liens étroits qui ont existé dans beaucoup de régions entre les pénitents communautaires et les Frères Mineurs ou Prêcheurs, sans que l'on puisse parler d'une tutelle législative ou juridique qui aurait été exercée par ces derniers.

L'existence de liens de type social et spirituel suffirait à expliquer que, dès les années 1260, il soit question dans certains documents de « fratres et sorores de poenitentia beati Francisci » ou de tel « frater sanctissimi ordinis Penitentium a beato Francisco... condito ». Mais ces expressions demeurent moins fréquentes que d'autres, beaucoup plus génériques et imprécises, comme *vestitae, bizochae* ou *bizochi, beguinae* ou *pinzochere*, etc. Quoi qu'il en soit, à la fin du 13e siècle, le pape franciscain Nicolas IV promulgua en 1289 (bulle *Supra montem*) une nouvelle règle des pénitents qui avait été revue et corrigée par un visiteur franciscain, en attribuant ce texte et la fondation de cet « ordre » à François lui-même.

Quelques années plus tôt, en 1284, Honorius IV avait approuvé la règle qu'avait instituée le maître général des Dominicains, Muño de Zamora, à l'intention des pénitents et pénitentes qui désiraient garder des liens étroits avec les Prêcheurs et qu'on appellera désormais Frères et Sœurs de la Pénitence de Saint-Dominique. Ils étaient soumis à la juridiction du premier ordre et obligés de renoncer à leurs activités d'assistance. Il en alla bientôt de même pour les pénitents d'obédience franciscaine auxquels Nicolas IV (bulle *Unigenitus*, 8 août 1290) prescrivit d'accepter la direction spirituelle et l'enseignement des Mineurs et de choisir parmi ceux-ci leurs visiteurs et procureurs. A partir de la fin du 13e siècle – ou du début du 14e siècle, car les mesures pontificales ne furent pas facile-

ment acceptées par les pénitents – on peut parler d'un tiers ordre dominicain et d'un tiers ordre franciscain, même si celui-ci n'est pas encore juridiquement gouverné par le premier ordre. Ce mouvement de cléricalisation et de « régularisation » des pénitents eut dans l'ensemble des conséquences néfastes. Après 1300, les confréries mixtes de pénitents devinrent plus rares et beaucoup d'hommes se retirèrent de ces tiers ordres dont le caractère dévotionnel et féminin ne cessa de s'accentuer. Mais pour mesurer toute l'importance de l'*ordo de poenitentia* au 13e siècle, il faut également tenir compte des ordres religieux qui en sont issus et qui conservèrent dans leurs constitutions la marque de l'idéal pénitentiel qui avait été à l'origine de leur création en milieu laïc.

A côté de l'ordre des Frères Mineurs déjà évoqué précédemment, il faut citer, sans prétendre à l'exhaustivité, l'ordre de la Pénitence de Jésus-Christ, ou Frères du Sac, fondé en Provence en 1248, les Servites de Marie dont le noyau primitif fut constitué par une pieuse association de sept marchands florentins, les Frères de la Pénitence des Saints Martyrs et l'ordre de Sainte-Marie-Madeleine, très bien implantés dans le monde germanique. Enfin, après 1260, le mouvement des Flagellants (cf. DS, t. 5, col. 392-408) vint concurrencer celui des Pénitents et dans certains cas se substituer à lui.

G.G. Meersseman, *Dossier de l'ordre de la Pénitence au 13e siècle*, cité supra. – *L'ordine della Penitenza di San Francesco d'Assisi nel secolo XIII*, sous la dir. de A. Schmucki, Rome, 1973. – *I Frati penitenti di San Francesco nella società dei due e trecento*, sous la dir. de Mariano d'Alatri, Rome, 1977. – *Il movimento francescano della penitenza nella società medioevale*, sous la dir. de Mariano d'Alatri, Rome, 1980. – *Les ordres mendiants et la ville en Italie centrale (v. 1220-v. 1350)*, sous la dir. d'A. Vauchez, *Mélanges de l'École Franç. de Rome. Moyen âge*, t. 89, 1977, p. 557-773. – C. Pampaloni, *Il movimento penitenziale a Prato nella seconda metà del XIII secolo : il terz'ordine Francescano*, dans *Archivio Storico Pratese*. t. 52, 1976, p. 31-71. – P. Péano, *Les pauvres frères de la Pénitence ou du « Tiers Ordre du Bienheureux François » en France méridionale au XIIIe siècle*, CF, t. 43, 1973, p. 211-17. – L. Guibert, *Les confréries de pénitents en France et notamment dans le diocèse de Limoges*, Limoges, 1879. – H. Hoberg, *Das Bruderschaftswesen am Oberrhein im Spätmittelalter*, dans *Historisches Jahrbuch*, 1953, p. 238-52.

Sur les ordres religieux issus du mouvement pénitentiel, cf. A.G. Matanic, article *Penitenti*, DIP, t. 6. 1980, col. 1359-66. – R.I. Burns, art. *Penitenza di Gesu Cristo (Frati della)*, ibidem, col. 1398-1403. – K. Elm, *Penitenza dei Beati Martiri (Frati della)*, ibidem, col. 1392-96. – F.A. Dal Pino, *I Frati Servi di Maria dalle origini all'approvazione (1233 ca-1304)*, 3 vol., Louvain, 1972. – A. Martinez Cuesta, art. *Maddalene*, DIP, t. 5, 1978, col. 801-12. – A. Simon, *L'ordre de la Pénitence de Sainte Madeleine en Allemagne au XIIIe siècle*, Fribourg (Suisse), 1918.

### 3º LES PÉNITENTES, DE LA RÉCLUSION AU TIERS ORDRE RÉGULIER.

– A côté des confréries de pénitents qui réunissaient en majorité des gens mariés, même si des célibataires y étaient généralement admis, on vit se constituer au cours du 13e siècle, dans beaucoup de régions, des groupements pénitentiels exclusivement féminins qui, dans les grandes villes, gravitaient le plus souvent autour des couvents de Mendiants. Le profil exact et le fonctionnement concret de ces communautés de « pinzochere », comme on les appelle en Italie, sont difficiles à cerner, mais les nombreuses mentions que l'on trouve d'elles dans les actes notariés et les documents publics – plus encore que dans les archives ecclésiastiques – suffisent à attester qu'il s'agit bien d'un mouvement de masse, au moins dans certaines zones comme la Toscane et la Rhénanie.

A côté de ces congrégations plus ou moins informelles et longtemps dépourvues de statut canonique précis, on constate la persistance de formes de pénitence privée, allant de la réclusion dans une cellule attenante à un cimetière ou aux murailles d'une cité (c'est le cas des « cellane » ou « incarcerate » que mentionnent les statuts communaux italiens) jusqu'à des formules très souples d'érémitisme urbain associant une vie retirée et pénitente dans le cadre d'une demeure familiale à des activités charitables et hospitalières au-dehors. Dans les campagnes et les petites villes, ces femmes étaient sous le contrôle des évêques.

A la fin du 13e siècle, ces derniers cherchèrent à institutionaliser les groupements de pénitentes et imposèrent aux *domus inclusarum* l'observance de la règle de saint Augustin, apte à couvrir toute expérience religieuse communautaire, comme on le constate dans le cas du reclusoir de Montefalco (Ombrie) que dirigeait sainte Claire de Montefalco † 1308, ou du convict qui s'était constitué autour de la bienheureuse Christiane de Santa Croce † 1310, en Toscane.

La papauté alla plus loin : si la décrétale *Periculoso* de Boniface VIII (1298), qui imposait la clôture aux monastères féminins d'ordres approuvés ne s'appliquait pas aux femmes laïques vivant « religieusement », la bulle *Sancta Romana*, promulguée par Jean XXII en 1317, étendit cette obligation aux communautés de tertiaires, pénitentes et autres béguines, ce qui suscita de nombreuses réactions négatives de la part des intéressées. Celles qui refusèrent d'obtempérer firent l'objet de véritables persécutions dans certaines régions comme la vallée du Rhin, notamment de la part du clergé séculier et de l'Inquisition qui les soupçonnait d'hérésie.

Au cours du 14e siècle, les « mulieres religiosae » qui demeurèrent dans l'orthodoxie revinrent à des formes individuelles de pénitence ou adoptèrent des solutions de type claustral qui devaient déboucher sur la création de tiers ordres réguliers et de congrégations semi-monastiques. La prolifération de ces dernières constitue une donnée de fait que les études consacrées à l'histoire religieuse de la fin du moyen âge ont eu le tort de négliger dans la plupart des cas, mais dont l'importance est attestée par l'abondante littérature, en particulier hagiographique, qui s'est développée à partir des années 1380 autour de ces pieuses femmes. La plus célèbre d'entre elles est sans doute sainte Catherine de Sienne † 1380, dont la forte personnalité fait parfois oublier qu'elle appartenait à une communauté de « Mantellate », c'est-à-dire de pénitentes d'obédience dominicaine (cf. DS, t. 2, col. 327-48 ; t. 5, col. 1430-31).

Bonne vue d'ensemble du phénomène chez B.M. Bolton, *Mulieres sanctae*, dans *Sanctity and Secularity. The Church and the World*, sous la dir. de D. Baker, Oxford, 1973, p. 75-95. – Pour l'Italie surtout : R. Guarnieri, art. *Pinzochere*, DIP, t. 6, col. 1721-49. – A. Benvenuti Papi, *Penitenza e penitenti in Toscana. Stato della questione e prospettive di ricerca*, dans *Ricerche di storia sociale e religiosa*, t. 14, 1980, p. 107-20 ; *Le forme comunitarie della penitenza femminile francescana. Schede per un censimento Toscano*, dans *Analecta Tertii Ordinis Regularis*, t. 15, 1982, p. 389-449 (publie une règle de tertiaires franciscaines florentines). – Tommaso Caffarini, *Tractatus de ordine ff. de poenitentia S. Dominici*, éd. M.-H. Laurent, Florence, 1938. – M. Sensi, *Incarcerate e Penitenti a Foligno nella prima metà del Trecento*, dans *I Frati penitenti di S. Francesco*, cité *supra*, Rome, 1977, p. 291-308.

### 3. La spiritualité pénitentielle au moyen âge : racines et expressions.

– Au-delà de la diversité de leurs aboutissements institutionnels, les mouvements pénitentiels médiévaux se rattachent à un idéal commun et à des conceptions religieuses qui s'enracinent dans la culture même des laïcs de cette époque. Pour ces derniers en effet, la pénitence n'est pas d'abord un sacrement – même si celui-ci a bien entendu sa place dans le processus –, mais une conversion qui implique une transformation des relations avec Dieu et les hommes. Le pénitent accepte de se reconnaître pour ce qu'il est face à Dieu et change non seulement son cœur mais sa vie. Par cet acte de volonté, il se situe délibérément dans un contexte eschatologique, conformément au précepte évangélique : « Faites pénitence, le Royaume des cieux est proche » (*Mt.* 4, 17). Dans cette perspective, la métanoia n'est pas seulement la préparation nécessaire de la venue du Royaume : elle fait déjà entrer dans le Royaume lui-même qu'elle contribue à construire ici-bas.

La pénitence consiste à prendre conscience de la vraie situation existentielle de l'homme et à en tirer durablement les conséquences en adoptant un style de vie particulier dans le monde. S'il accepte de reconnaître Dieu dans sa grandeur et sa puissance d'amour, le fidèle ne peut que confesser son propre néant et adopter en retour une attitude humble et repentante ; et plus il se reconnaîtra pécheur, plus Dieu se révélera à lui dans sa vraie nature de Père et de Créateur plein de bonté pour ses créatures. Cette relation d'amour sera actualisée par la pratique de l'Évangile dans le monde. Cela correspond au besoin de l'homme médiéval de faire coïncider l'intérieur et l'extérieur et d'exprimer dans des gestes et des comportements concrets les sentiments intimes. D'où l'importance, par exemple, de l'habit de pénitent, qu'il suffisait de revêtir pour être considéré comme tel, et le caractère minutieux des dispositions le concernant dans le *Memoriale propositi* de 1221. Plus profondément, la pénitence comme état de vie se traduit par la recherche de la nudité, du dépouillement et de la souffrance physique, et par le rejet corrélatif de l'exercice de l'autorité, de la science et du sacerdoce que, de façon significative, les laïcs des 12e et 13e siècles considèrent essentiellement comme un pouvoir.

L'idéal pénitentiel, ainsi défini dans son enracinement anthropologique et culturel, n'est cependant pas demeuré immuable pendant toute la période considérée et n'a pas toujours été vécu de la même façon. Ainsi chez les ermites, les recluses et les Flagellants, l'accent est mis sur la valeur rédemptrice de la souffrance physique. Une grande importance était accordée aux pratiques pénitentielles les plus rudes, comme le port de ceintures, chaînes ou bracelets de fer, souvent munies de pointes s'enfonçant dans la chair à chaque fois que le pénitent interrompait ses mortifications ou se couchait pour prendre un peu de repos. Il en allait de même de l'usage de la « discipline », sorte de fouet en cuir ou en corde à nœuds, dont les Flagellants se frappaient le dos lors de leurs réunions ou des processions expiatoires. On retrouve là l'influence de l'ascèse monastique que les laïcs se sont en quelque sorte appropriée, mais en n'en retenant souvent que les aspects les plus rigoureux et les plus extérieurs.

Avec François et le mouvement franciscain, la spiritualité pénitentielle évolue sensiblement et élargit son impact. On sait la place que la pénitence tient dans la mission des Frères Mineurs, comme l'atteste le chapitre 21 de la première règle (dans *François d'Assise, Écrits*, p. 161) : « Et tous mes frères peuvent, chaque fois qu'il leur plaira, annoncer cette exhortation et cette louange ou une semblable parmi tous les hommes avec la bénédiction de Dieu :

> Craignez et honorez, rendez grâces et adorez
> le Seigneur Dieu tout puissant, dans la Trinité et l'Unité
> Père, Fils et Saint-Esprit, créateur de toutes choses.
> Faites pénitence, faites de dignes fruits de pénitence,
> car nous mourrons bientôt...
> Heureux ceux qui meurent dans la pénitence,
> car ils seront dans le royaume de Dieu.
> Malheur à ceux qui ne meurent pas dans la pénitence,
> car ils seront fils du diable,
> dont ils font les œuvres,
> et ils iront au feu éternel ».

Chez saint François et ses fils, la pénitence se traduit en premier lieu par le refus de l'installation dans le monde, mais elle s'identifie surtout à la pauvreté, sanctifiée par le Christ « qui n'a pas eu où reposer sa tête ». Sous leur influence, l'idéal pénitentiel évolue dans le sens d'un ascétisme de conformité, qui consiste à s'identifier dans toute la mesure du possible au Christ dans sa Passion pour bénéficier avec lui de la gloire de la résurrection. La souffrance physique n'est pas à rechercher pour elle-même mais prend tout son sens en référence à la croix. En outre, il s'enrichit d'une dimension collective et sociale qui est essentielle pour comprendre le succès rencontré par les Frères Mineurs et par leur apostolat auprès des laïcs : il s'agit de la mission de paix et des tâches de pacification qui incombent à ceux qui cherchent à réconcilier l'homme et son Dieu. Cette paix que les chrétiens étaient longtemps allés chercher dans le cloître, François et les siens veulent à tout prix l'instaurer dans un monde divisé et déchiré par la violence, en signe précisément de pénitence et de réconciliation.

Sous l'influence des Ordres Mendiants, on assiste au 13e siècle à une efflorescence de sainteté parmi les pénitents et surtout les pénitentes, que nous connaissons assez bien grâce à l'abondante production hagiographique qu'elle a suscitée à l'époque même. Parmi les figures les plus caractéristiques de ce courant, il faut faire une place particulière à Élisabeth de Thuringe ou de Hongrie (1207-1231), qui fut longtemps dirigée par le prémontré Conrad de Marbourg, avant de subir l'influence des premiers Franciscains établis en Allemagne. L'élément essentiel de sa spiritualité est la charité conçue comme un engagement actif au service des pauvres dont elle s'efforça toujours de partager la vie et les souffrances. Refusant d'entrer dans un monastère après la mort de son mari survenue en 1227, elle prit l'habit de pénitente pour se mettre totalement à leur service. L'amour des déshérités était pour elle indissociable de l'humilité et elle recherchait systématiquement les tâches les plus viles pour briser son orgueil et son amour-propre.

Dans la même lignée, celle du paupérisme intégral, on peut situer Dauphine de Puimichel † 1360 qui, dans la Provence du 14e siècle, manifesta une fidélité sans faille à l'idéal franciscain primitif. A la mort de son mari, Elzéar de Sabran † 1323, qui appartenait comme elle à une grande famille aristocratique, elle se défit progressivement de tous ses biens et se retira dans une cellule, à Cabrières puis à Apt, où elle mena une existence de recluse, sortant de temps en temps de sa retraite pour aller mendier dans les rues et pour tenter de mettre fin aux conflits qui déchiraient la noblesse de la région.

Chez d'autres saintes femmes, l'idéal pénitentiel a évolué dans un sens plus contemplatif. C'est le cas par exemple d'une Rose de Viterbe † 1251 en Italie : bien qu'elle ait renoncé à ses biens et aux plaisirs du monde, l'essence de sa sainteté, aux yeux de ses contemporains, semble avoir surtout résidé dans ses dons mystiques : elle aurait eu en effet de nombreuses apparitions de la Vierge Marie et du Christ en croix, dont la seule vue lui arrachait des cris et des gémissements. Lorsqu'elle sortait dans la rue, elle portait un diptyque sur lequel était peint le visage du Sauveur. On retrouve des traits comparables chez Claire de Rimini † 1346, une recluse qui vécut d'abord seule puis avec une petite communauté dans des cellules situées le long des murs de sa ville. Son biographe la présente comme une béguine qui travaillait pour gagner sa vie et mendiait quand cela ne suffisait pas ; elle était vêtue d'un habit rayé de drap grossier et s'imposait des jeûnes et des macérations très sévères. Sa vie spirituelle semble avoir été axée de façon exclusive sur la méditation de la Passion du Christ dont elle s'efforçait de revivre les souffrances et les humiliations, en se faisant par exemple attacher à une colonne et fustiger par ses compagnes le Vendredi saint. Il en alla de même pour Claire de Montefalco † 1308 dans le cœur de laquelle on aurait retrouvé après sa mort, tous les instruments de la Passion.

Mais la figure qui exprime le mieux la complexité et la richesse spirituelle de l'*ordo de poenitentia* est sans doute celle de Marguerite de Cortone †1297. Née en 1247 dans un milieu rural modeste, elle se brouilla avec son père à la suite du remariage de ce dernier et s'enfuit de chez elle à l'âge de dix-huit ans avec un noble de Montepulciano, dont elle fut la maîtresse pendant neuf ans et dont elle eut un fils. Son amant ayant péri de mort violente, elle tenta vainement de retourner à la maison paternelle et finit par aboutir à Cortone avec son enfant. Sous l'influence de certaines dames de cette ville, elle entra en relation avec les Franciscains du couvent local qui devinrent ses guides spirituels. S'étant « convertie » à une vie meilleure, elle fut admise en 1275 à revêtir l'habit de pénitente et se consacra, pour subvenir à ses besoins, à l'assistance aux femmes en couches. Dès cette époque elle s'infligeait des pénitences extrêmement rigoureuses, jeûnant, se flagellant et dormant à même le sol, la tête sur une pierre ; bientôt elle fut gratifiée de visions, d'extases et de révélations célestes tournant pour la plupart autour de la Passion du Christ qui était au centre de sa méditation. Cf. DS, t. 10, col. 337-38.

Jusqu'en 1288, elle résida dans une cellule attenante au couvent des Frères Mineurs et son directeur de conscience, le frère Giunta Bevignate, notait les confidences de sa pénitente, ce qui lui permit de rédiger sa biographie (*Legenda de vita et miraculis b. Margaritae de Cortona*, AS février, t. 3, Anvers, 1658, col. 298-357). Puis elle s'installa dans une autre cellule située sur la citadelle, près de l'église Saint-Basile, où elle demeura jusqu'à sa mort sous la direction d'un prêtre séculier, recevant la visite de laïcs et de clercs qui venaient lui demander conseil et lui exposer leurs problèmes de conscience.

Elle rédigea des cantiques en langue vulgaire – les *Laudi* – en l'honneur du Christ et de la Vierge et fut à l'origine de la constitution d'une importante confrérie de *laudesi* – celle de Saint-François de Cortone – dont l'influence sur la poésie et le chant religieux italien fut considérable jusqu'au début du 16e siècle. On lui attribue aussi – mais sans preuve décisive – la fondation de l'hôpital local, la « Casa Santa Maria della Misericordia ». Son prestige spirituel et son influence lui permirent d'intervenir à plusieurs reprises dans les affaires de la cité et de sa région par l'intermédiaire des Franciscains qu'elle envoyait rétablir la paix entre les familles ennemies ainsi qu'entre les cités de Cortone et d'Arezzo, dont l'évêque cherchait à empêcher la première d'accéder à l'autonomie. Dans sa biographie, Giunta Bevignate présente Marguerite comme une nouvelle Marie-Madeleine et souligne que les mérites qu'elle s'était acquis par la pénitence lui ont permis de devenir « le miroir et la mère des pécheurs ». Il insiste également sur sa dévotion à l'humanité du Christ poussée jusqu'à l'imitation parfaite, ce qui lui valut d'être crucifiée spirituellement et de revivre dans toute son intensité dramatique la Passion du Sauveur qu'elle ne pouvait évoquer sans se répandre en larmes. Enfin il fait de cette « fille de Jérusalem », comme il aime la désigner pour mettre en relief son amour mystique pour le Christ, la gloire du tiers ordre franciscain (« tertia lux in ordine Francisci », *Légende* XI, p. 353 F) qui, précisément dans ces années-là, était en train de réintégrer au sein du mouvement franciscain, grâce à une série d'interventions législatives que nous avons précédemment analysées, les groupements de pénitents laïcs dont la création commençait, conformément à une tradition qui ira ensuite en se développant, à être attribuée au Pauvre d'Assise. Ainsi se traduisait, jusque dans le domaine de l'hagiographie, le processus qui avait conduit ce mouvement laïc, à l'origine autonome, à être progressivement absorbé par les Ordres Mendiants d'abord sur le plan spirituel, puis au niveau institutionnel.

Sur les aspects anthropologiques et culturels de la spiritualité pénitentielle, cf. I. Magli, *Gli uomini della penitenza*, s 1, 1967. – Sur l'efflorescence de la sainteté pénitentielle aux derniers siècles du moyen âge, voir A. Vauchez, *La sainteté en Occident aux derniers siècles du Moyen Âge d'après les procès de canonisation et les documents hagiographiques*, Rome, 1981, surtout p. 229-31, 247-48, 433-35 ; *L'idéal de sainteté dans le mouvement féminin franciscain*, dans *Movimento religioso femminile e Francescanesimo nel secolo XIII*, Assise, 1980, p. 315-37. – Voir aussi *Temi e problemi della mistica femminile trecentesca*, Todi, 1983. Études monographiques : *Sankt Elisabeth, Fürstin, Dienerin, Heilige* (ouvrage collectif très riche), Sigmaringen, 1981. – G. Garampi, *Memorie ecclesiastiche appartenenti all'istoria e al culto della B. Chiara da Rimini*, Rome, 1755. – A. Benvenuti-Papi, *Umiliana dei Cerchi. Nascita di un culto nella Firenze del Duecento*, dans *Studi Francescani*, t. 77, 1980, p. 87-117 ; *Penitenza e santità femminile in ambiente cateriniano e bernardiniano*, dans *Atti del simposio internazionale Cateriniano-Bernardiniano*, sous la dir. de D. Maffei et P. Nardi, Sienne, 1982, p. 865-75 ; *Margarita filia Jerusalem. Santa Margherita da Cortona e il superamento mistico della crociata*, dans *Toscana e Terra Santa nel Medio Evo*, sous la dir. de F. Cardini, Florence, 1982, p. 117-37.

André VAUCHEZ.

**PENN** (WILLIAM), quaker, 1644-1718. – 1. *Vie*. – 2. *Doctrine et écrits*.

1. VIE. – Fils aîné de l'amiral William Penn, qui s'est distingué au service de la Couronne en prenant la Jamaïque aux hollandais (1655), William Penn naquit en 1644 et vécut son enfance à Wanstead, Sussex, fief du puritanisme. Étudiant à Christ Church (Oxford), il subit une deuxième fois l'influence du prédicateur quaker, Thomas Loe ; il portait encore en lui le souvenir indélébile de la façon dont les paroles de Loe, lors d'une rencontre avec la famille, à Macroom en Irlande, avaient ému son père jusqu'aux larmes. En 1661 il fut renvoyé d'Oxford pour refus de se conformer à l'Anglicanisme, rétabli après le Commonwealth. Pour le plonger dans la vie mondaine, son père l'envoya à Paris, mais il se mit à étudier, à Saumur, sous la direction du théologien réformé Amiraut. Son envoi en Irlande, en 1665, pour administrer les terres de son père à Shangarry, fut l'occasion d'une nouvelle rencontre avec Loe. Un prêche de ce dernier sur la foi qui triomphe du monde (1 *Jean* 5, 4) provoqua chez Penn le dépassement définitif de toute préoccupation mondaine et il devint quaker pour toute la vie. Ainsi se confirmait une prédisposition à l'intériorité religieuse qui, selon son propre témoignage (*Travails in Holland and in Germany*, 1694), se manifestait, dès l'âge de douze ans, dans des expériences privilégiées d'intimité sentie avec Dieu. D'abord violemment opposé à ce que son fils adoptât tous les usages quakers, jusqu'au refus de « l'honneur du chapeau », le père finit par s'incliner.

Tous les conflits douloureux qui marquent la vie ultérieure de Penn ne sont que la conséquence de sa fidélité obstinée, au sein d'une société intolérante en matière religieuse et opportuniste en politique, à la lumière intérieure que le quakerisme lui avait fait découvrir au fond de lui-même, et au principe qui en découlait : le droit universel à la liberté de conscience. D'où aussi son activité prodigieuse d'écrivain, la plupart de ses écrits étant de caractère apologétique, rédigés dans le feu de la controverse pour défendre la foi des quakers contre ses adversaires et pour plaider la cause de la liberté de culte pour tous. De décembre 1668 à août 1671, il fut emprisonné trois fois. Une fois libéré, il se livrait de nouveau à ses tournées de prédication et à la rédaction de livres, y joignant des démarches personnelles auprès des autorités civiles en faveur d'amis quakers.

Cependant, dans la situation peu favorable aux non-conformistes qui découlait du désaccord entre le roi et le parlement au sujet de la « Tolérance religieuse », Penn canalisa progressivement toutes ses aspirations à la liberté dans le projet de fonder une colonie au nouveau monde. En 1682, par charte royale, il devint propriétaire et gouverneur, sous dépendance du Conseil privé, de territoires qui, pour honorer la mémoire de son père, furent appelés Pennsylvanie. La constitution de la nouvelle province, qu'il rédigea en mai de la même année, permettait toute forme de culte religieux compatible avec le monothéisme et la morale chrétienne. En matière pénale aussi, il était très en avance sur son temps : le seul délit sanctionné par la loi était le meurtre. Sa conviction de quaker selon laquelle tout homme est habité d'une lumière divine inspira son comportement humanitaire à l'égard des indiens et son exigence à l'égard des colons d'agir de même et de vivre en paix avec eux.

Une dispute portant sur la démarcation frontalière entre

Pennsylvanie et Maryland et la persécution dont ses co-religionnaires continuaient à être victimes en Angleterre, l'y ramena en 1684. Encouragé par la montée sur le trône, en 1685, du roi Jacques II, ancien ami de son père, et par la Déclaration d'Indulgence de 1687, qui tendait à assurer un meilleur sort aux non-conformistes, ses relations d'amitié avec le roi devinrent le prétexte pour ses ennemis de jeter le discrédit sur lui à l'accession de Guillaume d'Orange en 1688. En 1690, il fut réhabilité mais, par prudence, resta un certain temps en retrait. En 1692, il fut même privé de sa province, qui fut annexée à celle de New York, mais elle lui fut rendue en 1694. En 1701, une nouvelle menace de la perdre mit fin à sa deuxième tentative d'y résider, qui n'avait duré que deux ans. Après la mort de Guillaume d'Orange, la reine Anne le confirma dans ses droits.

A partir de 1712, ses facultés intellectuelles commencèrent à diminuer, mais la douceur et la sérénité, qui avaient marqué profondément sa vie intérieure et ses rapports avec autrui, n'en étaient que plus apparentes. Il mourut, le 30 juillet 1718, et fut enterré à Jordans près de Chalfont St. Giles.

Penn se maria deux fois. Une première fois, en 1672, avec Gulielma Maria Springett, morte le 23 février 1693. Ce mariage le rapprochait de l'écrivain quaker Isaac Pennington, celui-ci ayant épousé en secondes noces la mère de Gulielma. Guli assurait à son mari une vie de foyer en parfait acord avec son idéal spirituel. En 1696, il épousa Hannah Callowhill qui sut admirablement seconder son mari dans l'administration de la colonie à l'époque où sa santé déclinait. Elle-même mourut en 1726.

2. DOCTRINE ET ÉCRITS. – Appartenant à la première phase du mouvement quaker et baignant dans un milieu chrétien où les doctrines centrales de la foi, Trinité et Incarnation, étaient quasi universellement acceptées, il ne serait pas venu à l'idée de Penn de les nier. Bien que son premier ouvrage polémique, *The Sandy Foundation Shaken* (1668), fût dirigé contre la théologie trinitaire et christologique du protestantisme orthodoxe, la rétractation partielle de l'année suivante, *Innocency With Her Open Face* montre bien qu'il s'agissait moins d'une négation que d'un désintérêt pur et simple pour la dogmatisation de quelque donnée de foi que ce soit. Penn préférait s'en tenir aux textes de l'Écriture sans chercher à les éclairer par une systématisation théologique. La même conclusion se dégage de son dernier ouvrage polémique : *In Defence of a Paper Intitled Gospel Truths, Against The Exceptions of the Bishop of Cork's Testimony* (1698), où il défend sa présentation du quakerisme en quelques brefs articles de foi (*Gospel Truths*) que l'évêque anglican de Cork avait trouvés insuffisants du point de vue doctrinal.

Seul compte pour Penn le point de vue spirituel et subjectif : notre union intime avec le Christ dans l'Esprit. Dans certains écrits, il habille, en terminologie trinitaire, l'idée-maîtresse du quakerisme d'une relation directe avec Dieu de chaque homme par la lumière intérieure. Par contre, d'autres textes ne distinguent guère cette dernière de la lumière de la conscience morale possédée par le païen sans connaissance explicite du Christ. Il manque à Penn une théologie de la relation entre le naturel et le surnaturel (voir par exemple *The Christian Quaker*, 1673, ch. 14).

La même idée maîtresse l'amène à maintenir (comme tous les quakers et contre la conception du protestantisme orthodoxe que la justice est seulement imputée) une grâce de sanctification réelle par l'inhabitation divine avec laquelle on doit collaborer dans toute la vie (cf. *Primitive Christianity Revived in the Faith and Practice of The People Called Quakers*, 1696). Par contre, elle exclut toute idée de moyens visibles de salut. Il n'y a, chez Penn, aucune théologie de l'Église et les données scripturaires sur les deux sacrements du Seigneur admis par les protestants (baptême et Eucharistie) sont réduites à n'être que les symboles d'élans spirituels purement intérieurs.

Son sens aigu du droit universel à la liberté religieuse est nettement en avance sur son temps. Son ouvrage *The Great Case of Liberty of Conscience* (1670) devance d'une vingtaine d'années les *Lettres sur la Tolérance* de John Locke. D'autre part, en fondant ce droit non pas sur une raison universelle abstraite, mais sur l'intuition biblique de l'image de Dieu en chaque homme, il est plus proche de Vatican II que des idées de la Révolution française.

Penn est avec Fox (DS, t. 5, col. 770-79), Barclay et Pennington l'un des plus grands écrivains de la première période du mouvement quaker, et même du quakerisme en tant que tel. Avec eux, il a grandement contribué à ce que le mouvement soit connu et même respecté des milieux les plus cultivés des 17e et 18e siècles anglais, alors que la plupart de ses adeptes appartenaient à des couches de la population peu favorisées culturellement.

Son œuvre volumineuse est marquée d'une piété profonde, mais aussi d'une certaine monotonie. Sa volonté farouche de tout subordonner à l'unique nécessaire : la lumière divine qui l'habitait et dont il devait porter témoignage, ne laissait aucune place à une érudition intellectuelle. Cependant il fait preuve d'une connaissance assez étendue de la pensée philosophique de l'antiquité gréco-latine.

La plupart de ses ouvrages sont très liés au contexte immédiat qui en a motivé la rédaction. Il y a cependant deux exceptions : *No Cross, No Crown* (Londres, 1669 ; augmenté, 1682 ; trad. par E.D. Bridel, *Point de croix, point de couronne*, Londres, 1793) et *Some Truths in Solitude in Reflections and Maxims Relating to the Conduct of Human Life* (2 vol., 1693 et 1782), qui ont été rédigés dans la solitude d'une incarcération. Le premier, chef-d'œuvre de Penn, a servi de manuel spirituel à deux siècles de quakers. Son style est concis, nerveux, et sa langue riche. Le ton émouvant de certains passages sur l'imitation de Jésus dans sa passion et sa mort est un reflet authentique de l'expérience des persécutions et des souffrances endurées par Penn. Signalons encore un écrit peu connu qui ne manque pas d'actualité : *An Essay Towards The Present and Future Peace of Europe* (1692) plaide pour une fédération des États comme moyen efficace de promouvoir la paix. Enfin, *A Brief Account of The Rise and Progress of The People Called Quakers*, publié d'abord comme préface au Journal de Fox en 1694, est un document précieux pour l'histoire du quakerisme.

Œuvres. – Bibliographie chronologique des œuvres de Penn dans la notice de J.M. Rigg (DNB, t. 15, 1909, p. 756-65). – Outre *No Cross, No Crown*, facilement accessible en éditions modernes, *The Fruits of Solitude And Other Writings* (coll. Everyman Series, Londres, 1915 et 1942) donne les principaux écrits de Penn. – F.B. Tolles et E.G. Alderfer ont donné une anthologie : *The Witness of W.P.* (New York, 1957).
Éd. anciennes : *A Collection of the Works of W.P.* (2 vol. in-fol., Londres, 1726, avec la Vie par J. Besse et une préface anonyme) ; – *Select Works*, probablement édité par J. Fothergill avec une biographie (in-fol., 1771 ; 5 vol., 1782 ; 3 vol., 1825).

Biographie. – Les données biographiques fournies par J. Besse sont complétées par l'écrit de Penn : *An Account of W.P.'s Travails in Holland and in Germany anno 1667 for the service of the gospel of Christ by way of Journal* (1694).

J. de Marsillac, *Vie de Guillaume Penn* (Paris, 1791). – Th. Clarkson, *Memoirs of the Private and Public Life of W.P.* (2 vol., Londres, 1813 : première biographie par un non-quaker). – W.H. Dixon, *W.P. An Historical Biography* (Philadelphie, 1851). – J.M. Janney, *The Life of W.P., with Selections from His Correspondence and Autobiography* (Philadelphie, 1852). – M. Webb, *The Penns and Penningtons of the Seventeenth Century...* (Londres, 1867).

J.W. Graham (New York, 1916) ; – M.R. Brailsford (1930) ; – B. Dobree (Boston, 1932) ; – E. Vulliamy (1934) ; – W.I. Hull (New York, 1937) ; – W.W. Comfort (Philadelphie, 1944) ; – *W.P. A Tercentenary Memorial* (Harrisburg, 1945) ; – C.O. Peare (Philadelphie, 1957 ; Londres, 1959) ; – E.B. Bronner, *W. Penn's « Holy Experiment ». The Founding of Pennsylvania* (Londres, 1962) ; – V. Buranelli, *The King and the Quaker, a Study of W.P. and James II* (Philadelphie, 1962) ; – M.M. Dunn, *W.P. Politics and Conscience* (Princeton, 1967).

Pour l'œuvre de W.P. en Pennsylvanie, voir les *Memoirs of the historical Society of Pennsylvania* (t. 1-4, 6, 9-10, Philadelphie, 1826 svv) ; – *Pennsylvania Archives*, 8e série éd. par G. Mac Kinney (Harrisburg, 1937) ; – A.J. Worrall, *Quakers in the colonial northeast* (New England, 1880) ; – R.M. Jones, I. Sharpless et A.M. Gummere, *The Quakers in the American Colonies* (Londres, 1911, p. 417-580).

DS, t. 4, col. 1429 ; t. 5, col. 776, 778-9 ; t. 9, col. 551.

Francis FROST.

**PENNEQUIN** (PIERRE), jésuite, 1588-1663. – Né à Lille le 2 février 1588, Pierre Pennequin entra dans la Compagnie de Jésus au noviciat de Tournai le 28 mai 1605. Il fut un an régent à Courtrai, puis trois au collège d'Anchin à Douai, où il resta de 1607 à 1620. Déjà maître ès arts, il y obtient la licence en théologie et y enseigne la philosophie durant six ans, dirigeant aussi la sodalité des religieux. Sa troisième année de probation accomplie à Huy (1620-1621), il revient à Douai pour y enseigner l'Écriture sainte et l'hébreu (1621-1624). Il est ensuite recteur du collège de Mons (1624-1630), *socius* du provincial, qu'il remplace pendant son absence, puis instructeur du Troisième An d'Armentières pendant trois ans et demi.

Il dirige le collège d'Arras (1636-1640), puis retourne au collège de Mons, dont il est à nouveau recteur. Vice-provincial pendant quelques mois, il fut envoyé à Rome à deux reprises, en particulier pour la congrégation générale qui élut général Fr. Piccolomini. De 1647 à sa mort (17 mars 1663), Pennequin résida à Mons, sauf pendant les trois ans où il dirigea la province gallo-belge (1652-1654) ; il fut un confesseur et un directeur spirituel recherché.

Outre un recueil d'élégies en l'honneur de la Vierge Marie publié à l'occasion du centenaire de la Compagnie (Arras, 1640), Pennequin a fait éditer : *Introduction à l'amour de Dieu* (Mons 1644, 1645), comprenant deux parties de 28 et 19 ch. – *Traité des trois retraites intérieures*, de un, trois et huit ou dix jours (Mons, 1644, 1655). – Ces deux ouvrages, complétés d'une 3e partie de 26 ch., sont réédités sous le titre unique du premier d'entre eux (Mons, 1654, 1093 p. in-4º, à quoi nous nous référons ci-dessous ; trad. latine par l'auteur, Anvers, 1661 ; en flamand, Anvers, 1650, 1698 ; en allemand, Munich, 1701 ; Augsbourg, 1702, 1715). – *Entretiens spirituels* (Mons, 1656, 1657 ; en flamand, Anvers, 1658). – Après la

mort de Pennequin, on publia des *Maximes de l'esprit tirées des vérités éternelles* (Liège, 1668).

L'*Introduction*, dans son édition de 1654, avec ses trois parties, ses trois retraites et divers compléments, mérite de retenir l'attention : c'est une somme spirituelle de qualité, fondée et axée tout entière sur l'amour divin, qui s'ouvre par une fort belle « oraison pour impétrer » cet amour. A l'amour d'obligation, s'ajoute l'amour de perfection qui ne pose point de borne, et n'a point de limite, qui se complaît dans la conformité au Christ, à la volonté de Dieu, et qui débouche dès cette vie en uniformité, déiformité et transformation (I, ch. 27). Cet amour se fonde sur la foi et comporte cinq degrés : vouloir à Dieu le bien qu'il a en soi ; vouloir à Dieu son bien « extérieur », sa plus grande gloire ; procurer le bien de son Bien-aimé ; vouloir jouir de Dieu dans l'union avec lui ; enfin, être conformé entièrement à la volonté de Dieu.

Après cette première partie, qu'on dira fondamentale, la deuxième trace un chemin spirituel : détruire l'amour propre, « le plus grand ennemi de l'Amour divin », par la haine de soi, l'abnégation, la mort spirituelle, naître à la liberté spirituelle, à l'unité spirituelle ; suivent deux petits traités de l'oraison (ch. 8-16) et de l'humilité. La troisième partie (nouvelle par rapport à la première éd.) est centrée sur la « pratique du saint Amour » (pénitence et mortification, oraison, office divin, examen de conscience, pratique des sacrements, diverses dévotions, etc.).

Le style et le ton de Pennequin sont simples, directs, sans trop de surcharges savantes, quelque peu entravés par l'abondance des autorités citées ou par des exemples tirés de la vie des saints. Parmi les autorités, on remarque, outre les principaux Pères, Denys l'Aréopagite et les anciens moines d'Orient, Guillaume de Saint-Thierry (dissimulé sous saint Bernard), Bonaventure, les réformateurs du Carmel et les premiers spirituels jésuites (B. Alvarez par exemple). Les auteurs néerlandais et rhénans semblent absents. Pennequin s'abstient de traiter théologiquement les sujets qu'il aborde ; il fonde son enseignement sur la Tradition des autorités et l'oriente tout entier vers la vie spirituelle. L'influence de François de Sales, dans la manière comme dans la doctrine de Pennequin, est sensible ; il reste pourtant bien dans la ligne ignatienne. A notre sens, son œuvre mériterait quelque attention de la part des historiens du 17e siècle spirituel.

J. Adriani, *Notitia necrologica P. Pennequin*, aux Archives de l'État de Mons (Belgique). – Sommervogel, t. 6, col. 473-77. – É. de Guilhermy, *Ménologe de l'Assistance de Germanie*, 2e série, t. 1, Paris, 1899, p. 308. – *Annales du Comité flamand* (Lille), t. 27, 1904, p. 145. – *Établissements des Jésuites en France*, t. 2, 1953, col. 1290. – J. de Guibert, *La spiritualité de la Compagnie de Jésus*, Rome, 1953, p. 335. – *Bibliotheca catholica neerlandica impressa*, La Haye, 1954, table. – DS, t. 2, col. 1398 ; t. 4, col. 1530.

Hugues BEYLARD.

**PENON** (FRANÇOIS), frère prêcheur, 1623-1699. – Né à Orléans le 7 novembre 1623, François Penon vécut son enfance et son adolescence à Paris. Il entra dans l'Ordre de saint Dominique et fit sa profession le 13 mars 1640 au couvent de l'Annonciation à Paris. Sa formation théologique s'effectua à Toulouse puis à Paris, où il devint professeur de philosophie (1647), puis de théologie (1648-1653).

Pendant vingt-cinq ans, il exerça presque continuellement des charges administratives : prieur au couvent de Mesnil-garnier au diocèse de Coutances (1653), de Toul (1656), de Paris (Annonciation, 1663-1666 et 1672), vicaire général de la Congrégation de Saint-Louis (1663-1666), provincial de la province de Saint-Louis (1673) ; à ce titre, il participe au chapitre général de Rome en 1677. Les vingt dernières années de sa vie se passèrent dans une relative retraite, jusqu'à sa mort à Paris le 12 janvier 1699.

Mis à part divers petits offices liturgiques et un *Hymnus Angelicus, sive Doctoris Angelici Summae theologicae Rhythmica synopsis* (en vers, Paris, 1651, 1653, 1676 ; Douai, 1675), on garde de Penon : 1) un recueil de lettres (Paris, Bibl. Mazarine, ms 1212) dont la plus grande partie a trait à l'administration de la Congrégation puis Province de Saint-Louis, née de la réforme de S. Michaëlis (DS, t. 10, col. 1165-71) ; certaines sont des lettres spirituelles : trois à des religieuses (peut-être des bénédictines de Sainte-Glossinde, à Metz), d'autres « à un amy » (peut-être fictif). Penon a probablement envisagé de publier des « Lettres chrestiennes sur divers sujets de piété », car une des pièces du recueil (p. 259-60) semble en être la préface. Plusieurs textes portent sur la manière de supporter calomnies et diffamation, épreuve que Penon eut à subir autour des années 1660. Un texte, autographe semble-t-il (p. 297-301), traite de la voie royale de la perfection, qui est tout simplement la pratique de l'Évangile (reproduit en partie par M.S. Gillet, *L'éloquence sacrée*, Paris, 1943, p. 149-53) ; Penon y montre autant d'humour que de pertinence. – 2) Le ms 4000 de la même bibliothèque contient quelques « cantiques spirituels » (44 f.), pour la plupart des hymnes latines pour d'éventuels offices liturgiques.

Quétif-Échard, t. 2, p. 748-50. – DS, t. 5, col. 1473.

André DUVAL.

**PENSÉES.** Voir art. LOGISMOS, t. 9, col. 955-59 et ses divers renvois.

**PENTECÔTE.** – Une spiritualité de la Pentecôte, au sens où ce mot désigne une fête de l'année liturgique chrétienne, ne peut se concevoir qu'à la manière de deux strates différentes se déposant l'une sur l'autre, pour s'interpénétrer et former un amalgame d'une grande richesse.

1. PENTECÔTE ET TEMPS PASCAL. – La première couche de cette stratification appartient à une Église encore émerveillée de la nouveauté du mystère chrétien et de son unité fondamentale. Aux origines, il n'y a pas d'autre célébration que la Pâque hebdomadaire et lorsque, au début du 3e siècle, des témoignages venus de toutes les communautés importantes attestent l'existence d'une solennité annuelle, ils lui donnent le nom de πεντηκοστή (Pentecôte) ; le terme est emprunté aux traditions juives (voir art. *Judaïsme*, DS, t. 8, col. 1515-16), mais prend un sens tout différent : il s'applique à une période de sept semaines inaugurée par l'eucharistie de la nuit de la Résurrection, qui n'est pas autre chose qu'une célébration plus solennelle du dimanche. Le symbolisme du huitième jour (sept plus un) reçoit une sorte de plénitude dans celui de la Cinquantaine (sept fois sept plus un), comme l'exprimeront notamment Hilaire de Poitiers (*Instructio psalmorum* 12, CSEL 22, 1891, p. 11-12)

ou Basile de Césarée (*De Spiritu Sancto* 27, 66, PG 32, 192ac).

Cette fête a la même valeur (ἰσοδυναμεῖ) que le jour du Seigneur, dit Irénée (fragment VII, éd. W.W. Harvey, t. 2, Cambridge, 1857, p. 478-79, repris dans F. Cabrol et H. Leclercq, *Monumenta Ecclesiae Liturgica*, t. 1, Paris, 1900-1902, n. 2259) ; elle comporte le même caractère d'allégresse (*eadem exultationis sollemnitate dispungitur*) selon Tertullien (*De Oratione* 23, 2, CCL 1, 1954, p. 272), et sera même qualifiée de « grand dimanche » par Athanase (1re *Lettre festale* 11, PG 26, 1366a). Aucun jour de la Cinquantaine n'est privilégié, pas même le huitième, le quarantième ou le dernier : on y revit tout à la fois et sans distinction, comme chaque *dies dominica*, la mort et la résurrection de Jésus, ses apparitions et son ascension, l'envoi du Paraclet et l'attente du retour du Christ.

La première évolution qui se produira, sans doute vers le début du 4e siècle, sera de donner plus de consistance à la clôture de ce temps festif ; mais, bien qu'on en vienne à y privilégier un aspect de la célébration (et ce sera surtout, suivant les lieux, le départ du Seigneur ou le don de l'Esprit), ce n'est ni à l'exclusion des autres, ni en isolant ce jour qui va constituer un « sceau », selon l'expression souvent employée par les Pères, apposé sur la Cinquantaine, qui conserve son caractère monolithique.

Ce qui marque la spiritualité de ce « temps de grande joie » (*laetissimum spatium* ; Tertullien, *De Baptismo* 19, 2, CCL 1, p. 293), est inscrit dans les pratiques proposées aux fidèles, qui continueront à être commentées par les prédicateurs et les auteurs spirituels, même quand une autre couche se sera déposée dans la stratification, et ces éléments sont ceux-là même qui caractérisent la Pâque hebdomadaire (voir art. *Dimanche*, DS, t. 3, col. 951-61, 967-70). C'est d'abord un moment particulièrement favorable à la célébration des sacrements, du baptême en particulier (Tertullien, *ibidem*) et de l'Eucharistie, qui font participer les chrétiens à la passion et à la glorification du Seigneur, mettant au cœur de leur vie l'espérance de son retour.

C'est aussi l'interdiction de jeûner, souvent justifiée par l'évocation de la parabole des « amis de l'Époux » (*Luc* 5, 34-35 ; *Mt.* 9, 15). L'image évangélique n'est pas ici une simple illustration allégorique ou l'occasion d'exhortations édifiantes ; elle exprime quelque chose d'essentiel à ce que l'Église fait vivre à ses membres : la liturgie les unit au Ressuscité par des liens si étroits qu'ils vivent réellement des jours de noces, où la pénitence, en vertu même des paroles de Jésus, apparaît presque comme un manque de foi ou une sorte de contradiction (Eusèbe de Césarée, *De Sollemnitate paschali* 5, PG 24, 700b ; Maxime de Turin, *Serm.* 44, 2, CCL 23, 1962, p. 178-79 ; ps.-Athanase, *Serm. de fide*, PG 26, 1292, etc.). Même les moines, tentés parfois de ressentir cela comme un scandale (Évagre le Pontique, *Miroir des moines*, TU 39/4, 1913, p. 156), sont invités à tempérer alors leur discipline (Jean Cassien, *Conlatio* 15, 4 et 21, 20 ; CSEL 13, p. 430-31 et 594-95). Cela nous garde de penser que nous puissions acquérir le Royaume par nos mérites et nos performances ascétiques ; si le jeûne est utile pour favoriser notre union au combat du Sauveur, le salut nous vient du don gratuit de la foi en Jésus Christ. C'est enfin la recommandation de prier sans se prosterner ou se mettre à genoux (Irénée, *loc. cit.* ; Tertullien, *De Corona* 3, 4, CCL 2, p. 1043 ;

*Actes de Paul*, éd. W. Schubert et C. Schmidt, Hambourg, 1936, p. 1 ; ps.-Athanase, *Sermo de fide*). Comment mieux manifester que nous sommes ressuscités avec le Christ qu'en réalisant la dignité reçue par la grâce de nous tenir debout devant Dieu ?

Nous sommes tellement habitués à considérer les fêtes liturgiques comme la commémoration d'événements que cette conception de la Cinquantaine constitue pour nous un assez grand dépaysement. Il nous est difficile de penser que les chrétiens des premiers siècles lisaient comme nous les *Actes des Apôtres* sans que s'impose à eux l'évocation, dans leur ordre chronologique, des faits qui y sont rapportés. C'est pourtant dans la mesure où nous acceptons ce changement de perspective que nous pouvons saisir cette première composante d'une spiritualité de la Pentecôte, telle qu'ils l'ont vécue : il leur semblait impensable de considérer comme des actes passés, dont on peut faire l'anniversaire, les réalités que la grâce sacramentelle rend sans cesse présentes. Il s'agissait donc pour eux non de commémorer, comme les Juifs, les événements de l'histoire du salut, mais de vivre l'« aujourd'hui » du Mystère pascal (cf. DS, t. 5, col. 243-44).

C'est toute la vie qui est une fête, comme dit Origène (*Contra Celsum* VIII, 22, GCS 2, 1894, p. 239-40), mais elle a besoin de ces temps forts que constituent chaque semaine le jour du Seigneur et chaque année la sainte Cinquantaine, car elle demeure marquée des signes du combat spirituel. Le *laetissimum spatium* est précédé partout d'un jeûne de deux jours au moins, et il est souvent suivi de celui qu'à Rome, par exemple, saint Léon annonce aux fidèles, le dernier dimanche de ce temps privilégié (*De Pentecoste*, tract. LXXVII, 9 et LXXVIII, 1, CCL 138 A, 1983, p. 486 et 494). C'est aussi au soir de ce jour-là que plusieurs Églises d'Orient connaissent la cérémonie de la « génuflexion » indiquant la reprise de la vie quotidienne (*Lectionnaire arménien*, éd. et trad. A. Renoux, PO 36/2, p. 342-43 ; Sévère d'Antioche, *Oktoechos*, PO 6/1, p. 147) ; et Jérusalem observe un usage semblable à la Veillée pascale. Ainsi la solennité se détache sur le fond du quotidien auquel elle imprime son rythme et donne un sens nouveau.

Sous ce premier aspect, la spiritualité de la Pentecôte n'est une spiritualité du Saint-Esprit que parce que celui-ci occupe une place centrale dans l'ensemble du Mystère chrétien : « Si l'Esprit de celui qui a ressuscité Jésus d'entre les morts habite en vous, celui qui a ressuscité Jésus d'entre les morts donnera aussi la vie à vos corps mortels par son Esprit qui habite en vous » (*Rom.* 8, 11).

2. PENTECÔTE ET DON DE L'ESPRIT. — Cette première couche, de tonalité mystique, était exigeante, allant à contre-courant du sentiment religieux commun, attaché à un calendrier plus diversifié. Tertullien, pour convaincre ses contemporains, devait leur expliquer que, si l'on mettait bout à bout toutes les fêtes des Gentils, jamais on n'arriverait à un nombre de jours équivalent à la Cinquantaine (*De Idololatria* 14, 7, CCL 2, p. 1115). Mais la piété populaire allait contribuer à la constitution d'une strate nouvelle, qu'ont sans doute favorisée les *pèlerinages* à Jérusalem (cf. DS, *supra*, col. 901 svv) : là, les fidèles désiraient mettre leurs pas dans ceux de Jésus et des Apôtres, en célébrant les événements du Salut au lieu et au moment où ils les avaient vécus. Dans le dernier quart du 4ᵉ siècle, le quarantième et le cinquantième jour du Temps pascal sont devenus, dans la plupart des Églises, des commémorations des faits rapportés par les *Actes* : ascension du Seigneur et effusion de l'Esprit. Ainsi, la spiritualité de la Pentecôte s'enrichissait de thèmes nouveaux, que l'on peut recueillir dans les lectionnaires et les homélies de ce dimanche, devenu *dies Pentecostes*.

1) *La Loi et l'Esprit.* — La fête des semaines, chez les Juifs, en était venue à évoquer la théophanie du Sinaï, qui a sûrement inspiré le récit du nouveau Testament : les langues de feu doivent sans doute quelque chose à cette parole de Dieu qui, selon les commentaires rabbiniques, était visible comme des éclairs. « Là, Dieu descendit sur la montagne ; ici, vient le Saint-Esprit, se manifestant par des langues de feu. Là, du tonnerre et des voix ; ici, des pêcheurs sont illuminés par les flammes des langues diverses » (Pseudo-Augustin, *Serm.* 186, éd. A. Olivar, dans *Sacris erudiri*, t. 5, 1953, p. 139). C'est le même Salut qui est apporté aux hommes d'abord par la Loi et ensuite par l'Esprit : les tables de pierre ont été écrites par le doigt de Dieu ; or, remarque Augustin, « lisez l'Évangile et remarquez que l'Esprit saint est appelé le doigt de Dieu » (*Contra Faustum* XXXII, 12, CSEL 25, 1891, p. 770-71).

Mais si le don fait à Moïse révélait au peuple élu un chemin inconnu des païens, il tenait son efficacité de l'obéissance et de la fidélité d'Israël ; le don, au contraire, qui nous est fait de l'Esprit fait naître en nos cœurs la foi au Christ qui nous justifie. La première alliance est ainsi dépassée : « Vous qui pensez devenir des justes en pratiquant la Loi, vous vous êtes séparés du Christ, vous êtes déchus de la grâce. Mais c'est par l'Esprit, en vertu de la foi, que nous attendons de voir se réaliser pour nous l'espérance des justes... Si l'Esprit vous anime, vous n'êtes plus sous la Loi » (*Gal.* 5, 4-5.8). Augustin (qui sait que la Pâque est un *sacramentum* à revivre avec le Christ comme *passage* de la mort à la vie ; cf. art. *Pâque, supra*, col. 174) est ainsi amené à s'appuyer sur une autre parole de Paul : « De toute évidence, vous êtes ce document venant du Christ, confié à notre ministère, écrit non pas avec l'encre, mais avec l'Esprit du Dieu vivant, non pas comme la Loi sur des tables de pierre, mais dans des cœurs de chair » (2 *Cor.* 3, 3) ; il la commente ainsi : « Cette loi a été inscrite dans les cœurs durs (des Juifs) et non accomplie ; elle est donnée maintenant aux cœurs des croyants, loi facile et éternelle des chrétiens » (*Serm. Mai* 158, 5, éd. G. Morin, *Miscellanea agostiniana*, t. 1, Rome, 1930, p. 384 ; PLS 2, col. 525).

Comme Moïse était monté sur la montagne, pour ensuite donner aux hommes la Loi reçue de Dieu, Jésus est monté au ciel pour leur envoyer l'Esprit ; mais alors que le patriarche du Sinaï n'était qu'un intermédiaire entre le Seigneur et son peuple, le Christ est lui-même l'auteur de l'alliance : « Moïse a été fidèle dans toute sa maison en qualité de serviteur... le Christ, lui, l'a été en qualité de fils, à la tête de sa maison » (*Hébr.* 3, 5-6). Mais on n'oublie pas que la Pentecôte est un jour de clôture : « Le mystère de l'Évangile est achevé par la descente du Saint-Esprit. Ainsi, chez l'ancien peuple, c'est le cinquantième jour, dans le vrai jubilé... que la Loi fut promulguée » (Jérôme, *Epist.* 78, 12 ; éd. J. Labourt, t. 4, Paris, 1954, p. 67). Ce qui est ainsi porté à son accomplissement, c'est l'immolation de l'Agneau, celui de l'Exode annonçant celui du Golgotha (S. Léon, *De Pentecoste*, tract. LXXV, 1, CCL 188 A, p. 464-65). Il y a la même distance entre la Loi et l'Esprit qu'entre l'ancienne et la nouvelle Pâque.

2) *La Tour de Babel.* — Les commentaires rabbiniques du Sinaï y voyaient une vision prophétique uni-

versaliste : on aurait entendu la voix de Dieu dans les « soixante-dix langues du monde », ce qui, sans aucun doute, se retrouve dans l'évocation de « toutes les nations qui sont sous le ciel », dans le récit des *Actes*. Ce thème apparaît dans la catéchèse patristique par une méditation sur la Tour de Babel (*Ex.* 9, 1-9) : « Heureuse a été cette ancienne désunion ; ... la mésentente venant avec la différence des langues a compromis l'entreprise. Mais plus heureux encore le miracle présent : par un seul Esprit répandu sur une foule, celle-ci retrouve une harmonieuse unité » (Grégoire de Nazianze, *Serm.* 41, 16, PG 36, 449c). Jean Chrysostome souligne à cette occasion l'opposition entre « l'entente pour le mal », qui engendre la discorde, et la grâce du Paraclet qui « change la division en harmonie » (*Hom. 2 de Pentecoste*, PG 50, 467c).

Mais c'est surtout Augustin qui approfondit sa réflexion sur l'unité de l'Église : chez ceux qui se détournent de l'« orgueilleuse impiété » et s'ouvrent à la grâce avec l'« humble piété des fidèles », l'œuvre de l'Esprit consiste à allumer le feu de la charité qui les rassemble en un seul corps. Et si le Seigneur est la tête de ce corps, l'Esprit saint, peut-on dire, en est l'âme, puisque c'est lui qui assure l'unité des membres entre eux, vivifiant chacun d'eux à sa place dans l'ensemble de l'organisme dont il produit la croissance. « Ce que notre esprit, c'est-à-dire notre âme, est à nos membres, c'est cela que l'Esprit saint est aux membres du Christ, au corps du Christ qu'est l'Église » (*Serm.* 271, PL 38, 1245-1246 ; cf. DS, t. 9, col. 349-51). Désormais, selon une magnifique formule du sacramentaire léonien, « la diversité des voix ne fait plus obstacle à l'édification de l'église, mais bien plutôt renforce son unité » (*Sacramentarium Veronense*, éd. L.C. Mohlberg, Rome, 1956, n. 217).

3) *Le vin nouveau dans les outres neuves.* – Le vin nouveau dont parle l'Évangile (*Mt.* 9, 17 ; *Luc* 5, 37-38), juste après la parabole des amis de l'Époux, évoque celui dont on croyait les Apôtres enivrés, au sortir du Cénacle. « Ils sont saouls, disaient-ils, et pleins de vin doux. Ils riaient, mais c'est la vérité qu'ils disaient. Ils étaient en effet comme des outres pleines de vin nouveau... ; le vin doux était en ébullition et de ce vin en ébullition jaillissaient des langues étrangères » (Augustin, *Serm.* 267, 2, PL 38, 1230). La prédication des Pères, sans se laisser arrêter par le réalisme de ce thème, va transposer sur le plan spirituel les effets de la boisson : l'ivresse spirituelle (cf. DS, t. 7, col. 2313-22), produite par l'Esprit, procure une joie qui nous fait sortir de notre comportement charnel et nous fait vomir tout ce qui fait obstacle à la foi. C'est ainsi que le vin nouveau brise les vieilles outres et porte en nous ses fruits de sainteté, car « il coule du pressoir que le Seigneur a foulé par l'Évangile, afin de nous donner à boire le sang de sa propre grappe » (Grégoire de Nysse, *In Pentecosten*, PG 46, 701a).

Aussi, bien qu'il soit déjà présent dans l'Ancien Testament, l'Esprit nous est révélé par Jésus comme personne divine et c'est lui qui l'envoie pour parfaire son œuvre : « Quand il viendra, lui, l'Esprit de vérité..., il me glorifiera, car il reprendra ce qui vient de moi pour vous le faire connaître » (*Jean* 16, 13-14). Il peut donc être figuré par le vin nouveau, prêt à remplir, selon toute la mesure de leur contenance, ceux que le Rédempteur s'est acquis au prix de son sang (Grégoire d'Elvire, *Tractatus Origenis* 20, CCL 69, 1967, p. 143).

C'est sur le renouvellement des cœurs, nécessaire pour accueillir le Paraclet, qu'insiste surtout Augustin. Avant même d'être un effet de la Pentecôte, il est une condition de sa réalisation et c'est la foi au Christ qui accomplit ce rajeunissement, produisant les outres neuves susceptibles de recevoir le vin nouveau. Mais cette adhésion au Seigneur est confirmée par le don du *Pneuma* qui pousse la conversion du fidèle jusqu'à lui faire tout quitter pour suivre le Maître : « Par l'Esprit saint, la charité sera en nous, puisque désormais nous sommes échauffés par le vin nouveau et enivrés par son calice... Pourquoi t'étonner que le martyr ne connaisse pas les siens ? C'est un homme ivre. De quoi est-il ivre ? d'amour » (Augustin, *Serm. Mai* 158, 7, *Misc. Agost.*, t. 1, p. 385 ; PLS 2, col. 527).

Il est remarquable que la prédication de la Pentecôte ne s'oriente pas vers les exhortations morales que pouvait suggérer ce thème : préparons-nous par nos bonnes œuvres, par la rectitude de notre vie, à recevoir l'Esprit, puisque le vin nouveau ne peut être mis que dans des outres neuves. C'est au contraire l'action sanctifiante de la grâce qui occupe le premier plan : c'est la foi au Christ, la participation à l'Église, qui transforme les vases indignes et c'est l'Esprit lui-même qui perfectionne cette purification intérieure et donne la force du témoignage.

La deuxième strate de la spiritualité de la Pentecôte est, bien plus que la première, centrée sur le don de l'Esprit, célébré le dernier jour de la Cinquantaine. Les développements de la théologie trinitaire, notamment chez les grands Cappadociens, ont certainement favorisé cette évolution. D'autre part, l'allégorie des amis de l'Époux devait faire surgir la question que Jean Cassien attribue à son ami Germain, lors de leur voyage chez les ascètes égyptiens : pourquoi s'abstenir de jeûner pendant cinquante jours, puisque, dès le quarantième, l'Époux a quitté ses amis ? La réponse de l'abbé Théonas, invoquant la tradition des anciens, n'a sans doute pas suffi à écarter l'objection (*Conlatio* 21, 20, CSEL 13, p. 594-95). Le huitième dimanche du Temps pascal perdait donc quelque chose de son caractère de clôture de la solennité et l'influence de la chronologie des *Actes* conduisait à y voir surtout l'anniversaire de l'événement rapporté par Luc. Et cependant, jamais n'est perdue de vue l'unité du Mystère, qui sous-tend les divers thèmes à travers lesquels s'exprime l'action du Paraclet, dans la prédication des Pères du 4e au 6e siècle (cf. art. *Fêtes*, DS, t. 5, col. 231-84).

3. VICISSITUDES ET RENOUVEAU. – Une fois entamé, le processus de décomposition de la Cinquantaine devait se poursuivre. La première des sept semaines devient privilégiée et l'habitude se répand de jeûner dès la fête de l'Ascension, et même avant, lorsque les Rogations apparaissent en Gaule, dès les années 471-472 (cf. DS, t. 10, col. 188). Il ne restait plus qu'à doter d'une octave le jour de la Pentecôte, pour lui faire perdre totalement son caractère de clôture d'un temps à nul autre pareil, ce qui se produit à Rome au 7e siècle. Le moyen âge ne verra plus pratiquement dans l'ancien « *clausum Paschae* » qu'une solennité du Saint-Esprit ; tout au plus, en fera-t-on comme un parallèle de Pâques comportant une vigile semblable. Et la piété des fidèles, fort attentive à la célébration du Carême, n'aura plus guère d'intérêt pour le Temps pascal. Au 19e siècle, d'ailleurs, mai ne sera plus que le « mois de Marie » accaparant toute la dévotion des chrétiens. Sans doute, voit-on subsister des restes de la

vieille Cinquantaine, comme la lecture des *Actes des Apôtres* ou la rubrique du Bréviaire romain : « *Et non flectuntur genua toto tempore pascali* », ainsi qu'un certain nombre d'usages monastiques. Mais ce ne sont que des survivances n'ayant plus guère de lien avec l'esprit qui les a suscitées.

Le n. 22 des *Normae universales de anno liturgico et de calendario* de 1969 retrouve des richesses que l'on aurait pu croire perdues : « Les cinquante jours de la Pentecôte sont célébrés dans la joie et l'exultation, comme si c'était un jour de fête unique, ou mieux ' un grand dimanche '. C'est surtout en ces jours que l'on chante l'Alléluia » (*Documentation catholique*, t. 66, 1969, p. 526). La réforme liturgique suscitée par Vatican II prend donc acte des évolutions qui se sont accomplies au cours des siècles, en considérant le premier et le dernier jour du Temps pascal, ainsi d'ailleurs que le quarantième, comme des solennités ayant leur signification en elles-mêmes, mais elle les assied, pour ainsi dire, sur la couche la plus ancienne de la spiritualité de la Cinquantaine et leur rend leur enracinement traditionnel. La suppression de l'octave de la Pentecôte consacre ce retour aux sources.

Mais ce sont surtout les formulaires liturgiques contenus dans le *Missale* et l'*Ordo lectionum missae*, publiés aussi en 1969 et dans la *Liturgia Horarum* promulguée en 1972, qui offrent une nourriture substantielle à la vie spirituelle des chrétiens.

Notons la première Collecte de la messe de la Vigile, empruntée au sacramentaire léonien (*Sacram. Veron.*, éd. L.C. Mohlberg, n. 191) : « paschale sacramentum quinquaginta dierum voluisti mysterio contineri ». L'ensemble de l'euchologie reprend les grands thèmes traditionnels : la loi nouvelle inscrite dans les cœurs, l'Esprit animant l'Église pour en faire le sacrement du salut au milieu du monde, etc., tout cela condensé, en quelque sorte, dans la Préface de la fête :

« Tu enim sacramentum paschale consummans, quibus per Unigeniti tui consortium filios adoptionis esse tribuisti, hodie Spiritum Sanctum es largitus ; qui, principio nascentis Ecclesiae et cunctis gentibus scientiam indidit deitatis, et linguarum diversitatem in unius fidei confessione sociavit ».

Les choix proposés pour les lectures de la Vigile comportent les péricopes de la Tour de Babel et du don de la Loi au Sinaï. On lit aussi les passages les plus propres à rattacher l'Esprit à l'exaltation du Christ (cf. l'évangile de la Vigile : *Jean* 7, 37-39) ou à le manifester comme source à la fois de l'intériorisation personnelle et de la croissance ecclésiale (2e lecture du Jour : 2 *Cor.* 12, 3b-7.12-13). Il faudrait reprendre les formulaires de tout le Temps pascal, en particulier dans la Liturgie des Heures, où le 2e dimanche, par exemple, met en lumière le symbolisme du huitième jour (cf. antienne de Magnificat des premières Vêpres) et non plus le terme de la fête. L'abondance des textes propres, avec un choix très significatif de lectures patristiques, ne permet pas d'en dire toute la richesse. Signalons seulement la présence constante des sacrements de l'initiation et celle de la croix, témoin de l'unité de la célébration : le corps glorieux du Seigneur apparaissant aux Apôtres porte les stigmates de la Passion (cf. *Jean* 20, 19-31) et l'intercession des secondes Vêpres de Pentecôte, dans l'édition française, termine le *laetissimum spatium* sur la contemplation de ce mystère : « De la plaie du Sauveur, tu as fait jaillir l'Esprit ; désaltère les peuples à la source du salut ».

S. Salaville, *La « Tessarakostè ». Ascension et Pentecôte au 4e siècle*, dans *Échos d'Orient*, t. 28, 1929, p. 257-71. – O. Casel, *Art und Sinn der ältesten christlichen Osterfeier*, dans *Jahrbuch für Liturgiegeschichte*, t. 44, 1938, p. 1-78 ; trad. franç. par J.-C. Didier, *La fête de Pâques dans l'Église des Pères*, coll. Lex orandi 37, Paris, 1963. – G. Kretschmar, *Himmelfahrt und Pfingsten*, dans *Zeitschrift für Kirchengeschichte*, t. 66, 1954/55, p. 209-53. – E. Flicoteaux, *Le rayonnement de la Pentecôte*, coll. L'esprit liturgique 7, Paris, 1957. – Cl. Jean-Nesmy, *La spiritualité de la Pentecôte*, coll. Cahiers de la Pierre-qui-vire, Paris, 1960. – J. Böckh, *Die Entwicklung der altkirchlichen Pentekoste*, dans *Jahrbuch für Liturgik und Hymnologie*, t. 5, 1960, p. 1-45.

P. Jounel, *Le temps pascal. La tradition de l'Église*, dans *La Maison-Dieu*, n. 67, 1961, p. 163-82. – P. Evdokimov, *La fête de la Pentecôte dans la tradition orthodoxe*, dans *Verbum caro*, t. 16, 1962, p. 177-98 ; *L'Esprit-Saint dans la tradition orthodoxe*, Paris, 1969. – R. Cabié, *La Pentecôte. L'évolution de la Cinquantaine pascale au cours des cinq premiers siècles*, Paris-Tournai, 1965 (bibliographie). – *Fête de la Pentecôte*, coll. Assemblées du Seigneur, nouv. série, n. 30, Paris, 1970. – J. Potin, *La fête juive de la Pentecôte*. 1. *Commentaire*. 2. *Textes araméens*, coll. Lectio divina 65, Paris, 1971. – J. López Martín, *El dono de la Pascua del Señor. Pneumatología de la Cincuentena pascual del Misal Romano*, Burgos, 1977. – G.-M. de Durand, *Pentecôte johannique et Pentecôte lucanienne chez certains Pères*, dans *Bulletin de littérature ecclésiastique*, t. 79, 1978, p. 97-126. – R. Le Déaut, *La ' Cinquantaine ' et la Pentecôte chrétienne dans le N.T.*, dans *Svensk Exegetisk Arsbok*, t. 44, 1979, p. 148-70.

DACL, t. 14, 1939, col. 259-74 (H. Leclercq). – EC, t. 9, 1952, col. 1154-60 (A.P. Frutaz). – Kittel, t. 6, 1959, p. 44-53 (E. Lohse). – LTK, t. 8, 1963, col. 421-23 (A. Arens ; N. Adler). – DBS, t. 7, 1966, col. 858-79 (M. Delcor). – NEC, t. 11, 1968, p. 104-106 (B.F. Meyer ; J.L. Ronan). – DES, t. 2, 1976, p. 1438-40 (M. Morganti).

DS, art. *Esprit Saint*, t. 4, col. 1246-333 *passim* ; art. *Liturgie*, t. 9, col. 902-03 (Occident), 918-20 (Orient) ; art. *Pâques*, t. 12, col. 171-82.

Robert C<small>ABIÉ</small>.

**PENTECÔTISME.** – Sous ce titre nous traiterons à la fois du pentecôtisme classique ou « dénominationel » (foi et pratique de groupements religieux comme la *Pentecostal Holiness Church* et les « Assemblées de Dieu ») et de ce qu'on appelle le Néo-pentecôtisme ou « Renouveau charismatique » (le mouvement pentecôtiste tel qu'il s'est développé dans les Églises chrétiennes traditionnelles, y compris l'Église catholique). – 1. *Histoire*. – 2. *Doctrine et pratique*. – 3. *Appréciation*.

1. **Histoire.** – 1° L<small>E</small> P<small>ENTECÔTISME</small> <small>CLASSIQUE</small> comme forme particulière de foi et de pratique chrétiennes, date du début du 20e siècle, mais il s'enracine dans le *Holiness movement* et le « réveil » évangélique, qui ont dominé la scène religieuse aux États-Unis pendant la seconde moitié du 19e siècle.

Le *Holiness movement* (Mouvement de sanctification) était un « réveil » (*Revival*) à l'intérieur du Méthodisme américain. Ses adeptes, tant laïcs que *clergymen*, accusaient l'Église méthodiste officielle de laisser de côté la doctrine de John Wesley sur l'entière sanctification, doctrine qu'eux-mêmes, au contraire, plaçaient au cœur de leur propre enseignement. Selon cette doctrine, les chrétiens qui ont eu en vérité l'expérience de conversion requise pour le salut devraient aspirer à un *second blessing*, c'est-à-dire à une seconde expérience religieuse qui achève leur sanctification et leur permette de mener une vie de perfection morale, dégagée de toute « racine de péché » (*root of sin*).

Durant les dernières décennies du 19e siècle, c'était une chose reçue dans la littérature du *Holiness movement* que d'appeler cette seconde expérience un « baptême dans l'Esprit saint », et dès lors de la décrire comme « pentecôstale ». La *National Holiness Association* prit en charge, chaque année, des assemblées religieuses en plein air (*camp-meetings*), auxquelles prenaient part des milliers de gens désireux ou heureux d'y recevoir ce *second blessing*, qu'avaient en vue les prêches enflammés et le culte enthousiaste typique du Revivalisme en Amérique au cours du 18e et du 19e siècle. Quant, sur la fin du 19e siècle, l'Église méthodiste répudia le *Holiness movement*, beaucoup de ses adeptes formèrent des groupements séparés, notamment dans les États du Sud.

Plus répandu dans les États du Nord et aussi en Grande Bretagne pendant la seconde moitié du 19e siècle, existait un Revivalisme évangélique influencé, lui aussi, par la doctrine wesleyenne du *second blessing*, mais moins associé au Méthodisme qu'aux traditions baptistes et presbytériennes. Les guides marquants de ce réveil furent Charles G. Finney, de l'*Oberlin School*, Robert P. Smith et le *Keswick holiness movement* en Grande Bretagne, A.B. Simpson, fondateur de l'Alliance chrétienne et missionnaire, Dwight L. Moody et Reuben A. Torrey.

Ces prédicateurs excellaient dans les méthodes du réveil : sermons faisant appel au sentiment, assemblées de masses où l'on encourageait un culte enthousiaste, *altar call* où ceux qui étaient en quête d'une expérience décisive (*crisis experience*) étaient invités à se proposer pour un ministère individuel. Un trait marquant de leurs prêches était cet appel à une seconde *crisis experience* (venant après la conversion), que beaucoup décrivaient comme un « baptême dans l'Esprit saint », non plus, comme dans la tradition wesleyenne, pour une purification de toute « racine de péché », mais pour « être revêtu de force » en vue de vivre la vie chrétienne et de porter témoignage de la foi.

Ainsi, sur la fin du 19e siècle, presque tous les éléments qui devaient caractériser le Pentecôtisme étaient déjà présents dans le réveil américain. Ce fut le premier jour du 20e siècle que Charles F. Parham et ses étudiants à la Bethel Bible School de Topeka (Kansas) y ajoutèrent cet autre enseignement, qui allait devenir le trait distinctif du Pentecôtisme : chaque vrai « baptême dans l'Esprit » serait toujours accompagné du signe qui marqua la première Pentecôte, « parler en d'autres langues, selon que l'Esprit leur donnait de s'exprimer » (*Actes* 2, 4). Parham avait demandé à ses étudiants (jeunes gens et jeunes filles se préparant au ministère évangélique) de chercher dans l'Écriture la réponse à cette question : quel est, selon la Bible, le signe du « baptême dans l'Esprit » ? Se référant aux récits de la Pentecôte et des autres descentes de l'Esprit rapportées dans les *Actes*, ils répondirent que ce signe constant était de « parler en d'autres langues ». Une vague de ferveur exaltée se propagea à travers l'école. Une prière ininterrompue durant plusieurs jours et plusieurs nuits implora cette venue de l'Esprit saint.

Le 1er janvier 1901, une des étudiantes, Agnès Ozman, demanda à Parham d'imposer les mains sur elle pendant qu'ils priaient ; quand il le fit, elle réalisa l'expérience de son « baptême dans l'Esprit » et se mit à « parler en langues ». En l'espace de quelques jours, tous les étudiants et Parham lui-même firent une semblable expérience. Le premier groupe « Pentecôtiste » venait de naître, caractérisé par la conviction

que chaque chrétien devrait aspirer à une expérience personnelle de la Pentecôte marquée, comme elle le fut pour les Apôtres et les premiers chrétiens, par le don de langues. Dans la ligne d'*Actes* 1, 8, on considéra le « baptême dans l'Esprit » comme source d'une force pour être vrai témoin du Christ, et aussi des dons charismatiques, dont par la suite firent preuve les Apôtres au cours de leur ministère.

Pendant les années qui suivirent, Parham propagea sa nouvelle doctrine avec un succès limité. Il fonda une Bible School à Houston (Texas), en vue de préparer des aspirants au ministère « pentecôstal ». Ce fut à Los Angeles, en 1906, que l'étincelle flamba, quand la prédication d'un des anciens étudiants de Parham, un noir borgne du nom de W.J. Seymour, y suscita un réveil qui dura trois ans. Des gens, qui avaient prié pour un puissant réveil et avaient été en quête du « baptême dans l'Esprit », accoururent en foule à Los Angeles de toutes les parties d'Amérique, et même d'Europe, attirés par les comptes rendus des journaux sur les merveilles qui avaient lieu dans l'église délabrée d'Azusa Street, où Seymour, quasi sans arrêt, tenait des assemblées de prière : des gens y parlaient en langues, prophétisaient, étaient guéris, manifestaient des signes variés d'extase religieuse. En quelques années, de Los Angeles le message avait passé en Europe, en Amérique latine et en Asie, comme à travers l'Amérique du Nord. Des milliers de gens eurent leur expérience « pentecostale », accompagnée du signe du parler en langues. Pour ceux qui appartenaient déjà au *Holiness movement*, comme Parham et Seymour, leur « baptême dans l'Esprit » était la troisième *crisis experience*, venant après la conversion et la sanctification. Quelques-unes des *Holiness Churches* déjà existantes acceptèrent ce nouvel enseignement et devinrent les premières Églises pentecôtistes organisées ; les plus typiques sont la *Church of God in Christ* et la *Pentecostal Holiness Church*.

Cependant, pour les Protestants évangéliques de traditions autres que celle de Wesley, qui avaient accepté l'enseignement pentecôtiste, le « baptême dans l'Esprit » restait la seconde *crisis experience*, postérieure à l'expérience de conversion ; pour eux, la sanctification coïncidait avec la conversion ou se développait tout au long de la vie. Au début, ils virent dans le Pentecôtisme un mouvement favorable au réveil de leurs propres Églises (le plus souvent baptistes et presbytériennes) ; ce ne fut qu'après leur rejet de ce réveil qu'ils commencèrent à organiser leurs groupements distincts et séparés.

Durant les premières années, il y eut une prolifération étonnante de sectes pentecôstistes indépendantes. En 1914, un certain nombre parmi elles, de tradition non wesleyenne, s'unirent pour former le groupement pentecôtiste unifié actuellement le plus important, les « Assemblées de Dieu ». De nos jours, les membres des Églises pentecôtistes appartiennent, en nombre sensiblement égal, d'une part à la tradition *Holiness* ou wesleyenne (avec trois *crisis experiences*), et d'autre part aux « Assemblées de Dieu » (avec seulement deux). En fait, mis à part leur insistance sur l'importance décisive du « baptême dans l'Esprit », avec le signe requis du parler en langues et leur revendication d'autres charismes, comme ceux de prophétie et de guérison, il y a peu de différence entre la doctrine des Églises pentecôtistes et celle des Églises évangéliques dont elles sont issues. Celles-ci, en fait, ne rejetaient pas le « baptême dans l'Esprit » comme tel, mais seulement l'insistance des Pentecôtistes sur le don des langues et d'autres charismes comme signe de la réception effective de ce baptême. Une des raisons de ce rejet fut chez les évangéliques fondamentalistes la prédominance, au début du siècle, de la doctrine du « dispensationalisme », selon laquelle les charismes, comme le don des langues et de prophétie, n'avaient été « dispensés » par Dieu que pour la période apostolique ; dès lors, prétendre à les posséder en des âges plus tardifs ne pouvait être que mensonge. Sans nul doute, les scènes d'exaltation religieuse qui se manifestèrent aux débuts du Pentecôtisme contribuèrent aussi à la réaction négative d'Églises plus « respectables ».

Malgré l'hostilité, le mépris même, que la plupart des autres Églises chrétiennes leur témoignaient, les Pentecôtistes eurent un tel succès que leur rythme de croissance, au cours du 20e siècle surpassa celui de tous les autres groupements. Ce fut notamment le cas en plusieurs pays d'Amérique latine et d'Afrique. Un trait frappant de ce développement est la rapidité avec laquelle, dans le tiers-monde, les Églises pentecôtistes devinrent complètement autochtones. Elles ne ressentaient aucun besoin d'avoir recours à des missionnaires étrangers, une fois les gens du pays « baptisés dans l'Esprit », étant donné leur conviction que ceux qui ont reçu ce baptême ont également reçu le pouvoir et les dons requis pour témoigner de leur foi, propager l'Évangile. L'extraordinaire rythme de croissance de leurs Églises, en particulier dans le tiers-monde, semble aller dans le sens de leur conviction.

Jusqu'à une date toute récente la plupart des Églises pentecôtistes se sont détournées du mouvement œcuménique ; très peu parmi elles ont demandé à faire partie du *World Council of Churches*. Cependant quelques-unes ont eu des représentants au premier dialogue quinquennal ; de plus nombreuses participent à présent au second, avec le Secrétariat Catholique pour l'Unité Chrétienne. La plupart des groupements pentecôtistes les plus importants ont pris part aux Conférences pentecôtistes mondiales, qui se sont tenues tous les deux ou trois ans depuis 1947. Un signe de l'intérêt croissant qu'ils portent à l'étude scientifique de leur histoire et de leur doctrine est la formation de la *Society for Pentecostal Studies* qui, deux fois l'an, publie une revue intitulée *Pneuma*.

2° LE NÉO-PENTECÔTISME OU RENOUVEAU CHARISMATIQUE, comme on l'appelle plus communément aujourd'hui lorsqu'il se situe à l'intérieur des Églises chrétiennes plus anciennes, commença le dimanche des Rameaux 1960, lorsque Dennis Bennet, recteur de l'église épiscopalienne de St. Mark, à Van Nuys (Californie), annonça à sa congrégation qu'il avait reçu le « baptême dans l'Esprit » pentecostal, avec le signe de langues qui l'accompagne. Il ne voyait en cela rien qui s'opposât à la théologie ou à la pratique anglicane ; mais la plupart de ses paroissiens, d'autres membres du clergé, son évêque lui-même, furent d'un avis différent et il dut démissionner. Peu après, l'évêque d'un autre diocèse l'invita à prendre en charge à Seattle (Washington) une paroisse en fort mauvaise situation, l'autorisant à y partager son expérience pentecostale avec ses fidèles. Il obtint dans son ministère un succès extraordinaire et devint l'apôtre du « baptême dans l'Esprit », surtout auprès des *clergymen* anglicans et protestants. En moins de dix ans, le nombre de ces *clergymen* « baptisés dans l'Esprit » et propageant l'expérience pentecostale parmi Épiscopaliens, Luthériens, Presbytériens et autres Protestants, dans les seuls États-Unis, était évalué aux environs de deux

milliers. Dans la plupart des cas ils restaient membres de leurs Églises respectives. Certains cependant parmi eux se virent contraints d'abandonner leur charge de pasteur, quand il devint notoire qu'ils propageaient le « baptême dans l'Esprit » et le parler en langues. Le Néo-pentecôtisme en milieu anglican et protestant se propagea très vite en d'autres pays, notamment de langue anglaise. Parmi ses manifestations extérieures les plus marquantes, mentionnons les grandes conférences organisées en Angleterre par la *Fountain Trust*. Quelques personnalités de premier plan du Renouveau charismatique dans les Églises protestantes ont pris part au premier dialogue quinquennal entre les Pentecôtistes et l'Église catholique.

Dans cette diffusion du Renouveau parmi les Protestants, une organisation de laïcs a joué un grand rôle, la *Full Gospel Business Men's Fellowship International* (FGBMFI). L'expression *Full Gospel*, chez les Pentecôtistes, sert à exprimer leur conviction que le message de l'Évangile, conjointement avec les autres articles « fondamentaux » admis par tous les chrétiens évangéliques, inclut : « sainteté de cœur et de vie, guérison pour le corps et baptême dans l'Esprit saint, avec le signe initial du parler en langues selon que l'Esprit en fait don » (*Doctrinal Statement of the Society for Pentecostal Studies*, n. 5). La FGBMFI, fondée en 1953 par un riche laïc pentecôtiste, Demos Shakarian, utilise les techniques des milieux d'affaires pour la propagation du Pentecôtisme parmi des gens d'un niveau économiquement et socialement plus riche que ne le sont d'ordinaire les membres des groupements pentecôtistes. Dans ces réunions qui se tiennent d'ordinaire dans des hôtels ou d'autres lieux adaptés, les chrétiens invités participent à une sorte de repas d'hommes d'affaires, suivi d'une assemblée typiquement pentecôtiste, avec prières, chants, échange des témoignages et exercice des « dons » ; après quoi, ceux qui aspirent au « baptême dans l'Esprit », se retirent, dans des chambres, où ils continuent à prier à cette intention, pendant que d'autres prient avec eux et leur imposent les mains. Le FGBMFI publie dans la plupart des langues européennes un périodique de vulgarisation, intitulé *Voice*, qui a aussi joué un rôle très efficace dans la diffusion du message en dehors des Églises pentecôtistes.

3° LE RENOUVEAU CHARISMATIQUE CATHOLIQUE (appellation aujourd'hui courante pour désigner le néo-pentecôtisme en milieu catholique) a commencé en 1967 : deux étudiants catholiques de la Duquesne University, à Pittsburg, prenant part à une assemblée de prières organisée par des Pentecôtistes protestants, eurent l'expérience typique dont nous avons parlé, pendant que le groupe priait et leur imposait les mains. Peu après, durant une retraite de fin de semaine pour étudiants, à Duquesne University, ces deux « baptisés dans l'Esprit » partagèrent leur expérience avec d'autres ; le premier groupe néo-pentecôtiste catholique fut formé du fait qu'un bon nombre d'étudiants commencèrent également à parler en langues. De cette université le mouvement gagna celle de Notre Dame et d'autres ; rapidement aussi il trouva des adeptes dans des paroisses, couvents et monastères, un peu partout dans les États-Unis. Sans tarder, le « Pentecôtisme catholique », comme on l'appela, passa au Canada, en Amérique latine et en Europe ; il s'implanta aussi en divers pays d'Asie et d'Afrique grâce à des missionnaires rentrant d'un congé en Amérique du Nord ou en Europe.

Une preuve saisissante de la diffusion mondiale du mouvement parmi les catholiques est fournie par le nombre de pays représentés aux quatre Congrès Internationaux de dirigeants (*International Leaders' Conferences*) : au premier, à

Grottaferrata en Italie, en 1973, prirent part des délégués de 34 pays ; au deuxième à Rome, en 1975, de 50 pays ; au troisième à Dublin, en 1978, de 60 pays ; au quatrième, de nouveau à Rome, en 1981, de 94 pays. Le Centre international du renouveau charismatique catholique (*International Catholic Charismatic Renewal Office*), établi à Rome, sert de foyer de liaison pour le renouveau mondial. La direction y est exercée par un Conseil international de neuf dirigeants du Renouveau charismatique catholique dans les principales régions du monde.

Pour la plupart des catholiques en question, la participation au Renouveau charismatique suppose qu'ils soient membres d'un groupe de prière se réunissant d'ordinaire durant une heure et demie ou deux, une fois par semaine. Dans nombre de groupes, l'assemblée de prière hebdomadaire est précédée ou suivie d'une célébration eucharistique, qui ne remplace pas la célébration paroissiale du dimanche. Ce qui distingue les uns des autres les groupes de prière du Renouveau charismatique catholique, ce sont des données comme celles-ci : la proportion des non-catholiques qui y prennent part ; le degré de participation du clergé catholique local ; leur direction par le laïcat ou par le clergé ; leur rapport avec la paroisse du lieu (c'est-à-dire l'appartenance de leurs membres à une seule paroisse ou à plusieurs) ; le lieu choisi pour la réunion (éventuellement en rapport avec une église paroissiale, une maison religieuse, une université, etc.). Bien que nombre de prêtres aient part active dans ces groupes de prière, néanmoins le rôle dominant dans la diffusion du Renouveau dans l'Église catholique a été le fait du laïcat. En beaucoup de cas, des groupes de prière ont été lancés par des laïcs et n'ont trouvé que par la suite un prêtre désireux d'y entrer. Les évêques catholiques des États-Unis, en deux de leurs déclarations au sujet du Renouveau, ont insisté pour que les prêtres accordent aux groupes leur assistance pastorale. En fait, la plupart des évêques aux États-Unis ont désigné un de leurs prêtres pour être en liaison dans leur diocèse avec le Renouveau charismatique catholique.

Bien que beaucoup moins nombreuses que les groupes de prière, les « communautés d'alliance » (*covenant communities*) – il en existe une soixantaine pour l'ensemble du Renouveau – ont joué un rôle vital dans la direction du mouvement. Ceci est particulièrement vrai de la communauté *Word of God*, à Ann Arbor (Michigan) et de la communauté *People of Praise*, à South Bend (Indiana), auxquelles sont dues l'organisation des congrès annuels nationaux pour le Renouveau aux États-Unis, des congrès internationaux et des conférences de dirigeants, l'institution du centre international du Renouveau charismatique catholique et la publication du *New Covenant*, organe principal du mouvement (en langue anglaise).

Ces « communautés d'alliance » se sont d'ordinaire constituées à part des groupes de prière, lorsque des gens étroitement unis par des années de prière en commun se sont sentis disposés à un engagement de solidarité plus profonde. Cet engagement, exprimé dans une « alliance » (*covenant*), comporte d'ordinaire la mise en commun au moins partielle des ressources financières, des prières et repas communs à intervalles réguliers, l'acceptation de la correction mutuelle et la soumission aux guides (*Leaders*) désignés pour la communauté. Les plus grandes communautés, comptant en certains cas jusqu'à mille personnes, sont subdivisées en « maisonnées », groupant des gens qui vivent dans le même édifice ou dans un voisinage assez proche pour faciliter les prières et les repas en commun. Ces communautés d'alliance se composent de gens de toutes catégories et souvent aussi de diverses Églises chrétiennes. La plupart des « maisonnées » sont centrées sur une ou deux familles ; mais il en est aussi qui ne comprennent que des non-mariés (par exemple des étudiants d'université), quelques-unes uniquement des personnes engagées dans le célibat. Ces communautés d'alliance réalisent une expérience significative de vie commune chrétienne, en certains cas œcuménique.

2. **Doctrine et pratique.** – Pentecôtistes et néo-pentecôtistes sont d'accord sur les vérités fondamentales de la foi chrétienne et ce qui les identifie les uns et les autres au mouvement pentecôtiste n'est pas tant affaire de doctrine que d'expérience vécue. Cette expérience, ils l'interprèteront inévitablement à la lumière des traditions de leur confession respective ; ainsi les pentecôtistes issus d'une tradition évangéliste fondamentaliste l'interpréteront dans cette ligne, et les catholiques dans une autre. Mais on a tout lieu de penser qu'en définitive ils parlent de la même expérience. La formule la plus courante en anglais est *baptism in the Spirit* ; les catholiques français cependant parlent plutôt de l'*effusion de l'Esprit*, les italiens de l'*effusione dello Spirito*.

1° « BAPTÊME DANS L'ESPRIT ». – On peut le décrire comme une expérience religieuse qui donne une conscience incontestablement neuve de la présence et de l'action de Dieu dans la vie de qui le reçoit ; cette action s'accompagne d'ordinaire d'un ou plusieurs dons charismatiques. Les Pentecôtistes préciseraient qu'il s'agit d'une « expérience marquée par le parler en langues », étant donné qu'ils ne reconnaissent comme vrai « baptême dans l'Esprit » aucune expérience où ce signe ferait défaut. Les Néo-pentecôtistes ne sont pas unanimes sur ce point ; certains parmi eux suivent les Pentecôtistes et exigent le même signe, d'autres le présentent comme « signe pleinement normal et donc à attendre », tandis que d'autres n'insistent ni sur le parler en langues, ni sur aucune autre manifestation physique, comme accompagnement requis du « baptême dans l'Esprit ».

Dès lors, tous ne décriront pas ce « baptême » comme expérience initiale de leur parler en langues. On peut croire néanmoins qu'il se produit quelque chose de semblable et chez les Pentecôtistes et chez les Néo-pentecôtistes, compte tenu de leur façon si uniforme de signaler les changements survenus dans leur vie à la suite du dit « baptême ». Ces changements peuvent s'exprimer en deux termes, force et dons : les « baptisés » réalisent qu'ils ont une *force* nouvelle pour mener leur vie chrétienne et porter témoignage de l'Évangile, qu'ils ont aussi un *don* qui leur permet de prier Dieu et de servir leur prochain de manière plus aisée et plus effective. Ces deux ordres de changements correspondent bien aux deux caractéristiques du renouveau : « pentecostal » et « charismatique ». Recevoir une nouvelle force est une expérience pentecostale, du fait que les disciples, comme Jésus l'avait promis, « reçurent une force, à la venue de l'Esprit sur eux, pour être ses témoins » (*Actes* 1, 8) ; et ceux qui ont été « baptisés dans l'Esprit », constatant qu'ils ont reçu une sorte de don pour la prière et le service, s'ouvrent à la dimension charismatique dans leur vie.

Pentecôtistes et Néo-pentecôtistes sont d'accord pour souligner le fait d'être « baptisé dans l'Esprit » comporte une donnée d'expérience et tous s'attendent à trouver quelque signe tangible de sa réalisation effective. Mais ils ne s'accordent pas sur la détermination concrète de ce signe. Les Pentecôtistes, en raison de leur tradition évangélique de « réveil », sont obligés de le placer dans une *crisis experience* bien définie, distincte de celle de leur conversion ou nouvelle naissance, subséquente à celle-ci et directement manifestée par le signe concret du parler en langues. Par contre, les Catholiques et les Néo-pentecôtistes qui ne sont pas de tradition évangélique, ne s'attendent pas à ce que le progrès dans la vie chrétienne soit nécessairement marqué par une *crisis experience* caractérisée. Tout en admettant que le « baptême dans l'Esprit » le soit, en fait, pour un grand nombre, qu'il s'accompagne aussi fréquemment du parler en langues, ils accepteront d'ordinaire, comme « donnée d'expérience » faisant fonction de signe, des changements dont le sujet ne prendra conscience que plus tard, même si au moment où on « priait sur lui » pour son « baptême », rien « ne semble s'être passé ».

Pentecôtistes et Néo-pentecôtistes attribuent à l'Esprit saint les effets « pentecostaux » et « charismatiques » du baptême dans l'Esprit. Le critère de base, sur lequel finalement doit prendre appui tout jugement sur le Pentecôtisme, est donc en fait celui-ci : ces effets sont-ils de telle nature qu'on puisse avec certitude les attribuer à l'action de l'Esprit saint ? Laissant de côté pour le moment notre appréciation sur ce point (cf. *infra* 3), montrons d'abord comment cette intervention de l'Esprit est comprise suivant les traditions théologiques respectives dans le mouvement pentecôtiste.

1) *D'après les Pentecôtistes*, d'accord en cela avec d'autres chrétiens évangélistes, on ne « naît de nouveau dans le Christ » qu'à travers une expérience adulte de conversion. Pour eux, la seule portée du rite du baptême dans l'eau est d'être une profession publique de la dite conversion. Il n'a aucun sens indépendamment de la foi de celui qui est baptisé et on ne le considère pas comme un sacrement qui confère l'Esprit saint. Tout en admettant d'ordinaire que la régénération dans le Christ ne peut avoir lieu sans quelque influence de l'Esprit saint, ils réservent « le don personnel de l'Esprit » au moment du « baptême dans l'Esprit saint » qui, ils y insistent, doit être une expérience distincte, subséquente à la conversion. Comme les premiers Pentecôtistes, à l'origine du mouvement, étaient des chrétiens évangélistes ayant déjà eu l'expérience de conversion, tout naturellement ils considéraient leur baptême dans l'Esprit comme une expérience distincte et subséquente.

Dès lors, ils en cherchèrent un modèle dans le Nouveau Testament et crurent l'y avoir trouvé. Les Apôtres eux-mêmes, dirent-ils, étaient déjà chrétiens et avaient déjà reçu quelque influence de l'Esprit saint, le jour de Pâques, et cependant il leur fut prescrit d'attendre sa venue, à la Pentecôte. De même, les Samaritains avaient déjà été baptisés par Philippe et néanmoins ce n'est que dans la suite qu'ils reçurent l'Esprit saint, lorsque Pierre et Jean leur imposèrent les mains. Semblablement, Paul eut sa conversion sur le chemin de Damas et pourtant ne reçut l'Esprit saint que trois jours plus tard, lorsque Ananias lui imposa les mains. Les premiers Pentecôtistes en concluaient que le Nouveau Testament offrait un modèle d'expérience religieuse qui réclamait du croyant, une fois converti au Christ et baptisé dans l'eau, d'attendre dans la prière sa pentecôte personnelle ; que c'est seulement après avoir reçu ce *second blessing* qu'il deviendrait chrétien « rempli de l'Esprit », oint et scellé par l'Esprit.

Les Pentecôtistes classiques sont les seuls à interpréter ainsi le témoignage du Nouveau Testament. S'il est vrai que Luc a distingué le rite baptismal et la réception de l'Esprit comme deux actes ou moments distincts dans l'initiation chrétienne, néanmoins tout ce qu'il dit va à les associer étroitement l'un à l'autre ; il n'y a aucun appui réel pour affirmer que le *mode normal* pour les chrétiens du Nouveau Testament était d'avoir été baptisés dans l'eau, tout en demeurant dans l'attente et la prière en vue d'un *second blessing*, qui finalement ferait d'eux des « chrétiens remplis de l'Esprit ». Le témoignage de Paul est encore plus opposé : il ne reconnaît personne comme chrétien s'il n'a pas reçu l'Esprit saint, et il n'admet aucune initiation chrétienne qui soit indépendante du don de l'Esprit.

2) Quand *les Catholiques* commencèrent à partager l'expérience pentecôtiste, ils comprirent qu'ils devaient expliquer clairement comment elle n'entrait aucunement en conflit avec la doctrine catholique, d'après laquelle l'Esprit saint est déjà donné dans l'initiation chrétienne. Surtout ils devaient éviter de donner l'impression qu'ils considéraient le sacrement du baptême comme simple « baptême dans l'eau », et que c'était uniquement par l'entremise d'une expérience pentecostale qu'on recevait l'Esprit de manière effective.

La solution proposée de façon plus commune dans la littérature du renouveau charismatique catholique a été de considérer le « don » ou l'effusion de l'Esprit comme prenant place uniquement dans les sacrements. Parler en effet d'une nouvelle effusion de l'Esprit hors de la réception d'un sacrement ne serait point conforme à la théologie catholique. Cette solution explique le « baptême dans l'Esprit » pentecostal, non comme un don nouveau de l'Esprit, mais comme une prise de conscience vécue de sa présence préalable, ou comme une libération de sa force, en fait accordée dans les sacrements, mais précédemment non expérimentée. Dès lors, distinction est faite entre « baptême dans l'Esprit » au sens théologique (où l'Esprit est effectivement donné, c'est-à-dire dans les sacrements) et expérience vécue (prise de conscience du pouvoir de l'Esprit déjà reçu).

Il y a cependant, une autre interprétation catholique ; d'après elle, ce qu'on reçoit dans le Renouveau charismatique, c'est bien une effusion de l'Esprit ; autrement dit, on est « baptisé dans l'Esprit » aussi bien au sens théologique qu'au sens expérimental. Le verbe « baptiser », dans ce contexte, est employé, il va de soi, dans un sens métaphorique, attesté en fait par des textes du Nouveau Testament. Ainsi lorsque Jésus, en référence à la Pentecôte, dit à ses disciples : « sous peu de jours, vous serez baptisés dans le Saint-Esprit » (*Actes* 1, 5). Selon cette interprétation, rien n'empêche les catholiques de voir dans l'expérience pentecôtiste une nouvelle mission de l'Esprit saint. En fait on ne peut, semble-t-il, réduire à un simple changement dans la conscience subjective du sujet, sa « prise de conscience vécue du pouvoir de l'Esprit ». S'il devient conscient du pouvoir en lui de l'Esprit, ce doit être parce que l'Esprit commence à opérer en lui de nouveaux effets de grâce, ce qui implique sa présence en lui d'une manière nouvelle ; mais la réalisation même de cette présence selon un mode nouveau suppose une nouvelle « mission » de l'Esprit, étant donné qu'il est présent en nous justement en tant qu'« envoyé » par le Père et par le Fils. Les partisans de cette seconde interprétation font appel à l'enseignement de saint Thomas (*Somme théol.* 1ᵃ,

q. 43, a. 6), où il parle de la *missio invisibilis secundum augmentum gratiae* :

« Ad secundum dicendum quod etiam secundum profectum virtutis, aut augmentum gratiae, fit missio invisibilis... Sed tamen secundum illud augmentum gratiae praecipue missio invisibilis attenditur, quando aliquis proficit in aliquem novum actum, vel novum statum gratiae : ut puta cum aliquis proficit in gratiam miraculorum aut prophetiae, vel in hoc quod ex fervore caritatis exponit se martyrio, aut abrenuntiat his quae possidet aut quodcumque opus arduum aggreditur ».

Rien dans le contexte ou le texte lui-même ne suggère qu'une nouvelle mission de l'Esprit, avec les effets mentionnés, n'ait lieu que par la réception d'un sacrement. Si l'on se rappelle que, d'après la manière de parler de l'Écriture, « envoyer l'Esprit », « infuser l'Esprit », « baptiser dans l'Esprit » ne sont que des façons différentes de dire une même chose, il est tout à fait conforme à la théologie catholique traditionnelle que des chrétiens déjà baptisés et confirmés demandent au Seigneur de les « baptiser dans l'Esprit ». Ce qu'on demande ainsi, c'est, dans le langage de saint Thomas, une nouvelle mission de l'Esprit saint pour susciter dans leur vie une activité de grâce proprement nouvelle. Les exemples donnés par Thomas montrent qu'il n'aurait été aucunement surpris que cette nouvelle activité de grâce eût comporté un don charismatique.

Si ce qu'on appelle être « baptisé dans l'Esprit » est effectivement du même ordre que ce à quoi songeait Thomas lorsqu'il parlait d'une nouvelle mission de l'Esprit pour faire passer quelqu'un à un nouvel état de sa grâce, il faut en conclure que l'expérience qui est au cœur du mouvement pentecôtiste moderne n'est pas chose nouvelle. Ce qui est nouveau, outre le recours à l'image biblique du « baptême dans l'Esprit », c'est la découverte par tant de gens de l'aide considérable qu'ils trouvent à prier de façon explicite, persévérante et en commun pour une telle effusion de l'Esprit, et d'adresser cette prière au Seigneur Jésus, avec le désir qu'il devienne souverain en leur vie de façon nouvelle par l'action de son Esprit.

Dans la plupart des groupes de prière du Renouveau charismatique, les nouveaux venus qui manifestent le désir de recevoir cette effusion nouvelle de l'Esprit sont invités à prendre part à ce qu'on appelle un « séminaire de vie dans l'Esprit ». C'est une série d'exercices spirituels qui durent ordinairement sept semaines et visent à procurer les dispositions les meilleures pour prier en vue du don de l'Esprit. Le but poursuivi en ces séminaires est plutôt l'évangélisation que la catéchèse. Il s'agit d'aider à faire face à l'appel de l'Évangile, d'y répondre d'une manière nouvelle, en renonçant à tout ce qui dans la propre vie lui a fait obstacle, et en prenant un nouvel engagement, dûment mûri, envers Jésus comme son Seigneur. Pour des chrétiens baptisés dans leur enfance et confirmés au début de l'adolescence, il est possible que ce soit la première fois qu'ils fassent vraiment une telle ratification personnelle. L'expérience montre que, lorsque ces chrétiens demandent ainsi une nouvelle effusion de l'Esprit, les changements qui s'opèrent dans leur vie permettent de croire raisonnablement qu'ils ont obtenu ce qu'ils avaient demandé.

2° PRATIQUES DISTINCTIVES. – Si l'on demande sous quels rapports les assemblées de prière néo-pentecôtistes diffèrent de celles d'autres groupes qui se réunissent pour partager la prière, on pourrait relever les caractéristiques suivantes :

1) L'accent sur la *louange* comme attitude de base dans la prière. Elle crée et entretient une atmosphère de prière centrée sur Dieu plutôt que sur les besoins personnels des participants. La louange de Dieu, joyeuse et fervente, souvent par des chants, caractérise ces assemblées.

2) La probabilité de moments où, lorsque tout le groupe loue Dieu oralement, chacun en termes personnels, certains au moins dans le groupe *prient en langues*. En nombre de groupes, ces moments de prière vocale se transformeront spontanément en « chants dans l'Esprit », chacun choisissant sa propre mélodie, avec des paroles distinctes ou en langues. Il en résulte souvent une harmonie étrangement belle.

3) La probabilité que quelqu'un « *prophétise* », c'est-à-dire transmette un message comme venant de Dieu pour le groupe. La plupart du temps, ces prophéties seront bibliques dans leur style et leur contenu, visant à exhorter et à consoler plutôt qu'à prédire. Parfois la prophétie viendra après que quelqu'un aura parlé en langues. On y verra alors l'« interprétation » du message en langues.

4) Il convient de mentionner la pratique de prières pour la *guérison* de malades et la délivrance de l'influence du démon.

Quelques remarques au sujet de chacune de ces quatre pratiques distinctives :

1) La *louange joyeuse* propre aux assemblées pentecôtistes et néo-pentecôtistes provoque souvent une impression pénible chez qui est habitué à plus de discrétion. La louange se traduit, non seulement dans un paisible murmure de prière, mais parfois en un grand cri ; elle s'exprime, non seulement par la voix, mais aussi par des gestes (élévation et battement de mains, danse parfois). Pour justifier ces comportements on peut faire appel aux Psaumes qui incitent, dans le culte, à « crier vers Dieu à haute voix », à « élever les mains en signe de louange », à « chanter de toutes ses forces », à « louer son Nom en dansant ». Pour beaucoup, cette façon de louer a été comme une redécouverte du rôle du corps dans la prière, rôle souvent voilé par une approche trop intellectuelle.

2) *Prier et chanter en langues* est certainement le trait du Pentecôtisme qui a davantage attiré l'attention, au point qu'on l'a parfois simplement dénommé *tongues-movement*. C'est là, il va sans dire, une erreur. Même les Pentecôtistes classiques, qui exigent le parler en langues comme signe du « baptême dans l'Esprit », insistent sur ce fait qu'il est signe d'une réalité plus profonde, qu'il accompagne le don de l'Esprit saint. Quant aux Néo-pentecôtistes pour la plupart, tout en ayant une haute estime pour les « langues », ils n'attribuent aucunement à ce don l'importance que des profanes seraient portés à croire qu'ils lui donnent. Voici comment ils l'expliquent.

Il y a sans doute beaucoup de pentecôtistes qui expliqueraient les « langues » comme une aptitude surnaturelle à parler en quelque idiome réel, mais inconnu. Néanmoins on admet aujourd'hui de plus en plus qu'il s'agit plutôt de la mise en branle d'une aptitude latente naturelle à émettre spontanément des sons qui ressemblent à un langage. Cette mise en branle n'est pas nécessairement œuvre de l'Esprit saint. Elle n'est pas non plus limitée à l'expérience chrétienne ; le même phénomène est bien attesté en d'autres religions. On y voit cependant un charisme, lorsqu'il se manifeste comme un don ordonné à la prière, notamment de louange. Son prix vient, semble-t-il, de ce qu'il libère les profondeurs de l'esprit humain pour traduire au-dehors, par la voix, d'une manière audible (c'est-à-dire avec le corps comme partie intégrante du moi), ce qui est inexprimable en langage conceptuel. On a donné divers noms à la prière en langues : on l'a appelée pré-rationnelle, pré-conceptuelle, prière du cœur plutôt que de l'esprit. Il y a certainement des analogies entre le prier en langues et d'autres formes de prière où l'esprit prie, alors qu'est en repos la raison discursive.

Ainsi peut-on rapprocher le don des langues (cf. DS, t. 9, col. 223-27) et celui des larmes (t. 9, col. 287-303). Il ne s'agit, dans aucun des deux cas, d'un don qui confère une aptitude physique au préalable inexistante ; et comme on ne peut assimiler au don des larmes toute façon de pleurer, de même on ne peut ramener au don des langues tout mode de glossolalie. Pleurer est « don des larmes » lorsqu'il signifie et à la fois intensifie l'attitude intérieure de contrition, de compassion ou de joie (avec dès lors une sorte d'efficacité quasi sacramentelle) ; de même, parler en langues est don de grâce lorsqu'il s'accompagne d'une efficacité de même ordre, à la fois pour signifier et intensifier l'attitude personnelle de prière.

On pourrait utilement faire appel à une autre analogie : entre ce que le renouveau charismatique appelle « chanter en langues » et ce qu'en langage chrétien traditionnel on appelle « jubilation » (cf. DS, t. 8, col. 1471-78). Saint Paul, nous le savons, avait comme pratique familière de psalmodier « spiritu..., et mente » (1 *Cor.* 14, 15) ; de même Augustin et d'autres Pères connaissaient un chant d'assemblée qu'ils appelaient jubilation. Il est vrai que saint Augustin n'identifie pas cette jubilation avec le don des langues du Nouveau Testament ; mais peut-être est-ce parce qu'il croyait – comme la plupart des Pères – que ce don avait consisté dans le pouvoir miraculeux de prêcher l'Évangile en des langues qu'on ignorait. Cependant, à lire la description que fait Augustin de la jubilation, telle qu'elle avait lieu dans l'Église de son temps, on ne peut s'empêcher de songer au chant spontané dans l'Esprit, par lequel certains groupes de prière du Renouveau charismatique traduisent souvent leur louange de Dieu.

3) La *prophétie* est comprise dans le Renouveau comme un message du Seigneur au groupe, et non comme ce que le transmetteur estimerait bon ; donc comme un message ayant à sa source une sorte d'inspiration divine. Cela implique, tout d'abord, que celui qui parle présente comme prophétie ses paroles au groupe seulement s'il est convaincu que le message vient réellement du Seigneur et non pas de ses réflexions personnelles ; cela implique de plus que sa conviction subjective soit contrôlée par le discernement du groupe.

Saint Paul (1 *Cor.* 11, 4-5) était familier de la prophétie dans les assemblées : quelqu'un y était inspiré pour transmettre une parole que le Seigneur désirait être entendue de l'Église. Le message ne devait pas être nécessairement, et sans doute le plus souvent n'était pas une prédiction concernant l'avenir, ni la révélation d'une chose connue uniquement de Dieu. Il était proprement une parole de *paraklesis*, pour encourager, avertir, réprimander, consoler. Dans le Renouveau charismatique, on est convaincu qu'en certains cas au moins ce qui est admis comme prophétie dans les assemblées de prière est du même ordre que ce dont parlait saint Paul et qu'il encourageait vivement les Corinthiens à désirer.

*L'interprétation des langues.* – Ceux qui parlent en langues font le plus souvent usage de ce don dans la prière de louange, soit privée, soit en chœur. Mais il arrive parfois dans une assemblée que, au moment où les autres se taisent, quelqu'un parle pour exprimer ce qui paraît moins prière en langues que transmission d'un message. Cette transmission sera d'ordinaire suivie d'un temps de silence ; après quoi, quelqu'un dans le groupe peut formuler ce qu'en d'autres circonstances on appellerait une « prophétie », mais qui dans le cas est l'interprétation du message transmis en langues. Il ne faut pas voir ici une « traduction », comme si celui qui avait parlé précédemment avait employé une langue étrangère que le second traduirait en langage courant ; la meilleure explication, semble-t-il, est de dire que le parler en langues a été une sorte de signal donné au groupe pour qu'il se fasse tout attentif, dans l'attente d'une prophétie qui va venir ; autrement dit, que le « parler en langues » et l'« interprétation » qui suit constituent deux moments d'une même prophétie.

4) La *prière pour la guérison* est pratiquée par toutes les assemblées de prière néo-pentecôtistes. Ce qu'il y a de plus marquant dans une prière de ce genre, c'est la foi vivante dans le pouvoir qu'a Dieu de guérir tous nos maux, tant physiques que spirituels, qu'on les estime normalement curables ou incurables. Cette foi, d'ordinaire, est fruit d'expérience plus que de réflexion théologique ; d'expérience commune partagée dans les assemblées de prière et recommandée par la littérature du Renouveau ; d'expérience également personnelle, en nombre de cas, que l'on ait été ou guéri soi-même ou témoin de la guérison de quelque autre. Il est clair qu'il ne s'agit aucunement d'une certitude que la prière pour les malades obtient toujours en réponse une guérison extraordinaire. On constate néanmoins un bon nombre de guérisons physiques, même assez extraordinaires, survenues après qu'on ait prié avec et pour un malade.

L'expérience répétée de guérisons extraordinaires de gens pour qui ils ont prié a amené certains à se considérer comme appelés par Dieu de façon spéciale à un ministère de prière pour la guérison. En certains cas, l'exercice de ce ministère est marqué par le phénomène traduit par la formule : « être terrassé dans l'Esprit » ; alors la personne pour laquelle on prie tombe à terre et y reste quelque temps dans une sorte de léthargie. Il est difficile de formuler, à propos de ce phénomène, un jugement qui englobe tous les cas. Souvent il paraît tout à fait superficiel et naturellement explicable, alors qu'en d'autres cas il s'agit d'une expérience spirituelle, fructueuse et profonde.

Les adeptes du Renouveau charismatique prient pour des guérisons non seulement physiques mais aussi spirituelles. Cette prière pour la guérison intérieure est une forme d'aide pastorale. Le patient y est encouragé à regretter ses fautes passées, à pardonner à qui a pu lui faire tort ou le blesser, à prier Jésus de guérir le mal dans son origine et le souvenir qui en reste. D'ordinaire deux ou trois personnes compétentes en ce genre de ministère l'aideront au cours de la session et lui continueront dans la suite leur aide pastorale.

Cette expérience de prière pour la guérison intérieure a conduit certains dans le Renouveau charismatique à ce qu'on appelle le *ministère de délivrance*. Quand ils ont prié sans succès pour quelqu'un qui semble avoir besoin de guérison intérieure et relevé des signes qu'il peut y avoir à la racine de son mal quelque influence du Mauvais, ils commandent au nom de Jésus à l'esprit mauvais de s'en aller. Cet ordre peut être donné en silence, sans que le patient sache ce que l'on fait, si la chose semble préférable. L'expérience montre qu'un tel exorcisme simple ou privé peut être efficace, lorsque le sujet semble affligé de quelque servitude qui inhibe plus ou moins son pouvoir de dominer certaines tentations ou de se dégager d'une habitude de péché. Ce ministère de délivrance, qui implique un exorcisme simple et privé, doit être distingué de l'exorcisme public ou solennel, employé en cas de possession diabolique et réservé à un exorciste dûment autorisé.

CONCLUSION. – Il faut noter que si langues, prophétie, prière pour guérison et délivrance, sont des « pratiques distinctives » des groupes de Renouveau charismatique et doivent pour autant être décrites assez au long, ce serait une erreur de voir en elles le cœur de ce Renouveau. Un regard sur les dix années de la revue américaine du Renouveau catholique, *New Covenant*, montre que c'est seulement au cours des premières années qu'une proportion assez notable d'articles a été consacrée à l'une ou l'autre de ces pratiques. Dans la suite le point central a été ce qui constitue vraiment le cœur du Renouveau : une vie sous l'autorité souveraine du Christ, dans la force de l'Esprit. Il est exact que le Renouveau charismatique insiste sur le fait que la vie sous la force de l'Esprit signifie ouverture à toute la gamme de ses dons ; et c'est la raison pour laquelle on peut, à bon droit, l'appeler charismatique. Mais cette ouverture à l'ensemble des charismes est envisagée comme conséquence de l'ouverture préalable à l'Esprit lui-même, dont l'œuvre première est de faire vivre en fils du Père, sous l'autorité souveraine du Christ.

**3. Appréciation.** – Pour avoir un jugement objectif sur le mouvement pentecôtiste, nous pouvons nous reporter aux multiples déclarations faites à son sujet par les autorités responsables des Églises où s'exerce son influence. Il existe à présent un recueil pratiquement exhaustif de ces déclarations jusqu'en 1979, dans les trois volumes de Kilian McDonnell intitulés *Presence, Power, Praise* (cf. bibl.). Un grand nombre d'Églises ont formulé de telles déclarations sur le mouvement depuis 1962 ; qu'il suffise de résumer ici celles des Pasteurs de l'Église catholique :

*Adresse du pape Paul VI au 1er Congrès international*, 19 mai 1975. – *Message de l'épiscopat canadien*, 1975. – *Déclaration des évêques des États-Unis*, 1975. – *Déclaration de la Conférence épiscopale des Antilles*, 1976. – *Jugement pastoral des évêques de Belgique*, 1979. – *Discours du pape Jean-Paul II à la Rencontre internationale des Leaders*, 7 mai 1981.

1° Les deux déclarations pontificales méritent une attention particulière, à cause de leurs auteurs, et de leurs destinataires, les guides et les membres du Renouveau. Chose à noter, alors que les deux Pontifes ont donné des directives nettes pour un sain développement du Renouveau, ni l'un ni l'autre n'a parlé des aspects négatifs ou des dangers signalés par nombre de déclarations épiscopales. En fait, le ton des deux allocutions papales est simplement chaud et encourageant. Paul VI, par exemple, commençait ainsi la partie de son allocution donnée en anglais :

« Nous sommes heureux de vous saluer dans l'amour de Jésus-Christ et de vous adresser en son nom quelques paroles d'encouragement et d'exhortation pour vos vies chrétiennes. Vous vous êtes réunis ici à Rome sous le signe de l'Année sainte. En union avec toute l'Église, vous aspirez au renouveau..., renouveau spirituel authentique, catholique, dans l'Esprit saint. Nous sommes heureux de voir des signes de ce renouveau : amour de la prière, de la contemplation, de la

louange de Dieu, réceptivité à la grâce de l'Esprit saint, lecture plus assidue de l'Écriture. Nous savons aussi que vous voulez ouvrir vos cœurs à la réconciliation avec Dieu et avec vos frères » (*La Documentation catholique* = DC, t. 72, 1975, p. 564).

En 1981, Jean-Paul II, rappelant les paroles de Paul VI au Congrès de 1975, les accompagnait du jugement positif concernant les progrès faits depuis lors :

« Paul VI a décrit le mouvement du Renouveau dans l'Esprit comme ' une chance pour l'Église et pour le monde '. Et les six années qui se sont écoulées depuis ce Congrès ont justifié l'espoir inspiré par cette vision. L'Église a vu les fruits de votre attachement à la prière dans un engagement approfondi pour la sainteté de la vie et l'amour pour la Parole de Dieu. Nous avons remarqué avec une joie particulière la manière dont les dirigeants du renouveau ont de plus en plus développé une vision ecclésiale élargie et ont redoublé d'efforts pour que cette vision devienne de plus en plus une réalité pour ceux qui cherchent en eux une direction. Et de même, nous avons vu les signes de votre générosité dans le partage des dons de Dieu avec les déshérités de ce monde dans la justice et la charité, de manière que tous les hommes puissent jouir de l'inestimable dignité qui est la leur dans le Christ. Puisse ce travail d'amour, déjà commencé en vous, être mené à bonne fin ! » (DC, t. 78, 1981, p. 569-70).

Relevons les remarques de Jean-Paul II sur le rôle du prêtre dans le Renouveau : « le prêtre a un rôle unique et indispensable à jouer dans et pour le renouveau charismatique, aussi bien que pour l'ensemble de la communauté chrétienne... Le prêtre, de son côté, ne peut exercer son service en faveur du renouveau que s'il adopte une attitude positive à son égard, fondée sur le désir, partagé avec chaque chrétien baptisé, de croître dans les dons de l'Esprit saint... » (p. 571).

2° Les quatre déclarations épiscopales mentionnées plus haut relèvent toutes des aspects positifs et des aspects négatifs dans le Renouveau. A comparer les points signalés dans chacun des documents, on constate leur accord dans une large mesure.

Parmi les *aspects positifs* que les évêques ont relevés et qui, remarquent ceux des États-Unis, sont manifestement davantage mis en lumière en certains groupes et moins en d'autres, on peut citer les suivants : vraies conversions fréquentes ; rapports plus profondément vécus avec le Père, avec Jésus, avec le Saint-Esprit ; un nouveau sens du culte et de la prière, en particulier de joyeuse louange ; une estime renouvelée de l'Église, des sacrements, de l'Écriture comme Parole de Dieu ; une attention plus éveillée à la présence et à l'action de l'Esprit saint dans la vie chrétienne ; une ouverture nouvelle aux dons du Saint-Esprit et le souci d'en tirer parti pour le profit d'autrui ; un sentiment plus vif de fraternité entre ceux qui participent au mouvement, suscitant parfois de nouvelles formes de vie communautaire ; un plus profond attachement aux prêtres et aux évêques, en tant qu'il leur appartient d'exercer le discernement par rapport à l'activité de l'Esprit saint dans l'Église.

Il y a aussi un accord notable pour signaler les *aspects négatifs*, les dangers à éviter : recherche du sensationnel, en s'attachant à ce qui est plus frappant et négligeant les dons plus modestes, mais plus utiles ; « émotivité », donnant trop d'importance aux expériences senties par rapport au progrès sérieux dans la vertu et les fruits de l'Esprit ; « élitisme », en accordant trop d'importance à l'appartenance au Renouveau, avec une pente à mépriser ceux qui n'en font pas partie ; « fondamentalisme », en faisant usage d'un sens trop littéral ou arbitraire de certains textes de l'Écriture, au détriment de l'acquis d'une solide exégèse ; « faux œcuménisme », en minimisant les différences entre chrétiens, négligeant ce qui dans la foi et la pratique est proprement catholique ; « égocentrisme », tendance à un piétisme satisfait de lui-même, avec une pente à ignorer les besoins de l'ensemble et à éviter l'engagement social.

Les évêques du Canada font observer que certains de ces aspects indésirables sont « la rançon inévitable à payer dans le cas d'une nouveauté. Leur présence nous rappelle que ce mouvement spirituel est encore dans son enfance. Comme tout organisme vivant, il a ses épreuves de croissance, ce qui ne doit pas nous surprendre » (*Presence, Power, Praise*, t. 2, p. 96). Pour écarter ces dangers, les évêques recommandent deux choses : apporter une plus grande attention à la formation des guides laïcs et une participation plus active de prêtres dans le souci pastoral des groupes de prière et des communautés du Renouveau.

On doit le rappeler, aucune de ces déclarations ne peut être présentée comme exclusivement critique et négative. Au contraire, les jugements globaux sont certainement positifs et encourageants : « Les orientations de base du Renouveau charismatique sont positives... ; de cela nous sommes sûrs » (Évêques du Canada). « Nous encourageons ceux qui appartiennent en fait au mouvement charismatique et soutenons les orientations positives, profitables, de ce mouvement » (Évêques des États-Unis). « Ce renouveau ne prétend à aucun monopole de l'Esprit ; c'est une grâce qui passe. Comme toute grâce, il laisse libre. Il demande collaboration pour produire des fruits de renouveau dans notre vie personnelle, celle de groupe, celle d'Église » (Évêques de Belgique). « Nous ne pouvons que nous réjouir et remercier Dieu pour la diffusion de ce Renouveau... Nous désirons lui accorder encouragement public, l'assurer de notre approbation » (Évêques des Antilles).

**Pentecôtisme classique** : N. Bloch-Hoell, *The Pentecostal Movement*, Copenhague, 1964. – P. Damboriena, *Tongues as of Fire. Pentecostalism in Contemporary Christianity*, Washington, 1969. – F.D. Bruner, *A Theology of the Holy Spirit*, Grand Rapids, 1970. – V. Synan, *The Holiness-Pentecostal Movement in the United States*, Grand Rapids, 1971. – D.W. Faupel, *The American Pentecostal Movement. A Bibliographical Essay*, Wilmore, 1972. – W. J. Hollenweger, *The Pentecostals*, Londres, 1972. – *Aspects of Pentecostal-Charismatic Origins*, éd. par V. Synan, Plainfield, 1975.
**Renouveau charismatique** : K. et D. Ranaghan, *Catholic Pentecostals*, Paramus, 1969. – E.D. O'Connor, *The Pentecostal Movement in the Catholic Church*, Notre Dame, 1971. – L. J. Suenens, *Une nouvelle Pentecôte ?*, Paris, 1974. – K. McDonnell, *Theological and Pastoral Orientations on the Catholic Charismatic Renewal*, Malines, 1974 ; *Charismatic Renewal and the Churches*, New York, 1976. – R. Quebedeaux, *The New charismatics*, New York, 1976. – R.H. Culpepper, *Evaluating the Charismatic Movement*, Valley Forge, 1977. – C.E. Hummel, *Fire in the Fireplace : Contemporary Charismatic Renewal*, Downers Grove, 1978. – H. Mühlen, *A Charismatic Theology*, New York-Londres, 1978. – L.J. Suenens, *Œcuménisme et renouveau charismatique*, Paris, 1978. – K. McDonnell, *The Charismatic Renewal and Ecumenism*, Paramus, 1978 ; *Presence, Power, Praise, Documents on the Charismatic Movement*, 3 vol., Collegeville, 1980. – F.A. Sullivan, *Charisms and Charismatic Renewal*, Ann Arbor-Dublin, 1982.
R. Laurentin, *Pentecôtisme chez les catholiques...*, Paris, 1975. – VS, t. 129, n. 609, 1975. – B. Lepesant, *Dynamique de groupe et conversion spirituelle...*, Paris, 1976. – M. Hébrard, *Les nouveaux disciples...*, Paris, 1979. – *Prêtres du Seigneur, témoignez du Seigneur...*, Paris, 1981.
J.M. Delgado Varela, *Una experiencia en la renovación carísmatica católica*, dans *Estudios*, t. 33, 1977, p. 277-92. – M. Panciera, *Il rinnovamento carismatico in Italia*, Bologne, 1977. – *The Church is Charismatic. The World Council of Churches and the Charismatic Renewal*, éd. A. Bittlinger, Genève, 1981.

Francis A. Sᴜʟʟɪᴠᴀɴ.

**PENZINGER** (Sᴇ́ʙᴀsᴛɪᴇɴ Hᴇɴʀɪ), prêtre, † 1708. – On ignore la date de la naissance de Sebastian Heinrich Penzinger ; ce fut vers le milieu du 17ᵉ siècle. Son lieu d'origine doit se situer dans une partie du diocèse de Passau située en aval de l'Enns (aujourd'hui diocèse de Vienne). Après sa formation scolaire et universitaire, il obtient le titre de maître et de docteur en philosophie. Vicaire à Manswerth, il est curé de Wienerherberg de 1676 à 1679, puis de Schwadorf jusqu'en 1681. Au milieu de l'année 1681, il devint curé de Trautmannsdorff sur la Laitha (Basse-Autriche). En 1686, il est nommé doyen ; à travers le vaste territoire de son doyenné, il fait de nombreuses visites pastorales. Il enseigne aussi dans une fraternité de catéchistes à Fischamend. Avant 1697 il est nommé conseiller au consistoire de Passau. Il meurt en septembre 1708 à Trautmannsdorff.

Penzinger a fait imprimer les ouvrages suivants : 1) un *Dominicale* : *Bonus ordo... concionis supra omnes Dominicas totius anni* (Sulzbach, 1692 ; Nuremberg, 3ᵉ éd., 1713, 1726) ; avec un *Additamentum quadripartitum super omnes Dominicas... Boni Ordinis* (Nuremberg, 1700, 1712, 1725) ; – 2) un *Festivale* : *Bonus ordo... concionis moralis in omnia festa Sanctorum* (Sulzbach, 1698 ; Nuremberg, 1717, 1730), auquel on peut rattacher le *Mariale sive Encomia B. Mariae Virginis* (Sulzbach, 1698, 1700, 1716, 1730 ; paraît aussi en supplément du *Dominicale*).
3) *Novissimum Historiae quatuor mundi monarchiarum... Compendium* (Nuremberg, 1703, etc.). – 4) *Additamentum seu Nucleus praecipuarum controversiarum fidei* (Nuremberg, 1705). – 5) *Auslegung oder Gute Ordnung aller... Kirchen-Caeremonien* (Vienne, 1697) et *Auslegung... Kirchen-Caeremonien... daraus erbauliche Predigten und... Kinder-Lehren zu machen* (Vienne, 1706 ; Vienne-Munich-Nuremberg, 1734).
6) *Edelgestein der Lauretanischen Mauren* (Sulzbach, 1689). – 7) *Geistliche Betrachtungen auf jeden Tag eines jeglichen Monats* (Nuremberg-Sulzbach, avant 1698). – 8) *Geistliche Seelen-Speiss* (Nuremberg, avant 1700).
Les Archives diocésaines de Vienne conservent de nombreux procès-verbaux des visites pastorales (1686-1703).

Ces œuvres sont avant tout conçues comme des recueils de documents et de directives à l'usage des prédicateurs et des catéchistes. Divers index établis avec soin permettent de retrouver dans la masse de ces volumes les divers thèmes de prédication et les commentaires des textes bibliques des dimanches et des fêtes. Penzinger est moins un théologien original qu'un compilateur ; dans l'abondante littérature spirituelle, il choisit les éléments qui lui paraissent nécessaires ou adaptés à son époque, qu'il s'agisse de prêcher ou d'enseigner ; il les présente d'une manière accessible aux simples fidèles, de façon suggestive, dans un langage facile à comprendre.

Le *Bonus ordo* (n. 1-2), largement développé, de style typiquement baroque, met à la disposition du prédicateur quantité de citations, d'images, d'exemples et d'histoires ; pour chaque péricope biblique, trois sermons différents sont proposés.

Le *Novissimum Historiae* (n. 3) présente les vies des souverains depuis le Nemrod de la Bible jusqu'à l'empereur Léopold qui régnait alors (les éd. suivantes intègrent Joseph II ; Marie-Thérèse n'est pas citée !). L'ouvrage est conçu en vue de son utilisation dans la prédication ; il présente des exemples d'actes bons ou mauvais ; des index permettent de les retrouver et de les rapporter aux diverses péricopes bibliques des dimanches et fêtes.

L'*Auslegung* (n. 5) explique les actes et usages de l'année liturgique, depuis la Présentation du Seigneur jusqu'à Noël ; l'auteur est sur ce point un précurseur de G. Rippel ; il procède par question et réponse. De nombreux passages de la Bible, des citations des Pères et des théologiens servent de référence ; pour illustrer l'enseignement, Penzinger ajoute des traits légendaires. Certaines prières sont présentées dans leur texte exact (celle de la bénédiction de l'huile pour l'onction des malades le Jeudi saint ; celle de la bénédiction de l'eau baptismale, le Tauff-Samstag, c'est-à-dire le Samedi saint). Souvent l'auteur se réfère à des usages de la piété populaire ; à ce titre son œuvre est une source utile pour les recherches en ce domaine.

Th. Wiedemann, *Geschichte der Reformation und Gegenreformation im Lande unter der Enns,* Prague-Leipzig, 1886, t. 5, p. 319-20. – *Heimatbuch des Bezirkes Bruck a. d. Leitha,* éd. par J. Grubmüller, Bruck, 1951, p. 182-187 *passim.* – H. Feigl, *Geschichte des Marktes und der Herrschaft Trautmannsdorff,* coll. Forschungen zur Landeskunde von Niederösterreich 20, Vienne, 1974, p. 105-07.

Kurt KÜPPERS.

**PÉPIN** (GUILLAUME), frère prêcheur, après 1450-1533. – Né à Évreux, Guillaume Pépin entra chez les Frères prêcheurs dans la Congrégation réformée de Hollande (cf. DS, t. 5, col. 1469-70), dans laquelle il fera plus tard entrer le couvent de sa ville natale. Il fit ses études au couvent Saint-Jacques de Paris (1498 svv) et fut licencié en théologie en 1500. Il sera prieur du couvent d'Évreux (1504-1506), puis se consacrera à la prédication. Il meurt à Évreux le 18 janvier 1533 (n.s.).

M.M. Gorce, dans la notice de Pépin donnée par le DTC, fait un bel éloge et situe le genre de la prédication de Pépin. Toute rigoureuse et doctrinale qu'elle soit, elle ne laisse pas d'être chaleureuse et convaincue ; c'est sans doute ce qui fit son succès en son temps. D'où l'adage : *Nescit praedicare qui nescit pepinare.* Ses ouvrages couvrent tout le cycle liturgique annuel. Mais il toucha aussi le genre du commentaire scripturaire. Sa prédication du Rosaire a connu le succès des éditions ; plus qu'une dévotion, c'est pour Pépin l'occasion de prêcher le mystère du Christ et de Marie ; il est un émule d'Alain de la Roche, protagoniste du Rosaire au 14ᵉ siècle.

La bibliographie des œuvres et de leurs différentes éditions est difficile à établir. Nous relevons ici les principaux recueils publiés. – 1) *De adventu Domini... De secretis secretorum nuncupatur,* avec *Sermones de sanctis... tempore Adventus,* Paris, 1511, 1520, 1525, 1537. – 2) *Speculum aureum super septem psalmos penitentiales,* Paris, 1512, 1520 ; Venise, 1587. – 3) *Expositio brevis et succincta Epistolarum quarundam Quadragesimalium,* Paris, 1513. – 3) *Salutate Mariam. Parvum Rosarium seu parvum Mariale dictum,* Paris, 1513, 1519, 1521. – 4) *Sermones quadragesimales super Epistolas, ... super Evangelia,* 2 parties, Paris, 1517, 1520, 1536, 1540 ; Venise, 1588.

5) *Destructio Ninive. Sermones XL omni tempore praedicabiles,* Paris, 1518 ?, 1527. – 6) *Opusculum super Confiteor novissime editum,* Paris, 1519, 1520, 1524, 1530, 1534. –

7) *Rosarium aureum mysticum...* avec *Sermones sub numero septenario intitulati « Salutate Mariam »* (cf. n. 3), Paris, 1519 (= 1520 n.s.), 1521 ; Venise, 1593. – 8) *De imitatione sanctorum... Sermones de sanctis,* Paris, 1520, 1528, 1536, 1541 ; Venise, 1589. – 9) *Sermones dominicales totius anni,* 2 parties (été-hiver), Paris, 1523, 1527, 1530, 1534, 1545.

10) *Expositio in Genesim juxta quadruplicem S. Scripturae sensum...,* Paris, 1528 ; Douai, 1634. – 11) *Opusculum de confessione, de quatuor peccatis cordis, oris, operis, et omissionis, de contritione, de satisfactione,* Paris, 1530. – 12) *Expositio in Exodum...,* Paris, 1534.

Deux éd. des prédications ont été réalisées (plus ou moins complètes) : *Conciones...,* 5 parties en 3 vol., Cologne, 1610 ; *Hortus concionatorum...,* 9 parties en 5 vol., Anvers, 1656.

Quétif-Échard, t. 2, p. 87-88. – DTC, t. 12/1, 1933, col. 1185-86. – *Inventaire chronologique des éditions parisiennes du 16ᵉ siècle,* t. 1-2, Paris, 1972-1977 (table), et le *Catalogue* des imprimés de la B.N. de Paris. – DS, t. 5, col. 898, 1472 ; t. 7, col. 778-79.

Pierre RAFFIN.

**PERAZA** (MARTIN), carme, vers 1557-1604. – 1. *Vie. –* 2. *Œuvres et doctrine.*

1. VIE. – Fils du licencié Guillén Peraza de Ribera et de Marina de Herrera, qui semblent être de la lignée des comtes de la Gomera, Martín Peraza naquit à Ocaña (Tolède) vers 1557. Il prononça ses vœux, fit ses études et fut ordonné prêtre chez les Cisterciens ; puis, on ne sait pour quelle raison, il passa à l'Ordre des Carmes, prit l'habit au couvent de Madrid et fit profession à celui d'Alcalá le 29 octobre 1588. Deux ans plus tard, il était docteur en théologie.

Il a dû obtenir le grade à Saragosse, car il ne fut incorporé à l'université de Salamanque, le 4 janvier 1601, qu'après y avoir obtenu la licence le 19 décembre précédent. Il avait aussi obtenu le titre de maître pour son Ordre au chapitre provincial de 1592 et le possédait effectivement au couvent de Madrid, à la fin de juin 1594, lors de la visite de ce couvent par le Général de l'Ordre Chizzola (Rome, Arch. Gen. O. Carm., II C.O. 1/8 : *Regestum Chizzolae in visitatione Hispaniae,* f. 9v).

Au chapitre général de septembre 1594 sous la présidence de Chizzola, Peraza fut nommé prieur et chargé des cas de conscience du couvent d'Avila (f. 57rv). Bon connaisseur des langues anciennes, y compris l'hébreu et le chaldéen, peut-être commença-t-il alors à commenter l'Écriture, tout en s'adonnant à la prédication. Vite renommé, il fut demandé pour les plus grandes chaires, comme celle de l'Hospital Real à Saragosse qu'il occupa cinq ans. De 1597 à 1600, il résida habituellement au couvent de cette ville, enseignant l'Écriture à l'université (cf. autorisation du Général de l'Ordre Silvio, 28 juillet 1597, Arch. Gen. O.C., II C.O. 1/8 : *Reg. Chizzolae et Silvii, 1594-1598,* f. 181v). Le 2 décembre 1600, il obtint la même chaire à Salamanque, succédant à Alonso Curiel, et l'occupa jusqu'à sa mort en 1604 tout en étant prieur du collège San Andrés (au moins à partir de 1603).

2. ŒUVRES ET DOCTRINE. – Peraza a publié : *Sermones del Adviento con sus festividades* (2 parties, Saragosse, 1600 ; Salamanque, 1607) ; – *Sermones Quadragesimales* (2 vol., Salamanque, 1604 ; Barcelone, 1605) ; – Un *Sermón en las honras fúnebres de Felipe* II, probablement publié, n'a pas été retrouvé.

Sont restés manuscrits divers ouvrages conservés pour la plupart à la bibliothèque du collège San Andrés de Salamanque et qui ont dû disparaître en 1626 lors du débordement du Tormes : ainsi deux autres Carêmes, dont le premier commentait les Psaumes et le second des lettres de saint Paul (Peraza semble se référer à ce dernier dans l'« Exhortación al estudio de la divina Escritura » qui introduit le tome 1 des *Sermones Quadragesimales*, f. 13r) ; – un Commentaire du livre de Job, prêt pour l'impression, qu'on ne publia pas en raison de la parution récente du commentaire sur Job du jésuite Juan de Pineda (2 vol., Madrid, 1597-1601) ; le chapitre général de Rome en 1609 prescrivit que le ms soit restitué par le collège San Andrés au couvent de Toledo pour qu'on l'imprime (*Acta capitulorum generalium Ord. Fr. B.V. Mariae de Monte Carmelo*, t. 2, Rome, 1934, p. 22) ; – un Commentaire du Cantique des cantiques, que le bibliographe L. Jacob dit avoir vu ; – un *Marial*, conservé dans la bibliothèque de l'inquisiteur Diego de Arce (cf. Pedro de Alva et Tamayo de Salazar, *Martyrologium Romanum*, t. 6, Lyon, 1659, p. 778).

Peraza est un digne continuateur de la tradition exégétique de Salamanque. Le contenu doctrinal et spirituel de ses ouvrages est riche, basé sur l'exégèse littérale de la Bible et la tradition des Pères, deux domaines qu'il connaissait bien. Ces compétences, jointes à une bonne formation humaniste, expliquent l'attrait qu'exerça sa prédication (cf. M. Herrero García, *Sermonario clásico*, Madrid et Buenos Aires, 1942, p. xxxix-xl). On peut voir en Peraza un représentant tardif de l'évangélisme et du paulinisme dont l'importance fut si grande au cours du 16e siècle.

Rome, Arch. Gen. O.C., II Castella 4 : *Miscellanea de viris illustribus et conventibus Castellae*, f. 10v-11v ; – I C.O. II 20 : *Miscellanea Historica L. Pérez de Castro*, f. 42v, 63r (bis) ; – II C.O. 1/8 : *Reg. Chizzolae in visitatione Hispaniae*, f. 9v, 57rv, 60v, 61v. – Madrid, Archivo Hist. Nacional : Clero, Libro 479 : *Libro de profesiones del Carmen de Avila*, f. 15v-17r.

M.A. Alegre de Casanate, *Paradisus carmelitici decoris*, Lyon, 1639, p. 451. – Cosme de Villiers, *Bibl. carmelitana*, t. 2, Lyon, 1752, col. 391-92. – N. Antonio, *Bibl. hispana nova*, t. 2, Madrid, 1786, p. 107. – M. Jiménez Catalán, *Memorias para la historia de la Univ. de Zaragoza*, Saragosse, 1925, p. 52-53. – B. Velasco Bayón, *El colegio mayor universitario de Carmelitas de Salamanca*, Salamanca, 1978, p. 34-35. – *El convento de Carmelitas de Zaragoza*, dans *Carmelus*, t. 27, 1980, p. 95.

Pablo M. GARRIDO.

**PERDU** (PERDUCIUS ; CORNEILLE), jésuite, 1594-1671. – Né à Bergues-Saint-Winoc le 29 novembre 1594, Corneille Perdu fit ses humanités et sa philosophie chez les Jésuites à Saint-Omer, Bergues et Douai. Reçu au noviciat de la Compagnie de Jésus à Tournai le 8 octobre 1612, il fit sept années de régence aux collèges de Lille et d'Arras. Maître et docteur ès arts, il étudia la théologie au collège d'Anchin à Douai et fut ordonné prêtre en 1624. Son troisième an achevé (à Huy), il enseigna la philosophie à Douai (1626-30). Ensuite il fut chargé des sodalités des jeunes bourgeois à Douai (1630-38), à Saint-Omer (1638-39), à Luxembourg (1639-43) et enfin à Valenciennes, où il resta jusqu'à sa mort le 26 décembre 1671 ; il s'y occupa aussi de catéchèse, de visites des malades et de confessions ; il fut le premier confesseur de Françoise Badar, fondatrice des Filles de la Sainte-Famille, et le père spirituel de la communauté.

Perdu a publié sept livres de piété. Le premier, *Acheminement de l'âme à son Créateur par... une sainte confiance* (Douai, 1635 ; augmenté, Tournai,

1642, 941 p.) utilise de nombreux exemples tirés de la vie des convertis et des saints plus que de la Bible et des Pères. La langue est populaire ; les phrases, interminables. Perdu n'a pas d'autre ambition que d'aider son lecteur à progresser dans la vie chrétienne, l'oraison, le « saint amour ».

Autres ouvrages : *Le secret d'une bonne mort* (Mons, 1642) ; – *Considérations dévotes sur la grâce de la vocation à l'estat religieux, et au célibat* (1647) ; – *Quelques dévotes considérations pour nous embraser du saint amour de Dieu* (Valenciennes, 1651) ; – *Quelques avis salutaires pour faciliter l'entrée à l'Oraison...* (1651) ; – *La règle ou le bon usage du dueil (sic)... à la mort des proches* (1655) ; – *Les entretiens et les douceurs du Saint Amour...* (1656).

Sommervogel, t. 6, col. 488-489. – (M. Th. Horion), *Histoire de ... Fr. Badar*, 1726, p. 8-16. – *Biographie nationale* (de Belgique), t. 17, 1903, col. 3-4. – *Annales du Comité flamand* (Lille), t. 27, 1904, p. 150-51. – *Établissements des Jésuites en France*, t. 4, 1956, col. 1557, 1568.

Hugues BEYLARD.

**PERDUYNS** (GHISLAIN), jésuite, 1630-1708. – Gislenus Perduyns naquit à Middelbourg (Zélande) le 13 octobre 1630.

Comme les *Extraits des livrets de mariage* de la ville ne mentionnent pas les Perduyns, on peut supposer que la famille était originaire d'ailleurs. Des Perduyns (ou Parduyns), une seule branche se déclarait catholique (F. Naghtglas, *Levensberichten van Zeeuwen*, t. 3, 1891). Son père Christian laissa veuve sa mère Maria (Ryswyck ?) dans une situation aisée. Le jeune Gislenus bénéficia d'une instruction privilégiée.

Après six années d'humanités chez les Jésuites du collège de Bruges, il étudia pendant deux ans la philosophie à la Flèche (Sarthe) avant de se présenter à Anvers au provincial Guillaume de Wael qui l'admit dans la Compagnie de Jésus vers la fin de 1650 et le dirigea vers le noviciat de la province Flandro-belge à Malines. Gislenus, appelé alors Ryswyck, enseigna pendant six ans au collège de cette ville, accompagnant ses élèves, d'année en année, jusqu'en classe de rhétorique. Il fit ensuite ses études de théologie à Louvain de 1658 en 1662, année de son ordination sacerdotale. Dès 1659, il a repris son vrai nom de Perduyns. Mis à part un séjour de deux ans à la maison professe d'Anvers où il prononça ses vœux solennels (1664), et une charge de recteur au collège de Ruremonde (1671-1673), Perduyns fut tour à tour préfet, directeur de sodalité, prédicateur et confesseur à Bruges, Malines, de nouveau Bruges et enfin à Bruxelles à partir de 1687 jusqu'à sa mort inopinée le 7 août 1708. Au cours de cette dernière période, il succéda à G. Hesius comme prédicateur attitré des moniales de l'abbaye de la Cambre, près de Bruxelles.

Sans prétention d'originalité, imprégné de la doctrine de saint Thomas dont il loue la façon de clairement diviser les matières et qu'il cite souvent, Perduyns s'intéressait spécialement aux mouvements de l'âme dans la vie spirituelle. Il veut que celle-ci soit « pratique » et profonde selon l'esprit ignatien. Ainsi, dans son ouvrage sur les Exercices de huit jours, il avoue avoir largement puisé chez ses confrères, « sauf pour les explications des différentes manières de prier et pour les commentaires sur le discernement des esprits ». Du texte biblique, il privilégie la traduction et les commentaires de Cornelius a Lapide. Volontiers, il parsème ses écrits de textes tridentins : à propos de la justification, de la vraie pénitence, de l'eucharistie et de la dignité du sacerdoce.

Une pointe de mystique ne lui fait pas défaut, comme en témoigne le petit traité *De diligendis inimicis* (1671 ; Sommervogel, n. 3) qu'il reprendra dans son recueil des conférences aux moniales de la Cambre (1697 ; Sommervogel, n. 9). Il y parle du Cœur du Christ ouvert par la lance de Longin, où les « fervents », après s'être réconciliés, peuvent s'unir à Dieu. A propos de cet ouvrage, A. van der Zeyden (*G. Perduyns s.j., predikant in Ter Kameren,* dans *Cîteaux, Commentarii cistercienses,* t. 32, 1981, p. 237-51, avec résumé français) remarque, avec raison, que Perduyns ne cite que des extraits d'homélies de saint Bernard dont la plupart sont aujourd'hui considérées comme inauthentiques. Mais qu'il ait voulu systématiquement éliminer de ses conférences tout ce qui favorise l'oraison dite contemplative reste à prouver.

Les *Exercices* de saint Ignace sont vraiment la moelle de sa spiritualité. Il y revient sans cesse ; par exemple dans ses exhortations « domestiques », faites en tant que père spirituel. Son attachement au catéchisme des tout petits est semblablement d'esprit ignatien. Dans le *Livre sur les Exercices* (1681 ; Sommervogel, n. 6 et svv), on apprend que l'évêque de Bruges en a souhaité la diffusion dans tous les monastères féminins du diocèse afin que leurs religieuses « puissent rompre ce petit-pain cuit de la vie spirituelle à la mesure des enfants pauvres qui leur sont confiés dans les villages ». Le même souci apparaît enfin dans les petits livrets où il a su condenser les idées de ses grandes œuvres, en faisant alterner texte et gravure. Deux de ces livrets illustrés sont édités en français (Sommervogel, n. 11). Cette forme d'apostolat par l'image est encore pratiquée pour *Le Symbole des Apôtres* (1700 ; Sommervogel, n. 13), *Le Notre Père* (1705 ; Sommervogel, n. 14) et *l'Ave Maria* (1706 ; Sommervogel n. 15).

On peut, dans une certaine mesure, comparer Perduyns à Alphonse Rodriguez dont il a, par ailleurs, publié quelques extraits dans *Différentes Manières de méditation* (1676 ; Sommervogel, n. 4).

*Œuvres.* – La Bibliographie chronologique des œuvres de Perduyns dressée par Sommervogel (t. 6, col. 489-492) compte quinze titres. Parmi les plus importants, tous écrits en flamand, on peut mentionner : *Livre de méditations sur les Exercices spirituels,* Bruges, 1681, 368 p. ; *Cinquante-deux Méditations sur le S. Sacrement de l'Autel,* Bruges, 1684, 144 et 177 p. ; *LXXII Instruments de bonnes œuvres indiquées dans le chapitre 4 de la règle de S. Benoît...* (recueil de conférences pour moniales), Bruxelles, 1705, 332 p. ; *Pieuses remarques sur la prière du Seigneur appelée communément le Notre Père,* Bruxelles, 1705, 322 p.

*Album Novitiorum,* aux archives s.j. de la Province belge septentrionale, Bruxelles (autographe relatant ses origines) ; – *Catalogus tertius personarum, Archives s.j. de la Flandro-Belgica,* Manuscrits de la Bibliothèque Albertine, Bruxelles, n. 20216 (anno 1655) à 20261 (anno 1708) ; – *Archives Générales du Royaume,* Bruxelles, Fonds jésuite, n. 1481 (nécrologe adressé le jour du décès par Stephanus De Neef à Florentius Grysperre, recteur du collège d'Anvers).

G. Dutremez, *Historia Collegii Brugensis* (dactyl.), t. 2, p. 259-60, 274-76 (archives s.j., Bruxelles) ; – A. Poncelet, *Nécrologe des Jésuites de la province Flandro-Belge,* Wetteren, 1931, p. 133, n. 16 ; – J. de Guibert, *La spiritualité de la Compagnie de Jésus,* Rome, 1953, p. 296, n. 72 ; – A. De Wilt, *Rodriguez în de Nederlanden,* OGE, t. 29, 1955, p. 82. – DS, t. 4, col. 1550.

Silveer DE SMET.

**PÈRE ÉTERNEL** (DÉVOTION AU). Voir DS, t. 3, col. 763-64.

**PEREGRINATIO.** Voir art. PÈLERINAGES, *supra,* col. 889-93.

**PÉRÉGRIN D'OPOLE** (D'OPPELN), dominicain, 14e s. – Originaire d'Opole (Silésie), Pérégrin fut dominicain au couvent de Raciborz, dont il fut prieur au moins en 1303. Il est prieur du couvent de Wroclaw, lorsque le chapitre provincial de Pologne l'élit prieur provincial. Il sera relevé de cette charge, sur sa demande, par le maître général Béranger de Landorre en 1312 ; aussitôt réélu, il refuse cette élection. Il sera de nouveau provincial de 1322 à 1327 ; entre-temps, il avait été nommé inquisiteur à Cracovie le 1er mai 1318. La date de sa mort est inconnue.

Ses sermons pour le temporal et le sanctoral ont connu une notable diffusion au moyen âge, comme l'attestent de nombreux manuscrits et au moins huit éditions incunables (cf. Hain, n. 12580-86 ; Copinger, t. 2, n. 4670). Ils n'ont pas encore été étudiés.

Quétif-Échard, t. 1, col. 551. – U. Chevalier, *Bio-bibliographie,* t. 2, col. 3376. – A. Linsenmayer, *Geschichte der Predigt in Deutschland,* Münster, 1886, p. 372-76. – G.G. Meersseman, dans AFP, t. 19, 1949, p. 268-70. – R. Loenertz, *ibidem,* t. 21, 1951, p. 27-28. – LTK, t. 8, 1963, col. 270 (bibl.). – J.B. Schneyer, *Repertorium der Lateinischen Sermones...,* coll. BGPTM 43/4, Münster, 1972, p. 548-74. – T. Kaeppeli, *Scriptores Ord. Praedicatorum medii aevi,* t. 3, Rome, 1980, p. 211-12. – DS, t. 5, col. 1510.

André DUVAL.

**PEREIRA** (JOSEPH DE SAINTE-ANNE), carme, 1696-1759. – Né à Rio de Janeiro (Brésil) le 4 février 1696, José de Santa Anna Pereira entra en 1715 au couvent des Carmes de Rio. Il étudia à l'université de Coïmbre et obtint le doctorat en théologie. Il rentra dans son pays pour enseigner cette science, puis revint au Portugal où il enseigna la philosophie à Coïmbre. Il fut incorporé à la province portugaise de son ordre, en fut le provincial en 1740 après avoir été nommé historiographe (1740). Il mourut le 31 janvier 1759 à Salvaterra.

En plus de la *Chronica* de la province carme du Portugal (2 vol., Lisbonne, 1742-1751, comprenant une vie du bienheureux Nuno Alvarez Pereira) et une *Dissertação apologetica... para intelligencia e segura observancia das principaes leis* de la même province (à la suite du t. 2 de la *Chronica,* Lisbonne, 1751 ; trad. italienne, Venise, 1757), Pereira est surtout connu pour sa *Vida da insigne mestra de espirito, a virtuosa M. Maria Perpetua da Luz...* (Lisbonne, 1742 ; voir DS, t. 10, col. 591-93).

On lui doit encore des ouvrages hagiographiques (dont certains sur des saints légendaires) et dévotionnels, et des panégyriques : *Noticia mystica, reprezentacion metrica y verdadera historia de los abuelos de Maria...* (Lisbonne, 1730) ; – *Triumfo panegyrico de S. Joseph* (1732) ; – *Novo ornato de virtudes,* offert à S. Benoît (1734) ; – *Os dous Athlantes da Ethiopia S. Elesbão... e S. Ifigenia...* (2 vol., 1735-1738) ; – *Compromisso feito para o bom governo da Congregacão de S. Elesbão e S. Ifigenia...* (1739) ; – *Mestre da morte Jesus Christo... avec Medianeira da vida eterna Maria...* (1747) ; – *Exercicio particular e breve para os filhos e devotos da purissima Virgem Maria...* (1752) ; – *Novenerio sacro... da Maria santissima... senhora da Monte du Carmo* (sd).

D. Barbosa Machado, *Bibl. Lusitana*, t. 2, Lisbonne, 1747, p. 886-87. – *Bibl. Carmelitico-Lusitana...*, Rome, 1754, p. 152-57. – *Diccionario bibliographico Portuguez*, t. 5, Lisbonne, 1860, p. 95. – DS, t. 4, col. 1518.

Adrien Staring.

**1. PÉREZ** (Antoine), bénédictin, évêque, 1559-1637. – 1. *Vie.* – 2. *Écrits.*

1. Vie. – Antonio Pérez naquit à Santo Domingo de Silos le 2 mai 1559, fils de Pedro Majo et Marina Pérez de Covarrubias. En 1577, il prit l'habit au monastère bénédictin de sa ville natale. Il étudia la philosophie à Oña et la théologie au collège bénédictin S. Vicente à Salamanque, où il enseigna durant de longues années, fut aussi régent (1597-1604) et abbé (1604-1607). Il obtint le doctorat en théologie à l'Université de Salamanque en 1599 et intervint dans la controverse *De Auxiliis*. Dans sa Congrégation, il fut aussi définiteur (1598-1604), général de la Congrégation de Valladolid (1607-1610), et abbé de S. Martín à Madrid (1617-1621, 1625-1627).

Consulteur et qualificateur de l'Inquisition, il fut également théologien royal à la « Junta de la Inmaculada Concepción ». Philippe IV le proposa pour l'archevêché de Santa Fe de Bogotá (Colombie), mais il refusa. Il accepta, par contre, l'évêché de Seo de Urgel (1627-1633), d'où il passa à celui de Lérida (1633) et puis à l'archevêché de Tarragone (1633-1636) ; il célébra un synode dans chacun de ces diocèses. Pérez renonça au siège de Tarragone pour celui d'Avila (1637), mais, avant d'en avoir pris possession, il mourut à Madrid le 1er mai 1637. Sur son désir, il fut enseveli au monastère de Silos.

Pieux, intègre et vertueux, Pérez fut charitable envers les pauvres, bon professeur de théologie et prédicateur. Écrivant en castillan et en latin dans un style soigné, il est connu pour ses ouvrages de théologie, ses commentaires scripturaires, son commentaire de la règle de saint Benoît, et l'érudition solide de ses sermons. Son influence marqua toute une période de la Congrégation de Valladolid ; d'autres écrivains ont eu leur influence, mais peu une aussi grande.

2. Œuvres. – 1º Pérez a publié quatre volumes de sermons : *Apuntamientos de todos los sermones dominicales y sanctorales de primero de Diziembre y de Adviento hasta el último de febrero y principio de Cuaresma* (Medina del Campo, 1603 ; trad. ital. Venise, 1621 ; latine, Salzbourg, 1639), et des *Apuntamientos Cuadragesimales* en 3 parties (Barcelone, 1608 ; 2 vol., Valladolid, 1610). Ces sermons furent donnés à Salamanque lors de la période d'enseignement de Pérez. Il a publié encore d'autres sermons.

2º Avec ces œuvres homilétiques, le commentaire de la Règle de saint Benoît fournit l'essentiel de l'apport de Pérez à la spiritualité : *Commentaria in Regulam SS. Benedicti*, édité 3 fois en 1625 (Cologne, chez B. Gualtheri et Ant. Hierati ; Lyon). La deuxième édition, *Commentarium in Regulam...* (Barcelone, 1632) comporte 2 volumes ; le premier reprend l'éd. de 1625, le second est nouveau ; dernière éd., Cologne, 1688. Ce commentaire montre une grande connaissance de la Bible et des Pères. Pérez examine les questions discutées et donne une explication de la Règle qui, d'ordinaire, ne s'arrête guère au sens littéral et à l'histoire, et qui insiste davantage sur les aspects législatifs et moraux. Cet ouvrage est le meilleur commentaire de la Règle publié par un bénédictin espagnol.

3º En théologie : la *Laurea Salmantina* (Salamanque, 1604) expose selon la méthode strictement scolastique un certain nombre de points disputés ; l'argumentation est ferme et vigoureuse ; dans les domaines des opinions libres, Pérez montre une saine indépendance. – Le *Pentateuchum fidei* (Madrid, 1620) est un traité des lieux théologiques divisé en 5 livres (L'Église, les Conciles, l'Écriture, les traditions, le pontife romain).

4º En exégèse, Pérez a donné une série d'ouvrages intitulés *Authentica... Fides* sur les quatre Évangiles (Lyon, 1626), les Actes des apôtres et l'épître aux Romains (Lyon, 1626), Matthieu (Barcelone, 1632), les deux épîtres aux Corinthiens (Barcelone, 1632), Jean (Tarragone, 1636) et Luc (Tarragone, 1637). Outre l'exposé exégétique, ces ouvrages donnent un commentaire historico-doctrinal et apologétique ; ils offrent aussi une bonne matière pour la prédication.

5º Autres écrits. – *Vida de D. Alonso de Curiel* (en tête de l'éd. de ses *Lecturae*, Douai, 1618). – *Constitutiones synodales del Obispado de Urgel* (Barcelone, 1632, 1748). – *Pro energumenis* (perdu). – *Consulta a Felipe IV sobre el casamiento de la Infanta D. María* (ms 10794, Madrid, B. N.). – *Papel en defensa del caso sucedido en el convento de la Encarnación Benita de esta Corte* (ms, Madrid, Bibl. de l'Académie royale d'histoire, n. 9-9-5-1841, f. 147r-233r). – *Tractatus de Sacra Scriptura* (2 vol. ms, Burgos, Casa de Cultura).

Silos, Archives, ms 33, 51 et 67. – Congr. de Valladolid, Archives, *Actas de los Capítulos generales*, t. 1-2. – Cathedrale de Urgel, *Libros de acuerdos capitulares*, ms 1019. – Diocèse de Urgel, Archives, *Registrum episcoporum*, t. 44 ; *Cartas al cabildo*, ms 938. – Lérida, Archives de la Cathédrale, *Acuerdos del cabildo*, t. 53, f. 55r-66v. – Tarragone, Archives de la Cathédrale, *Acuerdos del cabildo* L A, n. 38, f. 144v, 152r-154v, *passim* ; *Cartas al cabildo*, t. 39 et 68. – Tarragone, Archives hist. de l'archevêché, *Processus primi Conc. prov. Tarraconensis, 1635-1636*. – Salamanque, Univ. civil, *Libro de grados*, 1595-1604, f. 97v, 190r. – *Monasticon Hispanicum*, Paris, BN, ms espagnol 321, f. 220v, 375v-376v.

G. de Argaiz, *La soledad laureada por san Benito y sus hijos*, t. 2, Madrid, 1675, f. 65r, 66r ; t. 6, 1675, f. 513-14 ; *La Perla de Cataluña. Historia de N.S. de Monserrate*, Madrid, 1677, p. 230, 245, 338, 398-99, 458-59. – J. Villanueva, *Viage literario a las iglesias de España*, t. 18, Madrid, 1851, p. 81-82 ; t. 20, 1851, p. 47-49. – J. Playán, *Apuntes de historia de Lérida*, Lérida, 1873, p. 350-51. – M. Férotin, *Histoire de l'abbaye de Silos*, Paris, 1897, p. 206, 240, 316.

J. Pérez de Urbel, *Varones insignes de la Congr. de Valladolid*, Pontevedra, 1967, p. 182-89. – A. Linage Conde, *El monacato en España e Hispanoamérica*, Salamanque, 1977, p. 190. – E. Zaragoza Pascual, *Los generales de la Congr. de S. Benito de Valladolid*, t. 3, Silos, 1979, p. 235-63 (bibl.) ; t. 4, 1982, tables ; *Un abadologio inédito del monasterio de S. Benito de Valladolid*, dans *Archivos Leoneses*, n. 65, 1979, p. 151-52. – J.D. Broekaert, *Bibliographie de la Règle de S. Benoît*, Rome, 1980, table. DS, t. 1, col. 404, 1384, 1427.

Ernesto Zaragoza Pascual.

**2. PÉREZ** (Cyriaque), bénédictin, † 1637. – Né en Castille, Ciríaco Pérez prit l'habit d'ermite à Montserrat le 6 novembre 1597. Il passa de longues années dans l'ermitage de San Dimas à Montserrat et y mourut en 1637. Homme spirituel, il publia un livre devenu très rare : *Compendio Breve de Exercicios espirituales y consideraciones para los que se exercitan en la oración mental por las tres vias..., con un tratadillo de oración* (Barcelone, S. Cormellas, 1614), dédié à Ana María de Belloch, abbesse du monastère bénédictin de Santa Clara, à Barcelone. Il comporte deux parties : la première, un traité sur l'oraison (f. 1-22v), la seconde, une suite de méditations pour les trois

voies (f. 23r-168v). Nous nous arrêterons à la première partie, qui est personnelle bien que peu originale, la seconde n'étant qu'un résumé de l'*Ejercitatorio de la Vida Spiritual* de García de Cisneros (DS,
t. 2, col. 910-21).

Pérez divise l'oraison en préparation, lecture, méditation, contemplation, action de grâce, demande et
épilogue. Les motifs pour tout homme de « servir
Dieu », c'est-à-dire de faire oraison, sont à la fois sa
propre dignité d'homme qui lui fait dominer tout
autre créature, et la grandeur, la bonté du Seigneur, les
grands dons que nous espérons de lui (ch. 1). Faire
oraison, selon Pérez qui suit ici Basile et Grégoire de
Nazianze, c'est « parler à Dieu, élever son esprit vers
Dieu, ou lui faire part de nos désirs et de nos
besoins ». Il y a l'oraison vocale et l'oraison mentale
(ch. 2). Trois conditions sont requises pour bien faire
oraison : pureté de conscience, paix de l'esprit, intention droite. Sa préférence va à l'oraison affective :
« On doit s'appliquer à écarter dans l'oraison le trop
grand nombre de réflexions, s'y livrer davantage aux
affections et sentiments de la volonté qu'aux considérations et discours de l'entendement ». Il rejoint en
cela la tendance du *Recogimiento*. Juan Falconi (DS,
t. 5, col. 35-43) invoquera l'enseignement de Pérez
pour soutenir son idée que les non-parfaits peuvent et
doivent passer à la contemplation (*Camino derecho
para el cielo*, livre 1, ch. 9, éd. E. Gómez, Barcelone,
1960, p. 92). Il faut tantôt réfléchir devant Dieu,
tantôt l'implorer, tantôt l'écouter.

Dans l'oraison, il faut s'exprimer « en paroles peu nombreuses et simples, sans recherche, proposant humblement à
Dieu ses nécessités ». Pérez précise « qu'on va à l'oraison
non pas en vue de se rechercher soi-même, mais pour se fuir,
c'est-à-dire non pour rechercher des goûts et des jouissances
d'ordre spirituel, mais pour chercher la volonté du Seigneur ». La perfection consiste en effet dans la charité, non
dans les phénomènes extraordinaires, et « la fin de l'oraison
est d'unir notre volonté à celle de Dieu, l'aimant et révérant
par-dessus tout ». Pérez recommande instamment de garder
la présence de Dieu au cours de l'oraison et, s'il se peut, de
faire celle-ci devant le Saint-Sacrement ; il exhorte à « méditer la vie, la passion et la mort de Jésus Christ, car rien ne
profite plus à l'âme que le constant rappel de ces très saints
mystères » (ch. 3).

La préparation consiste à « penser qui est celui qui
prie, pour acquérir humilité ; qui est Dieu à qui on va
parler, pour acquérir respect et crainte » et « à prévoir
ce qu'on va traiter avec Dieu » (ch. 4). La lecture sera
attentive, orientée vers l'écoute de Dieu qui parle, et
sélective (choisir les points plus appropriés) (ch. 5).
La méditation doit être dégagée de pensées nuisibles,
faite avec calme, reportant de temps à autre les yeux
sur le thème choisi (ch. 6). La contemplation consiste
« à appliquer la volonté à chercher l'exécution de ce
qu'a obtenu la méditation » ; elle doit être humble,
fervente, se faire en colloque (ch. 7). L'action de
grâces doit porter sur le sujet médité (création,
rédemption, bienfaits particuliers) et s'orienter vers
des résolutions, ce qui suscite en l'âme confiance pour
demander (ch. 8). La demande doit être humble et
confiante, animée du désir d'obtenir ce que l'on
implore, et mise à exécution (ainsi, si l'on implore la
foi, faire un acte de foi) (ch. 9). L'épilogue résumera
tout ce sur quoi a porté l'oraison ; il doit commencer
par un bref examen, se continuer par un résumé ou de
quelques paroles ou du fait médité et s'achever par la

résolution de mettre en pratique ce qu'on a demandé
dans l'oraison (ch. 10). Ainsi se conclut l'exposé de la
méthode d'oraison.

Le *Tratado de oración* a été réédité par nous dans *Nova et
Vetera* (Zamora), n. 13, 1982, p. 67-86.
Exemplaires du *Compendio breve* à Barcelone, Bibl. de
l'Université et Bibl. de Catalogne.
Archives de Montserrat, *Catálogo de monjes*, ms 836,
p. 39. – N. Antonio, *Bibl. Hiaspana nova*, t. 1, Madrid,
1783, p. 200. – F.B. Plaine, *Series chronologica scriptorum
O.S.B. hispanorum*, Brünn, 1884, p. 8-9. – J. Cejador
Frauca, *Historia de la lengua y literatura castellana*, t. 4,
Madrid, 1916, p. 334. – A. Palau, *Manual del librero hispa-
no-Americano*, t. 7, Barcelone, 1926, p. 75.
J.M. Moliner, *Historia de la literatura mística en España*,
Burgos, 1961, p. 194. – J. Pérez de Urbel, *Varones insignes
de la Congr. de Valladolid*, Madrid, 1967, p. 194. – E. Zara-
goza Pascual, *Los Generales de la Congr. de San Benito de
Valladolid*, t. 4, Silos, 1982, p. 441. – DS, t. 1, col. 1428 ;
t. 4, col. 1168.

Ernesto ZARAGOZA PASCUAL.

**3. PÉREZ** (JÉRÔME), carme, 16-17ᵉ siècles. – Nous
ne savons presque rien de ce carme aragonais. Né,
semble-t-il, à Saragosse dans les dernières décennies
du 16ᵉ siècle, Jerónimo Pérez fit profession au couvent de cette ville le 20 juin 1593 (Onda, Archiv.
Carm. : *Libro de las profesiones del Carmen de Zaragoza*, f. 33) ; il dut aussi y faire ses études. Vingt ans
plus tard, en 1613, secrétaire du provincial d'Aragon,
Miguel Ripoll, il fut élu pour le remplacer par le chapitre général cette même année (Valence, Archiv. gen.
del Reino, Clero, ms 1245 : *Acta capitulorum provincialium Carmelitarum Aragoniae*, p. 295). Nous ignorons la date de sa mort.

Pérez publia une *Preparación para antes de confesar
y comulgar, y gracias para después de aver recibido el
Santísimo Sacramento* (Pampelune, 1622). Aucun
bibliographe ne mentionne l'ouvrage, mais l'édition
est certaine ; quelqu'un qui l'a eue sous les yeux transmet à Luis Pérez de Castro son titre complet, précisant que, dédié à l'évêque de Pampelune Francisco de
Mendoza, il a été imprimé par Nicolás de Assiaín et a
eu pour censeurs le carme Fr. Esteban de Tous, le
dominicain Antonio Vásquez et le carme Gaspar
Cortés ; il ajoute que le P. Alegre de Casanate traite de
l'auteur dans un travail resté manuscrit et conservé au
couvent de Saragosse. L'ouvrage comportait,
semble-t-il, deux tomes.

Par ailleurs, A. Pérez Goyena rapporte que l'imprimeur de
Pampelune, Nicolás de Asiaín, note dans son testament
(22 août 1622) : « Je viens d'achever l'impression d'un livre
du P. Pérez, religieux du couvent de Nᵃ. Sᵃ. del Carmen, dont
le but est d'aider à la confession » (*Ensayo de una bibliografía navarra*, t. 2, Burgos, 1949, p. 182). Néanmoins, ce
bibliographe non plus n'a pu voir l'édition attestée, puisqu'il
n'en donne aucune description.
Il ne faut pas confondre notre carme avec le prêtre Jerónimo Pérez, auteur d'une *Suma teológica* (Madrid, 1628) qui
promeut la communion fréquente (DS, t. 4, col. 1134) et qui
eut une influence profonde sur Juan Falconi (t. 5, col. 37) ;
il fut aussi le confesseur de Mariana de San José, augustine,
† 1638 (t. 10, col. 542).

Pablo M. GARRIDO.

**4. PÉREZ** (MICHEL), laïc, † après 1515. – Miguel
Pérez, dont on sait peu de choses, naquit à Valence.

Alfonso Borja, évêque du diocèse de 1429 à 1455 avant de devenir pape (Calliste III † 1458), l'eut en bonne estime. En 1515, Pérez était encore en vie. Il fut contemporain des archevêques Borja : Rodrigo, futur Alexandre VI, César, Juan et Pedro Luis. Selon la tradition, il descendait des Pérez du royaume d'Aragon qui prirent part à la reconquête de Valence (1238). Zurita signale un Miguel Pérez seigneur de Maella en Aragon (*Anales* VIII, ch. 9). Celui dont nous parlons était « cavaller », ce qui le situe socialement.

C'est à Valence, alors dans tout son éclat, que fut imprimé l'ouvrage sans titre qui commence ainsi : « Les obres e trobes davall scrites les quals tracten de lahors de la sacratíssima verge Maria », et qui rassemble des poésies présentées au concours organisé par la ville le 11 février 1474 ; ces poésies proviennent de quarante auteurs, parmi lesquels un « Miquelot Pérez », que Riquer n'ose identifier avec le nôtre.

Séduit par la *Devotio moderna*, Pérez fut le premier à introduire en Espagne le *De imitatione Christi* (alors attribué à Jean Gerson) par sa traduction : *Menyspreu del mon, del latí en valenciana lengua* (Barcelone, 1482 ; Valence, 1491 ; Barcelone, 1518 ; etc.) ; il la dédia à la clarisse Isabelle de Villena (DS, t. 7, col. 2058-60). Cette traduction est la mieux réussie parmi les diverses traductions médiévales. Pérez a aussi traduit dans sa langue une *Vida de S. Catherina de Sena* (Valence, 1494) et une *Vida de S. Vicent Ferrer* (Valence, 1510) ; cette dernière n'est pas une biographie à proprement parler, mais un recueil de ses vertus, de ses dévotions et de ses prophéties, miracles, etc. La canonisation de Vincent (1455) était proche et son rayonnement intense.

Dans la ligne de la dévotion mariale de ce saint, Pérez a publié surtout un *Verger de la Sacratíssima Verge María* (Barcelone, 1494), qui fut réédité jusqu'au 18e siècle ; le commentateur anonyme de 1732, un prêtre de Barcelone, fait remarquer que, tout au long de son ouvrage, Pérez démarque Vincent Ferrer en parlant des excellences de Notre Dame. Dès le premier chapitre et fréquemment ensuite, il dit vouloir répandre la doctrine, communément reçue dans l'Église de Valence, de l'immaculée conception et de l'assomption de Marie (vg ch. 30). Chaque chapitre présente un passage de la vie de Marie, une prière et un miracle (emprunté à Vincent de Beauvais, Thomas de Cantimpré, Jean Trithème, etc.). Le style de Pérez est d'ordinaire, selon Rubio y Balaguer, « frio y su adjectivación epidérmica » ; cette critique sévère ne semble guère convenir au *Verger* qui chante la Mère de Dieu et cherche à s'exprimer le plus bellement possible, sans chercher « les fulles e flors de la vert poesia, me so entrat en lo delitós verger de la Sagrada Escritura ». Outre les exemplaires retrouvés par Palau, nous en avons trouvé un au monastère de la Trinité des Clarisses de Valence.

V. Ximeno, *Escritores del reino de Valencio*, t. 1, Valence, 1747-1749, p. 51-52. – A. Sales, *Historia del Real Monasterio de la SS. Trinidad...*, Valence, 1761, p. 84-91. – N. Antonio, *Bibl. Hispana vetus*, t. 2, p. 338, n. 833. J.P. Fuster y Taroncher, *Bibl. Valenciana*, t. 1, Valence, 1827, p. 48-51. – J. Ribelles y Comín, *Bibliografía de la lengua valenciana*, t. 1, Madrid, 1920, p. 479-89. – F. Martí Grajales, *Ensayo de un diccionario biográfico y bibliográfico*, Valence, 1927, p. 357-60. – P. Vindel, *El Arte tipográfico en España durante el Siglo XV*, t. 3, Madrid, 1945-1951, p. 106-07, n. 47. J. Ruiz i Calonja, *Història de la literatura catalana*, Barcelone, 1953, p. 215-16. – A. Palau y Dulcet, *Manual del Librero Hispanoamericano*, t. 13, Barcelone, 1961, p. 21-22. – *Repertorio de historia de las ciencias eclesiásticas en España*, t. 1, Salamanque, 1967, p. 323-324. – M. de Riquer et A. Comas, *Història de la literatura catalana*, t. 2, Barcelone, 1980, p. 260 ; t. 3, p. 319, 331, 358, 373, 385-6, 422, 484, 586. DS, t. 4, col. 1125 (corriger les erreurs).

Ramón ROBRES LLUCH.

**5. PÉREZ** (THOMAS), osa, † 1755. – Originaire du royaume de Valence, né à Muchamiel (Alicante), Tomás Pérez fit profession en janvier 1704 au couvent des Augustins de Játiba, dont Agustín Bella était alors prieur. Cinq ans plus tard, il était « lector de provincia », ce qui semble montrer qu'il avait déjà fait quelques études avant de se faire religieux. Maître ès arts, il est maître en théologie de l'université de Valence en 1715 ; il fut régent des études au couvent San Agustín de cette ville, puis à Nuestra Señora del Socorro et au collège San Fulgencio. Il mourut à Valence le 24 octobre 1755.

Mis à part des livrets de dévotion, en particulier en l'honneur de l'Image de la Vierge « de Aguas vivas », Pérez a laissé deux ouvrages de spiritualité. La *Vida de la V.M.S. Beatriz Ana Ruiz* (Valence, 1744, 686 p. in-fol.) utilise une relation autobiographique dictée par cette religieuse augustine (1666-1735) à Miguel Pujalte qui lui servit de secrétaire ; elle est divisée en deux parties, la vie et l'enseignement spirituel. Pérez cite Pujalte, puis le commente abondamment, en particulier dans la seconde partie, qui est organisée en 65 « visions » ou « doctrines ». Bien que, selon le titre de l'ouvrage, Pérez veuille éclairer ses lecteurs afin qu'ils puissent « courir dans la voie du devoir et de la dévotion chrétienne sans y trébucher dans l'illusoire quiétude des molinosistes et des faux *alumbrados* », il semble ne faire aucune réserve quant au caractère surnaturel des visions et à la mystique symbolique de la sœur Ruiz, parfois passablement obscure ; les censeurs de même. Le style est affecté, gongoriste. Cependant Pérez fait preuve d'une bonne connaisance des grands spirituels, et des plus classiques.

On doit encore à Pérez une *Disertación dogmatico-mística* (Valence, 1753) qui conteste, à propos de la *consumada purgación o mortificada mística*, l'enseignement de Vicente Calatayud dans son *Divus Thomas cum Patribus et Prophetis locutus* (5 vol., Valence, 1744-1752 ; cf. DS, t. 2, col. 18-19) ; celui-ci répondit par *La Verdad acrisolada* (Valence, 1753) et Pérez soutint son point de vue dans *Visura de la Verdad acrisolada*, qui resta manuscrite.

M. Serrano y Sanz, *Apuntes para una Biblioteca de escritoras españolas* (1401-1833), Madrid, 1903. – *Archivo histórico hispano-agustiniano*, 1917, vol. 8, p. 407-08 ; 1921, vol. 16, p. 345-47. – G. de Santiago Vela, *Ensayo de una Biblioteca Ibero-Americana de la Orden de San Agustín*, t. 6, 1922, p. 277-80. – I. Monasterio, *Místicos agustinos españoles*, t. 2, Escorial, 1929, p. 194-95. – *Dic. de España*, t. 3, 1973, p. 1963. – DS, t. 4, col. 1015, 1190.

Teófilo APARICIO LÓPEZ.

**PÉREZ DE CASTRO** (LOUIS), carme, 1635-1689. – Né en 1635 à Ajofrín (Tolède), Luis Pérez de Castro fit profession au couvent tolédan des carmes le 15 avril 1653 (Rome, Arch. Gen. O. Carm. = AGOC, II

C.O. II 4 [1] : *Scriptorum Ord. Carm. codex* 4, f. 323r).
Il fit ses études dans ce couvent, à l'université de
Tolède, puis à celle de Salamanque, où il est inscrit
pour les années 1659/60, 1660/61 et 1661/62 (Univ.
de Salamanque, *Libros de matriculas* 364, f. 11r ; 365,
f. 10v ; 366, f. 12v).

Pendant cette dernière année, il commence à enseigner au
collège San Andrés de son ordre et sans doute le fit-il encore
l'année suivante (peut-être aussi au collège de Coïmbre). Le 5
avril 1663, il devint docteur en théologie de l'université de
Tolède (AGOC, II C.O. II 2 : *Scriptorum Ord. Carm. codex*
2, vers la fin). Il enseigna ensuite durant trois ans au collège
de son ordre à Alcalá. Participant comme délégué de sa province au chapitre général de Rome en 1666, il y défendit
*egregie* des thèses théologiques et obtint le droit de prendre
part à tous les chapitres de sa province (*Acta capitulorum
generalium O. Carm.*, t. 2, Rome, 1934, p. 118 et 124). Mais
Pérez resta à Rome jusqu'à sa mort.

Le nouveau général, Mateo Orlandi, nomma Pérez
régent des études à Santa Maria in Transpontina,
office qu'il remplit « per quindecim fere annos »
(AGOC, II Roma [Tra] II 4 : *Necrologium... S.
Mariae...*, p. 140). Le 1er juillet 1680, le général F.
Tartaglia, à qui Pérez succéda dans la chaire de la
*Sapienza romana,* lui accorda le titre de maître en
théologie (patentes originales, AGOC, II C.O. 34 :
*Documenta 1680-1684*). Devenu le 6 novembre 1681
théologien du cardinal Alfieri pour les questions relatives au Saint-Office (AGOC, I C.O. II 21 : notes auto-
biographiques de Pérez, f. 2v), Pérez était nommé par
Innocent XI en novembre 1683 qualificateur du Saint-
Office, et le 1er février 1686 consulteur de la Congrégation de l'Index. Il mourut le 4 août 1689 et fut enseveli dans l'église de Santa Maria in Transpontina
(*Necrologium...*, cité *supra*, p. 145).

Pérez combla à Rome le vide créé par la mort en 1659 de
son confrère J.B. de Lezana (DS, t. 9, col. 741-43). Savant,
de sainte vie, il acquit rapidement un prestige comparable au
sien. Bon théologien, il fut aussi un historien de valeur, au
sens critique affiné et très soucieux des détails ; ce qui, sans
doute, l'empêcha de publier ses nombreux ouvrages restés
manuscrits (cf. C. de Villiers, *Bibl. Carmelitana*, t. 2,
Orléans, 1752, col. 294-98). Des traités théologiques sont
conservés aux Archives générales de son ordre à Rome (I
Pers 65 [1]). Il collabora assidûment à la *Bibliotheca hispana*
de N. Antonio (cf. *Bibl. hispana vetus*, t. 1, Madrid, 1788, p.
XIV ; t. 2, p. 148) et au *Speculum carmelitanum* de Daniel
de la Vierge Marie (t. 2, Anvers, 1680, p. 906). Par ailleurs,
Pérez resta en correspondance avec les Bollandistes, en dépit
de leurs controverses avec divers carmes, et leur conserva
son estime.

Pérez a sa place dans l'histoire du quiétisme : il fut
l'un des membres de la commission établie par Innocent XI pour censurer les propositions de M. de Molinos (DS, t. 10, col. 1486-1514) et du cardinal Petrucci
(cf. *infra*) au cours des procès de 1685-1688. Nous
avons retrouvé dans un dossier des Archives romaines
de l'ordre des Carmes (II C.O. 37 : *Documenta
1685-1689*) les observations de Pérez sur diverses propositions des deux inculpés et le texte complet de son
*Votum cum explicatione* au sujet de 12 des propositions de Molinos : les propositions 13-24 du catalogue
primitif (= 14-22 et 24-27 des propositions condamnées ; cf. J. de Guibert, *Documenta ecclesiastica perfectionis studium spectantia*, Rome, 1931, p. 272-76) ;
ce texte fut présenté par Pérez à la séance privée que
tinrent les consulteurs et qualificateurs du Saint-Office
le 10 juillet 1687 en présence d'Innocent XI.

Les observations de Pérez, d'une écriture très serrée
et souvent abrégée, révèlent un bon connaisseur de la
spiritualité des Pères et des auteurs du moyen âge ;
surtout sa grande admiration pour Thérèse d'Avila et
Jean de la Croix explique probablement pourquoi son
jugement sur les propositions des deux inculpés est
beaucoup plus indulgent que celui de ses collègues de
la commission de censure ; P. Dudon (*Le quiétiste
espagnol Michel Molinos*, Paris, 1927, p. 216) l'avait
déjà noté. Ces annotations de Pérez permettent de rectifier certaines affirmations des historiens à propos du
procès de Molinos.

a) Il n'est pas exact de dire, comme le fait Dudon
(p. 203), que le travail de condensation des 263 propositions
tirées de Molinos se fit « à partir du printemps de 1687 » :
Pérez avait déjà en mains le 30 octobre 1686 les 52 premières
de celles qui furent condamnées ; les séances de la commission commencèrent le 6 décembre 1686 et se prolongèrent
jusqu'au 7 février 1687.

b) A partir du 18 février, la commission examina les
propositions 53-66 et termina le travail le 1er mars ; ces
propositions (la dernière divisée en deux) furent les seules à
être soumises à l'examen de la congrégation du Saint-Office
dans les sessions extraordinaires sous la présidence du pape
les 3, 10, 17 (non le 13, comme l'écrit Dudon), 24, 31 juillet
et 7 août 1687.

c) Trois autres propositions seront encore censurées les
1er, 12 et 14 août 1687 : les dernières, semble-t-il, à être
incorporées dans la liste des propositions condamnées.

d) Selon Pérez, la congrégation du Saint-Office émit sa
sentence de condamnation contre Molinos le 28 août 1687
(non le 23, comme l'écrit Dudon, p. 204) ; elle fut lue publiquement à Santa Maria sopra Minerva au cours de l'abjura-
tion de Molinos le 3 septembre (non le 31 août, comme le dit
Dudon ; ni le 13 septembre, comme l'écrit J.I. Tellechea,
introduction à son éd. de la *Guía espiritual* de Molinos,
Madrid, 1975, p. 32, n. 33). E. Pacho cherche à accorder ces
dates (DS, t. 10, col. 1509). D'ailleurs, le 3 septembre est
aussi la date donnée par le cardinal d'Estrées dans sa lettre
du 9 septembre (citée par Dudon, p. 205, n. 2) et par A.
Montalvo dans son *Historia de los quietistas* (éd. par Tellechea dans *Salmanticensis*, t. 21, 1974, p. 69-126 ; ici,
p. 124).

Il semblerait que Pérez se soit intéressé à Molinos
bien avant le début de son procès ; une lettre du carme
Andrés Caperó à Pérez, du 14 septembre 1683,
rapporte que « Molinos est un prêtre distingué,
d'après ce que nous savons de lui par ici et le souvenir
marquant qu'il a laissé à son départ. Sans nul doute, le
V.M. Roca l'aura fort bien connu » (AGOC, II C.O. II
1 : *Scriptorum Ord. Carm. codex* 1, f. 78). Caperó doit
faire allusion au carme de Valence Ambrosio Roca de
la Serna † 1649, mais Roca et Molinos purent à peine
se trouver ensemble deux ans à Valence. Caperó,
ayant probablement appris de Pérez la condamnation
de Molinos, lui répond le 15 octobre 1687 : « J'ai vu
les 68 propositions de Miguel Molinos. Que Dieu
nous garde en sa main ! » (*ibidem*, f. 83).

Voir encore : *Analecta Ord. Carm.*, t. 1, 1909-1910,
p. 427. - L. Ceyssens, *Les débuts « jansénistes » du P. Henri
de Saint-Ignace d'après sa correspondance*, ibidem, t. 13,
1953, p. 56-122, 186-297 (deux lettres à Pérez, p. 209-10,
260-61). - L. Saggi, *La congregazione mantovana dei Carmelitani*, Rome, 1954, p. LV-LVII. - A. Staring, *Der Karme-
litengeneral Nikolaus Audet*, Rome, 1959, p. XXVI-XXVII.
- *S. Angelo di Sicilia*, Rome, 1962, p. 80-84. – *Agiografia
carmelitana*, dans *Santi del Carmelo*, Rome, 1972, p. 71-73.
- P. Garrido, *Santa Teresa, San Juan de la Cruz y los
Carmelitas españoles*, Madrid, 1982, p. 117-25, 226-32.

Pablo M. GARRIDO.

**PÉREZ DE URBEL** (Juste), bénédictin, 1895-1979. – Né à Pedrosa de Río Urbel (Burgos) le 7 août 1895, Justo Pérez entra comme oblat au monastère Santo Domingo de Silos à douze ans ; il y prit l'habit bénédictin (13 septembre 1910), y fit profession (8 décembre 1912) et y fut ordonné prêtre (25 août 1918).

Pendant une dizaine d'années (1915-1925) il enseigna diverses matières à Silos tout en étudiant les Pères, l'histoire de l'Église, etc. Bien qu'autodidacte, il devint bon littérateur, historien et poète ; il fut à l'aise en anglais, français, allemand, arabe, sans compter les langues anciennes. Au cours de la guerre civile, il s'engagea activement parmi les partisans du général Franco et, par la suite, joua un certain rôle politique (procureur aux Cortes, médiateur entre Église et État).

Nommé prieur du monastère de Montserrat à Madrid, il restaura l'église et construisit une résidence universitaire. Son activité fut considérable : conférences en Europe et en Amérique latine, au Proche-Orient et en Extrême-Orient, prédication, écrits multiples. En 1950, il obtint la chaire d'histoire à l'université *Complutense* de Madrid, puis à celle de Deusto. Lorsqu'en 1958, la communauté de Silos accepta de fonder l'abbaye de Santa Cruz del Valle de los Caídos, près de Madrid, il y fut nommé premier abbé et directeur du centre d'études sociales qui s'y trouvait. Relevé de son abbatiat en 1967, il se retira au Colegio mayor Marqués de la Ensenada (Madrid) qu'il avait aidé à fonder. Il mourut à Madrid le 29 juin 1979.

Robuste de santé, toujours en quête d'apprendre, à la parole aisée, de relation agréable, doué d'une plume facile et d'une prodigieuse mémoire, poète d'un certain talent, Pérez a travaillé dans de multiples domaines, y compris la formation de la jeunesse et le ministère sacerdotal. Son enseignement spirituel, solidement fondé sur la Bible et les Pères, est essentiellement liturgique.

Parmi ses très nombreux écrits, nous retiendrons seulement les ouvrages qui ont quelque rapport avec la spiritualité et son histoire.

1) Histoire monastique. – *Semblanzas benedictinas* (3 vol., Madrid, 1925-1928) ; – *Los monjes españoles en la Edad media* (2 vol., 1933-1934, 1945) ; – *Historia de la Orden benedictina* (1941) ; – *El monacato en la vida española de la Edad media* (Barcelone, 1942) ; – il édita la partie concernant l'Espagne de la *Corónica General de la Orden de S. Benito* de A. de Yepes (3 vol., Madrid, 1959-1960) et le manuscrit du 18e siècle *Varones insignes de la Congregación de Valladolid* (Pontevedra, 1967) ; – *Fray Pedro Ponce de León y el arte de enseñar a hablar a los mudos* (Madrid, 1973) ; – *Cien años de vida en Silos 1880-1980* (sous presse).

2) Hagiographie. – *S. Eulogio de Córdoba* (Madrid, 1928 ; trad. anglaise, 1937) ; – *S. Tarcisio* (Barcelone, 1930) ; – *S. Dominguito de Val* (1931) ; – *Año cristiano* (5 vol., Madrid, 1933-1935 ; 5e éd. 1959) ; cet ouvrage, le plus répandu dans le monde hispanique, est un sanctoral qui présente un saint pour chaque jour ; – *S. Cecilia* et *S. Benito* (Barcelone, 1933) ; – *Vida del Apóstol Santiago* (Madrid, 1939) ; – *S. Pablo, Apóstol de las gentes* (1940, 1950, 1954 ; en anglais, Westminster, 1956 ; en français, Paris, 1958) ; – *S. Isidoro de Sevilla* (Barcelone, 1940, 1945 ; en allemand, Cologne, 1962) ; – *S. Isidoro... Antología* (Madrid, 1940, 1942) ; – *Vida de Cristo* (Madrid, 1941 ; 6e éd. 1977 ; trad. portugaise) ; – *San Pedro* (Burgos, 1959).

3) Liturgie et homilétique. – *Homilías para los domingos y fiestas móviles* (Madrid, 1935) ; – *La Iglesia de Jesucristo, su historia y su liturgia* (Barcelone, 1939) ; – *Itinerario litúrgico* (Madrid, 1940 ; 4e éd. 1953 ; trad. portugaise) ; – *La doctrina del Santo Evangelio en los domingos y fiestas del año* (Madrid, 1946) ; – *La Santa Misa. Estudio histórico, teológico y litúrgico* (1951) ; – *La predicación contemporánea. Panegíricas sagradas* (1952) ; – *Pláticas espirituales* (1952 ; 5e éd. 1973) ; etc.

4) Poèmes. – *El claustro de Silos* (Burgos, 1930, 1955, 1975) ; – *In terra pax* (Silos, 1928, 1934).

Pour une bibliographie complète, voir C. de la Serna, dans *Homenaje a Fr. J. Pérez de Urbel*, t. 1, Silos, 1976, p. 33-108.

F. García, *Silueta de un monje benedictino...*, dans *Religión y Cultura*, t. 7, 1934, p. 112-27. – M. Castañer, *Fr. J.P. de U., Estudio bio-bibliográfico*, 2e éd., Palma de Mallorca, 1942, p. 81-108. – *Anuario católico español*, t. 1, Madrid, 1953, p. 9-12. – P. Raida, *Luces del nacimiento y formación de hombres... Fr. J. P. de U.*, Madrid, 1955. – (A. Ortiz), *Fr. J. P. de U. Jubileo monástico*, Madrid, 1962. – C. de la Serna, *Fr. J. P. de U.*, dans *Homenaje a Fr. J. P. de U.*, t. 1, Silos, 1976, p. 23-32. – T. Moral, notice nécrologique dans *Ephemerides liturgicae*, t. 94, 1980, p. 195-99. – Q. Tajadura, *Menologio Silense (1880-1980)*, dans *Boletín de la Institución Fernán González* (Burgos, 1979). – M. Garrido, *Fr. J. y los hombres de su tiempo*, Valle de los Caidos, 1983.

Ernesto Zaragoza Pascual.

**PÉREZ DE VALDIVIA** (Jacques), prêtre, † 1589. – 1. *Vie.* – 2. *Œuvres.* – 3. *Doctrine.*

1. Vie. – Diego Pérez de Valdivia naquit à Baeza (Jaén), d'une famille de nouveaux chrétiens, on ne sait quelle année. Dès sa jeunesse, il subit l'influence de saint Jean d'Avila († 1569 ; DS, t. 8, col. 269-83). Il étudia d'abord à Grenade et compléta sa formation théologique à l'université de Salamanque (1547-1548). En 1549, il enseigne l'Écriture sainte à la jeune université de Baeza fondée par Jean d'Avila.

Pérez fut un des soutiens de cette université, plus orientée vers la formation au ministère pastoral que vers le pur savoir. Les professeurs prenaient un soin particulier de la vie spirituelle, que ce fût de la leur ou de celle des étudiants, et la faisaient rayonner par leur prédication. Pérez fut avant tout un prédicateur évangélique, et par là fut amené à la direction spirituelle. On sait qu'il prêcha à Baeza, Jaén, Ubeda, Andújar, Marchena, Huéscar, Caravaca, etc. Des témoignages d'étudiants attestent que sa prédication était ardente ; Jean d'Avila dut même lui conseiller plus de modération (cf. *Obras completas*, éd. L. Sala Balust et Fr. Martín Hernández, coll. BAC, t. 5, Madrid, 1970, p. 803).

En 1567, il est nommé archidiacre à la cathédrale de Jaén, mais il dut renoncer à cette charge en 1574 : cette année-là, il fut incarcéré par ordre de l'Inquisition, puis soumis à un procès qui eut lieu à Cordoue. On est assez bien informé sur l'accusation et sur le déroulement du procès : il était accusé de promouvoir la doctrine spirituelle des *alumbrados* (DS, t. 4, col. 1163-64) et d'avoir prononcé des paroles « malsonnantes ». Après deux années d'incarcération à Cordoue, il fut condamné en 1576 à rétracter les « propositions » dont il était accusé et à ne plus prêcher : ce qui était pour lui le pire. La liberté recouvrée, il ne voulut pas rester à Baeza. Le 18 février 1577, il eut une entrevue à Tolède avec sainte Thérèse de Jésus (cf. la lettre 180 de celle-ci, *Obras completas*, éd. Efrén-Steggink, coll. BAC, Madrid, 1967, p. 851).

Finalement Pérez s'établit à Barcelone, qui fut pour lui une seconde patrie. Il s'y employa à la direction spirituelle, à l'enseignement de l'Écriture sainte à l'université de la ville (de 1578 à sa mort) et à la rédaction de ses ouvrages. Le nouvel évêque de Jaén, Francisco Sarmiento, eut beau l'inviter à revenir dans son diocèse et à prendre en charge l'université de Baeza à la mort de Bernardino de Carleval, Pérez renonça à cette offre en faveur de Pedro de Hojeda. La ville de Barcelone demanda à Philippe II de pensionner Pérez et à ce dernier de promettre de ne pas quitter la ville. A présent honoré, les épreuves du passé oubliées, étant devenu vieux, Pérez gardait au cœur le regret du temps où il parcourait les villages d'Andalousie en prêchant. Il menait une vie pauvre, solitaire, studieuse et priante, comme son maître Jean d'Avila. Il sympathisa avec les réformes thérésienne et capucine et les soutint. Il mourut à Barcelone le 28 février 1589.

2. ŒUVRES. – Pérez est l'écrivain le plus fécond parmi les disciples de Jean d'Avila et il est aussi très représentatif de la spiritualité couramment répandue dans l'Espagne de la fin du 16ᵉ siècle. Presque toutes ses œuvres, imprimées de son vivant ou après sa mort, ont été composées durant la dernière étape de sa vie, durant les douze années vécues à Barcelone, alors qu'il est parvenu à la maturité spirituelle ; toutes ont pour objet la vie chrétienne et son approfondissement dévotionnel et spirituel.

1) *Camino y Puerta para la oración*, Barcelone, 1580, 1584, 1586, 1588 (éd. augmentée). – 2) *Aviso de gente recogida y especialmente dedicada al servicio de Dios...*, dédié à saint Juan de Ribera, Barcelone, 1585, 1588 ; Baeza, 1596 ; Lerida, 1613 ; Madrid, 1618, 1678, 1778 ; éd. A. Huerga et J. Esquerda Bifet, coll. Espirituales españolas, Madrid, 1977 (avec introd. et étude) ; trad. italienne par F. Giunti, Florence, 1590 ; Venise, 1610 ; c'est l'œuvre la plus originale et la plus importante. – 3) *Tratado de la frecuente comunión*, Barcelone, 1587, 1589, 1608 ; Valence, 1588.

4) *Tratado de la alabanza de la castidad*, Barcelone, 1587, 1608. – 5) *Documentos saludables para las almas piadosas* et *Documentos particulares para la vida heremitica*, Barcelone, 1588. – 6) *De sacra ratione concionandi*, Barcelone, 1589, 1598 ; Anvers, 1598.

Ont été publiés après la mort de Pérez : 7) *Explicación sobre el capitulo 2, 3 y 8 del libro de los Cantares de Salomón...*, Barcelone, 1600. – 8) *Tratado de la singular y purísima Concepción de la Madre de Dios*, traité théologique, Barcelone, 1600.

Œuvres mineures : *Plática o Lección de las máscaras*, reprise d'un sermon prêché en janvier 1583, Barcelone, 1583, 1618 ; – *Vida nueva para las almas que quieren confesar bien y comulgar dignamente...*, Barcelone, 1586 ; – *Libro de la breve relación de la vida y muerte... de la princesa de Parma...*, Barcelone, 1587 ; Valence, 1618 (annotations de Pérez à la trad. espagnole d'une œuvre italienne).

Restent en majorité inédits les *Opúsculos espirituales* conservés dans le ms 1041 de l'université de Barcelone ; on y trouve des textes généralement courts, sur le Pater (f. 1-7), le Rosaire (éd. par J. Esquerda dans *Estudios Marianos*, t. 33, 1969, p. 279-303), l'amour de Dieu (f. 13-23, 23-28), la manière de célébrer la Messe (f. 57-87), la consolation spirituelle (éd. par A. de Saldes dans *Estudios Franciscanos*, t. 4, 1909, p. 334-44), les plaies ouvertes du Christ ressuscité (f. 146-51), etc.

Lettres. – Quelques fragments sont conservés intégrés par L. Muñoz dans sa *Vida* de Jean d'Avila (Madrid, 1635) ; 3 lettres au jésuite Melchor de San Juan, un de ses disciples (Archives S.J. de la province de Tolède, ms 20 bis) ; d'autres, de direction spirituelle, aux Archives de la cathédrale de Jaén ; 6 sont éditées par A. Molina Prieto dans *Boletín del Instituto de Estudios Giennenses*, t. 20, 1974, p. 85-136.

3. La DOCTRINE de Pérez jaillit et se nourrit de sa familiarité avec l'Écriture, les Pères, la théologie thomiste, qui est manifestement la sienne, et les ouvrages classiques de spiritualité : saint Jean Climaque, le *Contemptus mundi* et le *Tratado de la vida espiritual* de saint Vincent Ferrier sont ses sources principales, comme parmi ses contemporains, son « maître » Jean d'Avila et son « ami » Louis de Grenade. Comme écrivain il reste prédicateur, avec un style simple, dialogué et chaleureux qui n'a pas la vigueur de celui de Jean d'Avila, ni l'élégance de celui de Louis de Grenade, mais est par contre affectif, très communicatif.

1º *Thèmes principaux*. – Pérez de Valdivia fait nettement sienne la thèse, fort discutée en son temps, de la « vocation commune » de tous les chrétiens à la perfection ou à la sainteté comme il préfère manifestement l'écrire. En cela il est un précurseur de saint François de Sales : « La perfection, tous peuvent y atteindre, quels que soient leur état et condition de vie » (*Aviso*, Barcelone, 1585, f. 16r) ; « La foi nous enseigne que tout chrétien peut atteindre à la perfection ; tous sans exception y sont appelés par le Christ, Notre Seigneur ; et puisqu'il les y appelle, c'est donc qu'ils peuvent y atteindre » (f. 219v).

Il se montre également disciple et promoteur de la doctrine de Jean d'Avila et de Louis de Grenade sur la prière, chemin et porte pour accéder à cette perfection. Son affinité avec la doctrine thérésienne est manifeste, au moins sur le plan doctrinal. Le thème de l'oraison mentale, si controversé et en même temps si approfondi dans l'Espagne du 16ᵉ siècle, trouve chez lui un équilibre remarquable : doctrine sereine, théologie sûre, clair exposé.

Il se prononce aussi en faveur de la communion fréquente, autre pratique alors en question. Il analyse les raisons pour et contre des théologiens et des pasteurs d'âmes ; dans la série des écrits sur le sujet en langue espagnole, son opuscule rayonne la lumière.

Il apparaît de même à l'avant-garde pour ce qui est de la piété populaire. Il s'emploie à la promouvoir, corrigeant les abus (comme celui des masques), propageant les dévotions nourrissantes, comme celle du rosaire. Sur la question de l'Immaculée Conception, où la pitié populaire se voyait entravée par les arguments des théologiens, il prend parti et sera un des premiers auteurs à traiter le thème en langue castillane. Enfin, dans ce coup d'œil rapide sur ses thèmes spirituels, il ne faut pas oublier sa riche doctrine sur l'Eucharistie et le ministère de la parole.

2º L'œuvre la plus originale et la plus caractéristique de Pérez de Valdivia est, sans aucun doute, l'*Aviso de gente recogida*. L'ouvrage dépeint une situation historique : la vie et les problèmes des « béates » qui, n'appartenant à aucun institut religieux approuvé et réglementé par l'Église, s'adonnaient néanmoins à la vie spirituelle et au service de Dieu. Le phénomène des béates acquit une importance particulière à Baeza, dans la mouvance de la spiritualité que propageaient les disciples de saint Jean d'Avila ; il prit des orientations quelque peu apocalyptiques, que l'Inquisition discerna vite et s'appliqua à réduire. Le procès de Pérez de Valdivia doit s'interpréter dans ce contexte. L'*Aviso* est à la fois une apologie de l'état de vie des béates et une reconnaissance loyale des dangers qui le menaçaient. Son but est de fournir un guide sûr à la « gente recogida », mais on y trouve aussi l'aveu de pénibles expériences de l'auteur ; l'ouvrage a donc un aspect autobiographique, unique en son genre dans l'œuvre de Pérez. Le travail, rédigé avec soin, réfléchit à la fois sur la doctrine et sur l'expérience. Il renferme l'ensemble des idées principales, en somme l'*idearium* de la spiritualité de Pérez de Valdivia.

Du point de vue doctrinal l'*Aviso* s'appuie sur des bases solides, guère élaborées, mais indiquées avec netteté : l'état de vie ou la profession de béate est, parmi d'autres, bon en lui-même, puisqu'il vise à la perfection ; la perfection chrétienne consiste proprement dans la charité intérieure ; sa poursuite, son acquisition, est ce à quoi s'appliquent les béates par la voie qui leur est propre et qui comporte des risques. Les trois premières parties de l'*Aviso* esquissent très rapidement ces points.

La quatrième traite longuement des dangers que rencontrent et de l'« ordre de vie » que doivent suivre les personnes qui, sans faire vœux en religion ni contracter mariage, s'engagent dans l'état de vie de béate. Ces dangers, les remèdes pratiques, l'analyse de problèmes aussi délicats que la « transformation de Satan en ange de lumière », les « possessions diaboliques », les doutes concernant la foi ou la « tristesse spirituelle » donnent à l'auteur occasion d'exercer son enseignement spirituel.

Dans un dernier exposé, il fournit une méthode (*traza*) que les *recogidas* doivent observer pour faire choix de cet état et ensuite leur règle de vie. Il y descend jusqu'aux petits détails, comme la « veillée d'armes », l'habit, les lectures, les exercices de piété, le travail manuel.

La valeur de l'*Aviso* réside moins dans ce programme que dans l'enseignement remarquable et substantiel que Pérez de Valdivia donne au long de son ouvrage. Il y a là un ensemble de thèmes et de problèmes spirituels de portée commune.

Biographies : *Crónica de los Capuchinos de Cataluña*, de 1612, Bibl. univ. de Barcelone, ms 987, p. 292-301. – Juan de San José, notes biographiques sur Pérez, même bibliothèque, ms 991. – L. Muñoz, *Vida y virtudes del... Maestro Juan de Avila...*, Madrid, 1635, livre 2, ch. 12-14, f. 106v-19 : biographie de Pérez.
A. de Saldes, *Tratado inédito del Dr. P.*, dans *Estudios Franciscanos*, t. 4, 1909, p. 334-44. – V. de Peralta, *El Dr. P... escritor místico...*, ibidem, t. 27, 1921, p. 177-225. – J.M. Madurell, *D. P... en Barcelona*, dans *Analecta sacra Tarraconensia*, t. 30, 1957, p. 343-71. – J.M. Sánchez, *Un discípulo del P. Maestro Avila en la Inquisición de Córdoba...*, dans *Hispania*, t. 9, 1949, p. 104-34 ; *Ediciones y manuscritos de las obras del Dr. D. P...*, dans *Salmanticensis*, t. 9, 1962, p. 631-41.
E. Allison Peers, *Studies of the Spanish Mystics*, t. 3, Londres, 1960, p. 106-09, 113, 115, 315-17 (bibl. des œuvres). – J. Esquerda, *El Tratado sobre la Inmaculada de D.P...*, thèse doctorale, Univ. Comillas, 1964 ; extraits dans *Ephemerides mariologicae*, t. 14, 1964, p. 225-361 ; *Un mariólogo catedrático de la universidad de Barcelona... D. P. de V.*, dans *Estudios Marianos*, t. 33, 1969, p. 279-303 (éd. de mss inédits).
*Dicc. de España*, t. 3, 1973, p. 1972. – A. Huerga et J. Esquerda, Introd. et étude préliminaire à l'éd. de l'*Aviso de gente recogida*, Madrid, 1977, citée *supra*. – Harold G. Jones, *Hispanic Manuscripts and Printed Books in the Barberini Collection*, coll. Studi e Testi 281, Vatican, 1978, p. 303, n. 1495-97. – A. Huerga, *Historia de los Alumbrados*, t. 2, Madrid, 1978, p. 175-201, 370-99 et table.
DS, t. 3, col. 396-97 ; – t. 4, col. 1163, 1166-67 ; – t. 5, col. 1364-65 ; – t. 8, col. 270, 281, 582 ; – t. 9, col. 194 ; – t. 11, col. 280.

Alvaro Huerga.

**PÉREZ DE VALENCE** (Jacques), osa, évêque, vers 1408-1490. – Jaime Pérez a illustré la congrégation augustine de l'observance fondée en 1438 par Juan de Alarcon († 1451 ; DS, t. 8, col. 257).

Jaime naquit à Ayora vers 1408. Le 30 mai 1436 il fit profession au couvent des Augustins de Valence. Professeur à l'université de Turia, il y occupa la chaire de Droit canonique, puis, de 1459 à 1479 (même étant devenu évêque), celle du Maître des Sentences. Il fut élu provincial d'Arago en 1455 et prit part en 1465, comme représentant de sa province, au chapitre général de Pamiers, qui le nomma prieur du couvent de Valence.

En septembre 1468, il fut nommé évêque auxiliaire de Valence ; le métropolitain, le cardinal Rodrigo de Borja, futur Alexandre VI, laissa à Pérez le gouvernement de son diocèse et l'administration de celui de Carthagène. Les Rois Catholiques lui confièrent aussi la charge d'inquisiteur du royaume de Valence. Pérez mourut le 30 août 1490. Saint Juan de Ribera, archevêque de Valence, autorisa l'instruction du procès de béatification, qui n'aboutit pas.

L'œuvre de Pérez est essentiellement celle d'un commentateur de l'Écriture : *Commentum in Psalmos* (Valence, 1484, 1493), *Expositio in Cantica canticorum* (1486 ; Paris et Venise, 1498), et des commentaires moins développés qui ont souvent paru ensemble (*Expositio canticorum ferialium*, 1484 ; *Tractatus contra Iudaeos*, 1484 ; *Expositio cantici Te Deum laudamus*, 1485 ; *Expositio super cantica evangelica*, 1485).

Ces ouvrages, séparés ou rassemblés, ont fait l'objet de nombreuses éditions, en particulier au début du 16e siècle : vg Paris, 1507, 1509, 1515, 1518, 1521, 1533, 1548 ; Lyon, 1505, 1514, 1521, 1525 ; Venise, 1568, 1574, 1581, 1586. M. Galván en a donné une éd. complète (2 vol., Madrid, 1749). – Voir Hain-Copinger, n. 12591-12599 ; *Supplement*, n. 4672-73 ; A. Palau, *Manual del librero...*, t. 13, p. 127-30.

Puisque David, composant les Psaumes, « potius videatur historiam evangelicam quam prophetiam texuisse », Pérez les commente pour y mettre en lumière les « mysteria Christi et Ecclesiae » (*Argumentum*). C'est aussi le mystère de l'union du Christ et de l'Église qu'il envisage en commentant le Cantique des cantiques. Les exposés, qui gardent le plus souvent les armatures logiques de la scolastique, sont nourris du Nouveau Testament et des Pères ; leur apport est plus doctrinal que spirituel, même si les « expositiones » peuvent ouvrir à une connaissance savoureuse de l'Écriture.

U. Chevalier, *Bio-Bibliographie*, col. 3557-58. – G. de Santiago Vela, *Ensayo de una Biblioteca Ibero-Americana de la Orden de San Agustín*, t. 6, Madrid, 1922, p. 286-309 (éd. et bibl.). – *Repertorio de Historia de las Ciencias eclesiásticas en España*, t. 1, Salamanque, 1967, p. 313-14 (bibl.). – *Dicc. de España*, t. 3, 1973, p. 1972-73.
A.V. Müller, *Pérez de V... e la teología di Lutero*, dans *Bilychnis*, t. 9, 1921, p. 391-403. – I. Monasterio, *Místicos agustinos españoles*, t. 1, Escorial, 1929, p. 73-76. – D. Gutiérrez, *Al margen de los libros y articulos acerca de Lutero*, dans *Ciudad de Dios*, t. 169, 1956, p. 613-14. – L. Suárez, *J. P. in Magnificat Commentarium*, dans *Ephemerides Mariologicae*, t. 8, 1958, p. 473-87 ; *El matrimonio y*

*la paternidad de S. José en... J. P...*, dans *Estudios Josefinos*, t. 13, 1959, p. 245-55. – W. Werbeck, *J.P. von Valencia. Untersuchungen zu seinem Psalmenkommentar*, Tübingen, 1959. – S. Folgado Flórez, *La escuela agustiniana y la Mariología*, dans *Ciudad de Dios*, t. 178, 1965, p. 612-14, 617-23.
DS, t. 2, col. 104 ; t. 4, col. 991, 1010.

Teófilo Aparicio López.

**PÉREZ LLORENTE** (Étienne), franciscain déchaussé, 1854-1934. – Esteban Pérez Llorente naquit à Olite (Navarre), au diocèse de Pampelune, le 14 décembre 1854. Il prit l'habit des franciscains déchaussés dans la province de San Francisco Solano (Pérou), au couvent de Lima, le 25 septembre 1871. Il fit sa profession simple le 25 septembre 1872, sa profession solennelle le 27 septembre 1875 et fut ordonné prêtre le 2 novembre 1879. Religieux de talent, studieux, obéissant, prêtre zélé, il eut une grande dévotion envers le « Señor de los Milagros », dévotion qu'il promut dans de nombreuses missions populaires, notamment à Lima (Cathédrale) ; il fut aussi un ardent promoteur du tiers ordre séculier franciscain.

Son apostolat s'étendit, au-delà du Pérou, au Chili, à la Bolivie, à l'Équateur et la Californie. Grand prédicateur, son éloquence populaire s'étendait à tous, riches et pauvres, clergé et religieux, intellectuels et étudiants. Il possédait bien les langues quechua et aymará. Vivant au couvent de Ocopa, il y forma une équipe nombreuse de missionnaires pour la sauvegarde et l'affermissement de la foi, que mettaient en danger le rationalisme, les sociétés secrètes, les gouvernements régaliens, les lois laïques, l'enseignement anticlérical, etc., dans une période critique pour l'Église au Pérou, en raison du manque de prêtres. Les missionnaires travaillaient en groupes de deux, quatre ou six selon les circonstances, pendant une période de quinze ou trente jours. La méthode apostolique de Pérez Llorente était vigoureuse, éloquente, animée d'un dévouement infatigable.

Il fut conseiller du Collège des Missions « de Propaganda Fide » à Lima de 1887 à 1909. Commissaire général en 1889, il visita et restaura le Collège des Missions de La Aguilera à Burgos (Espagne). On lui dut la fondation de divers couvents : celui de Oruro en Bolivie en 1897, celui de Iqurque au Chili en 1909, et en 1920 au Pérou celui de Barranco, auquel il ajouta une autre fondation pour les « señoras pobres ». Commissaire provincial en Bolivie, il y instaura la province franciscaine de San Antonio de las Charcas. Il mourut, après une douloureuse maladie, le 20 janvier 1934, au couvent de Barranco, sa dernière résidence ; on l'enterra au cimetière du couvent de Lima.
Pour affirmer ses « conquêtes missionnaires », Pérez Llorente publia quelques petits livres de piété : *Devocionario para recuerdo de las Santas misiones*, Lima, 1904. La dernière édition connue est de 1960 ; il y en eut 42, totalisant plus d'un million d'exemplaires ; – *Evangelios de los domingos y fiestas de todo el año, brevemente explicados al pueblo*, Lima, 1919, 410 p. – *Devocionario manual del Terciario franciscano* (diverses éditions). – *Novena al Seráfico Patriarca San Francisco de Asís*, Valladolid, 1927, 30 p.

*Acta Ord. Fr. Minorum*, t. 6, Rome, 1887, p. 57 ; t. 8, 1889, p. 181 ; t. 12, 1893, p. 187 ; t. 18, 1899, p. 162 ; t. 21, 1902, p. 123 ; t. 28, 1909, p. 102 ; t. 38, 1919, p. 202. – *Schematismus Ord. Fr. Minorum*, Assise, 1909, p. 1036. –

*Archivo ibero americano*, t. 32, 1929, p. 364. – T. Mori, *El P. Esteban Pérez*, dans *Colección Descalzos*, t. 6, Lima, 1944, p. 12-14. – G. Arcila Robledo, *La Orden franciscana en la América Meridional*, Rome, 1948, p. 133, 136, 186, 197 et 255. – NCE, t. 11, 1967, p. 121. – *Enciclopedia universal d'Espasa*, Apéndice 8, 1978, p. 300.

Mariano Acebal Luján.

**PERFECTION CHRÉTIENNE.** – I. *Écriture sainte.* – II. *Chez les Pères et les premiers moines.* – III. *Moyen âge.* – IV. *16e et 17e siècles.* – V. *Réflexion théologique.*

Les études de cet article peuvent être rapprochées des art. *Commençants* (t. 2, col. 1143-56), *Conseils évangéliques* (t. 2, col. 1592-1609), *Désir de la perfection* (t. 3, col. 592-604) et *Progressants* (t. 12, *infra*).
**Bibliographie générale.** – Les traités d'ascétique et mystique, les introductions à la vie spirituelle, les manuels de théologie morale contiennent généralement un exposé sur la perfection. Nous nous limitons ici à quelques études qui traitent le sujet de manière explicite.
R.N. Flew, *The Idea of Perfection in Christian Theology*, Londres, 1934. – J. de Guibert, *Theologia spiritualis...* II. *Quaestiones selectae de natura et causis perfectionis christianae*, Rome, 1932 ; *Leçons de théologie spirituelle*, Toulouse, 1946, p. 126-223. – C. Feckes, *Die Lehre vom christlichen Vollkommenheitsstreben*, Fribourg/Brisgau, 1947 (ouvrage fondamental). – A. Royo Marín, *Teología de la perfección cristiana*, Madrid (BAC), 1954, 1968. – J. Aumann, D.L. Greenstock, *The Meaning of Christian Perfection*, St. Louis, 1956. – *Laics et vie chrétienne parfaite*, éd. J. Thils et Kl. Vl. Truhlar, Rome, 1963 ; éd. italienne, Rome, 1967. – K. Rahner, *Éléments de théologie spirituelle*, coll. Christus 15, Paris, 1964, p. 9-33 : Les degrés de la perfection chrétienne (original allemand dans *Schriften zur Theologie* III, Zurich-Cologne, 1957, p. 11-34). – I. Hausherr, *La perfection du chrétien*, Paris, 1968. – *La Perfezione oggi*, Padoue, 1977.
DTC, t. 12/1, 1933, col. 1219-51 (A. Fonck). – EC, t. 9, 1952, col. 1173-75 (A.M. Lanza). – RGG, *Vollkommenheit*, t. 6, 1962, col. 1486-88 (H. Barion). – LTK, t. 10, 1965, col. 863-66 (B. Häring). – NEC, t. 11, 1967, p. 126-27 (R. Masterson). – DES, t. 2, 1975, p. 1441-44. – DIP, t. 6, 1980, col. 1438-1518 (en particulier en ce qui concerne les religions non chrétiennes, col. 1491 svv).

### I. ÉCRITURE SAINTE

1. Ancien Testament. – La pensée hébraïque perçoit les réalités, l'homme y compris, d'abord et fondamentalement sous un angle totalisant. L'« homme » (*adam*), issu du sol (*adamah*), est terrestre (*Gen.* 2, 7 ; 1 *Cor.* 15, 47), tout en présidant à la terre pour la cultiver (*Gen.* 2, 16). Lui-même ne se divise pas en corps périssable et âme immortelle, mais c'est un être vivant, animé, que Dieu forme de la glaise du sol (*Gen.* 2, 7). Cet homme enfin, avec son corps, est créé à l'image de Dieu (1, 26-27), ce qui lui confère une dignité exceptionnelle au sommet de toute la création (*Ps.* 8 ; *Sir.* 17, 1-24). « Au lieu que le Grec ordonne le ' parfait ' à l'idéal dont la réalité ne peut jamais que s'approcher, l'Hébreu au contraire part de la réalité vue dans son intégrité originelle... Pour cette pensée axée sur l'intégrité, l'effort pour la perfection se présente d'une tout autre manière que pour la pensée grecque idéaliste : maintenir ou reconquérir une unité et une réalité donnée à l'origine et non s'approcher par degré d'un but idéal » (R. Schnackenburg, *L'existence chrétienne selon le Nouveau Testament*, t. 1, Paris, 1971, p. 129).
Dans l'Ancien Testament, l'idée de perfection est

exprimée principalement par l'adjectif *tamîm*. Il est le plus souvent employé à propos de l'intégrité des animaux destinés aux sacrifices (*Ex.* 12, 5 ; 29, 1 ; *Lév.* 1, 3 etc.). Mais, outre ce sens, l'Ancien Testament utilise le même terme pour exprimer la communion sans partage avec Dieu et sa volonté. Ainsi au sujet de Noé : « C'était un homme juste, parfait (*saddîq tamîm* ; lxx : *dikaios teleios*) parmi ses contemporains : il marchait avec Dieu » (*Gen.* 6, 9 ; cf. *Sir.* 44, 17). Et plus loin, Dieu s'adresse à Abraham : « Marche en ma présence et sois parfait (*tamîm* ; *amemptos*) » (*Gen.* 17, 1). David dit : « J'ai été parfait (*tamîm* ; *amômos*) envers Lui » (2 *Sam.* 22, 24), ce qui, d'après le contexte, signifie : J'ai obéi à tous ses commandements. La Loi devenant l'expression absolue de la volonté divine, la perfection se définit comme une conduite (une « marche » selon la tournure hébraïque) conforme aux commandements de la Loi : les « parfaits de voie » (*temîmê dèrekh* ; *amômoi en hodôi*) sont « ceux qui marchent dans la Loi du Seigneur » (*Ps.* 119, 1). La prière que le psalmiste adresse à Dieu est : « Que mon cœur soit parfait dans tes préceptes » (*Ps.* 119, 80 ; voir aussi *Prov.* 11, 20 ; 20, 7 ; 28, 18 ; *Ps.* 101, 2.6).

Parfois la perfection est plus spécifiée : ainsi dans le *Ps.* 15 qui définit « celui qui marche en parfait » en fonction des devoirs envers le prochain, ou en *Deut.* 18, 13 ; *Josué* 24, 14, qui oppose la perfection aux pratiques magiques et idolâtriques. Dans le rabbinisme, le « juste parfait » (*saddîq gamùr*) est celui qui a observé la Torah d'*alef* à *tav*, ce dont Abraham est le modèle (voir la documentation dans H.L. Strack et P. Billerbeck, *Kommentar zum Neuen Testament aus Talmud und Midrasch*, 2ᵉ éd., t. 1, Munich, 1956, p. 50-51, 386, 814-15).

De leur côté, les Esséniens de Qumrân se considèrent comme les seuls « parfaits de voie » (1QS, 4, 22 ; 1QSa, 1, 28 ; 1QM, 14, 7 ; 1QH, 1, 36 ; 4QMª, 5 ; 4QS1, 39, 1, 1, 32) ; autrement dit, les seuls à observer fidèlement, « d'un cœur parfait » (*leb shalem* : 1QH, 16, 7.17 ; CDC, 1, 10 ; cf. *Test. Juda*, 23, 5), ce que Dieu a prescrit « par l'intermédiaire de Moïse et de tous ses serviteurs les prophètes » (1QS, 1, 1-3 ; voir aussi 1QS, 1, 8 ; 2, 2 ; 3, 9 ; 9, 19 ; 1QSb, 1, 2 ; 5, 22 : « ceux qui marchent en parfaits » ; 1QS, 5, 24 ; 8, 21 ; 9, 6.8.9 : « ceux qui marchent dans la perfection [de la voie] » ; 1QS, 8, 20 ; CDC, 7, 4-5 ; 20, 2.5.7 : « ceux qui marchent dans la sainte perfection »).

Partout la référence est la loi de Moïse et les paroles des prophètes, encore qu'ici une lumière supérieure intervienne pour révéler la véritable interprétation des Écritures. De plus, le fidèle a conscience de ne pouvoir atteindre la perfection par les seules forces humaines : il compte pour y parvenir sur la grâce de Dieu qui le justifie et l'aide à progresser : « Quant à moi, ma justification est auprès de Dieu et dans sa main repose la perfection de ma voie... Car ce n'est pas à l'homme qu'appartient sa conduite et ce n'est pas l'homme qui affermit sa marche. Mais à Dieu ressortit le jugement et de sa main vient la perfection de la voie » (1QS, 11, 2.10-11 ; voir aussi 1QH, 4, 30-33).

B. Rigaux, *Révélation des mystères et perfection à Qumrân et dans le Nouveau Testament*, dans *New Testament Studies* = NTS, t. 4, 1957-1958, p. 237-62. - J. Carmignac et P. Guilbert, *Les textes de Qumrân traduits et annotés*, 2 vol., Paris, 1961.

2. NOUVEAU TESTAMENT. – Le Nouveau Testament ne reproduit qu'en partie le motif biblique et juif de la perfection religieuse et morale sous le vocabulaire qui l'exprime dans l'Ancien Testament grec. En particulier, l'adjectif *teleios* et les termes de la même racine (*teleioun, teleiôsis, teleiotês, teleiôtês*) couvrent un champ sémantique où les nuances du grec sont utilisées à des fins assez variées, parfois chez un même auteur et dans un même écrit. Aussi faut-il se garder d'une simplification qui réduirait à l'unité les divers emplois de ce vocabulaire et, par là, fausserait le sens de plus d'un passage.

1° On perçoit *chez Paul* l'écho du langage cultuel de l'Ancien Testament, adapté à la consécration des fidèles par une vie « sans reproche » (*amemptos*), œuvre de la grâce divine (1 *Thess.* 3, 13 ; 5, 23 ; cf. 2, 10), par une conduite d'« enfants de Dieu sans tache (*amôma*) » (*Phil.* 2, 15 ; cf. 2 *Pierre* 3, 14). La même note cultuelle et doxologique s'accentue en *Col.* 1, 22 ; *Éph.* 1, 4 ; 5, 27 (voir aussi *Jude* 24 ; *Apoc.* 14, 4-5) : le but de la rédemption est de réaliser l'Église qui, telle une offrande sans défaut, réunit « sous un seul Chef, le Christ », une humanité intégralement vouée à son Dieu, « à la louange de sa gloire » (*Éph.* 1, 10.12).

Dans un autre domaine, Paul (1 *Cor.* 2, 6) qualifie certains chrétiens de « parfaits » (*teleioi*), c'est-à-dire d'adultes, par opposition aux « petits enfants dans le Christ » (3, 1), réfractaires à la prédication de la croix et prouvant par leurs factions qu'ils lui préfèrent la sagesse mondaine des Grecs (2, 18-25 ; 3, 3-4). Attitude anormale comme l'est encore l'attachement excessif de ces mêmes chrétiens aux phénomènes glossolaliques, alors qu'ils devraient, en accordant la priorité au langage intelligible, quitter l'immaturité de l'enfance pour devenir des « hommes mûrs » (1 *Cor.* 14, 20). Paul se situe lui-même dans cette dernière catégorie (*Phil.* 3, 15), tout en sachant bien que la course qu'il poursuit ne l'a pas encore mené à l'accomplissement définitif de sa vocation de chrétien et d'apôtre (*Phil.* 3, 12). Les mêmes limites caractérisent les dons de l'Esprit, science et prophétie, accordés aux chrétiens dans l'ère présente : la connaissance de Dieu en plénitude (*to teleion*) est réservée à l'ère future (1 *Cor.* 13, 9-10).

D'après *Col.* 1, 28, le but de la prédication chrétienne est de « rendre tout homme ‘ parfait ’ dans le Christ », entendons, pleinement réalisé selon les vues de Dieu par la grâce rédemptrice du Christ. Le programme qui s'offre au chrétien à cette fin, Paul le définit comme « ce qui est bon, ce qui plaît (à Dieu), ce qui est parfait » (*Rom.* 12, 2), notions et idéaux en partie grecs, mais christianisés par le contexte qui renvoie à la « volonté de Dieu » (cf. 1 *Thess.* 4, 3 ; 5, 18 ; voir aussi *Col.* 3, 20). C'est pareillement dans l'ordre moral que nous situe *Col.* 3, 14, où la charité est présentée comme « le lien de la perfection », expression dont le sens est discuté, soit qu'on voie dans l'amour ce qui couvre et harmonise les vertus précédemment énumérées, soit que, d'après les exhortations environnantes (3, 11-15), on le considère comme l'élément conjonctif de la communauté, de sorte qu'elle forme un tout bien uni. De la communauté locale on passe, avec *Éph.* 4, 13, à une perspective universelle. Ici le but de la construction de l'Église, corps du Christ, est que les chrétiens parviennent tous ensemble à l'état d'« homme adulte » (*eis andra teleion*), atteignant « la taille du Christ dans sa plénitude » : mouvement où chaque individu est engagé et qui entraîne le corps tout entier dans une croissance vitale et commune vers son « Chef », le Christ, jusqu'à la pleine réalisation.

J.-M. González Ruiz, *Sentido comunitario-eclesial de algunos sustantivos abstractos en San Pablo*, dans *Sacra Pagina*, t. 2, Paris-Gembloux, 1959, p. 322-41 (331-34). – S. Lyonnet, *La vocation chrétienne à la perfection selon saint Paul*, dans *Laïcs et vie chrétienne parfaite*, Fribourg-en-Brisgau, 1963, p. 15-32 ; repris dans I. de la Potterie et S. Lyonnet, *La vie selon l'Esprit condition du chrétien*, Paris, 1965, p. 217-38. – S. Lyonnet, *Perfection du chrétien « animé par l'Esprit » et action dans le monde selon saint Paul*, dans *Sainteté et vie dans le siècle*, Fribourg-en-Brisgau, 1965, p. 13-38 ; repris dans I. de la Potterie et S. Lyonnet, *op. cit.*, p. 239-62. – W. Bauer, *Mündige und Unmündige bei dem Apostel Paulus*, dans W. Bauer, *Aufsätze und kleine Schriften*, Tübingen, 1967, p. 122-54. – R. Schnackenburg, *L'existence chrétienne selon le Nouveau Testament*, trad. fr., t. 2, Paris, 1971, p. 259-79 : La « majorité » du chrétien selon Paul. – R.A. Horsley, *Pneumatikos vs. Psychikos : Distinctions of Spiritual Status Among the Corinthians*, dans *Harvard Theological Review*, t. 69, 1976, p. 269-88.

2° Caractéristique de l'*Épître aux Hébreux*, le vocabulaire de la perfection vient servir la typologie contrastée par laquelle l'auteur oppose les réalités de l'ancien culte à l'œuvre souverainement efficace du Christ. Le sacerdoce lévitique, comme la Loi dans son ensemble (7, 19), n'a rien mené à l'accomplissement (7, 11), de sorte que ceux qui y participent n'y sont point parvenus (9, 9 ; 10, 1). A l'opposé, le Christ, par son sacrifice unique, a réalisé cet accomplissement (10, 14) grâce auquel les hommes, pardonnés et consacrés, peuvent désormais accéder à Dieu avec les esprits des justes de l'Ancien Testament, eux aussi parvenus à l'accomplissement (11, 40 ; 12, 23) dans le sanctuaire céleste. Celui-ci est appelé « tente plus grande et plus parfaite » (9, 11), par contraste avec le tabernacle terrestre et provisoire du culte périmé (9, 8 ; une autre interprétation voit dans la tente traversée par le Christ son propre corps : cf. 10, 20 ; *Jean* 2, 19-21).

Ailleurs dans le même écrit, le verbe *teleioun* est appliqué au Christ, « rendu parfait » par ses souffrances et ce, « pour l'éternité » (2, 10 ; 5, 9 ; 7, 28). Un écho de la consécration des prêtres de l'Ancien Testament, exprimée dans les Septante par ce vocabulaire (*Ex.* 29, 9.29.33.35 ; *Lév.* 8, 33 ; 16, 32 ; *Nomb.* 3, 3), permet de se maintenir dans l'optique précédente, sans toutefois qu'il faille exclure l'idée d'un progrès dans l'être. Immaculé (4, 15 ; 7, 26 ; 9, 14 ; cf. 1 *Pierre* 1, 19), mais aussi solidaire d'une humanité qu'il partage avec nous, le Christ adhère pleinement à la transformation que Dieu opère en lui et qui, tout en incluant l'ordre moral, le dépasse : « l'entrée en fonction du Christ exigeait que sa nature humaine fût réellement rendue parfaite au creuset de la souffrance. Le Christ ne sauve l'homme qu'en réalisant en lui-même une transformation radicale de l'homme. C'est là tout le sérieux de la rédemption » (A. Vanhoye, *Situation du Christ*, p. 324). C'est pourquoi ce même Christ peut être dit tout aussi bien l'« initiateur » (*archêgos*) de la foi des chrétiens que « celui qui réalise son accomplissement » (*teleiôtês*) (12, 2), lui qui, par son exemple souverain dans l'« endurance », est leur entraîneur au sein des épreuves vers l'héritage céleste (12, 1-3 ; cf. 13, 13 ; 1 *Pierre* 2, 20-24).

Enfin on retrouve dans *Hébreux* le reproche que Paul adressait aux Corinthiens : les « adultes » (*teleioi*) prennent de la nourriture solide, les « petits enfants » (*nêpioi*) boivent du lait (5, 13-14). Les seconds sont l'image des destinataires de l'écrit, encore inaptes au discernement moral. Cela ne décourage pas le zèle pastoral de l'auteur qui, à cause même de cette infirmité, entreprend d'élever ceux qu'il éduque au-dessus des rudiments chrétiens vers une « perfection d'adulte » (*teleiôtês* : le terme est ambivalent) (6, 1).

J. Kögel, *Der Begriff 'teleioun' im Hebräerbrief*, dans *Theologische Studien für M. Kähler*, Leipzig, 1905, p. 35-68. – C. Spicq, *L'Épître aux Hébreux*, 3e éd., t. 2, Paris, 1953, p. 214-25. – H.P. Owen, *The « Stages of Ascent » in Hebrews V.11-VI.3*, NTS, t. 3, 1956-1957, p. 243-53. – A. Wikgren, *Patterns of Perfection in the Epistle to the Hebrews*, NTS, t. 6, 1959-1960, p. 159-67. – A. Vanhoye, *Situation du Christ : Épître aux Hébreux 1 et 2*, Paris, 1969, surtout p. 320-28. – P.G. Müller, *Christos archêgos. Der religionsgeschichtliche und theologische Hintergrund einer neutestamentlichen Christusprädikation*, Berne-Francfort, 1973, p. 302-12. – M. Gourgues, *A la droite de Dieu. Résurrection de Jésus et actualisation du Psaume 110 : 1 dans le Nouveau Testament*, Paris, 1978, p. 120-25. – D. Peterson, *Hebrews and Perfection...*, Cambridge, 1982.

3° Comme l'Épître aux Hébreux, l'*Épître de Jacques* fait un usage fréquent du vocabulaire de la perfection, en y joignant des termes de sens voisin (*holos, holoklêros*) et leurs contraires (*dipsychos, akatastatos, akatastasia*), de telle sorte qu'on peut légitimement en déduire, sinon la notion clé de l'écrit, à tout le moins un de ses thèmes dominants. L'idée de perfection sert l'objectif principal de l'auteur qui, rejetant l'alternative foi ou œuvres, souligne que la foi a besoin des œuvres pour être achevée, complète, ce dont Abraham est le type (2, 22). L'« endurance » elle-même, qui dérive de la foi, ou si l'on veut, la foi confessante, ne suffit pas à réaliser des chrétiens « parfaits, accomplis (*teleioi kai holoklêroi*), exempts de tout défaut » (1, 4) ; il est encore nécessaire qu'elle produise une « œuvre parfaite », c'est-à-dire pleinement conforme à la volonté de Dieu (1, 4). La pratique n'est pas oubliée, qui s'apparente à l'idéal juif du « juste parfait », mais qui désormais est soumission à une loi autrement conçue que dans le judaïsme : régie par le précepte « royal » de l'amour du prochain (2, 8), elle est la « loi parfaite », parce qu'elle communique pleinement la volonté de Dieu ; elle est aussi la « loi de la liberté » (1, 25 ; 2, 12), en ce qu'elle fait de ceux qui lui obéissent de vrais fils de Dieu (cf. *Gal.* 4, 7). Sans doute, tout chrétien commet des écarts de conduite (3, 2), et l'auteur de signaler le cas particulièrement grave des péchés de la langue, sorte de fauve aux énormes ravages malgré ses petites dimensions (3, 5-8). Aussi bien, « si quelqu'un ne trébuche pas lorsqu'il parle », s'il est maître de sa langue, « il est un homme parfait », c'est-à-dire entier, sans conflit ni division (cf. 1, 8 ; 4, 8) devant Dieu. Dieu toutefois ne se contente pas de prescrire, il gratifie : unique et bienfaiteur, il distribue « tout don de valeur et tout cadeau parfait » (1, 17), auquel rien ne manque de ce dont les hommes ont besoin pour accomplir leur destinée.

R. Schnackenburg, *Le message moral du Nouveau Testament*, trad. fr., Le Puy-Lyon, 1963, p. 313-27. – F. Mussner, *Der Jakobusbrief*, Fribourg-en-Brisgau, 1964, p. 238. – J. Zmijewski, *Christliche « Vollkommenheit ». Erwägungen zur Theologie des Jakobusbriefes*, dans *Studien zum Neuen Testament und seiner Umwelt*, t. 5, 1980, p. 50-78.

4° *Matthieu* est le seul des évangélistes à attester l'adjectif « parfait » (*teleios*). Sur les trois fois qu'il figure chez lui deux se trouvent dans la sentence finale du ch. 5 : « Pour vous, soyez parfaits comme votre Père céleste est parfait » (5, 48). On a tout lieu de croire qu'ici Matthieu a modifié sa source et que celle-ci portait : « Soyez miséricordieux comme votre Père céleste est miséricordieux », pour introduire un enseignement sur l'indulgence et le pardon (cf. *Luc* 6, 36-38), la pensée étant par ailleurs traditionnelle (*Ex.* 34, 6 ; *Deut.* 4, 31 ; 2 *Chron.* 30, 9 ; etc.). Par contre, jamais dans la Bible Dieu lui-même n'est dit parfait. Matthieu agit ici en moraliste et en catéchète : ayant au centre de ses préoccupations la conduite humaine, il renvoie, pour mieux fonder ce qu'il en exige, à l'exemplaire divin. On ne peut nier absolument que l'évangéliste ait songé à faire de cette phrase la conclusion de la sixième antithèse sur l'amour des ennemis, bien que, dans ce cas, les formules de *Luc* 6, 36 eussent été également appropriées. Beaucoup plus sûrement la sentence forme avec le v. 20 du même chapitre 5 le cadre des antithèses dans leur ensemble. Celles-ci illustrent un programme où la « justice » nécessaire pour entrer dans le Royaume doit surpasser celle des scribes et des pharisiens (5, 20), autrement dit, faire éclater les règles de la casuistique limitative des rabbins, non pour se défaire des obligations de la Loi, mais, bien au contraire, en vue d'agir selon ses intentions profondes, quitte, s'il le faut, à en abolir la lettre. La perfection à laquelle le chrétien est appelé (5, 48) précise et complète la condition posée au v. 20 en l'étendant pour ainsi dire à l'infini.

Ainsi comprise, la perfection selon Matthieu permet d'éclairer le dialogue de Jésus avec le jeune homme riche (19, 16-23), dont l'évangéliste a pareillement opéré la refonte en fonction de sa catéchèse. Parmi les innovations de Matthieu (cf. *Marc* 10, 17-22) figure la parole de Jésus (19, 21) : « Si tu veux être *parfait...* ». Il serait surprenant que l'adjectif « parfait » ait un sens différent d'un passage à l'autre, alors que l'évangéliste est dans les deux cas responsable de sa présence. De fait, rien n'oblige à changer ici de perspective. La question du jeune homme : « Maître, que dois-je faire de bon pour que je possède la vie éternelle ? » reçoit de Jésus deux réponses qui, sous le couvert d'un dialogue, se correspondent et sont identiques. Des deux côtés le but est le même : la « vie éternelle » ne diffère pas du « trésor dans les cieux » (cf. *Mt.* 6, 20 ; 13, 44), qui attend le disciple fidèle à son entrée dans le Royaume (19, 24). La condition pour y parvenir est également la même dans les deux cas : garder les commandements (19, 17), dans l'esprit du Sermon sur la montagne, ne peut se ramener à l'observation de la Torah selon l'idéal juif ; et cela d'autant moins que Matthieu signale ici son point de vue et celui des chrétiens en ajoutant (19, 19b) le précepte de l'amour du prochain, qu'il inclut ailleurs dans le principe fondamental de toute vie conforme à la volonté de Dieu (22, 40). Garder les commandements, c'est, pour lui, surpasser en justice les scribes et les pharisiens (5, 20), autrement dit, « être parfait » (5, 48). Ce n'est qu'ainsi qu'on pourra « suivre Jésus », être son disciple et se considérer comme tel.

Il est vrai qu'une exégèse traditionnelle a compris la phrase « Si tu veux être parfait... » dans le sens d'un choix facultatif portant sur un état de perfection : elle trouvait ainsi un fondement scripturaire direct aux « conseils évangéliques ». Mais il faut remarquer que le « si tu veux » ne porte pas sur l'abandon des biens mais sur la perfection. Or, celle-ci, dans *Mt.*, n'a rien de facultatif ou de surérogatoire ; elle ne s'offre pas davantage à une élite, mais elle est l'objet d'un ordre qui s'adresse à tous (5, 48). En écrivant « si tu veux », Matthieu fait simplement appel à la libre décision de l'homme.

Quant au dépouillement des biens, il faut, pour en comprendre la portée, recourir encore au Sermon sur la montagne et à ses exigences radicales : quand la poursuite du Royaume et la perfection qui y mène sont menacées dans le cœur du disciple, celui-ci doit recourir aux grands moyens (cf. 5, 29-30). Si le danger vient des richesses, avec le risque d'attacher le chrétien à leur service (6, 24) et de lui faire oublier le trésor céleste (6, 19), il n'est pas trop de s'en défaire complètement.

A. George, *Soyez parfaits comme votre Père céleste (Mt. 5, 17-48)*, dans *Bible et Vie chrétienne*, n. 19, 1957, p. 84-90. – J. Dupont, « *Soyez parfaits* » *(Mt. 5, 48)* – « *Soyez miséricordieux* » *(Luc 6, 36)*, dans *Sacra Pagina*, t. 2, Paris-Gembloux, 1959, p. 150-62 ; *L'appel à imiter Dieu en Matthieu 5, 48 et Luc 6, 36*, dans *Rivista Biblica*, t. 14, 1966, p. 137-58. – L. Sabourin, *Why is God called « perfect » in Mt. 5, 48 ?*, dans *Biblische Zeitschrift*, N.F., t. 24, 1980, p. 266-68. – R. Schnackenburg, *L'existence chrétienne selon le Nouveau Testament*, trad. fr., t. 1, Paris, 1971, p. 127-50.

5° Selon la première épître de *Jean*, c'est en celui qui garde la parole, c'est-à-dire les commandements de Dieu, que « l'amour de Dieu est accompli (*teteleiô-tai*) en toute vérité » (2, 5). A la base de la fidélité humaine se trouve l'amour premier (4, 10.19), auteur de la génération nouvelle (2, 29 ; 3, 9 ; 5, 18). Mais inversement, le chrétien peut vérifier cet « accomplissement » de l'amour de Dieu en lui d'après le critère de l'amour mutuel qui l'unit à ses frères, objet du précepte fondamental de Dieu et du Christ (4, 12 ; cf. 3, 23 ; 4, 21 ; *Jean* 13, 34 ; 15, 12.17). Il le peut aussi en considérant quelle est son attitude vis-à-vis du jugement dernier : étant donné que « le parfait amour (*hê teleia agapê*) jette dehors la crainte », les chrétiens estimeront qu'en eux « l'amour (de Dieu) est accompli », qu'il a atteint son plein succès, s'ils envisagent le jugement de Dieu à leur endroit avec assurance (*parrhêsia*), sûrs qu'il leur sera favorable. Au contraire, la crainte, que Jean suppose encore présente chez ses lecteurs, trahit un manque de confiance dans l'amour prévenant de Dieu qui a fait d'eux ses fils (3, 1a) ; elle montre, par le fait même, qu'ils ne sont pas « accomplis dans l'amour » (4, 17-18).

Dans l'évangile de Jean, le verbe *teleioun* exprime la réalisation fidèle et totale par le Christ de l'œuvre que son Père lui a donné d'accomplir (4, 34 ; 5, 36 ; 17, 4 ; cf. 19, 28.30). Il s'applique aussi aux rapports d'immanence entre les disciples et Dieu par la médiation de Jésus : « Moi en eux et toi en moi, afin qu'ils parviennent à l'unité parfaite et qu'ainsi le monde sache que tu m'as envoyé et que tu les as aimés comme tu m'as aimé » (17, 23 ; cf. 10, 28 ; 14, 10-11.20.23 ; 15, 4-5). L'unité des disciples, pleinement réalisée dans l'amour fraternel, est le signe par excellence de l'unité qui existe entre Jésus et son Père, et elle permet d'identifier en ce même Jésus dont se réclament les chrétiens l'envoyé final, le dernier mot de Dieu au monde.

Suitbertus a S. Joanne a Cruce, *Die Vollkommenheitslehre*

*des ersten Johannesbriefes*, dans *Biblica*, t. 39, 1958, p. 319-33. – R. Schnackenburg, *Die Johannesbriefe*, 5ᵉ éd., Fribourg-en-Brisgau, 1975, p. 104 et 245-46. – J. Bogart, *Orthodox and Heretical Perfectionism in the Johannine Community as Evident in the First Epistle of John*, Missoula, 1977.

**Bibliographie générale** : W. Grundmann, art. *mempho-mai*, etc., dans Kittel, t. 4, p. 576-78. – P.J. Du Plessis, *Teleios. The Idea of Perfection in the New Testament*, Kampen, 1959 ; cf. K. Prümm, *Das neutestamentliche Sprach- und Begriffsproblem der Vollkommenheit*, dans *Biblica*, t. 44, 1963, p. 76-92. – S. Légasse, *L'appel du riche (Marc 10, 17-31 et parallèles). Contribution à l'étude des fondements scripturaires de l'état religieux*, Paris, 1966 (voir index, p. 287 : Perfection). – G. Delling, art. *teleios*, etc., dans Kittel, t. 8, p. 68-88 ; supplément bibliogr., t. 10/2, p. 1279.

En rapport avec l'état religieux : B. Celada, *Perfección cristiana y perfección del estado religioso*, dans *Cultura Bíblica*, t. 25, 1968, p. 323-27 ; *Perfección, mandatos y consejos*, ibidem, t. 28, 1971, p. 3-8. – J.-M.-R. Tillard, *Le fondement évangélique de la vie religieuse*, NRT, t. 91, 1969, p. 916-54. – J.-M. van Cangh, *Fondements évangéliques de la vie religieuse*, NRT, t. 95, 1973, p. 635-47. – VTB, 2ᵉ éd., 1970, p. 971-72.

Simon LÉGASSE.

## II. PÈRES ET PREMIERS MOINES

A cette époque apparaît dans l'Église la notion d'état de perfection, qui n'existait pas comme telle, on l'a vu, dans la révélation biblique. La manière de concevoir la perfection dans l'Église, de l'insérer dans des institutions, d'en chercher les exigences dans les textes de la révélation, a son histoire. Dans le déroulement de cette histoire, le courant gnostique d'abord, puis le monachisme, semblent avoir joué un rôle déterminant. Le monachisme, cependant, peut apparaître comme la résurgence ou la transformation de tendances encratites dont on suit les traces dès l'époque apostolique et qu'on peut localiser dans les Églises de Syrie. – 1. *Pères apostoliques*. – 2. *Perfection et Gnose*. – 3. *Perfection et monachisme*.

1. **Pères apostoliques**. – Dès la première étape d'interprétation du donné néotestamentaire, les principaux éléments de l'évolution de notre thème sont déjà présents en germe.

1° ESCHATOLOGIE ET PERFECTION. – L'épître aux Éphésiens laisait entrevoir une relation d'analogie et de causalité entre le progrès spirituel de chacun des membres du Corps du Christ et la réalisation totale de ce Corps. C'est le point de départ d'une réflexion inséparable de l'idée de perfection durant toute la période patristique. On en trouve déjà la trace dans la 3ᵉ vision du *Pasteur* d'Hermas, où l'Église se représente et s'interprète elle-même comme une tour en construction (SC 53 bis, 1968, p. 123).

L'*Épître de Barnabé* semble mêler confusément dans l'image du nouveau Temple la perspective individuelle et collective, le présent et l'avenir eschatologique :

« Ne restez pas seuls, repliés sur vous-mêmes comme si vous étiez déjà justifiés, mais rassemblez-vous pour chercher ensemble votre intérêt commun... Devenons des spirituels, devenons pour Dieu un temple parfait » (4, 10-11, SC 172, 1971, p. 101-02. Cf. 16, 9, p. 193-94 et la n. 1 de P. Prigent). « C'est en effet dans la chair qu'il devait se manifester et habiter en nous. Car nos cœurs ainsi habités, mes frères, forment un temple saint pour le Seigneur » (6, 14-15). Le temple

nouveau, « saint », « parfait », est donc déjà là. La perfection, cependant, est plus un bien attendu dans un autre monde régi par d'autres lois qu'une réalité présente : si nous ne pouvons encore commander aux animaux de la création, Dieu « nous a cependant dit quand (cela serait) : quand nous aussi nous aurons été conduits à la perfection qui rend héritier de l'alliance du Seigneur » (6, 18-19 ; cf. P. Prigent, introd. p. 36-39 et 128, n. 1).

Le contexte (6, 8-19), qui fait une unité littéraire (midrash d'*Ex.* 33, 1-3), fournit plusieurs indications précieuses :

*a*) Une relation difficile à définir entre *Telos* (fin) et *Archè* (commencement) : la réalisation eschatologique fondée sur l'*agraphon* : « Voici je fais les choses dernières comme les premières » (cf. *Didascalie* Syriaque VI, 18, 15 et Hippolyte, *Comm. sur Daniel* 4, 37) renouvelle-t-elle ou transcende-t-elle la création première ? – *b*) La séquence relevée par N.A. Dahl (*La terre où coulent le lait et le miel selon Barnabé 6, 8-19*, dans *Aux sources de la tradition chrétienne. Mélanges M. Goguel*, Neuchâtel-Paris, 1950, p. 62-70) : 1) Entrer dans la terre promise : recevoir l'âme d'un petit enfant, espérer en Jésus et être recréé par le baptême. 2) Lait et miel, nourriture des nouveaux-nés : la foi à la promesse et à la parole. 3) Hériter de la terre (et y dominer) : devenir adulte, parvenir à la perfection eschatologique (p. 68). – *c*) Dans cette séquence, maturité du chrétien individuel et maturité des chrétiens comme corps se rejoignent en asymptote : « Tandis que l'entrée dans la terre promise, pour Barnabé, s'est réalisée par le baptême, et que le miel et le lait désignent la nourriture spirituelle des chrétiens dans le temps présent, l'acquisition de la terre comme un héritage n'aura lieu que du temps de l'accomplissement eschatologique » (Dahl, p. 67). – *d*) L'image paradisiaque de la perfection comme domination sur les animaux (passions) qui se déploiera dans la tradition monastique (cf. DS, t. 10, col. 1554-55).

2° MARTYRE ET PERFECTION. – *Teleiôsis, teleios, teleioun*, appartiennent au vocabulaire technique du martyre. « L'usage de *teleiousthai* pour évoquer l'accomplissement du martyre dans la mort s'enracine directement aux origines du christianisme comme on peut l'illustrer par des textes du Nouveau Testament » (*Luc* 13, 32, etc. ; J. den Boeft et J. Bremmer, *Notiunculae martyrologicae*, dans *Vigiliae christianae* = VC, t. 36, 1982, p. 385-87). Le thème est déjà en place dans les *Lettres* d'Ignace d'Antioche (éd. P. Th. Camelot, SC 10, 4ᵉ éd., 1980). La mort par le martyre apparaît comme le but (*telos*) qui consomme l'existence (*Ad Rom.* 1, 1). *Ad Eph.* 14, 2 (cf. *IV Macc.* 7, 16) : « O vie fidèle à la Loi, que le sceau authentique de la mort a portée à la perfection ».

« Celui qui possède en vérité la parole de Jésus peut entendre même son silence, afin d'être parfait (*teleios*), afin d'agir par sa parole et de se faire connaître par son silence » (*Ad Eph.* 15, 2). L'interprétation de ce « silence » qui rend parfait reste objet de discussion (voir C. Trevett, *Prophecy and Anti-Episcopal Activity : A Third Error combatted by Ignatius ?*, dans *Journal of Eccl. History*, t. 34, 1983, p. 16, n. 49). S'il découle du silence du Verbe dans son œuvre créatrice, ne continue-t-il pas celui du Christ dans sa passion ? Ces textes d'Ignace sur le silence, sur le martyre comme consommation de l'état de disciple, vont être lus, relus, sélectionnés, récités par cœur dans les milieux monastiques d'où émane la recension brève syriaque (F. von Lilienfeld, *Zur syrischen Kurzrezension der Ignatianen von Paulus. Zur Spiritualität des Mönchtums der Wüste*, dans *Studia Patristica* = StP. VII = TU 92, 1966, p. 233-47 ; p. 238 : « L'identification de la mort à la perfection n'est-elle pas typiquement monastique ? »).

Cette conception de la mort du témoin comme sceau de son existence est évoquée une cinquantaine d'années après Ignace, par le refus des martyrs de Lyon de se voir attribuer le titre de martyrs avant leur mort : ce titre n'appartient qu'au Christ et leur identification au Christ n'arrive pas à son terme avant que la mort l'ait définitivement scellée (J. Ruysschaert, *Les « martyrs » et les « confesseurs » de la lettre des Églises de Lyon et de Vienne*, dans *Les martyrs de Lyon*, Paris, 1977, p. 155-66). Un tel réalisme est, chez Ignace, incompatible avec tout docétisme :

« Si c'est en apparence que cela a été accompli par Notre-Seigneur, moi aussi, c'est en apparence que je suis enchaîné... C'est pour souffrir avec lui que je supporte tout, et c'est lui qui m'en donne la force, lui qui s'est fait homme parfait (*teleios*) » (*Ad. Smyrn.* 4, 2).

Une fois (*Ad Magn.* 5, 1-2) le martyre apparaît comme le choix entre deux fins dans la perspective des *Deux Voies* que nous allons considérer. La notion de perfection est ici liée avec celle de décision libre comme ce sera le cas dans la littérature monastique.

M. Viller, *Martyre et perfection*, RAM, t. 6, 1925, p. 3-25. – DS, art. *Ignace d'Ant.*, t. 7, col. 1262-66 ; art. *Martyre*, t. 10, col. 726-37.

3º LA DYNAMIQUE DES DEUX VOIES. – Les deux emplois de *teleios* en *Mt.* 5, 48 et 19, 21 ne constituent peut-être pas le meilleur accès à l'intelligence du concept de perfection en théologie biblique (K. Prümm, dans *Biblica*, t. 44, 1963, p. 77). Pourtant, ce sont probablement ceux qui influeront sur la vie chrétienne et la spiritualité de la façon la plus caractéristique. Or, la première partie de la *Didachè* (éd. W. Rordorf, A. Tuilier, SC 248, 1978), « Doctrine des Deux Voies » (1,1-6,3), est encadrée par deux emplois de *teleios* qui consonnent dans leur contexte avec les deux emplois de Matthieu : au début (1, 4), dans une série de prescriptions étroitement semblables à celles de *Mt.* 5, 39-47 : « Si quelqu'un te donne une gifle sur la joue droite, tends-lui aussi l'autre et tu seras parfait » ; et à la fin (6, 2) : « Si tu peux porter tout le joug du Seigneur, tu seras parfait ; sinon, fais ce que tu peux faire ». On reconnaît très généralement dans cette section un modèle juif disparu utilisé indépendamment par plusieurs auteurs chrétiens et dont l'influence se poursuit dans la spiritualité monastique.

Le second des passages cités a pu avoir une préhistoire juive qui tempérait les exigences de la Loi à l'égard des prosélytes auxquels il était destiné. Mais le rédacteur judéo-chrétien dont la main se trahit dans l'insertion de la « section évangélique » à laquelle est empruntée la première citation lui a donné une tout autre portée. Après Harnack et en référence à *Barnabé* 19, 8c (« tu te garderas pur – *hagneuseis* – autant que tu le pourras, pour le bien de ton âme »), on peut être tenté de donner au « joug du Seigneur » une interprétation ascétique (ce sera, beaucoup plus tard, et dans la même ligne, celle du *Livre des Degrés* 2, 2 ; 22, 15). Mais il est plus naturel de penser que le rédacteur distingue ici les exigences de sa « section évangélique », celle du Sermon sur la montagne, des préceptes des *Deux Voies* qu'il a trouvés à sa source. Il n'y a ici cependant ni citation, ni interprétation de *Mt.* L'archaïsme du texte montre seulement que le rédacteur a puisé à la même source. Nous aurions donc deux formulations sensiblement contemporaines, proches dans leur origine et leur vocabulaire et pourtant, si l'on admet l'interprétation de Matthieu qui tend à s'imposer, déjà bien divergentes.

On ne peut pas parler à propos de la *Didachè* d'une « éthique à deux étages », mais la perfection « commence à devenir objet d'enseignement, elle est quantité et non qualité » (G. Kretschmar, *Ein Beitrag*, p. 61-62, n. 5). Faut-il (avec W. Rordorf, *Le problème*, p. 511) attribuer cette nuance importante au cadre des *Deux Voies* ? Mais l'enseignement de Matthieu n'est-il pas, bien que de façon plus libre, en référence au même cadre (cf. P. Benoit et M.É. Boismard, *Synopse des quatre Évangiles*, Paris, 1972, p. 133-36) ? L'utilisation pastorale des *Deux Voies* dans un cadre chrétien conduit presque naturellement à la distinction, on dirait presque à la casuistique, que propose le rédacteur de la *Didachè* : « Nous touchons ici au cœur de la problématique de tout essai de combinaison de l'éthique juive et chrétienne » (W. Rordorf, *ibid.*).

Le concept de perfection peut être saisi dans la dynamique de la tradition des *Deux Voies* (cf. W. Rordorf, *Un chapitre*), qui se rattache dans l'Ancien Testament à la tradition sapientiale et peut-être même à la structure des formulaires d'alliance (K. Baltzer, *Das Bundesformular*, Neukirchen, 2ᵉ éd., 1964, p. 132 svv) et qui va devenir l'héritage de la tradition monastique. Qu'il suffise de mentionner le sermon judéochrétien que J. Daniélou date de la fin du 2ᵉ siècle : *De centesima, sexagesima, tricesima* et qui cite notre passage de la *Didachè* : « Si potes quidem, fili, omnia praecepta Domini facere, eris consummatus ; sin autem vel duo praecepta, amare Dominum ex totis praecordiis et similem tibi quasi teipsum » (PLS 1, 58). Le « possible » de *Didachè* 6, 2 devient explicite et c'est le double commandement de l'amour ou plutôt son observation commune, mais la continence et le martyre permettent seuls de parvenir par « degrés » à la perfection (symbolisée par le « cent pour un » de la parabole du semeur). Le titre même du sermon évoque une répartition des chrétiens en catégories qui n'exclut cependant pas l'appel universel à la perfection, comme l'a montré Daniélou (*Le traité...*, 176-178).

A. Quacquarelli, *Il triplice frutto della vita cristiana*, Rome, 1953. – A. Stuiber, *« Das ganze Joch des Herrn »* *(Didachè 6, 2-3)*, StP IV, TU 79, Berlin, 1961, p. 323-29. – G. Krestchmar, *Ein Beitrag zur Frage nach dem Ursprung frühchristlicher Askese*, dans *Zeitschrift für Theologie und Kirche*, t. 61, 1964, p. 27-67. – J. Daniélou, *Le traité De centesima, sexagesima et tricesima et le judéo-christianisme latin avant Tertullien*, VC, t. 25, 1971, p. 171-80. – W. Rordorf, *Un chapitre d'éthique judéo-chrétienne : les Deux Voies*, RSR, t. 60, 1972, p. 109-28 ; *La Doctrine des Douze Apôtres (Didachè)*, SC 248, introd., p. 12-34 ; *Le problème de la transmission textuelle de Didachè 1,3b-2,1*, dans *Ueberlieferungsgeschichtliche Studien*, TU 125, 1981, p. 499-513.

2. **Perfection et Gnose**. – C'est dans l'affrontement avec la gnose hérétique que nombre de concepts théologiques et spirituels se sont spécialisés et ont conféré un statut « technique » aux termes qui les exprimaient. L'index des écrits de Nag-Hammadi (F. Siegert, *Nag-Hammadi Register*, Tübingen, 1983, p. 180-82 : čōk, 311-12 : *teleios*) montre l'importance numérique des mots désignant la perfection dans le vocabulaire gnostique. Leur importance qualitative n'en est pas moindre. Employé en concurrence avec les termes « pneumatique » et « gnostique » désignant les adeptes de la Gnose, le titre de « parfait » est par lui-même une profession de foi et un défi aux membres

de la grande Église (les « psychiques »). La perfection est une donnée de nature dont il suffit de prendre conscience (la gnose salvatrice) et qui, à tout jamais, distingue les élus des psychiques qui n'atteindront au prix d'un grand labeur qu'une rédemption relative, et des réprouvés de naissance, les « hyliques ». Cf. l'art. *Gnose et Gnosticisme* (DS, t. 6, col. 509-41) pour situer ce trait dans son contexte total.

Les Pères, Irénée, Clément, Origène relèvent le défi : la perfection chrétienne n'est pas une donnée de nature. Terme d'un progrès et acquise dans la peine, elle n'est pas inférieure à celle à laquelle prétend le gnostique.

1° IRÉNÉE est un témoin privilégié de l'évolution du concept de perfection. Il témoigne en effet de l'usage technique des mots *parfait, perfection* comme catégorie importante de l'anthropologie en milieu chrétien au 2ᵉ siècle. Cet usage ne se situe pas, cependant, d'abord dans la grande Église, d'où Irénée parle, mais chez l'adversaire gnostique qu'il entend démasquer dans l'*Adversus Haereses* = AH. En dénonçant à partir du Nouveau Testament le caractère réservé, exclusif, « substantiel » de la perfection gnostique, il en vient nécessairement à décrire l'histoire de l'Homme récapitulée en Jésus Christ et le parcours spirituel du baptisé qui se l'approprie dans l'Esprit comme un cheminement de perfection (cf. art. *Irénée de Lyon*, DS, t. 7, col. 1955-68). Nous signalons seulement les passages les plus caractéristiques et les orientations majeures.

La place des deux passages où Irénée aborde la question en manifeste l'importance dans l'économie de l'œuvre : à la fin du livre IV, là où culmine la réfutation par l'appel aux paroles mêmes du Seigneur, au cœur du livre V, comme clé de la petite anthropologie disposée dans ce « traité de la résurrection de la chair » (ch. 1-15).

1) *AH IV, 38* (SC 100/2, 1965, p. 942-61 ; cf. *Démonstration* 12-15). L'objection des gnostiques : « Pourquoi l'homme n'a-t-il pas été créé parfait dès le commencement ? » trahit immédiatement l'abîme qui sépare leur conception de l'homme et de sa perfection de celle d'Irénée. Pour eux, il y a des *natures* ou des *substances* : la nature pneumatique, parfaite et incorruptible, la nature hylique, corruptible, et la nature psychique. Seule cette dernière, parce qu'elle est intermédiaire entre les deux autres, possède une liberté de choix. Toute possibilité de croissance dans le temps et l'histoire, toute possibilité de salut de la matière sont exclues. Pour Irénée, « l'homme a été créé récemment » (*nuper factus est*), comme un enfant (*infans*), ouvrage modelé (*plasma*) par les mains de Dieu à partir de la terre vierge dans laquelle Dieu a insufflé son souffle de vie (*flatus vitae*). Il est appelé à devenir parfait (*perfectus*) en acquérant la « puissance de l'Incréé » (*virtutem infecti*). Cf. A. Orbe, *Homo nuper factus (en torno a S. Ireneo Adv. Haer. IV, 38, 1)*, dans *Gregorianum*, t. 46, 1965, p. 481-544.

On a minimisé l'importance de la section IV, 37-39 (SC 100/2, p. 918-73) en la faisant dépendre d'une source particulière et en opposant le thème du développement, du progrès, de l'accoutumance qui y joue un grand rôle à celui de la récapitulation considéré comme typiquement irénéen. Ceci nous concerne au plus haut point, car c'est la question du *telos* qui est en cause. Le point d'aboutissement coïnciderait, en effet, avec le point de départ dans la perspective de la récapitulation, et le déborderait sans fin dans la perspective de l'accoutumance. Mais P. Évieux (*Théologie de l'accoutumance chez S. Irénée*, RSR, 55, 1967, p. 5-54) a montré comment, même si Irénée s'inspire d'une source, les deux perspectives se réconcilient et s'enrichissent. Divers aspects ou divers moments de la perfection se dégagent de leur complémentarité.

« L'accoutumance est dépassement vers un terme à la fois anticipé et transcendant, qui se donne en se dérobant et se dérobe pour mieux se donner. C'est une tension entre la saisie (*percipere*) et la possession (*capere*) (Évieux, p. 39). La récapitulation comme inclusion dans le salut opéré par le Christ de toutes les générations humaines depuis Adam jusqu'au Christ « est le résultat d'un processus... historique, qui est précisément l'accoutumance... D'autre part, la restauration de l'humanité n'est pas simplement le terme, mais un nouveau point de départ : de même qu'Adam n'avait pas été créé dans un état de perfection définitif, mais dans la capacité de devenir parfait par le libre usage de la grâce divine, de même l'homme récupère dans le Christ cette capacité, qui peut et doit maintenant devenir effective et se développer. De ce côté, la récapitulation est le début d'une nouvelle accoutumance, de l'homme à Dieu et de Dieu à l'homme, en vue du terme définitif, la vision de Dieu » (p. 54).

Évieux distingue donc chez Irénée « trois étapes et trois figures de l'homme parfait » : a) *la perfection du Christ*, « commencement de la nôtre car elle s'étend à toute l'humanité qu'elle récapitule » (cf. V, 1, 3) ; b) « *la dernière étape*, qui aura lieu dans la résurrection » (cf. V, 8, 1) : « Notre perfection à tous consistera à former un seul Fils dans le Fils, à former avec lui un seul Homme parfait et universel » ; c) *l'étape intermédiaire* (cf. V, 8, 2 ; V, 6, 1) dans laquelle l'homme reçoit avec le Saint Esprit et le progrès spirituel ce qui lui manque encore. Évieux appelle « achèvement de complétude » la perfection caractéristique de cette étape, par opposition aux deux autres, « achèvements de suréminence » :

« Irénée n'entre pas dans notre distinction de la perfection naturelle et de la perfection surnaturelle. Il n'en connaît qu'une : l'état de l'homme devenu conforme au plan de Dieu, car c'est pour la perfection de la vie spirituelle que l'homme a été créé, et il atteint par elle la perfection naturelle de la vie rationnelle... Quand donc l'homme reçoit participation (*aliquam partem*) à l'Esprit, il reçoit la « partie de l'homme » qui lui manquait pour être parfait, et il devient ainsi parfait dans l'ordre de la complétude, quoiqu'il ne le soit pas encore dans l'ordre de la suréminence » (p. 45-46).

2) *AH V, 6-12* (SC 153, 1969, p. 72-163). – Par rapport au schéma du livre IV, qui suppose l'épreuve du temps et de l'histoire dans la croissance de l'homme, celui du livre V envisage le passage de l'*homo carnalis* ou *animalis* (psychique) à l'*homo spiritualis*. Ici Irénée note que la croissance de l'homme spirituel est l'œuvre de l'Esprit tout en impliquant la liberté de l'homme :

« L'homme parfait, c'est le mélange et l'union de l'âme qui a reçu l'Esprit du Père et qui a été mélangée à la chair modelée à l'image de Dieu... Lorsque cet Esprit, en se mélangeant à l'âme, s'est uni à l'ouvrage modelé, grâce à cette effusion de l'Esprit se trouve réalisé l'homme spirituel et parfait et c'est celui-là même qui a été fait à l'image et à la ressemblance de Dieu. Quand, au contraire, l'Esprit fait défaut à l'âme, un tel homme restant en vérité psychique et charnel sera imparfait, possédant bien l'image de Dieu dans l'ouvrage modelé, mais n'ayant pas reçu la ressemblance par le moyen de l'Esprit » (V, 6, 1, p. 72-73, 76-77). Ce qui ne va pas sans une libre adhésion : « Sont donc parfaits ceux qui, tout à la fois, possèdent l'Esprit de Dieu demeurant toujours avec eux et se maintiennent sans reproche quant à leurs âmes et quant à leurs corps, c'est-à-dire conservent la foi envers Dieu et gardent la justice envers le prochain » (p. 80-81).

On a vu comment le thème de la perfection rencontrait celui de la récapitulation (AH IV, 6, 7 ; 9, 3 ; cf. aussi *Dém.* 37) et celui de l'image et de la ressemblance. Il faut encore noter qu'il croise celui du martyre (*Dém.* 7, 2 ; AH V, 9, 2 ; III, 12, 13). En outre, l'imperfection de l'enfance en laquelle l'homme a été créé manifeste l'ambiguïté de la perfection-simplicité notée par les Pères apostoliques (*haplotès, akakia* ; cf. A. Orbe, *Antropología de san Ireneo*, Madrid, 1969, 214-25 ; J. Amstutz, *Haplotès. Eine begriffsgeschichtliche Studie zum jüdisch-christlichen Griechisch*, Bonn, 1968 ; recension de J. Daniélou, RSR, t. 58, 1970, p. 138-42). Enfin cette perfection irénéenne prend déjà les traits d'un progrès infini dans l'amour (AH IV, 12 ; 9, 3 ; 11, 2). – Y. de Andia, *Homo vivens. Incorruptibilité et divinisation de l'homme selon Irénée de Lyon*, à paraître (Paris, Études Augustiniennes).

2° CLÉMENT D'ALEXANDRIE. – Comme dans la gnose hétérodoxe, *gnostique* et *parfait* sont, chez Clément, des termes qui se recouvrent si bien qu'on pourrait, en principe, se contenter de définir sa gnose et de décrire son gnostique pour circonscrire du même coup ce qu'il entend par parfait et perfection. Sur ce point, voir DS, t. 6, col. 513-15 ; nous nous limitons à un point de vue plus spécifique : en quel sens la gnose est-elle perfection ? Y a-t-il une perfection de la gnose ? Comment la gnose de Clément répond-elle au problème de la perfection tel qu'il est posé aux chrétiens orthodoxes par les gnostiques hérétiques ?

Un signe de l'importance que revêt pour Clément le concept est, comme chez Irénée, sa localisation en des points clefs de l'œuvre : dans le livre I du *Pédagogue*, ch. 5-6 où apparaît un développement sur l'esprit d'enfance et la perfection baptismale, au centre de l'exposé initial sur la pédagogie du Verbe ; l'image du gnostique parfait vient accomplir la promesse de perfection reçue au baptême. Dans le cadre homilétique du *Quis dives salvetur*, qui commente *Mt.* 19, nous retrouverons plus loin la même notion actualisée au niveau de la vie quotidienne.

Il n'y a pas lieu, semble-t-il, dans le contexte de la polémique gnostique, de chercher à l'emploi de *teleios* par Clément une origine dans la tradition mystérique ou dans la morale d'Aristote (K. Prümm, *Glaube und Erkenntnis im Zweiten Buch der Stromata des Kl. v. Al.*, dans *Scholastik*, t. 12, 1937, p. 53), ni directement dans l'usage évangélique (W. Völker, *Der wahre Gnostiker*, p. 450, n. 4), le correctif inspiré au concept qu'il reçoit de ses adversaires (*Mt.* 19, 21 est cependant commenté douze fois).

1) *La perfection du baptisé.* – a) La structure même de l'œuvre de Clément suppose un progrès continu vers la perfection. On peut en lire le schéma dans le chapitre 1 du *Pédagogue* : « Empressé de nous conduire à la perfection par la marche ascendante du salut, le Logos... nous convertit d'abord (*Protreptique*) ; ensuite, il nous éduque comme un pédagogue (*Pédagogue*) ; en dernier lieu il nous enseigne (*Stromates* ?) » (I, 1, 3, 3, SC 70, 1960, p. 113). Cette structure constitue déjà une contradiction des thèses gnostiques, mais celle-ci devient doublement provocation dans la seconde étape : la pédagogie du Logos. Le baptême fait de tout homme qui se présente à lui, sans

distinction, un « parfait », et cette perfection baptismale est caractérisée comme « enfance ». Ainsi la perfection est ouverte à tous, elle n'est pas le résultat d'une prise de conscience orgueilleuse (« passage au filtre » de l'esprit lui-même, I, 6, 32, 1, p. 169), mais d'une « pédagogie » avec tout ce que le mot évoque d'humilité et d'obéissance. En des termes qui rappellent Irénée, le thème de l'enfance est annoncé vers la fin du *Protreptique* : « Le premier homme... était encore le petit enfant de Dieu... il se laissa séduire par ses désirs... devenu homme dans sa désobéissance... l'homme, que sa simplicité rendait libre, se trouva lié par ses péchés » (11, 111, 1). Cependant Clément, nous allons le voir, ne maîtrise qu'avec peine le paradoxe de l'enfance comme perfection dans sa nouveauté, intacte, « simple », et comme aptitude au progrès, ce progrès dont la notion lui est si chère.

b) Cette perfection de l'enfance est réellement donnée au baptême. Sa soudaineté manifeste sa gratuité : « Et nous, par un acte aussi rapide que la pensée, nous sommes devenus de tout-petits enfants » (I, 2, 6, 5, p. 119) ; « à peine avons-nous atteint les frontières de la vie, voici que nous sommes parfaits, et voici que nous vivons, nous qui sommes séparés de la mort » (6, 27, 1, p. 161). En rattachant audacieusement la perfection baptismale au baptême du Christ, Clément évoque d'emblée son caractère spirituel d'imitation de Dieu dans le Christ : « Peut-être nos adversaires reconnaîtront-ils contre leur gré que le Logos, né parfait du Père parfait, a reçu une génération parfaite pour donner une préfiguration dans le plan de Dieu ?... Or il en est de même pour nous... baptisés, nous sommes illuminés ; illuminés, nous sommes adoptés ; adoptés, nous sommes rendus parfaits ; devenus parfaits, nous recevons l'immortalité » (6, 25, 3-26, 1, p. 159).

c) « Cette perfection que Clément reconnaît au chrétien du seul fait de son baptême, il faut en noter le caractère intellectualiste » (Camelot, *Foi et gnose*, p. 44). A l'origine de l'adoption, il y a l'illumination, un don de connaissance : « Lorsque nous avons été régénérés, nous avons aussitôt reçu ce qui est parfait, et qui était l'objet de notre empressement. Nous avons été illuminés, ce qui signifie que nous avons connu Dieu. Or il est impossible que soit imparfait ce qui a connu le parfait » (6, 25, 1, p. 157). Cette perfection de l'enfance baptismale est donc authentique et totale : « Le seul fait de croire et d'être régénéré est la perfection dans la vie... », car « ... il ne nous est pas permis de considérer comme imparfait ce qui vient de l'enseignement de Dieu » (6, 27, 2-3, p. 161). « Il ne lui manque rien », comme il ne manque rien au Christ (25, 2 ; 26, 2). Au niveau de la grâce baptismale, la même perfection et toute la perfection est offerte à tous. « Les uns ne sont donc pas gnostiques tandis que les autres seraient psychiques ; dans le Logos même, tous ceux qui ont déposé les désirs de la chair sont égaux, tous pneumatiques aux yeux du Seigneur » (6, 31, 2, p. 169). Ce qui constitue cette perfection comme telle c'est l'acte divin sacramentel qui fait accéder de l'enseignement à la foi : « Autant donc qu'il est possible en ce monde, nous avons la conviction que nous sommes devenus parfaits. La foi, en effet, est la perfection de l'enseignement... Rien ne manque à la foi, qui est parfaite par elle-même et accomplie » (6, 29, 1-2, p. 165).

d) Dans la foi elle-même, cependant, il reste de l'inaccompli : « Là où est la foi, là est la promesse ; et l'accomplissement de la promesse, c'est le repos final » (6, 29, 3, p. 165). Dans le *Pédagogue*, Clément ne recourt pas à la perfection, comme plus tard dans les *Stromates*, pour faire ressortir ce qui manquerait à une foi simple. Ce qu'il entend montrer, contre les gnostiques, c'est qu'il n'y a pas deux perfections chrétiennes, dont une perfection ésotérique réservée : « Paul ne fait pas allusion... à d'autres enseignements secrets donnant des connaissances d'hommes et de parfaits, lorsqu'il rejette ainsi ce qui est de la petite enfance » (6, 33, 3, p. 171).

Ce n'est donc pas d'abord dans la ligne d'une opposition entre plus avancé et moins avancé dans l'appropriation du don baptismal qu'il relativise la perfection initiale du chrétien, mais en distinguant entre promesse et accomplissement, vie présente et *eschaton*, loi et foi, élan et but (*telos*). S'il distingue, d'ailleurs, c'est pour insister davantage sur l'unité substantielle entre ce qui est déjà donné et ce qui n'est pas encore réalisé : « Mais, dira-t-on, il n'a pas encore reçu le don parfait ; je le reconnais ; cependant il est dans la lumière et l'obscurité ne le saisit pas. Or, entre la lumière et l'obscurité, il n'y a rien. L'accomplissement est réservé pour la résurrection des croyants et ne consiste pas à recevoir quelqu'autre bien, mais seulement à prendre possession de ce qui a fait l'objet de la promesse antérieure » (6, 28, 3, p. 162-63, et la n. 7 de H.I. Marrou).

Relativisée par rapport au futur (le « repos final »), la perfection l'est encore par rapport au passé : la Loi. L'interprétation de 1 *Cor.* 14, 20 et 3, 1-2 (enfants par la malice, parfaits pour le jugement ; lait et nourriture solide), textes que lui opposent ses adversaires, montre l'embarras de Clément. Il ne faut pas qu'un fossé se creuse entre deux catégories de chrétiens :

« Le caractère de tout-petit dans le Christ est la perfection en comparaison de la Loi » (6, 34, 2, p. 173). « Si la petite enfance caractérisée par le lait est le début de la foi au Christ, et si, comme une chose puérile et imparfaite, elle se trouve dépréciée, comment est-il possible que le repos suprême atteint par l'homme parfait et gnostique (première attestation du terme), une fois qu'il a reçu la nourriture solide, offre de nouveau à titre de récompense le lait des tout-petits ? » (35, 1, p. 175). Une distinction est bien, subrepticement, introduite, mais le parcours reste homogène ; le même aliment en assure la continuité : « Ainsi donc, le lait parfait est une nourriture parfaite et il conduit jusqu'au terme qui n'a pas de fin » (36, 1, p. 175). On boit la même chose, mais on ne boit plus de la même manière : « Ce sont les parfaits dont on dit qu'ils boivent, tandis que les tout-petits têtent » (36, 4, p. 177).

Une relativisation d'un autre ordre est encore évoquée. En rigueur de terme, seul le Seigneur est parfait ; c'est parce que l'Église est son corps qu'elle est parfaite, c'est parce que « nous sommes l'Église » que le baptisé est parfait, « (Le Christ est) le seul homme parfait en fait de justice. Quant à nous, les tout-petits, nous atteignons la perfection lorsque nous sommes l'Église parce que nous avons reçu le Christ qui en est la tête » (5, 18, 4, p. 143 ; cf. *Éph.* 4, 13-15).

On voit comment, tout en affirmant l'égalité fondamentale des croyants, la totalité de la perfection baptismale, l'idée d'un développement continu, sans fin, épectatique, est suggérée. Elle revient, avec la citation de *Phil.* 3, 12-14, dans la conclusion de ce petit traité de la perfection, où les deux aspects atteignent leur point d'équilibre : être parfait c'est « être attaché à la perfection » :

« Je m'étonne parfois d'entendre certaines personnes se donner les noms de « parfaits » et de « gnostiques » et avoir des pensées au-dessus de l'Apôtre en se gonflant d'orgueil et

d'arrogance, alors que Paul reconnaît à son propre sujet : « Non que je sois déjà au but... ». S'il se considère comme parfait, c'est donc pour avoir abandonné son ancienne vie et parce qu'il tient à la vie meilleure ; il se considère parfait non pour la connaissance, mais parce qu'il s'attache à la perfection. Aussi ajoute-t-il : « Nous tous qui sommes parfaits, c'est ainsi que nous pensons ». Ce qu'il appelle la perfection, c'est de toute évidence le fait d'être séparé des péchés et d'être né à nouveau à la foi dans le seul parfait, en oubliant les péchés antérieurs » (6, 52, 2-3, p. 205).

P. Th. Camelot, *Foi et gnose. Introduction à l'étude de la connaissance mystique chez Clément d'Alexandrie*, Paris, 1945 ; le début du ch. 2 constitue un commentaire de *Pédagogue* 1, 6. – A. Orbe, *Teología bautismal de Clemente Alejandrino*, dans *Gregorianum*, t. 36, 1959, p. 410-48. – A. Méhat, *Étude sur les « Stromates » de Clément d'Alexandrie*, Paris, 1966 (p. 373-88 sur le *telos* et le *teleios*).
Sur l'enfance comme perfection : M. Aubineau, *L'enfant-vieillard*, appendice IV à Grégoire de Nysse, *Traité de la Virginité*, SC 119, 1966, p. 575-77. – Ch. Gnilka, *Ætas spiritualis*, Bonn, 1972. – A. Assmann, *Werden was wir waren. Anmerkungen zur Geschichte der Kindheitsidee*, dans *Antike und Abendland*, t. 24, 1978, p. 98-124. – É. Lamirande, *Enfance et développement spirituel. Le commentaire de s. Ambroise sur Saint Luc*, dans *Science et Esprit*, t. 35, 1983, p. 103-16.

2) *Telos et skopos*. – Les ch. 21-22 du *Stromate* II constituent un petit traité *Peri telous*. Clément y passe en revue les opinions des différentes écoles philosophiques sur la nature du souverain bien. Il s'arrête à celle de Platon qui identifie la fin (*skopos*) de l'homme à la ressemblance avec Dieu (22, 133, 2, citant *Théétète* 176b, SC 38, 1954, p. 134) ; il y reconnaît la doctrine de « certains des nôtres » (Irénée ? cf. AH v, 6, 1) selon laquelle « l'homme a reçu aussitôt, à sa naissance, l'image, et va, plus tard, à mesure qu'il devient parfait, accueillir en lui la ressemblance » (22, 131, 5, p. 133). La conclusion, illustrée de références scripturaires, fait apparaître le *telos* chrétien comme aboutissement et comme source de toute cette recherche (22, 134-136, p. 135-37).

3) *La perfection du gnostique*. – Le contenu que Clément donne au vocabulaire de la perfection dans les *Stromates* VI-VII reste fortement déterminé par la confrontation avec le gnosticisme, mais sa perspective est plus positive et plus large. Au début du *Stromate* VI, une déclaration de principe situe sa visée par rapport à celle du *Pédagogue* et révèle la fonction qu'il assigne dans son témoignage au portrait du vrai gnostique et à la conception de la perfection qu'il représente. Il s'agit de prouver aux philosophes que le chrétien conséquent « n'est pas, comme ils le supposent, un athée, mais le seul véritablement pieux » (VI, 1, 1 ; GCS 15, Berlin, 1906, p. 422 ; références à des déclarations analogues dans Völker, *Der wahre Gnostiker*, p. 7). Il vise donc au-delà du gnosticisme proprement dit et l'enthousiasme pour son objet finit souvent par se suffire à lui-même au-delà de toute apologétique. On retrouvera la même intention explicite dans la *Vita Antonii* d'Athanase (cf. la phrase conclusive qui peut donner la clef de l'œuvre, PG 26, 976ab), mais le modèle spéculatif sera alors réalisé en grandeur réelle.

Dans la comparaison qu'inspire à Clément l'œuvre du gnostique Théodote, ce qui distingue l'homme de l'ange (et le gnostique de Clément de celui de Théodote), c'est qu'il atteint à la perfection « dans la ligne de l'avancement (*prokopè*) » (*Excerpta* 15, 1, SC 23, 1948, p. 89). L'ange est établi dans une hiérarchie fixe, « il ne lui manque aucun avancement... il a reçu de Dieu, par son Fils, sa perfection en même temps que sa première venue à l'existence » (10, 4, p. 79). L'homme, au contraire, est appelé à gravir et à dépasser les échelons de cette hiérarchie. On ne s'étonnera pas que, dans cette montée vers « la fin sans fin », il y ait place pour plusieurs perfections et que toutes soient relatives. Clément hésite encore sur la description d'un itinéraire du progrès de l'âme à étapes fixes. Il ne faut donc pas nous étonner non plus du disparate dans la désignation du « progrès ultime ». Ne pouvons-nous pas cependant rechercher des convergences ?

Le plus souvent, la perfection a un caractère de nouveauté absolue. Il est très rare qu'elle soit conçue dans des termes de restauration d'un bien perdu (pour le sens de *apokatastasis*, « instauration » chez Clément, voir les références citées par A. Méhat, *Étude*, p. 378, n. 207). La distinction entre les étapes ultimes et les étapes initiales est plus nettement marquée que dans le *Pédagogue*. Ainsi *Str.* v n'hésite plus à attribuer le lait comme aliment spécifique à la foi commune en opposition à la nourriture solide des parfaits (4, 26, 1, SC 278, 1981, p. 65), ni à mettre la catéchèse en opposition à la « vision initiatique » (10, 66, 2, p. 135) ; mais l'unité est maintenue : la gnose, c'est encore la foi « rendue parfaite » (1, 2, 6, p. 27). Le « progrès suprême », c'est l'adoption filiale (*Str.* II, 16, 75, 2, SC 38, p. 93), l'amitié divine (*Str.* IV, 6, 28 ; GCS 15, p. 260 ; v, 14, 96, SC 278, p. 183 ; vII, 11, 62, GCS 17, 1909, p. 45), le repos dans le Christ (*Str.* II, 18, 96, SC 38, p. 107), la vision de Dieu promise aux cœurs purs (v, 1, 7, SC 278, p. 35). P.-Th. Camelot a montré comment, du *Str.* II où il subordonnait la charité à la gnose, Clément en arrive dans les *Str.* VI-VII à faire de la charité la perfection indépassable : « La gnose est la perfection suprême, mais la charité elle-même est la perfection de la gnose » (*Foi et Gnose*, p. 51-54 ; 123-125).

Aussi indécise mais plus significative encore, la rivalité complémentaire entre la connaissance et les œuvres. Il ne manque pas de textes qui clament la supériorité de la connaissance. « Le prophète montre ainsi l'excellence de la connaissance : enseigne-moi la bonté, l'instruction et la connaissance (*Ps.* 118, 66), mettant en relief par cette progression ce qui préside à la perfection » (*Str.* VII, 7, 36, 1 ; GCS, p. 28 ; cf. Völker, p. 302). La connaissance est d'ailleurs elle-même une œuvre bonne :

« Puisque pour ceux qui tendent à la perfection du salut il y a deux chemins, les œuvres et la connaissance, le Seigneur a proclamé bienheureux ceux qui ont le cœur pur, car ils verront Dieu. Et si nous considérons réellement la vérité, la connaissance par laquelle se fait la purification de la partie principale de l'âme, la connaissance est aussi une activité bonne... » (*Str.* IV, 6, 39, 1, GCS, p. 265 ; cf. *Foi et Gnose*, p. 55 ; J. Wytzes, *The Two-fold Way ; Platonic Influences in the Work of Clement of Alexandria*, VC, t. 11, 1957, p. 226-45 ; t. 14, 1960, p. 129-53). Cette double voie purificatrice correspond, semble-t-il, à une double fin : « Il y a deux sortes d'instructions applicables aux deux sortes de péché : à l'une la connaissance et la démonstration claire d'après le témoignage des Écritures, et à autre, l'ascèse selon le Logos instruite par la foi et la crainte, et les deux conduisent à une charité parfaite. Car le *telos* du gnostique, dès lors, me paraît double : la contemplation selon la science, d'une part, et l'action de l'autre » (*Str.* VII, 16, 102, 1, p. 72).

A plusieurs reprises, Clément identifie la première conversion, celle qui correspond à la Loi, à l'abstention du mal, et la seconde, qui correspond à la perfection évangélique, au « bien-agir » (*eupoia*). Ce « bien-agir » résume le précepte de l'imitation de Dieu selon les antithèses du Sermon sur la montagne et, en particulier, l'amour des ennemis comme « justice nouvelle » (*Mt.* 5, 43-48). On le voit, il ne s'agit pas tant de bonnes œuvres que d'une effusion d'être, une esquisse solidement fondée de ce que le meilleur monachisme appellera « paternité spirituelle » :

« Si quelqu'un est juste, il est sûrement croyant, mais s'il est croyant, il n'est pas nécessairement juste, je veux dire de cette justice qui progresse et est rendue parfaite, celle qui fait donner au gnostique le titre de juste... Par exemple, en Abraham devenant croyant, son progrès dans un degré de foi plus grande et plus parfaite fut imputé à justice... car la vigilance défensive à elle seule et l'abstention des péchés ne suffisent plus à la perfection à moins qu'on y joigne l'œuvre de la justice, la force qui pousse au bien-agir... Ainsi naît la ressemblance au Dieu Sauveur pour le gnostique qui devient parfait autant qu'il est possible à la nature humaine comme est parfait le Père céleste » (*Str.* VI, 12, 102-104, p. 483-84 ; cf. VI, 7, 60, p. 462 et J. Moingt, *La Gnose*, p. 239-40). « Ainsi (le gnostique) ne se contente pas de louer le bien mais il se force lui-même à *être bon*, se transformant par la charité de serviteur bon et fidèle en ami par la perfection de l'habitude qu'il a acquise de l'enseignement véritable et d'une ascèse assidue » (*Str.* VII, 11, 62, 7, p. 45).

C'est dans cette perspective que Clément identifie le martyre et la perfection : « Nous appelons le martyre perfection, non parce que l'homme parvient au terme de sa vie comme les autres hommes, mais parce qu'il manifeste l'œuvre parfaite de la charité » (*Str.* IV, 4, 14, GCS, p. 255). Le martyre constitue, à l'imitation du Seigneur, l'acte parfait par excellence qui mène à leur terme l'intention et la parole (*Str.* IV, 9, 75, p. 281-82).

Le martyre ne fait donc que révéler le fond des cœurs, la qualité évangélique de la liberté de chacun, indépendamment de sa nature ou de son état, homme ou femme, esclave ou homme libre, etc. (*Str.* IV, 6, 28, p. 260 ; 8, 67, p. 278-79 ; 19, 118, p. 300). L'« œuvre parfaite de la charité » qu'il manifeste émane de l'*apatheia*, bien proche, déjà, pour Clément, de la pureté du cœur, et en référence encore aux antithèses du Sermon sur la montagne : « Le gnostique règle sa vie à la ressemblance et à l'image du Seigneur... Et si, en faisant le bien, il rencontre la contradiction, c'est à ceux-là que le Seigneur dit : « Soyez parfaits comme votre Père est parfait » (*Mt.* 5, 48)... La pureté parfaite, en effet, à mon avis, est d'abord la sincérité d'esprit, d'œuvres, de pensées et de paroles, puis l'absence des péchés dans les rêves » (*Str.* IV, 22, 136 et 142, p. 308-309, 311).

Dans le souci d'exclure tout mouvement passionné chez le parfait gnostique, Clément en vient aussi à exclure toute tension vers le bien au nom du « caractère divin de l'amour... qui établit le gnostique dans l'unité de la foi, sans qu'il ait encore besoin du temps ni de l'espace. Établi déjà par l'amour dans les biens qu'il possédera, ayant dépassé l'espérance par la gnose, il ne tend vers rien ayant tout ce vers quoi il pourrait tendre » (*Str.* VI, 9, 73, p. 468). On peut douter que Clément considère « la subsistance dans l'unique attitude immuable » (*ibid.*) comme un état réalisable dans la vie présente. Plus réaliste, cette image de l'âme « tendant (*epekteinomenèn*) dans le progrès vers l'acquisition de l'*apatheia*, jusqu'à atteindre l'homme parfait, sommet de la gnose et de l'héritage » (*Str.* VII, 2, 10, 1, p. 9).

Clément d'ailleurs se demande explicitement dans quelle mesure la perfection est atteignable. D'abord, tous n'y parviennent pas, non par défaut de nature mais par défaut de « détermination » (*proairesis, Str.* v, 1, 7, 1, SC 278, p. 35). Et la perfection de l'homme reste, de toute façon, relative :

« De même que nous disons qu'un médecin est parfait, qu'un philosophe est parfait, de même, à mon avis, nous disons qu'un gnostique est parfait, mais aucune de ces choses n'atteint à la ressemblance de Dieu. Car nous ne prétendons pas, comme le font avec impiété les stoïciens, que la vertu est la même en Dieu et en l'homme. Devons-nous alors renoncer à être parfait comme le veut le Père ? Car il nous est tout à fait impossible à qui que ce soit d'être parfait comme l'est Dieu. Mais le Père veut qu'en vivant rigoureusement sans reproche dans l'obéissance à l'Évangile nous devenions parfaits » (*Str.* VII, 88, 5-6, p. 63).

En outre, cette perfection de l'homme est relative parce qu'elle reste partielle :

« La perfection peut être entendue de différentes manières. Selon la vertu dans laquelle on progresse, on devient parfait en piété, en patience, en continence ; l'homme d'action, le martyr, le gnostique se perfectionnent. Quant à être parfait en tout, je ne sais s'il y a un homme étant encore un homme qui y soit arrivé, à l'exception de celui qui, pour nous, a revêtu l'homme... (Le gnostique) ne devra pas encore être appelé parfait tant qu'il demeure dans la chair. Cette appellation est, en effet, réservée à la consommation de la vie, lorsque le martyr gnostique, ayant répandu son sang en action de grâces selon l'amour gnostique, et ayant rendu l'esprit, est enfin parvenu à la pleine manifestation et présentation de l'œuvre accompli : c'est alors qu'il serait bienheureux et proclamé parfait à bon droit » (*Str.* IV, 21, 130, 1 et 5, p. 305-6).

Partielle selon les vertus, la perfection l'est encore selon les charismes : « Les prophètes sont parfaits dans la prophétie, les justes dans la justice, les martyrs dans la confession de foi, d'autres en prêchant, non qu'ils ne partagent pas les vertus communes, mais parce qu'ils excellent dans celles qui leur ont été attribuées... Mais les apôtres ont été parfaits en tout » (*Str.* IV, 21, 134, p. 307-8). Par cette exception, Clément rouvre la porte qu'il venait de fermer, car « il est permis même maintenant à ceux qui s'exercent aux préceptes du Seigneur et vivent la perfection gnostique selon l'Évangile d'être choisis au nombre des apôtres » (*Str.* VI, 13, 106, 1, p. 485 ; cf. Moingt, *La Gnose*, p. 247). La perfection du gnostique est inattei- gnable parce qu'elle n'a pas de limites, sa fin est sans fin. Il est appelé à transcender toutes les médiations : ayant dépassé celles des anges, il reçoit directement son secours de Dieu (*Str.* VII, 13, 81, 3, p. 58).

Clément doit aussi répondre à l'objection des gnos- tiques que nous avons trouvée chez Irénée (AH IV, 38) : « Adam a-t-il été formé (*eplastè*) parfait ou imparfait ? S'il a été formé imparfait, comment l'œuvre d'un Dieu parfait peut-elle être imparfaite, surtout quand il s'agit de l'homme ? Et s'il a été formé parfait, comment a-t-il transgressé le commande- ment ? » (*Str.* VI, 12, 96, 1, p. 480). Irénée et Clément ne répondent pas au même niveau. Le premier voit en « Adam » l'humanité dans sa totalité, rend compte de son imperfection originelle du fait de sa création « récente » (*nuper factus*), et fait de cette perfection le présupposé de la pédagogie divine et de la récapitula- tion. Le problème personnel du cheminement vers la perfection est analogiquement impliqué mais il n'est pas au premier plan. C'est lui, au contraire, que vise d'abord Clément, sans exclure bien entendu, la pers- pective de l'histoire du salut à l'arrière-plan. Avant de poser la question au *Str.* VI, il y avait déjà répondu au

*Str.* IV : l'homme est parfait au point de départ en ce sens que Dieu ne lui a rien refusé de ce qui était requis par sa nature, la *plasis* est parfaite. L'imperfection provient entièrement du choix des individus. « Dieu est irréprochable » (IV, 23, 150, 3-4, p. 315).

La réponse du *Str.* VI considère les conditions et les impli- cations du choix : « Nous leur répondrons qu'il (Adam) n'a pas été fait parfait selon sa constitution (*kataskeuè*) mais apte à recevoir la vertu... Tous, comme je l'ai dit, ont reçu de nature l'aptitude à l'acquisition de la vertu, mais l'un s'en approche davantage et l'autre moins par l'enseignement et l'exercice. C'est pourquoi les uns vont jusqu'à la vertu par- faite, d'autres s'élancent jusqu'à tel ou tel degré de vertu, d'autres encore se désintéressent de la vertu » (12, 96, 2-3, p. 480).

Il y a donc une perfection de la *plasis*, qui comporte une aptitude à recevoir la vertu par libre choix, et une perfection de la *kataskeuè* qui est l'actualisation de cette aptitude par la gnose, qui est, en même temps, connaissance et « bien-agir ». Ceci rejoint à peu près la définition que Clément donne de la gnose comme per- fection.

« La gnose est, pour ainsi dire, un achèvement de l'homme en tant qu'homme, obtenu par la science des choses divines selon les mœurs, la vie et les paroles, harmonisé et conforme à soi-même et au Verbe divin. Par elle, en effet, s'achève la foi, et le fidèle ne devient parfait que par elle seule » (*Str.* VII, 10, 55, 1, p. 40).

Il est remarquable que Clément se refuse à enfermer la perfection dans un état : mariage ou virginité (*Str.* VII, 12, 70, 6-8, p. 51), pauvreté ou bon usage des richesses (*Quis dives*), cléricature ou laïcat, ni dans une pratique quelconque : végétarisme, métier, atti- tude pratique à l'égard du monde (cf. Völker, *Der wahre Gnostiker*, p. 210 svv). Le martyre lui-même est indépendant des circonstances et de sa manifes- tation extérieure. La perfection, c'est l'état ultime de la liberté évangélique qui est au-delà de toute média- tion, « car en ceci consiste la perfection de l'âme gnos- tique d'être avec le Seigneur ayant dépassé toute puri- fication et liturgie, là où on lui est directement subor- donné » (*Str.* VII, 10, 57, 2, p. 42).

G. Bardy, *Cl. d'Al.*, Paris, 1926. – C. Mondésert, *Cl. d'Al. Introduction à l'étude de sa pensée religieuse à partir de l'Écriture*, Paris, 1944. – P.-Th. Camelot, *Foi et Gnose. Intro- duction à l'étude de la connaissance mystique chez Cl. d'Al.*, Paris, 1945. – J. Moingt, *La Gnose de Cl. d'Al. dans ses rap- ports avec la foi et la philosophie*, RSR, t. 37, 1950, p. 195-251, 398-421, 537-64 ; t. 38, 1951, p. 82-118. – W. Völker, *Der wahre Gnostiker nach Clemens Alexandrinus*, TU 57, 1952. – A. Méhat, *Étude sur les « Stromates » de Cl. d'Al.*, Paris, 1966, surtout p. 373-88.

3° ORIGÈNE. – Si les monographies sur la perfection manquent pour les auteurs de notre période, Origène fait exception depuis la thèse approfondie de J. Rius- Camps, *El dinamismo trinitario en la divinización de los seres racionales según Orígenes*, OCA, 188, Rome, 1970 (cité *Dinamismo*). L'auteur met en relief le rôle du Saint-Esprit d'après Origène dans le processus qui fait passer les chrétiens baptisés de l'état de *simples fidèles* à celui de *parfaits*, et la théologie de la perfec- tion individuelle et ecclésiale qui en découle, selon une perspective eschatologique qui rappelle celle d'Irénée. Nous renvoyons à cette étude pour tous les développements que les limites de cet article ne per- mettent pas d'inclure.

La relative polyvalence du vocabulaire de la perfection, chez Origène comme chez ses devanciers, n'en facilite pas l'étude (*Dinamismo*, p. 238). *Teleiotès, telos, teleios*, assez répandus, concourent avec de nombreux synonymes dont on ne retiendra, pour la perfection que la *filiation adoptive* dont elle est inséparable, et, pour le parfait, *spirituel (pneumatikos)* qui en est « une équivalence absolue » (p. 369).

D'autre part, Origène distingue plusieurs niveaux de perfection. Selon les cas, il donne à la notion un sens absolu ou relatif. Comme ses prédécesseurs, la seule perfection qu'il reconnaisse n'est pas initiale (perfection originelle, ou perfection baptismale) mais terminale : la *teleiotès* rejoint le *telos*. Elle consiste dans l'achèvement du processus de divinisation dans l'Éon futur, achèvement dont même les parfaits qui l'anticipent en ce monde-ci ne réalisent qu'une approche voilée et partielle. Enfin, Origène se représente la perfection selon une double dimension individuelle et ecclésiale indissociable jusqu'en ses achèvements ultimes (*apocatastase*). Dans la ligne d'Irénée, mais en le dépassant, il est le premier à proposer une doctrine complète de la perfection, à la fois théologique, pratique et mystique. Mais il n'en fait pas la théorie et le matériau, abondant, en est assez dispersé. Si, depuis Völker, on a beaucoup étudié les aspects les plus importants de cette doctrine, c'est le plus souvent de manière indirecte, fragmentaire ou rapportée à d'autres thèmes : paternité de Dieu, esprit de l'homme, divinisation, théologie de l'Image et de l'Église, virginité, connaissance mystique, eschatologie... ; l'hétérogénéité des genres littéraires entre les différentes parties de ce qui subsiste de l'œuvre d'Origène n'en facilite pas une lecture organique.

En raison de la multiplication actuelle des éd. et trad. d'Origène (cf. DS, t. 11, col. 935-36), nous indiquons seulement, sauf exception, le titre de l'œuvre et ses divisions classiques. Nous utilisons en outre les sigles suivants : *C.C. = Contra Celsum* ; *HGn, HEx, HLv, HNm = Homiliae in Genesim, Exodum, Leviticum, Numeros*, etc. ; *In Jo = In Johannem* ; *P.A. = Peri Archôn* ; *P.P. = Peri Pascha* (*Sur la Pâque*, éd. princeps P. Nautin et O. Guéraud, Paris, 1979).

1) *Perfection, participation et théologie trinitaire.* – La dynamique de la perfection chez Origène repose sur sa doctrine de la participation, qui fonde toute sa théologie, en particulier sa théologie trinitaire. De même que pour les autres prénicéens, celle-ci est entièrement déterminée par l'Économie. L'étude de la nature de Dieu dans ce cadre montre que la perfection est participée au niveau le plus élevé (sapientiel, surnaturel) par une catégorie supérieure d'individus, les *parfaits*, membres de l'Église véritable. A ces parfaits, l'Esprit Saint communique la *nature* divine, le *substrat* divin (le *Pneuma* de la Bible) et ces deux participations n'en font qu'une : perfection et divinisation coïncident. Origène distingue les *parfaits* des *simples fidèles* parce qu'ils ont reçu l'« Esprit de filiation adoptive » (*Rom.* 8, 15 dont l'exégèse sert de pivot à toute cette question ; cf. *Dinamismo*, p. 208, 223-30 et n. 1, 234-36, etc.) ; par lui, ils participent à la perfection du Fils unique, image parfaite du Père, sous la forme de ses *epinoiai* : Sagesse, Vérité, Parole, Justice, etc.

Avec le Père, source de la bonté et de l'être, le Fils et l'Esprit sont associés à l'ascension vers la perfection des *simples fidèles*, et au passage selon un processus identique, pour l'Église-épouse, de l'état de perfection « en puissance » (*dunamei*) à celui de perfection « en acte » (*energeiai*). Le Père engendre le Fils unique, agent de sa paternité, qui va changer les « fils de colère », les païens, en « fils de la crainte », les fidèles croyants soumis aux esprits ministériels : les anges et autres pédagogues. Le Logos-Esprit ou Logos-Sagesse engendre au Père, à partir de ces *simples fidèles*, des « fils d'adoption » ou « fils de Dieu », les *parfaits*, qui ne connaissent plus dans la foi ni le Christ selon la chair, mais de manière sapientielle, étant déjà, au moins à l'état inchoatif, dégagés de l'économie de l'incarnation et configurés au Verbe (outre *Dinamismo*, voir D.L. Balas, *The Idea of Participation in the Structure of Origen's Thought*, cf. bibliographie).

2) *Qui est parfait ?* – C'est l'onction de l'Esprit, le baptême d'Esprit Saint et de feu (*In Mt.* xv, 23 ; cf. *Dinamismo*, p. 438, n. 286), seconde naissance, qui marque l'entrée dans la dynamique de la perfection par le don de la filiation adoptive (*Dinamismo*, p. 228). A qui ce don est-il conféré, et à quel moment ? Après Irénée et Clément, Origène se voit affronté aux thèses de la Gnose. En écho à l'interprétation valentinienne de la parole de Jésus en *Jean* 4, 34 : « Ma nourriture est de faire la volonté de mon Père et d'accomplir (parfaire, *teleiôsô*) son œuvre », il s'interroge : « L'œuvre de Dieu..., la créature raisonnable (*logikon*)... a-t-elle donc été créée imparfaite (*ateles*) » ? (*In Jo.* xiii, 37, 237-238, SC 222, 1975, p. 158 ; cf. *C.C.* iv, 3, 43-46). Pour lui, la créature placée par Dieu au paradis n'était pas imparfaite. Elle l'est devenue par sa désobéissance, rendant nécessaire l'envoi du Sauveur pour la délivrer de son imperfection et parfaire ainsi l'œuvre de Dieu. Créé parfait, l'homme a abandonné sa propre demeure. Il n'a pas été fidèle à son principe (*archè*) compromettant ainsi son *telos* (*In Jo.* xiii, 37, 239-244). C'est le péché, c'est la chute – dont la dimension historique n'intéresse guère Origène – qui, précipitant l'homme hors de sa demeure, l'a éloigné de la perfection à laquelle il lui faut revenir.

Cependant l'homme n'avait pas dès sa création reçu la filiation divine : ni la filiation naturelle, prérogative du Fils unique, ni la filiation adoptive conférée par l'Esprit de filiation après le retour glorieux de Jésus au Père (sur les deux filiations, cf. *Dinamismo*, p. 211-15). Contre les gnostiques qui prétendent qu'il y a des « fils de Dieu » par nature, Origène affirme que nul ne naît de Dieu mais que *tous* reçoivent, avec la lumière, la faculté de devenir « fils de Dieu » et de progresser vers la perfection, à condition que chacun développe cette capacité et qu'il la conserve (*In Jo.* xx, 33-34, 287-309) : « L'âme en nous a les principes et la libre décision d'être grande (parfaite) ou petite (imparfaite) » (*HLv* 12, 2 ; cf. ce que M. Harl dit de la *proairesis, Origène*, p. 303, n. 68). Tous cependant devraient y parvenir « à la fin ». « La fin... s'entend de la perfection des choses et de la consommation des vertus » (*HGn* 25, 6). Origène, on le sait, tient l'hypothèse (cf. Rius-Camps, *La hipotesis...*) qu'à la fin ultime (*dia to telos*) tous seront sauvés (*HJos* 9, 8 ; *In Jo.* xiii, 37, 392, SC 222, p. 250 : « A la fin, lorsque la totalité des nations sera entrée dans le royaume »), atteignant de ce fait à la perfection, mais pas tous selon la même mesure (*In Jo.* xx, 34, 298-303).

A la « nature » immuable des hétérodoxes, Origène oppose trois états ou degrés de l'humanité qui, loin de s'exclure, reposent l'un sur l'autre et communiquent (Völker, *Das*

*Vollkommenheitsideal*, p. 211 ; Harl, *Origène*, p. 264-65 ; *Dinamismo*, p. 246 et *passim*) : l'état des infidèles ou des pécheurs, celui des « simples fidèles » et celui des « parfaits » qui reçoivent la filiation adoptive. La première catégorie demeure étrangère à la perfection. La seconde inaugure le temps des « promesses » (*HJos* 17, 2) et commence au baptême (*In Rom.* III, 1, PG 14, 926a). La filiation ne lui est donnée qu'à l'état de disposition, de capacité, de puissance (*exousia*) réelle mais, de fait, inactuée. La troisième s'ouvre avec le « baptême de régénération » ou « bain de la nouvelle naissance » qui « s'accomplit dans un renouvellement de l'Esprit... mais... n'est pas accordé à tous après l'eau » (*In Jo.* VI, 33, 169, SC 157, 1970, p. 256-58). Elle se déroule tout entière dans la participation de l'Esprit.

C'est de la seconde, celle des simples fidèles, les « fils d'Agar », qu'Origène contre-distingue sans cesse les parfaits de la troisième espèce, les « fils de Sarah » (*HGn* 7, 4). Ces deux sortes (*species, varietas* : *HJos* 9, 7) de chrétiens représentent deux moments successifs de la vie spirituelle, qui relèvent de deux esprits différents : l'esprit de servitude et l'Esprit de filiation (*HGn* 7, 4 ; cf. *Dinamismo*, p. 204, § 3, 209-11 ; ch. 4). De l'un à l'autre, le passage ne se fait pas toujours (ni même le plus souvent : *Dinamismo*, p. 241 ; J. Rius-Camps, *La hipotesis,* p. 113-15) « avant la fin » et il n'est pas irréversible tant que la perfection n'a pas atteint sa plénitude (*HNm* 20, 2).

La perfection n'est pas davantage attachée à une fonction, sinon dans l'ordre typologique. On trouve ici un exemple précis de l'extension variable de la *teleiotès* selon les contextes. Ainsi des prêtres et des lévites, tenus ou non pour parfaits selon ce que représente dans le cas précis la *possessio sacerdotalis* (*HLv* 15, 3, PG 12, 562a) : « C'est la perfection dans l'intelligence et l'œuvre, dans la foi et les actes, que représentent le prêtre et le lévite » (561b). Cette perfection-là demeure aléatoire, aliénable (*ibid.*). Aussi cette perfection ne se soutient pas, même s'il s'agit du Grand-Prêtre (*ibid.*, 12, 2, 535d-537c) ni, d'une manière générale, avant la venue du Christ (*HJos* 17, 2) ou sa montée en gloire.

Origène admet toutefois qu'il y ait eu, sous l'ancienne alliance, quelques *megaloi* (*In Mt.* XIII, 26), quelques parfaits : « Il ne faut pas ignorer qu'il y a eu, même avant sa venue dans un corps, une venue spirituelle du Christ, pour les hommes arrivés à une *certaine* perfection, qui n'étaient plus des enfants sous l'autorité de pédagogues ou d'intendants, et pour qui avait été réalisée la plénitude spirituelle des temps : les patriarches, Moïse le serviteur, les prophètes qui ont contemplé la gloire du Christ... » (*In Jo.* I, 7, 37, SC 120, 1966, p. 80). Les apôtres eux aussi sont parfaits par rapport aux simples fidèles (*HJer* 16, 5). Mais quand il rapproche *Mt.* 10, 25 (« Il suffit que le disciple devienne comme son maître ») des paroles de Jésus au lavement des pieds rapportées en *Jean* 13, 12-14, Origène donne à entendre qu'ils ont besoin de Jésus tant qu'ils n'ont pas atteint l'*archeton* (« *hoc est sufficiens* ») et demeurent sous l'esprit de servitude (*In Jo.* XXXII, 7). L'expression stéréotypée « Paulus cum similibus suis » (cf. *Dinamismo*, p. 237, n. 40) désigne toujours les parfaits et les spirituels dans leur rôle de pédagogues et de médiateurs auprès des simples fidèles.

Origène rapproche encore jusqu'à les assimiler perfection et martyre (*Ad Mart.* 11, PG 11, 577a ; cf. *HJg* VII, 2, PG 12, 980cd). Au sujet des « maisons » et des « tentes » de *Nombr.* 24, 5 il interprète : « Le corps de ce peuple est appelé Jacob et son âme Israël ; de même les corps des parfaits seraient eux aussi appelés des maisons bonnes. Jacob en effet

est un corps digne d'éloge, étant orné de continence et de chasteté, quelquefois même de martyre... » (*HNm* 17, 4, PG 12, 708c).

3) *Des prémices au plérôme.* – A la limite, seul le Père est parfait, parce que « le seul qui soit sans besoin et se suffise à lui-même... Le Christ de Dieu... est perpétuellement restauré par son Père... Le Fils de Dieu ne reçoit ses aliments que de son Père, sans intermédiaire aucun » (*In Jo.* XIII, 34, 219-220, SC 222, p. 148). L'aliment que le Fils reçoit du Père, c'est son unique volonté qui lui fait dire : « Moi et le Père nous sommes un » ; ainsi celui qui jette les yeux sur Jésus voit Celui qui l'a envoyé (36, 228, p. 154). Ce qui permet à Origène d'affirmer ailleurs sans trop se contredire : « Le Christ est un être parfait parce qu'il n'a aucun manque et qu'il n'a en lui-même rien de déficient » (*P.P.* 22, 7). Il est pour nous *le* Parfait, le seul dont les mains soient parfaites (*HLv* 12, 3), Image parfaite et visible du Père parfait mais invisible (*In Rom.* VII, 7, PG 14, 1124a). Toute la perfection des « fils de Dieu » sera donc de se rapprocher de l'Image jusqu'à devenir d'autres Christ : imiter les vertus paradigmatiques du Fils unique (*P.A.* IV, 4, 10 cf. *Dinamismo*, p. 329-34) pour concevoir les œuvres du Christ (ses *epinoiai*, l'inverse étant cause d'infécondité ; *HNm* 20, 2), s'appliquer aux paroles, aux actions, aux pensées du Logos (*C.C.* VII, 22, 4) jusqu'à pouvoir les recevoir (*In Mt.* XIII, 2, PG 13, 1097a : « Il faut être parfait pour recevoir le Logos parfait »), jusqu'à lui être pleinement assimilé. Seule la différence de la nature des filiations demeure insurmontable.

La perfection est un accomplissement eschatologique. Dans ses anticipations terrestres, elle est une réalité dynamique (*C.C.* VI, 63, 25-29), progressive (*P.A.* IV, 4, 10), réversible :

« Il y a un passage de la condition des plus spirituels aux moins spirituels... on (le) subit quand on est trop insouciant ou négligent » (*In Mt.* XI, 17, sur *Mt.* 15, 21-28, PG 13, 963b) car « celui qui s'approche de Dieu est lié à Dieu selon son degré de volonté et de perfection » (*In Ps.* 118, 151 a 16 ; *La Chaîne palestinienne...*, SC 189, 1972, p. 426). Et certes, « il vaut mieux mourir en route, à la recherche de la vie parfaite, que de ne pas entreprendre cette recherche » (*HEx* 5, 4, PG 12, 329d-330a).

« Comment le cœur de l'homme peut-il devenir parfait ? » (*In Ps.* 118, 80 a 4-5, SC 189, p. 317). Le parfait doit partir de Ramsès (se défaire de ses biens, cf. *Mt.* 19, 21 ; *HEx* 5, 2) ; exterminer le canaéen (mortifier ses membres de chair : *HJos* 22, 2) ; se livrer à de longs exercices et à de grands progrès (*HEx* 7, 8) ; s'efforcer d'être sans péché (*P.P.* 23, 11-12) ; accomplir les préceptes (*C.C.* III, 28, 51) ; progresser dans la connaissance des rudiments (*In Mt.* X, 10) ; devenir un « changeur éprouvé » (*In Jo* XX, 32, 286) et s'unifier par l'intelligence en s'exerçant à « comprendre les réalités divines » : « La perfection ne s'obtient en effet qu'en exerçant les sens divins et intelligibles (suivent les citations de *Hébr.* 5, 14 et 1 *Cor.* 2, 6)... L'œil désigne très exactement l'intelligence qui est en nous : c'est en elle que se trouve chez l'homme vertueux le principe de sa simplicité (*aplotès*), car il n'a en soi ni duplicité, ni ruse, ni brisure, ni division, ni séparation » (*In Luc.* frg. Rauer 186 sur 11, 34, GCS 9, p. 305-06). Sur le rôle capital de l'intelligence et de la connaissance dans la dynamique de la perfection, cf. art. *Origène*, DS, t. 11, col. 941-45 ; *Dinamismo*, ch. 6).

Dans ce programme, les « œuvres » représentent une part importante, dont on peut toutefois espérer voir le terme : « La perfection des œuvres n'est pas infinie... Au contraire, pour ceux qui travaillent à la sagesse, ... il n'y a pas de terme à leurs efforts » (*HNm* 17, 4, PG 12, 707a). Le corps des parfaits (les maisons de Jacob) s'applique aux premières. La sagesse et la vision de Dieu (les tentes d'Israël) sont la part de leur âme (708c ; cf. *HLv* 15, 2 ; *In Luc* frg. Rauer 186). Le commentaire origénien du *Ps.* 26, 4-5 (PG 12, 1280ad) recourt au même symbolisme pour signifier le progrès (les tentes) et la perfection (les maisons). Ainsi la perfection va-t-elle restaurer la demeure désertée lors de la chute (*In Jo* XIII, 37, 239-244). En définitive, c'est Dieu qui « rend l'édifice en tout parfait », par les bonnes œuvres, les paroles de sagesse, la science, la connaissance. Si tout cela... est poussé à la perfection, voilà que l'on a sa propre construction parfaite, digne que Dieu y habite et s'y promène » (*In Ps.* 118, 152 a 8-13, SC 189, p. 428 ; cf. *HJos* 17, 2, sur *Mt.* 19, 21).

Cette anticipation est tout ensemble l'affaire de Dieu et le fruit de la libre décision de l'homme sur laquelle Origène met fortement l'accent (cf. *supra, Qui est parfait ?*). C'est Dieu qui engendre le parfait (ici, le juste) à chacune de ses œuvres bonnes (*HJer* 9,4). C'est le Christ qui illumine (*P.P.* 21, 2-3 ; cf. *In Jo* XX, 33, 288). C'est l'Esprit de filiation qui rend les parfaits pareils aux anges (*isangeloi, In Mt.* XVII, 30, PG 13, 1568c-1572a ; cf. *Dinamismo*, p. 239, n. 43, et p. 406-09) jusqu'à être connumérés avec eux, et qui, participé comme « substrat » configure l'âme au Logos pour former en elle le « fils de Dieu » de manière « parfaite et insurpassable » et la faire tout entière « de Dieu » (*In Jo* XX, 32, 304, SC 290, p. 304).

Toute perfection en ce monde est donc partielle, relative, approximative, inaccomplie, par rapport à la perfection du Verbe, mais aussi par rapport à la perfection dans la Jérusalem céleste. Elle rend présent, surtout par la connaissance et de manière sapientielle, quelque chose des réalités eschatologiques que le « face à face » dévoilera dans le royaume (*Dinamismo*, ch. 6 ; Crouzel, *O. et la connaissance mystique*, p. 482-95 : portrait et charismes du parfait), quand viendra « la fin » et, avec elle, la perfection individuelle mais aussi celle de toute l'Église ; perfection de l'intelligence, mais surtout de l'amour : « *Perfectio autem et culmen totius operis charitas* » (*In Rom.* IV, 6, PG 14, 981a ; cf. Crouzel, *ibid.*, p. 496-523 ; *Dinamismo*, p. 233-34).

Alors, non seulement le Logos sera rendu à son état primitif (*apocatastase* de l'âme au Logos), mais Dieu sera « tout en tous » (1 *Cor.* 15, 28) dans la création restaurée et devenue tout entière « de Dieu » par la filiation adoptive (*apocatastase* de l'Église au Christ ; *Dinamismo*, p. 290-99). Pour Origène, il ne s'agit pas tant d'un retour individuel et collectif à l'état originel que d'un accomplissement, d'un dépassement du « selon-l'image » (restaurée) dans la « ressemblance » (instaurée), d'un reflux du *telos* sur l'*archè* sans doute, mais un reflux qui est un déploiement, un développement dans un engendrement qui n'aura plus de cesse. On retrouve, à l'autre extrémité, la problématique de la création, parfaite à l'origine, mais dans son projet et pour un devenir, non dans sa réalité achevée (Rius-Camps, *La hipotesis*, p. 99-100 ; *Archè e Telos*, p. 283-312). Une pensée unique traverse l'œuvre du salut en ses divers niveaux : « L'éclatement de l'unité primitive pour multiplier et individualiser l'Économie afin de la restituer au Père dûment personnalisée » (*Dinamismo*, p. 220). Ici, perfection et participation atteignent leur point oméga dans un « engendrement » toujours nouveau du « rayonnement de la gloire de Dieu : le Sauveur, et, en lui, de tous les parfaits » (*In Jer* IX, 4, 74-87). Perfection individuelle et perfection cosmique se conjuguent, et ceci est très gnostique,

mais Origène en donne une interprétation très orthodoxe :

« Quant au texte : ‘ Je t'en ferai revenir à la fin ’ (*Gen.* 46, 4) je pense qu'il signifie... qu'à la fin des siècles son Fils unique ‘ est descendu aux enfers ’ pour le salut du monde et qu'il en a ramené ‘ le premier homme ’... Chacun de nous entre aussi en Égypte et au milieu des combats de la même façon et par le même chemin... En chacun s'accomplit aussi la parole : ‘ Je t'en ferai revenir à la fin ’. La fin en effet s'entend de la perfection des choses et de la consommation des vertus... ‘ Puisque tu as combattu le bon combat, que tu as gardé la foi, que tu as achevé ta course ’, je te ferai revenir de ce monde à la béatitude future, à la perfection de la vie éternelle, à ‘ la couronne de justice que le Seigneur donnera à la fin des siècles à tous ceux qui l'aiment ’ (2 *Tim.* 4, 7-8) » (*In Gen.* 15, 5-6, SC 7 bis, 1976, p. 368).

W. Völker, *Das Vollkommenheitsideal des Origenes*, Tübingen, 1931. – A. Lieske, *Die Theologie der Logosmystik bei Origenes*, Münster, 1938. – S.T. Bettencourt, *Doctrina ascetica Origenis* (Studia Anselmiana 16), Rome, 1945. – A. Méhat, *Origène, Homélies sur les Nombres*, SC 29, 1951, intr. p. 17-59. – H. Crouzel, *Théologie de l'image de Dieu chez Origène*, Paris, 1956. – M. Harl, *Origène et la fonction révélatrice du Verbe Incarné*, Paris, 1958, surtout p. 264-66 ; 269-85. – P. Nemeshegyi, *La paternité de Dieu chez Origène*, Paris-Tournai, 1960. – H. Crouzel, *Origène et la « connaissance mystique »*, Bruges-Paris, 1961. – C. Blanc, *Origène, Commentaire sur Saint Jean*, SC 120, 157, 222, 290, 1966-1982, intr. et notes. – J. Dupuis, *« L'esprit de l'homme »* : *Étude sur l'anthropologie religieuse d'Origène*, Bruges, 1967. – J. Rius-Camps, *Communicabilidad de la naturaleza de Dios según Orígenes*, OCP, t. 34, 1968, p. 5-37 ; t. 36, 1970, p. 201-47 ; t. 38, 1972, p. 430-53 ; t. 40, 1974, p. 344-63. – J. Chênevert, *L'Église dans le commentaire d'Origène sur le Cantique des Cantiques*, Bruxelles-Paris-Montréal, 1969, p. 263-70. – H.J. Vogt, *Das Kirchenverständnis des Origenes*, Cologne-Vienne, 1974. – D.L. Balas, *The Idea of Participation in the Structure of Origen's Thought. Christian Transposition of a Theme of the Platonic Tradition*, dans *Origeniana*, Iᵉʳ Colloque intern. des études origéniennes, Montserrat, 18-21 sept. 1973 (Quaderni di Vetera Christ. 12), Bari, 1975, p. 257-75. – *Archè e Telos. L'Antropologia di Origene e di Gregorio di Nissa. Analisis storico-religiosa.* Atti del colloquio, Milan, 17-19 mai 1979, éd. U. Bianchi et H. Crouzel (Studia Patristica Mediolanensia 12), Milan, 1981. – J. Rius-Camps, *La hipotesis origeniana sobre el fin último (peri telous). Intento de valoración*, dans *Archè e Telos*, p. 58-117. – H. Crouzel, *Origène*, DS, t. 11, col. 933-61 ; bibliogr. ; *Origène*, dans *Catholicisme*, t. 10, 1983, col. 243-52 ; *Origénisme*, col. 252-56. – J. Dillon, *Plotinus, Philo and Origen on the Grades of Virtue*, dans *Jahrbuch für Antike und Christentum*, Ergänzungsheft 11, Münster, 1983, p. 92-105.

4° L'EXÉGÈSE DE MT. 19, 16-22. – Les deux premiers volumes (1ᵉʳ-3ᵉ s.) de la *Biblia Patristica*, Paris, 1975-1977, enregistrent une centaine de références à la péricope matthéenne du jeune homme riche, dont 40 pour le v. 21 (Si tu veux être parfait...). Le t. 3, 1980, consacré à Origène, en compte 74, dont 27 pour le v. 21. Cette péricope et la parole de Jésus ont donc largement retenu l'attention des premiers Pères. Un examen du dossier confirme que c'est le plus souvent en réponse à l'anthropologie marcionite et gnostique. Trois auteurs seulement considèrent la péricope dans sa totalité et ce sont précisément les trois chez lesquels nous avons trouvé le développement d'une doctrine de la perfection. Origène la considère pour elle-même, Clément en dépendance d'un thème de prédication, Irénée dans un contexte de controverse.

1) Irénée, AH IV, 12, 5. – Déjà, en *AH* I, 8, 3 (SC 264, p. 120-123), Irénée avait rapporté clairement l'interprétation gnostique de la péricope. Pour cha-

cune des trois races d'hommes, hyliques, psychiques et pneumatiques, les gnostiques ont trouvé des répondants dans les évangiles.

Pour les psychiques, il y en a deux : celui qui, ayant mis la main à la charrue, regarde en arrière (*Luc* 9, 61-62). « Cet homme, prétendent-ils, était de l'Intermédiaire. De même celui qui confessait avoir accompli les multiples devoirs de la « justice », mais qui refusa ensuite de suivre le Sauveur, vaincu par une richesse qui l'empêcha de devenir parfait » (p. 122-23). Le terme est pris au sens technique de l'initié à la gnose, qui rompt avec la justice du Démiurge. Les deux injonctions de Jésus sont opposées l'une à l'autre comme le Dieu bon du Nouveau Testament est opposé au Dieu mauvais de la Loi. On ne peut pas accomplir « les multiples devoirs de la justice » et « être parfait » ; il n'est même pas question de les dépasser : la perfection gnostique n'est pas dans leur prolongement. Nous sommes dans une logique de discontinuité.

D'emblée, dans sa propre interprétation (IV, 12, 5, SC 100, p. 250), Irénée affirme la continuité : « La Loi avait appris par avance à l'homme à suivre le Christ ». Il n'est pas très heureux, semble-t-il, de commenter comme le fait B. Balázs (*La péricope du jeune homme riche dans la littérature paléo-chrétienne*, thèse de 3e cycle, Univ. de Strasbourg, 1982, p. 360) : « Irénée évite d'interpréter les deux exigences 'garde les commandements' et 'si tu veux être parfait' comme deux degrés de la perfection chrétienne ». Car, précisément, cette notion de degrés joue un rôle important dans la pensée d'Irénée : « Il proposait ainsi les commandements de la Loi, comme les degrés de l'entrée dans la vie, à ceux qui voudraient le suivre : car, en parlant à un seul, c'est à tous qu'il parlait » (*AH, ibid.*).

Inaugurant une interprétation qui aura du succès, Irénée jette le soupçon sur la sincérité de la réponse du riche :

« Peut-être ne l'avait-il pas fait... Alors le Seigneur, démasquant son avarice, lui dit : « Si tu veux être parfait, va... » (*ibid.*). Ce faisant, le Seigneur ouvre la « vie apostolique » et montre la continuité des deux Testaments dans la pédagogie du Dieu unique : « Il promettait la part des apôtres à ceux qui auraient agi de la sorte, et il enseignait à ceux qui le suivaient, non pas un autre Dieu Père... mais à observer les commandements prescrits par Dieu dès le commencement, à détruire par de bonnes œuvres l'ancienne cupidité et à suivre le Christ » (p. 522). Irénée ne fait que reprendre ce qu'il avait énoncé plus haut : « Il était manifesté aux hommes de la manière que Dieu avait voulue, afin que ceux qui mettaient en lui leur confiance puissent progresser sans cesse et, par les Testaments, grandir jusqu'au parachèvement du salut. Car il n'y a qu'un seul salut et qu'un seul Dieu ; mais pour parachever l'homme, il y a des préceptes multiples et pas peu nombreux sont les degrés qui le mènent jusqu'à Dieu » (IV, 9, 3, p. 486).

2) *Clément d'Alexandrie.* – Le personnage du riche est particulièrement sympathique à Clément. Ce n'est pas un tentateur, ce n'est même pas un imposteur, c'est un jeune courageux qui s'est laissé prendre à l'illusion de la perfection légaliste et qui s'en satisfait. « Il ne voulait pas pour de bon la vie comme il le prétendait, mais il visait seulement à la gloire d'une bonne résolution. Il pouvait bien s'adonner au multiple (de l'observance légale) mais il était pourtant sans désir et sans courage pour accomplir l'unique, l'œuvre de la vie » ; et Clément le compare à Marthe dans son opposition à Marie (*Quis dives* 10, PG 9, 613cd. Cf. D.A. Csanyi, *Optima pars. Die Auslegungsgeschichte von Lk 10, 38-42 bei den Kirchenvätern der ersten vier*

*Jahrhunderte,* dans *Studia monastica,* t. 2, 1960, p. 8-10). « Il ne manque rien à sa justice » (8, 612d). Jésus « le déclare cependant imparfait, car il n'a accompli que « des choses imparfaites » (9, 613a). Ce qui l'empêche d'accéder à la perfection authentique, c'est son incapacité à comprendre spirituellement l'injonction : « Va, vends... » (11, 616ab).

Clément saura bien prendre à la lettre cette injonction, comme le montre le rapprochement qu'il fait entre elle et le logion sur le scandale (24, 629a ; cf. *Mt.* 5, 29-30 et 18, 8-9). Plus que la nécessité de concilier des paroles évangéliques contradictoires (Balázs, *op. cit.*), c'est sans doute le désir de saisir, derrière le précepte singulier, l'intention du Sauveur dans ce qu'elle a de plus profond qui pousse Clément à allégoriser : vendre ses biens, c'est renoncer à ses passions. Il ne veut pas reprendre à son compte l'erreur du riche. Ce qui est plus étonnant, c'est qu'il semble se contredire en désignant ainsi une perfection qui relève encore de « l'abstention du mal » qu'il présentait ailleurs comme caractéristique de la perfection de la Loi (*Str.* VI, 12, cf. *supra*). Il s'en expliquera mieux dans un texte cité ci-dessous.

Précisément, ce renoncement qu'il vise n'est pas passif. S'il n'est pas toujours requis de vendre tous ses biens mais de s'en détacher, c'est pour mieux exercer le « bien-agir » à l'image de Dieu : « Donne à qui te demande » caractérise « une générosité vraiment divine, mais plus divine que tout est cette parole de ne pas attendre d'être requis mais de chercher soi-même qui est digne d'être secouru » (*Quis dives* 31, 637b). Cette conception de la perfection comme renoncement actif aux passions refleurira dans le monachisme, et, de fait, l'image des parfaits où Clément résume son enseignement dans cette homélie sur le riche a déjà des traits étonnamment monastiques : « plus élus que les élus..., ayant tiré leur barque sur le rivage après l'avoir arrachée à la tempête du monde et s'être mis en lieu sûr, ... ne voulant pas passer pour saints et confus si on leur décerne ce nom... Telle est la semence de Dieu, l'enfant et l'héritier envoyé ici comme en exil (*xeniteia*)... Le monde garde sa consistance tant que cette semence demeure en lui » (36, 641ab. Cette dernière phrase peut se situer entre *A Diognète* 6, 7 qui attribue cette fonction à tous les chrétiens, et les lettres de Sérapion de Thmuis qui l'attribuent à Antoine ; cf. *infra*).

Dans *Str.* IV, en relation explicite avec le martyre, Clément donne une interprétation quelque peu elliptique de *Mt.* 19, 21 qui résume sa doctrine de la perfection :

« Il me semble que le juge qui veut nous forcer à renier celui que nous aimons révèle qui est et qui n'est pas ami de Dieu. Il n'y a plus, alors, à se demander ce que chacun a choisi entre l'amour de Dieu et les menaces des hommes ni comment l'abstention des mauvaises actions aboutit à la diminution et à la suppression du mal, l'inaction réduisant à rien sa puissance. Ce qui revient à 'Vends ce qui t'appartient et donne-le aux pauvres, puis viens et suis-moi', c'est-à-dire suis ce qui est dit par le Seigneur... Il y en a qui prétendent que 'ce qui appartient', c'est ce qui est étranger à l'âme, mais ils ne peuvent pas expliquer comment il faudrait le donner aux pauvres (Origène l'expliquera). Mais Dieu a tout distribué à tous comme il revient à chacun dans une juste dispensation. Ayant donc méprisé, dans ta générosité, les biens que Dieu t'a donnés en partage, suis mes paroles, aspirant à la montée de l'esprit, non seulement justifié par l'abstinence du mal, mais rendu parfait par le bien-agir du Seigneur. Il reprit aussitôt celui qui se targuait d'avoir accompli parfaitement les prescriptions de la Loi mais qui n'avait pas aimé son prochain. La charité, maîtresse du sabbat par suréminence gnostique, oblige à la bienfaisance » (3, 28, 4-29, 3 ; GCS, p. 260-61).

3) *Origène*. – L'exégèse minutieuse d'Origène prolonge celle de Clément. Elle marque un pas en avant dans la détermination de degrés. Elle rend mieux compte de l'ambiguïté du passage et de la complexité de sa tradition. Il est remarquable que le point critique à partir duquel va s'articuler l'éventail des interprétations possibles se situe dans la contradiction réelle ou apparente relevée par Origène entre la première et la deuxième réponse de Jésus : si le jeune homme riche a vraiment accompli le commandement de l'amour, il est parfait puisque, d'après *Rom.* 13, 9, la charité constitue le sommet de la Loi (*In Mt.* xv, 13, GCS, *Origenes* 10, p. 382-85). On ne comprend plus, alors, comment le Seigneur peut encore lui proposer la perfection : c'est la charité parfaite qui rend parfait quand elle est devenue le lien unificateur des prescriptions multiples de la Loi. Pour résoudre la contradiction, deux hypothèses : ou bien la présence du commandement de l'amour dans la première réponse est une glose (ni *Marc* ni *Luc* n'en parlent), ou bien le jeune homme ne l'a pas vraiment accompli (14, p. 385-90).

Prudemment, Origène ne développe guère la première hypothèse qui pourtant, visiblement, le tente. Supposons donc que le jeune homme ait menti (ou se soit fait illusion). On peut entendre dans son sens littéral l'exigence que le Seigneur formule dans sa deuxième réponse comme prix de la perfection. Vendre tous ses biens paraît hors de portée à certains (15, p. 391), mais des païens l'ont fait au nom de la philosophie et la communauté chrétienne primitive d'*Actes* 2 en avait fait la loi (le modèle va être repris par le monachisme). C'est donc bien une exigence réalisable et les évêques doivent exhorter à la réaliser « ceux qui en sont capables et se laissent convaincre par leur exhortation ». Il ne s'agit donc pas d'une exigence absolue. Il s'agit de l'appel à un don gratuit.

Origène précise dans un fragment de commentaire sur 1 *Cor.* 7, 25 : « Si je reste vierge, non par obligation ni par obéissance, je ne dis plus à propos du mérite de la virginité : nous sommes des serviteurs inutiles. Et si je vends tout ce qui m'appartient et le donne aux pauvres, je ne dis plus : je suis inutile, ce que je devais faire, je l'ai fait. Voilà pourquoi l'Apôtre dit : ʼEn ce qui concerne la virginité, je n'ai pas d'ordre du Seigneur ʼ » (C. Jenkins, *Origen on 1 Corinthians*, dans *Journal of theological Studies*, t. 9, 1908, p. 509).

Prise dans son sens littéral, l'exigence de *Mt.* 19, 21 peut être une condition de la perfection mais elle n'est pas la perfection. Origène redoute manifestement une interprétation magique qui identifierait la perfection à une bonne action « du seul fait que... », « aussitôt que » : « Si est parfait celui qui a toutes les vertus et ne fait rien par malice, comment pourrait être parfait celui qui a vendu tous ses biens ? » (*In Mt.* xv, 16, p. 395). Et la perfection se colore de nuances nouvelles : elle se situe nécessairement au terme d'un long processus parce qu'elle coïncide nécessairement avec l'acquisition de l'*apatheia* et de la gnose qui donne la clef de l'interprétation des Écritures. La faute du jeune homme riche, c'est de refuser la maturité spirituelle (19, p. 403-4). Une perfection subite serait une contradiction dans les termes. Ce qui vient de suite, c'est la grâce : « Celui qui, convaincu par les paroles de Jésus, est passé de la richesse à la pauvreté en vue de devenir parfait, reçoit de suite, comme les apôtres

du Christ, une aide pour devenir dans le Christ viril, juste, patient et dépourvu de passions » (17, p. 398).

Origène propose encore une interprétation spirituelle de cette exigence, qui l'éclaire par le dedans. Le riche est le symbole de celui qui a acquis beaucoup de choses viles (les passions) dont il a appauvri les puissances démoniaques. Voilà donc quels sont ces biens « qui nous sont étrangers » auxquels faisait allusion Clément (cf. *supra*) et comment nous pouvons les donner aux « pauvres » esprits du mal, pour suivre ensuite le Christ et avoir un trésor dans le ciel (18, p. 400-3). Sous l'allégorie que d'aucuns, reconnaît Origène, trouveront un peu forcée, on devine déjà l'*antirrhesis* monastique, la « réplique » au démon.

**3. Monachisme et perfection.** – L'apparition du monachisme dans une Église transformée par la fin des persécutions va modifier substantiellement la manière de considérer le problème. Désormais, on aura tendance à considérer la perfection chrétienne en elle-même et à l'intérieur de l'Église plutôt qu'en référence à la Gnose hérétique. Nous relèverons cependant une continuité certaine : la virginité comme état de vie parfait a préparé la voie au monachisme et le monachisme des origines n'est pas sans rapport avec la Gnose dans sa recherche de perfection. Nous distinguerons ensuite la première génération du monachisme qui apparaît avec Antoine, d'une « seconde génération » où l'itinéraire spirituel est systématisé.

1° Les antécédents du monachisme. – 1) *La virginité* a été vécue dans l'Église des premiers siècles comme un état privilégié dont on a peu à peu explicité la suréminence, témoin le commentaire d'Origène sur 1 *Cor.* 7,25 cité ci-dessus, où virginité et pauvreté volontaires apparaissent comme des « conseils ». Nous trouvons une formulation de la perfection de cet état de vie dans le *Banquet* de Méthode d'Olympe (cf. DS, t. 10, col. 1109-17). Identifiée à l'incorruptibilité, la virginité apparaît, dans une perspective irénéenne de l'histoire du salut, comme l'« enseignement suprême et culminant » de Dieu, dans lequel l'homme était appelé à « trouver son accomplissement », une fois que « le monde serait arrivé à maturité » (I, 2, SC 95, 1963, p. 58). « Au temps jadis, l'homme n'avait pas encore sa perfection, aussi n'était-il pas encore capable d'accéder à cette perfection qu'est la virginité » (I, 4, p. 62). La virginité, c'est ce à quoi s'applique le Seigneur lorsqu'il vient dans le monde. « Ainsi, nous-mêmes, si nous devons être à la ressemblance de Dieu, mettons notre émulation à honorer la virginité du Christ. Car ressembler à Dieu, c'est éviter la corruption » (I, 5).

En VIII, 4-13 (p. 210-38), l'Église est représentée comme la Vierge qui enfante d'*Apoc.* 12, modèle des vierges. Seuls, en effet, sont l'Église au sens propre, les parfaits, les continents :

« Souvent les Écritures appellent Église le rassemblement et la masse globale des fidèles, alors que ce sont seulement les plus parfaits qui sont amenés progressivement à devenir la personne et le corps unique de l'Église... Quant à ceux qui sont encore imparfaits... ce sont les plus parfaits qui les forment et les enfantent comme par une maternité » (III, 8, p. 108).

La chasteté, entendue comme « état de vie (*épitèdeuma*), entre tous le meilleur et le plus beau » (I, 1, p. 53), « couronnement et plénitude des vertus » (IX, 4, p. 278 ; cf. XI, p. 305), constitue l'offrande parfaite (V, 1-2, p. 142-44, citant *Nombr.* 6 sur le naziréat), l'équivalent du martyre (VII, 3, p. 184-86), conduit à la divinisation (*parthenia* – *partheia*) et à la vie angélique (VIII, 1, p. 200, 204 ; cf. DS, t. 10, col. 1113-15).

2) *Gnose et monachisme*. – La question des influences se pose du fait que la découverte des textes de Nag-Hammadi, proches dans le temps et l'espace du monachisme pachômien, a fait ressortir d'étranges contacts et ressemblances et d'indéniables contrastes. A. Guillaumont a fait le point sur ce sujet encore indécis (*Gnose et monachisme : exposé introductif*, dans *Gnosticisme et monde hellénistique*, Louvain-la-Neuve, 1982, p. 301-10). La question se pose aussi au niveau de la préhistoire du terme même de *monachos* antérieur au personnage qu'il a fini par désigner (cf. DS, t. 10, col. 1547-51). C'est encore dans cette bibliothèque gnostique de Nag-Hammadi que nous trouvons les références les plus significatives : trois dans l'*Évangile de Thomas* (logia 16, 49, 75) et deux dans le *Dialogue du Sauveur* (120, 24-25 ; 121, 19). D'après le contexte, l'état de *monachos* est lié à l'idée d'élection et de séparation, mais plus encore à celle de perfection. Au *monachos* est réservé le royaume et la chambre nuptiale (*Év. de Thomas* 49 et 75) où il retrouve son unité perdue en s'unissant à son double céleste. C'est le « parfait » gnostique (cf. F. Morard, *Monachos, moine. Histoire du terme grec jusqu'au IV^e s.*, dans *Freiburger Zeitschrift für Phil. und Theol.*, t. 20, 1973, p. 332-410 ; *Encore quelques réflexions sur Monachos*, VC, t. 34, 1980, p. 395-401).

2° LA PREMIÈRE GÉNÉRATION MONASTIQUE. – Nous considérons sous ce titre les premiers témoignages écrits : *Lettres* d'Antoine, d'Arsène, d'Ammonas, de Sérapion, de Macaire, *Vie d'Antoine*, *Vies* et *œuvres* de Pachôme et de ses disciples, *Apophtegmes*.

1) Une première caractéristique commune de ces écrits est *la rareté du vocabulaire de la perfection*. La *Vie d'Antoine* n'utilise le mot « parfait » que dans la citation de *Mt.* 19, 21, parole qui décide de la vocation du Père des moines. Il est à peine question explicitement de parfait ou de perfection dans les *Lettres* et dans toute cette première littérature monastique, y compris dans la *Lettre* de Sérapion aux moines, tout entière consacrée à un éloge du monachisme. Il ne semble pas qu'il y ait de problème théorique de la perfection et les moines ne sont pas communément désignés sous le titre de « parfaits ».

2) Si le mot est presqu'absent, la chose est évidemment très présente. Dans plusieurs de ces écrits, on est frappé de l'importance que prend le don du Saint-Esprit au terme du progrès spirituel, importance que l'on ne retrouvera guère avant les écrits du Pseudo-Macaire.

Ammonas est le plus explicite : L'Esprit Saint n'est donné qu'aux âmes entièrement purifiées (13, 2, éd. M. Kmoskó, PO 10, p. 608), hélas très rares. Il y en a à chaque génération (6, 2, p. 583), quelques-unes seulement (13, 2, p. 609). A elles sont réservés la révélation des grands mystères (6, 1, p. 582), la présence des anges, la joie spirituelle, le labeur sans fatigue (7, 2, p. 585-86). Elles n'ont plus besoin de prier pour elles, mais seulement pour le prochain (8, 2, p. 588) ; elles ont le charisme du discernement des esprits (11, 3, p. 601) et seules peuvent exercer comme un don de Dieu la paternité spirituelle (12, 2, p. 604). Les « vivants » aux quatre faces de la vision d'*Éz.* 1 sont l'image des « parfaits » (13, 8, p. 612). Ammonas comme Antoine, mais avec plus de netteté que lui, distingue entre l'esprit de pénitence qui est donné aux commençants et l'Esprit de vérité, l'Esprit Saint, qui vient habiter les âmes purifiées par l'esprit de pénitence.

La *Lettre de Macaire* aux moines (cf. DS, t. 10, col. 12) décrit elle aussi un itinéraire de l'âme, marqué par des phases de déréliction et culminant dans une présence de l'Esprit qui purifie (comme chez Antoine) les membres du corps et les activités de l'âme : « Et après tout cela le Paraclet se mettra à faire alliance avec la pureté de son cœur, la fermeté de son âme, la sainteté de son corps et avec l'humilité de son esprit. Il le fait dépasser toute la création et agit de telle sorte que sa bouche ne parle plus des œuvres des hommes, qu'il voit de ses yeux... » (n. 14 ; trad. A. Louf, *Collectanea ord. cisterciensium ref.*, t. 24, 1962, p. 59). Macaire ajoute aussitôt qu'une telle « alliance » ne fixe pas immuablement son bénéficiaire dans la grâce.

3) Dans les *Lettres* d'Antoine (nous suivons la trad. latine de G. Garitte, CSCO 149, 1955 ; voir aussi la trad. franç., Bellefontaine, 1976), si le vocabulaire de la perfection est rare, celui de la connaissance surabonde : cette tonalité « gnostique » rend ces textes suspects à quelques modernes et a dû contribuer à en restreindre la diffusion chez les anciens. C'est en terme de connaissance que l'auteur se représente la grâce de la « Loi de l'alliance » (l'état monastique) dont il se fait le héraut : se connaître, connaître Dieu « selon l'essence intelligible » (*ousia noera*), connaître Jésus comme le *Noûs* du Père, prendre conscience du péché comme exclusion de l'« essence intelligible », se connaître comme les membres les uns des autres (4, 85 ; 5, 10 ; trad. lat., p. 17, 21), être ramené par l'Esprit Saint à notre principe, à notre héritage propre où nous ne sommes ni hommes ni femmes, ni esclaves ni hommes libres (l'unité de l'*ousia noera* d'où nous sommes déchus ; 4, 56-62, p. 15-16). Cette connaissance totale et indivisible (« Celui qui se connaît connaît tout, et c'est pourquoi il est écrit : *qui vocavit ex non-esse ut essent omnia* » ; 4, 69, p. 16, citant *Sag.* 1,4 – ce qui, en contexte, peut bien aller au-delà du sens originel) se confond presque avec la perfection. Elle ouvre la porte à la filiation qui est, elle, la perfection : « Audaces facti sunt in mente, nam noverunt se ipsos et intellectualem suam essentiam, dederunt vocem et dicebant : Etsi noscebamus te olim corporaliter nunc non jam ita te noscimus et acceperunt filiationis spiritum » (2, 28-29, p. 6-7).

Ce qui, par contre, n'est plus du tout « gnostique », c'est que cet itinéraire est ouvert à tous. Il n'est pas l'apanage de « parfaits » par nature (et c'est peut-être pour cela que le mot apparaît si peu). En ouvrant sa première *Lettre*, Antoine distingue, en effet, trois « voies » (passage réinterprété par Cassien, *Coll.* III, 4), mais ces trois voies convergent vers le même but.

4) A ce niveau, il n'y a pas encore d'institution monastique. L'idée d'une *identification de la perfection avec l'institution* apparaît dans la *Vie* bohaïrique de Pachôme.

Un frère s'étonne d'entendre qualifier un postulant d'« ivraie » : « Est-ce que, selon l'affirmation des hommes, leur nature est mauvaise depuis leur naissance ? » En réponse, Pachôme proclame sa foi en la liberté de tout homme, même de celui qui a hérité d'une nature dépravée, puis il poursuit : « D'autre part, l'homme qui n'a pas pareil tempérament... s'il veut franchement cultiver sa nature... il ne commettra pas d'iniquités abominables. S'il marche plutôt dans la crainte du Seigneur... il vivra dans la pureté du mariage et ne se livrera ni à la prostitution ni à l'adultère, au contraire il se contentera de sa seule femme ; si, en outre, il ambitionne la perfection, selon la parole du saint Apôtre

Paul qui dit : ' Ambitionnez des charismes meilleurs ', il vivra lui aussi dans la pureté angélique et alors le Saint-Esprit résidera en lui et le sanctifiera ; il s'en ira se faire moine et servir le Seigneur en toute pureté et droiture » (107, trad. L. Th. Lefort, *Les Vies coptes de S. Pachôme*, Louvain, 1943, p. 182).

La perfection semble donc réservée, en pratique du moins, à ceux qui, doués d'une bonne nature, choisissent la continence *et* la vie monastique. Cette impression est confirmée par la prière de Pachôme. Selon un schéma traditionnel, il prie pour les diverses catégories de chrétiens. Il commence par les moines : « afin que nous soyons parfaits en ton amour toujours, marchant devant toi selon ton bon plaisir » ; puis il passe à « ceux qui sont dans le mariage, observent ses commandements qui sont dans l'Évangile comme dans le cas de celui qui interrogea notre Sauveur : Que dois-je faire pour avoir la vie éternelle ? et nous savons ce qu'il lui a répondu » (Bo 101 ; S 5, 101, L. Th. Lefort, p. 169, 261). La distinction des états se fonde nettement sur la double réponse de Jésus au riche en *Mat.* 19.

L'état monastique n'est pas lui-même monolithique. Le même Pachôme (ou le rédacteur de la *Vie* dans un contexte polémique) n'hésite pas à reléguer l'ermite au niveau des gens mariés, car « il ne porte pas la responsabilité des hommes de son espèce » ; au contraire, « les frères qui sont les moindres dans la vie commune... sont de beaucoup supérieurs à ceux de la vie anachorétique, car ils marchent dans la servitude dans laquelle marcha l'Apôtre » (Bo 105, p. 178).

5) L'apparition du thème qui compare la perfection du moine et du chrétien marié se situe au-delà de la première génération monastique. On connaît l'histoire de l'ermite qui s'interroge sur sa « mesure » et s'entend répondre par révélation qu'il est inférieur à tel ou tel séculier. Il s'agit très probablement d'un *topos*, d'une forme littéraire. Nous nous trouvons donc bien devant un problème disputé communément et peut-être assez tôt dans les milieux monastiques. A première vue, ce genre de récit semble supposer que les Pères du désert reconnaissent avec humour que des séculiers pouvaient atteindre une perfection plus élevée que la leur, que la perfection était ouverte à tous les genres de vie. K. Ware (*The Monk and the Married Christian...*, dans *Eastern Churches Review*, t. 6, 1974, p. 72-83) a montré que la réalité était plus subtile et plus diversifiée. Si, en effet, deux au moins de ces récits semblent suggérer que des séculiers pouvaient atteindre un type de perfection spécifique dans le caractère rédempteur de leur présence au monde (« un embryon de théologie de la vocation laïque », p. 82), tous les autres subordonnent en fait la sainteté de ces séculiers à la perfection monastique : soit en imposant au saint homme la retraite au désert pour atteindre à un niveau d'expérience spirituelle qui lui serait refusé autrement, soit en faisant de lui un moine authentique malgré les apparences.

3° Au tournant du 5e siècle. – Les premiers écrits de la spiritualité monastique ne se préoccupent guère de la perfection. Il n'en va pas de même dans la riche période de systématisation qui chevauche les 4e-5e siècles. Il y a là, sans doute, un phénomène de seconde génération : en s'institutionnalisant, le monachisme devait se chercher des justifications théoriques dans l'Écriture, dans l'Église primitive, se reconnaître et se faire reconnaître comme un état, un état de perfec-

tion. D'autre part, l'héritage de la tradition encratiste des Églises de Syrie a été transmis au monde monastique, en particulier par ce courant spirituel qu'on a identifié un peu trop vite avec le messalianisme. Enfin, l'idéal de perfection véhiculé par la gnose orthodoxe de Clément et d'Origène se poursuit au désert (les *Lettres* d'Antoine, si elles sont authentiques, en font foi) et trouvera son théoricien en Évagre. La perfection comme telle, comme programme formulé et proclamé, est à l'ordre du jour.

Deux témoins, relevant l'un et l'autre du monde monastique, Jean Chrysostome et Jérôme, révèlent que ce n'est pas sans trouble. Le premier évoluera, au cours de son expérience pastorale, sur la place à donner au moine, au prêtre et au laïc (cf. L. Meyer, *S. Jean Chrysostome, maître de perfection chrétienne*, Paris, 1934, p. 229-97). La théologie des conseils, à l'état d'ébauche chez Origène, est chez lui pleinement élaborée, comme on le voit dans ses nombreux commentaires de *Mt.* 19, 21. Entre conseils et préceptes, il n'y a pas de cloison étanche, car une observance fidèle du précepte est faite pour amener au conseil (PG 49, 40). De son côté, Jérôme donne une idée de l'importance du concept de perfection dans le contexte polémique de son temps en amalgamant (prologue du *Dialogue contre les Pélagiens*, PL 23, 495-96) Origène, les manichéens, Priscillien, Évagre, Jovinien et les messaliens sous le commun dénominateur : « quorum omnium ista sententia est, posse ad perfectionem et, non dicam ad similitudinem, sed ad aequalitatem Dei humanam virtutem et scientiam pervenire ».

1) *Le Liber Graduum* = LG est dans toute la littérature chrétienne l'œuvre qui parle le plus explicitement de la perfection comme catégorie distincte (cf. DS, t. 9, col. 749-54). Nous pouvons le rattacher à ce que nous avons rencontré jusqu'ici. Le *Logion* du Sermon sur la montagne transmis par la *Didachè* (1, 4) sous la forme : « Si quelqu'un te donne une gifle sur la joue droite, tends-lui aussi l'autre et tu seras parfait » se retrouve deux fois dans le LG (ii, 2, qui ajoute : « et prie pour lui » ; xxii, 15). Entre la *Didachè* et le LG, on peut discerner une étrange continuité :

« La distinction entre les justes et les parfaits... évoque la distinction des deux classes de chrétiens dans l'ancienne Église de Mésopotamie : d'une part, les chrétiens à part entière, qui suivent jusqu'au bout les exigences de l'Évangile et auxquels semble avoir été réservé primitivement le baptême, et, d'autre part, les simples fidèles ou croyants, maintenus catéchumènes. Ceux que l'auteur appelle les « parfaits » correspondent bien à une catégorie de fidèles dans l'Église à laquelle il appartient : ce sont ceux qui, ayant fait un « pacte » (qᵉyāmā) avec le Seigneur, se sont engagés à vivre dans la continence et l'absolu renoncement. Ce sont les ' fils du pacte ' » (A. Guillaumont, *Situation et signification du « Liber Graduum » dans la spiritualité syriaque*, OCA 197, 1974, p. 314).

Il faut souligner le lien originel entre baptême et « perfection », entendue comme expérience « pneumatique » et comme statut ecclésiastique. Pour l'auteur du LG comme pour les autres témoins de la pratique ancienne des Églises de Syrie (Aphraate, Éphrem), ce lien n'est déjà plus le même : une telle « perfection » peut encore être le fruit qu'on attend de la grâce baptismale, elle n'en est plus la condition. On entrevoit comment dans une évolution dont l'enjeu était d'une telle importance, le monachisme classique a pu apparaître comme une solution de compromis.

J. Gribomont pense reconnaître un témoin de la crise, antérieur au LG, dans la littérature assomptioniste (*Le plus ancien Transitus marial et l'encratisme*, dans *Augustinianum*, t. 23, 1983, p. 237-47).

2) *Le Pseudo-Macaire*. – Tandis que dans LG la perfection apparaît comme un choix de vie clair, spécifique d'un groupe identifiable, dans les écrits macariens (cf. art. *Pseudo-Macaire*, DS, t. 10, col. 20-43), qui émanent cependant selon toute probabilité d'un univers assez voisin, elle est devenue problème, paradoxe, signe de contradiction, non seulement dans la polémique avec les adversaires, mais à l'intérieur même du système. Le thème de l'appel à la perfection fait l'objet explicite de la *Grande Lettre* (GL) ; il est partout sous-jacent (voir Coll. ɪ : *Homélies* 2, 18, 25, 43, 44, 58, 64 ; Coll. ɪɪ : 8, 10, 15, 17, 18, 19, 27 ; Coll. ɪɪɪ : 16, 26 et 28 ; pour les éditions, voir DS, t. 10, col. 20-21). Ce but unique s'impose à tous (GL, p. 270) par le témoignage de l'Écriture (p. 234, 291, 293). Il est cependant inatteignable ici-bas.

« Supposons que quelqu'un doive franchir douze marches pour accéder à la perfection. Parfois il réussit à atteindre le sommet, à rejoindre la perfection. Puis la grâce diminue, il descend d'un degré et se tient sur la onzième marche... Si l'homme avait toujours sous les yeux ces merveilles qui lui ont été montrées, dont il a eu l'expérience, il serait incapable de remplir le ministère de la Parole ni aucune autre charge. Il ne pourrait que s'asseoir dans un coin, ravi en Dieu et ivre d'amour. C'est pourquoi il ne lui a pas été accordé de franchir le dernier degré de la perfection pour qu'il puisse donner ses soins aux frères et assurer la prédication... Le « mur de la séparation » (*Éph.* 2, 14) est bien percé et détruit, mais il ne l'est pas entièrement et pour toujours. A certains moments, la grâce lumineuse brûle, console et repose davantage. Puis il arrive que la lumière baisse et s'assombrit suivant l'économie de la grâce pour le bien de l'homme. Qui donc parvient occasionnellement au niveau de la perfection, ayant le goût et l'expérience du monde à venir ? Je n'ai jamais encore vu de chrétien parfait ou libre. Au contraire, même si un homme a goûté les délices de la grâce et a pénétré dans les mystères et révélations, le péché habite encore en lui. De tels hommes, à cause de la grâce débordante et de la lumière qui est en eux, se tiennent pour libres et parfaits, mais ils se trompent par inexpérience du fait qu'ils sentent la force de la grâce. Je n'ai jamais vu quelqu'un de libre ; puisque je suis parvenu moi-même partiellement (*merikôs*) en certains moments à ce niveau, je sais pour l'avoir appris en quoi l'homme n'est pas parfait » (Coll. ɪɪ, 8, 4-5 ; PG 34, 529c-532a ; éd. H. Dörries, *Die 50... Homilien*, Berlin, 1964, p. 80-83).

Ce passage présente les principaux traits de la doctrine de Macaire/Syméon sur le sujet : a) La perfection est dans un rapport ambigu avec ce que les modernes appelleraient « grâces mystiques ». Celles-ci sont signes de perfection comme signes du monde à venir (« le mur de la séparation a été détruit »), où seulement se réalisera la perfection durable, mais elles ne sont pas la perfection car ces instants ne durent pas.

b) Le caractère polémique de la doctrine ressort de nombreux passages où, comme ici, est démasquée l'illusion des « spirituels » qui identifient la perfection à l'expérience de ces grâces parce que, « par manque d'expérience », ils croient être parvenus à un « état ». Ils disent : « Nous sommes riches et nous ne manquons de rien » (*Apoc.* 3, 17 ; cf. W. Strothmann, *Makarios/Symeon. Das arabische Sondergut*, Wiesbaden, 1975, p. 86).

c) Cette conviction se heurte à une pièce maîtresse de la théologie de Macaire : l'expérience de la permanence dans l'âme du mal et du péché (cf. DS, t. 10, col. 30-31 ; Dörries, *Die Theologie*, p. 294, 311). C'est pourquoi aussi la libération du péché s'identifie à la perfection et l'impeccabilité est refusée, même aux

apôtres (Coll. ɪ, *Hom.* 16, 2, 1 ; Coll. ɪɪ, *Hom.* 27, 9-14 ; 15,4. 14-15).

d) La grâce se retire « pour le bien de l'homme ». La présence du mal stimule le combat de l'homme, livré à Satan comme l'enfant au pédagogue pour entraînement et mise à l'épreuve (Coll. ɪ, *Hom.* 2, 3.11.16.19), ce qui peut aller jusqu'au martyre, combat parfait (*ibid.* 25, 26). La suspension de la perfection libère l'homme pour le service fraternel. Elle lui interdit surtout de s'arrêter en croyant avoir atteint le but (Coll. ɪ, *Hom.* 4, 10 ; 8, 1, 1 ; 8, 2, 4 ; 33, 3, 4 ; 51, 5 ; 52, 2, 8 ; 58, 3, 1 ; 64, 9 ; Coll. ɪɪ, 27, 6 ; 38, 4).

e) La perfection est au terme d'un processus de développement décrit, en référence à *Éph.* 4, 13, avec une surabondance de métaphores de croissance (embryon, enfant, plante, éducation, construction, fleuve, fermentation, embrasement, guérison), mais elle n'en est pas le résultat : « Les œuvres et la grâce ne sont pas dans un rapport de cause à effet » (Dörries, p. 296) : il y a remplacement d'une économie par une autre (Coll. ɪ, *Hom.* 3, 5, 9 ; 44, 3, 1 ; 64, 10 ; Coll. ɪɪ, 17, 3-8 ; 16, 3-6).

f) Enfin ressort le caractère personnel et paradoxal du témoignage : Macaire/Syméon peut parler de la perfection parce qu'il en a l'expérience et c'est parce que cette expérience est authentique qu'il peut dire que la perfection de l'homme est illusoire (H. Dörries, *Die Theologie des Makarios/Symeon*, Göttingen, 1978, surtout p. 293-315).

3) *Grégoire de Nysse* semble avoir en vue des adversaires très semblables à ceux avec lesquels Macaire/Syméon polémique. Dans le *Traité de la Virginité*, il s'en prend à ceux qui « se sont abandonnés à l'élan heureux qui les porte vers cette vie noble, mais, s'imaginant toucher à la perfection dès l'instant qu'ils l'ont choisie, ont du fait de leur fol orgueil trébuché dans une autre erreur ». Suit la description d'un genre de vie qu'on a rapproché de celui qui est décrit dans le dossier messalien (J. Daniélou, *Grégoire de Nysse et le messalianisme*, RSR, t. 48, 1960, p. 119-34 ; cf. les notes précises de M. Aubineau, *Grégoire de Nysse. Traité de la virginité*, SC 119, 1966, p. 533-41 ; J. Gribomont, *Le dossier des origines du messalianisme*, dans *Epektasis. Mélanges... Daniélou*, Paris, 1972, p. 621-22).

Les affinités de la doctrine de Grégoire en matière de perfection avec celle du Pseudo-Macaire seraient beaucoup plus nettes si l'authenticité du *De Instituto Christiano* était assurée (cf. DS, t. 10, col. 26). Sur le point précis de la perfection une comparaison du traité avec la *Grande Lettre* ne fait pas apparaître de nuance notable, sauf peut-être l'*oxymoron* bien dans la ligne de Grégoire : « L'Apôtre, plein de zèle et d'énergie pour entraîner les disciples de la piété au progrès parfait » (GL : « à une aussi haute mesure spirituelle » ; *Gregorii Nyss. Opera*, éd. W. Jaeger, t. 8/1, p. 58, et W. Jaeger, *Two Rediscovered Works...*, p. 248).

Le « progrès parfait » pourrait bien résumer le paradoxe de l'épectase qui fait de Grégoire de Nysse le théologien par excellence de la perfection chrétienne.

Cf. DS, t. 6, col. 971-1011. Signalons quelques études récentes : S. Ferguson, *God's Infinity and Man's Mutability: Perpetual Progress According to Gregory of Nyssa*, dans *Greek-orthodox Theol. Rev.*, t. 18, 1973, p. 59-78. – M. Harl, *La croissance de l'âme selon le « De infantibus » de Grégoire de Nysse*, VC, t. 34, 1980, p. 237-59. – A. Botteman,

*L'homme face à Dieu selon Grégoire de Nysse*, dans *Contacts*, t. 34, 1982, p. 202-15. – G.-A. Barrois, *Vertu, « Épectase », Perfection. Les métamorphoses d'un thème philosophique, de Socrate à S.Gr. de N.*, dans *Diotima*, t. 11, 1983, p. 30-39.

Les traités *De professione christiana* et *De perfectione* restent dans la même ligne puisque le second se termine par cette formulation bien « épectatique » : « Que personne, donc, ne se chagrine de voir sa nature portée au changement, mais se modifiant en toutes choses pour le meilleur et se transformant de gloire en gloire, devenue meilleure fondamentalement par la croissance quotidienne, toujours en voie de perfection et n'atteignant jamais la limite de la perfection. Car telle est la perfection authentique : ne jamais s'arrêter dans la croissance vers le meilleur et ne jamais fixer de bornes à la perfection » (*Opera*, t. 8/1, p. 213-14). Tel n'est pas cependant leur apport spécifique. Grégoire semble avoir développé deux fois de suite la même intuition : la perfection chrétienne est inscrite dans le nom même du chrétien, elle est une identification à celui dont nous portons le nom. Prolongeant le *De professione*, le *De perfectione* analyse la titulature paulinienne du Christ pour y déceler les aspects complémentaires de la perfection. Le thème n'est pas isolé : dans les *Homélies sur le Cantique*, la perfection, c'est la beauté de l'épouse dans la mesure où elle est l'image du Verbe. – M.E. Keenan, *De professione christiana and De perfectione. A Study of the Ascetical Doctrine of Saint Gregory of Nyssa*, dans *Dumbarton Oaks Papers*, t. 5, 1950, p. 167-207.

4) *Cassien, Évagre*. – Jean Cassien a contribué à banaliser en Occident le vocabulaire de la perfection qui apparaît à toutes les pages de son œuvre avec une densité de sens très inégale. Le fait est d'autant plus frappant qu'Évagre, qui semble constituer sa source principale, en use beaucoup plus modérément. Sans doute participe-t-il aussi, dans une mesure difficile à préciser, à ce courant complexe dont nous venons de parler, où la notion de perfection est au premier plan.

S. Marsili (*Giovanni Cassiano ed Evagrio Pontico*, Rome, 1936) a solidement établi la dépendance étroite par rapport à Évagre. A. Kemmer (*Charisma maximum. Untersuchung zu Cassians Vollkommenheitslehre und seiner Stellung zum Messalianismus*, Louvain, 1938) met en évidence les affinités avec le *Liber Graduum* et le Pseudo-Macaire, mais A. Kemmer en retrouve l'essentiel dans le *De Instituto Christiano* (*Gregorius Nyssenus estne inter fontes J. Cassiani numerandus?*, OCP, t. 21, 1955, p. 451-66).

Évagre (*Gnostikos* 128, éd. W. Frankenberg, Berlin, 1912, p. 548 ; cf. art. *Évagre*, DS, t. 4, col. 1737-38) se fait une règle de « ne pas révéler aux petits ce qui concerne les gnostiques », non seulement en raison de la hardiesse de ses enseignements, mais aussi en conformité avec la tradition du Désert (*Apophtegmes*, Poemen 8, PG 65, 321b-324b). Il recourt volontiers aux formes d'expression énigmatiques et articule son enseignement en fonction des niveaux de perfection (*Practikos, Gnostikos, Kephalaia gnostica*). Cassien lui aussi diversifie son enseignement selon les auditoires auxquels sont destinées ses œuvres (J. Leroy, *Les préfaces des écrits monastiques de Jean Cassien*, RAM, t. 42, 1966, p. 157-80) ; ces distinctions ne sont pas sans affinité avec les degrés de la perfection, mais il tend à « vulgariser » les doctrines que son maître avait réservées aux parfaits. D'où, peut-être, l'extension du vocabulaire. On trouvera les pages les plus explicites sur la perfection comme telle dans les *Collationes* I, XI et XXI, et dans le « discours de vêture » de Pinufius, *Institutiones* 4, 32-43.

Cette perfection dévoilée avec réticence dès la première conférence n'est pas une formule conventionnelle désignant l'inexprimable ou l'inatteignable. Cassien lui donne immédiatement un contenu d'expérience, dans une perspective plus statique : le *telos*, et dans une perspective plus dynamique : le *skopos*. La prégnance de ces deux termes peut avoir contribué à faire du mot « perfection » une évocation commode de tout le processus de la vie spirituelle. On ne peut comprendre en quel sens précis le *telos* est le Royaume de Dieu, la vie éternelle ou la contemplation, et le *skopos* la pureté du cœur, sans référer les deux termes l'un à l'autre, à l'ensemble de la doctrine de Cassien et, plus encore peut-être, à celle d'Évagre.

Marsili a bien montré comment la pureté du cœur de Cassien rejoint l'*apatheia* dont Évagre fait le terme de la vie pratique (*op. cit.*, p. 114-17) et comment le Royaume de Dieu désigne bien chez l'un comme chez l'autre le plus haut état de contemplation auquel l'homme peut participer en cette vie (p. 107-10 ; mais Cassien ne retient pas la distinction évagrienne entre Royaume des cieux et Royaume de Dieu). Chez nos deux auteurs, le progrès spirituel est jalonné par les trois mêmes renoncements qui culminent, pour Cassien, dans « la contemplation des choses futures » (*Coll.* III, 6) et, pour Évagre, dans « la séparation de l'ignorance » (*Keph. gnost.* I, 78-80). La perfection s'identifie avec la prière perpétuelle (cf. DS, t. 2, col. 264-66). Arrivée à cette étape, la prière parfaite n'est plus consciente d'elle-même, selon le mot d'Antoine repris par Cassien (*Coll.* IX, 31), c'est la « science indépassable » (ou l'ignorance indépassable) qui constitue la véritable libération de l'ignorance (cf. Évagre, *Keph. gnost.* III, 88 ; *De oratione* 117, trad. I. Hausherr, *Les leçons d'un contemplatif*, Paris, 1960, p. 152 ; *Traité pratique*, SC 171, 1971, n. 87 ; Marsili, p. 148-49). Seul le petit nombre y parvient (*Coll.* III, 7), mais « les grandeurs de la perfection conviennent à tout âge, à tout sexe ; tous les membres de l'Église sont invités à gravir les hauteurs des vertus les plus sublimes » (*Coll.* XXI, 9).

On s'est demandé, en raison d'un conflit intérieur entre l'attrait pour la vie érémitique et l'engagement pour la vie cénobitique, si Cassien n'avait pas tendance à identifier vie contemplative et connaissance à l'érémitisme, vie active et amour au cénobitisme, et si une perspective aussi subjective n'avait pas entraîné un gauchissement dans la spiritualité occidentale (cf. déjà M. Olphe-Galliard, *Vie contemplative et vie active d'après Cassien*, RAM, t. 16, 1935, p. 252-88 ; *Débat à propos de Cassien*, t. 17, 1936, p. 181-90 ; A. Ménager, *A propos de Cassien*, VSS, t. 46, 1936, p. 73-109 ; plus récemment, J. Leroy, *Le cénobitisme chez Cassien*, RAM, t. 43, 1967, p. 121-58 ; A. Veilleux, *La liturgie dans le cénobitisme pachômien...*, Studia Anselmiana 57, Rome, 1968, p. 146-54).

Cassien attribue au cénobitisme une fin qui s'apparente de près au deuxième renoncement, tandis que celle de l'érémitisme s'apparente au troisième (*Coll.* XIX, 8 ; DS, t. 2, col. 256-57 ; cf. Évagre, *Lettre* 52, éd. Frankenberg, p. 601). La perfection au sens propre transcende l'une et l'autre :

« Ce serait là cependant une perfection *merikè* (cf. le *merikos* du Pseudo-Macaire cité ci-dessus, *Coll.* II, *Hom.* 8, 5), c'est-à-dire non intégrale ni de tous points consommée, mais une partie seulement de la perfection. Que celle-ci est donc rare, et combien peu nombreux ceux à qui Dieu l'accorde par un don gratuit ! Celui-là, en effet, est parfait véritablement, et non pas seulement en partie, qui sait supporter avec une égale grandeur d'âme, et l'horreur de la solitude dans le désert, et les faiblesses de ses frères dans le monastère. Il est, par suite, bien difficile de trouver quelqu'un qui soit parfaitement consommé en l'une et l'autre profession, parce que l'anachorète n'arrive point tout à fait à l'*aktèmosunè*, c'est-à-dire au mépris et au dénuement des choses matérielles, ni le cénobite à la pureté de la contemplation » (*Coll.* XIX, 9 ; on pourrait comparer D. Bonhoeffer, *Gemeinsames Leben*, Munich, 1961, p. 64-65 : « Celui qui ne peut être seul, qu'il se garde de la vie commune... Celui qui ne tient pas dans la vie commune, qu'il se garde de la solitude »).

On trouverait chez Cassien tous les éléments d'une « histoire de la perfection » : création parfaite à l'origine ; altération progressive de la loi naturelle qui appelle, en son temps, le don de la loi écrite ; révélation enfin de la perfection évangélique (*Coll.* VIII, 24). Cette perfection a connu une première réalisation sociale dans l'Église primitive de Jérusalem, malheureusement vite compromise par l'accession massive à la foi des païens mal préparés. D'où l'origine du monachisme comme nouvelle société parfaite : « Pour ceux que brûlait encore la flamme des temps apostoliques, fidèles au souvenir de la perfection des jours anciens, ils quittèrent les cités... Du nombre des parfaits et, si je puis dire, comme les fleurs et les fruits d'une racine féconde, sortirent les saints anachorètes » (*Coll.* XVIII, 5-6). C'est une histoire, mais aussi une typologie de l'Église. Parmi les baptisés, il y a ceux qui ne sont même pas fidèles aux observances légales, ceux qui s'acquittent de la dîme et des jeûnes prescrits, puis ceux qui entendent l'appel à la perfection (*Coll.* XXI, 5). En l'occurrence, l'obéissance à l'appel se traduit, pour Théonas dont il est question dans ce passage, par la séparation d'avec sa femme contre le gré de celle-ci et son entrée au monastère. Cassien a beau prétendre n'être que le narrateur objectif qui ne porte pas de jugement de valeur (10), cette détermination radicale constitue pour lui la voie pratiquement unique de la perfection.

Ses précautions montrent seulement qu'il ne s'attend pas à un assentiment unanime. Nous rejoignons ici le *topos* monastique, qu'il connaît aussi (*Coll.* XIV, 7), du laïc qui surpasse le moine en sainteté. Mais dans le cas qu'il rapporte, le laïc vit son mariage en moine qu'il n'a pu être et son exemple n'est pas imitable car « tous ne peuvent prétendre aux faveurs que le Seigneur accorde par privilège à quelques-uns ». La perfection se confond bien avec l'état monastique.

Le moine qu'abba Pinufius admet à la vêture « fait profession de perfection » (*Inst.* 4, 38), « doit tendre à la perfection (36, 2) et se voit proposer « les degrés par lesquels on parvient à l'état de perfection » (*ad perfectionis statum*, 38), cette échelle de la crainte à la pureté du cœur « par laquelle est possédée la perfection de la charité apostolique » (43) que reprendront le Maître et saint Benoît. Cet « état », cependant, est encore l'exigence d'un progrès : « Il est impossible à l'âme humaine de rester stationnaire. Il n'est pas de saint, tant qu'il vit dans la chair, qui s'établisse tellement sur les cimes de la vertu qu'il y puisse demeurer immobile ; il faut qu'il croisse sans cesse ou qu'il diminue. En quelque créature que ce soit, nulle perfection qui ne soit sujette à changer... ; nous confessons, en effet, que Dieu seul est immuable... » (*Coll.* VI, 14).

5) *Augustin et la crise pélagienne.* – Le débat sur la perfection, l'impeccabilité, les conseils évangéliques, est au centre de la controverse pélagienne (cf. art. Église *latine*, DS, t. 9, col. 355-57 ; art. *Pélage-Pélagianisme*). Élever des doutes sur la possibilité de vivre sans péché risque de décourager les bonnes volontés. Dans sa réaction, Augustin a été amené à préciser sa position. Le « Je ne fais pas le bien que je veux » de *Rom.* 7, 15 n'est plus mis par lui sur la bouche du Juif seulement, mais sur celle du Chrétien et de

Paul lui-même (A. de Veer, *L'exégèse de Rom. VII et ses variations,* dans *Œuvres de S. Augustin,* coll. Bibliothèque Augustinienne, t. 23, Paris, 1974, p. 770-78). Augustin n'aborde pas sans réticence le problème théorique de la perfection. Peut-on vivre sans péché ? Peut-on être parfait ? L'Écriture semble écarter une réponse positive (cf. *Epist.* 157, 1, 2). Pour la question de fait : en dehors du Christ Jésus, la perfection a-t-elle été atteinte sur terre par un homme ? Tout en admettant du bout des lèvres (*ibid.,* 2, 4) que cela peut s'entendre, Augustin rejette la question comme inadéquate :

« Je ne me préoccupe guère de savoir s'il a existé, existe ou existera ici-bas des hommes qui ont possédé, possèdent ou posséderont cette parfaite charité divine à laquelle il n'y aurait rien à ajouter. Puisque je reconnais et défends ce que la volonté de l'homme, aidée par la grâce de Dieu, peut accomplir, je ne dois pas trop contester le lieu, le moment ou la personne en laquelle cela s'accomplit. Et je n'insiste pas sur la possibilité elle-même, attendu que, lorsque la volonté de l'homme est guérie et soutenue, cette possibilité se produit chez les saints de pair avec son effet » (*De natura et gratia* 42, 49 ; cf. 60, 70).

L'essentiel est d'admettre que, si perfection il y a, c'est une perfection de grâce (62, 75). Chez les saints eux-mêmes, la vertu est sujette à l'imperfection : Paul « voulait montrer qu'il existe, à la mesure de cette vie, une certaine perfection, et que cette perfection implique entre autres que chacun reconnaisse n'avoir pas encore atteint la perfection » (*Contra duas ep. Pelagianorum* III, 5, 15 ; cf. *De perfectione just. hom.* 9, 20). La justice parfaite s'identifie à la guérison parfaite qui consiste à voir Dieu tel qu'il est (*De perfectione...* 3, 7-8), ce qui laisse supposer qu'elle déborde les limites de cette vie :

« Ainsi, le commencement de l'amour est le commencement de la justice ; une charité qui grandit est une justice qui grandit ; une grande charité est une grande justice. La charité parfaite est la justice parfaite..., celle qui atteint au maximum dans cette vie quand, à cause d'elle, on méprise la vie. Mais je serais étonné qu'elle ne trouvât pas un lieu où elle pourrait encore grandir, lorsqu'elle aura quitté la vie mortelle. Quels que soient d'ailleurs le moment et le lieu où elle est susceptible d'atteindre une plénitude telle que rien ne lui puisse être ajouté, elle n'est cependant pas répandue en nos cœurs par les forces de la nature » (*De natura et gratia* 70, 84).

Dans la lettre 157, interprétant la péricope du riche (*Mt.* 19), Augustin distingue soigneusement précepte et conseil : « Dans sa bonté, le Maître avait distingué les commandements de la loi de la perfection supérieure (*ab illa excellentiore perfectione*). Ici, il dit : ' si tu veux venir à la vie, observe les commandements ', et là : ' si tu veux être parfait, va, vends tout ce que tu as '. Pourquoi ne pas vouloir que les riches, si éloignés qu'ils soient de la perfection idéale (*quamvis ab illa perfectione absint*), puissent atteindre à la vie, dès lors qu'ils ont observé les commandements et qu'ils ont donné pour qu'on leur donne, pardonné pour qu'on leur pardonne ? » (4, 25).

Préceptes et conseils ne dressent cependant pas des cloisons étanches entre chrétiens, car il y a des circonstances où le conseil de la perfection engage tout chrétien : celles où ne pas renoncer aux attaches humaines serait renoncer au Christ (4, 31-32) : « Non seulement ceux qui... ont accueilli le conseil de la perfection au point de vendre et distribuer leurs biens pour les pauvres..., mais encore tout chrétien... plus faible et moins apte à ce degré glorieux de perfection..., quand il s'entend rappeler qu'il renoncera au Christ s'il ne renonce pas à tous ses biens, se hâtera d'occuper la tour de courage pour faire front à l'ennemi » (4, 33 ; cf. *Ps.* 60, 4. Voir A. Sage, *Vie de perfection et conseils évangéliques dans la controverse pélagienne*, dans *S. Augustinus, vitae spiritualis magister*, t. 1, Rome, 1959, p. 195-220 ; DS, t. 9, col. 373-75).

4° BENOÎT ET JEAN CLIMAQUE. – La *Règle* bénédictine et *L'Échelle* de Climaque ne sont pas des unités vraiment comparables. Leurs auteurs ne sont pas contemporains, leur genre littéraire diffère autant que le *Sitz im Leben* où elles ont vu le jour. Cependant, en Occident et en Orient, ces deux œuvres cristallisent les acquisitions de la période que nous venons de parcourir et constituent jusqu'à nos jours une référence doctrinale sans égale ; elles condensent l'essentiel de leur enseignement sous la forme d'une échelle qu'on peut tenir à des titres divers comme échelle de perfection.

1) *La Règle de saint Benoît* (RB). – Tandis que la *Règle du Maître* (RM) utilise vingt fois le mot *perfectus* pour désigner, dans plus de la moitié des cas, le moine qui se range dans la catégorie des parfaits, Benoît ne retient le mot qu'une seule fois (« les disciples parfaits ne recevront que rarement la permission de parler », 6, 3 = RM 8, 33), le laissant tomber dans les autres passages parallèles. Quant au mot *perfectio*, le Maître et Benoît l'utilisent chacun dans son contexte propre. Chez le premier, le mot évoque le choix de l'abbé : « meliorem in omni perfectione » (92, 76). Dans RB, il vient deux fois dans la même phrase du dernier chapitre (73 : « De ce que l'observation de toute justice ne se trouve pas prescrite dans cette Règle »), qui nous projette de façon significative au-delà de la Règle : « Mais pour celui qui se hâte vers la perfection de la vie religieuse, il est des enseignements des saints Pères dont l'observation conduit l'homme jusqu'aux sommets de la perfection ». De quelle manière qu'on l'entende, cette réserve est caractéristique de Benoît : sa Règle ne prétend pas, par elle-même, mener à la perfection. Elle ne distingue pas, comme celle du Maître, entre « parfaits » et « imparfaits », et propose à tous un seul programme (cf. A. de Vogüé, *Règle de S. Benoît*, t. 4, Commentaire..., SC 184, 1971, p. 368-70).

Pourtant, dans les fameux « degrés d'humilité » (ch. 7) qui sont au cœur de sa doctrine spirituelle (le sermon de vêture d'abba Pinufius a fourni le schéma, cf. *supra*), la *Règle* montre la charité, conçue comme donnant déjà sur terre la liberté parfaite dans l'obéissance aux commandements, au sommet de la progression. Dans son échelle, le Maître introduit dès le début une autre perspective qui va partiellement colorer celle de la *Règle* bénédictine. Ce qui est visé, ce sont les fins dernières : « Aussi, frères, si nous voulons atteindre le sommet de la suprême humilité et si nous voulons parvenir rapidement à cette *céleste* élévation, à laquelle on monte par l'humilité de la vie *présente...* » (RM 10, 5 = RB 7, 5). Omettant la finale eschatologique du Maître, Benoît replace la charité au terme de l'ascension et lui ajoute une note christologique : « *amore Christi* » (7, 69 ; comparer RM 10, 90 : *amore ipsius consuetudinis bonae* ; Cassien, *Inst.* 4, 39, 3 : *amore ipsius boni*).

L'humilité n'est plus une étape seulement comme chez Cassien, elle est coextensive à tout le parcours, elle embrasse toutes les vertus, elle prend sa source dans la relation à Dieu. Si donc, en opposition apparente avec son chapitre final, RB

propose une échelle de perfection (sans en prononcer le mot), on voit qu'elle repose sur le paradoxe évangélique placé en tête du chapitre (« Qui s'abaisse sera élevé » ; 7, 1) qui, dans la perspective de Benoît, est proposé à tous sans distinction.

2) *L'Échelle de Jean Climaque* (cf. DS, t. 8, col. 369-89). – Dans l'œuvre de Climaque, la symbolique de l'échelle n'est pas un ornement factice ou un cadre surajouté. On peut dire que dans son *Échelle* tout est échelle, mais la structure même de l'œuvre, qui redéploie en seconde partie, à un niveau supérieur, ce qui a été proposé dans la première, suggère une réduplication à l'infini, en écho ou en miroir, des expériences spirituelles initiales. Tout est déjà donné, parfait à sa manière, dans le premier don de Dieu et la première expérience, mais tout reste menacé parce que l'esprit reçoit le don parfait dans la chair ; en outre, dans un jeu d'engendrement des vertus, le don n'en finit pas de révéler ses richesses à tous les niveaux d'intériorité, du non-être à soi, et d'élévation de l'être à Dieu.

Climaque témoigne d'une querelle, en son temps, sur l'ouverture des différents états de vie à la perfection et, avec le rude pragmatisme du monachisme populaire, sa position se nuance selon l'utilité de ses auditeurs. A des séculiers négligents qui lui demandaient comment ils pourraient mener la vie monastique en étant mariés et assaillis de soucis temporels, il a répondu : « Tout ce que vous pouvez faire, faites-le... Si vous agissez ainsi, vous n'êtes pas éloignés du Royaume des cieux » (PG 88, 640c). Pour des moines, cela peut être plus subtil : « On peut déprécier les gens du monde par suffisance, mais on peut le faire aussi en leur absence pour échapper au désespoir et garder l'espérance » (656a). Les contradicteurs objectent – déjà ! – le caractère universel de l'appel du riche à la perfection, mais « la richesse n'empêchait nullement ce jeune homme de recevoir le baptême ; ils sont donc stupides ceux qui prétendent que le Seigneur lui ordonnait de vendre ses biens pour pouvoir être baptisé. Qu'un tel témoignage suffise pour nous donner la pleine certitude de l'excellence de notre profession » (656b). D'ailleurs les dons extraordinaires sont la preuve de cette excellence : « Qui parmi eux a jamais opéré des miracles ? Qui a ressuscité des morts ? Qui a chassé des démons ? Personne ! Toutes ces choses sont le prix que remportent les moines, et le monde ne peut y parvenir. Car s'il le pouvait, superflue serait l'ascèse, comme l'anachorèse » (657b).

Au point de départ, Climaque classe les créatures raisonnables en face de Dieu selon des catégories qui vont des ennemis aux amis, de l'impie au moine (632a-633c ; au sommet de la seconde liste, le moine rejoint l'ange, sommet de la première). A l'intérieur de chaque degré, son enseignement s'ordonne aisément selon de nouveaux degrés. Les vertus déploient leurs états successifs en formules, souvent ternaires (commençants, progressants, parfaits). C'est une norme fondamentale du discernement : « Ne cessons de nous examiner sur toutes les passions et toutes les vertus : où en sommes-nous ? au commencement, au milieu, au terme ? (1029a).

Si nous considérons tous ces aspects partiels de la perfection, nous y reconnaissons d'abord les caractères essentiels de l'*apatheia* : la mortification parfaite est « immobilité et insensibilité à la peine » (680ab) ; le comble de la victoire sur la colère, c'est de « tenir les insultes pour des éloges » (832d). L'immobilité qui caractérise la résistance des parfaits à la colère est attribuée explicitement à leur *apatheia* (833b) ; le parfait vit la consolation dans une totale *amerimnia* (865b) ; sa chasteté est une réduction de son corps à l'état de mort (881b) ; sa victoire sur la vaine gloire lui fait « rechercher les humiliations sans en ressentir de peine » (956b) ; il ne contredit même plus ses pensées, il les méprise et passe par-dessus (1029d) ; son *hesychia* est telle qu'il est insensible aux troubles (1097d).

A ces traits s'ajoutent des dons qui supposent une mutation de la relation avec Dieu : une « compassion au-dessus de ses forces » (804a), une *diorasis* qui permet de voir l'âme du prochain dans ses dispositions (1033bc), le ravissement dans la prière (432d), la présence sensible du Saint-Esprit et de ses dons (1036a), et surtout la « lumière divine » qui enchaîne le tyran de la luxure (881c), qui confère le discernement et la paternité spirituelle (1093a), qui sert de signe de la volonté de Dieu (1033b). Le feu divin brûle ceux qui ont besoin de purification, il illumine « à la mesure de leur perfection... ceux qui ont mis leur cœur sous la surveillance de l'intellect » (1138c).

Ces différents aspects tendent à se rejoindre quand on atteint au sommet de l'échelle. L'*apatheia* n'a pas atteint sa perfection tant qu'une seule vertu reste négligée (1149d). Mais alors, on ne la distingue plus que par le nom de la charité, de l'adoption filiale et de la ressemblance de Dieu (1156b ; cf. aussi la récapitulation du Degré 26, 1092c, avec l'engendrement mutuel de la charité, de l'humilité et de l'*apatheia*).

Un tel but est-il purement virtuel et théorique ? Climaque en parle prudemment : « la perfection, si elle existe » (832d) ; « si toutefois une telle transformation est possible » (889c) ; « s'il y a un fond à cet abîme » (956b). L'impeccabilité est réservée aux anges (1000c), mais la perfection des anges elle-même n'exclut pas le progrès : « Le terme de la vertu est sans terme... Nous ne cesserons jamais d'y progresser, soit dans le siècle présent, soit dans le siècle futur, ajoutant sans cesse lumière sur lumière... Même les substances spirituelles ne manquent pas de progresser : au contraire, elles ajoutent sans cesse gloire sur gloire et connaissance sur connaissance » (1068ab). A leur image, « l'hésychaste assouvit sans s'assouvir son brûlant désir de Dieu, engendrant le feu par le feu, l'amour par l'amour, le désir par le désir » (1097b-1100a). La perfection, pour Climaque, est cette « parfaite perfection des parfaits toujours à parfaire » (1148c).

Les *écrits pseudo-dionysiens* utilisent aussi le vocabulaire de la perfection, surtout dans la *Hiérarchie ecclésiastique* (cf. A. Van den Daele, *Indices pseudo-dionysiani*, Louvain, 1941, p. 133-34). Cette hiérarchie « comporte une science, une opération, une perfection qui conduisent à Dieu et... sont œuvre de Dieu » (1, 1, PG 3, 369d). L'ordre des *hiérarques* (évêques) est le premier de la triade sanctificatrice ; sa fonction est de « rendre parfaits » les ordres inférieurs (5, 5, 505ac) ; à ce titre il doit faire preuve d'une science et d'une sainteté éminentes (3, 3, 429b ; cf. art. *Épiscopat*, DS, t. 4, col. 892). Les *moines* forment le premier groupe de la triade sanctificatrice ; soumis immédiatement aux évêques, ils s'élèvent « jusqu'à la plus haute perfection », celle de l'amour divin » (6, 3, 532d-533a), et pratiquent « la parfaite philosophie » (6, 3, *contemplatio*, 533d ; cf. DS, t. 3, col. 271). Ces textes auront un retentissement dans les discussions postérieures sur la distinction entre « état de perfection » et « perfection personnelle » (cf. Thomas d'Aquin, *Somme théologique* 2ᵃ 2ᵃᵉ, q. 184, a, 5-6 ; voir *infra*).

Il y aurait lieu d'étudier aussi la perfection dans les *Histoires* ou *Vies* monastiques des 5ᵉ-6ᵉ siècles ; à titre

d'exemple, voir B. Flusin, *Miracle et histoire dans l'œuvre de Cyrille de Scythopolis,* Paris, 1983, p. 103-37.

Pour d'autres aspects de l'idée de perfection, que nous n'avons pu envisager ici, voir G.W.H. Lampe, *A Patristic Greek Lexicon,* Oxford, 1961, p. 1379-84 ; – I. Hausherr, *Vocation chrétienne et vocation monastique chez les Pères,* dans *Études de spiritualité orientale,* OCA 183, 1969, p. 403-485 ; – DIP, t. 6, 1980, col. 1440-55 (J. Gribomont, Th. Špidlík, P.F. Beatrice, A. de Vogüé).

Guerric COUILLEAU.

### III. MOYEN ÂGE

1. *Monachisme.* – 2. *« Vita apostolica ».* – 3. *Vie érémitique.* – 4. *Prédication itinérante.* – 5. *Laïcs.* – 6. *Ordres mendiants.* – 7. *Constantes permanentes.*

La conception médiévale de la perfection chrétienne a été profondément marquée par la vision pessimiste du monde, dont l'origine est ancienne (cf. art. *Fuite du monde,* DS, t. 5, col. 1588-1605) : le résultat en a été un indéniable mépris du monde (*contemptus mundi*) :

« Pudet me et figet talia pati, qualia iste mundus agit. Triste est quod video, grave omne quod de transitoriis audio » (Jean de Fécamp, *Confessio theologica* III, 5, éd. J. Leclercq et J.-P. Bonnes, *Un maître de la vie spirituelle au 11ᵉ s...,* Paris, 1946, p. 145-46). « Cum manifestum sit mundum in maligno positum, et hoc non solum verbis apostolicis scire, sed etiam rebus et experimentis possis approbare » (Conrad d'Hirsau † vers 1150, *De contemptu vel amore mundi* 8-10 ; éd. R. Bultot, Louvain-Paris, 1966).

De telles affirmations pourraient être aisément multipliées ; il faut même les généraliser. Grégoire le Grand, « docteur du désir », est d'ailleurs l'autorité qui les inspire (cf. DS, t. 6, col. 863-64). Du *contemptus mundi* découle cette autre affirmation : ce n'est que difficilement qu'on peut se sauver dans le monde ; en effet, les conditions et obligations qu'il impose rendent presque impossible une vie conforme aux exigences de la perfection. Sans doute, la possibilité du salut n'est nullement niée : tout homme peut atteindre la perfection qui convient à son *état* ou *ordre* (*ordo* ; cf. DS, t. 4, col. 1406-28 ; t. 7, col. 971-89). Le moyen âge tient fidèlement cette tradition ; plusieurs auteurs savants en témoignent dans leurs lettres à des personnages haut-placés : Alcuin † 804, Jonas d'Orléans † 842/43, Agobard de Lyon † 840, Adalard de Corbie † 826 ; de même Dhuoda, épouse de Bernard, duc de Septimanie, dans le *Liber manualis* à son fils (éd. P. Riché, SC 225, 1975 ; cf. DS, t. 3, col. 798-99).

Des pasteurs et directeurs d'âmes répondent dans le même sens à des hommes qui aspirent à la perfection et s'inquiètent de ne pouvoir l'atteindre à cause des *impedimenta mundi*. Ils conseillent fréquemment d'aller achever la vie dans un monastère, et cette solution est souvent choisie ; un peu plus tard fut instituée dans ce but la *vêture « ad succurrendum »* (cf. J. Leclercq, *Analecta monastica* III = *Studia anselmiana* 37, Rome, 1955, p. 158-68). En effet, si l'homme doit être parfait « comme le Père céleste est parfait » (*Mt.* 5, 48), et si « Dieu veut que tous les hommes soient sauvés » (1 *Tim.* 2, 4), il doit bien exister une voie de salut. Or, puisque le monde est mauvais et qu'on peut difficilement résister à ses attraits, la « sortie du monde » est la voie qui permet d'obtenir le salut en sécurité ; elle s'inaugure par l'entrée au monastère, qui implique un renoncement conscient aux dangers et aux séductions du monde. Dans ce lieu sanctifié, on est à l'abri, car le diable, notre adversaire, « n'y a plus pouvoir ni accès » (*Regula Magistri* = RM, comm. du Pater 70, SC 105, 1964, p. 314). Au terme de la vie monastique, on peut se présenter avec assurance devant le tribunal divin.

1. LA PERFECTION DANS LE MONACHISME. – 1º *Le monachisme comme « état de perfection »*. – La conviction que la vie monastique est, par état, la voie adéquate de la perfection chrétienne, que le monastère est un lieu protégé pour les parfaits, s'explique par diverses raisons. Sans doute, on n'oublie jamais que, même en cet état, la perfection n'est jamais acquise une fois pour toutes et inamissible ; l'entrée au monastère apparaît seulement comme choix de la meilleure voie pour l'atteindre. Cette conviction s'est développée dans le cadre de la vision pessimiste du monde. Il en résulta une rupture fâcheuse entre le monde et le cloître ; en outre, l'idéal monastique devint la *norme* de toute perfection chrétienne.

L'interprétation du monachisme comme vie chrétienne authentique s'exprime d'abord par *le parallèle entre profession monastique et baptême* (thème qui remonte très haut dans le monachisme oriental ou occidental ; cf. DS, t. 1, col. 1229-30). A l'origine on se base sur une analogie immédiate : baptême et profession impliquent l'un et l'autre un *renoncement* au monde et au diable, renoncement auquel correspond le *consentement* de Dieu qui se lie au baptisé par une sorte de contrat. Le *propositum monasticum* est le renouvellement conscient et intensif de ce contrat.

On découvre ensuite une *similitude d'effets* entre baptême et profession : « Soyez heureux, car demain vous renaîtrez et serez purifiés de tout péché, comme à votre naissance, comme si vous étiez baptisés ce même jour » (Léonce de Néapolis, 7ᵉ s., *Vie de Syméon le fou*, éd. L. Ridén, Uppsala, 1963, p. 131 ; cf. DS, t. 9, col. 667-8). La consécration monastique n'est pas exactement un nouveau baptême, mais une nouvelle naissance, avec purification totale des péchés. Comme signe de cette purification par grâce, le nouveau moine porte durant sept jours tout ou partie de l'habit festif de la vêture.

Une autre tradition vient confirmer la même analogie : *la vie monastique assimilée au martyre* (cf. DS, t. 10, col. 1552). L'idée très ancienne d'un « martyre spirituel », non sanglant mais quotidien, permet de discerner dans la vie ascétique le même pouvoir de salut et de rémission des péchés (cf. DS, t. 10, col. 735). La valeur sanctifiante du « second baptême » n'est pas liée uniquement à l'entrée au monastère ; elle résulte plutôt de l'engagement à rester fidèle toute la vie au projet de la *conversatio monastica* (DS, t. 2, col. 2206-12) : « Ta mère a été couronnée après un long martyre » (Jérôme, *Epist.* 108, 31, à propos de Paula).

La notion de « second baptême » met en relief un autre aspect essentiel de la vie monastique : c'est *une vie de constante pénitence* ; elle répond ainsi à la « seconde pénitence » de l'ancienne pratique ecclésiale. La « conversion » monastique, qui obtient le pardon des péchés et unit à Dieu, devient ainsi un nouvel élément du « contrat avec Dieu » (Gennade de Marseille, *De ecclesiasticis dogmatibus* 22, PL 58, 994 ; Pseudo-Fauste de Riez, PL 58, 875). Ici encore, ce n'est pas en vertu d'un acte initial, mais par toute une vie pénitente qui se maintient dans le pardon divin. Smaragde de Saint-Mihiel explicite en ce sens la formule de la *Regula Benedicti* = RB 58, 10 :

« *Ecce lex sub qua militare vis*. Ces mots ne signifient pas :

' voici la loi sous laquelle tu peux te reposer et vivre confortablement dans l'oisiveté '. Bien plutôt, par les mots ' sous laquelle tu veux combattre ', il devient clair pour toi que ' la vie de l'homme sur terre est un combat et ses jours ceux d'un mercenaire ' (*Job* 7, 1) ; donc, pour un salaire éternel, celui qui veut entrer dans ce combat doit supporter toutes choses dans le Seigneur, comme l'or est éprouvé par la lime, les marteaux et le feu, afin qu'il puisse obtenir le diadème et la couronne du Seigneur » (*Corpus consuetudinum monasticarum*, t. 8, Siegburg, 1974, p. 293).

La revendication de la perfection pour le monachisme apparaît explicitement dans ce lien de la profession avec le baptême, constamment réaffirmé au moyen âge (par ex. Odon de Cantorbéry, *In S. Benedictum*, éd. J. Leclerc, dans *Studia anselmiana* 3, 1953, p. 124-34 ; Pierre Damien, Bernard de Clairvaux). Elle se fonde sur le projet de prendre radicalement au sérieux dans la vie monastique les promesses du baptême, pour les réaliser de manière volontaire et consciente. Ainsi s'éclaire également la conception du monastère comme Église et de la communauté monastique comme communauté ecclésiale (cf. RM 1, 82-86 ; 11 ; qui exprime cette idée avec une certaine rigueur, mais avec une grande netteté). Le « contrat » (*pactum*) entre le moine et Dieu, maintes fois rappelé, trouve là aussi son fondement. La « charte fondamentale » de ce contrat reste l'Écriture sainte. C'est « sous la conduite de l'Évangile » (*per ducatum Evangelii*, RM, Psaume 17 = RB, prologue 21) que les moines veulent en réaliser les exigences.

La Règle ne fait qu'appliquer concrètement l'Évangile à la forme de vie qu'est le monachisme. Elle est posée comme une loi, et en ce sens RB 58, 10 (cité *supra*) s'insère dans la plus pure tradition. Puisque le monachisme est une « nouvelle alliance », le législateur peut être comparé à Moïse, celui de l'ancienne alliance. Cette comparaison n'apparaît que plus tard (Guerric d'Igny † 1157, DS, t. 6, col. 1113-21 ; Aelred de Riévaux † 1167, t. 1, col. 225-34 ; Odon de Cantorbéry † vers 1200, t. 11, col. 616-18). Elle s'affirme ensuite dans la concurrence entre les ordres, sous la plume de leurs fondateurs propres, dans le cadre de la théorie de la perfection monastique. De telles conceptions pouvaient évidemment conduire à des excès ; la restriction *au monastère* de l'universalité du salut *dans l'Église* est attestée par le fâcheux axiome : « extra claustrum nulla salus ».

Enfin, le monastère comme lieu de perfection crée pour les moines une relation particulière au monde. Les « parfaits » ont un rôle de suppléance : le souci du salut de tous devient leur tâche propre. Cette idée remonte aussi très haut. Eusèbe de Césarée voit dans les ascètes « ceux qui, pour le bien du genre humain tout entier, sont consacrés à Dieu qui est au-dessus de tout... ; du fait qu'ils se maintiennent dans la saine doctrine, la vraie piété, la pureté de l'âme, les paroles et actions conformes à la vertu, ils plaisent à la Divinité et remplissent un rôle sacerdotal pour leur propre bien et celui de tous » (*Demonstratio evangelica* I, 8, PG 22, 76c). L'*Histoire des moines d'Égypte* exprime la même idée en termes sublimes : « Il est pleinement évident que c'est par eux que le monde tient debout, et à cause d'eux que le genre humain subsiste et garde quelque valeur aux yeux de Dieu » (prol. 9 ; trad. A.-J. Festugière, *Les moines d'Orient*, t. 4/1, Paris, 1964, p. 8).

Les apologistes anciens avaient attribué à tous les chrétiens cette efficacité universelle dans l'œuvre du salut (cf. *A Diognète* 6, 1-7, SC 33 bis, 1965, p. 64-66). Elle est maintenant réservée aux moines et s'exerce avant tout dans la prière. La *Notitia de servitio monasteriorum* d'Aix-la-Chapelle (818/19) impose à tous les monastères, entre autres devoirs, « la prière pour le salut de l'empereur, pour ses fils et pour la stabilité de l'empire » (*Corpus consuet. mon.*, t. 1, 1963, p. 493). Ce service confère aux moines une valeur de premier plan dans l'Église et la société, comme en témoigne l'empressement des laïcs à construire des monastères et à les doter richement (cf. déjà Cassiodore, *In Ps.* 103, 16-17, CCL 98, 1968, p. 933).

2° *La concurrence au sujet de la perfection.* – Le monachisme ancien ne peut être compris comme unité que si on en donne une définition large. Orose définit les moines comme des chrétiens qui se limitent « à l'œuvre unique de la foi » (*Adversus paganos* VII, 33, 1, CSEL 5, 1882, p. 515), mais il ne dit rien sur les formes concrètes de l'*opus fidei*. En fait, le monachisme s'était développé dans une grande diversité. La réforme carolingienne aboutit à une certaine uniformité : la *Regula Benedicti* devint l'unique norme du monachisme occidental ; mais l'effet de cette décision officielle ne doit pas être surestimé, car l'accommodation de la Règle à la pratique antérieure eut plus d'importance que les changements qu'elle provoqua.

Lorsque les différences s'affirmèrent à l'intérieur de ce monachisme unifié, la première fut celle des ermites et des cénobites (cf. DS, t. 2, col. 405-16 ; t. 4, col. 958-66). Le chapitre traditionnel *De generibus monachorum* atteste un ordre de préférence. D'après la Règle bénédictine (RB 1 = RM 1), la vie cénobitique (*militans sub regula et abbate*) est considérée comme la voie la meilleure et la plus sûre vers la perfection. La vie anachorétique est une exception : elle convient uniquement à des hommes éprouvés et affermis. Comme le but visé, c'est-à-dire la perfection, ne peut qu'être unique, sa délimitation et sa valeur tiennent uniquement au type de voie qui est choisi. Le combat solitaire (*pugna singularis*) est une voie plus étroite (*via arctior*). Ce genre de vie implique en effet le choix résolu pour les éléments essentiels de l'existence monastique : solitude, prière et contemplation, pénitence. Il permet de réaliser l'antique idéal du « seul avec le Seul », du « vivre avec Dieu seul ». Aussi l'érémitisme se comprend-il comme « la racine de la vie monastique ou cénobitique » (*Vita S. Disibodi*, Mabillon, *Acta Sanctorum O.S.B.*, t. 3, 2, col. 497). La valeur du cénobitisme est donc estimée d'après la norme de l'érémitisme : en se définissant comme « solitude à plusieurs », il justifie sa propre prétention à la perfection.

2. LA PERFECTION PAR LA « VITA APOSTOLICA ». – Les réformateurs du 11ᵉ siècle virent dans la *vita communis* (vie en commun avec partage des biens) un moyen essentiel pour une *reformatio in melius*. Or la vie commune était déjà celle des moines ; elle servit donc de modèle dans les tentatives de réforme, mais avec une assise nouvelle : « Et rogantes monemus ut ad *apostolicam*, communem scilicet, vitam summopere pervenire studeant » (Synode romain de 1059, Mansi, t. 19, col. 873 ; cf. art. *Chanoines réguliers*, DS, t. 2, col. 466-69). La vie commune des clercs reçoit dès lors l'étiquette *vita apostolica*, qui évoque la manière de vivre des premiers chrétiens : « exemplo primitivae ecclesiae », « apostolicae instituta disciplinae, in primordiis Ecclesiae sanctae exorta ». Cette nouvelle forme de vie s'affirme ainsi comme fondée par le Christ lui-même, qui avait rassemblé ses apôtres en communauté et institué la vie commune en disant :

« si l'un de vous ne renonce à ses biens, il ne peut être mon disciple » (*Luc* 14, 33). Cette règle fut transmise par les apôtres à la communauté de Jérusalem (*Actes* 4, 32-35 ; cf. art. *Koinônia*, DS, t. 8, col. 1747-50).

La réforme du clergé selon la *vita apostolica* avait aussi sa préhistoire. Chrodegang de Metz avait écrit entre 751 et 755 une Règle (cf. DS, t. 2, col. 877-78) qui se rattachait à la Règle bénédictine et ordonnait la vie commune de son clergé selon celle des moines. La *Regula canonicorum* d'Aix-la-Chapelle (816) ne s'écartait pas de cette tradition ; elle pouvait se résumer ainsi : « Habitu quidem usi canonico, regula vivebant monastica » (Adam de Brême, *Gesta Hamburgensis ecclesiae* 1, 30, PL 146, 484a). L'*ordo canonicus* fut sans doute distingué de l'*ordo monasticus*, mais la séparation ne pouvait être totale puisque la *vita communis* était marquée par le modèle monastique. La vie canoniale fit donc sienne la prétention à la perfection de la vie monastique, et ainsi débutèrent les discussions au sujet de la meilleure voie : « Qui vivit ut bonus laicus facit bene, melius qui est canonicus, peroptime qui est monachus » (*De vita vere apostolica* III, 23, PL 170, 664a).

Pour justifier la supériorité de la *vita apostolica*, il n'était pas nécessaire de trouver des arguments nouveaux ; il suffisait d'exploiter ceux qui, à l'intérieur du monachisme bénédictin, avaient servi dans le conflit entre Cluny et Cîteaux. Les cisterciens justifiaient leur supériorité par des raisons historiques. Bernard de Clairvaux estimait que le monachisme de sa propre observance existait déjà aux origines de l'Église : « Ordo (monasticus) qui prius fuit in Ecclesia, imo a quo coepit Ecclesia » (*Apologia* 10, 24) ; les mots de Pierre : « nous avons tout quitté... » (*Mt.* 19, 27) représentaient à ses yeux la première profession monastique et les apôtres les premiers moines (*Serm. de diversis* 37, 7 ; cf. *Exordium magnum*).

Un des plus importants écrits venu du camp des moines atteste la même conviction par son titre : « De vita *vere* apostolica » (PL 170, 609-64, attribué à Rupert de Deutz).

L'auteur met au même rang vie monastique et vie apostolique et justifie historiquement cette égalité ; il recueille tout ce qui avait été dit depuis Eusèbe de Césarée jusqu'à Jean Cassien pour faire remonter le monachisme aux premiers temps de l'Église. L'argumentation culmine en cette affirmation : « Sub apostolis sicut apostolicae perfectionis Ecclesia a monachis sumpsit exordium, ita in his de caetero totius perfectionis remansit privilegium » (IV, 10, PL 170, 647c).

Les partisans de la vie canoniale contestent cette prétention des moines, en s'appuyant sur des arguments identiques. Ils prennent la vie et l'activité des apôtres comme prototype et norme de leur propre manière de vivre : renoncement au monde, pauvreté, vie commune. Ils mettent en jeu cependant un nouvel atout : *le sacerdoce*. Le monachisme l'avait sans doute gardé mais il n'était plus compté au nombre de ses éléments constitutifs. La vie canoniale est au contraire l'affaire des clercs. Les chanoines pouvaient ainsi ramener l'origine de leur ordre au sacerdoce de l'Ancien Testament, faisant leur le mot de Jérôme : « chaque état a son propre maître » (*Epist.* 58, 5). Ils voyaient dans les apôtres les premiers prêtres de l'Église. La vie canoniale était ainsi à son tour ramenée aux origines de l'Église. Et comme le prêtre est au-dessus du laïc, la vie canoniale devait être supérieure à la vie monastique. Dans cette perspective polémique, la voie canoniale devenait donc la plus adaptée pour atteindre la perfection.

Anselme de Havelberg † 1158 réussit à parler avec

nuance des nouveautés dans l'état religieux (*Dialogues* I, 1) et trouva cette formule laconique : « sunt enim antiqua bona, sunt et nova bona, et sunt antiqua mala, et sunt nova mala » (*Epist. apologetica*, PL 188, 1122d-1123a) ; il suggérait ainsi que ni l'état monastique ni l'état canonial ne détiennent une perfection acquise automatiquement mais indiquent seulement des voies pour une perfection personnelle. Une comparaison nuancée des deux formes de vie devait donc s'exprimer en formules d'estime réciproque : « Nam pro certo scio canonicos monachosque maiorem locum in ecclesia tenere, et tamen neutrum eorum primum positum reperiet » (*Libellus de diversis ordinibus*, éd. G. Constable-B. Smith, Oxford, 1972, p. 3).

3. LA PERFECTION PAR LA VIE ÉRÉMITIQUE. – Le renouveau de l'érémitisme est parallèle aux développements de la vie canoniale ; il ne s'explique pas seulement par une crise du cénobitisme, mais se rattache aussi à la meilleure tradition monastique. L'ermite médiéval veut « arripere arduam perfectionis viam » (Pierre Damien, *Vita Romualdi* 3, éd. G. Tabacco, Milan, 1957, p. 19) ; il prétend accéder à une perfection plus haute parce que ce choix présuppose une personnalité éprouvée et en raison de l'austérité de cette vie.

Les initiateurs du mouvement érémitique viennent surtout de l'état monastique ou clérical. Romuald de Ravenne † 1027 (cf. DS, t. 2, col. 50-60) relève de la tradition bénédictine. La solitude est pour lui le moyen assuré de la perfection. Il reprend ainsi l'antique idéal de la « migration ascétique » (DS, t. 10, col. 1553), non pour un apostolat en pays étranger, mais pour une vie solitaire sans distractions : « Reste dans ta cellule comme dans un paradis » (Bruno de Querfurt, *Vita quinque fratrum* 32). Ce paradis est l'espace qui convient à un total renoncement : « destrue te totum » ; il assure la possibilité d'une prière continuelle et d'une communion ininterrompue avec Dieu ; c'est l'*aurea solitudo* (*ibidem* 2), la *via aurea* de Pierre Damien (*Ad Stephanum monachum* 1, PL 145, 336c).

La même spiritualité anime Bruno de Cologne † 1101 (DS, t. 2, col. 705-10) : « Réjouissez-vous d'être parvenus à la stabilité tranquille et sûre d'un port caché » (*Ad filios* 2, SC 88, 1962, p. 82). Sans projet défini ni organisation ferme, Bruno vit d'après l'ancienne tradition érémitique. L'effort ascétique est modéré. La solitude permet de jouir de la présence divine : « norunt hi qui soli experti sunt... de paradisi feliciter fructibus vesci » (*Ad Radulphum* 6, p. 70). L'homme s'y retrouve lui-même (« redire in se », « habitare secum ») et parvient à une communion privilégiée avec Dieu qui lui assure paix et joie dans l'esprit Saint (*ibidem*).

« Rigor eremiticae conversationis » : telle est aussi la visée de Pierre Damien. La solitude exige le combat contre le diable et conduit à la plénitude ; elle assure la « sainte simplicité », la prière continuelle, coupée d'élans affectifs (*care Jesu, dilecte Jesu*) et permet de réaliser sans restrictions les exigences de la suite du Christ : « Nihil extra Dominum possidere » (*Contra clericos regulares...*, 2, PL 145, 483b). Avec un totalitarisme évident, Pierre tient la vie érémitique pour l'existence religieuse parfaite. Même lorsque, devenu réformateur engagé, il s'adresse aux moines, au clergé, à tous les chrétiens, il est subjugué par l'érémitisme et définit en conséquence les voies de la perfection. Il reste cependant fidèle aux données de la tradition (vie apostolique, communauté primitive, glori-

fication des saints dans ses écrits et sermons) ; il refuse le changement et la nouveauté pour être plus efficace dans l'attitude et le comportement. La mystique de l'imitation du Christ, typique de cette époque, ne devient féconde que par ce retour aux sources créateur.

4. LA PERFECTION PAR LA PRÉDICATION ITINÉRANTE ET LA PAUVRETÉ. – Chez les prédicateurs itinérants français du 12e siècle, la *vita apostolica* subit une transformation significative, de même que les normes traditionnelles du monachisme. Les éléments essentiels de celles-ci sont cependant intégrés aux formes nouvelles. Étienne de Muret † 1124 énumère les Règles classiques, mais ajoute une note originale :

« Elles ne sont pas la source de la vie religieuse, mais ses prolongements, non pas la racine mais les frondaisons, non pas la tête mais les membres : il n'y a qu'une seule foi et qu'une seule première et principale Règle des Règles, dont toutes les autres découlent, comme les rivelets d'une seule fontaine : c'est le saint Évangile transmis aux apôtres par le Sauveur » (*Regula*, CCM 8, 1968, p. 66).

La Règle renvoie directement à la découverte et à l'imitation du *Christ pauvre*, et le moyen privilégié de la perfection devient ici la pauvreté. C'est à ses disciples comme « pauvres du Christ » qu'Étienne décrit sa propre voie de perfection. La même découverte du *Christus pauper* inspire l'activité et les fondations de Robert d'Arbrissel † 1117, Bernard de Tiron † 1117 (DS, t. 1, col. 1510), Vital de Savigny † 1112, Giraud de Sales † 1120, et finalement Norbert de Xanten † 1134 (DS, t. 11, col. 412-24 ; cf. art. *France*, DS, t. 5, col. 835-36). Ils viennent pour la plupart de communautés monastiques ou du clergé séculier, et leur conversion s'inspire peut-être par l'influence du mouvement érémitique. C'est l'engagement pour la réforme ecclésiale, en dépendance du retour aux sources de l'Église primitive, qui les pousse à la prédication. La passion de la pauvreté du Christ est commune à tous : « Pauperem Dominum ad mortem pauper spiritu sequebatur » (*Vie* de Bernard de Tiron, PL 172, 1432). Leur recherche de la perfection dans l'imitation du Christ s'inspire de l'adage : Nudus nudum Christum sequi (cf. DS, t. 11, col. 509-13, avec bibliographie).

5. UNE PERFECTION POUR LES LAÏCS ? – Le mode de vie des prédicateurs itinérants, placé résolument sous la règle de l'Évangile, pouvait convenir à tous les baptisés. L'appel à l'imitation du Christ pauvre trouva un écho généreux dans les sociétés urbaines, qui en firent un argument tranchant pour la critique des clercs et de la hiérarchie. La pauvreté comme voie vers la perfection ne restait plus le privilège des moines : elle devait être choisie par tous les chrétiens.

Déjà au 11e siècle, « les laïcs s'affirment comme chrétiens et spirituels » (Y. Congar, art. *Laïc*, DS, t. 9, col. 83-93). La réforme de Grégoire VII semble avoir donné sur ce point une impulsion originale ; ce pape a déconseillé à plusieurs laïcs influents d'entrer dans la vie monastique (textes cités, col. 90-91). Urbain II † 1099 prend la défense des laïcs qui ont adopté « la vie commune » selon la « dignissimam... primitivae Ecclesiae formam » (*Bulle* de 1091, PL 151, 336). En 1131, Gerhoch de Reichersberg affirme nettement que le baptême engage déjà sous « la règle apostolique », à condition qu'on accomplisse fidèlement ses exigences de renoncement. Tout chrétien, en effet, « trouve dans la foi catholique et la doctrine des apôtres une règle adaptée à sa condition, sous laquelle, en combattant comme il convient, il pourra parvenir à la couronne » (*Liber de aedificio Dei* 43, PL 194, 1302).

L'antique idéal de la « splendeur de l'ordre monastique » (Rupert de Deutz, *Altercatio monachi et clerici*, PL 170, 540a) perdait de son éclat. Tandis que les ordres en concurrence exaltaient chacun leur propre observance, les laïcs firent aussi entendre leur voix et découvrirent dans leur propre vie la possibilité d'atteindre la perfection. « Vivre selon l'Évangile », « vivre dans la pauvreté », « vivre dans la pénitence » : telles étaient les maximes principales sous lesquelles les mouvements religieux s'unissaient (sur les mouvements spirituels de laïcs, orthodoxes ou hétérodoxes, cf. art. *Italie*, DS, t. 7, col. 2184-93, 2215-16). Ces idées appartenaient sans doute déjà à l'ancienne tradition chrétienne et monastique ; elles donnèrent lieu à un modèle de perfection qui se définissait pourtant à partir du modèle monastique. Le résultat fut que les mouvements et groupements laïcs, tout en se constituant en « états » propres, furent finalement intégrés à « l'état religieux ». Voir *supra*, art. *Pénitents*, col. 1010-23.

L'enquête d'A. Vauchez (*La sainteté en Occident aux derniers siècles du moyen âge...*, Paris, 1981) conduit à compter 25 % de laïcs parmi les saints reconnus par l'Église entre 1198 et 1304, pourcentage qui s'élève à 27 % entre 1303 et 1431 (p. 310-315, avec tableaux statistiques). A. Vauchez pense néanmoins que l'Église ne favorisa pas chez les laïcs « l'éclosion d'une spiritualité propre à leur état ». Il note ensuite que « ce printemps de la sainteté laïque fut sans lendemain » ; en effet, « sous l'influence des religieux et surtout des Mendiants, on assiste par la suite à une véritable *monachisation* du laïcat » (p. 447).

6. LA PERFECTION DANS LES ORDRES MENDIANTS. – La vie de François d'Assise (1181/82-1226 ; DS, t. 5, col. 1271-1303) permet de décrire cette nouvelle voie de façon exemplaire. Il se convertit à une « vie dans la pénitence » : « Dominus ita dedit mihi... incipere poenitentiam » (*Testament* 1, *Écrits de S. Fr.*, SC 285, 1981, p. 204), qui se manifeste par la « sortie du monde » (*Test.* 3, p. 204). Il adopte ainsi les aspects essentiels de l'état religieux, même si son inspiration l'amène à se distancer des formes traditionnelles : « Altissimus revelavit mihi quod deberem vivere secundum formam sancti Evangelii » (*Test.* 14, p. 206), d'où la formule : « Domini nostri Jesu Christi doctrinam et vestigia sequi » (*Regula non bullata* 1, 1, p. 122 ; cf. 1 *Pierre* 2, 21). La « suite du Christ » franciscaine se relie à l'Évangile en sa totalité ; elle ne privilégie aucun aspect (pauvreté, vie commune, prédication itinérante), bien que ces éléments soient repris avec une coloration personnelle. François est l'homme « qui vult secundum formam sancti evangelii vivere evangelicamque perfectionem in omnibus observare » (*Legenda trium sociorum* 48 ; cf. Celano, *Vita prima* 84).

Bien que le concept abstrait de *perfectio* n'ait joué aucun rôle chez François, celui-ci ne doute pas que la vie qu'il a choisie sous l'impulsion de la grâce divine conduisa à la perfection : « Et quicumque haec observaverit, in caelo repleatur benedictione altissimi Patris et in terra repleatur benedictione dilecti Filii sui cum sanctissimo Paraclito et omnibus virtutibus caelorum et omnibus sanctis » (*Test.* 40, p. 210). Cette conviction se révèle aussi dans l'identification de la « Règle et vie des Frères mineurs » et de la « vie selon l'Évangile », ce qui dans la *Regula bullata* 1 s'exprime en référence à *Mt.* 19, 21.29 ; 16, 24 ; *Luc* 14, 26.

François voulait fonder seulement une communauté fraternelle comme il en existait de son temps, mais la forme de vie se précisa dès les premières années du nouvel ordre : celle des ordres mendiants. Elle répondait aux aspirations religieuses des sociétés urbaines et fut adoptée par les Frères prêcheurs de Dominique d'Osma † 1221 (DS, t. 3, col. 1519-32) ; celui-ci venait de la tradition canoniale des Augustins et avait été lié au mouvement de prédication itinérante.

Les nouveaux ordres, dont les membres n'étaient attachés à aucun lieu, appartenaient au « status religiosus ». Leur implantation dans les villes les orienta cependant vers le service pastoral. Ce n'était pas une nouveauté ; l'ancien principe « ut monachus sedeat solitarius et taceat » (*Decretum Gratiani* II, causa 16, qu. 1, c. 8) ne s'accordait nullement avec les faits. Mais la puissante présence des Mendiants dans les cités et les universités et l'usage sans réserve de leurs privilèges pour la *cura animarum* et la *licentia docendi* finirent par créer un conflit avec le clergé séculier ; celui-ci atteignit son paroxysme à l'Université de Paris. La position des séculiers fut défendue par Guillaume de Saint-Amour † 1272 (DS, t. 6, col. 1237-41), Nicolas de Lisieux et Gérard d'Abbeville (DS, t. 6, col. 258-63). Les Mendiants trouvèrent leurs principaux avocats dans les grands maîtres Albert le Grand, Thomas d'Aquin, Bonaventure, Thomas d'York, Jean Pecham (DS, t. 8, col. 646-49).

Le conflit (1252-1256 ; 1272-1274) ne peut être compris hors de son contexte historique ; la discussion souleva cependant des questions fondamentales : pauvreté dans l'Église, perfection chrétienne. Les arguments des deux partis furent exprimés dans une abondante littérature (liste fournie à l'art. *Gérard d'Abbeville*, col. 262). En ce qui concerne la perfection, la position des séculiers était la suivante : la hiérarchie ecclésiastique peut revendiquer la perfection en raison du service pastoral ; cette mission lui confère un plus haut degré de perfection : en effet, la charité qui en est la source est supérieure à la contemplation, affaire des religieux. La réplique des Mendiants se basait sur le *statu quo* en faveur des ordres. Les arguments qui avaient servi pour légitimer la prétention à la perfection sous les notions de « vie évangélique » et « vie apostolique » furent adroitement recueillis et utilisés à leur profit. Bornons-nous aux plaidoyers de Bonaventure et Thomas d'Aquin.

1° *Bonaventure*. – L'état de perfection peut-il être mesuré d'après les degrés de la hiérarchie ? La perfection consiste-t-elle dans l'observation des commandements ? La réplique des Mendiants peut être ramenée à la réponse qu'ils donnent à ces deux questions. En ce qui concerne la hiérarchie, Bonaventure † 1274 (DS, t. 1, col. 1806-09) affirme que l'épiscopat est aussi un « status perfectionis ». L'administration des biens d'Église que cette dignité comporte n'est pas un obstacle ; cela vaut aussi pour les autres membres du clergé qui partagent la même charge, car elle a pour fin le bien des fidèles (*Apologia pauperum* 3, 19-22 ; 8, 22 ; 12, 19, etc. ; éd. Quaracchi, t. 8, 1898, p. 249-50, 293-94, 322). Le désintéressement personnel dans cette administration est un témoignage de la charité qui, en chaque état, est le tout de la perfection : « Radix, forma, finis, complementum et vinculum perfectionis caritas est » (3, 2, p. 244).

On ne peut cependant conclure que la perfection est essentiellement liée à l'état des clercs et des prélats. En effet, l'administration des biens n'est pas un élément nécessaire de la perfection chrétienne. L'état de perfection ne peut être déterminé qu'en fonction de ce qui est essentiel, c'est-à-dire la charité. Or, celle-ci, dans sa réalisation, comporte trois degrés : le degré inférieur est l'observation des commandements, le deuxième l'accomplissement des conseils, le troisième la contemplation du Bien Suprême, qui ne trouve son achèvement qu'au ciel (3, 2, etc.). Le premier degré correspond à la *perfectio necessitatis*, qui n'est perfection qu'en un sens impropre, car « le commandement ne fait pas la perfection » (4, 5, p. 253). La perfection réelle consiste dans l'observation des conseils animée par la charité : celle-ci pousse à des actes plus difficiles et plus élevés.

Si la pauvreté est mise en relief, c'est en fonction du contexte historique et du caractère spécifique de l'ordre franciscain. Pauvreté totale et perfection sont liées : « Renoncer à toutes choses, en privé comme en commun, relève de la perfection chrétienne, non seulement suffisante mais encore surabondante » (*De perfectione evangelica*, q. 2, a. 1, concl., éd. Quaracchi, t. 5, 1891, p. 129a). Qui dénie ce renoncement total « combat le Christ pauvre et crucifié, combat le conseil évangélique... ; il combat Dieu lui-même, Père de tous et refuge des pauvres » (q. 2, a. 2, replic. 5, p. 153). Néanmoins, la perfection ne s'identifie pas formellement à la pauvreté ; celle-ci crée seulement les dispositions favorables pour l'atteindre (*Apologia* 7, 28 ; *De perfectione* q. 2, a. 1, p. 128-30).

Il en est de même pour l'obéissance et la chasteté : ce sont des dispositions favorables à la perfection. Si l'état où on pratique les conseils est défini comme « status perfectionis » (à côté de l'état épiscopal), cela tient à sa valeur « surérogatoire ». L'observation des conseils s'ajoute à celle des commandements ; elle permet d'éviter le péché et ses occasions. Bonaventure note que la perfection n'est pas automatiquement acquise à ceux qui sont dans « l'état de perfection ». L'*état* offre les moyens appropriés, crée les dispositions les plus favorables ; quant à la perfection personnelle, elle est atteinte sous l'effet d'un don de Dieu et se manifeste dans la charité (*Apologia* 3, 11 ; 11, 1 ; etc.).

2º *Thomas d'Aquin* fait aussi de la charité l'essence de la perfection : « caritas autem est, quae nos unit Deo, qui est ultimus finis humanae mentis » (*Somme théologique* 2ª 2ᵃᵉ, q. 184, a. 1 ; cf. ad 2 : « vita autem christiana specialiter in caritate consistit, per quam anima Deo conjungitur »). Cette définition de la perfection est indépendante du conflit de l'époque. Il en est de même pour celle qui s'appuie sur l'axiome d'Aristote : « perfectum est cui nihil deest » (*Physique* III, 6). Thomas distingue ici une triple perfection : la première convient à Dieu seul ; la deuxième engage la totalité de celui qui aime et ne peut être atteinte que dans l'au-delà ; la troisième exclut d'abord ce qui est contraire à la charité, ensuite ce qui s'oppose au désir de l'âme orientée tout entière vers Dieu (q. 184, a. 2 ; cf. q. 24, a. 9 : commençants, progressants, parfaits).

Touche davantage au conflit contemporain l'exposé sur la distinction commandement-conseil et sur « l'état de perfection ». Puisque la perfection consiste essentiellement dans la charité, et que celle-ci est la fin des commandements, la perfection est donc liée aux commandements. Les conseils sont aussi ordonnés à la charité, et la perfection y est incluse, mais seulement de manière instrumentale (*instrumentaliter*). Car les conseils sont correctement accomplis lorsqu'ils sont liés à l'amour de Dieu et du prochain (q. 184, a. 3) ; ils rendent possible une autre espèce de perfection, celle qui assure une plus grande liberté au service de Dieu (ad 3 : « homo etiam a rebus licitis abstinet, ut liberius divinis obsequiis vacet »).

Dans cette perspective, la perfection est l'affaire de tous les baptisés, comme *perfectio caritatis*. Néanmoins, on peut parler d'un « état de perfection ». Le concept d'état (défini par les obligations d'une personne, ses conditions de liberté ou de servitude dans le domaine spirituel ou social, q. 183, a. 1) peut être appliqué à l'Église et permet de distinguer des « états » différents, en fonction de la liberté ou de la servitude par rapport au péché et à la vertu (a. 3). D'où la définition d'un état de perfection *proprement dit* : « Ainsi on dit que quelqu'un est au sens propre en état de perfection non du fait qu'il est en acte de charité parfaite, mais du fait qu'il s'oblige pour toujours et avec une certaine solennité (perpetuo et cum aliqua solemnitate) à tout ce qui concerne la perfection » (q. 184, a. 4). Cet engagement perpétuel et solennel se fait dans la consécration épiscopale et la profession religieuse (a. 5). L'appartenance à un tel état n'entraîne pas automatiquement la perfection personnelle ; Thomas l'affirme catégoriquement : « Quelques-uns sont dans l'état de perfection qui manquent totalement de charité et de grâce : tels sont les mauvais évêques et les mauvais religieux » (a. 4, *sed contra*). L'état de perfection est sans doute celui qui groupe les « parfaits », mais par l'obligation stricte qu'il implique de mettre en œuvre les moyens pour devenir parfait, il est et demeure un « état de perfection à acquérir » (*status perfectionis acquirendae*).

Les religieux ont à leur portée tous les moyens qui conduisent à la perfection. Par leurs vœux, ils s'obligent à les mettre en œuvre pour y accéder (q. 186, a. 1 ; 189, a. 4). Pour eux aussi, la perfection est celle de la charité (q. 181, a. 1 ; 188, a. 2, etc.). Si les actes exigés par les conseils évangéliques sont seulement des moyens (*instrumenta*) pour la perfection, il en est de même pour les formes extérieures de la vie religieuse (communauté, solitude, jeûne, etc.). Leur valeur se mesure à la capacité de conduire à la fin, qui est la perfection. Cette subordination des moyens à la fin explique également la multiplicité des ordres.

C'est en fonction de la tradition propre des Frères prêcheurs que saint Thomas légitime l'activité apostolique des religieux (q. 187) et qu'il s'écarte de la tradition plus ancienne en déniant à la contemplation (et aux ordres qui s'y consacrent) la plus haute valeur. Le degré le plus élevé est plutôt celui où contemplation et action sont unies pour la fécondité du travail apostolique : « Sicut enim melius est illuminare quam lucere solum, ita maius est contemplata aliis tradere quam solum contemplari » (q. 188, a. 6).

7. CONSTANTES PERMANENTES. – Malgré la diversité de ses expressions, la théorie médiévale de la perfection s'appuie sur une conception fondamentale permanente.

1º *Le but* qui définit la perfection reste le même : « que le Christ soit formé en nous » (*Gal.* 4, 19) ; c'est la restauration de l'image de Dieu en l'homme, l'intimité avec Dieu dans l'amour et la contemplation. Ce but ne pouvant être atteint que dans la vie céleste, les constantes portent également sur les anticipations possibles de cette plénitude. On écrit sur « le désir du ciel » (Smaragde, *Diadema monachorum*), sur « l'amour de la patrie céleste, accessible seulement à ceux qui méprisent le monde » (Pseudo-Alcuin, *De psalmorum usu*), etc. L'anticipation de la gloire céleste s'exprime sous la forme d'images ou de symboles.

L'antique idéal de la *vie angélique* (DS, t. 10, col. 1553-54) reste vivant ; tout proche est le modèle de la *vie prophétique* : dans leur attente exclusive du Royaume, les moines ressemblent aux prophètes tournés vers la venue du Messie. Il en est de même de la *vie apostolique*, à l'imitation des apôtres vivant en familiarité avec le Christ, travaillant avec lui et pour lui, l'adorant et le priant. Enfin, la vie évangélique inspire toutes les Règles et prescriptions ordonnées à la perfection, depuis le « per ducatum evangelii » du Maître et de Benoît jusqu'à la formule de François d'Assise : « vita et regula (est) evangelium Domini nostri Jesu Christi ». Ces images et symboles soulignent que la perfection est un don eschatologique, réalisé uniquement dans l'*exaltatio caelestis* (RM 10, 5 = RB 7, 5). A cette béatitude promise, on n'accède que par la rectitude définie par la tradition adoptée. Comme l'anticipation évoque aussi le retour à l'état originel, l'image du cloître comme paradis appartient au même domaine d'expression (DS, t. 10, col. 1554-55).

2º Constante est aussi, en son fond, *la forme extérieure* : la séparation du monde. Les appels évangéliques à suivre le Christ sont interprétés dans ce contexte. Le monastère est un espace « hors du monde » ; les moines n'appartiennent pas au monde : « non vagandi foris » (RB 66, 7). Même pour les ordres mendiants, non assignés à un lieu stable, la « sortie du siècle » demeure un élément constitutif. Cette sortie du monde a une double dimension : *juridique*, car elle fait passer de la sujétion au droit civil à celle au droit ecclésial ; *spirituelle*, car elle fait renoncer au monde où règne la triple concupiscence (1 *Jean* 2, 16) pour entrer dans un monde spirituel, défini par la chasteté, la pauvreté, le renoncement à la volonté propre ; on aboutit ainsi à la triade des trois vœux, éléments essentiels du *status religiosus* et moyens indispensables de la perfection chrétienne (cf. art. *Conseils*, DS, t. 5, col. 1592-1609).

3º *Le thème action et contemplation* est encore immédiatement lié à la perfection. Celle-ci appartient fondamentalement à la contemplation, qui tourne vers Dieu, vers l'éternel et non l'éphémère, vers l'Un et non vers le multiple ; affaire d'esprit, elle conduit à la liberté et à la paix (Thomas, 2ª 2ae, q. 182). La valeur de l'action est plus difficile à saisir, car, depuis les Pères, elle n'a jamais été clairement définie. Comme activité pratique (œuvres de miséricorde, enseignement, prédication), elle est une preuve de l'amour du prochain et par là indispensable à la perfection. Mais la doctrine médiévale reste sur ce point hésitante. La valorisation de l'action apparaît surtout avec les maîtres mendiants : « Cum aliquis a contemplativa vita ad activam vocatur, non hoc fit per modum substractionis, sed per modum additionis » (2ª 2ae, q. 182, a. 3). Mais déjà Grégoire le Grand avait opposé à la vie contemplative « stérile » la vie active « féconde » (*Epist.* 1, 5 ; cf. DS, t. 6, col. 886-88). L'évolution vers la valorisation d'une vie active animée par la charité se discerne dans l'histoire de l'exégèse de *Luc* 10, 38-42 (art. *Marthe et Marie*, DS, t. 10, col. 664-73) ; elle aboutit à découvrir l'idéal de la *vita mixta*, illustrée par l'image du « prélat ambidextre » que l'on trouve depuis Guillaume de Saint-Thierry, Bernard et Bonaventure, jusqu'à Gerson.

4º *Le rapport entre la perfection et l'amour (amor, caritas, dilectio)* est une autre constante, celle-ci de signification décisive. Pas de perfection sans l'amour donné par Dieu, et toute perfection n'est qu'un effet de l'amour ; d'où la reprise de l'adage augustinien : *Dilige et quod vis fac* (*In 1 Joh.* 7, 8). Le fait que l'amour est principe de la perfection oblige à ne plus limiter celle-ci à un « état » déterminé : tous les baptisés et même en un sens tous les hommes, sont appelés à la « perfection de la charité ». A cela se rattache aussi la mise en valeur de l'*intention* et de la *volonté*, surtout depuis Hugues de Saint-Victor (cf. DS, t. 7, col. 917-18) ; par là deviennent possibles une personnalisation et une intériorisation de la perfection.

5º Enfin, il ne faut pas négliger l'influence de *la systématisation pseudo-dionysienne* de la perfection (DS, t. 3, col. 265-86), transmise par la conception médiévale d'un ordre hiérarchique et exploitée par la méthode scolastique (*ibidem*, col. 323-56). C'est une conception dynamique tendue vers une fin bien définie : l'assimilation à Dieu autant qu'elle est possible à l'homme. Elle s'exprime avec insistance dans les images de la voie et de l'échelle (*scala*) : « Reconnais, je t'en prie, ô homme, ta dignité ; réfléchis à la nature éminente de ton âme, comment Dieu l'a faite à son image et ressemblance, comment il l'a élevée (*sublimavit*) au-dessus de toute créature corporelle » (Richard de Saint-Victor, *Benjamin major* III, 13, PL 196, 123a). Guillaume de Saint-Thierry développe aussi l'idée des « degrés » dans la *Lettre aux Frères du Mont-Dieu* (41-45, SC 223, 1975, p. 176-180).

CONCLUSION. – Ces constantes se reflètent en réalisations différentes selon les voies vers la perfection ; elles donnent lieu à des accentuations ou nuances originales, d'où leur répartition en « écoles » : bénédictins, cisterciens, augustins (victorins), dominicains, franciscains. Mais les différences se fondent moins sur les inspirations propres à chaque ordre que sur les aspirations diverses de l'époque et de la société. Ces écoles se relaient du 11e au 13e siècle, bien que l'influence des grands maîtres (Anselme de Cantorbéry, Pierre le Vénérable, Bernard de Clairvaux, Hugues et Richard de Saint-Victor, Thomas d'Aquin et Bonaventure) soit toujours présente. On ne peut oublier cependant l'influence des auteurs mineurs, principalement de l'école cistercienne, qui fut décisive dans le moyen âge tardif : Aelred de Riévaux, Isaac de l'Étoile, Guillaume de Saint-Thierry (pour plus de détails, voir les articles sur chaque auteur).

**Études d'ensemble**. – P. Pourrat, *La spiritualité chrétienne*, t. 2, Paris, 1951. – J. Leclercq, F. Vandenbroucke, L. Bouyer, *La spiritualité du Moyen Âge*, Paris, 1961. – DIP, art. *Perfezione*, t. 6, 1980, col. 1456-74 (J. Leclercq, D.V. Lapsanski, G. Odoardi, J. Aumann). – DS, art. *Monachisme*, t. 10, col. 1557-82.
Voir aussi les manuels classiques de Théologie ascétique et mystique : A. Tanquerey, R. Garrigou-Lagrange, L. Bouyer, J. de Guibert, G. Thils, etc.

**Monachisme**. – J. Leclercq, *La vie parfaite...*, Paris-Turnhout, 1948 (trad. ital., Milan, 1961 ; angl., Collegeville, 1961 ; espagn., Barcelone, 1965) ; *L'amour des lettres et le désir de Dieu*, Paris, 1957 ; 2e éd. 1963 ; *Études sur le vocabulaire monastique du Moyen Âge*, dans *Studia Anselmiana* = StAns., 48, Rome, 1961 ; *Aux sources de la spiritualité occidentale*, Paris, 1964 ; *Témoins de la spiritualité occidentale*, Paris, 1965. – J. Leclercq, etc., *Analecta monastica* I-V = StAns. 20, 31, 37, 41, 43, 1948-1958. – L. Bultot, *La doctrine du mépris du monde*, 2 vol., Paris, 1963-1964.

F. Vandenbroucke, *La morale monastique du 11e au 16e siècle*, coll. Analecta Mediaevalia Namurcensia 20, Louvain-Lille, 1966. – H. Bacht, *Die Mönchsprofess als Zweite Taufe*, dans *Catholica*, t. 23, 1969, p. 240-77. – G. Lunardi, *L'ideale monastico nelle polemiche del sec. XII sulla vita reli-*

*giosa*, Nuci, 1970. – F. Delgaauw, *La doctrine de la perfection chez S. Bernard*, dans *Collectanea cisterciensia*, t. 40, 1978, p. 111-27. – *Consciousness of Identification in the Religious Movements of the 12-13 Centuries* (Congrès de l'Université d'York, 1978). – TRE, t. 5, 1980, art. *Benedikt von Aniane*, p. 526-38 (E. von Severus) ; *Bernhard von Clairvaux*, p. 644-51 (J. Leclercq). – U. Köpf, *Religiöse Erfahrung in der Theologie Bernhards von Clairvaux*, coll. Beiträge zur historischen Theologie 61, Tübingen, 1980.

**Vie apostolique, érémitique.** – L. Hertling, *Die professio der Kleriker und die Entstehung der drei Gelübde*, ZKT, t. 56, 1936, p. 148-74. – M.-D. Chenu, *La théologie au 12<sup>e</sup> siècle*, coll. Études de philosophie médiévale 45, Paris, 1957, p. 225-51. – G. Miccoli, « *Ecclesiae primitivae forma* », dans *Studi medievali*, t. 1, 1960, p. 470-98. – M.-H. Vicaire, *L'imitation des apôtres : moines, chanoines, mendiants*, Paris, 1963.

H.R. Schlette, *Die Nichtigkeit der Welt. Der philosophische Horizont des Hugo von St. Viktor*, Munich, 1961. – *L'Eremitismo in Occidente nei secoli XI e XII* (Actes de La Mendola, 1963), Milan, 1965. – *Istituzioni monastiche e Istituzioni canonicali in Occidente 1123-1215* (Actes de La Mendola, 1977), Milan, 1980. – H.D. Laqua, *Traditionen und Leitbilder bei dem Ravennater Reformer Petrus Damiani*, coll. Münsterische Mittelalter-Schriften 30, Munich, 1976. – *Maestro Bruno, Padre de Monjes*, BAC 413, Madrid, 1980. – F. Petit, *Norbert et l'origine des Prémontrés*, Paris, 1981.

**Ordres Mendiants.** – M. Bierbaum, *Bettelorden und Weltgeistlichkeit an der Universität Paris*, Münster, 1920. – K. Schleyer, *Disputes scolastiques sur les états de perfection*, RTAM, t. 10, 1938, p. 84-120. – S. Clasen, *Der hl. Bonaventura und das Mendikantentum*, Werl, 1940. – F. Delorme, *Quatre inédits de Jean Pecham*, CF, t. 14, 1944, p. 84-120. – J. Aumann, D. Greenstock, *The Meaning of Christian Perfection*, St. Louis, 1956. – J. de Milano, *La semplicità evangelica anteriore a San Francesco*, dans *Quaderni*, t. 6, 1963, p. 34-70. – D.V. Lapsanski, *Perfectio evangelica. Eine begriffsgeschichtliche Untersuchung im frühfranziskanischen Schrifttum*, coll. Veröffentlichungen des Grabmann-Institutes 22, Paderborn, 1973 ; trad. angl., Chicago, 1976.

M.-H. Vicaire, *Dominique et ses Prêcheurs*, Fribourg-Paris, 1957 ; 2<sup>e</sup> éd. 1977. – Y.-M.-J. Congar, *Aspects ecclésiologiques de la querelle entre mendiants et séculiers*, AHDLMA, t. 28, 1961/62, p. 35-181. – M.-M. Dufeil, *Guillaume de Saint-Amour et la polémique universitaire parisienne*, Paris, 1972. – A. Desnoyers, *L'essence de la perfection chrétienne selon S. Thomas d'Aquin*, dans *Revue de l'Université d'Ottawa*, t. 5, 1935, p. 57-68, 138-55 ; t. 6, 1936, p. 5-23. – D.L. Greenstock, *La noción de perfección cristiana según S. Tomás*, dans *Ciencia tomista*, t. 77, 1950, p. 310-22, 478-501. – Thomas von Aquin, *Summa theologica*, coll. Die deutsche Thomasausgabe 23-24, Munich-Vienne-Salzbourg, 1952-1954 (questions sur la perfection et notes). – A. Sanchis, *La perfección y sus formas según S. Tomás*, dans *Teología espiritual*, t. 9, 1965, p. 347-50.

**Influence postérieure.** – G. Constable, *Religious Life and Thought*, Londres, 1979 : *Twelfth-Century Spirituality and the Late Middle Ages ; The Popularity of Twelfth-Century Spiritual Writers* (reprise de deux articles publiés en 1971). – M. Goodich, *The Ideal of Sainthood in the Thirteenth Century* (coll. Monographien zur Geschichte des Mittelalters 25), Stuttgart, 1982.

Karl Suso FRANK.

### IV. 16<sup>e</sup>-17<sup>e</sup> SIÈCLES

1. « *État de perfection* ». – 2. *Désir de la perfection*. –3. *Qu'est-ce que la perfection* ?

1. « ÉTAT DE PERFECTION ». – De manière traditionnelle, on l'a vu, cette expression désigne la vie monastique et les diverses formes de vie religieuse. Elle est encore largement employée dans ce sens aux 16<sup>e</sup> et 17<sup>e</sup> siècles. Cependant la Réforme protestante et la Réforme catholique furent l'occasion de nouvelles

questions ou accentuations auxquelles on se limitera ici.

1° *Des critiques*. – Dès avant la Réforme protestante, l'expression « état de perfection » avait été critiquée, notamment par Gerson qui tient à préciser que la vie religieuse est *status perfectionis acquirendae*, « état de recherche de la perfection », tandis que l'état des prélats est *status perfectionis exercendae*, « état d'exercice de la perfection », en ce sens que le prélat exerce un pouvoir qu'il possède déjà, pour purifier, illuminer et parfaire ceux qui lui sont confiés (*De consiliis evangelicis et statu perfectionis*, dans *Œuvres complètes*, éd. P. Glorieux, t. 3, Paris, 1962, p. 22-23).

De fait, l'expression « état de perfection » est ambiguë et constitue bientôt une cible facile pour les Réformateurs. Ils y dénoncent l'oubli que tous les chrétiens sont appelés à la perfection (Calvin, *Institution chrétienne* IV, 13, 11), l'hypocrisie pharisienne de ceux qui, en dépit de leurs fautes cachées ou patentes, se croient parfaits et se mettent au-dessus des autres (Luther, *De votis monasticis*, dans *Werke*, t. 8, Weimar, 1889, p. 609 ; trad. franç. *Œuvres*, t. 3, Genève, 1963), enfin et surtout la confiance mise de manière sacrilège en une œuvre humaine, la vie religieuse, et en l'accomplissement des « préceptes humains » qui la régissent, comme si l'homme n'était pas justifié seulement par la foi (Confession d'Augsbourg, art. 6, *De votis monachorum*, dans *Confessio fidei exhibita... in comiciis Augustae*, 1530 ; *Apologia confessionis*, 1541, p. 43). Les moines ne vont-ils pas jusqu'à considérer la profession religieuse comme un nouveau baptême ! La perfection ne saurait être définie par la vie de moine. Elle consiste à « craindre Dieu et avoir confiance en sa miséricorde à cause du Christ » (*ibidem, De votis monachorum*) et requiert la charité.

Pour défendre la vie religieuse contre de telles critiques, il n'est pas difficile de faire observer que les trois vœux de religion sont précisément moyen de charité et acte de foi. Mais comment justifier l'expression « état de perfection » ? Les réponses catholiques sont parfois faibles : au lieu de rappeler la distinction faite par Thomas d'Aquin entre « être dans un état de perfection » et « être parfait » (cf. *supra*), les protagonistes de la vie religieuse prennent trop souvent une autre direction : ils ne mettent pas en question l'identité parfait-religieux (ainsi, de manière typique, B. Rossignoli † 1613, *De disciplina christianae perfectionis*, Ingolstadt, 1600), mais élargissent le sens du mot « parfait », pour qu'il puisse s'appliquer à tous les religieux, selon le schéma classique des trois étapes de la vie spirituelle.

2° *Une perfection admettant des degrés*. – Comment dire les religieux parfaits ? Il suffit de reprendre la classification des degrés de la charité et de la perfection établie par Thomas d'Aquin. Ainsi fait Robert Bellarmin † 1621. L'Écriture, observe-t-il, emploie le mot « parfait » diversement. Sont dits parfaits d'abord ceux qui aiment Dieu toujours en acte et lui réfèrent, en acte, tout ce qu'ils font, ce qui exclut tout péché, même véniel. Mais une telle perfection n'est le fait que des bienheureux et Dieu ne l'exige pas ici-bas. Sont dits parfaits ensuite ceux qui, bien qu'ils ne pensent pas toujours à Dieu et ne l'aiment pas toujours en acte, se consacrent néanmoins à lui en quittant tout, selon la parole du Christ : « Si tu veux être parfait, vends tout ce que tu as » ; on reconnaît les religieux. Sont dits parfaits enfin des hommes qui aiment Dieu plus que tout, mais sans quitter en acte tout pour lui. Ils sont seulement prêts à perdre tout plutôt que l'amitié divine ; on reconnaît les chrétiens auxquels Paul s'adresse et qu'il appelle *teleioi* (en latin *perfecti*), « chrétiens adultes » (cf. *supra*), sans pourtant leur ménager ses reproches. C'est cette perfection que le Christ commande à tous par sa parole : « Soyez parfaits comme votre Père céleste est parfait ». Ces deux derniers sens du mot « parfait » n'excluent pas tout péché ; ils n'excluent que les péchés contre la charité (Bellarmin, *Disputationes. De Ecclesia militante* II, 7 ; *De amissione gratiae* I, 6, Lyon, t. 1, 1590, col. 1226 et t. 3, col. 65). N'est exigée que la perfection au troisième sens. La perfection au sens de vie religieuse n'est pas, bien entendu, de précepte, mais seulement de conseil (*De Ecclesia militante* II, 8, t. 1, col. 1227-28).

A la suite de Thomas d'Aquin (et de Denys le Chartreux), Bellarmin appelle *gradus*, degrés, ces formes de perfection. Cette désignation est amenée logiquement par la comparaison de la perfection des mortels avec celle des bienheureux. Elle devient plus contestable lorsqu'elle fait de la vie non religieuse un degré inférieur à la vie religieuse. Il est vrai qu'une place de second rang vaut mieux qu'aucune, ce qui arrive chez d'autres auteurs, Rossignoli déjà mentionné ou L. Pinelli † 1607 (*Gersone della perfezione religiosa e dell'obligo che ciascuno religioso ha di acquistarla*, Naples, 1601) qui ne parlent que de la perfection des religieux, peut-être parce qu'ils n'envisagent qu'eux.

Puisque la perfection admet des degrés, ou des « étages », comme dit le traducteur de J. Falconi (*Les œuvres spirituelles*, Aix, 1661, p. 475), elle n'est pas que le sommet, la limite indépassable, l'infini, le superlatif. Elle admet le comparatif. On peut devenir « plus parfait ». Pour Rossignoli, « l'état de perfection a trois degrés, commençants, progressants, parfaits » (*op. cit., Prooemium*). Cette curieuse inclusion du mot « parfaits » dans la définition, montre que le juridisme de l'expression « état de perfection » n'a pas éliminé la signification spirituelle du mot « parfait ».

Puisqu'on peut ainsi opérer dans la perfection une gradation, elle est de quelque façon mesurable. Plutôt que l'idéal visé, elle est le palier où on peut « arriver » (expression d'André Baïole † 1654, *De la vie intérieure*, Paris, 1649, *Dessein de l'auteur*), voire le niveau déjà atteint : « Le religieux doit soigneusement conserver la perfection qu'il aura acquise » (Pinelli, *op. cit.*, I, ch. 17).

Une telle perspective comporte un danger, l'attribution de plus en plus généreuse et facile du mot « parfait », au point de ne plus inviter au dépassement. Cinquante ou soixante ans après Pinelli, Jean Chéron et même Vincent de Paul s'exprimeront parfois comme s'ils ne voyaient plus dans la perfection qu'une honnête moralité (cf. Vincent de Paul, *Répétition d'oraison du 17.10.1655*, dans *Entretiens spirituels*, éd. A. Dodin, Paris, 1961, p. 275). Un tel langage surprend moins quand on en connaît les précédents. Inversement, on s'explique que l'*Échelle de perfection* en appendice à l'*Abrégé de la perfection chrétienne*, Arras, 1599, 3e éd. en trad. du *Breve compendio* d'A. Gagliardi, cf. DS, t. 6, col. 58), forge, pour désigner le sixième échelon, le mot « déiformité », comme si « perfection » ne suffisait plus à suggérer la ressemblance avec le Père céleste à laquelle Jésus invite (*Mt*. 5, 48).

3° *Perfectio exercenda*. — C'est l'expression de Gerson diffusée également par Denis le Chartreux dont les éditions et traductions sont nombreuses au 16e siècle (notamment le *Dialogue de la perfection de la charité*, trad. de J. de Billy, Paris, 1570).

Cependant, lorsque, pour contribuer à la réforme du clergé, on attire l'attention sur ce que doivent être les hommes d'Église, on fait appel, au 16e siècle, plus qu'à la notion de perfection, à celle de « dignité ». Le peuple doit respecter leur dignité. Eux-mêmes doivent mener une vie digne (cf. entre autres J. Clichtove, *De vita et moribus sacerdotum opusculum, singularem eorum dignitatem ostendens et quibus ornati esse debeant virtutibus explanans*, Paris, 1519, ch. 5). Le Concile de Trente (session 23) rappelle que celui qui a charge d'âmes doit donner l'exemple des bonnes œuvres, mais demeure très modéré dans l'énoncé des qualités exigées. Pour Fr. Suárez, l'état de perfection requiert les actions extérieures, mais sans éliminer la nécessité des dispositions intérieures (*De statu perfectionis* I, ch. 5, 10-13 ; éd. C. Berton, t. 15, Paris, 1859, p. 29-31).

Au début du 17e siècle paraît l'*Instrucción de sacerdotes* du chartreux Antoine de Molina † 1612 (Burgos, 1608 ; trad. nombreuses ; cf. DS, t. 10, col. 1478). La première partie, consacrée selon l'usage à la « dignité » des prêtres, est suivie d'une seconde sur la « perfection et sainteté de vie » qui doit correspondre à la grandeur de cet état. En voici le raisonnement :

« Le sacerdoce est la plus haute dignité et ce que Dieu a institué de plus excellent.
Aux prêtres est demandé le compte le plus rigoureux, en fonction de la grandeur de l'état qu'ils ont obtenu et de l'abondance des bienfaits qu'ils ont reçus.
Donc les prêtres doivent avoir le plus haut degré de vertu et de sainteté qui puisse être en des hommes, de sorte que la sainteté et perfection des prêtres soit une norme à laquelle puissent se référer la vertu et la perfection de tous les autres » (*traité 2, ch. 1*).

Le concept de perfection complète ainsi celui de vertu et de sainteté, mais dans un contexte bien déterminé, la comparaison des divers états dans l'Église, et dans une perspective dionysienne selon laquelle le prêtre doit purifier, illuminer, parfaire les fidèles, y compris les moines.

Ce thème est l'idée maîtresse qui inspire en 1611 la fondation de l'Oratoire de France : ce qui caractérise le religieux doit se trouver d'abord dans le prêtre :

« Lors (en la primitive Église) la sainteté résidait au clergé comme en son fort et abattait les idoles et les impiétés de la terre. Lors le clergé, composé des prélats et des prêtres, ne respirait que choses saintes, ne traitait que de choses saintes, laissant les choses profanes aux profanes ; lors le clergé portait hautement gravées en soi même l'autorité de Dieu, la sainteté de Dieu, la lumière de Dieu... Dieu unissant ces trois perfections en l'ordre sacerdotal... Mais le temps ayant mis un relâche en la plus grande partie du clergé, l'autorité est demeurée aux prélats, la sainteté aux religieux et la doctrine aux académies... Comme nous avons sujet de pleurer la perte que nous avons faite par notre faute, aussi avons-nous de quoi louer la bonté de Dieu qui nous donne le moyen de rejoindre la sainteté et la doctrine à l'autorité ecclésiastique » (Bérulle, *Lettre 891*, dans *Correspondance*, éd. J. Dagens, Paris-Louvain, t. 3, 1939, p. 617-18). En conséquence, « cet état de prêtrise requiert de soi-même... une très grande perfection et même sainteté » (Bérulle, *Œuvre de piété 192*, dans *Œuvres complètes*, éd. Migne, Paris, 1856).

L'Oratoire n'est pas seul à faire écho à Molina en proposant la perfection aux prêtres. Pierre de Besse les appelle « des miroirs de perfection », tout en concédant que cette épithète peut paraître nouvelle (*La royale prestrise, c'est-à-dire des excellences, qua-*

*lités requises et des choses défendues aux prestres,* Paris, 1610 ; trad. latine : *Regale sacerdotium sive de sacerdotis eximia dignitate,* Venise, 1615, livre 1, ch. 2).

Falconi note que « les évêques et les autres prélats doivent être parfaits et maîtres de la perfection » (*Alphabet,* 1ʳᵉ p., ch. 8). François de La Rochefoucauld intitule la seconde édition de son exhortation aux prêtres : *De la perfection de la hiérarchie ecclésiastique* (Lyon, 1628 ; cf. DS, t. 9, col. 305). Comme Molina, il ne mentionne la perfection que lorsqu'il envisage le presbytérat en tant qu'état (I, p. 66), ce qui est rare ; car en fait, il est surtout occupé à mettre en garde contre les abus les plus criants.

Chez Jean Duvergier de Hauranne (Saint-Cyran) apparaît l'expression « État parfait du sacerdoce » (*Lettre à un ecclésiastique de ses amis,* 1647, p. 203). Ce n'est donc plus la vie religieuse, mais la vie du prêtre qui est à ses yeux l'état de perfection. Il en résulte de lourdes exigences : si Moïse fut « le plus parfait d'entre les hommes », que doit être le prêtre de la Nouvelle Alliance ? « Il faut que le prêtre soit le plus excellent homme de l'Église après Dieu et Jésus-Christ et qu'il n'y ait rien entre Jésus-Christ et lui de plus excellent dans son Église » (*Lettres chrétiennes et spirituelles... qui n'ont point encore été imprimées jusqu'à présent,* sl, 1744, t. 2, p. 279).

« Les effets de cette vie céleste (l'Eucharistie) sont de ne désirer aucuns biens de la terre, d'embrasser gaiement tous les maux que Dieu lui envoie, d'être humble, patient, silencieux, solitaire, constant et toujours préparé à tout commandement et à tout événement qui vienne de Dieu. C'est ainsi que doit vivre le moindre des enfants de Dieu qui sont dans l'Église, s'il veut se rendre à lui-même un témoignage assuré de la filiation divine qui est en lui ; mais il faut que le prêtre vive encore plus parfaitement s'il veut se rendre un pareil témoignage à lui-même qu'il est un vrai prêtre et qu'il a reçu les trois puissances par la vocation de Dieu et de Jésus-Christ » (*ibid.,* p. 390-91).

Bref, « la sainteté du prêtre approche tellement de celle de Dieu que les rois qui sont les images de Dieu ne sont que les images des prêtres » (*ibid.,* p. 424).

Désormais la relation nécessaire entre l'état de prêtre et la perfection devient un thème banal chez les artisans de la réforme du clergé, notamment chez Olier (*Projet pour l'établissement d'un séminaire dans un diocèse,* Paris, 1651).

4° *Accents jansénistes.* – Non seulement les auteurs qu'on vient de citer refusent de faire coïncider état de perfection et vie religieuse, mais de plus quelques autres s'en prennent à la notion même d'état de perfection et accusent la dissociation entre « état » et « perfection ». Ainsi, en 1638, l'oratorien Claude Séguenot fait scandale en déclarant : « Le vœu n'ajoute rien à la perfection chrétienne (qui a été vouée au baptême), sinon quant à l'extérieur, en quoi la perfection ne consiste pas » (*De la sainte virginité, discours traduit de saint Augustin avec quelques remarques pour la clarté de la doctrine,* Paris, 1638, p. 18). Il admet néanmoins qu'en tant qu'« élection libre et volontaire », le vœu est « non seulement moyen, mais acte de perfection ». Autrement dit, il découvre la perfection, non dans l'état, mais dans l'acte. « La perfection essentielle » est intérieure ; les moyens que sont les vœux relèvent de la perfection « extérieure ».

Il serait prématuré de taxer Séguenot de jansénisme.

Mais il fallait sur le chapitre des vœux le rapprocher de Duvergier de Hauranne. Le projet d'un institut nouveau que celui-ci élabore et qui aura une profonde influence dans les fondations jansénistes ne fait pas mention des vœux (texte dans *Les progrès du jansénisme descouvert à Mr le Chancelier par le Sieur de Préville,* Avignon, 1655). C'est la discipline, non les vœux, qui définit cette vie cénobitique. L'expression « état de perfection » est évitée. La fin poursuivie est, avec la gloire de Dieu, non pas la « perfection », mais « le salut » des membres. Au lieu d'« état de perfection », Duvergier propose « état de pénitence », *status poenitentiae* (*Petri Aurelii opera,* Paris, 1642, p. 314).

Cette formule évoque-t-elle l'effort permanent de conversion que se propose le religieux ? Probablement pas. Duvergier reste malgré lui encore marqué par l'optique juridique de son temps et ne vise sans doute pas tant dans le passage cité la « perfection essentielle » que les conditions d'une vocation religieuse. Surtout, Duvergier s'efforce d'assouplir les frontières de la vie religieuse. Son monastère sera un haut lieu de vie spirituelle ouvert aux laïcs et aux clercs.

D'une manière générale, le jansénisme aspire à une redéfinition de la vie religieuse qui ne risque pas de minimiser la vocation baptismale comme vocation à la perfection. Alors la vie religieuse n'apparaît plus que comme une profession particulière au milieu des autres professions. Les membres de l'institut projeté par Duvergier, tout en menant une vie de pénitence et de prière, exercent des métiers véritables ou un ministère ecclésial (cf. M. Dupuy, art. *Giansenismo,* DIP, t. 4, 1977, col. 1163-75).

5° *De « l'état de perfection » à la « perfection de son état ».* – Les théologiens marqués par le dionysisme qui placent l'état de prêtre au-dessus de celui de religieux associent tout de même ainsi état et perfection. Les jansénistes (dans la mesure où Duvergier les a marqués sur ce point) proposent des conditions de vie qui, sans être définies par des vœux, ressemblent néanmoins à la vie religieuse.

Mais il est possible de dissocier davantage perfection et état particulier. C'est ce que firent dès le 16ᵉ siècle les Réformateurs protestants qui critiquaient la vie monastique. Ils ne manquèrent pas de rappeler que l'appel à la perfection est adressé à tous, religieux ou non. C'est aussi ce que firent, même avant eux, bien des catholiques. Gerson, rappelant que l'état clérical n'est nullement nécessaire à la contemplation – « Clergie n'est mie du tout nécessaire a gens contemplatifs » –, avait initié à celle-ci sa propre sœur et sans doute d'autres lectrices (*La montaigne de contemplation,* dans *Œuvres,* éd. P. Glorieux, t. 7, 1966, p. 16).

Nombreux à proposer les voies de la perfection sont au 17ᵉ les livres qui ne sont pas écrits exclusivement pour des religieux (cf. art. *Laïc,* DS, t. 9, col. 93-98). François de Sales guide dans la voie de la dévotion une Philothée qui vit dans le monde et qu'il a « rencontrée au désir de la sainte perfection » (*Introduction à la vie dévote,* Lyon, 1608, *Préface*). Joseph de Paris (DS, t. 8, col. 1372-88), écrivant pour toute âme dévote en même temps que pour ses novices capucins, invite ses lecteurs à ne pas « disputer qui sont les plus ou moins parfaits » parmi eux ; les capucins n'ont pas le monopole de la « perfection séraphique » ; tous les chrétiens y sont appelés (*Introduction à la vie spirituelle...,* Poitiers, 1616, p. 21, 24).

G. de Renty écrit en 1642 : « Je crois que ce serait une très grande erreur de vouloir faire changer une personne de son état et de sa condition pour lui faire trouver la perfection, comme si Notre Seigneur n'avait pas sanctifié tous états, fait usage de tous et ne communiquait pas la plénitude de son esprit à toute son Église » (*Correspondance*, texte établi par G. Triboulet, Paris, 1978, p. 104). Madame Guyon reprend cette pensée dans le titre d'un opuscule : *Règle des associés à l'Enfance de Jésus, modèle de perfection pour tous les états* (Lyon, 1685).

François Guilloré † 1684 (DS, t. 6, col. 1278-94) s'inquiète de voir la perfection proposée indistinctement aux laïcs comme aux religieux et préfère inviter chacun « à la perfection de son état » :

« Je dis donc qu'il faut conduire les personnes à la perfection de leur état et de leur emploi. Parce que l'état d'un chacun a une perfection qui lui est propre et particulière. Le prêtre a la sienne, comme le religieux ; la perfection d'une femme n'est pas celle d'une fille et une personne qui est sous l'obéissance a d'autres règles de perfection que celle qui commande ; d'où je conclus que chacun étant appelé à son état particulier est appelé par nécessité à la perfection de son état ; car la perfection en est le terme et la fin ; et c'est aussi de là qu'il faut conclure qu'un directeur doit mener un chacun à la perfection de son état.

De plus, je vous prie de bien concevoir que toute perfection qui est hors de votre état et de votre emploi cesse d'être pour vous une perfection. La perfection d'un chartreux n'est pas celle d'un autre religieux ; la perfection d'une religieuse n'est pas la perfection d'une femme engagée dans le mariage ; la perfection d'un noble n'est pas celle d'un roturier ; ce qui est perfection dans le supérieur ne l'est pas dans l'inférieur. Et la perfection du valet diffère de celle du maître, autant que le diffère sa condition » (*Maximes spirituelles...*, I, max. 5, 3, dans *Les œuvres spirituelles*, Paris, 1684, p. 12).

Cependant, qu'on ne s'y méprenne pas. Guilloré n'en établit pas moins une hiérarchie entre les perfections de ces différents états : certaines sont « supérieures ». Ainsi il peut arriver que Dieu conduise « quelquefois une âme à une perfection qui soit au-dessus de la condition qu'elle professe » : « Dieu inspire souvent une perfection qui est au-dessus de l'état. Une personne dans le siècle sera poussée à faire les vœux de pauvreté, de chasteté et d'obéissance » (*ibid.*).

L'association vœux religieux-perfection (supérieure) n'est donc pas mise en question. Et, en dépit de Renty, bien des auteurs catholiques ne semblent pas envisager d'autre forme de la perfection. En sa *Summa theologiae mysticae* (Lyon, 1656), Philippe de la Sainte-Trinité identifie « voie de la perfection » et vie religieuse (cf. pars 1, tr. 1, a. 6). Louis Lallemant, par contre, rattache la perfection à la « pureté de cœur » et à la « docilité au Saint-Esprit », sans parler dans ce contexte des vœux de religion (cf. les textes cités en DS, t. 9, col. 131).

6° *Une conception statique ?* – Associer perfection et statut ecclésial particulier (que ce soit celui des religieux, celui des prêtres ou ceux des laïcs) peut conduire à envisager celle-là de manière statique, comme le niveau associé à cet état. La perfection est acquise comme le niveau est atteint. Cette représentation, combattue par Séguenot (cf. *supra*), n'en demeure pas moins très fréquente et déteint d'une manière curieuse sur la psychologie que d'aucuns prêtent aux « parfaits ». Les illuminés, déclare A. Ripaut, croient « qu'on peut arriver à tel état de perfection que la grâce noie les puissances de l'âme, de sorte que l'âme ne peut ni avancer, ni retourner en arrière ». Lui tient « qu'il est moralement impossible de demeurer

longtemps sans aucun acte de pensée et de volonté, dans la seule cessation ou suspension volontaire de tout acte » (*Abomination des abominations des fausses dévotions de ce temps*, Paris, 1633, p. 88, 91). Pour Bl. Pascal, Les chrétiens « doivent sans cesse aspirer à se rendre dignes de faire partie du Corps de Jésus-Christ » (Lettre à Gilberte Périer, 1er avril 1648) ; ce qui suppose un progrès continuel. Il n'y a pas de degré de perfection « qui ne soit mauvais si on s'y arrête, et dont on ne puisse éviter de tomber qu'en montant plus haut » (*ibidem*). On ne peut pas dire que Constantin de Barbanson envisage la perfection de manière statique. Car il la dit « vie nouvelle » ; cependant il ne se dégage pas entièrement du langage de son temps et parle de « l'état de la perfection » (*Anatomie de l'âme et des aspirations divines en icelle*, Liège, 1635, 2e partie, prologue). Alexandre Piny propose « l'état de pur amour » – l'état et non l'acte – en un titre programme : *État du pur amour ou conduite de l'âme pour bientôt arriver à la perfection par le seul fiat dit et réitéré en toutes sortes d'occasions* (Lyon, 1676).

On notera d'autre part que le mot « état » a pris une signification nouvelle dès le début du 17e siècle ; il ne désigne plus seulement des « états de vie » (DS, t. 4, col. 1406-28) que l'on peut ordonner suivant qu'ils favorisent plus ou moins la perfection, mais encore une « disposition intérieure », caractérisée par une certaine durée ; en outre, plusieurs auteurs de l'époque admettent le passage d'un « état » à un autre, suivant une loi de progrès ; le mot prend dès lors une signification proche de celle d'*étape, degré*, dans l'itinéraire spirituel (art. *État*, DS, t. 4, col. 1378-88).

2. LE DÉSIR DE LA PERFECTION. – Le sujet a été traité de manière globale en DS, t. 3, col. 592-604 ; il faut ici le reprendre dans le contexte des 16e-17e siècles.

1° *Tendre à la perfection*. – Associer perfection et statut social dans l'Église comporte un risque : donner de la perfection une définition juridique qui la réduit au minimum exigible en ce statut. De fait, on l'a vu, divers auteurs en sont venus à ne plus situer très haut ce qu'ils appellent perfection. Il est remarquable qu'en dépit de l'affaiblissement du mot qui en résulte, notamment dans la littérature de controverse, il garde tout son prestige dans les écrits moraux et surtout dans la littérature d'édification. Le schéma de la « Montagne de perfection », au début de la *Subida* (1578) de Jean de la Croix, et le *Camino de perfección* de Thérèse d'Avila (où pourtant elle n'abuse pas du mot) sont pour quelque chose dans la restauration de la perfection comme idéal suprêmement élevé.

Ainsi Paolo Paruta organise sa philosophie morale autour du thème (*Della perfezione della vita politica*, Venise, 1579). Les dernières décennies du 16e siècle voient paraître maint livret faisant appel au désir de perfection : celui-ci est le point de départ du *Combattimento spirituale* de Lorenzo Scupoli (Venise, 1589). Mais il y a plus : à la fin du 16e et au début du 17e siècle, la perfection exerce une sorte de fascination qui apparaît dans les titres de plusieurs ouvrages ; certains sont de véritables traités sur l'ensemble de la vie spirituelle. Il ne s'agit plus de la perfection courante et relative des controversistes, mais d'un idéal extrêmement exigeant : le mot même de perfection est appelé à réveiller le goût de l'absolu, et se substitue parfois à celui de « mystique » (cf. DS, t. 10, col. 1932-33).

Achille Gagliardi sj, *Breve compendio intorno alla*

*perfettione cristiana* : l'éd. italienne (Brescia, 1611) avait été précédée de traductions françaises : *Abrégé de la perfection chrétienne,* Paris, 1596, 1598 ; Arras, 1599 (cf. DS, t. 6, col. 57-58). – B. Rossignoli sj, *De disciplina christianae perfectionis pro triplici hominum statu,* Ingolstadt, 1600. – Alvarez de Paz sj, *De vita spirituali ejusque perfectione,* Lyon, 1608 (DS, t. 1, col. 408). –Jean des Anges ofm, *Manual de vida perfecta,* Madrid, 1608 (DS, t. 8, col. 260). – Benoît de Canfield, capucin, *La Reigle de perfection* (DS, t. 1, col. 1448). – Alphonse Rodriguez sj, *Ejercicio de perfección y virtudes cristianas,* Séville, 1609. – Luis de La Puente sj, *Tratado de la perfección en todos los estados de la vida del cristiano,* 4 vol., Valladolid, 1612-1616 (DS, t. 9, col. 269-70). – Jean Crombecius (Van Crombeck) sj, *De studio perfectionis,* Anvers, 1613 (DS, t. 2, col. 2623-25). – Antoine Le Gaudier sj, *De natura et statibus perfectionis,* Paris, 1643 (reprise d'écrits antérieurs, cf. DS, t. 9, col. 529-39). – Etc.

2° *Motiver la recherche de la perfection.* – Peut-on supposer en tout fidèle, ou même seulement en tout religieux et prêtre, le désir de la perfection et l'aspiration à un idéal aussi élevé ? Plusieurs auteurs du 17e siècle sont trop réalistes pour ne pas voir cette difficulté et s'efforcent de relancer l'aspiration à la perfection. L. Pinelli rappelle au religieux qu'il doit avoir « un vrai et résolu désir de devenir parfait » (*Gersone...* I, ch. 14). Falconi note que le « premier principe et fondement par lequel il faut commencer l'édifice de la perfection chrétienne et religieuse » est « un ferme désir de se perfectionner, préféré à tout autre, lequel il faut toujours conserver et allumer de plus en plus » (*Méthode de perfection,* dans *Les œuvres spirituelles,* Aix, 1661, p. 473). Bérulle, première manière, pensant aux prêtres, invite à « frapper de terreur ceux qui n'aspirent pas à la perfection » et impose aux siens de « chaque jour actuer un acte formel de vouloir tendre à la perfection » (cf. M. Dupuy, *Bérulle et le sacerdoce,* Paris, 1964, p. 282, 345-46).

Cependant on peut douter de l'utilité de tels commandements. Que peuvent-ils contre l'indifférence à l'égard de la perfection ? On ne saurait y aspirer sur commande. C'est apparemment ce qu'ont perçu d'autres auteurs qui essaient de motiver la recherche de la perfection, surtout à l'usage de débutants. A. Rodriguez fait valoir que le tireur à l'arc doit viser beaucoup plus haut que la cible, « parce que le relâchement de la corde fait toujours baisser la flèche. Il en est de même de nous. Notre nature est si faible et nous sommes si relâchés qu'il faut élever notre vue beaucoup plus haut que le but, si nous voulons y atteindre... Mais je ne prétends, dira-t-on, que de ne point faire de péché mortel ; et... je n'aspire pas à une plus grande perfection... Vous y seriez peut-être arrivé si vous eussiez visé plus haut ; mais ne l'ayant pas fait, il n'y a pas d'apparence que vous puissiez y atteindre et vous êtes en grand danger de tomber en péché mortel » (*Pratique de la perfection chrétienne* I, tr. 1, chap. 8 : trad. Régnier des Marais, Lyon, 1829). Pour ébranler son lecteur, ce n'est plus tant la corde de la perfection que Rodriguez fait vibrer que celle du salut. Pourtant la suite du chapitre rappelle que la perfection consiste à aimer Dieu « de tout son cœur », même si cela est impossible dans la vie présente.

Guilloré joue plus longuement la corde de la perfection : « Une personne doit aller aussi loin que sa grâce l'appelle, de quelque côté qu'elle l'appelle, soit dans le renoncement d'elle-même, soit dans une vie solitaire, soit dans une exacte réforme, soit dans l'esprit d'oraison, en sorte qu'elle porte les choses aussi loin et aussi fortement que son attrait le lui fait connaître. La raison en est claire, parce que la consommation de sa perfection est à remplir entièrement sa grâce... Si elle ne suit donc cette grâce selon toute son étendue, jamais elle ne parviendra au terme qui lui est montré et à la perfection où Dieu l'appelle. J'ajoute qu'si cette personne ne travaille pas pour aller aussi loin dans la perfection que le porte l'attrait de sa grâce, cette grâce ne lui fera plus ses invitations et ne lui dira plus rien au cœur pour la perfectionner, mais elle l'abandonnera à elle-même pour se perfectionner selon son idée et ce ne sera plus alors qu'une perfection trompeuse, parce qu'elle ne sera que l'effet de ses industries et non pas de la grâce » (*Les progrès de la vie spirituelle* I, instr. 4, chap. 1, dans *Les œuvres spirituelles,* 1684, p. 482).

Mais si ce raisonnement ne suffit pas à convaincre, s'il ne réveille pas la volonté de progrès, Guilloré, comme Rodriguez, menace : « Le danger de salut est très assuré de ceux qui donnent des bornes à la grâce et qui ne veulent pas une plus grande perfection » (*ibid.,* titre du ch. 2, p. 484).

Il est douteux néanmoins que des arguments puissent faire renaître le désir de perfection. Peut-il être motivé du dehors ? Ne doit-il pas s'imposer de lui-même, absolument ? Les raisons dictent un devoir, elles n'éveillent pas un désir. Elles ne suffisent pas à rendre « l'âme libérale », comme dit Lallemant (*Doctrine spirituelle,* éd. F. Courel, Paris, 1959, p. 89). Aussi Maur de l'Enfant-Jésus fait-il appel à ce qui peut demeurer de désir et de générosité ; si le mot de perfection ne résonne plus, il reste à nommer autrement l'idéal, qui, sûrement, ne fait pas complètement défaut. S'adressant à des débutants, il travestit, manifestement, à leur seul usage, la « perfection » sur laquelle insiste son *Avant-propos* en « sagesse » plus attirante pour eux (*Entrée de la divine sagesse,* Paris, 1655).

Cependant, si la soif d'absolu manquait, est-ce l'appétit pour tel ou tel bien relatif, comme la sagesse, qui la donnerait ? Ne vaut-il pas mieux procéder autrement et proposer cet absolu sans fard ? C'est ce que, pour reprendre le mot de H. Bremond, on peut appeler théocentrisme (*Histoire du sentiment religieux,* t. 3, Paris, 1925, p. 23-43 ; cf. DS, t. 1, col. 1548-51).

3° *La réaction théocentrique.* – François de Sales fait finement remarquer qu'il faut « avoir un grand soin de nous perfectionner, et n'avoir point de soin de notre perfection, ains le laisser entièrement à Dieu » (*Entretien spirituel* 3, vers la fin). Il veut ainsi mettre en garde les visitandines contre la complaisance en elles-mêmes ou à l'inverse contre l'inquiétude à la pensée de leurs imperfections. Jean Chéron ironisera lourdement sur « les femmes qui, après avoir abandonné... le soin de parer leur corps qui servait d'objet à leur vanité, le transfèrent assez facilement au désir d'être estimées comme ayant quelque chose de relevé dans l'exercice de la vertu » (*Examen de la théologie mystique,* Paris, 1657, p. 91). François de Sales ne met pas en question pour autant l'effort sur soi-même et l'attention à soi-même. Il met seulement en garde contre deux déviations de cette dernière, le narcissisme et le scrupule auxquels il oppose la confiance en Dieu.

Bérulle deuxième manière (car il a commencé par insister sur la recherche personnelle de la perfection) est plus radical. Il invite à une autre méthode, la conversion aux autres et à Dieu comme Autre, en sorte que la relation à Dieu prenne le pas sur l'attention à soi. Il invite ses confrères « à se vaincre eux-mêmes et à se conformer à l'esprit d'autrui par une humble et charitable condescendance et par une parfaite soumission de leur esprit à l'esprit de Dieu qui doit être notre règle et notre esprit. A cet effet, il faut premièrement regarder Dieu et non pas soi-même, et ne point opérer par ce regard et recherche de soi-même, mais par le regard pur de Dieu et auparavant que de dire ou faire quelque chose, jeter notre regard sur Dieu pour tirer de lui notre conduite » (*Œuvres de piété* 182, n. 10-11, dans *Œuvres complètes,* Paris, 1856, p. 1271).

« Regarder Dieu et non pas soi-même » le conduit à donner à ses instructions une structure théologique au détriment de la réflexion sur la perfection personnelle. Ses disciples l'imitent. Jean Eudes compose une synthèse sur la vie spirituelle, *La Vie et le Royaume de Jésus dans les âmes chrétiennes* (Caen, 1637). Les premières pages sont caractéristiques : au lieu du désir de la perfection, elles offrent d'emblée le Christ au regard spirituel.

Pour Lallemant, « le premier acte d'une âme qui tend à la perfection » est « de chercher Dieu », c'est-à-dire « ne rien vouloir et ne rien désirer que ce qu'il veut et qu'il ordonne par sa Providence » (*Doctrine,* éd. citée, p. 85). Autrement dit, la perfection personnelle est passée à l'arrière-plan de la visée qui est centrée sur Dieu. Elle disparaît même tout à fait de la perspective chez Henri Boudon : il invite à « l'amour du seul intérêt de Dieu seul » (*Dieu seul,* Paris, 1663) et s'en tient si bien à ce point de vue qu'il n'a plus besoin de la notion de perfection. Ainsi en maint auteur la démarche rejoint le théocentrisme de Bérulle, sans que ce soit toujours de manière aussi délibérée que chez lui.

Maur de l'Enfant-Jésus décrit une union à Dieu qui est au-delà de toute méthode et où on ne discerne plus de délibération : la pensée de Dieu s'impose à l'âme, excluant toute médiation, y compris celle d'une perfection objective de l'âme : « Sa voie ne lui peut plus être en objet » (*Théologie chrétienne et mystique,* ch. 23, Paris, 1692, p. 393). L'âme *ne peut plus,* parce qu'elle est dans un état passif où Maur voit un sommet de la vie spirituelle. Cette impossibilité peut-elle être seulement morale, avoir pour cause non plus la passivité, mais la répugnance à objectiver sa voie ? Il ne le dit pas. Il évite ainsi le grief fait aux quiétistes de refuser de s'examiner (cf. Constitution *Coelestis Pastor,* du 20 nov. 1687, n. 58).

Chez d'autres auteurs, la visée théocentrique n'élimine pas la notion de perfection, mais s'y unit étroitement. Ainsi Rigoleuc : « Embrassez la perfection avec une intention pure dans la seule vue de Dieu, vous dépouillant de tous vos intérêts, renonçant à toutes les vues humaines » (*Œuvres spirituelles,* rééd. Paris, 1931, p. 103-104). Ou encore la visée théocentrique est ce qui fonde et justifie la recherche de la perfection. Olier écrit qu'il faut « se porter à la perfection pour se rendre semblable à Dieu » (*Traité des attributs divins,* p. 104 ; inédit, ms aux Archives de Saint-Sulpice ; cf. DS, t. 11, col. 740). Ou encore Jean de Bernières note : « Il faut tendre à la perfection parce que Dieu le veut » (*Le chrétien intérieur,* Rouen, 1660, livre 1, chap. 1).

Cette formule permet de mesurer la différence de perspective entre Rodriguez et Bernières. Cette différence correspond sans doute à l'adaptation à des lecteurs différents, débutants ou progressants. Mais elle reflète aussi un renouvellement des orientations spirituelles.

4º *Thèmes quiétistes.* – A l'époque où le désir de perfection est en recul dans la littérature spirituelle, du moins au niveau de l'expression, des écrits de tendance quiétiste se singularisent en y faisant encore appel. Ainsi notamment ceux de François La Combe (*Lettre d'un serviteur de Dieu, contenant une brève instruction pour tendre seulement à la perfection chrétienne,* Grenoble, sd ; cf. DS, t. 9, col. 38) et de Madame Guyon (*Moyen court et très facile pour l'oraison que tous peuvent pratiquer très aisément et arriver par là en peu de temps à une haute perfection,* édité avec le précédent, Grenoble, 1685).

Cependant l'un et l'autre sentent comme leurs contemporains l'opportunité d'attiser ce désir. Ils le font en présentant la perfection comme « aisée, parce qu'il est facile de trouver Dieu ». Ainsi s'exprime Madame Guyon (*préface,* p. 4). La Combe aussi insiste sur la simplicité du chemin : « Le chemin est long et le travail excessif d'entreprendre d'arracher tous les vices et toutes les imperfections en détail et de planter toutes les vertus l'une après l'autre, à force de lectures, de considérations, de résolutions, d'efforts et de pratiques... Mais je crois qu'il y a un sentier sûr et court... qui est de se donner d'abord à Jésus par une résignation entière... La perfection chrétienne consiste à être uni à Dieu et à jouir de lui... Or cette union à Dieu se fait par la soumission de l'âme à la volonté de Dieu ; et cette jouissance s'établit par l'oraison » (éd. de 1686, p. 17-23).

On accède donc à la perfection par un seul acte de « résignation » ou de « donation à Dieu », de « conversion » de la vie commune à la vie parfaite (p. 13). « Marquez ce jour de votre donation à Dieu et de votre vocation à la grande oraison, comme l'un des plus heureux de votre vie et ne manquez pas d'en faire chaque année une fête secrète » (p. 10).

Cet acte unique, que d'autres décriront comme permanent, restera la cible préférée de la controverse antiquiétiste. Il faut signaler ce que cette notion doit à la permanence de la représentation statique de la perfection qu'on a relevée dans la première partie. De même que les vœux mettent dans l'*état* de perfection, la donation à Dieu permet son « règne sur nous avec un parfait agrément, ce qui fait toute notre perfection » (p. 15).

En fait, La Combe est assez réaliste pour reconnaître qu'il y a néanmoins des étapes sur ce chemin court et que cette donation est seulement un commencement. « Cette résignation n'est pas de si tôt parfaite » (p. 10). En réalité, La Combe ne fait pas tenir l'histoire de la vie spirituelle en un acte unique. Il ne décrit pas un cheminement ; il propose un chemin (distinction qui a trop souvent échappé). Dès lors, la réduction de la perfection à un acte signifie au fond la simplicité de la démarche théologale, du moins pour celui qui commence à la découvrir et oublie ainsi ses hésitations et atermoiements antérieurs : il s'agit d'aimer Dieu. L'amour de Dieu, même inchoatif, ne revêt-il pas une sorte d'infinité et, partant, de perfection qu'exprime la formule : « Aimer Dieu de tout son cœur » ? Bien des auteurs, à commencer par Augustin et même Paul, ont rappelé que la charité est la perfection et la plénitude de la loi (cf. Jean d'Avila, *Lecciones sobre 1 San Juan,* lect. 7, *Obras completas,* Madrid, 1970, t. 4, p. 396).

Ce tableau resterait encore caricatural si on présentait l'acte de conversion ou de résignation comme au pouvoir de l'homme. Bien des écrits faisant appel au désir de perfection essaient de mobiliser les forces spirituelles en présentant un programme à la portée de l'homme. Ainsi fait Chéron. La Combe n'a pas tort de souligner que la perfection est aussi don de Dieu : « Il n'y a pas de meilleur moyen de réussir dans l'entreprise de notre perfection que d'engager Dieu à y travailler en nous, avec nous et pour nous ; et nous ne pouvons pas mieux l'y engager qu'en lui résignant notre liberté... Il ne peut qu'il ne s'applique avec un soin particulier à la sanctification d'un cœur qui s'abandonne aveuglément à lui. Peut-on risquer sa perfection en ce confiant à Dieu ? » (éd. citée, p. 15).

Alexandre Piny, dont « l'abandon » au pur amour s'apparente au propos de La Combe, note que ce pur amour est « l'état de perfection le plus aisé et le plus facile à acquérir, puisqu'il ne s'acquiert point tant en faisant qu'en laissant faire » (*État du pur amour*, Lyon, 1676, p. 40).

3. Qu'est-ce que la perfection ? – Il peut sembler superflu de poser cette question. Car il va de soi que la perfection consiste en l'amour de Dieu et du prochain (les auteurs des traités spécifiques cités plus haut sont unanimes sur ce point). D'autre part, les théologiens n'ont pas attendu le 16e siècle pour montrer comment les vœux de religion sont précisément expression de cet amour. Ils n'ont pas non plus attendu le 16e siècle pour utiliser une définition abstraite, philosophique, venue d'Aristote (*Phys.* III, 6) selon laquelle est parfait ce à quoi rien ne manque de ce qui lui convient, selon sa condition, son espèce ou sa nature (Gerson, *De perfectione cordis* ; éd. P. Glorieux, t. 8, Paris, 1972, p. 116-133). On ne reviendra pas sur ces points. On s'en tiendra ici encore à la problématique qui apparaît plus nettement aux 16e et 17e siècles.

1° *La foi et les œuvres*. – Les Réformateurs, on l'a vu, se méfient de la vaine gloire que le mot de perfection pourrait éveiller. Que l'homme ne se glorifie pas de ses œuvres, même de ses œuvres de charité. C'est par la foi qu'il est justifié. Aussi la *Confession d'Augsbourg* la mentionne-t-elle avant même la charité : « La perfection évangélique est spirituelle, c'est-à-dire qu'elle consiste en mouvements du cœur, en crainte de Dieu, en foi, en charité, en obéissance » (art. 16). Encore une fois, il s'agit seulement d'une accentuation particulière, non de l'oubli que la charité est la plénitude de la loi (cf. Calvin, *Institution chrétienne* IV, 13, 13).

Toute opposée est l'accentuation des moralistes, notamment jésuites. Ils tiennent à rappeler que la perfection suppose, non seulement la charité, mais aussi toutes les vertus et, pour justifier cette exigence, ils recourent à la définition abstraite selon laquelle est parfait ce à quoi rien ne manque. Ainsi Rossignoli : « La perfection évangélique se résume en deux points : d'abord la pratique la meilleure et la plus accomplie de toutes les vertus, une fois écartés tous les empêchements, non seulement ceux qui sont opposés à la perfection, mais même ceux qui peuvent la retarder de quelque manière ; ensuite l'affection même de l'amour divin et de la charité, l'union à Dieu aussi étroite que possible » (*De disciplina...*, p. 676).

2° *Nuances diverses*. – Les associations de pensée révèlent ce que le mot « perfection » évoque. Souvent, il fait penser aux vœux religieux. En rigueur, ceux-ci n'en sont que le moyen. Mais ce moyen peut être l'objectif immédiat qui retient l'attention.

Par exemple, pour Duvergier, dire les prêtres appelés à la perfection, c'est les dire obligés à la pauvreté. Pourquoi ? On le devine. Elle est à ses yeux pour les prêtres ce que sont les vœux pour les religieux (*Lettre à un ecclésiastique de ses amis...*, 1647, p. 203).

Plus largement, le mot de perfection fait penser à ce qui paraît spécialement malaisé : un « entier détachement » (Duvergier, *Lettres*, Rouen, 1645, p. 294), l'anéantissement du cœur (Renty *Correspondance*, p. 435), l'oubli de soi (Surin, *Questions importantes à la vie spirituelle sur l'amour de Dieu* I, ch. 9, Paris, 1930). Ces auteurs n'oublient pas que Dieu lui-même est la « dernière fin et perfection », comme dit Maur de l'Enfant-Jésus (*Sanctuaire de la divine sapience*, 1692, p. 248) ; ils entendent seulement rappeler ce qui leur paraît le plus urgent à souligner, parce que trop souvent oublié, ou le plus significatif d'une recherche de Dieu, parce qu'éloigné de l'amour-propre. Ils laissent ainsi entrevoir une certaine diversité dans leur manière de penser à Dieu.

Le même auteur est d'ailleurs capable de présenter la perfection sous des jours différents. Renty écrit aussi qu'elle est « la cuisson de l'amour divin » (*Correspondance*, p. 768). Jean d'Avila y voit tantôt la miséricorde (*Obras*, t. 4, p. 343), tantôt le dépouillement du vieil homme pour revêtir l'homme nouveau (t. 6, p. 423).

3° *Grâces mystiques et perfection*. – Le principal problème débattu au 17e siècle est celui du rapport entre les voies mystiques et la perfection. Thérèse d'Avila intitule « Chemin de la perfection » (*Camino de perfección*) une description d'étapes de l'union à Dieu au cours desquelles elle mentionne des « faveurs » (*mercedes*) divines, notamment l'oraison de recueillement. « Le Château » (*Moradas*) en décrit d'autres jusqu'au ravissement, en passant par les visions. Elle se garde bien, sachant combien nombreuses sont les illusions, d'inviter à chercher de telles faveurs. Elle les distingue formellement de la perfection : « Le chemin le plus rapide pour arriver au sommet de la perfection est celui de l'obéissance... La souveraine perfection ne consiste pas dans les joies intérieures, ... ni dans les visions, ni dans l'esprit de prophétie. Elle consiste à rendre notre volonté tellement conforme à celle de Dieu que nous embrassions de tout notre cœur ce que nous croyons qu'il veut » (*Fundaciones*, c. 5, n. 10 ; trad. Grégoire de Saint-Joseph, *Œuvres*, Paris, 1948, p. 1103).

Thérèse n'en affirme pas moins que ces faveurs procurent un réel profit spirituel (*Moradas* VI, 10) et font accomplir de grands progrès. Elle reconnaît leur devoir beaucoup.

Or, sans parler des laïcs, bien des religieux et des religieuses irréprochables (donc parfaits suivant la définition aristolélicienne reçue) ne connaissent pas ces expériences, ni même celle de la contemplation, tandis que ceux et celles qui se trouvent favorisés de grâces de contemplation ne sont pas toujours sans reproche. Quel rapport y a-t-il donc entre ces grâces et la perfection ?

A l'égard des « affections, passions, délectations et goûts spirituels », une attitude simple consiste à dire que tout cela n'a rien à voir avec la perfection. On peut ainsi se dispenser d'y démêler l'ivraie et le bon grain, l'illusion et la santé spirituelle. Ainsi fait Chéron en son *Examen de la théologie mystique qui fait voir la différence des lumières divines de celles qui ne le sont pas et du vrai, assuré et catholique chemin de la perfection de celui qui est parsemé de dangers et infecté d'illusions, et qui montre qu'il n'est pas convenable de donner aux affections, passions, délectations et goûts spirituels la conduite de l'âme, l'ôtant à la raison et à la doctrine* (Paris, 1657).

Avec un simplisme extrême, Chéron considère comme inutile à la perfection tout ce qui est passif, seul ce qui est voulu pouvant à ses yeux y contribuer. Pélage lui-même n'aurait pas méconnu à ce point le rôle de la grâce divine. Dans son aversion pour la théologie mystique, Chéron va jusqu'à s'élever contre Jean de la Croix (ch. 1). Bossuet, plus prudent en son langage, ne blâme que « les faux mystiques » de son temps (*Instruction sur les états d'oraison où sont exposées les erreurs des faux mystiques de nos jours*, Paris, 1697).

Déjà discutable lorsqu'il s'agit des goûts spirituels, le simplisme de Chéron devient impossible s'il s'agit de la contemplation. La question du rapport de la contemplation à la perfection a déjà été amplement traité à l'article *Contemplation* (DS, t. 2, Enquête doctrinale, col. 2064-65, 2075-76, 2098-99, 2116-19, 2119-38, 2143-44, 2151-57, 2168-69 ; Conclusion, 2180-83) ; on se contentera ici d'une brève synthèse.

On ne peut sérieusement prétendre que la contemplation n'a rien à voir avec l'union à Dieu qui est la perfection. Mais beaucoup, pour éviter de conclure que la contemplation va toujours de pair avec la perfection, distinguent une contemplation naturelle – ou platonicienne – qui est inutile à la perfection, et la contemplation surnaturelle, la seule qui en rapproche. La distinction entre contemplation acquise (qu'on ne délimite pas toujours de la même façon) et contemplation infuse est apparentée, mais non équivalente ; la contemplation infuse est sans équivoque voie de perfection. Pareilles solutions sont purement verbales, si les deux sortes de contemplation sont indiscernables l'une de l'autre. Aussi la plupart des théologiens donnent-ils des caractéristiques de la contemplation surnaturelle : elle est centrée sur le Christ, tandis que la contemplation naturelle enferme le sujet en lui-même. Ainsi, entre autres, Bérulle, *Collationes* 145 (Paris, B.N., ms latin 18210).

Plusieurs proposent une solution à peine différente : ici-bas, dans l'obscurité de la foi, ce n'est pas tant la connaissance que l'amour qui unit à Dieu. Or la contemplation ressortit essentiellement à la connaissance. De là vient que ses degrés ne sont pas toujours ceux de l'amour, ni, partant, ceux de la perfection. Et des fidèles, sans avoir jamais accédé à la contemplation et ne manifestant leur amour de Dieu que par une obscure fidélité, n'en sont pas moins élevés à une grande sainteté par d'humbles voies. Ainsi Crombecius, *De studio perfectionis* I, ch. 30-34.

Cependant, la contemplation surnaturelle qui a pour objet l'amour de Dieu manifesté dans le Christ, sans être la seule voie, est réellement voie d'accès à l'amour pour Dieu. Comment la découverte de l'amour de Dieu ne conduirait-elle pas à l'aimer en retour ? Bien sûr, Dieu peut accorder des grâces de contemplation à des hommes éloignés de la perfection (Thérèse d'Avila, *Camino*, ch. 18 et 19 ; Thomas de Jésus, *De contemplatione divina libri sex*, Anvers, 1620, I, c. 9, p. 53). Mais de telles grâces ont précisément pour effet de les transformer et de les attirer à la perfection.

Jean Bona † 1674, parce qu'il n'est pas obsédé par la crainte des « faux mystiques », a le mérite d'avoir esquissé une synthèse équilibrée : la perfection est amour de Dieu et du prochain ; les degrés de la contemplation sont en même temps les degrés de l'amour de Dieu, et donc de la perfection (*Manuductio ad coelum*, c. 35, dans *Opera omnia*, Anvers, 1677, p. 42).

CONCLUSION. – A la fin du 16e siècle et au début du 17e, en même temps que, devant une scolastique essoufflée, la théologie mystique montre son éternelle vigueur, le désir de perfection connaît un singulier essor. Avant même que le *cogito* cartésien ne renouvelle le regard sur l'existence, la soif de perfection opère la même conversion à l'expérience intérieure et fait chercher un reflet de l'infinité de Dieu dans le miroir de l'âme. Exactement accordée à la sensibilité d'une époque, elle a donné vie à des œuvres de valeur et servi en particulier la réforme si opportune du clergé.

Sans doute a-t-elle été quelque peu éclipsée au niveau de l'expression par ce dépassement qu'à la suite de Bremond on a appelé théocentrisme : à quoi bon parler de la perfection si celle-ci n'est que l'amour ? N'y a-t-il pas dans la recherche de la perfection un repli sur soi aux dépens de l'amour ? En réalité ce dépassement lui-même suppose le tremplin que la recherche de la perfection constitue. Cette recherche a ainsi joué le rôle de l'immense aspiration de l'adolescence en laquelle l'homme est encore tourné vers lui-même, mais à travers laquelle il doit passer pour apprendre à aimer en adulte, si du moins il y parvient.

La deuxième moitié du 17e siècle met en question cette ambition spirituelle en même temps que toute la théologie mystique. Ce peut être malheureusement une retombée dans un moralisme prosaïque, par abandon résigné d'une entreprise qui s'avère impossible.

Mais la résignation à la médiocrité n'est pas évangélique. Le chrétien ne doit pas se désintéresser de lui-même au point d'oublier son péché et de renoncer à se convertir à l'espérance. Définir la perfection comme l'absence de péché n'est pas forcément moralisme terre-à-terre. Ce peut être aussi l'humilité réaliste de celui qui lutte pied à pied contre lui-même. Alors la discrétion à l'égard de la perfection n'est plus retombée, mais langage plus modeste de l'âge adulte.

Honoré de Sainte-Marie, *Tradition des Pères... sur la contemplation*, t. 2, Paris, 1708, dissert. 5-6, p. 320-85. – R. Garrigou-Lagrange, *Perfection chrétienne et contemplation selon S. Thomas d'Aquin et Jean de la Croix*, 2 vol., Saint-Maximin, 1923. – Ch. J. Corcoran, *J. Gerson Champion of Parish Priests. A Study in the History of the States of Perfection*, extrait de thèse, université Grégorienne, Rome, 1944. – J. Olazarán, *El concepto de perfección cristiana según Fr. Suárez*, dans *Manresa*, t. 21, 1949, p. 9-52. – B. Jimenez Duque, *La Perfección cristiana y S. Juan de la Cruz*, dans *Revista española de teología*, t. 9, 1949, p. 413-44. – V. Balciunas, *La vocation universelle à la perfection chrétienne selon S. François de Sales*, Annecy, 1952. – J. de Guibert, *La spiritualité de la Compagnie de Jésus*, Rome, 1953, p. 248-60, 305-65. – Julien-Eymard d'Angers, *Les degrés de la perfection d'après S. Fr. de S.*, RAM, t. 44, 1968, p. 11-31. – K. Rahner, *Ueber das Problem des Stufenweges zur christlichen Vollendung*, dans *Schriften zur Theologie*, t. 3, 1956, p. 11-34.

Michel DUPUY.

## V. RÉFLEXION THÉOLOGIQUE :
*la perfection chrétienne, école d'amour et d'humilité*

Dans la vie chrétienne, la recherche de la perfection n'est pas du tout comparable à une perfection humaine d'ordre éthique qui s'obtiendrait par l'apprentissage de la maîtrise de soi et par l'acquisition progressive de dispositions choisies. La perfection chrétienne ne constitue pas non plus un donné cernable que quelqu'un pourrait s'approprier par une sorte de sagacité et utiliser comme un art de vivre. Elle n'est pas non plus assimilable à une valeur qui s'ajouterait aux mérites de quelqu'un, de telle sorte qu'il aurait droit à plus d'estime sociale aux yeux de ses proches. Ce qui est en cause en tout cela c'est que la perfection chrétienne est absolument originale et qu'elle n'est en rien une réalisation humaine, mais qu'elle est en tout et pour tout l'entrée d'une personne dans un chemin qui est le Christ. Il sera ici question de perfection et de chemin de la perfection, en entendant par là la vocation normale de tout disciple de Jésus qui veut le suivre sur son chemin d'*amour* et d'*humilité*.

1. LA PERFECTION CHRÉTIENNE EST LA PERFECTION DE L'AMOUR. – Ce qui fait la nature et le but de la perfection chrétienne, c'est l'*amour*. Un texte de sainte Thérèse d'Avila le dit avec force et simplicité : « la volonté de Dieu est... que nous soyons absolument parfaits... Il n'est pas nécessaire que Dieu nous accorde de grandes délices pour nous élever à cet état ; il suffit qu'il nous ait donné son Fils pour nous montrer le chemin... Dans le cas présent, Dieu ne demande de nous que deux choses : que nous l'aimions et que nous aimions notre prochain, voilà quel doit être le but de nos efforts. Si nous nous y conformons d'une manière parfaite, nous accomplissons sa volonté et nous lui sommes unis » (*Moradas* v, c. 3, n. 6-7 ; trad. Grégoire de Saint-Joseph, *Œuvres complètes*, Paris, 1949, p. 915). Ce texte dit en peu de mots la perfection chrétienne en ce qu'elle a d'essentiel : l'amour de Dieu et du prochain à la suite de Jésus. C'est l'esquisse d'une perspective simple et originale qu'il faut mettre en valeur et justifier.

*La perfection chrétienne est la perfection de l'amour.* Toute la perfection chrétienne se résume à aimer. Cet amour vise Dieu et le prochain. Il est l'amour de la charité. Il nous est donné par Dieu dans un don de pure grâce. Par le fait même, la priorité revient toujours à la charité comme amour pour Dieu, car elle nous tourne vers la source de l'amour. L'amour de Dieu est en nous ce qui nous met en mesure d'aimer le prochain avec cet amour que Dieu nous donne pour lui. Que la perfection chrétienne consiste tout entière dans l'amour, cela a pour conséquence première que cette perfection dépend toujours de la qualité effective et de la profondeur de l'amour, et non pas de la teneur des actes qui expriment cet amour dont ils sont les signes et les fruits.

Mais le plus important est que la perfection chrétienne dépend étroitement de ce qu'est en lui-même l'amour de Dieu comme acte de la charité. C'est donc la nature de la charité qui donne ses caractéristiques à la perfection chrétienne. Trois points doivent être soulignés à cet égard : l'amour de Dieu est en nous l'œuvre de sa grâce, l'amour de Dieu est de l'ordre du mystère, et enfin l'amour de Dieu est la réalité la plus profonde de notre être et de notre vie. Que l'amour de Dieu soit en nous l'œuvre de sa grâce,

cela signifie qu'il exige de nous un accueil incessant au don de Dieu. La croissance dans l'amour appelle une disponibilité permanente aux inspirations et aux motions de l'Esprit saint. Cet amour de Dieu est une réalité divine en nous dans la mesure où il est l'action de Dieu libérant notre capacité naturelle d'aimer et la transformant en amour de Dieu lui-même. Il en résulte que la qualité profonde de cet amour ne peut être connue que de Dieu seul et n'est pas justiciable d'une estimation humaine. En même temps, cet amour de Dieu est l'aspiration fondamentale de toute notre vie, pour autant qu'il exprime et met en œuvre notre désir de la vie.

Il y a dans toutes nos conduites et dans tous nos mouvements de désir l'exercice de ce désir unique et foncier qui est *le désir de la vie*. Ici ce désir de la vie doit être précisé comme étant l'aspiration de tout notre être vers l'union à Dieu. Le désir de la vie est ce qui nous presse intérieurement de partager la vie de Dieu, avec ce que cela implique de solidarité avec tous les hommes rassemblés par ce même partage. L'amour de Dieu vient donc reprendre en nous ce désir fondamental de la vie et l'orienter efficacement vers la seule réalisation qui puisse le satisfaire : l'union à Dieu. Dès lors, le chemin de la perfection n'est rien d'autre que l'apprentissage de l'amour de Dieu. Comme cet amour est de l'ordre de la grâce et du mystère, la perfection est l'attente du don de Dieu, non pas le progrès dans une acquisition humaine, et nous n'avons jamais d'indices objectifs permettant un tant soit peu d'évaluer la qualité de notre attente de ce don. Comme il y a du plus profond de notre vie, nous sommes voués à demeurer dans l'ignorance de ce qui est le plus important pour nous. Ainsi le chemin de la perfection est tout juste le contraire de la construction d'une personnalité morale et spirituelle au rythme d'un programme dûment élaboré et vérifié. Ce n'est pas non plus une sorte de réussite dans l'obtention d'un bien objectif et saisissable. Il ne reste qu'un appel à aimer. S'il y a quand même un signe que l'Esprit saint poursuit en nous l'œuvre de la sanctification, c'est peut-être justement notre désir d'aimer Dieu davantage et notre souffrance de ce que cet amour ne parvienne pas dès maintenant à attirer à lui toute notre vie.

Aimer Dieu dans notre vie, c'est rechercher sa volonté sur nous en toutes choses et l'accomplir avec humilité et joie. L'amour de Dieu se réalise par l'obéissance de toute notre vie à la volonté du Père, et cela avec la joie du don et l'humilité du pauvre serviteur. La volonté de Dieu sur nous est que nous nous donnions à lui et aux autres dans la grande simplicité des tâches quotidiennes. Le texte si riche du prophète Michée fait réentendre cet appel : « On t'a fait savoir, homme, ce qui est bien, ce que le Seigneur réclame de toi : rien d'autre que d'accomplir la justice, d'aimer avec tendresse et de marcher humblement avec ton Dieu » (6, 8 Bible de Jérusalem). Ce texte suffit bien à dire ce qu'est la perfection chrétienne, la sainteté sur cette terre pour le temps de notre voyage. La sainteté est simple : c'est aimer avec humilité. En cela Dieu lui-même nous révèle à quel point il est simple, et par son absolue simplicité il simplifie beaucoup notre vie, il ne regarde pas l'ordre de tel ou tel détail pratique, mais il nous ramène sans cesse à l'unique essentiel qui est d'aimer. La sainteté est l'union à Dieu par l'amour, l'humilité et l'obéissance, dans l'imitation de Jésus.

La sainteté n'est pas une sorte de don que Dieu nous ferait de l'extérieur de nous-mêmes à la manière d'un attribut exceptionnel qui nous ferait *avoir* ce que les autres n'auraient pas. La sainteté n'est rien d'autre que la perfection de l'amour, elle est à ce titre un don de Dieu, don étonnant puisqu'il ne confère aucun avoir, mais seulement le désir, la passion, la souffrance d'aimer, de donner, d'être généreux, de mourir à soi-même par amour et pour aimer. Ce qui fait l'originalité de la perfection chrétienne, puisqu'elle consiste à aimer, c'est qu'elle presse de donner ce que l'*on n'a pas*, l'amour, pour donner ce que l'on est : sa propre vie.

L'essentiel de la recherche de la perfection en notre vie est ainsi la découverte de la volonté de Dieu instant après instant et son accomplissement qui est la réalité même de notre amour de Dieu. Donner notre vie, c'est répondre en tout point et entièrement à la volonté de Dieu. Seul Christ peut nous conduire au don total de nous-mêmes, qui implique une mort complète à nous-mêmes. La perfection ne consiste pas d'abord en des œuvres, mais dans le *pur amour*, c'est-à-dire le don de soi accompagné de l'humilité. Or ce don de soi passe souvent par la simple présence aux autres, sorte d'attente silencieuse et disponible, comme sans rien « faire ». Être là près des autres, leur donner notre présence, c'est *nous* donner en réalité et c'est bien la réalité du don de soi.

La perfection chrétienne dépend en fin de compte entièrement de ce qu'est la charité comme amour de Dieu. Puisqu'il est question d'amour, l'essentiel est la disposition intérieure de l'homme qui fait la qualité de sa relation à Dieu et aux autres. L'obéissance à la volonté de Dieu ouvre la voie d'une réalisation pratique et quotidienne de cet amour. Il est normal que cet amour de Dieu se fasse en nous la source de conduites et de désirs qui l'expriment sans du tout pouvoir en constituer des traductions adéquates. Au vrai, seule l'union à Dieu dans le pur amour est le chemin où l'amour de Dieu trouve à se vivre sans le drame intérieur de passer toujours à côté de l'essentiel. Enfin la perfection de l'amour n'aboutit jamais à former une œuvre ni même une disposition intérieure fixée et repérable. Elle ouvre plutôt sans cesse en nous le besoin d'aimer davantage et le constat de notre incapacité d'y parvenir. Par tous ces traits la perfection chrétienne conduit à la découverte de notre pauvreté et nous rapproche du mystère de Jésus qui est, lui, notre seule richesse. C'est pourquoi le profil spécifique de la perfection chrétienne ressort mieux encore par la mise en valeur du rôle qu'y jouent l'humilité, puis l'imitation de Jésus de Nazareth, homme parfait par la plénitude de l'amour divin qui l'habite et est sa vie même.

2. LA PERFECTION CHRÉTIENNE EST DUE À L'HUMILITÉ. — L'amour trouve sa réalisation quotidienne dans l'obéissance à la volonté du Père. Cette obéissance a pour condition première et, en même temps, pour premier fruit l'humilité. L'humilité n'est rien d'autre que la reconnaissance aimante et l'acceptation joyeuse de notre radicale pauvreté devant Dieu. Dieu est Celui qui est. A côté de lui nous ne sommes pas, car nous n'existons pas par nous-mêmes de la vie plénière et véritable. L'humilité est l'attitude du cœur qui porte à tout attendre du don de Dieu et rien de nous-mêmes. C'est encore la disposition intérieure qui incline à pratiquer la douceur devant les autres et la patience devant les difficultés et adversités de la vie. Ainsi il est bien compréhensible que l'humilité ne s'apprend pas par un propos personnel a priori, mais qu'elle se reçoit bien plutôt comme un don de Dieu selon sa pédagogie personnalisée. Il nous suffit d'accepter du fond du cœur les épreuves et les humiliations que Dieu nous ménage de sa main paternelle.

Ce qu'il y a de plus étonnant dans ce chemin de la perfection, c'est que Dieu d'ordinaire demande non pas des choses « héroïques » ni même très difficiles en soi, mais souvent de petites choses qui coûtent beaucoup, comme à Naaman le Syrien de se laver sept fois dans l'eau du Jourdain (cf. 2 *Rois* 5, 10). Il se trouve justement que ces petites choses sont très exigeantes dans la mesure où elles atteignent le désir d'être estimé ou rassuré. Dieu conduit tout de sa main souveraine, avec prudence et douceur. Il est de la plus grande importance de tout recevoir de sa main et surtout de reconnaître sa main dans tout ce qui peut nous conduire au don de soi et à l'humilité.

Dans la perfection chrétienne la place de l'humilité est d'être la base de vérité pour tout. L'humilité est du côté du sol, le nom l'indique dans sa racine latine, ce qui lui vaut simultanément son double aspect d'appel à la petitesse et de capacité de supporter la construction de toute la vie par l'obéissance et le don. Il n'y a donc pas simplement dans l'humilité l'appel à se reconnaître toujours faible et pécheur, mais aussi la joie de la certitude. L'humilité véritable donne l'audace d'accueillir sans hésitation ni trouble le don de Dieu quel qu'il soit, y compris quand il dépasse de beaucoup ce que nous osions imaginer et demander (cf. *Éph.* 3, 20). L'humilité donne en effet la certitude que *Dieu peut tout en nous si nous le laissons faire,* et que notre faiblesse elle-même n'est pas un obstacle au don de la sainteté de Dieu si nous l'exposons à sa miséricorde. Au vrai la sainteté de l'homme sur cette terre est avant tout la prise de conscience croissante de son péché et de son besoin de la grâce de Dieu. Le progrès dans la sanctification s'accompagne immanquablement d'un sens accru de la surabondance du don de Dieu et de notre peu de correspondance aux grâces reçues. Il ne s'agit pas là de sentiments convenus, simple façade de l'autojustification ou du dépit orgueilleux devant l'échec irrécusable.

Il y a aussi dans l'humilité une sorte de lumière qui tient à la conscience d'avoir du temps pour apprendre encore et progresser. L'humble est riche du temps qu'il attend de la miséricorde de Dieu pour découvrir l'appel à la perfection et faire un nouveau pas sur le chemin. Autant la sainteté n'est pas la structuration d'une personnalité irréprochable du premier coup et exemplaire en tout point à l'évidence, autant elle est éloignée de la dislocation de la personnalité dans les divisions intérieures et les contradictions de la conduite. Il y a toujours dans la sainteté chrétienne la certitude indubitable de l'appel reçu de Dieu. Or cet appel, en même temps qu'il dévoile de plus en plus nos manquements à l'amour et à l'humilité, nous attire et fortifie dans ce qui reste définitivement un apprentissage. L'appel de Dieu à la sainteté entraîne normalement un pas, puis un autre dans la voie de l'abandon à Dieu et du pur amour de Dieu.

Une seule chose se dégage avec de plus en plus de netteté et de force. Dieu appelle tout chrétien baptisé à la sainteté et lui confère par la grâce du baptême une sainteté authentique qui ne demande qu'à se développer sous l'action permanente de l'Esprit saint. Cette vérité existentielle ne doit être minimisée d'aucune manière. Tout disciple de Jésus est appelé par son baptême à la sainteté authentique, c'est-à-dire à la sainteté des saints que l'Église prie et nous remet en mémoire. A cette sainteté voulue pour nous par Dieu, rien ne manque, ni le don de Dieu qui est sans repentance (*Rom.* 11, 29), ni au fond de nous-mêmes le désir de la sainteté qui est équivalemment le désir de la vie avec Dieu dans l'humilité, l'obéissance et l'amour. Par le fait même, le chemin de la perfection est de plus en plus l'occasion de confesser la miséricorde de Dieu et notre misère à nous qui demeurons faibles et pécheurs. En cela le chemin de la perfection est le chemin de l'humilité, il n'y en a pas d'autre. Deux expériences spirituelles complémentaires jouent, à cet égard, un rôle décisif dans la sanctification du chrétien : le sacrement de la réconciliation et la connaissance vraie de notre péché.

En ce qui concerne le sacrement de la réconciliation, il est la source sans cesse renouvelée de la sainteté baptismale en nous, dans la mesure où il redonne au don initial de Dieu sa nouveauté permanente et sa force attractive. Par rapport au baptême comme premier appel à la sainteté, le pardon sacramentel joue le rôle d'une actualisation de la grâce, et cela dans un contexte personnel de maturité et de réalisme par l'expérience et la reconnaissance de nos résistances à l'œuvre sanctificatrice de l'Esprit d'Amour. Il y a dans la grâce sacramentelle de la réconciliation bien des fruits spirituels qui concourent à notre sanctification : la lumière sur nos péchés personnels, l'appel à la prière et à la vie pénitente, ainsi que la recherche d'une plus parfaite obéissance à la volonté du Père, en imitation de Jésus. On pourrait dire que le sacrement de la réconciliation est le constant ressourcement de la sainteté chrétienne, au point que sa fréquentation est même un critère de notre désir d'accueillir en vérité le don de la sainteté de Dieu.

La lumière de l'amour de Dieu nous dévoile nos péchés. La découverte de notre péché a pour exacte mesure notre acceptation de l'amour de Dieu venant faire la lumière de la vérité dans notre vie. Parmi les purifications passives que l'Esprit saint opère en nous par une œuvre de pure grâce, la plus profonde est justement la connaissance de notre péché sous la lumière de la miséricorde de Dieu. C'est la souffrance centrale dans l'état de l'âme qu'est le Purgatoire. Bien sûr, la connaissance du péché est alors avant tout la souffrance de ne pas aimer assez le Dieu d'Amour. Sacrement de la réconciliation, purification passive, ces deux expériences imbriquées contribuent à faire de la sainteté chrétienne une école de l'humilité. Par le fait même grandit pour nous le visage du maître de cette voie de pauvreté et d'amour, Jésus dans le mystère de ses abaissements.

3. JÉSUS, UNIQUE CHEMIN DE LA PERFECTION. − 1º Le propre du cheminement dans la sanctification chrétienne est de tourner de plus en plus le disciple vers la confession de la sainteté de Jésus : « Toi seul es saint, toi seul es Seigneur, toi seul es le Très Haut, Jésus-Christ ! » La louange de l'Église exprime la conviction de la foi des fidèles appelés à la sainteté et de plus en plus attirés vers la présence invisible et agissante de Jésus, le « Saint de Dieu » (Jean 6, 69). Le mystère de Jésus en son humanité est celui de l'absolu de l'amour. L'infini de l'amour divin du Verbe est venu résider dans un cœur humain sans y rencontrer ni résistance ni scorie. La charité de Jésus est la plénitude qui irradie en toute l'Église. Dans le cœur de Jésus, deux amours se rencontrent comme en un sanctuaire de feu : amour de la Trinité pour l'homme pécheur et élan de l'humanité graciée pour faire retour vers le Père par l'obéissance du Fils sous la motion de l'Esprit. Il y a quelque chose d'insondable dans le mystère de l'amour de Jésus. Seule la participation de son humanité à sa *grâce d'union* peut vraiment nous mettre sur la voie d'un tel amour. La grâce d'union est l'intimité la plus profonde qui puisse

exister entre la personne du Verbe et la nature humaine, puisque le Verbe assume cette nature définitivement, voulant porter pour nous un nom d'homme, le nom de Jésus, s'exprimer dans un langage d'homme et aimer avec un cœur d'homme. La grâce d'union est la plus haute des grâces. Elle est la source même de l'amour de charité qui se répand dans le cœur de Jésus et, de là, dans toute notre humanité appelée à entrer dans la communion d'amour qu'est l'Église. Par le fait même, la grâce d'union est la plus haute sainteté qui soit et la source de toute la grâce sanctifiante. En ce qui nous concerne, l'essentiel de la sainteté nous apparaît donc dans la ligne de l'*être-à-Dieu*, c'est-à-dire de l'union à Dieu par l'amour et l'obéissance, par la présence à la présence de Dieu et l'adoration. Dans la même ligne la sainteté de Jésus est avant tout sa reconnaissance de la sainteté du Père, qui est Dieu (*Jean* 6, 27). Elle est donc l'adoration et le service de la gloire du Père.

La nature de la sainteté de Jésus induit la nature de notre imitation de Jésus. Jésus *est* saint, c'est son être qui est saint puisque la grâce d'union fait de son être tout entier le mode d'existence et d'expression du Verbe. En Jésus l'humanité est sanctifiée d'abord dans la mesure où elle est portée par l'existence du Verbe. Pour le redire en l'explicitant encore, la sainteté de Jésus n'est pas d'abord de l'ordre de la conduite ou du sentiment : elle est, chez lui, de l'ordre de l'être, donc de l'*être-Dieu*, puisque sa nature humaine est en vérité la nature du Verbe Incarné. Il s'agit bien d'une union de la nature humaine à la nature divine, sans confusion et sans mélange, mais cette union a ceci d'unique qu'elle consiste dans la prise par la personne divine du Verbe de notre chair comme devenant *sa* chair. C'est bien plus que l'union d'amour de deux personnes différentes. C'est l'union de deux natures, divine et humaine, dans l'unité de la même personne. Il s'ensuit que l'amour de charité est en Jésus le résultat, au niveau de la volonté et de la capacité d'aimer, d'une sainteté plus fondamentale qui est de l'ordre de l'être. Pour nous, ce qui correspond, toutes proportions gardées, à la grâce d'union de Jésus, c'est la grâce sanctifiante, comme résultat de la présence sanctificatrice de Dieu au fond de notre être, dans ce centre de l'âme où il établit sa demeure, temple de la Trinité.

2º La méditation sur la sainteté essentielle de Jésus en tant que Verbe Incarné doit nous préserver d'une conception fonctionnelle empirique et forcément superficielle de l'imitation de Jésus. La sainteté chrétienne ne saurait en aucun cas se réduire à l'imitation du comportement de Jésus comme par une copie du dehors. Elle est un appel à aimer Dieu, et d'un amour qui exprime l'être-à-Dieu plus que le sentiment d'aimer ou la générosité à servir. A cet égard il y a d'abord dans la sainteté baptismale la sainteté normalement attachée au caractère baptismal. Ce caractère grave au tréfonds de notre être notre appartenance à Dieu et il constitue ainsi l'appel de notre être à recevoir le don de la grâce sanctifiante. Mais s'il y a par en nous un appel au don de Dieu, cet appel ne nous ouvre aucun droit, ce qui nous renvoie à notre condition d'humilité devant l'adoption divine. Par contre, la grâce d'union ouvre pour l'humanité de Jésus comme un droit à recevoir le don de la grâce sanctifiante et de la charité. La nature humaine du Fils de Dieu doit pouvoir exprimer au mieux et réaliser à son niveau le mouvement de retour du Fils vers le Père qui est sa condition divine. Là encore, ce retour vers le Père n'a rien du vertige poussant à dissoudre dans une absorption mortifère la personne du Fils dans celle du Père. Le retour du Fils vers le Père est l'élan de tout son être dans l'amour et la louange, l'adoration et l'obéissance, pour le dire en termes humains. La sainteté du Verbe Incarné est justement ce retour vers le Père dans l'action de grâce pour le don de la vie divine et de la grâce, retour qui s'effectue dans et par l'offrande de toute sa vie en obéissance d'amour à la volonté du Père. C'est dire que la sainteté du Fils fait homme est portée à son entier accomplissement humain sur la Croix.

Mais il n'y a pas ici deux lignes de sanctification : l'union à Dieu, de l'ordre de l'être, et l'offrande de la vie à Dieu, de l'ordre de l'agir. En vérité, ce qui fait la qualité de l'amour de Dieu dans l'offrande de sa vie au Père par Jésus, ce n'est pas son comportement en tant que tel, même s'il vaut comme preuve suprême de l'amour, mais c'est bien plutôt sa communion avec le Père qui s'exprime dans l'amour filial et l'obéissance. Sous la conduite du Fils il y a toujours la relation du Fils au Père. Or cette relation n'est pas seulement une orientation qualifiant la vie du Fils : cette relation au Père est la vie du Fils. Le fils est tout entier retour vers le Père. Le sacrifice de la Croix est donc la plus haute expression humaine dans l'amour de l'être du Fils comme retour vers le Père.

Dès lors, la sanctification chrétienne est un appel à aimer le Père par un don de notre vie qui ne se réduit pas à une série d'œuvres de générosité, mais elle presse à un don de notre vie qui exprime le don de notre être même à Dieu par l'imitation du Verbe Crucifié. Ici l'amour est la reprise de ce qui fait le mouvement fondamental de notre vie, car il porte sur notre désir de la vie qu'il tourne vers Dieu par une orientation radicale et constante. Il ne s'agit pas d'offrir quelque chose à Dieu ni de nous attacher à quelque chose donné par Dieu. La voie de la sainteté est la recherche d'aimer Dieu en lui-même et pour lui-même en nous donnant à lui nous-mêmes en toute notre vie. Ici la charité comme expression et vœu de l'être-à-Dieu ouvre la voie du pur amour.

4. LA VOIE DU PUR AMOUR. – 1º Le chemin de la perfection est le pur amour, et rien d'autre que cela. Devant Dieu le pur amour est l'abandon à la volonté du Père, par l'imitation de Jésus dans son Agonie, sa Passion et sa mort sur la Croix. Le pur amour est l'union à Dieu par la volonté aimante et obéissante. C'est une appartenance à Dieu par tout notre être et tout notre agir qui sont aspirés dans l'amour du Père. Tout ceci n'est guère vérifiable dans une expérience sensible et actuelle, car Dieu *voile* ses dons de façon très étonnante, tant il tient à l'humilité spirituelle. Ce qui se constate seulement, c'est le souci croissant de faire la volonté de Dieu, de se tenir en sa présence, d'avoir en tout pour seule occupation de l'aimer parce que c'est lui et d'être à lui. Le pur amour, c'est ne rien désirer sinon d'aimer Dieu, c'est ne rien demander à Dieu sinon de l'aimer, en vivant caché dans le cœur de Jésus en Croix. La voie du pur amour, c'est la voie de l'humilité. Le renoncement, le désintéressement, la patience, si caractéristiques du pur amour, sont basés sur l'humilité qui est leur fondement en vérité. L'humilité est également ce qui rend libre spirituellement pour le choix du plus parfait qui est un *amour*

*de prédilection pour la Croix de Jésus,* sens de toutes les purifications actives.

Le chemin de la perfection suppose en effet que devant tout choix éthique, l'un après l'autre, le disciple de Jésus accorde sa préférence à ce qui l'unit le plus étroitement à la Croix du Bien-Aimé comme lieu et acte du pur amour de Dieu. Ce choix du plus parfait, qui peut paraître par ailleurs une quête illusoire de l'héroïsme, devient chose évidente et simple par l'humilité de l'amour : celui qui sait sa pauvreté essaie de vivre en tout le plus proche possible de Jésus en Croix, comptant non sur ses propres forces, mais sur le seul amour de Jésus qui a su tout offrir au Père. Le choix d'un « état de perfection », vie religieuse ou institut séculier, s'inscrit dans ce désir de la Croix.

La voie du pur amour est encore marquée par la reconnaissance de la sainteté unique de Dieu, ce que l'humilité favorise par sa nature même. Parmi les dons du Saint-Esprit, celui qui a un rôle d'ouverture, le don de *crainte*, a pour effet de porter à pressentir et à confesser l'absolue et unique sainteté de Dieu, à quoi aucune sainteté humaine et créée ne saurait se comparer, pas même la sainteté de Marie qui est pourtant bien la Toute-Sainte. La sainteté de Dieu, c'est le mystère de son être absolument simple par l'amour qui le fait vivre et donner. A cet égard, le pur amour attire vers l'adoration réalisée non seulement dans la prière, mais aussi dans un état de *vie* en présence de Dieu : « C'est moi le Dieu Puissant, marche en ma présence et sois parfait » (*Gen.* 17, 1b). L'essentiel dans la sainteté chrétienne est de reconnaître la sainteté unique de Dieu, de tout attendre de lui dans l'humilité, la foi et l'amour, comme le fit Marie. Avec Marie, et comme elle, il suffit d'être saisi par la sainteté de Dieu et le désir de sa gloire. Le chemin de la perfection est le chemin de la Croix. La sainteté consiste à être aspiré tout entier par un amour de prédilection pour la Croix. Le lieu spirituel de la sanctification est l'union à Marie en sa Compassion au pied de la Croix, là où Marie par son adoration, son humilité et son abandon, redonne au Père la vie et l'amour de son Fils s'offrant au Père par pur amour et pour sa gloire.

2º Le choix constant de la Croix doit se vivre instant après instant dans la simplicité et la paix selon les appels de Dieu dans notre vie quotidienne au travers de notre tâche prescrite et des demandes multiples de nos frères. La voie du pur amour, parce qu'elle favorise l'union la plus profonde à Dieu, est justement ce qui produit l'amour le plus simple et ordinaire, le plus concret et efficace dans le service fraternel quotidien. Le pur amour de Dieu est avant tout l'attente dépouillée du don de Dieu lui-même, et non pas de ses grâces, lumières ou faveurs. La réplique en est cette face humaine, quotidienne et fraternelle, qui est d'aimer humblement les autres en se rendant présent à eux et en sachant surtout attendre de leur donner ce qu'ils veulent et demandent. Ce qui préserve en cela le pur amour de l'orgueil et de l'illusion, c'est qu'il porte sur l'*être*-à-Dieu et sur l'amour, et non sur le faire, qui risquerait de se dénaturer en un « savoir-faire » ou un « faire-valoir ». C'est justement à propos de l'amour fraternel quotidien qu'il importe de redire la priorité de l'être-à-Dieu, car dans la relation aux autres l'expression visible de l'amour dans des prestations pratiques et utiles pourrait davantage oblitérer ce qui est l'essentiel caché et insaisissable : l'union à Dieu, source de cet amour de tous les jours. Le pur amour des autres ignore lui-même comment il est exprimé, perçu, aimé de retour. Il est attention à la présence des autres par une certaine qualité de présence. C'est fort peu susceptible de vérification sensible et actuelle, là encore. Ce qui pourtant grandit et s'éprouve, c'est le souci croissant d'aimer les autres, mais justement en Dieu et devant Dieu, dans la douceur, la patience et la compassion vraie.

Chemin où l'horizon sans cesse recule, la perfection chrétienne n'est pas une qualité acquise, mais la croissance continue du désir d'aimer. Pour prendre une autre image, la plongée dans l'océan de l'amour de Dieu entraîne une descente à la fois de plus en plus rapide et de plus en plus profonde. Dès lors, la sanctification ne saurait installer le disciple de Jésus dans l'estime de soi-même et des autres. L'amour de Dieu entraîne sans cesse de l'avant et fait découvrir l'étendue de la route à parcourir : « Oubliant le chemin parcouru et tout tendu en avant, je m'élance vers le but, en vue du prix attaché à l'appel d'en haut que Dieu nous adresse en Jésus-Christ » (*Phil.* 3, 13-14).

3° Ce qui a été dit de la sainteté chrétienne comme perfection de l'amour et de l'humilité vaut pour tout disciple de Jésus. Suivre Jésus, c'est entendre l'appel de Dieu à la sainteté. Le dessein de Dieu est la sanctification de tous les hommes afin que le mystère du Christ rayonne sur tout l'univers. La création tout entière doit devenir louange du Créateur et adoration du Père par la médiation du culte spirituel que rend le peuple de Dieu : « Tout est à vous, vous êtes au Christ, et le Christ est à Dieu » (1 *Cor.* 3, 22-23). La gloire de Dieu, c'est la constitution du peuple des baptisés, et à la limite de toute l'Humanité, en une communauté sainte faisant monter vers lui la louange d'amour qui est au cœur de toute créature et bien plus profondément de tout homme réconcilié par la grâce. La vie chrétienne normale est la sainteté. Tout croyant baptisé se trouve attiré par la grâce sur le chemin de la perfection, si bien que la marche de l'un des croyants sous le regard de Dieu ne peut pas être séparée de la marche de tout le peuple appelé à la sainteté.

Il y a un approfondissement dernier dans la voie du pur amour qui consiste à renoncer à tout désir un tant soit peu égoïste de la sanctification personnelle, au sens où elle serait attendue comme un moyen de trouver son bonheur à soi près de Dieu. Exposant l'enseignement le plus profond de toute son œuvre sur la perfection chrétienne, Thérèse d'Avila n'hésite pas à dire que l'union à Dieu dans le mariage spirituel passe par le renoncement au désir de mourir pour aller plus vite rejoindre le Bien-Aimé, dès lors que l'on est certain de compter sur sa présence en nous par la grâce et dès lors que l'on sent pouvoir le servir en vivant encore.

Thérèse évoque ces âmes qui, par l'union à Dieu, sont parvenues au total oubli de soi, au point de n'avoir qu'un seul désir : accomplir la volonté du Seigneur : « ... elles ont un tel désir de le servir et de le faire glorifier, d'être utiles, si elles le peuvent, à quelque âme, que non seulement elles n'ont plus le désir de mourir, mais qu'elles voudraient vivre quelques années encore au milieu des plus terribles tourments, afin de procurer ne serait-ce qu'un tout petit peu de gloire à Notre-Seigneur... Toute leur *gloire* à elles est d'aider en quelque sorte le divin Crucifié si elles le peuvent, surtout quand elles voient combien il est offensé, et combien est restreint le nombre de ceux qui s'occupent vraiment de sa gloire dans un parfait détachement de tout » (*Moradas* VII, c. 3, n. 4 ; trad. citée, p. 1044).

En somme, le parfait détachement dans la voie du pur amour consiste à renoncer au désir d'obtenir rapidement le repos et le bonheur du Paradis, car l'union à Dieu aujourd'hui par la charité doit suffire aussi longtemps que ce don correspond à la volonté de Dieu sur nous. Tant que Dieu le veut, le seul désir du disciple de Jésus doit être de travailler parmi les hommes à le faire connaître et aimer en témoignant de Jésus, Verbe Crucifié. Il est dès lors uni, sans le pouvoir savoir, au mystère du Fils unique que le Père « a donné au monde... pour que tout homme soit sauvé » (cf. *Jean* 3, 16).

Jean-Claude SAGNE.

**PERGMAYR** (JOSEPH), jésuite, 1713-1765. – Né le 4 février 1713 à Häblkofen (diocèse de Ratisbonne), Joseph Pergmayr entra le 7 septembre 1733 au noviciat de la Compagnie de Jésus. Il enseigna la grammaire, les humanités et la philosophie dans les collèges. Puis, pendant seize années, il fut le prédicateur attitré de l'église saint-Michel à Munich, tout en assurant pendant onze ans la direction spirituelle chez les visitandines de la ville. Il mourut à Munich le 23 mars 1765.

Pergmayr fut toujours maladif et fut handicapé pour la marche par une paralysie. Doué d'une grande force de volonté, homme d'abnégation et de caractère très aimable, il se montrait en chaire vivant et plein de fougue.

De son vivant, il ne publia que la biographie de son confrère Philippe Jeningen († 1704 ; DS, t. 8, col. 873-74), qui fut pour lui un modèle : *Vita V.P. Ph. Jeningen*, Ingolstadt-Munich, 1763 (trad. allemande abrégée par W. Hansen † 1782, Dillingen, 1766, et par A. Piscalar † 1892, Paderborn, 1859 ; refondue librement, Ratisbonne, 1873). Puis parurent les *Considerationes de S. Joanna Francisca Fremiot de Chantal* (Munich, 1768 ; en allemand par le jésuite Ignace Steur † 1796, Munich, 1768 ; 6e éd. 1787 ; cf. Sommervogel, t. 7, col. 1571 svv).

L'ouvrage principal de Pergmayr rassemble ses conférences et ses retraites à diverses congrégations religieuses ; 5 volumes furent publiés à partir de 1778 par ses confrères F. Reisner († 1789 ; Sommervogel, t. 6, col. 1643-45) pour les vol. 1, 2, 4, et par I. Steur pour les vol. 3 et 5. Ces volumes parurent d'abord sous des titres individués, puis furent rassemblés sous le titre général *Sämmtliche ascetische Schriften* (5 vol. avec tables, Augsbourg, 1783 ; Ratisbonne, 1848-1852, 1875 ; 4e éd. par U. Heller, 1920).

1) *Grundliche Erwägungen ewiger Wahrheiten...* (retraite de 8 jours selon les *Exercices* ignatiens ; 3 méditations par jour) ; en annexe : « Was ist zur höheren Tugend nötig ? » et « Wie steht es um die Reinheit des Herzens ? », qui gardent le style direct et vif du discours parlé.

Augsbourg, 1778 ; 8e éd., 1796 ; Ratisbonne, 1848 ; *Betrachtungen in der geistlichen Einsamkeit*, nouv. éd. par M. Sintzel, Augsbourg, 1841, 1851, 1859, 1878 ; *Exerzitien für Ordensleute*, éd. par Gabrielle du Saint-Sacrement ocd (= Hedwig von List), 3e éd., Graz, 1922 ; 4e éd. revue par des jésuites, 1934 ; *Geistlichen Unterricht*, Prague, 1928. – Adaptations italienne (2e éd., Rome, 1820 ; Naples, 1864, 1883), anglaise par J. Holzer (*The Truths of Salvation*, New York, 1883) et française (Paris-Tournai, 1862, par Ét. Burgers ; par le chanoine Louis, Saint-Maurice d'Agaume, 1916, 1937).

2) *Drey Schritte zur wahren und vollkommen Liebe Gottes* : ces trois pas font craindre le moindre péché, suivre les inspirations du Saint-Esprit et s'adonner à la volonté de Dieu. Viennent ensuite deux entretiens

avec le Christ dans l'Eucharistie sur la croissance quotidienne dans l'amour, que l'on soit dans l'obscurité et le délaissement ou dans la lumière et la consolation.

Augsbourg, 1778 ; 8ᵉ éd. 1797 ; Ratisbonne, 1866 ; 3ᵉ éd. 1894. – Trad. franç., *Trois pas vers...*, Tournai-Paris, 1882 ; extraits : *Deux entretiens...*, Tournai, 1911 ; en néerl., Tilburg, 1886.

3) *Geistliche Grundsätze und verschiedene Unterrichten...* ; traite de la perfection dans la vie quotidienne, de l'intention bonne et droite, de la méditation et de l'oraison, de l'amour de Dieu et du prochain, de la pureté du cœur, de la mortification et du détachement des créatures, de la confiance en Dieu et de la direction spirituelle.

Augsbourg, 1778 ; 7ᵉ éd. 1794 ; Ratisbonne, 1851. – Trad. franç. par Ét. Burgers, Liège, 1855 ; Tournai, 1862, 1886, 1893, 1913, sous le titre *Maximes spirituelles*. – Extraits : *La pureté du cœur et la perfection des actions journalières*, Bruxelles, 1909.

4) *Geistreiche Lesungen und gründliche Unterweisungen* : sur la réserve dans les paroles, le don de soi à la Providence divine, la tentation, le chemin vers la perfection, la contrition, le parfait amour, les souffrances du Christ, le *Veni Sancte Spiritus* (à propos duquel Pergmayr précise bien son enseignement par rapport au quiétisme). – Augsbourg, 1778 ; 8ᵉ éd. 1801 ; Ratisbonne, 1851.

5) *Heilige Anmuthungen und Tugends-Uebungen...*, sur l'incarnation du Christ, l'adoration du Saint Sacrement, la souffrance, les sept dons de l'Esprit saint, la vie religieuse selon François de Sales, la maladie.

Augsbourg, 1778 ; 7ᵉ éd. 1795 ; Ratisbonne, 1852, 1875. – Trad. italienne par J.M. Zandt en 1794 (cf. Sommervogel, t. 8, col. 1459) ; extraits : *Méditations sur les sept dons*, trad. par Ét. Burgers, Liège, 1855 ; Paris-Tournai, 1862, 1872, 1881, vers 1890, 1909, 1916 (extraits traduits en italien à partir du français : Naples, 1864, 1883).

Pergmayr enseigne une spiritualité puisée aux sources ignatienne et salésienne ; il ne s'attache pas à traiter des hautes contemplations ou des questions théoriques, mais de « l'exercice » patient et quotidien d'une authentique vie chrétienne ; la dimension intérieure de celle-ci est l'objet de la majorité de ses pages. Sa doctrine peut paraître plus « ascétique » que mystique ; la plupart des sujets qu'il aborde sont traités en vue de la pratique, avec le souci des obstacles concrets ou des déviations psychologiques possibles. Cependant la sainteté, la « perfection », vers laquelle il veut acheminer est très marquée par ce qu'on peut appeler une mystique de l'Eucharistie : c'est dans l'Eucharistie que le chrétien rencontre, écoute, aime le Christ ; c'est là qu'il est enseigné, conforté, attiré par le Christ. D'autre part, quand Pergmayr synthétise son enseignement, on en voit mieux l'orientation mystique ; ainsi quand il décrit les « trois pas » vers le parfait amour de Dieu.

La fidélité à suivre les inspirations du Saint-Esprit et l'abandon confiant à la conduite de Dieu amènent la conformation progressive de notre volonté à la sienne. Pergmayr voit dans la conformité des deux volontés l'effet le plus élevé de l'amour et le plus haut degré de la perfection, parce qu'elle réalise l'union de Dieu et de l'âme ; c'est aussi l'état le plus heureux pour le chrétien parce qu'il le met dans une paix inaltérable.

En fait, il semble que, chez Pergmayr, se donner entièrement à Dieu à travers la patiente fidélité aux inspirations du Saint-Esprit, conformer notre volonté à la sienne et s'abandonner dans la confiance en lui ne soient que trois aspects d'une même réalité. Dieu étant le Maître souverain, nous reconnaissons dépendre en tout de lui et voulons agir et exister selon sa volonté ; se remettre entièrement à lui est le plus grand hommage qu'on lui puisse rendre, le plus grand plaisir qu'on lui puisse faire, la plus grande marque d'amour qu'on lui puisse donner. C'est le moyen le plus assuré et le plus rapide d'arriver à l'union avec lui.

Il est certain que Pergmayr est l'un des meilleurs et plus profonds témoins de la tradition spirituelle dans l'Allemagne du 18ᵉ siècle ; il n'a malheureusement pas été étudié.

Sommervogel, t. 4, col. 4 ; t. 6, col. 528-32 ; t. 9, col. 764. – *Kirchenlexikon*, t. 1, Fribourg/Brisgau, 1882, col. 1468 (art. Ascese). – H. Thoelen, *Menologium...*, Ruremonde, 1901, p. 185. – V. Brander, *J.P.*, Wurtzbourg, 1928. – B. Duhr, *Geschichte der Jesuiten in den Ländern deutscher Zunge*, t. 4/2, Fribourg/Brisgau, p. 125-26.
W. Kosch, *Das Kath. Deutschland*, Augsbourg, 1933, col. 3478 (bibl.). – L. Koch, *Jesuiten-Lexikon*, Paderborn, 1934, col. 1399. – LTK, 1ᵉ éd., t. 8, 1936, p. 85. – J. de Guibert, *La spiritualité de la Compagnie de Jésus*, Rome, 1953, p. 419-20 et index.
DS, t. 1, col. 343 ; t. 2, col. 934, 1634 ; t. 3, col. 1609 ; t. 8, col. 874, 1024, 1026.

Constantin Becker.

**PÉRINELLE** (Georges ; en religion : Joseph), frère prêcheur, 1880-1964. – Né à Courbevoie le 26 octobre 1880, Georges Périnelle, au terme de brillantes études secondaires, entre à l'École des Chartes d'où il sort major et Prix de Rome, avec une thèse sur les rapports de Louis XI et la Maison d'Angleterre. C'est le temps où fleurit le Sillon : il y adhère chaleureusement, se lie avec Marc Sangnier et ses compagnons, Hellencourt, Hoog, du Roure, Henri Colas ; il fréquente Georges Goyau, l'abbé Thellier de Poncheville, l'abbé Desgranges.

A Rome, il est l'élève de l'École française d'archéologie et d'histoire sous Mgr L. Duchêne. Il rencontre l'abbé Petit de Julleville sous la direction duquel il s'oriente vers le sacerdoce. A 25 ans, il entre au séminaire Saint-Sulpice où il retrouve Petit de Julleville qui devient son directeur. Ordonné prêtre le 2 juillet 1910, il rejoint Petit de Julleville qui vient d'être nommé directeur du collège Sainte-Croix de Neuilly. Après quatre années d'apostolat fécond auprès de la jeunesse, il demande son admission dans l'Ordre des Prêcheurs. La guerre de 1914-1918 coupera court à son projet, sans ébranler sa résolution.

Libéré des obligations militaires, il entre au noviciat dominicain du Saulchoir (Kain, Belgique) le 19 Avril 1919. Au terme de ses études théologiques, il soutient une thèse sur l'attrition d'après le Concile de Trente et Thomas d'Aquin, qui représente une contribution de valeur au renouveau du traité de la Pénitence (coll. Bibliothèque Thomiste, Le Saulchoir-Kain, 1927).

De 1924 à 1932, il assume la charge de maître des étudiants au Saulchoir avant de prendre celle de maître des novices au couvent d'Amiens de 1932 à 1939. En 1940, il est assigné au couvent parisien du Faubourg Saint-Honoré où il passera les vingt-quatre dernières années de sa vie, exerçant surtout un ministère de confession et de direction auprès des prêtres, des religieuses et des laïcs.

De 1931 à 1935, sa signature se rencontre une vingtaine de fois dans la *Vie Spirituelle* et son *Supplément* : articles divers, notes de direction, comptes rendus de livres pour la lecture spirituelle, bulletins de doctrine spirituelle. Un petit volume formé de quatre de ces articles paraît en 1936 sous le titre *Le Sacerdoce*. Après la guerre, son activité littéraire s'intensifie en connexion avec l'enseignement suivi qu'il donne, notamment aux Dominicaines du Sacré-Cœur, et l'on voit paraître successivement : *Dieu est amour* (Paris, 1942) ; *Comment faire oraison* (1948) ; *Qui est celle-ci ?* (sur Marie) (Arras, 1946) ; *Béthanie : les pécheresses réhabilitées* (Béthanie, Montferrand le Château, 1947) ; *Les psaumes, prière du Christ et la tienne* (Paris, 1949) ; *En pleine vie* (sur la vocation des Dominicaines du Sacré-cœur) (Paris, 1950).

Après ces publications de dimensions modestes, il entreprend à 70 ans une œuvre beaucoup plus importante, qui paraîtra après cinq ans de travail : *Les voies de Dieu* (Paris, 1956, 526 p.). Le sous-titre *La vie religieuse et les Instituts séculiers* précise l'objet du livre, qui coïncide avec le centre même de son expérience et de ses recherches et le message de toute une vie.

Claire et précise, la pensée de Périnelle est nourrie de la connaissance savoureuse de Thomas d'Aquin, d'une riche expérience de direction spirituelle auprès d'un public fort diversifié. Doué à un haut niveau de l'art de conseiller, il a exercé jusqu'à sa mort, le 22 octobre 1964, une réelle influence spirituelle auprès d'un grand nombre de prêtres, de religieuses et de fidèles.

DTC, *Tables*, col. 3595. – DS, t. 9, col. 588.

Pierre RAFFIN.

**PERLE ÉVANGÉLIQUE** (DIE EVANGELISCHE PEERLE). – L'ouvrage connu sous ce titre a eu une grande diffusion en plusieurs langues. Son auteur est décédé « le 28ᵉ jour de janvier en l'an 1540 » (style de la Nativité ou de Pâques ?), « une vierge de 77 ans » dont on ignore le nom. A cet auteur il faut également attribuer au moins deux autres ouvrages publiés anonymement. – 1. *Œuvres*. – 2. *L'auteur*. – 3. *Doctrine*. – 4. *Sources et influence*.

**1. Œuvres.** – 1º HET HOFKEN VAN DEVOCIEN, INHOUDENDE HOEMEN DEVOTELIJC MISSE HOREN SAL... (« Le jardinet de dévotion, comprenant la manière d'assister à la Messe avec dévotion..., comment on pratique intérieurement la foi, afin d'y demeurer constamment »), Anvers, vers 1540, 80 p. in-8º ; 8 éd. jusqu'en 1635.

Bien qu'anonyme, nous pensons devoir attribuer cet opuscule à l'auteur de la *Perle*. En effet, il contient des textes qu'on retrouve mot à mot dans ce dernier ouvrage, d'autres qui sont de même style et de même esprit, d'autres enfin qui semblent être recueillis comme des matériaux pouvant illustrer la doctrine de la *Perle*. Les éditions successives ne livrent aucun renseignement sur l'auteur ni sur l'origine des textes édités.

On peut en rapprocher le ms 647 de la Bibliothèque des arts et des sciences du Brabant septentrional (Bois-le-Duc) et aussi le ms 451 de la Société Ruusbroec (Anvers) : ils

contiennent des textes spirituels (prières ou exercices) qui respirent une certaine parenté avec la spiritualité de la *Perle*.

2º VANDEN TEMPEL ONSER SIELEN, DEVOTE OEFFENINGEN. HOE WI DYEN SULLEN BEREYDEN... (« Du temple de notre âme : exercices dévots. Comment nous devons le préparer et y célébrer spirituellement toutes les fêtes de l'année, de sorte que Dieu puisse habiter toujours en nous. Composé par une personne religieuse et illuminée qui a fait également la *Perle*... »), Anvers, 1543, 184 f. C'est l'unique édition connue ; l'ouvrage n'a pas été traduit en entier en latin. Éd. critique par A. Ampe, Anvers, 1968.

Après un prologue par N. Eschius (DS, t. 4, col. 1060-66), qui y rassemble onze pièces spirituelles anonymes, vient le texte de l'ouvrage. Il propose de vivre intérieurement l'union à Dieu comme la célébration de la liturgie spirituelle à l'intérieur de l'homme spirituel ; et cela à ses trois niveaux d'être, corps, âme, esprit (ch. 1-53). Suivent divers développements sur des points de la spiritualité commune ; le dernier, repris de Rulman Merswin (DS, t. 10, col. 1056-58), sur la grande sainteté des plus parfaits, est introduit et conclu de telle manière qu'il forme un épilogue s'harmonisant à la doctrine et à la symbolique du *Tempel*.

L'auteur met en œuvre une riche littérature spirituelle, sans indiquer les références, avec une grande habileté : il transfigure ses emprunts en les insérant dans son texte. Le fond personnel du *Tempel*, comme son style, est marqué d'une doctrine très personnelle.

3º LA PERLE ÉVANGÉLIQUE se présente sous quatre formes et il n'est pas certain qu'elle nous soit parvenue dans son intégralité.

1) *La « petite Perle »* = p : la forme ayant la plus ancienne date est l'édition procurée par Thierry Loher, chartreux de Cologne († 1554 ; DS, t. 9, col. 961-63) : *Margarita Evangelica. Een devoet boecxken geheeten Die Evangelische peerle...*, Utrecht, 1535, 216 p. in-8º (« ... La Perle évangélique, comment nous acquerrons une vie intérieure divine déiforme et aimerons Dieu de toutes les forces de notre âme... »).

Après un avant-propos de Loher, vient le texte de l'auteur, qui est conclu par une note-recommandation provenant d'une autre main. Le texte lui-même comprend une préface (Eschius dira plus tard : *Praefatio autoris in libros sequentes*), le corps de l'ouvrage, et une postface dans laquelle l'auteur parle de l'origine de son travail et de la manière de le bien lire.

La présentation et l'organisation du texte laissent à désirer. Le corps de l'ouvrage est divisé en 36 chapitres, mais rien n'indique que certains d'entre eux forment déjà des unités cohérentes. D'autre part, la postface y figure comme ch. 37-39 et n'est donc pas isolée. Tout donne l'impression que l'ouvrage édité est le produit de manipulations diverses, un florilège d'extraits d'un texte plus vaste, dont pourtant l'ordre des chapitres semble respecté. La fin de la note-recommandation avoue que l'original a été retouché. Le texte p a été réédité en 1536 (Anvers, S. Cock) et probablement encore une fois à Anvers (W. Vorsterman), mais aucun exemplaire de cette 3ᵉ éd. n'est connu.

2) *La « grande Perle »* = P : Loher, ayant découvert un manuscrit contenant un texte plus ample, le publie sous le titre *Die grote evangelische peerle, vol devoter gebeden...* (« La grande perle évangélique, pleine de dévotes prières, d'exercices divins et de doctrines spirituelles... »), Anvers, 1537/8, 244 f. in-4º ; rééd. 1539.

Après un avant-propos de Loher expliquant sa découverte et sa conviction d'avoir en mains l'original complet, on remarque les modifications suivantes par rapport au texte p : la préface de l'auteur figure dans son intégralité, laquelle est beaucoup plus éclairante que ce qu'en donne p ; le corps de l'ouvrage est divisé en trois livres de 53, 59 et 55 chapitres, avec des titres qui suivent les trois stades de la vie spirituelle. Cependant le premier livre contient des textes tout aussi mystiques que le troisième. La postface, dont le texte est sensiblement le même que dans p, est intégrée dans le livre III, ch. 56-58. Enfin la note-recommandation est conservée, mais intégrée dans des textes secondaires.

Le texte P est beaucoup plus ample que p, mais moins que ne le laisserait penser le nombre des chapitres (170 contre 39) : ceux de p ont été divisés (ainsi ses ch. 27-30 forment les ch. 1-12 de la 3e partie). L'énorme ch. 36 n'est pas repris dans P. Là où l'on retrouve des textes parallèles, P offre parfois de grandes différences en variantes et en additions.

Le texte P fut repris dès 1542 par Eschius, qui remania fortement l'avant-propos donné par Loher et y apporta de nombreuses informations sur la vie de l'auteur anonyme : éd. en 1542, 1547, 1551, 1556, 1564, 1626, 1629/30 (avec un nouvel avant-propos).

3) *La « Perle latine »* = PL, et ses dérivés français (= PF) et allemands (= PA). – a) PL : Eschius collabore avec les Chartreux de Cologne à l'éd. latine : *Margarita evangelica, incomparabilis thesaurus divinae sapientiae in IIII. libros divisus...* (Cologne, 1545). S'il y a parallélisme entre P et PL, d'importantes divergences ne manquent pas.

L'avant-propos est remplacé par une dédicace d'Eschius à Burchard Montanus (Van den Berghe), oncle de saint Pierre Canisius, dans laquelle il s'étend peu sur l'auteur anonyme. Si la préface correspond également à celle de P, la succession des livres I, II, III de P est modifiée en PL : II, III, I, et l'ordre des chapitres a subi des changements notables (voir la *Table de concordance des trois 'Perle',* P, PL, PF, dressée par J.-P. Van Schoote, RAM, t. 37, 1961, p. 309-13). De plus, PL ajoute dans son livre III les ch. 58, 59 et 66 absents de P, et dans son livre I, ch. 11, le long paragraphe « Quando enim vis concupiscibilis... profundius ruit », absent de P, mais qui se trouve dans p, ch. 11. D'autre part, PL supprime les ch. 19-22 du livre I de P (comme en avertit la note introductoire du livre IV). D'autres additions et omissions sont moins importantes.

Nous estimons que les additions et omissions en cours de texte et l'addition des ch. 58, 59 et 66 du livre I, l'arrangement en trois livres et leur organisation interne ne sont pas le fait du traducteur, comme on l'a cru jusqu'à présent, mais de sa fidélité au modèle qu'il avait devant lui ; c'est pourquoi nous considérons PL comme une forme particulière de la *Perle*. Il est donc regrettable que le ms flamand qui a servi de base à la traduction ait disparu.

Après le livre III, suit le IV dont une note du traducteur explique la présence et le caractère. Pour compenser les omissions faites dans les livres I-III, le traducteur ajoute une série de textes similaires pris « ex sanctorum dictis ». Ce livre n'est donc pas authentique. Enfin le colophon explique la collaboration du traducteur et des Chartreux de Cologne : « Haec in gratiam amicorum Dei, quorum profectui haec non parvo labore exhibentur. Quae primo Deo...,

deinde autori : postremo, Carthusianos, quorum cura et opera, ut et alia multa, derivantur... ». Qui a écrit ces lignes ? Les Chartreux ou le traducteur anonyme ? Nous inclinons vers cette seconde hypothèse.

Qui serait ce traducteur ? Les uns, comme Van Schoote, penchent avec Valerius Andreas pour Eschius ; d'autres (A. de Wilt) pour Surius. A notre avis, les chapitres ajoutés du livre IV rendent le ton de voix d'Eschius, qui ne se serait pas nommé par humilité, mais qui signe la dédicace. Si la traduction était de Surius, on comprendrait mal qu'Eschius ne le signale pas, surtout quand on se souvient de l'éloquence avec laquelle Surius dédie en 1548 sa traduction de Tauler à l'archevêque Adolphe von Schaumburg. Un billet de Surius à Pierre Canisius (18 mars 1576 ; *B. Petri Canisi... Epistulae et Acta,* éd. Braunsberger, t. 1, Fribourg/Brisgau, 1896, p. 210, n. 4) dit qu'on juge la traduction latine insuffisante et qu'il a presque achevé une nouvelle traduction *meliori stylo* ; on n'en a pas retrouvé trace.

PL ne fut réédité qu'en 1609/10 par Meltzer à Dillingen, qui attribue par erreur l'œuvre à Eschius.

b) PF : la traduction française (*La perle evangelicque. Tresor incomparable de la Sapience divine.* Nouvellement traduict de latin en francois par les PP. Ch. lez Paris, Paris, Veuve Guillaume de la Nouë, 1602, 408 f. + 20 f. non numérotés) reproduit assez fidèlement l'éd. de PL de 1545, ce qui laisse le lecteur sans les informations de l'avant-propos d'Eschius dans son éd. de P, 1542, etc. Le privilège du Roi précise que la traduction est l'œuvre des Chartreux de Vauvert-lez-Paris. Le travail, plein d'onction, précise le sens spirituel, parfois au-delà de PL et évite des difficultés ; il a été réédité, quelque peu corrigé, en 1608.

Le colophon de PL y est complété en recommandant aux lecteurs l'âme du traducteur français ; celui-ci était donc mort en 1602. Ce détail permet d'annuler l'hypothèse de Dom Huijben qui désignait le chartreux Richard Beaucousin comme le traducteur de la Perle ; Beaucousin est mort en 1610 (DS, t. 1, col. 1314-15).

c) PA : On connaît deux traductions allemandes de la Perle, toutes deux faites sur PL ; la première est due à Angelus Silesius (Johann Scheffler) : *Joh. Angeli Silesii Köstliche Evangelische Perle* (Glatz, Ignatius Schubart, 1676) ; en dépit du titre qui attribue l'ouvrage à Silesius, l'introduction laisse comprendre qu'il n'a fait que traduire. La seconde, également d'après PL, est l'œuvre d'Héribert Hobusch, franciscain conventuel de Cologne, qui dit traduire pour la première fois (Cologne, J. Alsdorff, 1698 et 1706). Tandis que Silesius traduit le seul texte, Hobusch traduit les indications incorrectes de la préface et du colophon de PL.

4) PM : *La quatrième forme* sous laquelle la *Perle* nous est parvenue est le ms 71 H 51 de la Bibl. Royale de La Haye, texte anonyme et sans titre (f. 1-129) qu'un heureux hasard nous a fait découvrir. L'ensemble se présente comme un florilège d'extraits d'un tout déjà constitué, fait pour un usage personnel, et non pas comme une copie fidèle. Sont absents l'avant-propos et la note-recommandation, la préface et la postface de l'ouvrage. Le texte ne présente aucune division en livres (comme p) ou en chapitres.

Le premier extrait correspond à P II, 8. Comme p et PL commencent aussi avec P II, on peut voir là un argument de poids pour la thèse qui soutient qu'originairement la *Perle* commençait avec P II, qui de fait présente un exposé doctrinal fondamental et de grande envergure. PM finit avec P III, 40-41 (= p. 34). Le texte intermédiaire de PM suit un ordre parallèle tantôt à p, tantôt à PL. Surtout il faut remarquer les textes qui ne sont présents qu'en PM ou qui y sont meilleurs. Très important aussi le fait que PM est rédigé dans le dialecte moyen néerlandais oriental, dont les traces sont beaucoup plus fortes qu'en p et surtout qu'en P : ceci pourrait être une indication sur la langue de l'auteur anonyme et contribuer à préciser son lieu d'origine.

L'examen des quatre formes conduit aux conclusions suivantes : 1) aucune d'elles ne transmet le texte intégral de la *Perle* ; – 2) chacune offre des textes authentiques propres ; – 3) l'ordre interne des textes diffère dans les quatre formes, dont aucune peut-être ne dépend directement de l'auteur ; – 4) des quatre formes, on peut dire : a) que p et PM sont des recueils de fragments choisis dans un texte intégral dont l'ordre interne est conservé, et b) que PL (ou plutôt son original néerlandais) et P sont des harmonisations, plus ou moins arbitraires, du texte intégral (PL étant plus proche de ce dernier). Un travail de recomposition, difficile et complexe, à partir des quatre formes pourra peut-être reconstruire, sinon le texte original, du moins l'ordre interne, qui se rapprocherait, pensons-nous, de celui de p et de PM.

**2. L'auteur.** – En dépit des recherches, les informations recueillies sur l'auteur demeurent vagues et peu nombreuses.

1° La note-recommandation terminale de la *Perle* indique : « Cet exercice... est... enseigné par une personne (*mensche*) éclairée, qui l'a exercé elle-même pendant cinquante ans... » (p, 1535, f. 211r) ; *mensche* signifiant homme, le lecteur doit penser que l'auteur est de sexe masculin.

Par contre, dans sa longue postface, l'auteur écrit : « Quelqu'un de nos pèlerins... m'a appris et montré un très apte... chemin intérieur menant à notre royaume » (p, ch. 37, f. 191v ; PL III, 70, f. 280r). Plus loin : « ce pèlerin, votre amie élue (*vriendinne* ; parfois *vrient* : ami ; PL uniformise en *amicus*), car je sais qu'il ne vous déplaît pas qu'on loue votre épouse (*bruyt*), mais qu'il vous est agréable qu'on exalte votre servante » (p : *dienresche* ; P : *dienstmaget* ; PL : *servum*) : *bruyt, dienresche, dienstmaget* sont féminins. De ces variantes on peut conclure avec certitude que l'auteur est une femme. On trouve de plus (p, ch. 37, f. 195v, 197r) des indices qui permettent de conclure qu'elle a appartenu à un ordre religieux qu'on ne peut identifier ; cf. aussi en P III, 35 : « J'ai mal observé la fidélité que je vous avais promise par ma profession (religieuse) ».

2° *Loher*, qui en publiant p ne donne aucun renseignement sur l'auteur, remanie son avant-propos dans P. Il écrit : « Celui qui a fait ce livre est un homme notable... Dès sa jeunesse jusqu'à sa vieillesse, il fut exercé en cette vie spirituelle et il a écrit ce livre pour l'avoir expérimenté ». Ces phrases ne sont-elles que des formules ou cachent-elles un secret connu de Loher ? On a dit plus haut, à propos de P, que Loher pense avoir là « le livre original », alors que P n'est pas un texte meilleur que p. Nous en concluons que Loher ne devait pas être au courant de l'identité de l'auteur.

3° *Eschius* signe l'avant-propos qu'il a remanié (éd. de P, 1542) et fournit de plus amples informations : « Ce livre est écrit... par une vierge vertueuse qui... a choisi le Roi de Gloire pour son époux et l'a suivi avec persévérance à travers joies et épreuves ». Suit une phrase importante : « Elle habitait dans la maison de son père et (*ende*) avait émis, étant encore jeune, le vœu d'obéissance envers un père spirituel ». L. Reypens en a conclu que cette vierge était restée toute sa vie dans le monde, habitant la maison de son père. Ceci ne nous semble pas cadrer avec la postface analysée ci-dessus, où nous comprenons que l'auteur a émis la profession religieuse.

Aussi pensons-nous que le premier membre de cette phrase est en relation modale avec le second et qu'il faut donner le sens modal à la copule *ende* ; on lirait donc : « Elle habitait encore la maison de son père quand, étant encore jeune, elle avait émis le vœu d'obéissance... ». Eschius conclut : « Cette vierge mourut... le 27 janvier de l'an 1540, à l'âge de 77 ans ». Elle serait donc née en 1463/4.

De qui Eschius tenait-il ces détails ? On a été enclin à penser qu'il les tenait de première main, ou qu'il était le père spirituel de l'auteur ; ce qui corroborerait l'hypothèse selon laquelle cet auteur faisait partie du groupe des béguines d'Oisterwijk (au nord-est de Bois-le-Duc) avec lequel Eschius était en relation.

Par contre, dans sa dédicace à B. Montanus (éd. PL de 1545), Eschius se montre évasif : « L'auteur, quel qu'il fût... », « Pour ce qui est de l'auteur, il n'importe pas d'expliquer qui il est, *quum hactenus numquam se nominari passus sit* » (f. 5rv). D'autre part, dans la postface, l'auteur apparaît comme masculin. Pourquoi ce changement chez Eschius ? Pourquoi maintenir l'anonymat après la mort de l'auteur ?

4° On a voulu attribuer la *Perle* à Marie van Hout, d'Oisterwijk (DS, t. 10, col. 519-20), morte en 1547, ou à Reinalda van Eymeren, parente de Pierre Canisius, veuve vivant à Arnhem (comment peut-on l'appeler « virgo » ?). Ces identifications ne sont pas prouvées.

5° Il faut se souvenir que p fut édité à Utrecht, P à Anvers et que PM est écrit dans un dialecte plus oriental (cf. *supra*). Il conviendrait de parvenir à établir dans quel dialecte l'original de la *Perle* fut rédigé : cela pourrait préciser dans quel sens orienter les recherches pour percer l'anonymat de l'auteur.

**3. Doctrine.** – Bien que l'ouvrage s'intitule « Perle évangélique », le thème central est celui du chemin, de la voie droite et véritable qui nous conduit au trésor caché en nous.

« Le vrai chemin de la perfection évangélique, dans lequel notre Seigneur Jésus Christ nous a précédés vers le Royaume de Dieu, est en ces derniers temps... désolé et obscurci » (préface). « Pour montrer clairement aux hommes cette divine sagesse et ce vrai chemin vers Dieu, on a recueilli dans ce livre tels exercices et doctrines, avec de simples paroles, par lesquels un homme de bonne volonté pourra, avec peu d'efforts, acquérir une vie parfaite, un grand progrès dans les vertus et une union continuelle et amoureuse » (*ibidem*).

Au début de l'exposé doctrinal sur la création, l'auteur constate qu'avec la chute d'Adam nous avons perdu le vrai chemin vers notre être véritable (*wesen*, essence) où Dieu habite, le droit sentier de la vérité qui se trouve au fond de l'âme où l'on adore Dieu et où l'on devient un esprit avec lui (P II, 1-3 ; PL I, 1-3). Le tracé du nouveau chemin qui conduit de l'état de péché à l'union divine révèle les intuitions profondes de la *Perle*. Nous les esquissons à grands traits. Par amour pour l'homme, le Verbe est descendu dans le sein de Marie ; devenu homme avec nous, il montre par sa vie, sa mort et sa doctrine « le droit chemin de la vérité qui se trouve dans le fond de notre âme », où nous devons le chercher et le trouver ; « le trésor enfoui dans le champ de l'être créé de notre âme », c'est Dieu (P II, 4 ; PL I, 4).

« La redécouverte du trésor divin porte tout entière sur trois degrés ou trois vies, qui sont dans l'homme. Car il en est comme si tout homme était trois hommes. Selon le corps il est bestial ; selon l'âme il est raisonnable et intellectuel ; mais selon l'esprit en la nue essence de l'âme, où Dieu habite, il est déiforme. Aussi ces trois doivent-ils avoir chacun leur exercice et ornement, si nous devons être unis à Dieu et semblables au Christ » (P II, 5 ; PL I, 5).

Cette tripartition, reprise par l'auteur dans ses exposés avec une extraordinaire ingéniosité, est développée selon le schéma des « trois unités » de Ruusbroec ; ces trois unités dans l'homme, voulues par Dieu de toute éternité et créées par lui dans l'homme, doivent après la chute être réintégrées dans l'évolution d'une vie spirituelle intense jusqu'à leur plein épanouissement, dans la grâce et dans la gloire. Cette ascension est schématisée dans « l'exercice du cœur » que l'auteur préconise comme le rythme de la respiration spirituelle dans la vie quotidienne, pour se laisser « conduire dans le fond caché de l'esprit et être transformé entièrement en Dieu dans l'esprit, l'âme et le corps : l'esprit dans une vie suressentielle (overweselic), en une connaissance de la vérité divine, en un amour de la bonté divine et en une tranquillité intérieure qui fait écouter le Verbe ; l'âme dans une mise en ordre de toutes ses puissances et dans la perfection de toutes les vertus ; et le corps en pureté et accomplissement de tout bien » (P I, 5 ; PL III, 32).

Le premier pas de cet exercice est la foi en Dieu Un et Trine. L'auteur souligne comment nous sommes éternellement incréés en Dieu qui nous crée dans le temps, imprégnant notre essence de la sienne de sorte qu'il est la vie de notre vie. Si la Déité est unie à notre essence, les divines Personnes le sont à nos puissances supérieures pour les remplir, éclairer et enflammer.

Le deuxième pas de l'exercice est tout entier orienté vers le Christ : l'homme ne peut réaliser l'union à Dieu que par et à travers le Verbe incarné, le Christ Dieu et homme qui assume l'homme pour le transformer en Dieu. Dans cette tâche, le Christ est considéré, lui aussi, dans sa triple unité de corps, d'âme et d'esprit qui est unie à sa Personne divine et à toute la Trinité ; celle-ci, en retour, s'unit aussi à l'homme selon sa constitution trichotomique. C'est pourquoi le spirituel doit adhérer au Christ selon ses trois niveaux, de sorte que l'humanité comme la divinité forment l'objet continu et un de sa contemplation. L'auteur évoque aussi, souvent, l'apport de l'enseignement et de la liturgie de l'Église, des sacrements en particulier. La transformation en Jésus Christ apparaît parfois comme une imitation, mais dans l'optique générale de la doctrine de la Perle il s'agit bien d'une participation mystique, dans la ligne de l'expérience du Corps mystique.

Le troisième pas de l'exercice se centre sur l'Eucharistie, sacrement fondamental dans la doctrine de l'auteur (cf. P II, 54-56) : c'est à travers la communion sacramentelle au Christ que l'homme peut entrer en communion totale avec le Christ, lequel par son corps, son âme et son esprit élève l'homme tout entier jusqu'à l'union suprême avec sa Divinité.

Le chemin vers cette union, qui dans son sommet est (sur-)essentielle, passe par la séparation d'avec le péché et les créatures, par une abstraction (afgheschey-denheyt) ou annihilation (vernietinghe). Car, si Dieu est tout et l'homme « rien », l'homme doit se dessaisir de ce « rien » (soi-même et toute créature) pour se laisser saisir par Dieu. Cette marche vers le « néant » n'est que l'envers de la marche par l'introversion (inkeer) vers l'intérieur, le fond de l'âme, où Dieu est présent comme le trésor caché. Ce double mouvement n'est pas le résultat de l'effort humain, mais le fruit de la grâce, à laquelle évidemment l'homme doit collaborer. Sur ce point l'auteur insiste (préface, postface), mais ses insistances unilatérales et un certain manque de pédagogie spirituelle l'exposent à être mal compris. Au terme, l'unité essentielle n'est nullement un point terminal, mais un nouvel éveil de toutes les dimensions et activités humaines.

4. **Sources et influences.** – 1° SOURCES. – Même si l'anonyme apparaît, surtout dans la Perle, comme une forte personnalité spirituelle, il est évident qu'elle s'insère dans la ligne générale des mystiques rhéno-flamands.

Dans notre éd. critique du Tempel, nous avons relevé les sources multiples qui y sont utilisées. Leur abondance pourrait faire croire que l'ouvrage manque d'originalité, mais celle-ci est à chercher dans la manière dont l'auteur les intègre à son projet et aussi dans les chapitres qui reflètent davantage son style et sa personnalité nuancée.

Quant aux sources de la Perle, il faut attendre son éd. critique ; les quatre formes dans lesquelles elle nous est parvenue présentent de nombreux textes tirés de divers auteurs. Il convient de distinguer dans l'œuvre les chapitres qui constituent la quintessence de sa doctrine et ceux qui reprennent, comme en une toile de fond, un enseignement plus général.

Dans la Perle, on voit cités Jérôme et Origène, Augustin, Denys l'Aréopagite, Anselme, Hugues et Richard de Saint-Victor, Albert le Grand, Bernard, Bonaventure, Eckhart, Ruusbroec et divers titres de livres. Ces emprunts se limitent le plus souvent à une brève citation. Plus importants sont les emprunts sans indication de provenance : ce sont parfois des paragraphes, voire des chapitres entiers.

D'autre part, on ignore l'identité de ce « pèlerin, cette amie et épouse privilégiée du Christ » qui a inspiré l'auteur, et plus encore où celle-ci a puisé son inspiration.

2° L'INFLUENCE DE LA PERLE a été mise en lumière d'abord par J. Huijben. Il a tenté d'en retrouver les traces dans le milieu cartusien de Cologne, chez les béguines d'Oisterwijk, chez Eschius et Pierre Canisius, chez d'autres jésuites et chez Louis de Blois. En relisant ces investigations après cinquante ans, on peut bien apporter des retouches ou des nuances, mais les perspectives ouvertes restent acquises.

On sait que la mystique abstraite, souvent mal comprise, a suscité réserves et hostilités, et on a vu que l'auteur de la Perle proteste contre ce courant (cf. sa préface). Témoin de cette incompréhension, l'Epistola de Martin Donk (Duncanus, 1505-1590) et de François Silverschoen (1521-1587), conseiller spirituel de plusieurs couvents de sœurs, écrite vers mai 1578 à Jacques Mathias Goudanus, prieur du couvent de Westerblokker (près de Horn), des chanoines réguliers de Windesheim, en vue de le tranquilliser ; cette lettre, appelée ordinairement Censura, donne son avis sur la Perle, le Tempel et les Institutiones pseudo-taulériennes ; cet avis montre à l'évidence que ses auteurs ne comprennent pas la doctrine de ces textes et sont incapables de proposer une direction spirituelle convenable à ces temps difficiles. D'autres réactions semblables dans les décennies suivantes dans les Pays-Bas du Nord et du Sud illustrent de même la situation de cette période de la Réforme et de la Contre-Réforme.

Le résultat le plus important des recherches de Huijben concerne sans doute l'influence que la *Perle* a pu exercer sur l'école française, même si depuis lors bien des points ont été retouchés. La diffusion de la *Perle* avec d'autres mystiques du Nord est aujourd'hui un fait bien connu. Son influence dans la première décennie du 17ᵉ siècle, sous la direction de R. Beaucousin, a été grande ; elle est certaine sur Bérulle au moment où celui-ci cherchait sa voie personnelle.

Selon P. Cochois, « Avant de faire la découverte mystique du mystère de l'Incarnation, Bérulle doit d'abord se dégager des perspectives anthropocentriques où l'emprisonne encore sa ferveur humaniste. Les mystiques rhéno-flamands vont l'y aider... ; il médite aussi la *Perle évangélique* et les *Institutions*... Autant de maîtres que Beaucousin lui fait aimer et qui l'ouvrent au plus pur théocentrisme » (*Bérulle et l'École française*, Paris, 1963, p. 14).
Selon H. Bastel, la *Perle* a déjà déteint sur la retraite ignatienne de Bérulle, faite à Verdun en 1602 sous la conduite de L. Maggio, lequel dirigea son retraitant vers une vie dans le Christ par adhérence (*Der Kardinal Pierre de Bérulle als Spiritual des französischen Karmels*, Vienne, 1974).
Voir J. Dagens, *Bérulle et les origines de la Restauration catholique*, Paris, 1952 (cf. J.-P. Van Schoote, OGE, t. 16, 1952, p. 411-22). DS, t. 1, col. 1539-1581.

*La Règle de perfection* de Benoît de Canfield (Paris, 1614 ; éd. critique J. Orcibal, Paris, 1982 ; cf. tableau des citations de la *Perle*, p. 486-87) est grandement éclairée par une comparaison serrée de son texte avec celui de la *Perle*, comme l'a montré P. Mommaers (RAM, t. 47, 1971, p. 421-54 ; RHS, t. 48, 1972, p. 37-68, 401-34 ; t. 49, 1973, p. 37-66).
François de Sales, notamment au cours de son séjour à Paris en 1602, a connu Beaucousin et a pris contact avec la littérature spirituelle venant des Pays-Bas, dont la *Perle*. Dans sa lettre à la Présidente Brûlart (vers le 2 novembre 1607 ; éd. d'Annecy, t. 13, 1904, p. 333-35), il nomme cet ouvrage parmi les livres qu'il est utile de lire, mais le range parmi les « livres fort obscurs et qui cheminent par la cime des montagnes ». On reconnaît l'esprit de François, qui aime par-dessus tout la mesure, la lumière, la joie, et son propos délibéré de ne pas censurer les auteurs qui traitent d'une certaine vie suréminente. La *Perle* a influencé François de Sales, même s'il n'en a pas retenu la terminologie. – Voir J. Daniëls, *Les rapports entre S. Fr. de Sales et les Pays-Bas*, Nimègue, 1932.
En Allemagne, nous avons vu Angelus Silesius traduire la *Perle* ; celle-ci est avec l'œuvre de Ruusbroec le document essentiel qui inspire l'œuvre poétique de Silesius, son *Cherubinischer Wandersmann* (1657), et sa vie spirituelle. Son lyrisme, comme l'a dit J. Orcibal, est moins l'expression spontanée d'expériences personnelles que la traduction artistique, en style baroque, de ce qui l'a le plus frappé dans ses lectures ; en particulier les idées concernant l'union mystique lui tiennent fort à cœur. Le poète est familiarisé avec la *Perle* au point d'en avoir copié 26 passages dans son exemplaire de la *Clavis mystica* de M. Sandaeus.

H. Gies, *Eine lateinische Quelle zum « Cherubinischen Wandersmann »*..., Breslau, 1929. – J. Orcibal, *Les sources étrangères du Cherubinischer Wandersmann*, dans *Revue de littérature comparée*, n. 71, juillet-sept. 1938, p. 494-506 ; *Le cosmopolitisme d'Angelus Silesius*, ibidem, t. 26,, 1951, p. 161-167 ; *L'essentialisme d'A. S.*, dans *Revue générale des publications françaises et étrangères*, 1952, p. 703-27. – J. Baruzi, *Création religieuse et pensée contemplative*, Paris, 1951.

Pierre Poiret (1646-1719), qui fait le lien spirituel entre la France, les Pays-Bas et les piétistes allemands, connaît la *Perle*, donne un aperçu court mais clair de sa doctrine et traduit en latin l'esquisse biographique faite par Eschius en 1542 (*Epistola... de auctoribus mysticis*, dans *De eruditione solida*, t. 2, Amsterdam, 1707, p. 546-49). Cf. M. Chevallier, *P. Poiret, métaphysique cartésienne et spiritualité...* (thèse dactyl.), Strasbourg, 1972.
Le mystique protestant Gérard Tersteegen (1697-1769), qui, inspiré par Poiret et G. Arnold, cherche à nourrir sa « théologie du cœur » par les œuvres des mystiques, recommande la lecture de la *Perle*. En 1767, il publie une *Kleine Perlenschnur* (7 fois rééditée jusqu'en 1957), dont la première partie est entièrement tirée de la *Perle* ; on pense qu'il a utilisé une édition flamande, mais il ordonne les textes qu'il retient selon l'ordre de l'édition latine ; à moins que, plus simplement, il n'ait suivi une traduction allemande.
L'auteur de la *Perle* n'a pas voulu que son nom soit connu. La valeur de son œuvre n'a pas permis qu'elle fût oubliée. Elle mérite d'être mieux connue.

L. Reypens, *Nog een vergeten mystieke grootheid. De schrijfster der E.P.*, OGE, t. 2, 1928, 3 livraisons. – J. Huijben, *Nog een vergeten mystieke grootheid (influences)*, OGE, t. 2, 1928, p. 361-92 ; t. 3, 1929, p. 60-76, 144-64 ; t. 4, 1930, p. 5-26, 428-73 ; *Aux sources de la spiritualité française du 17ᵉ s.*, VSS, t. 25, 1930, p. 113-39 ; t. 26, 1931, p. 17-46, 75-111 ; t. 27, 1931, p. 20-42, 94-122.
J.-P. Van Schoote, *La Perle Évangélique*, RAM, t. 37, 1961, p. 79-92, 291-313 ; *Laurent Surius a-t-il traduit en latin la P. E. ?*, OGE, t. 35, 1961, p. 29-58 ; *La P. E. et les traductions latines et françaises des mystiques germaniques aux 16ᵉ et 17ᵉ siècles*, dans *Handelingen van het XXIVᵉ Vlaams Filologencongres* (Louvain, 6-8 avril 1961), p. 188-95.
A. Ampe, *Kanttekeningen bij de E.P.*, 7 livraisons dans OGE, t. 25-40, 1951-1966 ; *Kleine tractaten van de Schrijfster der P.*, OGE, t. 41, 1967, p. 368-427 ; t. 42, 1968, p. 33-57, 142-71, 321-73.
P.J. Begheyn, *Is Reinalda van Eymeren..., de schrijfster der E.P. ?*, OGE, t. 45, 1971, p. 339-75 ; *De « iniqua censura » van M. Donck en Fr. Silverschoen*, t. 47, 1973, p. 323-43 ; *Nawerking van de E.P., Gerhard Tersteegen en zijn Kleine Perlenschnur*, t. 49, 1975, p. 173-92 ; *Een nog onbekende Duitse uitgave van « Die evangelische Peerle » uit 1706*, t. 50, 1976, p. 204-06 ; *De verspreiding van de E.P.*, t. 51, 1977, p. 391-421 ; *De « E. P. » in Spanje en Portugal ?*, t. 52, 1978, p. 244-46 ; *Nieuwe gegevens betreffende de 'E.P.'*, t. 58, 1984, p. 30-40.
A. de Wilt, *Heeft L. Surius... de « E. P. » in het Latijn vertaald ?*, OGE, t. 17, 1943, p. 132-40 ; cf. t. 27, 1953, p. 205-07 ; *De Duitse vertaling der « E. P. » van Heribertus Hobusch... (Keulen, 1698)*, dans *Het Boek*, nouv. série, t. 26, 1944/46, p. 209-25.
Voir encore : J.H.M. Tesser, *Petrus Canisius als humanistisch geleerde*, Amsterdam, 1932, p. 67-107. – L. Cognet, *La spiritualité moderne*, t. 1, Paris, 1966 (table) ; *Introduction aux mystiques rhéno-flamands*, Paris, 1967, ch. 8. – *Gods tempel zijn wij, door de Schrijfster van de E. P. Een liturgiebeleving uit de XVIde eeuw*, Bonheiden, 1980. – DS, art. *Pays-Bas*, ch. 4 : XVIᵉ-XVIIᵉ siècles, par P. Mommaers, col. 730-49, surtout 732-35.
DS, t. 1, col. 353, 460, 463, 562, 1350, 1738 ; – t. 2, col.

756-57 ; – t. 4, col. 1063-65 ; – t. 5, col. 912, 921, 926 ; –
t. 9, col. 962 ; – t. 10, col. 520.

Albert AMPE.

**PERNET** (ÉTIENNE), Augustin de l'Assomption,
fondateur de l'Institut des Petites-Sœurs de l'Assomption, 1824-1899. – 1. *Vie.* – 2. *Spiritualité.*

1. VIE. – Né à Vellexon (Haute-Saône) le 23 juillet
1824, baptisé le lendemain de sa naissance sous le
nom de Claude-Étienne, Pernet est fils aîné d'une
famille rurale et pauvre dont le père mourut en 1838.
Malgré une situation économique précaire, la mère ne
mit pas d'obstacle à la vocation sacerdotale de son
fils qui fut admis au petit séminaire de Luxeuil puis
au grand séminaire de Besançon. Il a une intelligence
vive et un tempérament sensible et inquiet. Craignant
de ne pouvoir donner une réponse fidèle à son appel,
il quitte le grand séminaire en 1844. De 1844 à 1848 il
est surveillant dans une pension de Dôle. En 1848 il
cherche du travail à Paris. En 1849 suivant les
conseils de son directeur spirituel qui reconnaît en lui
une vocation religieuse, et de la bienheureuse Marie-
Eugénie de Jésus, fondatrice des Religieuses de
l'Assomption, il est présenté à Emmanuel d'Alzon
(DS, t. 1, col. 411-421), fondateur des Augustins de
l'Assomption, dont il deviendra un des premiers disciples et collaborateurs. Il émit ses premiers vœux religieux le 25 décembre 1850 et reçut l'ordination sacerdotale le 3 avril 1858, à 34 ans.

De 1859 à 1863 il s'occupa d'éducation à Nîmes et à Paris,
tout en s'adonnant à des œuvres charitables selon la perspective apostolique du père d'Alzon et de sa congrégation
naissante. Préparé par les épreuves familiales, il fut, dans cet
apostolat, profondément marqué par la misère imméritée des
classes laborieuses de cette époque de révolution industrielle.
Il y rencontra ce qu'il appellera plus tard le « mal de
l'ouvrier », la déshumanisation des travailleurs, la déchristianisation et la désagrégation des familles atteintes par la
maladie et par l'exode rural. Pernet pressent un appel apostolique et a l'intuition d'une réponse de foi : par la présence
attentive de religieuses, à travers des gestes simples de
service et de travail, témoigner de l'Amour du Père parmi les
pauvres, les ouvriers et leurs familles ; aller à la base pour
refaire un peuple à Jésus-Christ.

A partir de 1863, pour des raisons de santé, Pernet
passe de l'éducation au ministère pastoral et inaugure
à Paris l'œuvre des garde-malades des pauvres à domicile. En 1864 il rencontre Antoinette Fage (la future
Marie de Jésus) avec laquelle il établira les assises
d'une nouvelle famille religieuse, les Petites-Sœurs de
l'Assomption, qu'il lui confia en 1865. Durant 35 ans,
tout en étant activement présent à sa propre Congrégation, il dirigea et forma le jeune Institut, multipliant
et visitant les fondations locales et lui donnant, dès
1880, une extension internationale. Il mourut à Paris
le 3 avril 1899. La cause de béatification a été introduite le 30 mars 1931.

*Marie-Antoinette Fage*, cofondatrice et première supérieure générale des Petites-Sœurs de l'Assomption, est née à
Paris le 7 novembre 1824, de parents pauvres. Orpheline à
treize ans, elle fut recueillie chez des voisins. Une chute mal
soignée provoqua une déviation de la colonne vertébrale et
un arrêt de croissance dont elle portera les conséquences
toute sa vie. Elle gagna sa vie en travaillant dans un
atelier de jeunes couturières, puis entra dans le patronage fondé à Paris par M^lle Gaillardin. Elle est fière,
sensible, fervente, avide de la Parole de Dieu. En

1860, elle devient directrice d'un petit orphelinat. Elle
se met sous la direction spirituelle du dominicain Th. Fau-
cillon (DS, t. 5, col. 104) et sera reçue au tiers ordre de saint
Dominique en 1862. On la trouve toujours attentive aux
faibles, aux délaissés, aux petits. En 1864 elle rencontra
Étienne Pernet qui lui confia son projet de fondation d'une
nouvelle famille religieuse. Cet appel inattendu, et d'abord
repoussé, la trouva obéissante, disponible et fidèle. Elle
s'engagea à quarante ans dans une voie pour laquelle elle
n'avait ni attrait, ni expérience, ni santé. Elle y déploya ses
qualités de cœur et d'intelligence. Le 22 septembre 1866 elle
fit des vœux privés entre les mains de Pernet et devint
supérieure des sœurs, qui le 15 août 1867 prirent la dénomination actuelle. Elle émit des vœux canoniques le
3 juillet 1875. Elle meurt à Paris le 18 septembre 1883. La
cause de béatification fut introduite le 27 mars 1935.

*La Mère Marie de Jésus, fondatrice des Petites-Sœurs de
l'Assomption*, Paris, 1908, 1931. – C. de Courson, *La Fondatrice delle Piccole Suore dell'Assunzione*, Turin, 1925. –
Marie-Humberte, *Une vie qui ne meurt pas, Mère Marie de
Jésus (1824-1883)*, ... Paris, 1954.

2. SPIRITUALITÉ. – É. Pernet n'a laissé aucun traité
spirituel. Nous ne pouvons le situer dans une école de
spiritualité. Il a cependant beaucoup écrit et parlé
pour établir au mieux sa famille religieuse dans le
dessein de Dieu sur elle. Il a été un guide spirituel
humble, ferme et bon dont on peut découvrir l'élan
intérieur à travers les documents occasionnels et
surtout à travers sa fondation.

Son évolution est redevable pour une grande part à
son milieu de vie, à ses éducateurs et directeurs, aux
courants de son époque, mais surtout à l'influence
d'E. d'Alzon et de la première communauté assomp-
tionniste, dont il est un membre fervent. Sa spiritualité se fonde sur l'Écriture dont il est familier, la
Tradition et l'enseignement de l'Église. Ayant expérimenté l'amour de Dieu qui sauve dans la faiblesse et
la pauvreté, il a une vive perception de la grandeur de
la Trinité, des droits de Dieu, de son action et de son
amour. Il a une notion pacifiante de la Paternité de
Dieu et de la grandeur de tout fils de Dieu, si pauvre
soit-il ; une particulière ferveur pour les mystères du
Christ (mystère des abaissements volontaires du Fils
de Dieu, Verbe incarné, Rédempteur et Sauveur,
nourriture et présence dans l'Eucharistie). En Jésus
Christ il aime et vénère Marie sa Mère, l'Église et les
pauvres. Il est pieux, religieux et zélé pour le
Royaume de Dieu. Le regard qu'il porte sur les
pauvres l'incite à creuser sa pauvreté devant Dieu, à
se confier simplement à sa miséricorde et à sa
tendresse, à s'offrir pour le salut des âmes. La sainteté,
dit-il, c'est un cœur tout à Dieu et à la merci de Dieu.

En fondant les Petites-Sœurs de l'Assomption,
Pernet entend bien ne pas se séparer de la spiritualité
et de l'orientation apostolique de sa propre Congrégation. Avec la collaboration d'Antoinette Fage il a
précisé son intuition puis partagé et proposé une
mission : « Procurer la Gloire de Dieu par le salut des
pauvres et des petits » selon le chemin d'incarnation
suivi par Jésus, le Serviteur et l'Envoyé du Père, qui
livre sa vie pour sauver les hommes et les rassembler
en un peuple. Cette voie nouvelle est caractérisée par
une approche simple et fraternelle des familles
ouvrières, des petits et des pauvres, parce que Dieu les
aime et veut les sauver.

Pernet explicite ainsi les attitudes religieuses qu'il juge
essentielles : Aimer le Christ pour le reconnaître vivant dans
un milieu où la foi semble s'effacer, le rejoindre dans ses
membres souffrants autant que dans le Sacrement de son

Amour ; d'où la contemplation et l'imitation de Jésus Christ, une foi vivante et éclairée et le culte du Saint Sacrement. – Aimer la Vierge Marie puisqu'elle nous donne Jésus Christ et pour nous apprendre à le donner ; d'où une dévotion spéciale à la Vierge Marie, servante du Dessein de Dieu, dans sa maternité, sa pureté, sa compassion. – Aimer l'Église, Épouse de Jésus Christ, nous pressant au salut des âmes ; d'où le zèle pour la mission reçue, la disponibilité radicale, une prière d'Église. – Devenir les humbles servantes et apôtres des pauvres et des petits dans leur réalité quotidienne, avec simplicité, humilité, joie.

Ces attitudes s'épurent et se fortifient dans le cadre de la vie commune selon la Règle de saint Augustin. Pernet insiste sur le lien qu'il y a entre la vie de prière, la vie commune et la vie apostolique : « Vous ne pouvez vivre dans la contemplation de Dieu sans vous sentir passionnées, entraînées de façon irrésistible à le confesser parmi les hommes ».

Outre la Congrégation des Petites-Sœurs de l'Assomption, Pernet suscita trois associations de laïcs destinées à élargir la mission des communautés locales, à enraciner durablement l'Évangile dans les foyers ouvriers et à réaliser « l'unité des esprits dans la vérité et l'union des cœurs dans la charité » : en 1876 les Dames-Servantes, en 1881 la Fraternité de l'Assomption, en 1884 les Filles de Sainte-Monique.

Au 31 décembre 1980 la Congrégation est implantée dans 23 pays. Elle compte 2 015 sœurs vivant en 262 communautés, formant 11 provinces dont une (la France) est divisée en 4 vice-provinces. – Depuis 1954 des laïques consacrées, les « Associées de Notre-Dame de l'Assomption », puisent leur dynamisme apostolique dans l'intuition d'É. Pernet et la spiritualité des Petites-Sœurs de l'Assomption.

Écrits conservés : *Directoire des Petites-Sœurs de l'Assomption* (= P.S.A.), 1897 ; – *Commentaires des Constitutions* (de 1877 à 1896) ; – 3 629 lettres diverses. – Des notes prises à ses instructions et conférences, on a publié, groupées selon divers thèmes : *Approches d'une spiritualité* (5 vol., Paris, Maison-mère des P.S.A., 1959-1967).

*Le R.P. Étienne Pernet,* Paris, 1901, 1906 (trad. angl., ital., espag.). – M. Lombard, *Le P. É. P.,* Paris, 1911 (trad. néerl., ital.). – R. Bettazzi, *Al servicio del più grande amore,* Turin, 1933. – G. Bernoville, *Le P. P.,* Paris, 1944. – M. Legoet, *Un précurseur du service social familial, É. P.,* Paris, 1944. – F. Morsink, *Stephan P.,* Boxtel, 1952. – A. Richomme, *É. P. et les P.S.A.,* Paris, 1958.

Marie-Humberte, *Telle fut sa Mission. É. P.,* Paris, 1960, 1963 (trad. espag., angl.) ; *Telle fut son âme...,* Paris, 1962 (trad. espag., angl.) ; *Le P. Pernet et la famille,* Paris, 1975, 1979 (trad. angl., espag. portug.). – P. Touveneraud, *Le P.P. Hier et aujourd'hui,* Rome, 1966.

G. Duhamelet, *Les P.S.A.,* Paris, 1932. – L. Licheri, « *Que vos actes parlent Jésus Christ* », Paris, 1980. – Marie-Humberte, *De la famille humaine au Peuple de Dieu, Les P.S.A.,* Paris, 1968 ; *Aux origines de la Congrégation des P.S.A.,* Paris, 1973, 1979.

BS, t. 10, 1968, col. 491-92. – DIP, t. 6, 1973, col. 1518-20 et 1630-31. – DS, t. 1, col. 413 ; t. 5, col. 988 ; t. 7, col. 807.

Marie-Madeleine TERMONT.

**1. PERRAUD** (ADOLPHE), Oratorien, évêque, 1828-1906. – Né à Lyon le 7 février 1828, élève de l'École normale supérieure dont A.-A. Gratry était alors l'aumônier, agrégé d'histoire, Adolphe Perraud enseignait au lycée d'Angers quand il entra dans l'Oratoire bérullien renaissant en 1852. Prêtre en 1855, professeur au collège de Saint-Lô (1857-65), il passe

une thèse de théologie en 1865 et devient professeur titulaire d'histoire ecclésiastique à la faculté de théologie de Paris (1866-1874).

Nommé évêque d'Autun le 10 janvier 1874, il est élu à l'Académie française en 1882, devient supérieur général de l'Oratoire en 1884 et est créé cardinal par Léon XIII, *in petto* en 1893, et proclamé le 29 novembre 1895. Il démissionne de sa charge de supérieur de l'Oratoire en 1901 et meurt à Autun le 11 février 1906.

Perraud a tenu une place importante dans la vie de l'Oratoire et de l'Église de France par sa valeur sacerdotale et son zèle pastoral. Son rôle est moindre dans l'histoire de la spiritualité oratorienne, malgré la place qu'il occupa dans la renaissance de l'Oratoire. S'il en est une illustration par sa haute conscience sacerdotale, il n'en a pas retrouvé les sources fondatrices.

Orateur et historien avant tout, Perraud a beaucoup publié, en particulier de nombreuses lettres pastorales. On retiendra surtout : *L'Oratoire de France aux 17e et 19e siècles* (Paris, 1865) ; – *Le Père Gratry, ses derniers jours, son testament spirituel* (Paris, 1872) ; – *Œuvres pastorales et oratoires* (4 vol., Paris-Poitiers, 1883-1886) ; – *Le P. Gratry, sa vie et ses œuvres* (Paris, 1900) ; – *Les vertus morales* (Instructions pour le Carême), Paris, 1902, 1904. – Pour le détail des œuvres, voir *Catalogue général des livres imprimés de la B.N.,* t. 133, Paris, 1935, col. 701-36.

G. d'Orgeval-Dubouchet, *Le card. Perraud. Souvenirs intimes,* Paris, 1907. – Ch. Fiel, *Lettres inédites de Mgr Perraud à l'occasion de son... Cardinalat,* Paris, 1933. – W. d'Ormesson, *Le Clergé et l'Académie,* Paris, 1965, ch. 19. LTK, t. 8, 1963, col. 282. – *Dictionnaire des Lettres françaises,* 19e siècle, t. 2, Paris, 1972, p. 243-44. – DS, t. 2, col. 1388 ; t. 3, col. 1823 ; t. 6, col. 584, 781, 783, 785 ; t. 7, col. 1201 ; t. 11, col. 850-53 *passim.*

Gaston ROTUREAU.

**2. PERRAUD** (JEANNE DE L'ENFANT-JÉSUS), laïque, tertiaire augustine, 1631-1676. – 1. *Vie.* – 2. *Œuvre et doctrine.*

1. VIE. – Née le 15 juillet 1631 de parents aixois, Jeanne Perraud les perd de bonne heure et, maladive, connaît une jeunesse difficile ; elle apprend le métier de couturière qu'elle pratique, au moins épisodiquement, une partie de sa vie. Elle manifeste précocement son goût pour les macérations les plus rigoureuses : jeûne, discipline... « Convertie » à 19 ans, par le sermon d'un capucin, elle émet son premier vœu de chasteté et bénéficie de sa première vision : « une étoile miraculeuse d'une lueur admirable ».

A 22 ans, elle tente trois expériences religieuses. En juillet 1653, elle entre chez les Ursulines de Lambesc pour six mois ; en août 1654, chez les Ursulines de Barjols, pour trois mois ; enfin le 28 octobre 1654, chez les Dominicaines de Saint-Maximin pour neuf mois. Malgré l'admiration qu'elle aurait donnée à ses sœurs et quoique « parvenue à la contemplation », elle sort successivement de ces trois couvents. Sa justification est plausible : son manque de dot. Mais comment expliquer qu'elle ne soit pas entrée alors à la Miséricorde d'Aix que le père Yvan et Madeleine Martin (DS, t. 10, col. 705) venaient de fonder pour les filles de « bonnes familles » pauvres ?

A partir d'avril 1655, elle réside à Aix : elle y mène une existence de laïque très pieuse, dans la mouvance des Augustins déchaussés, dont elle deviendra tertiaire dans les sept derniers mois de sa vie. Elle vit dans une pauvreté qui n'est peut-être pas étrangère à sa mort prématurée, le 22 janvier 1676, d'une « maladie pulmonique ».

La vie de Jeanne est ponctuée de faits extraordinaires ; les deux plus importants sont des apparitions. Le 15 juin 1658, elle contemple l'Enfant-Jésus, âgé de trois ans, chargé des instruments de la Passion, dont elle répand la dévotion à Aix et en quelques lieux de Provence, concurrençant le culte de l'Enfant-Jésus lancé par les Carmélites de Beaune et les Oratoriens (cf. DS, t. 4, col. 665-76, surtout 673). Plus tard, le 15 juin 1673, Jésus se présente à elle « la plaie du côté (ouverte) tellement qu'elle s'étendait presque par toute la poitrine..., le sang en bouillonnait d'amour pour les pécheurs quoiqu'il ne coulât point... ». Cette vision « antijanséniste » paraît d'autant plus considérable qu'elle précède la révélation du Sacré-Cœur à Marguerite-Marie Alacoque, à Paray-le-Monial. Elle conclut aussi un double mariage mystique avec Jésus-enfant et avec la croix.

La vie et l'œuvre de Jeanne soulèvent la difficile question de son apparente pathologie. Des scrupules atroces, l'ostentation de ses dévotions, son masochisme latent sont moins inquiétants, sous leur couverture religieuse inattaquable en ce siècle de Réforme catholique, que des troubles psychosomatiques persistants : douleurs ambulantes aux mains, au côté, au cou (le *globus hystericus*) ; une anorexie persistante ; voire des hallucinations démoniaques visuelles ou auditives. Sa vanité quelque peu naïve, son besoin très narcissique d'être « regardée » et en même temps sa conduite d'échec (elle ne parviendra pas à fonder sa congrégation des « filles anéanties ») entraînent, chez ses contemporains déjà, des réserves, alors même qu'ils reconnaissent sa ferveur.

2. Œuvre et doctrine. – De l'âge de 26 ans jusqu'à sa fin, Jeanne écrit à la demande de son confesseur et, affirme-t-elle, sous la dictée du Saint-Esprit, de courts opuscules publiés après sa mort par le père Raphaël, augustin déchaussé. Ses *Œuvres spirituelles* comprennent : 21 entretiens sur la vie intérieure, 13 considérations sur les souffrances du Christ, 19 traités sur l'âme du juste, 13 réflexions sur l'Écriture sainte, 31 discours sur l'état particulier de la sœur Jeanne ; et 8 chapitres sur le *Cantique des Cantiques* ; sans compter les traités perdus tel celui sur Louis de Blois.

Sa doctrine, exprimée de façon parfois obscure, ne diffère pas sensiblement de la mystique classique et semble très influencée par sainte Thérèse d'Avila. On y retrouve aussi le christocentrisme absolu de l'« École française », quoiqu'elle ne soit jamais citée, et le contraste augustinien entre la grandeur incommensurable de Dieu et la bassesse insondable de l'homme, qui « de lui-même n'est que péché ».

Sa voie consiste à anéantir la nature, à humilier tout ce qui n'est pas Dieu, afin que celui-ci emplisse ce vide. L'ascèse ne peut avoir qu'une vertu purgative, l'âme devant rester « oisive » (alors que toute sa vie et ses écrits rejettent d'avance un quiétisme qui n'a pas encore été condamné). « Dans le temps que je n'étais que votre créature, j'avais besoin de vos grâces, de vos lumières et de votre secours ; mais présentement que je suis votre épouse... je ne suis plus à moi, vous me possédez entièrement, je ne dois plus me mettre en peine de moi ; c'est votre affaire ». Par ce recours à l'abandon, Jeanne appartient bien à un très fort courant spirituel de son temps, et en particulier à cette « école provençale » dont on retrouve des expressions chez Malaval (DS, t. 10, col. 152-58), Milley (col. 1226-29), Mille (col. 1223-24) ou Joseph Arnaud, ce curé du Tholonet édité par Jean Brémond.

Sources : *La vie et les vertus de la S. J. P., dite de l'enfant Jésus, religieuse du Tiers-ordre de saint Augustin*, Marseille, C. Garcin, 1680, 571 p., qui semble chercher à introduire une cause de béatification : vertus, doctrine, miracles obtenus et jusqu'à la notation que tous ses manuscrits autographes ont été conservés. – *Les Œuvres spirituelles de la S. J. P...*, Marseille, C. Marchy, 1682, 386 p. Soumises par le père Raphaël à la double approbation du secrétaire perpétuel de l'Académie d'Arles pour le style, et du célèbre François Malaval pour la doctrine (avant sa propre mise à l'Index).

Restent à dépouiller, analyser et comparer aux imprimés, les mss conservés à la Bibliothèque municipale de Marseille : ms 1250, *Recueil des choses les plus considérables observées en la vie de la S. J. P. depuis 1660 jusqu'à sa mort en 1675*, 866 p. + index ; ms 1251, *Récits des grâces et des communications particulières que la S. J. P. avait reçues de Dieu, mises par écrit sur le commandement de son confesseur*, 529 p. + index. Ces manuscrits mériteraient une étude approfondie.

Études : H. Brémond, *Histoire littéraire...*, t. 2, 1925, p. 569-82, a révélé J.P., mais l'a traitée trop superficiellement. – M. Bernos, *Encore la Provence mystique : Jeanne Perraud, d'Aix*, dans *Aspects de la Provence*, Marseille, 1983, p. 97-124, étude fondée sur les seuls imprimés. – J. Simard, *Une iconographie du clergé français au 17e siècle*, Laval (Québec), 1976, p. 39 svv, donne d'intéressantes indications sur l'iconographie de l'« Enfant-Jésus aux instruments de la passion ». – *Augustiniana*, t. 21, 1971, p. 626. – DS, t. 1, col. 1150 ; t. 9, col. 630.

Marcel Bernos.

**PERREYVE** (Henri), prêtre, 1831-1865. – Né à Paris le 11 avril 1831, Henri Perreyve fait ses premières études au lycée Saint-Louis et suit le catéchisme à la paroisse Saint-Sulpice ; il se lie d'amitié avec Eugène Bernard, futur curé de Saint-Jacques-du-Haut-Pas et avec Adolphe et Charles Perraud (cf. *supra*, col. 1171-72).

Sa jeunesse est vécue sous l'influence de sa mère très pieuse. Au cours de ses études de droit, qui ne semblent pas avoir bien convenu à sa forme d'intelligence très sensible et imaginative, il entre en contact avec Lacordaire (DS, t. 9, col. 42-48), dont l'influence s'exercera sur lui jusqu'à sa mort en 1861 : ses conseils l'orientent vers le sacerdoce. Après avoir soutenu sa thèse de droit, Perreyve entre, en novembre 1853, à l'Oratoire de France qu'A. Gratry a ranimé l'année précédente (cf. DS, t. 6, col. 781-85 ; t. 11, col. 850) ; mais, bientôt malade, il doit le quitter dix-huit mois plus tard. Il restera cependant intimement lié à l'Oratoire.

Le soin de sa santé le mène en Italie, où il poursuit l'étude de la théologie (1855-56) ; rentré en France, il reçoit le diaconat, achève sa théologie et est ordonné prêtre à Paris le 29 mai 1858. Son ministère sera parisien : catéchiste aux paroisses Sainte-Clotilde et Saint-Thomas d'Aquin, il prêche, étudie et écrit ; aumônier au lycée Saint-Louis (1860), il passe une thèse de théologie (novembre 1861) et bientôt est chargé du cours d'histoire de l'Église à la Sorbonne. Son état s'aggravant, il va se soigner à Pau (fin 1864). Rentré à Paris en avril 1865, il y meurt, le 24 juin 1865.

Disciple de Lacordaire, lié à A. Gratry qui écrira sa vie, à Montalembert, Dupanloup et bien d'autres, Perreyve a exercé une profonde influence, voire une séduction, par sa personnalité attachante. Sa vie spirituelle est centrée sur le Christ de l'Évangile ; il se sait appelé à participer à son mystère de charité. Ses textes le laissent transparaître ; leur style, qui peut sembler aujourd'hui quelque peu affectif, recouvre une pensée ferme, fondée sur l'essentiel de la foi, et révèle une âme vibrante, avide d'aimer et qui eut à souffrir. Seuls ses ouvrages de genre spirituel ont exercé une influence durable : *Méditations sur les Saints Ordres* (notes des retraites d'ordination, 1854-1858 ; Paris, 1874, 1901, 1906, 1912, 1924) ; – *Méditations sur le chemin de la Croix* (Paris, 1859 ; 19ᵉ éd., 1920) ; – *La Journée des malades* (2ᵉ éd. augmentée, Paris, 1864 ; encore éd. en 1930) ; – *Méditations sur l'évangile de S. Jean* (Paris, 1899) ; – *Élévations, prières et pensées de l'abbé P.* (recueillies par Cl. Peyroux, Paris, 1917, 1924).

On peut y joindre la correspondance : *Lettres, 1850-1865* (Paris, 1872 ; 9ᵉ éd., 1912) ; – *Lettres à un ami d'enfance* (= Ch. Perraud), *1847-1865* (Paris, 1880 ; 4ᵉ éd. augmentée, 1884 ; 8ᵉ éd., 1906). – Une collection de près de 200 lettres de Lacordaire à Perreyve est conservée par la famille Montalembert (6 d'entre elles sont publiées par K. Goesch dans son éd. du *Lacordaire* de Fr. Mauriac, Paris, 1976, p. 139-45 ; cf. RHE, t. 74, 1979, p. 224).

Autres ouvrages (publiés à Paris). – Outre des articles de revue, des conférences, discours et notices biographiques : *Étude sur l'Immaculée Conception*, de 1855 (1881, 1904). – *Des caractères de la véritable Église*, thèse de théologie (1861). – *Entretiens sur l'Église catholique* (2 vol., 1864, 1865, 1874). – *Une station à la Sorbonne* (1865). – *Biographies et panégyriques* (1867, 1877, 1906). – *Études historiques, leçons et fragments de cours...* (1875). – *Sermons* (1876 ; 7ᵉ éd., 1924).

Perreyve a travaillé à l'éd. des *Entretiens spirituels* de X. de Ravignan † 1858 (Paris, 1855) et a publié les *Lettres à des jeunes gens* de Lacordaire (Paris, 1863).

A. Gratry, *Henri Perreyve* (Paris, 1866 ; 9ᵉ éd., 1907 ; la plupart des éd. comporte *Les derniers jours de l'abbé P.* par E. Bernard). – Ch. Lescœur, *Ch. Perraud, Perreyve et Gratry, par quelques témoins de leur vie* (Paris, 1909 ; le nom de Perreyve fut mêlé à la controverse suscitée par A. Houtin à propos de Ch. Perraud). – Cl. Peyroux, *L'abbé P. raconté par lui-même* (Paris, 1933 : utilise de nombreux documents et lettres). – R. Zeller, *Lacordaire et ses amis* (Paris, 1939, p. 181-201). – J. Harang, *Perreyve* (Paris, 1941). – Fr. Mauriac, *Lacordaire* (éd. K. Goesch, Paris, 1976, p. 133-38 : une méditation de Mauriac sur Perreyve). EC, t. 9, 1952, col. 1197. – NCE, t. 11, 1967, p. 145-46. – DS, t. 1, col. 1141, 1152 ; t. 2, col. 392, 394, 1614 ; t. 3, col. 1138, 1140 ; t. 5, col. 11, 174, 970, 983-4 ; t. 7, col. 1201, 2138 ; t. 8, col. 1466 ; t. 10, col. 146.

Gaston ROTUREAU.

**PERRIN** (JACQUES), Oratorien, 1620-1705. – Né à Carcès, à une lieue de Notre-Dame de Grâces, en Provence, en janvier 1620, Jacques Perrin entra à l'Oratoire vers 1645 ; reçu à la maison d'institution d'Aix, il y revint dès 1651 comme directeur. En 1669, il fut appelé à diriger celle de Lyon, en 1675 celle de Paris, d'où il fut renvoyé au bout de six ans à la direction de la maison d'Aix. Il exerça la fonction de maître des novices durant 47 ans et, par là, une influence certaine sur l'Oratoire.

Cloyseault nous dit qu'il écrivait : « Sachant qu'on oublie facilement ce qu'on a ouï, il composa un traité de la science des saints ou de la science du salut... » (p. 250) ; ce traité ne fut pas imprimé. S'agit-il des *Exercices spirituels* destinés à l'Oratoire et conservés à la Bibliothèque nationale de Paris (ms français 13872, f. 221 svv) ? D'après le P. Bicaïs, le texte fut un temps conservé à Notre-Dame des Anges, mais la trace en fut perdue. Durant ses dernières années Perrin travaillait à une *Vie de Jésus-Christ*, qui est perdue.

E. Cloyseault, *Recueil des vies de quelques prêtres de l'Oratoire*, publié par A.M.P. Ingold, t. 3, Paris, 1883, p. 246 svv. – L. Batterel, *Mémoires domestiques pour servir à l'histoire de l'Oratoire*, publiés par Ingold et E. Bonnardet (Paris, 1902-1911), t. 3, p. 477, 512 ; t. 4, p. 227, 472. – Bremond, *Histoire littéraire...*, t. 7, p. 376.

Gaston ROTUREAU.

**PERRODIN** (DENIS), prêtre, 1785-1851. – Né à Marboz (actuel département de l'Ain) en 1785, Denis Perrodin devint, à la suite du Concordat, sujet, clerc puis prêtre du diocèse de Lyon, où il fut affecté au service des petits séminaires de Meximieux et de l'Argentière, puis au grand séminaire de Lyon sous l'autorité du sulpicien Gardette.

En 1823, il fut appelé par Mgr A.-R. Devie à prendre la direction du grand séminaire du nouveau diocèse de Belley reconstitué avec l'ensemble du département de l'Ain. Toute sa vie se passa désormais à Bourg, dans l'ancien et célèbre couvent des Augustins de Brou. Devie le nomma chanoine et vicaire général honoraire. Perrodin joua un rôle important dans la constitution des missionnaires diocésains ; il aida la congrégation des sœurs de Saint-Joseph de Bourg (détachée de celle de Lyon) et contribua à la fondation de la Providence de Bourg et à la prise en charge de la Providence d'Ars. Il mourut en 1851.

Nous gardons de lui plusieurs opuscules de circonstance et six ouvrages dont deux en quatre volumes. C'est un auteur abondant, au style oratoire, un peu lourd, dont la composition manque de rigueur ; le ton se veut pressant. Perrodin ne vise pas à la théologie savante, mais à la formation des séminaristes et des prêtres ; sa pensée est nourrie de la Bible, qui est largement citée sans recours abusif au sens accommodatice, et plus encore des Pères et des conciles. Assez curieusement, cet homme de formation sulpicienne, se réfère peu aux auteurs de l'École française, hormis François de Sales et Vincent de Paul. On notera qu'il appelle à la perfection non seulement les prêtres et les religieuses, mais encore les laïcs.

L'idéal qu'il propose aux clercs est austère, et l'homme lui-même l'était. Si la communion n'était pas quotidienne au séminaire, ce ne devait pas être jansénisme ; Perrodin a dû connaître le liguorisme et il veut que « la morale du confesseur » ne soit « ni sévère, ni relâchée » (*Lectures spirituelles*, t. 4, p. 282). Parce qu'ils se doivent tout entiers à leur ministère, les prêtres doivent être saints (t. 2, p. 1-126), mais l'insistance sur la lutte contre les défauts et l'acquisition des vertus (à l'imitation des vertus du Christ) semble avoir plus de place que des considérations spirituelles plus profondes. La spiritualité de Perrodin est classique, à l'unisson des nombreux livres de spiritualité sacerdotale de son temps dont elle est un bon exemple.

Œuvres (d'après A. Sirand, *Bibliographie de l'Ain*, Bourg, 1851, et le *Catalogue des livres imprimés de la B.N.* de Paris). – *Méditations ecclésiastiques, à l'usage des séminaristes et des jeunes prêtres...* (4 vol., Lyon, 1836). – *Essai sur les caractères ecclésiastiques ou Règles de conduite pour exercer le saint ministère avec fruit* (Lyon, 1839). – *Caractères chrétiens et religieux, ou Règles de conduite pour réformer son caractère et perfectionner l'éducation* (Lyon, 1839 ? ; au moins 5 éd. jusqu'à celle de 1860). – *Lectures spirituelles à l'usage des ecclésiastiques...* (4 vol., Lyon, 1844).

*Le pieux ermite, ou Vie de Gonzague, religieux trappiste...* (Lyon, 1838). – *La parfaite religieuse, ou Vie de la sœur Virginie* (J.-M.-L. Modas ; Lyon, 1840). – *Notice sur Notre-Dame des Conches* et un *Manuel pour le pèlerinage de N.-D. des Conches* (Bourg, 1842). – *Notice sur les reliques de sainte Urbaine...* (Bourg, 1842). – *Modèle des femmes chrétiennes, ou Vie de M^{me} d'Arnaud* (Lyon, 1844).

Aperçus biographiques. – C.-J. Dufaÿ, *Dictionnaire biographique... du département de l'Ain, Galerie civile...* (Bourg, 1883, p. 429-31). – J. Maréchal, *Les séminaires, 1823-1923* (du dioc. de Belley) : Le grand séminaire de Brou, dans *Bulletin de la Société Gorini*, janvier 1927, p. 9-15. – G. Renoud, *Les écrivains ecclésiastiques du dioc. de Belley*, ibidem, juillet 1929, p. 133-34. – L. Joly, *La Providence des orphelines de Brou...*, ibidem, janvier et avril 1933, p. 5-29 et 65-108. – L. Alloing, *Le dioc. de Belley, Histoire religieuse...*, Belley, 1938, surtout p. 717-19. – R. Fourrey, *Le Curé d'Ars authentique*, Paris, 1964 (table). – L. et G. Trénard, *Belley*, coll. Histoire des diocèses de France 7, Paris, 1978.

Étienne LEDEUR.

**1. PERROY** (HENRY), jésuite, 1872-1962. – Né à Brest le 24 octobre 1872, d'une famille nombreuse et profondément chrétienne de Saint-Germain-l'Espinasse (Loire), Henry Perroy fit ses études secondaires dans divers collèges jésuites et une année de droit à Grenoble. En 1891 il entra au noviciat de la Compagnie de Jésus à Ghazir, au Liban (province de Lyon). Sa formation le mène successivement au Caire, à Jersey et à Moulins. Prêtre en 1906, il fait sa troisième année de probation à Cantorbéry sous la direction de R. de Maumigny (DS, t. 10, col. 822). Nommé en 1911 à Lyon, il y demeurera jusqu'à sa mort, le 18 janvier 1962.

Prédicateur, directeur spirituel, H. Perroy s'occupa aussi de l'Association des Veuves de guerre, de la Croisade eucharistique et des Cadettes du Christ. Sa vie spirituelle est centrée sur l'Eucharistie, le Cœur du Christ et le Cœur immaculé de Marie, et son apostolat est marqué par l'esprit et les méthodes de l'Apostolat de la prière.

Ses nombreux discours et opuscules ont souvent connu des tirages importants. Parmi ses principaux ouvrages, on retiendra : *Une grande humble, Marie-Victoire-Thérèse Couderc* (Paris, 1928) ; – *Récits évangéliques* (7 séries, Lyon, 1932-1953) ; – *Récits apostoliques* (2 séries, 1939-1940) ; – *La Bible vécue. Récits, élévations* (3 vol., Toulouse, 1941, 1944, 1946) ; – *Notre Messe vécue. Étude sur le rôle des fidèles* (Issoudun, 1948) ; – *Une grande sacrifiée, Mère Marie-Joseph Chavent* (Lyon, 1957).

Les Archives de la province S.J. de Lyon conservent dix volumes ronéotypés de sa prédication et une notice anonyme sur H. Perroy.

Auguste DEMOMENT.

**2. PERROY** (LOUIS), jésuite, 1858-1925. – Frère aîné d'Henry (cf. *supra*), Louis Perroy, né à Saint-Germain-l'Espinasse (Loire) le 8 mai 1858, fit ses études au collège des Jésuites de Vannes et une année de droit à Poitiers. Il entra en 1896 au noviciat de la Compagnie de Jésus à Clermont et fit ses études de philosophie et de théologie à Mold (Angleterre). Prêtre en 1890, il fit sa troisième année de probation sous la direction de R. de Maumigny. De 1894 à 1925, il fut supérieur de divers collèges, dont celui de Bollengo

(Italie) qu'il fonda en 1901 pour les enfants de familles françaises souhaitant leur donner l'éducation des Jésuites. Il mourut le 3 août 1925 à Avignon, rapidement emporté par une péritonite.

Louis Perroy fut un contemplatif dans l'action. Doué de dons littéraires, il excella à peindre les états d'âme ; ses nombreux ouvrages connurent un vif succès. Ses poèmes, de facture classique, sont plus proches d'un Louis Mercier que d'un Gerard Hopkins (vg *Le Sablier*, Paris, 1912). Ses ouvrages en prose exaltent la beauté de la vie en grâce (*Le Royaume de Dieu*, Paris, 1910), la bonté miséricordieuse de Jésus (*La montée au Calvaire*, 1906) et, comme l'indique le titre, *L'humble Vierge Marie. Élévations sur les mystères de sa vie* (1916, etc.). Perroy mérite de figurer parmi les bons humanistes chrétiens de son temps.

Liste complète des œuvres en tête de sa biographie du *P. Claude de la Colombière* (Paris, 1923).

Auguste DEMOMENT.

**PERRY** (CLAUDE), jésuite, 1602-1685. – Né à Chalon-sur-Saône le 3 avril 1602, d'abord avocat, puis chanoine de la cathédrale de Chalon, Claude Perry entra dans la province de Champagne de la Compagnie de Jésus, au noviciat de Nancy, le 10 octobre 1628. Il passa la plus grande partie de sa vie dans les collèges (il fut recteur de celui de Châlons-sur-Marne, 1655-57), en particulier celui de Dijon, où il mourut le 2 février 1684 (selon Papillon), ou plutôt le 1^{er} février 1685 (selon Sommervogel).

Son œuvre imprimée comporte des poésies latines de circonstance, une histoire de Chalon, une *Vie de S. Eustase*, 2^e abbé de Luxeuil † 625 (Metz, 1645). Un seul ouvrage intéresse la spiritualité : *Le Théandre ou le Transport de l'âme au ciel sur les aisles de l'Oraison, et de la Contemplation, enseigné dedans les entretiens familiers d'une Semaine Saincte...* (Lyon, 1653, 1654).

Pendant chacun des sept jours, deux entretiens réunissent cinq amis ; chacun disserte à tour de rôle d'un point de la vie spirituelle, dans un cadre s'inspirant du dialogue antique et selon les procédés ordinaires de la rhétorique ; ainsi, du discernement spirituel (p. 230-78). La doctrine est classique, appuyée sur les Pères et l'École, sans prétention à l'originalité. Le projet de l'auteur est autre : ramasser commodément en un corps des matières éparses, et écrire un ouvrage spirituel dont la beauté et la politesse de la langue l'emportent sur celles des romans contemporains. Le style, qui cherche à plaire, ne facilite pas aujourd'hui la lecture. L'ouvrage n'offre ni un essai d'approfondissement doctrinal, ni un témoignage d'expérience personnelle.

Ph. Papillon, *Bibliothèque des auteurs de Bourgogne*, t. 2, Dijon, 1742, p. 143-45. – Sommervogel, t. 6, col. 571-74 ; t. 9, col. 766. – *Établissements des Jésuites en France*, t. 1, col. 1193-94 (notice biographique), 1222 ; t. 2, col. 89 ; t. 3, col. 262. – DS, t. 3, col. 1281.

Paul MECH.

**PERSÉVÉRANCE.** – Cet article ne traite pas de la « persévérance finale », c'est-à-dire de la faveur qui, à notre dernier moment, nous fait mourir en état de grâce. C'est le don qui, par excellence, dépend de Dieu, celui qui couronne tous les autres et qui, prédestinés, nous fait transiter dans la gloire. « Celui qui tiendra jusqu'à la fin, celui-là sera sauvé » (*Mt*. 10, 22).

Il faut toutefois endurer l'épreuve de la vie pour

recevoir la couronne (*Jacq.* 1, 12). La récompense finale sanctionne une longue et pénible persévérance (*Mt.* 5, 10-12), telle la vigilance du serviteur qui attend le maître aussi longtemps qu'il faut (*Luc* 12, 37-38). « Faites effort pour que Dieu vous trouve dans la paix, nets et irréprochables » (2 *Pierre* 3, 14). « Qu'ils se reposent de leurs labeurs, car leurs œuvres les suivent » (*Apoc.* 14, 13).

On constate donc que la persévérance finale et la persévérance dans le temps sont liées, comme la gloire l'est à la grâce et à la fidélité, comme la félicité vient illuminer enfin l'endurance de Job (*Jacq.* 5, 11). L'oratorien Jean Le Jeune proclame : « La persévérance est le sceau des belles actions, le caractère des prédestinés, la marque des héritiers de Dieu, la veille de la béatitude, la dernière disposition de la gloire céleste et l'embouchure de l'éternité bienheureuse » (*Sermon 284*, éd. de Lyon, t. 10, 1826, p. 172).

Nous nous attachons ici à la persévérance dans le temps et la durée. Aussi, après une brève enquête dans l'Écriture, essayons-nous de comprendre la persévérance à travers la tradition spirituelle, pour mieux discerner ensuite comment elle se distingue de la patience et de la constance. 1. *Écriture.* – 2. *Tradition spirituelle.* – 3. *Persévérance, patience, constance.*

1. ÉCRITURE. – Le mot grec qui exprime la persévérance est *hypomonè*. Cet unique vocable comprend diverses acceptions en français.

Il ne faut pas le confondre avec l'assiduité (*Actes* 1, 14 ; 2, 42). Souvent, on l'utilise pour parler de la patience. « Avec patience, supportez-vous les uns les autres dans l'amour » (*Éph.* 4, 2). Celui qui est sanctifié et aimé par Dieu doit revêtir « des sentiments de compassion, de bienveillance, de douceur, de patience » (*Col.* 3, 12). Le prédicateur reprend, menace, exhorte, toujours avec patience (2 *Tim.* 4, 2). La patience est toujours à pratiquer envers tous (1 *Thess.* 5, 14).

Le même mot *hypomonè* est également rendu par constance, endurance. « C'est d'endurance que vous avez besoin, pour accomplir la volonté de Dieu et obtenir ainsi la réalisation de la promesse » (*Hébr.* 10, 36). Il faut, comme l'athlète, courir avec endurance l'épreuve qui nous est proposée (12, 1). Le modèle est le Christ qui endure la croix au mépris de la honte (12, 2).

Au sens de la persévérance, l'*hypomonè* est aussi familière à Paul : on peut lui donner ce sens dix-sept fois environ. « Mettons notre orgueil dans nos détresses mêmes, sachant que la détresse produit la persévérance, la persévérance la fidélité éprouvée, la fidélité éprouvée l'espérance » (*Rom.* 5, 3-4). L'épreuve est le foyer dans lequel se forge la persévérance, l'inflexible fidélité, qui débouche sur l'espérance, c'est-à-dire sur la gloire qu'on ne voit pas.

L'apôtre se recommande « par une grande persévérance dans les détresses, les contraintes, les angoisses, les coups, les prisons, les émeutes, les fatigues, les veilles, les jeûnes » (2 *Cor.* 6, 4-5). La patience et la persévérance à toute épreuve sont le signe distinctif de l'apôtre (12, 12).

On trouverait d'autres mentions (*Rom.* 2, 7 ; 8, 25 ; 15, 4-5 ; 2 *Cor.* 1, 6 ; 1 *Thess.* 1, 3). Pour Paul, manifestement, la persévérance est la vertu des combattants, des militants, qui affermit les fidélités et qui fait lever, au terme, les rayons de lumière.

2. TRADITION SPIRITUELLE. – *Jean Chrysostome* rappelle l'exemple de la Cananéenne (*Mt.* 15, 21-28) : « Quand je dis à quelqu'un : priez Dieu, conjurez-le, suppliez-le ; on me répond : je l'ai prié une fois, deux fois, trois fois, dix fois, vingt fois et je n'ai jamais rien reçu. Ne cessez pas, mon frère, jusqu'à ce que vous ayez reçu ; la fin de la prière, c'est le don de ce qu'on a demandé. Cessez quand vous aurez reçu ; ou plutôt ne cessez pas ; même alors, persévérez encore. Si vous n'avez pas reçu, demandez pour recevoir ; si vous avez reçu, rendez grâce pour ce que vous avez reçu » (*Hom. de Chananaea* 10, PG 52, 458a). L'exemple de la prière est typique : la persévérance consiste à poursuivre l'effort jusqu'au but fixé.

*Thomas d'Aquin*, dans la *Somme théologique*, rattache la persévérance à la vertu cardinale de force. Elle fait figure de vertu spéciale qui a pour fonction de supporter, d'endurer, de subir avec succès l'épreuve du temps (2ª 2ᵃᵉ, q. 137, a. 1). Elle rend les autres vertus durables et les empêche de succomber à la longue sous l'action du temps. Le temps conspire avec la mobilité pour empêcher l'homme de persister dans le bien. Le mérite de la persévérance, c'est de supporter les difficultés qu'on rencontre au long du temps, de maîtriser la fièvre, l'agitation, l'impermanence dans les desseins et les projets, dans l'exécution et l'achèvement.

*Catherine de Sienne* écrit dans le *Livre des dialogues* : « Toute chose de vertu nécessite la persévérance. En ne persévérant pas, on ne parvient pas à s'attacher à sa propre volonté d'arriver à ce terme vers lequel on s'était acheminé. En ne persévérant pas, on n'arrive pas. C'est pourquoi la persévérance est nécessaire pour qui veut réaliser son désir » (Paris, 1953, p. 169 ; *Il Dialogo*, éd. G. Lavallini, Rome, 1980, n. 52-53, p. 117-19). L'arbre ne tombe pas au premier coup de hache. Seul le courage de la volonté permet d'aller jusqu'au bout du désir.

*François de Sales*, dans un sermon, revient sur la Cananéenne :

« La Cananéenne eut une grande confiance quand elle fit sa prière, voire même parmi les bourrasques et les tempêtes qui ne furent point suffisantes pour ébranler tant soit peu cette confiance ; car elle l'accompagna de la persévérance par laquelle elle continua fermement de crier : 'Seigneur, fils de David, ayez pitié de moi'» (*Sermon 56*, dans *Œuvres complètes*, t. 10, Annecy, p. 225-26)... « La persévérance à toujours faire la même chose en religion est un martyre... car l'on y martyrise continuellement les fantaisies de l'esprit humain, et toutes les propres volontés. N'est-ce pas un martyre, je vous prie, d'aller toujours habillé de même façon sans avoir la liberté de se chamarrer et découper ses vêtements comme font les mondains ? N'est-ce pas un martyre de manger toujours à une même heure et quasi des mêmes mets, comme c'est une grande persévérance aux paysans de n'avoir ordinairement pour leur nourriture que du pain, de l'eau et du fromage » (p. 228-29). Cf. *Entretiens* XIX, t. 6, 1895, p. 365-67.

Une nouvelle idée émane de ces textes : la persévérance s'apparente au martyre, parce qu'elle affronte cette sorte de mort du moi qu'est la monotomie et l'uniformité, l'anonymat de la vie commune, la succession de jours identiques. « L'ennui naquit un jour de l'uniformité ». La persévérance aide à vaincre les tentations de l'ennui.

Le jésuite J.-B. *Saint-Jure* † 1657, commentant saint Thomas, estime que « la vertu et la perfection de la bonne œuvre est la persévérance ; c'est à elle seule que la couronne est rendue ; car que profite d'être bon, d'être sage, d'être fort, si on ne l'est pas jusqu'au bout ? Que sert d'avoir bien commencé, si on finit mal ? » (*De la connaissance et de l'amour de Notre Seigneur Jésus-Christ*, III, ch. 24, éd. de Lyon, 1870, t. 3, p. 446). « On ne demande pas au chrétien qu'il commence à bien faire, mais qu'il achève » (p. 447). « Nous devons nous porter aux exercices de la charité et des autres vertus, y persévérer constamment, et aimer Dieu notre Seigneur en tout temps, en tout lieu, en toutes occasions et ne nous démentir jamais » (p. 253). L'insistance de l'auteur rend inutile tout commentaire.

J.-J. *Surin* (1600-1665), sans employer le mot de persévérance en explique le sens :

« Pour venir à ce point d'union vraie, lumineuse et excellente, qui fasse dire à l'âme qu'elle a Dieu en soi, il faut qu'il n'y ait point de vide et que l'âme soit toujours en Dieu purement, ou pour le moins tâche d'y être. Car si par fragilité elle manque et se trouve hors de Dieu, elle s'y remet incontinent, et ne continue jamais avec lâcheté à se tenir hors de lui : et cela est de telle conséquence que cette pratique ici est le ressort de la perfection, sans lequel on ne l'aura jamais, et avec lequel elle est presque infailliblement assurée. Si bien que la vraie raison pourquoi il arrive, ce que souvent on déplore, qu'il y ait si peu de parfaits, c'est de ce que l'âme ne se veut point contraindre à ce soin ; mais par mille excuses et prétextes s'en dispense et s'éloigne de cette pratique : car c'est en ce sens que s'entend : ' Pulsate et aperietur vobis ' (*Mt.* 7, 7) » (*Les fondements de la vie spirituelle*, Paris, 1930, p. 230). Pour le parfait, la persévérance consiste à vivre toujours en Dieu et à se remettre sans cesse en Dieu, quand il s'en écarte tant soit peu.

Louis-Marie *Grignion de Montfort* : « Il faut demander la Sagesse avec persévérance. C'est pour l'acquisition de cette perle précieuse et de ce trésor infini qu'il faut user d'une sainte importunité auprès de Dieu, sans laquelle on ne l'aura jamais... Quiconque veut obtenir la Sagesse doit la demander jour et nuit, sans se lasser, sans se rebuter » (*L'amour de l'éternelle Sagesse*, ch. 15, dans *Œuvres complètes*, Paris, 1966, p. 196). Dans le *Traité de la vraie dévotion à la sainte Vierge*, 8ᵉ motif, n. 173-179 (p. 600-606), l'auteur montre qu'il faut demander à Marie la grâce de la persévérance. Tous les auteurs rappellent qu'on n'arrive à rien de grand quand on ne persiste pas jusqu'à l'achèvement. Grignion de Montfort ajoute que cette force d'endurance qui persiste jusqu'au terme est surtout une grâce à demander sans cesse.

Notons, en terminant, que les Pères de l'Église ont surtout parlé de la persévérance finale. C'est pourquoi, ils ne sont représentés ici que par saint Jean Chrysostome. Avec saint Thomas, les spirituels vont dans le même sens : la persévérance est la vertu qui subit l'épreuve du temps jusqu'à la fin ; la monotonie ne la décourage pas ; les écarts ne l'empêchent pas de revenir sur l'axe. C'est une grâce si précieuse qu'elle est toujours à demander.

3. PERSÉVÉRANCE-CONSTANCE-PATIENCE. – 1º *Persévérance et constance*. – L'une et l'autre ont la même fin, à savoir la fixité dans le bien. Mais, remarque saint Thomas, « la difficulté que chacune doit surmonter n'a pas la même cause. Celle qui fait l'objet de la persévérance vient de la durée même du bien ; celle qui fait l'objet de la constance vient de tout obstacle extérieur, quel qu'il soit. C'est pourquoi la persévérance se rapproche de la force plus que de la constance, parce que la difficulté qui vient de la durée est plus essentielle à l'acte bon que celle qui vient du dehors » (2ᵃ, 2ᵃᵉ, q. 137, a. 3).

Commentant saint Thomas, Saint-Jure ajoute : « Il faut remarquer que la constance et la persévérance sont deux vertus très semblables, et qui paraissent quasi avec le même visage, parce qu'elles s'accordent en une même fin, qui est de donner du nerf et de la vigueur à l'âme, pour la faire continuer jusqu'au bout l'exercice des vertus et de toutes les choses bien entreprises. Saint Thomas pourtant y remarque cette différence et ces linéaments divers, que la persévérance fortifie le courage pour surmonter les difficultés qui accompagnent intimement l'essence de l'action bonne, et particulièrement celle qui gît en sa longueur ; et la constance à vaincre l'inconstance naturelle de notre esprit qui aime le changement, et les obstacles extérieurs, comme les promesses, les menaces, les désirs de plaire, la crainte de déplaire, et tous les autres qui pourraient arrêter un homme de poursuivre sa pointe... » (ouvrage cité, p. 250). La persévérance est toujours liée à la longueur du temps. La constance doit faire face à l'agilité de l'esprit, aux sollicitations extérieures, aux risques, aux menaces.

François de Sales renforce la différence : « Il y a beaucoup de différence entre la constance et la persévérance. Nous appelons un homme constant celui qui se tient prêt et ferme à souffrir les assauts de ses ennemis, sans s'étonner ni perdre courage durant le combat. Mais la persévérance regarde principalement un certain ennui intérieur qui nous arrive en la longueur de nos peines, qui est un ennemi aussi puissant que l'on en puisse rencontrer. Or, la persévérance fait que l'homme méprise cet ennemi en telle sorte qu'il en demeure victorieux, par une continuelle égalité et soumission à la volonté de Dieu » (t. 6, p. 365). – La persévérance ne se laisse pas entamer par l'usure du temps, ni par l'ennui que distille la succession des jours. La constance se cramponne pour résister aux assauts.

2º La *patience* (DS, t. 12, col. 438-76) est la vertu qui nous fait supporter les maux de cette vie avec sérénité, sans trouble et sans tristesse, et même avec la joie d'être de cette manière uni à Jésus-Christ. Elle consiste surtout à porter et à supporter, sans plainte et sans colère, sans affliction et sans abattement. Elle est le contrefort du calme et de la douceur, de l'indulgence et de la tolérance. Elle maîtrise l'indignation, la colère, la précipitation, l'agitation, les vivacités.

On pourrait dire que la patience est en quelque sorte une vertu-source, la vertu fontale, ou métempirique, qui porte en elle toutes les richesses des passivités, c'est-à-dire cette énergie concentrée qui permet de supporter, d'endurer et de durer. Dans le monde empirique, elle prend le visage de la constance et de la persévérance.

3º La *constance* résiste à tout ce qui fait violence. La violence peut venir de l'intérieur aussi bien que de l'extérieur. De l'extérieur, comme celle de ces soldats qui outragent Jésus (*Marc* 15, 16-20), ou de Saül qui persécute David (1 *Sam.* 24 et 26). De l'intérieur, comme la fougue de Pierre, qui lui fait tirer l'épée du fourreau (*Mt.* 26, 51). Violence qu'on doit se faire pour accepter les différences d'opinions, de goûts, de langage ; pour vaincre les curiosités et les indiscrétions, pour préserver les secrets, pour réprimer les instincts de domination ou d'ambition, afin de rester à sa place. Violence pour ne pas retourner à l'envoyeur la pierre qu'il a lancée.

La constance a pour but, en somme, de dominer les passions de l'intérieur et les obstacles de l'extérieur. C'est sans doute une vertu maîtresse des non-violents.

4º La *persévérance* est un courage qui dure, tandis que la bravoure est un courage instantané. La persévérance est indispensable pour poursuivre jusqu'à son terme une entreprise de longue haleine, sans se laisser abattre par la lassitude, sans se laisser déprimer par les échecs. On peut encore distinguer l'endurance de la persévérance. Est endurant celui qui a la possibilité de prolonger son effort, qui a du souffle, qui ne se laisse pas abattre par les détails de l'exécution et par la perspective d'un nombre infini de gestes, toujours les mêmes, indéfiniment à recommencer. La persévérance porte cet effort endurant jusqu'à l'accomplissement final. L'endurance remplit l'intervalle du temps. La persévérance touche au point final. Elle peut y mettre du temps, mais elle y arrive. Confucius disait que la persévérance peut avancer lentement, mais elle n'interrompt jamais l'ouvrage qu'elle a commencé, et produit enfin de grandes choses. La persévérance vient à bout de tout. La goutte d'eau finit par faire un trou dans la pierre.

Finalement, on peut dire que la constance est liée à l'espace, aux obstacles qui l'assaillent. La persévérance est liée au terme visé du temps, tandis que l'endurance en remplit l'intervalle. La patience, comme on l'a dit, est la vertu métempirique, comme l'humilité l'est par rapport à la modestie. De ce point de vue, la constance est la patience dans son affrontement avec les obstacles qui se dressent sur l'espace de la vie. La persévérance est la patience dans son affrontement avec les obstacles qui jalonnent la durée et qui se confondent même avec la durée. La vie n'est-elle pas une forme de persévérance ? Spinoza parlait précisément de persévérance dans l'être.

5º *Défauts contraires.* – Saint Thomas en traite à la q. 138 de la 2ª 2ᵃᵉ. Puisque la persévérance fait qu'on persiste dans l'effort jusqu'au bout, malgré les difficultés et les souffrances, le vice opposé portera à interrompre facilement l'effort, à céder devant les pressions. Ce défaut est la mollesse qui cède, en effet, à la moindre pression. C'est un manque de persévérance par défaut. Mais il existe un vice de persévérance par excès, c'est l'opiniâtreté, l'attachement obstiné à une opinion, l'entêtement, ou persistance dans un comportement volontaire sans tenir compte des circonstances et des changements de la situation.

*Conclusion.* – Considérée surtout du point de vue moral, la persévérance se situe entre l'excès de souplesse qui peut devenir fantaisie ou mollesse et l'entêtement obstiné de l'opiniâtreté par manque de discernement. Comme elle est en son fond une vertu du temps, elle fait que l'on reste constant dans le même dessein ; qu'on ne se laisse pas user par la monotonie des occurrences identiques ; qu'on sait se remettre chaque jour à sa tâche ; qu'on mobilise ses énergies pour aller jusqu'au bout du projet. La persévérance s'allie au temps pour surmonter les obstacles et parvenir à ses fins.

Considérée du point de vue surnaturel et mystique, on sait qu'elle est une grâce, un don très précieux, à demander sans cesse, en répétant les instances, sans se laisser impressionner par les silences et les refus, en n'arrêtant l'imploration que lorsque la requête est obtenue. C'est la grâce de la persévérance qui permet à toutes les autres vertus de durer. C'est la vertu spécifique du temps. Qu'est-ce que la charité si elle se met en vacances ? Qu'est-ce que l'espérance si la persévérance n'ouvre ses avenues ? Qu'est-ce que la foi, si elle consent à des éclipses ? Qu'est-ce que la prudence qui se permettrait de temps en temps quelques folies ? Qu'est-ce que la justice qui fonctionne par périodes ? Qu'est-ce que la tempérance qui s'accorde de loin en loin d'agréables compensations ? Et qu'est-ce que le ciel dans lequel on entre sans cette violence maintenue qu'est la persévérance (*Mt.* 11, 12) ? La persévé-rance avec la patience et la constance sont bien les vertus des forts.

Pour la *persévérance finale*, cf. DTC, t. 12/1, 1933, col. 1258-1304 (A. Michel). – J. Moltmann, *Prädestination und Perseveranz. Geschichte und Bedeutung der reformatorischen Lehre « de perseverantia sanctorum »*, Neukirchen, 1961.

Sur la *persévérance-vertu*, les études sont rares. Outre les auteurs que nous avons cités, voir les commentateurs classiques de la *Somme théologique* : Jean de Saint-Thomas, Billuart, Suárez, etc. – M.-A. Janvier, *Sermons à Notre Dame*, t. 10, Paris, 1914, p. 151. – Dom Columba Marmion, *Le Christ idéal du moine*, Maredsous, 1922, p. 190-94. – Vl. Jankélévitch, *Traité des vertus*, Paris, 1949, p. 195-98 ; 2ᵉ éd., t. 2, 1970, p. 382-93.

Kittel, art. *hypomênô*, t. 4, 1942, p. 585-93 (F. Hauck). – Sch. Brown, *Apostasy and Perseverance in the Theology of Luke*, coll. Analecta biblica 36, Rome, 1969. – DTC, t. 12/1, col. 1256-57 (A. Michel). – NEC, t. 11, 1967, p. 153-54 (R. Doherty). – DES, t. 2, 1975, p. 1144-48 (T. Goffi).

DS, art. *Force*, t. 5, col. 687-94 ; *Patience, supra*, col. 438-76.

Raymond SAINT-JEAN.

**PERSONS** (PARSONS ; ROBERT), jésuite, 1546-1610. – Né à Nether Stowey (Somerset) le 24 juin 1546 dans une famille catholique de petit propriétaire rural, Robert Persons reçut sa formation au collège de Stogursey, à l'école gratuite de Taunton et, à partir de 1564, à l'université d'Oxford. Il y entra à Balliol College en 1566, devint bachelier ès arts en 1568 et fut ordonné dans le rite anglican. En 1572 il fut promu maître ès arts et nommé boursier. En 1574 il dut renoncer à l'office à cause de ses tendances catholiques.

Il quitta l'Angleterre en mai ou juin 1574 pour aller étudier la médecine à Padoue. En fait, il entra au noviciat des jésuites à Rome en 1575. Ordonné prêtre en 1578, il devint pénitencier à Saint-Pierre et fut aussi chargé des novices de seconde année. Il aida à organiser le nouveau Collège anglais à Rome. Entre les anglais et la minorité galloise il y avait du tirage. Pour établir la paix, on demanda au Général des jésuites, Éverard Mercurian, d'assurer la direction du Collège (9 mars 1579). Persons le dirigea pendant une courte période, en attendant la prise en charge par un autre jésuite, Alfonso Agazzari ; il y introduisit un serment par lequel les étudiants s'engageaient à retourner à la mission anglaise.

Au printemps 1580, il partit pour l'Angleterre avec Edmund Campion et neuf autres compagnons. Dans une audience privée (14 avril), Grégoire XIII lui avait donné toute liberté pour reconnaître Élisabeth comme reine. Il débarqua dans son pays le 12 juin. Vers le mois d'octobre, il installa une imprimerie à Greenstreet, et commença un apostolat de la plume qui devait continuer tout au long de sa vie. En 1581 il publiait *A briefe discourse contayning certayne reasons why Catholiques refuse to go to church*. Le 4 août, la presse, alors à Stonor, était saisie.

Edmund Campion ayant été arrêté en juillet, Persons, vers le 20 août, se réfugia en France, envoyant avant son départ William Watts prendre des informations sur l'Écosse. Il établit à Rouen son centre d'action, et aussi son imprimerie. *The Christian Directory guiding men to eternal Salvation* fut écrit en 1582 et au printemps de la même année il en publie la première partie. Après la mise à mort de Campion, d'Alexander Bryant et de Ralph Sherwin le 1ᵉʳ décembre

1581, Persons, voyant que le gouvernement élisabéthain était implacable, participa à des plans d'invasion de l'Angleterre à partir du continent. Le premier envisageait le passage par l'Écosse, vers septembre 1582, sous la direction du duc de Guise. La réussite du projet exigeait la coopération de l'Espagne et de la France. On n'arriva jamais à la mettre au point. Persons servit d'agent de liaison avec Philippe II d'Espagne, avec qui il garda toute sa vie de bonnes relations.

Persons, après une période de maladie, resta à Oñate (Espagne) jusqu'au printemps de 1583, gagna Paris, puis Rome (17 septembre) pour consulter le Général Aquaviva. Le 19 octobre il était de retour à Paris. Il passa l'hiver de 1583-1584 à Tournai, prêtant assistance aux exilés anglais ; puis il retourna à Paris en mai 1584. Durant l'été de 1584, la persécution en Angleterre devint si violente qu'Aquaviva était disposé à en retirer les jésuites. Persons l'en disuada dans une lettre du 11 juin et se vit confier une nouvelle charge, celle de la mission d'Écosse. Le 10 septembre il eut connaissance d'une décision d'Aquaviva lui demandant de rester à Rouen ; il était en danger d'être assassiné.

En octobre 1584, William Allen et Persons avaient abandonné l'espoir d'une *empresa* ; sous l'influence de Charles Paget et d'autres, un mouvement se dessinait contre le recours aux méthodes de force. Le gouvernement d'Élisabeth encourageait les catholiques opposés aux jésuites « d'avant-garde » du continent par de faux espoirs de tolérance : en fait, par suite des lois répressives de 1581 et 1585, l'adhésion au catholicisme était devenue trahison. En mai et juillet 1585, Persons fut à deux reprises sur le point d'être capturé dans les Flandres par des troupes anglaises. Avec Allen il partit pour Rome, où il arriva le 4 novembre et y fit son troisième an. Au Collège anglais, Christopher Bagshaw dirigeait alors l'opposition contre Agazzari et les jésuites ; ce qui amena en 1586 la désignation de William Holt comme recteur ; du 24 octobre à l'arrivée de celui-ci, Persons le suppléa, puis devint secrétaire latin d'Aquaviva.

Le 8 août 1587, Allen était créé cardinal ; Persons s'était employé depuis quelques années à obtenir cette nomination. Après l'exécution de Marie Stuart (8 février 1587), Allen dirigea les catholiques. Quant à Persons, après l'échec en août de l'Armada, il quitta Rome le 6 novembre pour l'Espagne et y exerça une influence de premier plan pour maintenir à la Compagnie son caractère propre et sa tradition, en lui assurant la bienveillance de Philippe II. A la Saint-Michel 1589, il fonda à Valladolid un nouveau collège pour les anglais en exil ; le 25 novembre 1592, un autre fut établi à Séville. La menace du parlement anglais d'imposer une éducation protestante aux enfants qui n'avaient pas admis la suprématie religieuse de la souveraine le détermina, au printemps de 1593, à fonder dans les Flandres le collège de Saint-Omer. Il souffrait maintenant beaucoup de sa mauvaise santé. Le 3 novembre 1593 s'ouvrit à Rome la 5e Congrégation générale, convoquée pour préciser et assurer l'organisation de la Compagnie. Persons continua à persuader à Philippe II de laisser les jésuites mettre eux-mêmes leur maison en ordre.

En 1594, paraissait le *Book of Succession*. Persons y avait contribué, mais n'en était pas l'unique auteur. Il visait à aider au choix d'un successeur catholique pour Élisabeth. Allen mourut le 16 octobre 1594. Persons s'opposa à un mouvement qui cherchait à le faire lui-même cardinal. Le 29 octobre 1595 Aquaviva lui fit part de son intention de renoncer au Collège anglais à Rome, en raison du conflit persistant entre jésuites et étudiants. Persons lui manifesta un sentiment nettement contraire. Ayant traduit en latin pour le pape le *Book of Succession*, il l'emporta avec lui à Rome, où il arriva vers le mois de mars 1597. En octobre il avait le Collège anglais sous son contrôle. Au cours du printemps de 1598, il s'appliqua avec soin à apaiser la brouille avec la faction Paget, qui exerçait son influence non seulement sur le Collège, mais aussi au dehors, sur Olivier Manare et certains jésuites flamands.

En 1598 le cardinal Cajétan établit un archiprêtre, George Blackwell, pour diriger le clergé en Angleterre. Persons ne s'opposa jamais à la nomination d'évêques ; il reconnut loyalement la difficulté que cela comportait, mais accepta le point de vue du Vatican. A la mi-décembre, William Bishop et Robert Charnock vinrent à Rome faire appel, au nom de la minorité, contre l'archiprêtre ; mais un bref papal du 6 avril 1599 confirma la nomination.

Le 15 janvier 1600, comme préfet de la mission, Persons émit des ordonnances pour la direction des séminaires anglais en exil. Le 17 novembre 1600, 33 prêtres signèrent un appel au pape contre la soi-disant tyrannie des jésuites et de l'archiprêtre et une nouvelle députation conduite par John Cecil entreprit aussi l'appel à Rome même, le 14 février 1602, en veillant à s'assurer la protection de l'ambassadeur français, Béthune. Un autre bref papal du 5 octobre 1602 confirma le « statu quo ».

Persons écrivit au nouveau roi d'Angleterre, Jacques VI d'Écosse et I d'Angleterre, pour favoriser les bons rapports et plaider en faveur de la tolérance. Mais, à la fin de 1603, Jacques reprenait la politique religieuse d'Élisabeth. Le 22 février 1604, un décret royal bannissait les jésuites et les prêtres des séminaires du pays à dater du 19 mars. En 1607 Blackwell prêta le serment interdit d'allégeance. Il fut déposé et remplacé le 15 mars 1608 par George Birkhead. L'agitation en vue d'obtenir des évêques en Angleterre continua, si bien que l'archiprêtre, en mai 1609, envoya comme émissaires à Rome le Dr Richard Smith et un autre prêtre Thomas More. Persons facilita leur venue. Mais Smith manifesta si clairement son opposition aux jésuites et aux religieux en général, que le pape décida, en mars 1610, qu'au moins pour le moment rien ne serait changé. Les envoyés mirent leur échec au compte de Persons, en quoi ils se trompaient. Celui-ci, souvent malade depuis 1583, eut sa dernière attaque le 6 avril 1610. Il mourut le 15, en renom de sainteté auprès de ceux qui le connaissaient, parmi eux le général Aquaviva.

On compte quelque vingt-cinq ouvrages de Persons ; la majorité est directement inspirée par ses activités en faveur des catholiques d'Angleterre et appartient aux genres de l'apologie, de la controverse, d'histoire des traditions de l'Église en Angleterre, etc. Deux sont importants. *A treatise tending to Mitigation* (s 1, 1607) est le premier plaidoyer en anglais en faveur de la tolérance religieuse. *The Christian Directory guiding men to eternal Salvation*, dont la dernière édition augmentée et revue par Persons est de 1610, « est à la fois un ouvrage d'instruction catéchistique, un rappel des fondements de la vie chrétienne, une chaude exhortation à y rester fidèle » (J. de guibert, *La spiritualité de la Compagnie de Jésus*, Rome, 1965, p. 269) ; ce n'est pas un texte directement spirituel, mais il suffit à donner à Persons une place dans l'histoire spirituelle en raison de l'influence qu'il a exercée par ses multiples éditions et traductions, en particulier chez les catholiques anglais. La seconde partie traite en fait des vérités proposées par la première semaine des Exercices ignatiens, mais dans une perspective de justification doctrinale plutôt que d'application pratique.

La première partie parut d'abord seule : *The Book of Resolution or Christian Directory* (Rouen, 1583, etc.) ; elle fut retouchée par Ed. Bunney en vue d'être utilisée par les protestants : *A Booke of Christian Exercise...* (Londres, 1585 ; etc.). Puis vint *The second Part of the Booke...* (1591). Le titre définitif de l'ouvrage complet a été donné plus haut.

Parmi les autres ouvrages ou éditions de Persons, on citera : *A brief discours contayning certayne reasons why Catholiques refuse to go to Church* (Douai, 1580) ; – *An Apologicall Epistle* (Anvers, 1601), donné comme préface au *Christian Directory* ; – *A Treatise of three Conversions of England...* (3 vol., s l, 1603-1604 ; éd. fac-simile, coll. English Recusant Literature 304-306, 1976) ; – *Certamen Ecclesiae Anglicanae*, ms ; cf. J. Simons, *Certamen... A Study of an unpublished Manuscript* (Assen, 1965 ; publie quelques extraits).

Bibliographie des œuvres : J. Gillow, *Bibliographical Dictionary of the English Catholics*, t. 5, Londres-New York, 1885, p. 273-87. – Sommervogel, t. 6, col. 292-316 ; t. 9, col. 757 ; Rivière, col. 632-35. – P. Milward, *Religious Controversies of the Elizabethan Age*, Londres, 1978, table ; *... of the Jacobean Age*, Londres, 1978, table.

R. Persons, *A brief Apologie...*, s l, 1601 ; Londres, 1602 (éd. fac-simile, coll. English Recusant Literature 273, 1975). – L. Hicks, éd., *Letters and Memorials of Fr. R.P.*, Londres, 1942 ; *Letters of Thomas Fitzherbert*, 1948.

L. Hicks, *Persons and the Seminaries in Spain*, dans *The Month*, 1931, t. 157, p. 193-204, 410-17, 497-506 ; t. 158, p. 26-35, 143-52. – A.C. Southern, *Elisabethan Recusant Prose*, Londres, 1950, table. – B. Basset, *The English Jesuits from Campion to Martindale*, Londres, 1967, table. – Fr. Edwards, *The Elizabethan Jesuits*, Londres, 1981 ; *Robert Persons, an Elizabethan Jesuit* (sous presse).

DNB, t. 15, 1917, p. 411-18. – NCE, t. 11, 1967, p. 183-84. – DS, t. 1, col. 644, 646, 1687 ; t. 4, col. 1659 ; t. 6, col. 1160.

Francis EDWARDS.

**PERYN** (PERIN, PERRIN, PYRRYN ; GUILLAUME), frère prêcheur, † 1558. – 1. *Vie*. – 2. *Écrits*. – 3. *Doctrine spirituelle*.

1. VIE. – William Peryn se rattachait sans doute aux Perin du Shropshire et du Derbyshire. Nous ignorons tout de sa jeunesse. Il entra chez les dominicains et reçut sa formation dans leur maison d'Oxford. Il s'y trouve en 1529 et semble s'être distingué par sa ferveur et son talent de controversiste. Rattaché ensuite à la maison des Black Friars de Londres, il s'y fit connaître par ses sermons et son opposition vigoureuse à la Réforme. Quelque temps chapelain de Sir John Port, il dut entrer en contact avec la famille et les amis de Thomas More. A la Déclaration de suprématie royale (1534), il passa à l'étranger. Peutêtre séjourna-t-il à Paris et en d'autres universités d'Europe ; finalement il s'établit dans les Flandres. La réaction catholique de 1543 lui permit de regagner Londres. Il s'y adonna de nouveau à la prédication et commença aussi à écrire. Ses sermons sur l'Eucharistie et un autre en faveur du culte des saintes images suscitèrent contre lui une vive opposition ; nommé à St. Andrew Underschaft en 1547, en butte aux attaques de ses adversaires, qui l'appelaient « daemonicus », et le séjour à Londres n'étant plus sûr pour les catholiques, il repartit vers le continent. En 1553 il est à Louvain, devenu centre de refuge pour beaucoup de catholiques anglais. Il y retrouve la famille et les amis de Thomas More et y entre en contact avec Nicolas Eschius (DS, t. 4, col. 1060-66) grâce à des relations communes. L'accession au trône d'Angleterre en 1553 de Mary Tudor lui permit de regagner Londres et d'y

reprendre son ancien ministère. En 1556 le Maître général des Prêcheurs l'établit prieur du couvent des Black Friars de Londres, transféré à St. Bartholomew the Great, à Smithfield, et il devint aussi vicaire général de l'Ordre en Angleterre. Il mourut en 1558 et fut enseveli le 22 août à St. Bartholomew.

2. On signale trois ÉCRITS de Peryn : 1) Un traité sur la Messe et en faveur de sa fréquente célébration : *De frequenter celebranda missa*, probablement resté manuscrit ; nous ne savons rien de sa publication.

2) Trois sermons sur l'Eucharistie – « *Hoc est Corpus meum...* » – prêchés en 1545 et publiés avec dédicace à l'évêque de Londres, Edm. Bonner, ami de l'auteur : *Three Godlye and notable Sermons of the most honourable Sacrament of the Altar*, Londres, 1546 (rééd. en 1548).

3) L'ouvrage principal, sans conteste, est dédié à deux religieuses, Katherin Palmer et Dorothe Clement, que l'auteur avait spécialement connues à Louvain : *Spirituall Exercises and goostly meditations and a neare waye to come to perfection and life contemplative...*, Londres, 1557 (copie ms intégrale à la bibliothèque S.J. de Chantilly, 348 p.) ; C. Kirchberger en a publié une édition considérablement abrégée dans un anglais modernisé (*Spiritual Exercises...*, cité *infra*).

Est-ce l'ouvrage de Peryn ou celui d'Eschius qui a été traduit en espagnol par le franciscain déchaussé Juan Ximenes (*Exercicios revelados al V.N. Eschio...*, Valence, 1617 ; cf. Sbaralea, t. 2, p. 141) ? On ne sait. On signale aussi une traduction en français par un oratorien en 1669, que nous n'avons pas retrouvée.

3. DOCTRINE SPIRITUELLE. – Le troisième ouvrage mentionné est une traduction adaptée, accompagnée de développements très amples de Peryn et de compléments divers, des *Spiritualia Exercitia* d'Eschius († 1578 ; cf. DS, t. 4, surtout col. 1061 et 1063), avec qui l'auteur fut en contact durant ses séjours à Louvain. Tous deux furent aussi en rapport avec les jésuites.

Eschius, au cours d'une visite à Cologne en août 1543, avait fait les *Exercices* d'Ignace de Loyola sous la direction de Pierre Favre. Ses propres *Exercitia* reflètent sans doute sous quelques aspects l'influence de cette retraite, le texte latin des *Exercices* ignatiens n'ayant pas encore été publié ; il ne le sera qu'en 1548, comme celui des *Exercitia* d'Eschius.

A la traduction un peu condensée du texte de ce dernier – ses quatorze exercices sont ramenés à dix –, Peryn a ajouté de son propre fonds les « *Practises of the Exercises* » d'une grande ampleur. Il y reprend tour à tour chacune des méditations et les rédige d'une manière affective très priante ; elles sont suivies de brèves aspirations. Par ailleurs, à la courte préface où Eschius donne quelques indications sur la méthode à suivre, Peryn a substitué treize *instructions* dans le même but, mais beaucoup plus précises et plus développées, qui font quelque peu songer à nombre de directives données par Ignace dans ses *annotations* initiales, puis ça et là au cours des semaines des *Exercices* : insistance sur la docilité à l'Esprit Saint, recours à un guide approprié, détermination du temps des oraisons, passage des réflexions aux affections goûtées et priantes, persévérance en dépit des sécheresses, adaptation éventuelle du mode de la retraite aux exigences des devoirs d'état... Ce sont ces précisions de méthode, beaucoup plus soulignées que chez Eschius, qui ont suggéré sa dépendance à l'égard d'Ignace : C. Kirchberger tient la chose pour manifeste (p. XIX).

Mais le contenu doctrinal des *Spiritual Exercises* de Peryn, celui aussi des compléments adjoints au terme – quelques 60 pages dans la transcription manuscrite – est dans une autre ligne et fort nette : ils renvoient à la *devotio moderna*, à l'*Imitatio Christi* et au milieu cartusien de Cologne, qui reprend lui-même la tradition brabançonne (Ruusbroec, Herp) et rhénane (Eckhart, Tauler, Suso) (DS, t. 4, col. 1064) ; mais sans aucune servilité, d'une façon adaptée au milieu anglais de l'époque. Aussi a-t-on pu voir dans les *Spiritual Exercises* « un lien, peut-être le seul, entre l'ancienne et la nouvelle littérature ascétique anglaise » (Vincent Mc Nabb, dans C. Kirchberger, p. XII).

Peryn lui-même, à son tour, a influencé d'autres. Ses *Spiritual Exercises*, nous l'avons dit, ont été traduits en espagnol et en français. Ils ont surtout servi de guide à l'archevêque Robert Leighton † 1684, de l'Église épiscopalienne d'Écosse, pour la composition de ses *Rules and Exercises for a Holy Life*, publiés (2 éd.) après sa mort, et fort goûtés par les presbytériens et les anglicans de Grande-Bretagne.

J. Pitseus, *Relationum historicarum de rebus anglicis* I, Paris, 1619, p. 751. – Quétif-Échard, t. 2, 1721, p. 157b. – J. Gillow, *Bibliographical Dictionary of the English Catholics*, t. 5, Londres-New York, 1885, p. 287-88. – DNB, t. 15, p. 931 (art. *Peryn*). – C. Kirchberger, *Spiritual Exercises of a Dominican Friar*, Londres, 1929 (introd.). – A.B. Emden, *A Biographical Register of the University of Oxford, A.D. 1501 to 1540*, Oxford, 1974, p. 444.

DS, t. 1, col. 648 ; t. 5, col. 1515 ; t. 7, col. 362, 364.

Hervé COATHALEM.

**1. PESCH** (CHRISTIAN), jésuite, 1853-1925). – Né à Cologne-Mülheim le 25 mai 1853, entré dans la Compagnie de Jésus en 1869, Christian Pesch fut professeur de théologie dogmatique à Ditton-Hall (Angleterre) de 1884 à 1895, puis à Valkenburg (Pays-Bas) jusqu'en 1912 ; à partir de 1909, il s'attacha surtout à ses publications. Il mourut à Valkenburg le 26 avril 1925.

Pesch introduisit la méthode positive dans la théologie néoscolastique (*Praelectiones dogmaticae*, 9 vol., Fribourg/ Brisgau, 1894-99 ; 6e éd., 1925 ; condensé dans *Compendium theol. dogmaticae*, 4 vol., 1913-14 ; 6e éd., 1940). S'inspirant de Thomas d'Aquin, de Fr. Suárez et de Lugo, il est un théologien important de son temps ; il contribua à limiter en Allemagne l'influence du Modernisme (cf. *Theologische Zeitfragen*, 6 séries, 1900-16).

Parmi ses écrits de type spirituels, on retiendra : *Gott und die Götter* (1890) ; – *Das Sühneleiden unseres göttlichen Erlösers* (1916) ; – *Die hl. Schutzengel* (1917, 1925) ; – *Unser bester Freund* (1920, 1926) ; – *Die selige Jungfrau Maria* (1923, 1925) : toutes ces éd. à Fribourg/Brisgau ; – *Gott, der eine und dreieine* (éd. par H. Dieckmann, Düsseldorf, 1926). – Pesch collabora aussi de 1878 à 1915 aux *Stimmen aus Maria Laach*.

*Mitteilungen aus den Dt. Provinzen der G. J.,* t. 10, Paderborn, 1926, p. 110 svv, 165 svv. – DTC, t. 12/1, 1933, col. 1305-06. – W. Kosch, *Das Kath. Deutschland*, Augs-

bourg, 1933, col. 3486. – L. Koch, *Jesuiten-Lexikon*, Paderborn, 1934, col. 1406. – LTK, t. 8, 1963, col. 309.

Constantin BECKER.

**2. PESCH** (HENRI), jésuite 1854-1926. – Frère cadet de Tilmann (cf. *infra*), Heinrich Pesch, qui fut père spirituel au grand séminaire de Mayence de 1892 à 1900, est surtout connu comme un économiste qui s'efforça, par sa doctrine du solidarisme, d'établir un équilibre entre le collectivisme social ou étatique et l'individualisme libéral ; il se fonde sur les droits et les devoirs de l'homme dans une optique chrétienne : *Liberalismus, Sozialismus und christl. Gesellschaftsordnung* (3 parties, 1899-1901) ; *Ethik und Volkswirthschaft* (1918).

*Staatslexikon der Görresgesellschaft*, 5e éd., t. 4, 1931, col. 132-35. – L. Koch, *Jesuiten-Lexikon*, Paderborn, 1934, col. 1406. – LTK, t. 8, 1963, col. 309. – *Social Order* (St. Louis), t. 1/4, 1951. – F.H. Müller, *H.P. Sein Leben und seine Lehre*, Cologne, 1980. – Cl. Ruhnau, *Der Katholizismus in der sozialen Bewährung*, Paderborn, 1980.

Constantin BECKER.

**3. PESCH** (TILMANN), jésuite, 1836-1899. – Né à Cologne le 1er février 1836, Tilmann Pesch entra le 15 octobre 1852 à Münster dans la Compagnie de Jésus. Après ses études, il enseigna la philosophie à la maison d'études de Maria Laach (1867-69), puis fut prédicateur dans la région d'Aix-la-Chapelle jusqu'à l'expulsion des Jésuites hors d'Allemagne (1871). Il travailla comme écrivain à Tervueren (Pays-Bas) pour les *Stimmen aus Maria Laach* à partir de janvier 1873. De 1873 à 1884, il enseigna la philosophie de la nature et la psychologie. Ensuite il poursuivit son travail d'écrivain à Blijenbeck, Exaten (1889-94) et Valkenburg, où il mourut le 18 octobre 1899.

Pesch fut un travailleur savant et fécond, l'un des plus importants représentants de la néoscolastique à la fin du siècle. Il traça le plan de la *Philosophia Lacensis* et en rédigea huit volumes (Fribourg/ Brisgau, 1880 svv). Comme apologiste, il publia, sous le pseudonyme de Gottlieb, les *Briefe aus Hamburg* (2 vol., Berlin, 1885-89 ; 2e éd. 1903) contre Luther, dont le ton est parfois violent. Doué en de nombreux domaines, Pesch exerça une forte influence comme orateur, prédicateur populaire, conseiller spirituel, et par les retraites qu'il donnait. Ces activités ont inspiré les ouvrages suivants :

*Das religiöse Leben* (Fribourg/Brisgau, 1878 ; 24e éd., 1932) : livre de prières pour chrétiens cultivés. – *Christliche Lebensphilosophie* (1878 ; 23e éd., 1923 ; trad. franç., 2 vol., Paris, 1901). – *Die grossen Welträtsel* (2 vol., 1883-84 ; 3e éd., 1907 ; trad. espagnole, 2 vol., Madrid, 1891-93) : ces « grandes énigmes du monde » présentent une philosophie de la nature combattant le monisme. – *Der Christ im Weltleben und seine kleinen Unvollkommenheiten* (Cologne, 3e éd., 1896 ; 16e éd., 1916) : adaptation de l'ouvrage de A. Baudon, *Lettres à un camarade... sur les petites imperfections chez les chrétiens vivant dans le monde* (Paris, 1863).
*Über die Unsterblichkeit der Seele* (Berlin, 1891). – *Im Dom zu Köln* (1891). – *Aus dem Dunkel zum Licht* (sd = 1893). – *Seele und Leib* (Fulda, 1893).

Hurter, t. 5, 3e éd., 1911, col. 1873-74. – *Stimmen aus Maria Laach*, t. 57, 1899, p. 461-75. – ADB, t. 53, Leipzig, 1907, p. 19-20. – DTC, t. 12/1, 1933, col. 1306. – W. Kosch, *Das Kath. Deutschland*, Augsbourg, 1933, col. 3488. – L. Koch, *Jesuiten-Lexikon*, Paderborn, 1934, col. 1407. – LTK, t. 8, 1936, col. 107 ; 2ᵉ éd., t. 8, 1963, col. 309. – J. de Guibert, *La spiritualité de la Comp. de Jésus*, Rome, 1953, p. 519-20. – DS, t. 6, col. 1167.

Constantin BECKER.

**PETAZZI** (JOSEPH MARIE), jésuite, 1874-1948. – Né à Sesto S. Giovanni (Milan) le 25 mai 1874, d'une famille noble, Giuseppe Maria Petazzi reçut, surtout de sa mère, une excellente éducation. Son frère Francesco sera l'une des figures importantes du clergé lombard. Après des études au collège San Carlo et au séminaire de Milan, Petazzi commença sa théologie à l'Université grégorienne à Rome. Après la deuxième année, il entra au noviciat de la Compagnie de Jésus à Soresina (Crémone ; 1895). Ayant achevé sa formation religieuse (dont 4 années de théologie à Gorizia) et fait sa troisième année de probation (1907) à Sartirana sous Riccardo Friedl † 1917, il enseigna la philosophie aux étudiants jésuites (1908 à Portorè, Croatie ; 1909-10 à Crémone ; 1911-14 à Cividale del Friuli) et collabora avec d'autres professeurs à la publication du *Cursus philosophiae Forojuliensis* (Venise-Cividale-Udine, 1907-1913).

En 1915, après l'entrée en guerre de l'Italie, Petazzi fut envoyé à Venise, où il restera jusqu'en 1932 ; il y fonde et dirige le périodique *Le Missioni della Compagnia di Gesù* (encore existant sous le titre *Popoli e Missioni*) ; il s'occupe de la congrégation mariale des hommes, de l'Apostolat de la prière, et il écrit sur de nombreux sujets spirituels et théologiques. En 1932, à l'occasion du 15ᵉ centenaire du concile d'Éphèse, il fonde l'institut séculier des *Ancelle della Madre di Dio*.

De 1933 à 1941, il est à Trieste, ajoutant à ces ministères celui des exercices spirituels donnés au clergé et aux religieux, créant les *Corsi di cultura religiosa superiore* (dont l'enseignement est imprimé et connaît un vaste rayonnement : 11 vol., Trieste, 1932-1942 ; 2ᵉ éd., Venise-Bergame, 1944-1952 ; *Indice generale*, Milan, 1954). Petazzi fut le premier prêtre italien à donner à la radio des causeries dominicales (1933-1941 ; textes publiés). Il fonda l'œuvre *Le Lampade viventi* destinée à l'adoration du Saint Sacrement (avec une revue, de même titre, encore publiée à Milan) ; il publia aussi, pendant un temps, la revue *Le Lampade del Getsemani* pour les malades.

En 1942, par suite de la guerre, il vécut à Milan, puis à Triuggio, enfin à Venise ; à Milan il dirigea quelque temps la revue *Letture*. Enfin, malade, il fut accueilli par l'institut qu'il avait fondé, à Trieste, et y mourut le 29 novembre 1948.

Les nombreux ouvrages publiés par Petazzi peuvent être distribués en deux séries, les livres de type savant et les publications spirituelles de vulgarisation.

1) *Univocità od analogia ?*, Florence, 1911, 1914 ; – *Analisi psicologica dell'atto di fede*, Vicence, 1912, 1927 ; Trieste, 1933 ; – *L'essenza del sacrificio eucaristico*, Padoue, 1936 ; – etc.

2) Parmi les ouvrages de vulgarisation, au style simple et abondant, on retiendra : *Cuore di Madre*, Milan, 1911, 1912 ; Venise, 1923 ; – *Il testamento di Gesù* (méditations sur *Jean* 14), 3 vol., Milan, 1913-1914 (8ᵉ éd., 1951-52) ; – *Consoliamo il Cuore di Gesù*, 3ᵉ éd., Milan, 1929 ; – *La preghiera sacerdotale*

*di Gesù...*, Milan, 1932 (trad. franç., 3ᵉ éd., Tournai, 1946) ; – *L'ora santa* (52 schémas de méditations pour les jeudis de l'année), Milan, 1933, 1935 (trad. espag., Barcelone, 1936) ; – *Ripariamo ! (la réparation selon l'encyclique Miserentissimus Redemptor)*, Milan, 1933, 1950 ; – *L'orologio di Gesù*, Vicence, 1933, 1936, 1948.

*Il mistero della Compagnia di Gesù* (inspiré par l'enseignement de R. Friedl), Milan, 1934 ; – *Panis Angelicus ossia il sacramento della verginità*, 4ᵉ éd., Milan, 1934 ; 14ᵉ éd., 1956 ; – *La Santa Messa*, Gorizia, 1934 ; – *La Confessione*, Gorizia, 1934 ; – *Il Prete*, Padoue, 1935, 1943 ; – *Il santuario domestico* (conférences), 3 vol., Trieste, 1936 ; – *Carmi divini* (brèves méditations sur les Psaumes pour chaque jour de l'année), Naples, 1937 ; – *Introibo ad altare Dei* (méditations eucharistiques), Florence, 1937 ; – *In montem excelsum seorsum* (retraite pour les clercs), 3ᵉ éd., Florence, 1938 ; – *Elevazioni sulla S. Messa*, Milan et Florence, 1938 ; – *Il Cuore Immacolato di Maria SS.* (méditations sur la doctrine mariale de Grignion de Montfort), Milan, 1947 ; – *L'apostolato della preghiera*, Milan, 1950.

On peut ajouter encore : *La mistica sete nel cuore di un apostolo e d'una vergine* (François Xavier et Gemma Galgani), Milan, 1909 ; Trieste, 1933 (trad. portug., São Paulo, 1933) ; – *Le Lampade viventi*, Vicence, 1932 ; – *Manualetto delle Lampade viventi*, Milan, 1954 ; – *Il piccolo catechismo delle Lampade del Getsemani*, Venise, 1944 ; – *Le Lampade del Getsemani*, Milan, 1954.

Archives jésuites du Nord-Est de l'Italie (Gallarate, Varese) : « Petazzi », II, 4 (15 septembre 1907).

C. Morelli et G.D. Della Bona, *Istoria della Contea di Gorizia*, 4 vol., Gorizia, 1855 (rééd. anast. 1977) : voir au mot Petazzi, t. 1, p. 127 ; t. 2, p. 21-22, 160 ; t. 4, p. 152. – *P.G.M. Petazzi...*, Trieste, 1949. – G. Mellinato, *P.G. Petazzi...*, dans *L'Osservatore Romano*, 1ᵉʳ février, 1974. – P. Zovatto et P.A. Passolunghi, *Bibliografia storico-religiosa su Trieste e l'Istria 1864-1974*, Rome, 1978, p. 40. – P. Zovatto, *Pia Rimini 1938-1945*, Cittadella, 1978, p. 41 ; *Cattolicesimo a Trieste*, Trieste, 1980, p. 40. – *Ricerche religiose del Friuli e dell'Istria*, Rome, 1981, p. 180. – *Vita Nuova* (hebdomadaire), n. du 16 octobre 1981 : Commemorazione cinquantenaria di P.P.

DIP, t. 1, 1973, col. 578 (*Ancelle della Madre di Dio*) ; t. 6, 1980, col. 1525 (*Petazzi*). – F. Mandelli, *Figure di preti ambrosiani*, Milan, 1980, p. 253-62 : Mons. Francesco Petazzi.

Giuseppe MELLINATO.

**PETERS** (GERLAC), chanoine régulier, 1378-1411. – 1. *Vie.* – 2. *Œuvres.* – 3. *Spiritualité.*

1. VIE. – Né à Deventer en 1378, Gerlac Peters fut élève à l'école de la ville. Sous l'influence de Florent Radewijns (DS, t. 5, col. 427-34), il entra au monastère des chanoines réguliers de Windesheim. A cause de sa myopie, son ordination et sa profession furent très retardées. Ses dernières années furent marquées par de terribles souffrances dues à la lithiase, maladie dont il mourut en 1411.

2. ŒUVRES. – Nous gardons de Peters deux lettres en moyen néerlandais adressées à sa sœur Lubbe Peters, économe des Sœurs de la Vie Commune qui habitaient la maison de Gérard Groote (DS, t. 6, col. 265-74), et deux traités en latin : *Breviloquium* et *Soliloquium*.

La première lettre et le *Breviloquium*, qui ont plusieurs passages communs, contiennent des considérations mystiques mêlées à des exhortations ascétiques ; Gerlac y montre un sens de la mesure et de l'équilibre qui n'était pas l'apanage de tous ses confrères. La seconde lettre et le *Soliloquium* ont un accent décidément mystique.

On sait que le *Soliloquium* a été rédigé dans sa forme actuelle par Jean Scutken, confrère et ami de Gerlac à partir des notes personnelles de ce dernier. Un travail analogue pourrait avoir été fait sur le *Breviloquium*.

Le ms Liège, Bibl. publique André Minon, Section historique, 6 M 14 attribue un traité *De vera resignatione sui* à Peters ; il s'agit peut-être du ch. 23 du *Soliloquium*.

Pour les mss et les éd. et trad., voir *Petri Trudonensis catalogus scriptorum Windeshemensium*, éd. W. Lourdaux et E. Persoons, Louvain, 1968, p. 46-51.

L'éd. princeps du *Soliloquium* (*Alter Thomas de Kempis sive ignotum cum Deo soliloquium*) parut à Cologne en 1616 ; – Naples, 1634 ; – éd. par P. Poiret dans sa *Sacra orationis theologia* (Amsterdam, 1711) d'après une éd. parisienne faite par un Génovéfain en 1659 ; – par J. Strange, Cologne, 1849 (d'après celle de 1616).

Trad. en néerlandais par Jean de Gorcum † 1572, Utrecht, 1580 ; Bois-le-Duc, 1613 et 1621 ; Utrecht, 1620 ; Anvers, 1624 et 1644 ; Gand, 1633 et 1700 ; par A. Bellemans, Hasselt, 1947. – En italien : Rome-Naples, 1653. – En français : Paris, 1667 ; par E. Assemaine, Saint-Maximin (1921) et Paris, 1936 ; extraits par M. Michelet dans *Le Rhin mystique*, Paris, 1960, p. 325-40. – En espagnol, Barcelone, 1685. – En anglais, Londres-New York, 1872 ; Londres, 1920. – En allemand, dernière trad. par J. Weismayer, dans *Jahrbuch für mystische Theologie*, 1960, n. 2, p. 5-83.

*Breviloquium* : extraits publiés par W. Moll (cité *infra*), p. 174-99. – Trad. franç. d'extraits par M. Michelet (cité *supra*),p. 307-23.

Lettres : éd. par W. Moll (cité *infra*), p. 202-14 et 218-29.

3. SPIRITUALITÉ. – Comme l'a montré A. Deblaere (art. cité *infra*), Gerlac est un disciple à la fois fidèle et original de Jean Ruusbroec (DS, t. 8, col. 659-97). Puisque l'Image de Dieu est au plus profond de l'âme, la croissance spirituelle consiste en la réalisation de la ressemblance avec Dieu. Le développement de la vie intérieure se fait par l'introversion dans le fond de l'âme et l'unification des facultés sous l'emprise de la grâce. Cette vie ne se réalise que par l'abnégation totale du moi en tant que principe de notre activité et par l'accueil d'un nouveau principe : la volonté du Bien-Aimé. Ainsi l'homme devient de plus en plus semblable au Christ. L'authenticité de la vie spirituelle se mesure par la participation à l'amour débordant de Dieu. Le vrai mystique, vivant de Dieu et pour lui, atteint et aime toute créature : « continue oporteat nos effluere cum Jesu in omnem creaturam ; non potest non effluere et non amare ; continue effluere et omnibus communicare » (*Sol.*, ch. 36)

A cette reprise de la synthèse ruusbroeckienne Gerlac apporte quelques nuances personnelles, dues à son tempérament doux qui lui fait éviter toute polémique, à la menace de cécité qui l'induit à choisir la lumière et la vue comme images favorites, et à la maladie pénible qui le fit tant souffrir. Mais son originalité consiste beaucoup plus dans le fait qu'il introduisit dans la littérature spirituelle des Pays-Bas un élément qui doit jouer continuellement dans la vie intérieure : le discernement des esprits.

Gerlac reconnaît les illusions au rétrécissement de la conscience, au resserrement de l'intérêt pour la vie ; l'élargissement de l'esprit et du cœur est au contraire

marque d'authenticité. A la prière simple Dieu répond en donnant la grâce d'une qualité nouvelle d'être, qualité qui donne le critère pour juger des pensées, des attitudes intérieures, des pratiques : tout ce qui inquiète et oppresse l'âme, aussi bon qu'il paraisse, est signe qu'on ne vit pas dans la volonté de Dieu. Si l'esprit ne sait pas continuellement respirer dans cet espace grandiose, c'est parce que le moi a construit autour de lui une étroite cellule et s'est isolé de l'espace divin : « Quod non possum sequi altitudinem, latitudinem, profunditatem, incomprehensibilitatem, et pervenire in spatiositatem supremae affectivae latissime excedentem innumeris modis universam creationem, signum est quod adhuc detineor et constringor propria quaesitione mei ipsius » (*Sol.*, ch. 8).

Ce moi doit donc être dépouillé de sa maîtrise sur les décisions ; ce qui implique une désappropriation au sens vrai du mot. Telle est la pauvreté spirituelle, seule clef ouvrant la porte sur la vraie liberté : « pauper existens, in magna interiori latitudine » (ch. 1).

La faculté de discerner les esprits naît et se développe à partir de la vérité vécue, c'est-à-dire l'engagement sans illusion pour la volonté du Bien-Aimé : « Oportet hominem semper deficere in se, et convalescere in Domino, et frequenter omnia pro omni dare, si noluerit angustiari » (ch. 10). Mais parce que le moi aspire à jouir de cette liberté promise, il sera tenté de réaliser lui-même cette désappropriation : c'est l'illusion la plus subtile et la plus fréquente de qui aspire à Dieu. A cette tentation, Gerlac oppose l'annihilation, non de la personne humaine, mais de la tyrannie oppressante et toujours renaissante du moi : « funditus nos ipsos annihilantes... ut omnis libertas et securitas nostra ex nullo alio veniat quam ex profunda humilitate, ex abnegatione nostri ipsorum et ex conformitate aeternae et incommutabilis veritatis » (ch. 27).

Vivre dans cette liberté et cet épanouissement dans l'espace de Dieu, c'est être rendu semblable au Christ, mais au Christ crucifié ; la croix est dépossession de soi. Vouloir posséder la vie, qui est fondamentalement don et ne devient pleinement vie que lorsqu'elle est reçue, apporte avec soi amertume et angoisse. L'homme dévot qui accepte la croix mais avec l'intention et le désir de jouir de la liberté de la vraie vie et de sa richesse ne trouvera que la solitude et l'angoisse de la souffrance stérile : « Quod si idcirco quis crucem Domini amaverit, quia securitas multa, libertas et latitudo in ea sunt, non sincere amat, sed in hoc ipso ab ea declinat » (ch. 12). Les textes de Gerlac sur l'éminence de la croix sont parmi ses plus beaux.

W. Moll, *Gerlach Peters en zijne schriften. Eene bijdrage tot de kennis van den letter-arbeid der school van Geert Groote en Florens Radewijns*, dans *Kerkhistorisch Archief*, t. 2, 1859, p. 145-246. – L. Reypens, *Le sommet de la contemplation mystique*, RAM, t. 5, 1924, p. 33-43 ; sur le traducteur Jean de Gorcum, OGE, t. 24, 1950, p. 394-97. – J.J. Mak, *De Dietse vertaling van G. P. Soliloquium*, Utrecht, 1936. – St. Axters, *Geschiedenis van de vroomheid in de Nederlanden*, t. 3, Anvers, 1956, p. 144-46 et *passim*. – J. Weismayer, *Die geistliche Lehre des G.P. Ein Beitrag zum Problemkreis der Devotio Moderna*, Vienne, 1961. – A. Deblaere, *G. P. Mysticus van de « onderscheiding der geesten »*, dans *Liber alumnorum Pr. Dr. E. Rombauts*, Louvain, 1968, p. 95-109.

DS, t. 1, col. 3, 1207 ; – t. 2, col. 472, 2009 (*Contemplation*) ; – t. 3, col. 732, 739 (*Dieu*), 1344 (*Dissemblance*) ; –

t. 4, col. 1926 ; – t. 5, col. 260, 951 ; – t. 7, col. 222, 1023, 1871 ; – t. 8, col. 539, 607, 695 ; – t. 10, col. 917, 1518.

Guido de Baere.

**PETERSEN** (Jean Guillaume), théologien piétiste radical, 1649-1726. – 1. *Vie.* – 2. *Œuvres.*

1. Vie. – Johann Wilhelm Petersen naquit le 1er juin 1649 à Osnabrück, peu après la signature de la paix de Westphalie aux pourparlers de laquelle son père avait pris part comme juriste.

L'enfant grandit dans la maison de ses pieux parents à Lubeck et se montra un élève doué. Des professeurs luthériens orthodoxes marquèrent sa formation théologique, à Giessen à partir de 1669, puis à Rostock ; mais, étudiant, il lisait déjà des spiritualistes protestants, comme J. Böhme. Pendant son séjour à Rostock, la faculté de philosophie de Giessen lui accorda le titre de *magister*. Revenu à Giessen (1673), il eut des débats critiques contre le Socinianisme et le Catholicisme, enseigna comme *magister legens* le Droit naturel (H. Grotius) et composa des écrits polémiques contre la doctrine réformée de la prédestination.

Vers 1675, Petersen rencontra à Francfort Ph. J. Spener (1635-1705) et ses compagnons piétistes, parmi lesquels J.J. Schütz et Johanna Eleonora von Merlau (1644-1724) qui deviendra sa femme. Ces contacts marqueront durablement sa piété personnelle et ses conceptions théologiques : il devint un partisan résolu de « l'espérance de temps meilleurs pour l'Église », attendant l'avènement d'un temps de grâce dès avant la fin du monde, la chute de la Papauté et la conversion des Juifs. Il était convaincu que cet eschatologisme était fondamental pour le piétisme luthérien ; cette conviction, du côté du Luthéranisme orthodoxe, était attaquée comme un « sublime chiliasme ».

En 1677, Petersen retourna à Lubeck et y exerça un ministère spirituel ; une polémique contre le célibat lui attira les attaques des chanoines. Après des courts intermèdes comme professeur de poésie à Rostock et comme pasteur de l'Aegidienkirche à Hanovre, il fut durant dix ans (1678-1688) surintendant à Eutin (évêché de Lubeck) et prédicateur à la cour princière. Son mariage avec J.E. von Merlau (à Francfort le 7 septembre 1680, présidé par Spener) est important pour l'évolution ultérieure de Petersen ; sa femme était très religieuse, de tendance visionnaire et piétiste ; elle eut une réelle activité littéraire. Le couple travailla en étroite union et l'influence reçue par Petersen de par sa femme ne doit pas être sous-estimée.

L'année 1685 fut importante : tous deux, étudiant l'*Apocalypse*, furent favorisés d'une grâce divine, chacun indépendamment de l'autre et de manière concordante, qui les éclaira sur la juste intelligence de ce livre et sur la signification des mille ans dont il est question au ch. 20. Les Petersen comprirent ces lumières comme donnant l'espérance de « temps meilleurs » et donc une conception chiliaste de l'histoire du salut : le millenium à venir est préalable à la réalisation du salut ; la « première résurrection » des élus est imminente ; l'Église d'en haut, céleste, est séparée de celle d'en bas, terrestre, au cours du millenium.

Petersen, promu docteur en théologie à Rostock en 1686, accepta en 1688 de devenir le successeur de C.H. Sandhagen † 1697 dans sa charge de surintendant à Lunebourg ; ce dernier était un propagandiste modéré de « l'espérance de temps meilleurs ». L'entrée en fonction traîna par suite de son changement d'avis. Une fois en fonction, Petersen acquit assez vite la réputation d'être « turbator Ecclesiae Luneburgicae », entre autres raisons à cause de son chiliasme. Le consistoire de Celle reçut des plaintes ; il acquitta Petersen, mais lui fit obligation de se taire en chaire sur la question du millenium. Petersen ne s'appuyait plus seulement sur son exégèse de l'*Apocalypse*, mais aussi sur la jeune Juliane R. von Asseburg (née en 1672) qui prétendait avoir des révélations divines. Cette situation amena la destitution de Petersen et son bannissement (début de 1692).

Soutenu par d'influents protecteurs, Petersen devint alors régisseur et précepteur privé près de Magdebourg, puis à Niederdodeleben, enfin à la propriété Thymer près de Zerbst à partir de 1708 (sauf les trois dernières années de sa vie). C'est à partir de sa destitution que Petersen connut la période littérairement la plus féconde de sa vie. Ses idées trouvèrent rapidement des adeptes en Angleterre, en France, aux Pays-Bas ; lui-même les propagea au cours de quelques voyages en Allemagne du sud (surtout Wurtemberg) et en Silésie et par une intense correspondance.

Influencé aussi par la mystique anglaise J. Lead, disciple de Böhme, dont les idées « philadelphiques » reçurent son appui, Petersen radicalisa encore plus sa conception eschatologique : à partir des années 1695, il présenta l'*Apokatastasis pantôn* comme la perspective ultime de l'histoire du salut, contestant l'éternité des peines de l'enfer, affirmant que le but des « éons » et de l'économie salvatrice était la participation de tout le cosmos au salut divin, y compris Satan.

La cohérence de sa doctrine reposait en partie sur la conception d'un « état intermédiaire après la mort » et de la purification qui s'y opérait (lointainement analogue au purgatoire) ; cette conception fut d'abord présentée par Johanna Eleonora dans *Das ewige Evangelium* (1698). L'organisation de la pensée de Petersen autour de l'idée centrale de l'apocatastase amena le développement de motifs mystiques et théosophiques (le Christ « lumière naturelle » en tout homme, spéculations sur la Sophia) ; d'une grande portée fut sa conviction de la Divinité-Humanité de Jésus préexistant au monde : la « pure » divinité du Fils s'était unie à l'humanité avant même la création ; ce Dieu-Homme préexistant était « le premier-né de toutes les créatures ». Les doctrines de l'apocatastase et du Premier-né étaient selon Petersen propres à surmonter les controverses entre les Confessions chrétiennes.

Les idées de Petersen apparaissent de bien des manières aux 17e et 18e siècles, indépendamment de la systématisation qu'il leur donna. On ne le compte pas parmi les critiques spiritualistes extrêmes des institutions ecclésiastiques, mais le Piétisme radical et séparatiste a grandement été marqué par son influence, par exemple au Wurtemberg. Il faut ici situer les relations de Petersen avec G. Arnold. Notre auteur eut aussi des contacts avec le Piétisme d'Église ; Spener prit fréquemment la défense de Petersen ; A.H. Francke subit longtemps son influence. Voir art. *Piétisme, infra.*

Petersen mourut le 31 décembre 1726, et non pas le 31 janvier 1727 comme l'a dit Walch (t. 2, p. 588 ; cf. Wotschke, p. 385).

2. Œuvres. – Petersen a laissé plus de cent ouvrages : controverse sur les doctrines eschato-

logiques, exégèse, mystique, poèmes religieux. Nous nous arrêterons aux plus caractéristiques.

1° Sur la vie de Petersen et sa théologie, son auto-biographie (*Das Leben Jo. Wilhelmi Petersen...*, s 1, 1717, 1719) et celle de sa femme (*Leben Frauen Joh. Eleonora Petersen...*, s 1, 1718, 1719) donnent bien des renseignements. Le poète G. Freytag en a donné des extraits dans *Bilder aus der deutschen Vergangenheit* (5e éd., t. 4, Leipzig, 1867).

L'autobiographie de Petersen comporte une abondante bibliographie de ses œuvres (p. 368-394); de même les ouvrages de Walch, Jöcher-Rothermund et Nordmann (cf. Bibliographie).

2° *Écrits chiliastiques.* – *Schrifftmässige Erklährung und Beweiss der Tausend Jahre...* (Francfort/Main, 1692); – *Nubes testium de regno Christi glorioso...* (3 vol., *ibidem*, 1696). – En un sens large, appartiennent encore à ce genre l'écrit apologétique en faveur de J.R. von Asseburg: *Send-Schreiben An einige Theologos... ob Gott... heutiges Tages... sich offenbaren wolle...? Sampt einer Specie facti von einem Adelichen Fraülein...* (s 1, 1691; en anglais, Londres, 1695).

3° La doctrine de l'apocatastase, dont la plupart de ses partisans comme de ses adversaires rapportent le mérite à Petersen, est son « opus magnum ». Fondée sur la Bible et défendue par des témoignages tirés de l'histoire de l'Église, elle est exposée dans *Mystèrion apokatastaseôs pantôn* (3 vol., s 1, 1700-1710). Le premier volume, anonyme, reprend (p. 1-32) *Das ewige Evangelium* publié par Johanna Eleonora en 1698; les vol. 2-3 contiennent déjà des justifications contre les attaques violentes suscitées par le premier.

4° Ont un contenu fortement mystico-théosophique: *Das Geheimniss des Erst-Gebohrnen aller Creaturen...* (Francfort/Main, 1711), *Petachia, oder Schrifftmässige Erklährung des... Buchs der Weisheit Salomonis, da die allertheuersten... Geheimnisse von der göttlichen Sophia und der Alles wiederbringenden Liebes-Krafft erläutert... werden* (Büdingen, 1727).

5° En tant que poète, Petersen a surtout laissé une ample épopée en vers latins: *Uranias, qua opera Dei... usque ad apocatastasin... per spiritum primogeniti... carmine heroico celebrantur* (Francfort/Main-Leipzig, 1720). L'ouvrage, qui embrasse tout le plan divin depuis la préexistence jusqu'à la récapitulation, est un résumé de l'ensemble de sa doctrine. Il a intéressé G.W. Leibniz, qui l'a corrigé de sa main. Petersen a aussi laissé des Psaumes, loués par G.E. Lessing.

J.G. Walch, *Hist. und Theol. Einleitung in die Religions-Streitigkeiten der Evang.-Luther. Kirche*, t. 2, 2e éd., Iéna, 1733 (= Stuttgart, 1972), p. 586-664; t. 5, 1739, p. 957-73. – Kürschner, *Dr. J.W. P., ein theol. Lebensbild aus der Zeit des Pietismus*, Eutin, 1862. – A. Ritschl, *Geschichte des Pietismus*, t. 2, Bonn, 1884 (= Berlin, 1966), p. 225-49.

W. Nordmann, *Die theol. Gedankenwelt in der Eschatologie des Ehepaares Petersen* (Inauguraldissert., Berlin, 1929); *Die Eschatologie des Ehepaares Petersen, ihre Entwicklung und Auflösung*, dans *Zeitschrift d. Vereins für Kirchengeschichte der Provinz Sachsen...*, t. 26, 1930, p. 83-108; t. 27, 1931, p. 1-19; *Im Widerstreit von Mystik und Föderalismus...*, dans *Zeitschrift für Kirchengeschichte*, t. 50, 1931, p. 146-85. – Th. Wotschke, *J.W. Petersen und die hallischen Theologen*, ibidem, t. 49, 1930, p. 382-85.

K. Lüthi, *Die Erörterung der Allversöhnungslehre durch das pietistische Ehepaar J.W. und J.E. Petersen*, dans *Theologische Zeitschrift* (Bâle), t. 12, 1956, p. 362-77. – E. Staehelin, *Die Verkündigung des Reiches Gottes in der Kirche Jesu Christi*, t. 5, Bâle, 1959, p. 237-54. – B. Neveux, *Vie spirituelle et vie sociale entre Rhin et Baltique au 17e siècle*, Paris, 1967 (table, p. 905). – G. von Graevenitz, *Innerlichkeit und Oeffentlichkeit. Aspekte deutscher 'bürgerlicher' Literatur im frühen 18. Jahrhundert*, dans *Deutsche Vierteljahrsschrift für Literaturwissenschaft...*, t. 49, 1975, surtout p. 20-34.

M. Schmidt, *Bibl.-apokalyptische Frömmigkeit im pietistischen Adel. J.E. Petersen' Auslegung der Johannesapokalypse*, dans *Text-Wort-Glaube, K. Aland gewidmet*, éd. par M. Brecht, Berlin-New York, 1980, p. 344-58. – E.A. Schering, *J.W. und J.E. Petersen*, dans *Orthodoxie und Pietismus, Gestalten der Kirchengeschichte* 7, éd. par M. Greschat, Stuttgart-Berlin, 1982, p. 225-39. – F. Groth, *Die Wiederbringung aller Dinge im württembergischen Pietismus* (Arbeiten zur Geschichte des Pietismus 21), Göttingen, 1984, p. 38-51.

Chr. G. Jöcher, *Allgemeines Gelehrten-Lexicon*, t. 3, Leipzig, 1751 (= Hildesheim, 1961), col. 1421-24; t. 5, par J. Chr. Rothermund, Brême, 1816, col. 1993-98. – RE, t. 11, Leipzig, 1883, p. 499-505 (presque identique dans 3e éd., t. 15, 1904, p. 169-75). – ADB, t. 25, Berlin, 1887 (= 1970), p. 508-15. – *Schleswig-Holsteinisches Biographisches Lexikon*, t. 5, Neumünster, 1979, p. 202-06.

Friedhelm GROTH.

**1. PETIT** (ADOLPHE), jésuite, 1822-1914. – Né à Gand (Belgique) le 22 mai 1822, orphelin dès le berceau, Adolphe Petit étudia au collège des Jésuites de la ville et entra au noviciat de Drongen (Tronchiennes, près de Gand) le 22 septembre 1842. Il enseigna les humanités à Namur (1844-1845) et à Anvers (1847-1852); il fit ses études de philosophie à Namur (1845-1847), puis de théologie à Louvain (1852-1856) où il fut ordonné prêtre le 15 septembre 1855. Après sa troisième année de probation (1856-1857), il enseigna la rhétorique à Bruxelles (1857-1860), puis la philosophie, les sciences et les mathématiques à Namur (1860-1865) où il était en même temps directeur spirituel des jeunes jésuites étudiant la philosophie et préfet général des études de 1862 à 1865.

Nommé instructeur du Troisième An à Drongen, il occupa la charge pendant vingt ans (1865-1885), fut recteur de la maison de 1870 à 1875 et y resta jusqu'à sa mort. Depuis son arrivée à Drongen et jusqu'à l'âge de quatre-vingts ans, il ne cessa de prêcher des retraites en Belgique et en France pour les auditoires les plus divers. Ardent promoteur de l'Œuvre des Retraites et de l'Union apostolique, il fonda encore à Bruxelles l'Œuvre du Calvaire pour les cancéreuses. Il mourut paisiblement à Drongen le 20 mai 1914 après avoir prédit la Première Guerre mondiale. La cause de sa béatification est en cours.

L'œuvre de Petit est essentiellement spirituelle. En voici l'énoncé: *Sacerdos rite institutus* (5 vol., Bruges, 1880-1898; index analyticus, 1903; diverses rééd. partielles; 8e éd., 5 vol. et index, 1932). – *Templum spirituale sacerdotis*, 2 vol., Bruges, 1902, 1907. – *Mon Navire, Souvenirs de mes Retraites*, Lille, 1912 (éd. par R. de Kinder, Paris, 1933; trad. néerlandaise, italienne, hongroise, japonaise). – Il réédita et préfaça *Les prérogatives de saint Joseph* (1648) du jésuite Turrien le Fèbvre (Lille, 1888; trad. néerlandaise *De Voorrechten van de grote H. Jozef*, coll. Smalle Boekjes 131, 1954).

Le Secrétariat de la Vice-Postulation (Drongen, Belgique) détient encore des manuscrits: une *Retraite de trente jours* (notes d'un retraitant), une *Historia vocationis* (dactylographiée), des retraites et récollections (dactylographiées), diverses lettres (manuscrites et photocopiées).

La doctrine spirituelle de A. Petit irradie de son œuvre. Homme de Dieu, uni à Dieu, sa vie était liée au tabernacle, « la demeure du bon Maître, du Grand Ami ». Là, il s'effaçait, se faisait tout petit et parlait à Dieu avec la candeur d'un enfant. Près du tabernacle, il retrouvait Marie qui, après Jésus, était tout pour lui et le « grand saint Joseph qui peut tout ». Jamais, il ne les séparait dans sa piété ; partout où il était, sa prière s'adressait à eux et leur triple présence nourrissait et expliquait son recueillement. L'innocence de son âme l'ouvrait à la lumière où rayonnent les choses invisibles et les réalités surnaturelles, comme à l'amour du devoir et de la Croix.

Toujours recueilli, il savait accueillir autrui avec le sourire et une absolue disponibilité. Il se donnait à chacun parce que lui-même n'appartenait qu'à Dieu, et il aimait chacun parce qu'il voulait le remplir de tout l'amour divin dont il vivait. Il eut le don d'attirer les âmes, de les émouvoir, de les porter à la confiance ; tout en lui prêchait l'amour du Bon Maître, élevait, fortifiait, rendait saintement heureux. Cette spiritualité du bonheur, où une note salésienne imprégnait l'esprit ignatien, a été, là où il passait, particulièrement en Belgique, un bienfait de Dieu, car la grande majorité de ses auditeurs étaient eux-mêmes, dans leur milieu, des animateurs de vie chrétienne. On a comparé le Père Petit à Jean XXIII. A juste titre : tous deux ont suscité, dans leur sphère respective, une affection unanime.

Les Actes du procès de béatification introduit à Gand et à Rome sont au Secrétariat de la Vice-Postulation (Drongen, Belgique), de même qu'une étude manuscrite par R. de Kinder, *Une spiritualité du bonheur*, et divers articles extraits de revues.

Biographies françaises : E. Laveille, *Le Père Adolphe Petit*, coll. Museum Lessianum 24, Louvain, 1927 (trad. espagnole, italienne) ; *Un semeur de joie, le Père Petit*, coll. Museum Lessianum 41, Paris-Bruxelles, 1935 (4ᵉ éd., 1954). – J. du Parc, *Le bon Père Petit*, Bruxelles, 1934. – H. Davignon, *La simple histoire du bon Père Petit*, Paris, 1938. – G. Guitton, *Un charmeur, le Père Petit*, Paris, 1950.

Biographies néerlandaises : J. van Mierlo, *De Dienaar Gods A. Petit, Apostel van de goede Meester*, éd. Bode van H. Hart, Lierre, 1932, 1939.– P. Peeters, *Een apostel van de goede Meester*, 's Hertogenbosch, 1933. – C. Ibelings, *Paterke Petit*, Lierre, 1946. – L. Endrödy, *In het licht van de goede Meester*, Bruges, 1962 (trad. hongroise, japonaise, italienne). – Biographies anglaises : *The good Master's Apostle*, A memoir of P. Ad. Petit, Londres, 1932. – J. Maxwell, *The happy Ascetic*, New York, 1936. – L. Endrödy, *Hope unlimited*, St.Pauls Edition, 1962.

Biographies allemandes : C. Haggeney, *Adolf Petit s.j., Triumph priesterlicher Güte*, Sarrebruck, 1940. – L. Endrödy, *Das lächelnde Leben des P. Petit*, Fribourg, 1950.

Biographie espagnole : L. Endrödy, *La vida sonriente del Padre Petit*, Bilbao, 1947.

LTK, t. 8, 1963, col. 322. – BS, t. 10, 1968, col. 506-9. – DS, t. 1, col. 1045, 1683 ; t. 3, col. 1139 ; t. 5, col. 983 ; t. 9, col. 268 ; t. 10, col. 297, 1039.

Jean ROLLIER.

**2. PETIT** (PARVI ; GUILLAUME), frère prêcheur, évêque, † 1536. – Né à Montivilliers (Seine-Maritime) vers 1440 (?), Guillaume Parvi ou Petit (les documents contemporains rédigés en français emploient

les deux formes du patronyme) ne semble pas avoir eu quelque parenté avec l'imprimeur parisien Jean Petit, contrairement à ce qui a été répété par plusieurs auteurs à la suite d'une hypothèse émise par Guillaume Budé.

La date habituellement proposée, 1480, pour la profession religieuse de Guillaume au couvent dominicain de Rouen est aussi conjoncturale que celle de sa naissance. De Rouen le jeune dominicain est envoyé à Saint-Jacques de Paris, où il participe à un exercice académique la veille de la Trinité en 1498, est reçu à la licence le 14 février 1501, est promu docteur le 23 juin 1502.

Le couvent Saint-Jacques amorce alors un nouvel essor de vie régulière et studieuse dans le cadre de la Congrégation réformée dite « de Hollande » (DS, t. 5, col. 1504), particulièrement autour de Jean Clérée, qui sera maître de l'ordre en juin 1507 ; Guillaume Petit apparaît assez rapidement comme un des animateurs de ce mouvement. Ainsi s'expliquent son élection comme prieur conventuel à Évreux en septembre 1506, puis à Blois en septembre 1508, mais surtout sa promotion par le chapitre général de Pavie (13 juin 1507) comme Inquisiteur de la foi dans le royaume de France.

Après le décès de l'évêque de Marseille, le dominicain Antoine du Four, au cours de l'expédition de Louis XII en Italie (juin 1509), Petit est appelé à lui succéder dans la charge de confesseur du roi ; maintenu dans cette fonction en 1515 par François Iᵉʳ, il la conservera jusqu'à sa mort. Ces positions officielles ne font que renforcer l'influence du dominicain dont on retrouve le nom dans l'histoire de diverses réformes, celles de l'Hôtel-Dieu de Paris (1505) et de l'abbaye de Saint-Germain-des-Prés avec G. Briçonnet (1513), et plus particulièrement dans les démêlés internes de l'ordre dominicain en 1514, principalement autour du monastère de Poissy.

Ayant assisté à son lit de mort (janvier 1514) la reine Anne de Bretagne, il prononce son oraison funèbre à Blois, à Notre-Dame de Paris, à la basilique de Saint-Denis, en février 1514 ; ainsi prêchera-t-il encore au service solennel pour l'empereur Maximilien (21 févr. 1519), pour la reine Louise de Savoie (1531). Le confesseur du roi prêche aussi aux grandes processions prescrites pour l'armée de François Iᵉʳ en difficulté à Milan (11 mars 1524), pour le roi lui-même fait prisonnier (1ᵉʳ févr. 1525), etc.

Petit appartient au monde des grands humanistes éditeurs de textes. D'assez nombreuses publications lui sont dédiées par éditeurs ou imprimeurs, surtout en raison de ses initiatives, de ses découvertes et collations de textes, de sa participation active au travail.

Ainsi l'imprimeur parisien Josse Bade lui dédie-t-il en 1509 les *Rapsodiae historiarum* de Sabellicus, – en 1511 les lettres du pape saint Léon, – en 1512 les *Antiquitates* d'Annius de Viterbe, le *de Voluptate* de Laurent Valla, les œuvres d'Origène, les *Historiae* de Grégoire de Tours, – en 1514 le *de deliciis sensibilibus paradisi* de Bartholomaeus Rimbertinus, les ouvrages historiques d'Aimon de Fleury, Paul Diacre, Luitprand, – en 1516 les lettres et poèmes de Paulin de Nole. Josse Clichtove, qu'il a aidé pour son édition de l'*Historia persecutionis Africe* de Victor de Vita (1510) et des sermons de Césaire aux moines de Lérins (1511), lui dédie son *Dogma moralium philosophorum* (1511) ainsi que le commentaire d'Origène sur le *Lévitique* (encore attribué à Cyrille d'Alexandrie) (1514). C'est également à Guillaume Petit que Lefèvre d'Étaple dédie le *Contra sectam mahumeticam* de Ricoldo de Monte Croce (1509, 1511).

Le nom de l'humaniste dominicain est lié à la publication de *Questions* de Durand de Saint-Pourçain sur les *Sentences*

(1508), du *Dialogus in Valdensium de purgatorio errorum* d'Alfonso Riccio (1509), du *de regimine principum* de Thomas d'Aquin (1509), d'œuvres de saint Hilaire (1511), de la vie de saint Martin par Sulpice Sévère (1511), d'écrits de saint Cyprien (1512), des sermons d'Avent de Jean de San Gimignano (1512), de la *Chronique* de Sigebert de Gembloux (1513), des œuvres de Pierre de Blois (1519), de saint Ambroise (1529), etc.

S'intéressant aussi aux œuvres contemporaines, il publie la *Moralis explicatio evangelii Lucae* du successeur d'Antoine du Four à l'évêché de Marseille, Claude de Seyssel (1514), tandis que son confrère dominicain Guillaume Pépin (*supra*, col. 1053) lui dédie son *Speculum aureum super psalmos poenitentiales* (1514). Ses fonctions de confesseur du roi l'obligeant à suivre la Cour dans ses déplacements et diverses résidences, il en profite pour dresser le catalogue de la bibliothèque royale de Blois en 1518. Proche de François Ier, il est de ceux qui lui suggèrent les initiatives qui aboutiront plus tard à la fondation du Collège de France. Il semble avoir été, avec l'évêque de Paris Étienne Poncher, l'instigateur de la venue à Paris de l'érudit italien Agostino Giustiniani, dominicain, qui lui dédiera plusieurs de ses ouvrages de linguistique hébraïque. Ses démarches pour faire venir Érasme à Paris sont bien connues par l'échange de lettres à ce sujet entre Guillaume Budé et l'humaniste hollandais ; là se trouvent les plus chaleureux éloges du dominicain par les plus célèbres humanistes du temps.

Il était normal que la situation de confiance qui était celle de Guillaume Petit auprès de François Ier le conduise à l'épiscopat. Le 24 janvier 1519 Léon X confirme la nomination du dominicain comme évêque de Troyes. En 1527 Guillaume Petit échangera cet évêché avec Odoard Hennequin contre celui de Senlis. Tout en s'occupant des affaires de son diocèse, il n'en continuera pas moins de résider principalement à Paris ou à la Cour. A Paris, Guillaume Petit n'aura jamais cessé de participer activement à des nombreuses réunions de la faculté de théologie, soit personnellement comme docteur de Paris, soit bien souvent comme agent officieux du pouvoir royal. Il se trouve ainsi mêlé aux principales affaires doctrinales du temps.

Dès 1514, alors qu'à Paris tout le monde connaît sa sympathie active pour le développement des études de philologie, hors de France certains se méprennent au point de l'impliquer dans les menées hostiles à Reuchlin. Petit participe évidemment à la mise au point des censures parisiennes contre Luther, et il lui revient d'en transmettre le texte à François Ier (24 avril 1521) dans un exemplaire imprimé sur velin. Plus délicates à suivre sont les manifestations de la pénétration des idées nouvelles dans les milieux spirituels français. Une intervention de Petit, lors d'une réunion à la faculté de théologie le 15 novembre 1522, au sujet des prédications de Michel d'Arande à la cour de Louise de Savoie et de Marguerite d'Alençon, fait l'objet d'interprétations tendancieuses et de discussions qui se poursuivent pendant plusieurs semaines. En plus d'une affaire difficile Guillaume Petit ne se situe pas toujours aux côtés de l'intransigeant syndic de la Faculté, Noël Béda. Il joue le rôle d'intermédiaire entre la faculté et le Roi dans l'affaire de Louis Berquin, transmet avec netteté la volonté de François Ier d'être tenu au courant lorsque certains veulent faire condamner Érasme ; à l'automne 1533, il est de ceux qui déjouent l'offensive menée contre le *Miroir*

*de l'âme pécheresse*, de Marguerite de Valois (DS, t. 10, col. 345-48). Bien entendu, Petit a été engagé d'assez près, à la fois comme porte-parole des volontés royales et comme docteur de Paris, dans l'intervention de la faculté de théologie à propos du divorce d'Henri VIII, plus précisément dans la déclaration portée sur l'invalidité du mariage du roi d'Angleterre avec Catherine d'Aragon.

Décédé le 8 décembre 1536, Guillaume Petit fut inhumé dans sa cathédrale de Senlis. L'épitaphe de son tombeau est devenue illisible.

Après la mort de l'évêque de Senlis, des amis ont tenu à publier de lui quelques écrits de portée pastorale ou spirituelle dont plusieurs avaient peut-être été déjà imprimés de son vivant : L'*Hortus fidei, apostolorum et niceni Concilii articulos continens, variasque in illos haereses, sacrorum ecclesiae doctorum authoritatibus rejiciens, cunctis sacerdotibus apprime utilis, summa spectabilis sacrae theologiae professoris, Guillelmi Parvi... vigilantia curaque compactus*, Paris, 1537 (Paris, B.N., D. 21062), est un petit manuel élémentaire à l'intention des curés.

Plus significatif est l'ouvrage intitulé *La Formation de l'homme et son excellence, et ce qu'il doibt accomplir pour avoir Paradis*, achevé d'imprimer le 15 février 1538, Paris, Galiot du Pré (Paris, B.N., Rés. D.17409). Le prologue précise que l'ouvrage a été écrit, l'auteur « estant sur la fin de son aage et en sa vieillesse pleine de grande maturité de sçavoir... ».

Le schéma du livret est assez classique : comment l'homme, créé pour le Paradis a perdu sa dignité et ses droits par le péché, et quels moyens sont mis à sa disposition pour « se relever et retourner à ceste première justice et innocence ». Les exposés y sont assez nombreux, mais entrecoupés de « contemplations » et méditations, émaillés de nombreuses citations d'Écriture ou des Pères, qui font de l'ouvrage, au moins en un certain nombre de pages, un petit manuel d'oraison. Instructions et considérations pratiques sur l'usage de l'Eucharistie y sont assez développées ; le livret se termine par un petit chapitre « contre les scrupules ».

Sous la même reliure que *La formation de l'homme* les éditeurs ont reproduit un petit traité qui semble avoir été publié antérieurement, du vivant même de Guillaume Petit : *Le viat de salut, auquel est comprins l'exposition du symbole, des dix commandements de la Loy, du Pater noster et Ave Maria*. Le contenu est en réalité moins systématique et la matière est organisée dans une présentation des trois vertus théologales. Du point de vue de la pratique chrétienne, on y trouve un modèle d'exhortation à faire à un malade pour le préparer à la mort, ainsi qu'une « instruction pour sçavoir soy confesser », où l'examen de conscience s'appuie sur la doctrine courante des péchés capitaux.

Le même recueil comporte ensuite de *Tres devotes oraisons a lhonneur de la tres sacree et glorieuse vierge marie, mere de dieu, avec plusieurs aultres devotes chansons...* La B.N. de Paris conserve (Rés.p.Ye 297) une édition séparée de ces cantiques pieux, avec notation musicale de quelques-uns d'entre eux ou référence à l'air, supposé connu, de quelques chansons profanes. On y décrit le « Blason des armes du povre pecheur », mais aussi les blasons du ciel, de la mort, du jugement, du purgatoire. Il faut relever aussi, à la fin de l'opuscule, une « devota contemplatio & oratio de nomine Jesu », dans la ligne d'une dévotion dominicaine vivante depuis le 13e siècle.

Quétif-Échard, t. 2, col. 100-102. – P. Féret, *La Faculté de théologie de Paris et ses docteurs les plus célèbres. Époque moderne*, t. 2, Paris, 1904, p. 263-69. – J. Tremblot, *Les armoiries de l'humaniste Parvy*, dans *Bibliothèque d'humanisme et renaissance*, t. 1, 1941, p. 7-29. – M.-D. Chenu, *L'humanisme et la réforme au collège Saint-Jacques de Paris*, dans *Archives d'histoire dominicaine*, t. 1, 1946, p. 130-54. – A. Renaudet, *Préréforme et humanisme à Paris pendant les premières guerres d'Italie (1494-1517)*, 2e éd., Paris, 1953, tables. – J.-P. Massaut, *Josse Clichtove, l'humanisme et la réforme du clergé*, t. 1, Paris, 1968, p. 398-406. – *Imprimeurs et libraires parisiens du 16e siècle*, t. 2 et 3, Paris, 1969 et 1979, tables. – James K. Farge, *Biographical Register of Paris Doctors of Theology 1500-1536* (Subsidia medioevalia 10), Toronto, 1980, p. 367-73.

AFP, t. 27, 1957, p. 321-22 ; t. 28, 1958, p. 312 ; t. 33, 1963, p. 269-70 ; t. 39, 1969, p. 240-41 (bibl.). – DS, t. 5, col. 895, 898, 1466-67, 1472 ; t. 7, col. 779.

André DUVAL.

**3. PETIT** (PIERRE-AUGUSTIN), prêtre, 1807-1878. – Né à Dolus (île d'Oléron) le 14 novembre 1807, Pierre-Augustin Petit étudia au petit séminaire de Saint-Jean-d'Angély puis au grand séminaire de La Rochelle ; il fut ordonné prêtre en 1830, durant la révolution de Juillet. D'abord vicaire à La Rochelle puis curé de campagne, il est nommé curé de Saint-Nicolas à La Rochelle en 1836, où il reste de longues années. Vicaire général en 1864, il sera doyen du chapitre et meurt à La Rochelle en 1878.

La paroisse Saint-Nicolas étant la paroisse des marins, Petit songea à organiser « une société de poissonnières » pour la formation et la persévérance des jeunes vendeuses de poisson ; cette œuvre prit tant d'ampleur que des jeunes filles de tous les milieux s'y agrégèrent. Petit, discernant parmi elles des « vierges chrétiennes désirant vivre une vie plus parfaite et vraiment religieuse au milieu du monde », fonda la Société des Filles de Saint-Bernard en 1844 : servantes de l'Église, religieuses dans le monde, elles y exercent une profession qui leur permet de gagner leur vie et en même temps de « donner un exemple parfait, continuel et soutenu des vertus chrétiennes ». Petit leur demande de faire « des conquêtes à Jésus-Christ », de prier pour l'Église, d'être les auxiliaires des pasteurs (catéchismes, etc.). Il a publié 459 *Lettres adressées aux Filles de Saint-Bernard* (4 vol., Lille-Paris, 1866-67).

Un aspect important de l'apostolat de Petit fut celui du livre ; il a publié une soixantaine d'ouvrages, parfois de simples brochures, dont nous retenons les principaux.

1) Pour le clergé : *Plans de sermons* (La Rochelle, 1860) ; – *Fragments de correspondances religieuses* (Poitiers, 1864) ; – *Conférences ecclésiastiques, retraite de 1865* (La Rochelle, 1865) ; – *L'Esprit ecclésiastique... Conférences* (Lille, 1866).

2) Autour de saint Augustin : *Vie de S. Augustin* (Lyon, 1836) ; – *Voyage à Hippone au commencement du Ve siècle, par un ami de S.A.* (2 vol., Lille, 1838 ; 7e éd. 1875) ; – *Le chrétien à l'école de S.A.* (La Rochelle, 1840) ; – *Imitation de S.A.* (Lille, 1841 ; 3e éd. 1861) ; – *Histoire de sainte Monique* (Paris, 1842 ; 4e éd. 1861) ; – *L'esprit et le cœur de S.A.* (2 vol., Lille, 1845) ; – *Dieu, le Christ, son Église, ses sacrements d'après S.A.* (Lille, 1865).

3) Ouvrages de piété : *Marie, ou la Vertueuse ouvrière* (La Rochelle, 1846 ; 10e éd. 1873) ; – *Joseph,*

*ou le Vertueux ouvrier* (Lille, 1848 ; 8e éd. 1874) ; – *Gabriel, ou le Bon Prêtre*, d'après le modèle de l'abbé Gabriel Mallet, curé de Dolus durant l'enfance de Petit (La Rochelle, 1852) ; – *Eugène, ou les Conférences de S. Vincent de Paul* (Lille, 1859 ; 3e éd. 1875).

*Amour à la sainte Église, ou Élévations...* (Lille, 1856) ; – *Amour à la Sainte Eucharistie...* (Lille, 1857, 1883) ; – *Amour à la Sainte-Vierge* (Lille, 1858) ; – *Amour au Saint-Esprit* (Lille, 1861).

*Manuel de l'enfant de chœur* (Lille, 1845) ; – *Trésor du jeune communiant* (Lille, 1855 ; puis : *Le livre du jeune...*, 1863, 1871) ; – des neuvaines diverses, etc.

4) Des biographies pieuses : outre celle du Christ (Lille, 1854 ; 6e éd. 1889), celles de Jean Eudes (Lille, 1839, 1861), de François d'Assise (1842 ; 4e éd. 1860), de L.-M. Grignion de Montfort (1843 ; 5 éd. jusqu'en 1876), du cardinal de Bérulle (1847 ; 4e éd. 1864) et d'Angèle de La Clorivière (1861 ; 5e éd. 1887).

5) Rééd. d'ouvrages spirituels : d'Alphonse-Marie de Liguori, *Visites au Saint-Sacrement et à la Sainte Vierge* (Lille, 1853 ; cf. DS, t. 1, col. 367) ; – du minime Michel-Ange Marin (DS, t. 10, col. 601-02), *La parfaite religieuse* (Lille, 1856) ; – du jésuite Alexandre-J. de Rouville, *Imitation de la T.S. Vierge, sur le modèle de l'Imitation de Jésus-Christ*, revue... et augmentée... (Lille, 1859) ; – *L'Imitation de Jésus-Christ*, trad. du jésuite J.-Ph. Lallemant (Lille, 1863).

Signalons encore que Migne a publié six sermons de Petit (*Orateurs sacrés*, t. 86, 1856, col. 827-82)

Aux archives du diocèse de La Rochelle, 2 cahiers mss de Petit : *Confessions d'un prêtre reconnaissant* (mai 1871, 125 et 75 p.). – *Bulletin religieux de La Rochelle et Saintes*, 2 mars 1878 (année 1877/78, p. 418-22) : notice nécrologique par le chanoine Maurice Savineau.

O. Lorenz, *Catalogue général de la librairie française, 1840-1865*, t. 4, Paris, 1871, p. 58-59. – *Catalogue général des livres imprimés de la B.N.*, t. 134, Paris, 1935, col. 991-99.

Guy BICHON.

**PETITALOT** (JEAN-BAPTISTE), mariste, 1840-1918. – Né à Deux-Chaises (Allier) le 17 janvier 1840, Jean-Baptiste Petitalot fait ses études secondaires au collège Saint-Joseph de Montluçon tenu par les Maristes, puis entre au grand séminaire de Moulins, lui aussi tenu par les Maristes. Prêtre le 29 juin 1864 et licencié en théologie, il reste quatre ans et demi vicaire de la cathédrale de Moulins et commence ses publications.

*Coronula Mariana seu theologica dissertatio de Beatissima Deipara* (Moulins, 1866 ; cf. *Études*, avril 1867) ; – *Le Bx Benoît-Joseph Labre dans le Bourbonnais* (1867) ; – *La Vierge Mère d'après la théologie* (reprise développée de la *Coronula*), 2 vol., Paris-Tournai, 1868. – *La Prière, sa nécessité, son pouvoir, ses différentes formes* (Paris, 1869) ; – *Ève et ses filles* (sur des problèmes contemporains relatifs à la femme et à la famille, Paris, sd = 1870).

Petitalot rejoint les Maristes, entrant à leur noviciat de Sainte-Foy-lès-Lyon le 23 janvier 1870 ; il fait sa profession le 2 février 1871. D'abord professeur au grand séminaire de Nevers (1871-72), il est à Paris de 1873 à 1881 et recommence à publier : *Aux pieds de Jésus, Méditations sur la Sainte Eucharistie* (Paris, 1873 ; cf. *Études*, mai 1873 ; rééd. 1877 et 1885 sous un titre un peu modifié) ; – *L'oraison mentale d'après sainte Thérèse, saint Liguori, saint François de Sales...* (Avignon-Paris, 1874 ; éd. revue et augmentée, 1879) ; – *Le Syllabus, base de l'union catholique* (Paris, 1877 :

commentaire très ultramontain honoré d'un bref de Pie IX).

Les années suivantes voient Petitalot successivement à Londres comme supérieur de Notre-Dame de France (1882-83), à Paris où il lance un périodique : *La Revue mensuelle du culte de Marie* (t. 1-9, 1884-1892), trop à mi-chemin entre une vulgarisation érudite et une collection de traits de piété ; puis il est à Verdelais (1888-1894), où il écrit un *Mois de Marie sur le Salve Regina* (Paris, 1889), à Paris, à Lyon (1896-97) où il publie *Esprit et vertus du vénérable Bénigne Joly* (Paris, 1897 ; cf. DS, t. 8, col. 1257). Il revient pour six années de provincialat à Paris (1898-1904). Il passera les dernières années de sa vie au sanctuaire Notre-Dame de Rochefort-du-Gard, publiant encore *Un mois de Marie sur la vie de la T.S. Vierge* (Paris, 1906) ; il meurt le 3 janvier 1918.

Touchant à la théologie, à la piété et à l'histoire, Petitalot n'a fait en aucun de ces domaines œuvre créatrice et durable. Il est familier de la Bible, des Pères, des théologiens et des auteurs spirituels ; il se tient au courant de l'actualité et se meut à l'aise dans l'univers catholique de son temps. Il lui manque une authentique exigence de pensée et la préoccupation critique. Sachant se faire l'écho de la saine tradition spirituelle, il ne paraît pas avoir communiqué une expérience personnelle originale et profonde.

Jean COSTE.

**PETITDIDIER** (JEAN-JOSEPH), jésuite, 1664-1758. – Né à Saint-Nicolas-de-Port (Lorraine) le 28 octobre 1664, Jean-Joseph Petitdidier fit ses humanités et sa philosophie chez les Jésuites de Nancy, puis entra au noviciat de la Compagnie de Jésus le 16 mai 1683. Régent durant six ans à Verdun, Strasbourg et Metz, il alla refaire sa philosophie au collège d'Ensisheim tout en présidant l'académie de français et d'allemand, langue qu'il parlait couramment. Docteur en théologie et en droit canon après quatre années passées au séminaire de Strasbourg, il fut ordonné prêtre en 1694.

A ce séminaire de Strasbourg, il enseigna la philosophie (1694-98), y fit sa profession le 2 février 1698, puis il le dirigea et y fut professeur de droit canon (1698-1701) et de théologie (1701-04). Revenu en Lorraine, il est recteur de l'université de Pont-à-Mousson (1704-08), puis au collège de Nancy comme recteur, préfet des classes et père spirituel (1708-13). Chancelier de l'université de Pont-à-Mousson de 1713 à 1716, il fut ensuite à Nancy père spirituel, missionnaire et *operarius*, puis instructeur de la troisième année de probation, toujours à Nancy, de 1720 à 1733.

Député à la Congrégation générale de la Compagnie de 1730-31, il y fut apprécié par son savoir et sa modestie. Il fut choisi par la duchesse régente de Lorraine comme chef du conseil de conscience et résida de 1733 à 1736 à Lunéville pour s'occuper des affaires ecclésiastiques ; il contribua à combattre en Lorraine le jansénisme, dont il retira son frère bénédictin, Mathieu, et un faux mysticisme réprouvant le mariage. A partir de 1737, son influence sur Stanislas, duc de Lorraine, ne fut pas étrangère à la fondation des missions de Lorraine. Depuis 1736, il était supérieur à la résidence de Saint-Nicolas-de-Port, où il s'occupait des hôpitaux et des prisons, tout en prêchant des missions dans la campagne. En 1749, il eut à rétablir un collège à Saint-Nicolas. Retiré à Pont-à-Mousson en 1754, il y mourut le 10 août 1758.

De 1700 à 1747, il publia, souvent sous l'anonymat, des traités de droit canon et des écrits antijansénistes dictés par les circonstances (cf. Sommervogel). En 1738, il fit éditer, contre certains qui prétendaient que François Xavier et François Régis n'étaient pas morts jésuites, *Les saints enlevez et restituez aux Jésuites*.

Petitdidier a exercé une influence spirituelle durable dans la Compagnie de Jésus par ses *Exercitia spiritualia tertio probationis anno per mensem a patribus S.J. obeunda* (Prague, 1755 ; Clermont-Ferrand, 1821, 1825, 1834 ; Paris, 1847 ; éd. revue, 1880, 1885, 1890 et 1912). C'est le fruit de ses années d'instructeur de la troisième année de probation ; Petitdidier se base surtout sur l'*Introductio ad solidam perfectionem...* d'Antoine Le Gaudier († 1622 ; DS, t. 9, col. 529-39) et aussi sur les deux ouvrages ignatiens d'Ignace Diertins († 1700 ; t. 3, col. 880-81). La première édition comporte une préface et une *Synopsis analytica* du livret ignatien qui sont également significatives de l'intention de Petitdidier d'être fidèle au texte qu'il présente, puis une *Synopsis Directorii*, deux horaires d'une journée type de retraite, le schéma d'une retraite de 8 jours et d'une autre de 10 jours, enfin les matières nécessaires à la grande retraite de 33 jours, à raison de trois méditations et d'une considération quotidiennes. Petitdidier suit fidèlement la structure et la dynamique des *Exercices* ; plus intellectuel qu'affectif, il révèle une intelligence et une présentation exactes de leur itinéraire spirituel. Il est à noter que l'ouvrage de Petitdidier fut en usage au Troisième an de Dunabourg, en Russie blanche, lors de la suppression de la Compagnie de Jésus.

A. Calmet, *Bibliothèque lorraine*, Nancy, 1751, col. 734-36. – Sommervogel, t. 6, col. 624-27. – *Les établissements des Jésuites en France*, t. 4, 1956, col. 784-85. – J. de Guibert, *La spiritualité de la Compagnie de Jésus*, Rome, 1953, p. 296-97, 489. – I. Iparraguirre, *Comentarios de los Ejercicios ignacianos*, Rome, 1967, n. 386. – DS, t. 2, col. 1007 ; t. 8, col. 875 ; t. 9, col. 539.

Hugues BEYLARD.

**1. PETITOT** (HENRI ; en religion HYACINTHE), frère prêcheur, 1880-1934. – Né à Hénin-Liétard (Pas-de-Calais) le 2 août 1880, Henri Petitot entre au noviciat dominicain d'Amiens, en 1899, au terme de ses études secondaires. Au lendemain de sa profession temporaire, le 14 mai 1900, il est envoyé au couvent Saint-Étienne de Jérusalem pour y faire ses études de philosophie et de théologie. Il y trouve le Père M.-J. Lagrange (DS, t. 9, col. 75) qui va exercer sur lui une influence profonde : il aimait à lui attribuer le plus net de sa culture historique, scripturaire, humaniste, sa connaissance de l'antiquité gréco-latine et orientale.

Ses études terminées, on le garda à Jérusalem comme professeur de philosophie, qu'il commença à enseigner dès novembre 1906, puis comme professeur de théologie de 1907 à la guerre. La période de Jérusalem est pour lui celle de la formation, mais déjà aussi de la production. C'est alors qu'il publia en effet deux ouvrages importants : une *Introduction à la philosophie traditionnelle ou classique* (Paris, 1914) et un volume sur *Pascal, sa vie religieuse et son apologie du christianisme* (Paris, 1911). C'est à Jérusalem aussi, qu'il révéla ce qu'il pouvait donner en matière de spiritualité et d'action oratoire. Un sermon prononcé à l'occasion de la fête du Rosaire révéla ses talents et fut publié.

La guerre 1914-18 finie (il y combattit courageusement), commença pour lui la période où sa personnalité devait s'affirmer d'une manière décisive : ce sont les grandes années fécondes de l'écrivain, du conférencier, du directeur d'âmes, du religieux dont la vie devait atteindre dans les dernières années – années de calvaire et de rédemption – à ces sommets mystérieux que tous ceux qui l'ont connu alors ne peuvent désigner que par le mot de sainteté.

Il est d'abord au couvent d'Amiens, ensuite à Nancy, et de nouveau à Amiens comme prieur. Il publie sa *Sainte Jeanne d'Arc* (Paris, 1921), son *Saint-Thomas d'Aquin* (Paris, 1923), son *Saint Dominique* (Saint-Maximin, 1925). Et puis, il avait rencontré sainte Thérèse de Lisieux ; il se découvrit en elle : « J'ai eu la chance, confiait-il un jour, de rencontrer une petite sainte qui était l'expression parfaite de ma doctrine ». Son ouvrage, *Sainte Thérèse de Lisieux* (Paris, Revue des Jeunes, 1925), consacra sa réputation.

Au moment de la condamnation de l'Action française, Petitot entreprit des conférences sur la doctrine de Charles Maurras qui eurent un grand retentissement.

En 1927, Petitot est assigné au couvent parisien du Faubourg Saint-Honoré d'où son influence spirituelle devait rayonner sur tant d'âmes. Ce sont les années de ses carêmes dans l'église du couvent où il expose devant un vaste auditoire ce qu'il appelait sa doctrine spirituelle intégrale. Le seul carême de 1930 a été publié en deux volumes intitulés : *La doctrine ascétique et mystique intégrale* (Paris, 1930). Le Père donnera à sa pensée spirituelle une expression plus parfaite dans son *Introduction à la sainteté* (Paris, 1934).

Ces deux volumes le révèlent tout entier dans son âme ardente, avide pour lui et pour les autres d'une perfection au-delà de la moyenne. C'est la sainteté qu'il poursuit et c'est à la sainteté qu'il entraîne. Pas de demi-mesure : c'est la doctrine intraitable d'un saint Jean de la Croix qui l'inspire, mais il ne se contente pas de la reproduire ; il l'a repensée et revécue à l'école de saint Thomas et, en tenant compte des courants spirituels de son temps. A cet apostolat de la parole, Petitot joignait un très abondant et fructueux ministère de confession et de direction.

Dès 1931, son ministère apostolique va se trouver progressivement interrompu par la maladie. Quelques mois avant sa mort, il travaillait encore à l'étude de sainte Bernadette : *Histoire exacte des apparitions de N.D. de Lourdes à Bernadette* (Paris, 1935) et *Histoire exacte de la vie intérieure et religieuse de Ste Bernadette* (Paris, 1935 et 1940).

Le 3 octobre 1934, en la fête de Thérèse de Lisieux, il célébra la messe pour la dernière fois et mourut le lendemain chez les sœurs dominicaines de Châtillon-sous-Bagneux qui l'avaient accueilli et soigné les derniers temps de son existence terrestre.

Autres ouvrages : *M^lle de la Rochetière, en religion M. Marie de Jésus*, 1776-1842 (Paris, 1928) ; – *La Passion* (Juvisy, 1933 ; reproduit un article de VS, mars-avril 1930).

DS, t. 5, col. 1482.

Pierre RAFFIN.

**2. PETITOT** (JEAN-CLAUDE), bénédictin, vers 1602-1690. – Né en Franche-Comté vers 1602, Jean-Claude Petitot entra dans la congrégation de Saint-Vanne et fit profession à l'abbaye de Saint-Vincent de Besançon le 23 décembre 1619. Il mourut à l'abbaye de Faverney le 29 juin 1690.

Petitot est l'auteur d'un ouvrage, *La divine Providence reconnue*, (Dôle, Antoine Binard, 1656), qui fut réédité sous le titre *De la Providence divine* (Paris, E. Couterot et S. Le Sourd, 1661).

Il s'agit d'un traité à la fois catéchétique et spirituel divisé en huit sections ; c'est dire que Petitot, écrivant pour un public cultivé, veut exposer la théologie de la Providence, de la prédestination et du gouvernement divin sans « pointiller sur quelques propositions nouvellement controversées et souvent avec un notable détriment de la charité chrétienne » (Au lecteur) ; il vise à éclairer, surtout dans les six premières sections. Les deux dernières sont directement orientées vers la vie chrétienne, qu'il faut soumettre à la conduite de la Providence ; cela repose sur l'humilité. L'auteur montre ensuite comment se comporter dans les charges et dignités, dans les souffrances extérieures, les consolations intérieures, les aridités et désolations intérieures ; il termine en soulignant que la soumission à la Providence ne nous dispense pas d'user de notre libre arbitre.

(J. François), *Bibliothèque générale des écrivains... O.S.B.*, t. 2, Bouillon, 1777, p. 384. – J. Godefroy, *Bibliothèque des Bénédictins de la Congr. de Saint-Vanne et de Saint-Hydulphe*, Ligugé-Paris, 1925, p. 162.

Guy-Marie OURY.

**PÉTRARQUE** (PETRARCA ; FRANÇOIS), 1304-1374. – Pétrarque est surtout connu de nos jours comme poète et moraliste humaniste ; l'évolution postérieure à son époque de la Renaissance a masqué progressivement le développement de sa vie religieuse personnelle et aussi le fait que l'on trouve, épars dans ses œuvres, les éléments d'une vision spirituelle de la vie chrétienne individuelle et sociale. C'est à ces aspects que nous nous intéressons ici. – 1. *Vie.* – 2. *Œuvres.* – 3. *Spiritualité.*

1. VIE. – Francesco Petrarca est né en 1304 à Arezzo, de Pietro di Garzo (ou Petraccolus de Ancisa ou Patrarca) et d'Eletta Canigiani. Sa famille s'étant transférée en 1312 en Avignon avec la curie romaine, il étudia les lettres à Carpentras et le droit à Montpellier. En 1320, il alla compléter ces études à Bologne. Revenu à Avignon en 1326 après la mort de son père, il resta au moins une vingtaine d'années en Provence, à part de courts voyages.

Entré pour des raisons d'intérêt dans la cléricature (tonsuré en 1330, il ne fut jamais minoré), il reçut divers bénéfices canoniaux au cours de sa vie : un à Lombez en 1335, qu'il échangea en 1354/55 pour un autre en Italie méridionale ; les autres à Pise en 1342, à Parme en 1346, à Padoue en 1349, peu de temps à Modène en 1350, à Monselice en 1362. En fait, il ne remplit qu'à Padoue son office de chanoine. A diverses reprises, il se vit proposer des charges séduisantes : celle d'évêque en 1346 et 1352, celle de cardinal en 1359 ; il les refusa. Ses deux chapellenies napolitaines, de nomination royale (1341 et 1343), furent purement honorifiques.

Chapelain effectif auprès de Giacomo Colonna évêque de Lombez (1330), puis du cardinal Giovanni Colonna (1337), Pétrarque mena une vie mondaine, frivole et galante, tout en voyageant beaucoup en Europe occidentale. A Avignon en 1327, il rencontra la Laura qu'il idéalisa dans le *Canzoniere*. Avec son frère Gherardo, il vit dans le désordre avec diverses femmes dont il aura deux enfants, un fils Giovanni et une fille Francesca. En 1343, il décida de ne plus approcher aucune femme, résolution qu'il tint sauf pendant peu de temps à Ferrare ; par la suite il devint quelque peu misogyne. Son frère mit fin en 1343, lui aussi, à ses désordres et entra à la chartreuse de Montrieux ; Pétrarque resta dans le monde.

Pétrarque fut couronné comme poète officiel à Rome en 1341 ; il accomplit aussi quelques missions diplomatiques. En 1348 il est à Vérone, en 1349 à Parme, de nouveau à Vérone, puis à Mantoue, à Rome en 1350 pour le Jubilé. Après un retour en Provence en 1353, il revint définitivement en Italie, habitant successivement Milan (1353-61), en Vénétie, à Padoue, à Venise et enfin à Padoue ou dans la solitude des côteaux avoisinant Arquá, où il mourut entre le 18 et le 19 juillet 1374 et où se trouve son tombeau.

2. ŒUVRES. – Éd. la moins incomplète : *Fr. Petrarcae opera quae extant omnia*, 4 vol., Bâle, 1554. – Pour les éd. anciennes et les trad. franç., fort nombreuses, voir *Catalogue général des livres imprimés de la B.N.*, t. 135, Paris, 1936, col. 27-124.

1° En latin (ordre alphabétique). – 1) *Africa*, poème épique en 9 livres, 1338-39 ; éd. N. Festa, Florence, 1926. – 2) *Bucolicum carmen*, 12 églogues, vers 1346 ; éd. A. Avena, Padoue, 1906. – 3) *De otio religioso* 1347 ; éd. G. Rotondi, Vatican, 1958. – 4) *De remediis utriusque fortune*, 1353-54 ; pas d'éd. critique.

5) *De Viris illustribus*, 1953-54 ; éd. G. Martellotti, Florence, 1964. – 6) *De vita solitaria*, 1346 ; éd. dans *Prose*, par G. Martellotti, P.G. Ricci et E. Carrara, Milan-Naples, 1955. – 7) *De sui ipsius et multorum ignorantia*, 1367 ; éd. L.M. Capelli, Paris, 1906, et P.G. Ricci, dans *Prose*, cité *supra* . – 8) *Invectiva contra eum qui maledixit Italie*, 1373 ; éd. E. Cocchia, Naples, 1919, et P.G. Ricci, dans *Prose*, cité *supra*.

9) *Invectiva contra medicum*, 1352-53 ; éd. P.G. Ricci, Rome, 1950 et dans *Fr. Petrarca, Opere latine*, éd. A. Bufano, t. 2, Turin, 1975. – 10) *Invectiva contra quemdam magni status hominem*, 1354-59 ; éd. P.G. Ricci, Florence, 1949. – 11) *Itinerarium syriacum*, 1358 ; éd. G. Lumbroso, Turin, 1889. – 12) *Orationes* 1-6.

13) *Philologia*, comédie, vers 1336. – 14) *Psalmi Poenitentiales*, 1347 environ ; éd. H. Cochin, Paris, 1929. – 15) *Rerum memorandarum libri*, 1343-45 ; éd. G. Billanovich, Florence, 1943-1945. – 16) *Secretum*, 1342-43 ; éd. E. Carrara, dans *Prose*, cité *supra*. – 17) *Testamentum*, dans *Opere latine*, éd. A. Bufano, t. 2, Turin, 1975.

*Lettres* : elles sont réparties en 5 séries : *Familiares*, 24 livres ; éd. V. Rossi et U. Bosco, 4 vol., Florence, 1933-1942 ; – *Posteritati*, lettre inachevée, 1371-72 ; éd. G. Martellotti, dans *Prose*, cité *supra* ; – *Seniles*, 1361-74 ; trad. G. Fracassetti, 2 vol., Florence, 1869-1870 ; – *Sine nomine*, 1359-61 ; éd. dans P. Piur, *Petrarcas 'Buch ohne Namen'...*, Halle, 1925 ; – *Epistolae metricae*, 1333-54 ; éd. D. Rossetti, dans son éd. des *Poemata minora* de Pétrarque, t. 2-3, Milan, 1829-1834.

2° En italien. – *Canzoniere* ou *Rerum vulgarium fragmenta*, 1336 ; éd. G. Contini, Paris, 1949. – *Extravaganti*, ms, Vatican 3196. – *Griseldis*, traduction d'une nouvelle de Boccaccio, elle-même traduite en français par Philippe de Mézières (voir sa notice, *infra*). – *Trionfi* ; éd. E. Chiorboli, Bari, 1930.

3. SPIRITUALITÉ. – Parmi ces œuvres, certaines présentent un intérêt humain et psychologique remarquable, comme les n. 7, 15 et 16. Le *De otio religiosorum* (n.3), le *De vita solitaria* (n. 6), partiellement le *Secretum* (n. 16), et diverses lettres, en particulier à son frère Gherardo (*Fam.* x, 3, 4, 5 ; xvi, 2 ; xvii, 1 ; xviii, 5), sont celles qui présentent le plus de traits spirituels.

On ne trouve chez Pétrarque ni une expérience ni une doctrine de type mystique (cf. Calcaterra) ; ses vues spirituelles sont dans la ligne de l'ascèse chrétienne traditionnelle de son temps et pleinement orthodoxes ; on ne peut accorder d'importance à ses incertitudes concernant le délai de la vision béatifique jusqu'à la résurrection des corps à la fin des temps, qui sont dues à l'influence de Jean xxii (condamné par Benoît xii, *Benedictus Deus*, 29 janvier 1336). Quant à une expérience spirituelle personnelle, Wilkins la lui dénie ; la religion de Pétrarque n'aurait été qu'un accueil de la doctrine proposée par l'Église sans préoccupation aucune des questions théologiques, et sa piété se ramènerait à la conviction que, si l'on observe les lois morales, on parvient au ciel. Cette manière de voir, même si elle était exacte, laisserait entière la question de savoir à quel degré de profondeur et d'expérience personnelle Pétrarque a vécu sa foi et sa vie chrétiennes. Certes, il met l'accent sur la vie morale, à la suite d'Augustin, mais chez lui comme chez beaucoup de son temps, la place centrale du Christ est très marquée ; sa vie personnelle est nourrie d'Écriture et des exemples des saints ; on le verra par les traits relevés dans ses écrits. Ainsi la Bible est-elle pour lui pleine de conseils, de mises en garde, de consolations et de remèdes pour son âme ; il s'y réfère avec une remarquable fréquence dans ses œuvres plus directement chrétiennes, mais il la cite aussi dans le *Canzoniere* et dans ses lettres. S'il préfère les Psaumes, il se sent en consonance avec le pessimisme de l'*Ecclésiaste* et avec la sagesse de l'*Ecclesiastique*. L'Écriture est une médecine efficace sous maints rapports (*De otio* i, p. 50).

1° Sources. – Sa spiritualité est inspirée par l'Écriture, saint Paul en particulier, qu'il connaît et préfère, saint Jean aussi qui est plus proche de sa sensibilité de poète ; elle s'appuie aussi sur les Pères, surtout les quatre grands docteurs latins. Augustin est son maître préféré ; il est en harmonie avec son expérience spirituelle, il lui a fait aimer la Vérité, respirer l'air du Salut (*De otio* ii, p. 104). Les œuvres d'Augustin qui ont le plus influencé Pétrarque sont les *Confessions*, la *Cité de Dieu*, les *Enarrationes in Psalmos*, le *De vera religione* (très présent dans son *Secretum*), les *Soliloques*, les sermons, le *De gratia Christi* ; et cela même si, dans le *Secretum*, selon Heitmann, Pétrarque prend des positions nettement antiaugustiniennes.

Notre poète connaît encore Lactance, Isidore de Séville, Grégoire le Grand (il recommande ses *Dialogues* à son frère Gherardo), Simplicius, Marius Victorinus, Paulin de Milan, Cassiodore, peut-être Jean Chrysostome et Jean Climaque, Pierre Damien, Anselme d'Aoste, Prosper d'Aquitaine, Maxime de Turin, Alain de Lille, Bernard de Clairvaux, Hugues de Saint-Victor, Innocent III ; il se réfère à Thomas d'Aquin et à la théologie dominicaine, spécialement à propos du thème de la Sagesse. – Sur la bibliothèque de Pétrarque, voir P. de Nolhac, *De Patrum et medii aevi scriptorum codicibus in bibliotheca Petrarcae...*, dans *Revue des bibliothèques*, t. 2, 1892, p. 241-79 ; M. Pastore Stocchi, dans *Storia della cultura veneta*, t. 2, Vicence, 1976, p. 536-65.

2º La perfection consiste en l'*élan* qui porte l'homme vers sa fin (*Fam.* XVIII, 7, 3), la Trinité, source de la sagesse et des vertus, par l'entremise du Christ, Sagesse incarnée. Pétrarque en déduit que, si le Christ est sagesse et la philosophie amour de la sagesse, le vrai philosophe est celui qui aime le Christ et que la vraie sagesse est la *pietas in Deum* (*De remediis*, 242). Cela d'autant plus – réminiscence du *logos spermaticos* – que toute vérité vient de Dieu le Père ; c'est la vérité divine qui sert de guide, même dans l'étude des auteurs païens (*Fam.* II, 9, 9). Tout vient de Dieu (à Gherardo, *Fam.* X, 5), biens physiques, biens intellectuels et biens moraux, arts mécaniques et libéraux qui embellissent la vie ; pour tout l'auteur lui en rend grâces (4e psaume pénitentiel) ; à lui il s'en remet pour tout ce qu'il est et tout ce qu'il fait, dans une prière de 1335 que rapporte Wilkins (*Vita...*, p. 26) et qui fait songer au *Sume et suscipe* d'Ignace de Loyola. Dieu est la fin ultime de la vie ; il pénètre les pensées et les cœurs ; le servir est la seule manière d'être à la fois libre et heureux (*De vita solit.* I, 1, 4 ; II, 14).

De l'Esprit saint Pétrarque parle peu ; il le fait à quatre reprises dans les *Familiares* (VIII, 4, 33 ; XVI, 4, 17 ; XVII, 1, 18-19 ; XIX, 16, 26) : dans les deux premières il s'agit de citations d'Augustin sur l'intervention des trois Personnes divines *quoad hominem* ; la troisième concerne le péché *contra Spiritum* ; dans la quatrième il mentionne la fête de la Pentecôte, pour que l'Esprit saint Consolateur, une fois les cœurs purifiés, inspire des pensées de paix.

3º Nous avons signalé la place centrale, dans sa doctrine et sa dévotion, du *Christ Sagesse du Père* qui se manifeste par l'Incarnation (*inenarrabile sacramentum*) pour ennoblir la nature humaine (*De otio* I, 41) et manifester son amour. Il y a ici comme un écho de la doctrine scotiste sur la fin première de l'Incarnation (*Fam.* XVI, 4). Les preuves de l'amour divin sont présentées du *magnum* au *magis* et au *maximum*, dans la naissance du Christ *propter nos*, sa participation à notre indigence et à notre misère, le choix qu'il a fait de mourir pour nous (*Fam.* XVI, 4).

Sur le Christ l'auteur a écrit certaines pages où se mêlent amour et crainte et qui sont des plus marquantes de son siècle. C'est à lui qu'il écrit la lettre fervente qu'est la 7e *Sine nomine*, toute confiante et familière, comme à un frère ; c'est pour lui qu'il polémique avec vigueur *contra Medicum quemdam* : lui, le centre de l'histoire vers qui convergent tous les âges ; avec lui, en effet, – il s'inspire d'Augustin – l'humanité est entrée dans son sixième âge, le dernier, s'y préparant au *dies domini* éternel (théologie de l'histoire dans le *De Africa*).

Le Christ est en tous lieux et en tous temps ; il voit nos actes, scrute nos pensées, stimule constamment notre âme (*De vita solit.* I, 5). Il faut toujours agir comme en sa présence (écho de saint Bernard ; à Gherardo : *Fam.* X, 3, 49-54). Il exhorte Ildebrandino Conti à demeurer avec le Christ et donc à s'appliquer à la seule vertu (*Fam.* XVI) ; à Stefano Colonna (*Fam.* III, 3, 3) il conseille d'invoquer le Christ nuit et jour pour qu'il puisse lui-même achever ce que le Christ a commencé. Le Christ est la route qui mène au ciel, première et dernière espérance (*Fam.* XV, 14 ; à Guido, évêque de Gênes, *Fam.* XIX, 16 ; *De otio* II, 90-94).
La formation des jeunes doit se faire selon la paisible voie du Christ (*Fam.* VII, 17) ; le mariage aussi doit se parfaire en lui (*Fam.* XXII, 1) ; en un mot, la vie entière doit lui être donnée (*Secretum*, p. 88). C'est ce qu'il formule avec lyrisme

dans le *De otio* I, 21-23 : en servant le Christ, se soumettre à lui, se consacrer à lui, croire en lui ; en fait, tout se ramène à lui et c'est surtout pour cela que le monde est pour lui crucifié et lui-même pour le monde (*De otio* II, 57). C'est pour le Christ que nous avons été créés en vue de trouver paix en lui ; sinon la vie est inutile (*De vita solit.* I, 6). Les vertus morales sont à considérer et à vivre en lui, puisque la vertu par excellence consiste à le connaître. C'est en lui avant tout que brillent l'humilité, la pauvreté, la douceur ; ainsi en sa naissance, en son choix des apôtres, en d'autres épisodes de sa vie (*Fam.* VII, 2). C'est lui seul qui triomphe des vices (*Fam.* XII, 1, 1) ; il apaise les tempêtes de l'âme et y ramène le calme (*Fam.* XII, 11, 1). En ses plaies est le remède de la concupiscence ; les passions humaines s'apaisent au souvenir de sa Passion – écho de saint Bernard. En fait, lui-même a été libéré par le Christ de la servitude de ses sens (*Canzoniere* LXXXI). Il lui adresse de touchantes prières (*Canzoniere* LXII, CCCLXIV, CCCLXV) ; il en est d'autres plus rhétoriques dans *Fam.* VI, 5, 13 ; X, 3, 23 ; XI, 16, 12.

En maints endroits, l'auteur témoigne de sa dévotion au Sang du Christ : une seule goutte de ce sang peut laver toutes les fautes (*Ps. Poenitent.* XI, 9 ; à rapprocher de l'*Adoro te devote*). Ce sont les plaies et le sang de Jésus qui donnent accès à la vie éternelle, malgré les péchés personnels ; son sang permet de s'endormir en paix, de prendre son repos en lui (*Fam.* XVI, 5 ; *Canzoniere* CCCLXVI, dernier vers), car il est la réalité ultime et qui demeure. Le poète désire lui être réuni après sa mort ; c'est en lui, en son précieux sang, qu'il place sa confiance (*Testamentum*, 1345). Cette dévotion au sang du Christ est en harmonie avec la piété dominicaine du temps ; nul besoin de la mettre en rapport direct avec la doctrine semblable de Catherine de Sienne.

4º *La Vierge Marie et les saints*. – Si l'on éprouve de la difficulté à imiter le Christ, il est bon de recourir à l'imitation de Marie et des saints ; plus à celle des saints, car la Vierge Mère est surtout pour Pétrarque la médiatrice entre lui et son Fils. S'il se réfère assez rarement à elle, les strophes de la *Canzone alla Vergine* qui achèvent les *Trionfi* sont révélatrices : Pétrarque achève par Marie son ' *itinerarium mentis in Deum* '.

Selon la thèse suggestive de B. Martinelli (*L'ordinamento morale del Canzoniere del Petrarca*, dans *Studi petrarcheschi*, t. 8, 1976, p. 93-167), Laura serait une image type de Marie. Contrairement à ce qui apparaît à première lecture, le *Canzoniere* n'est pas seulement un texte d'amour humain, c'est l'histoire personnelle du poète dans son retour à Dieu ; on y voit reflétées, avec ses efforts, les étapes successives de sa marche vers la conversion et le salut ; l'œuvre montre une montée progressive du péché à la grâce, de l'amour charnel à l'amour spirituel, basée sur l'aveu des fautes, la mortification, l'humilité et centrée sur le mystère de la Croix. En somme, il y aurait quelque rapport entre le *Canzoniere* et la *Divine Comédie* de Dante, entre Laura et Béatrice. L'interprétation de F. Montanari (*Studi sul Canzoniere...*, Rome, 1958) est plus nuancée ; il voit dans le *Canzoniere* une vision de la morale chrétienne très marquée par l'époque historique à laquelle Pétrarque est lié, avec sa conception d'un amour courtois introduisant à Dieu.
Parmi les saints (cf. *Fam.* X, 3, à Gherardo), Pétrarque a remarqué et aime Jean Baptiste, Antoine, Macaire, Benoît et Arsène, sans compter ceux qu'il propose comme modèles de la vie solitaire : Romuald, Pierre Damien, Bernard, Pierre Célestin (*De vita solit.* II, 1-8). Il s'intéresse en particulier à François d'Assise, son patron, sans cependant avoir saisi la nouveauté de son message : il ne voit en lui que le solitaire (II, 6).

5º Sur les vertus et les vices, il n'a pas d'exposé

systématique ; il en parle surtout à l'occasion dans sa correspondance (par exemple, *Fam.* XIX, 18). Pour les quatre vertus morales il avait prévu un plan organique ; mais il n'a traité que de la prudence, lui consacrant le *Rerum memorandarum* et la considérant dans la vie des hommes, surtout des héros du monde gréco-romain ; elle est l'*auriga virtutum*, règle d'équilibre entre les opposés. Aux trois autres vertus morales il fait des allusions sommaires : à la justice, base de la vie sociale (*Fam.* VIII, 10, 19 ; XII, 2, 11) ; à la force dans les souffrances, les malheurs, les défaites militaires (*Fam.* II, 1 ; V, 17 ; VI, 3 ; VIII, 1 ; IX, 1 ; XI, 7 ; XII, 10 ; XVII, 3) et relève qu'elle réclame l'aide de Dieu (*Fam.* XXI, 9, 5) ; il s'arrête davantage à la tempérance dans la nourriture : frugalité, modération des désirs.

A parler en général, la vertu demande effort, engagement, énergie de volonté (*Fam.* XIX, 12, 5), et, sous l'influence du volontarisme thomiste, Pétrarque souligne qu'il faut surmonter le *discidium* entre le vieil Adam et le Nouveau dans la lutte entre chair et esprit, lutte où on ne se sauve qu'aidé par la *Gratia Dei* (*De otio* II, 66).

En butte aux passions, suites du péché originel, aux mauvaises habitudes, suites des vices personnels, et qui étouffent la liberté (*Fam.* XVII, 10, 20 ; *Canzoniere* LXXXI), l'homme ne s'en dégage que par la grâce ; et il y a des vices qu'on ne peut corriger, qu'il faut vaincre par la fuite (*Fam.* VI, 6). Sans nul doute, le vice est le seul mal en notre vie (*Fam.* XXII, 12, 6) ; tel celui qui naît de l'oisiveté, de la prospérité (*Fam.* XV, 14, 15 ; XX, 8, 20 ; XXIII, 16, 65 ; *Canzoniere* VII), mais que la grâce peut vaincre (*Fam.* XIX, 18, 28 ; *De otio* II, 96-97 ; *De vita solit.* I, IV). Difficile, la vertu n'est pas impossible (*Fam.* XXI, 12, 23). Elle est l'unique bien de l'homme ; elle sauve du plaisir, est plus nécessaire que l'étude même des lettres. Elle fait de l'âme le siège de Dieu et rend la vie vraiment heureuse. Elle permet de réaliser trois choses de grande importance : *spernere voluptates, amare paupertatem, mortem non timere* (*Fam.* XIV, 1, 40).

Le thème de la grâce qui perfectionne la nature est à la base du *Secretum*, l'ouvrage où Pétrarque a laissé l'analyse psychologique la plus inexorable de sa crise toujours vaincue et toujours renaissante (N. Sapegno). On y voit régner sans conteste et la faiblesse de la volonté, l'*acedia boni*, qu'il excuse sans la légitimer, et la série des vices capitaux (*Secretum* II), dont il se sent coupable, sauf de l'envie et de la gourmandise. Il insiste en particulier sur l'orgueil et la luxure, caractéristiques de natures fragiles comme la sienne. La luxure qui éloigne des choses divines – rappel de doctrine thomiste – se trouve à l'origine de son drame personnel, de son *discidium* entre Ève et Marie, luxure qu'il n'a pu vaincre même avec le secours de la prière et tout son bon propos (cependant en *Secretum* II, il garde confiance en cette résolution) ; c'est seulement après ses quarante ans qu'il lui semble avoir triomphé pleinement (*Posteritati*).

Dans le *De otio* II, 71, il souligne davantage encore le caractère négatif de la libido : c'est d'elle que proviennent les plus grands maux pour l'âme, pour le corps, les biens patrimoniaux, la réputation et le temps. Elle est souvent un châtiment de la *superbia mentis* (*De otio* II, 96), point de vue classique de l'ascèse (cf. Jean Climaque, *Scala Paradisi*, PG 88, 880) ; l'auteur propose les remèdes traditionnels de l'ascèse monastique (*De otio* II, 79-80), de saint Basile à saint Bernard, et de saint Thomas (*De otio* II, 67) : jeûne, sobriété intérieure, mortification des yeux (cf. Grégoire le Grand, *Moralia*, PL 76, 190), méditation sur la mort (cf. Jean Climaque, *Scala Paradisi*, PG 88, 793), le jugement et l'enfer

(cf. Basile, *Sermo in Ps.* 33, PG 29, 370-71), l'espérance du ciel, oraison du soir (cf. Jean Climaque, *Scala Paradisi*, PG 88, 1036), souvenir de la Passion du Christ, fuite de la femme.

Dans la vie conjugale il voit moins un *remedium concupiscentiae* qu'un obstacle à la contemplation. Il ne voit pas dans le *consortium conjugale* une école de perfection (*Fam.* V, 14, 5), mais une occasion de trouble psychologique, en suite de son expérience provençale, où il connut la femme comme objet de passion, non d'amour vrai. A la fin d'une lettre à Gherardo (*Fam.* X, 5) il insiste trop sur cet aspect négatif de la femme, plus à craindre que la mort (cf. *De remediis...*, p. 619). C'est dans ce contexte que prend place son éloge du célibat et de ses avantages égoïstes (*Fam.* V, 14 ; IX, 3 ; XXII, 1 ; XXIV, 1, 20). Dans la pratique néanmoins, il a su modérer cette forte pente misogyne et conseiller le mariage à des amis.

6º *Contemplation et pauvreté.* – En bon médiéval, il n'a pas ignoré le problème de la contemplation (*De otio* I, 43). Il l'envisage sous deux formes ; la contemplation naturelle (rappel des principes d'Épicure, *Fam.* IV, 1 ; description de l'ascension du Ventoux, *Fam.* IV, 14 ; *De vita solit., passim* ; passage de la beauté du créé au Créateur, *De otio* II, 91) et la contemplation surnaturelle, au-delà de l'expérience sensible (*Fam.* XVII, 3 ; rappel de Bonaventure), qui fait monter au ciel de la vraie patrie (*Fam.* X, 5, 2 ; XII, 11, 6). Le cadre qui la favorise au mieux est la vie solitaire, appliquée à la recherche de Dieu dans la solitude. On y passe le temps dans la contemplation de Dieu et l'exercice des vertus (*De vita solit.* I, 2, 15).

L'auteur touche à peine au rapport entre contemplation et action. Sa préférence très nette va à la première. La vie active pour lui est toujours un danger ; il faut y savoir traiter les affaires du monde sans qu'elles soulèvent cette poussière qui offusque la vue, et ne jamais oublier que le terme final est toujours Dieu. L'idéal demeure la *fuga saeculi*, à laquelle aspire la vie monastique, notamment la vie cartusienne, qu'il voit à travers l'expérience de son frère Gherardo. Il loue et aime la liturgie, en particulier le chant des psaumes, pour devenir plus savant, mais meilleur (*De otio* II, 105). Son *De vita solitaria* et son *De otio* laissent percevoir en Pétrarque une adhésion plus complète à l'idéal chrétien (Sapegno), mais aussi sa peur de l'ascèse monastique, faite de pauvreté, chasteté, obéissance ; il l'admire, tout en reconnaissant qu'elle n'est pas pour lui.

C'est la pauvreté monastique qui retient le plus son attention. Dans sa polémique contre la richesse des gens d'Église, à l'unisson des courants spirituels et des mouvements de pauvres de son temps, il jette la sainte pauvreté à la face de la Curie, surtout avignonnaise, considérée Babylone impie (*Canzoniere* LXXXVIII) et espère une Église spirituelle (*Canzoniere* CXXXVII) – influence joachimite –, lorsqu'Urbain IV aura de nouveau transféré son siège à Rome de manière définitive ; cette Église spirituelle sera le fruit de l'intervention de Dieu : comme chez d'autres écrivains de la fin du moyen âge, c'est l'attente du nouvel âge. Le thème revient avec insistance dans les vingt lettres *Sine nomine* de 1342 à 1358 ; ce qui n'autorise pas pour autant, comme l'a fait remarquer Sapegno, à voir dans Pétrarque un précurseur de la Réforme protestante, mais bien un témoin porté à des critiques à l'égard de la hiérarchie dans sa vue spirituelle, non politique, de l'Église (*Fam.* XI, 16, 36).

La richesse, pour lui, est la source de tous les maux ; il prend un ton apocalyptique, rappelant Dante et saint

Bernard, pour censurer l'avarice des évêques et l'ornementation coûteuse des églises aux dépens des pauvres (*Fam.* VI, 1, 19, 22). Il désire une Église pauvre, à l'exemple du Christ qui n'a pas voulu posséder d'or (*Fam.* VI, 1). L'avarice est le plus déplorable de tous les vices (*Fam.* VI, 1, 2) et la cruauté l'accompagne (*Fam.* V, 3, 18) ; c'est un vice qu'il faut fuir, lié qu'il est aux choses matérielles qu'à la mort il faut laisser là.

Cette pensée de la mort, premier remède à l'avarice, est un thème marquant de sa doctrine spirituelle. Il parle de la caducité de la vie (*De otio* II, 55, 62-64) en termes parfois macabres (*Secretum* I, II). La mort est regrettable et inévitable ; elle met fin à la vanité, aux maux de l'existence ; elle nous persuade de la misère humaine, autre point noté dans le *Secretum* en dépendance manifeste de l'exposé classique du *De misera condicione* d'Innocent III ; en elle se résume toute la philosophie (*Secretum* III) ; l'auteur en fait l'éloge avant tout dans les *Trionfi*.

7° Sur *les vertus théologales,* l'auteur n'a pas de doctrine particulière. Il ramène la foi à la *pietas in Deum* ; l'espérance est pour lui un moyen de parer aux difficultés de la vie présente (*Fam.* II, 4, 1) ; elle concerne le bien final, ceux de la terre étant vains ; il n'oublie pas non plus son aspect surnaturel, prendre après la mort son repos dans le Christ (*Fam.* XVI, 5). Il s'arrête plus longuement à la charité envers Dieu et envers le prochain. Dieu est aimé en raison de ses attributs (cf. *Fam.,* Index : *Dio*) : sage, tout-puissant, provident, dispensateur de tout bien spirituel et temporel (cf. *Ps. Poenitent.*), source de vérité et de vie, vrai médecin par sa miséricorde, pilier qui soutient le monde (*De otio* I, 37). La connaissance de notre misère morale suscite en nous le désir de ressusciter, et Dieu dans sa miséricorde nous traite non en juge, mais comme un père (*De vita solit.* I, 4, 5). A la miséricorde de Dieu, Pétrarque consacre, dans un style maniéré, un grand nombre de pages, notamment les Psaumes pénitentiels ; il en a fait lui-même l'expérience après sa vie de péché. Il sait qu'en elle seule se trouve le salut, que par elle il peut d'un cœur paisible affronter la mort.

Il s'arrête peu à l'amour du prochain. Il est sacré (*Fam.* XXI, 7, 4) ; il rend l'homme semblable à Dieu (réminiscence d'Augustin). L'étude des lettres se justifie, à condition qu'on l'oriente vers le bien du prochain (*Fam.* I, 9, 9 ; 9-10).

8° *Influence.* – Pour apprécier comme il se doit Pétrarque dans le domaine spirituel, il faut se souvenir de la considération qu'on a eue pour lui du point de vue théologique durant le siècle qui l'a suivi. Coluccio Salutati l'a défini *eruditissimus theologus et gentilibus illis philosophis praeferendus* ; Lombardo della Seta tenait le *Secretum* pour un *locus theologicus* (cf. Rico, p. 529) ; Poggio Bracciolini estimait notre auteur *virum doctissimum ac sapientissimum* (cf. Toffanin, p. 496). Dans les mélanges ascétiques du 15e siècle, on voit souvent le *Secretum* associé à des exposés de saint Augustin et de saint Bernard (cf. Sottili, *I codici del Petrarca nella Germania occidentale,* dans *Italia medievale e umanistica,* t. 10, 1967, p. 415). Francesco de Legnamine, plus tard évêque de Ferrare, aussitôt converti, fait du *Secretum* son livre de méditation. Il est probable que saint Laurent Justinien s'inspire de Pétrarque dans sa considération du Christ comme synthèse de tout le réel : l'hymne *omne Christus...* (*Fasciculus amoris,* 9) du mystique vénitien reprend presque à la lettre le *totus est*

*Christus* du *De otio* (I, 21). De même, le *De vita solitaria* de Laurent, adressé aux Chartreux, qui expose le même sujet que l'ouvrage de Pétrarque, offre des points de contact avec celui-ci et laisse supposer que Laurent l'a sous les yeux quand il compose le sien.

Relevons encore que les ouvrages de bibliographies d'auteurs ecclésiastiques, comme ceux de Jean Trithème au 15e siècle, de Robert Bellarmin et de G. Cave au 17e, de J.A. Fabricius au 18e, retiennent le nom et les œuvres de Pétrarque.

**Bibliographie.** – W. Fiske, *Catalogue of the Petrarch Collection,* Oxford, 1916. – E. Cecchi et N. Sapegno, *Storia della letteratura italiana,* t. 2, Milan, 1965, p. 305-13. – *Petrarch Catalogue of the Petrarch Collection in Cornell University Library...,* New York, 1974. – *Studi petrarcheschi* = SP, t. 9, 1978, p. 203-39 (années 1963-1978). – J.G. Fucilla, *Oltre un cinquantennio di studi sul P. (1916-1973),* Padoue, 1982.

N. Sapegno donne une bonne vue d'ensemble de Pétrarque et de son œuvre dans la *Storia* citée *supra* (p. 187-313) et dans son *Il Trecento* (2e éd., Milan, 1966, p. 165-266).

**Vie.** – Voir surtout E.H. Wilkins, *Vita del Petrarca e la formazione del' Canzoniere',* Milan, 1964 (original anglais : *The Making of the 'Canzoniere',* Rome, 1951 ; *Life of P.,* Chicago, 1961). – Du même Wilkins : *Petrarch's Eight Years in Milan,* Cambridge, Mass., 1958 ; *Petrarch's Later Years,* ibidem, 1959 ; *Petrarch's Correspondence,* Padoue, 1960. – Voir encore les vies de P. par H.R. Tatham (2 vol., Londres, 1925-26), J.M. Whitfield (Oxford, 1943), U. Bosco (Turin, 1946 ; Bari, 1961), L. Bernero (Avignon, 1948), H. Enjoubert (Paris, 1948), et les ouvrages de P. de Nolhac (*P. et l'humanisme,* 2 vol., Paris, 1892), M. Bishop (*Petrarch and his World,* Bloomington, Illinois, 1963) et M. Waller (*Petrarch's Poetics and Literary History,* Amherst, 1980).

**Aspects spirituels.** – G.C. Parolari, *Della religiosità del P.,* Bassano, 1847. – H. Cochin, *Le frère de Pétrarque et le livre 'Du repos des religieux',* Paris, 1903. – A. Carlini, *Il pensiero filosofico-religioso in Fr. P.,* Jesi, 1904. – G. Gerosa, *La cultura patristica del P.,* dans *Didaskaleion,* t. 1, 1929, p. 127-48. – L. Mascetta Caracci, *Sui sentimenti religiosi di Fr. P.,* dans *Civiltà moderna,* t. 4, 1932, p. 559-70. – E. Razzoli, *Agostinismo e religiosità del P.,* Milan, 1937.

C. Calcaterra, *Nella selva del P.,* Bologne, 1942. – U. Mariani, *Il P. e gli agostiniani,* Rome, 1946. – G. Martellotti, *Linee di sviluppo dell'umanesimo petrarchesco,* SP, t. 2, 1949, p. 51-81. – F. Piggioli, *Il pensiero religioso di Fr. P.,* Alba, 1952. – K. Heitmann, *Fortuna und Virtus,* Cologne, 1958 ; *L'insegnamento agostiniano nel 'Secretum',* SP, t. 6, 1961, p. 51-71.

*La spiritualité du moyen âge,* Paris, 1961, p. 605-07. – M. Casali, *Imitazione e ispirazione nei salmi penitenziali del P.,* SP, t. 7, 1961, p. 151-70. – M.M. Rossi, *Laura morta e la concezione petrarchesca dell'aldilà,* SP, t. 7, p. 301-21. – U. Marvardi, *La poesia religiosa del P. volgare,* Rome, 1961. – N. Iliescu, *Il 'Canzoniere' petrarchesco e Sant'Agostino,* Rome, 1962.

F. Tateo, *Dialogo interiore e polemica ideologica nel 'Secretum'...,* Florence, 1965. – P.P. Gerosa, *Umanesimo cristiano del Petrarca...,* Turin, 1966. – M. Casali, *Petrarca penitenziale : dai salmi alle Rime,* dans *Lettere italiane,* t. 20, 1968, p. 366-82. – L. Fusaro, *Un inno e una preghiera : la Vergine in Dante e in Petrarca,* Feltre, 1968.

F. Rico, *Vida u obra de P.,* t. 1 : *Lectura del 'Secretum',* Padoue, 1974. – B. Martinelli, *Il Petrarca e San Paolo,* SP, t. 9, 1978, p. 1-107 ; *Petrarca e il Ventoso,* Bergame, 1977 (recueil d'études) ; *Il 'Secretum conteso',* Naples, 1982. – D. Costa, *Irenic Apocalypse. Some Uses of Apocalyptic in Dante, Petrarch and Rabelais,* coll. Stanford French and Italian Studies 21, Saratoga, 1981. – J. Blanchard, *Quelques églogues latines... Pétrarque et ses émules français,* dans *Bibliothèque d'humanisme et renaissance,* t. 44, 1982, p. 331-40. – É. Luciani, *Les Confessions de S. Augustin dans les lettres de P.,* Paris, 1982. – A.M. Voci, *Petrarca e la vita religiosa : il mito umanista della vita eremitica,* Rome, 1983.

**Doctrine philosophique.** – *Enciclopedia filosofica,* t. 3, Venise-Rome, 1957, col. 1344-46. – G. Toffanin, *La filosofia del P.,* dans *Grande enciclopedia filosofica,* t. 6, Milan, 1964, p. 494-525.

DS, t. 1, col. 1147 ; – t. 2, col. 1614 ; – t. 3, col. 841 ; – t. 4, col. 969, 1539 ; – t. 5, col. 367, 464, 474, 892-3 ; – t. 6, col. 65-67 ; – t. 7, col. 502, 990-91, 997, 1002-06, 1024, 1770, 2222, 2229-31, 2233-35 ; – t. 8, col. 393, 1138 ; – t. 9, col. 58, 189, 191 ; – t. 10, col. 1231.

Antonio NIERO.

**PETRUCCI** (PIERRE-MATTHIEU), cardinal, 1636-1701. – 1. *Vie.* – 2. *Œuvres.* – 3. *Doctrine.* – 4. *Petrucci vu par les historiens.*

1. VIE. – Pier Matteo Petrucci naquit le 20 mai 1636 dans une famille noble de Jesi, de Giambattista Petrucci et Aurelia Stella. Ses études de rhétorique et d'humanités terminées sous la direction du prêtre Paolo Saluzzi, il étudia la philosophie, puis le droit à Macerata. Sa vive intelligence le fit remarquer de son évêque, Alderano Cybo, futur cardinal et Secrétaire d'État. A Jesi, l'Oratoire philippin était particulièrement adonné à l'action pastorale ; Petrucci, qui était en rapport avec lui dès sa jeunesse, y entra le 2 février 1661 et y fut ordonné prêtre le 14 mars suivant.

Il déploya dès lors une intense activité apostolique, comme prédicateur, catéchiste et directeur d'âmes, fortement imprégné de l'esprit de saint Philippe. Il fonda à Jesi, avec l'aide de son évêque, le *Conservatorio* des femmes pénitentes. Son zèle pastoral, en particulier comme directeur (fût-ce par correspondance), obtint plein succès. Quand Alderano Cybo céda à son frère Lorenzo le siège de Jesi, Petrucci devint le bras droit du nouvel évêque dans le gouvernement du diocèse ; il fut aussi secrétaire du synode diocésain qui eut lieu à cette période.

Son activité de guide spirituel s'exerça en particulier auprès des communautés religieuses, notamment de femmes. Il fut aussi envoyé à Venise pour y rétablir la paix dans la communauté de l'Oratoire. Ce séjour le mit en contact avec le quiétisme vénitien. La quasi totalité de ses publications date des années 1673-1683.

En 1678, Petrucci fut élu supérieur de sa Congrégation. En 1681 il succéda sur le siège de Jesi à Lorenzo Cybo, sur intervention auprès d'Innocent XI d'Alderano Cybo devenu cardinal. Évêque, Petrucci prêche, a une activité de guide spirituel encore élargie, surtout par ses visites pastorales et la tenue de deux synodes (1683 et 1695). Il continue aussi à publier des ouvrages de ton nettement spirituel : *Lettere brievi e spirituali* (1682) ; *Il nulla delle creature e il tutto di Dio* (1682).

Durant son épiscopat, il accorda une attention particulière au clergé. Il interdit les comportements mondains (jeux dans les cabarets, mascarades de carnaval, port d'armes, etc.) et déclara obligatoire le port de la soutane. Plus positivement, le clergé du diocèse devait s'adonner à la prière, vivre pieusement, administrer et célébrer dignement les sacrements, préparer au mariage les futurs époux, veiller à la fidélité au devoir pascal, etc.

A Jesi, en plus du monastère carme de la Madonna delle Grazie, il voulut aussi un couvent de carmélites ; avec ces religieuses il entretint une abondante correspondance, d'où l'on peut extraire une partie de sa doctrine spirituelle et aussi des erreurs relevées chez lui par le Saint-Office.

Le 2 septembre 1686, Petrucci fut créé cardinal par Innocent XI. Peu après, en dépit de longues hésitations du pape, le procès de Molinos (DS, t. 10, col. 1486-1514) détermine aussi l'ouverture du sien : 54 propositions tirées de ses écrits furent censurées par le Saint-Office ; le 17 décembre 1687, il les rétracta (cf. J. de Guibert, *Documenta ecclesiastica christianae perfectionis studium spectantia,* Rome, 1931, p. 293-310). Le 5 février 1688, la majeure partie de ses ouvrages furent mis à l'Index (p. 500). Confiné dans son évêché par le successeur d'Innocent XI, Alexandre VIII, Petrucci mourut à Jesi le 5 juillet 1701.

2. ŒUVRES (cf. P. Dudon, RSR, t. 5, 1914, p. 260-70). – Nous indiquons les principales bibl. italiennes où l'on garde les diverses éditions ; pour les bibl. françaises, cf. S.P. Michel, *Répertoire des ouvrages imprimés en langue italienne au 17ᵉ s. conservés dans les bibl. de France,* t. 6, Paris, CNRS, 1976, p. 107-08, que nous complétons à l'occasion.

1) *La Vergine Assunta. Novena... con una Introduttione all'oratione interna e con una esplicatione di sette punti di perfettione christiana accennati dal... Giovanni Taulero...,* Macerata, Zenobj, 1673 (= Vatican) ; – Venise, Poletti, 1678 (= Vatican ; Casanatense) ; – Gênes, Bottaro, 1681 (= Vatican ; Sém. de Padoue) ; – Venise, Hertz, 1682 (= Vatican ; Sém. de Padoue).

En sont tirés : *Punti d'interna e christiana perfettione* de Tauler avec l'explication de Petrucci (Gênes, Franchelli, 1682 =Vatican) ; – *La scuola dell'oratione aperta all'anime devote...,* rééd. de l'introd. de *La Vergine Assunta* (Bologne, G. Monti, 1686 = Casanatense).

2) *Meditationi et esercitii di varie virtù per preparatione al Sacro Natale...* avec un *Trattato dell'annichilatione virtuosa* (Macerata, Zenobj, 1674 = Vatican) ; – *Meditationi et esercitii pratici di varie virtù e d'estirpatione di vitii,* avec des *Meditationi sopra la passione interna di Giesù...* (Jesi, Percimineo, 1676 = Vatican) ; – 2 éd. à Rome, Tizzoni, 1682, reprennent respectivement les éd. de 1674 (= Vatican) et de 1676 (= Vatican ; Casanatense ; B.N. Florence ; B.N. Vitt. Em. de Rome) ; – Venise, Hertz, 1682, avec le *Trattato dell'annichilatione.*

3) Rééd. de *Vita, virtu, e dottrine mirabili del B. Giovanni Bonvisi da Lucca* du franciscain Francesco da Lignano, avec dédicace à Lorenzo Cybo et Avis au lecteur de Petrucci, Macerata, Zenobj, 1675 (= Bibl. S.J. Chantilly).

4) *Poesie sacre e spirituali,* 3 parties, Macerata et Jesi, Percimineo, 1675 (= Vatican) ; – éd. augmentée et corrigée, mêmes lieux, éditeur et date (= Venise, Marciana ; Rome, B.N. Vitt. Em. ; Paris, Mazarine) ; – 2 parties, Macerata, G. Piccini, 1675 (= Paris B.N.) ; – Jesi, Percimineo, 1680 (= Casanatense) ; – avec une 4ᵉ partie, Venise, Hertz, 1680 (= Venise, Marciana ; Bologne, Comunale Archiginnasio ; Chantilly, bibl. S.J.) ; – *Poesie sacre, morali e spirituali* en 8 parties, Jesi, Serafini, 1685 (= Paris, Mazarine) ; – 8 parties, Venise, Hertz, 1686 (= Vatican ; Naples, B.N. Vitt. Em. ; Paris, Arsenal et Mazarine ; Grenoble).

5) *Lettere e trattati spirituali e mistici... Parte prima* (Jesi, Percimineo, 1676 = Vatican ; Carpentras) ; – revue et augmentée, Venise, Hertz, 1678 (= Casanatense ; Naples, B.N. Vitt. Em. ; Lyon) ; – *Parte seconda,* Venise, Hertz, 1679 (= Florence B.N. ; Chantilly, bibl. S.J.) ; les deux parties de Venise, 1678-79 (= Vatican ; Bologne, Comunale Archiginna-

sio) ; – 2 parties, Venise, Hertz, 1681 (B.N. Florence ; Vatican ; etc.) ; – 1685 (Vatican ; Casanatense ; Padoue, séminaire ; etc.).

6) *Raccolta di massime di Santi e Sante,* publiée dans *Vita e virtù di Maria Maddalena di Gesù* par un dominicain anonyme, Jesi, Percimineo, 1678 ; le recueil (p. 133-261) est tiré en partie de l'oratorien P. Seguenot.

7) *I mistici enigmi desvelati...,* commentaire d'un sonnet de Petrucci formant 14 règles de vie dans l'état mystique, Jesi, Percimineo, 1680 (= Vatican) ; – Venise, Hertz, 1682 (= Casanatense ; Padoue, Séminaire ; Florence, B.N. ; Naples, B.N. Vitt. Em. ; Ferrare, Comunale Ariostea) ; – Venise, Hertz, 1685 (= Vatican) ; – Gênes, Franch, s d (= Vatican ; Grenoble).

8) *La contemplazione mistica acquistata...,* Jesi, Percimineo, 1681 (= Vatican) ; – Hertz, 1682 (= Casanatense ; Vatican ; Florence B.N. ; etc.) ; – Gênes, Bottaro, s d (= Casanatense ; Vatican).

9) *Lettere brievi spirituali e sacre... con alcuni atti giaculatorii...,* Venise, Hertz, 1682 (= Marseille, bibl. munic.) ; – augmenté d'un second volume, Jesi, Percimineo, 1682-1684 (= Casanatense ; Vatican ; Florence B.N.). – *Atti di virtù,* à part (Bologne, Recaldini, 1683 = Florence B.N.).

10) *Il nulla delle creature e'l tutto di Dio, trattati due,* Jesi, Percimineo, 1682 (= Grenoble, bibl. munic.) ; – Venise, Pezzana, 1683 (= Vatican ; Florence B.N. ; Bologne, Comunale Archiginnasio ; Grenoble, bibl. munic. ; etc.) ; – Bologne, Recaldini, 1687 (= Casanatense ; Padoue, Séminaire).

11) *Instruttioni, meditationi, esamine e documenti per fare i dieci giorni degli esercitii spirituali...,* recueil de documents spirituels tirés de Paul de Barry, J. Busaeus, jésuites, de Sans de Sainte-Catherine et de Thomas de Bergame, Jesi, Serafini, 1683 (= Vatican).

12) *Discorso in dichiaratione e difesa d'alcune parole della B. Catarina da Genova,* Gênes, Casamura, s d, 15 p. in-4° (cf. art. *Parpera,* DS, t. 12, col. 258-59).

13) *Prima Synodus Diocesana celebrata an. 1683,* Macerata, Pannelli, 1695 (= Casanatense). – 14) *Ordini da osservarsi secondo il prescritto delle Costituzioni del Collegio di Montalto in Bologna...,* Bologne, Eredi del Sarti, s d (= Bologne, Comunale Archiginnasio).

On peut y joindre : *Il Card. P.M. Petrucci...ed un saggio delle sue lettere e poesie spirituali,* éd. C. Mariotti, Jesi, 1908.

3. DOCTRINE. – 1) *Exposé.* – L'itinéraire spirituel, dans les écrits de Petrucci, se développe d'une manière classique. L'âme, fondée dans l'humilité, doit tendre vers Jésus Christ. De son point de départ, à travers la mortification et l'ascèse, la lutte contre les tentations, la pratique surtout des vertus, elle doit s'acheminer vers l'épanouissement de la charité et vers son terme, l'union à Dieu.

Pour que l'édifice de la perfection ait une base solide, il faut d'abord « dépouiller l'âme de la terre et y faire le vide ». La terre à enlever, ce sont les créatures qui l'entourent et son propre « corps de terre » ; le « vide » à réaliser, c'est l'humilité. La « pierre de base inébranlable » sur laquelle doit reposer tout l'édifice spirituel, c'est Jésus Christ, l'Homme-Dieu qu'il faut atteindre non par voie discursive ou sensible, mais en marchant dans la foi. D'où corrélativement la nécessité de rechercher la présence de Dieu par la prière vocale et mentale. Le développement spirituel doit se faire dans la ligne de l'imitation du Christ : « de son portrait très saint, nous-mêmes devons être de petites reproductions ». Le

terme final de l'itinéraire est l'union avec Dieu, qui est d'autant plus profonde que nous lui serons davantage assimilés.

Du point de vue positif, l'édifice se construit sur les vertus et d'abord l'obéissance, l'observation des règles, la mortification extérieure et intérieure, l'imitation des vertus dont le Christ est pour nous le modèle normatif. Le sommet culminant est la charité qui peu à peu s'épanouit en « souffrant, agissant, vivant et mourant en Dieu et pour Dieu ». L'œuvre la plus sainte est celle qui est faite avec un amour de Dieu plus intense, non pas celle qui paraît plus grande ou plus pénible.

A analyser la spiritualité de Petrucci, la vie intérieure qui commence par une rupture avec le monde, source de distractions, apparaît comme un dégagement des choses extérieures pour trouver refuge au-dedans au moyen de la méditation, qui prépare à la contemplation. Il faut, en effet, au moment opportun, laisser là le discours ; car, si Dieu n'est pas objet proportionné à notre intelligence, il l'est à notre foi. Les signes du moment pour opérer le passage sont la sécheresse dans la méditation, le manque de désir de faire appel à l'imagination, le goût senti pour une attention à Dieu pleine d'amour, en vraie paix et repos intérieur. Ces points avaient déjà été signalés par la grande tradition spirituelle, Tauler et Jean de la Croix. Le passage cependant a ses dangers : le dépassement de la méditation comporte l'abandon dans l'oraison de la composante sensible (images, affectivité) pour rester en adoration de la Divinité ; ce qui entraîne de la part du sensible une réaction qui peut provoquer la révolte des sens ; il y faut résister en « parfaite nudité », sans concepts, ni connaissance, ni intelligence, l'âme demeurant à la fois « immobile et mobile ». Dans cette situation, le sensible doit rester comme bloqué dans la quête de ce qui le satisferait ; par contre, le spirituel doit se tenir éveillé aux motions de l'Esprit qui, par les dons, rend l'âme souple aux impulsions divines. Cette lutte spirituelle, Petrucci l'appelle « annihilation active », pour la distinguer de la passive. La mortification passive (pour être vidée des connaissances naturelles et des images sensibles) est nécessaire pour que l'âme atteigne à la prière pure. Alors la grâce intervient pour réaliser dans l'âme une œuvre qui la dépasse ; alors aussi surviennent les plus redoutables attaques du démon, les maladies et les persécutions. En ces ténèbres de l'esprit l'âme, de façon quasi inconsciente, se détache des choses créées ; elle accomplit le « mourir en elle-même, se perdre en elle-même, en se fondant et transformant en Dieu ». En cette *vitalissima morte,* toujours la grâce joue le premier rôle, même si l'âme peut en quelque manière s'y disposer par la contemplation acquise. La contemplation infuse, œuvre de la grâce, apporte une paix profonde de l'esprit, perdu qu'il est, en quelque sorte, en son objet infini comme *un modo senza modo, universalissimo, profondissimo e sommamente semplice in limpidissima fede.*

2) *Problèmes soulevés.* – Une question ici se pose, qui a rapport avec la polémique quiétiste et la condamnation par le Saint-Office de 54 propositions de Petrucci : dans la contemplation acquise, est-ce seulement le travail de l'intelligence qui se trouve suspendu ou est-ce aussi l'intelligence même ? Il est clair que dans le second cas on serait proche du quiétisme, mais telle n'est pas, en fait, la position de Petrucci. Il maintient l'usage des sens internes dans la prière ; il n'admet pas que l'on dise d'assister aux cérémonies religieuses uniquement avec les sens externes et « comme des cadavres » ; il ne refuse même pas les peintures, la musique sacrée, les ornements extérieurs auxquels l'Église a recours pour élever vers l'invisible le fidèle. Il tient que dans la contemplation infuse l'âme se passe des images et de la méditation. A

toutes les étapes de la vie spirituelle la communion demeure nécessaire, spécialement pour vaincre les tentations. Cet ensemble doctrinal n'est pas chez lui organisé de manière systématique. Ce qui frappe, c'est moins la nouveauté que sa dépendance de la tradition, notamment celle du Carmel, que l'auteur connaît bien.

1) Parmi les divers points censurés par le Saint-Office, qui concernent les périodes marquantes de la montée de l'âme vers la pure contemplation, un premier se rapporte à l'abandon de l'oraison de méditation ; mais l'auteur la recommande dans la phase la plus élevée de la contemplation, où l'âme ne doit pas faire effort pour revenir en arrière. – 2) Un deuxième point regarde la contemplation et le péché ; on voit apparaître en ce contexte des allusions à l'impeccabilité : en fait, l'auteur ne l'admet pas, même si en quelques passages peu clairs il semblerait la supposer. Lorsqu'il dit que l'âme contemplative ne peut pas pécher, l'assertion peut être entendue de façon correcte, en ce sens que dans l'acte même de contempler, qui est acte d'amour de Dieu, elle ne peut pas pécher, ne pouvant en même temps aimer Dieu et le haïr.

3) Un troisième point concerne l'oraison de contemplation (exposée dans *Mistici enigmi*) : Petrucci y parle du naufrage de l'âme en Dieu, de la perte qu'elle y fait de la distinction des choses, de sa propre volonté devenue indifférente à vouloir. On comprend l'intervention du Saint-Office sur ce point difficilement défendable. Il faut cependant rappeler la distinction que fait l'auteur – et d'autres la font avec lui – d'une triple mort, celle au péché, celle aux sens internes et externes, et une troisième qui a lieu lorsque l'âme est dépouillée de toutes ses lumières, faveurs, ravissements surnaturels et autres actes. Pour Petrucci, dans la contemplation infuse « l'âme est toute perdue en Dieu » ; d'où sa « parfaite indifférence », du fait qu'elle vit en Dieu et pour Dieu.

4) Le quatrième problème regarde la tentation et la liberté de l'homme : Petrucci, à ce sujet, ne laisse aucun doute sur le fait que la tentation, comme telle, n'est pas un péché, qu'elle est aussi toujours proportionnée à nos forces et n'est donc, en aucun cas, irrésistible. Il reste qu'on trouve chez lui telle ou telle expression qui semble insinuer qu'à certaines tentations provenant du démon on ne peut résister. Mais ces tentations diaboliques peuvent aussi se comprendre en ce sens que le trouble des sens extérieurs est tel qu'on ne peut l'éviter, et non comme une passivité coupable. Il admet la possibilité d'une emprise diabolique sur les sens, mais non sur l'intelligence et la volonté. Au reste, les correctifs qu'il suggère aux tentations (présence de Dieu, prière, communion, confiance en un guide spirituel compétent, etc.), autrement dit le conseil qu'il donne de les surmonter en s'en détournant plutôt qu'en les combattant, montrent que ses expressions ambiguës, prises dans leur contexte global, sont bien dans la ligne d'une tradition orthodoxe. C'est en particulier la question de la violence diabolique sur les âmes avancées dans la vie spirituelle (blasphèmes, mouvements charnels, dans lesquels le consentement de la volonté reste problématique) qui fait l'objet de l'intervention du Saint-Office.

Selon Petrucci, c'est dans la contemplation que l'âme rejoint Dieu autant qu'il se peut en cette vie ; « immobile », elle « ne se meut point », n'accomplit pas d'actes délibérés qui la ramèneraient à la connaissance discursive. Dieu lui est intimement présent, encore qu'en son essence il lui demeure inconnaissable. La seule chose qui lui reste, c'est « amare con tutta la totalità della sua volontà ». Car, bien qu'« immobile », elle agit, aimant et engageant en cela toute sa volonté ; elle fixe son attention sur la présence de Dieu. Elle est immobile, en ce sens qu'elle ne se meut pas discursivement, mais pourtant, elle se

meut d'intention au-delà des puissances sensibles et même spirituelles ; ce qui est cause de grandes souffrances. En cette nuit de l'esprit, Dieu lui accorde quelque « étincelle de lumière intérieure », pour lui rendre un peu de souffle quand « ... derelitta tutta ignota a se stessa in questa morte supplice e nuda e tutta rassegnata e perduta in Dio, ma senza vederlo e gustarlo ». C'est pour l'âme « un martyre, une agonie et mort, ou plutôt un enfer mystique peineusement aimant ». Néanmoins ces âmes sont « parfaites » et « chères » à Dieu, sans pour autant être assurées de leur salut éternel. En tout cela, deux points d'appui : le plein abandon de l'âme à Dieu jusqu'à l'oubli d'elle-même, l'action de Dieu sur l'âme jusqu'à une emprise plénière. A cette doctrine se joint la thèse de l'incognoscibilité de Dieu : sans doute l'homme peut-il par la raison connaître la réalité de son existence, mais non son être. Cela dépasse infiniment toutes nos puissances et nos capacités.

Cette esquisse de la doctrine de Petrucci concerne une phase précise de l'itinéraire de l'âme vers Dieu, celle que Jean de la Croix appelle nuit de l'esprit ; mais on ne peut, la chose est claire, l'étendre de façon indue à l'ensemble de la vie spirituelle, ni à tout chrétien, même si tous les baptisés sont appelés à la perfection. On sait aussi que la phase en question est transitoire et qu'elle débouche sur le retour à la vie spirituelle à la fois plus élevée et plus normale. *La montée du Carmel* et *La nuit obscure* de Jean de la Croix utilisaient déjà ces thèmes dans des termes semblables à ceux de Petrucci. Les œuvres de notre auteur, lues dans le contexte de leur époque et en tenant compte des précisions qu'il apporte, peuvent servir de lecture spirituelle sans induire à un mysticisme quiétisant ; mais on y rencontre çà et là des expressions risquées.

3) *Contexte.* – Tout un ensemble de circonstances nuisit à Petrucci. On trouva chez lui un écho de la doctrine de Molinos se répandant en Italie. L'apparition de groupes spirituels suspects d'infiltrations quiétistes, tels ceux des frères Lambardi à Osimo, près de Jesi, ceux de Romiti à Matelica, et aussi le fait que ces groupes avaient pour guides des prêtres de l'Oratoire, la congrégation de Petrucci, pouvaient inquiéter.

Par ailleurs, parmi les auteurs utilisés par Petrucci, on remarque François Malaval (DS, t. 10, col. 152-58), Isabelle Bellinzaga (ou Berinzaga) et Achille Gagliardi (t. 6, col. 53-64 ; cf. t. 1, col. 1940-42), sans compter J. Falconi (t. 5, col. 35-43), Angelo Elli, Paul Manassei (t. 12, col. 570-75) et G. P. Rocchi, qui à des degrés divers comptaient au nombre des autorités dans les milieux quiétistes. La bibliographie de Petrucci était d'ailleurs fort riche en auteurs mystiques et il la tenait à jour, tout comme Alderano Cybo.

D'autre part, les dénonciations arrivaient à Rome, et aussi des écrits anonymes qualifiant Petrucci de « bégard », « calviniste », « iconoclaste », « janséniste » et, évidemment de « quiétiste ». Ripa, ancien gouverneur de Jési et futur évêque de Verceil, tenu pour quiétiste, était lié à Petrucci par une étroite amitié et entretenait avec lui une correspondance assidue ; il servit d'intermédiaire entre le quiétisme français et celui d'Italie par l'entremise de François La Combe (DS, t. 9, col. 35-42) ; il est exagéré de dire, comme M. Petrocchi, qu'il a fait le lien entre le quiétisme d'avant Fénélon et celui qui l'a suivi. I.A. Ricaldini, chez les *Pelagini* de Valcamonica, informait par lettre Petrucci de l'évolution du

PETRUCCI

procès dont ils étaient l'objet. Petrucci avait aussi accepté de devenir le procureur de la congrégation de Romiti à Rome. L'archevêque de Naples, I. Caracciolo, dans sa dénonciation du quiétisme en 1682, classait l'évêque de Jési parmi ses divulgateurs notoires.

Quels furent les rapports entre Petrucci et Molinos ? Il n'y eut pas de correspondance entre les deux hommes, Petrucci l'affirme au cardinal Cybo. Sa formation spirituelle chez les Oratoriens ne fut pas marquée par le quiétisme, ni d'ailleurs ses premières œuvres, comme *La Vergine assunta* de 1673. En 1677 il connaissait la *Guida spirituale* (1675) de Molinos, qu'il cite dans *Lettere e trattati spirituali e mistici* (1676-1678) et plus encore dans *La contemplazione mistica acquistata* (1682).

Tout cet ensemble, dans un climat de suspicion et de chasse au mystique, souvent soupçonné de dépravations, pouvait s'interpréter comme un appui apporté à Molinos. Cette interprétation devint encore plus aisée quand le célèbre Paolo Segneri publia sa *Concordia tra la fatica e la quiete nell'orazione* (1680) où il prenait position contre Molinos ; Petrucci sur un ton serein lui répliqua dans *La contemplazione mistica acquistata* (1682), en quoi il prenait publiquement la posture d'un défenseur de Molinos et du quiétisme. Mais ses *Lettere brievi e spirituali* (1682 ; recueil de 153 lettres) et ses *Lettere e trattati spirituali e mistici* (1676-1678) montrent en lui surtout un évêque qui veut être un guide spirituel. Elles manifestent certaines convictions profondes au sujet de la direction des âmes, qui ne sonnent guère quiétiste ou semi-quiétiste : outre la ferme persuasion qu'il est un instrument aux mains de Dieu, sa résolution de mener une vie pénitente pour le bien des âmes qu'il dirige, exigence de leur sincérité, obéissance, « foi » à l'égard de leur guide dans les vertus chrétiennes et le chemin vers Dieu.

4) *Sources et appréciation*. – En plus de l'Écriture, des Pères et des scolastiques (saint Thomas), Petrucci a pu, grâce à sa connaissance de l'espagnol et du français, lire sainte Thérèse, Saint Jean de la Croix, les carmes Joseph de Jésus-Marie et Thomas de Jésus, Jean de Saint-Samson. L'école carmélitaine, sans nul doute, l'a fortement marqué par sa spiritualité de l'union à Dieu et son itinéraire vers la perfection. C'est la spiritualité qu'il inculqua aux carmélites qu'il voulut avoir à Jesi.

Quelle trace a laissée sur lui la formation reçue à l'Oratoire de Philippe Néri ? Peut-être la conviction du fondateur que la sainteté est facile à atteindre et accessible à tous l'a-t-elle poussé à traiter de la contemplation acquise, avant-dernière étape de l'union mystique, comme d'un phénomène quasi ordinaire de la vie chrétienne. De même, le fond d'optimisme de l'Oratoire concernant la nature de l'homme a pu favoriser sa thèse de l'impeccabilité, entendue au sens que nous avons précisé. A-t-il transposé l'anti-intellectualisme philippin en sa propre attitude intérieure ? Selon lui, dans la contemplation Dieu doit être non pas connu mais aimé ; il ne semble guère s'intéresser au problème théologique de la connaissance de Dieu. Pour lui Dieu se voit ou pleinement ou nullement ; si on ne le voit pas pleinement, on ne le voit nullement ; ce qui suppose la thèse qu'il est l'objet de foi et d'amour, non de connaissance intellectuelle préalable ; l'intuition de Dieu étant plutôt de l'ordre de la volonté aimante à la pointe de

l'esprit, l'*eros* s'y trouve transformé en une sensibilité pour ainsi dire impeccable.

La considération de la créature comme néant (*Il nulla delle creature e'l tutto di Dio*, 1683) risque aussi d'éliminer l'un des deux pôles dialectiques Dieu-homme de l'itinéraire de l'âme vers Dieu. Selon l'auteur, « la créature comme créature est proprement le non-être, tandis que le Créateur est proprement l'être ». D'un point de vue philosophique et théologique, cette doctrine ne pouvait résister à une critique serrée.

Le Christ est au centre de sa spiritualité, alors que le quiétisme intégral est foncièrement théocentique ; elle inculque aussi nettement la nécessité de l'ascèse concrète et quotidienne. Sans doute, la meilleure approche de la pensée de Petrucci n'est-elle pas celle de P. Dudon, qui le considère comme un fils dévoyé de saint Thomas, « un prêtre sans théologie et un homme d'une psychologie toute féminine » ; autrement dit, il ne faut pas partir de la base théologique, pour ensuite apprécier la cohérence de sa doctrine spirituelle. Il n'est pas non plus possible, par un processus analogue, de jauger à partir de la vie chrétienne commune l'expérience exceptionnelle d'âmes qui sont agies par Dieu ; pour ces dernières, il faudra recourir à d'autres critères. On peut d'ailleurs estimer que mystiques et auteurs spirituels ne manquaient pas de données psychologiques nécessaires pour bien situer les expériences mystiques les plus élevées. Tel fut le cas de Petrucci, imprégné de la doctrine carmélitaine, marqué par l'Oratoire, et plongé dans l'ambiance quiétiste ou semi-quiétiste. Sa conduite personnelle fut irréprochable ; son œuvre pastorale fut active et féconde : qu'on se rappelle les deux synodes qu'il tint, les deux visites qu'il fit de son diocèse. Sa doctrine spirituelle, qui ne présente pas d'innovation marquante au regard de la grande tradition carmélitaine, n'était pas toujours formulée avec assez de rigueur. Néanmoins, dans le domaine théologique, il n'était pas purement incompétent ; sur les 54 propositions extraites de ses ouvrages, dix seulement furent qualifiées « haeresim sapiens » ou « proxima haeresi ».

Il reste que le quiétisme, qui insiste sur la mystique aux dépens de l'ascèse et donne le pas à la contemplation sur la méditation discursive, ne se trouve pas dans les écrits de Petrucci ; ne s'y trouvent pas non plus le mépris de la pénitence, des voies ordinaires vers la perfection et l'invitation sans discernement à s'engager dans les formes d'oraison les plus élevées. S'il introduit avec prudence au « silence » des puissances, à l'« anéantissement » des activités extérieures et intérieures, c'est dans le cadre de l'amour pur.

4. PETRUCCI VU PAR LES HISTORIENS. – Sur la vie et la spiritualité de Petrucci il n'existe encore aucune étude basée sur une recherche méthodique sérieuse.

La première biographie fut composée par Francesco Monacelli, son vicaire général, puis son auditeur à Rome. Elle ne fut jamais publiée ; on en trouve des copies manuscrites à la Bibl. Vallicelliana, à Rome, chez les carmélites de Jesi, à l'*Archivio Capitolare* de la cathédrale de Jesi et à la Bibl. Comunale de Jesi. Favorable à Petrucci, elle apporte un témoignage contemporain, mais reste partiale. Elle a inspiré l'ouvrage de C. Mariotti, *Il Card. P.M. Petrucci* (Jesi, 1908) ; purement apologétique, il n'apporte rien de nouveau. – A. Traluci (cf. bibl.) est aussi plein d'admiration pour son héros ; riche d'anecdotes et d'informations biographiques, il met en relief la prompte soumission de Petrucci, la comparant à celle de Fénelon. Les rapports de Petrucci à Jesi avec Alderano Cybo y sont aussi bien soulignés. Les informations de l'auteur proviennent surtout de Monacelli.

Le jésuite P. Dudon (*Le quiétiste espagnol M. de Molinos*, Paris, 1921 ; cf. bibl. des études, *infra*) est le premier qui étudie critiquement Petrucci, mais il le fait d'un point de vue nettement antipathique vis-à-vis des quiétistes ; il a le mérite d'avoir mis à jour nombre de documents. Dudon lie trop étroitement Petrucci à Molinos et ne met pas en lumière l'influence carmélitaine.

F. Nicolini (ouvrages de 1929, 1951 et 1959) a montré que la biographie de Petrucci par Monacelli est trop hagiographique et parfois mensongère ; il enrichit les documentations réunies par Dudon, publications et manuscrits. Malheureusement, il ne s'intéresse guère à la doctrine spirituelle et théologique. Il a en vain recherché ce qu'on pourrait reprocher à la vie privée de Petrucci.

M. Petrocchi voit dans l'évêque de Jesi le principal représentant du quiétisme italien. Il est le premier à donner une présentation organique de sa doctrine spirituelle, sans peut-être tenir assez compte des expériences mystiques de type extraordinaire qui entraînent chez certains spirituels des expressions contestables. Le grand mérite de Petrocchi est de connaître les écrits de Petrucci.

C. Urieli, dans son récent essai (1977), ne met pas en question que Petrucci ait été quiétiste et hérétique, ni ne cherche à comprendre pour quelles raisons il a été ainsi qualifié. Il suit de près, dans le domaine doctrinal, la thèse de I. Cannelloni (Univ. du Latran, 1957).

*Conclusion.* – Il est certain que Petrucci domine tous les quiétistes et semi-quiétistes italiens par sa culture spirituelle et aussi par ses fonctions dans l'Église et son sens diplomatique. On le verra mieux dans le cadre général de l'art. *Quiétisme*, ce mouvement spirituel fut en Italie dispersé çà et là en de nombreux groupuscules dévots d'assez peu de relief intellectuel. De ce mouvement, dont la piété est certaine, Petrucci est perçu comme le porte parole, qu'il l'ait voulu ou non ; il n'en est pas le créateur – qu'on trouverait plutôt en Angelo Elli, Sisto de Cucchi ou Paolo Manassei.

Il faut relever qu'Alphonse de Liguori, au siècle suivant, empruntera à Petrucci (*Lettere e trattati spirituali e mistici*, t. 1, 1676) à propos de la contemplation acquise, bien qu'en le critiquant ; il est possible qu'il ait aussi subi son influence en écrivant sa *Pratica del confessore* (1755) en ce qui concerne la direction des contemplatifs.

**Sources inédites.** – Bibl. Vallicelliana : ms I, 17 a (*Vita del card. P.M. Petrucci ; Testamento del...*, f. 132) ; – ms P. 176-178 : *De quietismo* (176, f. 85 : copie d'une lettre de P. ; *Diccianove proposizioni concernenti alla orazione di quiete e de quietisti*, f. 1 ; *Dottrina d'alcuni mistici moderni intorno alla orazione contemplativa acquisita*; – 177 : *Confutazione di due errori dei quietisti ; Sommario delle riflessioni fatte intorno alla controversia dell'orazione... di quiete ; Notizie su Francesco Marchesi ; Breve notitia della dottrina e della prattica di alcuni novelli contemplativi* ; – 178 : lettre originale de P. à Marchesi, f. 30 ; *Esame su alcune proposizioni condannate del card. Petrucci*, f. 59 ; *Avvertimenti a chi vuol attendere all'orazione contemplativa acquistata*, f. 159).

Bibl. Casanatense : ms 2399, XV, 27 (en particulier deux lettres de P.) ; – ms Casanata 310 (en particulier *Capi degli indizi avuti nel S. Offizio contro il card. P. ; Osservazioni sopra la dottrina contenuta nei libri del card. P.*, copie d'une lettre de P. à Giuseppe Balma ; *proposizioni condannate del P.* ; etc.).

Archivio segreto Vaticano : *Rp. ad principes*, t. 77, f. 77v, 104 ; t. 78, f. 37v (lettre d'Innocent XI à P.) ; – *Acta Cameraria* 24, p. 72, 78 ; – *Particulari* 70, p. 378, 379, 403 (lettres à propos du cardinalat de P.) ; – *Cardinali* 50, p. 71-109 (lettre de P. à Innocent XI).

Bibl. Vaticana : Vat. Lat. 12021 (surtout *Congregationes et negotia super P.M. Petruccio episcopo Aesino*) ; – Cod. Capp. 170, IX, p. 25 (*Studio sulla validità della nomina del P. a cardinale*).

Archivio verscovile di Jesi : ms classe XII, 408/414 (lettres des Congrégations romaines) ; – ms classe III, 61/62 (relations des visites pastorales de P.) ; – ms A, 63/64 (relations des visites pastorales à San Severino) ; – ms classe I, 9 (*relationes ad limina*) ; – ms classe IV, 91/93 (*Memorie del monastero della SS. Trinità di Jesi*) ; – ms classe I, 27/28 (*Memorie della Congregazione dell'Oratorio di Jesi*) ; – ms A, II, 91 et 441 (églises et confraternités).

Jesi, Bibl. Comunale : ms 85 (*Vita dell'... P.M.P.*). – Jesi, Archivio capitolare della cattedrale : vie anonyme de P. ; *Lettere di cardinali*, 33 ; *Registro di lettere e notizie diverse*, vol. 6. – Jesi, Archivio delle Carmelitane : vie anonyme de P. ; *Memorie antiche del Conservatorio della Pietà* ; lettre de P. (ms 27).

**Études.** – T. Baldassini, *Vita di Lorenzo Cybo*, Rome, 1690 ;*Notizie istoriche della reggia città di Jesi*, Jesi, 1703. – M. de Villarosa, *Memorie degli scrittori filippini*, t. 2, Naples, 1842, p. 83-85. – J. Hilgers, *Der Index der verbotenen Bücher*, Fribourg/Brisgau, 1904, p. 564-73. – C. Mariotti, *Il card. P.M. Petrucci ed un saggio delle sue lettere e poesie spirituali*, Jesi, 1908. – J. Paquier, *Qu'est-ce que le quiétisme ?*, Paris, 1910.

P. Dudon, *Notes et documents sur le Quiétisme*, V Quatre écrits de Segneri contre... et Petrucci, RSR, t. 3, 1912, p. 475-95 ; VI Un mémoire du card. Albizzi..., t. 4, 1913, p. 163-78 ; VII Bibliographie des œuvres de P.M. Petrucci, t. 5, 1914, p. 260-70 ; VIII Le card. P.M. Petrucci..., *ibidem*, p. 428-45 ; *Le quiétiste espagnol Michel Molinos*, Paris, 1921, *passim*.

L. von Pastor, *Storia dei papi*, trad. ital., t. 14/2, Rome, 1932, p. 326-35. – A. Traluci, *Il card. P.M. Petrucci (profilo storico)*, dans *Studia Picena*, 1930, p. 169-201. – A. Baldini, *La lotta contro il quietismo in Italia*, dans *Il diritto ecclesiastico*, t. 58, 1947, p. 26-50 (souligne les motifs politiques de la condamnation).

M. Petrocchi, *Il quietismo italiano del Seicento*, Rome, 1948, p. 59-90, 109-11 (c.r. de R. Guarnieri, dans *Rivista di Storia della Chiesa in Italia*, t. 3, 1949, p. 95-119 ; de I. Colosio, dans *Vita cristiana*, t. 18, 1949, p. 164-71) ; EC, t. 9, 1952, col. 1304-05 ; *Storia della spiritualità italiana*, t. 2, Rome, 1978, p. 135-41. – G. Cacciatore, *Due scritti inediti di S. Alfonso intorno al quietismo*, dans *Spicilegium Historicum C.SS.R.*, t. 1, 1953, p. 169-97 (Petrucci lecteur de S. Alphonse). – G. Papasogli, *Innocenzo XI*, Rome, 1956.

F. Nicolini, *Sulla vita civile, letteraria e religiosa napoletana del Seicento*, Naples, 1929 ; *Su Miguel de Molinos e taluni quietisti italiani*, Naples, 1959 ; 2 art. dans *Bollettino storico del Banco di Napoli*, t. 3, 1951, p. 88-201 et t. 15, 1959, p. 223-349 : *Su M. de Molinos, P.M. Petrucci e altri quietisti segnatamente napoletani*.

P. Zovatto, *La polemica Bossuet-Fénelon. Introduzione critico-bibliografica*, Padoue, 1968 (bibl., p. 83-112). – R. De Maio, *Il problema del quietismo napoletano*, dans *Rivista Storica Italiana*, t. 81, 1969, p. 721-44. – A. Sampers, *Appunti di S. Alfonso tratti da un'opera del card. Petrucci*, dans *Spicilegium Historicum C.SS.R.*, t. 26, 1978, p. 249-90. – C. Urieli, *Il card. P.M. Petrucci...*, dans *Ascetica cristiana e ascetica giansenista e quietista nelle regioni d'influenza avellanita* (Atti, Convegno del Centro di studi avellaniti), *Fonte Avellana*, 1977, p. 127-88. – *Problemi di storia della Chiesa nei secoli XVII-XVIII*, Naples, 1982.

DS, t. 1, col. 565, 891, 983, 1207-8, 1357 ; – t. 3, col. 578, 1455, 1864, 1866 ; – t. 6, col. 348 ; – t. 7, col. 1387, 2256-7, 2273 ;– t. 8, col. 1359 ; – t. 9, col. 36, 41 ; – t. 10, col. 3, 152, 1508, 1511.

Pietro ZOVATTO.

**PETYT** (MARIA ; MARIE DE SAINTE-THÉRÈSE), tertiaire du Carmel, 1623-1677. – 1. *Vie*. – 2. *Doctrine*.

1. VIE. – Née le 1ᵉʳ janvier 1623 à Hazebrouck (alors aux Pays-Bas espagnols), première des sept filles qu'eut en secondes noces Jan Petyt d'Anna Folque, Maria Petyt était d'une famille aisée de commerçants ; elle reçut une bonne éducation chrétienne de sa mère et d'une servante dévote, et dans une école de son bourg natal. Mise en pension dans un couvent de Saint-Omer pendant un an et demi, elle commence à méditer la passion et la vie du Christ et à faire des pénitences.

Une épidémie, puis les troubles de la guerre de Trente ans lui font faire des séjours à Poperinge et à Lille chez une pieuse demoiselle. Rentrée chez ses parents dans sa dix-septième année, elle garde des pratiques de piété tout en étant quelque peu coquette et attirée par le monde. Long-temps indécise de son avenir, la lecture d'un recueil de vies édifiantes et un sermon sur la vie religieuse l'amènent à choisir cette vocation ; un début d'amour humain ne la fera pas renoncer.

Sa vocation religieuse mûrit ; elle recherche la soli-tude pour prier ; elle lit Thomas a Kempis et Benoît de Canfield (une trad. néerlandaise de sa *Règle de per-fection* paraît à Anvers en 1622) ; apparemment elle ne reçoit aucune aide spirituelle extérieure et suit sa « voix intérieure ». Lorsqu'elle s'ouvre à ses parents de sa vocation, ceux-ci refusent, surtout son père ; ils finissent par accepter et, sur le conseil du confesseur de Maria, choisissent pour elle le couvent des chanoi-nesses de Saint-Augustin à Gand. Marie y entre en 1642, mais doit bientôt quitter le noviciat, sa vue défi-ciente la gênant pour chanter l'office.

Maria résolut de ne pas rentrer chez ses parents et trouva asile au petit béguinage de Gand ; elle se confesse à un carme qui ne semble pas l'avoir beau-coup aidée et comprise durant les quatre années qu'il la dirigea. Maria connut alors de dures peines intérieures, mais aussi de grandes lumières. Avec une amie, elle décida de s'établir dans une maison pour y vivre selon une règle que lui donna son confesseur et qui s'inspire de celle des Carmélites (deux heures d'oraison chaque jour, jeûne, discipline, lectures et colloques spirituels). Après une année d'essai, elle fit profession de tertiaire du Carmel sous le nom de Marie de Sainte-Thérèse.

Vers 1647, Maria rencontra à Gand le carme Michel de Saint-Augustin (1622-1684 ; DS, t. 10, col. 1187-91) qui accepta de la prendre sous sa direction spiri-tuelle. Cette rencontre et cette direction furent capi-tales : le carme délivra Maria des multiples obser-vances ascétiques qu'imposait le confesseur précédent, lui enseigna le véritable esprit du Carmel, l'assura dans l'oraison de simplicité, etc. Lorsqu'il quitta Gand, seize mois plus tard, il accepta de continuer par lettre la direction de Maria ; c'est grâce à ces échanges écrits que nous connaissons quelque peu sa vie et sur-tout son expérience spirituelle.

En 1657, Maria Petyt alla s'installer à Malines dans une maison proche des Carmes ; plusieurs dévotes vinrent la rejoindre. La communauté vécut d'une manière très retirée et austère. Maria Petyt mourut le jour de la Toussaint de 1677 et fut ensevelie, revêtue de l'habit du Carmel, dans l'église des Carmes de Malines.

2. DOCTRINE. – C'est grâce à Michel de Saint-Augustin que l'on connaît l'expérience de Maria Petyt. Il édita d'abord une courte biographie tirée de ses écrits (*Kort Begryp van het leven vande Weerdighe Moeder S. Maria a S. Teresia (alias) Petyt*, Bruxelles, 1681), puis *Het Leven vande Weerdighe Moeder Maria a Sta Teresia...* (4 parties en deux vol., Gand, 1683-1684, plus de 1.400 pages).

Maria Petyt avait écrit, sur l'ordre de Michel, un récit de sa vie ; Michel le divisa en 155 chapitres précédés d'une présentation de son cru, mais respecta le texte original. Ce récit forme la majeure partie du tome 1 ; les trois tomes suivants sont composés avec les comptes rendus de Maria sur sa vie spirituelle, que malheureusement Michel répartit selon les vertus, les dévotions, les mortifications, etc., et cela sans relever les dates des documents qu'il utilise. On n'a pas retrouvé les lettres originales.

Jacques de la Passion, carme, fit paraître aussi une courte biographie de Maria Petyt dans *De Stralen van de Sonne van den H. Vader en Propheet Elias* (t. 1, Liège, 1681, p. 243-344) ; « bien que les termes de la vie spirituelle correspondent à ceux employés par M. Petyt dans ses rela-tions, tout est résumé et traité à la troisième personne » (A. Deblaere, dans *Carmelus*, cité *infra*, p. 10).

Dans le cadre de l'article *Pays-Bas* (*supra*, col. 746-49), la spiritualité vécue par Maria Petyt a été longuement exposée. Nous n'y reviendrons pas. Auparavant, des développements ont été consacrés à sa contemplation (DS, t. 2, col. 2037-38), à son témoi-gnage sur la connaissance mystique de Dieu et sur l'union à l'âme de la Vierge Marie dans la période préparatoire au mariage mystique (t. 3, col. 925-27), au sens qu'elle donne au mot essentiel (t. 4, col. 1347, 1361, 1365) et enfin à la vie ' marieforme ' (t. 10, col. 461).

L'importance du témoignage spirituel de Maria Petyt tient peut-être en ce que, « tout en restant fidèle à la spiritualité de l'" introversion ', de la ' foi nue essentielle ', du ' non-savoir ' humain et de l'" anéan-tissement ' de la volonté propre, dans l'" union essen-tielle au Dieu informe ', ' en son fond ', elle accueille toute la richesse affective et psychologique apportée aux Pays-Bas par les traductions des grands maîtres espagnols » (Deblaere, dans *Biographie...*, col. 592). D'autre part, elle parle essentiellement de son expé-rience personnelle, rompant ainsi avec la tradition de la littérature spirituelle néerlandaise qui depuis Ruusbroec prenait la forme d'exposés didactiques ; cette expérience personnelle, Maria Petyt a fort bien su l'analyser réflexivement et elle égale sainte Thérèse d'Avila dans la description des répercussions de la grâce sur sa psychologie.

J.R.A. Merlier a établi une éd. critique de l'autobiographie de M.P. : *Het Leven van Maria Petyt*, Zutphen, s d (1976). L. van den Bossche a publié de nombreux extraits traduits en français dans VSS d'abord (février 1928, p. 201-41 ; déc. 1928, p. 105-20 ; janv. 1929, p. 169-201 ; février 1929, p. 242-54 ; déc. 1931, p. 149-66 ; janv. 1932, p. 43-50), puis dans VS (t. 43, 1935, p. 66-73, 181-86, 288-93 ; t. 46, 1936, p. 78-84, 185-91 ; t. 47, 1936, p. 290-95 ; t. 48, 1936, p. 67-71, 181-84 ; t. 49, 1936, p. 294-30). On lui doit aussi : *Vie mariale*, fragments traduits, Bruges-Paris, 1928 ; *Union mystique à Marie*, coll. Cahiers de la Vierge 15, Juvisy (1936) ; dans *Études carmélitaines* : *De la vie « marie-forme » au mariage mystique* (t. 16, 1931, p. 236-50 ; t. 17, 1932, p. 279-94) et « *Le grand silence du Carmel* ». *La vocation de Marie de Sainte-Thérèse* (t. 20, 1935, p. 233-47).

Les traductions de van den Boosche ont servi de base à des trad. anglaises : par Th. McGinnis (*Life with Mary*, New York, 1953 ; *Union with Our Lady, Marian Writings of Ven. Maria Petyt...*, 1954) et par V. Poslusney (*Life in and for Mary*, Chicago, 1954).

Études : voir surtout celles de A. Deblaere, qui ont servi à l'établissement de cette notice : *De mystieke Schrijfster Maria Petyt*, Gand, 1962 ; notice *Petyt*, dans *Biographie nationale* (de Belgique), t. 33 (Supplément, t. 5/2), 1966, col. 590-93 ; *Maria Petyt, écrivain et mystique flamande* dans *Carmelus*, t. 26, 1979, p. 3-76.

DS, t. 1, col. 463, 1150 ; t. 3, col. 1640 ; t. 4, col. 673, 977 ; t. 5, col. 661, 1371 ; t. 7, col. 74, 1916 ; t. 10, col. 615.

André Derville.

**PEUNTNER** (Thomas), prêtre, vers 1390-1439. – 1. *Vie.* – 2. *Écrits.*

1. Vie. – Né à Guntramsdorf près de Vienne, Thomas Peuntner devient curé et prédicateur à la cour ducale de Vienne après avoir vraisemblablement fait des études à l'université de cette ville. Il est l'un des disciples les plus intimes de Nicolas de Dinkelsbuehl (DS, t. 11, col. 273-76), le « second fondateur » de l'université de Vienne et l'initiateur de la réforme de Melk. A la cour ducale, il devient également le confesseur de la duchesse Élisabeth, fille de l'empereur Sigismond et femme du duc Albert v. En 1436, il est nommé chanoine à Saint-Étienne de Vienne. Il meurt en 1439.

Peuntner fait partie de « l'école de Vienne ». Fondée par Henri de Langenstein (DS, t. 7, col. 215-19) et développée par ses disciples Ulrich de Pottenstein et surtout Nicolas de Dinkelsbuehl, cette école fut un des centres grâce auxquels l'enseignement scolastique se transmit à des couches plus larges parmi le clergé et les laïques. Peuntner, le traducteur anonyme du *Speculum artis bene moriendi*, Jean Nider (DS, t. 11, col. 322-25) et Étienne de Landskron (t. 4, col. 1494-95) furent les représentants les plus marquants de la seconde génération de l'école. Toutes les œuvres de l'école de Vienne se caractérisent par une liaison étroite entre théologie scolastique et exigences pastorales pratiques, de même que par la traduction des écrits latins en langue populaire. Grâce à l'action complémentaire de la cour et de l'université, la pensée de l'école se diffusa dans toutes les régions d'Allemagne du sud.

Par rapport à Nicolas de Dinkelsbuehl, la vulgarisation de la scolastique va encore plus loin chez Peuntner. Son originalité est d'avoir rendu accessibles à un public plus large, et surtout laïc, les œuvres mêmes de Nicolas de Dinkelsbuehl. Il veut enseigner à ses lecteurs un christianisme pratique, orienter immédiatement leur vie. Ainsi s'efforce-t-il d'établir un lien entre les explications théoriques de Nicolas de Dinkelsbuehl et les actes quotidiens. La tendance commune à toutes ses œuvres est de transposer les principes du catéchisme en propos édifiants. La préoccupation centrale est « Pourquoi et comment l'homme doit-il aimer Dieu ? ». Cette question se trouve explicitement formulée dans son œuvre principale

*Büchlein von der Liebhabung Gottes.* Il y dénonce radicalement toute forme de piété tournée vers l'extérieur et exige que l'homme donne à Dieu la priorité absolue dans sa vie. A cet égard, Peuntner s'oppose à l'habitude, courante à cette époque dominée par la crainte de Dieu, de vouloir acheter la vie éternelle par des actions pieuses. Sa pensée centrale est que Dieu veut être aimé pour lui-même.

2. Écrits. – 1º *Sermons* en latin des années 1428 à 1439, prononcés dans diverses églises de Vienne : pour le temporal, en l'honneur des saints, en diverses circonstances, comme le couronnement de l'empereur Sigismond en 1433 (Vienne, B.N. 4685, 4932, autographes ; édition et analyses manquent).

2º *Büchlein von der Liebhabung Gottes* : remaniement en deux versions (1428 et 1433) des trois premiers sermons du cycle *De dilectione Dei et proximi* de Nicolas de Dinkelsbuehl (éd. B. Schnell, à paraître).

3º *Liebhabung Gottes an Feiertagen*, 1434 (éd. V. Kilgus, *Th. P. : Die Liebhabung Gottes an Feiertagen*, Salzbourg, 1975, dactylographié) ; on en connaît plus de 30 mss, 5 éd. incunables (*Gesamtkatalog der Wiegendrucke*, n. 5687-91), 4 autres entre 1508 et 1604, et celle de J. Ancelet-Hustache en 1926.

4º *Kunst des heilsamen Sterbens*, 1434, deuxième œuvre importante de Peuntner, le premier *Ars moriendi* de l'école de Vienne (éd. R. Rudolf, 1956).

5º *Betrachtungen über das Vaterunser*, 1435 (éd. R. Rudolf, 1953). – 6º *Betrachtungen über das Ave-Maria*, 1435 (éd. R. Rudolf, 1953). – 7º *Beichtbüchlein* et 8º *Christenlehre* (vraisemblablement une traduction des sermons catéchistiques de Nicolas de Dinkelsbuehl, inédits, indication des mss dans B. Schnell).

J. Ancelet-Hustache, *Traité sur l'amour de Dieu composé vers 1430 par un clerc anonyme de l'université de Vienne, publié d'après le manuscrit allemand de Bâle*, Paris, 1926. – H. Maschek, *Der Verfasser des Büchleins von der Liebhabung Gottes*, dans *Zentralblatt für Bibliothekswesen*, t. 53, 1936, p. 361-68 ; *Verfasserlexikon*, t. 3, Berlin, 1943, col. 863-69. – R. Rudolf, *Th. P.s Kunst des heilsamen Sterbens. Nach den Handschriften der Österreichischen Nationalbibliothek untersucht und herausgegeben*, Berlin-Bielefeld-Munich, 1956 (coll. *Texte des späten Mittelalters* 2) ; *Th. P.s Betrachtungen über das Vaterunser und Ave-Maria. Nach österreichischen Handschriften herausgegeben und untersucht*, Vienne, 1953 ; *Th. P. Leben und Werk eines Wiener Burgpfarrers*, dans *Literaturwissenschaftliches Jahrbuch*, n.s., t. 4, 1963, p. 1-19. – B. Schnell, *Th. P. Büchlein von der Liebhabung Gottes. Edition und Untersuchung*, coll. *Münchener Texte und Untersuchungen* 81, Munich, 1984.

Bernhard Schnell.

**PEUPLE DE DIEU.** – En consacrant le second chapitre de la *Constitution sur l'Église* au Peuple de Dieu, le concile Vatican II entend répondre à une aspiration de notre temps, mais aussi retrouver les racines historiques de l'Église. A la suite des art. *Corps mystique et spiritualité* (t. 2, col. 2378-2403), *Église* (t. 4, col. 370-479), celui-ci cherche à rendre compte de l'émergence de la notion de Peuple de Dieu dans l'ecclésiologie contemporaine et des perspectives spirituelles qu'elle ouvre à la vie de l'Église. – 1. *Préparations au 19e siècle.* – 2. *Première partie du 20e s.* – 3. *Textes de Vatican II.*

1. **Préparations au 19e siècle.** – Face à l'individualisme hérité du 18e siècle, la théologie allemande du

début du 19ᵉ redécouvre la dimension communautaire de l'Église. Pour J.M. Sailer, à Landshut, l'Église est « l'Unité, la Communauté de tous ses membres avec le Père par le Christ dans l'Esprit d'Amour » (cité par P. Chaillet, RSPT, t. 26, 1937, p. 487). A Tübingen, J.A. Möhler (DS, t. 10, col. 1446-48 ; Y. Congar, dans *Catholicisme*, t. 9, col. 460-62) renouvelle l'idée de l'Église par une connaissance approfondie des Pères. Dans son ouvrage de jeunesse *Die Einheit in der Kirche* (1825), il reprend au romantisme allemand le principe de l'organisme vivant et l'idée de l'Esprit du peuple (*Volksgeist*) pour insister sur le caractère social de l'existence chrétienne. Le Saint-Esprit est l'élément intérieur de l'Église, à partir duquel s'organise tout ce qui est extérieur.

Dans l'introduction à son cours d'Histoire de l'Église (1825-26), il affirme : « Tous les fidèles forment dans le Christ une grande vie communautaire, voilà, me semble-t-il, la seule véritable Idée de l'Église et de l'Histoire de l'Église » (cité dans *L'Église est une,* Paris, 1939, p. 53 ; cf. *L'Unité dans l'Église,* trad. franç., Paris, 1938, p. 109). Mais l'image biblique qui appuie cette idée est le « corps » et non le « peuple » (cf. *L'Unité...,* 2ᵉ p., ch. 1 L'Unité dans l'évêque, p. 161-85). Une seule fois, sauf erreur, Möhler annonce la notion de peuple de Dieu : « Le peuple juif tout entier apparaissait au chrétien comme prophétique et mystique » (p. 260, Appendice VII, à propos de l'allégorisme d'Origène).

J.H. Newman (DS, t. 11, col. 163-81 ; cf. t. 4, col. 433-35) révèle dans ses sermons un sens très fort de la continuité entre Israël et l'Église : « L'Église chrétienne est considérée comme la pure continuation de l'Église juive, comme si l'Évangile existait en germe même sous la Loi... Le Peuple élu de Dieu n'est que l'Église du Christ sous un autre nom » (*Parochial and Plain Sermons,* Londres, 1869, t. 2, p. 89). Certes, il ne les réduit pas l'une à l'autre : « Bien qu'elles soient réellement deux Églises, elles sont une, seulement sous différentes modalités (*dispensations*) » (t. 3, p.222).

Voir sur le même sujet *Sermons bearing on Subjects of the Day,* Londres, 1902, Sermons 14 (trad. part. dans *Pensées sur l'Église,* Paris, 1956, p. 158-60), p. 195 ; 15, p. 205, 216 ; 17, p. 237 ; 18, p. 260. Mais la notion de Peuple de Dieu n'est pas exploitée.

H. Lacordaire (DS, t. 9, col. 42-48) affirme souvent le lien de l'Église avec le peuple juif (*L'Église dans l'œuvre du P. Lacordaire,* textes choisis par Y. Frontier, Paris, 1963, p. 46, 56, 107-08) : « Je crois à l'Église, une, sainte, universelle, catholique, remontant par les apôtres et les patriarches, jusqu'à la source des temps » (p. 93). Le peuple juif et l'Église « se soutiennent d'autant mieux l'un par l'autre, qu'ils sont irréconciliables ennemis », en attendant le baiser de paix de la fin des temps entre le peuple ancien et le peuple nouveau (p. 101). Dans un sermon prononcé à Bruxelles en 1847, il emploie incidemment l'expression « peuple de Dieu », sans qu'on puisse très bien préciser si elle vise les chrétiens ou l'humanité tout entière (*Année dominicaine,* 1880, p. 56).

Fr. Pilgram (1819-1890) situe l'Église au cœur même de l'existence humaine en définissant son essence comme la communion (*Gemeinschaft*) avec Dieu. Elle n'est point « une institution nouvelle fondée sur la rédemption, mais une donnée comprise avec et dans la création, comprise en germe, à titre de communion » (*Physiologie der Kirche,* Mayence, 1860, 2ᵉ éd. 1931 ; tr. franç., Paris, 1864, p. 56).

Ce germe primitif est présent en tout homme, même après le péché. Il connaît un certain épanouissement avec Noé et Moïse, mais il ne peut fructifier que dans l'Église, où l'homme retrouve la plénitude de sa nature. Dans cette perspective, la vie du Peuple de Dieu est intégrée à celle de l'Église, bien que la notion de Peuple comme telle ne joue pas de rôle dans la réflexion. Pilgram cite la définition de l'Église du Catéchisme romain : « populus fidelis per universum orbem dispersus » (p. 88), mais la hiérarchie semble distinguée du peuple chrétien à titre de charpente du royaume de Dieu, le peuple complétant la construction.

Mathias J. Scheeben (1835-1888 ; cf. DS, t. 4, col. 430-31) dépasse l'idée de société pour contempler le mystère de l'Église, corps et épouse du Christ. Ces deux images sont si riches qu'elles rendent insuffisante toute comparaison avec les « institutions mosaïques », mais la grande vision prophétique d'Israël, Épouse de Dieu, ne lui vient pas à la pensée (*Le Mystère de l'Église et de ses sacrements,* 2ᵉ éd. Paris, 1956, p. 77-81). La notion de peuple de Dieu intervient à propos du sacerdoce des fidèles (*Dogmatique* v, n. 1366 et 1411 ; cf. *Le Mystère de l'Église,* p. 169-70).

Au Concile du Vatican ι, le premier schéma d'une constitution dogmatique *De Ecclesia Christi* (qui ne fut pas voté) présentait d'abord l'Église comme Corps mystique du Christ, mais l'image du peuple apparaissait au ch. 2. Jésus a fondé l'Église pour se constituer « une seule race sainte, un seul peuple qui lui appartienne », formule empruntée à 1 *Pierre* 2, 9, l'une des affirmations les plus nettes de l'Église comme peuple de Dieu. Au ch. 4, la comparaison de la « cité élevée et éclatante de lumière sur une montagne, qui ne peut être cachée » s'origine en *Mt.* 5, 14 et rejoint l'idéal de la Sion messianique, pôle d'attraction des nations païennes (*Is.* 2, 2-5 ; *Michée* 4, 1-3).

Texte du schéma dans *Mansi,* t. 51, col. 539-59 ; cf. R. Aubert, *Vatican I,* Paris, 1964, p. 150-57).

P. Batiffol (1861-1929), au terme d'une étude approfondie du Nouveau Testament, reconnaît dans l'Église le peuple nouveau formé d'Israël et des païens.

Il commente ainsi 1 *Pierre* : « Les fidèles au sortir du baptême forment un peuple aussi véritable qu'Israël au sortir de l'Égypte : les Israélites étaient la maison de Jacob, les fidèles sont la maison de Dieu ». Juifs et païens ne sont plus des étrangers les uns pour les autres, « ils sont un même peuple au sens biblique du mot ». Batiffol justifie l'unité de ce peuple par le concept de « corps du Christ », de ce Christ descendant d'Abraham. En lui, les fidèles deviennent tous des enfants d'Abraham et donc un même peuple. Les premiers chrétiens se sont ainsi défendus d'être un peuple à part, mais dans les Épîtres de la captivité, la filiation d'Abraham n'est plus revendiquée : « Le corps du Christ grandit non plus comme peut grandir la branche entée sur le vieil arbre, mais s'élève un temple neuf » (*L'Église naissante. L'idée de l'Église,* dans *Revue Biblique,* t. 5, 1896, p. 369, 379-80).

Cette analyse sera développée dans *L'Église naissante et le catholicisme* (2 éd. en 1909 à Paris ; réimpr. 1971, avec préface de J. Daniélou). L. Cerfaux, dont les travaux seront déterminants dans l'ecclésiologie du 20ᵉ siècle, qualifiera ce livre de chef-d'œuvre (*Revue catholique...,* 11 avril 1930, p. 9). On peut voir en P. Batiffol l'un des grands précurseurs en langue française de la théologie du peuple de Dieu.

L'art. *Église* du *Dictionnaire de la Bible* (t. 2, col. 1599-1601) paraît en 1899 ; son auteur (A. Vacant) connaît la notion de « Peuple de Dieu », mais ne la fait pas entrer dans la définition de l'Église, « société visible des fidèles » (le DB n'aura pas d'article *Peuple de Dieu*). Pourtant, dans l'encyclique *Satis Cognitum* (29 juin 1896), Léon XIII la désignait déjà comme « la véritable Sion spirituelle » ; bien que la notion proprement biblique de Peuple de Dieu ne soit pas exploitée, les fidèles sont dits unis « de façon à ne former tous ensemble qu'un seul peuple, un seul royaume, un seul corps ».

2. **Première partie du 20ᵉ siècle.** – L'ecclésiologie de cette époque est dominée par le concept de « Corps mystique », mais l'idée de peuple de Dieu fait son chemin. Il suffit de signaler les étapes les plus marquantes, qui aboutiront à sa consécration au Concile Vatican II.

En 1909, R. Sohm parle de l'Église comme du nouveau peuple de Dieu et en souligne le caractère visible (*Wesen und Ursprung des Katholicismus*, Leipzig, 1909, p. 23). M. d'Herbigny situe l'origine de l'Église dans l'histoire du peuple juif, en tant qu'héritière des promesses. Le mot *Qahal* (Église) se réfère à Israël « non dans son unité nationale mais dans son unité religieuse de peuple divinement élu » (*Theologia de Ecclesia*, t. 1, Paris, 1913, p. 43). Le texte de 1 *Pierre* 2, 9-10 est deux fois cité mais non exploité.

Le petit livre de H. Clérissac porte un titre significatif : *Le mystère de l'Église* (Paris, 1918 ; 2ᵉ éd. 1921). Déjà chez les Prophètes, elle prend nom et qualité d'épouse : « l'Église de l'Ancien Testament » désigne en fait le Peuple de Dieu. Au Christ, « il faut une épouse pour engendrer le nouvel Israël » (p. 37). La Cité sur la montagne, la Cité-Épouse de l'*Apocalypse*, est un défi à toutes les tentations de déification de la cité terrestre comme à tous les faux systèmes de religion purement intérieure et spirituelle. Cité parfaite, l'Église est aussi « la thébaïde des âmes » ; ainsi chacun se trouve en même temps à soi et à tous : « Désormais, il m'est comme impossible de me trouver un moi personnel : il me semble que je suis de tous les temps ; j'ai une racine réelle dans l'Ancien Testament, j'appartiens à toute l'Église, et tout le monde est à moi » (p. 142). L'Église rassemble toutes les formes de la société : « Patriarcale dans l'Ancien Testament, elle est à la fois Monarchie absolue, Hiérarchie de droit divin, Peuple immense d'élus et de saints » (p. 154).

F. Kattenbusch étudie l'origine de l'idée d'Église : les disciples de Jésus forment le « Peuple des Saints du Très-Haut », qui trouvent leur unité de foi, d'amour et d'espérance dans leur Roi et Seigneur ; il reconnaît dans le chiffre Douze le symbole du Peuple de Dieu (*Der Quellort der Kirchenidee*, dans *Festgabe... Ad. v. Harnack*, Tübingen, 1921, p. 143-72). R. Guardini définit l'Église comme « l'achèvement (*Auswirkung*) terrestre de la communauté divine » (*Vom Sinn der Kirche*, Mayence, 1923, p. 86).

Dès 1925, L. Cerfaux répercute le résultat des recherches allemandes : « Les premières chrétientés, affirme-t-on désormais, vivaient dans l'enthousiasme de constituer le nouvel Israël, le véritable peuple de Dieu choisi pour le salut spirituel, et leur conviction, leur foi s'exprimait dans ce mot qui résumait le dogme : l'Église » (*L'Église et le Règne de Dieu d'après S. Paul*, dans *Ephemerides Theologicae Lovanienses*, t. 2, 1925, p. 181 ; repris dans *Recueil L. Cerfaux*, t. 2, Gembloux 1954, p. 365). Il établit un lien entre

l'image de l'Église Épouse du Christ et la nation juive épouse de Dieu (p. 196 ou 383 ; cf. *L'acte de naissance de l'Église catholique*, dans *Revue catholique...*, 11 avril 1930, p. 8-9).

La réalité de l'Église comme peuple de Dieu est affirmée par K.L. Schmidt dans son étude *Die Kirche des Urchristentums* (*Festgabe für A. Deissmann*, Tübingen, 1927, p. 259-319 ; 2ᵉ éd. en tiré à part 1932) et dans l'article ἐκκλησία, *Kittel*, t. 3, 1938, p. 502-39 (tr. franç., Genève, 1967), non sans une certaine opposition avec l'idée de hiérarchie humaine.

Voir encore G. Gloege, *Reich Gottes und Kirche im Neuen Testament*, Gütersloh, 1929. – O. Linton, *Das Problem der Urkirche in der neueren Forschung*, Upsala, 1932. D'où l'affirmation de F.-M. Braun à propos des théologiens protestants : « Tous les représentants du nouveau consensus entendent l'Église dans le sens établi par K.L. Schmidt : peuple de Dieu, réuni par Dieu et non (comme jusqu'en 1880) communauté ou fédération de communautés issue de la libre volonté des hommes » (*Aspects nouveaux du problème de l'Église*, Fribourg, 1942, p. 104). Par ailleurs, J. Levie lance un appel à une compréhension théologique de l'Ancien Testament, dans laquelle on mettrait en lumière comment le peuple Juif préparait l'Église : celle-ci « fut la perfection, la consommation de ce qui avait été lente et sinueuse préparation... Église catholique, peuple racheté par miséricorde » (*La crise de l'Ancien Testament*, NRT, t. 56, 1929, p. 835).

En Angleterre, A. Vonier publie en 1937 un petit livre plein de richesses, *The people of God* (trad. franç., Paris, 1953). Il met l'accent sur la solidarité spirituelle des chrétiens, leur existence communautaire.

La notion de peuple comporte de nombreux avantages : elle évite de comprendre l'Église d'une manière purement invisible ; elle donne aux chrétiens la conscience de former « une communauté absolument unique dans l'expérience de l'humanité » (p. 22, tr. franç.), très diverse dans les dons possédés, mais unie par un sentiment intense de fraternité ; elle rend compte de l'historicité de l'Église, de ses vicissitudes au cours des siècles ; elle connote l'idée de pécheurs ; elle permet d'envisager l'Église dans la plénitude de sa mission ; elle invite à voir un seul peuple dans les clercs et les laïcs. « Le christianisme... est la religion d'un peuple, et il n'y a rien d'officiel dans le Christianisme qui ne possède cette caractéristique démocratique d'être à la portée de chaque membre du corps social » (p. 176). Le livre s'achève sur cette question : « Ne pourrait-on pas suggérer que la théologie du peuple de Dieu serait d'un grand secours pour une plus ample intelligence des visées de l'Action catholique ? » (p. 216). Voir aussi H. de Lubac, *Catholicisme*, Paris, 1938, p. 28-33.

Dans un texte rédigé en 1937, Y. Congar écrit : « L'Église est l'Israël nouveau, et elle est, comme Israël, un peuple de Dieu ayant son existence de peuple, sa vie sociale, sa législation, sa hiérarchie. Les chrétiens avaient conscience de former ce nouvel Israël que Dieu se rassemblait non plus dans le cadre des douze tribus racialement considérées, mais des quatre coins du monde, sous la judicature de douze *Apostoloi* » (*Esquisses du mystère de l'Église*, Paris, 1941, p. 43-44).

Autour des années 1940, les polémiques étaient vives sur la notion de Corps mystique (cf. DS, t. 2, col. 2399-2400). L'étude biblique de N.A. Dahl marque une étape capitale : sa recherche sur la conscience qu'avait d'elle-même l'Église primitive est précédée d'un très long travail sur le peuple de Dieu dans l'Ancien Testament (*Das Volk Gottes. Eine Untersuchung zum Kirchenbewusstsein des Urchristentums*, Oslo, 1941 ; 2ᵉ éd., Darmstadt, 1962). A cette époque, « d'une façon assez extraordinaire, s'est produite, dans le monde catholique, une véritable et très exaltante découverte de l'idée de Peuple de Dieu » (Y.M.J. Congar, *Sainte Église*, Paris, 1964, p. 24). L. Cerfaux écrit un ouvrage d'exégèse qui eut une grande influence : il situe la théologie du peuple de Dieu au point de départ de la pensée paulinienne, puis il montre le passage de la notion de peuple à celles de Corps du Christ et d'Église (*La théologie de l'Église suivant saint Paul*, Paris, 1942 ; recensions de E.B. Allo, dans *Vivre et penser*, t. 3 = *Revue Biblique*, t. 52, 1944, p. 143-54 ; de L. Bouyer dans *Dieu vivant*, n. 2, 1945, p. 137-42).

Dans des conférences données en 1942-1943, Y. de Montcheuil connaît la notion de peuple, qu'il rapproche de celle de corps ; l'une et l'autre traduisent l'union des chrétiens entre eux, le corps « marquant davantage la dépendance mutuelle, le besoin réciproque et l'unité dans la diversité des fonctions », le peuple « marquant plutôt le caractère personnel des relations, l'harmonie non imposée, mais libre et voulue » (*Aspects de l'Église*, Paris, 1949, p. 19). « Israël nouveau », l'Église est au centre du plan divin, aboutissement d'une préparation.

Le 29 juin 1943 l'encyclique de Pie XII *Mystici Corporis Christi* reprend à son compte la définition de l'Église inscrite en tête du schéma préparé pour le concile Vatican I : « L'Église est le corps mystique du Christ ». L'expression « peuple de Dieu » est passée sous silence, sans doute parce qu'elle se présentait chez certains comme l'antidote du « corps mystique » (cf. C. Lialine, dans *Irénikon*, t. 19, 1946, p. 297, n. 1 ; t. 20, 1947, p. 53 : peuple de Dieu serait une meilleure expression du caractère communautaire de l'Église et favoriserait le dialogue œcuménique). Mais ce silence même laissait toute possibilité à un développement ultérieur, implicitement encouragé d'ailleurs par les encycliques *Divino afflante* (30 septembre 1943) et *Mediator Dei et Hominum* (20 novembre 1947), consacrant les renouveaux biblique et liturgique, sans lesquels la réalité de peuple de Dieu n'aurait pu ni s'éclairer ni se vivre.

De fait le centre d'intérêt de l'ecclésiologie d'après-guerre se porte de plus en plus vers cette réalité, sans qu'il faille remettre en cause l'acquis de la théologie du Corps mystique. Il s'agit beaucoup plus de « définir l'Église indissolublement peuple de Dieu et corps du Christ », en prenant conscience qu'elle est d'abord l'aboutissement du dessein de Dieu de restaurer une humanité nouvelle à partir de l'humanité adamique (L. Bouyer, *Où en est la théologie du Corps mystique ?*, dans *Revue des Sciences religieuses* = RevSR, t. 22, 1948, p. 331 ; H.-M. Féret, *Peuple de Dieu, mystère de charité*, VS, t. 73, 1945, p. 242-62). De même pour A. Oepke, il n'y a pas à choisir entre Peuple de Dieu et Corps du Christ pour définir la pensée de Paul : les deux concepts sont à garder, le peuple comme la racine et la tige, le corps comme la fleur (*Das neue Gottesvolk in Schriftum, Schauspiel, bildender Kunst und Weltgestaltung*, Gütersloh, 1950 ; *Leib Christi oder Volk Gottes bei Paulus*, dans *Theologische Literaturzeitung*, t. 79, 1954, col. 363-68). « L'Église est le peuple de Dieu formé des baptisés, qui, vivifié par l'Esprit saint, constitue le Corps mystique du Christ et

dont la cohésion est assurée par le lien de la foi reçue du Christ, du gouvernement (*Leitung*), de la liturgie et de l'ordre sacramentel institués par Lui » (K. Algermissen, cité par U. Valeske, *Votum Ecclesiae*, Munich, 1962, p. 243).

Les recherches exégétiques se poursuivent : J. Schmitt, *L'Église de Jérusalem ou la restauration d'Israël*, RevSR, t. 27, 1953, p. 209-18. – N.A. Dahl, *The people of God*, dans *The Ecumenical Review*, t. 9, 1956-1957, p. 154-61. – En 1960, l'Association catholique des études bibliques au Canada consacre ses travaux à *L'Église dans la Bible* (Paris-Bruges, 1962). En Allemagne, K. Thieme s'efforce d'intégrer au mystère de l'Église le peuple de l'Ancienne Alliance et R. Schnackenburg présente le témoignage du Nouveau Testament (*Mysterium Kirche*, t. 1, Salzbourg, 1962, p. 37-88 et 89-199 ; trad. franç., Tournai, 1964). A la veille de l'ouverture du concile, en août 1962, les Journées bibliques de Louvain éprouvent le besoin « de faire le point, d'apprécier les résultats acquis et d'envisager les nouvelles orientations de la recherche » (*Aux origines de l'Église*, Paris-Bruges, 1965).

De leur côté, les théologiens intègrent à leur réflexion cette dimension de l'Église, qui est rangée par Ch. Journet dans la catégorie des « définitions majeures » (*Théologie de l'Église*, Paris-Bruges, 1958, p. 399 ; C. Dillenschneider, *Toute l'Église en Marie*, dans *Marie et l'Église* III, *Études Mariales*, 1953, Paris, p. 75-132). En quelques années, elle est devenue « une catégorie de pensée fondamentale du catholicisme de langue française » (Y. Congar, *Peut-on définir l'Église ?*, dans *Jacques Leclercq. L'homme, l'œuvre et ses amis*, Tournai-Paris, 1961, p. 233-54, repris dans *Sainte Église*, p. 21-44, ici p. 24). Congar en résume ainsi les avantages : « La notion... était moins purement christologique que celle de Corps mystique. Elle se prête à exprimer la continuité entre l'Église et le peuple d'Israël ; elle mettait, dans l'idée de Corps mystique, une note d'historicité, d'itinérance et de dynamisme, et donc également une référence à l'eschatologie » (*L'Église de S. Augustin à l'époque moderne*, Paris, 1970, p. 468-69).

Ainsi, dès le début du 19ᵉ siècle, à une vision apparemment statique et juridique d'une Église « société parfaite » commence à se substituer, à la lumière de la pensée patristique, une visée théologique et spirituelle d'une Église « communion d'amour ». La présentation de ce mystère s'exprimera en particulier à travers l'image paulinienne du Corps du Christ, et, au-delà de certains excès, elle connaîtra une consécration officielle dans l'encyclique *Mystici Corporis* ; mais, sous l'effet conjugué d'une contemplation très ample de la réalité ecclésiale, des recherches historiques et exégétiques, on redécouvrira la conscience de l'Église primitive d'être la communauté messianique, l'héritière des promesses faites à Abraham ; alors la notion de « Peuple de Dieu » se dégage peu à peu jusqu'à sa pleine reconnaissance dans les textes de Vatican II.

Un rapide regard sur les Conférences de Carême de Notre-Dame de Paris est très révélateur de cette histoire. En 1837-1838, X. de Ravignan présente l'Église comme une « société de pasteurs, unis sous un chef, enseignant et régissant spirituellement les fidèles » (28ᵉ Conf., *Conférences*, t. 2, Paris, 1860, p. 259). Le ton est généralement apologétique. Il devient plus mystique avec le P. Félix en 1869 : l'Église est notre mère, l'épouse vivante du Christ, une « immense communion des âmes qui a pour centre le cœur du Christ ». Avec le P. Ollivier, en 1897, nous retrouvons la société parfaite, mais en 1937 H. Pinard de La Boullaye exploite la théologie du Corps mystique. L'idée de Peuple de Dieu fait sa timide apparition avec M. Riquet en 1953 et en 1958 avec Mgr Blanchet sous la forme d'Israël nouveau. En 1960, le P. Carré explique le Sacerdoce des laïcs en parlant de l'Église comme d'un peuple sacerdotal, peuple de pénitents, peuple qui rend grâces, peuple tout entier responsable de l'humanité. J. Thomas intitule ses conférences de 1977 « Peuple de Dieu et peuples de la terre », dans la ligne directe du Concile.

Pour rendre compte de cette évolution, il faudrait compléter cette enquête par une recherche dans le domaine liturgique et pastoral : il est incontestable que l'invitation faite aux chrétiens de participer activement à la vie apostolique et liturgique de l'Église les a préparés à se reconnaître membres à part entière du peuple de Dieu dans sa triple dimension prophétique, sacerdotale et royale (voir la session du Centre de Pastorale liturgique en 1952 : *Le Baptême, entrée dans le peuple de Dieu,* dans *La Maison-Dieu,* n. 32, 1952, et n. 34, 1953, p. 5-19). Cela explique aussi pourquoi cette présentation de l'Église a marqué non seulement la Constitution *Lumen Gentium* mais l'ensemble de la réflexion conciliaire.

H. Koehnlein, *La notion de l'Église chez l'apôtre Paul. A propos des publications récentes,* dans *Revue d'Histoire et de Philosophie Religieuse,* t. 17, 1937, p. 357-77. – K.L. Schmidt, *Royaume, Église, État et Peuple, ibidem,* t. 18, 1938, p. 145-73. – O. Cullmann, *La Royauté du Christ et l'Église dans le Nouveau Testament,* Paris, 1941, repris dans *La foi et le culte de l'Église primitive,* Neuchâtel, 1963, p. 13-46. – A.G. Hebert, *The Throne of David,* Londres, 1941 ; tr. franç., Paris, 1950. – O. Rousseau, *Histoire du mouvement liturgique,* Paris, 1945. – Y. Congar, *La maison du Peuple de Dieu,* dans *L'Art Sacré,* août-sept. 1947, p. 205-20. – C. Spicq, *L'Église du Christ,* dans *La Sainte Église universelle,* Neuchâtel-Paris, 1948, p. 175-219. – L. Bouyer, *Les Psaumes prière du peuple de Dieu,* VS, t. 80, 1949, p. 579-97. – J. Gray, *Le peuple de Dieu et l'Église,* dans *Masses Ouvrières,* n. 49, 1949, p. 18-31.

E. Schlink, *Das wandernde Gottesvolk,* dans *Theologische Literaturzeitung,* t. 77, 1952, col. 577-84 ; tr. angl. *The Ecumenical Review* = EcR, t. 5, 1952-1953, p. 27-36 ; tr. franç. dans *Foi et vie,* t. 50, 1952, p. 431-43. – R.N. Flew éd., *The nature of the Church,* Londres, 1952. – G.A. Danell, *The idea of God's People in the Bible,* dans A. Fridrichsen éd., *The root of the Vine,* Londres, 1953, p. 23-36. – J. Ratzinger, *Volk und Haus Gottes in Augustins Lehre von der Kirche,* Munich, 1954. – J.R. Nelson, *Many images of the one Church,* EcR, t. 9, 1956-1957, p. 105-13. – St. Jaki, *Les tendances nouvelles de l'ecclésiologie,* Rome, 1957. – E. Stirnimann, *La Chiesa nella problematica presente,* dans *Problemi e Orientamenti di Teologia dommatica,* t. 1, Milan, 1957, p. 143-69. – L. Newbigin, *L'Église, peuple des croyants, Corps du Christ, Temple de l'Esprit,* Neuchâtel-Paris, 1958.

P.S. Minear, *Images of the Church in the New Testament,* Philadelphie, 1960. – I. Backes, *Die Kirche ist das Volk Gottes im Neuen Bund,* et *Gottes Volk im Neuen Bund,* dans *Trierer Theologische Zeitschrift,* t. 69, 1960, p. 111-17 et t. 70, 1961, p. 80-93. – E.J. de Smedt, *Le Sacerdoce des fidèles, Lettre pastorale,* Bruges-Paris, 1961. – A. de Bovis, *La fondation de l'Église,* NRT, t. 85, 1963, p. 3-18 et 113-38. – O. Semmelroth, dans *L'Église de Vatican II,* t. 2, Paris, 1966, p. 397-400.

**3. Les textes du concile Vatican II.** – L'insertion d'un chapitre sur le Peuple de Dieu dans la Constitution *Lumen Gentium* (= LG) est apparu comme une grande nouveauté dans la manière d'appréhender l'ecclésiologie : « L'image du Peuple de Dieu... ne tarda pas à s'imposer comme l'une des plus capables d'offrir à la pensée conciliaire le moyen de s'exprimer dans quelques-unes des directions nouvelles où l'Esprit saint la portait plus vigoureusement » (G.-M. Garrone, *L'Église 1965-1972,* Paris, 1972, p. 22). Examinons ici trois aspects de l'Église que la notion de peuple de Dieu permet de mieux comprendre : l'enracinement biblique ; l'insertion dans l'histoire ; un peuple structuré.

1° L'ENRACINEMENT BIBLIQUE. – La formule « Peuple de Dieu » renvoie plus largement encore que le terme « Église » à la réalité vécue par Israël. Dès le début, faisant écho à la pensée patristique redécouverte au 19e siècle, LG présente l'Église comme « annoncée en figures dès l'origine du monde, merveilleusement préparée dans l'histoire du peuple d'Israël et de l'Ancienne Alliance » (2). L'idée d'alliance est ici retenue en priorité, car elle trouve son accomplissement dans le Christ, selon la promesse de *Jér.* 31, 31-34, appliquée au Christ par *Hébr.* 8, 6-13 (cf. *Nostra Aetate* 4). Mais au cœur même de son orientation christologique, l'histoire d'Israël possède une densité spirituelle unique. Quelques jalons suffiront à le rappeler.

1) *La création du Peuple de Dieu d'après l'Exode.* – En un même instant, Israël devient un peuple libre et le peuple de Dieu : il vit l'aventure de sa liberté comme une expérience d'appartenance à Dieu, la liberté est inscrite au plus profond de sa conscience religieuse. Cette libération de l'esclavage d'Égypte est une faveur divine, une grâce qui définit l'être de Dieu (*Ex.* 20, 2). Pour ce faire, Dieu se choisit un interlocuteur de qualité, Moïse, qui transmet au peuple les dix Paroles et intercède en sa faveur. Sans la présence et l'activité de Moïse, Israël « n'est pas le peuple de Dieu et n'a ni passé, ni avenir » (R. Martin-Achard, dans *La figure de Moïse,* Genève, 1978, p. 9).

Ce peuple est juridiquement structuré par l'Alliance ; la fidélité à ses stipulations lui permettra de devenir le bien propre de Dieu, ce que la LXX traduira par « le peuple que Dieu s'est acquis » (*Ex.* 19, 5). Israël ne pourra donc être et demeurer le peuple de Dieu que s'il vit à l'écoute de sa Parole, s'il obéit à sa Loi. Grâce au ministère des prêtres, qui lui rappelleront les prescriptions de la Tôrah et présenteront à Dieu ses sacrifices, Israël deviendra une nation sainte (*Ex.* 19, 6). L'Alliance est conclue par l'aspersion du sang qui atteint l'autel et le peuple, unissant les deux partenaires dans une même vie : le sang de l'Alliance est un sang de communion entre Dieu et son peuple. Mais cette Alliance à peine née connaît une terrible épreuve : elle ne sera surmontée que grâce à l'intercession de Moïse et au pardon du Dieu de tendresse (*Ex.* 34, 6). Ainsi la présence divine, qui est le but de l'Exode (*Ex.* 29, 43-46) est assurée à Israël au-delà de son péché : la Tente du Rendez-vous est construite et le peuple peut reprendre sa marche vers la terre promise (cf. art. *Exode,* DS, t. 4, col. 1957-62 ; *Moïse,* t. 10, col. 1453-59).

2) Le *Deutéronome* insiste sur les liens multiples qui attachent Israël à son Dieu. Il rappelle à Israël que son existence même est le fruit des promesses aux Patriarches et avec quelle sollicitude paternelle il a été soutenu par Dieu dans sa marche au désert. Les qualificatifs ne manquent pas pour définir la nature de ce peuple : un peuple assemblé par Dieu (*Qahal,* cf. DS, t. 4, col. 372-73), convoqué pour entendre sa voix, assemblée quasi liturgique qui servira de modèle à toutes les réunions cultuelles ultérieures ; – un peuple qui appartient à Dieu (14, 2 ; 26,18) ou héritage de Dieu (4, 20 ; 9, 26.29) ; – un peuple choisi par amour (4, 37) ; – un peuple saint, consacré à Dieu, non à

cause de ses qualités personnelles mais parce que Dieu lui-même se le réserve pour son service (7, 6 ; 18, 13) ; – un peuple proche de Dieu, en particulier au cours des repas de communion qui suivaient un certain nombre de sacrifices et qui étaient l'occasion de partager sa joie avec les plus démunis (12, 6-7.11-12) ; – un peuple enfin « à la nuque raide » (9, 6.13) qui a la tentation d'accaparer comme siens les dons reçus de Dieu (8, 17) et pour lequel les exigences divines sont nombreuses.

On a remarqué le caractère fraternel de la législation deutéronomique, où le souci des plus pauvres est mis en valeur (15, 4.7-11). De même est soulignée l'unité profonde du peuple à travers les générations (5, 3). « Le peuple de Dieu apparaît ainsi comme une personne dont la conscience religieuse reste la même d'une génération à l'autre, tout en s'enrichissant des expériences de chacune. Cette vision du peuple de Dieu introduit directement à la théologie paulinienne de l'Église épouse et corps du Christ » (P. Buis-J. Leclercq, *Le Deutéronome,* Paris, 1963, p. 20). Cf. P.-M. Guillaume, art. *Nombres,* dans *Catholicisme,* t. 9, col. 1349-50.

3) *Israël et les nations.* – Conscient d'une destinée unique par le choix de Dieu, Israël a cependant le sentiment d'une parenté certaine avec les peuples voisins. De plus, il ne manque pas de femmes étrangères dans les généalogies les plus respectables, comme celle de David ; le *Lévitique* demande d'aimer l'étranger établi dans le pays autant que son prochain (19, 18, 34). Au long des siècles, la Bible relate l'intégration d'étrangers au Peuple de Dieu : les livres de Ruth, Job, Jonas en sont les exemples.

Jérusalem, la ville sainte, attirera la multitude des nations, qui viendront partager le privilège d'Israël d'être « le peuple de l'Écoute » (A. Néher ; cf. *Is.* 2, 1-5). Elle devient le « nombril de la terre » (*Éz.* 38, 12), le rendez-vous de tous les peuples pour le repas eschatologique (*Is.* 25, 6-8 ; cf. 56 et 60). La terre d'Israël « est le centre de la géographie sacrée, le point de la planète par où passe l'axe de Dieu » (R. Néher-Bernheim, dans *Chronique sociale de France,* 1952/1, p. 40). Dans le Second-Isaïe, l'Israël exilé reçoit la vocation d'être témoin du Dieu unique au milieu des nations (*Is.* 43, 9-12).

L'histoire d'Israël oscille souvent entre le repli sur soi et l'ouverture aux autres. La tendance est toujours présente de croire qu'étant le peuple élu, les autres ne le sont pas. Joue aussi un instinct de défense spirituelle, car s'allier avec les autres peuples c'était reconnaître leurs dieux et donc empiéter sur la puissance universelle de Yahvé : les dangers de contamination religieuse ne manquent pas, aussi bien à l'époque royale qu'au temps des Grecs. L'ouverture se fait alors au détriment de l'authenticité : l'équilibre est malaisé et souvent l'instinct de défense prédomine.

Malgré tout, les invitations à l'ouverture sont présentes à chaque époque : – le choix d'Abraham, source d'un particularisme effectif, a une valeur universelle très nette (*Gen.* 12, 3) ; – l'Exode n'est peut-être pas unique dans l'histoire des peuples (cf. *Amos* 9, 7) ; il n'est pas source d'orgueilleuse sécurité, mais appel à la liberté qui comporte des exigences ; – l'Égypte et l'Assyrie, ennemis traditionnels d'Israël, seront un jour bénis de Dieu (*Is.* 19, 16-25) ; – l'alliance d'Abraham est étendue à toute l'humanité dans le *Ps.* 47, 10 ; – d'après le livre de Jonas, la tendresse de Dieu s'exprime aussi vis-à-vis des païens et la conversion de Ninive devient un exemple pour Israël

(R. Martin-Achard, *Israël et les nations,* Neuchâtel, 1959 ; P. Grelot, *Israël et les nations,* dans *Assemblées du Seigneur,* n. 17, 1962, p. 45-58).

4) *La communauté chrétienne primitive.* – Le concile ne se fonde pas sur la conscience qu'ont les premiers chrétiens de former le peuple de Dieu, mais il s'appuie essentiellement sur l'affirmation, il est vrai fondamentale, de 1 *Pierre* 2, 9-10, qui applique aux baptisés les privilèges d'Israël. Dans un de ses derniers travaux, L. Cerfaux a montré comment l'Église primitive s'est comprise comme le peuple voulu et attendu de Dieu et comment la notion de Peuple de Dieu s'est peu à peu séparée de toute attache concrète pour devenir une appellation à contenu théologique. Le véritable point d'application des privilèges du judaïsme, c'est « l'Israël de Dieu » (*Gal.* 6, 16), c'est-à-dire les chrétiens :

« Israël sera, pour toujours, le peuple des promesses et du testament, à tel point que l'Église chrétienne, même avec l'accession des Gentils, restera l'Israël de Dieu, l'Israël de toujours, et que les gentils devenus chrétiens auront Abraham pour père » (cf. *Gal.* 3, 29). Dans la pensée biblique, « c'est aux temps messianiques ou à la fin des temps que le peuple de Dieu réalisera pleinement le dessein que Dieu a déterminé pour lui » (*Le peuple de Dieu,* dans *Populus Dei, Studi... A. Ottaviani,* t. 2, Rome, 1969, p. 814-15, 821).

« Que l'Église soit le vrai Israël..., c'est la conviction profonde commune à tout le christianisme du premier siècle » (Ph.-H. Menoud, *L'Église naissante et le Judaïsme,* dans *Études Théologiques et Religieuses,* t. 27, 1952 ; repris dans *Jésus-Christ et la foi,* Neuchâtel-Paris, 1975, p. 310). Elle est le « Peuple de l'Esprit », bénéficiaire de l'ultime promesse de Dieu (J. Jervell, *Das Volk des Geistes,* dans *God's Christ and his people, Studies... N.A. Dahl,* éd. J. Jervell et W.A. Meeks, Oslo, 1977, p. 87-106).

L'Église n'a pas eu conscience de se substituer à Israël comme un peuple nouveau, mais d'accomplir l'authentique destinée de ce peuple. L'expression « nouvel Israël » ne se trouve pas dans le Nouveau Testament ; employée par les Pères à partir du second siècle et reprise par le concile (LG 9), elle exprime alors un autre aspect de la réalité de l'Église : non plus la continuité avec l'Israël selon la chair, mais la rupture ou mieux le dépassement infini réalisé par le Christ, dont le caractère unique déborde de tous côtés les préparations qu'il intègre pourtant.

A. Chavasse a été très sensible à cette nouveauté radicale de l'Église : « C'est le rapport eschatologique à l'Église du Christ qui confère à l'ancien peuple de Dieu sa valeur préliminaire authentique, mais dénonce en même temps sa caducité » (*Du peuple de Dieu à l'Église du Christ,* dans *La Maison-Dieu,* n. 32, 1952, p. 40-52 ; cf. Y. Congar, *Le mystère du Temple,* Paris, 1958, p. 337-42 ; R. Schnackenburg, *Die Kirche im Neuen Testament,* Fribourg-en-Brisgau, 1961, trad. franç., Paris, 1964 ; R. Poelman, *Peuple de Dieu,* dans *Lumen Vitae,* t. 20, 1965, p. 455-80). Ces propos nous font aborder le difficile problème des relations de l'Église avec le Judaïsme.

5) *L'Église et Israël.* – *Nostra aetate* 4 affirme une vérité dont la clarté n'a pas été assez mise en lumière au cours des siècles : « S'il est vrai que l'Église est le nouveau peuple de Dieu, les juifs ne doivent pas, pour autant, être présentés comme réprouvés par Dieu ni maudits, comme si cela découlait de la Sainte Écriture ».

Des théologiens modernes s'efforcent de donner un statut théologique à la religion juive actuelle. Il n'est pas sûr que l'application à l'Église de la notion Peuple de Dieu facilite la tâche.

G.-E. Weil note que l'expression ne figure jamais dans la Bible hébraïque (mais que de fois « mon Peuple » !) et trois fois seulement dans le Nouveau Testament ; pour le chrétien, elle « se substitue en quelque sorte à l'expression le *Peuple juif,* dont le souvenir est ainsi évacué de ses propres Écritures... Cet usage né de la foi en l'Alliance nouvelle qui rejette et annule l'Antique Alliance... est une de ces tournures sémantiques courantes dont nous avons signalé la gravité et les dangereuses implications dans l'ouverture d'un dialogue judéo-chrétien » (*Saintes Écritures ou l'Écriture de l'Alliance,* RSR, t. 66, 1978, p. 590, n. 10).

Selon Ph.-H. Menoud, l'Israël selon la chair « ne perd pas sa qualité de peuple de Dieu en vertu du caractère irrévocable de l'élection divine. Le peuple de Dieu, après la venue du Christ, déborde donc les limites de l'Église, puisqu'il comprend toujours tout Israël » (*Le Peuple de Dieu dans le Christianisme primitif,* dans *Foi et Vie,* t. 63, 1964, p. 386-400 ; repris dans *Jésus-Christ et la foi,* p. 337-46, ici p. 339). Puisque le Nouveau Testament ne parle jamais d'un « nouveau » peuple de Dieu, Menoud affirme que « Dieu n'a qu'un peuple », et les « deux parties du peuple de Dieu » sont l'Église et Israël encore incroyant (p. 343).

Mais est-ce ici la position de Paul ? Menoud ne dit nulle part qu'Israël incrédule est comparé aux branches coupées du tronc, sur lequel sont greffés les païens. Aux yeux de Paul, c'est l'Église composée des juifs et des païens convertis au Christ qui forme l'unique peuple de Dieu, dont se trouvent séparés, provisoirement espère-t-il, les membres incrédules de l'Israël selon la chair (*Rom.* 9, 24-26 ; 11, 17-24). « A la question : Qui est Israël ?, le Nouveau Testament répond que c'est la communauté des disciples du Christ » (A. Jaubert, *D'Israël à l'Église,* dans *Peuple de Dieu = Les quatre fleuves,* n. 5, p. 9). Ce qui ne signifie pas que les Israélites ont perdu toute relation propre avec le Dieu qui les a chéris « à cause de leurs pères » (*Rom.* 11, 28). Voir la position nuancée de Gr. Baum, *The Jews and the Gospel,* Londres, 1961 ; trad. franç., Paris, 1965, p. 313-18 ; cf. P. Benoit, *Exégèse et Théologie,* t. 2, Paris, 1961, p. 328-39 ; t. 3, 1968, p. 387-441.

Dans son important *Traité sur les Juifs,* Fr. Mussner propose une lecture nouvelle de *Rom.* 9-11 et présente des affirmations qui ne laisseront pas les théologiens indifférents. L'Église forme avec Israël l'unique peuple de Dieu.

Selon le Nouveau Testament, ces deux communautés sont provisoirement séparées, elles suivent différents chemins, mais nulle part il n'est dit « que, depuis le Christ, seule l'Église constitue le peuple de Dieu... Israël demeure toujours (à côté de l'Église) le peuple élu de Dieu... Israël et l'Église ne sont... pas juxtaposés comme deux grandeurs indépendantes l'une de l'autre, mais l'Église issue des païens est ' greffée ' sur la ' tige ' Israël ». Mussner ne peut approuver cette affirmation d'E. Käsemann (*An die Römer,* 3ᵉ éd., Tübingen, 1974, p. 297) : « De même qu'il n'y a pas d'Église sans Israël, Israël ne reste peuple de Dieu que lorsqu'il devient l'Église ». Pour lui, Paul « connaît plutôt l'existence particulière d'Israël, voulue par Dieu et persistant à travers les temps, à côté de l'Église (*Traktat über die Juden,* Munich, 1979 ; trad. franç., Paris, 1981, p. 23-25, 72, 74).

Mussner situe souvent, l'un à côté de l'autre, Israël et l'Église, comme si celle-ci était uniquement formée de pagano-chrétiens. Ainsi la formule : « L'Église reste toujours le « sauvageon » greffé sur l'olivier franc Israël, comme Paul l'a enseigné » (p. 225) est ambiguë, sinon erronée : l'olivier franc est-il, sans plus, Israël ? N'est-il pas plutôt le Reste d'Israël converti au Christ, en profonde fidélité aux racines patriarcales, qui a formé l'Église primitive et par lequel les privilèges du peuple de Dieu sont devenus ceux de l'Église ? Les branches greffées sont nettement pour Paul les pagano-chrétiens. Dans le bref commentaire de *Nostra aetate,* où sont présentées les plus importantes déclarations de Vatican II, Mussner ne prend pas en compte l'affirmation concernant la réconciliation des juifs et des gentils par la Croix du Christ, ni celle sur l'Église « nouveau peuple de Dieu » (p. 421-25).

Les conférences du colloque œcuménique paulinien de Rome sur *Rom.* 9-11 proposent une exégèse assez différente. P. Benoit ne craint pas d'affirmer : « Le peuple élu a joué un rôle, et ce rôle est désormais joué par l'Église, ' Israël de Dieu ' (*Gal.* 6, 16), qui a hérité la mission de donner le Messie au monde. Je conteste donc que l'Israël non chrétien garde un rôle actif et spécifique dans l'ordre du salut, comme si l'Église lui manquait de quelque chose d'essentiel. Mais je lui reconnais un rang spécial dans le cœur de Dieu » (dans *Die Israelfrage nach Röm 9-11,* Rome, 1977, p. 233).

T.F. Torrance, *The Israel of God,* dans *Interpretation,* t. 10, 1956, p. 305-20. – Y.-B. Trémel, *Le mystère d'Israël,* dans *Lumière et Vie* = LV, n. 37, 1958, p. 71-90. – M. de Goedt, *La destinée d'Israël dans le mystère du salut,* VSS, n. 47, 1958, p. 443-61. – R. Schnackenburg, J. Dupont, *L'Église, Peuple de Dieu,* dans *Concilium,* n. 1, 1965, p. 91-100. – G.M.-M. Cottier, *La religion juive,* dans *Les relations de l'Église avec les religions non chrétiennes,* Paris, 1966, p. 237-73. – G. Baum, *Note sur les relations d'Israël et de l'Église,* dans *L'Église de Vatican II,* t. 2, p. 639-50. – R. Laurentin, *L'Église et les Juifs à Vatican II,* Tournai, 1967. – K. Hruby, *Israël, Peuple de Dieu,* LV, n. 92, 1969, p. 59-82. – Ch. Journet, *L'Église du Verbe Incarné,* t. 3, Paris-Bruges, 1969, p. 480-518.

J. Moltmann, *Kirche in der Kraft des Geistes,* Munich, 1975, p. 156-71, trad. franç., Paris, 1980, p. 181-99. – J. Lambrecht, « *Abraham, notre Père à tous* », dans P.M. Bogaert éd., *Abraham dans la Bible et dans la tradition juive,* Bruxelles, 1977, p. 118-63. – G.S. Worgul, *Romans 9-11 and Ecclesiology,* dans *Biblical Theology Bulletin,* t. 7, 1977, p. 99-109. – W.D. Davies, *Paul and the People of Israel,* dans *New Testament Studies,* t. 24, 1977-1978, p. 4-39. – F. Bovon, *Luc le théologien,* Paris, 1978, p. 342-61. – P. Beauchamp, *Être un héritier de la Bible,* dans *Études,* t. 354, 1981, p. 239-54. – A. Feuillet, *L'espérance de la « conversion » d'Israël en Rm 11, 25-32,* et M. Carrez, *L'appel de Paul à César,* et J. Mejia, *Problématique théologique des relations judéo-chrétiennes,* dans *De la Tôrah au Messie, Mélanges H. Cazelles,* Paris, 1981, p. 483-94 ; 503-10 ; 599-616.

2° L'INSERTION DANS L'HISTOIRE DES HOMMES. – L'Église-Peuple de Dieu n'est pas une réalité à part du monde ou face à lui : « Destinée à s'étendre à toutes les parties du monde, elle prend place dans l'histoire humaine, bien qu'elle soit en même temps transcendante aux limites des peuples dans le temps et dans l'espace » (LG 9). Héritière d'Israël, elle continue à être un peuple pérégrinant tout au long des siècles, non pas dans la solitude du désert, mais en lien avec tous les peuples dont elle respecte et purifie les cultures. Le nouvel Israël « s'avance dans le siècle présent en quête de la cité future » (LG 9). La visée eschatologique du « peuple messianique » sous-tend les théologies de l'espérance et rejoint les profondes aspirations de l'homme moderne auxquelles elle donne leur sens authentique et leur véritable dimension. Dans cette pérégrination, l'Église a conscience de constituer « pour tout l'ensemble du genre humain le germe le plus sûr d'unité, d'espérance et de salut » (LG 9). Elle est destinée à se dilater aux dimensions de l'univers et sa mission consiste à transformer le monde entier « en peuple de Dieu, en corps du Seigneur et temple du Saint-Esprit » (LG 13.17), sans pour autant détruire l'autonomie des nations dans leur réalité humaine : le Peuple de Dieu ne fait pas nombre avec les autres peuples, il n'est pas du même ordre. « Le Peuple de Dieu formé par la Révélation, les institutions et les sacrements de la nouvelle et définitive disposition de l'alliance, est au milieu du monde et pour le monde, le signe et comme le sacrement du salut offert à tous les hommes » (Y. Congar, *L'Église comme peuple de Dieu*, dans *Concilium*, n. 1, 1965, p. 20 ; repris dans *Cette Église que j'aime*, Paris, 1968, p. 20.

Avec Paul VI (encyclique *Ecclesiam suam*, 6 août 1964), le concile envisage les différentes catégories d'hommes avec lesquelles l'Église est en relation. D'abord les catholiques, citoyens de tous les peuples et en même temps d'un royaume qui n'est pas de la terre. Entre eux, les rapports sont compris comme « un échange mutuel universel », ouvert au monde entier. L'unité catholique, en effet, « préfigure et promeut la paix universelle » ; tous les hommes y sont appelés (LG 13). Avec les chrétiens non catholiques, l'Église reconnaît les liens multiples (LG 15). Le décret sur l'Oecuménisme affirme que, d'une certaine façon, ils appartiennent déjà au Peuple de Dieu, mais il faut qu'ils soient pleinement incorporés à l'unique Corps du Christ (3). La notion de peuple, par son caractère moins juridique que celle de société, permet une ouverture œcuménique plus décisive (G. Dejaifve, *L'Église, Peuple de Dieu*, NRT, t. 103, 1981, p. 857-71). Quant aux non-chrétiens, « eux aussi sont ordonnés au peuple de Dieu », en premier lieu le peuple juif « très aimé du point de vue de l'élection », puis les croyants au Dieu unique, tous ceux qui cherchent Dieu d'un cœur sincère, et même ceux qui, « sans faute de leur part, ne sont pas encore parvenus à une connaissance expresse de Dieu ». Tous ceux-là sont enveloppés dans le destin de salut, dont le peuple de Dieu est le sacrement (LG 16).

Affirmer ainsi la dimension historique du Peuple de Dieu fait redécouvrir son dynamisme spirituel, – ce n'est pas une société statique –, sa communion profonde avec la vie et l'histoire des peuples, sa volonté de rejoindre l'homme au cœur de son existence pour « discerner dans les événements, les exigences et les requêtes de notre temps, auxquels il participe avec les autres hommes, quels sont les signes véritables de la présence ou du dessein de Dieu » (*Gaudium et Spes* 11). « Qui dit 'Peuple de Dieu' dit histoire, une réalité qui fait l'histoire, un événement » (E. Schillebeeckx, *L'Église du Christ et l'homme d'aujourd'hui selon Vatican II*, Le Puy-Lyon-Paris, 1965, p. 94). Cela apprend aussi à distinguer l'essentiel des formes historiques dont il s'est nécessairement et légitimement revêtu et dont il pourrait à l'occasion se défaire sans rien perdre de lui-même. La catégorie « Peuple de Dieu » se prête spécialement à exprimer l'aspect selon lequel, étant faite et devant se faire d'hommes, l'Église est en croissance, mêlée à l'histoire, sujette aussi aux limites, aux faiblesses inhérentes aux hommes (Y. Congar, *Sainte Église*, Paris, 1963, p. 23).

Paul VI, *Allocution du 29 septembre 1965*, dans *La Documentation catholique*, t. 62, 1965, col. 1754-55. – O. Semmelroth, *L'Église, nouveau Peuple de Dieu* ; J.L. Witte, *L'Église « Sacramentum unitatis » du cosmos et du genre humain* ; B. Chr. Butler, *Les chrétiens non catholiques et l'Église* ; G. Thils, « *Ceux qui n'ont pas reçu l'Évangile* », dans *L'Église de Vatican II*, t. 2, p. 395-409 ; 457-91 ; 651-68 ; 669-80. – Y. Congar, *Cette Église que j'aime*, p. 65-85. – C. Spicq, *Vie chrétienne et pérégrination selon le Nouveau Testament*, Paris, 1972.

3° Un PEUPLE STRUCTURÉ. – Primitivement placé après celui sur la hiérarchie, le chapitre sur le Peuple de Dieu l'a finalement précédé dans LG ; ce changement est d'importance dans la vision de l'Église comme communion : « Il s'agissait de donner priorité et primauté à ce qui relève de l'être chrétien, avec ses responsabilités de louange, de service et de témoignage, à l'égard de ce qui est organisation, fût-ce d'origine apostolique et divine » (Y. Congar, *Richesse et vérité d'une vision de l'Église comme « Peuple de Dieu »*, dans *Les quatre Fleuves*, n. 5, p. 45). L'Église n'est pas comprise en premier lieu comme une structure hiérarchique en face de laquelle se situerait le peuple des fidèles ; elle est d'abord le Peuple de Dieu. C'est lui, dans son ensemble, qui est le « véritable sujet du don de l'Esprit et par conséquent de la Mission et de la Sainteté » (Gh. Lafont, dans M.J. Le Guillou et Gh. Lafont, *L'Église en marche*, Paris, 1964, p. 161 ; cf. R. Rouquette, *La fin d'une chrétienté*, t. 2, Paris, 1968, p. 376). L'unité de tous les baptisés est affirmée avant la diversité des fonctions.

1) *Le sacerdoce commun.* – Le Concile a remis en valeur la notion, occultée depuis plusieurs siècles, du sacerdoce commun des baptisés, en s'appuyant sur deux séries de textes scripturaires : 1 *Pierre* 2, 5-10 et *Apoc.* 1, 6 ; 5, 10 ; cf. 20, 6. Ces textes ont fait l'objet d'une étude minutieuse de A. Vanhoye, *Prêtres anciens, prêtre nouveau selon le Nouveau Testament*, Paris, 1980, p. 267-340.

Dans la lettre de Pierre, le mot sacerdoce définit l'Église et non des individus. Cette fonction est inséparable du Christ ; elle s'exerce essentiellement dans l'offrande d'un culte sacrificiel, qui n'est pas seulement la participation à l'Eucharistie, mais qui « consiste à accueillir dans l'existence même l'action rénovatrice et sanctificatrice de l'Esprit saint... Ce que Pierre met magnifiquement en lumière, c'est le dynamisme de construction qui jaillit du mystère du Christ, le mouvement d'offrande qui lui est lié et l'éminente dignité sacerdotale qui en résulte pour la communauté entière des croyants » (p. 306).

Dans l'Apocalypse, l'union de la dignité royale et de la dignité sacerdotale tient une place de premier plan. Les chrétiens, victimes de persécutions, « sont en réalité prêtres et rois, c'est-à-dire... ont une relation privilégiée avec Dieu et cette relation joue un rôle déterminant dans l'histoire du monde ». Une connexion très forte est établie entre le culte et la vie, entre la liturgie céleste et l'histoire terrestre. Le vocabulaire sacrificiel n'est pas utilisé, mais un vocabulaire réaliste, « qui parle d'endurance et de fidélité, de tribulation, d'égorgement et de décapitation, de victoire surtout ». La relation sacerdotale avec le Christ et avec Dieu se concrétise dans la réalité de l'existence, mais « la fidélité chrétienne trouve son inspiration d'abord et sa plénitude ensuite dans la rencontre liturgique avec le Seigneur » (p. 339-40).

Dans la ligne de l'Écriture, le concile enseigne que le sacerdoce commun est une participation à la mission du Christ, sous son triple aspect, sacerdotal, prophétique et royal : à la mission sacerdotale par l'offrande de tout soi-même, par la vie sacramentelle et particulièrement la vie eucharistique ; à la mission prophétique par le témoignage de la foi, au sein de la famille et de la société, pour lequel un double don est accordé à tous : le « sens de la foi » et la « grâce de la Parole », sans parler des charismes accordés à certains ; à la mission royale par la domination sur le péché, le service du prochain, l'engagement pour la cause de la vérité, de la justice et de la paix (LG 11 ; 12 ; 31 ; *Apostolicam actuositatem* 2-3).

2) *Les fonctions ministérielles.* – D'aucuns seraient tentés d'opposer la notion même de Peuple de Dieu à la fonction hiérarchique, comme si cette notion éliminait toute structure. Mais l'Église ne sera jamais une démocratie au sens propre du terme, même si des pratiques démocratiques peuvent s'étendre plus largement. Le peuple de Dieu de l'Ancien Testament avait des structures bien établies ; le texte d'*Ex.* 19, 6, qui a inspiré 1 *Pierre* 2, 9, exprimait dans sa teneur originelle beaucoup plus la conscience d'être une nation sainte grâce au ministère des prêtres que d'être un peuple sacerdotal proprement dit (H. Cazelles, « *Royaume des prêtres et nation consacrée* », dans *Humanisme et foi chrétienne*, Paris, 1976, p. 541-45). Le concile lui-même maintient un juste équilibre entre les concepts de peuple, de corps et de société (LG 8.14.17). Mais en parlant de la hiérarchie après le Peuple de Dieu, il la situe à l'intérieur de cette vaste réalité et fait de toute autorité dans l'Église un service fraternel de la communauté plus qu'un pouvoir. Il n'empêche que cette autorité ne sera service qu'en s'exerçant elle-même. L'Église a été fondée sur les apôtres par le Christ, « Chef du Peuple nouveau et universel des fils de Dieu », et le sacerdoce ministériel a pour fonction éminente de représenter le Christ comme chef (LG 13 ; 18-20). « La référence au Christ est ainsi marquée visiblement dans la structure du Peuple de Dieu » (Y. Congar, *L'Église, sacrement universel de salut*, dans *Église vivante*, n. 17 ; repris dans *Cette Église que j'aime*, p. 55).

H. Holstein a montré la difficulté et l'enjeu de la fidélité à la double perspective du concile : « L'ecclésiologie tend, soit à revenir aux perspectives d'avant le concile qui demeurent imprescriptibles, mais alors la dimension hiérarchique écrase, pour ainsi dire, celle du Peuple de Dieu ; soit à exploiter le thème si riche, et si bien accordé à notre temps, du Peuple de Dieu ; mais alors la hiérarchie risque d'apparaître comme une « superstructure », commode et nécessaire sans doute, mais en quelque sorte dépendante de la communauté, justifiée par le seul service de cette communauté. Faire de la hiérarchie une émanation de la communauté est évidemment incompatible avec l'institution divine et donc avec une authentique théologie catholique » (*Hiérarchie et Peuple de Dieu d'après Lumen Gentium*, Paris, 1970, p. 6). Si la hiérarchie jouit d'une priorité ministérielle d'origine, puisque l'Église est née de la prédication des Apôtres (cf. 1 *Cor.* 4, 15 ; *Gal.* 4, 19), elle est totalement au service du Peuple de Dieu, mais « celui-ci ne peut ni ne doit oublier, à son tour, qu'il n'existe, comme Peuple de Dieu, qu'étroitement référé à la hiérarchie comme au signe de sa transcendante origine », écrit G. Martelet, qui souligne la structure sacramentelle du rapport entre hiérarchie et Peuple de Dieu

(*Horizon théologique de la deuxième session du concile*, NRT, t. 86, 1964, p. 449-68, ici p. 458).

P. Dabin, *Le sacerdoce royal des fidèles dans les livres saints*, Paris, 1941 ; *Le sacerdoce royal des fidèles dans la tradition ancienne et moderne*, Paris, 1950. – *L'épiscopat et l'Église universelle*, Paris, 1962. – E.J. de Smedt, *Le sacerdoce des fidèles* ; B. Van Leeuwen, *La participation universelle à la fonction prophétique du Christ* ; M. Loehrer, *La hiérarchie au service du peuple chrétien*, dans *L'Église de Vatican II*, t. 2, p. 411-24 ; 425-55 ; t. 3, p. 723-40.

CONCLUSION. – « Le mystère de l'Église n'est point tout fait, sa révélation se poursuit à travers toute la vivante tradition ». Cette remarque de P. Broutin en conclusion de l'art. *Église* (DS, t. 4, col. 469) justifie cette étude sur le Peuple de Dieu. L'ecclésiologie est passée peu à peu de l'Église-Institution à l'Église-Communauté. Le Peuple de Dieu, profondément enraciné dans l'humus d'Israël, intensément présent à l'histoire des hommes, forme une communauté fraternelle tout à fait originale : « un seul terme conviendra vraiment pour la désigner, celui d'Église » (L. Cerfaux, dans *Populus Dei...*, cité *supra*, t. 2, p. 863). Le Christ en est à jamais l'unique Chef : « Je suis ce qui les rassemble, leur grand trait d'union, je suis leur unité éternelle » (G. von Le Fort, *Hymnes à l'Église*, trad. franç., Tournai, 1952, p. 29).

M.-J. Le Guillou, art. *Église*, dans *Catholicisme*, t. 3, 1952, col. 1408-30. – J. de Vaulx, *La sainteté du peuple de Dieu et de l'Église*, dans *Assemblées du Seigneur*, n. 89, 1963, p. 54-71. – H. Fries, *Aspects actuels de l'Église*, dans *Église et tradition*, Le Puy-Lyon, 1963, p. 245-66. – *Foi et Vie*, 1964/6. – G. Dejaifve, *La « Magna charta » de Vatican II. La constitution « Lumen Gentium »*, NRT, t. 87, 1965, p. 3-22. – L. Renwart et M. Fisch, *La sainteté du peuple de Dieu*, NRT, t. 87, p. 1023-46 ; t. 88, 1966, p. 14-40 (présentation de publications récentes). – E. Ménard, *L'ecclésiologie hier et aujourd'hui*, Paris-Bruges, 1966. – *Encyclopédie de la foi* (= *Handbuch theologischer Grundbegriffe*), art. *Église*, t. 1, 1967, p. 410-48. – H. Roux, *Détresse et promesse de Vatican II*, Paris, 1967.
B. Dupuy, E. Mélia, J. Bosc, *Le peuple de Dieu*, Paris, 1970. – L. Bouyer, *L'Église de Dieu*, Paris, 1970. – J. Frisque, *L'ecclésiologie...*, dans *Bilan de la théologie au 20e siècle*, éd. franç., Tournai-Paris, 1970, p. 431-56. – J. Ratzinger, *Das neue Volk Gottes*, Düsseldorf, 1970 ; trad. franç., Paris, 1971. – *Peuple de Dieu = Les quatre fleuves*, n. 5, Paris, 1975. – D.J. Harrington, *God's People in Christ*, Philadelphie, 1980. DS, art. *Monde*, t. 10, col. 1639-40.

Paul-Marie GUILLAUME.

**PEYRAUT** (GUILLAUME), dominicain, 13e s. Voir GUILLAUME PEYRAUT, DS, t. 6, col. 1229-34.

**PEYRIGUÈRE** (ALBERT), prêtre, 1883-1959. – Jean-Marie, Albert Peyriguère est né à Trébons, près de Bagnères de Bigorre, le 28 septembre 1883, d'un père menuisier et d'une mère femme de ménage profondément chrétiens. Il a cinq ans quand sa famille, poussée par la misère, émigre dans la banlieue de Bordeaux. Après des études brillantes chez les Frères, à Talence, au petit et au grand séminaire de Bordeaux, il reçoit l'ordination sacerdotale le 8 décembre 1906 et est affecté à l'École de l'abbé Torchard.

M. Giraudin, supérieur du grand séminaire et vicaire général restera son conseiller spirituel jusqu'en 1939. Le *Sillon* de Marc Sangnier le marque profondément. Il obtient, en 1909, sa licence ès-lettres. A l'Institut catholique de Paris, il prépare un doctorat sur saint Bernard. Obligé de rentrer à Bordeaux, il est professeur au petit séminaire. Brancardier pendant la guerre de 1914-1918, sa conduite héroïque lui vaut la médaille militaire et quatre citations.

Blessé très grièvement, sa convalescence se prolonge en Tunisie, à Hammanet, où se produit le choc décisif de sa vie : il découvre l'Islam, en même temps qu'il rencontre Charles de Foucauld à travers la biographie rédigée par René Bazin (1921). Désormais, toute sa vie sera prise par le désir de vivre l'idéal de Foucauld et, après l'avoir vécu et prié au long des années, d'en faire la synthèse. « Ma vocation est de mettre au point la spiritualité et la doctrine missionnaire du P. de Foucauld... Il prend toute sa taille d'avoir été l'initiateur d'un mouvement missionnaire et d'un mouvement spirituel » (1952).

Après des essais en Tunisie puis dans le sud-algérien (Ghardïa), il débarque au Maroc en 1927 ; il s'établit d'abord à Taroudant, où il est victime du thyphus, puis se fixe, en juillet 1928, à El Kbab, village du Moyen-Atlas marocain.

Pendant plus de trente années, il soigne les malades, nourrit les affamés, distribue des vêtements et accueille d'innombrables misères ; il combat les injustices et s'associe à la lutte du peuple marocain pour son indépendance. L'eucharistie, avec la méditation de l'Évangile, est la source profonde de sa vie. Si ses journées sont marquées par une inlassable activité dans son dispensaire, ses nuits se passent en partie sous le signe de l'intercession devant l'ostensoir de sa petite chapelle. Il meurt à l'hôpital de Casablanca le 26 avril 1959. Son corps, ramené à El Kbab, est enterré dans le jardin de ce qui avait été et reste la « fraternité Saint-Augustin ».

Les deux axes de sa vie spirituelle sont nés de la rencontre de deux personnes, chacune à travers un livre. D'abord Foucauld (DS. t. 5, col. 729-41), ensuite Élisabeth de la Trinité, dont il lit les « Souvenirs » pendant l'hiver 1926-1927 (t. 4, col. 590-94).

De l'ermite de Tamanrasset, il apprend qu'il faut « vivre avec » ceux au milieu desquels il est envoyé. Il deviendra ainsi berbère avec les berbères, au point qu'un témoin a pu déclarer : « Ses berbères ! Il les avait tellement aimés, il avait tellement vécu leur vie, que, même biologiquement, il s'était identifié à eux » (Dr Delanoë). Il met en valeur, dans ses recherches et ses articles, la langue, la culture et « la cité » berbères, à l'inverse d'une attitude colonialiste qui croit tout apporter à un peuple qui n'a rien.

Tout son idéal missionnaire est placé sous le signe de Nazareth : « Se sachant et se voulant sauveur, le P. de Foucauld choisira de l'être à la manière du Christ de la vie cachée, et non à la manière du Christ de la vie publique ». L'imitation de Nazareth entraîne non seulement le partage de la vie mais aussi l'importance des relations humaines, ce qui est vrai de Foucauld comme de Peyriguère et empêche de les classer parmi les ermites (au sens strict). Par de nombreuses études, en particulier son *Testament spirituel,* Peyriguère a joué un rôle dans l'élaboration d'une nouvelle conception de la mission. Si les termes de « prémission » et « préapostolat », qu'il utilise, sont délaissés, l'attitude qu'ils expriment et qu'il a vécue demeure actuelle.

D'Élisabeth de la Trinité, Peyriguère fait sienne la doctrine de « la vie du Christ en nous », que l'on retrouve aussi, mais beaucoup moins systématisée chez Foucauld, lui aussi très imprégné par la tradition carmélitaine. Toute la correspon-dance adressée par Peyriguère à sœur Anne de Jésus (Ternet) et publiée dans *Laissez-vous saisir par le Christ* explicite la portée et les conséquences de l'axiome paulinien « Ce n'est plus moi qui vis, c'est le Christ qui vit en moi » (*Gal.* 2, 20). Le succès de ce recueil, en France et ailleurs, a énormément contribué, après la mort de Peyriguère, à son rayonnement de maître spirituel.

Vivant dans un autre contexte et dans une autre orientation, Peyriguère a donné à cette spiritualité des prolongements sociaux et apostoliques, peu marqués dans les écrits de la carmélite de Dijon.

En *sa prière*, confluent les deux axes de sa spiritualité. « Ce n'est plus vous qui vivez, c'est le Christ qui vit en vous. Ce n'est pas vous qui priez, ce n'est pas vous qui agissez, c'est le Christ qui prie en vous, c'est le Christ qui agit en vous ». Mais il ne retient pas seulement cette dimension intérieure : « Me présentant comme l'un d'entre les berbères, la nuit, je fais monter vers la Trinité sainte, ce que j'appelle la prière berbère. En me prenant pour l'un d'entre eux, le matin, je dis à Jésus Eucharistie de devenir moi pour qu'en moi Jésus devienne berbère ».

Sa vie apostolique prend un caractère nettement contemplatif (il parle de moine-missionnaire) : au lieu de s'attacher aux moyens de l'apostolat, l'apôtre se centre sur « l'intérieur », « toute cette mystique de l'apostolat qui prend les choses de dedans ». Alors, par le chrétien « le Christ se rend présent, il se montre. Même s'il ne dit pas son nom, il est là, allant et venant au milieu des hommes qui ne le connaissent pas ». En exprimant ce qu'avait vécu son ami le P. Charles-André Poissonnier † 1938, Peyriguère dévoilait sa propre vie intérieure (*Le Maroc catholique*, mars et avril 1938).

*Œuvres.* – M. Lafon, *Bibliographie du P.A. Peyriguère*, mai 1982, 30 p. ronéotées. – 1) Travaux scientifiques. – De son vivant, Peyriguère a publié de nombreuses études d'ethnographie et de sociologie concernant le monde berbère, d'autres à propos de « politique berbère ». Spécialiste de la poésie et de la danse berbères, il est un pionnier dans le domaine de la psychologie linguistique (cf. bibliographie, dans *Le Temps de Nazareth*, p. 217-21). Il laisse à El Kbab un nombre important de poésies collectées et d'études diverses inédites (cf. Jeannine Drouin : *L'œuvre scientifique du P. Peyriguère*, dans *Jesus Caritas*, octobre 1969 ; communication sur ce sujet au Colloque de Toulouse, 29 mai 1983).

2) Théologie et spiritualité. – *Le Temps de Nazareth* (Paris, Seuil, 1964) regroupe divers articles et le *Testament spirituel.* – La correspondance a été éditée après la mort : *Laissez-vous saisir par le Christ* (Paris, Centurion, 1962 ; col. Le Livre de vie, Paris, Seuil, 1981) ; *Par les chemins que Dieu choisit* (Centurion, 1965) ; *Une vie qui crie l'Évangile* (Centurion, 1967) ; *Aussi loin que l'amour* (Paris, Cerf, 1970).

La « Communauté de Jésus » (calle Joan Blanques 10, Barcelona 12, Espagne) offre aux chercheurs les meilleures possibilités d'études de la vie et de l'œuvre de Peyriguère.

Études. – G. Gorrée, *Au-delà du P. de Foucauld, le P. Peyriguère* (Paris, Centurion, 1960). – M. Lafon, *Le P.P.* (Paris, Seuil, 1963 ; éd. remaniée, 1967). – G. Gorrée et G. Chauvel, *Albert P., vie et spiritualité* (Tours, Mame, 1968) ; *D'autres récolteront : Foucauld, Peyriguère moines-missionnaires* (Mame, 1965). – M. Lafon, *L'idéal missionnaire du P.P.* (dans *Jesus Caritas*, avril 1969, p. 8-20) ; *A.P. écrivain*, dans *Revue française d'Histoire du livre* (Bordeaux), 1979, p. 897-910 ; *La jeune carmélite et le vieux marabout* (dans *Carmel*, 1981, n. 2-3, p. 126-41). – M. Becquart, *Porte ce festin aux pauvres. Eucharistie et charité chez le P. de Foucauld et le P.P.* (Paris, Desclée, 1970). – G. Gorrée et J. Barbier, *Témoins de Dieu parmi les hommes* (Foucauld, Peyriguère, mère Teresa ; Mame, 1980).

Michel LAFON.

**PEZ** (Bernard), bénédictin, 1683-1735. – Né le 22 février 1683 à Ybbs (Autriche), baptisé sous le prénom de Léopold, Bernard Pez entra à l'abbaye de Melk en 1699 et y fit profession l'année suivante. Il étudia la théologie à Vienne et fut ordonné prêtre en 1708. Maître des novices en 1712-13, il exerça la charge de bibliothécaire de son monastère de 1713 à sa mort, le 27 mars 1735.

Érudit plein d'entrain, robuste travailleur, Pez accomplit des voyages littéraires en Bavière (1717) et en France (1727-28). Désireux d'imiter l'érudition des Mauristes, il se lança dans de vastes entreprises, comme une histoire littéraire d'Allemagne, la création à Vienne d'une académie bénédictine, une « Bibliotheca Benedictina generalis » qui lui valut des attaques auxquelles il répondit sereinement dans sa *Dissertatio apologetico-litteraria ad Gentilottum ab Engesbrunn*, le bibliothécaire de Bamberg (1717). Auparavant, il avait défendu la forme de vie de son ordre qui avait été mise en cause par le jésuite G. Hevenesi † 1715 : *Epistolae Apologeticae pro Ordine S. Benedicti adversus libellum 'Cura Salutis'...* (Vienne, 1714 ; Kempten, 1715) ; voir DS, t. 7, col. 433.

Pez n'est pas un auteur spirituel, mais un éditeur de textes, en partie spirituels, qu'il édita de façon assez désordonnée, en recourant à la collaboration de moines allemands et belges. Sa contribution est particulièrement importante en ce qui concerne la connaissance des textes du moyen âge tardif. Il laisse une vaste correspondance encore inédite.

Œuvres. – 1) *De irruptione bavarica et gallica... in Tirolim facta anno 1703*, Vienne, 1709 (sous le pseudonyme de Bernard D'Ips). – 2) *Scriptores rerum austriacarum veteres ac genuini*, 3 vol., Leipzig-Ratisbonne, 1721-1745 : chroniques, textes hagiographiques, documents politiques, surtout en latin, parfois en allemand. – 3) *Bibliotheca Benedictino-Mauriana seu de ortu, vitis et scriptis Patrum benedictinorum e celeberrima congregatione Sancti Mauri in Francia*, 2 vol., Vienne-Graz 1716 (œuvre utilisée par R. Tassin, pour son *Histoire littéraire de la Congrégation de Saint-Maur*, Bruxelles, 1770).

4) *Thesaurus anecdotorum novissimus*, 4 vol., Vienne-Augsbourg-Graz, 1721-1729 : Pez donne quelques-uns des « *veterum monumentorum praecipue Ecclesiasticorum, ex germanicis potissimum Bibliothecis* ». Cette anthologie, sans plan précis, accumule des textes souvent inédits, parfois sans grande valeur intrinsèque, mais représentatifs de l'exégèse, de la théologie, de la liturgie de leur époque. Les préfaces restent intéressantes. La plupart de ces textes, du moins ceux du moyen âge, ont été repris par Migne (notamment PL 213). On y rencontre Alcuin, Angelome de Luxeuil, Engelbert d'Admont, Paschase Radbert, Gerbert d'Aurillac, Adam de Prémontré, Alain de Lille, Jean Gerson, Jean de Spire, Louis Barbo, etc.

5) *Bibliotheca ascetica antiquo-nova, hoc est Collectio veterum quorumdam et recentiorum opusculorum asceticorum*, 12 vol., Ratisbonne, 1723-1740 : précieux recueils d'auteurs du bas moyen âge où l'hagiographie côtoie la spiritualité et la théologie. Cette publication fut faite avec de nombreuses collaborations, entre autres celle du bénédictin Jérôme Pez, des chartreux Léopold Wydemann † 1752 et Sébastien Treger † 1757 (DS, t. 1, col. 341). L'œuvre, plus originale que le *Thesaurus*, est indispensable pour l'histoire de la spiritualité germanique. Plusieurs

textes ont été repris par Migne (PL 213). Voir l'énumération des textes publiés, DS. t. 2, col. 1108-10.

6) *Venerabilis Godefridi, sec. XII abbatis Admontensis O.S.B. in Styria homiliae in dominicas et festa*, 2 vol., Augsbourg, 1725. – 7) *Magni Gerhohi seculo XII prepositi Reicherspergensis ord. can. reg. S. Augustini commentarius aureus in Psalmos et Cantica ferialia*, 2 vol., Vienne-Graz, 1728 : se présente comme le tome 5 du *Thesaurus*. Pez recourut à la collaboration de Félix M. Wintenberger, servite de Marie. – 8) *Codex diplomatico-historico-epistolaris quo Diplomata, Chartae, Epistolae, Fragmenta Opusculorum, Epitaphia... opera et studio RR.PP. Bernardi Pez... et Philiberti Hueber...*, Vienne-Graz, 1729 : florilège de textes du 5ᵉ au 16ᵉ s., concernant surtout l'Autriche et les territoires germaniques ; il se donne comme t. 6 du *Thesaurus*. – 9) *Epistola de etymologia nominis Hapsburgici et origine domus Hapsburgico-Austriacae*, Vienne, 1731 : œuvre d'érudition patriotique.

En hagiographie, son activité se signale par quelques éditions de textes : *Triumphus castitatis, seu acta et vita venerabilis Wilburgis, virginis reclusae*, Vienne, 1715, p. 44-155 (repris dans les *Scriptores rerum austriacarum...*, t. 2, p. 216-75). Cf. BHL 8887. *Vita et revelationes venerabilis Agnetis Blannbekuin († 1315)* ; Pez publia, sans esprit critique, ces extravagances historiques rédigées par un franciscain anonyme ; y est joint (p. 305-456) *Pothonis liber de miraculis sanctae Dei genetricis Mariae*, Vienne, 1731 (rééd. avec corrections par F. Grane, 1927). Cf. BHL 5357.

Il ne faut pas confondre Bernard Pez avec son frère et collaborateur, Jérôme (24 février 1685-14 octobre 1762), moine de Melk, et auteur de diverses publications : *Acta S. Colomanni Scotiae regis*, Krems, 1713 (BHL 1881-1882) ; *Historia S. Leopoldi Austriae marchionis*, Vienne, 1746 (BHL 4889-4890). Ses papiers sont conservés à l'abbaye de Melk. Cf. DTC, t. 12/1, 1933, col. 1364-65.

M. Ziegelbauer, *Historia rei literariae O.S.B.*, t. 3, Vienne-Wurtzbourg, 1754, p. 466-76. – I.F. Keiblinger, *Geschichte des Benediktiner-Stiftes Melk*, t. 1, Vienne, 1851, p. 966-83. – E. Katschthaler, *Ueber B. Pez und dessen Briefnachlass*, dans *Jahresbericht des Obergymnasiums zu Melk*, Melk, 1889, p. 5-106. – Hurter, *Nomenclator*..., t. 4, 1910, col. 1141-45. – DTC, t. 12/1, 1933, col. 1356-64 (bibl.).

H. Hautsch, *B. Pez und Abt Berthold Dietmayr*, dans *Mitteilungen des Inst. für österr. Geschichtsforschung*, t. 71, 1963, p. 128-39 (signale une tentative de réforme de Melk qui échoua à cause de Dietmayr). – G. Heer, *P.B. Pez von Melk... in seinen Beziehungen zu den schweizer Klöstern*, dans *Festschrift Oskar Vasella*, Fribourg, Suisse, 1964, p. 403-55 (vains efforts de Pez pour susciter l'intérêt des monastères suisses à propos de ses publications de textes). – C. Schmeing, *Ernst und Grösse des mönchischen Lebenswandels nach dem Zeugnis des P.B. Pez...*, dans *Erbe und Auftrag*, t. 40, 1964, p. 91-103. – M.-O. Garrigues, *Quelques recherches sur l'œuvre d'Honorius Augustodunensis*, RHE, t. 70, 1975, p. 388-425 (surtout p. 397-403 : apports de Pez). K. Schönhofer, *P.B. Pez, P. Hieronymus Pez, Benediktiner von Melk. Leben, Bedeutung und Werke*, thèse inédite de l'université d'Innsbruck, 1973. – L. Hammermayer, *Zum 'Deutschen Maurinismus' des frühen 18. Jahrhunderts. Briefe der... P.B. Pez und P. Anselm Desing*, dans *Zeitschrift für bayerische Landesgeschichte*, t. 40, 1977, p. 391-444.

Réginald Grégoire.

**PFEFFER** (Jean), prêtre, † vers 1493. – Originaire de Weidenberg (diocèse de Bamberg), Johannes Pfeffer s'inscrivit comme *pauper* à la faculté des arts de l'université de Heidelberg le 23 juin 1434 ;

bachelier ès-arts le 31 janvier 1436, licencié le 17 mars 1439, maître le 1er juillet 1439, il est bachelier en théologie le 23 juin 1447, et devient vice-doyen le 9 octobre 1454. Prêtre et licencié en théologie, il obtint une place de prédicateur dans la ville libre de Windsheim en Bavière en 1456 ; appelé comme premier professeur de théologie à la nouvelle université de Fribourg-en-Brisgau en 1457, il obtient le doctorat en théologie à Heidelberg le 6 octobre 1460. Recteur de l'université de Fribourg en 1461, 1463, 1466 et 1470, il se retira en 1486 et mourut très âgé, probablement en 1493.

Parmi ses œuvres, nous avons gardé : *Commentarium in primum librum Sententiarum Petri Lombardi* (ms, Fribourg/Brisgau, Université 160, f. 2-405v). – *Directorium sacerdotale* (imprimé probablement à Fribourg par Johannes Besickein entre 1482 et 1485, cf. Hain n. 12862) : ce traité de pastorale en treize livres, déjà signalé par J. Trithème, est peut-être le fruit des conférences faites par Pfeffer à l'université. – *Tractatus iam nouiter compilatus de materiis diuersis indulgentiarum* (édité par le même imprimeur entre 1480 et 1486, cf. Hain n. 12863) : traité écrit à l'occasion de l'indulgence accordée en 1480 par Sixte IV pour stimuler la construction de la cathédrale de Fribourg. – *Sermones uarii* (ms Vienne, B.N., lat. 4215, f. 11v-15 et 169-235). – *Quaestiones disputatae* (ms Vatican, Pal. lat. 376, f. 124-127 et 262-274v). – *Summa breuissima Orationis dominicae et bona* (ms Vatican, Pal. lat. 1769, f. 43v).

Œuvres perdues : *85 Sermones de poenitentia et uariis aliis similibus* (conservés dans un ms de la bibliothèque universitaire de Fribourg jusqu'à la fin du 18e s. d'après Riegger) ; – plusieurs commentaires de l'Écriture Sainte, d'après la notice de son contemporain J. Trithème.

Premier et pendant longtemps professeur de théologie à la nouvelle université de Fribourg, Pfeffer est salué par le premier recteur Matthäus Hummel comme « l'une des sept colonnes sur lesquelles la Sagesse a bâti sa maison » (*Prov.* 9, 1). Ses œuvres relèvent à la fois de la théologie spéculative (comme l'important commentaire du livre I des *Sentences*) et de la théologie pratique (le *Directorium sacerdotale*, le traité sur les indulgences et les différents sermons). Sa paraphrase du *Pater*, qui puise largement au patrimoine commun, à la tradition patristique et aux traités scolastiques, frappe par sa beauté incantatoire.

J. Trithemius, *De scriptoribus ecclesiasticis*, éd. Francfort, 1601, p. 381, 34 ; *De illustribus viris Germaniae*, éd. Francfort, 1601, p. 167, 48. – J.A. Riegger, *Amoenitates literariae Friburgenses*, Fasc. 1 : *De Johanne Pfeffer theologo*, Ulm, 1775, p. 35-53. – H. Schreiber, *Geschichte der Stadt und Universität Freiburg im Breisgau*, Fribourg/Brisgau, t. 2, 1857, p. 109 et *passim*. – ADB, t. 25, 1887, p. 618-19. – A. Füssinger, *Johannes Pfeffer von Weidenberg und seine Theologie. Ein Beitrag zur Freiburger Universitätsgeschichte*, Fribourg/Brisgau, 1957 (Beiträge zur Freiburger Wissenschafts- und Universitätsgeschichte, Heft 12). – LTK, t. 5, 1960, col. 1096. – C. Jeudy, *Une œuvre inédite de Johannes Pfeffer de Weidenberg : la « Summa breuissima Orationis dominicae et bona » (a. 1456)*, RHS, t. 53, 1977, p. 235-44. – DS, t. 3, col. 1214 ; t. 12, col. 394.

Colette JEUDY.

**PFLEGER** (CHARLES), prêtre, 1883-1975. – 1. *Vie.* – 2. *Œuvres.*

1. VIE. – Charles Pfleger, fils de Joseph, instituteur

à Dachstein, et de Hélène Paulus, originaire de Krautergersheim et sœur de Mgr Nikolaus Paulus, naît le 6 octobre 1883 à Dachstein (Alsace).

Il est le benjamin de trois frères dont la carrière fut particulièrement brillante : l'aîné Lucien (1876-1944) peut être considéré comme l'un des meilleurs historiens « religieux » de l'Alsace ; le cadet Alfred (1879-1957), professeur d'allemand au lycée Fustel de Coulanges, est connu pour ses études d'histoire de la littérature et du folklore alsacien ; le benjamin, Charles, est sans doute l'un des meilleurs stylistes de la langue allemande parmi les auteurs du 20e siècle.

Après des études primaires à Kaltenhouse, puis à Biblisheim, Charles fait ses études secondaires à Haguenau, puis entre en 1902 au grand séminaire de Strasbourg. Ordonné prêtre en 1908, il est d'abord vicaire à Brumath où il fonde le cercle de jeunes gens l'*Unitas*, puis à Strasbourg. De 1919 à 1937, il est curé de Bilwisheim, un village de moins de 200 habitants, puis de 1937 à 1952 (année de sa retraite) curé de Behlenheim près de Truchtersheim, village d'à peine 130 habitants . Il reste dans ce dernier presbytère, desservant l'annexe de Wiwersheim jusqu'à son décès, qui survient le 7 avril 1975 dans l'hôpital des sœurs de la Toussaint, où il avait été transféré deux jours auparavant.

2. ŒUVRES. – La carrière ecclésiastique modeste de Charles Pfleger est la conséquence de son désir de ne pas exercer la pastorale dans une paroisse populeuse pour pouvoir œuvrer essentiellement par la plume. De 1907 à 1975, il ne cessera d'écrire de longs articles denses en allemand dans le journal catholique alsacien *L'Elsässer* devenu après guerre *Le Nouvel Alsacien*, où il fera la critique d'ouvrages parus et donnera son sentiment sur l'évolution culturelle et philosophique de son temps. A partir de 1919, il fait paraître dans le *Kirchenblatt* ou *Bulletin paroissial du diocèse de Strasbourg* une série d'articles qui formeront l'étoffe d'un livre intitulé *Im Schatten des Kirchturms* (Paderborn, 1932) au sous-titre évocateur : *Die stillen Erlebnisse eines Dorfpfarrers*. Cet ouvrage le rend célèbre à l'approche de la cinquantaine..

Pfleger acquiert une notoriété internationale en 1934 par son second ouvrage *Geister, die um Christus ringen* (Leipzig) dans lequel il passe en revue différentes personnalités et expose leur lutte avec le Christ ; l'ouvrage éveille un profond écho dans le monde chrétien et sera traduit en plusieurs langues : l'auteur y faisait surtout connaître des écrivains français au public allemand. Pendant la deuxième guerre mondiale, un autre ouvrage servit de consolation aux fidèles au milieu du cataclysme : *Die christozentrische Sehnsucht* (Colmar, 1944). En 1945 le total de ses publications, articles et livres, s'élevait déjà à 245 titres (liste exhaustive publiée dans *Archives de l'Église d'Alsace*, 1946, p. 305-10). De 1945 à 1975 il publie encore d'autres ouvrages : *Dialog mit Peter Wust, Kundschafter der Existenztiefe, Die reichen Tage, Nur das Mysterium tröstet, Glaubensrechenschaft eines alten Mannes*, enfin *Christusfreude* (1973), que l'on peut considérer comme le testament de l'auteur. Son dernier livre *Lebensausklang* paraît en 1975, quelques semaines avant sa mort.

A la fois théologien et philosophe, Pfleger a développé une même idée durant sa vie : découvrir dans les œuvres d'auteurs athées ou chrétiens les signes de la rédemption. Il met en évidence les suites du péché d'origine en même temps que les signes avant-coureurs de la parousie. Sa conception de l'histoire est proche de celle de P. Teilhard de Chardin.

A. Boehm, *Ch. Pfleger zum 60. Geburtstag*, dans *Archives de l'Église d'Alsace*, t. 1, 1946, p. 299-310 (bibliographie exhaustive jusqu'en 1945) ; *Jubiläen,...* dans *Europa ethnica*, t. 25, 1968, p. 158-59 ; *Prälat Ch. P. 85 Jahre alt*, dans *L'Ami du Peuple* (= A.P., quotidien alsacien), n. du 6 octobre 1968. – M. Picard, *Briefe an den Freund K.P. und Michael Picard zur geistigen und religiösen Problematik von Max Picard*, Erlenbach, 1970. – M. Bogdahn, *Die Rechtfertigungslehre Luthers im Urteil der neuern katholischen Theologie*, dans *Kirche und Konfession*, t. 17, 1971 ; *Ein Geist, der um Christus rang*, A.P., année 1975, n. 134, p. 7.

L. Wintz, *Lebensausklang* ou *l'adieu aux lecteurs de Ch. P.*, dans *Le Nouvel Alsacien* = N.A., 1975, n. du 22 février, p. 6, et du 23-24 février, p. 7 ; *Trois lettres ouvertes à Mgr Ch. P.*, Strasbourg, 1976, 43 p.. – E. Fischer, *Les adieux à Mgr Ch. P.*, dans *Église en Alsace*, 1975, n. 5, p. 7-11 ; *Ch. P., une quête centrée sur le Christ*, dans *Élan*, t. 19, 1975, n. 3-4, p. 14 ; *Die christozentrische Sehnsucht K.P.*, N.A., n. des 20-21 avril 1975, p. 7 ; *Mgr Ch. P. zum Gedächtnis*, dans *Almanach Sainte-Odile*, n. 52, 1977, p. 138-40.

V. Hell, *Ch. P. et Huysmans : modernisme et modernité esthétique en Allemagne*, dans *Revue des sciences humaines* (Lille), 1978, n. 2-3, p. 264-72. – Ch. Stauffer, *Besuch bei K.P.*, dans *Cahiers du bilinguisme*, t. 8, 1978, n. 2-3, p. 24. – L. Wintz, *Drei offene Briefe an K.P.*, Francfort/Main, 1978, 47 p. – W. Kosch, *Deutsches Literatur-Lexikon*, t. 3, Berne, 1956, p. 2043 (bibl.). – J. Hurstel, *Trois frères, trois savants...*, N.A., n. du 13 mai 1983, p. 7.

Claude MULLER.

**PFLUG** (JULES), évêque nommé de Naumburg-Zeitz, 1499-1564. – 1. *Vie et écrits*. – 2. *Leur sens religieux*.

1. VIE ET ÉCRITS. – Julius Pflug naquit en 1499 à Ethra, près de Leipzig, d'un chevalier du nom de César Pflug, au service du duc Georg de Saxe Albertine comme administrateur et conseiller. En 1510 il commença ses études à l'université de Leipzig, puis les poursuivit à Bologne et à Padoue (1517-1521) ; il y acquit un style latin excellent, simple et sans recherche. Revenu en Saxe pour étudier le droit à Leipzig (1522-1524), son guide, Mosellanus, l'aida à prendre quelque connaissance de l'Écriture et des Pères. Son premier écrit publié fut l'*Oratio funebris* de Mosellanus (1524). Il passa ensuite environ deux années à Rome (1525-1527) et y noua sous la protection de son oncle, le cardinal Nicholas von Schönberg, de bonnes relations.

Il est chanoine de Meissen en 1514, de Zeitz en 1522 (prévôt à partir de 1523), de Merseburg en 1528, de Mayence en 1530 et de Naumburg en 1532. Parmi ses premiers correspondants on relève G. Witzel, P. Mélanchton et Érasme. A la Diète d'Augsbourg de 1530, il entrevit la possibilité d'un accord religieux et entretint l'espoir d'une réforme de l'Église. Érasme lui dédia son *De sarcienda ecclesiae concordia* (1533) et lui-même, peu après, conjura Mélanchton de ne pas imiter l'ardeur belliqueuse de certains polémistes catholiques (*Correspondance*, éd. J. Pollet, t. 1, p. 308). Mais la Réforme luthérienne fit de constants progrès à Zeitz durant sa prévôté et conquit la ville de Naumburg, où siégeait l'évêque.

En 1537 Pflug fut élu doyen du chapitre de Meissen. Il pouvait dès lors parler ouvertement en faveur de la réforme morale du clergé sous un contrôle plus énergique de l'autorité épiscopale. Après la mort du duc Georg (avril 1539), catholique zélé, le protestantisme envahit Meissen, ainsi que Leipzig, et Pflug se réfugia à Mayence, d'où il espérait organiser la résistance au schisme qui s'étendait en Saxe sous l'autorité du nouveau duc. En janvier 1541, le chapitre de Naumburg l'élut évêque de Naumburg-Zeitz, ce qui lui donnait droit en même temps à un petit territoire (*Hochstift*) et au rang de prince de l'Empire. Mais le Prince-Électeur de Saxe Ernestine, Johann Friedrich, déclara son élection inacceptable et confia la charge de l'Église à Nicholas Amsdorf, que Luther institua comme premier évêque protestant en janvier 1542.

Pflug, qui avait d'abord hésité à accepter son élection, y consentit dès qu'il fut informé de la décision de l'Électeur. Alors commença un procès, avec appels et contre-appels devant les Diètes de l'Empire, Pflug sollicitant une intervention de Charles Quint contre l'ingérance de l'Électeur de Saxe. Des injonctions impériales d'octobre 1545 et avril 1546 prescrivirent à Johann Friedrich de cesser de faire obstacle à la prise de possession par Pflug de son diocèse. En fait, c'est seulement après la victoire de Charles Quint dans la guerre de Smalkalde (1546-1547) que Pflug put occuper à Naumburg son poste d'évêque et administrateur du territoire.

En 1547 son horizon s'était considérablement élargi, comparé à ce qu'il était huit ans auparavant, lors de sa fuite de Meissen. A Ratisbonne, en 1541, il avait collaboré avec le cardinal Contarini et Johann Gropper (DS, t. 6, col. 1054-56) comme porte-parole des catholiques au colloque avec les luthériens. A Mayence, en 1542, il avait été en contact étroit avec les auteurs d'un plan d'ensemble concernant la réforme de l'Église. A la fin de la même année, il avait fait les *Exercices* ignatiens, avec l'évêque Michael Helding (DS, t. 7, col. 138), sous la direction de Pierre Favre. On a un témoignage de son état d'esprit en ces années dans un essai sur la *reformatio interioris hominis* et la *verae pietatis forma* (publié dans *Concilium Tridentinum*, t. 12/1, Fribourg/Brisgau, 1930, p. 290-295).

Comme évêque de Naumburg, il soutint sans réserve le plan établi par Charles Quint dans l'*Interim* de 1548, pour régler les affaires religieuses en Allemagne jusqu'à la reprise et l'achèvement du Concile de Trente. La première esquisse de l'*Interim* fut un plan de doctrine et de réforme élaboré par Pflug et Helding (dans *Acta Reformationis catholicae*, éd. G. Pfleilschifter, t. 6, Ratisbonne, 1974, n. 15, p. 185-255 ; cf. t. 5, n. 19 et t. 6, n. 3 et 14). Cet essai fut considérablement remanié par d'autres mains moins conciliantes, avant la promulgation de l'*Interim* à la Diète d'Augsbourg de 1548. Pflug s'appliqua à faire accepter l'*Interim* en Saxe ; mais il rencontra la vive opposition des luthériens, qui y voyaient une restauration du catholicisme, bien qu'accompagnée d'adaptations.

Pflug prit part à la seconde période du Concile de Trente (1551-1552). Son diaire témoigne du profond intérêt qu'eut pour lui la délibération sur le sacrifice de la messe (éd. H. Jedin, dans *Römische Quartalschrift*, t. 50, 1955 ; cf. *Concilium Tridentinum*, t. 7/1, p. 448 ; t. 7/2, p. 615-30, 684-87). Dès 1534, il avait senti que la messe comme sacrifice était le point crucial de divergence entre Protestants et Catholiques. Il se plaint toutefois, dans une lettre de Trente, de ce que certains théologiens se montrent plus soucieux de formuler des anathèmes que d'écarter les causes du schisme (*Corresp.*, t. 3, p. 453). Manifestement déprimé en 1552, du fait de l'opposition protestante au Concile et de la violence de la révolte des princes en Allemagne, il dut accepter que Charles Quint admette l'existence dans l'Empire de deux confessions : une église divisée fut le prix de la paix conclue en 1555 par la Diète d'Augsbourg. Ainsi prirent fin les efforts en vue d'un rapprochement confessionnel, déployés par Pflug pendant un quart de siècle.

Dans son diocèse, son prédécesseur non résident lui avait laissé un clergé mal formé. Vers 1550 la plupart des prêtres les plus capables avaient passé au luthéranisme. A maintes reprises il chercha à obtenir de Rome un élargissement de la loi du célibat, pour pouvoir réconcilier les prêtres mariés et les garder dans les paroisses. Il sollicita aussi, mais sans grand succès, des renforts pour son diocèse, notamment pour le personnel du séminaire qu'il avait fondé à Zeitz. Le luthéranisme se consolida en Saxe, malgré ses divisions intestines sur l'*adiaphora* et le synergisme. Le luthérien Flacius attaqua Pflug dans des imprimés, l'accusant de promouvoir l'*Interim* et de faire un habile emploi d'idées de Luther pour ramener insidieusement des luthériens à la « captivité papiste ».

De son château de Zeitz, Pflug s'appliqua, dans ses dernières années, à maintenir une bonne discipline dans les petites enclaves catholiques qui résistaient de son diocèse. Il publia des manuels de pastorale avec des explications sur l'administration des sacrements et la pénitence en Carême (cf. O. Müller, dans *Reformata Reformanda,* cité *infra,* t. 2, p. 46-67). Son souci de réforme chez les catholiques demeurait inchangé (voir son allocution de 1559, éd. G. Pfeilschifter, dans *Julius Echter und seine Zeit,* Wurtzbourg, 1973, 326-47). Au début de 1560, il se recommanda, lui « et ecclesiam meam miseram et calamitosam », à Pie IV nouvellement élu (*Corresp.,* t. 4, p. 405) ; comme le Concile allait reprendre en 1561, il donna à S. Hosius son point de vue sur la façon de ramener au moins quelques protestants à l'unité catholique. Un secrétaire du Nonce, qui visita Zeitz en février 1561, décrivait Pflug déjà âgé comme un homme instruit et distingué qui, dans la chapelle de son château, maintenait fidèlement la messe catholique et la prédication à un petit groupe de familiers (*Nuntiaturberichte aus Deutschland,* t. 2/2, 1953, p. 72). Ainsi isolé, il s'appliquait à servir son église, au moyen surtout de publications, comme *Christliche Ermanung, Von christliche Busse und dem Gesetz Gottes, Institutio christiani hominis* (tous publiés à Cologne, 1562). L'*Institutio,* remarquable exposé du Credo, du décalogue, du Notre Père et des sacrements – dans le seul but d'approfondir la vie chrétienne personnelle et ecclésiale – est, selon R. Padberg, le meilleur ouvrage catéchétique du 16ᵉ siècle (dans *Erasmus als Katechet,* Fribourg/Brisgau, 1956, p. 145). A l'automne 1564, il reçut enfin un indult papal, déjà sollicité 25 ans auparavant, autorisant la communion sous les deux espèces. Après sa mort, le 3 septembre 1564, les troupes de l'électeur August occupèrent le territoire du *Stift* épiscopal, marquant ainsi la fin du catholicisme en Saxe.

2. SENS RELIGIEUX DE LA VIE ET DES ÉCRITS. – 1º Par son attitude personnelle, Pflug représente bien le passage d'un style de vie assez largement répandu avant la Réforme à l'idéal de l'évêque d'après le concile de Trente. Encore jeune, il avait déjà accumulé assez de canonicats pour défrayer ses voyages, ses études d'humanités, son apprentissage de diplomate auprès du duc Georg. Mais devenu évêque, il assuma loyalement son office de servir « zur ehre gottes, besserung meynes bevholen folks und erbawunge der kirche unsers hern Christi » (1541 ; *Corresp.,* t. 2, p. 275). Durant ses années de maturité, il travailla assidûment à organiser et promouvoir une réforme, favorisant une solide instruction, affermissant la discipline, soutenant les cérémonies qui entretiennent la piété ;

activité en singulier contraste avec la négligence insouciante de nombre d'autres évêques de l'Empire. Si étrange que ce soit, il n'était évêque qu'au plan de la juridiction, n'ayant jamais été ordonné que sous-diacre. Néanmoins, il prêchait, semble-t-il, assez souvent et malgré son isolement à un petit îlot dans la grande mer protestante ; il resta jusqu'au bout résolument à son poste. Son zèle et sa fidélité avaient pour soutiens un profond sentiment de responsabilité personnelle devant Dieu et aussi, on peut le croire, la consolation intime qu'il éprouvait à s'abandonner à la divine miséricorde et aux mérites du Christ (cf. *Corresp.,* t. 3, p. 500).

2º Pflug est aussi de grande importance pour sa réponse sereine, érasmienne, au défi de la Réforme. De 1530 à 1550, en particulier aux colloques de 1539-1541, il travailla avec la conviction que le schisme pouvait être guéri, grâce à la collaboration de « boni ac praestantes viri » et en modérant de part et d'autre les exigences. Le luthéranisme, à son avis, supprimait injustement des pratiques catholiques universellement admises et de valeur éprouvée, comme les heures canoniales, et introduisait des innovations doctrinales injustifiables, comme le rejet du sacrifice eucharistique. Par ailleurs, les luthériens devaient se montrer plus attentifs à la doctrine de la sanctification et aux lois disciplinaires. Pour ce qui est des catholiques, ils devaient, selon Pflug, reconnaître leurs négligences graves dans l'accomplissement des devoirs pastoraux : le schisme est une punition infligée par Dieu à des bergers paresseux et mercenaires (cf. *Ézéchiel* 34, *Corresp.,* t. 2, p. 439). Quant à l'enseignement catholique, il fallait le purifier de tout semblant de superstition, l'enraciner dans le message de l'Écriture sur la rédemption gratuite opérée par le Christ. Au plan de la discipline, deux changements étaient urgents pour rendre viable en Allemagne la religion catholique : la communion sous les deux espèces et un élargissement de la loi du célibat des prêtres.

Pour Pflug, une nouvelle législation ne supposait pas un concile ; les évêques pouvaient y suffire, soutenus par l'Empereur et les princes, aidés de théologiens au courant de l'Écriture et des anciens canons, et approuvés par le pape. Il vit avec joie les efforts de Charles Quint pour imposer des normes de saine doctrine, des plans de réforme disciplinaire. En fait, sa loyauté, sa modération, son zèle pastoral s'avéraient insuffisants ; ses efforts furent submergés par la puissante marée protestante et l'ambition des princes. Isolé à Zeitz, il apprit de Hosius en février 1563 que le Concile ne visait pas tant à ramener les dissidents, comme Érasme et lui-même y avaient songé, qu'à garder fidèles les membres de l'Église dans les régions encore catholiques.

3º Pflug est important également par l'exposé qu'il fait de *la piété catholique,* soit dans ses écrits destinés à l'Empereur, soit dans ses publications pastorales d'ordre catéchétique. Son talent particulier est d'infuser dans la doctrine traditionnelle la chaleur qui émane des appels et enseignements de l'Évangile : il proposait la foi comme assentiment à la vérité révélée et abandon confiant à la divine miséricorde. La loi de Dieu doit être enseignée pour promouvoir une saine vie morale, mais plus encore pour susciter le sentiment du péché. Il faut éclairer sur les divers genres de fautes (originelle et actuelle, mortelle et vénielle) pour éviter une généralisation qui aille à banaliser le péché ; mais « haec omnia ita pertractanda sunt, ut homo agnoscat vulnera et languores suos et eo avidius medicinam... expetat » (*Acta reformationis cath.*, t. 6, p. 191). Devant les pécheurs repentants on place alors Jésus Christ, source unique du pardon, de la justice, de la transformation intérieure, de la vie éternelle. Qui demeure attaché au Christ dans la foi reçoit l'Esprit de Dieu comme un don d'amour immanent, source d'élans nouveaux du cœur et arrhes de la vie éternelle. Et si les mouvements de la chair rendent notre amour imparfait, pour que rien ne manque à son œuvre qui base toute notre confiance, Dieu nous impute aussi la justice parfaite du Christ.

L'instruction chrétienne indique ensuite au croyant les moyens à utiliser pour rester juste et croître en sainteté : culte réservé à Dieu seul, offrande du sacrifice du Christ en mémoire et gratitude de sa passion, soumission à l'autorité des parents, de la société civile et de l'Église, contrôle des convoitises qui persistent et de l'avarice, aide au prochain dans le besoin, comme il est demandé en *Mt.* 25, 31-45 (texte cité intégralement à deux reprises dans l'*Institutio* de 1562). Quant aux sacrements, Pflug les présente comme des *vasa* par lesquels Dieu donne sa grâce pour nourrir la foi et la piété.

Dans son enseignement catéchétique, Pflug suppose ou rappelle avec insistance la fidélité à l'Église. Il n'y a vie et salut que dans le Corps uni au Christ Chef, autrement dit, que dans le temple où l'Esprit saint rassemble et sanctifie les rachetés. Comme il n'y avait qu'une seule Arche de Noé, il ne peut y avoir qu'un seul Corps des adorateurs du Christ, qu'on discerne à des signes manifestes, ainsi leur unité à travers tout le monde connu, leur fidélité aux traditions. Des réformes sont désirables, par exemple l'administration des sacrements en langue vulgaire, la suppression de la messe privée, la reprise des visites épiscopales, la fondation de séminaires pour former des prêtres compétents. Mais toutes ces réformes doivent se faire selon le sens de l'Église, avec l'approbation des autorités qualifiées. La réforme des pasteurs et de leur ministère en conformité avec l'Évangile et la tradition catholique est le premier signe par lequel la véritable Église devrait se faire reconnaître.

Les ouvrages publiés de Pflug ont été mentionnés *supra*, sauf le *De republica Germaniae* (1562). Il reste de lui d'autres écrits non publiés (homélies, traités sur la messe, la réforme, la contrition, et l'Église) à la Stiftsbibliothek de Zeitz. Pour toute étude, l'ouvrage fondamental est la remarquable édition faite par J.V. Pollet de la *Correspondance* de Pflug, 6 vol., Leiden, 1969-1983.

A. Jansen, *J. Pflug. Ein Beitrag zur Geschichte der Kirche und Politik Deutschlands im 16. Jahrhundert,* dans *Neue Mitteilungen,* t. 10/1-2, Halle, 1863-64. – L. Pastor, *Die kirchlichen Reunionsbestrebungen während der Regierung Karls V.,* Fribourg/Brisgau, 1879. – E. Hoffman, *Naumburg im Zeitalter der Reformation,* Leipzig, 1900.

O. Müller, *Schriften von und gegen J. P. bis zur seiner Reise nach Trient,* dans *Reformata Reformanda,* Festschrift H. Jedin, éd. par E. Iserloh, Münster, 1965, t. 2, p. 29-69. – W. Offele, *Ein Katechismus im Dienste der Glaubenseinheit,* Essen, 1965 (avec traduction en allemand moderne de l'*Institutio,* p. 49-148); *J. Pflugs Irenik im Spiegel seines Katechismus,* dans *Theologisches Jahrbuch,* éd. par A. Dänhardt, Leipzig, 1966, p. 546-59. – O. Müller, *Bischof J. P.... in seinem Bemühen um die Einheit der Kirche,* dans *Beiträge zur Geschichte des Erzbistums Magdeburg,* éd. par F. Schrader, Leipzig, 1968, p. 155-78.

W. Kaliner, *J. Pflugs Verhältnis zur 'Christlichen Lehre' des Johann von Maltitz,* Leipzig, 1972 (cf. les critiques de J.

Pollet dans *Theologische Revue,* t. 70, 1974, p. 122-25). – J. Meier, *Der priesterliche Dienst nach J. Gropper,* Münster, 1977, table. – J. Pollet, *J. Gropper und J. P. nach ihrer Korrespondenz,* dans *Paderbornensis Ecclesia,* Festschrift L. Card. Jaeger, éd. par P.W. Scheele, Munich, 1972, p. 223-44; *J. Pflug,* dans *Gestalten der Kirchengeschichte, Reformationszeit,* éd. par M. Greschat, t. 2, Stuttgart, 1981, p. 129-46.

Jared WICKS.

**PHELIPEAUX** (JEAN), prêtre, 1653-1708. – Né à Beaufort-en-Vallée (Maine-et-Loire), le 3 septembre 1653, Jean Phelipeaux entra dans la cléricature ; il devint docteur de Sorbonne, le 27 octobre 1686. Bossuet, qui l'avait remarqué, l'attira à Meaux. Il fut le précepteur de son neveu Jacques Bénigne, le futur évêque de Troyes. Bossuet le nomma trésorier de sa cathédrale, son unique vicaire général (1690), son official et le supérieur de plusieurs communautés religieuses. En 1696 il accompagna l'abbé Bossuet à Rome. Il s'y trouva au moment où Fénelon demandait au Pape de se prononcer sur *Les Maximes des saints.* Il s'engagea très activement dans l'affaire et travailla à la condamnation de l'archevêque de Cambrai. De retour à Meaux, Phelipeaux reprit ses fonctions. Après la mort de Bossuet en 1704, son successeur, le cardinal de Bissy, adopta à son égard une attitude réservée. Il mourut le 3 juillet 1708.

Phelipeaux s'intéressait à la direction de conscience et à l'histoire. Il rédigea des *Discours en forme de méditations sur le sermon de Notre-Seigneur sur la montagne* (édition posthume à Paris, Brunet fils, 1730). Ils avaient été écrits à l'intention des personnes qui s'adressaient à lui pour leur conduite.

Selon l'auteur, le sermon sur la montagne est comme l'abrégé de toute la morale chrétienne. Il passe en revue les béatitudes, dans l'ordre même de l'Évangile, définit avec soin la nature de chacune de ces béatitudes, et montre leur différence, voire leur opposition, avec l'esprit du monde. Assez typique à cet égard est le commentaire sur la Miséricorde (p. 77-87). Après les béatitudes, Phelipeaux étudie en détail les autres parties du sermon, utilisant beaucoup les Pères de l'Église, en particulier Jean Chrysostome. Dans l'ensemble, il s'agit plutôt d'un ouvrage de morale que de spiritualité : il faut accomplir les obligations qui s'imposent strictement. Cependant, il n'y a rien de spécifiquement janséniste dans le volume, qui entre dans tout un courant moraliste, très répandu dans la France du temps.

Phelipeaux avait préparé une histoire des évêques de Meaux des origines à la mort de Mgr H. de Ligny † 1681. Elle ne fut pas imprimée, mais servit de base à celle de Dom Toussaint Duplessis (2 vol., Paris, 1731).

L'affaire quiétiste donna occasion à Phelipeaux de tenir un journal, qui ne fut publié – à sa demande – qu'en 1732 et anonymement : *Relation de l'origine, du progrès et de la condamnation du Quiétisme répandu en France* ; cette publication entre dans l'histoire générale de la querelle Bossuet-Fénelon. On en connaît deux éditions, in-12° et in-8°, datées de 1732 (Sainte-Menehould) ; d'autre part, le t. 2 de l'éd. in-12° a fait l'objet de deux éditions cette même année 1732, l'une de 316 p., l'autre de 280 (exemplaires à la Bibl. S.J. de Chantilly), qui semblent présenter le même texte.

A.-A. Barbier, *Dictionnaire des ouvrages anonymes,* 3ᵉ éd., t. 4, Paris, 1879, col. 211-12. – *Correspondance de Bossuet,* éd. C. Urbain et E. Levesque, 15 vol., Bruges-Paris, 1909-1925 (voir les tables). – DTC, t. 12, 1933, col. 1374-75 (notice par J. Carreyre).

Raymond Darricau.

## PHÉNOMÈNES MYSTIQUES.

**PHÉNOMÈNES MYSTIQUES.** – Cet article ne traite d'aucun phénomène mystique en particulier. On ne trouvera ici qu'une réflexion sur les rapports qui se sont instaurés – et resteraient à instaurer – entre d'une part la psychologie, la psychiatrie et la psychanalyse, et d'autre part le fait mystique, qu'il s'agisse des phénomènes, des écrits ou du sujet.

En ce qui concerne les phénomènes particuliers, voir les articles, de type historico-spirituel, qui leur ont déjà été consacrés dans le DS : *Angélique* (phénomènes d'ordre angélique), t. 1, col. 573-78 ; – *Apparitions,* col. 802-09 ; – *Auréole,* col. 1138 ; – *Blessure d'amour,* col. 1724-29 ; – *Clairvoyance spirituelle,* t. 2, col. 922-29 ; – *Extase,* t. 4, col. 2045-2189 ; – *Images et contemplation,* t. 7, surtout col. 1490-1503 ; – *Inspirations divines,* col. 1791-1803 ; – *Lévitation,* t. 9, col. 738-41 ; – *Ligature des puissances,* col. 845-50 ; – *Lumineux* (phénomènes), col. 1184-88 ; – *Multilocation* (bilocation), t. 10, col. 1837-40 ; – *Paroles intérieures,* t. 12, col. 252-57.

**Introduction.** – Le ou les chemins selon lesquels l'âme s'ouvre à la vérité et au bien se concluent-ils dans un saut qualitatif qui l'illumine en même temps qu'il la transforme ? Y a-t-il convergence sur ce point entre l'itinéraire ascétique, initiatique, méditatif inscrit dans la tradition religieuse reçue et la dialectique ascendante que cisèle la réflexion philosophique, ou celui-là seul débouche-t-il sur le *raptus* qui extasie, celle-ci ne trouvant d'autre issue à son cheminement laborieux que d'en souffrir le travail dans l'indéfini ?

Une telle extase, si elle existe, quand elle existe, est-elle le moment privilégié d'une adéquation de l'être à l'Être, c'est-à-dire la réconciliation du particulier et de l'universel, ou plus simplement un ébranlement fugace de la clôture de l'existence sur soi, ébranlement prémonitoire de cette futurible réconciliation, ou plus simplement encore une émergence de sens qui scande, sans la mener à sa fin, l'histoire de l'âme ?

La voie d'une contemplation récapitulant la totalité de l'être (dont la Gnose cisèle la possibilité) est-elle compatible avec la visée spirituelle que soutient l'institué chrétien ? L'universelle médiation de la mort et de la résurrection du Christ n'exclut-elle pas ces retrouvailles singulières de l'être individuel et de l'Un où l'on voudrait faire jouer une consubstantialité originaire de la nature profonde de l'illuminé avec la Divinité ?

Telles sont les très vastes questions à l'interface de la pensée religieuse et de la pensée philosophique au sein desquelles nous installe d'emblée la seule évocation du terme mystique.

Cette problématique, notre culture se garde d'en décider par une élaboration frontale. C'est autour du mystique qu'elle s'interroge, à propos donc de celui qui se donne, ou se trouve perçu par l'entourage, comme ayant bénéficié de l'illumination. La prétention serait d'aborder « sans préjugé » les phénomènes mystiques, pour décider « scientifiquement » ce qu'il en est. Mais la démarche rationnelle ne consiste pas à laisser le réel s'inscrire comme tel sur la cire de l'esprit rendue vierge parce que débarrassée de toute idée a priori. Toujours elle confronte activement une organisation mentale donnée, celle de l'observateur, à telle plage dûment circonscrite du réel. Toujours elle se résout en dialectiques rectificatrices.

Impossible donc de faire éclater l'évidence de ce qu'il en est en dernier ressort des phénomènes mystiques par une observation directe dont chacun, au demeurant, conviendra volontiers qu'en l'occurrence elle est particulièrement malaisée, sinon tout à fait impossible. On peut seulement s'attacher à décrypter ce que le mystique dit, ou les récits que d'autres font de son « expérience ». On peut seulement rechercher ce qui peut être utilement « manipulé », non point au centre, en lui-même inaccessible – et d'ailleurs y a-t-il un centre ? –, mais aux franges réputées significatives du fait mystique.

Pour procéder à cet examen critique, la communauté scientifique, érigée en instance de pensée, délègue volontiers le psychologue. Mais celui-ci peine à la tâche. Les enjeux de sa démarche sont trop considérables. La moindre de ses allégations, socialement survalorisée, devient un argument excessif au sein d'une polémique aiguë dont il n'a pas la maîtrise. Sa discipline n'est ni constituée à ce jour (et encore moins pour les siècles précédents) d'une façon qui l'arrête comme un ensemble de méthodes d'investigation assurées, ni n'évolue asymptotiquement vers une positivité hors de conteste. Au demeurant, le « fait » mystique a tôt fait de se révéler protéiforme. On le croit là, il est ailleurs. Dès lors le psychologue hésite ou, ce qui revient au même, donne dans le péremptoire pour surcompenser son impuissance à dire à ce propos le vrai et même tout simplement du vrai.

S'intéresser aux rapports de la psychologie et de la mystique, c'est ainsi au premier chef reconstituer l'histoire d'une série d'échecs qui nous informe moins sur la nature ou le statut des phénomènes mystiques qu'elle ne profile « en creux » le destin de la psychologie.

Notre propos est ici, à défaut de pouvoir raconter exhaustivement cette histoire, d'en faire pressentir la consistance selon trois axes de réflexion : 1. *Les phénomènes mystiques* : la critique psychologique du témoignage aux prises avec son substrat idéologico-politique. – 2. *La conviction mystique* : de sa réduction psychiatrique à la découverte de la croyance comme catégorie de la psychologie. – 3. *Les écrits mystiques* : la régression narcissique qu'y déchiffre la psychanalyse, évitement ou affrontement du mystère de l'individuation ?

Cette manière de faire décevra l'attente de « croyants » qui voudraient que leur soit tenu un discours psychologique explicitant rationnellement le rapport des phénomènes mystiques à un noyau de positivité essentielle. Qu'ils veuillent bien se consoler en considérant certains rebonds de la psychologie autour de la question de la mystique, si peu que cela leur paraisse, n'est pas rien, que c'est même beaucoup. L'épistémologie contemporaine a bien montré en effet que seul « du réel » est en mesure, par sa résistance, d'infléchir significativement et durablement une démarche rationnelle, et qu'inversement au centre d'un tel infléchissement avéré, au centre d'une telle courbure, s'indique un concret.

Par-delà l'aveu que les phénomènes mystiques la font travailler, la psychologie ne peut que laisser les théologiens donner des raisons de comprendre, d'une certaine façon ou d'une autre, le fait mystique qui, dans sa positivité, se donne justement comme relevant de leur sphère.

1. **Les phénomènes mystiques** : la critique psychologique du témoignage aux prises avec son substrat idéologico-politique. – Qu'en est-il des phénomènes mystiques, c'est-à-dire des « miracula » qui signifient de prime abord l'expérience mystique dans la visibilité ? Telle est la première question qui se pose, que l'on pose au psychologue. Le propos est ici de réfléchir la façon dont il s'y embrouille, creusant du même coup la conscience du statut socio-épistémologique de sa discipline.

Les « miracula » n'étant pas, en tant que tels, d'observation courante, existent socialement au premier chef dans les récits des témoins privilégiés de l'extraordinaire. Témoins d'autant plus rares que cet extraordinaire répugne à se mettre en valeur – par discrétion spirituelle ? pour ne pas donner prise à un examen trop précis ? –, témoins d'autant plus proliférants que chacun souhaite en être – pour se faire valoir ? pour être messager d'une vérité essentielle ?

Ces récits sont-ils recevables ? Le problème au départ paraît pouvoir se traiter dans l'esprit de la critique historique, aux prises, elle aussi, avec une multiplicité de témoignages plus ou moins empressés qu'il lui faut énergiquement décanter en faisant jouer divers critères de cohérence tant internes qu'externes.

– S'agissant des *critères internes,* point de difficultés. Facile, autant que nécessaire, de mettre au rancart, comme fait l'historien dans son propre champ, les discours de seconde main, ou simplement tardifs, les discours non congruents entre eux ou qui relèvent trop évidemment d'une mise en scène hagiographique. Les interpolations, les remaniements de ce qui a été vu pour le replacer dans un cadre convenu, se laissent assez facilement démasquer. D'où un premier tri sévère dont le travail de H. Thurston (*The Physical Phenomena of Mysticism,* Londres, 1952 ; trad. franç., Paris, 1961, 1975) donne une juste idée, même si la relecture qu'il propose des témoignages recueillis à l'occasion de divers procès de béatification se situe à l'entrecroisement du discernement ecclésiastique et de la réflexion psychologique proprement dite. Les critères internes ne se manient pas différemment de part et d'autre de la frontière qui sépare la psychologie de l'histoire, sauf à ce que l'acuité critique se fasse plus vigilante encore ici que là.

– Même très aiguisée, cette critique interne ne laisse pas que subsiste un reste. Le psychologue tâche à faire mordre sur lui une *critique externe.* Ici commence le débat. Il lui faut en effet quitter sur ce point les sentiers balisés de l'historien. Les faits historiques se donnent comme appartenant à l'histoire commune. Ils sont dits certes y instiller un sens qui rompt le cours des événements naturels, mais leur efficace propre tient à ce que la réalité en est durablement marquée. On doit donc rencontrer en celle-ci des traces qui authentifient l'événement princeps. Le vécu mystique se donne, lui, comme étant singulier. Sa trace est par nature fugitive. Le sens dont il s'agit en l'occurrence excède la capacité du réel, tel qu'il prend figure à un moment donné de la culture, à le recevoir autrement que sous les espèces d'une brisure momentanée, en tout cas purement locale. Impossible ici de ne pas buter sur l'ambiguïté du concept de réel qui renvoie d'un côté au système des représentations socialement éprouvées (et fondées ?) par quoi un monde prend figure, et d'un autre côté à l'infigurable d'où procèdent ces représentations en leur devenir – étant acquis qu'aucune de ces deux faces n'est prévalente.

Voilà dès lors le psychologue au rouet. Faire jouer avec rigueur un critère de cohérence externe, s'arc-bouter de façon rigide à une cosmologie de l'ordinaire, c'est prononcer une disqualification générale et a priori de tout discours concernant un phénomène mystique quel qu'il soit, au moment même où l'on prétend à un tri serein, alors qu'on se veut accueillant aux leçons, donc à l'imprévisibilité du réel. Mais recevoir comme telle l'annonce des « miracula », c'est se démettre prématurément d'une responsabilité « politique », celle de défendre les droits de la raison. A partir de quand les « miracula » mettent-ils en cause les droits de celle-ci en démentant ce qu'elle affirme « de science certaine » touchant la structure du réel ; à partir de quand lui offrent-ils à l'inverse une occasion d'élargir sa représentation des choses ?

Le psychologue ne sait trop comment en décider. Il est pourtant requis de le faire. En période de « cosmologie glissante » – situation de la culture occidentale à partir du 17e siècle où les représentations anciennes de l'univers se trouvent mises en question par la naissance de la physique mathématique – la « science » psychologique se trouve, quoi qu'elle en ait, appelée à discerner ce qui peut ou ne peut pas prendre sens au sein de la dynamique culturelle ; elle est appelée donc, *volens nolens,* à une certaine déconstruction des « miracula » qui rabatte jusqu'à un certain point, mais jusqu'à un certain point seulement, dans le champ de l'humaine condition telle que le rationalisme entend la sculpter, l'expérience qui s'en prétend, ou qu'on en prétend évadée.

Cette discipline est en cela, si paradoxal cela soit-il, l'héritière de la tradition ecclésiastique. Séparer le vrai mystique dont la vie édifiante, et plus encore les écrits, corroborent l'annonce de la Bonne Nouvelle, du simulateur en quête d'un bénéfice propre, et davantage encore du mauvais et très luciférien berger attaché à faire miroiter les mirages d'un salut individuel, ou mettre en garde contre une crédulité qui dévoie l'attente scientifico-technique, est-ce tellement différent ? Le discernement ecclésiastique tend à protéger la perspective religieuse ; la dynamique dans laquelle se trouve inscrit le psychologue a changé, mais c'est un même processus d'auto-conservation dont il a la charge.

La similitude des démarches n'est bien sûr que partielle.

– Le discernement ecclésiastique interrogeant l'authenticité chrétienne des révélations et consolations privées qui lui sont alléguées, a égard principalement aux témoignages qui lui sont fournis touchant l'orthodoxie du rayonnement spirituel du héros, de sa geste, de ses écrits. Il reçoit la nouvelle des merveilles qui ont ponctué son existence avec zèle ou scepticisme, mais sans s'inquiéter outre mesure de leur effectivité, et moins encore de leur nature exacte. Peu lui importe que le mystique reconnu fiable sur des critères doctrinaux soit par ailleurs socialement traité comme une star au moyen des auréoles qui ont alors cours. Si la mise en scène hagiographique a recours au merveilleux, ce n'est guère qu'une écriture convenue : la télékinésie d'hosties signifie l'ardeur à communier ; la lévitation donne à comprendre que le mystique a part aux choses d'en-haut...

Lorsque l'autorité ecclésiastique censure Mechtilde de Magdebourg qui prétendait avoir vu apparaître Jean Baptiste disant la messe (cf. H. Graef, *Histoire de la mystique,* Paris, 1972, p. 162), elle ne met pas en question la possibilité d'une communication par vision, mais le contenu de cette prétendue vision au regard de la tradition : n'étant pas prêtre, le Baptiste ne pouvait dire la messe. Plus avant, c'est bien sûr la possibilité même d'une révélation par vision qui est ici mise en cause : qu'il y ait vision, soit, mais la vision ne doit donner à éprouver que ce qui est déjà connu par révélation. On notera avec une pointe d'humour que, dans sa confrontation avec la parapsychologie, la psychologie scientifique dénie pareillement à sa rivale le droit de découvrir du réel en dehors d'une confrontation continue avec la communauté scientifique et sa tradition.

– Le psychologue, lui, ne peut recevoir les « miracula » qui contredisent trop le savoir acquis, ou réputé tel, sur la structure du réel sans laisser se profiler la perspective d'une transrationalité qui disqualifie la prétention hégémonique de la raison ; car, dans le sillage de l'*Aufklärung* dont nous ne sommes guère sortis, une raison sans hégémonie n'est plus une raison. Il est donc essentiel que les phénomènes mystiques ne dérangent pas, du moins pas trop, le travail de la rationalité scientifique. La tâche du psychologue sera alors, à défaut d'en réfuter catégoriquement l'existence, d'établir qu'ils ne sortent pas de l'ordre naturel ; entendons, qu'ils se situent, en avant sans doute, mais dans l'axe des potentialités explicatives de la raison scientifique, laquelle n'est donc pas vraiment prise par eux à contre-pied.

En cela la psychologie se découvre une destinée épistémologique. L'opération à conduire ne peut être menée en effet avec étroitesse d'esprit, dans un attachement scrupuleux aux réquisits des représentations mécanistiques de l'univers telles que les développe la physique mathématique en ses premiers balbutiements (Monsieur Homais n'a pas besoin de psychologue pour répudier a priori tout « miraculum »). Elle ne peut pas davantage verser dans les souplesses rhétoriques d'un syncrétisme à tout prix, prêt à imaginer n'importe quel raccord de courbes. Il lui faut déboucher sur un réel travail, un travail épistémologique justement. Il s'y agit de prendre parti sur l'avenir de la raison, de considérer donc celle-ci non comme un *datum* (Athéna sortie tout armée de la cuisse de Jupiter), mais comme l'émergence historique d'une capacité de pensée vraie, qui se donne peu à peu, en marchant, les règles de son propre fonctionnement, non par une création *ex nihilo,* mais par une différenciation progressive d'avec un mauvais fonctionnement antérieur. La psychologie doit psychologiser la raison, à tout le moins la raciner dans l'épaisseur d'un vécu humain pré-rationnel, en quoi elle ne contredit pas mais accomplit (ou s'efforce d'accomplir) l'exigence rationaliste. La prétention à une explication totale, caractéristique de cette exigence, oblige à rendre compte de l'erreur, non en ce qu'elle s'oppose au vrai, mais en ce qu'elle en procède. Il lui faut dire pourquoi nous racontent des histoires ces « témoins » chez qui fait défaut la flagrance de la mauvaise foi ; il lui faut faire théorie de la genèse de la pensée.

La psychologie se trouve prise de la sorte dans l'équation suivante : point de rationalité sans théorie de l'erreur, – point de théorie de l'erreur sans théorie de la pensée, – point de théorie de la pensée sans théorie de la science, – point de théorie de la science sans histoire de celle-ci (c'est-à-dire sans un recul réflexif par rapport aux représentations scientifiques en vigueur à l'instant *t*), – point de recul réflexif de cet ordre qui n'ait pour premier résultat de restituer les représentations scientifiques au sein d'un procès psychique, – point d'élucidations psychogénétiques de cet ordre sans qu'il s'en suive des options sur la suite. Cette équation est l'équation même de l'épistémologie.

S'agissant des phénomènes mystiques, et de l'obligation où il se trouve d'épistémologiser à leur propos, le psychologue s'égare, pour commencer, dans une psychologie plus ou moins improvisée des résistances à la rationalité ou de la crédulité collective. Mais de faire ainsi pièce aux diableries d'antan pourvoit mal à ce qui est attendu de lui. Le psychologue le sait, et les phénomènes mystiques lui deviennent ainsi occasion de se questionner sur ce qui se cache dans sa propension à croire trop vite qu'il les a expliqués. N'est-il pas troublant que le souci de protéger l'évidence rationnelle, laquelle certes s'accommode mal des lévitations, ce morceau de choix de la littérature mystique, et pas davantage des phénomènes d'ubiquité, de télékinésie, de salamandres humaines, conduise à s'accommoder aussi bien de notions aussi inévidentes, en tout cas aussi peu mécaniciennes que par exemple celle d'hallucination collective ? Tenus pour des hallucinations collectives, les phénomènes mystiques ne sont-ils pas rapportés à des « énergies » dont le mystère reste entier ? S'esquisse de la sorte une dialectique de

la psychologie et de ses « explications » des phénomènes mystiques. Le psychologue y est moins aux prises avec ces phénomènes eux-mêmes qu'avec la déconvenue de les avoir « trop facilement » déconstruits.

Relèvent d'une telle dialectique toutes les élaborations qui situent les phénomènes mystiques à « l'articulation du psychique et du somatique » et contredisent, sans en avoir trop l'air, les axiomes de la pensée physicienne.

– S'agissant ainsi de l'absence de rigidité cadavérique, on notera que les cadavres deviennent rigides au terme d'une période et pour une durée moins précise qu'une science médicale de première approximation ne tendrait à le croire. On supposera que cette variabilité peut n'être pas sans lien avec l'importance de la cuirasse caractérielle, soit avec les tensions musculaires où s'exprime l'angoisse du sujet ; on entrouvrira la porte à l'idée que d'aucuns pourraient s'être trouvés dans un état de relaxation particulièrement remarquable au moment de leur mort...

– Sur le front sensible des stigmates, par-delà le fait que sont souvent valorisées en tant que stigmates des dermatoses qui n'ont pas une signification très évidente, on relèvera que le phénomène de dermographie hystérique autorise à concevoir une stigmatisation involontaire où s'expriment les préoccupations profondes du sujet. La multiplication des stigmates dans la suite de François d'Assise pourra alors être comprise comme le surgissement en Occident d'un complexe du stigmatisé, ou le déploiement dans le sillage du Poverello d'un certain style de pensée méditative...

– Surtout, quant aux visions, on relèvera que leur irrecevabilité s'exténue dès lors que la perception n'est plus comprise comme le simple enregistrement d'impressions venues du dehors, et qu'on est amené à la définir comme une réaction projective à des stimulations tant internes qu'externes. Voir ne se réduit pas à recueillir des images toutes faites, purs décalques des choses (les fameux *eidola* des stoïciens). La représentation perceptive se construit à l'interface de l'individu et de son milieu. S'y expriment, – s'y projettent – les attentes de la personnalité, les attentes profondes aussi bien que les besoins biologiques élémentaires. La vision mystique pourrait n'être que le cas extrême de la projection perceptive...

Suivant ces diverses lignes de réflexion et d'autres du même genre, le psychologue assume un rôle de médiateur entre le présent de l'activité scientifique et un possible avenir de celle-ci. Sa médiation peut être précipitée et donner dans le panneau d'une apologie partisane des phénomènes mystiques. Elle est alors sans opérativité. Elle peut, à l'inverse, être trop retenue. Une excessive timidité ramène alors la psychologie à n'être que la rhétorique du rationalisme. Dans l'entre-deux il y a de la vie intellectuelle, – la vie même de la psychologie qui ne s'instaure comme discipline qu'au sein du processus de la prise de conscience épistémologique tel qu'il s'observe aux 18e et 19e siècles.

Il est difficile de préciser le rôle exact joué par les phénomènes mystiques dans ce mouvement général. Mais tout aussi difficile de ne pas reconnaître que les divagations des psychologues à leur sujet prennent sens dans cette ambiance d'ensemble, et là seulement. Le psychologue n'est pas le soldat perdu du rationalisme, voué à en défendre la citadelle contre toute intrusion, *perinde ac cadaver.* Des transactions s'esquissent aux frontières. Elles ne limitent pas la souveraineté de la raison, ni n'en étendent la juridiction sur l'en-dehors mystique. C'est un rationalisme plus souple qui s'y esquisse, un rationalisme au deuxième degré, devenu capable de reconnaître que l'activité scientifique n'est pas englobante mais englobée, la psychologie ayant précisément pour fonction de distinguer, autant que faire se peut, les régulations qui résultent de cet englobement.

**2. La conviction mystique :** de sa réduction psychiatrique à la découverte de la croyance comme catégorie de la psychologie. – Le mystique n'est pas seulement objet de récits concernant les événements extraordinaires qui se déploient à son entour comme autant de signes de son élection. Il affirme celle-ci. Il le fait d'une façon généralement discrète, dont le public prend mal la mesure, ce qui conduit à des rapprochements « hardis » avec les convictions tapageuses dont font montre certains délirants.

De ces rapprochements on attend du psychiatre qu'il veuille bien les circonstancier et les analyser au nom de son expérience. D'aucuns s'y emploient en effet. Un examen attentif de leurs écrits y discerne diverses lignes de résistance du mystique à sa psychiatrisation.

Manière de parler, bien sûr, puisqu'en l'occurrence le mystique ne saurait rétorquer directement au traitement posthume dont il est parfois l'objet. Nous voulons souligner par là que la manière dont le psychiatre s'embrouille à propos de la conviction mystique présente plus d'intérêt que les plaidoyers des avocats. Certes, une biographie approfondie, et non prévenue, du vrai mystique fait aisément éclater au regard du croyant et de tout esprit impartial qu'il n'est pas fou. Malheureusement l'impartialité dont il s'agit ne dessille les yeux que de celui qui s'est démis de l'exigence psychopathologique. Tout se situe au niveau du sens commun, en deçà donc du travail que fournit la pensée rationnelle pour comprendre la singularité au lieu de simplement l'accueillir. Des efforts déployés pour établir la transcendance du héros spirituel ont leur nécessité. Ils disent avec plus de conviction que de clarté une vérité spirituelle incontournable : que l'*imperium* de la raison doit être contenu, – « cui resistite fortes in fide » (1 *Pierre* 5, 9). Mais, s'ils arrachent le mystique aux griffes du démon rationaliste, ils ne mettent pas fin pour autant à son face à face avec la pensée rationnelle : impossible de jamais renoncer à comprendre, même s'il faut se garder de croire que l'on a déjà compris.

Plutôt que de remettre en chantier une problématique apologétique, creusée de longue date ailleurs, avec les succès et l'insuccès propres à de telles entreprises, on gagne à s'instruire de ce qui advient réellement dans ce laborieux face à face. Il est plus rare qu'on ne le pense. Le mystique ne fréquente pas l'asile, ni n'éprouve un impérieux besoin de se faire le patient du médecin. Dans le tête-à-tête, lorsqu'il a lieu, le psychiatre qui épouse de près la vie de sa discipline, et se garde donc de s'abandonner à la ligne de plus grande pente de la *furia rationalis*, peine à psychiatriser le mystique.

Ses difficultés sont à comprendre sur l'horizon des conflits intellectuels d'où va surgir la psychopathologie en tant que rameau original de la psychiatrie.

1) *La première psychiatrie* est médicale. Elle entend mettre de l'ordre dans le touffu des symptômes psychonévrotiques. A la manière de la médecine, elle tâche à démêler comment ces symptômes se lient entre eux selon diverses configurations ou séquences temporelles (les syndromes), et dégage les confluences de syndromes qui permettent de nommer une maladie. Son objectif premier est une nosographie, c'est-à-dire un tableau récapitulatif des maladies mentales qui autorise en chaque cas un diagnostic précis. Fidèle par ailleurs aux grands principes anatomo-cliniques qui président à la recherche médicale au 19e siècle, la psychiatrie cherche à mettre en évidence le lien spécifique de chaque maladie à des lésions du substrat cérébral. Ces lésions sont parfois avérées (dans le cas du tabès par exemple ou de l'hémiplégie), elles sont le plus souvent simplement supposées. La logique de cette démarche induit le psychiatre à s'intéresser au trouble psychique davantage dans son aspect formel (confusions, perte de sens du réel, paralysie, aphasie, amnésie...) que dans son contenu représentatif (que telle phobie porte sur les araignées ou les tigres ; que tel délire de persécution s'exprime par des images d'agression au couteau ou au bâton...).

Cette psychiatrie médicale n'a que peu de chose à dire du mystique. Elle rencontre au mieux des individus engagés très avant dans des voies religieuses et par ailleurs malades sans pouvoir relier ceci et cela, sauf par des extrapolations gratuites.

2) Les choses changent avec une *psychiatrie psychopathologique* qui prend le parti de considérer attentivement le contenu représentatif du symptôme pour tâcher de le comprendre. Le mystique, jusque-là *off limits*, paraît alors sur la scène en contre-point des délires à contenu religieux. La conviction d'avoir été gratifié de consolations privées balance en effet, ou paraît balancer, avec le sentiment de possession dont font état certains délirants. Les uns et les autres, en première apparence du moins, parlent la même langue. Il y est question d'élection, d'extases singulières, d'accès à des clartés aveuglantes, incommunicables, de rapts... De son premier mouvement, la psychopathologie croit entendre qu'ils disent la même chose.

Le côté réducteur de cette écoute saute aux yeux tout d'abord. A y regarder de près, on relève qu'elle implique une théorie déterminée et extensive de la religion qui, s'obligeant à embrasser large, va s'offrir par cela même à de nombreuses dialectiques rectificatrices.

Auguste Comte formule que le développement de l'humanité est indivisiblement mental et social, l'organisation mentale commandant à chaque étape l'organisation sociale où elle s'exprime et qui la complète. On peut alors déchiffrer, à travers l'histoire sociale, celle du développement mental : celui-ci s'effectue en trois phases, il va de la théologie à la positivité via la métaphysique. Disant cela, A. Comte fournit une théorie de l'erreur. Les errances de la pensée magico-religieuse ne sont plus seulement, dans sa perspective, une bizarrerie inintelligible, mais en quelque manière la matrice du vrai. Il induit par ailleurs une nouvelle catégorie, celle de la régression, soit de l'inversion partielle et locale du mouvement phylogénétique. Cette notion de régression permet une compréhension psychopathologique : toute maladie mentale est à comprendre comme l'installation du sujet dans un état d'équilibre interne révolu qui réanime une figure culturelle dépassée, et le prive de toute communication active avec son entourage. Il y a en ce cas rupture entre la fonctionalité *ad intra* du niveau d'organisation psycho-affective où l'individu se trouve installé, par dysgénésie ou régression, et sa dysfonctionalité *ad extra*.

Réputés régressifs, le mystique et le délirant roulent alors de conserve dans le flot de l'éloquence positiviste : 1867, E. Sémérie profère que nous naissons avec une somme de stratifications mentales. Que la couche la plus récente, la plus parfaite s'altère, les couches sous-jacentes réapparaissent. Les délires sont la réapparition des superstitions subconscientes (cf. Le retour atavique à l'état fétichique dans les pratiques superstitieuses des aliénés). – 1884, Th. Meynert : « La superstition est immanente chez l'homme normal à l'état inconscient. Elle apparaît et passe au premier plan sous l'action dévastatrice de la maladie mentale qui inhibe les fonctions supérieures ». – 1907, A. Marie : « Les tendances mystiques, qui restent inconscientes dans le cerveau sain, prendront par le seul fait de l'isolement l'intensité et la prépondérance que prennent les fonctions spinales quand les fonctions corticales sont suspendues » (*Mysticisme et folie*, Paris, 1907). Et Marie de raffiner en distinguant la possession par une déité bonne, soit la psychose mystique mégalomaniaque exubérante, de la possession par une déité mauvaise ou folie religieuse dépressive. Il dit que la démonopathie résulte d'une régression plus profonde que la théomanie, et donc est favorisée par les religions plus anciennes, le catholicisme par opposition au protestantisme.

Bien entendu ces discours peinent à convaincre... et à demeurer convaincus. Que les strates archaïques de la personnalité comportent des représentations fausses, produites au cours de l'histoire de l'humanité, en fonction de la faiblesse initiale de son fonctionnement mental, que ces représentations soient susceptibles de faire retour, moins sous l'influence religieuse d'ailleurs qu'à partir de facteurs étiopathiques généraux (hérédité, misères physiques et sociales, isolement, drogue, excès sexuels...), ces hypothèses ne manquent pas d'intérêt.

Ainsi Pierre Janet : « On peut être surpris que dans cette interprétation des états de Madeleine et de leur évolution, je n'aie fait jouer aucun rôle aux idées religieuses ; c'est que, si je ne me trompe, ces idées ne jouent pas dans cette maladie un rôle aussi important qu'on le croit. Il est clair que l'éducation de Madeleine, ses lectures religieuses, les sermons qu'elle a entendus, ont eu une importance sur la forme extérieure de la maladie... mais est-ce important ? Ce sont là des expressions, des prétextes, des contenus de délire qui peuvent être tout autres chez d'autres sujets ayant cependant les mêmes troubles... L'influence de la religion chez Madeleine a plutôt été favorable, et a peut-être diminué la gravité de la maladie » (*De l'angoisse à l'extase*, t. 2, Paris, 1928, p. 665-66).

Mais tous les délires devraient alors avoir un contenu religieux, ce qui est loin d'être le cas. Voilà donc la psychopathologie obligée de moduler sa référence de départ. Elle ne peut plus se contenter d'évoquer des résurgences archaïques, restes d'une organisation ancienne. Elle garde cependant le principe positiviste d'une fonctionalité des représentations aberrantes, mais le fait jouer autrement. Elle entend comprendre ce qu'opèrent ces représentations dans les économies singulières de chaque patient. Le problème de la fonctionalité, ou plutôt des fonctionalités de la représentation religieuse, fût-elle délirante, se trouve dès lors posé, et le mystique ne tarde guère à se différencier nettement à cet égard, du délirant.

L'état d'incommunication à l'égard de son entourage dans lequel il tombe parfois est épisodique, au total bref. Il répond à une suspension provisoire de son rapport au réel social. Alors que celui où se trouve le délirant, même s'il y a rémission et parfois guérison, est fait, lui, de périodes longues et signifie une désorganisation sociale de la personnalité.

Mais à se donner pour objet de repérer les fonctionalités différentielles des représentations religieuses, le psychologue se trouve peu à peu conduit à concevoir que l'organisation de la personnalité, chez le sujet normal, ne consiste pas seulement dans l'articulation des représentations positives par lesquelles il s'approprie le réel. Elle se soutient du jeu protéiforme de sentiments, de croyances, religieuses ou autres ; et voilà la psychopathologie de la régression faisant le lit d'une psychologie de la croyance, c'est-à-dire d'une anthropologie soucieuse de reconnaître le rôle régulateur, dans la constitution de toute personnalité, d'éléments ni *infra* ni *supra*, mais *extra*-rationnels.

Belle dialectique en vérité. Le psychologue, de son premier mouvement, considérait l'activité mentale comme consistant essentiellement dans la production d'un savoir sur les choses. Ainsi, l'associationnisme, cette grande figure de la psychologie naissante au 18e siècle, s'attachait-il, aux applaudissements de la communauté scientifique d'alors, à construire la représentation complexe par combinaisons de représentations élémentaires. Tout se passait comme si la vie psychique était confusible avec l'émergence d'un savoir du réel qui le double sans faire corps avec lui, comme si l'essentiel de l'activité psychologique se résolvait à conquérir un pouvoir sur les choses. Dans cette perspective, la représentation religieuse ne pouvait être saisie que comme représentation « fausse ». Le contact de la psychologie avec ces limites, où la représentation religieuse règne en maîtresse dans la conscience, l'oblige à confesser que chez tous, et pas seulement dans le champ de la psychopathologie, les représentations expriment et assurent un ensemble de régulations très subtiles, parmi lesquelles, certes, l'articulation objective de l'individu au réel extérieur, mais sans exclusivité ni privilège, sans non plus que cette régulation du rapport au réel s'effectue indépendamment des autres. Dans le sillage de W. James l'évolution de la personnalité va alors être comprise comme résultant de l'interférence du développement de l'intelligence qui donne en effet la maîtrise des choses, et de l'affectivité où se joue la maîtrise de soi.

Cette psychologie des sentiments ou de la croyance qui se développera tant en France qu'en Amérique n'est pas, tant s'en faut, une démarche pleinement consciente de ses enjeux ; plusieurs choses pourtant sont claires.

– Le mystique n'est pas pour rien en cette affaire, comme en témoigne l'œuvre du psychologue Henri Delacroix qui s'est bien employé à fonder une psychologie générale de la croyance sur la base d'une étude de la personnalité des grands mystiques.
– Le psychologue prend ici un virage anti-rationaliste. Si les sentiments régulent le rapport de chacun à soi-même et aux autres, sur un mode autre que ne le fait l'intelligence, le summum du développement humain ne peut être conçu comme accession à un âge où la positivité neutralise enfin l'affectivité. Le remue-ménage en chacun de la passion ne renvoie plus à une banale et condamnable régression.
– La maladie mentale n'étant plus simple présence encombrante de la vie affective au sein de la vie représentative, mais dysrégulation de la vie affective, pointe la possibilité de distinguer une vraie mystique comprise comme un surgissement émotionnel régulateur, celle-là précisément que décrira le Bergson des *Deux sources de la morale et de la religion*.

Il est vrai que cet anti-rationalisme, à certains égards libérateur, ne va pas sans aspérités. Situé hors de la sphère de la représentation, bien qu'il lui soit sous-jacent et qu'il la régule à sa manière, le sentiment déjoue pour commencer l'approche scientifique. Il restera longtemps l'objet d'une psychologie simplement programmatique, qui s'épuise à en affirmer l'existence, comme la chose éclate à travers le polygraphisme d'un Pierre Janet. Ce qui se cherche à travers la psychologie de la croyance est alors mal compris par la communauté scientifique, et les pages ambiguës que cette psychologie propose touchant la mystique ancrent l'idée qu'au total elle lui règle son compte, ce qui n'est pourtant pas le cas. L'évidence des dys-régulations affectives laisse bien ouverte en effet la question d'une éventuelle transrégulation de celle-ci.

Autour de la mystique, appréhendée en tant que conviction, comme précédemment à partir des témoignages relatifs aux phénomènes mystiques, la psychologie est donc au travail, moins dans le sens d'une capacité peu à peu conquise d'éclairer cet objet, que dans celui d'en recevoir les contre-coups, en l'occurrence de se trouver amenée à mettre en avant une catégorie essentielle, celle de la croyance.

Plutôt d'ailleurs que de la mise en place d'une catégorie, faut-il parler de la reconnaissance d'une nouvelle problématique : celle de l'affectivité, qu'il appartiendra à Freud d'élaborer. Ce qu'il fera à partir de son expérience de l'hystérie – cette butée de la médecine au 19e siècle – sans que le mystique lui donne particulièrement à réfléchir. On notera à ce propos que, si le qualificatif d'hystérique est souvent appliqué par les non-spécialistes au mystique, pour relever qu'en ses « miracula » (particulièrement les stigmates) il inscrit dans le spectaculaire, un spectaculaire corporel, ce qui ne peut ni être proféré ni être entendu dans le registre de la communication sociale ordinaire, il partage ce trait avec beaucoup, et peut-être avec tous, sans que cela donne prise sur le contenu du message particulier qui est le sien.

3. **Les écrits mystiques** : la régression narcissique, évitement ou affrontement du mystère de l'individuation ? – Saisissable, – insaisissable dans certains phénomènes physiques qui en sont, qui en seraient, dont on voudrait qu'ils en soient l'aura–, le fait mystique joue également les Protée avec le psychologue lorsque celui-ci tente de le déterminer à partir de la conviction mystique. De ces échecs à comprendre nous avons relevé que la psychologie, ici et là, recevait du mouvement. En sera-t-il de même pour l'interprétation psychanalytique des écrits mystiques ?

Cette interprétation est trop récente pour qu'une dialectique de ce type puisse d'ores et déjà s'y déchiffrer. Des raisons existent de penser que la perspective n'en saurait être exclue.

Ainsi la psychanalyse aujourd'hui ne s'effraie-t-elle pas d'avoir à reconnaître l'existence d'un corpus des écrits mystiques en tant qu'objet offert à son déchiffrement. Qu'on lise *Résurgences et dérivés de la mystique* de R. Otto (dans *Nouvelle Revue de Psychanalyse*, n. 22, 1980) et aussi de M. de Certeau *La fable mystique* (Paris, 1982). Par là-même la psychanalyse endosse la responsabilité de constituer ces écrits comme un sous-ensemble au sein du vaste ensemble des délires à contenu religieux, même si elle ne préjuge pas pour autant que ce sous-ensemble engendre du sens, à l'opposé du reste. L'hypothèse de départ,

encore et toujours réductrice, est à l'inverse que ces écrits, surtout et seulement, explicitent un vécu commun, tout à fait commun même, celui de la *régression narcissique*.

Certaine socio-analyse, il est vrai, paraît aborder le mystique d'une autre façon. Elle rapproche la crise mystique des épisodes hystériques dont la fonction est de faire resurgir le désir refoulé. Elle identifie ainsi l'efflorescence mystique des 16e et 17e siècles européens comme ayant eu sens et fonction de déconstruire l'institué religieux de l'intérieur, pour faire paraître corps et sexes jusque-là refoulés comme nouveaux repères de la culture. Mais là encore c'est en fait avec la catégorie de régression narcissique que le mystique est pensé. Les profondeurs qui explosent hystériquement dans les grandes possessions convulsives ne sont en effet par lui éprouvées qu'au terme d'une longue et patiente régression.

Le tout est donc de savoir ce que la psychanalyse entend au juste par régression narcissique.

Les connotations disqualifiantes de l'expression frappent tout d'abord. Une évolution « normale », telle que la comprend un certain freudisme, consiste pour l'individu à s'arracher au leurre d'un vécu fusionnel originaire au décours duquel il ne distingue pas l'autre de soi, pour arriver au sein d'une relation triangulaire (intervention de la figure paternelle qui le sépare de la mère) à construire des relations « objectales ». Construction difficile, « crise œdipienne », à laquelle il est toujours tentant de se soustraire. La régression narcissique, c'est la préférence maintenue pour une existence psychiquement indifférenciée, existence dans la méconnaissance d'autrui, du social, de la culture ; existence loin de la parole, dans le cri inarticulé des mouvements pulsionnels agressifs ou libidinaux les plus primitifs. Le mystique serait ici à ranger sous la bannière de la psychose.

Est-ce aussi simple ? Rien de moins sûr. Dans la catégorie de la régression narcissique autour de laquelle elle s'articule de façon directe ou contournée, l'interprétation psychanalytique des écrits mystiques semble consonner pour une part avec le discours du psychopathologue comtien. Il est question ici et là de régression, de la résurgence d'un plus ancien, qui est peut-être un plus profond. Mais l'archaïcité phylogénétique de l'organisation n'a que peu de chose à voir avec les limbes de la différenciation psychogénétique à laquelle a égard le freudien. D'un côté, il s'agit d'un état d'équilibre, d'une composition qui, pour être historiquement première, n'a aucun droit particulier à persévérer dans l'être ; le retour en est stérile ; nous avons affaire à un passé révolu. Le narcissisme est à l'inverse, pour le psychanalyste, le socle indéfiniment actif du processus d'individuation dont chaque étape nouvelle se gagne sur les avatars de cet état indifférencié, originaire et originant, même si sa théorie peine à établir clairement et fermement ce point.

L'introduction du narcissisme constitue en effet un moment délicat de la théorie analytique et, pour tout dire, un retournement qui, mettant en cause la prévalence du point de vue « économique », y suscite des résistances. Jusque-là il s'agissait pour la psychanalyse de comprendre le déploiement de l'activité comme une succession d'investissements libidinaux commandés par un travail psychique où interfèrent divers processus primaires et secondaires, conscients et inconscients. Originale, cette mécanique libidinale l'est déjà et à un double titre. Tout d'abord en ce qu'elle intègre ou retrouve à sa manière les axiomes de base de la psychologie de la croyance : les motions pulsionnelles en lesquelles se monnaie la libido sont à chaque fois énergie, affects, représentations. La dynamique pulsionnelle est ainsi dite se réguler *via* des liaisons de sentiments, tout autant que *via* des associations de représentations. En second lieu, les régulations conscientes, entendons socialement autorisées, ne sont pas dites les plus efficientes, ni quantativement ni qualitativement.

Cette vue des choses n'en laisse pas moins de côté la question du sujet. L'économie pulsionnelle, que s'attache à décrire la psychanalyse en son premier mouvement, est une économie objective. Les rapports de force qui s'y nouent, fussent-ils des rapports entre forces « psychiques », ne sont surplombés par aucune instance subjective.

Sous les espèces du narcissisme, c'est une ouverture sur une telle instance qui s'effectue. On dirait volontiers qu'avec le narcissisme c'est la blessure de la théorie psychanalytique par la question du sujet qui s'annonce. A compter de 1913 (S. Freud, *Zur Einführung des Narzissmus*; trad. franç. par J. Laplanche dans *La vie sexuelle*, Paris, 1969, p. 81-105), sous le vocable de narcissisme, la psychanalyse ne comprend plus en effet, du moins plus essentiellement, l'investissement secondaire du corps propre par retrait des investissements qui se portaient jusque-là sur des objets extérieurs, c'est-à-dire le repli sur l'amour de soi tel qu'on l'observe chez certains sujets (narcissisme secondaire) ; elle entend le nécessaire et originaire plaisir d'être qui prélude, mais surtout sert de filtre à tous les investissements ultérieurs. Le narcissisme énonce ainsi, au sein de la théorie analytique, que l'amour ne peut cesser à aucun moment d'être régulé par le jeu de ses rétroactions structurantes sur l'individualité qui aime. Il dit que l'ouverture à l'autre ne se soutient que de conforter, que de promouvoir l'ipséité.

Cette perspective ne va pas sans graves difficultés. Elle exclut la possibilité qu'existe une psychologie en tant que discipline scientifique descriptive. De l'ipséité en effet il n'y a rien à dire de l'extérieur. Plus exactement, il n'y a rien à lui apprendre qu'elle ne sache déjà. C'est elle la maîtresse de jeu, non le psychologue.

Ainsi la philosophie idéaliste ne manque-t-elle pas de déployer la perspective de la subjectivité comme butée à toute prétention de faire science de l'humain : un sujet (pensant) toujours resurgit aux entours du sujet prétendûment pensé et déjoue l'approche objectivante.

A parler de narcissisme, la psychanalyse toutefois ne se laisse pas glisser sur cette pente savonneuse. Le fait qu'elle se pose comme thérapeutique lui permet de donner un statut théorique au sujet, celui d'analysant, de « patient » qui par le jeu de l'interlocution entre dans l'histoire d'une réélaboration de ses investissements. Les relations de dépendance familiales ou sociales lui ayant inévitablement introjeté des objets, le patient du psychanalyste se trouve devant la tâche incontournable d'avoir à les faire siens, c'est-à-dire de transmuter ses investissements sur-moïques en investissements propres. Cette œuvre généralement mal accomplie, la cure s'offre à la parfaire en permettant d'éprouver autour d'idéaux moins exigeants la consonance possible de l'individualité et de ses valeurs. Encore est-il que, de cette œuvre moïsante, il faut se garder de tenir discours théorique. Énoncer la fin d'une telle pratique serait annuler la pratique au bénéfice de la théorie de la pratique... La psychanalyse laisse donc en pointillé ce qu'il en est pour finir du narcissisme, avec ce risque que le travail de la cure, ne pouvant être dit concourir à un processus réel d'individuation, ne soit plus ressenti que sur un mode esthétique.

C'est ici qu'intervient le mystique : il oblige la cure à s'espérer, à se croire – à défaut de pouvoir se penser – comme faisant corps avec une histoire réelle. Énonçant du mystique, à travers le déchiffrement de ses écrits, qu'il opère une régression narcissique, la psychanalyse en effet ne peut *vouloir* dire tout uniment qu'il trouve dans ses oraisons, comme d'autres dans le sommeil, ou dans le jeu de fantasmes particuliers, l'occasion de compenser les labeurs du jour ; c'est assurément vrai, mais d'une vérité par trop banale (la cure elle-même ne provoque-t-elle pas une telle décontraction ?). Rien n'est ici mis en évidence de ce que suscite spécifiquement la régression du mystique, sauf à entendre que le mystique se perd, à la différence de l'analysant, dans les leurres d'un soi originaire antérieur à la mise en route du douloureux processus œdipien, et qu'il sombre purement et simplement dans la psychose, la fameuse névrose narcissique de Freud. Mais à cette conclusion archéo-psychiatrique le psychanalyste répugne. Il lui faut alors peu ou prou confesser qu'il est donné au mystique de rencontrer extraordinairement la très ordinaire et très fondatrice certitude que l'être individuel ne se perd pas dans les excès mêmes de l'oblativité. Le vécu mystique ne se donne-t-il pas toujours dans les écrits mystiques comme une expérience transitoire, précaire, au mieux figurative, et non comme la découverte d'un état à couver ? A rapprocher d'ailleurs, comme le font certains, les expériences mystiques des expériences de création littéraire ou de créations de groupes, n'est-il pas signifié pudiquement que le mystique a part au génie, à la vertigineuse endoscopie de ce qui est en cause au tréfonds de la vie ?

Rien n'autorise en tout cas la psychanalyse à tenir le mystique pour un enfant perdu de la régression. Qu'elle le dise noyé dans un grand soi primordial indifférencié et infécond, la voilà en effet du même coup condamnée à fixer chacun dans le statut d'une boule protoplasmique, enfermée dans ses fantasmes d'objets, jouant à jamais avec son désir de l'autre sans jamais le rencontrer vraiment, prise au mieux dans les vertiges du manque, – ce que dément la réalité, fût-elle partielle, de la culture, de l'histoire, de la communication...

Aucune habileté dialectique n'est en mesure d'engendrer l'intersubjectivité à partir d'une individualité posée comme un en-soi. L'intersubjectivité ne peut être qu'originaire, originairement niée et en cela originante. Si impossible cela soit-il à concevoir clairement, l'écrit mystique profère justement que cela est, mettant du même coup à la question pour toujours la tentation psychogénétique, ce démon secret de la psychanalyse, et obligeant cette dernière à se bien maintenir dans l'espace de paradoxalité où elle prend sens : celui de la mort comme vie, c'est-à-dire du devenir de l'individualité dans le choc de son ouverture à jamais impossible et cependant toujours en quelque manière réelle à l'altérité.

L'altérité me fait vivre et me tue. J'y consens et je la refuse, dans un jeu de rapprochés et de distanciations qui ne s'échoue ni dans le zéro de l'anéantissement pour finir, ni dans la vaine luxuriance de métamorphoses sans consistance. De l'être émerge à travers les transfigurations de l'individualité irruptée par ses objets. La pensée immanente à cette historicité ne l'active, sans pouvoir l'anticiper, qu'à se vectoriser d'une espérance dont l'aiguillon de la mystique ne lui livre pas la clé..., dont elle lui interdit bel et bien la forclusion.

*Conclusion.* – De notre parcours se dégage un thème majeur. Qu'on le prenne au niveau des témoignages concernant les phénomènes mystiques, ou sous les espèces de la conviction ou des écrits mystiques, le fait mystique est butée dialectique pour le psychologue. Sa démarche prend son départ d'endosser la décision de déconstruire tous les « miracula » qui hypothèquent la marche en avant de la rationalité. Il y réussit très largement, sauf à ce qu'un reste, ou plus exactement la perspective d'un reste non déterminable comme objet de pensée, l'oblige sinon à se convertir, du moins à changer son fusil d'épaule : à complexifier l'anthropologie de l'*Aufklärung* dont le caractère sommaire s'avère progressivement. Au terme de telles opérations, si terme il y a, le psychologue ne réussit certes pas à se rendre enfin maître de la mystique ; il s'en suit par contre que la psychologie cesse d'être une rhétorique du rationalisme naissant, pour devenir une discipline, c'est-à-dire le lieu d'une pensée en voie d'approfondissement sur la condition humaine et la source de pratiques renouvelées, même si non suffisantes, de l'être de l'homme. A se reconnaître aux prises avec la problématique du sens, pour autant que le mystique contribue bien à l'y obliger, le psychologue n'épuise certes pas les leçons qu'il pourrait, qu'il devra recevoir de cet ombilic. Le mystique spécifie en effet de quadruple façon ladite problématique :

Il faut pour commencer que l'accès au sens résulte d'une articulation du vrai et du bien. La seule vertu ni le seul savoir n'y pourvoient assez. Seule leur intrication compte. La découverte du vrai n'est donc pas simple prise de conscience. Elle est événement ; elle modifie l'âme. La pratique du bien n'est donc pas simple conformité à un ordre extérieur, elle est illumination interne.

En deuxième lieu le mystique énonce qu'il y a anacoluthe entre le chemin et la fin du chemin. L'arrivée est commandée par l'effort, le désir du sens, le travail institué (de l'Église, de l'École, de la pratique politique). Mais l'arrivée au sens ne se résout pas dans l'effectivité du chemin parcouru ; elle réalise une ouverture dans le creux de laquelle le sens advient comme une altérité, et par conséquent comme un rapt.

Le mystique dit, en troisième lieu, que l'hétérogénéisation qualitative n'est pas une émergence phénoménale, « un moment artistique », qu'elle a du rapport à l'être, et qu'elle est une réconciliation partielle ou totale avec lui. Le sens en lequel se conclut la démarche qui tendait vers lui est ce qui constitue cette démarche elle-même et l'être de celui qui progresse à travers elle.

Enfin le mystique formule que le voyage de l'âme n'est pas pour elle mais pour autrui. Il ne l'enferme pas dans son ipséité. Le sens éprouvé est le sens du monde et non pas simple représentation.

Ces quatre leçons sont rudes. Loin d'être à recevoir comme des évidences tranquilles, elles ne peuvent s'approcher que sous les espèces d'une lutte avec l'ange, en tant qu'enveloppe ou repère à l'horizon. Tout laisse donc à penser que le mystique restera pour le psychologue l'enjeu d'imprévisibles cheminements-retournements.

Walter Scott, *De la démonologie et de la sorcellerie*, dans *Œuvres complètes*, Paris, 1832, t. 164-165. – M. Nordau, *Dégénérescence*, 2 vol., Paris, 1894. – A Mathiez, *Catherine Théotet et le mysticisme révolutionnaire*, dans *Revue de Paris*, avril 1901, p. 857-78. – J. Pacheu, *Introduction à la psychologie des mystiques*, Paris, 1901 ; *Psychologie des mystiques chrétiens*, 1909.

H. Delacroix, *Étude d'histoire et de psychologie du mysticisme*, Paris, 1908 ; *Les grands mystiques chrétiens*, 1938. – F. Morel, *Essai sur l'introversion mystique. Étude psychologique*, Genève, 1914. – J. Maréchal, *Études sur la psychologie des mystiques*, 2 vol., Paris, 1924-1937 (bibliographie, t. 1, 2e éd., 1938, p. 247-90). – J.-H. Leuba, *Psychologie du mysticisme religieux*, Paris, 1925.

R. Bastide, *Mysticisme et sociologie*, Lille, 1928 ; *Les problèmes de la vie mystique*, Paris, 1931, 1948 ; *Le rêve, la transe et la folie*, 1972. – P. Quercy, *L'hallucination*, Paris, 1930. – J. Baruzi, *Saint Jean de la Croix et le problème de l'expérience mystique*, Paris, 1931. – W. Reich, *Massenpsychologie des Faschismus*, 1932 (trad. franç., Paris, 1972) ; *Ether, God and Devil*, 1951 (trad. franç., 1973).

É. Caillet, *Mysticisme et mentalité mystique*, Paris, 1937. – L. Lévy-Bruhl, *L'expérience mystique et les symboles chez les primitifs*, Paris, 1938. – M. Bretin, *Le mysticisme et les intellectuels*, dans *L'idée libre*, 1939. – Fr. Nietzsche, *Pages mystiques*, Paris, 1945. – Ph. de Félice, *Foules en délire, extases collectives*, Paris, 1947 ; *Essai sur quelques formes inférieures de la mystique*, 1957.

Ed. Moret, *Philosophie et mystique*, Paris, 1948. – A. Catty, *La philosophie mystique de la science*, Paris, 1948. – Y. Averlant, *Mysticisme et psychopathologie* (thèse de médecine), Paris, 1951. – J. Lhermitte, *Mystiques et faux mystiques*, Paris, 1952. – P. Giscard, *Mystique ou hystérie ? A propos de M.-Th Noblet*, Paris, 1953. – F. Weyergans, *Mystiques parmi nous*, Paris, 1959. – H. Thurston, *Les phénomènes physiques du mysticisme*, Paris, 1961, 1975 (éd. originale anglaise, Londres, 1955).

D. Bakan, *Freud et la tradition mystique juive*, Paris, 1964, 1977. – E. Schuré, *Les grands initiés. Esquisse de l'histoire secrète des religions*, Paris, 1966. – R. Steiner, *Mystique et esprit moderne*, Paris, 1967. – H. Barte, *Expérience mystique ou expérience délirante*, dans *Évolution psychiatrique*, t. 36/4, 1971, p. 817-27.

M. de Certeau, *La possession de Loudun*, Paris, 1970 ; *L'absent de l'histoire*, Tours, 1973 ; *La fable mystique*, 1982. – A. Koyré, *Mystiques, spirituels, alchimistes du 16e siècle allemand*, Paris, 1971. – B. Gorceix, *La mystique de Valentin Weigel*, Lille, 1972. – A. Retel-Laurentin, *Sorcellerie et ordalies*, Paris, 1974. – Ch. Delacampagne, *Antipsychiatrie, les voies du sacré*, Paris, 1974. – J. Purce, *La spirale mystique*, Paris, 1974.

M. Cariou, *Bergson et le fait mystique*, Paris, 1976. – J.M. Lewis, *Les religions de l'extase : étude anthropologique de la possession et du chamanisme*, Paris, 1977. – J. Favret-Saada, *Les mots, la mort, les sorts*, Paris, 1977. – F. Schott-Billmann, *Corps et possession*, Paris, 1977. – M. Simon et Y. Vergote, *Le retour du sacré*, Paris, 1977. – G. Rosolato, *La relation d'inconnu*, Paris, 1978.

Sami Ali, *Le Banal*, Paris, 1980. – Dans *Nouvelle Revue de Psychanalyse*, n. 22, 1980 : P.-L. Assoun, *Freud et la mystique* ; Cl.-L. Combet, *Ad (te) clamamus, ad (te) suspiramus* ; C. Gaillard, *Jung et la mystique* ; R. Otto, *Résurgences et dérivés de la mystique* ; D. Anzieu, *Du code et du corps mystique et de leurs paradoxes*. – C. Kappler, *Monstres, démons et merveilles à la fin du moyen âge*, Paris, 1980. – J.-N. Vuarnet, *Extases féminines*, Paris, 1980. – A. Jaffe, *Apparitions. Fantômes, rêves et mythes*, Paris, 1983.

Jacques GAGEY.

**PHILAGATHOS DE CÉRAMI**, moine basilien, 12e siècle. – 1. *Vie*. – 2. *Œuvres*.

1. Vie. – Une grande confusion a longtemps régné sur l'auteur véritable d'un homéliaire italo-grec pour tous les dimanches et fêtes de l'année liturgique.

Les nombreux mss d'Italie méridionale le nomment diversement « Theophanès », « Gregorios », « Joannes », chaque fois avec l'épithète d'origine « Kerameus », ou encore « Philippos Keramitès », « Philagathos philosophos ». La tradition byzantine, à partir de réminiscences de dates ou de lieux transmises par les homélies, a construit d'autre part le personnage d'un auteur originaire de Cérami qui aurait été archevêque de Taormina (Sicile), mais dont le siège aurait été supprimé par suite de l'incertitude des temps. Les études d'A. Ehrhard et de G. Rossi Taibbi ont récemment apporté la preuve que cet homéliaire, encore incomplètement édité, était l'œuvre d'un seul auteur, le hiéromoine basilien Philagathos (appelé Philippe avant sa profession) le Philosophe (c'est-à-dire *le moine*, sans indication de fonction).

Philagathos naquit dans le dernier quart du 11e siècle à Cérami (13 km au nord-ouest de Taormina) ; il reçut sa première formation dans le monastère de Saint-André, près de sa ville natale ; de là, il vint résider dans le monastère de Néa Hodigitria, prés de Rossano, où il fut encore vraisemblablement le disciple du fondateur, Barthélemy de Siméri † 1130 (dont il prononça l'éloge, cf. DS. t. 7, col. 2206). Celui-ci avait constitué, à partir d'ouvrages venus surtout de Constantinople, une bibliothèque spécialisée en exégèse et il poussait les moines à une étude intensive de l'Écriture ; il fut suivi en cela par Luc, plus tard abbé de Saint-Sauveur à Messine. Philagathos obtint le rang de *didaskalos*, c'est-à-dire interprète de l'Écriture et prédicateur. A ce titre, il prêcha souvent dans la cathédrale de Rossano, mais aussi à Reggio de Calabre et dans d'autres villes et monastères de Sicile, spécialement à Palerme, au temps des rois normands Roger II (1130-1154) et Guillaume I (1154-1166). Ses relations étroites avec Roger II s'expliquent par les efforts de Philagathos en vue de réveiller dans l'île la vie chrétienne tombée en décadence par suite de l'occupation arabe (830-1060).

2. Œuvres. – 1° *L'Homéliaire* comporte 88 pièces.

La première édition (incomplète ; 62 pièces) fut procurée par le jésuite sicilien Francesco Scorso (Paris, 1644) ; elle est reprise en PG 132, 49-1077. L'édition critique totale, entreprise par G. Rossi Taibbi, a été interrompue par la mort de celui-ci (1972) ; le seul volume paru offre déjà cinq inédits et propose de nombreuses corrections au texte de PG (Filagato da Cerami. *Omelie per i vangeli domenicali e le feste di tutto l'anno*. I. *Omelie per le feste fisse*, Istituto Siciliano di Studi bizantini e neoellenici = ISSBN, Testi 11, Palerme, 1969 ; cf. recension de J. Darrouzès, *Revue des études byzantines*, t. 29, 1971, p. 323-4). Trois autres homélies ont été éditées par S. Caruso (*Le tre omelie inedite « per la domenica delle Palme » di Filagato de Cerami*, dans *Epeteris Etaireias Byzantinôn Spoudôn* = EEBS, t. 41, 1974, p. 109-27 ; pièces 51-53 du catalogue dressé par Rossi Taibbi) ; elles ont fourni la source principale pour un sermon de Sabas, disciple de Philagathos (édité aussi par S. Caruso, cf. *infra*).

Le texte des 62 homélies de Scorso a été aussi publié, avec quelques améliorations, par G.M. Palamas (« Du très sage et très éloquent Théophane, dit Kérameus, archevêque de Taormina en Sicile, Homélies pour les évangiles du dimanche et des fêtes de toute l'année, par ordre du bienheureux patriarche de Jérusalem... Cyrille, pour l'utilité de tous les orthodoxes », Jérusalem, 1860, en grec).

Seuls les mss d'origine byzantine présentent les textes, comme œuvre d'un rédacteur anonyme, dans l'ordre du calendrier liturgique : les homélies pour les fêtes fixes selon le ménologe (de septembre à août) sont suivies par les homélies pour les fêtes mobiles (du dimanche du Publicain à la Passion et du dimanche de la Samaritaine à celui de Tous les Saints, avec deux compléments) ; en dernier lieu, onze sermons sur les évangiles de la Résurrection lus à l'Office du matin (Orthros) les jours de fête (cf. DS. t. 11, col. 717).

Philagathos se range au nombre des exégètes prédicateurs en raison d'une prédilection presque excessive pour l'explication étymologique des noms de lieux et de personnes. L'inscription en trois langues sur la croix (*Jean* 19, 19-22), habituellement utilisée pour justifier les trois langues liturgiques (hébreu, grec et latin), est interprétée en ce sens que Jésus est roi dans le triple domaine de la philosophie pratique, naturelle et théologique, ce qui correspond respectivement au savoir des latins, des grecs et des juifs (*hom.* 27, PG 132, 585b) ; cette explication se trouve déjà chez Théophylacte (*Enarratio in evang. Joannis*, PG 124, 276ab). En ce qui concerne l'exégèse au sens littéral ou allégorico-spirituel, Philagathos suit la tradition des Pères de l'Église qu'il cite souvent : Jean Chrysostome, les trois Cappadociens, Cyrille d'Alexandrie, Eusèbe de Césarée, Épiphane de Salamine, Jean Climaque, Maxime le Confesseur, l'hagiographe Syméon Métaphraste, et aussi Théophylacte de Bulgarie (qu'il utilise sans le citer).

D'autre part, Philagathos se situe dans le courant réformateur des homéliaires de Jean Xiphilin le jeune (11e s. ; DS, t. 8, col. 792-93) et du patriarche Jean IX Agapètos (1111-1134) ; ceux-ci cherchaient une plus grande simplicité du contenu et de la forme, peut-être en application d'un décret réformateur de l'empereur Alexis I Comnène (1081-1118).

2° *Écrits non théologiques*. – Les homélies contiennent souvent des citations ou des réminiscences des auteurs classiques grecs. A ces indices d'une formation globale de Philagathos en culture profane s'ajoutent de brefs commentaires de romans antiques et de poèmes. Cf. B. Lavagnini, *Filippo-Filagato e il romanzo di Eliodoro*, EEBS, t. 39/40, 1969/70, p. 460 svv. ; C. Cupane, *Filagato da Cerami philosophos e didaskalos. Contributo alla storia della cultura bizantina in età normanna*, dans *Siculorum Gymnasium*, n. s., t. 31, 1978 ; p. 22-23 (poème ïambique).

J. Langen, *Römische Fälschungen griechischer Schriftsteller*, dans *Revue internationale de théologie*, t. 3, 1895, p. 122-27. – K. Dyobuniotès, « Sermons de Grégoire de Taormina » (en grec) dans Θεολογία, t. 11, 1933, p. 36-42. – A. Ehrhard, *Ueberlieferung und Bestand der hagiographischen und homiletischen Literatur der griechischen Kirche von den Anfängen bis zum Ende des 16. Jahrhunderts*, t. 3, 1 = TU 52/1, 5, Leipzig, 1943, p. 631-81. – A. Colonna, *Teofane Cerameo e Filippo filosofo*, dans *Bolletino del Comitato per l'edizione nazionale dei Classici greci e latini*, n. s., t. 8, 1960, p. 25-28. – G. Rossi Taibbi, *Sulla tradizione manoscritta dell'Omilario di Filagato da Cerami* = ISSBN, Quaderni 1, Palerme, 1969. – H. Gärtner, *Charikleia in Byzanz*, dans *Antike und Abendland*, t. 15, 1969, p. 60-64. – B. Lavagnini, *Filippo-Filagato promotore degli studi di greco in Calabria*, dans *Bolletino della Badia greca di Grottaferrata*, n. s., t. 28, 1974, p. 1-12. – S. Caruso, *Un'omelia inedita di Saba da Misilmeri*, dans *Byzantinosicula* II (Miscellanea... Rossi Taibbi = ISSBN, Quaderni 8), Palerme, 1975,

p. 139-64. – F. Mosino, *Una questione di metodo,* dans *Brutium,* t. 61, 1982, p. 3-5. – DS, t. 7, col. 607-12 (homéliaires byzantins).

Gerhard PODSKALSKY.

**PHILAMARINUS** (FRANÇOIS-MARIE), capucin, 1596-1683. Voir FRANÇOIS-MARIE DE NAPLES, DS, t. 5, col. 1119.

**1. PHILARÈTE DROZDOV**, métropolite de Moscou, 1782-1867. – 1. *Vie.* – 2. *Œuvres.*

1. VIE. – Vassilij Michajlovitch Drozdov naquit à Kolomna (province de Moscou) le 26 décembre 1782 dans une famille sacerdotale. Il termina brillamment ses études en 1803 au séminaire de la Laure de la Sainte-Trinité (aujourd'hui Zagorsk). Aussitôt, sur intervention du métropolite de Moscou Platon (Levshin), il fut choisi comme enseignant au séminaire, puis prédicateur de la Laure. Le 16 novembre 1808, il prit l'habit monastique sous le nom de Philarète dans l'église de la Laure et, cinq jours plus tard, reçut le diaconat. En décembre, il est envoyé à Saint-Pétersbourg où, le 1er mars 1809, il est nommé inspecteur du séminaire et professeur de philosophie ; à la fin de ce mois, il est ordonné prêtre. Le 11 mars 1812, il est promu recteur de l'Académie ecclésiastique, tout en enseignant la théologie. Le métropolite Ambroise en fait son auxiliaire pour la circonscription de Revel (Tallin) et le consacre évêque le 5 août 1817.

Le 15 mars 1819, Philarète devient archevêque de Tver ; nommé membre du Saint Synode, il le restera jusqu'à sa mort, même si l'opposition du procureur N.A. Protasov l'empêche longtemps de participer aux sessions (1836-1855). Le 26 septembre 1820, il est transféré au siège de Jaroslavl. Le 2 juillet 1821, le tsar Alexandre 1er nomme Philarète archevêque de Moscou et archimandrite de la Sainte-Trinité. Porteur du titre de métropolite, il administre l'éparchie de Moscou à partir du 22 août 1826 jusqu'à sa mort, le 19 novembre 1867.

A Saint-Pétersbourg, l'activité de Philarète s'était centrée sur la réforme des institutions ecclésiastiques ; il avait collaboré à la Société Biblique, élaborant lui-même les règles à observer dans la traduction russe de la Bible. A Moscou, il exerce son influence bien au-delà des limites du diocèse, avec une autorité morale inégalée. En 1861, il rédigea la formule d'émancipation des serfs proclamée par le tsar Alexandre II, bien qu'il fût personnellement réservé sur cette question. Il lutta contre les empiètements du pouvoir civil et résista, non sans succès, au procureur Protasov. Il tenta aussi de porter remède aux divisions de l'Église russe et obtint le retour à l'Église d'un groupe de Vieux-Croyants, tout en leur laissant leurs anciens rites. Le mouvement portera le nom de *edinovierie.*

2. ŒUVRES (titres traduits en français). – 1o *Commentaire sur le livre de la Genèse,* St-Pétersbourg, 1816, quatre fois réédité sous des titres divers. – 2o *Histoire ecclésiastico-biblique,* même lieu et date, trois rééd. remaniées.

Ces commentaires bibliques sont le fruit de l'enseignement de Philarète et dénotent l'influence d'auteurs luthériens allemands, surtout Johann Frank Buddeus (1667-1729). Il publie en outre diverses présentations de textes bibliques en russe, des commentaires de l'Exode et des Psaumes. Il traduit l'évangile de Jean (1819) pour la Société Biblique qui publie en 1820 le Nouveau Testament complet ; on prépa-rait aussi la traduction de l'Ancien, mais la Société fut supprimée en 1825.

3o *Catéchisme chrétien de l'Église orthodoxe catholique gréco-russe d'Orient,* St-Pétersbourg, 1823 : c'est l'ouvrage le plus connu, plusieurs fois réédité sous des titres légèrement modifiés ; des extraits forment en 1824 le *Catéchisme abrégé* (97 éd. avant 1858). Le grand catéchisme paraît dans la suite sous le titre *Prostrannyj katechizis* (Catéchisme augmenté) ; 49e éd. en 1852 ; réimpression en 1961 par le monastère de Jordanvielle, U.S.A. ; il garde toujours sa valeur auprès des chrétiens orthodoxes.

4o Philarète fut aussi un prédicateur de talent. Un recueil de *Sermons et Discours* fut édité en 1820, 1822, 1835 ; l'éd. de 1844 est la première complète en 2 vol. ; elle sera reprise en 3 vol., 1848-1861 ; éd. posthume en 5 vol., *Sermons et Discours,* Moscou, 1873-1885. Trad. franç. partielle, *Choix de Sermons et discours de S. Em. Mgr Philarète,* Paris, 1866. Les sermons s'adressent plus à l'intelligence qu'au cœur et visent plutôt l'élite intellectuelle que le peuple.

5o *Recueil des avis et réponses de Ph... sur les questions scolaires et ecclésiastico-civiles,* éd. en 5 tomes (le 5e en 2 vol.) par l'archevêque Savva de Tver, Moscou et St-Pétersbourg, 1885-1888. A ce recueil, qui témoigne des activités de Philarète dans les affaires de l'Église et de l'État, furent ajoutés un tome supplémentaire, puis un second sur l'influence russe dans le Proche-Orient.

6o La *Correspondance* contient peu de détails personnels ; par les sujets traités, elle se rapproche du genre « Avis et Réponses » ; elle a été publiée dans diverses revues et réunie en une douzaine de vol. parus à diverses dates. En 1905, L. Brodskij a publié un vol. complémentaire de textes jusque-là inédits ; réimpr. chez Gregg, Londres, 1971.

7o Les décisions prises par Philarète dans l'administration de son diocèse révèlent le caractère du pasteur ; elles font connaître aussi la vie religieuse, les problèmes sociaux et la pratique du droit canonique en vigueur. Une collection, quoiqu'incomplète, a été rassemblée par I.N. Korsunskij et V.S. Markov sous le titre *Recueil complet des décisions de Philarète, métropolite de Moscou,* en 7 vol. : quatre ont été publiés par la rédaction de la revue « Lecture édifiante » (*Duš epoleznoe čtenie,* les trois autres par celle du « Journal ecclésiastique de Moscou » (*Moskovskie cerkovnye vedomosti*) ; d'autres textes ont été publiés par V.S. Markov dans le « Messager théologique » (*Bogoslovskij vestnik*), 1917-1918.

On sait peu de choses sur la vie spirituelle de Philarète. Il resta étranger à toute mystique ; le fait qu'il ait appartenu au « monachisme savant » (seule voie d'accès à la carrière ecclésiastique) ne suffit pas à montrer qu'il était spécialement attaché à la vie monastique. Il manifestait un contrôle permanent de lui-même, mais pour les prêtres il était exigeant et dur ; il approuvait les châtiments corporels, alors pratiqués en Russie. Par ses activités et ses œuvres, il a fortement contribué à la renaissance spirituelle de l'Église russe à la fin du 19e siècle. Sa mémoire reste vivante dans cette Église (cf. *Revue du Patriarcat de Moscou,* 1964/2, p. 12-16 ; 1965/2, p. 27-31).

Bibliographie abondante ; on manque cependant d'une étude synthétique et critique. – I. Korsunskij, *Svjatitel' Filaret, mitropolit moskovskij,* Char'kov, 1894 ; *Russkij biografičeskij slovar'* (Dictionnaire biographique russe), St-Pétersbourg, t. 21, 1901, p. 83-93 (liste des ouvrages, bibliogr.). – M. Jugie, art. *Ph. Drozdov,* DTC, t. 12/1, 1933, col. 1376-95 (étude détaillée des œuvres et de la doctrine, notant les influences de la théologie protestante, bibliogr.) ; voir aussi M. Gordillo, art. *Russie,* t. 14/1, 1939, col. 355-58 ; *Tables*, t. 16, col. 3607-8). – P. Hauptmann, *Die Katechismen der russisch-orthodoxen Kirche*, Göttingen, 1971, p. 64-92 et *passim*. – R.L. Nichols, *Metropolitan Filaret of Moscow and the Awakening of Orthodoxy*, thèse, Univ. de Washington, 1972 ; bibliogr. p. 218-36. – G. Florovskij, *Puti russkogo bogoslovija* (Développements de la théologie russe), 2ᵉ éd., Paris, 1981, *passim*. – DS, t. 6, col. 463 ; t. 10, col. 1600.

Jan KRAJCAR.

**2. PHILARÈTE GOUMILEVSKIJ**, archevêque de Tchernigov, 1805-1866. – 1. *Vie*. – 2. *Œuvres*.

1. VIE. – Dimitri Grigorievitch Konobieievskij naquit au village de Konobieievo (région de Riazan) ; son père était prêtre. Encore enfant, il fut durant deux ans l'élève du moine Nikon, au monastère proche de Vycha. Il continua sa formation à l'école ecclésiastique de Chatsk et au séminaire de Tambov ; c'est là que l'évêque Jonas lui donna le nom de Goumilevskij (du latin *humilis*), en raison de sa petite taille et de son humilité. En 1826, il étudie à l'Académie ecclésiastique de Moscou, transférée à la Laure de la Sainte-Trinité depuis 1814 ; le 19 janvier 1830, il y fait profession monastique sous le nom de Philarète, en l'honneur de Philarète Drozdov (cf. *supra*). La même année, au terme de ses études, il devient assistant en histoire ecclésiastique. Il reste onze ans à l'Académie, joignant à l'enseignement des fonctions administratives ; il se signalait par la sincérité de sa foi et un authentique esprit de recherche.

Le 21 décembre 1841, Philarète est nommé évêque de Riga. Son désir de ramener à l'Orthodoxie les Lettons passés à la Réforme protestante se heurta à l'opposition de l'administration et des grands propriétaires allemands. En 1848, il est transféré à Charkov et reçoit en 1857 le titre d'archevêque. En 1858, il est nommé à Tchernigov ; il meurt du choléra le 9 août 1866, près de Konotop, au cours d'une visite de son diocèse.

2. ŒUVRES. – On connaît 159 ouvrages ou articles de Philarète ; les traités et commentaires bibliques n'ont eu qu'un faible écho. Nous ne mentionnons que les œuvres plus connues (titres traduits en français).

1º *Entretiens sur la Passion du Seigneur Jésus Christ*, 2 vol., Moscou, 1857 ; St-Pétersbourg, 1859, 1884. – 2º *Discours et Entretiens*, 3 vol., St-Pétersbourg, 1859 ; 4 rééd., chacune en 4 vol. – 3º *Théologie dogmatique orthodoxe*, 2 vol., Tchernigov, 1864, 2ᵉ éd., 1865 ; 3ᵉ éd., St-Pétersbourg, 1882. C'est l'œuvre principale de Philarète, basée sur la conviction que seule une connaissance solide des données de la foi engendre une religion vraie ; le dogme ne se déduit pas de la raison, mais ne la contredit pas. Les arguments sont tirés de l'Écriture ; la tradition est laissée de côté.

4º *L'Histoire de l'Église russe*, 5 vol. d'après cinq périodes. Le vol. 5 traite de l'Église synodale, c'est-à-dire de la période 1721-1826 ; cette partie, publiée la première en 1848, est la plus originale, mais elle valut des ennuis à l'auteur qui soulignait l'influence du protestantisme sur Théophane Prokopovitch, auteur du Règlement ecclésiastique. L'éd. complète parut à Tchernigov en 1862-1863, puis à Moscou en 1888. – 5º *Histoire de la littérature ecclésiastique russe*, 2 vol. (862-1720 ; 1720-1858), Tchernigov, 1859 ; 3ᵉ éd., St-Pétersbourg, 1884, en 1 vol. ; malgré des erreurs, cette histoire est encore utilisable. – 6º *Étude historique sur les Pères de l'Église*, St-Pétersbourg, 1859 et 1882, utilisée comme manuel dans les séminaires et les Académies théolo-giques. Selon Philarète, les écrits des Pères témoignent de leur expérience mais ne fondent pas une tradition dogmatique.

Philarète n'a pas laissé d'écrit important sur les questions de spiritualité ; comme chrétien et moine, il est plutôt un représentant de la piété russe traditionnelle. De tempérament irascible, il était dur à l'égard des clercs qui ne se corrigeaient guère malgré ses admonestations ; sa colère cependant eut pour objet principal les protestants allemands dont l'influence était grande à la cour, au détriment de son Église. A l'adresse de l'Église romaine, il utilise à temps et à contre-temps le terme de « papisme ». Son œuvre rassemble des matériaux dignes d'intérêt, mais elle laisse l'impression d'une rédaction rapide et de jugements hâtifs.

I.S. Istovskij, « Philarète, archevêque de Tchernigov » (en russe), dans *Russkij Archiv*, 1887, t. 2, p. 417-68 ; t. 3, p. 209-61, 313-92, et à part ; éd. augmentée, Tchernigov, 1895. – I. Korsunskij, « Dictionnaire biographique russe », St. Pétersbourg, 1901, t. 21, p. 80-83 (liste des ouvrages, bibliogr). – N.N. Glubokovskij, *Russkaja bogoslovskaja nauka...* (« La science théologique russe dans son développement historique et son état actuel ») Varsovie, 1928, p. 4-5, 40-45, 94. – M. Jugie, DTC, t. 12/1, 1933, col. 1395-98 ; M. Gordillo, t. 14/1, 1939, col. 457-58 ; *Tables*, t. 16, col. 3608.

Jan KRAJCAR.

**PHILIPON** (MICHEL), frère prêcheur, 1898-1972. – Michel Philipon, né le 21 mai 1898 à Pau, est mort le 20 mars 1972 à Mexico. Entré chez les Frères Prêcheurs en 1920 à Saint-Maximin, il y enseigna la théologie dogmatique pendant de longues années, commentant article par article, la 1ᵃ et la 3ᵃ pars de la *Somme Théologique* de Thomas d'Aquin, ce qui l'imprégna de son esprit. Mais il s'appliqua en même temps à la rédaction d'une série de livres spirituels, pleins de son enthousiasme pour les sujets choisis.

Le premier, écrit au début de son enseignement, lui valut aussitôt la notoriété, et peut-être est-il le mieux réussi, le plus caractéristique de sa manière : *La doctrine spirituelle de sœur Élisabeth de la Trinité* (Paris, 1939 ; 11ᵉ éd. 1955 ; DS, t. 4, col. 590-94). « Un regard de théologien sur une âme et sur une doctrine », ainsi définissait-il (introduction) le sens de son travail.

L'étude minutieuse des documents et des témoignages lui permit de ne jamais séparer, dans ce premier travail comme dans les suivants, la psychologie spirituelle de la doctrine théologique. De ses enquêtes, il dégageait une suite de thèmes ordonnés appuyés sur des textes et des faits, et les élaborait en une doctrine cohérente, grâce à la théologie dont il était nourri et qu'il enseignait.

Philipon devait revenir à sœur Élisabeth en publiant une partie des *Écrits spirituels* (Paris, 1949 ; éd. aujourd'hui remplacée par les *Œuvres complètes*, 3 vol., Paris, 1979-1980) et le commentaire des retraites et du testament spirituel (*En présence de Dieu*, Bruges, 1966).

D'Élisabeth, Philipon passa à sainte Thérèse de Lisieux avec la même méthode ; ici, la difficulté venait de ce que la simplicité de sa doctrine et de son âme, qui vient de la réduction à l'essentiel, n'exclut pas la complexité psychologique, et de ce que la pensée ne s'exprime pas d'emblée en termes théologiques, comme c'est le cas chez Élisabeth. Dans *Sainte Thérèse de Lisieux. Une voie toute nouvelle* (Bruges, 1947, 1949), il définit son propos :

« Retrouver le regard de Dieu dans l'âme des saints... On a trop méconnu jusqu'à présent le rôle indispensable de la théologie dans l'étude de l'âme des saints... La théologie est la seule science explicative du monde surnaturel. La tâche du théologien... n'est pas limitée à l'analyse et à la synthèse des principaux mystères de la foi, mais doit suivre par le menu le long cheminement de la Révélation à travers l'histoire et nous fournir la compréhension intégrale du plan de Dieu... dans la conduite la plus secrète des âmes. Elle s'étend à toute l'histoire de la vie de la grâce dans l'Église et dans le corps mystique du Christ » (introduction).

Philipon, pour remplir ce programme, n'avait pas encore en mains l'édition critique des textes ; il a disposé de la confiance des sœurs de Thérèse, en particulier d'Agnès de Jésus, et par elles de documents inédits et de précieux témoignages. Il a surtout suivi les documents officiels de la canonisation, définissant le message de Thérèse comme celui de l'enfance spirituelle avec tout ce que cela implique comme doctrine de la paternité divine et de l'amour miséricordieux, de la primauté de l'amour et de la confiance filiale.

L'ouvrage fut repris et présenté sous une forme plus simple dans *Le message de Thérèse de Lisieux* (Paris, 1947, 1951, 1954).

Philipon appliqua sa méthode à *La doctrine spirituelle de dom Marmion* (Paris, 1954 ; cf. DS, t. 10, col. 627-30) ; pour cet ouvrage, il disposa de nombreux inédits et papiers personnels. Dans les derniers temps de sa vie, il se consacra à l'étude d'une étonnante mexicaine, d'abord épouse et mère de famille nombreuse, puis fondatrice de congrégations : Concepción Cabrera de Armida (1862-1937 ; cf. DIP, t. 1, 1973, col. 1690-91), dont la doctrine mystique lui parut comparable à celle de Thérèse d'Avila (*Una mujer de hoy,* Mexico, 1970 ; *Conchita. Journal spirituel d'une mère de famille,* Paris, 1974 ; cf. VS, t. 130, 1976, p. 280-83).

Dans chacune de ces études d'âmes, Philipon réserve un chapitre aux dons du Saint-Esprit. Il développa, d'une manière théorique, sa conception d'une théologie de la sainteté dans *Les dons du Saint-Esprit* (Bruges-Paris, 1964 ; trad. ital., Milan, 1965) ; cet ouvrage important montre l'Esprit saint comme le principe intérieur de la vie spirituelle et de la sainteté. *Les sacrements dans la vie chrétienne* lui font pendant, comme principe extérieur, pourrait-on dire (Paris, 1946, 1948). Philipon n'a pas écrit une « doctrine spirituelle de Thomas d'Aquin », livre dont il rêvait et qui aurait couronné son œuvre ; n'a-t-il pas toujours cherché à expliquer, à la lumière de la théologie de saint Thomas, les saints qu'il a étudiés ? Il a en tout sujet souligné la dimension spirituelle de la théologie et celle théologique de la vie spirituelle.

Autres œuvres : *Comme la Vierge par le Christ vers la Trinité* (Saint-Maximin, 1932). – *Le sens de l'Éternel* (Bruges, 1949, 1950). – *Le vrai visage de Notre-Dame* (Bruges, 1949). – *En silence devant Dieu. Examen de conscience* (Paris, 1955 ; trad. espagnole, Barcelone, 1956). – *La Trinité dans ma vie* (Paris, 1956). – *L'Évangile du Père* (Paris, 1961). – *L'Église de Dieu parmi les hommes. Le sens spirituel de Vatican II* (Bruges, 1965). – *Essor de l'Église. Points de synthèse de Vatican II* (Paris, 1967). – *Trinité et Peuple de Dieu* (Paris, 1968). – *Consécration à Dieu et service d'Église* (Paris, 1970). Philipon a encore publié dans diverses revues, comme *Teología espiritual, Vocation, Revue thomiste, Masses ouvrières.*

M.-M. Olive, *Le P. M.-M. Philipon,* dans *Vie thérésienne,* juillet 1972, n. 47, p. 212-19.

Marie-Joseph NICOLAS.

**1. PHILIPPE D'ANGOUMOIS,** capucin, † 1638. – 1. *Œuvres.* – 2. *Doctrine.*

Philippe d'Angoumois naquit dans une famille huguenote et fut sans doute élève au collège huguenot de La Rochefoucauld, fondé avant 1582. Devenu page de François de La Rochefoucauld, évêque de Clermont en 1585, il suivit ce prélat en Auvergne. Dans ce milieu il reçut une formation humaniste et spirituelle et se convertit au catholicisme. La Rochefoucauld aimait les capucins pour lesquels il fonda plusieurs couvents où il aimait partager leur vie. Son ancien page entra au noviciat de la province de Lyon le 20 mai 1599. En 1607, année du cardinalat de son protecteur, il est gardien de Dôle, en 1608 gardien de Billom, et de Thiers en 1609 et 1611. Il fut maître des novices, parmi lesquels Jérôme de Condrieu, mis à mort par les huguenots. La Rochefoucauld devenant évêque de Senlis en 1613, Philippe le suivit et fut agrégé à la province de Paris.

Ses relations avec les La Rochefoucauld lui firent lier amitié avec d'autres familles de l'aristocratie. En juin 1627, le duc de Ventadour vint trouver Philippe au couvent de la rue Saint-Honoré pour lui parler de son projet d'une société secrète à répandre parmi les meilleurs catholiques du royaume et lui demanda de rédiger un prospectus dont le premier lecteur fut l'abbé de Grignan. Les expéditions contre les Huguenots du sud-ouest retardèrent les premières réunions, qui n'eurent lieu qu'en mars 1630 au couvent de la rue Saint-Honoré. A cette Compagnie du Saint-Sacrement Philippe s'intéressa comme ancien huguenot, comme écrivain spirituel et en raison de ses relations dans le monde. Mais il ne s'y attacha pas et passa la main dès 1631 au jésuite Jacques Suffren.

Ses relations avec les La Rochefoucauld le firent connaître des grandes dames spirituelles du Paris d'alors : Marie de Luxembourg, la duchesse de Mercœur, la marquise de Maignelais, et aussi les reines de France Marie de Médicis et Anne d'Autriche, auxquelles il dédiera ses ouvrages. En 1631, le capucin Joseph de Paris (DS, t. 8, col. 1372-88), secrétaire de Richelieu, obtiendra que Philippe aille voir à Compiègne, où elle est exilée, Marie de Médicis dont il est le confesseur. Il réussit à ce que la reine demandât une entrevue au P. Joseph pour négocier son retour en cour, mais cette entrevue n'eut pas lieu (cf. Lepré-Balain, *Vie du P. Joseph,* ms autogr., Bibl. des Capucins de Paris, p. 826). Philippe d'Angoumois mourut à Paris, au couvent Saint-Honoré, le 23 décembre 1638.

Peu connu jusque ici (Bremond ne le mentionne qu'en citant J.-P. Camus), Philippe a été étudié par Segond Pastore de Turin, capucin, en une série d'articles que nous suivrons de très près.

1. ŒUVRES. – La production littéraire de Philippe a été mal décrite par les bibliographes anciens : l'anonymat des premières œuvres, la latinisation des titres en sont la cause. Pastore les divise en deux cycles, le lyonnais et le parisien. Nous sommes aussi renseignés

par Philippe lui-même qui raconte dans ses pièces liminaires la genèse de ses écrits.

1° Cycle lyonnais : *Discours sur la conversion d'une dame mondaine à la vie dévote*, anonyme, Lyon, Muguet, 1612, 1617 ; Rouen, David, 1631. – *L'addresse à la grâce et le chemin du ciel. Première partie de la confession et de la communion*, anonyme, Lyon, Muguet, 1617 ; *2ᵉ partie*, 1621. – *Sept rares méditations sur l'histoire de la Passion de N.S.J.C. Pour les sept jours de la semaine*, anonyme, Lyon, Muguet, 1617 ; Toul, Martel, 1622 (ont été attribuées faussement au capucin italien Bernard d'Osimo). Muguet ayant demandé au Général des Capucins de mettre fin à l'anonymat de Philippe, ordre en fut donné à l'écrivain. – *L'Occupation continuelle en laquelle l'âme dévote s'unit toujours avecque Dieu, et luy addresse toutes les œuvres de la journée*, Lyon, Muguet, 1618 ; Douai, Bellère, 1618 ?, 1619 ; c'est le premier livre signé. – *Sept fontaines de méditations sur les attributs divins*, Lyon, Muguet, 1620.

2° Cycle parisien : *Les triomphes de l'amour de Dieu en la conversion d'Hermogène*, Paris, N. Buon, 1625 ; Macé, 1631. Cet ouvrage est illustré de bonnes gravures d'auteurs divers et à la mode ; c'est le chef-d'œuvre de Philippe, qu'on appela un temps « l'auteur d'Hermogène ». Pour des raisons de critique interne, Pastore n'admet pas qu'Hermogène représente le capucin Ange de Joyeuse. – *La Florence convertie à la vie dévote par la victoire de douze bataillons de l'amour de Dieu obtenue sur douze escadrons de la vanité et la suitte de leurs deffaites*, Paris, Toussaint du Bray et Joseph Cottereau, 1626 : refonte sous forme romancée et amplifiée du *Discours sur la conversion...* – *Les Élans amoureux et saints entretiens d'une âme dévote, tirez des Cantiques. Très utile à une âme qui désire parfaitement Dieu et s'unir à luy*, Paris, Vve N. Buon, 1629 ; à cet ouvrage est annexée une notice sur la mort violente de Jérôme de Condrieu. – *Les royales et divines amours de Iésus et de l'âme. Suite de méditations d'Hermogène en forme de colloques sur les mystères de nostre salut*, Paris, S. Cramoisy, 1631 ; peut-être 2ᵉ éd. Lyon, 1632. – *Le noviciat d'Hermogène. Très utile pour les Pères Maîtres et novices de tous les ordres qui sont en l'Église...*, Paris, Vve P. Chevalier, 1633. – *Le séminaire d'Hermogène où l'on voit les vertus les plus chrétiennes et religieuses...*, Paris, Pierre Huy (Thierry ?), 1635. – Le *Tractatus devotissimus directionis ad gratiam ad Hermogenem* signalé par Wadding et par Denis de Gènes paraît douteux à Pastore, pour la raison que le *Séminaire* est présenté par Philippe comme terminant son œuvre.

Dans ces livres de chacun 600 à 800 pages, il y a une recherche littéraire dans le goût du temps. Mais si Philippe écrit sous forme de romans, c'est que beaucoup de femmes n'avaient guère pour s'instruire que la lecture de romans (Pastore, *Une apologie*, p. 14) ; aussi l'auteur met-il sa doctrine sur les lèvres ou sous la plume de ses personnages : Christine, Hermocrate, Pallas, etc. Comme il le dit dans son *Avis* du *Discours sur la conversion*, Philippe raconte des histoires véridiques, mais il se refuse à en donner les clés, et même réunit plusieurs faits sur le même personnage pour le rendre méconnaissable. Ainsi ses contemporains pouvaient avoir envie de lire ses livres. A partir de 1629, quand il écrit surtout sur la vie religieuse, Philippe se soucie moins de littérature.

Le caractère un peu particulier de la production spi-

rituelle de Philippe et la confusion qu'on verra dans sa doctrine demandent qu'on se souvienne du climat religieux où elle paraît. Devant une conception « aristocratique » de la sainteté – l'idéal monastique et clérical – la société du 17ᵉ siècle s'ouvre à une spiritualité des laïcs. Si c'est l'époque de la réforme des grands monastères, c'est aussi l'époque des grandes dévotes, qui se font abbesses réformatrices ou fondatrices, tenant à participer dans le cloître à la vie des moniales. De leur côté les nobles, jeunes ou déjà âgés, entrent à l'Oratoire, chez les Jésuites ou les Capucins. Ce mouvement va susciter une certaine opposition à la vie religieuse, en faveur du clergé séculier et du laïcat. Au début de sa production, Philippe est étranger à cette réaction. Vers 1626, après les premières attaques de Camus, il devient sensible au conflit. Vers 1635 il dira comme Camus qu'il n'y a pas de différence entre spiritualité séculière et spiritualité religieuse, mais dans le sens opposé à Camus, accentuant l'emprise monastique sur la mentalité laïque.

2. DOCTRINE. – Dans ce climat, quel est le but visé par Philippe ? Sa première entreprise, dans le *Discours sur la conversion*, est de faire l'apologie de la vie spirituelle en partant d'une situation totalement mondaine. Mais selon Pastore (*Une apologie*, II, p. 13, n. 40) : « Toute apologie de Philippe n'aura autre fin que de préparer ses converties à la folie de la croix ». Dans l'*Occupation continuelle* (p. 202), Philippe insiste sur le fait qu'il ne s'agit pas seulement pour ses héros de faire leur salut dans le monde mais d'y vivre pour Dieu seul ; de là leur conflit intime. Mais tout en poussant les laïcs à la vie dévote, il pense que rares sont les âmes qui parviennent à la pleine union à Dieu. Le but de Philippe est-il de faire des saints dans le monde ou d'arracher les saints au monde pour les jeter dans le cloître ? Philippe ne le sait peut-être pas quand il annonce que le *Séminaire d'Hermogène* « peut extrêmement servir à tout religieux et aux âmes qui se piquent plus de dévotion dans le monde ». Or Hermogène est déjà profès !

Quelle est alors l'idée que le capucin se fait du laïcat ? Comme on ignore à quel âge il est entré en religion, on ne peut estimer quelle expérience personnelle il eut de la vie du monde. Il est renseigné surtout par ses contacts avec les relations de la famille La Rochefoucauld, c'est-à-dire avec la haute noblesse à laquelle il semble penser exclusivement. Pour lui, « le monde est un orage qui doit faire trembler ceux en sont échappez d'effect ou d'affection » (*Discours sur la conversion*, p. 260). Pourtant il faut bien qu'il y ait des laïcs ! Leur condition semble assez une vocation de dérivation. La simple foi est vocation générale ; le désir de vie dévote « vocation particulière » (*La Florence*, p. 443) ; la vie du cloître la vocation par excellence (*Les Triomphes*, p. 141 et 542). En ce cas le mariage est un pis-aller : « Loyauté et fidélité, lien indissoluble, intention procréative... voilà donc vostre profession et les trois choses èsquelles vous demeurez obligée, qui sont, comme disent les Docteurs, les raisons qui excusent et rendent le mariage honneste » (*Occupation continuelle*, p. 584).

Pourtant il ne faut pas s'arrêter à cette vue pessimiste. Si Philippe se borne au modèle de l'Église primitive pour élever obligatoirement la spiritualité du laïc au niveau de celle du religieux (cf. Pastore, *L'emprise*, p. 217), il a aussi des vues plus larges. Mais si François de Sales et Camus sont des séculiers, Philippe, comme régulier, porte un autre regard sur les réalités. Ce qui le rend apte à saisir à un degré plus haut la complexité du problème de la situation spirituelle des laïcs, mais en même temps le rend incapable de s'abstraire de son expérience personnelle pour se mettre mentalement à la place du laïc. La preuve en est que ses ouvrages du cycle parisien, destinés aux religieux, sont toujours présentés par lui comme valables également pour les laïcs (Pastore, *L'emprise*, p. 214).

D'où la difficulté d'une lecture sérieuse de Philippe. « Une vue d'ensemble de la vie spirituelle que Philippe propose aux laïcs exigerait d'abord une étude sur la floraison de la vie théologale dans l'oraison et les sacrements, puis une autre portant sur les devoirs d'état ou vertus typiques d'une vocation séculière, sans oublier une éventuelle spiritualité du loisir, dont la fonction délicate est d'établir la mesure limite de la jouissance du profane » (Pastore, *Action et prière*, p. 395).

Il est donc nécessaire de regarder quels moyens de sanctification sont proposés. Avant tout, Philippe recommande la pratique fréquente des sacrements : confession hebdomadaire et communion aussi souvent que possible. Mais l'oraison mentale est la pièce maîtresse faisant corps avec la pratique des sacrements. Philippe critique la pauvreté de la littérature sur le sujet de l'oraison, mais lui-même ne propose rien qui ne soit déjà connu, et répète ce qu'en disent ses confrères de la rue Saint-Honoré. « Quant aux excellences de l'oraison, tous les autheurs et livres en traitent si amplement que rien plus... Mais quant au moyen de la pratiquer il y a fort peu de livres qui en traictent, principalement avec la facilité nécessaire à la conduite des nouveaux et nouvelles apprentives en cet exercice » (*Addresse*, II, p. 102). Mais il est utile quand il insiste pour faire comprendre que l'oraison doit s'alimenter par la lecture spirituelle ; et dans l'*Occupation continuelle* il dresse le catalogue de la bibliothèque dévote qui compte 17 pages. Or dans ces lectures il recommande les mystiques abstraits que Camus déconseillait, et montre que chez eux il y a des choses qui conviennent aux séculiers. Ces lectures complètent ce qu'apporte la prédication et doivent éduquer « l'intention », laquelle doit rechercher sans cesse la volonté de Dieu. Ce point de la volonté et de l'intention méritent qu'on y insiste. Voir aussi *Le Noviciat d'Hermogène*, II, p. 440-61.

La première démarche du converti à la vie dévote le met dans l'intention habituelle de faire la volonté de Dieu. Cette disposition place toute action à un niveau spirituel : c'est la « forme perfectionnante » des actions qui sont la « matière perfectionnable » (cf. *La Florence*, p. 544). Il s'agit (p. 547) « d'avoir l'intention en tout, de vouloir au commencement faire la volonté de Dieu, porter ses affections à cet objet de pur amour et de n'estimer pas tout ce qui se fait s'il n'est fait en intention d'accomplir la volonté de Dieu ». Il va de soi que l'intention ne peut se contenter d'être habituelle ; elle doit s'actualiser, et c'est la rencontre de l'oraison avec la disposition profonde de l'esprit et du cœur (plan subjectif) qui actualise la recherche de la volonté de Dieu (plan objectif).

Lisons : « L'union de volonté continuelle avec celle de Dieu est oraison... La bonne volonté tenez (la) pour oraison continuelle, puisque elle a la même vertu que l'oraison » (*La Florence*, p. 599). Mais ici surgit une question que Pastore formule ainsi : « Le vouloir divin ne couvre-t-il que le rapport à Dieu, ou bien absorbe-t-il aussi, à sa source, le rapport au monde ? » (*L'emprise*, p. 237-38). Philippe semble répondre en corrigeant ce qui pourrait faire dévier le laïc dévot de sa condition réelle : « Faites que votre entendement ne reçoive aucune pensée ordinaire des choses créées, sinon celles qu'il faut pour tendre à Dieu, à la vertu et à l'acquit de la condition où vous êtes ; et encore ne l'entretenez non plus en votre esprit, qu'il est nécessaire pour vous servir et mettre au niveau l'action à laquelle elle se rapporte » (*La Florence*, p. 587). Le laïc doit être à la fois *tendu vers Dieu* et *tendu à l'acquit de sa condition...* Il faut donc demander à Philippe des précisions sur la valeur, comme moyen de sanctification, des actions obligées de l'homme du monde.

S'il reste classique en ce qui regarde le devoir d'état comme obligation morale, il ne lui reconnaît pas de valeur spéciale pour la sanctification, car – même sans l'exprimer explicitement – il donne toujours la préférence à la contemplation. S'il fait des progrès entre l'*Occupation continuelle* (1618) et *La Florence* (1626) en ce qui concerne l'intégration de l'amour du prochain dans la vie dévote, il maintient séparés l'exercice de la charité et celui de la présence de Dieu. Celle-ci crée un climat où vit l'esprit mais ne pénètre pas dans l'agir, toute activité humaine, même charitable, risquant de compromettre l'union à Dieu (Pastore, *Action*, p. 407). Certes, Philippe dira dans *La Florence* (p. 527) que la charité ne distrait pas de la contemplation car elle est elle-même *prière* ; mais en tant qu'elle est *action* extérieure, elle est aussi distrayante que les autres actions. Aussi ne trouve-t-on sous la plume du co-fondateur de la Compagnie du Saint-Sacrement aucun appel à l'apostolat : « Il vaut mieux vous sauver seul que vous noyer avec plusieurs » (*Les Triomphes*, p. 393). Avec Canfeld, Philippe identifie l'action obligée du laïc à une croix voulue par Dieu mais non sanctifiante en elle-même. Nous voici de nouveau devant le dilemme pour le laïc : volonté de Dieu dans les devoirs d'état ou volonté de Dieu dans la fuite du monde ? Le directeur de conscience sera le *garant du raisonnable*, auquel il devient indispensable de recourir et de se montrer obéissant. Mais le conflit n'est pas résolu par l'enseignement de Philippe lui-même et l'on va jusqu'à parler de « coupure entre conscience morale et conscience spirituelle » (Pastore, *L'emprise*, p. 337).

Heureusement la lumière christologique dans laquelle évolue la vie du dévot permet de coordonner les disharmonies que présente la doctrine de Philippe. Les *Royales et divines amours* sont-elles autre chose qu'un traité des principaux mystères du Christ ? Une remarque fondamentale est que la volonté humaine et la volonté divine se rejoignent dans l'harmonieux équilibre ontologico-psychologique du Christ. La pensée de Philippe est nettement marquée de l'influence lointaine de Duns Scot, mais il n'est pas assez théologien pour intégrer parfaitement la christologie du Docteur subtil. Pourtant il souligne que la fusion de l'action et de la contemplation est garantie par le Christ, en Lui-même vie du chrétien, dans le dévôt qui le contemple, en celui qui l'imite, en celui qui s'unit à lui par l'eucharistie.

Pour ce qui est ici de la contemplation, Philippe rejoint saint Bonaventure en conseillant l'exercice de la présence « imaginaire » du Christ, étendant la présence de Dieu à l'humanité de Jésus-Christ. On contemple ainsi le Christ comme Marthe le voyait alors qu'elle allait et venait dans sa maison, son regard sur lui ne gênant pas ses actions mais les transformant. Et d'ailleurs la présence du Christ dans le prochain fonde la raison suprême de la charité (*Les 7 fontaines*, p. 848). Finalement, le contemplatif, étant bien obligé d'agir parfois, trouvera dans l'imitation du Christ non seulement un modèle, mais l'aboutissement de ce qui est acquis par la contemplation du Seigneur : « Pour la dernière et principale affection en laquelle vous vous occuperez fructueusement, ce sera celle de l'imitation de Jésus-Christ, pour ce qu'il est vrai que c'est le principal fruit que vous devez tirer de la considération de ses mystères ; faisant tout ce que vous pourrez pour conformer votre vie à la sienne et rendre vos œuvres semblables » (*Le séminaire*, p. 241).

Une dernière note doit être relevée dans la doctrine de Philippe, qui fait supposer une certaine évolution. Dans le cycle lyonnais la dévotion est dite « gratieuse », dans celui de Paris elle devient « raisonnable ». Cela reflète sans doute le passage d'une apologie de la vie dévote à son enseignement. Pourtant, si dans l'épître préliminaire de *La Florence* (1626) apparaît « dévotion raisonnable », cela n'empêche pas qu'à la p. 128 du même livre on lise que la dévotion doit être « embaumée de grâce humaine » si elle veut demeurer conquérante. Il n'y a donc pas d'opposition : raisonnable la dévotion guidée par un directeur éclairé, raisonnable si elle n'est pas capricieuse et fantaisiste, raisonnable enfin si elle convient à une femme du monde qui n'est pas une moniale.

Conclusion. — Renvoyant son lecteur « de l'optimisme le plus sincère au pessimisme le plus défiant » (Pastore, *L'emprise*, p. 363), Philippe est une victime de la conception élitiste de la spiritualité répandue en son temps. Il nous est difficile de supputer son influence : ses ouvrages sont devenus rares, n'ont pas été réédités après lui ni traduits ; signe d'une diffusion rapidement en déclin ? L'impression de confusion dans laquelle il nous laisse « a été sans doute partagée par ses contemporains ; ce qui explique, au demeurant, l'oubli total bientôt survenu sur la vaste production littéraire de Philippe » (Pastore, *L'Emprise*, p. 381). Il domine mal la spéculation ; il recherche un langage allusif peu clair ; mais il reste capital pour connaître la complexité de la transformation de la société chrétienne en France au moment de la réforme tridentine. Pastore le place entre Camus et François de Sales. « De Camus il a annoncé d'avance l'histoire dévote, pour revêtir la doctrine spirituelle qu'il puise en grande partie chez François de Sales » (*Une apologie*, p. 21). Sa confusion même n'est autre chose que celle des laïcs du temps, mais il aboutit à leur demander une véritable dichotomie entre leur recherche spirituelle et leur comportement dans la vie, au point de laisser entrevoir une incompatibilité entre l'amour de Dieu et celui des créatures (*La Florence*, p. 192). Philippe est un homme « qui cache au fond de lui-même une sympathie pour des valeurs naturelles et humaines et qui se croit souvent obligé de les refouler, qui sait écouter l'expérience des laïcs et qui se voit contraint de l'étouffer par la suite sous les principes de la vocation monastique » (Pastore, *L'Emprise*, p. 210).

Segond Pastore, de Turin, *Un apprenti romancier de la vie dévote..., le capucin P. d'A.,* dans *Études Franciscaines,* t. 15, 1965, supplément, p. 45-74 ; *L'emprise de l'idéal monastique sur la spiritualité des laïcs au 17ᵉ siècle...,* dans *Revue des Sciences religieuses,* 1966, n. 3, p. 209-39 et n. 4, p. 353-83 ; *Une apologie littéraire et doctrinale de la dévotion séculière d'après... P. d'A.,* dans *XVIIᵉ Siècle,* 1967, n. 74, p. 3-25 et n. 75, p. 3-31 ; *Action et prière. Difficulté d'une synthèse au 17ᵉ s. d'après... P. d'A.,* RAM, t. 43, 1967, p. 393-422.
Voir aussi : Wadding-Sbaralea, *Scriptores...,* Rome, 1906, p. 196 ; *Supplementum,* t. 2, p. 378. – Dionisius Genuensis, *Bibliotheca...,* Gênes, 1681, p. 276. – Bernardus a Bologna, *Bibliotheca...,* Venise, 1747, p. 216. – DTC, t. 12, 1933, col. 1403. – *Lexicon Capuccinum,* Rome, 1951, col. 1354. – Metodio da Nembro, *Quattrocento scrittori spirituali,* Rome, 1972, p. 187-89.
DS, t. 2, col. 1301-12 (*Compagnie du S.-Sacrement*) ; – t. 5, col. 1375-76, 1382 ; – t. 8, col. 1456 ; – t. 9, col. 95, 96, 413.

Willibrord-Christian van Dijk.

**2. PHILIPPE DE L'AUMÔNE,** cistercien, 12ᵉ siècle. – Philippe était archidiacre à Liège quand il entra à l'abbaye de Clairvaux en 1146. Saint Bernard l'utilisa comme secrétaire ; lorsqu'il mourut en 1153, Philippe était prieur. En 1156, il fut nommé abbé de l'Aumône, au diocèse de Blois. En raison de son âge et des difficultés matérielles de son abbaye, Philippe donna sa démission en 1170 ou 1171 et se retira à Clairvaux, où il mourut quelques années plus tard.

Les bibliographies anciennes confondent souvent notre Philippe avec l'abbé prémontré Philippe de Harvengt, abbé de Bonne-Espérance (*infra,* col. 1297-1302) ; cf. U. Berlière, RBén., t. 9, 1892, p. 24-31, 69-77, 130-36, 193-206, 244-53.
Sur le premier séjour de Philippe à Clairvaux, voir P. Rassow, *Die Kanzlei St. Bernhards von Clairvaux,* dans *Studien und Mitteilungen zur Geschichte des Benediktiner-Ordens,* t. 34, 1913, p. 63-103, 243-93 (surtout p. 283-84).

On garde de Philippe des lettres et quelques ouvrages hagiographiques. – 1) Deux collections de lettres ont été publiées. La première en date l'a été par Ch. de Visch (*Bibliotheca scriptorum sacri ordinis cisterciensis,* Cologne, 1656, p. 336-52) d'après un ms des Dunes aujourd'hui disparu ; elle comporte 24 lettres dont l'authenticité ne fait pas de doute. La seconde fut publiée par B. Tissier (*Bibliotheca patrum cisterciensium,* t. 3, Bonnefontaine, 1660, p. 238-52) d'après les mss de Clairvaux, de Foigny et des Dunes ; elle contient 15 lettres de plus que la première. La plupart de ces 15 lettres semblent bien authentiques à cause du style qui concorde avec celui de la première collection. Les numérotations sont différentes ; nous les citerons V pour de Visch, T pour Tissier. On peut y joindre six lettres dédicatoires insérées dans les ouvrages hagiographiques ; ce qui porte le dossier épistolaire de Philippe à 45 lettres.

2) Hagiographie. – a) *Vita S. Amandi,* précédée de deux lettres à l'abbé Hugues d'Elnon et à un abbé Jean (BHL 334 ; PL 203, 1235-1276 ; AS *Février,* t. 1, Anvers, 1658, p. 857-72). – b) *Passio sanctorum Cyrici et Julittae* (BHL 1814 ; PL 203, 1299-1312) avec 3 lettres. – c) Philippe a participé à la composition des *Miracula a S. Bernardo per Germaniam, Belgium Galliamque patrata.* On lui doit la lettre dédicatoire à l'évêque Samson de Reims (PL 185, 371-2), la *pars prima* (373-386) et certains passages des autres parties. Cf. G. Hüffer, *Vorstudien zur Darstellung des Lebens des Hl. Bernhard von Clairvaux,* Münster, 1886, p. 75-76.

Ces trois ouvrages hagiographiques doivent être considérés comme authentiques à cause des particularités de leur latinité ; cf. Br. Griesser, *Der rythmische Satzschluss bei den Cisterciensern,* dans *Cistercienser Chronik,* t. 31, 1919, p. 49-56, 84-92.

d) On garde encore une séquence en l'honneur de saint Thomas de Cantorbéry (Charleville, Bibl. munic., ms 222).

La correspondance de Philippe offre les traces d'une doctrine monastique qui tout de suite révèle le milieu claravallien, où il fut formé à la vie cistercienne. Ces lettres sont surtout des écrits de circonstance, qui montrent les relations nombreuses et amicales de Philippe avec divers évêques, abbés, princes et seigneurs ; il traite avec eux des affaires ecclésiastiques ou profanes, mais les intérêts cisterciens occupent la première place. Philippe est maître dans le maniement du latin et de la Bible, comme saint Bernard. Il cite aussi la règle bénédictine, saint Augustin (T 14 et V 13) et même des classiques comme Ovide.

Il évoque parfois des questions pratiques de la vie monastique : les privilèges de l'ordre (T 5 ; V 19), le rétablissement de la régularité à Bégard (T 15 ; V 5) et à Landesey (T 14 ; V 4), les interventions en faveur des abbayes de Whalley et de Ford (T 5 ; V 19), l'amour de la vie cistercienne (T 14 ; V 4), la construction d'un monastère (T 20 ; V 15) et les devoirs des prélats (T 18), les valeurs de la vie monastique et de la solitude (T 2 ; T 18 ; T 19 ; V 9). Sa pensée sur la vie spirituelle est concentrée dans un certain nombre de sentences sur l'amour et plus spécialement sur l'amitié (T 7 ; V 21 ; T 21 ; V 16 ; T 28 ; T 13 et 26, p. 251-52). Philippe est un témoin fidèle de la vie spirituelle de Cîteaux et de son maître saint Bernard.

*Gallia christiana*, t. 8, Paris, 1744, col. 1397-98. – *Histoire littéraire de la France*, t. 14, Paris, 1869, p. 166-78. – *Dictionnaire des auteurs cisterciens*, Rochefort, 1978, col. 556.

Edmundus Mikkers.

### 3. PHILIPPE LE CHANCELIER, † 1236. – 1. *Vie.* – 2. *Œuvres.* – 3. *Spiritualité.*

Depuis que Josse Bade a attribué la *Summa in Psalterium* à Philippe de Grève, dans son édition de 1523, le Chancelier a été le plus souvent confondu avec cet homonyme, comme lui maître parisien au début du 13ᵉ siècle. Philippe de Grève, chanoine de Notre-Dame en 1181, puis doyen de Sens jusqu'à sa mort vers 1220, ne semble pourtant avoir laissé aucune œuvre écrite, tandis que Philippe le Chancelier fut à la fois un théologien, un prédicateur et un poète accompli.

1. **Vie.** – Né entre 1160 et 1185, Philippe le Chancelier est en réalité le fils de l'archidiacre de Paris, Philippe. Étienne, évêque de Noyon † 1121, et Pierre, évêque de Paris † 1218, tous deux membres de la famille de Nemours à laquelle était apparenté l'archidiacre, ont favorisé la carrière du fils de celui-ci. Après avoir étudié la théologie, sans doute aussi le droit canon, et acquis le grade de maître en théologie, Philippe fut archidiacre de Noyon, peut-être en 1202, sûrement en 1211. Il se heurta alors, à propos de l'étendue respective de leurs droits et privilèges, à la commune de Saint-Quentin, au sénéchal de Vermandois, aux chanoines de Prémontré. Cette dernière affaire le conduisit à Rome (1216-1217) comme procureur des évêques de la province ecclésiastique de Reims.

Au début de 1217, il cumulait sa charge d'archidiacre avec celle de chancelier de Notre-Dame de Paris, grâce à une dispense pontificale *pro defectu natalium* (15 février 1217) l'autorisant à être incorporé au diocèse de Paris. Autoritaire et ardent de tempérament, de surcroît fidèle serviteur de Pierre de Nemours, Philippe eut presque aussitôt des rapports tendus avec la jeune Université parisienne en quête d'autonomie. En 1219, il dut venir à nouveau à Rome pour se justifier, avec succès d'ailleurs, devant Honorius III. Mais il n'est pas toujours possible de distinguer son action personnelle de celle des évêques en matière de politique scolaire, ni au temps de Guillaume de Seignelay (1220-1223) ni sous Barthélemy de Roye (1223-1227). A la mort de celui-ci, Philippe brigua sa succession. Rapidement évincé, il se fit alors le porte parole du chapitre pour soutenir à Rome la candidature du doyen Philippe de Nemours. En février 1228, Grégoire IX préféra nommer Guillaume d'Auvergne. Philippe, lui, resta chancelier et il continua, en tant que maître en théologie, à prêcher et à enseigner.

Pendant cette dernière période de sa vie, il s'engagea énergiquement dans le dur conflit universitaire de 1229-1231. Les maîtres séculiers avaient quitté Paris depuis quelques mois, protestant par la grève et la dispersion des écoles contre la mort d'étudiants au cours de rixes avec les sergents royaux, quand Philippe octroya la licence de théologie, en mai 1229, à Roland de Crémone. Il permettait ainsi, de concert avec l'évêque, l'ouverture de la première école dominicaine à Paris et le maintien d'une certaine activité intellectuelle. Il ne se rangea pourtant pas ensuite du côté de Guillaume d'Auvergne et de la régente Blanche de Castille. Il prit parti au contraire pour le pape et pour l'Université, comme l'atteste le sermon qu'il prononça le 6 avril 1230, devant les étudiants réfugiés à Orléans, afin de les exhorter à regagner Paris. Il n'est peut-être pas étranger, enfin, à l'élaboration de la bulle *Parens scientiarum* qui correspond à un nouveau séjour romain du Chancelier, convoqué par le pape. Cette bulle, promulguée le 13 avril 1231, ouvrait une période d'apaisement que Philippe mit à profit pour poursuivre la rédaction de sa Somme théologique, sans doute jusqu'en 1232.

En 1235, il assista, aux côtés de Robert le Bougre, au supplice d'hérétiques à Châlons-sur-Marne. La même année, Philippe participa à Paris à un grand débat universitaire sur la question de la pluralité des bénéfices. Comme il l'avait déjà fait en 1225 et en 1228, il se montra favorable au cumul des bénéfices, contrairement à la majorité des maîtres, et il persista dans cette opinion jusqu'à sa mort, le 23 décembre 1236. Les Dominicains se saisirent plus tard de l'affaire. Dans un *exemplum* célèbre du *Bonum Universale de Apibus* écrit vers 1256-1263, Thomas de Cantimpré accrédita la rumeur selon laquelle Philippe, de son propre aveu, était damné pour n'avoir pas, entre autres, voulu renoncer au cumul des bénéfices. Pour ce dominicain, écrivant alors que le conflit entre Mendiants et Séculiers est à son paroxysme à l'université de Paris, Philippe se présente comme un adversaire systématique de son ordre. En réalité, si l'on peut soupçonner une animosité latente entre Philippe et les Dominicains dans les années 1230, sans en avoir de preuve formelle, il est inexact de dire que Philippe fut l'adversaire des Mendiants. Les éloges qu'il leur décerne dans sa prédication démontrent le contraire, de même que le choix qu'il fit de sa sépulture dans la chapelle des Franciscains. Quant à l'épitaphe relevée sur sa tombe par Aubry des Trois-Fontaines (MGH, in-fol., *Scriptores*, t. 23, Hanovre, 1874, p. 940, *sub an.* 1237), elle participe autant de l'esprit du *contemptus mundi* que de l'intention maligne de rappeler l'avarice du défunt.

2. **Œuvres.** – 1° Œuvres théologiques. – Philippe le Chancelier est l'auteur de Commentaires sur les Lamentations et sur l'Épître aux Romains, aujourd'hui perdus. De son Commentaire sur les Sentences, on conserverait un fragment dans *Reims 470*, f. 1r-4v (P. Glorieux, dans *La France Franciscaine*, 1930, p. 143, n. 1. Voir aussi V. Doucet, *Comm. sur les*

*Sentences*, suppl. au *Repertorium* de M.-F. Stegmüller, Quaracchi, 1954, p. 72, n. 698a).

Diverses questions de Philippe sont aussi transmises par *Reims 470*, f. 177svv(V. Doucet, AFH, t. 26, 1933, p. 212). Dix-huit autres actuellement identifiées figurent parmi les questions reportées dans *Douai 434*. La liste dressée par O. Lottin, RTAM, t. 5, 1933, p. 85-86, en énumère quinze, auxquelles il faut ajouter les questions 141, 442 et 450 de la série répertoriée par P. Glorieux, *Les 572 questions du manuscrit de Douai 434*, RTAM, t. 10, 1938, p. 255-56 (voir W.-H. Principe, *The Theology of the hypostatic Union in the early thirteenth century*, IV : *Philip the Chancellor's Theology of the hypostatic Union*, Toronto, 1975). Certaines de ces questions, qui font connaître la pensée du Chancelier sur des points qu'il n'aborde pas dans sa Somme théologique, ont été éditées, par K.-F. Lynch, *The sacrament of confirmation in the early middle scholastic period*, S. Bonaventure, New-York, 1957, 207-10 ; A. Mc Devitt, *The episcopate as an order and sacrament on the eve of the high scholastic period*, dans *Franciscan Studies*, t. 20, 1960, p. 136-142 ; W.-H. Principe, *The Theology...*, op cit., p. 158-188.

Mais l'œuvre théologique majeure de Philippe est sa Somme, habituellement appelée la *Summa de Bono*, bien qu'elle soit diversement intitulée dans les treize manuscrits qui nous la transmettent. Seuls quelques extraits, cités ou édités à l'occasion d'études particulières, étaient jusqu'à présent connus. Le texte intégral, établi après la collation exhaustive de tous les manuscrits, est désormais rendu accessible grâce à l'édition de N. Wicki, *Philippi Cancellarii Parisiensis Summa de Bono*, éd. Francke, Berne, 1984.

Sans doute inachevée, la *Summa de Bono* est une synthèse originale et novatrice, construite autour de la notion de bien (le bien souverain, le bien créé, le bien de la grâce), ce qui a pu constituer une réponse positive au pessimisme manichéen que Philippe dénonce dès son Prologue. La doctrine du Chancelier, imprégnée de la tradition d'Augustin et plus encore de Boèce, s'y montre enrichie de la familiarité avec les écrits de Jean Damascène, Anselme et Bernard, et aussi d'Aristote. Philippe emprunte encore aux maîtres de son temps Guillaume d'Auxerre et Alexandre de Halès (*Glose sur les Sentences*) et sans doute à la *Summa duacensis* (cf. J.-P. Torrell, *La Summa duacensis et Philippe le Chancelier. Contribution à l'histoire du traité de la prophétie*, dans *Revue Thomiste*, t. 75, 1975, p. 67-94).

Mais servi par une pensée ferme et mûrie, le Chancelier fait nettement progresser, dans la *Somme*, la façon de traiter les problèmes. Il propose avec sûreté des solutions jusqu'alors inconnues et qui feront autorité, notamment en ce qui concerne le libre-arbitre, les vertus et les dons du Saint-Esprit. Il a l'art des formules pertinentes et claires. Il est le créateur des traités systématiques sur les propriétés transcendantes de l'être, sur les facultés de l'âme, sur la syndérèse, sur la prudence.

Son œuvre occupe ainsi une place essentielle dans le développement de la pensée scolastique. L'influence littéraire et doctrinale de Philippe est en effet attestée sur les premiers maîtres de l'école franciscaine : Alexandre de Halès dans sa *Summa*, Jean de la Rochelle, Eudes Rigaud. Il en va de même pour les Dominicains : Hugues de Saint-Cher fait de larges emprunts à Philippe à propos de la prophétie ; Albert le Grand le suit d'abord pas à pas, avant de discuter ses positions vers 1245. De nombreuses questions anonymes et diverses compilations des années 1230-1250 sont encore tributaires de sa pensée.

Si l'influence de Philippe est moins évidente dans la théologie spéculative de la seconde moitié du siècle, elle a pu néanmoins être discernée chez Bonaventure et Thomas d'Aquin, dans leur approche de la magnanimité. Elle se prolonge même à cette époque par l'intermédiaire de la *Summa de Viciis* de Guillaume Peyraut, du *De Septem Donis* d'Étienne de Bourbon, et des recueils de *Distinctiones*, élaborés par Maurice de Provins et Nicolas de Biard à l'intention des prédicateurs.

2° Œuvre homilétique. – J.-B. Schneyer (*Repertorium der lateinischen Sermones des Mittelalters* = RLS, t. 4, Münster, 1972, p. 818-68) attribue à Philippe 723 sermons. Ils sont habituellement organisés en collections, dont le succès persistant est attesté jusqu'au 14e siècle. On distingue trois collections principales, auxquelles s'ajoutent les collections contenant, parmi les sermons de divers prédicateurs, des sermons dispersés du Chancelier.

1) La *Summa super Evangelia*, encore intitulée *Expositiones super Evangelia*, ou *Omelie* dans certains manuscrits, se présente sous la forme de commentaires suivis sur les Évangiles des Dimanches, soit une centaine de textes qui ne sont pas toujours les mêmes d'un manuscrit à l'autre. On ne sait si ces « expositions gravement dogmatiques » (Hauréau), au ton mesuré, ont été effectivement prêchées. Plutôt que d'une œuvre de jeunesse, comme le pensait Hauréau, il doit s'agir d'une collection composée par Philippe dans les années 1230-1236. Inédite, et contenue d'après Schneyer dans vingt manuscrits (liste dans RLS 4, p. 825), cette collection a été utilisée par Guillaume Peyraut pour ses propres sermons sur les Évangiles des Dimanches, qui ont eux-mêmes servi de modèle un siècle plus tard au frère augustin Jourdain de Quedlinburg (DS, t. 8, col. 1423-30).

2) La *Summa super Psalterium*, ou *Summa super themata Psalterii*, ou *Distinctiones super Psalterium*, collection proche de la précédente par la structure et le contenu, n'est pas datée. En principe précédée d'un prologue qui commente *Ps. 56, 9* (cf. RLS 4, p. 848, n. 392), cette *Summa* propose, en 330 sermons, l'interprétation exégétique des versets des Psaumes selon les sens de l'Écriture, sans toutefois s'astreindre à une distinction toujours nette des quatre sens. Philippe le Chancelier y fait preuve d'une grande précision dans la pensée, ce qui rend cette œuvre très utile aux prédicateurs, de l'avis du rédacteur du catalogue d'Afflighem à la fin du 13e siècle. – Liste des manuscrits : Stegmüller, *Repertorium Biblicum*, t. 4, n. 6952 ; RLS 4, p. 868. – Deux éd. anciennes : Paris, Josse Bade, 1523 ; Brescia, Marchetti, 1600.

3) Les *Sermones festivales*, prêchés devant des auditoires savants ou populaires lors des principaux dimanches et fêtes de l'année liturgique, ainsi que dans certaines circonstances particulières, ont l'allure de textes composés et travaillés au mot près. Sans doute Philippe a-t-il voulu constituer après coup un recueil à partir de sa prédication effective. Ce travail de composition pourrait être daté des années 1227-1231 (cf. R.-E. Lerner, *Weltklerus und religiöse Bewegung im XIII Jahrhundert*, dans *Archiv für Kulturgeschichte*, t. 51, 1969, p. 94-108) ; mais on connaît rarement la date à laquelle les sermons ont été prononcés.

Ces sermons « libres et véhéments » (Hauréau), où s'affirment le mieux l'autorité et la manière franche et directe du

Chancelier, forment une série d'environ 120 textes. Schneyer (RLS 4, p. 836), recense 27 manuscrits, auxquels il y a lieu d'ajouter *Alençon 154* et *Paris B. Nat., n.a.l. 831*. La série d'*Évreux 39* (RLS 4, p. 843-848) est constituée de 66 *sermones festivales* abrégés. Une autre série de 94 *sermones festivales*, partiellement différente, est proposée par le manuscrit *Troyes 1099* (RLS 4, p. 836-842).

4) Des sermons dispersés du Chancelier, extraits des collections précédemment décrites ou notés pendant sa prédication dans diverses circonstances, figurent enfin dans des compilations de sermons, par exemple dans les collections constituées par Robert de Sorbon. A la liste donnée par Schneyer (RLS 4, p. 843), il convient d'ajouter : *Douai 434*, sermon 58 ; *Laon 44* ; *Paris B. Nat. Lat. 2909, 2995, 15952, 15963, 15964, 16502, 16506* ; *Soissons 129* ; *Toulouse 340* ; *Troyes 271* (cf. J.-B. Schneyer, *Die Sittenkritik in den Predigten Philipps des Kanzlers*, Münster, 1962, p. 12).

*Sermones festivales* et sermons dispersés sont parfois précédés de rubriques indiquant le lieu et la circonstance de la prédication (liste des rubriques d'*Avranches 132* : J.-B. Schneyer, *Einige Sermoneshandschriften aus der früheren Benediktinerbibliothek des Mont-Saint-Michel*, dans *Sacris Erudiri*, t. 17, 1966, p. 168-187). Il apparaît que Philippe a très souvent prêché à Paris, dont quinze lieux de culte sont nommés (en particulier Notre-Dame, Saint-Antoine et Saint-Jacques), mais aussi dans la province ecclésiastique de Reims à Noyon, Arras, Abbeville, Saint-Quentin, Cambrai, Châlons-sur-Marne et divers lieux de culte du diocèse de Laon. Tantôt il s'adresse au peuple, tantôt au clergé à l'occasion de synodes, de conciles, de chapitres de communautés religieuses : ainsi à Paris pour le chapitre général du Temple. Cinq sermons inédits concernent la croisade de Louis VIII en 1226. Sept autres, prêchés à diverses occasions importantes, ont été édités.

Ce sont : le sermon pour la fête de saint Bernard, à l'abbaye d'Ourscamp (diocèse de Laon), non daté (RLS 4, n. 324) ; éd. J. Leclercq, *Un sermon de Philippe le Chancelier*, dans *Cîteaux*, t. 6, 1965, p. 205-13 (réimpr. dans *Recueil d'études sur saint Bernard et ses écrits*, t. 3, Rome, 1969, p. 325-36) ; – deux sermons prononcés pendant la vacance épiscopale parisienne de 1227-1228, l'un à Paris, après le choix de Philippe de Nemours par le chapitre (RLS 4, n. 193) : éd. N. Wicki, *Philipp der Kanzler und die Pariser Bischofswahl von 1227-1228*, dans *Freiburger Zeitschrift für Philosophie und Theologie*, t. 5, 1958, p. 318-26 ; l'autre prononcé après devant la Curie romaine (RLS 4, n. 314) : éd. partielle d'après Douai 434 par V. Doucet, *A travers le manuscrit 434 de Douai*, dans *Antonianum*, t. 27, 1952, p. 553-57 ; – un sermon pour solliciter des aumônes en faveur de la construction du couvent des Frères Mineurs de Vauvert, prononcé le 1er septembre 1228 (RLS 4, n. 329) : éd. D. Vorreux, *Un sermon de Philippe le Chancelier en faveur des frères Mineurs de Vauvert (Paris)...*, AFH, t. 68, 1975, p. 3-22 ; – enfin trois sermons prêchés lors de la crise universitaire de 1229-1231 devant les écoliers parisiens, le premier à Orléans le 6 avril 1230 (RLS 4, n. 315), les deux autres à Paris le 20 mars et le 1er août 1231 (RLS 4, n. 181 et 226) : éd. M.-M. Davy, *Les sermons universitaires parisiens de 1230-1231*, Paris, 1931, p. 153-77.

3° ŒUVRE POÉTIQUE. – A la connaissance des poètes anciens et modernes qui s'observe dans la prédication de Philippe, se joint une capacité poétique personnelle réelle. Il a la réputation d'avoir composé en ce domaine une œuvre abondante et de qualité, « et en roman et en latin » selon Henri d'Andeli. Elle est caractérisée comme le reste de sa production littéraire par la précision de la pensée de l'habileté de l'expression.

Jusqu'à présent, un seul poème en langue vernaculaire lui est sûrement attribué (« J'ai un cuer trop lant »). Mais ce dernier grand poète lyrique de France écrivant en latin serait l'auteur de très nombreuses pièces latines profanes ou religieuses. Il a composé, sans doute à l'occasion de l'élection de Pierre de Nemours en 1208, le conduit pour l'élection d'un évêque *Christus assistens pontifex* (N. Fickermann, *Ein neues Bischofslied Philipps de Greve*, dans *Studien zur Lateinischen Dichtung des Mittelalters, Ehrengabe für Karl Strecker*, Dresde, 1931, p. 37-44). Six poèmes lui sont expressément attribués par fra Salimbene, qui raconte dans sa Chronique que le frère Henri de Pise les avait mis en musique (MGH, *Scriptores*, t. 32, Hanovre-Leipzig, 1905-1913, p. 182-183). D'autres peuvent être identifiés par les rubriques des manuscrits : ainsi *B. Lib. Egerton 274* contient une quarantaine de pièces de Philippe.

Le Chancelier se montre dans sa poésie tour à tour plein de verve et d'ironie mordante (*Bulla fulminante*, satire contre la Curie romaine), moralisateur quelque peu sentencieux à la façon d'Horace (*Disputatio membrorum, Disputatio inter cor et oculum*), capable d'accents mystiques assez proches de l'inspiration fne dans ses chants pieux sur la Passion du Christ et en l'honneur de la Vierge. Il a d'ailleurs écrit au moins une hymne sur saint François (cf. F. Delorme, *Une prose inédite sur saint François*, dans *La France Franciscaine*, 1927, p. 101-03). Est-ce lui ou Gautier de Châtillon qui a composé le *Planctus Christi Quid ultra tibi facere* ? Est-il vraiment l'auteur des hymnes magdaléniennes mentionnées par Salimbene et souvent citées parmi les plus belles pièces de son œuvre ? V. Saxer a contesté cette dernière attribution (*Les hymnes magdaléniennes attribuées à Philippe le Chancelier sont-elles de lui* ?, dans *Mélanges de l'École française de Rome, Moyen-Âge*, t. 88, 1976, p. 157-197). Mais il faudrait, comme lui-même le suggère, faire l'inventaire méthodique et complet de la tradition manuscrite des œuvres versifiées pour préciser plus nettement les contours de l'œuvre poétique de Philippe.

4° ŒUVRES PERDUES. – Outre les commentaires scripturaires déjà cités, deux œuvres de Philippe n'ont pas à ce jour été retrouvées. La première est la relation sur le clou miraculeux de Saint-Denis (1233) dont fait mention Aubry des Trois-Fontaines (MGH, in-fol., *Scriptores*, t. 23, p. 931), mais qu'il faut distinguer de la relation écrite à propos de cet événement par un moine anonyme de Saint-Denis (*Paris B. Nat. n.a.l. 1509*, p. 417 svv. Voir P. Aubry, *Comment fut perdu et retrouvé le saint clou de l'abbaye de Saint-Denis*, dans *Revue Mabillon*, nov. 1906, p. 185-192 ; fév. 1907, p. 286-300 ; août 1907, p. 147-182). – L'autre œuvre perdue est le *Libellus de modo exhortandi et faciendi de illis qui in agone et articulo mortis laborant*, cité par P. Daunou dans *Histoire littéraire de la France*, t. 18, Paris, 1835, p. 190, d'après A. Sanderus, *Bibliotheca belgica manuscripta*, t. 1, Lille, 1641.

3. **Spiritualité.** – L'étude approfondie des sermons et des hymnes de Philippe le Chancelier serait nécessaire pour appréhender sa spiritualité, alors que ce sont plutôt ses démêlés avec le monde scolaire qui ont retenu l'attention. Batailleur, ironique et perspicace,

Philippe se livre dans sa prédication à une incessante et virulente critique des mœurs, d'ailleurs servie par une grande finesse d'observation lorsqu'il s'agit par exemple de discerner les tentations et les dangers de la ville. Mais s'il dénonce avec flamme les comportements répréhensibles de l'Église de son temps, c'est qu'il les voit comme autant de blessures sur le corps du Christ, son corps souffrant dans sa Passion qui est le « sacrement » de son Corps mystique appelé à la Transfiguration. Ce Corps c'est précisément l'Église. Les prélats doivent l'animer spirituellement, et surtout le nourrir du pain de la Parole : chaque église cathédrale devrait être comme un grenier public accessible à tous en temps de famine. Tous les clercs séculiers doivent, par la sainteté de leur vie, participer à l'édification de la Jérusalem céleste. Les laïcs le feront aussi à leur rang, en recourant aux sacrements que Philippe défend à maintes reprises contre les attaques des hérétiques. Mais le Chancelier est trop méfiant pour ne pas soupçonner les Humiliés de « s'armer comme des sauterelles » contre la foi, ou pour ne pas reprocher aux béghards et aux béguines de vivre dans la débauche... Les moines, eux, ont sur tous prééminence, car ils ont choisi, en renonçant aux richesses temporelles, la voie la plus exigeante. Encore doivent-ils soumettre leur vie religieuse à l'aune de la *mensura caritatis* ! Au premier rang de la bataille, Philippe voit, bien sûr, les prédicateurs, pareils à des archers, mais incapables d'enflammer leur auditoire d'amour spirituel s'ils ne sont eux-mêmes *amorosi* comme le furent, dans le registre de l'amour charnel, Ovide ou Chrestien de Troyes, et comme le sont ces femmes qui continuent à composer des cantilènes d'amour (*S. festivales, Paris, B. Nat. Lat. 3280,* f. 117v).

Parmi ces prédicateurs, il faut compter les Mendiants. Philippe reconnaît clairement leur vocation et leur vie apostolique. Comme Jean-Baptiste, ils sont de vrais hommes spirituels quand ils prêchent en travaillant à la rémission des péchés. Les Prêcheurs refusent de se laisser empêtrer dans la glu des biens de ce monde. Dévorés comme des chiens par la faim de convertir, en ce soir du monde, ils sont pour le Chancelier des pêcheurs d'homme à l'image de Pierre. Les Mineurs, dans leur humilité de petits pauvres, trouvent en l'apôtre Jean leur figure exemplaire. Imitateurs du Christ et des saints, ne sont-ils pas encore les vrais « fils de pèlerins » dont parle Isaïe 60, 10 ? En développant à leur propos le thème du pèlerinage, Philippe rejoint une intuition très riche de saint François sur la vocation de ses frères.

Chaque homme, appelé à suivre le Christ, doit aussi vivre dans la mémoire de sa Rédemption. Toute l'année l'y invite, puisqu'elle est inaugurée par la fête de la Circoncision où le Christ donne en quelque sorte les arrhes du sacrifice qu'il achèvera par la totale effusion de son sang. Chaque jour, dans la succession des heures, est lui-même sanctifié par la Passion du Christ, et il est bon que les laïcs s'en souviennent, eux qui ne chantent pas les Heures de l'Office. Mais l'homme doit surtout faire en sorte que, sous la mouvance de l'Esprit, se renouvelle en lui le miracle permanent de l'Incarnation. Car l'âme assidue à la prédication conçoit et nourrit spirituellement le Christ, qui accomplit en l'homme le cycle des sept âges de la vie, depuis la petite enfance de la crainte jusqu'à la vieillesse de l'intelligence et de la sagesse, jusqu'à la résurrection de l'âme qui se surpasse et son ascension dans le ravissement de la contemplation.

Christ crucifié, oint de l'effusion de son sang ; Christ ressuscité montant tel un pèlerin vers le ciel, revêtu de la chlamyde de sa chair glorifiée : ces images superbes ne sont pas artifice littéraire d'un prédicateur poète. Elles récapitulent ce qui semble être les fondements de la spiritualité de Philippe le Chancelier, subjugué par les mystères essentiels de l'Incarnation et de la Rédemption.

A la bibliographie déjà indiquée, ajouter : B. Hauréau, dans *Notices et extraits des manuscrits de la Bibl. Imp.,* t. 21/2, Paris, 1865, p. 183-194. – H. Denifle et G. Chatelain, *Chartularium Univ. Parisiensis,* t. 1, Paris, 1889, p. XI et n. 27, 33, 45, 55-56, 96. – H. Meylan, *Les Questions de Ph. le Ch.,* dans *Positions de thèses de l'École des Chartes,* 1927, p. 89-94. – Ch. Haskins, *Studies in mediaeval Culture,* Oxford, 1929, p. 245-55. – P. Glorieux, *Répertoire des maîtres en théologie de Paris au 13e s.,* t. 1, Paris, 1933, p. 282-84. – E. Bettoni, *Filippo il Cancelliere,* dans *Pier Lombardo,* t. 4, 1960, p. 123-135.

Sur la *Summa de Bono* : P. Minges, *Philosophiegeschichtliche Bemerkungen über Ph. von Greve,* dans *Philosophisches Jahrbuch,* t. 27, 1914, p. 21-32. – G. Englhardt, *Die Entwicklung der dogmatischen Glaubenspsychologie in der mittelalterlichen Scholastik,* Münster, 1933. – J. Ferté, *Rapports de la Somme d'Alexandre de Halès dans son De Fide avec Ph. le Ch.,* RTAM, t. 7, 1935, p. 381-402. – L.W. Keeler, *Ex Summa Phil. Canc. Quaestiones de anima,* Münster, 1937. – O. Lottin, *Le créateur du traité de la syndérèse,* dans *Revue Néo-scolastique,* t. 29, 1927, p. 197-220 ; *La composition hylémorphique des substances spirituelles, ibidem,* t. 34, 1932, p. 26-36 ; *La pluralité des formes..., ibidem,* p. 451-458 ; *Psychologie et morale aux 12e-13e s.,* t. 1-6, Louvain-Gembloux, 1942-1960 (tables).

H. Pouillon, *Le premier traité des propriétés transcendantales, la Summa de Bono...,* dans *Revue Néo-scolastique,* t. 42, 1939, p. 40-77. – D.A. Callus, *Ph. the Ch. and the De Anima ascribed to Robert Grosseteste,* dans *Mediaeval and Renaissance Studies,* t. 1, 1941/43, p. 105-127. – *Alexandri de Hales Summa Theologica,* t. 4, livre 3, Prolegomena, éd. V. Doucet, Quaracchi, 1948, p. CXXXIII. – R.-A. Gauthier, *Magnanimité,* Paris, 1951, p. 271-82. – A.M. Landgraf, *Dogmengeschichte der Frühscholastik,* 4 t. en 8 vol., Ratisbonne, 1952-1956 ; *Introduction à la littérature théologique de la scolastique naissante,* Paris, 1973, p. 179-180.

J. Bouvy, *Grâce et vertu dans la Summa de Bono...,* thèse inédite, Univ. Grégorienne, Rome, 1957. – Victorius a Ceva, *Phil. Canc. De Fide,* thèse, Univ. Grégorienne, Rome, 1961. – L. Hödl, *Die neuen Quästionen der Gnadentheologie des Joannes von Rupella... in Cod. Lat. Paris. 14726,* coll. Mitteilungen des Grabmann-Instituts 8, Munich, 1964, p. 81-91. – E. Bertola, *Alano di Lilla, Filippo il Canc. ed una inedita quaestio sull' immortalità dell'anima umana,* dans *Rivista di Filosofia neoscolastica,* t. 62, 1970, p. 245-71.

K.J. Becker, *Articulus fidei (1150-1230) von der Einführung des Wortes bis zu den Definitionen Ph. des Kanzlers,* dans *Gregorianum,* t. 54, 1973, p. 517-69. – J.-P. Torrell, *La question 540 (De Prophetia) du ms de Douai 434,* dans *Antonianum,* t. 49, 1974, p. 499-526 ; *Théorie de la prophétie et philosophie de la connaissance aux environs de 1230,* Louvain, 1977. – W.H. Principe, *Quaestiones concerning Christ from the first half of the 13th Century,...* dans *Mediaeval Studies,* t. 39, 1977, p. 1-59. – P.J. Payer, *Prudence and the principle of natural law : a medieval development,* dans *Speculum,* t. 54, 1979, p. 55-70. – L.-J. Bataillon, *Intermédiaires entre les traités de morale pratique et les sermons : les Distinctiones bibliques alphabétiques...,* Louvain-la-Neuve, 1982, p. 213-26.

Œuvre homilétique : A. Lecoy de la Marche, *La chaire française au Moyen Âge, spécialement au 13e s.,* 2e éd., Paris, 1886, p. 94-95, 524-25. – B. Hauréau, *Notices et extraits de quelques mss latins de la Bibl. Nat.,* t. 5-6, Paris, 1892/93 (tables). – J.B. Schneyer, *Ph. der Kanzler, ein hervorragender Prediger...,* dans *Münchener Theologische Zeitschrift,* t. 8, 1957, p. 174-179 ; *Entstehung und Ueberlieferung eines mittelalterlichen Predigtexempels*, dans *Tübinger Theologische Quartalschrift*, t. 146, 1966, p. 329-47.

Œuvre poétique : F. Mone, *Lateinische Hymnen des Mittelalters*, Fribourg/Brisgau, t. 1, 1853, p. 172 ; t. 2, 1854, p. 165-66. – P. Meyer, *Rapport sur une mission en Angleterre*, dans *Archives des Missions scient. et litt.*, 2ᵉ série, t. 3, 1866, p. 253-58 ; *Henri d'Andeli et le Chanc. Ph.*, dans *Romania*, t. 1, 1872, p. 190-215. – R. Peiper, *Untersuchungen über einige lateinische Texte Philipps*, dans *Archiv. für Litteraturgeschichte*, t. 7, 1878, p. 420-24. – B. Hauréau, *Des poèmes latins attribués à saint Bernard*, Paris, 1890, 76-77.

P.P. Féret, *La faculté de théologie et ses docteurs les plus célèbres*, t. 1, Paris, 1894, p. 236-37. – G.M. Dreves, dans *Analecta hymnica medii aevi*, t. 20-21, Leipzig, 1895, et t. 50, 1907 (tables). – F. Ludwig, *Repertorium organorum recentioris et motetorum vetustissimi styli*, t. 1/1, Halle, 1910, p. 243-67. – N. Fickermann, *Ph. de Grève, der Dichter des « Dic Christi Veritas »*, dans *Neophilologus*, 1928, p. 71. – U. Chevalier, *Repertorium hymnologicum*, t. 5 Addenda et corrigenda, Louvain, 1921, Index II, p. 119.

A. Wilmart, *Auteurs spirituels et textes dévots du Moyen Âge latin*, Paris, 1932, 2ᵉ éd. 1971, p. 329, n. 1. – F.J.E. Raby, *A History of secular latin Poetry in the Middle Ages*, Oxford, 1934, p. 227-35 ; *The Oxford Book of Medieval Latin Verse*, Oxford, 1959. – J. de Ghellinck, *L'essor de la littérature latine au 12ᵉ s.*, 2ᵉ éd., Bruxelles–Paris, 1954, p. 456-57. – G. Vecchi, *Poesia latina medioevale*, 2ᵉ éd., Parme, 1958, p. 380-83.

DS, t. 2, col. 573-74, 578-79, 1979, 1981 ; – t. 3, col. 840, 1413, 1416, 1588, 1590, 1593, 1692, 1697 ; – t. 5, col. 865, 877 ; – t. 6, col. 340, 1127, 1194 ; – t. 7, col. 1435 ; – t. 8, col. 252, 599 ; – t. 10, col. 1296.

Nicole BÉRIOU.

**4. PHILIPPE DE HARVENG**, prémontré, † 1183. – Philippe de Harveng (ainsi nommé par l'obituaire de son abbaye de Bonne-Espérance, éd. É. Brouette, dans *Analecta Praemonstratensia*, t. 38, 1962, p. 120-121) est appelé aussi « de Bonne-Espérance » et « *ab Eleemosyna* » ou « *Eleemosynarius* » ; on l'a confondu quelquefois avec son homonyme et contemporain de l'abbaye cistercienne de l'Aumône (cf. *supra*, col. 1288-89).

1. Vie. – Philippe naquit à Harveng, près de Mons, vers 1100. Il se dit lui-même *plebeius*. Dès son enfance, il fut confié à un évêque, qui l'admit à l'école épiscopale. Là il se familiarisa avec les auteurs de l'antiquité classique, que l'on trouve cités fréquemment dans ses œuvres. Il devint un des premiers religieux de l'abbaye de Bonne-Espérance, fondée en 1126 ou 1127, et, vers 1130, il s'y vit imposer la charge de prieur. Près de dix-neuf ans plus tard, en réclamant un chanoine transfuge, accueilli indûment à Clairvaux, il entra en conflit avec saint Bernard. S'y ajouta une campagne de deux confrères, accusant le prieur de semer la discorde. Philippe dut se retirer dans un autre monastère de l'ordre. Au bout de deux ans environ, probablement en 1151, il fut réhabilité par le chapitre général et regagna son abbaye. Après la démission de l'abbé Odon, à la fin de 1156 ou au cours de 1157, il fut élu abbé de Bonne-Espérance. En cette qualité, il eut également à prendre soin de la communauté des sœurs prémontrées de Rivreulle, dans le voisinage. A un âge avancé, durant l'avent de 1182, il abdiqua la charge abbatiale. Il mourut pendant le carême de 1183, le 11, 12 ou 13 avril.

2. Œuvres. – Philippe s'est forgé un style très personnel, se distinguant par un emploi intensif et très perfectionné de la rime, ce qui fournit un excellent critère dans l'examen de l'authenticité de ses œuvres.

Celles-ci furent publiées par Nicolas Chamart, abbé de Bonne-Espérance : *D. Philippi Abbatis Bonae-Spei... et D. Bernardo Claraevallensi contemporanei opera omnia*, Douai, 1620 et 1621, édition reproduite par Migne (PL 203). A noter qu'il s'y est glissé quelques écrits d'autres auteurs, tels que Luc de Mont-Cornillon et Philippe de l'Aumône.

1º Des vingt-six *Lettres* publiées, seules les vingt premières sont de notre auteur (PL 203, 1-180). Quelques-unes se rapportent aux épreuves que Philippe subit comme prieur : il les adressa à son ami Barthélemy, évêque de Laon (L. 9), à saint Bernard (L. 10-11) et au pape Eugène III (L. 12). Elles contiennent des informations sur un problème épineux de l'époque, à savoir celui du passage d'un ordre religieux à un autre. Peut-être faut-il ajouter à ce groupe la lettre adressée à un nommé Adam, à qui Philippe reproche de ne pas avoir tenu sa parole (L. 15).

Certaines lettres sont de vrais traités théologiques : sur la création (L. 1) ; sur la question de savoir comment le Christ, né d'Adam, fut pourtant exempt du péché originel (L. 2) ; sur la passibilité du Christ (L. 5-7) ; sur la mort et en particulier sur le martyre, auquel est comparée la vie au monastère (L. 14).

D'autres lettres sont d'un ordre plutôt pratique. A un jeune religieux, Philippe recommande de tendre à la perfection et de ne pas médire d'autres ordres religieux (L.8). A un ami de jeunesse, récemment élevé à une haute dignité ecclésiastique, il donne des conseils pour le prémunir contre les dangers de sa nouvelle situation ; il lui offre comme un traité des vertus requises dans un supérieur (L.13). Il félicite le chancelier Raynard de Dassel, archevêque de Cologne, d'une victoire militaire, mais lui recommande aussi de se rappeler qu'il est évêque (L.19).

Deux lettres, adressées l'une à Philippe, comte de Flandre (L.16), l'autre à Henri, comte de Champagne et de Brie (L.17), sont des sortes de miroirs du prince, qui insistent beaucoup sur l'éducation intellectuelle. De même, les lettres à des confrères ou amis, étudiants à Paris, prodiguent des exhortations à l'étude des lettres et spécialement de l'Écriture sainte (L.2-4, 18, 20) ; Philippe s'y montre un humaniste chrétien.

2º L'ouvrage exégétique le plus important, *Commentaria in Cantica Canticorum* (PL 203, 181-490), fut mis en chantier avant l'exil de Philippe et achevé peu après son retour à Bonne-Espérance, donc au milieu du 12ᵉ siècle. A cette époque, le *Cantique* était communément interprété comme chantant l'union du Christ avec l'Église ou avec l'âme fidèle. Après Rupert de Deutz, Philippe est un des premiers à entendre ce livre comme le poème de l'intimité entre Jésus et Marie, comme le fait aussi saint Bernard. Tout en étant un commentaire continu du texte, l'ouvrage offre bien des considérations sur des points de la mariologie encore en élaboration, à savoir certaines prérogatives personnelles de la Sainte Vierge et ses relations avec les fidèles.

Pas plus que saint Bernard, Philippe ne reconnaît à Marie le privilège de la conception immaculée ; il le nie même formellement. Mais il lui assigne l'exemption de péchés actuels et la sanctification complète à l'instant de l'incarnation du Verbe.

Philippe se range parmi ceux qui admettent l'assomption corporelle de la Mère de Dieu : bien que l'Écriture ne l'enseigne pas avec évidence, la foi pieuse offre des arguments suffisants (PL 203, 488). Et il se réfère à saint Augustin, en réalité à un Pseudo-Augustin, pendant d'un Pseudo-Jérôme, porte-drapeau du parti opposé.

L'idée de Marie Épouse du Christ appelle celle de sa maternité spirituelle à l'égard des fidèles. « En elle et par elle le Christ engendre des fils spirituels, par une efficacité spirituelle, en sorte qu'elle et lui jouissent d'une postérité de fils » (PL 203, 192). « Lorsque par une espèce d'enfantement je vous fais sortir des ténèbres de l'ignorance, lorsqu'à force de zèle et de souffrances je vous amène à la lumière de vérité et de science, lorsqu'avec une sollicitude affectueuse je vous pénètre des règles de la perfection, est-ce que je ne vous forme pas dans mes entrailles ou plutôt dans mes mœurs à la manière d'une mère ? » (PL 203, 230).

Philippe aime voir Marie dans son rôle éminemment maternel d'éducatrice, qu'elle exerce tout d'abord envers les apôtres, par son témoignage sur le mystère de l'incarnation du Verbe. Inspiré, sans doute, des tympans des cathédrales, il va jusqu'à dire que les apôtres ont à se comporter en assesseurs du pouvoir virginal et maternel exercé par leur « présidente », qui suit attentivement leurs travaux, prompte à les secourir, voire à les corriger.

La médiation mariale est nettement affirmée : on ne peut appartenir au Christ que par l'intermédiaire de Marie. Elle nous recommande à son Fils et nous invite à le prier ; d'autre part, elle porte son Fils à nous écouter. Et Philippe de saluer en elle la médiatrice qui rattache ceux qu'avait désunis Ève la séparatrice (PL 203, 260).

Commentant le passage du *Cantique* « Vulnerasti cor meum », Philippe désigne le cœur physique du Christ comme le siège de son amour. Or ce cœur est transpercé, non par la haine, mais par la force pénétrante de la charité, et cette profonde blessure permet à la grâce de s'écouler, en même temps qu'elle respire un amour plein de douceur (PL 203, 386-387). On a pu voir ici une expression des plus nettes, au 12ᵉ siècle, de la dévotion au Sacré Cœur de Jésus.

Comme on ne connaît qu'un seul manuscrit de cet ouvrage, on est porté à croire qu'il a été peu répandu. Il semble pourtant que Guiard de Laon († 1248 ; DS, t. 6, col. 1127-31) l'ait utilisé dans ses sermons sur le *Cantique*. De toutes façons, c'est ce commentaire qui a valu à son auteur d'être rangé parmi les mystiques. Actuellement, bon nombre de théologiens se réfèrent à lui dans leurs études mariologiques.

3° Avec ses deux premières *Responsiones,* l'une *de salute primi hominis* (PL 203, 593-622), l'autre *de damnatione Salomonis* (PL 203, 621-666), Philippe aborde le genre des *Quaestiones*. Il ne commente plus un texte scripturaire pour lui-même, mais, à partir d'une question déterminée, il recueille des passages bibliques et patristiques, les classe selon leurs opinions et en institue la critique, pour conclure enfin par une *Responsio*. Ici, il croit pouvoir conclure qu'Adam fut sauvé, mais que Salomon fut damné.

4° Dans PL 203, 665-1204, se trouve un grand ouvrage, intitulé *De institutione clericorum tractatus sex* (à savoir : *De dignitate clericorum, De scientia clericorum, De iustitia clericorum, De continentia clericorum, De obedientia clericorum* et *De silentio clericorum*).

Le seul manuscrit qui en reste (Bruxelles, Bibliothèque royale, ms ɪɪ, 1158, fin du 12ᵉ siècle ou début du 13ᵉ, provenant de l'abbaye de Bonne-Espérance) contient cinq *Responsiones* mais n'a point le titre général *De institutione clericorum*. Les deux derniers traités mentionnés constituent chacun une *Responsio*

à part ; les quatre premiers n'en forment qu'une, intitulée *Responsio de dignitate clericorum* (PL 203, 665-840).

Après avoir avancé que dans l'Église chaque catégorie de personnes est sainte, pourvu qu'on y observe les règles prescrites pour elle, Philippe prend position dans la question de savoir lequel des deux ordres, clérical ou monastique, est le plus digne. Il commence par les clercs, l'ordre le plus ancien, remontant à Aaron. Ensuite, il traite des moines ; mais il y a polémise un peu trop, surtout dans sa réfutation de l'opuscule que Rupert de Deutz venait de publier sous le titre *Altercatio monachi et clerici quod liceat monacho praedicare*. Son exposé sur les clercs mérite davantage l'attention, d'autant plus qu'il constitue un des premiers et plus vastes efforts du moyen âge pour établir une spiritualité à partir du sacerdoce. Vu le contexte historique de la discussion, Philippe, tout en parlant de « clercs », entend expliquer et défendre l'idéal des chanoines réguliers. Voici un aperçu de cette première partie de la *Responsio de dignitate clericorum,* selon sa structure originelle avec ses sous-titres, tels qu'on les trouve dans le manuscrit.

1) *De electione clericorum* (PL 203, 675-694). En allégorisant sur l'Ancien Testament, l'auteur fait ressortir la dignité des clercs du fait de leur élection au service de l'autel : comme Aaron, les clercs sont choisis par Dieu ; ils doivent éviter de choisir avant d'être choisis. Personne donc ne doit briguer les ordres, surtout pas par ambition ou par avarice. D'autre part, personne ne doit non plus refuser de recevoir les ordres auxquels il est appelé, surtout pas par attachement à une vie licencieuse. De même qu'Aaron portait deux robes, les clercs assument l'obligation de se revêtir de science et de sainteté (690).

2) *De scientia clericorum* (693-708). Peu d'écrivains insistent autant que Philippe sur la nécessité des études dans cet état de vie. Si la connaissance de la littérature classique convient aux clercs, la science qui leur est propre est celle de l'Écriture sainte : elle les aide à progresser eux-mêmes dans la vertu et les rend capables d'instruire les autres. La charge d'âmes comporte donc une exhortation à l'étude, loin d'être une excuse pour s'y soustraire. De même, le travail manuel ne peut servir de prétexte pour se dérober à l'étude : il est utile parce qu'il conserve la santé et qu'on se remet ensuite plus avidement à la lecture, mais il ne doit point prendre le pas sur l'étude. Pour acquérir la science de l'Écriture, il faut joindre à la lecture ou à l'étude l'humilité et la prière. En fait, pour qu'un clerc soit parfait, sa science doit s'unir à une vie sainte.

3) *De iustitia clericorum* (707-757). Si les clercs ont à pratiquer les vertus communes à tous les chrétiens, il leur faut en plus, à l'exemple du Christ et des apôtres, la pauvreté volontaire et la continence : « On n'est pas vraiment clerc si l'on ne s'est pas enrichi du trésor de la pauvreté et si l'on n'a pas les reins ceints du cordon de la chasteté »(718).

La pauvreté, en tant que vertu des clercs, commence par le renoncement à toute propriété personnelle. « Le Christ a voulu que les prédicateurs ne possèdent rien, mais que par eux l'exemple de la pauvreté s'impose au reste des hommes » (719). Si les clercs ont le droit de se faire entretenir par les fidèles, il est plus conforme à la perfection qu'ils suivent l'exemple de saint Paul en gagnant leur vie par leur propre travail. Et Philippe de déclarer que « la pauvreté est le bien spécial des clercs et la mère des vertus, car celui qui ne possède rien en propre peut obtenir plus facilement et plus à fond les autres vertus » (726). Ensuite Philippe développe (727-757) la thèse classique de la nécessité de la continence pour les clercs, démontrée par des figures typiques de l'Ancien Testament, par les paroles du Seigneur, par son exemple et celui des apôtres. Si le service de l'autel exige la continence, celle-ci doit être portée par l'amour en vue d'une totale disponibilité au Seigneur et au prochain.

Philippe résume son exposé sur les clercs en situant leur spiritualité dans le cadre de celle des fidèles en général : tous les chrétiens, conclut-il, doivent cultiver la foi, l'espérance, la charité et bien d'autres vertus encore ; les clercs ont en outre l'obligation spéciale de mettre en valeur leur élection, la science, la pauvreté et la continence (758). Dans ces deux dernières, on reconnaît des éléments forts de la réforme grégorienne.

5° Les deux *Responsiones* suivantes, *de obedientia* (PL 203, 839-944) et *de silentio* (PL 203, 943-1206), ne regardent pas spécifiquement les clercs, comme le fait croire l'édition de Migne. Déjà R. Ceillier remarquait que ces traités « peuvent convenir à toutes sortes de conditions. L'auteur traite ces deux sujets avec tant d'étendue, et si peu de suite, qu'il n'est guère possible d'en donner un précis. Il n'y dit d'ailleurs rien que de très commun ». On y trouve cependant de bonnes choses sur l'obéissance religieuse et sur le silence dans les couvents. Il semble que l'auteur n'ait jamais terminé sa réponse sur le silence.

6° Philippe a composé six *opuscules hagiographiques*, dont seule la *Vita beatae Odae virginis* (PL 203, 1359-1374 ; AS *Avril*, t. 2, Anvers, 1675, p. 773-80) est une œuvre originale : elle trace la vie de la prieure des prémontrées de Rivreulle, dont l'auteur était le directeur spirituel. Quant aux autres, *Vita beati Augustini* (PL 203, 1205-1234), *Passio sancti Salvii martyris* (1311-1326), *Vita sancti Foillani martyris* (1325-1338 ; AS *Octobre*, t. 13, Paris, 1885, p. 408-16), *Vita sancti Gisleni confessoris* (PL 203, 1337-1350) et *Vita sancti Landelini confessoris* (1349-1358), Philippe y a transposé en son style de prose rimée des *Vitae* existantes.

7° Quant aux *Carmina varia* (PL 203, 1391-1398), on ne peut plus les attribuer à Philippe. Tout au plus, le recueil d'énigmes pourrait provenir de l'abbaye de Bonne-Espérance.

Depuis 1925, les *Analecta Praemonstratensia* signalent régulièrement les publications touchant P. de H. – On y trouve : les études de G.P. Sijen : *P. de H. Sa biographie*, t. 14, 1938, p. 37-52 ; *La passibilité du Christ...*, p. 189-208 ; *Les œuvres de P. de H.*, t. 15, 1939, p. 129-166 ; *De leer over de erfzonde...*, t. 17, 1941, p. 35-63 ; – les synthèses doctrinales de J.B. Valvekens : *Deiparae Assumptio apud P. et Adamum Scotum*, t. 29, 1953, p. 289-96 ; *Deipara et Ecclesia apud scriptores Praemonstratenses saeculi duodecimi*, t. 31, 1955, p. 164-66 ; *Commentaria in Cantica Canticorum P.*, t. 32, 1956, p. 147-54 ; '*Exegesis*' *Cantici Canticorum apud scriptores Praemonstratenses saeculi XII finientis*, t. 37, 1961, p. 328-33 ; *Spiritus Sanctus et B. Deipara-Virgo apud auctores Praemonstratenses saeculi duodecimi, potissimum apud P.*, t. 57, 1981, p. 103-13. – En outre : J.F. Mahoney, *The Praemonstratensian Canons in the Renaissance Century*, t. 33, 1957, p. 259-67 ; M. Vetri, *L'ideale sacerdotale presso F. de H.*, t. 37, 1961, p. 5-30, 177-231 ; H. Marton, *Praecipua testimonia de activitate Capitulorum Generalium saeculi XII*, t. 39, 1963, p. 220-23, 228-30 ; D. Roby, *P. contribution to the question of passage from one religious order to another*, t. 49, 1973, p. 69-100 ; F. Negri, *Il celibato sacerdotale per F. de H.*, t. 52, 1976, p. 185-211 ; N.J. Weyns, *A propos des Instructions pour les clercs (De institutione clericorum) de P.*, t. 53, 1977, p. 71-79.

A signaler encore : C. Oudin, *Commentarius de scriptoribus Ecclesiae antiquis*, t. 2, Leipzig, 1722, col. 1443-46. – J.F. Foppens, *Bibliotheca Belgica*, t. 2, Bruxelles, 1739, p. 1030-31. – R. Ceillier, *Histoire générale des auteurs sacrés et ecclésiastiques*, t. 23, Paris, 1763, p. 285-93. – *Histoire littéraire de la France*, t. 14, Paris, 1817, p. 268-95 (M.-J.-J. Brial). – C.L. Declèves, *Notre-Dame de Bonne-Espérance*, Paris-Tournai, 1857, p. 57-79. – U. Berlière, *P. de H. abbé de*

*Bonne-Espérance*, Rbén., t. 9, 1892, p. 24-31, 69-77, 130-36, 193-206, 244-53 ; *Monasticon Belge*, t. 1, Maredsous, 1897, p. 392-96, 427. – L. Goovaerts, *Écrivains... de l'Ordre de Prémontré*, t. 2, Bruxelles, 1902, p. 34-37 ; t. 4, 1917, p. 248. – *Biographie nationale*, t. 17, Bruxelles, 1903, col. 310-13. – *Historisches Jahrbuch*, t. 45, 1925, p. 556-57. – K. Polheim, *Die lateinische Reimprosa*, Berlin, 1925, p. 413-14. – C.G. Kanters, *Le Cœur de Jésus dans la littérature chrétienne des douze premiers siècles*, Bruges-Avignon, 1930, p. 155-56. – DTC, t. 12, 1933, col. 1407-11 (A. Erens). – M. Fitzthum, *Die Christologie der Prämonstratenser im 12. Jahrhundert*, Plan, 1939. – A. Boutémy, *Quelques observations sur le recueil des poésies attribuées autrefois à P.*, Rbén., t. 53, 1941, p. 112-18. – F. Petit, *La spiritualité des Prémontrés aux XIIᵉ et XIIIᵉ siècles*, Paris, 1947 (index).

S. Axters, *Geschiedenis van de vroomheid in de Nederlanden*, t. 1, Anvers, 1950, p. 281-88. – EC, t. 5, 1950, col. 1318-19. – P. Delhaye, *Saint Bernard de Clairvaux et P.*, dans *Bulletin de la Société historique et archéologique de Langres*, t. 12, n. 156, 1953, p. 1-10. – J. de Ghellinck, *L'essor de la littérature latine au XIIᵉ siècle*, Bruxelles-Bruges-Paris, 1954, p. 201-03, 405. – F. Stegmüller, *Repertorium biblicum medii aevi*, t. 4, Madrid, 1954, p. 435-37. – J.B. Valvekens, *De Immaculata Conceptione apud P. et Adamum Scotum*, dans *Virgo Immaculata. Acta Congressus Mariologico-Mariani Romae anno 1954 celebrati*, t. 8/3, Rome, 1956, p. 1-18. – J.F. Mahoney, *P. « Logogrypha et Aenigmata » : an Unfinished Decipherment*, dans *Medievalia et Humanistica*, t. 12, 1958, p. 16-22. – F. Ohly, *Hohelied-Studien*, Wiesbaden, 1958, p. 205-13. – H. de Lubac, *Exégèse médiévale. Les quatre sens de l'Écriture*, Paris, 1959-1964 (index). – *Nationaal Biografisch Woordenboek*, t. 4, Bruxelles, 1970, col. 329-34 (N.J. Weyns). – N. Backmund, *Die Mittelalterlichen Geschichtsschreiber des Prämonstratenserordens*, Averbode, 1972, p. 205-09. – *Index Scriptorum Operumque Latino-Belgicorum Medii Aevi*, t. 3 (par M. McCormick), Bruxelles, 1977-1979 (index).

DS, t. 2, col. 102 ; – t. 3, col. 1343 ; – t. 5, col. 843, 855 ; – t. 7, col. 773-74 ; – t. 8, col. 1115 ; –t. 9, col. 485, 1124 ; – t. 10, col. 451 ; – t. 11, col. 422, 423.

Norbert Joseph WEYNS.

**5. PHILIPPE DE MADIRAN,** capucin, 18ᵉ siècle. Voir art. *Ambroise de Lombez*, DS, t. 1, col. 432 ; RAM, t. 44, 1968, p. 43-62 ; Louis Antoine, *Deux spirituels au siècle des Lumières. Ambroise de Lombez. Philippe de Madiran*, Paris, 1975.

**6. PHILIPPE DE MALLA,** prêtre, 1378/79-1431. – 1. *Vie*. – 2. *Théologie spirituelle*. – 3. *Réforme de l'Église*.

1. VIE. – Originaire de Barcelone et destiné à une carrière ecclésiastique, Felip de Malla reçut la tonsure dans sa ville natale le 6 avril 1387. On peut avec probabilité dater comme suit le déroulement de ses études : la grammaire, 1386-1389 ; la rhétorique, 1389-1390 ; poétique, 1390-1391 ; faculté des arts à Lérida jusqu'au magistère, 1391-1394 ; dans un collège à l'université de Paris, 1394-1397 ; toujours à Paris, il commente l'*Éthique* d'Aristote, 1397-1399, soutient les exercices publics pour la licence, 1406-1407, passe les examens en vue du magistère, 1407-1408.

Il fut étroitement lié aux rois Martín el Humano (1356-1410) et Alphonse le Magnanime d'Aragon et de Castille (1396-1458) ; de même à Benoît XIII (1394-1423), le plus célèbre et le plus discuté des papes de l'obédience Avignonaise au cours du schisme. Rius Serra, explorant les registres de bulles aux Archives secrètes du Vatican, a pu constater que Benoît XIII, dès le début de son pontificat, accorda des faveurs à Felip de Malla ; plus tard, à cause de services signalés, il le fera à pleines mains.

Le 13 octobre 1394, alors que Malla, maître ès arts, étudiait la théologie à l'université de Paris, il lui accorda droit anticipé, lorsqu'ils seraient vacants, à un canonicat et à quatre bénéfices, dont la collation dépendait de l'évêque de Majorque (Rius Serra, p. 243).

Du monastère de Saint-Victor, à Marseille, le même pape lui concéda (6 août 1403) un canonicat et une prébende de la cathédrale de Barcelone. Trois mois plus tard, il le dispensait « ad quinquenium » de l'obligation de recevoir les ordres majeurs, exigés pour entrer en possession du canonicat, afin de lui permettre de continuer à enseigner les *Sentences* à l'université de Paris. Avant l'expiration de cet intervalle, il lui donnait aussi droit anticipé à la paroisse du Pino, à Barcelone, qui allait se trouver vacante. Malla fut de fait nommé curé de Pino, avec même dispense de résidence pour pouvoir continuer ses fonctions à l'université de Paris (3 novembre 1407).

Sa plus haute dignité ecclésiastique lui vint de sa nomination comme archidiacre du Panadés, et il la garda toute sa vie. Absent de Barcelone en vertu de la même dispense et ne pouvant entrer en possession du local qui lui revenait comme chanoine, le pape par exception dérogea encore à l'interdiction en faveur de Felip de Malla (28 avril 1409).

Le 8 septembre 1411, Benoît XIII le chargea d'examiner la compétence de Francisco Aguiló, chanoine de Gérone, pour lui confier, s'il l'en jugeait apte, l'office de sacriste de la paroisse de Santa Eulalia à Majorque. Il reçut de plus le privilège de l'autel portatif. Une autre dispense de résidence, en 1415, nous apprend qu'il était alors au service de Ferdinand, roi d'Aragon. Le pape le nommait en même temps son ambassadeur auprès du roi d'Angleterre et l'ambassade quitta Valence le 29 avril de la même année. Le privilège papal comportait de grasses rétributions (Rius Serra, p. 243-48).

Le professeur Goñi a bien résumé le déroulement de l'action de Felip (ambassades, mémoires, interventions). Nous le résumons.

Le 29 avril 1415, accompagné d'un chevalier de Valence, Juan Fabré, du docteur en droit Berenguer Clavell et de l'écrivain Maciá Just, Malla partit pour l'Angleterre et l'Écosse, envoyé à la fois par Benoît XIII et Ferdinand I. Ce dernier lui donna des lettres de créance pour le roi, les évêques et pour la haute noblesse d'Écosse, ainsi qu'un riche présent pour le souverain anglais, Henri V. L'ambassade avait trois objectifs essentiels : union de l'Église, paix entre la France et l'Angleterre moyennant le mariage d'Henri V avec l'infante María, fille aînée de Ferdinand I. En vue du premier objectif, il emportait un « Mémoire sur ce que doit accomplir en Écosse au nom de notre seigneur le Pape maître Philippe de Malla ». Il débarqua en Angleterre le 4 juillet 1415 et fut reçu par Henri V au palais royal de Winchester. Il exposa le but de sa mission et engagea des négociations qui durèrent plusieurs jours ; il informa Ferdinand de tout dans une lettre de Londres. La guerre entre la France et l'Angleterre étant sur le point d'éclater, il ne put se rendre en Écosse.

Son ambassade terminée, il partit pour Perpignan et y arriva à temps (4 novembre 1415) pour intervenir dans les accords de Narbonne, qui eurent pour résultat la soustraction d'obédience à Benoît XIII de Ferdinand d'Aragon. L'édit fut publié par saint Vincent Ferrier le jour de l'Épiphanie (6 janvier 1416). Malla se trouvait alors à Avignon et négociait avec Sigismond au nom de Ferdinand I ; trois jours plus tard, il informait l'empereur au nom de son monarque du pas accompli en faveur de l'union de l'Église. Sigismond ne pouvait contenir sa joie.

Vincent Ferrier avait exécuté l'ordre reçu à contre-cœur, ne voulant rien savoir du schisme, ni du Concile. Toutes les instances pour le faire aller à Constance furent vaines. Alors Ferdinand confia à Malla la difficile mission de publier sur ses terres la soustraction d'obédience. Le milieu était hostile ; Benoît XIII avait de nombreux partisans dans toutes les classes de la société. Malla inaugura sa campagne le jour de la Purification en la cathédrale de Barcelone et sa vie fut un moment en danger. Sa tâche fut plus facile à Valence, où il arriva le 15 février 1416, puis à Jativá et Alcira. Le 2 mars le roi estima sa mission terminée et lui fit savoir qu'il pouvait retourner chez lui. Grâce à Malla, l'opinion publique avait été retournée et gagnée à Ferdinand (Goñi Gaztambide, p. 333-35).

Vincent Ferrier et Felip de Malla s'étaient finalement rangés contre Benoît XIII, faute de trouver une autre issue pour sortir du schisme. On peut y voir une concession au conciliarisme, mais aussi un simple moyen de limiter l'autorité du pape. Si de la part du dominicain on peut exclure tout soupçon d'ambition humaine, peut-on en dire autant de la part de maître Malla ? Envoyé au concile de Constance en 1417, il y fit plusieurs discours ; il briguait et désirait vivement une mitre et même un chapeau de cardinal ; il se croyait des mérites pour cela (cf. la lettre de son porte-parole, Mosén Borra, du 31 oct. 1417, au roi d'Aragon, éd. par Goñi Gaztambide, p. 337-41). Ces désirs ne furent pas satisfaits, bien que le nouveau pape, Martin V, ait reconnu son zèle et lui ait accordé la prévôté de l'église de Valence.

Malla consacra le reste de sa vie à défendre les libertés catalanes contre Alphonse le Magnanime, et au ministère de la parole. En donnant l'oraison funèbre de Violante de Bar, veuve de Jean I (9 juillet 1431), il se sentit indisposé ; il mourut quelques jours plus tard.

2. THÉOLOGIE SPIRITUELLE. – L'écrit de Felip qui manifeste le plus largement sa pensée est le *Memorial del pecador remut* (Mémorial du pécheur racheté), rédigé en catalan. Il y traite, à travers des visions successives, de la « contemplació recogitativa o rememorativa » de la Passion du Christ. L'ouvrage comprend deux parties ; la première, dédiée à Manuel de Rajadell, archidiacre du Vallés à la cathédrale de Barcelone, et à Francisco Burgués de Viladecans, homme politique, a été éditée par M. Balasch (Barcelone, 1981 : citée I) ; la seconde reste inédite (un seul manuscrit connu : Valence, Cathédrale 154 ; citée II). On y remarque les fréquentes exhortations « nota, fill » (attention, mon fils), qui pourraient s'appliquer à l'auteur lui-même. Nous exposons l'enseignement spirituel des deux parties comme formant un tout.

1° *Le Christ.* – Felip appelle tous les chrétiens à prendre conscience de leur dignité :

« A vous, chrétiens vrais et fidèles, de tout état et de toute condition, hommes et femmes, ecclésiastiques et séculiers, prélats, rois et sujets de tout rang, grecs et latins, libres ou contraints à servir, noirs et blancs : soyez tous un en Jésus Christ, rassemblés en un seul corps surnaturel, mystique, dont vous êtes les membres et dont il est, lui, la tête... ».

Dans un long chapitre, traitant « de algunes exhortacions fetes al cor humanal per inclinarlo a aver compasió de les dolors e penes de Jhesus », Felip applique au Christ nombre d'appellations symboliques : Pilote, Lion de Juda, Aigle vainqueur et fortuné, Roi des rois... Il étale son érudition classique à propos des héros païens qui moururent avec courage (Caton, Lucrèce, Pyrame et Thisbé, Didon, etc.), qu'il cite à côté des héros bibliques, Éléazar, Judas Macchabée, Gédéon, Samson, etc. La souffrance de Jésus par compassion pour nous a été plus grande que celle qui lui vint de ses supplices, bien que cette dernière ait dépassé toute souffrance humaine endurée depuis le juste Abel jusqu'au dernier vivant (*Memorial* I, p. 100 ; cf. Thomas d'Aquin, *Summa theologica* 3ª, q. 46, a. 6).

Felip enseigne que le Christ doit être aimé « dulcemente, castamente (no mercenariamente), magníficamente, prudentemente » (I, p. 11-154). L'œuvre est bâtie sur l'unique thème de la rédemption du genre humain, mais elle comporte bien des excroissances religieuses et profanes ; toute la théologie (dogme et morale) y est touchée à travers les vues de Felip. Dans sa christologie, il se montre fidèle disciple de Thomas d'Aquin, bien qu'il préfère la position scotiste à propos des motifs de l'incarnation (Balasch, Introduction au *Memorial* I, p. 1-15).

2º *Le sacrement de pénitence*. – Le pénitent doit veiller à ne pas tomber dans les pièges de la duplicité, qui va contre l'intégrité du sacrement : comme le guetteur, quand vient la nuit, surveille particulièrement les points par où l'ennemi pourrait escalader les remparts, le pénitent doit prendre garde aux faux-semblants, aux duplicités hypocrites. Mais il faut également éviter l'excès opposé : aucun besoin en confessant ses péchés de les étaler et détailler, au risque d'y trouver un plaisir malsain ou de scandaliser. L'aveu doit être clair, simple, humble, loyal. Il faut aussi éviter les minuties ridicules, comme aussi de chercher à se faire passer pour saint (II, ms, f. 318). En résumé, la confession, bien faite, est un sûr asile contre l'enfer et une lumière qui guide vers le ciel ; pour qu'elle soit valide, il y faut joindre la contrition du cœur et la satisfaction (f. 4rv).

3º *La Messe, sacrifice et sacrement*. – Dans l'Eucharistie on adore Jésus Christ en sa présence réelle, laquelle continue une fois la messe terminée. Il nous a laissé son Corps comme gage de la Gloire, récompense de la vertu, réconfort de sa Passion (I, p. 155). C'est un sacrifice qui plaît toujours au Père, bien qu'on y intercède pour des pécheurs ; ainsi Dieu accueillait-il autrefois les prières de Moïse et d'Aaron pour le peuple prévaricateur. L'Eucharistie est « mémorial de la Passion » ; comme elle, elle ne profite qu'à ceux qui sont unis à Jésus par la foi et la « dévotion ». Cette « dévotion » est, selon la conception de Felip, d'un grand mérite et grandement efficace pour obtenir la grâce ; elle dépasse les ressources de l'intelligence et des sens, elle vient donc de l'Esprit en nous. Mais le sacrement ne profite pas à qui le reçoit en état de péché mortel : le fait de manger, si agréable qu'il soit, ne peut nourrir un corps mort, et le pécheur est spirituellement un mort (II, ms, f. 159rv).

La « très dévote contemplation » dont l'épigraphe dit qu'elle fut faite par Felip de Malla « estant en lo pas de la mort » (éd. par Riquer et Comas, t. 3, p. 397-98), s'arrête surtout au mystère eucharistique ; l'auteur y détaille les misères de sa vie et les pleure. Cette contemplation fut-elle improvisée à l'approche de la mort ou rédigée bien avant ?

4º *Marie*. – Malla présente de façon dramatique la rédemption du genre humain et met en relief le rôle qu'y joue la Mère de Dieu, corédemptrice en raison de son intime union à son Fils et de son acceptation du plan divin. Si le glaive transperça son âme et la fit défaillir, sa foi en son Fils demeura intacte quand survint le drame de la passion (*Memorial* I, p. 95). Pour vénérer cette foi indéfectible, l'Église a établi la messe en l'honneur de Marie chaque samedi de l'année liturgique (I, p. 182). Felip compare la Vierge Mère de Jésus à cette pierre appelée « abeston », qu'on trouve en Arabie et qui, une fois embrasée, ne s'éteint jamais plus et éclaire toujours (I, p. 183).

Malla prêche le privilège de l'immaculée conception dans un sermon (publié plus tard par Lambert Palmar, Valence, 1488). J. Perarnau l'a noté : ce privilège marial n'a pas fait difficulté à Malla, pas plus qu'à l'université de Paris où il avait étudié (*Correspondencia politica* de Malla, éd. Perarnau, p. 42). Parmi les autres titres marials chers à notre auteur, relevons celui de médiatrice (*ibidem*, p. 7) et, sans qu'il en emploie l'expression, celui de mère de l'Église (cf. Vatican II, *Lumen Gentium*, n. 53). Il décrit en effet la sollicitude et les soins maternels de Marie à l'égard de l'Église déchirée par le schisme, une Église qui n'est pas immaculée et qui doit sans cesse lutter contre le péché de ses membres. Marie est le plus ferme soutien et l'espérance de la chrétienté dont la tête (le pape) est divisée ; sans Marie, « bâton d'or qui sert d'appui à la foi de l'Église », rien ne pourrait porter remède à sa douleur (*Sermo de la Passió*, dans Riquer et Comas, t. 3, p. 404-05).

5º A propos des *apôtres*, Felip, guidé par une sibylle, a la vision, très allégorique, d'un édifice soutenu par des piliers qui ont vacillé et sont tombés ; un pilier particulier représente Pierre, qui tomba et pécha plus gravement que les dix autres. Toutes leurs lampes s'éteignirent : les apôtres avaient perdu la foi (*Memorial* II, ms, f. 172).

Dans un curieux monologue, Felip décrit la tentation particulière de chaque apôtre ; tous expriment leur déception profonde devant l'échec apparent de leur Maître, essaient de se justifier en rappelant telle scène de sa vie ou telle de ses paroles : c'est une page d'une beauté tragique, sans désespoir cependant. La sibylle commente à son tour l'abandon des apôtres. Felip lui demande pourquoi Pierre tomba plus lourdement que les autres, mis à part Judas dont le péché est le plus grand de tous. Elle répond : le Seigneur le permit parce que, voulant le mettre à la tête de son Église chef et pasteur de tous les chrétiens, il aurait ainsi compassion pour tous et pour leurs faiblesses. Ce qui le sauva de sa chute, ce fut le mystérieux regard que Jésus posa sur lui dans la maison du grand prêtre. De cette vision, Felip tire une solide leçon de la pénitence pour les péchés, basée sur l'Évangile et la tradition (f. 172-177).

3. LA RÉFORME DE L'ÉGLISE. – Bien que le concile de Constance ait porté remède au grand schisme, condamné Wiclef et Jean Huss, il n'avait pu mettre sur pied un plan de réforme intérieure de l'Église. Cependant les hommes remarquables ne manquaient pas qui s'élevaient contre les abus, tels Vincent Ferrier, Jean de Capistran, Jean Gerson, etc. Felip de Malla par son *Memorial* et ses prédications prend place à leur côté.

Il apparaît comme réformateur par son enseignement même, appelant essentiellement à suivre et imiter le Christ dans sa vie douloureuse, à porter sa croix par amour, à déposer toute cruauté envers autrui, tout désir de vengeance, etc. (*Memorial* II, ms, f. 318v). Personnifiant les vices, il les présente comme les ennemis acharnés du Christ et, par voie de conséquence, comme faisant le malheur de l'homme et de son prochain (cf. I, p. 187, 210 ; II, ms, f. 4r, 24r). Les tentations peuvent être vaincues par la méditation et le souvenir de la Passion du Christ (I, p. 108).

Devant le monde de son temps, Malla ne se borne pas à dénoncer les abus, il invite au redressement ; ainsi la ville de Barcelone (i, p. 198). A propos du clergé, il attaque la simonie et les abus multiples dans l'attribution des bénéfices ; le Seigneur chassa les marchands du temple ; Felip souffre d'avoir sous les yeux ces abominations (ii, ms, f. 22r, 24-25). Pourquoi les prélats favorisent-ils, non les clercs savants et méritants, mais ceux qui les servent (f. 23v) ? Devant les misères de l'Église et de son clergé, Felip pressent la venue de l'Antéchrist (f. 27r). Mais il sait qu'il y a de bons prêtres, vivant honnêtement ; il loue l'évêque de Barcelone, Climent, pour son zèle et son activité au service de la gloire de Dieu, et lui exprime sa gratitude (f. 26v) ; etc.

Felip de Malla a déployé une activité assez remarquable dans la politique civile et ecclésiastique de son temps. Il n'a pas encore été estimé à sa juste valeur comme théologien et comme orateur. A maints égards, il fait songer à Jean Gerson (1363-1429 ; DS, t. 6, col. 314-31) : tous deux professent plus ou moins la même théologie, interviennent dans le schisme, participent au concile de Constance. Mais les nuances ne manquent pas ; en particulier il nous semble que Felip se montre plus ouvert que Gerson aux courants modernes.

Le biblisme est une marque majeure du Memorial, non seulement par les fréquentes citations en langue vulgaire ; comme chez les humanistes de la Renaissance, Felip voit dans la Bible le plus merveilleux des poèmes. On a dit l'estime qu'il porte à la sagesse antique ; il ne se contente pas de l'utiliser à l'appui d'enseignements de type moral ; il lui confère un rôle propre : il met sur les lèvres de la sibylle un discours où elle déclare avoir été choisie par Dieu pour faire connaître aux hommes certaines vérités concernant le Messie ; et Felip ajoute : « car gran e francha es la virtut divina, *quia Spiritus Dei ubi vult inspirat* » (*Correspondencia politica*, p. 53).

Autre aspect modernisant de Felip, l'importance qu'il donne au portrait physique et moral de ses héros, en particulier à celui de Jésus (à propos du témoignage de Flavius Josèphe : II, ms, f. 319v ; I, p. 32-36) ; il évoque aussi les corps, les sens, le plaisir, les femmes, avec des yeux qui ne sont plus du moyen âge. Il connaît Dante et le *Roman de la rose* (cf. Riquer et Comas, t. 3, p. 398), mais aussi les *Révélations* de Brigitte de Suède † 1373 (DS, t. 1, col. 1943-58) dont le culte pour la Passion du Christ a dû le marquer.

Malla a vécu en un temps où les réformes étaient à l'ordre du jour ; en ce domaine, son action semble avoir été moins efficace que son rôle dans le dénouement du schisme. S'il a plusieurs fois élevé la voix contre la corruption et s'il la condamne dans le *Memorial,* une étude approfondie de ses sermons restés manuscrits manque encore qui permettrait de faire de lui un grand prédicateur de la réforme de l'Église ; sur ce point, nous estimons exagérée l'opinion de M. de Riquer et A. Comas (t. 3, p. 401). Dans la dernière période de sa vie, alors qu'il résidait dans son canonicat, on n'a guère de traces d'une action profonde et dévouée pour l'annonce de l'Évangile dans toutes les classes de la société. Dernière notation à relever : Felip n'a pas fait école et son influence doctrinale ou spirituelle semble avoir été restreinte ; le

fait qu'il ne nous reste qu'un seul manuscrit de la seconde partie du *Memorial* est un signe à cet égard.

*Œuvres. – Correspondencia politica,* éd. J. Perarnau, coll. Els nostres classics A/114, Barcelone, 1978. – *Memorial del pecador remut,* 1e partie, éd. M. Balasch, même coll. A/118, 1981 ; éd. incunables : Gérone, 1483 ? Barcelone, 1495 ? (cf. C. Haebler, *Typographie ibérique du 15e siècle,* Leipzig-La Haye, 1902, n. 39 et 113) ; 2e partie, ms Valence, Cathédrale 154. – *Devota contemplació del preciós cors de Jesuchrist,* ms Barcelone, Bibl. Central 53 ; éd. J. Vives, dans *Analecta Sacra Tarraconensia,* t. 24, 1951, p. 27-31 ; attribution incertaine. – Sermons : ms Barcelone, Bibl. Central 466, contient 15 sermons en latin et en catalan ; éd. de 2 sermons catalans par M. Olivar, *Parlaments en el Consistori de la Gaia Ciencia,* Barcelone, 1921.

*Sources et études. –* F. Torres Amat, *Memorias,* Barcelone, 1836, p. 356-57. – Miquel Carbonell, *De viris illustribus catalanis suae tempestatis libellus,* éd. M. Bofarull y de Sartorio, dans *Colección de documentos inéditos del Archivo General de la Corona de Aragón,* t. 18, Barcelone, 1864, t. 244. – F. de Bofarull y Sans, *Felipe de Malla y el Concilio de Constanza,* Gérone, 1882. – H. Denifle, *Chartularium Universitatis Parisiensis...,* t. 4, Paris, 1897, p. 89.

J. Rius Serra, *Subsidia biographica vaticana,* dans *Analecta Sacra Tarraconensia,* t. 6, 1930, p. 242-50. – S. Puig y Puig, *Episcopologio de la sede barcelonense,* Barcelone, 1929, p. 312-13. – J. Goñi Gaztambide, *Los españoles en el Concilio de Constanza,* dans *Hispania Sacra,* t. 15, 1962, p. 333-35. – *Repertorio de historia de las Ciencias eclesiásticas en España,* t. 1, Salamanque, 1967, p. 275-76. – M. de Riquer et A. Comas, *Historia de la literatura catalana,* t. 3, Esplugues de Llobregat-Barcelone, 1980, p. 387-425.

Ramón Robres Lluch.

**7. PHILIPPE DE MERON**, franciscain, 2e moitié du 15e s. – Philippe de Meron est peu connu. Il était, dit-on, franciscain, docteur en théologie ; il vécut en Suède dans la seconde moitié du 15e siècle. Voulant introduire, outre la commémoration de la mort de saint Joseph du 19 mars, une seconde fête pour vénérer son rôle envers l'Enfant Jésus après l'octave de l'Épiphanie, il reçut trois fois la visite d'une pieuse dame qui, à la suite d'apparitions de Notre-Dame, l'engagea à vaincre ses hésitations à ce sujet et à défendre cette cause devant les chanoines de l'église de Linkoeping. Sur ses instances, ceux-ci obtinrent des évêques de Suède l'institution de la dite fête, avec office de neuf leçons, le 14 janvier.

Cette information, dont on ne trouve ailleurs ni témoignage ni preuve ni confirmation, est donnée par Philippe dans un texte où, parlant à la première personne, il raconte cette institution. Ce texte fut d'abord connu comme onzième chapitre de *Die historie vanden heiligen patriarch Joseph, brudegom der maget maria ende opvoeder ons heren ihesu cristi* (anonyme, en moyen néerlandais, Gouda, vers 1498 ; à la Bibl. Royale de la Haye). On en a déduit que Philippe était l'auteur du livre et qu'il l'aurait écrit dans les Pays-Bas à son retour de Suède.

Quelques fragments parallèles latins du ms 6 M 18 (f. 29r-50v) du Grand Séminaire de Liège (actuellement Bibliothèque publique A. Ménon) furent interprétés un peu facilement comme des essais d'une traduction restée inachevée. Mais le ms 4837 de la Bilbl. Royale de Bruxelles (f. 168r-176v) nous révéla l'existence d'une version intégrale en latin, qui est en fait l'original ; le texte néerlandais en dérive.

Quant au récit lui-même deux remarques s'imposent. Dans l'incunable, le récit vient comme le onzième chapitre, à la suite de la Vie et des Éloges de saint Joseph ; mais aucun lien logique ou grammatical ne noue ces textes entre eux, ni aucune transition rédactionnelle. Aussi peut-on se demander si le récit n'a pas mené une existence séparée avant d'être subsumé dans le cadre que l'éditeur lui a prêté. De plus, le précieux ms de Bruxelles est malheureusement tronqué à partir du ch. 9, dont manque la fin ; peut-on dès lors supposer que notre récit suivait un ch. 10, comme dans le texte néerlandais ? Ce double doute empêche de connaître sûrement l'origine du récit et d'attribuer *Die historie* avec certitude à Philippe de Meron.

*Die historie* a influencé les vies postérieures de saint Joseph dans les Pays-Bas. Elle est explicitement citée et utilisée par Jan van Denemercken (plus exactement : Denemarcken ou de Demmerik, nom d'un château hollandais) dans son *Een scoon genuchlike historie van den heilighen Joseph* (éd. probablement à Nimègue, Petrus Elzenius, 1547 ; cf. aussi Archives provinciales des Capucins, Bois-le-Duc, ms 5) : ici comme dans *Die historie*, le récit est à la première personne.
L'anonyme *Die legende vanden heylighen Joseph* (Bibl. Royale de Bruxelles, ms IV 138, f. 316v-323v) est aussi influencé par *Die historie* ; il transpose le récit de l'institution de la fête à la troisième personne.

Il faut regretter qu'en dehors du récit aucun document ne nous renseigne sur la personnalité de Philippe de Meron et que l'attribution de *Die historie* ne soit pas certaine. Ce texte, qui représente peut-être la première vie de saint Joseph dans les Pays-Bas, a sa valeur intrinsèque ; bien qu'écrit par un maître en théologie, il offre à un vaste public une présentation de la vie et du culte de Joseph remarquablement développée. Tout en accueillant des données provenant des apocryphes, il respecte l'essentiel de l'Écriture canonique, le dogme catholique et ne manque ni d'onction ni de saine dévotion. Il est un document primordial en ce qui concerne la dévotion à Saint Joseph.

M. Verjans, *De eeredienst van den H. Jozef en P. Filip van Meron...*, OGE, t. 7, 1933, p. 342-47. – T. Bosquet, *Philippe de Meron... et l'« Histoire » de S. Joseph*, dans *Saint Joseph durant les quinze premiers siècles de l'Église* (= *Cahiers de Joséphologie*, t. 19, Rome, 1971, p. 497-528). – Benjamin De Troeyer, etc., *Bio-bibliographia franciscana neerlandica ante saeculum XVI*, t. 1, Nieukoop, 1974, p. 159-167 (bibl.) ; t. 2, p. 94-95 ; t. 3, p. 139-140. – A. Ampe, *Philips van Meron en Jan van Denemarken*, OGE, t. 50, 1976, p. 10-37 ; 148-203 ; 260-308 ; 353-77 ; 51, 1977, p. 169-97 ; 367-90 ; *Philippe van Meron, O.F.M. et Jan van Denemarken. Nouveaux aspects sur le développement de la dévotion à saint Joseph aux Pays-Bas vers 1500*, dans *Cahiers de Joséphologie*, t. 25, 1977, p. 477-99 ; *Een handschrift uit Soeterbeeck met werk van Jan van Denemarken*, dans *Handelingen XXXIX der Koninklijke Zuidnederlandse Maatscheppij voor Taal- en Letterkunde en Geschiedenis*, 1980, p. 5-46.
DS, t. 8, col. 1310.

Albert AMPE.

## 8. PHILIPPE DE MÉZIÈRES, laïque, 1327?-1405. – 1. *Vie*. – 2. *Œuvres*.

1. VIE. – Philippe de Mézières est né, probablement en 1327, dans une famille de petite noblesse de l'Amiénois. Après des études à l'école capitulaire d'Amiens, ce cadet de famille débute une vie aventu-

reuse : vers 1345, il apprend en Italie le métier des armes. Il rejoint ensuite en Orient l'expédition du dauphin Humbert II et il est armé chevalier après la bataille de Smyrne (1346). Dès ce moment, il noue des liens avec les Lusignan de Chypre : le roi Hugues IV et surtout son fils Pierre, comte de Tripoli, qui rêve de la Croisade.

En 1347, Philippe fait un pèlerinage en Terre sainte qui le bouleverse : il ressent douloureusement la honte que constitue pour la foi catholique et pour la Chrétienté la profanation par les Infidèles des Lieux saints de la Passion. D'ores et déjà enflammé pour la Croisade, il est persuadé que c'est Dieu qui lui inspire au Saint-Sépulcre le projet de créer un nouvel ordre militaire, la Chevalerie de la Passion de Jésus-Christ, qui recouvrerait Jérusalem pour les Chrétiens. Réaliser ce passage outre-mer va être la grande entreprise de sa longue vie.

De retour à Chypre, au service de Hugues IV, il obtient pour son projet l'appui de Pierre de Tripoli qui, au plus tard en 1349, l'envoie en Occident chercher, mais en vain, d'autres soutiens. On perd alors sa trace. Est-ce ici, ou avant 1345, qu'il faut situer ses études à l'université de Paris ? On le retrouve en tout cas en 1354-57 engagé dans le conflit franco-anglais ; puis il disparaît à nouveau. On ne sait si au long de cette période il a tenté d'agir en vue de la Croisade.

Or Pierre de Tripoli en 1358-60 devient roi de Chypre et de Jérusalem et Philippe, en 1360 ou 1361, chancelier de Chypre, titre qu'il gardera jusqu'à sa mort. Alors commence l'épopée de ces trois partisans ardents de la Croisade que furent Pierre I, Philippe de Mézières et le carme Pierre Thomas, légat pontifical pour le passage en 1364. Pour recouvrer son « héritage » de Jérusalem, Pierre I recherche des appuis en parcourant l'Europe (1362-65). Son chancelier l'accompagne ou se multiplie de son côté pour rendre possible la Croisade tant désirée : Pierre Thomas et Philippe parviennent notamment à rétablir la paix entre la Papauté et Bernabo Visconti. Peut-être est-ce en 1364, sinon en 1367-68, qu'il faut situer le grand voyage de propagande de Philippe à travers une vaste partie de l'Europe et jusqu'en Scandinavie.

En dépit du résultat peu encourageant de ce long séjour à l'Ouest, une expédition est organisée qui aboutit en 1365 à la prise d'Alexandrie, à l'immense joie de Philippe, à qui Pierre I remet le tiers de la ville pour aider à la création de la Chevalerie de la Passion. Mais la plupart des croisés obligent à abandonner la ville presque aussitôt, au désespoir du roi, du légat et du chancelier qui ne s'en consoleront jamais.

En 1366, Philippe est fort affecté par la mort de Pierre Thomas qui le prive de son père spirituel et d'un ami véritable s'il en fut. Rapidement persuadés par les miracles de la sainteté du légat, Pierre I et Philippe vont rechercher, sans grand succès, sa canonisation. Malgré cette perte, ils tentent de trouver en Occident des appuis pour une nouvelle expédition. Philippe repart donc en Europe en 1366, mais il reste bredouille ; finalement ses efforts tournent court avec l'assassinat à Chypre du roi Pierre en janvier 1369, événement qui bouleverse Philippe et le cours de sa vie. Avec la disparition de ce prince qu'il admirait tant, il perd sa position à Chypre. Résidant alors à Venise, dont il est citoyen depuis 1365, il y traverse une période douloureuse, souhaitant se retirer du monde et écrivant son testament en 1370-71.

Ami de Pétrarque depuis peut-être déjà quelques années, Philippe pénètre dans les milieux dévots vénitiens. Il appartient à l'une des plus importantes confraternités de la ville, la *scola* de saint Jean l'Évangéliste, à laquelle il donne en décembre 1370 le morceau de la Vraie Croix que lui a légué Pierre Thomas. Cette relique, encore existante, devait faire la célébrité de la confrérie par les miracles qu'elle allait opérer. Peut-être sous l'influence de Pétrarque et de son entourage, Philippe noue aussi des liens avec la chartreuse de Montello, près de Trévise, à laquelle il fait diverses donations ; il apporte son soutien à ces Chartreux dont il admire tant la valeur spirituelle.

C'est à Venise que Philippe commence son action pour l'instauration en Occident le 21 novembre de la fête de la Présentation de Marie au Temple qui, quoique fondée sur les textes apocryphes, est une des solennités les plus importantes de l'Église grecque et qu'il a vu célébrer également dans l'Église latine de Chypre. Soutenu par ses amis vénitiens eux aussi dévots de la Vierge, Philippe parvient dès 1370-71 à faire adopter la nouvelle fête par les milieux franciscains de la ville.

Après trois années à Venise, Philippe se rend début 1372 à la cour pontificale d'Avignon comme ambassadeur de Pierre II de Chypre auprès du pape Grégoire XI ; puis il passe le reste de l'année au service du pape, dont il semble bien avoir été proche et de qui il obtient qu'il tolère la fête de la Présentation de la Vierge, laquelle est célébrée en grande solennité à Avignon le 21 novembre 1372.

Philippe est ensuite appelé au service du roi de France Charles V, dont il est l'un des conseillers favoris de 1373 à 1380. Également gouverneur du dauphin, le futur Charles VI, il utilise son influence auprès de ce roi dont il admire la piété et la sagesse : il gagne Charles V à la fête de la Présentation de Marie, célébrée à la Cour en 1373 et pour l'adoption de laquelle le roi écrit en divers endroits de France et même à l'étranger. Philippe obtient aussi de Charles V que la Vulgate, critiquée par un grand personnage du royaume, ne soit pas soumise à révision ; il est soutenu en cela par Pierre d'Ailly qui lui adresse la préface de son *Epistola contra novos Hebreos* écrite à cette occasion en 1378. Par contre, les résistances sont trop vives pour que Philippe obtienne l'abolition de la coutume refusant le sacrement de pénitence aux condamnés à mort ; un acte royal de 1396 lui donnera tardivement satisfaction.

Philippe est douloureusement affecté par le schisme qui désunit l'Église à partir de 1378 et fait aussi par là obstacle à la Croisade. Il se rallie vite à Clément VII, dont il défendra la cause avec ardeur tout en souhaitant l'avis d'un concile général. Entre autres missions diplomatiques dont Charles V l'a chargé, il semble que Philippe soit allé à Milan tenter, mais en vain, de gagner Jean-Galéas Visconti à la cause clémentine.

Au plus tard en 1379, il noue des liens étroits à Paris avec les Célestins, un ordre qui jouit déjà d'une grande faveur, spécialement à la Cour. Philippe fait construire dans leur monastère une infirmerie et une chapelle de la Vierge, tandis qu'auprès du roi il travaille à promouvoir la cause de ces Célestins qu'il admire tant et que, dit-il, seuls les Chartreux surpassent en valeur spirituelle.

Ce n'est sans doute qu'à la mort de Charles V, en septembre 1380, que Philippe se retire définitivement au couvent des Célestins de Paris, quoiqu'il ait fort bien pu, dès avant cette date, y vivre d'abord une semi-retraite. C'est là qu'il va passer les vingt-cinq dernières années de sa vie ; sans faire profession,

sinon à l'heure de sa mort, il vit sans doute comme les moines qui l'entourent. Son confesseur est Pierre Poquet, le plus notable Célestin du temps, plusieurs fois provincial de l'ordre en France. Le jeune cardinal Pierre de Luxembourg, vers 1385-86 sans doute, subit l'influence de Philippe avec qui il s'est étroitement lié ; ses proches, lors de son procès de canonisation en 1390, témoigneront de la piété du « solitaire des Célestins », « le plus dévot de tous les dévots de Paris ».

Très généreux pour le couvent où il habite désormais, Philippe appuie également l'extension de l'ordre des Célestins et notamment leur installation (effective en 1401) à Amiens, sa ville natale ou peu s'en faut. Dans sa retraite, où de 1381 à 1397 il écrit la plupart de ses œuvres, il poursuit ses combats antérieurs : il prolonge son action pour la fête de la Présentation de la Vierge, adoptée par Clément VII en 1385, et surtout il continue à espérer la mise sur pied d'une Croisade. En 1388, la majorité de Charles VI et le retour à la Cour des « marmousets » ravivent ses espérances, vite contrariées toutefois par la folie du roi à partir de 1392. Tandis qu'il continue à recruter des adhérents, trop rares !, pour sa Chevalerie de la Passion, il pousse à la paix entre la France et l'Angleterre et se réjouit du mariage franco-anglais de 1396. Même après Nicopolis, inquiet devant la progression des Ottomans, il espère toujours dans le succès d'une Croisade qui serait enfin organisée selon ses conseils.

On sait peu de chose sur la fin de la vie de Philippe. Son amitié avec Louis d'Orléans, autre disciple des Célestins, lui vaudra les calomnies posthumes de Jean Petit en 1408 et des pamphlétaires bourguignons, qui le présenteront entre autres comme un faux dévot. On a soutenu que Gerson, en 1403 ou 1405, aurait écrit à l'intention de Philippe une lettre de direction spirituelle et lui aurait envoyé un « art de mourir », mais cette hypothèse de M. Lieberman est trop peu assurée. Au terme de son long pèlerinage terrestre, le « vieil pelerin » meurt le 29 mai 1405 ; selon sa volonté il est enterré dans le couvent en toute simplicité et sous l'habit célestin.

2. ŒUVRES. – A la suite de N. Iorga, on a trop aligné la vie de Philippe sur l'unique but de la Croisade. Si le passage a primé dans ses préoccupations, cet homme passionné et enthousiaste n'en a pas moins mené d'autres combats, et surtout il faut replacer cette obsession de la Croisade dans son contexte spirituel tel qu'il nous est révélé par les écrits de Philippe sur la Chevalerie de la Passion qu'il voulait créer : la « Règle » de l'ordre rédigée en 1368 et 1394 (lat. ; Paris, Mazarine, ms 1943), la présentation plus littéraire qu'il en donne en 1396 (fr. ; Paris, Arsenal, ms 2251), la *Sustance de la Chevalerie de la Passion*, version abrégée envoyée au frère du roi d'Angleterre Richard II (entre 1389 et 1394 ; éd. Hamdy, 1964), enfin l'*Epistre lamentable et consolatoire* adressée au duc de Bourgogne Philippe le Hardi en 1397 après le désastre de Nicopolis (Bruxelles, Bibl. roy., ms 10486 ; éd. partielle Kervyn de Lettenhove, 1872).

Ce nouvel ordre militaire devra non seulement reprendre Jérusalem en menant la guerre de Dieu et s'établir en un nouveau royaume latin, mais aussi, par sa haute valeur spirituelle, être le miroir et l'exemple qui permettra à la Chrétienté de se réformer spirituellement et moralement. Les membres de l'ordre, en effet, vivront en accord avec leur foi chrétienne, en privilégiant les trois éléments essentiels que sont le culte de la Passion, trop négligé aujourd'hui par l'ingratitude des chrétiens mais qui sera le fondement de la Chevalerie et la source du renouveau de la Chrétienté ; la dévotion à Marie, que Philippe institue protectrice de l'ordre ; la Charité enfin, autrement dit l'Amour, qui est la base de tout édifice spirituel. En outre, la milice de la Passion pratiquera toutes les vertus, à l'encontre des trois puissances qui dominent aujourd'hui le monde, Orgueil, Avarice et Luxure. Ainsi, en même temps qu'elle ramènera les chrétiens au culte de la Passion et qu'elle conduira à la réunification de l'Église et à la propagation de la foi, la Chevalerie permettra, par la réforme de la Chrétienté, de reprendre la Jérusalem terrestre avant de conquérir la Jérusalem céleste, sauvant ainsi de nombreuses âmes.

Le même projet réformiste sous-tend le *Songe du viel pelerin*, vaste rêve allégorique dédié à Charles VI en qui Philippe place beaucoup d'espérances (1386-89 ; 8 mss ; éd. Coopland, 1969). Les vertus personnifiées, Vérité, Paix, Justice et Miséricorde y parcourent le monde, puis viennent en France et rendent finalement visite à Charles VI, à qui elles donnent une leçon de gouvernement. Toujours accompagnées de leur guide Ardent Désir – Philippe de Mézières lui-même – et de sa sœur Bonne Espérance, elles examinent l'état spirituel et moral des endroits où elles passent, mais demeurent presque partout insatisfaites. En dépit du constat d'échec final, Philippe garde l'espoir malgré tout.

Pour permettre la réforme générale qu'il appelle de ses vœux et le grand passage vers Jérusalem, il recherche la paix en Occident en envoyant au roi d'Angleterre son *Epistre au roi Richart* (1395 ; éd. Coopland, 1976), où il l'exhorte à faire la paix avec Charles VI en épousant sa fille avant, de concert avec le roi de France, de mettre fin au schisme et de prendre la tête de la Croisade et de la Chevalerie de la Passion.

A l'instar de celle-ci, l'ordre des Célestins peut, selon Philippe, contribuer par l'exemple à la réforme spirituelle et morale de la Chrétienté ; il en souhaite donc l'extension et, dans son épître à Jean Roland, évêque d'Amiens, il lui demande de favoriser l'installation des Célestins dans sa ville (1382 ; Paris, B.N., lat. 14454).

Par ailleurs, dans le *Livre de la vertu du sacrement de mariage et du réconfort des dames mariees* (entre 1385 et 1389 ; Paris, B.N., fr. 1175), Philippe traite des exigences du mariage chrétien, tout en méditant sur les noces mystiques entre Dieu et l'âme dans la Création, entre Jésus Christ et notre humanité dans l'Incarnation, entre le Christ enfin et l'Église, représentée par Marie, dans la Passion. Aux femmes mariées en même temps qu'à l'âme chrétienne, il donne en exemple l'histoire de Griseldis qui, dans la traduction de Philippe d'après la version latine de Pétrarque, va connaître, indépendamment du *Livre de la vertu*, une grande diffusion (éd. Golenistcheff-Koutouzoff, 1933).

S'adressant maintenant aux prêtres et tout spécialement à son neveu Jean de Mézières, chanoine de Noyon, dont la vie peu édifiante l'attriste beaucoup, Philippe exprime sa haute idée de la fonction sacerdotale ; de celle-ci son neveu néglige l'expérience essentielle, la dignité suprême, celle de consacrer les espèces et de manger chaque jour à la Table de Dieu dans l'Eucharistie, à quoi Philippe attache tant de prix (1381 ; lat. ; Besançon, B.M., ms 1986).

Plus encore que l'Eucharistie, le culte de la Passion et celui de Marie sont omniprésents dans la vie spirituelle de Philippe et dans ses écrits. Réellement hanté par la Passion du Christ, par son sens et par ses symboles, par la Croix et par le Sang, il lui consacre son *Oracio tragedica Passionis*, où il exprime son immense espoir dans la vertu salvatrice du sacrifice de l'Agneau lorsque viendra l'heure du jugement de l'âme (1389-90 ; Paris, Mazarine, ms 1651).

Marie est l'autre recours ultime, médiatrice entre son Fils-Juge et l'homme, l'avocate des pécheurs. Depuis son enfance, Philippe lui voue un culte intense qui trouve son expression la plus accomplie dans son action en faveur de la fête de la Présentation de la Vierge : dans une lettre adressée à tous les chrétiens, il fait l'historique de la récente introduction de la fête en Occident puis expose le profit que les fidèles tireront de cette nouvelle dévotion ; il rédige même pour cette fête la mise en scène d'un jeu liturgique, dont la substance n'est cependant vraisemblablement pas de lui, pas plus que l'office de la Présentation qu'il a soumis à Grégoire XI et dont on l'a longtemps crédité (le tout édité d'après Paris, B.N. lat. 17330, qui appartenait à Philippe : éd. Coleman, 1981).

Culte de la Passion et dévotion à la Vierge occupent, avec l'Eucharistie, une place très importante dans le livre de prières compilé par Philippe pour son usage et celui des Célestins, recueil trop méconnu quoique dom Wilmart l'ait estimé l'un des plus importants livres de *preces* médiévaux (après 1380 ; lat. ; Paris, Mazarine, ms 516). Il est aussi significatif que ce soit précisément ces deux thèmes qui soient représentés sur la belle plaque gravée placée à la mémoire de Philippe au-dessus de son tombeau ou dans sa chapelle et qui semble dater de la fin du 14ᵉ siècle, donc du vivant de Philippe, qui en tout cas en a très vraisemblablement fixé le programme iconographique : elle le montre au registre supérieur agenouillé devant une Vierge à l'Enfant, tandis qu'au registre médian figure une Crucifixion (Anvers, musée Mayer van den Bergh).

En implorant d'avance pour l'heure terrible du Jugement le bénéfice de la Passion et l'intercession de la Vierge, Philippe se prépare à la mort. Il médite sur les fins dernières dans la *Contemplacio hore mortis et instrumentum agonisantis* et dans le *Soliloquium peccatoris cujusdam cum Deo seu ars navigandi ad portum salutis* (1386-87 ; Paris, Arsenal, ms 408). Surtout, dans la *Preparacion en Dieu de la mort d'un povre et viel pelerin*, qu'on appelle souvent son « Testament », texte d'une grande importance quoique trop ignoré, il indique de quelle façon il faudra maltraiter sa charogne en signe de vengeance contre ses péchés et son orgueil (1392 ; éd. Guillemain, 1978) : renchérissant sur la mise en scène ultime voulue par le légat Pierre Thomas, Philippe fait montre ici, selon J. Huizinga, d'une humilité hyperbolique et exhibitionniste. On ne sait d'ailleurs si lors de son enterrement, qui eut lieu certes dans la simplicité, ses curieuses dispositions de 1392 ont été finalement respectées.

Cette œuvre littéraire relativement abondante comprend encore l'intéressante biographie du père spirituel de Philippe, Pierre Thomas, écrite certainement en vue de la canonisation de celui-ci mais qui constitue également un document historique de premier ordre sur la Croisade au 14ᵉ siècle (1366 ; lat. ; BHL 6778-80 ; éd. Smet, 1954). Ce texte, dont il existe une traduction française du 15ᵉ siècle, a directement inspiré l'autre biographie du légat, due au franciscain Jean Carmesson. On conserve enfin un recueil de lettres de Philippe, dont certaines présentent un intérêt spirituel (lat. ; Paris, Arsenal, ms 499).

Trois ouvrages certains sont perdus : une *Lamentacio super Jerusalem de negligencia christianorum* (1366 ?) et, écrits entre 1380 et 1389, une *Epistre secrete de doulce amonicion*, dédiée à Charles VI, et un *Pelerinage du povre pelerin*. Enfin, au chapitre des attributions controversées figurent avant tout deux œuvres : l'adaptation au théâtre en 1395 de l'histoire de Griseldis, à supposer qu'elle ne soit pas due à Philippe, a peut-être été commandée par lui ; surtout, le *Songe du vergier* (1378), texte considérable et bien connu, souvent attribué autrefois à Philippe, est plutôt mis aujourd'hui au crédit d'Évrart de Trémaugon.

Ce panorama de son œuvre éclaire mieux encore la dimension spirituelle essentielle de Philippe et sa foi profonde et indiscutable, renouvelée au long de sa vie par plusieurs « conversions ». Ce dévot de la Passion, de la Vierge, de l'Eucharistie, cet homme préoccupé par la mort, avait l'esprit et la spiritualité de son temps et n'avait rien d'un novateur, tout en étant un réformiste. Il est cependant plus original par son immense dessein salvateur lié à la Croisade et par son action en faveur de la fête de la Présentation de la Vierge.

De par sa vocation sociale, Philippe a été un chevalier, un combattant ; de par sa vocation religieuse, un chevalier mystique, un combattant du Christ. Pour le Christ, il a milité par les armes, puis dans les conseils de gouvernement il a tenté d'utiliser son pouvoir politique au service de ses idéaux ; enfin, dans sa retraite monastique, ce disciple de saint Bernard, ce laïque lettré, a fait dans le même but œuvre littéraire en mettant à profit sa vaste culture religieuse et profane et son goût pour l'allégorie. Ainsi le « viel pelerin », qui taisait son nom par humilité, a dépensé beaucoup de passion dans sa vie et ses écrits ; sans relâche, il s'est battu contre l'indifférence et la tiédeur en matière spirituelle. Et jusqu'au bout cet idéaliste, qui se nommait lui-même *vir desideriorum* ou *Ardant Desir*, a eu pour compagne l'Espérance.

La thèse de N. Iorga, *Philippe de Mézières... et la Croisade au 14e siècle* (Paris, 1896), demeure l'ouvrage essentiel, bien que nécessitant révision ; le même auteur a publié de larges passages, très mal transcrits, du testament vénitien de Philippe dans le *Bulletin de l'Institut pour l'étude de l'Europe sud-orientale* (t. 8, 1921). – La spiritualité de Ph. de M. a fait l'objet de la thèse d'École des chartes d'O. Caudron (cf. *Positions des Thèses* de cette École, Paris, 1983, p. 35-45). – La plaque gravée rappelant la mémoire de Ph. est reproduite dans le catalogue de l'exposition *Les fastes du gothique* (Paris, 1981, n. 94). – Voir aussi O. Caudron, *Ph. de M. étudiant à l'université de Paris*, dans *Bibliothèque de l'École des chartes*, t. 139, 1981 ; *Un épisode de la Guerre de Cent ans : Ph. de M. capitaine de Blérancourt* (à paraître dans *Mémoires* de la Fédération des Sociétés d'histoire de l'Aisne).

Sur les textes relatifs à la Chevalerie de la Passion : J. Froissart, *Chroniques*, éd. Kervyn de Lettenhove, t. 16, Bruxelles, 1872. – A. Molinier, dans *Archives de l'Orient latin*, t. 1, 1881. – R.L. Kilgour, *The decline of chivalry as shown in the french literature of the late Middle Ages*, Cambridge (Mass.), 1937, ch. 5. – A.S. Atiya, *The Crusade in the later Middle Ages*, Londres, 1938. – A.H. Hamdy, *Ph. de M. and the new order of the Passion*, dans *Bulletin of the Faculty of Arts*, Alexandrie, 1963-64. – M.J.A. Brown, *Ph. de M.'order of the Passion : an annotated edition*, thèse de l'Univ. du Nebraska, 1971 (mauvaise éd. du ms 2251 de l'Arsenal).

Le *Songe du viel pelerin* a été très étudié : A. Guillemain, *Positions des thèses* de l'École des chartes, 1954. – D.M. Bell, *Étude sur le 'Songe du viel pelerin'*, Genève, 1955 ; *L'idéal éthique de la royauté en France au Moyen-Age d'après quelques moralistes de ce temps*, Genève-Paris, 1962. – G.W. Coopland, éd. (imparfaite) du *Songe*, 2 vol., Londres, 1969. – J.M. Ferrier, *The Old Pilgrim's catch-words*, dans *History*

*and structure of french. Essays in the honour of Pr. Reid*, Oxford, 1972. – J. Quillet, *Songes et songeries dans l'art de la politique au 14e siècle*, dans *Études philosophiques*, t. 3, 1975. – P.-Y. Badel, *Le 'Roman de la rose' au 14e siècle. Étude de la réception de l'œuvre*, Genève, 1980. – A. Strubel, *Le 'Songe du viel pelerin' et les transformations de l'allégorie au 14e siècle*, dans *Perspectives médiévales*, t. 6, 1980. – J. Quillet, *Herméneutique du discours allégorique dans le 'Songe du viel pelerin' de Ph. de M.*, dans *Sprache und Erkenntnis im Mittelalter* (Actes du 6e Congrès international de philosophie médiévale, 1977), Berlin-New York, 1981.

Sur les autres œuvres : N. Iorga, *Une collection de lettres de Ph. de M.*, dans *Revue historique*, t. 49, 1892, p. 39-57, 306-322 ; *L'épître de Ph. de M. à son neveu*, dans *Bulletin de l'Institut...* cité *supra*, t. 8, 1921. – É. Golenistcheff-Koutouzoff, *L'histoire de Griseldis en France au 14e et au 15e siècle*, Paris, 1933 ; *Étude sur le 'Livre de la vertu du sacrement de mariage...'*, Belgrade, 1937. – J. Smet, *The life of S. Peter Thomas by Ph. de M.*, Rome, 1954. – G.W. Coopland, *Ph. de M. : Letter to king Richard II (1395)*, New York, 1976. – A. Guillemain, *Le 'Testament' de Ph. de M. (1392)*, dans *Mélanges... Jeanne Lods*, Paris, 1978. – W.E. Coleman, *Ph. de M.'campaign for the feast of Mary's Presentation*, Toronto, 1981.

DS, t. 1, col. 1673 ; t. 2, col. 382-3 ; t. 3, col. 1692 ; t. 5, col. 864 ; t. 6, col. 316 ; t. 9, col. 496 (à rectifier selon les précisions de cet article).

Olivier CAUDRON.

## 9. PHILIPPE DE MONCALIERI, frère mineur,

14e siècle. – Dans son *Compendium chronicarum Fratrum Minorum*, l'historien Mariano de Florence † 1523 dit Philippe « vir devotus et magnus praedicator ». On sait seulement qu'il est né à Moncalieri, non loin de Turin, et qu'il entra chez les Mineurs de la province de Gênes, dont faisaient partie à cette époque les couvents du Piémont. En 1330, il était lecteur au *studium* franciscain de Padoue et le 1er mars 1336 (n. st.), Benoît XII le nommait pénitencier en la basilique de Saint-Pierre à Rome. Il semble qu'il exerça ce ministère jusqu'à sa mort, dont on ignore la date, probablement dans les environs de 1344 ; une note du ms d'Assise 613 (milieu du 14e siècle), après avoir indiqué son titre de « pénitencier du seigneur Pape » en l'église du Prince des Apôtres, ajoute : « sepultus ibidem. in capella are celi ».

Alors que Philippe se trouvait à Padoue en qualité de professeur de théologie, il composa pour les étudiants la première partie de sa *Postilla super evangelia dominicalia*. Dans la préface de cet ouvrage, il annonçait un autre volume *super evangelia que leguntur in XLa* ; sans doute la seconde partie de son travail, qui se terminait au 24e dimanche après la Pentecôte, comme en témoignent les manuscrits. De plus, il promettait de compiler des *Sermones ... et collationes morales*, dont on ignore le sort.

La *Postilla* rencontra un grand succès, car de nombreux exemplaires du 14e et quelques-uns du 15e siècle existent encore dans de multiples bibliothèques d'Italie, de France, d'Allemagne, d'Espagne et même en Transylvanie. Une édition, sous le titre de *Postilla abbreviata* vit même le jour. D'autres scribes transcrivirent des parties séparées de ce labeur, qui devinrent ainsi des traités : Sermons sur la Passion du Seigneur, sur l'Eucharistie ou encore Sermons pour les fêtes de Pâques, de la Pentecôte. Éd. : *Dominicale*, Milan, 1498 (Hain, n. 11593) ; Lyon, 1501. – *Quadragesimale*, Milan, 1498 (Hain, n. 11594) ; Lyon, 1510, 1515, 1541. – *Conciones de SS. Eucharistia*, Lyon, 1515.

Saint Jacques de la Marche le cite dans ses prédications, en particulier au sujet de la controverse sur le Sang du

Christ ; tandis que plusieurs auteurs postérieurs relèvent son témoignage sur l'Immaculée Conception, la royauté du Christ et saint Joseph.

L'œuvre de Philippe de Moncalieri fut fort appréciée à la fin du moyen âge et son succès est dû en grande partie à son contenu. L'auteur ne se contente pas d'énoncer le thème de son sermon avec son développement en plusieurs points, il commente aussi largement que possible l'évangile dominical en son entier, selon le sens scripturaire et dans une finalité pastorale ; pour cela, il utilise les Pères de l'Église et surtout la *Catena aurea* de saint Thomas ; son style se ressent de la rhétorique car il insère dans son exposé des considérations philosophiques, mais son commentaire est solide et devait répondre aux aspirations de son époque.

Mariano de Florence, *Compendium chronicarum Fratrum Minorum*, AFH, t. 3, 1910, p. 309. – Wadding-Sbaralea, *Supplementum...*, t. 2, Rome, 1921, p. 381-82. – U. Chevalier, *Répertoire... biobibliographie*, col. 3637. – B. Smalley, *English Friars and Antiquity in the early fourteenth Century*, Oxford, 1960, p. 276-77. – C. Cenci, *Manoscritti francescani della Biblioteca Nazionale di Napoli*, t. 1, Quaracchi, 1971, p. 377-78 ; *Bibliotheca manuscripta ad sacrum Conventum Assisiensem*, t. 1-2, Assise, 1981, Index nominum, p. 828.

Pierre PÉANO.

**10. PHILIPPE NERI** (SAINT), fondateur de l'Oratoire, 1515-1595. Voir art. ORATOIRE PHILIPPIN, DS, t. 11, col. 853-62 ; cf. t. 3, col. 1110-11 ; t. 7, col. 2238-49 *passim*.

**11. PHILIPPE DE RATHSAMHAUSEN**, cistercien, évêque, † 1322. – 1. *Vie*. – 2. *Œuvres*. – 3. *Doctrine*.

1. VIE. – Né en Alsace, Philippe devint moine dans l'abbaye cistercienne de Pairis, d'où il fut envoyé à Paris pour y faire ses études théologiques. Maître en théologie, il rentra dans son monastère, où, élu abbé en 1301, il assuma le gouvernement dans des circonstances difficiles. En 1306, il fut nommé évêque d'Eichstätt. Il se donna à sa double fonction de pasteur d'âmes et d'administrateur de son diocèse. Il s'appliqua énergiquement à la réforme du clergé, mais se trouva aussi mêlé à la politique de l'Empire. Il mourut en 1322 et fut enseveli dans sa cathédrale.

L'ouvrage le plus important sur Philippe, qui donne aussi la majeure partie de ses œuvres est celui de A. Bauch, *Das theologisch-aszetische Schrifttum des Eichstätter Bischofs Philipp von Rathsamhausen... Untersuchung und Textausgabe*, coll. Eichstätter Studien 6, Eichstätt, 1948, 16 + 508 p. = cité Bauch. – Sa biographie est complétée par M. Barth, *Philipp von R. Abt des Klosters Pairis... und Bischof von Eichstätt...*, dans *Archives de l'Église d'Alsace...*, nouv. série, t. 22, 1975, p. 79-129. – Notice sur Philippe dans le *Liber pontificalis Eystattensis* (MGH *Scriptores rerum germanicarum*, nova series, t. 1, Berlin, 1922, p. 123-4) et dans J. Gretser, *Opera omnia*, t. 10, Ratisbonne, 1737, p. 859.

2. ŒUVRES. – Les écrits de Philippe sont divisés en deux catégories, les hagiographiques et ceux de théologie spirituelle.

1° *Hagiographie* : Philippe écrivit la vie de deux patrons de son diocèse, Willibald et Walburge. La première, faite à partir d'anciennes *vitae*, fut écrite au début de son épiscopat en 1306. Ces deux vies veulent stimuler le culte des deux saints,tout comme la vie chrétienne du clergé et des fidèles ; elles ont eu une certaine notoriété et gardent leur valeur pour l'histoire du diocèse.

Éd. : *Vita S. Willibaldi* (BHL 8934) : J. Gretser, *Philippi Ecclesiae Eystettensis XXXIX episcopi De ejusdem Ecclesiae... Tutelaribus*, Ingolstadt, 1617 = *Opera*, t. 10, p. 712-42 (*Vita*) + 743-829 (commentaire) ; extraits dans AS *Juillet*, t. 2, Anvers, 1721, p. 517-19. – *Vita S. Walburgis* (BHL 8771) : H. Canisius, *Antiquae lectiones*, t. 4/2, Ingolstadt, 1603, p. 562-601 ; 2ᵉ éd. par J. Basnage, t. 4, Anvers, 1725, p. 235-50 ; AS *Février*, t. 3, Anvers, 1658, p. 553-63.

2° *Œuvres théologiques et spirituelles*. – 1) *Expositio super Magnificat* (éd. Bauch, p. 178-230), traité écrit quand Philippe était encore moine ou abbé à Pairis. C'est un commentaire très personnel où il montre sa connaissance théologique et sa dévotion très profonde envers la Mère du Christ.
2) *Homilia super Evangelium « Intravit Jesus in quoddam castellum »* (*Luc* 10, 38-42 ; éd. Bauch, p. 251-62). Le traité, sous forme de lettre à Henri, évêque de Trente et cistercien comme Philippe, est divisé en trois parties : a) exposition littérale du texte ; b) comparaison entre Marie (identifiée avec Marie Madeleine) et Marthe, comme types des vies contemplative et active ; c) application allégorique du texte à la liturgie de la fête de l'Assomption.
3) *Expositio super psalmum quartum : « Cum invocarem »* (éd. Bauch, p. 263-340). Après une introduction générale sur les psaumes définis comme le livre des soliloques du Christ (p. 265), Philippe donne un petit exposé sur le premier psaume, résumé de tout le psautier ; sur le deuxième qu'il appelle un psaume moral ; sur le troisième, psaume de la résurrection du Christ. Le commentaire sur le psaume quatrième est très long ; il met l'accent sur le sens littéral et ne se permet que très rarement une digression sur les sens moral ou mystique.

4) *Tractatus de postulando Deum* (éd. Bauch, p. 341-401) : traité sur la prière, divisé d'une façon assez artificielle, en dix homélies, d'après les dix catégories d'Aristote.
5) *Bipartita dominicae orationis expositio* (éd. Bauch, p. 402-90) : deux commentaires sur le *Pater* qui se complètent mutuellement : le premier considère la prière comme un moyen de s'assurer la bienveillance divine, le deuxième exalte surtout la puissance de la prière.

3. DOCTRINE. – Les ouvrages de Philippe reflètent parfaitement sa connaissance étendue de la littérature ecclésiastique, des Pères à la théologie de son temps. Sa formation littéraire et philosophique est attestée également par des citations d'auteurs classiques et surtout par l'influence d'Aristote. Parmi ces sources, l'Écriture occupe une place primordiale, surtout les psaumes et les écrits du Nouveau Testament. Augustin et Grégoire le Grand sont le plus souvent cités avec la Règle de saint Benoît et les écrits de saint Bernard. Beaucoup de textes liturgiques se rencontrent dans ses écrits. Dans son exposé sur le *Magnificat*, il s'inspire de la *Postilla* sur Luc de Hugues de Saint-Cher.

Dans son exégèse Philippe s'applique surtout à l'explication littérale, suivie souvent par un exposé thématique ; dans ce dernier il s'appuie d'abord sur l'autorité de l'Écriture et des Pères, ensuite sur la *ratio* et les arguments philosophiques ; il aime illustrer sa doctrine par des *exempla*. En conclusion, on trouve des exhortations, ou parfois des prières, dans lesquelles on peut remarquer la dévotion personnelle de l'auteur. Cependant l'ensemble de son œuvre donne l'impression d'être assez impersonnel, plutôt le résultat d'une réflexion théologique et systématique que d'une expérience spirituelle. Ses écrits sont comme une rencontre de la théologie monastique traditionnelle et de la théologie scolastique, dans laquelle domine clairement l'élément scolastique.

Sa latinité est marquée par l'usage de mots rares, d'étymologies et de paronomases, par une abondance d'images et de comparaisons, tirées souvent de la nature, de la vie des plantes ou des animaux (cf. Bauch, p. 62-68).

Dans ses ouvrages Philippe parle de beaucoup de questions théologiques et spirituelles, mais il est difficile d'établir un système de doctrine cohérent. Aussi, ne peut-on mentionner que quelques points de doctrine qui semblent avoir attiré particulièrement son attention.

1° *Mariologie* : La doctrine mariale est une des plus développées de toute son œuvre et en même temps la plus personnelle. Elle est toujours en accord avec la doctrine classique, mais parfois l'auteur y met des notes très personnelles. Le commentaire sur le *Magnificat* est divisé en trois parties : les grâces individuelles de la sainte Vierge (*Luc* 1, 46-49) ; les grâces données à l'humanité entière (50-53) ; le don exceptionnel de l'Incarnation (54-55). La grâce la plus personnelle de la Vierge est sa maternité divine, et donc sa sainteté incomparable, puisqu'elle est « remplie de Dieu » ; elle n'est pas atteinte par les conséquences du péché originel. L'auteur consacre un petit traité à l'humilité de Marie (Bauch, p. 209-14), qui lui a mérité d'être la mère toute pure du Verbe incarné. Il ne parle pas clairement d'une médiation de la Vierge, mais il la dit la mère et la patronne des fidèles (Bauch, p. 211) et donc vraiment mère de l'Église. Le fait historique de l'Incarnation du Verbe est au centre du mystère de salut, qui commence déjà dans l'Ancien Testament. Marie est préfigurée par Israël qui attend et accepte le rédempteur et qui lui donne au moment déterminé par Dieu son corps humain. Au cours de cette histoire le Verbe de Dieu s'est manifesté maintes fois, mais surtout quand le Fils de Dieu a pris sa chair humaine dans le sein de Marie. Ainsi le *Magnificat* devient dans la bouche de Marie « un cantique de joyeuse jubilation, l'hymne d'une dévotion intérieure, le soliloque d'une très douce allocution » (Bauch, p. 182) : c'est le cantique par excellence qui chante et qui résume toute l'histoire du salut.

Bien des noms sont employés par l'auteur pour exprimer les privilèges et l'activité spirituelle de Marie ; ainsi, *puella christifera*, consolatrice des affligés, médiatrice, auxiliatrice, libératrice des captifs, etc. Le plus souvent il emploie le terme : *illuminata illuminatrix* ; c'est ainsi qu'il traduit le nom de Marie. Elle, qui est éclairée par la grâce et par l'élection divine, éclaire elle-même le monde par sa contemplation toute pure, son activité pour le salut du monde et par son intercession qui sauve les pécheurs (Bauch, p. 249). La Vierge est avant tout *contemplatrix nobilis*, ou *contemplatrix virgo*, qui par l'exemple de sa contemplation éclaire les autres. La contemplation de Marie consiste en ceci que pendant sa vie terrestre elle jouissait d'une connaissance de la vérité première qui dépasse celle des autres créatures ; elle aima d'un amour très fervent la bonté suprême ; par sa mémoire elle retenait dans son cœur les années éternelles, qu'elle ne perdit jamais de vue (Bauch, p. 262).

A l'intérieur de son traité sur le *Magnificat*, on distingue d'autres développements, ainsi sur la crainte de Dieu (Bauch, p. 228-31), sur la puissance divine (p. 232-34).

2° *Prière et contemplation* : Le traité *De postulando Deum* qui semble avoir été écrit pour des moines (Bauch, p. 346), traite surtout de la prière d'intercession. Les motifs de cette prière sont d'abord la volonté du Christ, mais aussi nos besoins et le caractère raisonnable de la prière. Nous prions pour obtenir les biens naturels et les biens surnaturels. Longuement l'auteur parle des raisons pour lesquelles la prière n'est pas toujours exaucée (Bauch, p. 348-52). Les dispositions intérieures de la prière sont l'humilité, la foi, la confiance, la persévérance. L'objet primordial de notre prière et de notre méditation est le mystère de la vie et de la passion du Christ (p. 376-91). Les derniers chapitres de ce traité sont consacrés à de longs exposés sur les conditions extérieures de la prière : durée, lieu, temps, tenue du corps, etc.

Le double exposé sur le *Pater* poursuit un même but : l'apprentissage de la prière. A la suite d'autres auteurs, Philippe met les sept demandes du *Pater* en relation directe avec les sept dons de l'Esprit. Souvent il parle des attributs divins, par exemple de la puissance de Dieu (p. 440-42). Dans la deuxième partie il exalte la puissance de la prière, porteuse de salut (p. 431-34). De nouveau, le texte du *Pater* lui suggère de belles méditations sur la paternité divine (p. 371 ; 440-42), sur le nom de Dieu (p. 447-52), sur le royaume de Dieu (p. 452-62) et sur l'eucharistie (p. 471-78 ; cf. aussi p. 380, 384).

Il est étonnant que l'auteur se borne presqu'uniquement à la prière vocale, dont l'expression la plus parfaite est le *Pater* ; il ne parle de la contemplation qu'en dehors de ses traités sur la prière. Il affirme clairement que tout homme est appelé à la contemplation, que Notre Dame est l'exemple le plus parfait de la contemplation, que le moine doit se préparer à la contemplation, surtout par le repos intérieur, par l'ascèse du silence, par la prise de distance des choses de ce monde et surtout par le désir de la vie éternelle (p. 203). Dieu lui-même est l'objet de la contemplation « jubilante » (p. 307), lui qui est la vérité bonne et le vrai bonheur. Dans son homélie sur *Luc* 10, il en donne la définition suivante : « La contemplation consiste dans la connaissance du vrai, par laquelle l'intelligence est perfectionnée ; dans l'amour du bien, par lequel l'affectivité est refaite ; et dans la mémoire (= désir) de l'éternité, par lequel l'homme en cette vie est affecté selon ses capacités » (p. 281).

3° *Vie active et vie contemplative* : Ce thème revient souvent sous la plume de Philippe ; ce qui n'est pas étonnant chez un moine qui était devenu évêque et dans un pays où les cisterciens commençaient à s'occuper activement du ministère des âmes.

Selon la doctrine traditionnelle, il considère la vie contemplative comme supérieure à la vie active. L'action ne donne pas la sécurité de la vie contemplative ; elle est pleine de labeurs, tandis que la vie contemplative est pleine de joies (p. 255). La vie active est orientée vers la multiplicité des choses d'ici-bas, tandis que la vie contemplative ne cherche que l'unité et l'Un, Dieu. Il développe longuement ce thème à partir de la comparaison de Marthe et de Marie, dont il dit : « La grande pécheresse est devenue la contemplatrice magnifique » (p. 259), insinuant par là la nécessité de la componction du cœur comme préparation à la vraie contemplation. Ailleurs, il enseigne que, en chaque homme et dans chaque état de vie, vie active et vie contemplative sont complémentaires (p. 375).

La longue explication sur le *Psaume* 4 contient beaucoup d'éléments doctrinaux, qu'il faudrait signaler : sur la mystique des nombres (p. 272-76) ; sur la charité (p. 298-303) et surtout sur la connaissance surnaturelle du Christ (p. 332-35).

Malgré une forte influence de la théologie scolastique, Philippe de Rathsamhausen, par sa doctrine, se situe pleinement dans la tradition spirituelle de Cîteaux. Ses œuvres furent appréciées et conservées dans le grand centre allemand de la mystique cistercienne qu'était l'abbaye de Heilsbronn sous son abbé Conrad de Brundelsheim (DS, t. 2, col. 1544-46). Philippe est un témoin trop peu connu de la théologie spirituelle de Cîteaux au 14e siècle.

U. Chevalier, *Bio-bibliographie*, col. 3625. – LTK, t. 8, 1963, col. 454. – *Dictionnaire des auteurs cisterciens*, Rochefort (Belgique), 1975-79, col. 558-59.

Edmundus MIKKERS.

**12. PHILIPPE DE SEITZ**, chartreux, † probablement en 1345-46. – 1. *Vie*. – 2. *Œuvre*.

1. VIE. – De la vie de Philippe de Seitz on ne sait pratiquement rien. Les historiens cartusiens, Petreius, Molin, Le Couteulx, Le Vasseur, ne le mentionnent pas. Sa mort est peut-être indiquée dans la *Charta* du chapitre général des Chartreux en 1346 : « Domnus Philippus, monachus domus Vallis Omnium Sanctorum, qui habet Tricenarium [per totum Ordinem] », ce qui signifie qu'un moine Philippe est mort en 1345 ou au début de 1346 à la chartreuse de Mauerbach en Basse-Autriche, fondée en 1316 par des religieux venus de celle de Seitz (à présent en Yougoslavie). D'autre part, l'épilogue du *Marienleben* de Philippe nous apprend que l'ouvrage fut écrit à la chartreuse de Seitz, donc probablement avant 1316 :

« Bruder Philip bin ih genant
God ist mir leider wenich erkant
Im dem örden von kartus
Gescriben han [ich] in dem hûs
Ze seitz ditz selbe bvchelin » (lignes 10122-10126).

Dom Philippe a donc été, semble-t-il, transféré à Mauerbach en 1316 et c'est sa mort qui est rappelée en 1346. On a essayé de préciser son pays d'origine d'après la langue et les rythmes du *Marienleben*, mais sans succès ; les critiques modernes envisageraient plutôt l'Allemagne septentrionale.

2. ŒUVRE. – Le seul ouvrage connu de Philippe de Seitz est le *Marienleben*. A en juger par les manuscrits qui nous restent – au moins 98, sans compter un grand nombre de textes réduits en prose –, le *Marienleben* fut non seulement l'ouvrage cartusien le plus populaire au moyen âge, mis à part la *Vita Christi* de Ludolphe de Saxe, mais aussi le poème le plus lu en moyen haut-allemand.

On le connaissait dans les régions nord de l'Allemagne dès 1324 et il demeura populaire jusqu'à la Réforme. Les manuscrits sont de divers ordres : copies enluminées, petits livres pour la lecture spirituelle, textes pour l'instruction. Par ailleurs, il fut inséré dans les Chroniques générales de cette période. C'est dans les régions allemandes du Nord et du Centre qu'il semble avoir été le plus répandu. On n'en a trouvé aucun exemplaire dans les Pays-Bas ; et, dans le voisinage de la haute vallée du Rhin, il ne pouvait faire concurrence à la Vie de la Vierge de Walther de Rheinau.

Le prologue et l'épilogue du *Marienleben* montrent que l'ouvrage, dédié à la Vierge Marie (lignes 1 svv et 10066 svv), est destiné à tout chrétien (15 et 10078), mais plus spécialement à l'ordre des chevaliers teutoniques qui avait une dévotion spéciale envers la Vierge et avec lequel Philippe semble avoir eu des relations étroites :

« Auch ditz bvchelin ich sende
Den brüdern von dem daeutschen hûs
Die han ih lange erkörn ûz
Wand si gern marien erent
Vnd den gelauben cristes merent » (10089-93).

Avant le *Marienleben*, les pays germaniques ont produit d'autres vies de Marie en langue vulgaire : celle du prêtre Werner à Augsbourg vers 1170, celle de Konrad de Fussebrunner vers 1200 ; elles ne traitent que de Joachim et d'Anne, de la jeunesse de Marie et de l'enfance de Jésus, et dépendent du Pseudo-Matthieu. Vers la fin du 13e siècle, d'autres vies de Marie parurent, telle celle de Walter de Rheinau, qui devaient beaucoup à la *Vita beatae virginis Mariae et Salvatoris rhythmica* ou *Vita Mariae metrica* ; cette dernière, qui eut grand succès au moyen âge dans les pays de langue allemande, basait ses deux premiers livres sur le Pseudo-Matthieu, mais les deux derniers traitaient de la Passion du Christ, des lamentations de Marie, de sa vie après le calvaire et de sa montée au ciel (inspirés par l'Évangile de Nicodème, le *Transitus Mariae* du Pseudo-Méliton, et l'*Historia scholastica*).

Le *Marienleben*, qui comprend 10133 lignes, est beaucoup plus qu'un récit épique. Philippe montre beaucoup de talent et d'indépendance dans l'utilisation des matériaux ; il bâtit un récit progressif et cohérent. Le manque d'authenticité de certaines de ses sources provoqua, au temps de la Réforme, le rejet de cette œuvre par les gens soucieux d'exactitude ; ainsi Jakob Twinger de Königshofen refusa de l'incorporer dans sa *Deutsche Kronik* (cf. *Chroniken der deutschen Städte*, t. 9, Leipzig, 1871, p. 500). Martin Luther, qui ignorait l'origine du *Marienleben*, déplorait que l'auteur ne se soit pas contenté des données des évangiles canoniques (*Kirchenpostille*, de 1522, éd. de Weimar, t. 10/1/1, 1910, p. 443-44 ; notes, p. 444, 1 et 446, 1). Pour le lecteur moderne, l'ouvrage a perdu son charme. Redécouvert au 19e siècle, il intéresse surtout du point de vue philologique.

*Éditions* : par H. Rückert, coll. Bibl. der deutschen National-Literatur, Quedlinburg-Leipzig, 1853 ; rééd. Amsterdam, 1966 ; – version modernisée par W. Sommer, Münster, 1859 ; Bruder Ägidius, *Bruder Philipp des Karthäusers Marienleben*, Munich, 1920, donne des extraits de la version de Sommer ; – éd. en slovène par M. Zemljic, Maribor, 1904 ; – éd. critique basée sur le ms de Pommersfelden, Schönbornsche Schlossbibl. 46 (2997), 1re moitié du 14e s., par K. Gärtner, coll. Altdeutsche Textbibliothek, Tübingen, en préparation.
*Études* : F. Goebel, *Bruchstücke von Bruder Philipps Marienleben aus dem Jahre 1324*, dans *Niederdeutsches Jahrbuch*, t. 31, 1905, p. 36. – K. Reissenberger, *Zu Bruder Philipp von Seitz*, dans *Beiträge zur Geschichte der dt. Sprache und Literatur*, t. 41, 1916, p. 184-87. – L. Gailit, *Philipps Marienleben nach den Wiener Handschriften 2709 und 2735...*, Dissertation, Munich-Riga, 1935.
L. Denecke, art. *Philipp* (Bruder), dans *Verfasserlexikon*, 1re éd., t. 3, Berlin, 1943, col. 880-91 ; t. 5, 1955,

col. 894-95 (bibl.). – G. Asseburg, *Bruder Philipps Marienleben*, 2 vol., dissertation, Université de Hambourg, 1964. – K. Gärtner, *Philipp von Seitz : Marienleben*, coll. Analecta Cartusiana 83/2, Salzbourg, 1981, p. 117-29 ; *Die Ueberlieferungsgeschichte von Bruder Philipps Marienleben*, *Hermaea*, coll. Germanistische Forschungen, nouv. série, Tübingen (sous presse). – K. Fahringer, *Bruder Philipp und sein Marienleben*, dans *Mauerbach und die Kartäuser*, coll. Analecta Cartusiana 110, 1984 (sous presse).

James Hogg.

**13. PHILIPPE LE SOLITAIRE,** moine grec ou byzantin, fin 11e-début 12e siècle. – 1. *Œuvre*. – 2. *Doctrine*.

1. Œuvre. – Philippos *Monotropos* (le Solitaire) est connu seulement par son œuvre, conservée en de nombreux mss, mais sur laquelle l'absence d'une édition critique interdit encore un jugement définitif.

Si l'on adopte les conclusions de V. Grumel (*Remarques sur la Dioptra de Ph. le S.*, dans *Byzantinische Zeitschrift* = BZ, Festschrift Fr. Dölger, t. 44, 1951, p. 198-211), il faudrait distinguer deux écrits : 1) Les Κλαυθμοὶ καὶ Θρῆνοι (Pleurs et lamentations), achevés le 12 mai 1095, et qui mériteraient seuls le nom de *Dioptra* ; 2) La Συλλογή ou mieux Διάλεξις (Discussion), dialogue en quatre *logoi* entre la Chair et l'Ame, achevée en 1097. Mais dans divers mss les *Pleurs* sont placés soit avant soit après la *Dialexis*, et l'ensemble est divisé en quatre ou cinq *logoi* ; le titre *Dioptra* attribué à cet ensemble paraît alors justifié.

Dans la première moitié du 14e siècle, un certain Phialitès, sur l'invitation du métropolite de Mitylène, Denys Euzoïtos, entreprit de « redresser » le style, à ses yeux maladroit, de l'auteur ; cette Δ&'B;3,&÷ a une tradition manuscrite propre. Certains mss ajoutent également des scholies, d'origine incertaine, dont le but apparent est de confirmer la doctrine par des citations patristiques sans références précises.

Les *Pleurs* ont été édités, d'après six mss parisiens, par E. Auvray (Bibliothèque de l'École des Hautes Études, fasc. 22, Paris, 1875 ; texte grec seul, avec des annotations critiques, et en regard la diorthose de Phialitès ; autre éd., avec trad. anglaise, par E.S. Schuckburg, *The Soul and the Body*, Cambridge, 1894). L'ensemble, sous le titre de *Dioptra*, a été édité, d'après un ms de la Grande Laure, par le hiéromoine Spyridon Lauriotès ('Ο" Αθωζ, t. 1, Athènes, 1920, 264 p. ; exemplaire à la Bibliothèque des jésuites de Chantilly) ; dans cette éd., les *Pleurs* sont placés à la fin, comme 5e *logos* (p. 237-47).

La *Dioptra* était cependant connue en Occident par la traduction latine du jésuite Jacques Pontanus † 1626 (*Philippi Solitarii Dioptra, id est regula sive amussis rei christianae...*, Ingolstadt, 1604, avec des notes de son confrère J. Gretser) ; cette traduction (jointe à celle d'autres écrits grecs, dont la *Vita in Christo* de Nicolas Cabasilas ; cf. Sommervogel, t. 6, 1895, col. 1014) est basée sur le *Monacensis* gr. 509 qui suit en fait la diorthose de Phialitès ; elle fut reprise dans le t. 12 de la *Magna Bibliotheca Patrum*, puis en PG 127, 703-878 ; les *Pleurs* forment ici le ch. 20 du logos IV.

L'œuvre de Philippe s'adresse « tant aux séculiers qu'aux moines » (vers apologétiques, éd. d'Athènes, citée ici, p. 12-13). La *dialexis* appartient au genre des dialogues entre l'âme et le corps (cf. art. *Dialogues spirituels*, DS, t. 3, col. 839-41). Curieusement, c'est ici « la Chair » qui enseigne et « l'Ame » qui écoute, bien que la première soit dite « servante » et la seconde « dame » ou « maîtresse ». Le titre lui-même (si on admet qu'il vaut pour l'ensemble) reste énigmatique : au sens propre, la *dioptra* était un instrument pour mesurer les hauteurs à distance (une sorte de sextant) ; pris au figuré, le terme pourrait signifier que l'ouvrage permet au lecteur de juger sa propre vie par rapport à l'élévation de la doctrine chrétienne ; mais, surtout si l'on tient compte des trois derniers livres, il correspondrait bien à un regard vers les mystères de la vie future, à travers la Bible et les écrits des Pères.

2. Doctrine. – 1º Les *Pleurs* sont une méditation sur les fins dernières : après une description de la mort inévitable, vient celle du jugement particulier, où les démons placent les mauvaises actions de l'individu sur un des plateaux de la balance et les anges les bonnes actions sur l'autre plateau. Ensuite l'âme est conduite successivement dans les lieux célestes et les lieux infernaux ; la sentence la fixe dans l'un ou l'autre suivant ses mérites, dans l'attente du jugement général où elle sera établie dans sa destinée définitive. Le tout se termine par une exhortation à l'âme pour qu'elle s'éveille de son péché et pratique les bonnes œuvres, enfin par une prière émouvante au « Père des miséricordes ».

2º Le contenu de la *Dialexis* est plus malaisé à définir. Une étude précise des sources s'imposerait tout d'abord. Outre l'Ancien et le Nouveau Testament, Philippe recourt en effet à de nombreuses autorités patristiques, surtout Basile de Césarée, Grégoire de Nysse, Amphiloque d'Iconium, mais aussi Grégoire le Grand (le *Dialogos*), et le Pseudo-Denys (peut-être à travers le *Traité de la hiérarchie* de Nicétas Stèthatos, DS, t. 11, col. 226, dont les traités *Sur l'âme* et la *Contemplation du Paradis* sont également utilisés ; cf. J. Darrouzès, introd. aux *Opuscules et Lettres* de Nicétas, SC 81, 1961, p. 46-48).

Le livre (ou *logos*) I est pratiquement une exhortation à la conversion et à la pénitence (cf. *infra*). Le livre II offre un petit traité sur les rapports de l'âme et du corps, le livre III un exposé sur la vie céleste, avec cette affirmation paradoxale que les âmes saintes sont au-dessus des anges, en tant qu'épouses du Christ et reines du monde (ch. 4, p. 129-35). Le livre IV aborde des problèmes plus divers : hiérarchie des anges et des hommes, action de la Providence divine et des démons, liberté humaine et dispositions naturelles, etc. Les derniers chapitres concernent la localisation des âmes après la mort ; ils sont inspirés de Nicétas Stèthatos, mais Philippe en modifie discrètement la doctrine ; il conserve la théorie ancienne d'un « état intermédiaire » où les âmes saintes sont « avec le Christ », comme le bon larron, dans le ciel mais non dans le Royaume de Dieu, qui sera inauguré seulement après la résurrection (cf. A. Wenger, *Ciel ou Paradis. Le séjour des âmes d'après Ph. le S.*, Dioptra IV, 10, BZ, t. 44, p. 560-69 ; il n'est pas certain toutefois que les ch. 10-11 du livre IV appartiennent à la rédaction originale, cf. note de l'éditeur, p. 560).

Retenons quelques enseignements spirituels du livre I. La foi est vaine sans les œuvres (ch. 1), c'est-à-dire les six œuvres de miséricorde de *Mt.* 25, 35-40 (ch. 2) ; mais les œuvres elles-mêmes sont vaines sans la charité (ch. 3, citant 1 *Cor.* 13 et 1 *Jean* 3, 24 ; 4, 7-8). L'Ame s'effraie de ne pas se rappeler le détail de ses fautes et a honte de les avouer au père spirituel ; mais la Chair l'invite à prendre courage : le père spirituel est « lui aussi un homme, semblable à toi... et lui aussi est tombé... ; même s'il est un homme celui à qui tu avoues, Dieu te rencontre par lui et te purifie » (ch. 8, p. 49-50). Cette exhortation atteste l'existence d'une confession sacramentelle à l'époque. Citons enfin la définition de la pénitence (*metanoia*) :

« On reconnaît qu'il y a pénitence lorsqu'un homme prend conscience de ses péchés et les désavoue pleinement, toutes œuvres mauvaises et impures du diable, œuvres infâmes et détestables des ténèbres... C'est aussi le retour à Dieu par les œuvres bonnes, les labeurs et l'ascèse, la patience dans les injures, les tribulations et les tentations ; la pénitence est en effet au sens propre le renouvellement du baptême et de sa purification, la transformation selon Dieu par l'accomplissement du bien, l'engagement envers lui pour une nouvelle et seconde vie, la conversion volontaire à cette vie, comme le Seigneur lui-même nous le dit par le prophète : ' Convertissez-vous à moi de tout votre cœur, dans les pleurs, les jeûnes et les lamentations, car je suis tendre et miséricordieux, lent à la colère et riche en grâce ' » (ch. 9, p. 52 ; cf. *Joël* 2, 12).

De tels accents aident à comprendre la large diffusion de ce traité comme en témoignent les nombreux mss en grec et en traduction slave (l'inventaire, non exhaustif, de V. Grumel, art. cité, p. 209-10, en compte 60, du 13ᵉ au 17ᵉ siècle) ; les remaniements ultérieurs décelables dans ces mss sont un autre signe du succès, comme pour toutes les œuvres maintes fois recopiées.

Outre les articles et les éditions citées, voir Beck, *Kirche...*, p. 642-643 (bibliographie). – DS, t. 2, col. 446, 449 (citations) ; t. 3, col. 309 (influence du Pseudo-Denys), 839 ; t. 5, col. 506 ; t. 9, col. 625.

Aimé SOLIGNAC.

**14. PHILIPPE DE LA TRINITÉ,** carme déchaussé, 1603-1671. – 1. *Vie.* – 2. *Œuvres.* – 3. *Théologie spirituelle.*

1. VIE. – Esprit Julien est né à Malaucène (Comtat Venaissin, alors état pontifical), le 19 juillet 1603.

Ses parents furent Jean Julien, capitaine connu des guerres de religion, et Gabrielle de Baldony, descendante d'une famille de Césène. Il fit ses premières études au collège des Jésuites d'Avignon, puis à celui de Carpentras, où il se lia d'amitié avec François Adhémar de Monteil de Grignan, futur archevêque d'Arles. Sa dévotion à Marie, à laquelle il avait été voué durant une grave maladie d'enfance, orienta sa vocation vers le Carmel thérésien.

Ayant revêtu l'habit du Carmel au couvent de Lyon le 2 septembre 1620, il prit le nom de Philippe de la Trinité et émit ses vœux le 8 septembre 1621. En 1622 il fut envoyé à Paris pour y faire ses études philosophiques et théologiques. En 1626, les supérieurs l'assignèrent au séminaire des Missions, alors installé au couvent Santa Maria della Vittoria, à Rome ; on y initiait les futurs missionnaires aux langues qui leur seraient nécessaires. Philippe y connut Dominique de Jésus-Marie (DS, t. 3, col. 1532-34) dont il écrira la vie. Le 8 février 1629 avec deux autres religieux il partit pour la Perse.

Son voyage le mena de Naples à Malte, Crète, Chypre, Alexandrette, Alep, Bagdad, Ispahan, où il séjourne neuf mois (9 août 1629-19 mai 1630), et enfin Bassora où il reste quinze mois. Ayant reçu l'ordre de gagner Goa pour y enseigner philosophie et théologie, il y arrive le 30 novembre 1631. Il y restera près de huit ans ; supérieur, il admit dans l'ordre le futur martyr Denis de la Nativité en 1634. En 1639, il retourne en Europe, surtout pour porter à la Congrégation romaine *De propaganda fide* les actes authentiques du mar-

tyre de Denis et de son compagnon. Après bien des étapes, il arriva par terre à Alep, visita la Terre sainte durant un mois, prit la mer vers Malte ; de là son navire ne put gagner l'Italie et le débarqua à Alicante le 20 décembre 1640. Philippe gagna alors Rome par Valence, Saragosse, Marseille ; il y travailla au procès de béatification des deux martyrs. Retourné à Marseille, il fut nommé professeur de théologie à Lyon. C'est alors qu'il commença la rédaction de ses écrits.

A partir du chapitre provincial de 1643, Philippe remplit quasi sans interruption des charges de supérieur, soit dans sa province d'Avignon, soit à la curie généralice de Rome.

Premier définiteur provincial en 1643, provincial en 1646, prieur de Marseille en 1652, de nouveau provincial en 1655 ; – deuxième définiteur général en 1659, premier définiteur et recteur du séminaire des Missions (transféré au couvent San Pancrazio) en 1662. Finalement, il est élu supérieur général en 1665 et meurt dans cette charge le 28 février 1671. En 1659, il avait été nommé consulteur de la Congrégation de l'Index.

Durant son gouvernement général de l'ordre, Philippe eut une intense activité ; en particulier, il fit la visite des provinces de Pologne, de Germanie, de la Flandro-belge et de la gallo-belge, des quatre provinces de France (Paris, Bourgogne, Aquitaine, Avignon), enfin des provinces d'Italie qu'il commença déjà malade et ne put achever.

Les documents d'archives (en partie publiés par Melchior de Sainte-Marie) permettent de dégager la personnalité de Philippe. Homme d'une grande capacité de travail, spécialement intellectuel, il a vécu intensément ; travailler était pour lui une exigence de la vie religieuse. Empreint de l'idéal thérésien, il eut une haute estime de la vie contemplative, qu'il faut réaliser par la fidélité quotidienne à la prière communautaire et personnelle, le silence et la solitude, le recueillement et la concentration. Attentif aux détails de la vie quotidienne, il a paru à certains trop minutieux et exigeant. Il a joui de son vivant de l'estime de beaucoup, y compris hors de son ordre. Philippe de la Trinité a été l'un des plus illustres carmes de son temps.

2. ŒUVRES. – Il a aussi été un écrivain fécond, écrivant un latin facile et fluide. Ses enseignements de la philosophie, de la théologie dogmatique et spirituelle l'amenèrent à rédiger des œuvres importantes et volumineuses, auxquelles sa bonne formation l'aida beaucoup. En théologie, il est un disciple fidèle de Thomas d'Aquin ; dans le domaine spirituel, il utilise aussi Thomas, mais Jean de la Croix et Thérèse d'Avila sont ses inspirateurs et exercent l'influence prépondérante, déterminante. Philippe a dit avoir lu douze fois l'œuvre de Jean de la Croix, dont il préférait la *Nuit obscure* et la *Vive flamme d'amour*. Il a écrit aussi sur l'histoire de son ordre (les origines élianiques) selon la mentalité alors commune chez ses confrères, sur ses voyages missionnaires, etc.

*Summa philosophica ex mira... Aristotelis et... D. Thomae doctrina iuxta legitimam scholae thomisticae intelligentiam composita* (Lyon, 1648, in-fol. ; Cologne, 1654, 1665). –*Itinerarium Orientale..., in quo varii successus itineris, plures Orientis regiones..., religiosorum in Oriente Missiones, ac varii celebres eventus describuntur* (Lyon, 1649 ; trad. franç., Lyon, 1652, 1669 ; trad. ital., Rome, 1666 ; Venise, 1667, 1670, 1683).
*Cursus theologicus,* selon la *Summa theologica* de saint Thomas : les 4 premiers vol., Lyon, 1653 ; Cologne, 1656 ; Lyon, 1664 ; le 5ᵉ (*Tractatus de sacramento poenitentiae*),

Lyon, 1663 ; Cologne, 1670. – *Summa theologiae mysticae*, Lyon, 1656, in-fol. ; 3 vol., Bruxelles, 1874.

*Historia carmelitani ordinis* (Lyon, 1656). – *Historia V.P. Dominici a Iesu Maria...* (Lyon, 1659 ; trad. franç. par Pierre de Saint-André, Lyon, 1668, 1669 ; trad. ital. par Gregorio di San Francesco, Rome, 1668). – *Divinum oraculum S. Cyrillo Carmelitae Constantinopolitano solemni legatione Angeli missum..., commentarius* (Lyon, 1663). – *Generalis chronologia mundi, in qua prodigiosa eius creatio, mira conservatio et pia renovatio...* (Lyon, 1663). – *Decor Carmeli religiosi* (Lyon, 1665). – *Theologia carmelitana sive apologia scholastica religionis carmelitanae pro tuenda suae nobilitatis antiquitate...* (Rome, 1665). – *Maria sicut aurora consurgens, sive... de immaculata conceptione* (Lyon, 1667).

3. THÉOLOGIE SPIRITUELLE. – Unique ouvrage de théologie spirituelle écrit par Philippe, sa *Summa theologiae mysticae* est aussi celui qui fait sa réputation. C'est la première « somme » qui traite de l'ensemble de la vie spirituelle en s'articulant logiquement à la manière de la théologie scolastique. Elle a été présentée dans le cadre général de l'histoire de la mystique (DS, t. 10, col. 1924-29, surtout 1928), dans celui plus restreint de l'école carmélitaine (t. 2, col. 174-76, 184, 192, 202, 2061). Elle a influencé tous les auteurs postérieurs d'ouvrages analogues.

Philippe traite son sujet avec ampleur et sans rien laisser de côté, avec clarté dans l'analyse et les solutions, logique interne et et fréquents recours à ses sources. Après un long *discursus prooemialis* sur la nature, l'objet, les éléments essentiels et la terminologie de la théologie mystique, et une *declaratio montis mystici perfectionis* (avec une planche gravée) s'inspirant de la *Montée du Carmel*, l'ouvrage s'articule en trois parties selon le schéma des trois voies, qui recouvre pratiquement celui des commençants, des progressants et des parfaits. La synthèse est orientée par la contemplation conçue comme sommet de la vie chrétienne structurée par la grâce, les vertus théologales, les dons du Saint-Esprit, donc par la perfection. Philippe suit surtout Jean de la Croix, en s'efforçant de le rendre cohérent avec Thérèse d'Avila ; il se sert aussi de l'apport d'une riche tradition spirituelle : les Victorins, Bernard, Bonaventure, etc., et de la synthèse théologique de Thomas d'Aquin.

La première partie s'organise en trois traités : purification de la *pars cognoscitiva* par l'oraison, purification de la *pars affectiva* par la pénitence et la mortification, purification passive dans la nuit obscure de l'âme. La deuxième traite successivement de l'illumination de la partie cognitive par la contemplation, de celle de la partie affective par l'acquisition des vertus, de l'illumination passive par la contemplation surnaturelle ou infuse. La dernière partie, sur la vie unitive propre aux parfaits, parle de l'union de l'âme contemplative avec Dieu (oraison d'union, mariage spirituel, etc., avec leurs effets, exercice des vertus théologales, expérience mystique de l'Eucharistie mise en rapport avec le mariage spirituel, vive flamme d'amour et familiarité réciproque de l'âme et de Dieu, ou du Christ).

La distinction entre la contemplation acquise et l'infuse est fondamentale dans l'œuvre de Philippe ; il ne laisse pas place pour une contemplation « mixte » (p. II, tract. 1, disc. 2, art. 2 ; cf. DS, t. 2, col. 184). Relevons encore que, s'il est permis de désirer la contemplation infuse et de s'y préparer, Dieu ne l'accorde pas à tous et l'accorde parfois aux imparfaits (p. II, tract. 3, disc. 1, art. 5-6) ; et que la purification

passive de l'esprit est plus d'ordre moral que d'ordre intellectuel (p. I, tract. 3, disc. 3).

Eliseo Monsignani, *Bullarium carmelitanum*, Rome, 1715 svv, t. 2, p. 519-78 ; t. 3, p. 598-604. – Martial de Saint-Jean-Baptiste, *Bibliotheca scriptorum... O.C.D.*, Bordeaux, 1730, p. 337-40. – Cosme de Villiers, *Bibl. carmelitana*, t. 2, Orléans, 1752, col. 651-53. – Bartolomeo di S. Angelo et Enrico del SS. Sacramento, *Collectio scriptorum... O.C.D.*, t. 2, Savone, 1884, p. 110-13. – Hurter, *Nomenclator...*, 3e éd., t. 4, 1910, col. 37-39.

Anastase de Saint-Paul, dans son éd. du *Cursus theologiae mystico-scholasticae* de Joseph du Saint-Esprit, t. 1, Bruges, 1924, p. 296-97. – DTC, t. 12, 1933, col. 1412-13 (cf. t. 8/2, 1925, col. 1925-26 : art. Esprit *Julien*). – Élisée de la Nativité, *La vie intellectuelle des Carmes*, dans *Études carmélitaines*, t. 20/1, 1935, p. 143-48. – H. Kümmet, *Die Gotteserfahrung in der ' Summa theologiae mysticae '...*, Wurtzbourg, 1938.

Ambrosius a S. Teresia, *Nomenclator missionariorum ord. Carmelitarum Discalceatorum*, dans *Analecta O.C.D.*, t. 17-18, 1944, p. 308-10. – Melchior de Sainte-Marie, *Pour une biographie de Philippe... Documents inédits*, dans *Ephemerides Carmeliticae*, t. 2, 1948, p. 343-403. – B. Honings, *La contemplazione secondo Filippo..., ibidem*, t. 13, 1962, p. 691-713. – NCE, t. 11, 1967, p. 274.

DS, t. 1, col. 709, 717, 1211 ; – t. 2, col. 1441 (Confirmation en grâce), 1462 (Conformité à la volonté de Dieu), 2061 (Contemplation) ; – t. 3, col. 224, 240, 415 (influence de Denys l'Aréopagite), 538, 633 (Désolation), 726, 867, 1126, 1545, 1604 ; – t. 4, col. 618, 1232, 1601-02, 1604, 1607 (Eucharistie et expérience mystique), 2165-66, 2170 (Extase) ; – t. 5, col. 923, 1490 ; – t. 6, col. 626 ; – t. 7, col. 1107, 1497-99, 1501-03 (Images et contemplation) ; – t. 8, col. 838, 1401-02 ; – t. 9, col. 1262 (Luxure spirituelle) ; – t. 10, col. 404 (Mariage spirituel), 922, 1928 ; – t. 11, col. 20-21.

Roberto MORETTI.

**15. PHILIPPE DE LA TRINITÉ**, carme déchaussé, 1908-1977. – Né le 22 janvier 1908 à Grenoble, Jean Rambaud fit ses études au Séminaire français et à l'Université grégorienne à Rome (1925-1930). Il entra au Carmel le 14 septembre 1930. Il fut ordonné prêtre le 26 mai 1934.

Philippe de la Trinité est provincial de la province de Paris durant la guerre mondiale ; il soutient son confrère Jacques de Jésus-Marie, qui hébergeait des enfants juifs et qui mourut en déportation à Mathausen. En 1944 il est nommé membre de l'Assemblée consultative provisoire et y siège jusqu'en septembre 1945. Il arrive à Rome en septembre 1952 : qualificateur puis consulteur du Saint-Office (jusqu'en 1973), professeur de dogme à la faculté théologique des Carmes déchaux, président de cette faculté et recteur du Collège international de l'Ordre. Il participe à la préparation du concile Vatican II comme consulteur de la commission pontificale de théologie. En 1960, sa santé l'oblige à interrompre son enseignement, mais il continue à écrire dans la mesure de son possible. A la suite d'une brusque et profonde aggravation de sa santé en octobre 1976, il est accueilli par l'institut séculier carmélitain Notre-Dame de Vie, à Venasque, et y meurt le 10 avril 1977, jour de Pâques.

L'œuvre de Philippe de la Trinité, surtout philosophique et théologique, est importante par l'acuité qu'il a portée à l'étude de certains problèmes : métaphysique de la substance, union hypostatique, péché de l'ange, etc. Ses écrits dénonçant le « panchristisme naturaliste et évolutif » de P. Teilhard de Chardin sj l'ont fait connaître d'un certain public.

Dans le domaine spirituel, sa pensée, à la fois classique et originale, repose sur la théologie thomiste de la rédemption et sur la voie d'enfance évangélique de Thérèse de Lisieux ; il aimait à montrer leur accord dans l'affirmation du primat de la miséricorde de Dieu. La réparation du péché étant impossible à l'homme, Dieu se l'est donnée à lui-même par l'Incarnation rédemptrice du Verbe. Mais la liberté humaine a le pouvoir de mettre cette œuvre en échec. Dieu désire nous voir recourir aux sources de sa miséricorde avec une audace sans borne, dans l'espérance et en vue de la charité. La voie spirituelle est ainsi tracée, Thomas d'Aquin offrant les bases dogmatiques et Thérèse de Lisieux l'exemple du parcours à accomplir. Philippe insistait volontiers sur le purgatoire : selon lui, le désir de Dieu n'était pas tant de nous y mettre pour nous purifier que de nous faire accomplir cette purification sur terre, afin de nous prendre dans sa gloire dès après notre mort (cf. son unique article dans le DS, *Épreuves spirituelles,* t. 4, surtout col. 923-25).

Bibliographie des œuvres dans *Ephemerides carmeliticae,* t. 29, 1978, p. 384-93, à la suite de l'étude de Joseph de Sainte-Marie, *L'œuvre et la pensée théologiques du P. P. de la T.,* p. 313-83. – Parmi les principales œuvres : *Le P. Jacques, martyr de la charité. Témoignages présentés par...,* Paris, 1947 ; – *La doctrine de sainte Thérèse de l'Enfant-Jésus sur le purgatoire,* Paris, 1950 ; – *La rédemption par le sang,* coll. Je sais-Je crois, Paris, 1959 ; – *Le péché de l'ange. Peccabilité, nature et surnature,* en collaboration avec Ch. Journet et J. Maritain, Paris, 1961 ; – *Dieu de colère ou Dieu d'amour,* coll. Présence du Carmel, Paris, 1964 ; – *Teilhard de Chardin. Étude critique,* 2 vol., Paris, 1968 ; – *Thérèse de Lisieux, la sainte de l'enfance spirituelle. Une relecture des textes d'André Combes,* Paris, 1981 (à ajouter à la bibl. indiquée *supra*) ; – etc.

Notices nécrologiques dans *Doctor Communis,* t. 32, 1979, p. 102-08 ; – *Rivista di vita spirituale,* t. 33, 1979, p. 330-35.

DS, t. 6, col. 646 ; t. 7, col. 1618 ; t. 10, col. 487.

J<small>OSEPH DE</small> S<small>AINTE</small>-M<small>ARIE</small>.

**16. PHILIPPE DE LA VISITATION** (V<small>IFQUIN</small>), carme, 1629-après 1687. – Né en 1629, Philippe fit profession au Carmel de Bruxelles. Lorsque les couvents de langue française de la province flamande en furent séparés pour former la province gallo-belge (1663), il opta pour cette dernière. Plus tard, quand les maisons des régions réunies à la France furent séparées de cette province, il choisit de rester dans les Pays-Bas (1680).

Divers actes des chapitres provinciaux le montrent prieur à Marche, Arlon et Mons ; auparavant il avait été professeur de rhétorique au *studium* des Carmes à Arras et directeur du tiers ordre à Valenciennes. Il mourut quelque temps après 1687, date à laquelle il avait été élu sous-prieur à Brugelette.

On lui doit surtout l'édition de la règle composée en 1455 par Jean Soreth († 1471 ; DS, t. 8, col. 772-73) pour le tiers ordre de Liège : *Troisième règle des frères et sœurs de Notre Dame du Mont Carmel* (Liège, 1675) ; cette éd. est dite « substantiellement » conforme à l'original, mais Philippe, s'adressant aux hommes et aux femmes, adapte le texte de Jean Soreth aux nouvelles conditions du tiers ordre depuis la bulle *Dum attenta* de Sixte IV (1476).

Autres ouvrages : *Méditations de l'éternité bienheureuse ou malheureuse* (Liège, s d) ; – *Flores Carmeli poetici* (Cologne, 1652 ; Liège, 1666 et 1670) ; – *Bréviaire des confrères et consœurs du S. Scapulaire de N.D. du Mont Carmel* (Valenciennes, 1659 ; Namur, 1681) : manuel pour la confrérie ; – une histoire de l'image miraculeuse de N.D. attribuée à saint Luc (Bruxelles, 1661) ; – *Het leven van de eerw. suster Sr Paulina Le Petit,* publiée avec *De stralen van de sonne van den H... Elias* (Liège, 1681) de son confrère Jacques de la Passion du Seigneur.

Cosme de Villiers, *Bibl. Carmelitana,* t. 2, Orléans, 1752, col. 653-55. – I. Rosier, *Biographisch en bibliographisch overzicht van de vroomheid in de Nederlandse Carmel,* Tielt, 1950, p. 154-54. – Th. Motta Navarro, *Tertii Carmelitici saecularis ordinis historico-iuridica evolutio,* Rome, 1960, p. 154-61. – Réimpression de la *Troisième règle,* par G. Wessels, dans *Analecta Ordinis Carmelitarum,* t. 3, 1914-16, p. 263-66. – *Bibliotheca catholica neerlandica impressa,* La Haye, 1954, table.

Joachim S<small>MET</small>.

**PHILIPPE** (A<small>UGUSTE</small>), rédemptoriste, 1874-1935. – Né le 9 juin 1874 à Renaix (Belgique), Auguste Philippe entra chez les Rédemptoristes le 3 octobre 1892, à Saint-Trond (Limbourg belge), où il émit les vœux le 3 octobre 1893. Il fit ses études de philosophie et de théologie au scolasticat de sa congrégation à Beauplateau (Luxembourg belge) et y fut ordonné prêtre le 10 septembre 1898. Il mourut à Bruxelles le 27 juillet 1935.

Après ses études de théologie, à la fin de 1900 il enseigna le grec et les mathématiques à ses jeunes confrères à Saint-Trond. En 1902/03 il enseigna l'Écriture sainte à Beauplateau. En 1908, quittant l'enseignement et la direction spirituelle des scolastiques, il put désormais se vouer à l'apostolat de la parole et de la plume ; il donna une série quasi ininterrompue de missions, de retraites (à des religieuses surtout), de sermons de circonstance. Directeur de l'association de la Sainte-Famille à Liège, il voulait prémunir les membres contre les fausses doctrines du temps. Ses conférences contre le spiritisme et contre la franc-maçonnerie lui attirèrent d'âpres attaques sous forme de brochures et d'articles de journal.

Philippe s'occupa aussi de promouvoir l'œuvre de la bonne presse ; quand le cardinal Mercier, en 1913, organisa cette œuvre officiellement dans son diocèse, il le nomma directeur général, mais la première guerre mondiale rendait bientôt impossible l'organisation effective. Pendant la guerre Philippe résida à Lyon, où, comme délégué du cardinal Mercier, il avait à s'occuper des intérêts spirituels des belges réfugiés dans cette région.

Vers la fin de la guerre, alors qu'on commençait à parler d'une « Ligue des Nations » dont le but principal serait de prévenir de nouveaux conflits armés, Philippe conçut l'idée d'une « Ligue apostolique des Nations », dont le but serait d'inspirer les catholiques en tout ce qui concerne l'ordre social et de réaliser cet ordre par la régénération chrétienne de la société : la restauration de toutes choses dans le Christ. Avec l'approbation du Saint-Siège, il lança son programme dans le *Manuel de la Ligue apostolique des Nations* (Lyon, 1919), qui provoqua nombre de réactions favorables et encourageantes.

En 1919 Philippe ressentit les premiers symptômes de la maladie de Parkinson ; dès 1925 il devait être aidé en tout. Néanmoins durant les quinze dernières années de sa vie il déploya une surprenante activité d'écrivain. En 1919 il avait fondé un bulletin mensuel : *La Ligue apostolique des Nations,* qui devint en avril 1926 *Ligue apostolique du Christ-Roi et des Nations*, et en 1927 *L'Ordre social chrétien* ; il y publiait presque chaque mois un article de fond.

Ses livres spirituels les plus importants et les plus volumineux sont : *Vivre la Trinité et Jésus ou La théologie vécue* (Esschen-Paris, 1926) ; *Le Christ, vie des Nations* (Paris, 1929) ; *Le point central de la doctrine de S. Jean de la Croix* (Paris, 1929) ; *La gloire divine* (Paris-Bruxelles, 1930). En outre il publia plusieurs brochures sur des questions en relation avec l'ordre social et la royauté du Christ, comme *Le catéchisme des droits divins dans l'ordre social* (Paris-Bruxelles, 1926 ; 1927 ; trad. anglaise, Dublin, 1932).

Pour juger cette œuvre imprimée, il faut se souvenir des conditions difficiles de travail qui gênaient l'auteur. Incapable d'écrire dès 1926, il dépendait de secrétaires bénévoles. Il devait laisser aller sa pensée au hasard de l'inspiration sans pouvoir la fixer par un canevas avant de dicter. De là une présentation peu attrayante, un certain désordre, des longueurs fatigantes, des redites, un défaut de clarté dans la suite des idées qui plusieurs fois ne sont pas très élaborées.

Bien qu'il ait mené une vie apostolique éminemment active, Philippe fut avant tout un contemplatif. L'agir pour Dieu doit être fondé sur l'union intime avec Dieu dans le Christ. De cette conviction il vivait lui-même et il l'inculquait à autrui : « Voyez et contemplez ce qui se passe en vous ; comprenez donc enfin l'union profonde qui s'accomplit dans ce centre sacré que vous êtes vous-mêmes... livrez-vous à l'amour éternel et donnez à cet amour d'accomplir en plénitude en vous son œuvre » (*Le point central*, p. 57). Sa spiritualité est essentiellement théologique ; c'est la théologie vécue qui constitue la sainteté, l'union complète et constante avec Dieu. Insistant sur la réalisation de cette union, il était convaincu qu'elle n'était possible que sur la base d'un renoncement total à soi-même et à tout ce qui n'est pas Dieu. Le 'combat spirituel' est absolument indispensable, bien que de nature subordonnée et préparatoire, pour parvenir au dépouillement complet de l'esprit.

Par son apostolat social Philippe entra en communication avec nombre de personnalités qui l'estimaient et sur lesquels il exerça une influence salutaire. Il était un directeur spirituel recherché, surtout par les religieuses, parmi lesquelles se trouvèrent plusieurs âmes de choix, comme Marie-Élisabeth de la Trinité, du carmel de Tournai (1880-1929). Il les dirigeait à la fois avec bienveillance paternelle et une fermeté exigeante.

M. De Meulemeester, *Bibliographie générale des écrivains rédemptoristes*, t. 2, Louvain, 1935, p. 321-22 ; t. 3, 1939, p. 129-133, 366. – *La Voix du Rédempteur*, t. 44, 1935, p. 275-76. – *Le R.P. Philippe, fondateur de la Ligue apostolique*, numéro spécial de *L'Ordre social chrétien*, Paris, 1936. – *Études*, t. 228, 1936, p. 413-14. – M. De Meulemeester, *Le Père Philippe, rédemptoriste (1874-1935)*, Louvain, 1942.

André SAMPERS.

**1. PHILIPPI** (JACQUES), prêtre, vers 1435-après 1510. – On sait peu de choses de la vie de Philippi en dehors des mentions de quelques documents. Il est né vers 1435 à Kirchoffen, près de Fribourg-en-Brisgau et il est mort à Bâle après 1510. Bachelier puis maître en théologie de l'université de Bâle, il fut curé de l'église Saint-Pierre de cette ville où il enseigna aussi l'Écri-

ture sainte. En 1510 il est mentionné comme chanoine de la cathédrale, mais on ignore quand il mourut. On trouve sa signature à la date du 10 avril 1486 dans un acte de donation en viager aux frères de la vie commune à Zwolle aux Pays-Bas.

C'est dire qu'il faut replacer ce personnage, ou plutôt ses écrits dans le mouvement de la *devotio moderna* et dans celui d'une « Préréforme » en milieu germanique à la fin du 15e siècle, à Strasbourg autour de Wimpfeling † 1528 ou de Geiler de Kaysersberg † 1510, comme à Bâle où l'ancien prieur de Sorbonne Jean Heynlin † 1496 (DS, t. 7, col. 435-37) s'était retiré en 1486 à la Chartreuse, et où Sébastien Brant † 1521, auquel Philippi était lié, enseignait.

Les deux œuvres majeures·de Philippi vont dans la double direction indiquée par les esprits les plus religieux de son temps : une pédagogie de la dévotion personnelle et une exhortation à la réforme des mœurs dans l'Église.

Le *Praecordiale devotorum*, appelé aussi plutôt *Praecordiale sacerdotum*, fut d'abord imprimé à Strasbourg en 1489, et réédité ensuite à plusieurs reprises à Bâle, Deventer, Zwolle et Paris, ce qui est d'ailleurs très caractéristique de la diffusion géographique de la dévotion moderne à la fin du 15e siècle, à mesure que les congrégations qui la propageaient s'étendaient. Il y a une traduction française de ce manuel de méditations méthodiques : *Le sentier et l'adresse de dévotion et contemplation* publié à Toulouse ; le nom du dédicataire, Antoine du Prat, alors évêque d'Albi, et celui de l'imprimeur Jacques Colomiès, permettent d'en fixer la date autour de 1529.

Le but de cet ouvrage, un peu composite, est d'orienter les cœurs des prêtres vers la dévotion avant qu'ils ne s'approchent de l'autel pour célébrer l'eucharistie. En effet, comme la Préface le déplore, il y a certains prêtres, même excellents, qui s'abstiennent de célébrer la messe par défaut de dévotion et se privent ainsi, eux et les autres, de biens infinis. Pour attirer les prêtres à la célébration quotidienne ou au moins fréquente, Philippi leur propose des méthodes de méditation, selon une division qui recouvre les sept jours de la semaine. La méditation du matin sera consacrée aux « mystères » présentés par l'Évangile, tandis que le soir on s'appliquera davantage à la contemplation de leurs effets en nous ou dans l'Église. La tonalité majeure qui est proposée est celle de la Passion du Sauveur, spécialement le mercredi et le vendredi, alors que le samedi on s'attachera à la « compassion et tristesse de la Vierge Marie », par exemple aux « cinq glaives principaux » qui lui transpercent le cœur car, comme le dit le texte français : « ce sont les cinq glaives de douleur generaulx de Marie, mère doloreuse, combien que beaucoup d'autres speciaulx infinitz elle aye souffers auxquels toutes les passions et affections de tous les saincts qu'ils ont portés en leurs corps ne pourraient être comparés ».

Les joies, qu'on méditera le dimanche, sont décrites plus brièvement et d'une manière bien plus abstraite. Mais l'ensemble donne pourtant une impression de proximité avec les textes de l'Écriture. La méthode numérique, si caractéristique du temps, est largement employée (sept paroles de Jésus en croix, sept effusions de sang, ses quatre « opérations merveilleuses »).

M.Viller a bien montré que Philippi dans cet ouvrage est loin d'être original et dépend en fait d'autres auteurs qu'il n'hésite nullement à plagier, sinon à copier. Il s'inspire ainsi de passages entiers de Gérard Zerbolt de Zutphen (1367-1398), un des premiers disciples de Radewijns, surtout de son *De spiritualibus ascensionibus* (DS, t. 6, col. 285). Philippi emprunte aussi beaucoup à Ludolphe le Chartreux et à l'auteur du *Lavacrum conscientiae*, publié peu de temps avant son ouvrage et attribué à un religieux de Chartreuse.

L'absence d'originalité du *Praecordiale sacerdotum* n'empêche nullement que le livre ait été dicté à Philippi par un mouvement de conversion personnelle dont nous trouvons un écho dans la Préface où il avoue « avoir été trop attaché aux choses temporelles..., s'être trop livré aux vaines occupations, sans même alors penser mal faire ». Il a voulu montrer l'exemple de la conversion par la prière personnelle. Philippi revient toujours dans le *Praecordiale* sur la dignité du sacerdoce. Elle oblige le prêtre à mener une vie vertueuse dont il donne une longue description en un poème à la prosodie fort plate. Mais ce texte peut montrer la continuité du projet de Philippi, car son second livre, le plus célèbre, le *Reformatorium vitae morumque clericorum*, publié en 1494 à Bâle, propose les moyens d'une vraie réforme cléricale.

Le titre complet, prolixe comme de coutume à l'époque, explique qu'il s'agit d'une exhortation fraternelle à rejeter les vices, d'une admonestation à la pénitence avec une description des signes de la ruine et de la tribulation actuelles de l'Église, dont on trouvera les prophéties dans l'Écriture.

La première partie de l'ouvrage dénonce la pompe des clercs et prône l'austérité du vêtement et de la chère. Philippi rejette le sophisme selon lequel les clercs doivent adopter un mode de vie qui ne les fasse pas accuser, par les laïcs qu'ils côtoient, d'hypocrisie ou d'avarice. Il y a, dit-il, d'autres moyens de paraître sincères ou généreux ! Il manifeste beaucoup de véhémence contre les « repas somptuaires », spécialement ceux qui sont offerts à l'occasion des premières messes des prêtres. Ces abus n'ont pas tellement lieu, croit-il, en Italie, en France ou en Allemagne du Sud, mais, hélas !, en Allemagne du Nord, certainement à l'instigation du diable ! (fol. C1v. de l'éd. 1494). Pour appuyer sa condamnation du luxe dans l'Église, Philippi cite Gerson ; saint Bernard, qu'il semble apprécier beaucoup, qui préconise un certain dépouillement dans le culte ; saint Antonin, etc.

La seconde partie du livre est une sorte de traité du comportement pratique du clerc : ce qu'il doit faire dans l'Église, selon les recommandations du concile de Bâle, ce qu'il doit savoir, les livres qu'il devrait posséder. Mais c'est surtout à une vie vertueuse qu'il convie tous les prêtres, car la désobéissance et l'impudence du clergé sont les signes les plus manifestes de la ruine dans l'Église. Le remède proposé, bien dans la ligne du temps, est la vie commune « utile, joyeuse et méritoire ». La vie canoniale, approuvée par le concile de Constance, propose un rythme de vie que Philippi détaille, en s'inspirant des Coutumes effectivement pratiquées chez les frères de la vie commune à Zwolle. Elle entraîne aux vertus qu'il faut observer : humilité, sobriété, silence, chasteté.

En dépit de son manque d'originalité, ou peut-être même à cause de cela, il est remarquable de trouver sous une même plume une telle convergence de recommandations pratiques et de principes spirituels issus de la dévotion moderne. Elle fait de Philippi un exemple très typique de cette prise de conscience catholique pour une réforme en profondeur de l'Église à la fin du 15e siècle.

Les diverses éditions du *Praecordiale sacerdotum devote celebrare cupientium utile et consolatorium*, de 1489 à 1510 sont décrites par Hain-Copinger, *Repertorium bibliogra-phicum* (n. 13318 svv) et son Supplément (n. 4830) ; trad. française, *Le sentier et l'adresse...*, par Nicole Caling, religieux, Toulouse, J. Colomiès, sans date. – *Reformatorium vite morumque honestatis clericorum saluberimum*, Bâle, Michael Furter, 1494 (et non 1444), sans nom d'auteur, lequel se découvre dans une lettre de Sébastien Brant (Hain-Copinger, n. 13720).

*Realencyklopädie für protestantische Theologie und Kirche*, t. 15, Leipzig, 1904, p. 319-22 (L. Schulze). – Excellent article de M. Viller, *Le Praecordiale sacerdotum de Jacques Philippi (1489)*, RAM, t. 11, 1930, p. 375-95. – Sur le *Reformatorium*, voir *Mémoires de Trévoux*, juillet 1764, p. 103-137. – DS, t. 1, col. 336, 1617 ; t. 2, col. 896 ; t. 3, col. 729, 738 ; t. 9, col. 1135.

Guy Bedouelle.

**2. PHILIPPI** (Pierre-Paul), frère prêcheur, † vers 1650. – Né à Castelnuovo Garfagnana (province de Massa Carrara),Philippi fit profession au couvent dominicain de Sainte-Marie de la Minerve, à Rome. Il enseigna à Pérouse, à Rome, fut consulteur de l'Inquisition. Zélé pour l'observance, il contribua au développement de la discipline régulière dans plusieurs provinces d'Italie et d'Espagne. Il mourut nonagénaire, au couvent de la Minerve, entre 1647 et 1650, laissant la réputation d'un homme instruit et vertueux, si l'on en croit son éloge inséré dans les Actes du chapitre général de l'ordre en 1650 (*Monumenta ord. praed. historica*, t. 12, Rome, 1902, p. 352).

Consulteur de l'Inquisition, Philippe fut le porte-parole de la Congrégation pour apporter des mises au point à la doctrine du franciscain Henri Herp (DS, t. 7, col. 346-66). L'édition latine de la *Theologia mystica* publiée à Rome en 1585 comporte en effet une « admodum necessaria introductio » au *Directorium aureum contemplativorum*, titre du 2e livre de l'ouvrage ; datées de la Minerve, 29 octobre 1585, les douze pages de cette *introductio* ne sont pas paginées, l'impression du livre étant achevée quand elles parvinrent aux éditeurs. Ce texte, qui donne les justifications des corrections demandées pour les éditions futures de la *theologia mystica*, ne se trouve pas reproduit dans toutes les éditions ultérieures (pas plus que les corrections elles-mêmes), mais au moins dans quelques-unes : ainsi les éditions latines de Brescia 1601, Cologne 1611, l'édition française d'Arras 1605, etc. (cf. répertoire des éd. d'Harphius par L. Verschueren dans son édition du *Spiegel der Volcomenheit*, t. 1, Anvers, 1931, p. 97-127). Tout en exprimant son admiration pour Henri Herp, Philippi propose un guide pour une lecture prudente du *Directorium aureum*, mettant en garde les débutants contre les illusions, insistant sur l'indispensable exercice des vertus avant toute prétention à ces hauts degrés de contemplation dont il rappelle l'absolue gratuité.

Philippi a aussi laissé un recueil de *Relectiones theologicae* (Rome, 1614). Les trois premières se présentent comme ayant été professées à Pérouse, la quatrième pendant le priorat de Philippi à Camerino. La première et la dernière traitent des Anges, de leur mode de connaissance, de leur distinction ; les deux autres sont plus proches des problèmes de la vie spirituelle : la deuxième, la plus longue de toutes (p. 54-202), traite des actes par lesquels s'augmente la charité, et la troisième (p. 203-66) porte sur le caractère surnaturel de la grâce et de la vision de la charité divine.

Quétif-Échard, *Scriptores ordinis praedicatorum*, t. 2, Paris, 1721, p. 558. – J. Périnelle, *Saint François de Sales,*

*Harphius et le Père Philippi*, VSS, t. 29, 1931, p. 65-95. – DS, t. 7, col. 350.

André DUVAL.

**PHILIPS** (Gérard), prêtre, 1899-1972. – Originaire de Saint-Trond (Belgique), Gérard Philips fit ses études d'humanité puis de philosophie au petit séminaire de la ville. Envoyé à Rome, à l'université grégorienne, il y poursuivit sa formation théologique jusqu'à la maîtrise (1919-1925), y préparant, sous la direction de M. de la Taille (DS, t. 9, col. 328) une thèse sur *La raison d'être du mal d'après S. Augustin* qu'il publie en 1927 (Museum Lessianum, Louvain). Professeur de philosophie au petit séminaire de Saint-Trond (1925), bientôt nommé professeur de théologie dogmatique au grand séminaire de Liège, il anime ses cours d'un souffle spirituel et pastoral. En 1942, maître de conférences à la faculté de théologie de l'université de Louvain, il y est, en 1944, nommé professeur de dogmatique spéciale, fonction qu'il assume jusqu'à l'émérit en 1969. Il s'efforçait toujours d'unir organiquement la théologie spéculative à ses fondements historiques : l'Écriture, les Pères.

En 1945, il devint membre du Comité de direction des *Ephemerides theologicae Lovanienses* et le demeura jusqu'à sa mort. Entre-temps, il fut aumônier général de l'Action catholique de la Jeunesse flamande, donna de nombreuses conférences et retraites, et prit part selon la coutume belge à la vie politique comme sénateur coopté (1953-1968). Élevé à la prélature et appelé comme *peritus* au Concile Vatican II, Mgr Philips eut une part prépondérante dans le travail de réélaboration et de rédaction de *Lumen Gentium*, ainsi que dans la phase de rédaction finale de *Dei Verbum* et de *Gaudium et spes*. Au cours de la dernière période du Concile, le 25 octobre 1965, épuisé par le travail, il fut terrassé par une affection cardiaque dont il ne se remit jamais entièrement. Il mourut le 14 juillet 1972.

Trois thèmes dominent l'œuvre de G. Philips : la grâce, l'Église, la Vierge Marie. Toujours, ils sont traités de manière à unir fermement une dogmatique exigeante et une spiritualité théologale.

Durant sa longue carrière professorale à Louvain, il revint à maintes reprises sur le thème de la *grâce* sanctifiante (ses cours polycopiés se trouvent à la Bibliothèque de la *Fakulteit der Godgeleerdheid* de la Katholieke Universiteit Leuven). Il prépara sur le sujet un travail d'ensemble qui fut publié après sa mort : *L'union personnelle avec le Dieu vivant. Essai sur l'origine et le sens de la grâce créée* (Gembloux, 1974). La grâce créée, insistait-il, n'est pas une « chose » ; elle est une réalité relationnelle, une relation ontologique vivante et transcendante. « En tant qu'union vivante avec l'Esprit Saint, le Fils et le Père, la grâce n'est pas créée : elle désigne exactement l'union avec l'Incréé. Il n'y a pas deux grâces, mais l'unique grâce présente une double face » (*op. cit.*, p. 281). La doctrine alimentait ses nombreuses retraites et conférences sur la mystique dont nous avons l'essentiel dans des cours lithographiés, par exemple : *De notionibus generalibus et mystica occidentali* (1960-1961, 65 p. ; 1961-1962, 61 p.).

Philips fut, durant sa vie sacerdotale, aumônier de l'Action catholique : le fait marqua son *ecclésiologie*, et en particulier ses publications sur le laïcat. *De Heilige Kerk* connut plusieurs éditions (1935, 1937,

1945 ; trad. fr. *La Sainte Église catholique*, Tournai, 1952). *De leek in de Kerk* (Leuven, 1952) et sa présentation française *Le rôle du laïc dans l'Église* (Tournai, 1954) offrent sa théologie du laïcat. Elle est celle de l'Action catholique de l'époque, de Pie XII en particulier. Philips insiste toujours sur le caractère « ecclésial » de l'apostolat des laïcs, mais il souligne aussi bien la responsabilité personnelle de ceux-ci, laquelle inspire *Pour un christianisme adulte* (Tournai, 1962) et *Le chrétien authentique demain* (Gembloux, 1970). Sur la « spiritualité » proprement dite des laïcs, on consultera davantage les cours dactylographiés *De spiritualitate laicorum* (1, 1957-1958, 66 p. ; 2, 1958-1959, 96 p. ; 3, 1959-1960, 76 p.).

Pendant toute sa carrière enfin, Philips fut le spécialiste de la *mariologie* en Belgique. Les *Mariale Dagen* (Journées mariales) de l'abbaye de Tongerloo purent constamment mettre à profit ses recherches et ses travaux. Il y donnait régulièrement un *Rapport* sur l'état des études mariologiques. Mais il n'a pas laissé d'ouvrage d'ensemble sur le sujet. Le souci est constant de montrer le lien organique de la doctrine sur la Vierge Marie avec les mystères de l'Incarnation, de la Rédemption et des fins dernières. Cette recherche d'équilibre doctrinal se retrouve, par exemple, dans le chapitre 8 de la Constitution *Lumen Gentium*, qui lui doit beaucoup.

Philips joua un rôle important au Concile Vatican II, où il fut la cheville ouvrière de la Constitution *Lumen Gentium*. Il proposait toujours, au-delà de ses préférences personnelles, la formulation susceptible d'obtenir l'assentiment de la grande majorié des Pères : cela lui valut la pleine confiance des membres de la Commission théologique conciliaire. Nous possédons un dernier état de la pensée de G. Philips dans *L'Église et son mystère au deuxième Concile du Vatican. Histoire, texte et commentaire de la Constitution Lumen Gentium* (2 vol., Paris, 1967-1968).

Travailleur assidu, exigeant pour lui-même et pour les autres, discipliné mais indépendant d'esprit, Philips unissait aux activités apostoliques les réunions de spiritualité, comme pour alimenter par son existence même la vie d'union à Dieu qu'il voulait continue.

La Bibliothèque de la *Fakulteit der Godgeleerdheid* (Katholieke Universiteit Leuven) possède encore des inédits. Parmi ceux-ci : des études sur la christologie, l'Esprit Saint, l'œcuménisme, les rapports de l'Église et de la politique.

*Ecclesia a Spiritu Sancto edocta, Lumen Gentium 53, Mélanges théologiques. Hommage à Mgr G. Philips.* Gembloux, 1970 (cf. surtout *Bibliographia Academica*, p. XVII-XXXVII ; J. Coppens, *Monseigneur Gérard Philips, Sa carrière et son œuvre*, p. XI-XVI ; J. Grootaers, *Le rôle de Mgr G. Philips à Vatican II*, p. 343-80). – A. Descamps, *In memoriam Monseigneur G. Philips*, dans *Revue théologique de Louvain*, t. 3, 1972, p. 378-81.

Gustave THILS.

**PHILOCALIE.** – 1. *Éditions en grec.* – 2. *Éditions en d'autres langues.* – 3. *Spiritualité.*
La *Philocalie* est une collection de textes ascétiques et mystiques rassemblés par Macaire de Corinthe (1731-1805 ; DS, t. 10, col. 10-11) et Nicodème l'hagiorite (1749-1809 ; DS, t. 11, col. 234-50) ; elle fut publiée pour la première fois à Venise en 1782. Elle peut à juste titre être considérée comme une encyclopédie ou un « bréviaire » de l'*hésychasme* (cf. DS,

t. 7, col. 381-99) et elle a exercé une profonde influence sur la spiritualité orthodoxe moderne (et même en d'autres milieux), surtout depuis les années 1950.

Le mot grec φιλοκαλία signifie littéralement « amour de ce qui est beau et bon » (Augustin transcrit le terme en latin et l'identifie pratiquement à *philosophia* ; cf. *Contra Academicos* II, 3, 7), plus particulièrement l'amour pour Dieu comme source de toutes les choses belles et pour tout ce qui conduit à l'union avec la Beauté divine incréée. Appliqué à un livre, le mot prend le sens de « collection de morceaux choisis », « anthologie ». Le terme apparaît déjà chez Eusèbe, pour dire que Bérylle, évêque de Bostra (début 3ᵉ s.), « laissa diverses *philocalies* » (*Histoire ecclésiastique* VI, 20, 2, PG 20, 572b), mais le sens est ici incertain. Basile le Grand et Grégoire de Nazianze donnèrent le nom de *Philocalie* à une collection d'extraits d'Origène compilés à Annesi en 358/59 (éd. J. Armitage Robinson, Cambridge, 1893 ; éd. et trad. franç. des ch. 21-27, par E. Junod, SC 226, 1973 ; des ch.1-20, par M. Harl, SC 302, 1983).

C'est sans doute ce recueil qui donna à Macaire et Nicodème l'idée de leur titre. Leur *Philocalie* est cependant un ouvrage beaucoup plus étendu. En plus de 1 200 pages in-folio, il contient des extraits mais aussi, pour une bonne part, des œuvres complètes de quelques trente-six auteurs, du 4ᵉ au 15ᵉ siècle. C'est probablement la plus importante publication dans le monde grec orthodoxe durant les quatre siècles de la domination turque.

1. **Éditions en grec**. – 1° L'ÉDITION ORIGINALE de 1782 porte un long titre dont il est utile de donner la traduction (pour le texte grec, voir la reproduction du frontispice en tête de l'édition d'Athènes, t. 1, 1957) : « Philocalie des saints neptiques, compilée d'après nos Pères saints et théophores, dans laquelle, par la Pratique et la Théorie de la Philosophie Morale (= spirituelle), l'intellect est purifié, illuminé et rendu parfait. Corrigée avec le plus grand soin, et imprimée maintenant aux frais du très honorable et très aimé de Dieu le seigneur Jean Maurocordato, pour le profit commun des orthodoxes. Venise, 1782, sur les presses d'Antoine Bortoli ». Cf. É. Legrand, *Bibliographie hellénique... au 18ᵉ siècle*, t. 2, Paris, 1928, n. 1086, p. 391-94.

L'ouvrage est divisé en deux parties, avec pagination continue (XVI + 1207 p.). La *licence* (p. 1207), signée par les censeurs de l'université de Padoue, assure qu'il ne contient « rien qui soit contraire à la sainte foi catholique... ou aux bons principes moraux ». La page de titre, tout en donnant le nom du mécène qui finança la publication, ne fait aucune mention des deux éditeurs, Macaire et Nicodème, dont le nom n'apparaît nulle part dans le texte. Le « Maurocordato » en question est probablement Jean, fils de Nicolas, né en 1712 et prince de Moldavie en 1743-1747 (cf. É. Legrand, *Généalogie des Maurocordato...*, Paris, 1900, p. 18, n. 29), ou plus exactement encore, Jean, fils de Constantin, né en 1740 (*ibid.*, p. 19, n. 38). Macaire semble avoir rencontré ce « Maurocordato » à Smyrne (cf. C. Papoulidis, « Macarios Notarâs », p. 65, citant Athanase de Paros).

Macaire et Nicodème étaient l'un et l'autre profondément engagés dans le mouvement des « collybades » (de ϰόλλυβα, gâteau de froment bouilli consommé durant les services pour les défunts ; cf. J.-M. Le Guillou, *La renaissance spirituelle au 18ᵉ siècle...*, p. 121-25). Traditionalistes, fortement opposés aux idées de l'*Aufklärung* occidentale, dont l'influence atteignait le monde grec cultivé à la fin du 18ᵉ siècle, les collybades pensaient que la régénération de la nation grecque ne pouvait se faire que par un retour à la théologie et à la spiritualité des Pères. La publication de la *Philocalie* fait ainsi partie d'un programme plus vaste de renouveau intérieur, basé sur le retour aux sources authentiques, mais alors mal connues, de la foi et de la vie orthodoxe.

Le projet de l'ouvrage, comme l'indique la préface, est de rassembler des textes qui, « au cours des ans, à cause de leur rareté ou parce qu'ils n'ont jamais été imprimés jusqu'à présent, ont pratiquement disparu », et de rendre ces textes facilement accessibles aux lecteurs orthodoxes contemporains, moines ou laïcs. La publication de la *Philocalie* est intimement liée avec celle d'une autre collection de textes ascétiques et neptiques, également éditée par Macaire et Nicodème et publiée chez le même imprimeur un an plus tard, la *Synagogè* de Paul Évergétinos (cf. DS, t. 12, col. 562-64).

La *Philocalie* comporte une préface de huit pages, et de brèves notes introductives pour chaque auteur. Ces notes sont dépassées aujourd'hui, mais les éditeurs fournirent un travail sérieux, compte tenu des normes de leur temps et de leur milieu, pour publier un ouvrage correct et de valeur scientifique. Les écrits sont placés dans l'ordre chronologique, sauf vers la fin. Tous les auteurs utilisés sont de langue grecque, sauf Jean Cassien, dont les extraits sont traduits du latin. Les textes sont édités dans l'original grec patristique ou byzantin, à l'exception de sept courtes pièces vers la fin, qui sont adaptées en grec moderne (p. 1163-1207 ; cf. *infra*). Macaire et Nicodème n'indiquent pas les mss utilisés ; des variantes étant indiquées parfois dans les marges, il est clair qu'au moins pour certains écrits ils consultèrent plusieurs mss. La préface, tout en décrivant le projet d'ensemble de la *Philocalie*, ne fournit malheureusement aucun détail sur la méthode utilisée pour rassembler les matériaux. Le choix des textes est-il leur œuvre propre, ou utilisèrent-ils comme modèle des collections trouvées dans des mss de l'Athos ou d'ailleurs ? Une recherche ultérieure est nécessaire pour clarifier ce point.

D'après le hiéromoine Euthyme, biographe et ami personnel de Nicodème, lorsque Macaire vint visiter l'Athos en 1777, il apportait avec lui, déjà prête, la première ébauche de la *Philocalie*. Il la confia à Nicodème, qu'il avait d'abord rencontré dans l'île d'Hydra vers 1773/74, et qui était arrivé à la Sainte Montagne en 1775 (cf. DS, t. 11, col. 234). Nicodème revisa et corrigea l'ensemble de l'œuvre, rédigea la préface et les notes introductives. En même temps, Macaire lui confia aussi le ms de l'*Évergétinos* pour une semblable révision (*Vie de Nicodème*, éd. Sp. Lavriotis, dans Γρήγοριος ὁ Πάλαμᾶς, t. 4, 1920, p. 640).

Deux autres témoins contemporains cependant, Athanase de Paros et Paissy Velichkovsky (DS, t. 12, col. 40) (1722-1794), décrivent la composition de la *Philocalie* sans faire aucune mention de la participation de Nicodème (textes cités en détail par C. Papoulidis, « Makarios Notarâs »..., p. 63-65). Paissy, dans sa lettre à l'archimandrite Théodose, du monastère Saint-Sophrone, affirme que Macaire trouva tous ou presque tous les matériaux de la *Philocalie* dans les bibliothèques monastiques du Mont Athos, spécialement celle de Vatopedi. A.-A.N. Tachiaos (« Paissy Velichkovsky », p. 111 ; cf. *Cyrillomethodianum*, t. 5, 1981, p. 208-13) pense qu'il utilisa surtout le ms. *Vatoped.* 605 (13ᵉ s.), complété par le 262 (15ᵉ s.), mais une preuve décisive manque encore. Selon Paissy, Macaire écrivit lui-même les notes introductives sur chaque auteur. Cependant, malgré le silence d'Athanase et de Paissy, il est hautement probable qu'Euthyme a raison d'attribuer à Nicodème une participation importante au travail d'édition. Il serait pourtant inexact de le considérer comme seul éditeur. Bien plus important fut le rôle de Macaire : c'est lui qui prit l'initiative de l'entreprise, qui décida principalement, sinon exclusivement, le choix des auteurs et des textes et qui établit le plan définitif pour l'impression.

2° CONTENU DE L'ÉDITION PRINCEPS. – Nous indiquons entre parenthèses les pages de cette édition, puis celles de l'éd. plus répandue d'Athènes, 1957-1963, précédées du tome correspondant ; nous ajoutons ensuite les références éventuelles à PG (un astérisque indique que Migne utilise un texte différent de celui de la *Philocalie*).

Les éditeurs de PG n'eurent accès à un exemplaire de l'édition qu'en 1864, pour la publication du t. 85 ; ils soulignent l'extrême rareté de l'ouvrage en Occident : « in libro, diu frustra conquisito, cui titulus Φιλοκαλία » (PG 85, 791) ; « ex libro inter rariores rarissimo » (PG 127, 1127). Cette rareté est due au fait qu'après l'impression tous les exemplaires furent envoyés de Venise en Orient (PG 150, 1041). Le texte grec d'un certain nombre d'auteurs (Pseudo-Antoine, Isaïe de Scété, Diadoque de Photicé, Théodore d'Édesse, Philémon, Théognoste, Philothée le Sinaïte, Théophane, Pierre Damascène ; cf. PG *Index locupletissimus* de Th. Hopfner, t. 2, Paris, 1936, p. 847) était inclus dans le t. 162, détruit dans l'incendie des entrepôts en 1868 ; nous n'en ferons pas mention.

1) Antoine le Grand, *Parénèses sur les mœurs des hommes et la vie vertueuse* (p. 11-30 ; 1, 4-27). L'auteur n'est pas Antoine d'Égypte (vers 251-356) ; il s'agit en fait d'un écrit qui n'est pas fondamentalement chrétien mais une compilation à partir de sources stoïciennes et platoniciennes, présenté parfois sous le nom d'Antoine « Mélissa » (cf. M. Spanneut, art. *Épictète*, DS, t. 4, col. 834-35 ; M. Richard, art. *Florilèges*, t. 5, col. 492-94). Bien que Nicodème attribue l'œuvre à saint Antoine, il conserve quelques doutes, comme le suggèrent les notes au bas des p. 25-26.

2) Isaïe l'anachorète (Isaïe de Scété † 491 ; DS, t. 7, col. 2083-95), *De la garde de l'intellect* (p. 33-37 ; 1, 30-35). Brève sélection, en 27 paragraphes, de l'*Asceticon* d'Isaïe ; tous ces paragraphes, sauf un, se trouvent dans l'édition d'Augustinos, Jérusalem,1911 ; reprise par S. Schoinas, Volos, 1962.

3) Évagre le Pontique † 399 (DS, t. 4, col. 1731-44) : a. *Esquisses d'un enseignement sur la vie monastique* (*Hypotypôsis monastikè*), appelé aussi *Bases de la vie monastique* (p. 41-46 ; 1, 38-43 ; *PG 40, 1252-64). – b. *Chapitres sur le discernement des passions et des pensées*, intitulé aussi *Des diverses mauvaises pensées* (p. 46-56 ; 1, 44-57 ; *PG 79, 1200-33, sous le nom de Nil). L'ordre des chapitres est légèrement différent dans la *Philocalie* ; en outre, le texte s'arrête à la col. 1228c. – c. *Chapitres sur la nêpsis* (p. 56-57 ; 1, 58) : 5 brefs extraits.

4) « S. Cassien le romain » (Jean Cassien, vers 360-435 ; DS, t. 2, col. 214-76) : a. *Lettre à l'évêque Castor, sur les huit mauvaises pensées* (p. 61-76 ; 1, 61-80 ; *PG 28, 872-905) : trad. très abrégée d'*Institutions* V-XII. – b. *A l'abbé Léonce, sur les saints Pères de Scété et sur le discernement* (p. 77-87 ; 1, 81-93) : trad. abrégée des *Conférences* I-II ; éd. indépendante par K.J. Dyobouniotis à partir du ms *Meteora* 573, dans *Ekklèsiastikos Pharos*, t. 11, 1913, p. 57-65, 161-68. – Sur les trad. grecques de Cassien, cf. M. Petschenig, CSEL 17, p. XCV-CIV ; O. Chadwick, *John Cassian*, 2e éd., Cambridge, 1968, p. 157 ; DS, t. 2, col. 269 (influence en Orient).

5) Marc l'ascète (Marc le moine, 5e s. ? ; DS, t. 10, col. 274-83) : a. *Sur la loi spirituelle* (p. 91-100 ; 1, 96-108 ; *PG 65, 905-29). – b. *Sur ceux qui pensent être justifiés par les œuvres* (p. 100-13 ; 1, 109-26 ; *PG 65, 929-65). – c. *Lettre à Nicolas* (p. 113-23 ; 1, 127-38 ; *PG 65, 1028-49) ; la réponse de Nicolas (1052-53) est omise.

6) Hésychius, prêtre de Jérusalem (en fait Hésychius le Sinaïte, 8e-10e s. ? DS, t. 7, col. 408-10) : *A Théodule, sur la nêpsis et la vertu* (p. 127-52 ; 1, 141-73 : texte meilleur qu'en *PG 93, 1480-1544).

7) Nil l'ascète (Nil d'Ancyre † vers 430 ; DS, t. 11, col. 345-46) : a. *Sur la prière* (p. 155-65 ; 1, 176-89 ; *PG 79, 1165-1200) ; l'auteur est Évagre, cf. DS, t. 4, col. 1737. – b. *Discours ascétique* (p. 166-202 ; 1, 190-232 ; *PG 79, 720-809).

8) Diadoque de Photicé (5e s. ; DS, t. 3, col. 817-34) : *Cent chapitres* (p. 205-37 ; 1, 235-273 ; trad. latine seule en PG 65, 1167-1212 ; éd. critique par É. des Places, SC 5, réimpr. augmentée en 1966).

9) Jean de Karpathos (5e-7e s. ? ; DS, t. 8, col. 589-92) : a. *Cent chapitres pour l'encouragement des moines de l'Inde* (Éthiopie ? ; p. 241-57 ; 1, 276-96 ; PG 85, 1837-56). – b. *Discours ascétique*, aux mêmes moines (p. 258-61 ; 1, 297-301 ; PG 85, 1857-60) ; trad. lat. des deux écrits comme un seul ouvrage, PG 85, 791-812.

10) « Théodore le Grand, ascète et évêque d'Édesse » (cf. J. Gouillard, *Supercheries et méprises littéraires. L'œuvre de Th. d'É.*, dans *Revue des études byzantines* = REB, t. 5, 1947, p. 137-57) : a. *Centurie* (9e s. ? ; p. 265-81 ; 1, 304-24). – b. *Theorètikon* (14e-15e s. ? ; p. 281-87 ; 1, 325-32).

11) Maxime le Confesseur † 662 (DS, t. 10, col. 836-47) : a. *Quatre centuries sur la charité* (p. 291-330 ; 2, 4-51 ; *PG 90, 960-1073 ; éd. critique par A. Ceresa-Gastaldo, Rome, 1963). – b. *Deux centuries sur la théologie et l'économie de l'incarnation du Fils de Dieu* (p. 331-62 ; 2, 52-90 ; *PG 90, 1084-1173 ; trad. franç. de la 1re Centurie dans A. Riou, *Le monde et l'Église chez M. le C.*, Paris, 1973, p. 240-61). – c. *Chapitres divers* (p. 362-439 ; 2, 91-186 ; *PG 90, 1177-1392) désignés dans la *Philocalie* comme *Centuries* III-VII (extraits d'œuvres authentiques de Maxime, combinées avec des scolies sur l'*Ad Thalassium* et quelques extraits du Pseudo-Denys ; cf. M.-Th. Disdier, *Une œuvre douteuse de S.M...*, dans *Échos d'Orient* = EO, t. 30, 1931, p. 160-78) ; – d. *Sur le Notre Père* (p. 440-53 ; 2, 187-202 ; *PG 90, 872-909) ; trad. franç. dans A. Riou, *ibidem*, p. 214-39 ; cf. DS, t. 12, col. 406-07.

12) Thalassius le lybien (7e s. ; cf. M. van Parys, *Un maître spirituel oublié : Th. de Lybie*, dans *Irénikon*, t. 52, 1979, p. 214-40) : *Quatre Centuries* (p. 457-73 ; 2, 205-29 ; *PG 91, 1428-69).

13) Jean de Damas († vers 750 ; DS, t. 8, col. 452-66) : *Sur les vertus et les vices* (p. 477-82 ; 2, 232-38 ; *PG 95, 85-97), écrit aussi attribué à Éphrem le syrien, éd. J.S. Assemani, t. 3, Rome, 1746, p. 425-35 (cf. DS, t. 4, col. 810, 16°) ; il n'est cependant ni de l'un ni de l'autre. Selon I. Hausherr (*Jean le Solitaire : Dialogue sur l'âme et les passions*, OCA 120, 1939, p. 13), des morceaux de l'ouvrage pourraient provenir de Jean le Solitaire (5e s. ; DS, t. 8, col. 764-72).

14) *Au sujet de l'abbé Philémon* (6e-8e s. ;

p. 485-95 ; 2, 241-252). Cf. DS, t. 8, col. 1113 ; B. Krivochéine, dans *Messager de l'Exarchat du Patriarche russe...*, n. 7-8, 1951, p. 55-59 ; I. Hausherr, *Noms du Christ et voies d'oraison*, OCA 157, 1960, p. 239-45.

15) Théognoste (13e s.) : *Sur l'action, la contemplation et le sacerdoce* (p. 499-511 ; 2, 255-71) ; cf. J. Gouillard, *L'acrostiche spirituel de Th.*, EO, t. 39, 1940, p. 126-37 ; la personnalité et la datation de ce Théognoste ont été éclairées par la découverte et la publication, dues à J.A. Munitiz, du *Thesauros* (CCG 5, Turnhout, 1979 ; cf. introd., p. XXIX-XLIV) dont l'auteur principal semble bien être le même hiéromoine qui rédigea « l'acrostiche spirituel » ; le *Thesauros* ayant existé avant 1252, Théognoste a donc écrit au début du 13e siècle.

16) Philothée le Sinaïte (9e-10e s. ? ; cf. DS, t. 8, col. 1131 ; t. 12, *infra*) : *Quarante chapitres sur la nêpsis* (p. 515-25 ; 2, 274-86).

17) Élie l'ecdicos (11e-12e s. ? ; DS, t. 4, col. 576-78) : *Anthologie gnomique* (p. 529-48 ; 2, 289-314 ; PG 127, 1129-76 ; édité aussi sous le nom de Maxime le Confesseur, *PG 90, 1401-61). Cf. V. Laurent, DHGE, t. 15, col. 187-88 ; N.G. Politis, dans *Epeteris Hetaireias Byzantinôn Spoudôn*, t. 43, 1977/78, p. 345-64.

18) Théophane le moine (identité et date incertaines) : *Échelle* (p. 549-50 ; 2, 315-17, avec un graphique).

19) Pierre Damascène (12e s. ; cf. J. Gouillard, *Un auteur spirituel du 12e s.: P. D.*, EO, t. 38, 1939, p. 257-78) : a. *Livre* (p. 555-654 ; 3, 5-111). – b. *Vingt-quatre discours synoptiques* (p. 654-95 ; 3, 112-68).

20) Syméon Métaphraste ou le Logothète (fin 10e s.) : *Paraphrase des 50 homélies de S. Macaire d'Égypte* (p. 699-751 ; 3, 171-234 ; en fait adaptation en six discours de la collection IV du Pseudo-Macaire, *PG 34, 841-968) ; l'opuscule 1, *Sur la garde du cœur* (PG 34, 821-41), est omis ; cf. DS, t. 10, col. 21.

21) Syméon le Nouveau Théologien (949-1022) : *Cent cinquante-cinq chapitres pratiques et théologiques* (p. 755-82 ; 3, 237-270 ; PG 120, 604-88 ; éd. critique J. Darrouzès, SC 51 bis, 1980). La *Philocalie* contient seulement une sélection ; les n. 127-152 sont l'œuvre de Syméon le pieux, père spirituel du Nouveau Théologien (cf. Darrouzès, SC 51, p. 13).

22) Nicétas Stèthatos (11e s. ; DS, t. 11, col. 224-30) : *Trois centuries de chapitres pratiques, physiques et gnostiques* (p. 785-851 ; 3, 273-355 ; PG 120, 852-1009).

23) Théolepte de Philadelphie (vers 1250-1326) : a. *Sur l'action secrète du Christ* (p. 855-62 ; 4, 4-12 ; PG 143, 381-400). – b. *Neuf brefs chapitres, sans titre* (p. 863-65 ; 4, 13-15 ; PG 143, 400-04).

24) Nicéphore le moine ou l'hésychaste (2e moitié 13e s. ; DS, t. 11, col. 198-203) : *Sur la nêpsis et la garde du cœur* (p. 869-76 ; 4, 18-28 ; PG 147, 945-66).

25) Grégoire le Sinaïte († 1346 ; DS, t. 6, col. 1011-14) : a. *Chapitres avec acrostiche* (p. 879-905 ; 4, 31-62 ; PG 150, 1240-1300). – b. *Autres chapitres* (p. 905-07 ; 4, 63-65 ; PG 150, 1300-04). – c. *Sur l'hèsychia et la prière* (p. 907-10 ; 4, 66-70 ; PG 150, 1304-12).– d. *Sur l'hèsychia et les deux modes de prière* (p. 911-17 ; 4, 71-79 ; PG 150, 1313-29). – e. *Comment l'hésychaste doit se tenir dans la prière* (p. 918-25 ; 4, 80-88 ; PG 150, 1329-45).

26) Grégoire de Thessalonique (= Palamas, 1296-1359 ; DS, t. 12, col. 81-107) : a. *A la moniale Xénè sur les passions et les vertus* (p. 929-49 ; 4, 91-115 ; PG 150, 1044-88). – b. *Décalogue de la législation du Christ* (p. 949-54 ; 4, 116-122 ; PG 150, 1089-1101). – c. *Sur les saints hésychastes* (p. 955-61 ; 4, 123-31 ; PG 150, 1108-18 = *Triades* I, 2, éd. critique J. Meyendorff, Louvain, 1959, p. 70-101 ; P.K. Chrèstou, « Œuvres de Grég. Pal. » (en grec), Thessalonique, t. 1, 1962, p. 391-406). – d. *Trois chapitres sur la prière et la pureté de cœur* (p. 962-3 ; 4, 132-3 ; PG 150, 1117-21). – e. *Chapitres physiques, théologiques, éthiques et pratiques* (p. 964-1009 ; 4, 134-87 ; PG 150, 1121-1225). – f. *Tome hagiorétique* (p.1009-13 ; 4, 188-93 ; PG 150, 1225-36 ; éd. crit. Chrèstou, t. 2, 1966, p. 567-78).

27) Calliste (patriarche de Constantinople † 1397) et Ignace Xanthopoulos (fin 14e s.) : *Centurie* (p. 1017-1103 ; 4, 197-295 ; PG 147, 636-812). – 28) Calliste le patriarche (= Xanthopoulos ?) : *Quatorze chapitres sur la prière* (p. 1100-02 ; 4, 296-98 ; PG 147, 813-17).

29) Calliste Tèlikoudès (Angélikoudès Mélénikiotès, alias Mélitèniotès, 2e moitié 14e s.) : *Sur la pratique de l'hésychasme* (p. 1103-07 ; 4, 368-372 ; PG 147, 817-25) ; bref extrait d'un ouvrage bien plus long, cf. S.G. Papadopoulos, « Calliste Angelikoudès... », Athènes, 1970, p. 10-15. – 30) *Textes choisis des saints Pères sur la prière et l'attention* (p. 1107-09 ; 4, 373-75 ; PG 147, 828-32). La *Philocalie* ne donne aucune indication d'auteur ; les éditeurs de PG pensent qu'il s'agit de Calliste Tèlikoudès.

31) Calliste Kataphygiotès (alias Kataphrygiotès, fin 14e ou début 15e s. ?) : *Sur l'union avec Dieu et la vie contemplative* (p. 1113-59 ; 5, 4-59 ; PG 147, 836-941).Noter que les trois Callistes des n. 28, 29, 31 semblent être trois personnages différents, cf. Beck, *Kirche...*, p. 784-85.

32) Syméon de Thessalonique † 1429 (DTC, t. 14, col. 2976-84) : *Sur la prière sainte et divinisante* (« Prière à Jésus »), *Que tous les chrétiens doivent prier au nom du Christ* (ch. 296-97 du *Dialogue dans le Christ* ; le numéro du second chapitre est indiqué par erreur 257 ; p. 1160-62 ; 5, 60-62 ; PG 155, 544-549a2) ; le texte n'est pas basé sur un ms mais sur l'éd. du patriarche de Jérusalem Dosithée, Jassy, 1683.

Les n. 33-38 sont donnés en grec moderne, dans une traduction souvent très libre, due à Macaire ou plus probablement à Nicodème.

33) Anonyme : *Sur les paroles de la sainte prière « Seigneur Jésus-Christ, Fils de Dieu, prends pitié de moi »* (p. 1163-67 ; 5, 63-68 ; cf. I. Hausherr, *Noms du Christ...*, p. 276-78, avec trad. partielle et les deux graphiques) ; l'auteur est en fait Marc Eugénicos † 1445, archevêque d'Éphèse (cf. DS, t. 10, col. 269-70). – 34) Anonyme : *Interprétation du Kyrie eleison* (p. 1168-70 ; 5, 69-72).

35) Syméon le Nouveau Théologien (cf. n. 21) : a. *Sur la foi* (p. 1171-77 ; 5, 73-80 ; PG 120, 693-702 ; texte original, éd. B. Krivochéine, SC 104, 1964, *Catéchèses* 22, p. 364-92). – b. *Sur les trois modes de la prière* (p. 1178-85 ; 5, 81-89 ; PG 120, 701-10) ; pour le texte original, cf. I. Hausherr, *La méthode d'oraison hésychaste*, OC 36, 1927, p. 150-72 ; l'auteur est sans doute Nicéphore l'hésychaste (n. 24), cf. DS, t. 11, col. 201-02.

36) Grégoire le Sinaïte : *Comment chacun doit dire*

*la prière* (p. 1186-97 ; 5, 90-103 = n. 25e, avec les ch. 99, 101, 103, 104, 108, 106 de 25a).

37) *Extrait de la vie de S.Maxime de Kapsokalyvie* (p. 1198-1201 ; 5, 104-107) = Théophane de Vatopédi (14ᵉ s.), *Vie de S. Maxime* 15-16 ; éd. E. Kourilas et F. Halkin, AB, t. 54, 1936, p. 85-88. – 38) *Extrait de la vie de S. Grégoire de Thessalonique* = Palamas (p. 1202-06 ; 5, 107-112). Le début (p. 1102-3) est basé sur l'*Enkomion* de Philothée Kokkinos (PG 151, 573b-574a).

3º *Éditions postérieures.* – La 2ᵉ édition, éditée par Panagiotis A. Tzèlatis, 2 vol., Athènes, 1893, a le même contenu que la première, sauf un complément : après le n. 28, Tzèlatis insère (t. 2, p. 412-55 = 3ᵉ éd., 4, 299-367) des *Chapitres supplémentaires* numérotés 15-83, qu'il attribue au même patriarche Calliste. Il n'indique pas le ms utilisé ; l'auteur de ces chapitres est probablement Calliste Angélikoudès (n. 29).

La 3ᵉ édition, par le diacre (plus tard archimandrite) Épiphane I. Théodoropoulos, comporte 5 vol. (Athènes, Astir-Papadimitriou, 1957, 1958, 1960, 1961, 1963). Le contenu est celui de la 2ᵉ éd. ; l'édition originale a été consultée, les références scripturaires sont notées, et quelques corrections suggérées ; surtout, le t. 5 offre un précieux index des termes grecs (y compris les noms propres) et des citations scripturaires (p. 115-390). L'éditeur n'a pas cherché cependant à mettre à jour les notes introductives, ni à recourir aux éditions critiques récentes. La 4ᵉ édition (5 vol., Athènes, 1974-1976) est une réimpression de la troisième.

L. Petit, DTC, t. 9, col. 1451, signale par erreur une 2ᵉ éd. à Constantinople en 1861 et une autre à Athènes en 1900 ; il s'agit en fait d'éd. de l'*Evergetinos* (cf. DS, t. 12, col. 563). D.S. Gkinis et V.G. Mexas, *Hellenikè Bibliographia 1800-1863*, t. 3, Athènes, 1957, ne mentionnent aucune publication de la *Philocalie* en 1861.

**2. Éditions en d'autres langues.** – 1º EN SLAVON : traduction par Paissy Velichkovsky intitulée *Dobrotolubije* (amour du bien), Moscou, 1793 ; 2ᵉ éd., 1822 (au moins quatre réimpressions entre 1832 et 1902).

Durant son séjour au Mont Athos (1746-1763), Paissy avait déjà commencé à traduire en slavon les écrits des Pères grecs et il poursuivit cette tâche après son installation en Moldavie (cf. DS, t. 10, col. 1598-99). Les textes sur lesquels il travailla durant cette période (bien avant la publication de la *Philocalie* grecque) étaient en grande partie les mêmes que ceux qui furent choisis par Macaire et Nicodème. La correspondance est si étroite qu'il ne peut s'agir d'une simple coïncidence.Macaire connut-il indirectement les traductions de Paissy, et fut-il influencé par son exemple dans sa propre sélection des textes ? Macaire et Paissy utilisèrent-ils des collections manuscrites antérieures ? Quelle que soit l'explication, il est indiscutable que l'édition en slavon est explicitement basée sur l'édition grecque de 1782 et ne constitue pas un ouvrage indépendant. Évidemment, recevant un exemplaire de la *Philocalie* grecque, Paissy se mit à réviser ses propres traductions antérieures. Celles-ci furent envoyées en 1791 à Gabriel Petrov, métropolite de Saint-Pétersbourg, qui les soumit au contrôle attentif de deux comités, l'un composé de moines, l'autre de professeurs de théologie.

Le *Dobrotoloubije* de 1793 compte 713 pages in-folio, divisées en trois parties avec pagination continue. La préface grecque est remplacée par un nouvel avant-propos, mais les notes introductives sur chaque auteur sont conservées. Paissy ajoute quelques références à l'Écriture, aux Pères et aux textes liturgiques, occasionnellement des notes en bas de

pages. L'ordre chronologique de l'édition grecque n'est pas retenu, mais les œuvres apparaissent dans une succession apparemment arbitraire. Aucun texte n'est publié qui n'appartienne à la *Philocalie*, mais sur les 36 auteurs du grec, la traduction slavonne en retient seulement 15. Il semble que le métropolite Gabriel travailla hâtivement, envoyant les textes à l'imprimeur selon qu'ils lui étaient communiqués par les comités de révision, et qu'il publia l'ouvrage lorsque les matériaux lui parurent suffisants, sans attendre le reste. Peut-être craignait-il que des esprits critiques de l'Église russe, hostiles au mouvement hésychaste, ne cherchent à faire interdire la publication si celle-ci tardait trop (cf. Tachiaos, « Paissy V. », p. 115).

Nous donnons en détail le contenu du *Dobrotolubije*, en renvoyant aux numéros de la *Philocalie* indiqués plus haut :

*Première partie* : Antoine le Grand (1) ; Marc l'Ascète (5abc) ; Syméon le Nouveau Théologien (21 et 35ab) ; Grégoire le Sinaïte (21a ; 21b, avec omission des ch. 6-7 ; 21cde) ; Vie de S. Maxime... (37) ; Théophane (18).

*Deuxième partie* : Hésychius (6) ; Philothée (16) ; Nicéphore (24) ; Théolepte (23ab) ; Calliste le patriarche (28) ; Calliste et Ignace Xanthopoulos (27) ; Évagre (3abc).

*Troisième partie* : Isaïe (2) ; Pierre Damascène (19ab).

Dans la 2ᵉ éd. (1822), une *quatrième partie* fut ajoutée ; elle comportait les auteurs suivants, mais sans notes introductives : Jean de Karpathos (9ab) ; Diadoque (8) ; Nicétas Stèthatos (22) ; Calliste Kataphygiotès (31) ; Philémon (14) ; Théodore d'Édesse (10ab) ; Élie l'ecdicos (17) ; Jean Cassien (4ab) ; Nil (7ab).

L'éd. de 1822 nous ayant été inaccessible, notre liste des auteurs de la 4ᵉ partie est empruntée à Tachiaos, « Paissy », p. 117-18 ; celui-ci affirme que cette 4ᵉ partie figurait aussi dans la 1ᵉ édition ; nous ne l'avons pas trouvée cependant dans les deux exemplaires que nous avons consultés.

2º EN RUSSE. – La traduction de l'évêque Ignace Brianchaninov (1807-1867), Saint-Pétersbourg, 1857, ne nous a pas été accessible (cf. DS, t. 8, col. 1142 ; Papoulidis, « Makarios Notarâs », p. 66).

La traduction de l'évêque Théophane (Govorov) le Reclus (1815-1894), intitulée aussi *Dobrotoloubije*, compte 5 vol., Moscou (pour le monastère russe de Saint-Panteleimon de l'Athos), t. 1, 1877 ; t. 2, 1884 ; t. 3, 1888 ; t. 4-5, 1889 ; index (170 p.), 1905. Elle a connu un large succès ; réimpression en 5 vol. par le monastère de la Sainte-Trinité, Jordanville, New York, 1963-1966.

Tout en tenant compte de la version slavonne de Paissy, Théophane base sa traduction, autant que possible, sur l'original grec. Cette édition, qui couvre environ 3000 pages, est bien plus volumineuse que la *Philocalie* grecque. Tandis que celle-ci publie le plus souvent des écrits complets, le *Dobrotoloubije* de Théophane présente davantage le caractère d'une anthologie : il offre souvent un centon de textes choisis, extraits de différentes œuvres d'un même auteur et disposés selon le dessein propre de l'éditeur. Théophane remplace la préface générale de Nicodème par une introduction de son cru et récrit entièrement les notes introductives. L'ouvrage contient les écrits suivants :

T. 1 : Antoine (1), complété d'extraits de la *Vie* par Athanase et des lettres attribuées à Antoine (PG 40) ; – Macaire : choix de textes des *50 homélies* (coll. II ; cf. DS, t. 10, col. 20-21), qui remplacent la paraphrase de Syméon Métaphraste (20) ; – Isaïe (2), complété par de longs extraits de la version latine des *logoi* (PG 40, 1105-1206) et d'autres morceaux ; – Marc (5abc), avec extraits de ses autres écrits ; – Évagre : 3ab, suivi du *Practikos* et d'autres textes.

T. 2 : Cassien : Extraits des *Institutions* et *Conférences* beaucoup plus abondants que dans le grec (4) ; – Hésychius (6) ; – Nil (7a), avec d'autres textes de PG 79 ; – Éphrem le Syrien † 373 (DS, t. 4, col. 788-822) : larges extraits, incluant l'écrit attribué à Jean Damascène (13), mais un bon nombre sont inauthentiques ; – Jean Climaque (vers 575-650 ; cf. DS, t. 8, col. 369-89), extraits de *L'Échelle* ; – Barsanuphe et Jean (début 6ᵉ s. ; DS, t. 1, col. 1255-62 ; t. 8, col. 536-38), extraits de leur *Correspondance* ; – Dorothée de Gaza (6ᵉ s. ; DS, t. 3, col. 1651-64), extraits des *Instructions* ; – Isaac le Syrien (Isaac de Ninive, 7ᵉ s. ; DS, t. 7, col. 2041-54), extraits des *Traités*.

T. 3 : Diadoque (8) ; – Jean de Karpathos (9a) ; – Zosime de Palestine (début 6ᵉ s.), *Discours*, d'après PG 78, 1680-1701, mais avec des compléments (cf. éd. d'Augustinos, Jérusalem, 1913) ; – Maxime le Confesseur, *La vie ascétique* (PG 90, 912-56) ; (11a, choix de 11bc) ; – Thalassius (12) ; – Théodore d'Édesse (10ab) ; – Philémon (14) ; – Théognoste (15) ; – Philothée (16) ; Élie l'ecdicos (17 : choix).

T. 4 : Théodore Studite (759-826) : *Catéchèses*.

T. 5 : Syméon le Nouveau Théologien (21), avec quelques ajouts ; les ch. de Syméon le pieux sont donnés sous un titre à part ; – Nicétas Stèthatos (22), avec des suppressions, surtout dans les ch. de la 3ᵉ centurie ; – Théolepte (23ab) ; – Grégoire le Sinaïte (25a en entier ; 25 fe, avec suppressions) ; – Nicéphore le moine (24, avec suppressions) ; – Grégoire Palamas (26abcd) ; – Calliste et Ignace (27) ; – Calliste le patriarche (28) ; – Calliste Tèlikoudès (29) ; – Textes choisis (30) ; – Syméon de Thessalonique (32, avec ajouts) ; – Anonyme (34) ; – Syméon le N. Th. (35a ; 35b, avec suppressions) ; – Vie de Maxime (37) ; – Vie de Grégoire de Th. (38).

Tandis que la traduction en slavon de Paissy est étroitement modelée sur le grec, la traduction russe de Théophane est beaucoup plus indépendante. Il a fait des additions et des suppressions, en particulier pour des raisons de principe (cf. DS, t. 2, col. 1801 ; t. 8, col. 1143).

Théophane a substantiellement élargi les matériaux dûs ou attribués à Antoine, Isaïe, Marc, Évagre, Cassien et Nil ; il a inséré des auteurs totalement absents de l'éd. grecque, comme Éphrem, Jean Climaque, Barsanuphe, Dorothée, Isaac, Zosime et surtout Théodore Studite qui occupe tout le t. 4 (664 p.).

Il a supprimé Pierre Damascène, ses œuvres étant déjà publiées en russe. D'autres suppressions s'expliquent par des motifs pastoraux ou théologiques. Les chapitres de Grégoire Palamas (26e) sont omis parce qu'ils contiennent « un bon nombre de données difficiles à comprendre et à exprimer » ; ceux de Calliste Kataphygiotès parce qu'ils « sont trop subtils et en grande partie spéculatifs et syllogistiques » (t. 5, préface). Il omet pour des raisons analogues des paragraphes de Maxime, Élie l'ecdicos et Nicétas. Il a abrégé de manière drastique les textes de Nicéphore (24), du Pseudo-Syméon (35b) et de Grégoire le Sinaïte (25de) qui décrivent le contrôle de la respiration dans la Prière à Jésus. Ce sont, dit-il, « des méthodes extérieures qui scandalisent certains et les conduisent à abandonner la pratique de la prière, tandis que, pour d'autres, elles altèrent la pratique elle-même. Puisque, en raison de la rareté des maîtres, ces méthodes peuvent produire des effets nocifs, et parce que, par elles-mêmes, elles ne sont que des prédispositions extérieures pour une activité intérieure, nous les omettons. L'essentiel est d'acquérir l'habitude de maintenir l'intellect en garde dans le cœur – dans le cœur physique, mais non d'une manière physique » (t. 5, p. 469).

Le résultat global des additions et suppressions de Théophane est d'accentuer nettement l'aspect ascétique de la *Philocalie* et d'en réduire l'aspect spéculatif et mystique.

L'édition en slavon de Paissy et l'édition russe de Théophane exercèrent l'une et l'autre une grande influence sur la spiritualité russe du 19ᵉ siècle : « cette fameuse *Philocalie*... fut, pendant la première moitié du 19ᵉ siècle, avec la Bible et le Grand Ménologe de Dimitri de Rostov, la nourriture spirituelle préférée des moines russes » (É. Behr-Sigel, dans *Dieu vivant*, n. 8, 1947, p. 71 ; cf. DS, t. 10, col. 1599).

Elle fut utilisée par exemple par Séraphin de Sarov (1759-1833), par les *startsi* d'Optino et son impact est particulièrement net dans *Les récits d'un Pèlerin russe* (cf. *supra*, col. 885-87). Il est significatif que les versions en slavon et en russe connurent de nombreuses éditions au 19ᵉ et au début du 20ᵉ siècle, tandis que la *Philocalie* grecque fut éditée seulement une fois entre 1782 et 1957. La *Philocalie* fut d'emblée très populaire dans le monde slave, mais resta moins connue chez les Grecs ; un ouvrage de référence aussi commun que la « Grande Encyclopédie grecque », par exemple, sous le mot *Philocalie* mentionne seulement les extraits d'Origène sans aucune allusion à celle de Macaire et Nicodème (t. 24, Athènes, 1934, p. 8). C'est seulement depuis 1950 que l'ouvrage a eu chez les Grecs orthodoxes une influence comparable à celle qui s'exerça dans le monde russe dès le 19ᵉ siècle.

3º EN ROUMAIN. – La traduction est due au P. Dumitru Staniloae (né en 1903, professeur à l'Institut orthodoxe de théologie de Bucarest), *Filocalia sau culegere din scrierile sfintsilor Parintsi...* Quatre volumes furent publiés dès la fin de la guerre à Sibiu (t. 1, 1946, réimpr. 1947 ; t. 2, 1947 ; t. 3-4, 1948). La publication fut interrompue en raison de la persécution subie par l'Église, et le traducteur fut lui-même emprisonné en 1959-1964. Depuis 1976 cependant, six nouveaux volumes ont été publiés à Bucarest (t. 5, 1976 ; t. 6-7, 1977 ; t. 8, 1979 ; t. 9, 1980 ; t. 10, 1981).

Comptant déjà plus de 4650 pages (plusieurs volumes suivront peut-être), la *Philocalie* roumaine constitue, comme celle de Théophane, un élargissement substantiel de l'éd. grecque. Mais, tandis que Théophane tend à l'anthologie, Staniloae retourne, comme l'éd. grecque, à la publication d'œuvres complètes. Mettant à profit la recherche contemporaine en Occident et utilisant les éditions critiques disponibles, le traducteur a rédigé de nouvelles notes introductives sur chaque auteur, souvent étendues, et fourni d'abondantes notes en bas de page, spécialement dans les derniers volumes. Voici la liste des œuvres publiées :

T. 1 : Antoine le Grand (1) ; – Évagre (3abc), avec le traité *Sur la prière* (7a) ; – Cassien (4ab) ; – Nil (7b) ; – Marc : 5ab, avec le traité *Sur le baptême* (PG 65, 985-1028), 5c ; – Diadoque (8) ; – Isaïe (2).

T. 2 : Maxime le Confesseur, *La vie ascétique* (PG 90, 912-56) ; 11a, suivi des *scholia* (PG 90, 1073-80) ; 11b ; *Quaestiones et dubia* (PG 90, 785-856) ; 11d.

T. 3 : Maxime le Confesseur, *Ad Thalassium* (PG 90, 244-785), qui remplace 11c.

T. 4 : Thalassius (12) ; – Hésychius (6) ; – Philothée (16) ; – Jean de Karpathos (9ab) ; – Philémon (14) ; – Jean Damascène (13) ; – Théodore d'Édesse (10ab) ; – Théognoste (15) ; – Élie l'ecdicos (17) ; – Théophane (18).

T. 5 : Pierre Damascène (19ab) ; – Syméon Métaphraste (20).

T. 6 : Syméon le N. Th. (21), *Traités éthiques* I et V (= SC 122, p. 170-308 ; SC 129, p. 78-119) ; – Nicétas Stèthatos (22), *Du paradis* (= SC 81, p. 155-227).

T. 7 : Nicéphore (24) ; – Théolepte (23ab) ; – Grégoire le Sinaïte : 25a, 25b (omission des ch. 6-7) ; 25c, avec quatre ch. nouveaux à la fin (pour le texte grec d'une partie, cf. D. Balfour, dans *Theologia*, t. 53, 1982, p. 700-04) ; 25de ; – Grégoire Palamas *Triades* II, 2-3 (éd. Chrèstou, t. 1, p. 507-613) ; *Sur la participation divine et déifiante* (éd. Chrèstou, t. 2, p. 137-63) ; 26f ; 26e.

T. 8 : Calliste et Ignace Xanthopoulos (27) ; – Calliste le Patriarche (28, avec les compléments de la 2ᵉ éd. grecque) ; – Calliste Angélikoudès (29) ; – Textes choisis (30) ; – Calliste Kataphygiotès (31) ; – Syméon le N. Th. (35b) ; – Vie de S. Maxime (37) ; – Vie de S. Grégoire (38) ; – exposé sur l'histoire de l'hésychasme en Roumanie (p. 553-643).

T. 9 : Jean Climaque, *Échelle* (texte complet) ; – Dorothée, *Instructions* I-XIV, Lettres 1-2.

T. 10 : Isaac de Ninive.

Ainsi, en contraste avec le *Dobrotoloubije* de Théophane, l'édition roumaine fait une large place à l'aspect spéculatif et mystique de la *Philocalie*. Loin de réduire les textes de Maxime et Grégoire Palamas, Staniloae en ajoute de nouveaux. Tout en incluant les textes pratiques et ascétiques de Jean Climaque et de Dorothée, absents du grec, il donne à l'édition dans son ensemble un caractère fortement théologique et même dogmatique. Cette publication du plus éminent théologien de l'Église orthodoxe roumaine a joué un rôle décisif sur le renouveau actuel de l'hésychasme en son pays ; cf. Un moine de l'Église orthodoxe de Roumanie (P. André Scrima), *L'avènement philocalique dans l'orthodoxie roumaine*, dans *Istina*, t. 5, 1958, p. 295-328, 443-74.

4º EN FRANÇAIS. – J. Gouillard, *Petite philocalie de la prière du cœur*, Paris, 1953, réimpr. 1968 : cet excellent choix de textes tirés de la *Philocalie*, traduits de l'original, comporte une préface et des notes instructives érudites ; quelques « témoignages tardifs » sont ajoutés en finale (p. 300-316), ainsi qu'une comparaison avec la technique musulmane (p. 317-336).

Une trad. complète est en cours (par Jacques Touraille et d'autres) : *Philocalie des Pères neptiques*, Abbaye de Bellefontaine. Quatre fascicules ont paru : Calliste et Ignace Xanthopoulos (27), 1979 ; – Pierre Damascène (19ab), 1980 ; – Hésychius (6) et Jean de Karpathos (9ab), 1981 ; – Nicétas Stèthatos (22), 1982. La trad. est faite sur l'éd. grecque, avec de nouvelles notes introductives (que l'on voudrait plus à jour du point de vue critique).

5º EN ANGLAIS. – Trad. par E. Kadloubovsky et G.E.H. Palmer : 1) *Writings from the Philokalia on Prayer of the Heart*, Londres, 1951 ; réimpr. 1954, 1957, 1962, 1967, 1971, 1973, 1975, 1977, 1979 ; 2) *Early Fathers from the Philokalia*, Londres, 1954, réimpr. 1959, 1963, 1969, 1973, 1976, 1978, 1981. Choix de textes, traduits de l'éd. russe de Théophane.

Comme l'indique le nombre des réimpressions, ces éd. ont connu un remarquable succès.

– Trad. par G.E.H. Palmer, Ph. Sherrard et Kallistos Ware : *The Philokalia. The Complete Text*, t. 1, Londres, 1979 et 1983 ; t. 2, 1981 ; 3 t. à suivre. La trad. est faite sur le grec, en tenant compte des éd. critiques accessibles, avec un glossaire, une nouvelle préface et des notes introductives qui remplacent celles de Nicodème.

6º EN ALLEMAND. – *Kleine Philokalie*, trad. M. Dietz, avec introd. d'I. Smolitsch, Einsiedeln, 1956 : brève sélection de textes traduits principalement du russe de Théophane ou du français de J. Gouillard. – *Kleine Philokalie zum Gebet des Herzens*, Zurich, 1957 (adaptation du texte français de Gouillard).

7º EN ITALIEN. – *Filocalia della Preghiera*, trad. du texte allemand de M. Dietz, Fossano, 1960. – *La Filocalia*, Florence, t. 1, 1963 et 1980 ; t. 2, 1981 : sélection traduite par G. Vannucci, à partir soit du grec, soit du français de Gouillard, ou de l'anglais de Kadloubovsky et Palmer. – *La Filocalia*, trad. par les moniales Benedetta Artioli et Francesca Lovato, du monastère de Monteveglio, t. 1, Turin, 1982 ; trad. complète du grec prévue en 5 vol. La préface et les notes introductives de Nicodème sont conservées, mais les traductrices ajoutent de nouveaux éléments.

8º EN ESPAGNOL. – *Textos de espiritualidad oriental*, Madrid, 1960, trad. du texte allemand de M. Dietz.

9º EN FINLANDAIS. – *Filokalia*, trad. par Sr Kristoduli (Lampi), t. 1, publiée par les « Amis de Valamo », avec introd. de Veikko Purmonen, Pieksämäki, 1981 ; autres vol. prévus. Trad. du grec, mais en supprimant certains écrits ; nouvelles préfaces et notes introductives.

10º EN ARABE. – « La Petite Philocalie », trad. par Abel Th. Koury, Dar al-Kalima, Liban, 1970 : brève sélection.

Cette rapide multiplication des éditions et traductions depuis 1950 montre l'influence croissante de la *Philocalie* en Grèce, en Roumanie et en Occident. Les premières traductions en langues occidentales n'étaient le plus souvent que de brèves sélections, qui n'étaient pas basées sur le grec. Depuis les années 1970, en Angleterre, en France et en Italie, commencent à paraître des éditions complètes, qui mettent à profit les résultats de la recherche actuelle.

3. **Spiritualité**. – Peut-on parler d'une spiritualité spécifique de la *Philocalie* ? Le choix des textes de cette anthologie par Macaire et Nicodème fut fait sans doute avant tout d'après des considérations pragmatiques. Néanmoins, elle offre en fait une approche spécifique et cohérente de la vie spirituelle. Sans projet systématique, et malgré la diversité des éditions, c'est une œuvre qui comporte une véritable unité, et l'on peut en discerner les traits caractéristiques.

1º Macaire et Nicodème entendaient faire de la Philocalie *un ouvrage destiné aux laïcs aussi bien qu'aux moines*. Assurément la plupart des textes inclus ont été rédigés par des moines et pour des lecteurs monastiques. Cependant Nicodème assure clairement dans sa préface que l'ouvrage est destiné à « tous ceux qui font profession d'orthodoxie, laïcs et moines ensemble » (p. 8 ; 1, p. XXIV). C'est pourquoi, les éditeurs omettent les textes qui concernent les détails de la vie quotidienne dans un monastère et choisissent des écrits de valeur universelle ; ils fournissent, par exemple, un sommaire des livres v-xii des *Institutions* de Cassien sur les huit vices capitaux, mais non les livres i-iv sur l'ordonnance externe de la vie monastique.

Les premiers éditeurs étaient convaincus que la voie de la prière intérieure continuelle (cf. 1 *Thess.* 5, 17) est la vocation de tout chrétien sans exception :

« Dans les temps passés, même ceux qui vivaient dans le monde – les rois eux-mêmes et les gens des palais, assaillis chaque jour de soucis sans nombre et de charges mondaines – plaçaient en ceci leur tâche première : prier continuellement en leur cœur » (préf., p. 5 ; 1, p. XXII). « Que nul ne pense, frères chrétiens, que seuls les prêtres et les moines ont obligation de prier sans cesse, et non le simple peuple. Non ! chaque chrétien sans exception doit s'adonner continuellement à la prière » (avertissement des éditeurs, p. 1202 ; 5, p. 107). Certains textes, à la fin de l'ouvrage, sont donnés en grec moderne précisément « pour qu'ils soient ainsi compris par chaque chrétien » (p. 1163 ; 5, p. 63).

Un des thèmes plus fréquemment traité est cependant celui de la *nécessité de la direction* personnelle par un *pneumatikos,* un père spirituel : « Vous avez maintenant commencé votre séjour auprès d'un père spirituel... Ne vous séparez pas de son amour... Ne le jugez pas en quoi que se soit » (Théodore d'Édesse, *Cent.* 40, p. 270 ; 1, 310), mais acceptez ses conseils comme venant du Christ lui-même. Macaire et Nicodème sont conscients du danger de faire imprimer des écrits spirituels et de les rendre accessibles à tous : les laïcs peuvent en effet manquer de la direction d'un « ancien » (*gèrôn*) expérimenté, comme il s'en trouve normalement dans un monastère bien organisé. Ils pensent pourtant que ce risque mérite d'être couru (préface, p. 6-7 ; 1, p. xxiii). Paissy se montrait plus réservé ; craignant que bien des lecteurs éventuels ne puissent bénéficier d'une direction spirituelle, il hésita d'abord à publier ses traductions en Russie et n'y consentit que sous la pression du métropolite Gabriel (Tachiaos, « Paissy », p. 113-14). Macaire et Nicodème eurent moins d'hésitations ; la page de titre de l'éd. de 1782 destine en effet l'ouvrage « au profit commun des orthodoxes ».

2º Un autre trait caractéristique de la *Philocalie* est *le lien étroit entre spiritualité et dogme.* Même si des écrits de caractère strictement dogmatique n'y figurent pas, dans la plupart des textes l'exposé sur les vertus, les pensées mauvaises et la prière intérieure est situé dans un contexte doctrinal. On y trouve de fréquentes références à la Trinité, à la création et la chute, aux événements de l'économie salvifique du Christ : incarnation, transfiguration, crucifiement, résurrection et second avènement. La *Philocalie* répond ainsi à l'exigence exprimée par Vladimir Lossky : « Loin de s'opposer, la théologie et la mystique se soutiennent et se complètent mutuellement. L'une est impossible sans l'autre » (*La théologie mystique de l'Église d'Orient*, Paris, 1944, p. 6).

3º Malgré l'inclusion d'une partie des homélies macariennes, habituellement dans la paraphrase de Syméon Métaphraste, la *Philocalie* reflète davantage *la spiritualité d'Évagre et de Maxime.* L'influence évagrio-maximienne est bien plus apparente que celle de Grégoire de Nysse et du Pseudo-Denys, dont aucun écrit n'apparaît dans les diverses éditions. La page de titre de l'édition grecque utilise, il est vrai, le triple schéma dionysien purification-illumination-perfection, mais dans le texte même la division

normale de la vie spirituelle suit le schéma évagrien *praktikè-physikè-theologikè* (cf. DS, t. 4, col. 1738-39), ou plus simplement encore le schéma *praxis-theôria,* mentionné aussi dans la page de titre. Des thèmes spécifiquement évagriens comme l'*apatheia* (DS, t. 1, col. 734-36), la nécessité de tendre à la prière sans image (DS, t. 7, col. 1476-77), en chassant toute pensée de l'intellect (*noûs*), reviennent continuellement à travers l'ouvrage.

4º On ne trouve *aucune trace de la spiritualité occidentale* dans la *Philocalie,* bien que Nicodème ait adapté par ailleurs des ouvrages occidentaux du 16e siècle (cf. DS, t. 11, col. 239-40). Il s'en tient ici strictement à la spiritualité traditionnelle de l'Orient chrétien. La seule exception, plus apparente que réelle, est Jean Cassien, mais il est inclus comme témoin de la spiritualité des Pères du désert égyptiens.

5º La publication de la *Philocalie,* on l'a vu, est *étroitement associée à celle de la Synagogè* de Paul Évergétinos. On a suggéré parfois que, dans la pensée de Macaire et Nicodème, les deux écrits étaient complémentaires : l'*Évergétinos,* plus pratique et ascétique, en rapport avec « la vie active » (*praxis*), la *Philocalie* avec la contemplation (*théôria*). Il y a là une part de vérité, mais le contraste entre les deux ouvrages ne doit pas être exagéré. La *Philocalie,* comme l'indique la page de titre, englobe également *praxis* et *théôria* ; d'après la préface, elle offre en même temps, « un excellent modèle pour la vie active et un guide sans erreur vers la contemplation » (p. 6 ; 1, p. XXIII). En fait, une bonne partie de l'ouvrage traite du combat contre les *logismoi* (DS, t. 9, col. 955-58), la domination des passions et l'acquisition des vertus, éléments de la « vie active » au sens évagrien du terme. Les deux étapes de l'itinéraire spirituel sont interdépendantes et ne peuvent être séparées.

6º Bien que l'aspect actif ou ascétique ne soit pas négligé, la *Philocalie* ne s'arrête jamais à l'observance extérieure de divers règlements – par exemple le jeûne – ; elle cherche toujours à en montrer *les effets intérieurs et le but.* Beaucoup de chrétiens, comme Nicodème le déplore, « sont troublés par une multitude de choses, par les vertus corporelles et actives ou, pour parler plus clairement, par les industries qui procurent ces vertus ; et ils négligent la seule chose essentielle : la garde de l'intellect et la prière pure » (préface p. 4 ; 1, p. XXI). Le propos de la *Philocalie* est précisément de remédier à cette négligence. Le recueil est destiné, selon les éditeurs, à devenir avant tout « une école mystique de la prière de l'esprit » (νοερᾶς προσευχῆς, p. 6 ; 1, p. XXIII). Le thème capital est non pas « l'œuvre extérieure », mais « intérieure », le retour de l'esprit à « l'homme intérieur » (p. 3 ; 1, p. XX-XXI), la découverte du « royaume de Dieu en vous-même, le trésor caché dans le champ du cœur » (p. 8 ; 1, p. XXIV ; cf. *Mt* 13, 13-44).

Cette visée explique *la rareté des allusions à l'ordonnance extérieure* de la vie ecclésiale, au culte liturgique, à la vie sacramentelle. On ne doit pas cependant en conclure que Macaire et Nicodème considéraient ces aspects comme secondaires. Au contraire, comme tous les collybades, l'un et l'autre furent de fervents avocats de la communion fréquente et publièrent un ouvrage sur ce sujet (cf. DS, t. 11, col. 235-37). Cette orientation eucharistique est confirmée par leur conviction manifeste au sujet du baptême, qui est pour eux le fondement de toute la vie spirituelle. Leur projet est de faire découvrir « la grâce parfaite de l'Esprit très saint, que le Seigneur par le baptême a répandu dans nos cœurs comme une divine semence » (préface, p. 2 ; 1, p. XX) ; cf. les affirmations analogues dans le cours de l'ouvrage : Diadoque, *Chapitres* 77-79 (p. 225 ; 1, 258-60) ; Grégoire le

Sinaïte, *Sur l'hèsychia et la prière* 3 (p. 908 ; 4, 67-68) ; Calliste et Ignace, *Centurie* 4 et 6 (p. 1018, 1020 ; 4, 199, 201).

7º Dans son enseignement sur « l'œuvre intérieure », la *Philocalie* accorde une valeur fondamentale à la *nêpsis*, au sens de vigilance, attention et recueillement, sobriété spirituelle (cf. DS, t. 11, col. 110-18). Cet accent est marqué dans le vrai titre de l'ouvrage : « Philocalie des saints *neptiques* » (τῶν ἱερῶν νηπτικῶν). Comme le suggère la définition classique de la nêpsis par Hésychius (*Sur la nêpsis et de la vertu* 1-7, p. 127-28 ; 1, 141-42), la vigilance est étroitement liée à la *prosochè*, l'attention (cf. DS, t. 1, col. 1059-60, 1063), et à la *garde du cœur* (DS, t. 6, col. 100-08). A leur tour, ces trois notions sont associées à deux concepts-clés de la *Philocalie* : le *souvenir de Dieu* continuel (*Mnèmè Théou* ; DS, t. 10, col. 1407-14) et l'*hèsychia* (DS, t. 7, col. 381-99). Cette dernière est normalement interprétée dans la *Philocalie*, non comme la voie extérieure de la retraite dans une vie érémitique, mais au sens du silence intérieur, de l'élimination des imaginations et de la pensée discursive : « L'*hèsychia* consiste à laisser de côté les pensées » (Grégoire le Sinaïte, *Comment l'hésychaste doit se tenir*, p. 919 ; 4, 82 citant Jean Climaque, *Échelle* 27, PG 88, 1112a ; cf. Évagre, *De la prière* 71 (70), p. 160 ; 1, 182).

8º Le « souvenir de Dieu » et l'*hèsychia* s'atteignent avant tout par un constant *souvenir ou invocation du Nom de Jésus* (DS, t. 8, col. 1126-50). Comme les textes du 14ᵉ siècle le montrent nettement, la « Prière à Jésus » permet de faire descendre le *noûs* dans le cœur, réalisant ainsi l'unité de l'intellect et du cœur. Dans ce contexte, Macaire et Nicodème n'hésitent pas à publier les textes sur les techniques corporelles liées parfois à cette prière ; Théophane, on l'a vu, est plus réservé. Mais, bien que l'invocation du Saint Nom soit un aspect central de la tradition « philocalique », il serait erroné de voir simplement dans la *Philocalie* un manuel pour l'utilisation de la Prière à Jésus et rien d'autre. Plusieurs « petites Philocalies » publiées en Occident, en isolant les textes concernant cette prière du contexte ascétique plus large dans lequel ils sont insérés, donnent une impression unilatérale de l'ouvrage dans son ensemble. Dans la *Philocalie*, l'invocation de Jésus n'est jamais une simple « technique », mais elle fait partie d'une relation totale qui implique un attachement personnel au Christ en tous les domaines. Les deux auteurs qui occupent le plus large espace, Maxime le Confesseur et Pierre Damascène, ne font jamais mention de la Prière à Jésus.

9º Les Collybades furent les défenseurs de la *théologie palamite* ; Nicodème lui-même avait préparé une édition des œuvres de Palamas qui ne fut pas imprimée pour des raisons indépendantes de sa volonté (cf. DS, t. 11, col. 242). Du fait que les auteurs du 14ᵉ siècle occupent environ un quart de la *Philocalie*, celle-ci peut être à juste titre caractérisée comme un ouvrage conçu et mis en œuvre dans un esprit palamite. Ceci dit, elle ne donne qu'une place réduite aux écrits polémiques de la controverse hésychaste et parle très peu de l'enseignement de Palamas sur la lumière thaborique et la distinction entre l'essence et les énergies en Dieu. Cependant, l'antinomie fondamentale que cette distinction vise à conserver sous-tend la *Philocalie* du début à la fin :

Dieu est en même temps inconnu et bien connu, à la fois au-delà de tout être et cependant partout présent. Ainsi la *Philocalie* insiste à plusieurs reprises sur la nécessité d'une approche apophatique du Mystère divin : Dieu est le « suprême inconnaissable », « transcendant absolument le sommet de toute connaissance », appréhendé seulement par la foi « d'une manière qui est au-delà de toute inconnaissance » (Maxime, *Sur la charité* III, 98 ; *Chapitres divers* III = I, 1 ; p. 322, 362 ; 2, 40, 91). D'un autre côté, cependant, est constamment proclamée la possibilité d'atteindre par grâce et d'une manière immédiate l'union divinisante avec ce Dieu infiniment transcendant : par la déification (*théôsis*) est accordée aux saints « l'identité au niveau de l'énergie » (ταυτότης κατ' ἐνέργειαν) avec la Divinité, malgré la non-identité au plan de l'essence (Maxime, *Chapitres divers* VI = IV, 19, p. 410 ; 2, 150 = *Ad Thalass.*, PG 90, 609a). Cet idéal de la *théôsis*, affirmé six fois par Nicodème dans la première page de sa préface et déjà dans la première phrase, constitue l'inspiration directrice de la *Philocalie* dans son ensemble.

C. Cavarnos, *St. Macarios of Corinth*, Belmont, Mass., 1972, p. 23-26, 96-101 ; *St. Nicodemos the Hagiorite*, Belmont, 1974, p. 14-18 ; *Byzantine Thought and Art*, 2ᵉ éd., Belmont, 1974, p. 48-58. – Theoklitos Dionysiatis, « S. Nicodème l'Hagiorite » (en grec), Athènes, 1959, p. 92-102. – C. Papoulidis, *Nicodème l'hagiorite* (1749-1809), Athènes, 1967, p. 70-73 ; « Makarios Notarâs (1731-1805), archevêque de Corinthe » (en grec), Athènes, 1974, p. 62-69.

A.-A.N. Tachiaos, « Paissy Velichkovsky (1722-1794) et son activité ascético-philologique » (en grec), Thessalonique, 1964, p. 108-19 ; *Mount Athos and the Slavic literatures*, dans *Cyrillomethodianum*, t. 4, 1977, p. 30-34 ; *De la Philokalia au Dobrotoljubie, ibidem*, t. 5, 1981, p. 208-13. – M. Pirard, *Le Starec Paisij Veličkovskij... La tradition philologico-ascétique en Russie et en Europe orientale*, dans *Messager de l'Exarchat du Patriarche russe...*, n. 81-82, 1973, p. 35-57. – St. Herman of Alaska Brotherhood (= Seraphim Rose), *Blessed Paisius Velichkovsky*, Platina, Calif., 1976, p. 77-85, 92-96, 110-19, 180-83, 232-38.

Un moine de l'Église d'Orient (= Lev Gillet † 1980), *La prière de Jésus*, 3ᵉ éd., Chevetogne, 1959, p. 58-79. – M.-J. Le Guillou, *La renaissance spirituelle au 18ᵉ siècle*, dans *Istina*, t. 7, 1960, p. 114-25. – A. Borrély, *Qui est avec moi est près du feu*, coll. Théophanie, Paris, 1979 (introd. à la spiritualité de la Phil.). – R. Antoniadou, *Le thème du cœur dans la Philocalie*, dans *Contacts*, t. 34, 1982, p. 235-47, 323-37.

Bishop Kallistos WARE.

**1. PHILON D'ALEXANDRIE**, écrivain juif, vers 20-10 A.C. – après 39/40 P.C. – I. *Personne et Œuvre.* – II. *Influence sur les Pères.*

## I. LA PERSONNE ET L'ŒUVRE

Philon d'Alexandrie ou Philon le Juif est le principal représentant littéraire du judaïsme hellénistique. Nous ne pourrons présenter ici qu'une vue d'ensemble ; on trouvera des informations complémentaires dans notre étude : *Le Commentaire de l'Écriture chez Ph. d'A.*, Leyde, 1977 ; nous tiendrons compte cependant de travaux parus depuis lors. – 1. *Le Corpus philonicum.* – 2. *Vie.* – 3. *Culture profane.* – 4. *Formation juive.* – 5. *Personnalité spirituelle.*

1. **Le Corpus philonicum.** – La tradition attribue à

Philon quelque soixante traités ; ceux qui nous sont parvenus peuvent être classés en trois catégories.

1° GRAND COMMENTAIRE SUR LE PENTATEUQUE ; selon *De praemiis* 1, les oracles transmis par Moïse se divisent en trois « espèces » ou parties :

1) *Partie cosmopoétique* : *De Opificio mundi* (il est préférable de mettre à part ce traité, habituellement considéré comme le premier du Commentaire allégorique).

2) *Partie historique*, ou « histoire » des générations qui vont du premier homme à Moïse. Elle comprend les traités suivants : *Legum Allegoriae* I-III ; *De Cherubim* ; *De sacrificiis Abelis et Caini* ; *Quod deterius potiori insidiari soleat* ; *De posteritate Caini* ; *De gigantibus* ; *Quod Deus sit immutabilis* ; *De agricultura* ; *De plantatione* ; *De ebrietate* ; *De sobrietate* ; *De confusione linguarum* ; *De migratione Abrahami* ; *Quis rerum divinarum heres sit* ; *De congressu eruditionis gratia* ; *De fuga et inventione* ; *De mutatione nominum* ; *De somniis* I-II. Cette partie est communément désignée comme le *Commentaire allégorique des Lois*.

3) *Partie législative*. – a) Les « lois vivantes » : *De Abrahamo* ; *De Iosepho* ; *De vita Mosis* I-II ; b) présentation générale : *De decalogo* ; – c) législation mosaïque : *De specialibus legibus* I-IV ; – d) démonstrations complémentaires : *De virtutibus* (fortitudo, humanitas, poenitentia, nobilitas) ; *De praemiis et poenis, de exsecrationibus*. Cette partie est appelée *Exposition de la Loi*.

2° DEUX RECUEILS D'APORIES EXÉGÉTIQUES : *Quaestiones et solutiones in Genesim* I-IV (primitivement six livres) ; *Quaestiones et solutiones in Exodum* I-II.

3° TRAITÉS PHILOSOPHIQUES. – a) Questions de théodicée ou d'apologie du judaïsme, à partir souvent de problèmes contemporains : *De vita contemplativa* ; *In Flaccum* ; *Legatio ad Caium* ; *Hypothetica* ; – b) en lien moins apparent avec le judaïsme : *Quod omnis probus liber sit* ; *De aeternitate mundi* ; *De Providentia* I-II ; *De animalibus* ; *De Deo*.

*De Providentia*, *De animalibus*, *De Deo* ne nous sont parvenus qu'en trad. arménienne ; de même les *Quaestiones et solutiones* (du moins pour l'ensemble). Une trad. des écrits arméniens par des arménologues compétents peut renouveler notre connaissance de Philon.

**Éditions et traductions**. – T. Mangey, *Philonis Judaei opera...*, 2 vol., Londres, 1742. – L. Cohn, P. Wendland, *Ph. Alex. Opera...*, editio maior, 6 vol., Berlin, 1886-1915. – Cohn, O. Heinemann, etc., *Die Werke in deutscher Uebersetzung*, 7 vol., Breslau-Berlin, 1909-1964. – F.H. Colson, G.H. Whitaker, *Ph. with English Translation*, 10 vol., Londres, 1929-1962 ; R. Marcus, *Philo Supplement*, 2 vol. (trad. des *Quaestiones et solutiones*, avec éd. des fragments grecs), Londres, 1953. – *Les Œuvres de Philon d'Alexandrie*, sous la direction de R. Arnaldez, J. Pouilloux, Cl. Mondésert, 35 vol., Paris, 1961 svv ; le vol. 34 comprendra trois tomes, cf. *infra*, Influence. – J.M. Triviño, *Obras completas de Filon...*, 5 vol., Buenos Aires, 1975/76, trad. espagn. seule. Éd. et trad. partielles. – J.B. Aucher, *Philonis Iudaei sermones tres hactenus inediti*, Venise, 1822 ; *Philonis Paralipomena Armena*, Venise, 1826. – F.C. Conybeare, *Philo about the Contemplative Life or the Fourth Book concerning Virtues*, Londres, 1895. – G.H. Box, *In Flaccum*, Londres, 1939. – E.M. Smallwood, *Legatio ad Gaium*, Leyde, 1961. – C. Kraus, *Filone Alessandrino e un'ora tragica della storia Ebraica*, Naples, 1967 (avec trad. ital. d'*In Flaccum* et *Legatio*). – F. Petit, *L'ancienne version latine des Questions sur la Genèse de Ph.* = TU 113-114, Berlin, 1973 (texte et commentaire). – *Filone... La creazione del mondo*, trad. et notes de G. Calvetti ; *Le allegorie delle Leggi*, trad. et notes de R. Bigatti, Milan, 1978. – C. Kraus Reggiani, *De opificio mundi, De Abrahamo, De Josepho*, Rome, 1979. – R. Radice, *L'erede delle cose divine*, trad. et notes, préface de G. Reale, Milan, 1981. – D. Winston, *The Contemplative Life. The Giants, and selections*, New York, 1981 ; préface de J. Dillon. – A. Terian, *De Animalibus* (trad. de l'arm., introd.), Chico, 1981.

**Indices**. – J. Leisegang = t. 7 de l'éd. Cohn-Wendland, 1926/30. – J.W. Earp = t. 10, p. 189-620 de l'éd. Colson-Whitaker, 1962. – W. Theiler, *Sachweiser zu Philo* = t. 7, p. 386-411 de *Die Werke in deutscher Uebersetzung*. – G. Maier, *Index Philoneus*, Berlin, 1974. – P. Borgen, H. Skarsten, index informatique exhaustif (Trondheim, Bergen, 1973), non encore publié. – J. Allenbach, A. Benoît, etc., *Biblia Patristica. Supplément Philon d'Al.*, Paris, 1982.

**Chronologie des œuvres**. – L. Massebieau, *Le classement des œuvres de Ph.*, dans *Bibliothèque de l'École des Hautes Études. Sciences Religieuses*, t. 1, 1889, p. 1-91. – L. Cohn, *Einteilung und Chronologie der Schriften Philos*, dans *Philologus*, Suppl. Bd 7, 1899, p. 385-437. – L. Massebieau, É. Bréhier, *Essai sur la chronologie de la vie et des œuvres de Philon*, dans *Revue de l'Histoire des Religions*, t. 53, 1906, p. 25-66, 164-85, 267-89 (éd. à part, Paris, 1906). – V. Nikiprowetzky, *Le Commentaire...*, 1977, p. 192-202. – E. Lucchesi, *L'usage de Philon dans l'œuvre exégétique de S. Ambroise* (Arbeiten zur Literatur und Geschichte des hellenistischen Judentums = ALGHJ IX), Leyde, 1977, p. 122-26.

**2. Vie de Philon**. – De cette vie, presque rien n'est connu. Dans une *Note sur la famille de Philon* (voir la bibliographie pour les auteurs et les études cités), reprise en substance dans sa communication au Colloque de Lyon en 1966 (*L'Égypte de Philon*, dans *Philon d'Alexandrie*, p. 35-44), Jacques Schwartz a proposé une reconstruction de son milieu familial, en se fondant principalement sur les données de Flavius Josèphe. Ces suggestions ont été acceptées par J. Daniélou, R. Arnaldez, Cl. Mondésert, etc.

Selon Schwartz, la citoyenneté romaine était héréditaire dans la famille depuis que Jules César l'avait conférée à l'iduméen Antipater et à ses compagnons, dont le grand-père de Philon, pour leurs services durant la guerre alexandrine. Cette qualité de citoyen romain valut à Philon d'être mis à la tête de l'ambassade juive à Caligula. Il aurait appartenu à l'aristocratie juive et serait de descendance hasmonéenne ; un de ses neveux s'est marié avec la princesse Bérénice, arrière-petite-fille d'Hérode le Grand.

Le père de Philon, qui dut s'installer en Égypte aux premiers temps du règne d'Auguste, aurait été administrateur des biens fonds égyptiens d'Antonia, mère du futur empereur Claude. Il transmit sa charge à son fils, Alexandre l'alabarque, notoire pour sa grande fortune et père de Tiberius Caius Alexander, qui devait apostasier le judaïsme. Jérôme affirme que Philon appartenait à la tribu sacerdotale, ce qui, selon Schwartz, n'est pas impossible.

Les opinions varient sur la date de naissance. Th. Mangey, d'après les conceptions rabbiniques sur la durée de la vie, situait la naissance en 30 avant l'ère chrétienne. D'autres érudits, d'après le début de la *Legatio ad Caium*, pensent que Philon avait une soixantaine d'années à l'époque, ce qui situe la naissance vers l'an 20 ; c'est la date que retiennent la plupart des Encyclopédies et divers auteurs. Schwartz, pensant que Lysimaque est le frère de Philon, propose l'an 13.

La reconstruction de Schwartz a été critiquée par A. Nazzaro, qui estime que Philon avait cinquante ans au moment de la *Legatio*. S. Stephen Foster, encore plus critique, souligne que la citoyenneté romaine n'était conférée qu'à titre individuel. La traduction du *De animalibus* par Terian a montré que Lysimaque, interlocuteur du dialogue, ne pouvait être frère de Philon, mais seulement son petit-neveu. On doit donc se contenter d'une large marge d'imprécision et situer la naissance entre 20 et 10 avant l'ère chrétienne. La vie de Philon se termine après les années 39/40 de l'ère chrétienne, date de la députation à Caligula.

La distinction sociale et intellectuelle de Philon est attestée par Flavius Josèphe (*Antiquités judaïques* XVIII, 259-60), qui montre le philosophe ignominieusement chassé par Caligula de la pièce où se tenait l'empereur.

**3. Culture profane.** – Nous ignorons tout des occupations concrètes de Philon, de sa profession, de sa fortune. Il est aussi téméraire d'en faire un contemplatif reclus dans sa « librairie », qu'un homme d'état ou d'action, un magistrat au *Politeuma* juif d'Alexandrie ; il est ridicule de voir en lui un « pieux rabbin », libéral ou non. Les écrits offrent cependant un certain nombre de renseignements sur la personnalité intellectuelle de Philon.

Tout d'abord, il mérite d'être considéré comme un lettré grec authentique. Sa formation scolaire a fait l'objet d'études importantes ; la plus complète en français est de Monique Alexandre (*La culture profane chez Ph.*, dans *Philon d'Alexandrie,* p. 105-29). Celle-ci montre qu'il avait reçu une éducation cohérente et systématique. Certains problèmes cependant ne sont pas résolus. Le premier concerne le lieu où Philon s'est formé.

On ne saurait retenir l'idée de Wolfson selon laquelle existaient à Alexandrie des écoles attenant aux proseuques (lieux de prière) où les jeunes juifs recevaient une formation profane à l'occasion du repos sabbatique. Les « écoles de Sagesse », que Philon évoque à plusieurs reprises en montrant que les Juifs y pratiquaient « la philosophie » lors des *hebdomades,* ne sont rien d'autre que les synagogues.

On le voit d'après la pratique des *Thérapeutes.* Ceux-ci, comme des Lévites en esprit, s'adonnaient à la philosophie sacrée qu'ils concevaient comme un service de Dieu ; ils interrompaient leurs activités pour respecter, chaque sabbat, le repos prescrit (*De vita contempl.* 30-36). Il ne saurait donc y avoir place pour un labeur profane quelconque, intellectuel ou non, le jour du sabbat.

A la suite de V. Tcherikover, M. Alexandre pense que Philon acquit sa culture grecque au gymnase, comme le permettait la position sociale de sa famille. L'accès des Juifs aux gymnases ne leur fut contesté qu'après l'an 30 de notre ère, et interdit en 42 par la *Lettre de Claude aux Alexandrins.*

Un autre problème est de discerner « de quelle manière et à quelle fin Philon utilise le savoir scientifique qu'il a acquis » (D.T. Runia ; ce « savoir scientifique » est bien plus solide que la polymathie hétéroclite dont parle Bréhier). Cette question conduit à s'interroger sur la place accordée par Philon à la culture profane dans les écrits de sa maturité. Nous aurons à revenir sur ce sujet.

**4. Formation juive.** – Nous sommes encore bien moins renseignés sur la formation juive de Philon. De nombreux textes à travers le *Corpus* montrent que le culte des proseuques était pour lui une réalité familière : il a observé l'attitude caractéristique des Juifs à la synagogue, qui ne différait en rien de celle des Thérapeutes (*De vita cont.*30-31 ; 75-77). Il a assisté à des séances d'exégèse où l'Écriture était lue publiquement et interprétée par la personne la plus capable. Peut-on dire quelque chose de plus précis ?

On a souligné les liens, et même l'identité substantielle, entre le judaïsme palestinien et celui de la Diaspora égyptienne ; un juif n'aurait pas eu à choisir entre ces deux formes, mais seulement entre la fidélité à la foi de ses Pères et l'apostasie. Philon se manifestant comme fidèle, on a supposé qu'il connaissait substantiellement la loi rabbinique ou *halacha,* élaborée à cette époque en Palestine. Cette hypothèse, qui revient à faire de Philon un *Docteur de la Loi,* a fait postuler chez lui la connaissance de l'hébreu (Siegfried, Wolfson, Belkin). Les démonstrations proposées mettent en œuvre des arguments fragiles ou nettement sophistiqués. Les preuves en faveur d'une ignorance de l'hébreu sont au contraire impressionnantes tant par leur nombre que par leur force.

Il importe d'abord de rappeler qu'aux yeux de Philon, comme pour l'ensemble du judaïsme alexandrin, le statut de la traduction des Septante était celui d'un texte inspiré, réalisé au prix d'un miracle que rapportent également la *Lettre d'Aristée* et la *Vie de Moïse* (ii, 36-44) par Philon. Les soixante-douze traducteurs auraient abouti, sous la motion de l'Esprit saint, à une version si parfaitement identique et si exacte que sa précision est comparable à celle de la géométrie ou de la dialectique. Nul besoin par conséquent, pour Philon, comme on l'a supposé, de contrôler la version grecque en la confrontant à sa source.

C'est en tout cas la Bible des Septante qui est la base du commentaire philonien. Ses interprétations se fondent sur la *lettre* du texte grec. Parfois Philon glose sur une erreur de traduction manifeste ; ainsi, commentant *Gen.* 14, 16 en *De Abrahamo* 234, il mentionne que le Patriarche, après sa victoire sur les quatre rois, ramène « la cavalerie du roi de Sodome » ; il prolonge de la sorte un faux sens des Septante (cf. notre *Commentaire...,* p. 51, avec d'autres exemples).

L'ignorance de Philon apparaît encore plus nette dans les leçons qu'il tire de la partie non traduite par la Septante, essentiellement de l'onomastique hébraïque (E. Stein pense qu'il puisait dans des *Onomastica,* du genre de ceux édités par P. de Lagarde et F. Wutz) ; la méconnaissance de l'hébreu l'entraîne alors dans diverses méprises (cf. *Legum alleg.* I, 90, sur le mot *adam*). Ces méprises toutefois ne sont pas entièrement probantes. On a soutenu que Philon ignorait le Tétragramme et le fait que la Septante rend habituellement YHWH par *kyrios.* Mais en *Vita Mos.* II, 115, il mentionne le nom de quatre lettres gravé sur la plaque d'or au front du grand-prêtre. Il savait sans doute que *kyrios* était un substitut grec du Tétragramme comme l'hébreu *Adonaï.* En outre, il pouvait considérer le Tétragramme non pas comme le *nom* de Dieu, dont « le propre est d'être et non pas d'être nommé » (*De mutatione* 11 ; 13 ; cf. *De somniis* I, 230), mais comme un attribut « pratique », d'une valeur supérieure à *kyrios* ou *théos* ; par ce nom, la créature humaine était en mesure d'entrer en relation avec la divinité et de l'invoquer solennellement au temple par l'entremise du grand-prêtre. Quoi qu'il en soit, le problème du Tétragramme ne permet pas de décider si Philon connaissait ou non l'hébreu.

Quant à la connaissance de la Loi orale rabbinique, qui eût impliqué la maîtrise de la langue hébraïque ou araméenne, les démonstrations en sa faveur (Allon, Belkin, Wolfson, Daniel) ne sont pas réellement convaincantes.

**5. Personnalité spirituelle de Philon.** – Ces considérations sur la formation intellectuelle de Philon expliquent les positions divergentes des érudits sur sa personnalité spirituelle ; un *consensus* en la matière ne s'est pas encore établi aujourd'hui.

1° OPINIONS DIVERGENTES : Philon « grec » ou « juif » ? – On a, dès l'antiquité, placé Philon sous la dépendance de Platon ; des auteurs modernes (Fabricius, von Stein, Horovitz, Windisch, Billings) suivent la même ligne. Depuis E. Zeller (*Die Philosophie der Griechen* III/2, Leipzig, 1852, 4ᵉ éd. 1923, p. 345-467), on a considéré que le stoïcisme, ou plutôt le moyen-stoïcisme d'un Posidonius, constituait l'élément prédominant (Apelt, Heinemann, Leisegang, Bréhier) ; ces vues ont été contestées par K. Reinhardt. Pour Clément d'Alexandrie et Eusèbe de Césarée, Philon était un pythagoricien. Goodenough privilégie dans sa doctrine un néopythagorisme alourdi de composantes syncrétiques ; il y voit l'expression d'un « mystère juif » où confluaient les influences perses, isiaques, platoniciennes, pythagoriciennes et surtout orphiques ; l'œuvre aurait été destinée à un public d'initiés auxquels l'alexandrin n'expliquait la Loi de Moïse que pour leur apprendre à la dépasser.

A l'heure actuelle, des érudits (Boyancé, Theiler, Michel, Früchtel) ont proposé de rattacher Philon au médio-platonisme. J. Dillon (*The Middle Platonists*, 1977, p. 139-83) consacre un chapitre à Philon où il fait abstraction des sources juives pour relever les concordances avec les doctrines du moyen platonisme. D.T. Runia (*Philo and the 'Timaeus' of Plato*, 1983) traite avec pénétration des rapports entre Philon et les commentateurs de Platon comme Eudore d'Alexandrie ou Arius Didyme ; il montre que Philon est bien informé de leur doctrine, mais qu'il n'est pas un platonicien parce que son intention première est de comprendre la Loi de Moïse. David Winston revient à la conception de Goodenough en faisant de Philon un médio-platonicien mystique. Mais aucun texte du *Corpus* ne permet d'étayer cette hypothèse : nulle part, Philon n'affirme avoir connu d'union avec le Logos divin par delà l'Écriture et en se passant de sa médiation.

Les traités de caractère apparemment profane ont été généralement considérés comme secondaires. Les dialogues transmis en traduction arménienne (elle-même traduite en latin au 19ᵉ siècle par Aucher) ont été négligés en raison de l'obscurité du texte arménien et du caractère peu sûr de la version latine. La situation est en train d'évoluer. A. Terian, qui a traduit en anglais le *De animalibus* et envisage de traduire le *De providentia* et le *De Deo*, pense que l'ensemble des traités philosophiques, considérés par certains comme des œuvres de jeunesse, date des dernières années de Philon ; il soutient même que toute l'œuvre aurait été composée dans les dernières années. En outre, Philon aurait subi une évolution : de commentateur de l'Écriture, il se serait pratiquement métamorphosé en philosophe antique à la manière de Cicéron.

Il est impossible de discuter ici en détail ces multiples opinions. Les interrogations que posent les commentateurs méritent assurément d'être prises au sérieux. Mais, d'une manière générale, on peut dire que ces divergences s'expliquent d'abord parce que tel ou tel aspect de la pensée a été privilégié au détriment des autres. En outre, Philon est, dans la littérature judaïque, le premier témoin important de la rencontre entre l'Écriture et la Philosophie. Il n'a pu décrire clairement comment il a vécu en lui-même cette rencontre ; aussi apparaît-il comme un sphinx en la

matière, aussi énigmatique que le fut au 12ᵉ siècle Maïmonide (cf. DS, t. 10, col. 109-13). Le plus sage consiste donc, pour l'un et pour l'autre, à renoncer à cette critique littéraire du soupçon qui, pour répéter les termes de G. Vajda, tente de « s'introduire par effraction » dans l'âme d'un écrivain de l'antiquité (*La pensée religieuse de Maïmonide : unité ou dualité*, dans *Cahiers de civilisation médiévale*, t. 9, 1966, p. 48).

2° Traiter avec respect L'IMAGE QUE PHILON ENTEND NOUS DONNER DE LUI-MÊME est donc le procédé le plus raisonnable pour le comprendre. La plus impérieuse des conditions pour y parvenir est de considérer *en sa totalité* cette œuvre complexe qui ne peut être comprise que si l'on renonce au préalable à la mutiler.

Ni l'existence des traités *philosophiques*, sans liens apparents avec l'exégèse – quelle que soit la date de composition, la destination, la place dans l'économie du *corpus* –, ni la phraséologie empruntée à la langue des mystères ne contraignent à situer Philon à l'extérieur de la sphère du judaïsme. Les mystères auxquels il se réfère ne sont pas constitués par des doctrines philosophiques comparables à celles des traités ainsi qualifiés et qui, situées au cœur des écrits philoniens, en contrediraient radicalement l'enseignement apparent. Même si l'Écriture, pour se faire entendre des hommes, est contrainte à un certain degré de « mensonge », celui-ci n'est jamais qu'un vestibule qui débouche sur la lumière de la vérité, et non une mystification d'intention négative. L'exégèse consiste à dépasser les apparences souvent obscures du *discours sacré* qu'est l'Écriture pour accéder à sa signification profonde. C'est ce passage sous la conduite, le plus souvent, de l'allégorie que Philon appelle électivement les mystères.

3° QU'EST-CE QUE LA PHILOSOPHIE POUR PHILON ? Les textes ne manquent pas où il emploie ce mot au sens technique de « philosophie grecque » (cf. notre *Commentaire*, p. 97-106). Mais on y trouve aussi, comme chez les Grecs, ce mot et les mots dérivés employés à dénoter l'amour de la science, la sagesse au sens quotidien, ou l'ensemble des savoirs et des arts qui forment la culture. Les patriarches sont présentés comme des philosophes. Moïse est parvenu au « sommet de la philosophie » ; il est aussi le plus ancien des écrivains et l'harmonie que l'exégèse allégorique découvre entre certaines doctrines de la plus haute philosophie grecque et la philosophie mosaïque ne peut s'expliquer que par un « larcin » des penseurs grecs qui ont plagié son œuvre. Leur enseignement doit donc être considéré comme le reflet plus ou moins fidèle de la philosophie *véritable* ou *authentique* contenue dans les écrits de Moïse.

Cette conception qui fait du Pentateuque l'expression de la philosophie véritable et de l'acte de philosophie une méditation de l'Écriture pour en dégager la parole et la volonté de Dieu est assurément nouvelle et féconde. Elle représente un apport essentiel de Philon. L'étude ou la contemplation de la nature dont parle Philon à propos de Moïse, des Thérapeutes (*De vita cont.* 28-30, 90) et des Esséniens (*Quod omnis probus...* 80), s'identifie en fait avec l'exégèse allégorique de l'Écriture.

En *De Decalogo* 98-100, Philon dépeint l'activité d'une communauté juive quelconque, lors des réunions dans les synagogues aux hebdomades. Les participants, sans distinction de sexe ni formation scientifique précise, s'adonnent, dit-il, à la philosophie. La vie contemplative à laquelle est consacré régulièrement le sabbat est une activité sainte, *une contemplation du monde* et *une imitation de Dieu* puisqu'elle commémore l'acte philosophique primordial, lorsque le Démiurge, au lendemain de l'hexaèméron cosmique, employa le septième jour à examiner l'ensemble de sa création et à y reconnaître une perfection digne de sa bonté. Dans les proseuques où tout le temps des réunions hebdomadaires est dévolu, spécifie Philon, à l'exégèse des saintes lois de Moïse, la contemplation du monde n'est pas destinée à satisfaire une soif désintéressée de connaissance. Elle réfère non pas à l'arbre de science, mais plutôt à l'arbre de vie. Sa finalité est la même que celle de l'examen auquel, durant ces séances, procède chacun des participants lorsqu'il soumet ses actions au tribunal où siègent avec lui les lois de Moïse. Elle procure la félicité.

La notion de contemplation de l'Écriture est très souvent liée à celle de l'allégorie qui en constitue la voie d'accès par excellence. La contemplation du monde et la physique dont Philon attribue la pratique aux disciples de Moïse n'a rien qui contredise la philosophie identifiée à l'exégèse de l'Écriture. Rien qui lui ajoute non plus. Philon affirme souvent que celui qui, au lieu de se confiner dans le sens littéral de l'Écriture, se fraie un chemin spirituel jusqu'à sa lumière secrète par l'exégèse allégorique, acquiert la connaissance du monde que recèle et suggère la Loi. De cette conviction, et d'une théorie telle que celle du « larcin des philosophes », il découle logiquement que le Pentateuque, dont l'étude fournit la définition la plus exacte de la philosophie, se situe à un niveau de dignité supérieur à celui de la philosophie grecque.

Cette position est pratiquement reconnue à la Loi de Moïse par des auteurs tels que Schürer, Bréhier, Wolfson. D'autres, tels que Goodenough et, à sa suite, Sandmel, Sowers, en dernier lieu Winston, la mettent au contraire en question.

Ils s'appuient sur *De praemiis* 29, où Philon montre l'incertitude de l'opinion (*doxa*) et du raisonnement (*logismos*), pour en conclure que la Loi de Moïse ne serait qu'une image ou copie imparfaite et fallacieuse de la Loi de Nature. Mais cette interprétation isole la phrase de son contexte. Au § 27 en effet, Philon a montré que la sensation, source de l'opinion, doit être réglée par le raisonnement, et celui-ci par « la confiance en Dieu » qui conduit les meilleurs à la « vision de l'Être ». En outre, le mot *doxa* reçoit diverses acceptions ; en *De praem.* 29, il s'agit de « l'opinion vaine ». Ailleurs *doxa* signifie l'opinion opposée à la « science » : en *De fuga* 19, commentant *Gen.* 31, 16, Philon affirme que « l'opinion véritable (*alèthès*) ne se distingue pas de la science ». On pourrait faire des remarques analogues sur le sens de mots voisins comme *stochasmos* (conjecture), *eikôs*, *eikosia* (vraisemblance) ; cf. *De Decal.* 18 ; 40 ; *De opif. mundi* 72 ; 157 ; *De vita Mosis* II, 264-65 ; *De spec. Leg.* III, 83 ; *De somn.* I, 19. En fait, on ne trouve rien qui autorise l'idée que la Loi de Moïse n'est qu'une réalité secondaire et imparfaite du fait qu'elle ne constituerait qu'une *image* de la Loi de Nature.

Goodenough, suivi récemment par Winston, soutient que le mystique doit dépasser la Loi écrite pour s'unir au Logos de Dieu ; mais il interprète abusivement *Quaest. in Ex.* II, 22, où la formule « nature clairvoyante et douée de raison » est en fait une périphrase pour désigner *Israël* lui-même, « la nature qui voit Dieu ». En outre, l'erreur de Goodenough et de ceux qui l'ont suivi repose sur la conjecture erronée que l'*Exposition de la Loi* aurait pour destinataires non pas des juifs, mais des païens en vue de les intéresser au judaïsme « philosophique » identifié aux « Mystères de Moïse ». Goodenough va jusqu'à penser que l'attitude recommandée aux prosélytes était celle de nombreux juifs et de Philon lui-même pour qui seule aurait compté l'interprétation symbolique des rites et sacrements religieux.

Ces spéculations ne s'imposent pas. Il nous paraît préférable de s'en tenir à ce que Philon dit explicitement de la Loi. Loin de la ravaler au rang d'une réalité d'importance secondaire, Philon fait de son commentaire exégétique tout entier, *Commentaire allégorique* et *Exposition,* un hymne ininterrompu à la gloire de la Loi de Moïse (voir surtout *De opif. mundi* 5 ; *De vita Mosis* II, 51-52).

4° LES PATRIARCHES ET LA LOI. – Les patriarches, qui vivaient avant la promulgation de la Loi, sont présentés en *De Abrahamo* 5-6 comme « les lois vivantes », les modèles des lois, celles-ci n'étant que des images de leurs vertus et de leur vie parfaite. Ils n'eurent d'autres maîtres que la nature, et cependant ils n'observèrent pas moins les lois dans toute leur vie. On a souvent déduit de ce texte qu'il était possible au sage, à l'instar d'Abraham, de se régler sur la Loi de Nature sans recourir à la médiation de la législation mosaïque.

Mais pour entendre correctement ce passage il convient de le situer dans son contexte. En retraçant la vie d'Abraham, Philon se heurtait à une aporie exégétique, à savoir le fait que Moïse a inclus dans la partie historique de sa législation les patriarches, présentés comme des sages accomplis bien qu'ils n'aient pas vécu sous la Loi. A l'origine de l'explication qu'il propose se trouve le verset de *Gen.* 26, 5 : « Abraham a écouté ma voix, il a gardé mon observance, mes ordres, mes préceptes et mes lois ». Moïse voulait ainsi montrer que les lois établies ne sont pas en désaccord avec la nature puisqu'Abraham les a accomplies sans en connaître la lettre ; en outre, il les a accomplies sans peine (affirmation qui anticipe *Deut.* 30, 11-14 : « Tout près de toi est la parole, dans ta bouche et ton cœur, pour la pratiquer »). Cette praticabilité de la Loi, qui n'en rabaisse aucunement la dignité, est évoquée ici pour démontrer l'accord entre Loi écrite et Loi de nature.

Il n'y a probablement rien d'autre en *De Abrahamo* 5-6. Ce texte pose cependant des questions auxquelles nous ne pouvons éviter de répondre. Si les élans d'Abraham le poussent infailliblement au bien, c'est que la constitution de l'âme humaine est une réplique de la constitution du ciel (*Quis heres* 233) ; lorsque l'intellect individuel se règle sur l'intellect universel, il fait de l'homme un prophète (*De somn.* I, 2 ; II, 2) et le transforme en microcosme qui, comme le macrocosme dont il est la parfaite image, est régi directement par Dieu, Dieu du Sage et Dieu du Monde. Tel était le cas d'Abraham. De même, en *Vita Mosis* II, nous lisons que la Loi promulguée par Moïse sous la conduite de Dieu reproduit les images divines que le prophète porte en son âme.

Ce qui empêche de conclure (avec Sandmel) que l'exemple d'Abraham prouve la possibilité d'accomplir la loi sans s'embarrasser de la loi écrite, c'est que Moïse est, aux yeux de Philon, supérieur à Abraham (cf. *De sacrif.* 8 ; *De poster.* 174). La loi écrite qui reflète les images divines enchâssées dans l'âme du prophète a donc toutes chances d'être infiniment supérieure à la loi sous laquelle vivait Abraham ; si digne de vénération qu'ait été celui-ci, Moïse a pénétré plus avant dans la connaissance de la nature.

5° LOI DE MOÏSE ET LOI DE NATURE. – Comment faut-il entendre exactement la proposition du *De opif. mundi* 3, selon laquelle l'univers et le « disciple de Moïse » sont réglés par une seule et même loi ? Quel est le rapport précis entre les diverses « lois spéciales » de la législation mosaïque et les principes qui assurent la permanence de l'univers ? En quel sens peut-on considérer que ces lois spéciales sont une image de la Loi de nature ? Nous ne pouvons étudier cette question en détail (voir notre *Commentaire...*, ch. 5, p. 117-155). Il conviendrait notamment d'examiner les diverses acceptions de la notion d'*image* chez Philon (cf. *Quod Deus* 4 ; *De somn.* ii, 206 ; *De vita Mosis* ii, 11) et la doctrine de l'*imitatio Dei* (*De Decal.* 100-101, inspiré du *Timée*).

Certes, il existe une correspondance essentielle entre le monde et l'homme. L'un et l'autre sont un même être à une échelle différente ; ils sont constitués d'un corps et d'une âme raisonnable (*Quis heres* 155). Le monde est décrit comme un animal rationnel, vertueux et philosophe par nature (*Quaest. Gen.* iv, 288). L'univers intelligible et l'âme de l'homme sont, à un titre égal, l'image de cette image de Dieu qu'est le Logos (*De opif. mundi* 24-25). L'univers intelligible est le plan rationnel d'où est issu le monde et que le monde laisse apparaître aux yeux du contemplatif. Certains contextes philoniens font état d'une *sympathie* entre le comportement humain et ses conséquences cosmiques. Les désordres de la conduite et le mépris de la loi ont pour sanction des cataclysmes naturels (*De vita Mosis* ii, 54-65). Au contraire, la pratique des arts, des sciences, la contemplation, font de l'âme un ciel constellé de ces images divines que sont les astres (*De opif.* 82 ; cf. *De Decal.* 49).

Ceci admis, la question reste posée de la nature exacte du rapport entre le « macroanthropos » qu'est l'univers et le microcosme qu'est l'homme. S'agit-il d'un rapport d'analogie, ou de sceau à empreinte ? En quel sens faut-il entendre que l'homme qui obéit aux oracles et les met en pratique se livre à une imitation du ciel, du monde, de la nature ou de Dieu ?

D'abord, derrière chacune des lois physiques qui animent l'univers, il est possible de discerner le jeu d'une vertu morale ou d'une attitude louable où l'être humain peut puiser un enseignement et qu'il peut imiter. On trouvera une illustration de cette doctrine, pour ne citer qu'un exemple, dans le long passage sur le symbolisme des sacrifices en *Quis heres* 125-200. La perfection de cette copie de la loi de nature qu'est la législation mosaïque se manifeste dans la correspondance rigoureuse entre les principes et les vertus morales qui font du Cosmos un être animé plein de sagesse et le symbolisme réfléchi dans la pratique cérémonielle, dont rend raison l'élucidation allégorique. La vision de Dieu qui est la vocation d'Israël est sans doute de caractère plus éthique – même s'il s'agit d'une éthique transcendante – que « gnostique » ou purement métaphysique.

En outre, la législation est l'œuvre de celui des hommes qui, par ses vertus et la sublimité de son esprit, s'est le plus approché de la condition divine : le prophète Moïse que Dieu a élu, rempli de son Esprit, auquel il a inspiré ces lois conformes à la nature, d'universelle portée, destinées à durer aussi longtemps que l'univers et à être pratiquées par toutes les nations ; aucun esprit humain n'aurait su les concevoir sans le secours divin.

La scène du Sinaï a sans doute chez Philon un aspect double et en apparence contradictoire : certains passages lui prêtent un caractère allégorique qui inciterait à mettre en doute son caractère historique (*Quaest. Ex.* ii, 45-47 ; *Vita Mosis* ii, 70). Le nom même de *Sinaï* désigne étymologiquement le lieu inaccessible où Dieu se manifeste et vers le sommet duquel l'âme essaie de se hisser. Du reste, Dieu n'a pu descendre sur le Sinaï puisque la divinité ne connaît ni changement ni mouvement spatial. De plus, les Hébreux n'ont pu l'apercevoir, puisque Dieu n'a

aucune apparence sensible. Mais l'interprétation allégorique d'un épisode n'en abolit pas *ipso facto* sa réalité historique. Si les Israélites ont été au pied du Sinaï l'objet d'une illusion, ils ont néanmoins cru historiquement avoir aperçu le feu et entendu la trompette, tandis que Dieu proclamait les dix commandements.

La question est du reste liée au problème de la figure double sous laquelle la divinité est présentée chez Philon. Dieu y est, pour parler comme Pascal, tantôt le « Dieu d'Abraham, d'Isaac et de Jacob », tantôt le « Dieu des philosophes et des savants ». Sous son premier aspect, il s'agit du Dieu personnel sous des traits que la Bible a rendus familiers. Ailleurs, Philon parle de la divinité comme d'une grandeur abstraite en ce sens qu'un abîme ontologique infranchissable la sépare de tout le créaturel. Les historiens ont privilégié l'un ou l'autre de ces aspects. En fait, l'aspect philosophique et l'aspect concret sont d'une égale importance ; l'un et l'autre ne sont chez Philon que les deux facettes d'un sentiment unique de la divinité, entre lesquelles il n'apercevait probablement pas de contradiction.

On pourrait faire des remarques analogues à propos des philosophes ou plutôt des théologiens spéculatifs du moyen âge, et même des Kabbalistes (cf. art. *Judaïsme*, DS, t. 8, col. 1545-56).

Il nous paraît en définitive raisonnable de penser, malgré les doutes dont nous avons fait état, que Philon en étant philosophe, et en s'inspirant de la philosophie grecque, ne cesse pas d'être un théologien et qu'il reste, à sa manière propre, fidèle à la religion de ses pères. On ne saurait donc, à propos de la législation mosaïque, opposer Loi de Dieu et Loi de Nature. Le code de Moïse est à la fois l'une et l'autre. *Copie* ou plutôt *transposition* de la loi cosmique, pratiquée soit directement par la divinité soit par l'intermédiaire de Moïse, la législation tout entière a un caractère surnaturel et divin du fait même de son origine. Il est non seulement licite, mais encore nécessaire de parler d'une *équivalence* entre la Loi de Moïse et la Loi de Nature.

6° L'UNITÉ DU CORPUS PHILONIEN. – La pensée de Philon ne se laisse pas enfermer dans un exposé rigoureusement systématique. La raison principale en est que sa réflexion ne s'est pas élaborée d'abord en dehors du texte scripturaire et de son commentaire, pour ne lui être accommodée qu'*a posteriori*. Les traités de Philon ne constituent ni une compilation de sources hétéroclites (Von Arnim, Bousset), ni une collection de sermons prononcés dans les synagogues, pas davantage la transcription de débats tenus dans des établissements d'enseignement supérieur semblables aux établissements grecs (Wolfson). Les « Écoles de Sagesse » auxquelles Philon fait allusion ne sont rien d'autre que les synagogues, où on lisait et commentait publiquement la Loi de Moïse qui, selon *Deut.* 4, 6, est la sagesse et l'intelligence d'Israël.

Les traités de Philon sont précisément nés de ce travail d'exégèse publique dans les lieux du culte. Nous avons une image fidèle, pour la forme comme pour le fond, de cette activité dans les *Quaestiones*. Quel que soit l'ordre chronologique, les *Quaestiones* constituent une sorte de point de départ des traités de Philon. Elles suivent le texte biblique verset par verset. Philon commence toujours par examiner le sens littéral du lemme, à la différence des traités du *Commentaire allégorique*, où ce sens est souvent négligé. La raison en est que les *Quaestiones* sont plus proches de la pratique exégétique de la Synagogue, tandis que le *Commentaire* en représente un stade volontairement élaboré.

Il nous paraît d'autre part nécessaire de reconsidérer la répartition des traités exégétiques en deux séries : l'*Exposition de la Loi* et le *Commentaire allégorique*. Cette division n'est pas ancienne ; elle remonte aux recherches de la fin du 19e siècle et du début du 20e (L. Massebieau, É. Bréhier). Dans le *Commentaire allégorique*, les traités ne sont pratiquement rien d'autre que des *quaestiones* amplement développées. Si l'*Exposition de la Loi* présente un caractère plus synthétique, cette particularité est due essentiellement au sujet traité et ne parvient pas à dissimuler que la recherche est foncièrement la même. Quant au *De opificio mundi*, c'est un commentaire symbolique de la création, où l'allégorie est basée sur l'arithmologie. Il est donc raisonnable de penser que le *De opificio*, le *Commentaire allégorique* et l'*Exposition de la Loi* constituent les trois parties, égales en dignité et destinées aux mêmes lecteurs, d'un commentaire unique de l'Écriture.

7° Intentions et caractères généraux du commentaire. – On notera d'abord le caractère *apologétique*. La méthode allégorique est, pour une part, liée au souci de pratiquer une lecture de l'Écriture qui en fasse disparaître les incongruités apparentes et en montre la profondeur, la beauté, la raison. Cette lecture doit permettre de réconcilier les juifs perplexes avec la foi de leurs pères, et de donner aux païens le respect de la législation mosaïque et des juifs qui la pratiquent.

⌐ une manière plus générale, l'éducation philosophique de Philon l'a mis en possession d'une *langue de la raison*, c'est-à-dire d'un trésor de termes et de concepts qui reçoivent leur sens exact du texte scripturaire auquel l'exégèse les applique – l'Écriture faisant figure de sagesse par rapport à la philosophie des écoles –, et qui inversement permettent au commentateur d'apercevoir le sens profond de la Bible. Malgré le caractère intuitif d'une telle démarche, que Philon décrit volontiers en termes d'inspiration ou d'enthousiasme corybantique, il est indispensable d'en voir la composante sceptique, qui l'empêche d'être une gnose ou un savoir révélé et la maintient dans la sphère de la recherche philosophique.

Le scepticisme est étroitement lié à *l'idée que Philon se fait de la piété*. La voie d'accès à Dieu passe obligatoirement par une prise de conscience du néant de toute créature, sans en exclure l'homme. Réduit à ses seules forces, l'homme serait incapable d'effectuer correctement les opérations psychiques les plus simples. Les sciences d'ici-bas comme la science du ciel lui sont *a fortiori* interdites. C'est en rabaissant devant Dieu ou en fondant en lui l'ensemble de ses puissances sensibles et noétiques que l'homme peut espérer être capable d'une connaissance correcte (cf. *De mutatione* 56 ; *De praemiis* 30).

*La situation du commentateur* par rapport au texte de l'Écriture est à quelque égard comparable. Seul Dieu connaît le sens véritable et dernier des énoncés scripturaires. L'exégète ne peut en avoir qu'une connaissance approchée et vraisemblable, à l'opposé d'une révélation de type gnostique. D'où, chez Philon, l'allure souvent dubitative ou le caractère conjectural avoué de sa méditation du texte, les exégèses multiples qu'il propose pour un même passage, les traditions exégétiques qu'il se sent tenu de rapporter sans toujours les prendre à son compte (Augustin procédera de manière analogue dans ses commentaires sur le récit de la création : *Confessions* XI-XIII ; *De Genesi ad litteram*).

Dans ce contexte, on comprend mieux certaines particularités littéraires du commentaire de Philon, et ce qu'on a appelé son éclectisme et ses contradictions. Bien qu'il faille prendre au sérieux la qualité philosophique et la cohérence de ces énoncés, il n'en demeure pas moins que les doctrines sur la physiologie ou l'âme de l'homme, la science du ciel ou la nature de Dieu, ne peuvent avoir qu'un caractère approximatif ; elles relèvent de l'opinion et sont réduites à une sorte de nominalisme. Voilà pourquoi Philon paraît les mettre en œuvre avec une sorte de détachement qui ne recule pas devant certaines contradictions apparentes et se plie volontiers aux exigences du texte biblique commenté, au point de détourner parfois les catégories et les concepts philosophiques de leur acception classique.

**Conclusion.** – Qui a fait l'effort de lire avec attention *et dans l'original* l'ensemble du *corpus* philonien ne peut manquer d'éprouver une certaine déception devant les introductions ou les monographies consacrées à Philon. Il partage volontiers la remarque de D. Winston (*Philo of Alexandria...*, p. 393) : « En dépit de la pléthore des livres sur Philon, il n'existe pas d'étude entièrement satisfaisante sur son œuvre ». Les recherches à venir auront à tenir compte d'un certain nombre de facteurs : la personnalité de Philon, qui n'est ni un mystique, ni un gnostique, ni un dogmatique ; le caractère de l'Écriture elle-même, dont le commentaire s'exprime toujours en *langage d'hommes* ; les procédés propres à l'auteur, en particulier la liberté qu'il prend parfois vis-à-vis des lemmes scripturaires ; la détermination précise des emprunts à la philosophie grecque et de ce qui relève du judaïsme.

Pour les historiens de la philosophie, Philon représente une précieuse encyclopédie de la pensée de son temps, quelles que soient les précautions qu'il convient de prendre si l'on est soucieux de l'exploiter correctement. Pour l'historien des religions, il est l'incarnation d'une spiritualité dont il n'eut certainement pas l'apanage, mais qu'il a exprimée avec une force et un éclat hors de pair. C'est un incomparable créateur de symboles et de motifs exégétiques par lesquels surtout il passionne le lecteur d'aujourd'hui.

Pour reprendre une phrase célèbre d'Ernest Renan (*Histoire du peuple d'Israël*, t. 5, p. 352), « le premier, il a dit des mots admirables à la fois grecs et juifs, et qui sont restés dans la tradition religieuse de l'humanité ». Directement, aimerions-nous ajouter, et indirectement, en ouvrant la voie, comme H.A. Wolfson a eu raison de le souligner, au langage théologique des trois grandes religions monothéistes.

1. **Bibliographies.** – H.L. Goodhart et E.R. Goodenough, *A General Bibliography of Philo*, dans Goodenough, *The Politics of Ph. J.*, New Haven, 1938, p. 125-321 (réimpr. Hildesheim, 1967) : tout ce qui concerne Philon des origines à 1938. – J. Llamas, *Reseña del estado de las cuestiones : Filón...*, dans *Sefarad*, t. 2, 1942, p. 437-47. – H. Thyen, *Die Probleme der neueren Philo-Forschung*, dans *Theologische Rundschau*, t. 23, 1955, p. 230-46. – L.H. Feldman, *Scholarship on Philo and Josephus (1937-1962)*, New York (1963), p. 1-26. – A.V. Nazzaro, *Recenti studi filoniani (1963-1970)*, Naples, 1973. – G. Delling, M. Maser, *Bibliographie zur jüdisch-hellenistischen und intertestamentarischen Literatur, 1900-1970*, Berlin, 1975, p. 58-80.

*The Philo Institute* de Chicago publie la revue *Studia Philonica* depuis 1972. Six livraisons ont paru (à partir du t. 5, titre : *Studia Philonica. Studies in Hellenistic Judaism*) ;

chacune contient *A Bibliography of Philo Studies* par E. Hilgert (années 1963-1970; 1971 avec compléments pour 1965-1970; 1972-1973; 1974-1975, 1977-1978). – E. Hilgert, *Bibliographia Philoniana*, et P. Borgen, *Ph. of Al.: A Critical and Synthetical Survey of Research since World War* II, dans *Aufstieg und Niedergang der römischen Welt*, Band 21/1, Berlin-New York, 1984, p. 46-97 et 98-154; tout le vol. est consacré à Philon.

R. Radice, *Bibliografia generale su Filone di Al. negli ultimi Quarantacinque anni*, extrait de *Elenchos. Rivista di studi sul pensiero antico*, t. 3, 1982/1, p. 109-152 (Milan, 1982): première partie d'une bibliographie raisonnée et critique actuellement sous presse.

2. **Vie.** – J. Schwartz, *Note sur la famille de Ph. d'A.*, dans *Mélanges I. Lévy*, Bruxelles, 1935, p. 591-602. – A.V. Nazzaro, *Il problema cronologico della nascita di Filone Alessandrino*, dans *Rendiconti dell'Academia di Archeologia... di Napoli*, 1963, Naples, 1964, p. 129. – S.S. Foster, *A note on the 'note' of J. Schwartz*, dans *Studia Philonica*, t. 4, 1976/77, p. 25-30. – Voir aussi les études générales et les introd. de certaines éditions: J. Daniélou, R. Arnaldez (*Œuvres de Philon*, t. 1), G. Kraus Reggiani, R. Radice, A. Terian, etc.

3. **Culture profane.** – W. Bousset, *Jüdisch-christlicher Schulbetrieb in Alexandria und Rom*, Göttingen, 1915. – F.H. Colson, *Philon on Education*, dans *Journal of Theological Studies*, t. 18, 1917, p. 151-62. – I. Heinemann, *Philons griechische und jüdische Bildung*, Breslau, 1932. – M. Alexandre, *La culture profane chez Ph.*, dans *Philon d'Alexandrie...*, Paris, 1966, p. 105-29. – A. Mendelson, *Secular Education in Ph. of Al.*, Cincinnati, 1982. – D.T. Runia, *Philo of A. and the 'Timaeus' of Plato*, 2 vol., Amsterdam, 1983.

4. **Doctrine.** – 1) Introductions: E.R. Goodenough, *An Introduction to Ph. Judaeus*, Oxford, 1940; 2e éd. 1962. – S. Sandmel, *Ph. of Al.: An Introduction*, New York, 1979.

2) Le discours de Philon: V. Nikiprowetzky, *Le Commentaire de l'Écriture chez Ph. d'Al.* (ALGHJ XI), Leyde, 1977.

3) Études générales. – J. Drummond, *Philo Judaeus or the Jewish-Alexandrian Philosophy in its Development and Completion*, 2 vol., Londres, 1888; réimpr. Amsterdam, 1969. – É. Bréhier, *Les idées philosophiques et religieuses de Ph. d'Al.*, Paris, 1908, 3e éd. 1950. – M. Alder, *Studien zu Ph. von Al.*, Breslau, 1929. – E. R. Goodenough, *By Light, Light: the Mystical Gospel of Hellenistic Judaism*, New Haven, 1935. – H. A. Wolfson, *Philo: Foundations of Religious Philosophy in Judaism, Christianity and Islam*, 2 vol., Cambridge/Mass., 1947, 2e éd. 1962. – J. Daniélou, *Ph. d'Al.*, Paris, 1958. – H. Chadwick, *Philo*, dans *The Cambridge History of Late Greek and Medieval Philosophy*, Cambridge, 1967, p. 137-57. – *Ph. d'Al.*, Lyon 11-15 sept. 1966 (Colloques du C.N.R.S.), Paris, 1967. – A. Maddalena, *Filone Alessandrino*, Milan, 1970.

Les Encyclopédies religieuses et philosophiques ont en général un art. *Philon*, notamment DBS, t. 7, 1966, col. 1288-1351 (Cl. Mondésert, R. Cadiou, J.-É. Ménard, R. Arnaldez, A. Feuillet); *Encyclopaedia Judaica*, t. 13, 1971, col. 409-15 (Y. Amir).

4) Monographies. – J. Gross, *Ph. von Al. Anschauungen über die Natur des Menschen*, Tübingen, 1930. – H. Schmidt, *Die Anthropologie Ph. von Al.*, Wurtzbourg, 1933.

K. Stähle, *Die Zahlenmystik bei Ph. von Al.*, Leipzig, 1931. – H. Moehring, *Arithmology as an exegetical tool in the writings of Ph. of Al.*, dans *Society of Biblical Literature. Seminar Papers*, 1978 (Series 13), 1, p. 191-227.

H.F. Weis, *Untersuchungen zur Kosmologie des hellenistischen und palästinischen Judentums*, Berlin, 1965. – U. Früchtel, *Die kosmologischen Vorstellungen bei Ph. von Al.*, Leyde, 1968.

K. Borman, *Die Ideen- und Logoslehre Ph. von Al. Eine Auseinandersetzung mit H.A. Wolfson*, Cologne, 1955. – H. Wilms, *Eikôn: eine begriffsgeschichtliche Untersuchung zum Platonismus*, t. 1, Ph. von Al., Münster, 1935. – R.A. Baer, *Philo's Use of the Categories Male und Female* (ALGHJ III), Leyde, 1970.

W. Völker, *Fortschritt und Vollendung bei Ph. von Al.: eine Studie zur Geschichte der Frömmigkeit*, Leipzig, 1938 (mystique de Ph.).

*Brown Judaic Studies*, n. 25, Chico, 1983 (éd. de *De gigantibus* et *Quod Deus*, par D. Winston et J. Dillon; étude sur Ph. de V. Nikiprowetzky, etc.).

5. **Philon et les traditions judaïques.** – 1) Bible. – P. Katz, *Philo's Bible. The Aberrant Text of Bible Quotations in some Philonic Writings and its Place in the Textual History of the Greek Bible*, Cambridge, 1950. – P. Walters (Katz), *The Text of the Septuagint, its Corruption and their Emendation*, éd. D.W. Gooding, Cambridge, 1973.

2) Exégèse. – C. Siegfried, *Ph. von Al. als Ausleger des alten T.*, Iéna, 1875. – E. Stein, *Die allegorische Exegese des Ph....*, Giessen, 1929. – J. Pépin, *Remarques sur la théorie de l'exégèse allégorique de Ph.*, dans *Ph. d'Al....*, p. 131-67. – V. Nikiprowetzky, *Le Commentaire...*, cité *supra*. – J. Laporte, *Ph. in the tradition of Biblical Wisdom Literature*, dans *Aspects of Wisdom in Judaism an Early Christianity*, éd. R.L. Wilson, Notre-Dame, 1975, p. 130-41.

3) Place de Philon dans le judaïsme. – S. Sandmel, *Philo's Place in Judaism: A study of Conceptions of Abraham in Jewish Literature*, Cincinnati, 1956, 2e éd., New York, 1971. – S. Belkin, *Philo and the Oral Law in relation to the Palestinian Halakah*, Cambridge/Mass., 1940; « L'Exposition de la Loi de Ph. à la lumière des anciens midrashim rabbiniques » (en hébreu), dans *Sura*, t. 4, 1960, p. 1-68.

6. **Philon et l'hellénisme.** – E. Renan, *Histoire du peuple d'Israël*, t. 5, Paris, 1894, p. 344-380. – J. Horovitz, *Untersuchungen über Philons und Platons Lehre von der Weltschöpfung* Marburg, 1900. – T.H. Billings, *The Platonism of Ph. Jud.*, Chicago, 1919. – H. Wilms, *Eikôn...*, cité *supra*. – J. Dillon, *The Middle Platonists: A Study of Platonism 80 B.C. to A.D. 220*, New York, 1977, p. 139-83. – D.T. Runia, *Philo's De aeternitate mundi: The problem of its interpretation*, dans *Vigiliae christianae*, t. 35, 1981, p. 105-51; *Philo of Al. and the « Timaeus » of Platon*, Amsterdam, 1983.

E. Turowski, *Die Widerspiegelung des stoischen Systems bei Ph. von Al.*, Königsberg, 1927. – J. Leisegang, *Philo*, dans Pauly-Wissowa, t. 20/1, 1941, col. 1-50. – K. Reinhardt, *Poseidonios*, Munich, 1921; *Kosmos und Sympathie*, Munich, 1956.

Valentin NIKIPROWETZKY.

## II. INFLUENCE SUR LES PÈRES DE L'ÉGLISE

Déjà mentionnée par T. Mangey, premier éditeur du *corpus* grec philonien, exploitée en détail dans les apparats critiques de l'éd. Cohn-Wendland et des éd. récentes des Pères (GCS, CSEL, SC), l'influence de Philon sur les auteurs chrétiens des premiers siècles a été récemment étudiée de façon plus systématique mais encore incomplète. Nous ne présenterons pas ici une étude exhaustive, mais seulement une vue d'ensemble, appuyée sur quelques traits caractéristiques. Nous laisserons de côté les auteurs du Nouveau Testament (Évangile de Jean, spécialement le Prologue; écrits pauliniens, Épître aux Hébreux; cf. A. Feuillet, art. *Philon*, DBS, t. 7, 1966, col. 1348-51), ainsi que les Pères apostoliques (Pseudo-Barnabé) et apologistes (Justin, Théophile d'Antioche, Irénée). Dans ces deux cas en effet, il est difficile d'affirmer avec certitude une influence directe; des rapprochements singuliers sont assurément décelables, mais ils peuvent en général s'expliquer soit par des sources communes (philosophes stoïciens ou médio-platoniciens), soit par un même milieu culturel (judaïsme hellénistique; judéo-christianisme).

Une prétendue conversion de Philon au christianisme par l'apôtre Jean est racontée par le Pseudo-Prochore (5ᵉ s.) dans les *Actes du saint apôtre et évangéliste Jean le théologien* (éd. Th. Zahn, *Acta Iohannis*, Erlangen, 1880, p. 110-112) ; le personnage est décrit comme un expert en écritures juives, mais la rencontre a lieu à Phora, dans l'île de Patmos. Vers la fin du moyen âge, une fresque de la « chapelle des morts », ouvrant sur le cloître de la cathédrale du Puy, représente Philon comme l'un des quatre « prophètes », avec Isaïe, Osée et Jérémie, à l'un des angles du tableau de la Crucifixion (cf. *Forez-Velay roman*, coll. Zodiaque, La Pierre-qui-vire, 1962, p. 86 et pl. 48).

1. *Diffusion des œuvres.* – 2. *Remarques générales.* – 3. *Pères grecs.* – 4. *Pères latins.*

1. **La diffusion des œuvres de Philon.** – Clément d'Alexandrie († vers 215) est le premier témoin de l'utilisation directe et explicite du *corpus* philonien. C'est en effet dans les bibliothèques d'Alexandrie que les chrétiens étaient en mesure de trouver les œuvres de Philon. Copiées sur papyrus, celles-ci entrèrent ensuite dans la bibliothèque constituée à Césarée de Palestine sous la direction d'Origène (après 230) ; là, en une seconde étape, elles furent transcrites sur parchemin à l'instigation des évêques Acace (338-363) et Euzoios (376-379).

L. Cohn (introd. aux t. 1 et 3 des *Opera*) a montré que tous les mss médiévaux sur lesquels reposent nos éditions remontent à cette collection césaréenne (sauf les fragments sur papyrus découverts à Coptos et Oxhyrinque). Les mss de trois traités (*De plantatione* ; *De sobrietate* ; *Quis heres*) et un groupe de mss de huit autres (*Legum alleg.* ; *De cherubim* ; *De gigantibus* ; *Quod Deus* ; *De agricultura* ; *De congressu* ; *De somniis* ı ; *De virtutibus*) ont subi des retouches qui seraient dues « à un rabbin orthodoxe de faible culture grecque ».

Celui-ci pourrait être Rabbi Hoshaya, dont Origène aurait utilisé les services pour la rédaction des deux premières colonnes des *Hexaples* (D. Barthélemy, *Est-ce Hoshaya Rabba qui censura le « Commentaire allégorique »* ?, dans *Philon d'Alexandrie*, colloque du C.N.R.S., Paris, 1957, p. 45-78 ; repris dans *Études d'histoire du texte de l'A.T.*, Göttingen, 1978, p. 140-173, avec des compléments, p. 390-391). Or la *Genèse Rabba*, due à ce rabbin, est le seul commentaire juif antérieur au moyen âge qui présente des analogies avec le *De opificio* de Philon (cf. *Encyclopaedia judaica*, t. 13, col. 415). Ce cas exceptionnel ne contredirait donc pas le fait bien connu que Philon est resté ignoré des Juifs, ignorance qui ne tient peut-être pas à un rejet conscient mais plutôt aux troubles qui agitèrent la communauté juive d'Alexandrie sous Néron, Trajan et Hadrien, de 66 à 138 (cf. A. Bernand, *Alexandrie la Grande*, Paris, 1966, p. 248-56).

Par contre, Philon fut largement utilisé par les auteurs chrétiens, au point d'être parfois considéré comme l'un des Pères. En effet, les chaînes exégétiques grecques sur la Genèse et l'Exode, l'*Épitomé* de Procope et les Florilèges reproduisent des fragments de ses traités sous les lemmes « Philon », « Philon l'hébreu », parfois « Philon évêque » (peut-être par confusion avec Philon de Carpasia, cf. *infra*, col. 1374-77). Cf. R. Devreesse, *Chaînes exégétiques*, DBS, t. 1, 1928, col. 1105 ; *Catenae graecae in Genesim et Exodum*, t. 1, *Catena Sinaitica*, éd. Françoise Petit, CCG 2, 1977, p. xv-xvii et tables.

Les écrits de Philon ont été cependant diffusés ailleurs qu'en Égypte et à Césarée, par exemple en Occident, puisqu'Ambroise les utilisera. Mais il est difficile de dire comment.

Selon Eusèbe de Césarée (*Histoire ecclésiastique* II, 18, 8, SC 31, 1952, p. 80), « on dit que, sous Claude, (Philon) lut son ouvrage en plein sénat romain et qu'on l'admira tellement qu'on jugea ses écrits (*logous*) dignes d'être placés dans les bibliothèques ». Mais le terme *logous* désigne-t-il un ensemble de traités philoniens, ou simplement les « discours » prononcés devant le sénat, et intitulés « Des vertus » ? Si l'on admet la première hypothèse, Justin aurait pu lire à Rome des traités de Philon et les similitudes d'idées entre les deux auteurs (par exemple, l'usage fréquent de l'expression *logos spermatikos*) s'expliquerait par une influence directe. Il reste que l'affirmation d'Eusèbe repose sur un « on dit » et que cette affirmation elle-même est ambiguë.

Il convient en tout cas de mettre à part deux ouvrages de Philon qui seront davantage cités dans les chaînes et exploités par les auteurs chrétiens : les *Quaestiones in Genesim* et les *Quaestiones in Exodum*. Le premier comportait six livres ; le second quatre. L'original grec est perdu, sauf un fragment (*Qu. in Ex.* ıı, 62-68) conservé dans le *Vaticanus grec* 379 (14ᵉ s.), et d'autres transmis par les chaînes ; ils sont rassemblés par Fr. Petit, *Quaestiones in Genesim et Exodum. Fragmenta graeca = Œuvres* de Philon, t. 33, 1978. En outre, le texte grec des *Quaest. in Gen.* ıı, 1-17, découvert par J. Paramelle dans le *Vatopedinus* 659, sera publié dans la coll. Cahiers d'Orientalisme, t. 3, Genève, 1984. Il en existe d'autre part deux traductions anciennes incomplètes, arménienne et latine.

La traduction arménienne (antérieure à l'an 650) est divisée en quatre livres pour la Genèse : I, 100 paragraphes sur *Gen.* 2, 4 à 6, 13 ; II, 82 par. sur 6, 4 à 10, 9 ; III, 62 par. sur 15, 7 à 17, 27 ; IV, 245 par. sur *Gen.* 18, 1 à 28, 9 (avec trois lacunes : *Gen.* 21-22 ; 25, 9, 19 ; 26, 19b-35) ; l'étendue de ce livre IV laisse supposer qu'il correspond aux trois derniers de l'original. Pour l'Exode, elle est divisée en deux livres : I, 23 par. sur *Ex.* 12, 2-23c ; II, 123 par. sur *Ex.* 20, 25b à 28, 34 ; ici encore, l'étendue du dernier livre semble couvrir les livres II-IV de l'original.

Cette traduction arménienne a été éditée par le méchitariste J.B. Aucher (*Philonis Judaei Paralipomena*, Vienne, 1826) ; R. Marcus en a donné une traduction anglaise, accompagnée des fragments grecs retrouvés (Philo, *Supplement* I-II, Londres, 1953 ; réimpres. 1961) ; une traduction française, basée sur de nouveaux mss arméniens et reprenant la trad. latine d'Aucher, forme le t. 34 en 3 vol. des *Œuvres*, 1979 svv.

De la traduction latine, on ne possède plus que 104 paragraphes sur *Gen.* 25, 10 à 28, 9, qui correspondent aux par. ıv, 154-245 de l'arménien, avec en outre 12 par. qui comblent la lacune signalée sur *Gen.* 26, 19b-35. Elle a été éditée et commentée par Fr. Petit, *L'Ancienne version latine des Questions sur la Genèse de Ph. d'A.*, TU 113-114, Berlin, 1973. Une glose ajoutée sans doute par le traducteur (après le § 9, éd. Petit, t. 113, p. 71 ; cf. commentaire, t. 114, p. 89) atteste que les livres antérieurs avaient été également traduits (et fait en outre mention d'un traité perdu *Sur les nombres*, peut-être identique au *De opificio*).

La date et le lieu d'origine de cette traduction sont difficiles à déterminer. Divers indices (nombreux néologismes, texte biblique ignorant la Vulgate, allusion à l'hérésie apollinariste dans la glose qui suit le § 215) font supposer qu'elle a été rédigée autour de l'an 380 et probablement en Italie ; elle a donc pu être utilisée par Ambroise (qui connaissait aussi le grec) et par Augustin.

2. **Trois remarques générales** s'imposent pour mieux situer l'influence de Philon sur les Pères.

1) A la suite des recherches de J. Daniélou, M. Hengel et d'autres, on admet aujourd'hui que la « théologie chrétienne », c'est-à-dire l'interprétation de la foi par l'intermédiaire de la réflexion, s'est développée de manière différente en fonction des milieux culturels où le christianisme s'implantait. On doit ainsi distinguer par exemple : un *Judéo-christianisme*, qui reprenait en les transformant les schèmes du judaïsme tardif ; un *christianisme syriaque*, qui s'exprimait surtout en images et en symboles (cf. R. Murray, *Symbols of Church and Kingdom. A study in early Syriac Tradition*, Cambridge, 1975) ; un *christianisme hellénisant*, marqué par la rencontre avec les courants philosophiques et les religions à mystère.

2) On admet également que le judaïsme tardif, dès le 2e siècle avant Jésus-Christ, en Palestine et surtout dans la *diaspora*, était déjà hellénisé ; bon nombre de juifs parlaient grec et avaient même oublié l'hébreu. Cette situation était particulièrement nette à Alexandrie où, dès le 3e siècle sans doute, la Bible hébraïque commença à être traduite en grec (la Septante) et où des penseurs comme Aristobule, l'auteur de la *Lettre à Aristée*, puis Philon lui-même, appliquaient à l'Écriture les méthodes familières aux commentateurs d'Homère (notamment l'allégorisme) et utilisaient des concepts empruntés au stoïcisme, au moyen-platonisme, à l'aristotélisme. Les œuvres de Philon constituaient ainsi un premier essai de synthèse entre la pensée juive et la pensée grecque, ou plutôt, comme on l'a vu plus haut, un effort pour intégrer la pensée grecque à la méditation de la Loi.

3) La pensée de Philon et ses méthodes de réflexion pouvaient servir de modèle aux Pères de l'Église, mais dans une certaine mesure seulement. Il leur fallait en effet aller plus loin : annoncer l'Incarnation du Logos, la folie de la croix, la nouveauté du message chrétien. Ils devaient donc reprendre à nouveaux frais le programme de Philon pour l'adapter à leur mission nouvelle, et cela sous trois aspects complémentaires : réinterpréter l'Ancien Testament comme une annonce du Nouveau ; rendre la foi chrétienne accessible à un public cultivé imprégné de philosophie et de culture grecques (cf. P.-Th. Camelot, art. *Hellénisme*, DS, t. 7, col. 147-48) ; enfin accréditer les formes chrétiennes de la prière, du culte, de la vie liturgique et sacramentaire, ainsi que les institutions ecclésiales, et cela face à la piété gréco-romaine, à son culte public, aux religions mystériques d'un côté, au culte et aux institutions juives de l'autre.

3. **Les Pères grecs.** — 1° Clément d'Alexandrie est le premier à faire un usage fréquent et avoué du *corpus* philonien. Il nomme explicitement Philon quatre fois (*Stromates* i, 5, 31, 1 ; 15, 72, 4 ; 23, 153, 2 ; ii, 19, 100, 3) ; il l'appelle deux fois « Philon le pythagoricien », formule qui n'évoque pas seulement la prédilection de son prédécesseur pour la mystique des nombres mais exprime aussi l'estime de sa philosophie au service de l'Écriture.

Selon A. Méhat, pour Clément, « Philon est d'abord un exemple d'utilisation de la culture et de la philosophie hellénique par une pensée inspirée de la Bible » (*Essai sur les Stromates...*, p. 201-02). Méhat établit le bilan des dettes de Clément à partir des *Stromates*, mais ses observations valent pour l'ensemble de l'œuvre. Ces dettes portent d'abord sur l'utilisation de la méthode allégorique : « L'interprétation allégorique doit tant à Philon que finalement elle se réduirait à peu de choses si l'on en retranchait les allégories bibliques qui en viennent » ; elles portent ensuite sur les spéculations arithmologiques, l'usage de la philosophie stoïcienne dans la morale de l'*apatheia*, les doctrines platoniciennes de la ressemblance de l'homme à Dieu, du Logos, du Dieu invisible et inconnaissable, etc. On retrouverait les mêmes notations, avec plus de détails encore, chez S.C.R. Lilla, qui note que, sur de nombreux points, « Clément a réalisé un processus d'hellénisation du christianisme exactement parallèle au processus d'hellénisation du judaïsme caractéristique de Philon » (*Clément...*, p. 232).

Après Cl. Mondésert (*Essai sur Clément*, p. 167-83), A. Méhat note que Clément emprunte aussi à d'autres sources, qu'il a une connaissance plus érudite des philosophes antiques (son œuvre est une source privilégiée de fragments de présocratiques) ; il souligne aussi les divergences et l'originalité de l'auteur chrétien (voir surtout, p. 206-12, l'analyse comparée des parallèles *De virtutibus* 29-31 et *Stromate* II, 18, 82, 1-83, 2). Finalement, bien que Clément ait sous les yeux les œuvres de Philon quand il compose les siennes (cf. les textes du *Protreptique* étudiées par J.C.M. Van Winden), il utilise librement son modèle et n'oublie jamais sa tâche d'apologiste et de catéchète.

Voir encore l'art. *Moïse*, DS, t. 10, col. 1464-65 : la *Vita Mosis* de Philon a fortement influencé Clément, Origène et Grégoire de Nysse.

2° La dépendance d'Origène a été étudiée par J. Daniélou (DBS, t. 6, col. 898-902, auquel nous renvoyons pour les détails). Lui aussi mentionne quatre fois Philon (*In Matth.* xv, 3 ; xviii, 17 ; *Contra Celsum* iv, 51 ; vi, 21), toujours avec éloge et en le considérant comme un précurseur. Il lui doit surtout la distinction du sens littéral et du sens spirituel de l'Écriture ; il privilégie même le sens spirituel au point de vouloir le trouver dans chaque texte : « Quae leguntur mystica sunt, in allegoricis exponenda sunt sacramentis » (*Hom. in Gen.* x, 1 ; SC 7 bis, 1976, p. 256), ce qui serait, selon Daniélou, « une déformation méthodologique » (col. 900). En contrepartie, cette distinction permet à Origène de dépasser tout ce qui dans la Bible conduirait à une conception anthropomorphique de la nature de Dieu et de son action dans le monde. En outre, Origène souligne plus que Clément la nouveauté du message chrétien : l'Ancien Testament doit être lu à la lumière du Nouveau, c'est-à-dire comme une annonce du Christ et une préfiguration de la vie chrétienne (cf. art. *Mystère*, DS, t. 10, col. 1865-71). Typologie et allégorie prennent ainsi une signification prophétique, christologique et eschatologique ; sur ce point, Origène complète Philon par saint Jean et saint Paul (voir sur ce point l'introd. de M. Borret aux *Homélies sur le Lévitique*, SC 286, 1981, p. 15-50).

3° Grégoire de Nysse a fréquenté Philon et s'en est inspiré (DS, t. 6, col. 982). J. Daniélou a étudié cette dépendance (*Philon d'Alex.*, Colloque, p. 333-45 ; il parle aussi occasionnellement de Basile de Césarée et Némésius d'Emèse). Dans le *Contre Eunome* (iii, 5, 24 ; 7, 8-9), Grégoire nomme Philon, mais avec une intention polémique puisqu'il reproche précisément à Eunome de lui avoir emprunté son style et même un argument favorable à l'arianisme : la distinction entre « Dieu le plus éminent » et « les autres réalités qui sont toutes engendrées ». Daniélou relève ensuite une série de textes qui dénotent une lecture directe de Philon ; il s'appuie sur M. Aubineau (introd. au *Traité de la virginité*, SC 119, 1966, p. 105-16) pour dater l'influence dès ce premier ouvrage (371). Quant à la *Vie de Moïse* de Grégoire, elle s'inspire aussi du traité parallèle de Philon en ce qui concerne l'*historia*, puis de divers autres traités allégoriques quand il s'agit de la *theoria*. Daniélou conclut cependant que Philon n'est qu'une des sources de Grégoire, moins importante que Plotin, Origène et Basile. Retenons la dernière phrase : « L'intérêt de notre enquête est de montrer que Philon faisait partie de la bibliothèque d'un chrétien cultivé d'alors » (p. 345).

**4. Les Pères latins.** – 1° SAINT AMBROISE dépend beaucoup de Philon, du moins à une certaine époque de sa carrière d'écrivain. Cette influence a fait l'objet de deux études indépendantes parues en 1977 et dont la méthode et les conclusions sont très dissemblables : celle d'E. Lucchesi et celle d'H. Savon (on trouvera dans l'introduction de ce dernier, avec les notes afférentes, un excellent *status quaestionis* sur les recherches antérieures) ; l'un et l'autre relèvent pratiquement les mêmes emprunts, contenus surtout dans les traités *De Paradiso, De Cain et Abel, De Noe, De Abraham II, De fuga saeculi* (que Savon appelle précisément traités « philoniens »).

Lucchesi suppose pour ces traités une utilisation directe du *corpus* philonien, et cela dans un état plus ancien que les textes dérivés d'Alexandrie ou de Césarée (opinion contestée par D. Barthélemy, *Études d'histoire du texte de l'A. T.*, p. 391) ; pour les autres traités ambrosiens, et même pour le *De fuga*, il pense à une source intermédiaire, les *Homélies mystiques* d'Origène (p. 81-88), hypothèse incontrôlable puisque ces *Homélies* sont perdues. Après H. Lewy (*Neue Philontexte...*), Lucchesi envisage d'autre part la possibilité de compléter à partir des œuvres d'Ambroise, notamment *De Abraham* II, une lacune de la traduction arménienne des *Quaestiones in Genesim*, qui se situerait entre les livres II et III de cette traduction et aurait porté sur *Gen.* 12, 1 à 15, 6 (p. 43-48) ; nous n'aurions ainsi qu'une accès indirect et approximatif à une partie perdue des *Quaestiones*, mais l'hypothèse vaut d'être retenue.

Alors que l'étude de Lucchesi se situe dans le cadre traditionnel de la *Quellenforschung*, le projet de Savon est de « surprendre Ambroise au travail » et de montrer comment Philon, tout comme Origène, Basile et Plotin, a fourni seulement une matière sur laquelle l'évêque de Milan a réagi pour développer une doctrine personnelle. Ambroise trouve sans doute chez Philon les lignes directrices de son programme exégétique, mais il exerce constamment vis-à-vis de son modèle une « vigilance critique » (*S. Ambroise...*, p. 87, 119, 139, 194) ; c'est pourquoi il le censure sur de nombreux points, par exemple la religion cosmique (ch. 2), le christianise (ch. 3), et le dépasse : dans le *De fuga saeculi* notamment (reprise chrétienne du *De fuga et inventione*), il propose un salut qui ne se réduit pas à l'assimilation de la philosophie et de la loi mais exige un renoncement total, en harmonie avec le message et les sacrements chrétiens (ch. 4).

D'autres questions néanmoins restent ouvertes. Sans doute Ambroise, qui connaissait le grec, a-t-il pu lire Philon dans le texte original. Mais par quelles voies le *corpus* philonien est-il parvenu jusqu'à lui ? Et quel était le contenu de ce *corpus* ? Enfin, qui lui a donné l'idée de cette lecture ? Sur ce dernier point, il semble que Simplicianus, maître à penser d'Ambroise élevé sans préparation à l'épiscopat, ait joué un rôle

déterminant ; et puisque Simplicianus venait du clergé romain, l'existence d'un corpus philonien à Rome dès le milieu du 4e siècle n'est pas impensable. On ne trouve pourtant aucune trace d'influence philonienne dans les *Quaestiones Veteris et Novi Testamenti,* que l'on attribue désormais à l'*Ambrosiaster,* contemporain du pape Damase (366-84).

2° AUGUSTIN a-t-il lui aussi connu l'œuvre de Philon ? La question est résolue par l'affirmative par B. Altaner (*Augustin und Philo...*), qui estime que l'évêque d'Hippone a utilisé les *Quaestiones in Genesim* (= QG) dans la traduction latine, dont une partie a été conservée, comme on l'a vu plus haut. Effectivement, dans le *Contra Faustum* (XII, 39), écrit vers 400, Augustin parle de Philon comme d'un « vir eruditissimus, unus illorum cujus eloquium Graeci Platoni aequare non dubitant » ; il rapporte ensuite son exégèse allégorique des proportions de l'arche de Noé en rapport avec les parties du corps humain (QG II, 5-7 ; éd. Ch. Mercier, *Œuvres,* t. 34 A, 1979, p. 192-205) ; le même développement figure dans la *Cité de Dieu* (XV, 26), mais sans allusion à Philon. P. Courcelle, par contre (*Augustin a-t-il lu Philon ?,* dans *Revue des ét. anciennes,* t. 63, 1961, p. 78-95), pense qu'Augustin dépend de Jérôme pour l'éloge de Philon (*De viris illustribus* 11) et d'Ambroise (*De Noe et arca* 6, 13-8, 16) pour l'allégorie de l'arche ; on notera qu'Ambroise ne dit nullement qu'il emprunte son exégèse à Philon.

Quoi que l'on puisse penser de ce premier rapprochement, une recherche des sources du *De Genesi ad litteram* (= GL) nous a convaincu du fait qu'Augustin avait effectivement lu les *Quaestiones* dans la traduction latine, peut-être aussi le *De hominis opificio* et d'autres écrits mineurs dans le texte original (car Augustin, surtout après 400, connaissait le grec bien mieux qu'on ne le dit habituellement ; cf. note complémentaire 6 de l'éd. des *Confessions,* Bibliothèque augustinienne, t. 13, p. 662).

Deux passages surtout de GL trouvent dans QG des parallèles significatifs, même si l'on doit reconnaître qu'Augustin, plus encore qu'Ambroise, utilise librement ses sources. A propos de *Gen.* 2, 6, Augustin se pose la même question que Philon : comment une seule source pouvait-elle arroser toute la terre ? Il la résout en faisant appel à la même figure de style : usage du terme source au sens générique pour désigner toutes les sources (comparer GL V, 9, 24-10, 25 et QG 1, 3, éd. Mercier, p. 65 ; noter le mot *uena* dans les deux textes ; cf. n. compl. 23 dans l'édition de GL, Bibl. Aug., t. 48, p. 671). Pour les fleuves du Paradis (*Gen.* 2, 10-14), les similitudes sont encore plus nettes : lieu secret du Paradis, fleuve unique coulant sous la terre avant d'apparaître en quatre régions différentes, affirmation de la vérité de l'Écriture (GL VIII, 7, 14 et QG I, 12, p. 501 Mercier ; cf. éd. citée, t. 49, n. compl. 38, p. 500-01).

Outre ces deux parallèles privilégiés, on trouve dans GL plusieurs développements d'Augustin qui n'ont pas, dans la littérature patristique antérieure, d'équivalents aussi précis que chez Philon : double moment de la création, intelligible et visible ; création simultanée et création développée, préexistence des créatures dans le Verbe et leur constitution dans le temps (GL IV, 32, 49-33, 52 et *De opificio* 15-29 ; cf. éd. citée, t. 48, n. compl. 21, p. 660-61, 664-65). Augustin définit « l'ordre » qui, dans la « première création », contient le principe de la « création développée » : « nec ideo tamen sine ordine, *quo adparet conexio praecedentium sequentiumque causarum* » (GL IV, 32, 49) ; or la même formule se trouve presque mot à mot chez Philon dans un contexte semblable : « l'ordre est la suite et le lien d'antécédents et de conséquents » (*De opificio* 29). Enfin, à propos de l'homme placé dans le jardin pour le cultiver et le garder (*Gen.* 2, 15). Augustin fait la même distinction entre le travail libre de l'homme dans le paradis et le travail servile (comparer GL VIII, 8, 15 et *De agricultura* 1-7 ; cf. éd. citée, t. 49, n. compl. 38, p. 504).

Notre enquête aurait pu se développer d'une autre manière : en soulignant les *thèmes* philoniens que les auteurs chrétiens ont plus particulièrement exploités. Ceux-ci sont apparus cependant au cours de l'exposé : méthode allégorique dans l'interprétation de l'Écriture ; double création du monde et de l'homme ; rôle du Logos ou du Verbe dans la création (qui, chez les chrétiens, sera le Fils de Dieu par qui tout est créé, et non plus le Plan divin de la création) ; intégration de la philosophie à l'Écriture, sans que le caractère sacré de celle-ci soit altéré. Même si les Pères se croient obligés de censurer Philon et de le dépasser, le recours à ses œuvres atteste qu'ils reconnaissaient les « racines juives » du christianisme.

**Études d'ensemble.** – P. Heinisch, *Der Einfluss Philos auf die älteste christliche Exegese* (Altestamentliche Abhandlungen 1-2), Münster, 1908. – W. Völker, *Fortschritt und Vollendung bei Ph. Al.,* TU 49, Leipzig, 1938. – H.A. Wolfson, *Philo. Foundations...,* cité *supra* ; *The Philosophy of the Church Fathers,* t. 1, Cambridge Mass., 1956. – H. Karpp, *Probleme altchristlicher Anthropologie... bei den Kirchenvätern des dritten Jahrhunderts,* Gütersloh, 1950. – *Philon d'Alexandrie* (Colloque de Lyon, 1966), Paris, 1967. – H. Chadwick, *Philo and the Beginning of Christian Thought,* dans *The Cambridge History of Later Greek and Early Christian Philosophy,* éd. A.H. Armstrong, Cambridge, 1967, p. 168-91. – G. Reale, *Filone di Al. e la prima elaborazione della dottrina della creazione,* dans *Paradoxos Politeia* (Studi G. Lazzatti), Milan, 1979, p. 247-87. – S. Matuszewski, « La philosophie de Ph. et son influence sur le christianisme », Varsovie, 1972 (en polonais). – *La « Doppia creazione » dell'uomo negli Alessandrini, nei Cappadoci e nella gnosi,* éd. U. Bianchi, Rome, 1978 (p. 25-42, étude de A.M. Mazzanti sur Philon).

**Nouveau Testament.** – C. Spicq, *Le philonisme de l'Épître aux Hébreux,* dans *Revue biblique,* t. 56, 1949, p. 542-72 ; t. 57, 1950, p. 212-42 (repris dans *L'Épître aux Hébreux,* coll. Études bibliques, t. 1, Paris, 1952, p. 39-91). – A. Feuillet, art. *Philon,* DBS, t. 7, 1966, col. 1348-51 (Jean, Paul, *Hébr.*).

**Pères apologistes.** – *Épître de Barnabé,* SC 172, 1971, introd., p. 20-27 ; index, p. 233. – C. Andresen, *Justin und der mittlere Platonismus,* dans *Zeitschrift für alttestamentliche Wissenschaft,* t. 44, 1952/53, p. 157-95. – R. Holte, *Logos spermatikos. Christianity and Ancient Philosophy according to St. Justin's Apologies,* dans *Studia Theologica,* t. 12, 1958, p. 109-68. – J.H. Waszink, *Bemerkungen zu Justins Lehre vom Logos spermatikos,* dans *Mullus* (Festschrift Th. Klauser), Münster, 1964, p. 380-90. – L.W. Barnard, *Justin Martyr,* Cambridge, 1967, p. 92-97. – E.F. Osborn, *Justin Martyr,* Tübingen, 1973, p. 95-97.

P. Smulders, *A Quotation of Philo in Irenaeus,* dans *Vigiliae Christianae* = VC, t. 12, 1954, p. 154-56 (*Adv. haer.* IV, 39, 2 et *Cherubim* 77). – A. Bolgiani, *L'ascesi di Noe. A proposito di Teofilo Ad Autol. III, 19,* dans *Forma Futuri* (Studi M. Pellegrino), Turin, 1975, p. 293-333. – T.L. Verhoeven, *Monarchia dans Tertullien « Adv. Praxean »,* VC, t. 5, 1951, p. 43-48.

**Clément d'Alexandrie.** – Cl. Mondésert, *Cl. d'Al. Introduction à l'étude de sa pensée religieuse à partir de l'Écriture* (Théologie 4), Paris, 1944, p. 163-83. – L. Copellotti,

*L'influsso di Filone su Clemente nell'esegesi biblica,* dissert. Turin, 1956. – A. Méhat, *Étude sur les Stromates de Cl. d'Al.,* Paris, 1966, p. 200-11 et *passim.* – S.R.C. Lilla, *Cl. of Al. A Study in Christian Platonism and Gnosticism,* Oxford, 1971. – J.C.M. Van Winden, *Quotations from Philo in Cl. of Al. Protreptic,* VC, t. 32, 1978, p. 208-13. – C. Colpe, *Von der Logoslehre des Philon zu der des Cl. von Al.,* dans *Kerygma und Logos* (Festschrift C. Andresen), Göttingen, 1979, p. 89-107.

**Origène.** – J. Daniélou, *La typologie d'Isaac dans le christianisme primitif,* dans *Biblica,* t. 28, 1947, p. 363-93 (Philon, Clément, Origène, Ambroise) ; art. *Origène,* DBS, t. 6, 1966, col. 898-905). – R. Cantalamessa, *Origene e Filone. A proposito di C. Cels. IV, 19,* dans *Aevum,* t. 48, 1974, p. 132-33.

**Grégoire de Nysse.** – J. Daniélou, *Ph. et Gr. de Nysse,* dans *Philon d'Alexandrie* (Colloque), p. 333-46. – M. Canévet, art. *Grégoire de Nysse,* DS, t. 6, col. 982.

**Ambroise.** – H. Lewy, *Neue Philontexte in der Ueberarbeitung des Ambrosius,* dans *Sitzungsberichte der preuss. Akad. der Wissenschaften,* 1932/4, p. 23-84. – Fr. Szabó, *Le Christ et le monde selon S. A.,* Rome, 1968, p. 114-42. – E. Lucchesi, *Utrum Ambrosius... opusculum « Quis rerum divinarum heres » usurpaverit,* dans *Le Muséon,* t. 80, 1977, p. 347-54 ; *L'usage de Ph. dans l'œuvre exégétique d'A.,* Leyde, 1977. – H. Savon, *S. A. devant l'exégèse de Philon le Juif,* 2 vol., Paris, 1977. – A.R. Sodano, *Ambrogio e Filone. Legendo il De paradiso,* dans *Annali della Facoltà di Lettere,* Macerata, t. 8, 1975, p. 245-88.

**Augustin.** – B. Altaner, *Augustinus und Philo,* ZKT, t. 65, 1941, p. 81-90 (repris dans *Kleine patristische Schriften,* TU 83, Berlin, 1967, p. 181-93). – A. Solignac, notes complémentaires dans Augustin, *La Genèse au sens littéral,* coll. Bibliothèque Augustinienne, t. 48-49, Paris, 1972 (index, t. 49, p. 607-08).

**Autres auteurs.** – J. Daniélou, *L'incompréhensibilité de Dieu d'après S. Jean Chrysostome,* RSR, t. 37, 1950, p. 176-94. – L. Früchtel, *Neue Quellennachweise zu Isidorus von Pelusion,* dans *Philologische Wochenschrift,* t. 58, 1938. p. 764-68. – M.L. Bloomfield, *A Source of Prudentius' Psychomachia,* dans *Speculum,* t. 18, 1943, p. 87-90 (*De Abrahamo* 225-244 et l'allégorie du combat vertus et vices).

**Addendum.** – Nous n'avons pu utiliser deux études parues dans *Aufstieg und Niedergang der römischen Welt,* t. 21/1, Berlin-New York, 1984 : Fr. Trisoglio, *Filone... e l'esegesi cristiana. Contributo alla conoscenza dell'influsso esercitato da Filone sul IV secolo, specificamente in Gregorio di Nazianzo,* p. 588-730 (abondante bibl. dans les notes) ; H. Savon, *S. Ambroise et S. Jérôme, lecteurs de Philon,* p. 731-59 (synthèse d'une étude sur Ambroise ; apport original sur Jérôme) ; voir aussi la *Bibliographia Philoniana* de E. Hilgert, p. 79-81 : The Fathers of the Church.

Aimé SOLIGNAC.

**2. PHILON DE CARPASIA** (SAINT), évêque, fin 4e-début 5e siècle. – 1. *Vie.* – 2. *Œuvres.* – 3. *Doctrine.*

1. VIE. – Les informations sur la vie de Philon sont rares et mal assurées. D'après le moine cypriote Accace qui publia en 1733 le texte de son office liturgique (« Les saints de Carpasia : Philon, Synesios, Thyrsos, Photeinè, Sozomènos », dans Κυπριακαὶ σπουδαὶ, t. 11, 1947, publié à Nicosie en 1948, p. 17-24), Philon aurait vécu dans la seconde moitié du 4e siècle et le début du 5e ; vers 382, il aurait été choisi comme évêque de Carpasia dans l'île de Chypre par Épiphane, le célèbre évêque de Salamine (DS, t. 4, col. 854-61). Il aurait déployé, pour la défense de l'orthodoxie et l'élimination des cultes païens, une intense activité pastorale accompagnée de prodiges et de miracles. Mort à Carpasia, il aurait été enseveli dans sa propre église, près de la cité actuelle de

Rizocarpaso (on a retrouvé les ruines d'une église « Hagion Philônos »).

Sa fête est célébrée dans l'Église grecque le 24 janvier. Il est mentionné comme évêque en Chypre par Épiphane dans sa *Lettre à Jean de Jérusalem* (traduite en latin par Jérôme, *Epist.* 51, 2 ; éd. J. Labourt, t. 2, Paris, 1951, p. 159), et aussi dans la *Vita* d'Épiphane par l'évêque Polybios (PG 41, 85a). Les œuvres donnent seulement le nom des destinataires : le prêtre Eustathios et le diacre Eusébios pour le *Commentaire*, un certain Eucarpios pour la *Lettre* (d'authenticité douteuse).

2. ŒUVRES. - 1° *Commentaire du Cantique des Cantiques*. - Dès 1733, le moine Accace annonçait la publication de cet ouvrage ; l'éd. princeps, accompagnée d'une trad. latine, est due cependant à Michel-Ange Giacomelli, archevêque de Chalcédoine (*Philonis episcopi Carpasii Enarratio in Canticum Canticorum*, Rome, 1772) ; éd. reprise par A. Galland (*Bibliotheca veterum Patrum...*, t. 9, Venise, 1773, 713-69) et en PG 40, 27-154 ; éd. récente par K. Chatzeioannou, basée sur Galland et PG, avec version en grec moderne (Η ἀρχαία Κύπρος εἰς τὰς ἑλληνικὰς πηγάς, t. 3/1, Nicosie, 1975, p. 412-533).

Le ms *Vatic. lat.* 5704 (2e moitié 6e s.) contient une *Expositio super Canticum Canticorum* attribuée à Épiphane de Salamine d'après une indication de Cassiodore (*Institutiones* I, 5, 4, éd. R.A.B. Mynors, Oxford, 1937, p. 24) ; mais une confrontation précise avec le texte grec du *Commentaire* de Philon montre qu'il s'agit d'une traduction latine de cet ouvrage, avec cependant de nombreuses divergences : le traducteur disposait en effet d'une recension plus longue de ce commentaire. Le nom du traducteur, Épiphane le Scolastique, a favorisé probablement l'attribution de son homonyme grec.

Cette version latine fut découverte par G. Bianchini (*Vindiciae Canonicarum Scripturarum Vulgatae Latinae editionis*, Rome, 1740, p. 292 ; cf. P. Sabatier, *Vetus Italica*, t. 3, Paris, 1743, praef., p. XI-XIII). L'éd. princeps en fut publiée par P. F. Foggini à Rome en 1750 (*S. Epiphanii Salaminis... commentarium in Cant. Cant.*) ; éd. critique récente, avec trad. ital. et notes par A. Ceresa-Gastaldo (Filone di Carpasia, *Commento al Cantico dei cantici nell'antica versione latina di Epifanio Scolastico*, coll. Corona Patrum 6, Turin, 1979).

Une autre traduction latine par Stefano Salutati, de Pescia, avait paru à Paris en 1537 (*Philonis episcopi Carpathii in Canticum Canticorum...*) ; elle fut souvent réimprimée, par exemple dans la *Maxima Bibliotheca Veterum Patrum* de Margarin de La Bigne, t. 5, Lyon, 1677, p. 661-701, et utilisée entre autres par M. Del Rio dans son propre commentaire (Ingolstadt, 1604 ; cf. DS, t. 3, col. 132). Cette traduction, qui introduit dans le texte de Philon de longs passages empruntés à Grégoire le Grand, pose des problèmes qui ne sont pas encore élucidés (cf. préface de Giacomelli à sa traduction, PG 40, col. 24-26 ; F. Ohly, *Hohelied-Studien...*, p. 53-54, n. 7).

2° Une *Epistola ad Eucarpium* sur la vie érémitique et la discrétion dans l'ascèse est aussi attribuée à Philon (éd. J. Gribomont, dans M. Forlin Patrucco, *Basilio di Cesarea. Le lettere*, t. 1, Turin, 1983, p. 203-11, 414-17 ; K. Chatzeioannou, *op. cit.*, p. 534-35, avec trad. en grec moderne). La tradition manuscrite l'attribue aussi à Basile (*Epist.* 42), Nil, Chion ou Chilon ; l'antiquité de l'attestation serait en faveur du moine Chilon (J. Gribomont, *Histoire du texte des Ascétiques de S. Basile*, Louvain, 1953, p. 309 ; mais

voir aussi U.W. Knorr, *Zeitschrift für Kirchengeschichte*, t. 80, 1969, p. 375-78).

Philon aurait en outre composé une *Histoire ecclésiastique* et un *Commentaire sur l'Hexaemeron* qui ne nous sont pas parvenus (cf. Chatzeioannou, p. 368-72 ; Cosmas Indicopleustès cite une phrase du *Comm. sur l'Hexaemeron*, SC 197, p. 299).

3. DOCTRINE SPIRITUELLE. - Seul le *Commentaire du Cantique*, sûrement authentique, permet de saisir les éléments caractéristiques de la pensée de Philon ; cette œuvre est d'autant plus significative qu'elle a conservé un commentaire bref mais intégral du *Cantique*, à la différence des commentaires antérieurs ou contemporains qui nous sont parvenus de façon incomplète et fragmentaire.

Une ample préface (PG 40, 28-32) présente le critère fondamental de l'interprétation allégorique, qui est de révéler le mystère des noces du Christ et de l'Église. Le commentaire explique, plus ou moins longuement (parfois en une phrase), chacun des versets cités d'après les Septante dans le texte grec et d'après la *Vetus Latina* dans la version d'Épiphane. Philon reprend, tout en les réélaborant librement, des notations déjà présentes chez ses prédécesseurs (Hippolyte, Origène, Grégoire de Nysse). Il introduit cependant des traits originaux dans l'image de l'Église comme épouse du Christ : par exemple, le thème du martyre, étroitement lié à la mort du Christ, est un des plus fréquents dans le commentaire et Philon lui donne une importance plus grande que ses prédécesseurs (PG 40, 84d-85a = Épiphane 83 ; 105d = 127 ; 109bc = 48-49 ; 116b = 163 ; nous indiquons les colonnes de PG 40 et le paragraphe correspondant d'Épiphane).

L'exégèse allégorique se superpose à la référence constante aux figures du Christ, époux de l'Église. - 1) *Personnes* : Raab et « le fil écarlate », type de ceux qui sont baptisés dans le sang du Christ (89bc = 92) ; la « voix douce » et le « visage charmant », évoquant les appels sauveurs du Christ dans l'Évangile et la condition d'esclave assumée pour nous donner la liberté (73ab = 64) ; les « mains façonnées au tour et dorées », rappelant la place des clous à la croix, en même temps que la beauté et l'innocence (109c = 149). - 2) *Objets* : la « couronne », figure de la couronne d'épines (88a = 88) ; les « grenades fleurissantes », évoquant l'Église répandue en tous lieux, teinte du sang du Christ (120bc = 179) ; le « parfum des mandragores », signe du parfum répandu par les fils de l'Église et aussi, parce que leurs racines sous terre ont une forme d'homme, annonce de la résurrection des morts (136ab = 207). Ces motifs, et d'autres (ainsi l'invitation : « mangez, buvez, enivrez-vous », appliquée au « banquet de la Pâque mystique », 100b = 118-121), s'enrichissent de dimensions nouvelles suggérées par le réalisme de l'histoire du Christ, inspiration unitaire de l'exégèse philonienne.

Le *Commentaire* connut une assez large diffusion, dont témoignent les extraits recueillis dans les chaînes exégétiques : quarante-huit dans celle de Procope (PG 87, 1545-1754), trente-sept dans celle du Pseudo-Eusèbe (éd. J. Meursius, revue par J. Lami, *Opera*, t. 8, Florence, 1746, col. 129-212), quatre dans la *Topographie chrétienne* de Cosmas Indicopleustès (X, 57-58, éd. W. Wolska-Conus, SC 197, 1973, p. 295-97). De son côté, la version latine d'Épiphane, issue du centre intellectuel très actif de Vivarium (cf. art. *Cassiodore*, DS, t. 2, col. 277), fut diffusée d'abord à Rome, puis en d'autres régions d'Italie et peut-être en France (le *Paris. gr.* 3092, du 16ᵉ s., contient une copie du *Vatic. lat.* 5704) ; elle a contribué à étendre la connaissance du commentaire de Philon, sous une forme qui, en raison de son contenu plus complet et malgré quelques insuffisances ou inexactitudes de traduction, permet peut-être une meilleure approche de l'original. Une édition critique du texte grec, basée sur un inventaire plus étendu de la tradition manuscrite et sur la comparaison avec les fragments conservés dans les chaînes, serait cependant souhaitable.

W. Riedel, *Die Auslegung des Hohenliedes in der jüdischen Gemeinde und der griechischen Kirche,* Leipzig, 1898, p. 75-79. – M. Faulhaber, *Hohelied-, Proverbien- und Prediger-Katenen,* Vienne, 1902 (p. 72, indications sur les mss). – P. Courcelle, *Les Lettres grecques en Occident. De Macrobe à Cassiodore,* 2ᵉ éd., Paris, 1948, p. 364-67 (sur le *Vatic.* 5704). – L. Welsersheimb, *Das Kirchenbild der griechischen Väterkommentare zum Hohen Lied,* ZKT, t. 70, 1948, p. 393-449 (p. 436-40 sur Philon). – F. Ohly, *Hohelied-Studien...,* Wiesbaden, 1958, p. 53-54. – P. Meloni, *Il profumo dell'immortalità. L'interpretazione patristica di Cantico 1, 3,* Rome, 1975, p. 298-303. – A. Ceresa-Gastaldo, éd. citée *supra,* introd. et commentaire. – U. Rapallo, *Tipologia dei trasferimenti metaforici nella Vetus Latina alla luce del Commentarium... di Epifanio Scolastico,* dans *Latinitas,* 1982, p. 59-85. – C. Reggio, *Nuove ricerche su Filone di C.* (thèse dactyl., Gênes, 1981).

EC, t. 5, 1950, col. 1348-49 (E. Peterson). – J. Quasten, *Patrology,* t. 3, Utrecht-Anvers, 1960, p. 394-95 ; trad. franç. *Initiation aux Pères de l'Église,* t. 3, Paris, 1963, p. 555. – BS, t, 5, 1965, col. 802-03 (G. Eldarov). – CPG 2, 1974, n. 3810 ; CPG 4, 1980, C 84. – DS, t. 2, col. 96-97 ; t. 4, col. 861 ; t. 5, col. 448 ; t. 6, col. 863 ; t. 11, col. 1014-16 (*Osculum*).

Aldo Ceresa-Gastaldo.

## PHILOSOPHIE ET SPIRITUALITÉ.

PHILOSOPHIE ET SPIRITUALITÉ. – La réflexion ici présentée ne veut être qu'un libre essai.

Quelle que soit la tradition particulière dont elle est héritière, quelles que soient ses références doctrinales, la spiritualité signifie une manière d'*être* de l'existence par et selon l'*esprit,* une « vie spirituelle » entretenue dans la vie naturelle et qui se sait irréductible au langage comme aux actes caractérisant le comportement humain. Spécialement, quand elle se dit inséparable de l'invocation religieuse, la spiritualité signifie que la parole de foi, pour ne pas s'épuiser en des mots insignifiants, exprime l'esprit qui l'anime, est relation de l'esprit à l'Esprit.

Mais, précisément, selon certains philosophes, ces vocables d'esprit, de vie spirituelle sont couramment entendus comme des termes vides de sens, relégués dans une préhistoire d'ignorance. Ils sont assignés à l'intériorité, au repli sur soi, au vide intime qu'emplissent les pulsions du corps et ses phantasmes, à la vie réfugiée dans une subjectivité douteuse, abstraite du monde de la nature et de l'histoire, désertant l'expression et l'action. Tel est le jugement de la modernité. Dès lors que l'être a pour mesure le phénomène observable, identifiable et vérifiable, *l'esprit n'a pas d'être* et ne désigne que la conscience vide et son arrière monde inconscient. Par suite, la « spiritualité » peut bien invoquer ses maîtres, ses écoles, ses sectes qui relèvent de la sociologie, elle ne réserve aucune réalité de l'existence et n'est qu'un terme usé et suspect du vocabulaire préscientifique.

Il est cependant remarquable qu'une telle révocation soit proférée par une philosophie qui s'avoue dépourvue de tout savoir propre, réduite à une vaine instance critique ou à la fastidieuse répétition du « soupçon ». Seules les sciences opératoires de la matière ont un objet et une méthode assurée qui est identiquement celle des sciences « humaines » quand elles ne s'abîment point dans l'imaginaire d'un naturalisme primaire ou dans l'idéologie honteuse. Elle-même vouée à la réflexion subjective, paresseuse et informe, la philosophie n'aurait plus même pour tâche de coupler la science d'une épistémologie que celle-ci intègre en ses procédures. Toute philosophie de la nature semble révoquée comme tout savoir de l'esprit qui ne serait rien qu'une mythologie archaïque. On peut bien répéter, comme un mot sans suite, « l'être en tant qu'être », l'ontologie n'est qu'un vœu absurde, et la métaphysique une prétention fille de l'ignorance quand il s'est avéré que l'esprit n'a pas d'être.

Ainsi la philosophie n'est qu'une antique cause perdue, pour la même et suffisante raison que la spiritualité est sans vérité : par constat d'absence de la réalité que l'une prétendait connaître et l'autre servir.

1. **L'interrogation philosophique et l'exigence spirituelle.** – La philosophie des Lumières semble ainsi n'avoir gagné sa guerre contre l'esprit religieux qu'au prix de la raison philosophique mise au même tombeau que la spiritualité. Si l'avènement de la raison morale autonome, à « l'âge adulte de l'humanité », s'est avéré illusoire, la raison scientifique, capable des techniques qui maîtrisent notre univers, prend victorieusement son relai. C'est par son progrès illimité et ses œuvres éclatantes que la seigneurie de l'homme sur la nature est prouvée et éprouvée. Désormais, les requêtes spirituelles qui s'exhalaient de la servitude et de l'impuissance ne peuvent secréter les illusoires compensations de la pauvreté matérielle. Mais du même coup, les obscures spéculations philosophiques sont closes dans les vieux livres de quelques historiens. Avec la fin de l'ère médiévale, sont révoquées les philosophies de la nature et, avec elles, les catégories cosmologiques tenant lieu d'ontologie.

L'oubli de l'esprit, de son être prétendu, quand son savoir philosophique est dénoncé comme un songe creux, est ainsi l'inévitable résultat d'une partition instaurée par les exigences impliquées dans la constitution des sciences opératoires de la matière qui commandent l'abstraction, la séparation méthodique de tout ce qui n'est pas analysable quantitativement ni vérifiable expérimentalement, la mise entre parenthèses de toute donnée spirituelle en tout ordre de manifestation. L'extériorité des phénomènes objectifs d'un côté, appréhendés comme impénétrable opacité de la *res,* elle-même *partes extra partes,* l'intériorité subjective de l'esprit, en son abstraite liberté et son insaisissable réflexivité, de l'autre côté, dimension exclue de l'investigation scientifique. Dès lors, toute philosophie de la nature révoquée, toute manifestation de l'être personnel destituée de vérité, la pensée se consacre exclusivement à ce que la pensée n'habite pas, désertant son propre lieu de naissance livré à l'intime méditation d'une stérile réflexion philosophique.

Cependant, les extrêmes dissociés par cette partition ne peuvent s'équilibrer comme deux régions ontologiques maintenues en leurs vérités respectives : l'intériorité spirituelle ne fait pas le poids. Les prétentions des philosophes du sujet cèdent bientôt à l'aveu d'inconsistance, au constat de vacuité, quand la conscience s'avère objet à l'envers, privation de réalité et reflet épiphénoménal. La matière est figure exclusive de l'être dont l'esprit est exempt, son obscur souvenir se traduisant dans la chimère d'un hypothétique être nouménal, inaccessible, ou dans l'évocation d'une pensée transcendentale impuissante à sa pensée elle-même. L'être se réduit à l'apparaître, à l'apparence privée d'essence mais en plénitude d'elle-même. Si bien que l'auteur du savoir, continuant pour un temps de clamer sa liberté souveraine et imprenable, irrelative et théomorphe, perd ses droits d'auteur dès lors que l'homme est lui-même matière de la science et lieu d'application des techniques. On ne fait pas à la science sa part que limiterait un domaine réservé : quand notre corps est livré à la biologie, l'intériorité spirituelle n'est que phénomène objectif pour la psychologie expérimentale ou pathologique et aucune idéologie ne peut dissimuler le fond crûment naturaliste des « approches » psychanalytiques. L'humanité de l'homme vient à être introuvable et la « mort de l'homme » n'exprime que l'ultime conséquence de la « mort de Dieu » dont la suffisance à soi de notre seigneurie était le premier corrolaire.

A moins de rendre les armes en avouant l'effacement de sa raison d'être, la pensée philosophique n'a d'exercice continué qu'au prix d'une vive réanimation de la mémoire de l'esprit. Et cette mémoire n'est possible que si la pensée recouvre son lieu d'origine et sa sève disponible dans une vie spirituelle entretenue. Car la pensée n'est pas sans sa propre réflexion où elle se découvre *autre*, en son être et sa manière d'être, que tout phénomène naturel, irréductible à l'ensemble du monde des choses. Et c'est précisément cette altérité radicale qui provoque l'étonnement suscitant l'interrogation philosophique illimitée. Altérité de l'esprit humain, enté dans la vie naturelle et que thématise une logique de notre existence, que l'anthropologie positive ignore, pour se constituer comme une philosophie du corps irréductible à la biologie. Altérité absolue dont le concept force à la métaphysique spéculative. Ainsi la philosophie retrouve ses domaines inépuisables quand, ne pouvant se payer le luxe de l'abstraction si elle demeure volonté de vérité, elle fait mémoire de l'être que nos savoirs de la matière relèguent dans l'oubli et s'interroge sur l'actualité de sa présence qu'atteste l'intimité spirituelle imprenable et défiant le poids des choses. Mais le premier pas dans le questionnement philosophique est dès lors accompli par l'énoncé de l'enjeu immense qui le légitime. Enjeu qu'exprime la série des conséquences de l'hypothèse que la modernité tend à ériger en thèse : *si l'esprit n'a pas d'être, qu'en résulte-t-il ?*

Si l'esprit n'a pas d'être, toute altérité de l'essence, de l'existence, de l'origine et de la destinée de l'homme, doit être dénoncée comme une mythologie caduque. Le médecin n'est que le vétérinaire de notre espèce naturelle, sans déontologie spéciale, sans autre norme que la performance biologique exigeant invinciblement un eugénisme systématique. L'homme politique laisse place au gestionnaire de l'économie quand la liberté n'est plus la référence du droit, l'administration des choses se substituant au gouvernement des hommes, selon la prophétie de Saint-Simon devenue, pour les marxistes, formule emblématique de la société ultime. Toute obligation morale, faute de savoir son enracinement spirituel, se réduit à son contraire, la contrainte des choses et des codes nécessaires à la mise en place des techniques. L'activité artistique devient vestigiale pour se priver d'inspiration effective et contredire le règne de l'utile et du « fonctionnel ». L'éducation n'est plus qu'un dressage à l'activité productrice, en dépit d'apparences pédagogiques dont le vocabulaire convenu de la « créativité » est la dérisoire excuse de l'inculture. Mais l'enjeu d'un savoir de l'esprit, de sa reconstitution ou de sa récession accélérée et irréversible est manifeste, de façon décisive, dans l'état et le devenir des *demandes humaines*. Toutes les réductions consécutives à l'effacement de l'esprit sont, en effet, inscrites dans la métamorphose d'aspirations propres à l'homme, définissant distinctement son existence hors série des espèces naturelles.

L'étonnement initial, au premier manifeste de l'enfance humaine, est devant le désir inutile, transgressant tout besoin de la vie et que traduira la curiosité indéfinie du petit d'homme. Désir portant toute demande ultérieure, toute interrogation, tout appétit de bonheur et toute inquiétude pour le mystère de notre origine comme pour la destinée de notre être. Heureuse ou malheureuse, la conscience, dès lors, couple l'inscience au vif de la demande insatiable d'exister par toute différence de vivre, demande affrontée à l'irrécusable mort biologique. Sans cette demande qui relègue et relativise toute ambition ou appétit de jouissance, aucune religion ne se serait fait entendre puisqu'elle se définit d'abord par un message de salut, promesse divine qui seule est à la hauteur de l'exigence spirituelle. Autre la demande, autre l'offre ; à demande d'esprit, réponse en termes et figure de l'Esprit impérissable.

Or, rien n'est plus remarquable que la mise en silence, sinon la mise à mort des demandes d'esprit. Dans le temps où la multiplication indéfinie des besoins matériels leur fait occuper toute requête, où l'on exige du politique comme du médecin la gestion de la vie et non les droits gardés de l'esprit libre, s'exténue et s'oublie le désir spirituel qui nous constitue, qui nous fait autre, qui est refus de faire nombre avec les autres espèces comme d'être réduit au banal destin biologique pour lequel la mort est le seul avenir de la naissance. D'où l'irréligion massive de nos sociétés quand les clercs deviennent prédicateurs de la justice distributive. Il arrive, sans doute, que l'esprit se révolte ou tente l'évasion imaginaire du monde, sourd à sa requête. Mais faute, précisément, du savoir et de la pratique de sa spiritualité, la révolte est récupérée par toute forme de naturalisme ou de matérialisme, cédant à leur contrainte, pour expirer dans l'envie des biens de la terre, ou à la violence et au désespoir suicidaire.

2. **Concept d'esprit et logique de la spiritualité**. – Si la philosophie, pour réanimer son interrogation et recouvrer le plein droit de sa pensée, doit s'efforcer à la mémoire de l'esprit qu'entretient la spiritualité, elle est en peine d'affirmer et d'identifier l'être de l'esprit faute d'être assurée d'en saisir le concept et sa nécessité. Car sans réminiscence du concept, de son sens irréductible et indérivable, la raison discursive ne saurait connaître une vérité de l'esprit ni s'éprouver réflexivement comme opération spirituelle. De manière générale, quand l'esprit s'avère inconceptualisable, quand s'effacent sa différence et sa thématique propre, nous ne connaissons plus que deux instances, celle de la nature et celle de la logique. Naturalisme et formalisme sont alors les seuls systèmes de l'entendement prêts à s'identifier dialectiquement : la forme n'est plus sens intelligible et se

réduit à la configuration de structures matérielles. Mais l'esprit est-il bien un concept, qui pourrait être fil directeur vers son être et sa présence ?

Deux difficultés semblent aussitôt insurmontables. D'une part « esprit » ne semble énonçable que négativement, échappant à toute détermination positive : invisible, insensible, immatériel, n'est-il pas incaractérisable, ineffable, impensable ? Mais d'autre part, au moindre effort pour en repérer les significations attachées au vocable traditionnel, nous nous trouvons en sémantique équivoque, en dualité d'évocation. Et seule la levée de l'équivoque nous permettrait, en reconnaissant l'unité conceptuelle, de surmonter la première aporie.

L'esprit est lié, premièrement, à la symbolique de l'animation de la vie naturelle, à la respiration, selon le contrecourant de l'inspiration et de l'expiration. C'est la signification *pneumatologique*. Mais, deuxièmement, l'esprit désigne l'intelligence de l'intelligible, indemne du savoir empirique. C'est la signification *noétique* ou noumènologique. Quoi de commun entre ces deux foyers sémantiques et comment les faire convenir entre eux pour l'unité conceptuelle requise ? Non seulement l'un semble étranger à l'autre, mais ils apparaissent contradictoires : la vie naturelle et la connaissance suprasensible, le sensible et l'intelligible, le devenir et l'identité, le mouvement et le repos... Pourtant, à bien examiner, les deux significations opposées dissimulent une réciproque convenance, avant de venir s'identifier.

L'animation du vivant est par l'unité indivise des deux temps respiratoires et circulatoires : inspiration, expiration ; systole, diastole ; et par extension – où le symbole prend par à ce qu'il symbolise –, des couples de contraires mutuellement nécessaires : concentration, expansion ; intériorité, extériorité ; abstraction négative, expression positive. Ce dernier couple, tout en prescrivant *l'équilibre* de deux mouvements en contre-courant, équilibre pneumatologique du « souffle » continué de l'esprit, dit adéquatement l'activité de la pensée qui ne préserve sa capacité noétique, d'intelligence et de connaissance, que par mutuelle et réciproque relation en acte, la réflexion et l'expression d'elle-même. Par contre, la pensée s'immobilise et se ruine dès lors qu'elle se réduit à l'une de ses instances en contre-courant.

Dès que nous délaissons, en effet, les représentations d'une intelligence immobile, figée et inanimée, selon le schème d'une contemplation muette et arrêtée, d'une vision paralysée, la pensée effective doit souscrire à sa double exigence constitutive. Sa réflexion, sans laquelle elle s'ignore elle-même, ne peut éprouver son sens ni rester soumise au jugement autonome, force à l'intériorité, à l'intime méditation. En sens inverse, son expression manifeste en un langage et sans laquelle toute articulation discursive est broyée, au prix de la rationalité, force à la communication, à l'extériorité. Que s'installe un divorce entre ces deux instances, par exclusion de l'une ou de l'autre, et la pensée fait sécession interne pour s'arrêter et se perdre. Ou bien, délestée de son expressivité qui maintient vive la norme d'universalité, elle s'épuise en l'arbitraire d'opinions avant de se stériliser en une subjectivité muette. Ou bien, sacrifiant sa réflexivité, elle perdra son autonomie avant de se réduire à l'extériorité des mots insignifiants, mots répétés et jamais éprouvés dans leurs sens et leur vérité.

Ainsi la signification noétique de l'esprit, dès la simple analyse de l'acte intellectuel en une pensée animée et continuée, recouvre un équilibre fragile où contre-affluent les deux instances pneumatologiques indispensables à la vie de l'esprit. Équilibre rompu par la dialectique où l'un des contraires est unilatéralement privilégié et où s'annonce, en deux figures inverses, l'exécution de la pensée. L'esprit n'est l'intelligence que si celle-ci vit de l'animation que rythment les deux mouvements contraires, mais mutuellement nécessaires, de l'énergie spirituelle. L'esprit avère par là l'unité conceptuelle de son sens, unité exigée pour la vérité de son être. Et le même contre-courant pneumatologique se confirme si, de l'activité de l'intelligence, nous allons à l'analyse de l'autre opération remarquable de l'existence spirituelle, celle de la liberté, de « l'esprit libre » en l'actualité de lui-même. Car la liberté, introuvable elle aussi dans le monde des choses, dans la matière de la nature, est constituée d'un double sens, d'une apparente contradiction de deux significations inverses. Celle de l'indépendance, pouvoir du non, où la liberté s'éprouve inconditionnée, irrelative, comme le divin dans l'homme. Celle de la détermination, de l'acte effectif, de l'action positive. Exclusive de la seconde, la première incline à l'abstraction de l'intériorité indifférente et stérile ; exclusive de la première, la seconde incline à l'action irréfléchie, vite asservie à la passion, au risque de la violence qui ruine le sens et l'autonomie, ou à l'activité d'imitation qui cède aux contraintes du cours du monde. Deux manières pour l'esprit libre de se perdre, de se démettre de soi. Une seule logique, là encore, celle de l'équilibre des deux puissances spirituelles contraires qui rythment l'unité vulnérable de la vie de l'esprit.

De cette simple analyse conceptuelle, avant même de conduire l'interrogation philosophique vers une ontologie de l'esprit, une leçon doit être tirée, croyons-nous, pour l'appréciation complète, mais encore formelle, de la spiritualité. Quelle que soit, en effet, sa concrète particularité, la spiritualité est jugée comme abstraite et infirme intériorité. Et sans doute a-t-elle souvent offert d'elle-même l'image du repli sur soi, de l'abstraction intime, de la fermeture au monde, pour le privilège d'une subjectivité muette, stérile et sans attestation d'elle-même. Au point d'avancer une « supériorité » de la contemplation sur l'action, modulant fastidieusement sur le thème de la « meilleure part », précipitamment conclu du propos évangélique, réitérant l'alibi de la désertion des œuvres de l'esprit. C'est pourtant méconnaître résolument les grands auteurs spirituels, qui n'ont jamais cédé à l'abstraction d'une subjectivité en peine d'attention nostalgique à soi. La confusion entre spiritualité et culture exclusive du sens intime a, sans doute, deux origines. D'une part, le détachement exigé pour gagner l'ordre de l'esprit risque de s'identifier avec la désaffection pour l'existence historique et sociale, quand le renoncement à l'avoir et au pouvoir prend le contre-sens de l'intraversion qui absente du monde extérieur : si la vie spirituelle est exténuée par l'avoir, elle implique son manifeste dans l'active présence. Mais, d'autre part, le savoir de l'esprit discerne la recherche du divin de toute fuite en avant, vers un monde au-delà du monde, selon une représentation extérieure de la transcendance. Invite à découvrir l'absolu de l'esprit à la source de l'être, au mystère de l'origine, l'infinie proximité de l'*intimior intimo meo* risque, en contresens redoublé, de se dégrader en ferveur nostalgique pour la sensibilité interne. Mais la spiritualité révoque ses propres perversions dans l'exacte mesure où elle informe l'existence de la logique de l'esprit, de l'équilibre de l'animation par la présence réciproque du recueillement réflexif à l'activité manifeste et de l'exigence d'expression et d'action en la méditation intérieure.

L'esprit n'est pas figuré par l'abstraction ni servi par la désertion. Il n'expire dans le divertissement de lui-même que s'il cesse de puiser inspiration en son propre recueillement.

**3. Ontologie et confirmation spirituelle.** – Si la spiritualité, contre la logique de l'esprit, tend cependant à privilégier le recueillement intérieur, ce n'est pas seulement par déviation qui résulterait des défis et des refus de la modernité, c'est aussi en conséquence d'une sourde adhésion fréquente à une théologie négative héritée du néoplatonisme. Que le divin ne puisse être exprimé positivement en vérité, que son indétermination frappe d'interdit la relation de l'esprit à l'Esprit absolu, relation dialogale et de mutuelle présence, alors se conclut une mystique d'identification, réductrice de la spiritualité à l'abnégation de soi, qui prive de sens toute manifestation positive. Ainsi l'activité spirituelle est en peine de prendre, pour norme exclusive, la conversion abnégative, selon le thème de l'*epistrophè* plotinienne. Et la spiritualité est alors inclinée à sacrifier l'instance positive de l'énergie spirituelle pour s'épuiser dans le reploiement subjectif en l'intériorité fermée.

Il est clair qu'une telle présupposition de métaphysique négative contredit la simple idée de révélation, ce qui implique, en contrecoup, une spécificité de la spiritualité chrétienne capable de la logique de l'esprit. Mais pour le débat philosophique et son enjeu spirituel, l'important est ici que le privilège de la conversion négative interdit de lui reconnaître sa cruciale importance ontologique. En effet, tout ce qui paraît, apparaît, tout ce qui se présente, se manifeste, ne serait que pure extériorité phénoménale, poussière éventée par sa division infinie, si une unité intérieure n'assurait la consistance du réel. Le savoir des phénomènes empiriques suppose ainsi lui-même, inévitablement, quelque principe d'unité interne comme la cohérence des lois ou la cohésion organique. Mais ce qui est supposé ici est une nécessité constitutive du concept d'esprit. Que ce qui n'ait pas d'être sans sa réflexion unitive, sans sa conversion substantielle, voilà ce qui dit adéquatement l'esprit dès lors qu'il ne se conçoit pas, en sa positivité effusive, expansive, expressive, manifeste, sans le recueillement intérieur, sans la réflexion conversive, ontologique avant d'être psychologique, qui couple, équilibre, en inspiration pneumatologique, l'expiration animatrice. C'est pourquoi, le concept d'esprit est requête de son être. Sa mémoire est anamnèse de sa réalité ontologique, forçant l'enquête philosophique à la découverte de la présence de l'être de l'esprit.

Évoquant le désir, la pensée, la liberté, nous envisagions les actes ou opérations de l'esprit humain. Mais dès l'énoncé de l'enjeu, c'est l'être même de l'esprit qui était en cause. L'être d'esprit habitant la vie naturelle, à quoi se réduirait notre existence s'il n'était que vestige de l'ignorance préscientifique. Mais nous sommes habitués à moduler sur l'assertion kantienne de l'expérience exclusivement empirique, sans la remettre en cause. Toute activité de l'intelligence, pourtant, comme la simple connaissance d'autrui, comme l'aperception de soi-même, contredisent absolument cette assertion, serve de nos savoirs de la matière. Non seulement, en effet, au moindre événement de langage, nous comprenons immédiatement le sens qui transit le corps des mots,

mais nous n'aurions jamais le manifeste de quelqu'un, survenant de son secret, si l'expressivité personnelle n'en dévoilait l'être spirituel insubstituable sur son visage, son regard. Et la certitude de soi, en la réflexion consciente, emporte sa vérité d'être, soi-même, substantiellement, autre que le corps, autre que notre rôle social, autre que les aventures de la vie. L'altérité spirituelle de l'être singulier, en recueillement sur soi et en expression extérieure, en réflexion secrète ou en activité effective, défie toute réduction aux apparences empiriques, à mesurer l'être à l'aune de l'observable et du vérifiable. Dès lors, la spiritualité, qui entretient et avive ce défi, attend de la philosophie une ontologie explicite de l'esprit.

Une telle ontologie, qui est, croyons-nous, la tâche principale de la pensée spéculative, en la pure rationalité de sa démarche, trouve son point de départ obligé dans le commencement de l'existence. Celui-ci survient hors de toute explication en termes de causalité naturelle ou de produit de la volonté. C'est, notamment, ce que transcrit l'aveu des parents de n'être, par leur corps et leur vouloir, que l'occasion procréatrice de la parution d'un être qui fait tout un monde neuf à lui seul. Mais par ailleurs, à moins d'un délire d'autocréation, nous savons dès l'origine que nous ne devons pas à nous-mêmes ce que nous sommes. Si bien que chaque être d'esprit est, exactement, *donné* à lui-même, *être-de-don*, faut-il dire, quand le bénéfice est identiquement le bénéficiaire. Quand bien même l'origine du don d'être, et de tout l'être, demeurerait en son mystère, sans possibilité d'identifier un Donateur ni le sens de son don, seule une ontologie de notre être spirituel en termes de don, renouvelant, pour être adéquate, l'ensemble de ses catégories, constituerait un savoir conforme aux manifestes de l'humanité de l'homme, compris dans la concrétion de chaque personne singulière. Savoir dont les implications s'annoncent décisives, en particulier dans l'ordre de l'éthique, découvrant le fondement de l'obligation. L'obligation morale, en effet, ni ne peut être assimilable à la contrainte, qui la contredit, ni ne peut être l'option aléatoire de notre arbitraire. Elle doit donc devancer nos choix, où elle se risque, comme elle doit être de l'essence de la liberté. Mais la liberté humaine a sa formule exacte dans l'être donné à lui-même, avant tout acte libre de l'être libre, et si l'être d'esprit est être-de-don, il est nativement *en dette de lui-même*.

Ainsi la spiritualité ne peut-elle s'affranchir de l'éthique, à moins d'être sourde à la pensée ontologique qu'elle suscite. Encore moins pourrait-elle tarir le désir qui l'anime d'une intimité spirituelle avec l'absolu de l'esprit. Aussi la médiation philosophique est-elle son nouveau recours.

Autre que la vie naturelle et imprenable en toute classification opératoire, l'être d'esprit de l'homme est lui-même autre que l'esprit compris en son concept pur. Car l'esprit humain est fini en ce qu'il n'est pas sa propre origine, en ce que son être, donné à lui-même, diffère de ses opérations qu'il porte en son existence. Mais de l'esprit, absolument parlant, à l'affirmation de l'Esprit absolu, la méditation spéculative est nécessaire : alors même que l'Esprit divin serait connu dans la foi, il doit être reconnu par la pensée qui n'a d'autre appui qu'elle-même et d'autre contenu que ses concepts nécessaires dont elle fait anamnèse. Et cette médiation spéculative s'opère dans la preuve ontologique de Dieu, quel qu'en soit la présentation formelle. Que l'absolu de l'esprit ne puisse être pensé sans l'affirmation de son être, que l'absolue liberté qu'il signifie soit identiquement et nécessairement la radicale initiative de son existence, que l'Esprit absolu soit positive affirmation de lui-même, voilà ce que dit la médiation spéculative.

Cependant, l'affirmation de Dieu, Esprit absolu, n'est affirmation de l'Autre de nous-même, esprit fini, qu'en étant pensée de l'infini spirituel. A distance des représentations spatiales ou numériques de l'indéfini, l'infini de l'esprit signifie, non l'illimitation impensable, mais la toute puissance, illimitée, de se donner expression de soi. Don de soi compris précisément comme don de tout ce que le Principe est, Génération du Fruit unique où se donne tout pouvoir divin. Et, à son tour, par conséquent, le Don se rend en échange, ce qui dit la perfection de l'amour mutuel. Là où la création, don de l'être sans retour ni retenue, est don de ce que Dieu n'est pas, la génération est don de ce qu'*est* l'Esprit infini. Si bien que l'infini de l'esprit est don et restitution, offre de soi sans reste et reddition au Principe. Ce qu'exprime, en suscitation vive, la théologie des relations divines de paternité et de filiation.

Il est, cependant, une autre suggestion de la pensée du christianisme à la philosophie, dont ne saurait se priver la vie spirituelle. Car le détour philosophique devrait ici régénérer de toute la force de l'ontologie spirituelle cette « vie » qui risque d'expirer sous le poids des choses et les pressions de notre « civilisation ». C'est celle de la *confirmation spirituelle* que la raison spéculative articule inévitablement dès qu'elle pousse à l'extrême l'analyse consécutive de l'infini de l'esprit, qui exprime la toute rigueur conceptuelle de l'absolu.

Si, en effet, la Puissance illimitée n'est l'infinie positivité du divin qu'en s'actualisant sans reste, absolument, en l'Expression de soi où il se donne sans réserve, donnant toute sa Puissance même, si celle-ci réciproquement, est acte pur de reddition filiale à son Principe, l'échange spirituel, par cette parfaite réciprocité, ne serait que bilan nul d'une abstraite et vide identité. A moins de céder à la représentation d'une alternance indéfinie selon le successif de l'effacement de chaque moment, la conception est obligée à la pensée de la confirmation du don.

S'il faut dire ainsi que l'Expression est confirmée, par une sorte de ruse de l'amour principiel, paternel, afin de pleinement souscrire à la nécessité conceptuelle de l'infini, c'est à condition de comprendre la confirmation comme redoublement du don, double détente de l'acte générateur, selon une absolue gratuité, vérité pure de cette nécessité. Confirmation silencieuse qui est don sans retour, en la toute abnégation d'elle-même. Kénose de l'Esprit qui n'est qu'esprit en sa propre différence divine, qui repose ce que pose le Principe, et donc qui fait *être* absolument, l'échange absolu qu'il présuppose. Énergie pure de l'Esprit qui fait être victorieusement, sans rien ajouter, pas un mot, à l'Essence exprimée paternellement. Confirmer n'ajoute rien, sinon l'effectivité de l'être, comme tel. De telle sorte que la spéculation trinitaire offre à penser, de manière décisive, que le Nom divin de l'Esprit, « troisième » personne, de l'esprit qui n'est qu'esprit, ce que la philosophie énonce comme la question de l'être comme tel, de l'être qui n'est qu'être, mot demeuré sans suite depuis Aristote, en dépit de sa toute nécessité. Ou bien l'être,

qui n'est aucun être déterminé, n'est que l'abstraction-limite de tout ce qui est, ou bien il est l'acte confirmant dans l'effective présence, l'existence de chaque être à l'essence duquel il n'ajoute, cependant, *rien* : *l'être qui n'est qu'être, c'est l'être qui n'est qu'esprit.*

Ainsi se précise en quel sens la philosophie *est* spiritualité. Toujours en quête inlassable de l'être d'esprit, non seulement l'animation de sa recherche est puisée à l'énergie spirituelle, mais en retour, elle ne découvre le secret d'un savoir ontologique qu'en puisant à l'anamnèse du concept pur de l'esprit, en l'absolu de lui-même. Si la spiritualité donne à la pensée son énergie et son idéalité, faute de quoi elle ne serait qu'immobile ensemble de mots insignifiants, en revanche, la pensée, dès qu'elle cesse d'être divertie par son contraire, par l'exploration titanesque de l'univers matériel, peut découvrir à la spiritualité quelque vérité de ses certitudes. En la philosophie qu'elle régénère, la vie spirituelle a son fraternel auxiliaire.

Claude Bʀᴜᴀɪʀᴇ.

**1. PHILOTHÉE DE BATOS** ou Lᴇ Sɪɴᴀïᴛᴇ, moine, 9ᵉ-12ᵉ siècles. – La vie de ce Philothée est totalement inconnue. D'après les titres des mss, il appartenait (comme Hésychius, cf. DS, t. 7, col. 108-10) au monastère de la Théotokos du Buisson ardent (Batos) sur le Sinaï et il en fut sans doute higoumène. Il convient de le situer après Hésychius et avant Pierre Damascène, donc entre le 9ᵉ et le 12ᵉ siècle, plus probablement vers la fin de cette période. 1. *Écrits.* – 2. *Doctrine spirituelle.*

1. Les Éᴄʀɪᴛs de Philothée figurent dans de nombreux florilèges ascétiques, habituellement joints à ceux de Marc le moine, Diadoque de Photicé, Hésychius de Batos, etc. On note cependant des différences importantes dans l'étendue, le contenu, et même la répartition des diverses pièces. Une détermination précise des œuvres supposerait un inventaire précis de la tradition manuscrite (J. Paramelle, de l'Institut d'Histoire des Textes à Paris, a commencé cette recherche ; nous lui devons bon nombre des renseignements donnés ci-dessous). Nous signalerons quelques mss que nous avons pu repérer ; pour des références plus précises, consulter les catalogues spécialisés signalés par M. Richard, *Répertoire des bibliothèques et des catalogues de manuscrits grecs*, Paris, 1958.

Est à mettre à part le *Marcianus gr.* ᴄʟ.ɪɪ/ʟxxɪɪɪ, 439 (14ᵉ s) de Venise, ancien *Nanianus* 95 (PG 98, 1369-72, reprenant J.A. Mingarelli, *Graeci codices... apud Nanios asservati*, Bologne, 1784, p. 185-186). Il donne en effet quatre écrits. – 1) *Ascetica*, f. 93r-99v : il s'agit des 11 premiers chapitres des *Nèptika Kephalaia* (= NK), publiés dans la *Philocalie* (cf. *infra*), mais précédés d'un prologue (PG 98, 1369, suivi du ch. 1 et le début du ch. 2) ; – 2) f. 99v-113r : sermon ou catéchèse monastique sur l'inhabitation du Saint-Esprit ; – 3) f. 113r-115v : autre sermon ou catéchèse sur « les pensées du Christ » révélées aux humbles et cachées aux orgueilleux ; – 4) 113v-125r : « Que par la garde du cœur sont gardés les divins commandements du Christ » ; l'*incipit* est le même que celui du *Peri tôn entolôn* (= PE), ou *De mandatis*, publié avec trad. latine par P. Possinus (Pierre Poussines sj), *Thesaurus asceticus* (Toulouse, 1683 et Paris, 1684, p. 326-44), repris parmi les œuvres de

Philothée Kokkinos (à tort ; cf. *infra*) en PG 154, 729-745. Le texte du *Marcianus* se termine cependant avec la fin du ch. 14 de l'éd. Poussines, suivie d'une doxologie.

Le *Matritensis gr.* 14 donne quatre écrits ; mais, d'après les *incipit* et *desinit* (cf. J. Iriarte, *Regiae Bibliothecae Matritensis catalogus*, Madrid, 1769, p. 36-37), on s'aperçoit qu'il s'agit du PE, distribué en quatre *logoi* suivis chacun d'une doxologie ; comme dans le *Marcianus*, le texte s'arrête au ch. 14.

Athos, *Iviron* 713 (15e s.) : NK (texte de la *Philocalie*) ; *Lavra* Γ 40 (14e s.) : NK et PE ; K 118 (17e s.) : NK et PE ; Λ 38 (16e s.) : 5 ch. de NK suivis de 8 ch. d'Hésychius (cf. I. Hausherr, *La méthode...*, p. 140, n. 2) ; M 54 (non daté) : NK ; Ω 89 (17e s.) : NK et PE. – Jérusalem, Bibl. du patriarcat, *gr.* 171 (14e s.) : NK. – Moscou, Bibl. synod. *gr.* 30 : *De custodia et humilitate* (NK, ch. 15 et autres ?) ; *gr.* 39 : *De anima tripartita et oratione* (NK, ch. 16 et suivants ?).

Milan, *Ambrosianus* I 9 sup. (grec 452 ; daté de 1142). – Oxford, *Cromwell*, 111, n. 25-26 : NK, texte de la *Philocalie*. – Paris, Bibl. Nat. *gr.* 1091 (14e s.) : NK et PE ; *gr.* 1145 (14e s.) : PE ; *Suppl. gr.* 1277 (14e s.) : PE. – Vatican *gr.* 658 (14e s.) : *De temperantia* = NK, ch. 1-38 ; *gr.* 730 (14e s.) : *De temperantia et oratione* = NK, 38 ch. et PE (ms utilisé par I. Hausherr, *La méthode*, p. 140-141). – Vienne, Bibl. nat. *gr.* 156 : 10 ch. de NK ; *gr.* 254 : contenait sans doute les 40 ch. de NK, mais les 5 premiers manquent par mutilation du ms ; cf. P. Lambecius (Lambeck), *Commentariorum... de Bibliotheca Caesarea Vindobonensi*, t. 4, Vienne, 1671, p. 145 ; t. 5, 1672, p. 69.

Notre étude doctrinale se limitera aux deux écrits, d'ailleurs assez courts, qui ont été les plus répandus et sont encore aisément accessibles : le *Peri tôn entolôn* (Sur les commandements de Notre Seigneur Jésus Christ), PG 154, 729-745 ; les *Nèptika Kephalaia*, édités dans la *Philocalie* de Macaire et Nicodème, t. 2, Athènes, 1958, p. 272-86, en 40 chapitres (cette éd. était reprise dans le t. 162 de la PG, mais le stock fut détruit par un incendie).

2. DOCTRINE SPIRITUELLE. – L'idée fondamentale de Philothée semble être l'importance primordiale du « combat spirituel » (*noètos polemos*) ; celui-ci est en effet la garantie de la solidité et de l'efficacité du « combat sensible » (*aisthètos*). La terminologie dominante est celle de la spiritualité hésycaste (cf. DS, t. 7, col. 381-99) : *nèpsis* (vigilance et sobriété), garde du cœur, humilité, obéissance, mémoire de la mort et de Dieu, *penthos*, etc.

1° Dans le *Peri entolôn*, Philothée souligne d'abord la nécessité d'observer les commandements du Seigneur « par le corps et par l'esprit », l'observance *spirituelle* convenant surtout aux moines « crucifiés au monde » (ch. 2). Les commandements d'ordre spirituel sont d'ailleurs plus « englobants » (*periekti-kôterai*), car les vertus qu'ils prescrivent assurent la mise en œuvre des vertus corporelles et conduisent au but final : « l'ascension vers Dieu et la charité » (4). Vient ensuite un bref exposé sur une série de préceptes évangéliques : *Mt.* 5, 21-25.28-29.34 ; 6, 22 ; 5, 37 ; 12, 36 ; 5, 38-42 ; *Luc* 6, 37 ; *Mt.* 10, 38 ; 16, 24 ; 10, 39 ; 6, 1.5.14.19 ; 7, 1 ; *Luc* 6, 38 (5-7). Cependant, le grand commandement est d'aimer Dieu et le second lui est semblable (*Mt.* 22, 37-38), « parce que l'amour de Dieu parfait, suscite et enseigne l'amour envers les hommes » (8). Le précepte de « ne pas donner aux chiens les choses saintes » (*Mt.* 7, 6) est une invitation à la *nèpsis* : grâce à elle, l'âme « cherche » par l'étude des Écritures et « frappe » (*Mt.* 7, 7) par « la prière mystique et inexprimable de l'Esprit, afin que lui soit

donné le guide lumineux et sans erreur du Soleil divin » (9). Il faut « se garder des faux prophètes » (*Mt.* 7, 15) et « entrer par la porte étroite » (*Mt.* 7, 13), c'est-à-dire lutter contre Satan et rester sobre et vigilant en esprit pour observer pleinement les commandements (10-11).

Or, « le Christ a donné un nouveau et saint décalogue : les béatitudes » ; elles exigent précisément *nèpsis*, pureté du cœur, attention continuelle à Dieu (12) ; leur but est « la pureté du cœur et l'humilité, car ces deux-là sont les plus parfaites des vertus parfaites » (13). Telle est l'observation plénière des commandements, objet d'effort en cette vie et promesse de la béatitude éternelle (14). Le chapitre 15 (qui ne figure pas dans tous les mss, cf. *supra*, et pourrait être d'un auteur différent) est une pressante invitation à la *nèpsis*, dans l'attente du jugement dernier qui donnera la gloire aux ascètes, aux vierges, aux martyrs, aux apôtres et aux prophètes. Alors le premier Adam s'étonnera devant les merveilles réalisées dans sa descendance et plus encore devant le Créateur qui les a préparées.

2° Les *Chapitres neptiques* développent une doctrine plus complète, selon le genre classique des *Kephalaia* (cf. art. *Nicétas Stèthatos*, DS, t. 11, col. 227).

Plusieurs aspects de cet écrit ont été déjà signalés dans le DS : *Contemplation*, t. 2, col. 1854 ; – *Garde du cœur*, t. 6, col. 101-08 (col. 102 : les étapes de la tentation évoquent le schéma augustinien : *suggestio, delectatio, consensus*, cf. *De sermone Dom. in monte* I, 12, 34 ; Philothée semble suivre Hésychius de Batos, *Centuries* I, 46, PG 93, 1496, mais ses définitions sont plus précises) ; – *Prière à Jésus*, t. 8, col. 1131 ; – *Mnèmè Théou*, t. 10, col. 1412 ; – *Nèpsis*, t. 11, col. 117.

Le prologue, non retenu par la *Philocalie*, mérite attention. Puisque par le baptême nous avons revêtu le Christ et que son Esprit crie en nous « Abba » (*Gal.* 3, 27 ; 4, 6), il nous faut « suivre le Christ de manière imitative (*mimètikôs*) dans notre vie » par le renoncement au monde, la persévérance dans la prière, la charité fraternelle, l'obéissance aux commandements et l'humilité (PG 98, 1369ab), en évitant de discuter avec les pensées mauvaises. C'est là le « combat spirituel, plus difficile que le sensible » (1369c = *Philocalie*, ch. 1, p. 274).

La *nèpsis* de Philothée correspond exactement à la *praxis* d'Évagre (cf. DS, t. 11, col. 117) ; aussi l'auteur reste-t-il généralement dans le domaine de l'ascèse. Nous soulignerons donc les allusions occasionnelles à un état contemplatif, présenté comme l'aboutissement de l'effort ascétique.

« Là où se rencontrent humilité, mémoire de Dieu, fruit de la nèpsis et de l'attention, combat de la prière contre les ennemis, là est le *lieu de Dieu* » (cf. Évagre, *Des diverses mauvaises pensées* 40, PG 40, 1244b ; voir A. Guillaumont, introd. au *Traité pratique*, SC 170, 1971, p. 419) ; c'est « le ciel du cœur, où la phalange diabolique ne peut se maintenir, car Dieu y habite » (4, p. 275). Par la continence et la maîtrise des sens, « comme dans un ciel pur, nous pouvons voir le Soleil de justice et recevoir dans notre esprit les rayons lumineux de sa grandeur » (8, p. 276). La garde du cœur purifie « le miroir de l'âme, dans lequel peut s'imprimer et s'inscrire lumineusement (*phôteinographeisthai*) Jésus Christ, sagesse et puissance du Père » (23, p. 282) ; à ce propos, J. Lemaître (= I. Hausherr) parle de « photographie mystique » (DS, t. 2, col. 1854).

« Celui qui a goûté cette lumière m'entend. Cette lumière une fois goûtée torture désormais de plus en plus l'âme d'une véritable faim... Elle attire l'esprit comme le soleil attire l'œil, cette lumière en elle-même inexplicable, et qui pourtant se fait explicable non par la parole mais dans l'expérience de celui qui en jouit, ou plus exactement est blessé par elle » (24, p. 282 ; trad. Gouillard, p. 151). C'est là, assurément, la confidence d'un mystique. Philothée regrette que bien des moines ignorent ou négligent le combat intérieur ; ils ont besoin qu'on prie pour eux et leur enseigne à s'abstenir au moins des actions mauvaises. Quant à ceux « dont le désir divin purifie la vision de l'âme, à eux convient une autre *praxis* du Christ et un autre mystère » (37, p. 286).

Philothée de Batos ne prétend pas à l'originalité ; il est seulement le témoin fidèle d'une tradition spirituelle. Cependant ses écrits se distinguent d'abord par le souci constant d'appuyer la doctrine sur les évangiles et sur saint Paul (souvent cité), ensuite par la simplicité et la netteté des formules : « Philothée est un auteur très sobre qui ne se paie pas de mots » (I. Hausherr, DS, t. 2, col. 1854).

A. Ehrhard, dans K. Krumbacher, *Geschichte der byzantinischen Literatur*, Munich, 1897, p. 108-09. – J. Gouillard, *Un auteur spirituel du 12ᵉ siècle : Pierre Damascène*, dans *Échos d'Orient*, t. 38, 1939, p. 257-78 (p. 268 : dépendance probable de Pierre Damascène par rapport à Philothée) ; *Petite Philocalie...*, Paris, 1953, p. 145-57. – I. Hausherr, *La méthode d'oraison hésychaste*, OC, t. 9/2, 1927, p. 140-42. – H.G. Beck, *Kirche*, p. 355, 453-54, 664, 726. – RGG, t. 5, 1961, col. 356. – LTK, t. 8, 1963, p. 479. – DS, t. 3, col. 1033 ; t. 8, col. 386.

Aimé SOLIGNAC.

**2. PHILOTHÉE KOKKINOS**, patriarche de Constantinople, † 1377. – 1. *Vie*. – 2. *Œuvres*.

Il est difficile, dans l'état actuel des recherches, de présenter des données décisives sur la vie, la personnalité et les œuvres de Philothée Kokkinos. Celui-ci fut mêlé de très près aux événements politiques et religieux de cette époque mouvementée : question palamite, rivalité entre les Cantacuzènes et les Paléologues, menace persistante des Turcs sur l'empire, tentative sans succès d'union des Églises. Il n'existe pas de biographie contemporaine (le ms 26 de *Hagiou Paulou* contient une *Akolouthie et Vie*, mais il date du 19ᵉ s. ; cf. P. Joannou, AB, t. 70, 1952, p. 35, n. 1).

Les historiens de l'époque portent sur lui des jugements contrastés suivant qu'ils lui sont favorables (Jean VI Cantacuzène) ou hostiles (Nicéphore Grégoras). Les renseignements fournis par d'autres contemporains (Démétrios Cydonès par exemple) sont également sujets à caution. Enfin, certaines œuvres restent inédites et les autres appellent une édition critique. Les études et les éditions suscitées par le renouveau des recherches sur Palamas et le palamisme (cf. art. *Palamas, supra*, col. 104-07) apporteront sans doute de nouvelles lumières. Le présent article fournit seulement un ensemble de renseignements mieux assurés, sans prétendre à l'exhaustivité.

L'édition critique envisagée par G. Niggl n'a pu être menée à bien, l'auteur étant devenu abbé du monastère bénédictin de Weltenbourg ; il convient cependant de signaler son importante thèse manuscrite (déposée à l'Institut d'études byzantines de Munich) : *Prolegomena zu den Werken des Patr. Philotheos von Konstantinopel*, 1955 (analyse des écrits ; édition de textes qui comblent les lacunes des publications antérieures, etc.). Une autre édition est en cours sous la direction de D.G. Tsamis (Université de Salonique).

1. VIE. – Philothée Kokkinos (« le roux ») naquit à Thessalonique, au tournant des 13ᵉ-14ᵉ siècles, d'une famille modeste (d'origine juive selon Démétrios Cydonès). Il reçut une bonne formation littéraire

(mais non théologique) auprès de Thomas Magistros (cf. G. Mercati, *Notizie...*, p. 248-49). A-t-il commencé sa vie monastique au Sinaï, comme on le dit communément ? Cette opinion demande à être vérifiée dans les documents de l'époque, car il pourrait s'agir d'une confusion avec Philothée de Batos (cf. sa notice, *supra*). En tout cas, c'est à la Grande Laure de l'Athos qu'il s'installe assez vite ; en 1340, il signe comme simple hiéromoine le *Tome hagiorétique* en faveur de Palamas (PG 150, 1236b) ; devenu higoumène de cette Laure dans la suite, il est nommé en 1347 évêque d'Héraclée en Thrace par le patriarche Isidore mais semble résider plutôt à Constantinople.

L'accès au trône impérial de Jean VI Cantacuzène valut à Philothée d'être élevé au patriarcat, après la déposition de Calliste I (fin août 1353), mais il fut déposé à son tour après l'abdication de l'empereur (février 1355) ; il reprit alors un moment le siège d'Héraclée, sous la protection de l'impératrice Hélène, fille du Cantacuzène. Rappelé sur le siège œcuménique en 1363, à la mort de Calliste, il y resta jusqu'en 1376. Le second patriarcat fut marqué par la canonisation de Grégoire Palamas (*Tome synodal* de 1368, PG 151, 710-14), qui confirmait le triomphe du palamisme, et aussi par des interventions dans le projet d'union avec Rome et la lutte contre les Turcs. Philothée fut déposé par Andronic II, probablement au cours de l'été 1376 et relégué dans un monastère où il mourut un an plus tard (cf. J. Darrouzès, *Les Regestes...*, n. 2681, p. 563-64, se basant sur le témoignage de Cyprien de Russie).

2. ŒUVRES. – Nous mentionnerons surtout les œuvres qui intéressent l'histoire de la spiritualité, en indiquant les éditions éventuelles ; pour les mss, voir les renseignements fournis par V. Laurent (DTC), H.G. Beck, J. Meyendorff (*Introduction...*, p. 414).

1º *Écrits liés à la question palamite*. – 1) Deux *Discours contre Akindynos* sur la lumière thaborique (inédits ; utilisés au synode de 1351 à l'appui de la délégation hagiorite, cf. PG 151, 757cd). – 2) Quatorze *Kephalaia contre Akindynos et Barlaam* (après 1347, inédits ; analyse dans Niggl, *Prolegomena*, p. 28-31). – 3) *Lettre* au barlaamite Pétriotès (inédite). – 4) *Tome synodal* de 1351, PG 151, 717-64 ; selon Jean Cyparissiotès (PG 152, 677d), Nil Cabasilas aurait collaboré à la rédaction ; Manuel Calécas en fit la réfutation (*De essentia et operatione*, PG 152, 283-428 ; cf. DS, t. 10, col. 232). – 5) *Profession de foi* (1351, inédite ; cf. Meyendorff, *Introduction*, p. 414). – 6) Quinze *Antirrhétiques contre Grégoras* ; éd. Dosithée de Jérusalem, *Tomos Agapès*, Jassy, 1698, p. 1-239 = PG 151, 773-1186 ; les trois derniers (deux discours et un épilogue) datent de 1351 ; les douze premiers de 1353/54 : ceux-ci sont précédés d'un prologue édité partiellement par J. Boivin (PG 148, 71) et complété par G. Mercati (*Notizie*, p. 243-45). – 7) Anathématismes et acclamations insérés dans le *Synodikon* en 1351 et complétés plus tard ; éd. J. Gouillard, *Le Synodicon de l'Orthodoxie*, dans *Travaux et Mémoires*, t. 2, 1967, p. 80-91 (textes), p. 240-51 (commentaire). – *Tome synodal d'avril 1368* contre Prochoros Cydonès, avec canonisation de Grégoire Palamas (PG 151, 693-716).

Éd. critique des *Antirrhétiques contre Grégoras* par D.B. Kaïmakis, *Ph. Kok. Dogmatika erga*, t. 1, Salonique, 1983 ; le t. 2 contiendra les autres écrits « palamites ».
Le *Tome hagiorétique* de 1340, attribué par G. Mercati, V.

Laurent, etc., à Philothée est l'œuvre de Palamas (cf. art. *Palamas*, col. 88).

2° *Écrits hagiographiques*. – 1) Vie de sainte *Anysia* de Thessalonique (BHG 146) ; éd. C. Triantaphyllis, *Syllogè hellenikôn Anekdotôn*, Venise, 1874, p. 99-114. – 2) Éloge des saints *Apôtres* (BHG 160h, inédit). – 3) Éloge de saint *Démétrius* (BHG 574d) ; éd. B. Laourdas, dans *Makedonika*, t. 2, 1941-1952, p. 558-80. – 4) Vie de sainte *Febronia* (BHG 659 ; inédite). – 5) Vie de saint *Germain l'hagiorite* (Georges Maroulès de Thessalonique) † vers 1336 (BHG 264) ; éd. P. Joannou, AB, t. 70, 1952, p. 37-115 (l'introd. souligne l'intérêt de cette vie pour la connaissance du monachisme athonite à cette époque ; voir les remarques de V. Laurent, *Revue des Études Byzantines* = REB, t. 10, 1952, p. 113-23). – 6) Vie de *Grégoire Palamas* (BHG 718), PG 151, 551-656 (cf. art. Palamas, col. 81-85), et son Office (L. Petit, *Bibliographie des acolouthies grecques*, Bruxelles, 1926, p. 101-02).

7) Éloge des trois *Hiérarques* (Basile, Grégoire de Nazianze, Jean Chrysostome ; BHG 748), PG 154, 768-820. – 8) Vie du patriarche *Isidore* (mai 1347-déc. 1349), éd. A. Papadopoulos-Kérameus, « Vies de deux patriarches du 14ᵉ siècle », Saint-Pétersbourg, 1905, p. 52-151. – 9) Éloge de saint *Nicodème le jeune* (BHG 2307) ; éd. H.I. Gédéon, dans *Archeion ekklèsiastikès historias*, t. 1, 1911, p. 175-85. – 10) Vie de saint *Onuphre* (BHG 1380, donnée comme anonyme, inédite). – 11) Éloge de saint *Phocas* (BHG 1537d) ; éd. N.A. Oikonomidès, dans *Néon Athènaion*, t. 4, 1963, p. 83-101. – 12) Éloge de saint *Sabas le jeune* (BHG 1606) ; éd. A. Papadopoulos-Kérameus, *Analecta Hierosolymitikès Stachyologias*, t. 5, Saint-Pétersbourg, 1898, p. 190-359. – 13) Éloge de *Tous les Saints* (BHG 1617g, inédit ; cf. REB, 1973, p. 10).

3° *Écrits homilétiques et divers*. – 1) Homélie sur la *Dormition de la Vierge* (BHG 1102c). – 2) Homélie sur l'*Exaltation de la Croix* (BHG 418), PG 154, 720-29. – 3) Deux *Homélies sur la femme courbée* ; éd. Triantaphyllis, *Syllogè...*, p. 63-97. – 4) *Traité l'ancienne circoncision*. – 5) Trois *Lettres sur les Béatitudes*, à l'impératrice Hélène ; la première est éditée par K. Dyobouniotès, dans *Theologia*, t. 9, 1931, p. 18-26. – 6) Trois *Discours à l'évêque Ignace* sur *Prov.* 9, 1 (« Sapientia aedificavit sibi domum ») ; éd. Arsenij, Novgorod, 1898 ; 1ᵉʳ discours seul, éd. Triantaphyllis, *Syllogè...*, p. 123-43.

Nous n'avons pu consulter l'éd. de B.S. Pseutonkas, « Discours et homélies de Ph. K. », en grec, Thessalonique, 1979 ; nouv. éd. revue, 1981.

Le *Kyriakodromion*, publié sous le nom de Philothée, est en réalité l'homiliaire de Constantinople, augmenté peut-être par lui de diverses pièces (cf. J. Darrouzès, *Les Regestes...*, n. 2676, p. 561). Le traité *De mandatis Domini* (PG 154, 729-45) doit être restitué à Philothée le Sinaïte (cf. *supra*).

4° Sur les *œuvres poétiques*, voir C. Émereau, *Hymnographi byzantini*, dans *Échos d'Orient*, t. 24, 1925, p. 168 ; analyse dans Niggl, *Prolegomena*, p. 84-92 ; ces œuvres figurent dans le ms *Mosquensis* 349, f. 12-67 (cf. REB, 1973, p. 10-11, n. 1).

5° Pour les *Actes officiels* de Philothée comme patriarche, voir Fr. Miklosich et J. Müller, *Acta et diplomata medii aevi*, t. 1, Vienne, 1860, p. 325-50, 448-594 ; ou mieux J. Darrouzès, *Les Regestes des Actes du patriarcat de Constantinople*, t. 1, fasc. V, *Les Regestes de 1310 à 1376*, Paris, 1977, p. 285-307, 384-564 (date et résumé des documents, avec

commentaire historique). Ces actes montrent le souci d'affirmer l'autorité du siège de Constantinople sur la Russie, les pays balkaniques, la Valachie, et même sa priorité sur le siège de Rome (projet d'un concile œcuménique à Constantinople). L'*Ordonnance (diataxis) sur l'office du diacre*, composée par Philothée higoumène de Lavra, ne fit pas forcément l'objet d'une confirmation officielle (cf. J. Darrouzès, n. 2677, p. 561-62).

La spiritualité de Philothée n'a pas été étudiée jusqu'ici. Ses écrits de controverse ne font guère qu'appuyer les vues de son ami Grégoire Palamas. Quelques traits plus personnels pourraient sans doute être dégagés de l'œuvre hagiographique et homilétique. Comme évêque et patriarche, Philothée fit preuve d'un réel souci pastoral. On ne peut nier cependant que son tempérament autoritaire et sa conviction de posséder la vérité ne l'aient entraîné parfois à des mesures excessives (par exemple dans la condamnation de Prochoros Cydonès ; voir la notice de celui-ci, *infra*).

Documents de l'époque. – Nicéphore Grégoras, *Historia byzantina* XVIII-XXIV et XXX-XXXV ; PG 148, 1125-40 ; 149, 233-442. – Jean Cantacuzène, *Historiae* IV, ch. 16, 29, 32, 39 et 50 ; PG 154, 124-25, 228-32, 297-301, 368-69. – Démétrius Cydonès, *Discours contre Philothée*, dans G. Mercati, *Notizie...*, p. 313-58 ; Lettres 129-30, éd. R.-J. Loenertz, *Dém. Cyd., Correspondance*, t. 1, Vatican, 1956, p. 164-67.

Études. – Pour la bibliographie ancienne, cf. U. Chevalier, *Répertoire... Bio-bibliographie*, Paris, 1907, col. 3562. – O. Halecki, *Un empereur de Byzance à Rome* (Jean V Paléologue), Varsovie, 1930, p. 152-54, 235-44 (action religieuse et politique de Ph.). – G. Mercati, *Notizie di Procoro e Demetrio Cidone... ed altri appunti per la storia della letteratura bizantina del secolo XIV*, Vatican, 1931 (outre les références données dans l'article, voir table au mot *Filoteo*).

J. Meyendorff, *Introduction à l'étude de Grégoire Palamas*, coll. Patristica Sorbonensia 3, Paris, 1959 (p. 405 : œuvres éditées ; p. 414 mss de quelques inédits ; tables) ; *Jean-Joasaph Cantacuzène et le projet de concile œcuménique en 1367*, dans *Akten des XI. Internationalen Byzantinistenkongress*, Munich, 1960, p. 363-69 ; *Un dialogue entre Jean Cantacuzène et le légat Paul*, dans *Dumberton Oak Papers*, t. 14, 1960, p. 149-77 (éd. du texte signalé dans l'art. précédent) ; art. *Palamas*, *supra*, col. 81-107. – D. Stiernon, *Bulletin sur le Palamisme*, REB, t. 30, 1972, p. 231-337 (surtout p. 241-43, 269). – A. Failler, *La déposition du patriarche Calliste 1ᵉʳ (1353)*, REB, t. 31, 1973, p. 5-163. – G. Podskalsky, *Theologie und Philosophie in Byzanz*, Munich, 1977, p. 165-66 et tables. – D. Tsamis, « Les écrits hagiographiques de Ph. K. » (en grec), dans « Annuaire... de l'École théologique de Thessalonique », t. 23, 1978, p. 9-22.

DTC, t. 12/2, 1935, col. 1498-1509 (V. Laurent ; bibliogr.). – H.G. Beck, *Kirche...*, p. 723-27 (bibliogr.). – LTK, t. 8, 1963, col. 478-79 (R. Janin). – *Thresteutikè kai Ethikè Enkylopaideia*, t. 11, Athènes, 1967, col. 1119-26 (dépend de V. Laurent, DTC ; éd. à part). – NCE, t. 11, 1967, p. 324-25 (P. Chiovaro).

DS, t. 1, col. 267, 1644 ; t. 2, col. 547, 1799, 1853, 1860 ; t. 3, col. 312, 1018 ; t. 4, col. 1725 ; t. 6, col. 934 ; t. 10, col. 443.

Aimé SOLIGNAC.

**PHILOXÈNE DE MABBOUG**, métropolite monophysite, † 523. – Par ses écrits en syriaque, Philoxène occupe une place importante dans l'histoire de la christologie et de l'ascétisme ; les éditions et les traductions multipliées de ses œuvres, ainsi que la thèse capitale d'A. de Halleux (*Ph. de Mabbog. Sa vie, ses écrits, sa théologie*, Louvain, 1963) permettent désormais de mieux connaître sa personne et son enseignement. – 1. *Vie.* – 2. *Œuvres.* – 3. *Doctrine.*

1. **Vie.** – Aksénāyā (son nom en syriaque, du grec *xénos*, étranger), né à Tahal dans le Bēt Garmai (Perse) vers le milieu du 5e siècle, fréquente l'École d'Édesse au temps où Éphrem est encore un des auteurs préférés, mais il y voit grandir l'influence de l'École d'Antioche à travers les traductions de Théodore de Mopsueste. Il met alors tout son zèle à défendre la théologie cyrillienne et à la propager dans les monastères, ce qui lui vaut d'être expulsé par le patriarche d'Antioche, Calendion. Accusé devant l'empereur Zénon, il signe une formule de foi (sans doute avant 482, car elle ne mentionne pas l'*Hénotikon*) et il dénonce Calendion, qui est alors exilé et remplacé par Pierre le Foulon (cf. sa notice, *infra*). Celui-ci, en 485, consacre comme évêque de Mabboug (l'antique Hiérapolis, aujourd'hui Membidj) Aksénāyā, qui prend peut-être alors le nom grec de Philoxénos (il était déjà connu sous le nom de Xénaias). En 498, Flavien devient évêque d'Antioche et Philoxène doit fuir. Venu à Constantinople (507 ?), il est d'abord excommunié par le patriarche Macédonius. Mais il finit par obtenir la déposition de celui-ci (511), l'expulsion de Flavien du siège d'Antioche (512), où il fit nommer son ami Sévère, et même celle du Patriarche de Jérusalem, Élie. Après la mort de l'empereur Anastase (518), son successeur Justin poursuit les monophysites. Sévère se réfugie en Égypte. Philoxène résiste quelque temps, mais il est exilé à Gangres en Paphlagonie, puis à Philippoupolis en Thrace, où il meurt en 523.

La mémoire de Philoxène est commémorée à diverses dates chez les Jacobites. Son talent littéraire est unanimement reconnu : il est classé au premier rang des écrivains de langue syriaque en prose.

2. **Œuvres.** – 1° Exégèse. – Philoxène patronna la révision de la version syriaque du Nouveau Testament faite par son chorévêque Polycarpe ; il expliqua lui-même les évangiles de Matthieu, Luc et Jean, surtout du point de vue dogmatique et polémique. Des extraits d'un *mēmrā* (traité) sur l'*Arbre de vie* sont cités par Moïse Bar Képha † 903 (DS, t. 10, col. 1471-73) dans son *De Paradiso* (I, 1, 8, 16, 19-20, 22-28 ; éd. en PG 111 ; trad. allem. par L. Schlimme, *Der Hexaëmeronkommentar des Moses b. K.*, Wiesbaden, 1977) et son *Traité de l'âme* (ch. 26).

Ph. of M., *Fragments on the Commentary on Matthew and Luke*, éd. J.W. Watt, CSCO 392-393, 1978 (les seconds vol. du CSCO sont habituellement une traduction dans la langue du titre ; un ms est daté de 511, du vivant de l'auteur). – Ph. de M., *Commentaire du Prologue johannique*, éd. A. de Halleux, CSCO 380-381, 1977. – P. Krüger, *Der Sermo des Ph. v. M. de Annuntiatione Dei Genitricis Mariae*, OCP, t. 20, 1954, p. 153-65 (avec trad. allem.). – *The Matthew-Luke Commentary of Philoxenus (British Museum Ms. Add. 17. 126)*, texte, trad. et analyse critique par Douglas J. Fox, Missoula, MT, 1979.

2° Théologie. – En plus de nombreuses professions de foi (cf. *infra*), de catalogues d'hérésies, de « chapitres » sous forme de thèses ou d'anathématismes, deux traités importants : 1) *Livre des Sentences* ou *De Trinitate et Incarnatione tractatus III*, éd. A. Vaschalde, CSCO 9-10 (trad. lat.), 1907. – 2) *Mēmrē contre Habib* ou *De Uno e Trinitate incorporato et passo Dissertationes decem.*

*Diss.* 1-2, éd. M. Brière, PO 15/4, 1920, avec trad. lat. ; *Diss.* 3-5, éd. M. Brière et F. Graffin, PO 38/3, 1977, trad. lat. ; *Diss.* 6-8, PO 39/4, 1979, trad. franç. ; *Diss.* 9-10, mêmes éd., PO 40/2, 1980, trad. franç. ; *Appendices* : *Tractatus, Refutatio, Epistula dogmatica, Florilegium*, mêmes éd., PO 41/1, 1982, trad. franç.

Ajouter : *Tractatus adversus haereses*, éd. F. Nau, PO 13/2, 1919, p. 248-51 (trad. franç.). – *Capita...*, éd. W. Budge, *The Discourses of Ph.*, cf. *infra*, t. 2, p. CIV-CXXII, CXXIII-CXXXVI. – P. Krüger, *Philoxenia inedita*, dans *Oriens christianus*, t. 48, 1964, p. 150-62.

3° Ascèse. – Un long traité : *Mēmrē parénétiques* ou *Homélies*, au nombre de treize ; c'est l'ouvrage le plus lu et souvent traduit (en grec, arménien, arabe).

W. Budge, *The Discourses of Ph.*, 2 vol., Londres, 1894 (introd., texte syriaque et trad. angl.). – E. Lemoine, *Ph. de M. Homélies* (trad. franç. seule), SC 44, 1956 ; extraits dans VS, t. 94, 1956, p. 252-61.

4° Lettres. – Il en reste une vingtaine parmi celles, très nombreuses, qui lui sont attribuées. Plusieurs d'entre elles ont une valeur dogmatique ; la *Lettre à Patricius* est un court traité ascético-mystique. La plupart sont maintenant éditées et traduites.

1) Deux lettres aux moines de Bēt Gaugal ; la première : éd. A. Vaschalde, *Three Letters of Ph.*, Rome, 1902, p. 105-18, 146-62, avec trad. angl. ; la *Lettre à Zénon* même éd., p. 90-92, 163-73, est considérée par A. de Halleux (*Ph. de M.*, p. 171-73) comme une profession de foi. La seconde : éd. A. de Halleux (introd., texte et trad. franç.) dans *Le Muséon* = Mus., t. 96, 1983, p. 5-79. – 2) Aux moines d'Amid, éd. F. Nau, dans *Revue de l'Orient chrétien* = ROC, t. 14, 1909, p. 37-38. – 3) Aux moines de Tell' Ada, éd. I. Guidi, dans *Atti della... Academia dei Lincei*, t. 12, Rome, 1884, p. 446-506 (avec résumé en ital.). – 4) *Aux moines de Senoun*, éd. A. de Halleux, CSCO 231-232, 1963. – 5) *Lettre dogmatique aux moines*, éd. F. Graffin, PO 41/1, 1982, p. 38-57 (trad. franç.). – 6) Aux prêtres Abraham et Oreste, éd. A.L. Frotingham, *Stephan bar Sudaïli*, Leyde, 1886, p. 24-62 (trad. angl.) ; voir les corrections de T. Jansma, *Ph. Letter to Abr. and Or.*, dans Mus., t. 87, 1974, p. 79-86. – 7) *A Patricius d'Édesse*, éd. R. Lavenant, PO 30/5, 1963 (trad. franç.). – 8) A Maron d'Anazarbe, éd. J. Lebon, Mus., t. 43, 1930, p. 20-82 (trad. lat.). – 9) A un avocat devenu moine, tenté par Satan, éd. et trad. angl. G. Olinder, Göteborg, 1941 ; trad. franç. F. Graffin, dans *L'Orient syrien* : OS, t. 5, 1960, p. 183-96. – 10) A un disciple devenu moine, trad. M. Albert, OS, t. 6, 1961, p. 243-54. – 11) A un juif converti, *ibidem*, p. 41-50. – 12) A Abu Ya'fur de Hirta, éd. A. Mingana, dans *Bulletin John Rylands Library*, t. 9, 1925, p. 352-71 ; trad. franç. P. Harb, dans *Melto*, t. 3, 1967, p. 183-222. – 13) A quelqu'un sur l'inhabitation du Saint-Esprit en nous, éd. A. Tanghe, Mus., t. 73, 1960, p. 39-71.

Courts fragments édités par J. Lebon : A Siméon, abbé de Téléda ; A tous les moines, Mus., t. 43, 1930, p. 149-220 ; par A. de Halleux : Aux moines de Palestine ; Au synodikon d'Éphèse, Mus., t. 75, 1962, p. 30-62 ; Aux moines orthodoxes d'Orient, Mus., t. 76, 1963, p. 5-26.

La *Lettre à un supérieur de monastère sur la vie monastique* (éd. G. Olinder, *Acta Universitatis Gotoburgensis*, t. 56, 1950, p. 1-63, avec trad. angl. ; trad. franç. F. Graffin, OS, t. 6, 1961, p. 317-52, 455-86 ; t. 7, 1962, p. 77-102) doit être restituée à Joseph Hazzāyā (8e s.), selon P. Harb et R. Beulay, cf. DS, t. 8, col. 1343-44 ; l'éd. critique avec trad. franç. sera prochainement publiée dans la PO.

5° Philoxène a laissé nombre de professions de foi (cf. de Halleux, *Ph. de M.*, p. 168-78) et de *prières* (p. 293-302).

Par contre les ouvrages liturgiques et canoniques qu'on lui attribue (*ordo baptismi*, anaphores, etc.) ne semblent pas authentiques (p. 302-308). Selon de Halleux (p. 291-93), le commentaire d'Apophtegmes des Pères du désert d'Égypte par questions et réponses, traduit tardivement en arabe sous le nom de *Filksīnūs* et en éthiopien sous celui de *Filkeseyus* (= Philoxène ; cf. DS, t. 4, col. 1471), ne proviennent pas non plus de notre Philoxène.

Pour les œuvres mineures inédites et la tradition manuscrite, voir la thèse de de Halleux.

**3. Doctrine.** – 1° EN SPIRITUALITÉ, le chef-d'œuvre de Philoxène est sa *Lettre à Patricius*. Celui-ci, non sans quelque hésitation, lui demandait un « chemin court » pour parvenir à la contemplation en dehors de la pratique des commandements et de la lutte contre les passions. Sans doute, répond Philoxène, Dieu est maître de ses dons et peut accorder la grâce de la contemplation même à un homme qui n'est pas encore affermi dans la pratique des commandements et la victoire sur les passions. Mais ce n'est pas la voie normale. Le Seigneur n'a rien dit qui soit inutile : il faut donc garder les commandements qu'il a donnés ; leur but est d'ailleurs de nous ramener par leur observance à l'innocence première, en nous guérissant des « maladies de l'âme ». La charité est bien le but à atteindre, mais nul n'y parvient sans passer par la pratique de l'ascèse. De toute façon, « quiconque n'a pas observé les commandements, et marché sur les traces des bienheureux apôtres, ne doit pas non plus être appelé un saint » (n. 5). Pour un commentaire plus détaillé, voir I. Hausherr, RAM, 1933, p. 171-95.

Les *Homélies* ne contiennent presque aucune trace de polémique christologique, ni par suite d'hérésie. Elles s'adressent à des moines et ont pour objet les étapes successives et nécessaires de l'itinéraire que doit suivre le disciple, en vue de parvenir à l'amour spirituel et de se rendre semblable au Christ souffrant et humilié.

La première homélie sert de prologue. Les douze autres, curieusement groupées par paires, parlent successivement de la foi (2-3), de la simplicité ou esprit d'enfance (4-5), de la crainte de Dieu (6-7), du renoncement au monde (8-9), de la lutte contre la gourmandise (10-11) et la fornication (12-13). La plupart de ces thèmes avaient déjà été traités par Aphraate dans ses *Démonstrations* (entre 336 et 345, cf. DS, t. 1, col. 746-52) ; les adversaires ne sont plus ici les judaïsants, les persécuteurs ou les ariens, mais simplement la routine et la mollesse dans l'observance extérieure.

Il s'agit de réaliser ce « second baptême » qu'est le renoncement au monde, de se souvenir de Dieu sans cesse, de le « sentir », de l'expérimenter, d'user d'initiative et de spontanéité pour renouveler le « pacte » conclu avec Dieu (cf. art. *Aphraate*, col. 747). Les « justes », qui se contentent d'observer les commandements en restant dans le monde, ne peuvent atteindre ce sommet ; la perfection est réservée à ceux qui vont au désert et qui ont tout quitté. Pour le prouver, Philoxène cite abondamment l'Ancien et le Nouveau Testament ; les textes ne sont pas alignés à la file, comme chez Aphraate, mais présentés avec un art de composition et une élégance de style remarquables ; comparaisons et portraits sont développés avec complaisance (vg celui du gourmand dans l'hom. 10, SC 44, p. 325-29). Une étude des sources, des thèmes et des procédés littéraires reste à faire.

Placé au carrefour de la solide formation traditionnelle héritée d'Éphrem en ses années d'école et de la christologie antiochienne, d'allure rationnelle et critique, contre laquelle il réagit souvent avec passion, Philoxène est quelque temps attiré par les idées d'Origène et la mystique d'Évagre, mais il en discerne à temps les excès qu'il réprouve vigoureusement chez Étienne Bar Soudaïli † 453 (DS, t. 4, col. 1481-88) dans la *Lettre à Abraham et Oreste*. Si de plus on parvient à prouver que Philoxène est, comme le pense A. Guillaumont (*Les « Kephalaia gnostica » d'Évagre... et l'histoire de l'origénisme...*, Paris, 1962, p. 207-13), l'auteur de la version syriaque expurgée des *Kephalaia gnostica* d'Évagre, on conviendra qu'il a fait preuve d'un juste discernement et d'une grande habileté pour corriger une œuvre si importante sans la discréditer, et contribuer ainsi au succès d'Évagre dans les Églises orientales (cf. P. Harb, *L'attitude de Philoxène...*, p. 155).

2° LA CHRISTOLOGIE, abondamment développée dans les écrits théologiques, a été bien étudiée dans la thèse d'A. de Halleux (p. 319-92). Dieu le Verbe, hypostase de la nature divine, est *devenu homme* sans changement ; il a souffert et il est mort pour que les hommes, par la foi et le baptême, *deviennent fils de Dieu*. Ce qui est miracle et mystère, c'est ce *devenir* de Dieu (et non pas le devenir d'un homme ou l'assomption d'un homme), tout comme est miracle et mystère le devenir du « vieil homme » en un « homme nouveau » habité par l'Esprit. Philoxène fut très mêlé aux controverses christologiques de son époque ; ardent polémiste et adversaire acharné des diophysites, il s'en prit souvent aux Chalcédoniens, qu'il confondait d'ailleurs avec les Nestoriens, et dont le séparait un vocabulaire théologique sur certains points exactement opposé. Cependant, à bien examiner les textes, son « monophysisme » tient avant tout aux formules : c'est un « monophysisme verbal ».

**Vie.** – F. Nau, *Notice inédite sur Ph. de M.*, ROC, t. 8, 1903, p. 630-33 = CSCO 3, p. 220-24 ; 4, p. 168-71 (1904). – E. Lemoine, *Physionomie d'un moine syrien, Ph. de M.*, OS, t. 3, 1958, p. 91-102. – A. de Halleux, *Élie de Qartamin. Memra sur Phil. de M.*, CSCO 233-234, 1963 ; *A la source d'une biographie expurgée de Ph. de M.*, dans *Orientalia Lovan. Periodica*, t. 6-7, 1975/76 (Miscellanea J. Vergote), p. 253-66. – A. Vööbus, *La biographie de Ph. de M. Tradition des mss.*, AB, t. 93, 1975, p. 111-114.

**Spiritualité.** – I. Hausherr, *Contemplation et sainteté. Une remarquable mise au point par Ph. de M.*, RAM, t. 14, 1933, p. 171-95 ; *Ph. de M. en version française*, OCP, t. 23, 1957, p. 171-85 (sur l'éd. SC 44). – E. Lemoine, *La spiritualité de Ph. de M.*, OS, t. 2, 1957, p. 351-66. – J. Gribomont, *Les homélies ascétiques de Ph. de M. et l'écho du Messalianisme, ibidem*, p. 419-32. – T. Jansma, *Vigiliae christianae*, t. 12, 1958, p. 233-37 (notes critiques sur les éd. Budge et Lemoine). – A. Vööbus, *Syriac and Arabic Documents... to Syrian Asceticism*, Stockholm, 1960, p. 51-54. – P. Harb, *La vie spirituelle selon Ph. de M.*, thèse Strasbourg, 1959 ; *La conception pneumatologique chez Ph. de M.*, dans *Melto*, t. 5, 1969, p. 5-16 ; *L'attitude de Ph. de M. à l'égard de la spiritualité savante d'Évagre le Pontique*, dans *Mémorial G. Khouri-Sarkis*, Louvain, 1969, p. 135-55 ; *Le rôle exercé par Ph. de M. sur l'évolution de la morale dans l'Église syrienne*, dans *Parole de l'Orient*, t. 1, 1970, p. 27-48. – A. Grillmeier, *Die Taufe Christi und die Taufe der Christen. Zur Tauftheologie des Ph. v. M. und ihrer Bedeutung für die christliche Spiritualität*, dans *Fides Sacramenti. Sacramentum Fidei*, Assen, 1981, p. 137-75.

**Exégèse.** – A. de Halleux, *Le commentaire de Ph. de M. sur Matthieu et Luc. Deux éditions récentes*, Mus., t. 93, 1980, p. 5-35. – F. Graffin, *Note sur l'exégèse de Ph. de M. à l'occasion du discours de s. Paul aux Athéniens... (De uno et Trinitate, diss. 7)*, dans *Parole de l'Orient*, 1979-80 (paru en 1982), p. 105-11. – Barbara Aland, *Die Philoxenianisch-harklensische Uebersetzungstradition...*, Mus., t. 94, 1981, p. 321-83.

**Théologie.** – J. Lebon, *Le monophysisme sévérien*, Louvain, 1909. – W. de Vries, *Sakramententheologie bei den syrischen Monophysiten*, OCA 125, 1940. – J. Lebon, *La* *christologie du monophysisme syrien*, dans *Das Konzil von Chalkedon*, éd. A. Grillmeier et H. Bacht, t. 1, Wurtzbourg, 1951, p. 425-80. – E. Bergsträsser, *Monophysitismus und Paulustradition*, dissert. Erlangen, 1953 ; cf. *Theologische Literaturzeitung*, t. 80, 1955, col. 53 ; *Ph. von M., Zur Frage einer monophysitischen Soteriologie*, dans *Gedenkschrift für W. Elert*, Berlin, 1955, p. 43-61. – E. Beck, *Philoxenus und Ephraem*, dans *Oriens Christianus*, t. 46, 1962, p. 61-76. – L. Abramowski, *Pseudo-Nestorius und Ph. v. M.*, dans *Zeitschrift für Kirchengeschichte*, t. 77, 1966, p. 122-25.

W.H.C. Frend, *The Rise of the Monophysite Movement*, Cambridge, 1972. – F. Graffin, *Le florilège patristique de Ph. de M.*, dans *Symposium syriacum I* (1972) = OCA 197, 1974, p. 267-90. – R.C. Chesnut, *Three Monophysite Christologies : Severus of Antioch, Philoxenus of Mabbug, Jacob of Sarug*, Oxford, 1976. – A. de Halleux, *Monophysitismus und Spiritualität nach dem Johanneskommentar des Ph. v. M.*, dans *Theologie und Philosophie*, t. 53, 1978, p. 355-66. – J. Martikainen, *Gerechtigkeit und Güte Gottes. Studien zur Theologie von Ephraem... und Ph. v. M.*, coll. *Göttinger Orientforschungen*, Syr. b. 20, Wiesbaden, 1981. – A. Molina Prieto, *La Theotókos en las « Dissertationes » de Filoxeno de M.*, dans *Marianum*, t. 44, 1982, p. 390-424.

V.S. Assémani, *Bibliotheca orientalis*, t. 2, Rome, 1721, p. 10-46. – R. Duval, *La littérature syriaque*, Paris, 1907, p. 354-56. – A. Baumstark, *Geschichte der syrischen Literatur*, Bonn, 1922, p. 141-44. – Bardenhewer, t. 4, p. 417-21. – J.-B. Chabot, *Littérature syriaque*, Paris, 1934, p. 64-66. – I. Ortiz de Urbina, *Patrologia syriaca*, 2e éd., Rome, 1965, p. 157-61. – DTC, t. 12, 1935, col. 1509-32 (E. Tisserant ; étude très riche à cette date). – LTK, t. 8, 1963, col. 479 (A. de Halleux).

DS, t. 1, col. 866 ; t. 2, col. 1814, 1829 ; t. 3, col. 290 ; t. 4, col. 68, 438, 798, 1471, 1482-83, 1692, 2107, 2112 ; t. 5, col. 1594 ; t. 6, col. 615, 920, 965 ; t. 8, col. 56, 764-65, 1178, 1284, 1343 ; t. 9, col. 754 ; t. 10, col. 568, 667, 1074, 1079, 1411, 1550.

François GRAFFIN.

**PHOTIUS**, patriarche de Constantinople, 810?-898? – 1. *Vie*. – 2. *Œuvres*. – 3. *Doctrine spirituelle*.

1. VIE. – 1° *Carrière politique et littéraire*. – Né vers 810, Photius appartenait à une des familles les plus en vue de Constantinople. Son père Sergius, spathaire, était frère ou cousin du patriarche Taraise (784-806) ; un frère de sa mère avait épousé la sœur cadette de l'impératrice Théodora. Sous les empereurs iconoclastes, la famille subit l'exil et la perte de ses biens à cause de son attachement au culte des images. Dès sa jeunesse il s'adonna aux études avec passion. On ne lui connaît aucun maître ; peut-être reçut-il en famille les premiers éléments de grammaire et de rhétorique, mais il dut surtout à ses nombreuses lectures le vaste savoir qui étonnait ses contemporains.

En 843, au rétablissement de l'orthodoxie, la carrière au service de l'État s'ouvrit à lui et à ses frères : Sergius et Constantin devinrent protospathaires, Taraise parvint au rang de patrice. Quant à Photius, sa connaissance des sciences profanes, ses qualités d'esprit et le charme de ses manières le désignèrent à l'attention du Palais. En 845, selon toute probabilité (cf. W.T. Treadgold, *The Nature of the Bibliotheca*, p. 16-36), il prit part à une mission diplomatique, pour un échange de prisonniers, auprès du calife Al-Wathiq, à Samarra sur la rive orientale du Tigre. Avant d'entreprendre ce voyage périlleux et à la requête de Taraise, il rédigea hâtivement l'ouvrage connu sous le nom de *Bibliothèque*.

De retour à Constantinople, avide d'apprendre et de communiquer son savoir, il fut bientôt entouré d'une élite intellectuelle nombreuse. Poursuivant sa carrière, il avait

atteint le grade de protasecretis (chef de la chancellerie impériale) au moment où Bardas, d'accord avec l'empereur Michel III, assassinait Théoctiste, premier ministre de Théodora (856). Après avoir confiné dans un couvent l'impératrice et ses filles, Bardas demandait au patriarche Ignace de sanctionner cette mesure en leur imposant le voile, ce qui signifiait leur mort civile. Fils d'un empereur détrôné, ayant été lui-même relégué dans un couvent à l'âge de treize ans, Ignace, qui n'était pas un lâche, s'y refusa. Vers la fin de juillet 858, Bardas l'envoyait en exil sur l'île de Térébinthe et le mettait en état d'abdiquer, avec l'intention de le remplacer par Photius.

2° *Le premier patriarcat* (858-867). – Malgré la forte opposition de l'épiscopat, du fait que Photius était encore un laïque, Bardas parvint à ses fins. Mais le candidat dut prendre sous serment et par écrit l'engagement de ne jamais mettre en question la légitimité du patriarcat d'Ignace et par suite, selon les idées de l'époque, la validité des ordinations conférées par lui. Les métropolites surtout insistèrent pour obtenir cet engagement, alléguant un ordre explicite d'Ignace à cet égard.

En effet, un petit groupe d'évêques, avec à se tête Grégoire Asbestas, archevêque de Syracuse, avait dès le début contesté la légalité de l'élection de ce patriarche. Après avoir en vain essayé de les rallier, Ignace avait fini par les excommunier. Contre cette sentence, Asbestas et les siens avaient fait appel à Rome auprès du pape Benoît III. Tout en demandant à Ignace des explications, le pape avait confirmé jusqu'à nouvel ordre la sentence et interdit à Asbestas comme à ses partisans l'exercice du ministère sacerdotal. Ainsi un procès restait en suspens à Rome contre la promotion d'Ignace. C'est dans la crainte de voir Photius se rallier au parti d'Asbestas et pour garantir l'honneur d'Ignace ainsi que leur propre situation, que les métropolites exigèrent et obtinrent de Photius l'engagement en question. Dès lors, Ignace ayant démissionné, le candidat de Bardas avait la voie libre. En trois jours, Photius reçut la tonsure monacale, le diaconat, la prêtrise et fut sacré évêque le jour de Noël 858.

La coutume réservait la consécration du patriarche à l'évêque d'Héraclée de Thrace ou, à son défaut, au métropolite de Césarée du Pont. Or Photius fut consacré par Grégoire Asbestas ; on ignore les raisons de cette exception, mais elle devait avoir de graves conséquences pour le nouvel élu. Deux mois plus tard déjà, à l'occasion d'une entrevue avec les métropolites, Photius tenta de s'emparer du document qu'il avait signé ; il s'ensuivit une rixe au cours de laquelle le patriarche aurait déclaré : « Je ne reconnais ni Ignace ni aucun d'entre vous comme évêques ». C'en était fait de la paix ! Réunis à l'église de Sainte-Irène, les métropolites déclarèrent Photius déchu du patriarcat, en raison de sa violation du serment.

L'accusation et la révolte étant publiques, Photius devait se défendre. Invoquer l'abdication d'Ignace n'aurait servi à rien, car là n'était pas la question. Aussi, vers mars 859, il réunit un concile à Sainte-Sophie, où la promotion d'Ignace fut déclarée illégale. Celui-ci, ainsi que les métropolites de son parti, furent dégradés et jetés en prison (V. Grumel, *Les Regestes... du patriarcat de Constantinople*, t. 1/2, Istanbul-Paris, 1936, n. 458).

Le calme une fois rétabli, au cours de 860 Photius adressa au pape Nicolas 1er sa lettre d'intronisation (*Ep.* 82, PG, 102, 585-93). Sur le sort de son prédécesseur, il se servit d'une formule évasive : τοῦ πρὸ ἡμῶν... ὑπεξελθόντος (celui qui nous a précédé... s'en étant allé). Il laissait à l'empereur le soin d'être plus explicite. Celui-ci faisait savoir au pape qu'Ignace avait *spontanément abandonné* son troupeau et avait été condamné par un synode. Ainsi l'acte par lequel Ignace avait renoncé à un siège légitimement occupé devenait un abandon clandestin sanctionné par une condamnation. Photius, dans la logique des événements, basait son droit au patriarcat non sur l'abdication d'Ignace mais sur la prétendue nullité légale du patriarcat de son prédécesseur.

Cette donnée, parfaitement documentée par les termes de Photius et par la réponse du pape qui se rapporte explicitement aux affirmations de Michel III (« vestris apicibus nobis intimare curastis »; *Ep.* 83, éd. E. Perels, MGH *Epistolae*, t. 6, Berlin, 1925, p. 436, 28), est d'une extrême importance pour comprendre le développement du conflit; elle suffit en outre à ruiner la thèse de Fr. Dvornik. Celui-ci soutient en effet que le pape, informé de l'abdication d'Ignace et donc convaincu de la légalité du patriarcat de Photius, aurait néanmoins voulu profiter de la situation pour se faire rendre la juridiction sur l'Illyricum (*Le schisme de Photius*, p. 118-24). Il n'en est rien, puisque Photius et l'empereur avaient présenté au pape une version juridiquement incompatible avec une abdication : on n'abdique en effet qu'à des droits légitimement acquis.

C'est sur la base de cette relation que Nicolas Ier, n'en connaissant pas d'autres, prit ses décisions. Après avoir protesté contre la promotion d'un laïque et contre le jugement porté sur Ignace sans l'assentiment du Siège Apostolique, il refusa de reconnaître Photius aussi longtemps que, par des légats envoyés à Constantinople, il n'aurait pas été informé sur trois points précis : 1) Pourquoi Ignace avait-il laissé sans réponse les questions de Benoît III? 2) Pourquoi avait-il spontanément abandonné le troupeau qui lui était confié? 3) Quel était le délit pour lequel le synode l'avait condamné?

Au reçu des lettres de Constantinople, on avait donc rouvert à Rome le dossier Ignace. En outre, en réponse à la requête du patriarche et de l'empereur sollicitant l'envoi de légats pour la confirmation solennelle du second concile de Nicée, le pape renouvela la condamnation de l'iconoclasme, en rappelant les lettres d'Hadrien Ier; mais, comme celui-ci l'avait fait, il demanda réparation des torts infligés à l'Église romaine par les empereurs iconoclastes, c'est-à-dire le retour de l'Illyricum à sa juridiction.

Mis à l'isolement pendant près de trois mois dès leur arrivée à Constantinople, les légats furent ensuite, à force de promesses et de menaces, amenés à juger et condamner Ignace sans avoir pour cela ni autorité ni mandat. Selon Fr. Dvornick, vu la situation qu'ils avaient sous les yeux, ils auraient agi en bonne conscience. Mais, s'il en était ainsi, pourquoi, revenus à Rome, au lieu d'exposer au pape leurs bonnes raisons, préférèrent-ils nier avoir condamné Ignace, malgré les démentis de l'envoyé du basileus et des actes que celui-ci apportait avec lui?

Refusant de se laisser mystifier, Nicolas Ier désavoua publiquement ses légats, réfuta les arguments que Photius alléguait pour sa défense et protesta auprès de Michel III pour la façon dont les choses s'étaient passées à Constantinople. « Que signifiait cela ? », lui écrivait-il. Depuis bientôt douze ans, l'empereur faisait savoir au pape qu'Ignace exerçait le pontificat en se distinguant par ses vertus de modestie et de chasteté; en outre, selon les documents que le pape tenait en main, il l'avait lui-même loué en rapportant les témoignages élogieux du synode, sans jamais l'accuser auprès du Siège Apostolique d'usurpation ou de tout autre crime; et maintenant, à l'improviste, on le condamnait (*Ep.* 85, MGH *Epistolae*, t. 6, p. 443-44). Ainsi, pour le pape, Ignace restait le seul patriarche légitime de Constantinople.

Vers la fin de 862 ou au début de 863, un groupe de partisans d'Ignace, avec à sa tête l'higoumène Théognoste, présentait au Siège Apostolique un appel au nom d'Ignace et apprenait au pape non seulement les violences dont celui-ci avait été l'objet mais aussi que Photius avait été consacré par Grégoire Asbestas. Or, tandis qu'à Constantinople les schismatiques s'étaient ralliés au reste de l'épiscopat, Asbestas restait aux yeux de Rome un évêque excommunié et suspendu de ses fonctions par Benoît III. Une mise au point s'imposait. Elle eut lieu au cours d'un concile tenu en juillet ou décembre 863 d'abord à Saint-Pierre, puis au Latran. Ignace, « privé de son trône par la violence et la terreur » (ces mots font allusion à l'abdication, dont on a finalement pris connaissance, mais qui est considérée sans valeur), était reconnu comme seul patriarche légitime. Photius, laïque promu à l'improviste, consacré par un évêque schismatique et suspens, était privé de toute dignité ecclésiastique, comme tous ceux qui avaient reçu de lui les ordres sacrés; il en était de même pour Asbestas (*Ep.* 91, *ibidem*, p. 519-22).

On ignore comment ces décisions furent transmises à Constantinople. Suivit un long silence de la part de Photius, à moins qu'il n'ait inspiré la lettre de l'empereur au pape en 865. Les foudres de Rome ne le préoccupaient pas.

Au mois d'août 866, le roi Boris de Bulgarie (baptisé sous le nom de Michel), qui n'avait pas obtenu de Photius un patriarche pour son Église, adressait cette fois sa requête à Rome. Considérant que la Bulgarie faisait partie de l'Illyricum, le pape profita de l'occasion pour rétablir la juridiction romaine sur ce territoire. Une mission fut envoyée sous la direction de Formose de Porto (futur pape) et Paul de Populonia. A son arrivée, les missionnaires francs aussi bien que les prêtres grecs durent quitter le pays. Pour Byzance, c'était une grave défaite politique, pour Photius un échec cuisant. En même temps, trois légats pontificaux étaient envoyés à Constantinople : Donat, évêque d'Ostie, Léon, cardinal-prêtre de Saint-Laurent-in-Damaso, et Marin, cardinal-diacre. Ils étaient porteurs de lettres destinées à Michel III, à Bardas (assassiné entre-temps), à l'impératrice et à l'épiscopat byzantin. Le pape y joignait un dossier, sorte de livre blanc, contenant l'histoire et la documentation de toute l'affaire, adressé aux patriarcats d'Antioche et d'Alexandrie (*Ep.* 88, MGH *ibidem*, p. 553-60). C'était manifestement un effort du pontife pour faire connaître à un public aussi vaste que possible les sentences romaines contre Photius. Les légats furent arrêtés à la frontière byzantine et, quarante jours plus tard, obligés à rebrousser chemin. Mais à Constantinople on prit sans doute connaissance de toute cette correspondance.

La fureur dut s'emparer de Photius. Au printemps 867 il fit condamner par un synode constantinopolitain les erreurs des latins (Grumel, *Les Regestes...*, n. 480). Ensuite, par une ambassade accompagnée de présents, il promit à l'empereur franc Louis II et à son épouse Ingelberge, de leur faire reconnaître à Constantinople le titre impérial, au cas où ils chasseraient Nicolas Ier du trône pontifical (Grumel, n. 479). En même temps, il adressait une encyclique aux patriarches orientaux. Après avoir dénoncé les erreurs des « hommes exécrables venus de l'Occident » en Bulgarie, il les convoquait à un concile œcuménique pour décider des mesures à prendre (Grumel, n. 481).

Ce concile eut lieu avant le 24 septembre. Une sentence de déposition accompagnée d'anathème fut portée contre Nicolas Ier (Grumel, n. 482; Photius, *Homélie* 18, éd. Laourdas, p. 178-80). Les actes furent confiés aux métropolites Zacharie de Chalcédoine et Théodore de Carie, qui devaient les porter avec de nouveaux présents à Louis II et Ingelberge, les invitant toujours à chasser le pape maintenant condamné par un concile œcuménique.

Entre-temps, la Némésis était à l'œuvre au Palais. Le 21 avril 866, Bardas avait été assassiné par Basile, un garçon d'étable bulgare devenu le favori de Michel III. Maintenant c'était le tour de celui-ci. Craignant un revirement d'humeur de son protecteur, Basile le massacra dans la nuit du 23 au 24 septembre 867 et se fit proclamer empereur.

3° *Le retour d'Ignace.* – Restait le patriarche qui, avec Bardas et Michel, avait occupé le pouvoir. Se faisant fort des lettres pontificales qu'il venait de découvrir, Basile obligea Photius à se retirer dans un couvent et ramena Ignace au patriarcat (23 novembre). On fit rebrousser chemin aux envoyés qui portaient en Occident les actes du conciliabule ; puis, selon les propositions de Nicolas Ier dans une missive du 28 septembre 865 (*Proposueramus*), on envoya deux délégations à Rome pour y représenter respectivement Ignace et Photius. Le basileus et le patriarche (la lettre de celui-ci contient un témoignage très important sur la primauté de Pierre et de ses successeurs ; Grumel, n. 499) priaient le pape de se prononcer sur le sort du clergé consacré par Photius ou qui avait adhéré à lui.

La question fut débattue dans un concile romain présidé par Hadrien II (867-872), successeur de Nicolas Ier. On insista sur la nouvelle situation créée par le conciliabule photien et par l'anathème porté contre le pape Nicolas. Trois décisions furent prises :

1) Photius, Grégoire Asbestas et ceux que Photius avait ordonnés étaient déposés ; 2) Ceux qui, ordonnés par Méthode ou Ignace, avaient adhéré à Photius seraient admis à exercer les ordres sacrés, à condition de signer une déclaration réparatrice (*libellus satisfactionis*) que les légats romains apporteraient avec eux ; 3) Les signataires du conciliabule photien étaient déclarés suspens et leur cas réservé au Siège Apostolique.

Les décisions de Rome se faisant attendre à Constantinople, Ignace, en vue de rendre plus solennel son rétablissement, avait convoqué les apocrisiaires des autres patriarcats pour un concile qui devait être œcuménique (Constantinople IV). Ainsi, peu après l'arrivée des légats romains, le concile tint sa première séance (octobre 869). Un groupe de sénateurs, envoyés par l'empereur, y joua un rôle important. Tandis que les légats pensaient, ainsi que Basile Ier l'avait demandé au pape, à une simple promulgation et application des décisions romaines, les sénateurs obtinrent l'ouverture d'un débat dans lequel les évêques photiens pourraient exposer leur point de vue.

Convoqué, Photius refusa d'abord de comparaître et ne vint que sur l'ordre du basileus. Sommé de se justifier, il exprima son respect envers l'empereur mais refusa toute réponse aux apocrisiaires. Selon les bruits qu'il avait fait circuler hors de la salle conciliaire, les vicaires orientaux n'étaient que des marchands sarrasins déguisés, et le concile une farce sacrilège. Au cours de la 7e session, Photius, déjà condamné par Nicolas Ier et Hadrien II et n'ayant été reconnu par aucun des patriarcats, fut de nouveau anathématisé avec Grégoire Asbestas. Sur ordre du basileus, il fut relégué au couvent suburbain de la Théotocos Skepè. Malade, privé de médecin et, qui plus est, de ses livres, il vécut des mois très sombres.

Dans la capitale, la situation restait troublée. Loin de rétablir l'union, le concile avait consommé la division par les mesures prises contre le clergé d'ordination photienne. A défaut de remplaçants, un grand nombre de clercs étaient restés en place. La question de la Bulgarie continuait à enve-

nimer les rapports du patriarche et du basileus avec Rome. Dans ces conditions, il n'est pas étonnant que Basile, en 873, ait rappelé Photius pour lui confier l'éducation de ses fils, ce qui permit à l'ex-patriarche de reprendre la direction des évêques qui lui étaient restés fidèles. Ignace vieillissait ; le souci de l'Église et des siens devait l'incliner à une réconciliation qui, selon Photius, eut effectivement lieu. Aussi, à la mort du patriarche (23 novembre 877), le clergé photien, fort de l'appui du basileus, occupa Sainte-Sophie que les ignatiens abandonnèrent.

4° *Le second patriarcat (877-886) et les dernières années.* – Pour rentrer dans la légalité et rallier les gens de bonne volonté, la sanction de Rome apparaissait indispensable. Aussi Basile (peut-être avant la mort d'Ignace) s'adressa-t-il au pape, demandant, sans mieux s'expliquer, de nouveaux légats, qui furent effectivement envoyés. Ceux-ci cependant, ayant trouvé Photius à la place d'Ignace, refusèrent d'entrer en communion avec lui. Il fallut de nouveau s'adresser à Rome. En mai 879, une ambassade apportait au pape Jean VIII (872-882) des lettres du basileus et de Photius. Celui-ci l'informait qu'à la suite des pressions de l'épiscopat, des patriarches et surtout de Basile, il avait été contraint de reprendre le siège patriarcal. Des documents, dont les lettres des patriarches, confirmaient ses dires. De son côté, Basile demandait la confirmation de Photius et l'envoi de légats.

Après avoir étudié la question en synode, Jean VIII formula ses décisions dans un volumineux courrier signé le 16 août 879. Vu les circonstances, les requêtes du basileus et des métropolites, faisant usage des pouvoirs apostoliques de lier et de délier, le pape acceptait la restauration de Photius ; il exigeait toutefois certaines conditions qui devaient permettre de rétablir la paix sans provoquer de scandale :

« Si... tu fais amende honorable devant le concile et répares publiquement..., si tu t'appliques à apaiser ceux qui s'opposent à ton rétablissement..., en considération des nombreuses prières par lesquelles notre fils spirituel Basile, empereur très chrétien, a intercédé auprès de nous, nous t'accordons le pardon, pour la paix de la sainte Église de Constantinople » (*Ép.* 209, éd. E. Caspar, MGH *Epistolae*, t. 7, 1928, p. 184).

Photius devait en outre s'abstenir de toute intervention en Bulgarie, et rétablir dans leurs fonctions les prêtres ordonnés par Ignace. Le contenu des lettres ne correspondait ni à l'idée que le patriarche se faisait de lui-même, ni à ce qu'il attendait du concile qui devait se tenir à Constantinople en présence des légats.

Dès la première session (10-15 novembre 879), Zacharie de Chalcédoine déclarait aux légats romains, en termes ne peut plus clairs, pourquoi on les avait fait venir : non pour sceller la paix – ceci, grâce à l'intervention du pieux basileus et du saint patriarche, était déjà chose faite –, mais bien pour convaincre les derniers récalcitrants qui trouvaient prétexte à leur résistance dans les sentences romaines. Bref, ils étaient là pour déclarer nulles et non avenues les décisions de 869.

Dans la seconde session (17 novembre), lecture fut donnée des lettres pontificales, mais dans une version grecque falsifiée. Photius était innocent ; le temps était venu de lui rendre justice. En présence du synode il devait remercier la Providence qui en avait disposé ainsi. Personne ne devait prendre prétexte des condamnations portées par Nicolas Ier et Hadrien II, car les accusations ourdies contre Photius n'avaient jamais été démontrées auprès d'eux. Au cours de la même session on lut aussi les lettres des patriarches orientaux. Ils étaient tous d'accord pour affirmer que, dès le début, ils avaient reconnu Photius comme patriarche légitime. Les apocrisiaires du concile de 869, ceux-là même dont le basileus s'était porté garant à l'époque, n'étaient que des imposteurs, des marchands sarrasins, etc. (Mansi, t. 17, 464d). Aussi l'assemblée tout entière, y compris les apocrisiaires des patriarcats, fut-elle d'accord pour déclarer que, « même avant l'arrivée des lettres du pape », elle avait reconnu Photius comme patriarche légitime, était en communion avec lui et considérait sans valeur les actions accomplies contre lui. De leur côté, les légats romains déclarèrent accepter Photius comme patriarche, mais cela « en conformité » avec les directives données par Jean VIII dans un *commonitorium*. Or, selon celui-ci, le concile de 869 était seulement abrogé « à partir de maintenant » (Mansi, t. 17, 472). Les légats, sur ce point comme sur d'autres, prenaient ainsi leur distance par rapport au reste de l'assemblée.

Au reçu des actes du concile, Jean VIII répondit à Photius en exprimant sa surprise pour les changements apportés à ses décisions et pour la manière dont les choses s'étaient passées. L'excuse du patriarche, qui s'était justifié de ne pas demander pardon parce que cela ne convenait qu'aux coupables, acceptable pour un païen, ne l'était pas pour un homme qui avait renom d'humilité. Le pape se refusait à regarder les choses de trop près pour ne pas être obligé de faire ce que la justice aurait exigé. Il confirmait le rétablissement de Photius, mais déclarait sans valeur tout ce qui avait été fait contre ses instructions.

Les historiens récents ont nié toute créance à l'auteur anonyme (peut-être Nicétas le Paphlagonien, cf. D. Stiernon, dans *Catholicisme*, t. 9, 1982, col. 1214-15) du recueil antiphotien (Mansi, t. 16, 445-60) selon lequel Jean VIII, informé des événements de Constantinople, aurait du haut de l'ambon excommunié encore une fois Photius. Dans une étude inachevée, écrite en 1882 mais restée inédite jusqu'en 1978, A. Lapôtre tient que cette notice pourrait contenir une part de vérité. Devant la réaction des milieux romains quand on eut connaissance des anathèmes prononcés contre le concile de 869, avec le concours des légats, Jean VIII aurait accompli une *purgatio*, comme l'avait fait son prédécesseur Léon III ; dans une basilique, du haut de l'ambon et la main sur les évangiles, il aurait non pas prononcé la déchéance du patriarche, mais exposé le sens véritable des dispositions qu'il avait prises : il considérait comme justifiées et valides les décisions de Nicolas I^er et Hadrien II, mais il avait absous Photius de ces censures et le reconnaissait dès lors comme patriarche légitime (A. Lapôtre, *Le pape Formose*, p. 29-33).

Photius conserva le trône patriarcal jusqu'au 28 décembre 886 (Grumel, n. 536). Alors, à la suite d'une intrigue dont nous ne connaissons pas les dessous, Léon VI, successeur de Basile, le contraignit à démissionner et le confina dans le monastère des arméniens appelé Gordonos. C'est là qu'il composa son œuvre fondamentale contre la théologie des latins, la *Mystagogie du Saint Esprit*. La date exacte de sa mort est inconnue. Selon A. Lapôtre, qui se base sur un texte de la *Mystagogie* (88, PG 102, 377bc), il aurait encore eu connaissance de la mort du pape Formose (4 avril 896) et de sa condamnation posthume (début 897) ; il serait donc mort un 6 février (selon un ancien synaxaire), probablement en 898 (*Le pape Formose*, p. 116-20).

2. Œuvres. – Photius a beaucoup écrit ; on n'indiquera ici que les œuvres principales ; liste plus complète dans les art. du DTC et du Pauly-Wissowa.

1° *Œuvres littéraires*. – 1) *Lexikon* ou *Lexeôn synagôgè* : liste alphabétique d'expressions employées par les Attiques ; éd. S.A. Naber, Leyde, 1864-1865 (à compléter par R. Reitzenstein, *Der Anfang des « Lexikons »...*, Leipzig-Berlin, 1907) ; éd. K. Tsantsanoglos, Thessalonique, 1967 ; éd. du ms *Zavordensis* 95, plus complet, par Chr. Theodoris, t. 1,

Berlin, 1982. – 2) *Bibliothèkè* ou *Myriobiblon*, rédigé avant l'ambassade auprès des Arabes (cf. *supra*) : analyses d'ouvrages d'auteurs profanes ou chrétiens lus par Photius, dont beaucoup sont aujourd'hui perdus, en 280 *codices*. Plusieurs de ces résumés intéressent l'histoire de la spiritualité : synode de Sidè contre les Messaliens (cod. 52 ; cf. DS, t. 10, col. 1074) ; synode de Carthage et écrits contre les Pélagiens (53-54) ; synode du Chêne contre Jean Chrysostome (59) ; apologies d'Origène (117-18 ; DS, t. 12, 150-51) ; *Asceticon* de saint Basile (144, 191) ; écrits de Jean Cassien (197) ; *Vitae sanctorum* (198) ; Marc le moine (200), Diadoque de Photicé (201) ; vie grecque de Grégoire le Grand (252) ; cf. bibliographie, *infra*.
Éd. princeps par David Hoeschel, Augsbourg, 1601 ; PG 103 et 104, 9-356 ; éd. critique et trad. franç. par R. Henry, 8 vol., Paris, 1959-1977.
T. Hägg, *Photius at Work : Evidence from the Text of the Bibliotheca*, dans *Greek, Roman and Byzantine Studies*, t. 14, 1973, p. 213-22. – W.T. Treadgold, *The Nature of the Bibliotheca of Ph.* (Dumbarton Oaks Studies 18), Washington, 1980 (cf. T. Hägg, *Byzantinische Zeitschrift*, t. 76, 1983, p. 28-31).

2° *Commentaires bibliques*. – 1) Sur les *quatre évangiles* ; il en reste de nombreux fragments conservés dans les chaînes : *Marc*, PG 101, 1209-13 et PG 106, 1173-77 ; *Luc*, PG 101, 1213-30 ; pour *Mt*. et *Jean*, voir J. Reuss, *Matthäus-Kommentare aus der griechischen Kirche*, TU 61, Berlin, 1957, p. 270-332 ; *Johannes-Kommentare...*, TU 89, 1966, p. 359-412. – 2) Sur les *Épîtres de Paul*, PG 101, 1233-53 ; fragm. plus nombreux dans K. Staab, *Pauluskommentare aus der gr. Kirche*, Münster, 1963, p. 470-652.

3° *Écrits théologiques*. – 1) *Traité (Diègèsis) contre les nouveaux manichéens*, c'est-à-dire les Pauliciens ; date du premier patriarcat. PG 102, 9-264 ; éd. critique du livre I et de la dédicace du livre IV par W. Conus-Wolska, avec trad. franç. de J. Paramelle, dans *Travaux et Mémoires*, t. 4, 1970, p. 99-183. – 2) *Amphilochia*, écrits durant la première retraite et dédiés à Amphiloque de Cyzique : dans le genre des « Questions et réponses », Photius y traite divers problèmes d'ordre profane, exégétique ou théologique ; éd. J.-B. Malou (évêque de Bruges), PG 101, 45-1192, 1277-96 ; éd. plus complète par S. Oikonomos, Athènes, 1858. – 3) *Mystagogie du Saint Esprit* (« Peri tès tou hagiou Pneumatos mystagôgias »), cf. *supra* : contre la doctrine latine de la procession *ab utroque* (analyse dans DTC, col. 1541-44) ; ce traité sera largement exploité dans les controverses ultérieures entre grecs et latins ; éd. J. Hergenröther, Ratisbonne, 1857 et PG 102, 263-400. – L'opuscule « A ceux qui disent que Rome est le premier trône » est postérieur à Photius (peut-être aussi les *Synagôgai*) ; cf. M. Gordillo, *Photius et primatus*, OCP, t. 6, 1940, p. 5-39 ; J. Darrouzès, REB, t. 23, 1965, p. 85-88.

4° *Homélies*, éd. S. Aristarchès, 2 vol., Constantinople, 1900 ; éd. plus complète par B. Laourdas, Thessalonique, 1959 ; trad. angl. commentée par C. Mango (Dumbarton Oaks Studies 3), Cambridge Mass., 1958 ; PG 102, 548-73 : deux homélies et fragm. d'une troisième.

5° *Lettres*, PG 102, 585-1024 (en trois livres) ; éd. J. Valetta, Londres, 1864 (avec des compléments) ; A. Papadopoulos-Kerameus, *Epistolae XLV*, St. Pétersbourg, 1896 (seules les 21 premières sont de Photius, les autres d'Isidore de Péluse ; cf. du même éditeur, *Photiaka*, St. Pétersbourg, 1897, avec éd. de trois autres lettres). D'autres lettres ont été publiées par divers éditeurs : B. Laourdas, à l'empereur, dans

*Orthodoxia*, t. 25, 1950, p. 472-74 ; à Boris-Michel de Bulgarie, dans *Theologia*, t. 23, 1952, p. 618-21 ; dans *Hellenika*, t. 13, 1954, p. 263-65 ; J. Darrouzès, *Deux lettres inédites de Photius aux Arméniens*, dans *Revue des Études Byzantines* = REB, t. 29, 1971, p. 137-81, avec trad. franç.

Une éd. critique des *Lettres* et des *Amphilochia*, préparée par B. Laourdas + 1971 et continuée par L.G. Westerink, est en cours de publication dans la « Bibliotheca Teubneriana » ; elle comprendra 6 vol. Le premier est paru : *Epistulae et Amphilochia*, I. Epistularum pars prima (Leipzig, 1983). Dans l'introd. (p. IX-XI), Westerink montre que certaines lettres furent introduites, par ordre de Photius, dans la collection des *Amphilochia*.

6° *Divers.* – 1) *Poésies*, PG 102, 576-84 ; un poème en l'honneur du Christ et de la Vierge, éd. Alexandros de Lavra, dans *Ekklèsiastikè Alètheia*, t. 15, fasc. 28, 1895, p. 220. – 2) Recueil de sentences morales ou *Opusculum pareneticum*, éd. J. Hergenröther, *Monumenta graeca ad Photium pertinentia*, Ratisbonne, 1869, p. 20-52 ; éd. L. Sternbach, Cracovie, 1893. – Pour les documents canoniques, voir DTC, col. 1545-47.


3. DOCTRINE SPIRITUELLE. – Dans sa lettre au roi Boris (PG 102, 628-95), Photius présente une synthèse doctrinale parfaite des éléments de la vie chrétienne. Les homélies et les lettres révèlent mieux cependant les traits personnels de sa spiritualité. Ceux-ci relèvent à la fois de la tradition byzantine et des expériences de sa propre vie. Ces expériences expliquent, croyons-nous, son insistance sur la profession de la vraie foi, selon le *credo* et les définitions des conciles, en leur formulation comme en leur contenu. Le retour de l'iconoclasme, après les décisions du second concile de Nicée (787 ; cf. DS, t. 7, col. 1510), avait mis la foi à dure épreuve ; Photius en avait alors souffert personnellement et, devenu patriarche, il constatait que la crise n'était pas encore entièrement surmontée. De là ses efforts pour obtenir la sanction de Rome aux décisions de Nicée, qui devait signifier la pleine adhésion de l'Occident aux thèses byzantines sur le culte des images.

Photius a développé *la doctrine de l'image* plus que ses prédécesseurs. L'image est pour la communication du message chrétien un instrument plus efficace encore que la parole (*Homélie* 17, Laourdas, p. 170). Elle permet d'annoncer les hauts faits des témoins du Christ, tandis que l'icône de la Vierge avec l'Enfant manifeste d'emblée le mystère ineffable de la condescendance divine. Comme par l'ouïe la parole s'inscrit dans l'âme, l'icône instruit plus encore l'esprit par la vue selon la mesure de la piété. Celui qui refuse l'image rejette en même temps la parole de Dieu ; accepter l'image est un moyen de professer la foi en la réalité de l'Incarnation.

La méditation sur *la mort* et les exhortations à *la pénitence* relèvent plutôt de la tradition. La vie qui se dissout comme une ombre, la mort qui enlève nos êtres les plus chers, qui attend chacun de nous et devant laquelle personne ne saurait nous secourir (*Lettre* à Taraise, éd. Valetta, p. 457-64 ; *Homélie* 2, Laourdas, p. 13-15), la pensée du retour du Christ comme juge ne laissent qu'une voie de salut : la pénitence. Les larmes, grand moyen de purification, deviennent plus efficaces si l'on y ajoute la miséricorde et le pardon des offenses. Confesser ses péchés comme l'enfant prodigue, s'éloigner du mal, accomplir les œuvres de pénitence, le jeûne et la charité envers les pauvres, lutter contre les passions en s'appuyant sur la parole de Dieu dont la lecture est

une source de joie : tout cela revient fréquemment dans les exhortations du patriarche à son peuple, au milieu duquel l'injustice, l'oppression du pauvre, la misère étaient un fait quotidien.

L'homélie 6 insiste particulièrement sur les devoirs de *la charité :* fuir l'injustice, le pire des péchés, se montrer au contraire généreux ; la charité soutient tout le reste, aussi faut-il en vivre au marché, en ville, au tribunal. Dans ce contexte, Photius insère un élément inspiré du vécu : l'invitation à revenir à l'unité de l'Église pour quiconque s'en est éloigné. Lui-même tend la main le premier et promet un accueil bienveillant à qui voudra bien répondre à son appel.

*La piété mariale* tient à la fois de la tradition byzantine et de l'expérience personnelle. Au début de son patriarcat, suivi d'un peuple terrorisé par les massacres accomplis par les Russes qui assiégeaient Constantinople, Photius avait porté en procession sur les murs de la ville la tunique de la Vierge pour en implorer la protection. Or, à l'improviste et sans raison plausible, les hordes barbares avaient tourné le dos et s'étaient enfuies en toute hâte vers le nord. Cette expérience vécue, jointe à des raisons dogmatiques, soutient la dévotion envers la Vierge dont témoignent les deux homélies sur l'Annonciation et celle sur la Nativité de Marie. Certains passages de cette dernière homélie suggèrent que Photius acceptait l'idée, pour la Vierge, d'une préservation du péché originel dès sa conception.

En relisant ces homélies et certaines lettres du patriarche, on regrette plus encore les conséquences de cette dispute entre prélats byzantins dans laquelle Rome finit par être impliquée.

Études d'ensemble. Biographie. – J. Hergenröther, *Photius, Patriarch von Constantinopel. Sein Leben, seine Schriften und das griechische Schisma*, 3 vol., Ratisbonne, 1867-1869 (dépassé sur plusieurs points mais toujours à consulter). – É. Amann, art. *Photius*, DTC, t. 12, 1935, col. 1536-1604, avec bibliographie ; t. 16, *Tables*, col. 3625-27. – K. Ziegler, *Photios*, dans Pauly-Wissowa, t. 20/1, 1941, col. 667-737. – Fr. Dvornik, *Photius et la réorganisation de l'Académie patriarcale*, AB, t. 68, 1950 (Mélanges P. Peeters), p. 108-25. – A. Esser, *Ph., Patriarch von Konst.*, dans *Ostkirchliche Studien*, t. 9, 1960, p. 26-46. – H. Ahrweiler, *Sur la carrière de Ph. avant son patriarcat*, dans *Byzantinische Zeitschrift* = BZ, t. 58, 1965, p. 348-63. – B.N. Tatakis, « Ph. le grand humaniste », dans « Tome festif pour le 1100e anniversaire de Cyrille et Méthode » (en grec), t. 1, Thessalonique, 1966, p. 79-111 ; « Ph. le philosophe », dans *Polychordia* (Festschrift F. Dölger III) = *Byzantinische Forschungen*, t. 3, 1968, p. 185-90. – J. Alexios, « Ph. le grand », Athènes, 1968. – Despina Stratoudaki White, *Patriarch Ph. of Const. His Life, Scholarly Contributions and Correspondence*, Brookline Mass., 1982 (avec trad. de 52 lettres).

Milieu historique. – Nicétas le Paphlagonien, *Vita Ignatii*, PG 105, 487-574. – *Vita Euthymii Patriarchae*, éd. critique, trad. angl., introd. et commentaire par P. Karlin-Hayter, Bruxelles, 1970. – H. Grotz, *Erbe wider Willen. Hadrian II (867-872) und seine Zeit*, Vienne, 1970. – A. Lapôtre, *Études sur la papauté au 9e siècle*, Turin, 1978 : t. 1, *Le pape Formose* (première partie d'une thèse non soutenue rédigée en 1882) ; *De Anastasio Bibliothecario* (thèse latine, 1885) ; t. 2, *Le pape Jean VIII* (reprod. anastatique de l'éd. de Paris, 1895).

Les conciles. Le schisme. – Fr. Dvornik, *Le second schisme de Ph., une mystification historique*, dans *Byzantion*, t. 8, 1933, p. 257-89 ; *The Photian Schism*, Cambridge, 1948, réimpr., 1970 ; éd. franç. avec préface d'Y. Congar, *Le schisme de Photius* (Unam Sanctam 19), Paris, 1950 ; *The*

*Patriarch Ph. and Iconoclasm,* dans *Dumberton Oaks Papers,* t. 7, 1953, p. 69-97; *The Patr. Ph. in the Light of Recent Research,* dans *Berichte zum XI. Internationalen Byzantinisten-Kongress,* III/2, Munich, 1958 (critiques de P. Sthéphanou et K. Bonis, dans *Korreferate* VII, p. 17-26; remarques de V. Grumel, dans *Diskussions-Beiträge,* p. 41-54); *Byzance et la primauté romaine* (Unam Sanctam 49), Paris, 1964; *Photius and Byzantine Ecclesiastical Studies* (Variorum Reprints), Londres, 1974 (recueil d'articles).

V. Grumel, *La liquidation de la querelle photienne,* dans *Échos d'Orient* = EO, t. 33, 1934, p. 257-89; *Mise au point sur le schisme de Ph.,* dans *Unitas,* nouv. sér. t. 5, 1952, p. 52-57; *La lettre du pape Étienne V,* dans *Revue des Études Byzantines* = REB, t. 11, 1953, p. 129-55. – P. Stéphanou, *Les débuts de la querelle photienne vus de Rome et de Byzance,* OCP, t. 18, 1952, p. 270-80; *La violation du compromis entre Ph. et les ignatiens,* t. 21, 1955, p. 291-307; *Deux conciles, deux ecclésiologies? Les conciles de Const. en 869 et 879,* t. 39, 1973, p. 363-407. – Hiéromoine Pierre (Pierre L'Huillier), *Le S. Patr. Ph. et l'unité chrétienne,* dans *Messager de l'Exarchat du patriarcat russe...,* t. 6, 1955, p. 92-110.

D. Stiernon, *Autour de Constantinople IV,* REB, t. 25, 1967 (Mélanges V. Grumel), p. 165-88; *Constantinople IV* (Histoire des conciles œcuméniques 5), Paris, 1967 (avec bibliographie raisonnée, p. 308-11). – J. Meijer, *A Successful Council of Union. A theological Analysis of the Photian Synod of 879-880,* coll. Analecta Vlatadon 23, Thessalonique, 1975.

Études diverses. – A. Papadopoulos-Kérameus, « Le Patr. Ph. comme saint Père de l'Église catholique orthodoxe » (en grec), BZ, t. 8, 1899, p. 647-71. – M. Jugie, *Ph. et l'Immaculée Conception,* EO, t. 13, 1910, p. 198-201; *Le culte de Ph. dans l'Église byzantine,* dans *Revue de l'Orient chrétien,* t. 23, 1922-1923, p. 105-22. – J. Slipyi, *Die Trinitätslehre des byz. Patr. Ph.,* dans *Zeitschrift für katholische Theologie,* t. 44, 1920, p. 538-62; t. 45, 1921, p. 66-95, 370-404. – J. Darrouzès, *Un nouveau ms des homélies et des lettres de Ph.,* REB, t. 12, 1954, p. 183-86. – L. Nemec, *Ph., Saint or Schismatic,* dans *Journal of Ecumenical Studies,* t. 3, 1966, p. 314-28. – B. Schultze, *Das Weltbild des Patr. Ph. nach seinen Homilien,* dans *Kairos,* N.F., t. 15, 1973, p. 101-15. – D. Stratoudaki White et J. Berrigan Jr., *The Patriarch and the Prince. The Letter of... Ph... to Khan Boris of Bulgaria* (trad. angl.), Brookline Mass., 1982.

Beck, *Kirche,* p. 520-28. – EC, t. 5, 1950, col. 1561-62 (G. Hofmann). – LTK, t. 8, 1963, col. 484-88 (Fr. Dvornik). – NEC, t. 11, 1967, p. 326-29 (Fr. Dvornik).

Le DS a souvent mentionné Photius, surtout pour les renseignements fournis par la *Bibliothèque:* t. 1, col. 753 (apocryphes); 767 (*Vitae Patrum*); – t. 2, 269 (Cassien); – t. 3, 250, 304 (Ps.-Denys); 819, 821 (Diadoque); 1466 (Docétisme); – t. 4, 48 (comm. sur *Éccle.*); 801-15 *passim* (Éphrem grec); 845-49 (Épictète); 1718 (Eustrate); – t. 5, 504, 510 (Florilèges); – t. 6, 219; 242; 309; 816; 830 (Éphrem d'Antioche); – t. 7, 403 (Hésychius de Jér.); 531-42 (Hippolyte); 1924 (Ph. a lu Irénée en grec); – t. 8, 16; 333 (synode du Chêne); 383 (scolies sur Jean Climaque?); 589; 632-35 (Jean Moschus); 1350; 1369; 1645 (Justin); – t. 9, 615-16; – t. 10, 13 (Macaire Magnès); 275-79 (Marc le moine); 334; 568-69 (Marie-Mad.); 1071 (Mesrop); 1074-81 (Messaliens); 1108; 1110-11 (Méthode d'Olympe); 1127-28 (Métrophane de Smyrne); 1338 (Astérius); 1374; t. 11, 224; t. 12, 150-52 (Pamphile); 160 (Pantène).

Pélopidas STÉPHANOU.

# TABLE DES ARTICLES DES FASCICULES LXXVIII-LXXIX

# BIBLE DE TOUS LES TEMPS

Collection dirigée par C. Kannengiesser

Une histoire du recours pratique à la Bible, sur une longue durée, manque à ce jour. La nouvelle collection BIBLE DE TOUS LES TEMPS répond à ce besoin. Elle veut ouvrir les yeux sur le lieu, la place, l'usage de la Bible dans la société occidentale, des origines à nos jours : comment la Bible est découverte, mise en mains, mise en œuvre, lue, méditée, vécue ; comment la Bible devient un ferment pour des sociétés et des cultures.

Sept tomes, dirigés par des maîtres d'œuvre qualifiés et réalisés par les meilleurs experts internationaux, entièrement présentés en français, couvrent l'ordre chronologique du rôle joué par la Bible dans l'histoire de l'humanité.

Entreprise intellectuelle de qualité, entreprise humaine groupant près de 200 collaborateurs, BIBLE DE TOUS LES TEMPS s'adresse à tous ceux qui, autour et au-delà de la Bible, veulent comprendre la richesse de cet héritage.

## LE PLAN ET LES MAITRES D'ŒUVRE

| | |
|---|---|
| 1 – LE MONDE GREC ANCIEN ET LA BIBLE | C. Mondésert |
| 2 – LE MONDE LATIN ANTIQUE ET LA BIBLE | J. Fontaine et Ch. Pietri |
| 3 – SAINT AUGUSTIN ET LA BIBLE | Anne-Marie la Bonnardière |
| 4 – LE MOYEN ÂGE ET LA BIBLE | P. Riché et G. Lobrichon |
| 5 – LE TEMPS DES RÉFORMES ET LA BIBLE | M. Vénard, B. Roussel, G. Bedouelle |
| 6 – LE SIÈCLE DES LUMIÈRES ET LA BIBLE | Y. Belaval, B. Plongeron, D. Bourel |
| 7 – LE MONDE CONTEMPORAIN ET LA BIBLE | C. Savart et J.-N. Aletti |

Sept tomes 16/24 cm d'environ 500 pages avec quelques illustrations, tableaux, graphiques.

Publication : Tomes 1 et 4, automne 1984. Tomes 2 et 7, automne 1985.
Tomes 3, 5 et 6 en 1986

# BEAUCHESNE

ISSN 0339-8016

*Imprimé en France*

ISBN 2-7010
1082-9